DER NEUE PAULY

Altertum Band 12/2 Ven–Z

Nachträge

DER NEUE PAULY

(DNP)

DER NEUE PAULY

Enzyklopädie der Antike

Herausgegeben
von Hubert Cancik und
Helmuth Schneider

Altertum

Band 12/2 Ven–Z
Nachträge

Verlag J. B. Metzler
Stuttgart · Weimar

Bibliographische Information der Deutschen
Bibliothek:
Die Deutsche Bibliothek verzeichnet diese Publikation
in der Deutschen Nationalbibliographie; detaillierte
bibliographische Daten sind im Internet über
<http://dnb.ddb.de> abrufbar.

Inhaltsverzeichnis

Gedruckt auf chlorfrei gebleichtem,
säurefreiem und alterungsbeständigem
Papier

ISBN 3-476-01470-3 (Gesamtwerk)
ISBN 3-476-01487-8 (Band 12/2 Ven-Z)

© 2002 J. B. Metzlersche Verlags-
buchhandlung und Carl Ernst Poeschel
Verlag GmbH in Stuttgart
www.metzlerverlag.de
info@metzlerverlag.de

Typographie und Ausstattung:
Brigitte und Hans Peter Willberg
Grafik und Typographie der Karten:
Richard Szydlak
Abbildungen: Günter Müller
Satz: pagina GmbH, Tübingen
Gesamtfertigung: Ebner & Spiegel
GmbH, Ulm
Printed in Germany

Januar 2003
Verlag J. B. Metzler Stuttgart · Weimar

Redaktion

Iris Banholzer
Jochen Derlien
Dr. Brigitte Egger
Susanne Fischer
Dietrich Frauer
Dr. Ingrid Hitzl
Manuel Kramer
Dirk Rohmann
Vera Sauer
Anne-Maria Wittke

Hinweise für die Benutzung

Anordnung der Stichwörter

Die Stichwörter sind in der Reihenfolge des deutschen Alphabetes angeordnet. I und J werden gleich behandelt; ä ist wie ae, ö wie oe, ü wie ue einsortiert. Wenn es zu einem Stichwort (Lemma) Varianten gibt, wird von der alternativen Schreibweise auf den gewählten Eintrag verwiesen. Bei zweigliedrigen Stichwörtern muß daher unter beiden Bestandteilen gesucht werden (z. B. *a commentariis* oder *commentariis, a*).

Informationen, die nicht als Lemma gefaßt worden sind, können mit Hilfe des Registerbandes aufgefunden werden.

Gleichlautende Stichworte sind durch Numerierung unterschieden. Gleichlautende griechische und orientalische Personennamen werden nach ihrer Chronologie angeordnet. Beinamen sind hier nicht berücksichtigt.

Römische Personennamen (auch Frauennamen) sind dem Alphabet entsprechend eingeordnet, und zwar nach dem *nomen gentile*, dem »Familiennamen«. Bei umfangreicheren Homonymen-Einträgen werden *Republik* und *Kaiserzeit* gesondert angeordnet. Für die Namensfolge bei Personen aus der Zeit der Republik ist – dem Beispiel der RE und der 3. Auflage des OCD folgend – das *nomen gentile* maßgeblich; auf dieses folgen *cognomen* und *praenomen* (z.B. erscheint *M. Aemilius Scaurus* unter dem Lemma *Aemilius* als *Ae. Scaurus, M.*). Die hohe politische Gestaltungskraft der *gentes* in der Republik macht diese Anfangsstellung des Gentilnomens sinnvoll.

Da die strikte Dreiteilung der Personennamen in der Kaiserzeit nicht mehr eingehalten wurde, ist eine Anordnung nach oben genanntem System problematisch. Kaiserzeitliche Personennamen (ab der Entstehung des Prinzipats unter Augustus) werden deshalb ab dem dritten Band in der Reihenfolge aufgeführt, die sich auch in der »Prosopographia Imperii Romani« (PIR) und in der »Prosopography of the Later Roman Empire« (PLRE) eingebürgert und allgemein durchgesetzt hat und die sich an der antik bezeugten Namenfolge orientiert (z.B. *L. Vibullius Hipparchus Ti. C. Atticus Herodes* unter dem Lemma *Claudius*). Die Methodik – eine zunächst am Gentilnomen orientierte Suche – ändert sich dabei nicht.

Nur antike Autoren und römische Kaiser sind ausnahmsweise nicht unter dem Gentilnomen zu finden: *Cicero*, nicht *Tullius*; *Catullus*, nicht *Valerius*.

Schreibweise von Stichwörtern

Die Schreibweise antiker Wörter und Namen richtet sich im allgemeinen nach der vollständigen antiken Schreibweise.

Toponyme (Städte, Flüsse, Berge etc.), auch Länder- und Provinzbezeichnungen erscheinen in ihrer antiken Schreibung (*Asia, Bithynia*). Die entsprechenden modernen Namen sind im Registerband aufzufinden.

Orientalische Eigennamen werden in der Regel nach den Vorgaben des »Tübinger Atlas des Vorderen Orients« (TAVO) geschrieben. Daneben werden auch abweichende, aber im deutschen Sprachgebrauch übliche und bekannte Schreibweisen beibehalten, um das Auffinden zu erleichtern.

In den Karten sind topographische Bezeichnungen überwiegend in der vollständigen antiken Schreibung wiedergegeben.

Die Verschiedenheit der im Deutschen üblichen Schreibweisen für antike Worte und Namen (*Äschylus, Aeschylus, Aischylos*) kann gelegentlich zu erhöhtem Aufwand bei der Suche führen; dies gilt auch für *Ö / Oe / Oi* und *C / Z / K*.

Transkriptionen

Zu den im NEUEN PAULY verwendeten Transkriptionen vgl. Bd. 3, S. VIIIf.

Abkürzungen

Abkürzungen sind im erweiterten Abkürzungsverzeichnis am Anfang des dritten Bandes aufgelöst.

Sammlungen von Inschriften, Münzen, Papyri sind unter ihrer Sigle im zweiten Teil (Bibliographische Abkürzungen) des Abkürzungsverzeichnisses aufgeführt.

Anmerkungen

Die Anmerkungen enthalten lediglich bibliographische Angaben. Im Text der Artikel wird auf sie unter Verwendung eckiger Klammern verwiesen (Beispiel: die Angabe [1. 5²³] bezieht sich auf den ersten numerierten Titel der Bibliographie, Seite 5, Anmerkung 23).

Verweise

Die Verbindung der Artikel untereinander wird durch Querverweise hergestellt. Dies geschieht im Text eines Artikels durch einen Pfeil (→) vor dem Wort / Lemma, auf das verwiesen wird; wird auf homonyme Lemmata verwiesen, ist meist auch die laufende Nummer beigefügt.

Querverweise auf verwandte Lemmata sind am Schluß eines Artikels, ggf. vor den bibliographischen Anmerkungen, angegeben.

Verweise auf Stichworte des zweiten, rezeptions- und wissenschaftsgeschichtlichen Teiles des NEUEN PAULY werden in Kapitälchen gegeben (→ ELEGIE).

Karten und Abbildungen

Texte, Abbildungen und Karten stehen in der Regel in engem Konnex, erläutern sich gegenseitig. In einigen Fällen ergänzen Karten und Abbildungen die Texte durch die Behandlung von Fragestellungen, die im Text nicht angesprochen werden können. Die Autoren der Karten und Abbildungen werden im Verzeichnis auf S. VIff. genannt.

Karten- und Abbildungsverzeichnis

NZ: Neuzeichnung, Angabe des Autors und/oder der
zugrundeliegenden Vorlage/Literatur
RP: Reproduktion (mit kleinen Veränderungen) nach der
angegebenen Vorlage

Lemma
Titel
    AUTOR/Literatur

Venetisch
Die wichtigsten Fundorte venetischer Inschriften in
    venetischer bzw. lateinischer Schrift (5.–1. Jh. v. Chr.)
    NZ: J. UNTERMANN

Vermögensverteilung
Tabelle 1: Durchschnittsgröße von Ländereien und der
    Gini-Koeffizient
    NZ nach: R. DUNCAN-JONES, Some Configurations of
    Land Holding in the Roman Empire, in:
    FINLEY, Property, 21.
Tabelle 2: Die Gesamtfläche eines Gebietes und der Anteil der
    jeweils größten Besitzung
    NZ nach: Ebd., 23.

Versammlungsbauten
Grundrißtypen kleinasiatischer Buleuterien
1 Miletos [2] (175–164 v. Chr.)
    NZ nach: W. MÜLLER-WIENER, Griech. Bauwesen in der
    Ant., 1988, 161, Abb. 96.1.
2 Priene (2. Jh. v. Chr.)
    NZ nach: Ebd., Abb. 96.2.
3 Kretopolis (2. Jh. v. Chr.)
    NZ nach: Ebd., Abb. 96.4.
4 Herakleia [5] am Latmos (3.–2. Jh. v. Chr.)
    NZ nach: Ebd., Abb. 96.5.

Verwaltung
Verwaltung des Römisch-Byzantinischen Reiches um 900
    n. Chr., nach dem Handbuch des Philotheos, 899
    NZ nach Vorlage von F. TINNEFELD

Vespasianus
Die Flavische Dynastie
    NZ nach Vorlage von W. EDER

Vetera
Vetera. Doppellegionslager der 5. und 15. Legion
    (54–68 n. Chr.); Grundriß
    NZ nach: N. HANEL, Vetera I. Die Funde aus den röm.
    Lagern auf dem Fürstenberg bei Xanten, 1995, 169, Taf. 22.

Villa
Capri, 'Villa Iovis' des Tiberius; 1. Jh. n. Chr. (Grundriß)
    NZ nach: CH. HÖCKER, Der Golf von Neapel und
    Kampanien, 1999, 249.
Nennig (Saarland), *villa rustica* mit Eckrisaliten;
    2. Jh. n. Chr. (Grundriß)
    NZ nach: H. MIELSCH, Die röm. Villa. Architektur und
    Lebensform, 1997, 162, Abb. 106.
Boscoreale, Villa della Pisanella; 1. Jh. v. Chr. (Grundriß)
    NZ nach: CH. HÖCKER, Der Golf von Neapel und
    Kampanien, 1999, 188.

Wichtige Orte und bedeutende Villen am Golf von Neapel
    (Puteolanus sinus)
    NZ: REDAKTION
Pompeii, Villa dei Misteri; 2. Jh. v. Chr. (Grundriß)
    NZ nach: H. MIELSCH, Die röm. Villa. Architektur und
    Lebensform, 1997, 38, Abb. 15.

Villanova-Kultur
Eisenzeitliche Kulturen Italiens (ab ca. 12. Jh. v. Chr.)
    NZ: CH. KOHLER

Völkerwanderung
Germanische Wanderungen und Einfälle in das Römische
    Reich im 3. Jh. n. Chr.
    NZ: K. TAUSEND
Germanische Wanderungen vom 2. bis 6. Jh. n. Chr.
    NZ: K. TAUSEND
Germanische Reiche und Siedlungsgebiete um 476 n. Chr.
    NZ: K. TAUSEND

Vulgata
Zähldifferenzen und unterschiedliche Buchbezeichnungen
    zwischen hebräischer Bibel und Septuaginta/Vulgata
    NZ: M. HEIMGARTNER, H. MARTI
Buchnamen in hebräischem Bibeltext, Septuaginta und Vulgata
    NZ: M. HEIMGARTNER, H. MARTI

Wasserhebegeräte
Tympanum (Rekonstruktion nach Vitr. 10,4)
    NZ nach: J. G. LANDELS, Engineering in the Ancient World,
    1978, 64, Abb. 15.
Wasserheberad; aus Dolaucothi, Wales (Rekonstruktion)
    NZ nach: G. C. BOON, C. WILLIAMS, The Dolaucothi
    Drainage Wheel, in: JRS 56, 1966, 126.
Sog. Schraubenpumpe oder Wasserschnecke (coclea) des
    Archimedes [1]; aus Centenillo, Spanien (Rekonstruktion)
    NZ nach: J. F. HEALY, Mining and Metallurgy in the Greek
    and Roman World, 1978, 96, Abb. 17.
Eimerkette
    NZ nach: WHITE, Technology, 33, Abb. 23.

Wasserversorgung
Abb. 1: Syrakusai. Doppelstollen der Ninfeo-Leitung,
    spätklass.; südl. Abschnitt (Schnitt)
    NZ nach: R. TÖLLE-KASTENBEIN, Ant. Wasserkultur, 1990,
    58, Abb. 35.
Abb. 2: Pergamon, Verlauf der Wasserleitungen
    (Übersichtsplan)
    NZ nach: W. RADT, Pergamon. Gesch. und Bauten einer
    ant. Metropole, 1999, 150, Abb. 93.
Abb. 3: Ablauframpe bei Chaponost; Gier-Leitung nach Lyon
    (Lugdunum); 1. H. 2. Jh. n. Chr. (Rekonstruktion)
    NZ nach: H. FAHLBUSCH, Elemente griech. und röm.
    Wasserversorgungsanlagen, in: Die Wasserversorgung ant.
    Städte, Bd. 2, 1987, 152, Abb. 19.
Abb. 4: Röm. Druckwasserleitung (Funktionsskizze)
    NZ nach: Ebd., 152, Abb. 18.

Wein
Wichtige Anbaugebiete im Mittelmeerraum
    NZ: REDAKTION
Die Erziehung der Rebe ohne Unterstützung (sine pedamento)
    NZ nach: WHITE, Farming, 234, Abb. 2.

Autoren

Luciana **Aigner-Foresti** Wien	L. A.-F.
Maria Grazia **Albiani** Bologna	M. G. A.
José Miguel **Alonso-Núñez** Madrid	J. M. A.-N.
Klaus **Alpers** Lüneburg	K. ALP.
Walter **Ameling** Jena	W. A.
Janine **Andrae** Bochum	JA. AND.
Jean **Andreau** Paris	J. A.
Silke **Antoni** Kiel	SI. A.
Ernst **Badian** Cambridge, MA	E. B.
Balbina **Bäbler** Göttingen	B. BÄ.
Ariel M. **Bagg** Berlin	A. M. B.
Han **Baltussen** Adelaide	H. BA.
Jens **Bartels** Bonn	J. BA.
Karin **Bartl** Berlin	K. BA.
Manuel **Baumbach** Heidelberg	M. B.
Roland **Baumgarten** Berlin	R. BAU.
Andreas **Bendlin** Erfurt	A. BEN.
Marina **Benedetti Conti** Pisa	M. B. C.
Lore **Benz** Bielefeld	LO. BE.
Albrecht **Berger** Berlin	AL. B.
Walter **Berschin** Heidelberg	W. B.
Carsten **Binder** Kiel	CA. BI.
Gerhard **Binder** Bochum	G. BI.
Vera **Binder** Gießen	V. BI.
Jürgen **Blänsdorf** Mainz	JÜ. BL.
Michael **Blech** Madrid	M. BL.
Horst-Dieter **Blume** Münster	H.-D. B.
István **Bodnár** Budapest	I. B.
Barbara **Böck** Berlin	BA. BÖ.
Henning **Börm** Kiel	HE. B.
Larissa **Bonfante** New York	L. B.
Ewen **Bowie** Oxford	E. BO.
Rudolf **Brändle** Basel	R. BR.
Rémi **Brague** Paris	R. BRA.
Wolfram **Brandes** Frankfurt/Main	W. BR.
Hartwin **Brandt** Bamberg	H. B.
Iris **von Bredow** Stuttgart	I. v. B.
Jan N. **Bremmer** Groningen	J. B.
Christoph **Briese** Randers	CH. B.
Klaus **Bringmann** Frankfurt/Main	K. BR.
Ann Graham **Brock** Cambridge, MA	A. G. B.
Christopher **Brown** London, Ontario	CH. BR.
Ezio **Buchi** Verona	E. BU.
Jörg **Büchli** Zürich	J. BÜ.
Marco **Buonocore** Rom	M. BU.
Jan **Burian** Prag	J. BU.
J. Brian **Campbell** Belfast	J. CA.
Giovannangelo **Camporeale** Florenz	GI. C.
Eva **Cancik-Kirschbaum** Berlin	E. C.-K.
Hildegard **Cancik-Lindemaier** Tübingen	H. C.-L.
Paul A. **Cartledge** Cambridge	P. C.
C. E. A. **Cheesman** London	C. E. CH.
Justus **Cobet** Essen	J. CO.
Carsten **Colpe** Berlin	C. C.
Mireille **Corbier** Paris	MI. CO.
Michel **Crubellier** Villeneuve d'Ascq	M. CR.
Raphael **Dammer** Bochum	R. DA.
Giovanna **Daverio Rocchi** Mailand	G. D. R.
Loretana **de Libero** Hamburg	L. d. L.
Stefania **de Vido** Venedig	S. d. V.
Wolfgang **Decker** Köln	W. D.

Enzo **Degani** Bologna	E. D.
Marie-Luise **Deißmann-Merten** Freiburg	M. D. M.
Paul **Demont** Paris	P. DE.
Massimo **Di Marco** Fondi (Latina)	M. D. MA.
Steffen **Diefenbach** Erfurt	ST. D.
Götz **Distelrath** Konstanz	G. DI.
Roald Frithjof **Docter** Gent	R. D.
Klaus **Döring** Bamberg	K. D.
Tiziano **Dorandi** Paris	T. D.
Michael **Dräger** Kirchlinteln	M. DR.
Werner **Eck** Köln	W. E.
Walter **Eder** Bochum	W. ED.
Beate **Ego** Osnabrück	B. E.
Ulrich **Eigler** Trier	U. E.
Paolo **Eleuteri** Venedig	P. E.
Karl-Ludwig **Elvers** Bochum	K.-L. E.
Johannes **Engels** Köln	J. E.
Michael **Erler** Würzburg	M. ER.
Robert Malcolm **Errington** Marburg/Lahn	MA. ER.
Marion **Euskirchen** Bonn	M. E.
Betina **Faist** Berlin	B. FA.
Giulia **Falco** Catania	GI. F.
Andrea **Falcon** Udine	A. FA.
Heinz **Felber** Leipzig	HE. FE.
Juan José **Ferrer Maestro** Castellón	J. J. F. M.
Ludwig **Fladerer** Graz	L. FL.
Sabine **Föllinger** Mainz	S. FÖ.
Reinhard **Förtsch** Köln	R. F.
Menso **Folkerts** München	M. F.
Bernhard **Forssman** Erlangen	B. F.
Eckart **Frahm** Heidelberg	E. FRA.
Thomas **Franke** Bochum	T. F.
Christa **Frateantonio** Gießen-Erfurt	C. F.
Dorothea **Frede** Hamburg	D. FR.
Michael **Frede** Oxford	M. FR.
Helmut **Freis** Saarbrücken	H. F.
Klaus **Freitag** Münster	K. F.
Jörg **Fündling** Bonn	JÖ. F.
William D. **Furley** Heidelberg	W. D. F.
Massimo **Fusillo** L'Aquila	M. FU.
Hans Armin **Gärtner** Heidelberg	H. A. G.
Hartmut **Galsterer** Bonn	H. GA.
José Luis **García-Ramón** Köln	J. G.-R.
Jörg **Gerber** Bochum	JÖ. GE.
Simon **Gerber** Berlin	S. GE.
Tomasz **Giaro** Frankfurt/Main	T. G.
Jost **Gippert** Frankfurt/Main	J. G.
Andreas **Glock** Jena	AN. GL.
Herwig **Görgemanns** Heidelberg	H. GÖ.
Thomas **Götzelt** Berlin	TH. G.
Tobias **Goldhahn** Kiel	T. GO.
Richard L. **Gordon** Ilmmünster	R. GOR.
Herbert **Graßl** Salzburg	H. GR.
Walter Hatto **Groß** † Hamburg	W. H. GR.
Kirsten **Groß-Albenhausen** Frankfurt/Main	K. G.-A.
Joachim **Gruber** Erlangen	J. GR.
Linda-Marie **Günther** Bochum	L.-M. G.
Andreas **Gutsfeld** Münster	A. G.
Mareile **Haase** Erfurt	M. HAA.
Peter **Habermehl** Berlin	PE. HA.
Rudolf **Haensch** Köln	R. HAE.
Johannes **Hahn** Münster	J. H.
Jörg **Hardy** Berlin	JÖ. HA.

Roger **Harmon** Basel	RO.HA.	Frauke **Lätsch** Stuttgart	F.LE.
Elke **Hartmann** Berlin	E.HA.	André **Laks** Lille	A.LA.
Stefan R. **Hauser** Berlin	S.HA.	Yann **Le Bohec** Lyon	Y.L.B.
Arnulf **Hausleiter** Berlin	AR.HA.	Hartmut **Leppin** Frankfurt/Main	H.L.
Hartwig **Heckel** Bochum	H.H.	Wolfgang **Leschhorn** Leipzig	W.L.
Martin **Heimgartner** Basel	M.HE.	Michael **Lesky** Tübingen	MI.LE.
Theodor **Heinze** Genf	T.H.	Silvia **Letsch-Brunner** Zürich	S.L.-B.
Wolfgang **Helck** Hamburg	W.HE.	Alexandra **von Lieven** Berlin	A.v.L.
Joachim **Hengstl** Marburg/Lahn	JO.HE.	Rüdiger **Liwak** Berlin	R.L.
Albert **Henrichs** Cambridge, MA	AL.H.	Johanna **Loehr** Kiel	JO.L.
Peter **Herz** Regensburg	P.H.	Hans **Lohmann** Bochum	H.LO.
Thomas **Hidber** Göttingen	T.HI.	Mario **Lombardo** Lecce	M.L.
Gerhard **Hiesel** Freiburg	G.H.	Werner **Lütkenhaus** Marl	WE.LÜ.
Friedrich **Hild** Wien	F.H.	Giacomo **Manganaro** Sant' Agata li Battiata	GI.MA.
Konrad **Hitzl** Tübingen	K.H.	Christian **Marek** Zürich	C.MA.
Christoph **Höcker** Kissing	C.HÖ.	Christoph **Markschies** Heidelberg	C.M.
Peter **Högemann** Tübingen	PE.HÖ.	Heinrich **Marti** Küsnacht	H.MA.
Augusta **Hönle** Rottweil	A.HÖ.	Torsten **Mattern** Marburg	T.M.
Nicola **Hoesch** München	N.H.	Stephanos **Matthaios** Nikosia	ST.MA.
Lars **Hoffmann** Mainz	L.H.	Andreas **Mehl** Halle/Saale	A.ME.
Thomas Sören **Hoffmann** Bonn	TH.S.H.	Mischa **Meier** Bielefeld	M.MEI.
Elisabeth **Hollender** Köln	E.H.	Michael **Meier-Brügger** Berlin	M.M.-B.
Jens **Holzhausen** Berlin	J.HO.	Stephan **Meier-Oeser** Berlin	ST.M.-OE.
Karin **Hornig** Freiburg	K.HO.	Gerhard **Meiser** Halle/Saale	GE.ME.
Wolfgang **Hübner** Münster	W.H.	Florian **Meister** Marburg	F.MEI.
Christian **Hünemörder** Hamburg	C.HÜ.	Klaus **Meister** Berlin	K.MEI.
Rolf **Hurschmann** Hamburg	R.H.	Giovanna **Menci** Florenz	G.M.
Werner **Huß** München	W.HU.	Andreas **Merkt** Regensburg	AN.M.
Katerina **Ierodiakonou** Oxford	KA.HI.	Hugo **Meyer** Princeton	H.ME.
Sibylle **Ihm** Hamburg	S.I.	Alexander **Mlasowsky** Hannover	A.M.
Annette **Imhausen** Cambridge, MA	I.A.	Astrid **Möller** Freiburg	A.MÖ.
Brad **Inwood** Toronto	B.I.	Marina **Molin Pradel** Venedig	M.P.M.
Michael **Jameson** Stanford	MI.JA.	Maria Milvia **Morciano** Florenz	M.M.MO.
Kristina **Janje** Tübingen	K.JA.	Saskia **Motullo** Kiel	S.MO.
Karl **Jansen-Winkeln** Berlin	K.J.-W.	Alexander P.D. **Mourelatos** Austin	AL.M.
Nina **Johannsen** Kiel	NI.JO.	Christian **Müller** Bochum	C.MÜ.
James J. **John** Ithaca, NY	J.J.J.	Stefan **Müller** Hagen	S.MÜ.
Klaus-Peter **Johne** Berlin	K.P.J.	Walter W. **Müller** Marburg/Lahn	W.W.M.
Willem **Jongman** Groningen	W.J.	Anna **Muggia** Pavia	A.MU.
Alberto **Jori** Tübingen	AL.J.	Dietmar **Najock** Berlin	D.N.
Reinhard **Jung** Wien	R.J.	Ada **Neschke** Lausanne	A.NE.
Lutz **Käppel** Kiel	L.K.	Heinz-Günther **Nesselrath** Göttingen	H.-G.NE.
Christian **Käßer** Heidelberg	CH.KÄ.	Reviel **Netz** Stanford	R.NE.
Wolfgang **Kaiser** Tübingen	W.KA.	Richard **Neudecker** Rom	R.N.
Hans **Kaletsch** Regensburg	H.KA.	Johannes **Niehoff** Freiburg	J.N.
Klaus **Karttunen** Helsinki	K.K.	Herbert **Niehr** Tübingen	H.NI.
Peter **Kehne** Hannover	P.KE.	Hans Georg **Niemeyer** Hamburg	H.G.N.
Wilhelm **Kierdorf** Köln	W.K.	Wilfried **Nippel** Berlin	W.N.
Konrad **Kinzl** Peterborough, Ontario	K.KI.	Hans Jörg **Nissen** Berlin	H.J.N.
Dietrich **Klose** München	DI.K.	Astrid **Nunn** Frankfurt/Main	A.NU.
Nadia Justine **Koch** Tübingen	N.K.	Vivian **Nutton** London	V.N.
Christoph **Kohler** Bad Krozingen	C.KO.	Eckart **Olshausen** Stuttgart	E.O.
Anne **Kolb** Zürich	A.K.	Björn **Onken** Kassel	BJ.O.
Foteini **Kolovou** Berlin	F.KO.	Edgar **Pack** Köln	E.P.
Heinrich **Konen** Regensburg	H.KON.	J.Michael **Padgett** Princeton	M.P.
Barbara **Kowalzig** Oxford	B.K.	Ruth **Palmer** Athens, OH	RU.PA.
Herwig **Kramolisch** Eppelheim	HE.KR.	Sabine **Panzram** Münster	S.PA.
Gernot **Krapinger** Graz	G.K.	Thomas **Paulsen** Bochum	TH.P.
Jens-Uwe **Krause** München	J.K.	Christoph Georg **Paulus** Berlin	C.PA.
Jens **Kröger** Berlin	JE.KR.	Anastasia **Pekridou-Gorecki** Frankfurt/Main	A.P.-G.
Hartmut **Kühne** Berlin	H.KÜ.	C.Robert III. **Phillips** Bethlehem, PA	C.R.P.
Andreas **Külzer** Wien	A.KÜ.	Rosa Maria **Piccione** Jena	R.M.P.
Christiane **Kunst** Potsdam	C.KU.	Volker **Pingel** Bochum	V.P.

Robert **Plath** Erlangen	R. P.	Wolfgang **Spickermann** Bochum	W. SP.
Annegret **Plontke-Lüning** Jena	A. P.-L.	Karl-Heinz **Stanzel** Tübingen	K.-H. S.
Michel **Polfer** Luxemburg	MI. PO.	Frank **Starke** Tübingen	F. S.
Werner **Portmann** Berlin	W. P.	Michael **Stausberg** Heidelberg	MI. STA.
Friedhelm **Prayon** Tübingen	F. PR.	Arnulf **Stefenelli** Passau	A. ST.
Martin **Pujiula** Kassel	M. PU.	Dieter **Steinbauer** Regensburg	D. ST.
Joachim **Quack** Berlin	JO. QU.	Jan **Stenger** Kiel	J. STE.
Dominic **Rathbone** London	D. R.	Ruth **Stepper** Potsdam	R. ST.
Michael **Rathmann** Bonn	M. RA.	Oliver **Stoll** Mainz	O. S.
Reinhard **Rathmayr** Salzburg	R. RA.	Daniel **Strauch** Berlin	D. S.
Sven **Rausch** Kiel	SV. RA.	Karl **Strobel** Klagenfurt	K. ST.
François **Renaud** Moncton	F. R.	Meret **Strothmann** Bochum	ME. STR.
Johannes **Renger** Berlin	J. RE.	Gerd **Stumpf** München	GE. S.
Peter J. **Rhodes** Durham	P. J. R.	Werner **Suerbaum** München	W. SU.
Josef **Riederer** Berlin	JO. R.	Klaus **Tausend** Graz	KL. T.
Christoph **Riedweg** Zürich	C. RI.	Sabine **Tausend** Graz	SA. T.
Josef **Rist** Würzburg	J. RI.	Gerhard **Thür** Graz	G. T.
James B. **Rives** Toronto	J. B. R.	Werner **Tietz** München	W. T.
Emmet **Robbins** Toronto	E. R.	Franz **Tinnefeld** München	F. T.
Dirk **Rohmann** Tübingen	D. RO.	Malcolm **Todd** Exeter	M. TO.
Markus **Rose** Kassel	MA. RO.	Isabel **Toral-Niehoff** Freiburg	I. T.-N.
Klaus **Rosen** Bonn	K. R.	Alain **Touwaide** Madrid	A. TO.
Veit **Rosenberger** Augsburg	V. RO.	Giovanni **Uggeri** Florenz	G. U.
Jörg **Rüpke** Erfurt	J. R.	Jürgen **Untermann** Pulheim	J. U.
Kai **Ruffing** Marburg/Lahn	K. RU.	Gabriella **Vanotti** Novara	G. VA.
Walther **Sallaberger** Leipzig	WA. SA.	Francesca **Veronese** Padua	F. V.
Klaus **Sallmann** Mainz	KL. SA.	Franco **Volpi** Vicenza	F. VO.
Antonio **Sartori** Mailand	A. SA.	Rudolf **Wachter** Heidelberg	R. WA.
Vera **Sauer** Stuttgart	V. S.	Jörg **Wagner** Tübingen	J. WA.
Werner **Sauer** Graz	W. SA.	Christine **Walde** Basel	C. W.
Alfred **Schäfer** Köln	AL. SCH.	Gerhard H. **Waldherr** Regensburg	G. H. W.
Johannes **Scherf** Tübingen	JO. S.	Gerold **Walser** † Basel	G. W.
Gottfried **Schiemann** Tübingen	G. S.	Irina **Wandrey** Berlin	I. WA.
Claudia **Schindler** Tübingen	C. SCHI.	David **Wardle** Kapstadt	D. WAR.
Thomas **Schirren** Tübingen	TH. SCH.	Ralf-B. **Wartke** Berlin	R. W.
Peter Lebrecht **Schmidt** Konstanz	P. L. S.	Irma **Wehgartner** Würzburg	I. W.
Tassilo **Schmitt** Bielefeld	TA. S.	Michael **Weißenberger** Greifswald	M. W.
Winfried **Schmitz** Bielefeld	W. S.	Karl-Wilhelm **Welwei** Bochum	K.-W. WEL.
Ulrich **Schmitzer** Erlangen	U. SCH.	Otto **Wermelinger** Fribourg	O. WER.
Helmuth **Schneider** Kassel	H. SCHN.	Gunter **Wesener** Graz	GU. WE.
Franz **Schön** Regensburg	F. SCH.	Hartmut **Westermann** Luzern	H. WE.
Hanne **Schönig** Halle/Saale	H. SCHÖ.	Peter **Wick** Basel	P. WI.
Martin **Schottky** Pretzfeld	M. SCH.	Anja **Wieber** Dortmund	AN. WI.
Eckart E. **Schütrumpf** Boulder, CO	E. E. S.	Rainer **Wiegels** Osnabrück	RA. WI.
Christian **Schulze** Bochum	CH. S.	Josef **Wiesehöfer** Kiel	J. W.
Heinz-Joachim **Schulzki** Freudenstadt	H.-J. S.	Wolfgang **Will** Bonn	W. W.
Leonhard **Schumacher** Mainz	LE. SCH.	Dietrich **Willers** Bern	DI. WI.
Andreas **Schwarcz** Wien	A. SCH.	Christian **Winkle** Stuttgart	CH. W.
Franz Ferdinand **Schwarz** † Graz	FR. SCH.	Aloys **Winterling** Bielefeld	A. WI.
Daniel **Schwemer** Würzburg	DA. SCH.	Eckhard **Wirbelauer** Freiburg	E. W.
Steven **Scully** Boston	S. SC.	Reinhard **Wolters** Tübingen	R. WO.
Markus **Sehlmeyer** Rostock	M. SE.	Dietmar **Wyrwa** Bochum	D. W.
Reinhard **Senff** Bochum	R. SE.	Michael **Zahrnt** Kiel	M. Z.
Anne Viola **Siebert** Hannover	A. V. S.	Bernhard **Zimmermann** Freiburg	B. Z.
Kurt **Smolak** Wien	K. SM.	Sabine **Zubarik** Erfurt	S. ZU.
Holger **Sonnabend** Stuttgart	H. SO.		

Übersetzer

I. Banholzer	I. BA.	R. May	RE. M.
J. Derlien	J. DE.	J. W. Mayer	J. W. MA.
H. Dietrich	H. D.	B. Onken	B. O.
E. Dürr	E. D.	D. Prankel	D. PR.
L. Feneberg	L. FE.	B. v. Reibnitz	B. v. R.
A. Glock	A. GL.	L. von Reppert-Bismarck	L. v. R.-B.
T. Heinze	T. H.	I. Sauer	I. S.
M. Heimgartner	M. HE.	B. Strobel	B. ST.
K. Ludwig	K. L.	Th. Zinsmaier	TH. ZI.
M. Kramer	M. KRA.	S. Zubarik	S. ZU.
G. Krapinger	G. K.		

Mitarbeiter in den Fachgebietsredaktionen

Alte Geschichte:	Jörg Gerber, M. A.	Kulturgeschichte:	Christina Dix
	Nora Gremm		Sandra Schwarz
	Ralf Krebstakies	Lateinische Philologie,	Diana Püschel
	Dr. Meret Strothmann	Rhetorik:	Sabine Zubarik
Alter Orient:	Ulrike Steinert	Mythologie:	Silke Antoni
Archäologie (Sachkultur und Kunstgeschichte):	Dr. Fulvia Ciliberto	Religionsgeschichte:	Diana Püschel
Christentum:	Dr. Martin Heimgartner	Sozial- und Wirtschaftsgeschichte:	Björn Onken Markus Rose
Griechische Philologie:	Raphael Sobotta	Textwissenschaft:	Dr. Gerson Schade
Historische Geographie:	Vera Sauer M. A.		

V

Venafrum (Οὐέναφρον). Stadt der → Samnites im Tal
des → Volturnus [1] (Strab. 5,3,10; 5,4,3; 5,4,11; App.
civ. 1,41; Ptol. 3,1,68) am natürlichen Verbindungsweg
zw. Samnium und → Campania, h. Venafro. *Praefectura
venafrana* Mitte des 3. Jh. v. Chr. (Fest. 262,14), augusteische *colonia* (CIL X 4894; vgl. 4875; Liber coloniarum
239) der *regio* I (Plin. nat. 3,63), *tribus Terentina* (CIL X 1,
p. 477). Seit dem 4. Jh. n. Chr. in der Prov. Samnium
(CIL X 4858f.; 4863; 4865). Bezeugt sind *duoviri*, *praefecti*, ein *praefectus iure deicundo* (CIL X 1, 4876), *aediles*,
quaestores (CIL X 1, p. 477), *pontifices* (CIL X 1, 4860;
4885), *augures* (CIL X 1 4884), ein *flamen* (CIL X 1 4860),
ein *flamen Augustalis* (CIL X 1, 4868), *seviri Augustales*
(CIL X 1, 4908; 4911), verschiedene *collegia* wie das *collegium cultorum Bonae Deae Caelestis* (CIL X 1, 4849). Erh.
haben sich Reste der auf die augusteische *colonia* zurückgehenden orthogonalen Stadtanlage, unterteilt in Häu-
serblöcke von etwa zwei → *actus* [2]; Stadtmauer (vgl.
CIL X 1, 4876), *domus* aus dem 1. Jh. n. Chr. mit Mosaiken und Malereien des 3. pompeianischen Stils, röm.
Theater aus dem 1. Jh. v. Chr. mit Erweiterungen aus
iulisch-claudischer Zeit [1], flankiert von einem
→ Nymphäum aus dem 2. Jh. n. Chr., Heiligtum (*opus
polygonale*). 346 n. Chr. beschädigte ein Erdbeben das
Theater. Das Amphitheater (sog. Verlascio) wurde auf
Kosten eines Mitglieds der *gens Vibia* errichtet (CIL X 1,
4892). Ein Aquaedukt leitete Wasser aus dem Quellge-
biet des Volturnus ab (CIL X 1, 4842). Zur *centuriatio*
(→ Limitation II. A.) vgl. [2. 139–142].

1 S. CAPINI, Venafro (Isernia). Il teatro romano, in: BA 1–2,
1990, 21–33, 229–232 **2** G. CHOUQUER et al., Structures
agraires en Italie centro-méridionale: cadastres et paysages
ruraux, 1987.

A. LA REGINA, in: Quaderni dell'Istituto di Topografia
antica dell'Università di Roma 1, 1964, 55–67 ·
S. DIEBNER, Aesernia, V. (Archaeologica 8), 1979 ·
S. CAPINI, V., in: La romanisation du Samnium (actes du
colloque, Naples, 1988), 1991, 21–33 · S. CAPINI et al.
(Hrsg.), Samnium: archeologia del Molise
(Ausstellungskat.), 1991 · S. CAPINI et al., Venafro, 1996 ·
F. COARELLI, A. LA REGINA, Guide archeologiche Laterza:
Abruzzo e Molise, 1965, 172–181 · P. OAKLEY, The
Hill-Forts of the Samnites, 1995, 28–30.
                                                M. M. MO./Ü: H. D.

Venantius Fortunatus. V. Honorius Clementianus
Fortunatus, lat. Dichter des 6. Jh. n. Chr., geb. zw. 530
und 540 in Valdobbiadene/→ Tarvisium (h. Treviso). In
→ Ravenna erhielt er die für einen Angehörigen des
höheren Standes übliche gramm.-rhet. und juristische
Ausbildung für eine Verwaltungslaufbahn (Ven. Fort.
vita Martini 1,29–39). Eine Pilgerreise zum Grab des hl.
Martinus [1] in Tours (Ven. Fort. carm. 8,1,21 und vita
Martini 1,44) oder polit. Schwierigkeiten in der Heimat
[4. XIV-XIX] führten ihn an den fränkischen Hof im h.

Metz (vgl. → Divodurum), wo er als Hauspoet des Königs Sigbert eine reiche Tätigkeit entfaltete. Zu den bedeutendsten Werken aus jener Zeit zählen das Epithalamium (Hochzeitsgedicht) zur Vermählung Sigberts
mit der westgotischen Prinzessin Brunichilde (carm.
6,1) und ein Gedicht auf deren Übertritt vom arianischen zum katholischen Glauben (carm. 6,1a). Im Sommer 567 begab sich V. nach Lemonum (h. Poitiers), wo
er Priester in der Klostergemeinde der thüringischen
Herzogstochter Radegunde wurde (vgl. carm. 8,3–10).

V. knüpfte Kontakte mit den Großen aus Politik und
Klerus, die er mit Briefen und Huldigungen bedachte.
Darunter befand sich auch Gregorius [4] von Tours, der
ihn zur *Vita Sancti Martini*, einer → Biographie des
hl. Martinus [1], veranlaßte, seinem umfangreichsten
Werk, das im Gegensatz zu seinen übrigen Heiligenviten im epischen Versmaß (Hexameter) gestaltet ist.
Nach einer Reise nach Paris (581) und einem abermal-
igen Besuch des fränkischen Hofes, einer Zeit der
schöpferischen Ermattung (carm. 10,11), verlieren sich
die Spuren seines Lebens, die nur aus seinem Werk
nachzuzeichnen sind. Um die Wende zum 6. Jh. wurde
er Bischof von Lemonum, kurz darauf muß er gestorben sein.

Der lit. Nachlaß umfaßt mehr als 200 Gedichte verschiedenen Inhalts in 11 B., unter die auch viele Briefe
in Versen und einige Prosatraktate eingeordnet sind.
Der thematischen Buntheit der amüsanten Gedichte
voll persönlichen Erlebens steht eine gewisse metr. Be-
schränktheit gegenüber. V. bevorzugte Hexameter und
elegisches Distichon vor Iamben und Trochäen; den
Rhet.-Unterricht kann die stark gereimte Dichtung
nicht verleugnen. Der letzte Dichter Roms [3. 438] und
erste Dichter des MA [1. 127] entfaltete eine reiche Wirkung und galt im MA als unangefochtenes Stilmuster.
Die Kreuzeshymnen *Pange lingua* (carm. 2,2) und *Vexilla
regis* (carm. 2,6) sind noch h. in liturgischer Verwendung.

1 BRUNHÖLZL, Bd. 1 **2** J. W. GEORGE, V. F. A Latin Poet in
Merowingian Gaul, 1992 **3** M. MANITIUS, Gesch. der
christl.-lat. Poesie bis zur Mitte des 8. Jh., 1891
4 M. REYDELLET (ed.), V. F., Poèmes, Bd. 1: livres I-IV,
1994; Bd. 2: livres V-VIII, 1998 (mit frz. Übers. und
Komm.).

ED.: F. LEO, MGH AA 4.1, 1881 · M. REYDELLET, s.o. [4] ·
K. STEINMANN, Die Gelesuintha-Elegie des V. F. (Carm.
VI.5), 1975 (mit Übers. und Komm.) · B. KRUSCH, MGH
AA 4.2, 1885 · S. QUESNEL, V. F., Œuvres, Bd. 4: Vie de
Saint Martin, 1996 (Vita Martini, mit frz. Übers. und
Komm.).
LIT.: E. CLERICI, Note sulla lingua di Venanzio Fortunato,
in: Rendiconti dell'Istituto Lombardo, Classe di Lettere,
104, 1970, 219–251 · H. ELSS, Unt. über den Stil und die
Sprache des V. F., 1902 · F. LEO, Der Gelegenheitsdichter
V. F., in: K. LANGOSCH (Hrsg.), Mittellat. Dichtung, 1969,
57–90 · A. MENEGHETTI, La latinità di Venanzio Fortunato,

in: Didaskaleion 5, 1916, 195–298; 6, 1917, 1–166 ·
B. Termite, T. Ragusa (Hrsg.), Venanzio tra Italia e Francia
(Atti del convegno Valdobbiadene/Treviso 1990), 1993.
G. K.

Venaria. Insel im Mare Tyrrhenum zw. Corsica und
der etr. Küste (Plin. nat. 3,81), nicht genauer lokalisiert.

W. V. Harris, Rome in Etruria and Umbria, 1971, 118.
G. U./Ü: J. W. MA.

Venatio ist in der lit. und epigraphischen Überl. der
geläufige lat. Begriff für die Jagd und das Erlegen wilder
Tiere unter künstlich geschaffenen Bedingungen (ThlL
s. v. *bestia*). Die *v.* wurde in Rom als Erweiterung der
→ *ludi* eingeführt und war dadurch Bestandteil des
Staatskultes; sie wurde von curulischen → *aediles* vorbereitet und durchgeführt, zum ersten Mal 186 v. Chr.
[1. 294]: 63 afrikanische Raubkatzen, 40 Bären und Elefanten wurden bei dieser ersten *v.* erlegt. In den folgenden Jahrzehnten wurde die Anzahl der erlegten Tiere weiter erhöht; Restriktionen des Senats nützten
nichts. Wenn eine *v.* Teil der *ludi* war, wurde sie in Rom
noch in der späten Kaiserzeit im *Circus maximus* (→ Circus C.) veranstaltet [2. 175–294]. Allerdings wurde die
v. im 1. Jh. v. Chr. auch Bestandteil eines → *munus*
[3. 99–118] und auch als eigenständiges *spectaculum* geboten. So sagt Augustus (res gestae 22), er habe dem
Volk 26mal eine *v.* gegeben, teils im Circus, teils auf
dem Forum, teils in den Amphitheatern (→ *amphitheatrum*); bei diesen *venationes* seien ungefähr 3500 afrikan.
Raubtiere erlegt worden.
Eine *v.* bot, nach Aussage der Quellen, von Anfang
an Gelegenheit zur Vollstreckung der Todesstrafe *ad be-
stias* [4. 38f.]. Mit derartigen Schauhinrichtungen wurde auch das → Kolosseum eröffnet (Mart. Liber spectaculorum). Die *v.* als Teil eines *munus* fand am Vor-
mittag statt (Sen. epist. 7,4); schon vor dem Bau des
Kolosseums waren die *bestiarii* (die für den Tierkampf
ausgebildeten → Gladiatoren) in einer eigenen Kaserne
(*ludus*) untergebracht (Sen. epist. 70,20). Ihre Kunstfertigkeit wurde von den Zuschauern weniger geschätzt als
die der übrigen Gladiatoren (Petron. 45,11); das änderte
sich wohl im Lauf der Zeit, wie die Szenen einer *v.* auf
dem Mosaik der Villa Borghese vermuten lassen [5]. In
Pompeii war die *v.* regelmäßig Bestandteil eines *munus*;
sie fand im Amphitheater statt; gejagt wurden dort
Wildschweine, → Hirsche und → Hasen [6. 13–110].
→ Ludi; Munus; Schauspiele

1 F. Bernstein, Ludi Publici, 1998 2 J. H. Humphrey,
Roman Circuses, 1986 3 G. Ville, La gladiature en
occident des origines à la mort de Domitien, 1981
4 A. Hönle, A. Henze, Röm. Amphitheater und Stadien,
1981 5 Helbig 2, Nr. 1951 6 P. T. Sabbatini, Gladiatorum
Paria, 1980. A. HÖ.

Venelli. Völkerschaft in der → Lugdunensis (Plin. nat.
4,107: Venelli) im NW der Normandie auf der Halbinsel
Cotentin. Die V. unterwarfen sich 57 v. Chr. Caesars
Legaten P. Licinius [I 16] Crassus (Caes. Gall. 2,34), er-

hoben sich aber im darauffolgenden Jahr (Caes. Gall.
3,11,14) und schickten 52 v. Chr. auch Truppen nach
→ Alesia (Caes. Gall. 7,75). Hauptort der V. in vorröm.
Zeit war wohl das *oppidum* auf dem h. Mont-Castre, 17
km westl. von Carentan, in der Kaiserzeit zunächst Cro-
ciatonum (Ptol. 2,8,2: Κροκιάτονον; Tab. Peut. 2,1:
Crouciaconnum; h. Carentan, Dép. Manche), dann
Cosedia (Itin. Anton. 386,7; Tab. Peut. 2,1; später nach
dem nachmaligen Kaiser Constantius [1] Chlorus in
Constantia umbenannt, daher h. Coutances).

H. Bannert, s. v. V., RE Suppl. 15, 850–855 · D. Levalet,
Carte archéologique de la Gaule 50, La Manche, 1989,
42, 58. MI. PO.

Venethi. Volksstamm zw. dem Mittellauf der Vistula
(h. Wisła, dt. Weichsel) und der h. Daugava (dt. Düna),
nördl. der Sarmatai und Sciri (Plin. nat. 4,97; Tac. Germ.
46,2; Ptol. 3,5,19: Οὐενέδαι). Nach Iord. Get. 34 siedelten sie zw. den Peucini und Fenni und umfaßten
verschiedene slawische Stämme in diesem Gebiet. Man
vermutet die V. als Träger der Prżeworsk-Kultur (2.–
6. Jh. n. Chr.). Aus dem Namen der V. entwickelte sich
die Bezeichnung der slawischen Wenden. Inwiefern der
Name mit den → Veneti in Verbindung gebracht werden kann, ist unklar.

E. Polaschek, s. v. Venedae, RE 8 A, 698f. · J. Herrmann,
Griech. und lat. Quellen zur Frühgesch. Mitteleuropas, Bd.
1, 1988, 16f. · L. A. Gindin u. a. (Hrsg.), Svod drevnejših
pis'mennyh izvestij o slavjanah 1991, 25, 34, 75f. ·
W. Nowakowski, Baltes et proto-slaves dans l'antiquité, in:
Dialogues d'Histoire Ancienne 16 H. 1, 1990, 359–402, bes.
392–401 · Ders., Hic Suebiae finis: Concept of the Border
of the Barbarous World at the East Baltic Coast in the
Roman Period, in: Barbaricum 2, 1992, 218–230. I. v. B.

Veneti

[1] (Ἐνετοί). Volk in NO-Italien.
I. Forschungslage   II. Ursprung
III. Archäologie   IV. Religion
V. Aufgehen im römischen Reich

I. Forschungslage

Das Siedlungsgebiet der V. (nach der augusteischen
Gebietsreform in der → *regio* X: Plin. nat. 3,130) ent-
spricht etwa den h. Regionen Veneto, Friuli – Venezia
Giulia und Trentino – Alto Adige. Den schriftlichen
Zeugnissen für die V. traten erst E. des 19. Jh. mit der
Entdeckung einer speziellen Gräberkultur in Este (ant.
→ Ateste) eindeutige arch. Belege zur Seite. In der
Forsch. sprach man seither von der Atestina- bzw.
→ Este-Kultur, deren chronologische Entwicklung von
den Ursprüngen bis zur Romanisierung in vier Epochen
gegliedert wurde; diese Terminologie gilt noch mit ge-
wissen Modifikationen.

II. Ursprung

Die V. werden in griech. und lat. schriftlichen Quellen häufig erwähnt. Die ant. Lit. schildert sie als Volk
mit kleinasiatischem (meist paphlagonischem) Ursprung,

das nach der Zerstörung von Troia unter der Führung des Antenor [1] an die Nordküsten des → Ionios Kolpos gelangt sei (Hom. Il. 2,851 f.; Pol. 2,17,5 f.; Strab. 4,4,1; 12,3,8; Plin. nat. 3,130; Liv. 1,1,1–3; Verg. Aen. 245–252). Dagegen zeigen arch. Forsch., daß sich zw. der späten Bronze- und der frühen Eisenzeit (also unmittelbar nach der lit. vorgegebenen Landung des Antenor mit den *Enetoí* an der gesamten mittel- und ober-it. Küste des Ionios Kolpos eine Kultur entwickelte, die eine deutliche Affinität zu mitteleuropäischen Kulturen aufweist; in diesem Kontext bildete sich im 9./8. Jh. v.Chr. die Kultur der V. heraus. Diese läßt sich trotz regionaler Unterschiede für ein großes Gebiet (*Venetorum angulus*/»Winkel der V.«: Liv. 5,33,10) nachweisen, dessen Grenzen ab dem 8. Jh. v.Chr. wie folgt verliefen: im Süden der → Padus (h. Po), im Westen → Mincius (h. Mincio), der → Lacus Benacus (h. Gardasee) und der → Atesis (h. Adige/Etsch), im Norden der Bogen der Alpes, im Osten der Fluß → Tiliaventum (h. Tagliamento) oder evtl. der → Timavus (h. Timavo; neuere Funde aus Oderzo, Concordia und Gradisca sul Cosa). Bedeutende venetische Einflüsse sind auch im Gebiet um Belluno, im Piavetal und im Cadore bezeugt.

III. ARCHÄOLOGIE

Das Auftreten der V. im Rahmen der italischen Vorgesch. fällt mit einer Phase großen Bevölkerungswachstums zusammen, das radikale Veränderungen in der sozioökonomischen Struktur der Region verursachte und zu einer territorialen Neuorganisation mit der Entstehung neuer Siedlungen führte. In der Ebene gab es wenige, aber große Siedlungen, u.a. Ateste und → Patavium (h. Padua) in einem verlandeten Lauf des Atesis bzw. des → Meduacus maior (zur Anbindung der venet. Siedlungen an Wasserläufe vgl. Strab. 5,1,5). Diese beiden Siedlungen entwickelten sich allmählich zu führenden Zentren mit Kontrolle über zwei Gebiete: Ateste über das Gebiet um Verona und Mantua (Gazzo Veronese, Oppeano, Erbè, Castellazzo della Garolda), Patavium über das Gebiet am Südhang der Alpes (Treviso, Montebelluna, Mel) mit Ausläufern zur Lagunenküste (Lova, Altino). Zahlreich waren die mittleren und kleinen Siedlungen, die sich in sicherer Lage auf Hügel und Vorberge der Alpes (Castelrotto, Montebello, Montecchio) verteilten und als Verbindung zw. der Ebene und den transalpinen Gebieten dienten; dank Viehzucht und Bergbau verfügten sie über bedeutende wirtschaftliche Ressourcen. Neueste Forsch. lassen erkennen, wie die Kultur der V. sich mit bemerkenswerter wirtschaftlicher Dynamik gegenüber anderen Kulturen (bes. Griechen und → Etrusci) öffnete.

Die Nekropolen (vorwiegend Brandbestattung) zeigen die Entwicklung der venet. Kultur: die ältesten Nekropolen (E. des 9./Anf. des 8. Jh. v.Chr.: Este) enthalten einfache, uniforme Grabbeigaben. Seit dem 8. Jh. v.Chr. lassen die Grabbeigaben eine zunehmende Differenzierung erkennen: In den Urnen findet sich neben der Asche Schmuck, außerhalb der Urnen Gegenstände, die auf Beruf und sozialen Status des Ver-

storbenen schließen lassen. Man unterscheidet so zw. Gräbern von Angehörigen der Oberschicht (Priestern, Rittern, Künstlern) und der Unterschicht (Sklaven). Von weiblichen Tätigkeiten sind einzig Spinnen und Weben dokumentiert (Beigaben: Spindeln, Spulen, Webstuhlgewichte). Die Praxis, Gräber für die Aufnahme weiterer Verstorbener derselben Familie zu öffnen, scheint gesichert. Wenig weiß man über das Aussehen der Siedlungen. In der Ebene tendierten die V. eher zu einer protourbanen Lebensform, charakterisiert durch kleine, einräumige Hütten mit Feuerstelle, Wänden und Dächern aus Stroh und Lehm auf Holzträgern; in den Hügel- und Bergregionen waren die Behausungen oft unterkellert. In den Häusern fanden sich einfachste Ausstattungsgegenstände, darunter bes. tönerne Feuerböcke.

IV. RELIGION

Die heiligen Stätten, die oftmals innerhalb der Siedlungen, in deren Nähe (Este), aber auch in entlegenen Gebieten (Lágole di Cadore/Calalzo) lagen, bestanden aus einfachen Holzbauten mit offenen Räumen. Kultpraktiken sind nicht bekannt, jedoch lassen Inschr. und die Unt. der Weihegaben folgende Rückschlüsse zu: Im südwestl. Gebiet (um Este) dominierte der Kult der Göttin Reitia, der ›Gleichrichterin der Neugeborenen‹, auch bekannt als Pora, ›die den Durchgang anzeigt‹, und Sainati, ›Heilerin und Gesundheitsbringerin (Heilbringende)‹, während im NO (um Patavium) Weihungen und Weihegaben an männliche Gottheiten vorherrschten. Zur rel. Sphäre scheint schließlich die Verwendung der Schrift gehört zu haben; schriftkundig waren aller Wahrscheinlichkeit nach Priester, was man aufgrund zahlreicher Votiv-Täfelchen und brn. Schreibgriffel im Heiligtum der Reitia in Este annimmt.

V. AUFGEHEN IM RÖMISCHEN REICH

Seit der späten Eisenzeit scheint die Kultur der V. unter dem zunehmenden kulturellen und ökonomischen Druck von Etruskern, Griechen, Kelten und Raeti einem allmählichen Auflösungsprozeß unterworfen gewesen zu sein. Hinzu kam noch die Einwirkung der Römer (Pol. 2,18,2 f.), die 181 v.Chr. mit der Gründung von → Aquileia [1], 175 v.Chr. mit der Entsendung des Consuls M. Aemilius [I 10] nach Patavium zur Schlichtung interner Streitigkeiten (Liv. 41,27,3) sowie 135 v.Chr. mit der Regelung der Grenzen zw. Ateste, → Vicetia (h. Vicenza) und Patavium (CIL V 2490–2492) und mit dem Bau eines Straßensystems (→ Via Annia, → Via Postumia) das Ende der territorialen Unabhängigkeit der V. herbeiführten. Die polit. Beziehungen zw. Rom und den V. waren von → *amicitia* geprägt, die lit. mit der Erinnerung an den gemeinsamen troianischen Urspr. gerechtfertigt wurde (vgl. Liv. 1,1,1–4; Verg. Aen. 1,242–249).

→ Venetia; Venetisch

G. FOGOLARI, La protostoria delle Venezie, in: Popoli e civiltà dell' Italia antica 4, 1975, 63–222 • Este e la civiltà paleoveneta a cento anni dalle prime scoperte (Atti dell' XI Convegno di studi etruschi e italici, Este-Padova 1976),

1980 • A. Aspes (Hrsg.), Il Veneto nell' antichità. Preistoria e protostoria, 2 Bde., 1984 • A. M. Chieco Bianchi, L. Calzavara Capuis, Este, Bd. 1: Le necropoli (Monumenti antichi 51), 1985 • A. M. Chieco Bianchi, I Veneti, in: G. Pugliese Carratelli (Hrsg.), Italia. Omnium terrarum alumna, 1988, 3–98 • G. Fogolari, A. L. Prosdocimi (Hrsg.), I Veneti antichi, 1988 • A. M. Chieco Bianchi, M. Tombolani (Hrsg.), I Paleoveneti (Ausst.-Kat.), 1988 • P. Pascucci, I depositi votivi dei Paleoveneti, 1990 • L. Capuis, I Veneti. Società e cultura, 1993 • B. M. Scarfi (Hrsg.), Studi di archeologia della X Regio. FS Michele Tombolani, 1994 • La protostoria tra Sile e Tagliamento (Ausst.-Kat.), 1996 • L. Capuis, I Veneti: territorio, società, cultura, in: Tesori della Postumia, 1998, 100–104 • E. Bianchin Citton u. a. (Hrsg.), ...»presso l'Adige ridente«... Recenti rinvenimenti archeologici da Este e Montagnana (Ausst.-Kat.), 1998 • O. Paoletti (Hrsg.), Protostoria e storia del Venetorum angulus (Atti del XX Convegno di studi etruschi e italici, 1996), 1999 • G. Cresci Marrone, Vigilia di romanizzazione: Altino e il Veneto orientale (Atti del Convegno di Venezia 1997), 1999 • J. Untermann, s. v. V. (1), RE Suppl. 15, 855–898 • C. Voltan, Le fonti letterarie per la storia della Venetia et Histria, Bd. 1, 1989.   F. V./Ü: H. D.

[2] (Οὐένετοι). Keltischer Volksstamm in der Gallia → Lugdunensis (Plin. nat. 4,107; Ptol. 2,8,6).
I. Geographie II. Vorrömische Zeit
III. Römische Zeit

I. Geographie

Das Siedlungsgebiet der V. entspricht etwa dem Dép. Morbihan (Bretagne) samt einem Teil des Dép. du Finistère rechtsseits des Ellé sowie den vor der Küste liegenden Inseln (Plin. nat. 4,109). Die geogr. Grenzen bilden etwa die Flüsse Ellé, Vilaine und Oust, im SW die Atlantikküste [1. 12–21]. Den V. benachbart waren im NW die → Os(s)ismi(i), im NO die Coriosolitae und im SO die → Namnetae.

II. Vorrömische Zeit

Die schriftlichen Quellen geben nur wenig Auskunft über die vorröm., gallische Zeit. Frühe Zeugnisse sind die Megalith-Kultur in der Gegend von Locmariaquer und Carnac und die kelt. Funde in der Gegend von Pontivy: Hütten bei Mané-Guégan en Seglien, ein Dorf bei Kervanen Guern und bei Lan Gouh en Melrand (Latène II oder III) [1. 22–25]. Zahlreich sind umschanzte Niederlassungen, hervorstechend dabei die Verteidigungsanlagen an der Küste: Kervédan (Insel Groix), Vieux Passage en Plouhinec, Vieux-Château en Belle-Ille [1. 25–27; 2. 79–87]. Eine verhältnismäßig große Zahl eisenzeitlicher Grabstätten (Hallstatt II bis Latène III) ist bezeugt [1. 27–31]. Eine Besonderheit der gallischen Epoche in → Aremorica stellen die unterirdischen Kammern dar, die zeitweilig als Wohnstätten dienten [5].

Die Zahl der arch. Funde und deren Alter lassen darauf schließen, daß es zw. dem 5. und 1. Jh. v. Chr. zu einer demographischen Expansion kam [2. 89–106]. Bemerkenswert ist die dichte Besiedlung des nordöstl.

Teils des venet. Gebietes, was auf Landwirtschaft und die intensive Nutzung des Waldgebietes schließen läßt [2. 141–143]; zum Getreideanbau vgl. auch Caes. Gall. 3,7,3 f. Schon früh bildeten sich verschiedene Handwerkszweige bei den V. heraus. Bezeugt sind schon vor der gallo-röm. Zeit in geringem Maße die Metallverarbeitung (Eisen, u. a. im Schiffsbau) und die Schmuckherstellung. Auch nutzten die V. wahrscheinlich die Goldvorkommen im Tal des Blavet [2. 143 f., 230]. Bedeutend war die Keramikfabrikation bis in röm. Zeit [1. 37–40]. Ferner ist an der Küste die Gewinnung von → Salz und spätestens in röm. Zeit auch die Herstellung von → garum wie bei den benachbarten → Os(s)ismi(i) anzunehmen [1. 131; 6]. Der Handel wurde seit dem E. der Eisenzeit intensiviert. Die V. besaßen eine bedeutende Flotte und hatten die Vormachtstellung zur See (Caes. Gall. 3,8,1) [1. 40–43].

III. Römische Zeit

57 v. Chr. wurden die V. zusammen mit anderen »Seevölkern« (maritimae civitates) – belgischen Stämmen in der Bretagne und in der nördl. Normandie – von P. Licinius [I 16] Crassus, einem Legaten Caesars, unter röm. Herrschaft gebracht (Caes. Gall. 2,34; Cass. Dio 39,40). Doch bereits 56 v. Chr. kam es zu einem Konflikt zw. den V. (und den mit ihnen verbündeten Stämmen) mit den röm. Besatzern (Caes. Gall. 3,7–16; Liv. per. 104; Flor. epit. 1,45,5). Die Seeherrschaft der V. machte den Bau einer röm. Flotte notwendig. Da die mil. Auseinandersetzung aufgrund der günstig gelegenen und gut befestigten → oppida nicht zu Land entschieden werden konnte, mußte man die Entscheidung zur See suchen. In einer einzigen Seeschlacht vernichtete Caesars praefectus [7] classis D. Iunius [I 12] Brutus fast alle Schiffe der V. und entschied so den Krieg zugunsten der Römer (Caes. Gall. 3,14–16; Cass. Dio 42 f.; Strab. 4,4,1) [1. 57–69].

Die civitas der V. gehörte unter Augustus zu der neu geschaffenen Prov. Gallia → Lugdunensis (Plin. nat. 4,107). Für den rechtlichen Status und die Verwaltung der civitas gibt es kaum Quellen. Wie andere civitates hatten auch die V. einen → curator rei publicae (CIL XIII 2950, unter Septimius [II 7] Severus und Caracalla). Die Funde zahlreicher Mz. bzw. eines Meilensteins auf den Namen der Kaiser Postumus [3] und Esuvius [1] Tetricus bzw. Victorinus [2] (CIL XIII 9006) bezeugen die Zugehörigkeit der civitas zum → Gallischen Sonderreich (s. Nachträge; vgl. auch → Gallia B.2.). Nach der Reorganisation von Gallia durch Diocletianus und Constantinus [1] gehörte die civitas der V. zur Prov. Lugdunensis III (Notitia Galliarum 3,7). Ein Vertreter der V., L. Tauricius Florens, hatte das Amt eines Verwalters der gemeinsamen Kasse der Tres Galliae in Lugdunum inne (ILS 7020,5: allectus ark<ae> Gall<iarum>).

Hauptort der civitas war → Darioritum. Weitere ebenfalls auf der → Tabula Peutingeriana (2,2) verzeichnete und seit den 80er J. des 20. Jh. auch arch. nachgewiesene Städte waren Sulis (h. Bieuzy-Castennec) [2. 214 f.] und Duretie (beim h. Rieux); ein weiteres städtisches Zentrum war nach den arch. Funden das h. Locmariaquer am Golf von Morbihan. Mit Hilfe der Luftbild-Arch. wurde eine Vielzahl gallo-röm. Höfe v. a. im nördl. Gebiet zw. Oust und Blavet entdeckt (u. a. in Crédin, Moréac, Naizin, Pluméliau, Saint-Barthelemy) [2. 161–170]. Die nachgewiesenen *villae rusticae*, wenn auch meist noch in traditioneller Holzbauweise, sind Zeugnis für die allmählich fortschreitende → Romanisierung. Eine große Zahl dieser Höfe wurde Ende des 1. Jh. n. Chr. verlassen; die Gründe dafür sind nicht bekannt [2. 179–181]. Für das 2. Jh. n. Chr. kann man das Aufkommen von Latifundien und *villae urbanae* v. a. südöstl. des Blavet konstatieren. Herausragende *villae* waren die von Bosseno in Carnac (Reste der Thermen, Mosaiken und Wandmalerei), die Villae Kerhan (Thermen, Wohngebäude, Kryptoportikus) und LeLodo sowie die erst seit den 1980er J. genauer untersuchte Villa Mané-Bourgerel (Thermen, Mosaiken) in Arradon [2. 175–179; 4. 13–25 und Taf. 1–17].

Viele röm. Straßen konnten nachgewiesen werden. Die meisten gehen von Darioritum aus oder führen durch die Stadt. Zu nennen sind die Straßen von Iuliomagus (h. Angers) nach → Vorgium (h. Carhaix), von Darioritum (h. Vannes) nach Condate (h. Rennes) und Fanum Martis (h. Corseul) und die Küstenstraße von Condevincum (h. Nantes) nach Quimper ([2. 150–159]; vgl. die Meilensteine, 2. H. des 3. Jh.: CIL XIII 8997; 9006; 9008). Wirtschaft, Handel und Handwerk hatten wie auch in kelt. Zeit in der Metallbearbeitung, Keramikproduktion und der Landwirtschaft ihre Schwerpunkte. Über die Rel. der V. ist wenig bekannt (Statuetten von → Matres). Die *civitas* erhielt erst 465 in Darioritum einen Bischofssitz, so daß eine späte Christianisierung plausibel scheint.

1 P. MERLAT, Les Vénètes d'Armorique (Arch. en Bretagne, Suppl. 3), 1982 2 P. NAAS, Histoire rurale des Vénètes armoricains, 1999 3 Ders., La Vallée du Blavet à l'époque gallo-romaine, 1988 4 J.-P. DARMON, Recueil Général des Mosaïques de la Gaule, Bd. 2.5, Province de Lyonnaise, Partie nord-ouest (Gallia, Suppl. 10), 1994, 11–28 und Taf. I–XX 5 P. R. GIOT, Souterrains et habitats à l'Âge du Fer en Armorique, in: A. Duval u. a. (Hrsg.), Les Gaulois d'Armorique, 1990, 53–61 6 R. SANQUER, P. GALLIOU, Garum, sel et salaisons en Armorique gallo romaine, in: Gallia 30, 1972, 189–223.

P. ANDRÉ, La cité gallo-romaine des Vénètes, 1971 · L. PAPE, La Bretagne romaine, 1995 · A. DUVAL et al. (Hrsg.), Les Gaulois d'Armorique (Actes du 12e colloque de l'AFEAF à Quimper 1988), 1990 · M.-Y. DAIRE, Les céramiques armoricaines de la fin de l'Âge du Fer, 1992.
CH. W.

Venetia. Die ma. und mod. Stadt Venedig (Venezia) hat zwar ihren Namen mit der *regio X* (*Veneta Carni et Histria*) der Einteilung von → Italia (vgl. → *regio*, mit Karte) unter → Augustus gemein, doch ist ihr Zentrum, Rialto (< *Rivus altus*), erst eine Gründung der Karolingerzeit. Die bereits von der venezianischen Historiographie (vgl. auch Konstantinos Porphyrogennetos, De administrando imperio 28) aufgebrachte Legende von der Stadtgründung am 25. März 421 und von der Flucht der Bevölkerung infolge der Zerstörung → Aquileias [1] durch → Attila 452 ist nachweislich unrichtig. Ausschlaggebend war vielmehr die planmäßige Überführung der Bevölkerung NO-Italiens angesichts des Einfalls der → Langobardi in die Lagune, die zunächst von Herakleia [7] aus durch byz. *magistri militum* verwaltet wurde, die ihrerseits dem → Exarchat von Ravenna unterstanden (bis 751). Gegen 700 hießen diese zunächst von Konstantinopolis aus gestellten Befehlshaber *duces*, woraus venezianisch *doge* entstand, das Gebiet *ducatus/dogado*. Auch der Patriarch von Aquileia siedelte nach Grado über.
→ VENEDIG

A. CARILE, G. FEDALTO, Le origini di Venezia, 1975 · A. KAZDAN, s. v. Venice, ODB 3, 2158f. · H. KRETSCHMAYR, Gesch. von Venedig, 3 Bde., 1905–1934 (bes. Bd. 1) · F. C. LANE, Venice. A Maritime Republic, 1973 · G. ORTALLI, s. v. Venedig, LMA 8, 1459–1466 · G. RÖSCH, Gesch. einer Seerepublik, 2000.　　　J. N.

Venetisch. Die Sprache der oberital. → Veneti [1] ist durch 270 Inschr. bekannt, die zw. dem 5. und 1. Jh. v. Chr. verfaßt wurden. Die wichtigsten FO sind Este (über 120 Inschr.), Padua (23), Lágole di Cadore (Calalzo) im oberen Piavetal (66); nach Westen reichen Einzelfunde bis Vicenza, nach Norden bis ins Gailtal, nach Osten bis an den Isonzo in Slowenien (vgl. Karte).

Einige wenige Texte aus der jüngsten Zeit sind in lat. Schrift geschrieben, alle übrigen mit dem »venet.« Alphabet, das im 6. Jh. v. Chr. aus einem etr. Alphabet umgestaltet wurde. Außer in wenigen alten Texten wird eine originelle Abwandlung der etr. Silbenpunktierung verwendet: Buchstaben für Vok. im Anlaut vor Kons., zweite Diphthong-Vok. und silbenschließende Kons. werden zw. zwei Punkte gesetzt – eine wertvolle Lesehilfe für die stets in *scriptio continua* (→ Lesezeichen) geschriebenen Texte. Es gibt einen umfangreichen, aber noch nicht befriedigend edierten und analysierten Text auf einer Br.-Tafel; alle übrigen sind kurz und durchweg formelhaft: Votivinschr. auf Kapitellen, kleinen Br.-Platten und Henkeln von Schöpfkellen, Grabinschr. auf Stelen, Cippen und Urnen aus Br. (→ *situla* I.) oder Ton; eine eigenartige Gruppe liefert die Schreibschule im Tempel der Göttin Reitia in Este: Votivtexte auf brn. Nachbildungen von Griffeln und Wachstafeln, auf letzteren daneben Alphabetreihen und andere orthographische Lehrinhalte. Texte, die formelhaft wiederkehren, sind sicher segmentierbar und weitgehend gedeutet. Lautstand und Flexion sind die einer idg. Sprache frühen Typs (wie Lat., Oskisch, Keltiberisch), aber bis jetzt keiner bekannten Subfamilie zuweisbar. Textbeispiel (im Original keine Worttrennung), Votivtext der Alphabettafel Es 25: *mego dona.s.to vo.l.tiiomno.s. iiuva.n.t.s. a.riiun.s. śa.i.nate.i. re.i.tiia.i.* ›mich schenkte (-s-Präteritum mit »Medialendung«) Voltiomnos Iuvantios Ariunios (Individualname und zwei Familiennamen

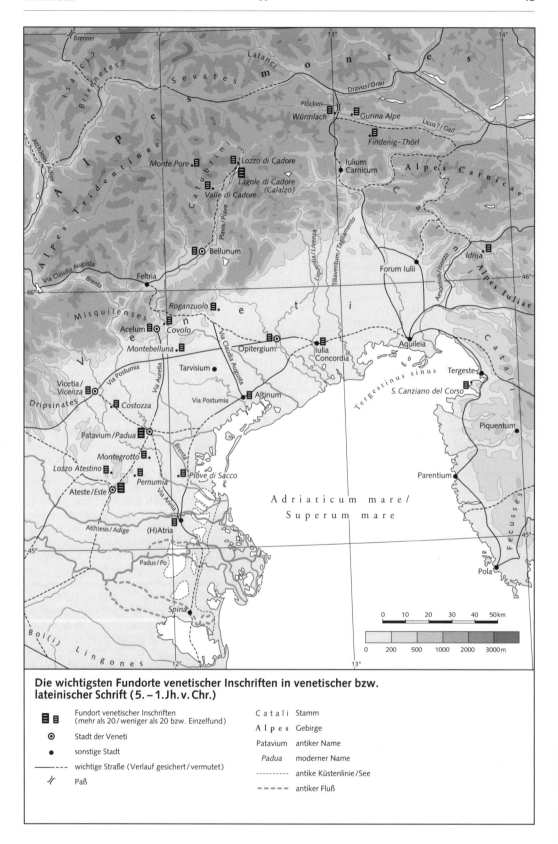

Die wichtigsten Fundorte venetischer Inschriften in venetischer bzw. lateinischer Schrift (5. – 1. Jh. v. Chr.)

🯄 🯄 Fundort venetischer Inschriften (mehr als 20 / weniger als 20 bzw. Einzelfund)	Catali Stamm
⊙ Stadt der Veneti	Alpes Gebirge
• sonstige Stadt	Patavium antiker Name
—— - - - wichtige Straße (Verlauf gesichert / vermutet)	Padua moderner Name
⫽ Paß	- - - - - - antike Küstenlinie / See
	= = = = = antiker Fluß

im Nom. Sg.) der Sainas Reitia (fem. Göttername im Dat. Sg. mit Epitheton)‹.

→ Italien, Alphabetschriften; Italien, Sprachen

G. B. Pellegrini, A. L. Prosdocimi, La lingua venetica, 1967 · M. Lejeune, Manuel de la langue vénète, 1974 · J. Untermann, s. v. Veneti, RE Suppl. 15, 855–898 · Ders., Die venetische Sprache, in: Glotta 58, 1980, 281–317 · A. L. Prosdocimi, La lingua, in: G. Fogolari, A. L. Prosdocimi (Hrsg.), I Veneti antichi, 1988, 328–420.
J. U.

Venetulani. Latinisches Volk, zählt zu den 30 albanischen Gemeinden, die auf dem → Mons Albanus Opferhandlungen vollzogen (wohl Varro bei Plin. nat. 3,69). Der Name leitet sich evtl. von einer Siedlung der Veneti [1] ab, die möglicherweise Venetulum hieß. Lage unbekannt.

Nissen 2, 556.   G. U./Ü: J. W. Ma.

Vennones. Keltischer Volksstamm in der Umgebung von → Comum (Strab. 4,6,6: Οὐέννωνες), vom röm. Proconsul P. Silius [II 7] 16 v. Chr. unterworfen (Cass. Dio 54,20,1: Οὐέννιοι), wahrscheinlich identisch mit den von Plin. nat. 3,136 auf der Inschr. am *Tropaeum Alpium* (CIL V 7817; → *Tropaea Augusti*) erwähnten *Vennonetes*. Von diesen zu unterscheiden sind wohl die bei Strab. 4,6,8 als Teilstamm der → Vindelici erwähnten V., ebenso die von Plin. nat. 3,135 am Oberlauf des Rhenus [2] lokalisierten Vennonenses; diese sind wiederum verm. die Οὐέννωνες (*Uénnones*), die Ptol. 2,12,3 in Raetia erwähnt.   H. Gr.

Vennonius

[1] Röm. Historiker des späten 2. Jh. v. Chr. (bei Cic. leg. 1,6 nach C. → Fannius [I 1] eingeordnet), über dessen Person nichts bekannt ist. Sein verm. annalistisches Werk (→ Annalistik) begann mit der röm. Gründungsgeschichte und Königszeit (Origo gentis Romanae 20,1; Dion. Hal. ant. 4,15,1), aber Umfang und Endpunkt sind unbekannt. Cicero vermißte es 46 v. Chr. bei seiner lit. Arbeit auf dem Tusculanum (Cic. Att. 12,3,1). Fr. in HRR I² 142 bzw. [1].

1 M. Chassignet (ed.), L'annalistique romaine, Bd. 2, 1999, 48 f.   W. K.

[2] V., C. 50 v. Chr. Geschäftsmann in Kilikien im Umkreis des P. Vedius [1]; Cicero wollte ihn nicht als Präfekten (Cic. Att. 6,1,25; 6,3,5). Er starb (vor?) 46 (Cic. fam. 13,72,2). Zu einem möglichen Freigelassenen des V. in Apameia vgl. [1. 518].

[3] V. (Vindex?) [2. 76] verkaufte oder vererbte ca. 60–56 v. Chr. ein Gut bei Tusculum (Cic. Balb. 56).

1 Syme, RP 2   2 D. R. Shackleton Bailey, Two Studies in Roman Nomenclature, 1976.   Jö. F.

Venostes. Keltischer Volksstamm, in der Inschr. auf dem *Tropaeum Alpium* (→ *Tropaea Augusti*; CIL V 7817; Plin. nat. 3,136) nach den → Trumpilini und → Camun-

ni, vor den Vennonetes/→ Vennones und → Isarci genannt; da die Stämme hier in der Reihenfolge ihrer Unterwerfung unter Rom notiert sind, dürften die V. wie die Camunni 16 v. Chr. vom röm. Proconsul P. Silius [II 7] unterworfen worden sein (vgl. Cass. Dio 54,20,1). Ihr Hauptsiedlungsgebiet lag im Vinschgau/Val Venosta, reichte östl. bis zur Töll, westl. bis zum Ofenpaß und im Norden über den Reschen in den Raum von Nauders (ant. Inutrion?).   G. H. W.

Venta Silurum. Ortschaft in Süd-Wales, h. Caerwent. Nach der Niederlage der → Silures um 74–76 n. Chr. gegen den röm. Statthalter → Frontinus (Tac. Agr. 17,3) entwickelte sich V. S. zu einem zivilen Siedlungszentrum in der Ebene von Glamorgan. Wohl unter Hadrianus wurde V. S. Hauptort der *civitas* der Silures (vgl. [1]). Der Bau öffentlicher Gebäude (Forum, Basilika, Tempel) begann nach 125 n. Chr. Im späten 2. Jh. n. Chr. erhielt V. S. eine Erdbefestigung. In der Spätant. erlebte V. S. eine wirtschaftliche Blüte (Bau zahlreicher Privathäuser aus Stein). Die Erdbefestigung wurde im 4. Jh. in Stein erneuert. V. S. war bis ins 5. Jh. n. Chr. bewohnt.

1 R. G. Collingwood, R. P. Wright, The Roman Inscriptions of Britain, 1965, 311.

Verschiedene Beitr. von T. Ashby, A. E. Hudd, F. King, A. T. Martin, in: Archaeologia 57–64, 1901–1913 · V. E. Nash-Williams, Further Excavations at Caerwent, 1923–25, in: Archaeologia 80, 1930, 229–288 · P. J. Casey, Caerwent, in: Archaeologia Cambrensis 132, 1983, 49–77 · J. S. Wacher, The Towns of Roman Britain, ²1995, 378–391.   M. To./Ü: I. S.

Ventidius

I. REPUBLIKANISCHE ZEIT

[I 1] Legat des Q. Cornificius [3] in Africa vetus, fiel 42 v. Chr. im Kampf gegen T. Sextius [I 2] (App. civ. 4,228; 236). Vielleicht der 43 proskribierte und geflohene V. (ebd. 4,198).

[I 2] V., P. Erschlossener Vater von V. [I 3]. Die Forsch. sah ihn oft als ital. Anführer im → Bundesgenossenkrieg [3] an, seßhaft in Asculum, wo er 89 v. Chr. mit dem ganzen Lokaladel umgekommen sei (Oros. 5,18,26; vgl. CIL IX 5254: Freigelassene eines P. V.). Ventidii sind aber auch in Auximum denkbar (Plut. Pompeius 6) und hätten dann auf röm. Seite gestanden [1. 141 f.].

[I 3] V. Bassus (?), P. Picenter aus Asculum (? [2. 71]), wurde als großer »Aufsteiger« der röm. Bürgerkriegsära (wichtig: Gell. 15,4,4; dazu Val. Max. 6,9,9; Vell. 2,65,3) sprichwörtlich (Sen. suas. 7,3); angeblich aus romfeindlicher Familie, als Kind mit seiner Mutter 89 v. Chr. im Triumph des Cn. Pompeius [I 8] vorgeführt (fiktiv? [1. 141 f.]). Als »Maultiertreiber« (Cic. fam. 10,18,3; Plin. nat. 7,135; fraglich die Identität mit Sabinus in Verg. catal. 10 [2; 4. 393–399]), d. h. als *publicanus*, der Wagen und Lasttiere für Caesars Armee in Gallien lieferte (App. civ. 3,270), später als Caesars *praef. fabrum* [3. 393–398] kam V. zu Reichtum; ca. 47/6 wurde er Senator (Cass. Dio 43,51,4 f.), (vor?) 45 Volkstribun (MRR 2,308).

Nach Caesars Tod hielt er zu M. → Antonius [I 9] (= A.), wurde Mitte 44 zum Praetor für 43 gewählt, verließ Rom dann hastig und hob für A. drei Legionen im Picenum aus. V.' Versuch, die Armee des C. Vibius Pansa aufzuhalten, mißlang, ebenso die Vereinigung mit A.' Truppen vor der Schlacht bei Mutina (→ Mutinensischer Krieg). Daß V. – nun zum Staatsfeind erklärt – mit Duldung durch Octavianus [1] die Stellung von D. Iunius [I 12] Brutus umging und im Mai 43 bei Vada Sabatia zu den Resten der Caesarianer stieß, war jedoch A.' Rettung. V. zog mit A. nach Forum Iulii, nahm wohl an den Vorverhandlungen zum → Triumvirat teil und wurde bald darauf zum *pontifex* sowie (noch im Jahr der Praetur!) zum *cos. suff.* gewählt (InscrIt 13,1,274), ein vielverspotteter Rechtsbruch (vgl. Gell. 15,4,4). 42 sicherte V. als Legat des A. (oder *procos*.?) mit Fufius [I 4] Calenus Teile Galliens und verwehrte Octavians Spanien-Armee den Alpenübergang. Bei Ausbruch des *bellum Perusinum* 41 v. Chr. sollte er L. Antonius [I 4] in → Perusia aus der Belagerung befreien, ging jedoch ebenso wie Asinius [I 4] Pollio und Munatius [I 4] Plancus zögernd und unter Streitereien mit den beiden vor, vielleicht aus Zweifeln, ob A. den Krieg wollte. Statt gegen Octavian zu kämpfen, ließ V. sich lieber auf Ravenna und Ariminum abdrängen (App. civ. 5,121–128; 130–133; 139–141).

Nach Perusias Fall verschwindet V. aus den Quellen; spätestens Anfang 39 (Cass. Dio 48,39,2; nach App. civ. 5,276: schon 40) wurde er dann von A. als Proconsul mit elf Legionen zum Krieg gegen die → Parther und Q. Labienus [2] entsandt. Dieser zog sich vor V. aus Asia bis in den Taurus zurück, wo V. ihn und die parthische Armee in zwei Blitzangriffen schlug (Cass. Dio 48,39,3–48,40,6). V. nahm Kilikien ein und erzwang sich den Weg über den Amanos nach Syrien, das die Parther daraufhin räumten (Cass. Dio 48,41,1–4). Bei der Konsolidierung von Syrien und Iudaea überraschte ihn Anf. 38 eine neue parth. Offensive unter Pakoros [1]. Durch Agenten gewann V. genug Zeit zum Aufmarsch, lockte die Parther auf ungünstiges Terrain und besiegte sie bei Gindaros (Strab. 16,2,8), wo Pakoros fiel (Cass. Dio 49,19,1–49,20,5; Frontin. strat. 1,1,6). Die röm. Siegesserie gegen den Angstgegner von Karrhai (→ Ḥarran) wurde legendär. V., laut einer (im Datum umstrittenen) Mz. *imperator* (RRC 531: 39 v. Chr.; BMCRR 2,403 Nr. 73: 41 v. Chr.) und nunmehr gefährlich erfolgreich, gab A. durch die vergebliche Belagerung von Antiochos [16] in Samosata den Vorwand, ihn durch C. Sosius [I 2] im Herbst 38 abzulösen; V. reiste bis Athen mit A. und feierte am 27.11.38 (InscrIt 13,1,86 f.; irrig Cass. Dio 49,21,3) Roms ersten Parthertriumph, der A.' Position im Machtbereich Octavians aufwertete. Sallust soll V.' Rede dazu verfaßt haben (Fronto ad Verum imperatorem 2 p. 122,19–21 V.D.H. – oder fiktiv?). V., allgemein als Glückskind (Flor. epit. 2,19,5) betrachtet, zog sich aus der Politik zurück. Vor 31 starb er und erhielt ein Staatsbegräbnis (Gell. 15,4,4).

1 E. BADIAN, Notes on Roman Senators of the Republic, in: Historia 12, 1963, 129–143 **2** I. KAJANTO, Who Was Sabinus ille? A Reinterpretation of Catalepton 10, in: Arctos 9, 1975, 47–55 **3** SYME, RR **4** SYME, RP 1. JÖ.F.

II. KAISERZEIT

[II 1] V. Cumanus. Ritter, der 48–52 n. Chr. die Befehlsgewalt in Iudaea hatte, wobei offen bleibt, ob noch als → *praefectus*, der dem Statthalter von Syrien unterstellt war, oder schon als Praesidialprocurator (→ *procurator* [1]). Unter ihm kam es zu zahlreichen Auseinandersetzungen mit jüdischen Gruppen, was zum Einschreiten des Statthalters von Syrien, → Ummidius [1] Quadratus, führte, der V. nach Rom sandte. Dort verurteilte ihn Claudius [III 1] zum Exil.

SCHÜRER, Bd. 1, 458 f. W.E.

Venuleius. Röm. Familienname, Nebenform von *Venilius* (SCHULZE, 378; 458). K.-L.E.

[1] L. V. Apronianus Octavius Priscus. Sohn von V. [4]. *Cos. ord.* 123 n. Chr.; *procos.* von Asia 138/9, SEG 36, 987.

SCHEID, Collège, 338–342.

[2] L. V. Apronianus Octavius Priscus. Senator. Sohn von V. [1]. Obwohl Patrizier, übernahm er nach der Praetur ein Kommando der *legio I Italica* in Moesia inferior. *Cos. suff.* unter → Antoninus [1] Pius; ebenso consularer Legat in der Hispania Tarraconensis. *Cos. ord. II* 168 n. Chr.

ALFÖLDY, FH, 28–32 · SCHEID, Collège, 338–342.

[3] L. V. Montanus. Senator. *Procos.* von Pontus-Bithynia unter → Nero; wenn er in AE 1958, 262 gemeint ist, war er auch *cos. suff.*, wohl auch unter Nero. Vater von V. [4]. Verheiratet mit einer Laetilla (AE 1983, 382).

W. ECK, s.v. V. (8a), RE Suppl. 14, 829 · RAEPSAET-CHARLIER, 411 f., Nr. 482 · SCHEID, Collège, 338–342.

[4] L. V. Montanus Apronianus. Sohn von V. [3]. Statthalter von Achaia. *Cos. suff.* 92 n. Chr. *Frater Arvalis* mindestens 80–92 [1. 24 f.; 338–344]. Verheiratet mit Celerina (AE 1983, 382). Vielleicht identisch mit dem V., dem Statius [II 2] das dritte und vierte B. der *Silvae* widmete.

1 SCHEID, Collège. W.E.

[5] Q. V. Saturninus. Jurist unter den Antoninen (2. Jh. n. Chr.), schrieb *De stipulationibus* (›Über förmliche mündliche Versprechen‹, 19 B.), *Actiones* (›Klagen‹, 10 B.), *De interdictis* (›Über Besitzschutzbehelfe‹, 6 B.), die in der Rechts-Lit. erste Monographie *De officio proconsulis* (›Über das Amt des Proconsuls‹, 4 B.) und das – neben dem des → Volusius Maecianus – erste Werk *De iudiciis publicis* (›Über öffentliche Strafverfahren‹, 3 B.).

O. LENEL, Palingenesia Iuris Civilis, Bd. 2, 1889, 1207–1224 · D. LIEBS, Jurisprudenz, in: HLL 4, 1997, 133–135 · J. HERNANDO LERA, Para la Palingenesia de la obra de V. Saturninus, in: Index 25, 1997, 237–251.   T.G.

[6] V. Valens. Procurator in Asia; seine genaue Funktion und die Amtszeit können nicht bestimmt werden.

H. MALAY, Researches in Lydia, Mysia and Aiolis, 1999, 122.   W.E.

Venulus. Tiburtiner, der in Vergils ›Aeneis‹ von → Turnus [1] ausgesandt wird, um bei → Diomedes [1] Hilfe gegen Aeneas/→ Aineias [1] zu erbitten, in dieser Mission aber scheitert und kurz darauf in einem Reitergefecht fällt (Verg. Aen. 8,9; 11,241–295; 11,741–758; Serv. Aen. 8,9; 11,757). Sprachwiss. ist umstritten, ob der Name V. keltischen oder illyrischen Ursprungs ist.

C. FERONI, s. v. Venulo, EV 5.1, 1990, 498 f.   C.MÜ.

Venus I. BEDEUTUNG UND URSPRÜNGE
II. REPUBLIK III. KAISERZEIT

I. BEDEUTUNG UND URSPRÜNGE

V., die ital.-röm. Göttin der Liebe und des erotischen Verlangens, wurde in der Ant. allg. mit der griech. → Aphrodite (= A.) gleichgesetzt. Über das urspr. »Wesen« der V. hat die Forsch. zahlreiche Theorien aufgestellt. Die Ansicht, sie sei urspr. eine Göttin der Gärten gewesen [9. 289], wird nicht mehr vertreten: Obwohl bereits in der frühesten lat. Lit. etabliert (Naevius bei Paul. Fest. 51; Plautus bei Plin. nat. 19,50; vgl. später Varro ling. 6,20; Varro rust. 1,1,6; Fest. 322), spiegelt diese Assoziation wohl griech. Einfluß wider [5. 15–24]. Plausibler ist die These (z.B. [5. 30–51; 6. 290–333]), daß *venus, verwandt mit lat. venerari, venenum und verm. venia, urspr. die »gefällige Art« (den »Liebreiz«) als inhärentes Merkmal der Götterverehrung (veneratio) bezeichnet habe, mit der man göttliche Gunst (venia) erlangen konnte. Zu einem frühen Zeitpunkt wurde die Eigenschaft *venus als göttliche Macht interpretiert und das Substantiv als weiblicher Name verwendet.

II. REPUBLIK

Ursprung und frühe Gesch. des röm. V.-Kultes sind ungewiß. Es gibt keinen Hinweis auf einen archa. Kult (Varro ling. 6,33; Macr. Sat. 1,12,12); die Göttin hat keinen flamen (→ flamines); der älteste Kalender verzeichnet keinen Festtag. Die → Vinalia werden zwar später mit V. in Zusammenhang gebracht, scheinen aber ein Fest des → Iuppiter gewesen zu sein (Varro ling. 6,16; Fest. 322; [5. 91–155]). Spätestens ab dem 4. Jh. v. Chr. wurde V. gelegentlich mit der griech. A. identifiziert: Der älteste Beleg ist ein Spiegel aus Praeneste, der A.s Streit mit → Persephone um → Adonis darstellt und erstere als Venos identifiziert [5. Taf. 7]. Eine parallele Entwicklung findet sich in Kampanien, wo die oskische Göttin Herentas ebenfalls mit A. gleichgesetzt wurde (VETTER Nr. 107B).

V. wurde auch mit anderen ital. Götternamen und Epitheta verbunden, obwohl die genaue Bed. dieser Verbindungen unklar bleibt. Eine oskische Weihung (VETTER Nr. 182) scheint sie mit → Mefitis zu identifizieren. An anderer Stelle wird Mefitis der Beiname Fisica gegeben (ILS 4028), der in Pompeii auch für V. benutzt wurde (ILS 3180); dieser Beiname wurde verschiedentlich als Transliteration von griech. physiká (»die mit der Natur verbundene«) oder als oskisches Wort mit der Bed. fida, »treu«, interpretiert [5. 383–388]. In Rom wurde V. bisweilen mit Cloacina, der Göttin der Reinigung (Plin. nat. 15,119; Serv. auct. Aen. 1,720), und → Libitina, der Göttin der Bestattung (Dion. Hal. ant. 4,15,5; Plut. qu. R. 23; Plut. Numa 12,67e; Fest. 322), gleichgesetzt; letzteres könnte aus der Wortverbindung von Libitina und Lubentina resultieren (Varro ling. 6,47; Serv. auct. Aen. 1,720).

Der früheste nachgewiesene Kult der V. läßt wohl bereits griech. Einfluß erkennen [2; 3. 141–90; 5. 67–83]. Laut Strabon (5,3,5) gab es einen panlatinischen Schrein der A. in der Nähe von → Lavinium (vgl. Mela 2,71; Plin. nat. 3,57), das seit frühester Zeit mit Aeneas (→ Aineias [1]) in Verbindung gebracht wurde. Spätestens im 2. Jh. v. Chr. existierte die röm. Überl., daß Aeneas eine Statue der V., die er von Sizilien mitgebracht hatte, dort feierlich weihte (Cassius [III 5] Hemina fr. 7 HRR); diese V. besaß den Beinamen Frutis (vgl. Fest. 80), vielleicht die Korruptel von griech. Aphrodítē oder aber der Name einer eigenen ital. Göttin.

Weniger offensichtlich ist die Verbindung mit A. im ersten stadtröm. V.-Tempel, der 295 v. Chr. von Q. Fabius [I 26] Maximus Gurges eingeweiht und durch Bußgelder ehebrecherischer Frauen bezahlt worden war (Liv. 10,31,9). Er stand beim Circus Maximus, der Tag seiner Einweihung war der 19. August, das Datum der Vinalia Rustica (Varro ling. 6,20; Fest. 322; Fasti Antiates maiores und Vallenses; vgl. → Roma III. mit Karte 2). Es ist nicht auszumachen, ob die Verbindung der V. mit diesem Festtag dem Tempel zeitlich voranging oder einem zufälligen Zusammentreffen des Datums zu verdanken ist. Gurges gab ihr den Beinamen Obsequens, »nachsichtig« (Serv. auct. Aen. 1,720), vielleicht infolge ihres Beistands im 3. Samnitischen Krieg (→ Samnites IV.) [4. 55–59].

Während des 3. Jh. v. Chr. wurde die Rolle der V. als Mutter des Aeneas zunehmend wichtig. 249 v. Chr. eroberten die Römer das Heiligtum von → Eryx auf Sizilien (Pol. 1,55; vgl. Diod. 4,83); dieser urspr. wahrscheinlich indigene Kult läßt stark punischen Einfluß erkennen, bes. in der Praxis der Tempelprostitution (vgl. → Prostitution II.D.; Cic. div. in Caec. 55–56; Strab. 6,2,6), ebenso auch griech. Trad., die den Kult mit Aeneas in Verbindung brachten (Verg. Aen. 5,759–760, Strab. 13,1,53; [3. 63–102]). Ohne Zweifel beeinflußten diese Trad. die röm. Entscheidung, der V. Erycina nach der röm. Niederlage am Trasimenischen See (→ Lacus Trasumenus) im J. 217 v. Chr. ein Heiligtum zu geloben, das Q. Fabius Maximus zwei Jahre später auf dem röm. Capitolium einweihte (Liv. 22,9,10; 23,30,13 f.; 23,31,9); sein Standort innerhalb des → *pomerium* weist darauf hin, daß die Römer diesen Kult als einheimisch betrachteten. Sie verehrten auch weiterhin die Göttin in ihrem Heiligtum auf dem Eryx, das unter → Claudius [III 1] auf staatliche Kosten wiederhergestellt wurde (Tac. ann. 4,43,4; Suet. Claud. 25,5). 181 v. Chr. weihte L. Porcius Licinus der V. Erycina in Rom einen zweiten Tempel unmittelbar außerhalb der Porta Collina (Liv. 40,34,4; vgl. 30,38,10; Strab. 6,2,6; Ov. rem. 549 f.; App. civ. 1,93; → Roma III. mit Karte 1, Nr. bb). Sein Gründungstag war der 23. April, das Datum der *Vinalia Priora (Fasti Antiates maiores, Fasti Caeretani* und *Esquilini*; vgl. Plut. qu. R. 45); an diesem Tag wurde V. dort von Prostituierten verehrt (Ov. fast. 4,863–876).

V. wurde in Rom auch unter dem Beinamen *Verticordia* (s.u.) verehrt. Wahrscheinlich während des 2. Punischen Krieges weihte die für ihre Keuschheit bekannte Matrone Sulpicia dieser Göttin eine Statue (Val. Max. 8,15,12; Plin. nat. 7,120). Darauf folgte 114 v. Chr. ein Tempel, dessen Bau offenbar in Zusammenhang mit einem Vorfall von Unkeuschheit unter den → Vestalinnen stand (Obseq. 37; Ov. fast. 4,157–160): Die röm. Schriftsteller verstanden den Beinamen *Verticordia* denn auch als ›die Herzen der Frauen zur Keuschheit hinlenkend‹. Ihr Festtag war der 1. April: Frauen aller Gesellschaftsschichten beteiligten sich daran, die Statue der Göttin zu waschen und nahmen selbst Bäder (Ov. fast. 4,133–156; vgl. Macr. Sat. 1,12,15; Plut. Numa 12,67e; Fasti Philocali; Lyd. mens. 4,65). Nach anderen Quellen badeten die Frauen der unteren Schichten in den Männerbädern und brachten der → Fortuna Virilis Geschenke dar (Fasti Praenestini; Ov. fast. 4,145–50); zahlreiche Arbeiten versuchen, das widersprüchliche Quellenmaterial und die mögliche Beziehung zw. den beiden Göttinnen zu erklären [5. 389–395; 8. 103–113].

Während des 1. Jh. v. Chr. instrumentalisierten führende röm. Politiker zunehmend die Rolle der V. als Ahnherrin des röm. Volkes. → Cornelius [I 90] Sulla erhob Anspruch auf ihren Beistand und gebrauchte den griech. Beinamen *Epaphroditus* (»Liebling der A.«; App. civ. 1,97; Plut. Sulla 34,473d-e). → Pompeius [I 3] ließ der V. Victrix (»der Siegreichen«) oberhalb seines Theaters im Campus Martius einen Tempel erbauen (Plin. nat. 8,20; Gell. 10,1,7; Tert. de spectaculis 10; Fast. Allifani und Amiterni zum 12. August). Da die Iulier ihre Vorfahren auf Aeneas' Sohn → Iulus zurückführten (vgl. → Iulius, Einleitung), beanspruchte → Caesar eine bes. Verwandtschaft mit V. (Suet. Iul. 6,1; vgl. Cic. fam. 8,15,2); er trug ihr Bildnis auf einem Ring und benutzte ihren Namen als sein Losungswort (Cass. Dio 43,43,3; App. civ. 2,76; 2,104). 46 v. Chr. weihte er der V. Genetrix einen Tempel, den er vor der Schlacht von Pharsalos versprochen hatte, als Mittelpunkt seines neuen Forum [III 5] Iulium (App. civ. 2,68; 2,102; Cass. Dio 43,22,2) und führte ihr zu Ehren Spiele ein (App. civ. 3,28; Fasti Pinciani, Praenestini und Vallenses zum 26. September).

III. KAISERZEIT

Unter → Augustus behielt der V.-Kult seine polit. Bed.; die Göttin wurde im Tempel des → Mars Ultor verehrt (Ov. trist. 2,296). Vergil beschrieb sie als Gründerin und Beschützerin Roms (z. B. Verg. Aen. 1,223–296; [3; 10]). In der Kaiserzeit war der wichtigste Förderer ihres Kultes → Hadrianus [1. 128–161], dessen Tempel für V. und → Roma mit dem Gründungstag am 21. April, dem traditionellen »Geburtstag« der Stadt, ihrer Rolle als Ahnherrin der Römer neuen Nachdruck verlieh (Cass. Dio 69,4,3–5; Athen. 8,361e-f; [1. 128–161]). Im gesamten Westen des röm. Reiches war der Kult der V. populär, oft mit geringem Hinweis auf die polit. Aspekte: Weihungen sind häufig, und in allen Gegenden sind Statuen und Statuetten der Göttin, die auf den berühmten griech. Originalen basieren, gefunden worden. Zur Ikonographie s. → Aphrodite; [7].
→ Aineias; Aphrodite; Eryx; Religion X.; Sexualität; VENUS VON MILO

1 J. BEAUJEU, La rel. romaine a l'apogée de l'empire, 1955 2 A. DUBOURDIEU, Le sanctuaire de V. à Lavinium, in: REL 59, 1981, 83–101 3 K. GALINSKY, Aeneas, Sicily, and Rome, 1969 4 C. KOCH, Religio, 1960 5 R. SCHILLING, La rel. romaine de V., ²1982 6 Ders., Rites, cultes, dieux de Rome, 1979 7 E. SCHMIDT, s. v. V., LIMC 8.1, 192–230 8 A. STAPLES, From Good Goddess to Vestal Virgins, 1998 9 G. WISSOWA, Rel. und Kultus der Römer, ²1912 10 A. WLOSOK, Die Göttin V. in Vergils Aeneis, 1967.
J.B.R./Ü: S. ZU.

Venusia (Οὐενουσία). Ortschaft im Gebiet der → Samnites (Strab. 5,4,11; 6,1,2; Hor. sat. 2,1,35) im Tal des mittleren → Aufidus im Grenzbereich zw. → Lucani und → Apuli (Hor. sat. 2,1,35; Strab. 6,3,6: zw. Samnites und Lucani; apulisch: Ptol. 3,1,73; Plin. nat. 3,104), von der → Via Appia durchquert (Strab. 6,3,6; Itin. Anton. 113,1; 121,2; Tab. Peut. 6,4), h. Venosa. Sagenhafte Gründung durch Diomedes [1] (Serv. Aen. 11,246); 291 v. Chr. Gründung einer latinischen *colonia* (Dion. Hal. ant. 17/18,5; Vell. 1,14,6), desgleichen 200 v. Chr. (Liv. 31,49,6). V. war von bes. strategischer Bed. im 2. → Punischen Krieg (Pol. 3,116,13; 3,117,2; Liv. 27,2,11; 27,20,10; Plut. Fabius Maximus 16). Im 3./2. Jh. v. Chr. ist Bronzeprägung mit der Legende VE belegt.

Z. Z. der Gracchen erfolgten wahrscheinlich Eingriffe in die Agrarstruktur (Liber coloniarum 1,210,7; 2,261,19). Im → Bundesgenossenkrieg [3] erhob sich V. gegen Rom und wurde von Q. Caecilius [I 31] Metellus erobert (Diod. 37,2,10; App. civ. 1,39; 1,52). *Municipium* der *tribus Horatia, regio* II (Plin. nat. 3,105). 44/43 v. Chr. wurde von den Triumvirn eine Kolonie nach V. deduziert (App. civ. 4,3). Erh. sind Reste der Siedlung, von Thermen und Amphitheater (vgl. auch CIL IX 421–648).

V. war Geburtsort des röm. Dichters → Horatius [7] (Hor. carm. 1,28,26; Hor. sat. 2,1,35).

A. FORBIGER, Hdb. der alten Geogr., Bd. 3, 1877, 500 · G. TOCCO (Hrsg.), Civiltà antiche del Medio Ofanto, 1976 · M. SALVATORE (Hrsg.), Basilicata: l'espansionismo

romano nel sud-est d'Italia (Atti del convegno, 1987),
1990 · G. VOLPE, La Daunia nell'età della romanizzazione,
1990 · M. SALVATORE MATERA (Hrsg.), Il Museo
Archeologico Nazionale di Venosa, 1991.   S.d.V./Ü: H.D.

Venutius. Britannischer Fürst, Ehemann der Klientel-
königin → Cartimandua, mit der er um die Vorherrschaft bei den → Brigantes rang. Die Darstellung bei
Tac. ann. 12,40,2–4 legt nahe, daß die Destabilisierung
des Königtums bereits in die Zeit des A. Didius [II 2]
Gallus (52–57 n. Chr.) fiel, aber durch wiederholtes Eingreifen röm. Truppen unter Kontrolle gebracht wurde.
Spätestens 69 n. Chr. schlug die Situation um, als die
Königin sich offiziell von V. zugunsten des → Vello-
catus trennte, wohl in Fehleinschätzung der Lage. Nun
konnte sich V. eine genügende Anhängerschaft sichern,
um die Alleinherrschaft zu übernehmen; Cartimanduas
Hilfegesuch wurde nicht oder mit nur wenig Erfolg
entsprochen (Tac. hist. 3,45). Dieser faktische Zusammenbruch des Klientelkönigsystems im Norden Britanniens wurde erst unter → Vespasianus 71–74 n. Chr.
durch den Statthalter Q. → Petillius [II 1] Cerialis (Tac.
Agr. 17,1) und die folgende Inkorporation des Gebiets
in die Prov. kompensiert.

A. BIRLEY, The Fasti of Roman Britain, 1981, 48; 64; 231 ·
W. S. HANSON, G. Webster, The Brigantes. From Clientage
to Conquest, in: Britannia 17, 1986, 73–89.   C. KU.

Ver (lat. »Frühling«), als → Personifikation zu den
→ Jahreszeiten (II. B.) gehörig. Einen eigenen Kult oder
Mythos hat V. nie gehabt. In der Lit. und den bildlichen
Darstellungen sind alle Jahreszeiten gegenwärtig, aber
speziell der Frühling wird als lit. Motiv breit entfaltet
(→ Jahreszeiten II. B. 2.). In der Bildkunst sind die Jahreszeiten durch Typus und/oder die angemessenen Attribute individuell gekennzeichnet, treten aber nur im
Zyklus in Erscheinung – als Frauengestalten (→ Horai),
als Eroten, schließlich als Jünglinge (»Genien«). V. ist
dabei mit saisonalen Attributen (Blüten, einzeln, als
Blumenfeld, in Girlanden u. ä.) gekennzeichnet, nicht
privilegiert dargestellt. In der jüngsten Forsch. interessiert bes. die spätant. Interpretation der Darstellungen.

L. ABAD CASAL, Horae, tempora anni y la representación del
tiempo en la antigüedad romana, in: Anas 7/8, 1994/1995,
79–87 · A. CALVETTI, La danza delle stagioni in un mosaico
ravennate, in: Studi Romagnoli 47, 1996, 431–445 ·
G. ÅKERSTRÖM-HOUGEN, The Sixth Century Seasons
Mosaics from the Baths at Hagios Taxiarchis, Greece, in:
S. ISAGER, B. POULSEN (Hrsg.), Patron and Pavements in
Late Antiquity, 1997, 78–83 · G. CANUTI, Una proposta di
lettura del mosaico con le stagioni di via D'Azeglio a
Ravenna, in: Ocnus 5, 1997, 45–60 · H. ERISTOV, Le thème
des Saisons dans les maisons pompeiennes, in:
D. SCAGLIARINI CORLÀITA et al. (Hrsg.), I temi figurativi
nella pittura parietale antica, IV secolo a.C.–IV secolo d.C.
(Atti del VI Convegno internazionale sulla pittura parietale
antica), 1997, 59–67.
WEITERE LIT.: vgl. → Jahreszeiten II. B.   DI. WI.

Ver sacrum. Das ital. Ritual des »Hl. Frühlings«, in
Zeiten großer Not durchgeführt (Fest. 519 f.), verband
rituelle Elemente der Sühnung und Danksagung und
war nicht auf Italiker beschränkt (Dion. Hal. ant. 1,16;
Liv. 5,34,2 f.; Iust. 24,1,1; vgl. aber [1. 708 f.]). Der gesamte Ertrag eines Frühlings (oder des ganzen Jahres) –
Pflanzen, Tiere, Menschen – wurde einer Gottheit »geweiht« (→ sacer); die Tiere wurden geopfert, die (erwachsenen) Menschen vertrieben – urspr. sollen auch
Menschen geopfert worden sein (Fest. l.c.; Dion. Hal.
l.c.).

Datieren läßt sich nur das Gelübde eines für röm.
Verhältnisse außergewöhnlichen (Liv. 22,10,1) v.s. nach
der mil. Katastrophe am Trasimenischen See (→ lacus
Trasumenus) 217 v. Chr.: Die Weihung galt in diesem
Fall Iuppiter, Menschen waren nicht eingeschlossen
(Liv. 22,10). Eingelöst wurde dieses v.s. 195 v. Chr. (Liv.
33,44), wiederholt aufgrund eines rituellen Fehlers 194
(Liv. 34,44). Die *Sibyllini libri* wurden von den *decemviri sacris faciundis* konsultiert (Liv. 22,9,8 f.), aber die
Anordnung des Rituals kann nicht direkt auf diese zurückgeführt werden [2. 912 f.; 3. 36–51]. Möglicherweise gelobten auch die → Sabelli während der → Bun-
desgenossenkriege [3] ein v.s. (Sisenna fr. 99, 102 HRR;
Strab. 5,4,12). Eine umstrittene Passage (Fest. 510) lokalisiert ein v.s. vielleicht sogar in der frühen Königszeit
[4. 50¹⁵].

Verbreiteter als in Rom war das v.s. unter den ital.
Völkerschaften. Die → Sabini hießen danach bisweilen
Sacrani (Fest. 424 f.; Serv. Aen. 7,796). Andere führten
ihren Ursprung auf die → Migration eines v.s. zurück,
z. B. die → Picentes (Plin. nat. 3,110), die ein Specht
(*picus*: Fest. 235), oder die → Hirpini, die ein Wolf geführt haben soll (Fest. 93; Strab. l.c.); weitere Völker
[2. 919–921]. Diese Tiere standen in bes. Beziehung zu
→ Mars; auch die Nennung der Mamertini und des
→ Mamers (Fest. 150; [3. 20–35]) legt nahe, daß die
röm. Weihung des v.s. an Iuppiter eine lokale Eigenheit
darstellte. Alle ant. Trad. mit Ausnahme der röm. verbinden das v.s. mit Migrationsbewegungen [2; 5. 34–36;
6. 31–33]. Diese Tatsache, ein postulierter Zusammenhang mit Apollon (dem Gott der griech. → Kolonisation
par excellence: Fest. 150) und die histor. Migrationsbewegungen Süditaliens [5. 36 f.] ließen in der Forsch.
auch an eine Verbindung von v.s. und Kolonisation
denken (vgl. [7. 304–309]). Doch trägt eine solche Deutung der Rolle des ital. Mars und des in den ant. Quellen
zentralen Elements der rituellen Sühnung nicht genügend Rechnung [8. 1181].

→ Menschenopfer; Sühnerituale

1 R. OGILVIE, A Commentary on Livy Books I–V, 1970
2 W. EISENHUT, s. v. V.s., RE 8 A, 911–923 3 J. HEURGON,
Trois études sur le V.s., 1957 4 U. SCHOLZ, Stud. zum altital.
und altröm. Marskult und Marsmythos, 1970
5 E. T. SALMON, Samnium and the Samnites, 1967
6 E. EVANS, The Cults of the Sabine Territory, 1939
7 H. S. VERSNEL, Inconsistencies in Greek and Roman Rel.,
Bd. 2, 1994 8 W. EISENHUT, s. v. V.s., KlP 5, 1181–1183.
                                                     C. R. P.

Veragri (Ούάραγροι). Einer der vier Volksstämme im Wallis (→ Ceutrones [2], → Caturiges, → Nantuatae; vgl. Strab. 4,6,6) mit dem Hauptort → Octodurus. Als Bewohner des → Mons Poeninus (Liv. 21,38,9) organisierten die V. den Verkehr über den Großen St. Bernhard. Im J. 57 v.Chr. wurden sie von Caesars Legaten Sulpicius [I 12] Galba angegriffen (Caes. Gall. 3,1,1; Cass. Dio 39,5,2), aber erst später von Augustus unterworfen (Plin. nat. 3,137; CIL V 7817).

> G. BARRUOL, Les peuples préromains du sud-est de la Gaule, 1969, 310f. · A. GEISER, Un monnayage celtique en Valais: Les monnaies des Véragres, in: SNR 63, 1984, 55–125.
>
> H.GR.

Veranius

[1] Q.V. Ritter, den Augustus zum *procurator* [1] seines Stiefsohnes Claudius [II 24] Drusus machte; später *pro legato* des Augustus in Germanien; Vater von V. [2].

> A. BALLAND, Fouilles de Xanthos, Bd. 7, 1981, 81–98.

[2] Q.V. Sohn von V. [1]. Senator; → *comes* des Germanicus [2] im Osten; erfüllte Aufträge in Kappadokien, zu dessen Legaten er ernannt wurde (Tac. ann. 2,56,4). Im Prozeß gegen → Calpurnius [II 16] Piso vertrat er mit Nachdruck die These des Giftmordes an → Germanicus [2] (Tac. ann. 3,10–19; vgl. [1. 134, 148, 151]).

> 1 W. ECK et al., Das senatus consultum de Cn. Pisone patre, 1996.

[3] Q.V. Sohn von V. [2]. Seine Laufbahn ist z.T. in seiner Grab-Inschr. (CIL VI 41075) erh. (vgl. [1]). Geb. um 12 n.Chr.; *triumvir monetalis*, Quaestor von → Tiberius [1] und → Caligula, also im J. 37 n.Chr. (IGR III 703); *tr. pl.* 41 (Ios. ant. Iud. 19,234). Wohl 42 Praetor; 43 erhielt er von Claudius [III 1] den Auftrag, Lykia (→ Lycia et Pamphylia) zur Prov. zu machen, nachdem es dort zu erheblichen inneren Unruhen gekommen war. In den fünf Jahren seiner Statthalterschaft hatte er Kämpfe mit verschiedenen Stämmen zu bestehen. Auf ihn geht die neue Organisation der Prov. zurück, die auch ein verändertes System der Bestellung der städtischen Magistrate beinhaltete [2]. Ferner ordnete er die systematische Aufnahme und Verbesserung des Straßennetzes an [3. 52ff.; 4; 5. 79–102]. Ein von ihm erlassenes Edikt regelt die Führung der Archive in der Prov. (AE 1976, 673). Im J. 49 *cos. ord.* Noch zuvor hatte Claudius ihn 48 zum Auguren wählen und unter die Patrizier aufnehmen lassen. Als *curator aedium sacrarum et operum locorumque publicorum* wurde ihm vom *ordo equester* eine Statue errichtet. Wohl im J. 57 leitete er Festspiele Neros als dessen *minister* (»Beauftragter«). Noch im selben Jahr wurde er zum consularen Legaten in Britannien ernannt, wo er 58 starb. V. wurde in Rom in einem großen Grabmal bestattet. Zwei Töchter sind bezeugt [5. 98ff.].

> 1 A.E. GORDON, Quintus Veranius, Consul A.D. 49, 1952 2 C.P. JONES, The Claudian Monument at Patara, in: ZPE 137, 2001, 161–168 3 F. ISITZ, H. ISKAN, N. CEVIK, Miliarium Lyciae, 2001 4 S. ŞAHIN, Stadiasmus Patarensis. Ein zweiter Vorbericht über das claudische Straßenbauprogramm in Lykien, in: R. FREI-STOLBA, M.A. SPEIDEL (Hrsg.), Siedlung und Verkehr im röm. Reich. FS H. Herzig, 2002 (im Druck) 5 A. BALLAND, Fouilles de Xanthos, Bd. 7, 1981. W.E.

Veratrum s. Helleborus

Verax. Sohn einer Schwester des Batavers → Iulius [II 43] Civilis, mit dem er 70/1 n.Chr. das Auxiliarkastell → Vada angriff; von Petillius [II 1] Cerealis wurden sie zurückgeschlagen und konnten flüchtend in das freie Germanien entkommen (Tac. hist. 5,20; 5,21,1f.). → Bataveraufstand W.E.

Verbannung. Die V. ersetzte in der griech.-röm. Antike weitgehend die → Todesstrafe für die Angehörigen der Oberschicht, kam aber wie im attischen → *ostrakismós* auch als selbständige → Strafe vor. Zu den Einzelheiten für Griechenland, insbesondere Athen, s. → *phygé*, → *aeiphygía*, → *apeniautismós*, für Rom s. → *exilium*, → *deportatio*, → *relegatio*. G.S.

Verbascum s. Königskerze

Verbena (meist pl. *verbenae*, urspr. Bed. »hl. Zweig«). Lat. Sammelbegriff für alle frischen Zweige und Kräuter, die bei kultischen Handlungen in der röm. Rel. Verwendung fanden. Die übelabwehrende und reinigende Wirkung war maßgeblich. Eine Identifikation mit einem bestimmten Kraut ist nicht belegt; die Quellen nennen verschiedene Kräuter: Rosmarin (Serv. Aen. 12,120), Myrthe (Serv. ebd.; Plin. nat. 15,119), Lorbeer (Serv. ebd.) oder Ölbaum (Serv. ecl. 8,65); speziell meinte man wohl oft die → *verbenaca* (die beiden lat. Begriffe lassen sich nicht klar trennen). Die Verwendung war in kultischen Bereichen vielfältig, wo bes. reinigende Kraft erwünscht war: als Kopfbedeckung (Kränze), Schmuck von Opfertieren, Götterbildern oder zur Bedeckung von Altären.

In spezieller Bed. sind *v.* im Zusammenhang mit den Aufgaben der → *fetiales* bekannt. Diese Priester führten, wenn sie dem Gegner die Kriegserklärung überbrachten, zum Schutz ein auf der *arx* von Rom ausgerissenes Krautbüschel mit sich (Liv. 1,24,5; Plin. nat. 22,5; → *sagmen*), an dem noch Erde haftete: Das heimische Kraut sollte vor feindlichen Kräften schützen. Zur Wirkung vgl. im medizinischen Bereich Cels. artes 2,3,3; 5,18,8a und speziell → *verbenaca*.

> M. SCHUSTER, s.v. V., RE 8A, 973–976. A.V.S.

Verbenaca (spätant. *verbena*; griech. ἱερὰ βοτάνη/*hierá botáne*, »hl. Kraut«, bzw. περιστερεών/*peristereón*, »Taubenkraut«), das häufige Eisenkraut (Verbena officinalis

L.) aus der Familie der Verbenaceae. Es wächst staudenartig hauptsächlich an Mauern und Wegen und hat kleine violette Blüten auf verzweigten Rispen. Der mod. wiss. Name weist auf die große offizinelle Bed. hin, v. a. als adstringierendes Mittel gegen Blutungen, Fieber, Kopfschmerzen und Schweißausbrüche (Dioskurides 4,59f. WELLMANN = 4,60f. BERENDES; vgl. Plin. nat. 25,105f.). Bei den Römern wurde die V. zur kultischen Reinigung (→ *lustratio*) verwendet, z.B. beim Kult des → Iuppiter der Opfertisch damit gereinigt. Die Gallier losten und weissagten mit der Pflanze *v.* (Plin. nat. 25,106). Zur weiteren kultischen Anwendung vgl. → *verbena*.

M. SCHUSTER, s. v. V., RE 8 A, 976–978.   C. HÜ.

Verbera (wörtl. »Schläge«), z.B. mit dem Stock (*ferula*) oder Peitschen (*flagella*), waren in Rom ein Mittel der Züchtigung (*castigatio*). Sie kamen vor als eigenständige (Polizei-)Strafe v.a. gegenüber Sklaven und Angehörigen der Unterschicht (*humiliores*, s. → *honestiores*) im Rahmen der Polizeigewalt der Magistrate (→ *coercitio*), insbes. der → *tresviri capitales* in republikanischer Zeit, dann des Kaisers und seiner Beauftragten sowie der Provinzgouverneure. V. waren ferner – wie von der Geißelung Jesu bekannt – im röm. Strafrecht eine »Nebenstrafe«, die regelmäßig dem Vollzug der → Todesstrafe voranging. Schließlich bezeichnete man die Ausübung des Züchtigungsrechts des Hausvaters (→ *pater familias*) im röm. Familienverband (vgl. → *patria potestas*; → Familie B.) als *v.*
→ Strafe, Strafrecht

M. FUHRMANN, s. v. V., RE Suppl. 9, 1589–1597.   G. S.

Verbigeni. Teilstamm der → Helvetii, dessen Siedlungsgebiet sich weder für die Zeit vor noch nach 58 v. Chr. genau lokalisieren läßt. Als die Helvetii nach der Niederlage bei → Bibracte 58 v. Chr. kapitulierten, entkamen 6000 bewaffnete V. zum Rhenus (h. Rhein). Caesar befahl den Anliegern des Fluchtwegs, die Flüchtigen zurückzubringen, und bestrafte diese nach Kriegsrecht (Caes. Gall. 1,27,4; 1,28,1).

F. STAEHELIN, Die Schweiz in röm. Zeit, ³1948, 142 ·
E. HOWALD, E. MEYER, Die röm. Schweiz, 1940, 34 ·
G. WALSER, Bellum Helveticum, 1998, 70f.   G. W.

Vercassivellaunus (Keltisches Namenskompositum, [1. 120; 2. 291]). Cousin des → Vercingetorix und Führer der → Arverni. V. war einer der vier Heerführer, die 52 v. Chr. das gallische Entsatzheer für → Alesia kommandierten. Er wurde nach der Niederlage der Gallier auf der Flucht gefaßt (Caes. Gall. 7,76,3f.; 7,83,6; 7,85,4; 7,88,4).
→ Commius; Eporedorix [2]; Viridomarus

1 EVANS 2 SCHMIDT.   W. SP.

Vercellae
[1] (Οὐερκέλλοι, Οὐερκέλλαι). Hauptort der → Libici (Strab. 5,1,12; Ptol. 3,1,36) am rechten Ufer des Sesites (h. Sesia), eines rechten Zuflusses des → Padus (h. Po), h. Vercelli [1. 176; 2], urspr. wohl Gründung der → Salluvii (Liv. 5,35,2; Plin. nat. 3,124). Keine bed. arch. Funde [3. 212]. Nicht hier, sondern bei V. [2] soll Marius [I 1] nach allgemeiner Ansicht über die → Cimbri gesiegt haben (Plut. Marius 25,4). In röm. Zeit *municipium* der *tribus Aniensis* [4]. Ausgangspunkt der Straßenverbindungen nach Norden über die → Alpes (Itin. Anton. 282,8; 344,6; 347,8; 350,7; Tab. Peut. 3,5: *Vergellae*), von strategischer Bed. (69 n. Chr., → Vierkaiserjahr; Tac. hist. 1,70). Seit der Mitte des 4. Jh. Bischofssitz (Hier. epist. 1,3); erster Bischof Eusebius [12].

1 NISSEN 2 G. RADKE, s. v. V., RE 8 A, 980f.
3 E. PANERO, La città romana in Piemonte, 2000 4 V. VIALE, Vercelli e il Vercellese, 1971.   A. SA./Ü: H. D.

[2] → *Saltus* im Po-Delta beim h. Ferrara, wo sich der → Padus in den Padoa und den → Olana gabelte (vgl. die Inschr. aus → Vicoventia ILS 1509: *region(is) Padan(ae) Vercellensium Ravennatium*). Vielleicht war es hier und nicht bei V. [1], wo Marius [I 1] die → Cimbri 101 v. Chr. (Plut. Marius 25,4: περὶ Βερκέλλας) besiegte.
→ Trigaboli

G. UGGERI, La romanizzazione dell'antico delta padano, 1975, 75–78.   G. U./Ü: J. W. MA.

Vercingetorix. Kelte aus dem Volk der → Arverni, geb. ca. 82 v. Chr. Sein Vater Celtillus, der den Römern als »erster Mann« (*princeps*) ganz Galliens galt, wurde – wie → Arminius – von Stammesangehörigen ermordet, da er nach der Königswürde strebte (Caes. Gall. 7,4,1). Das Wissen über V. konzentriert sich ganz auf das J. 52 v. Chr.; problematisch ist die Hauptquelle, → Caesar (= C.), da dieser in V. den kelt. Widerstand personalisiert und V. bei Anerkennung der mil. Leistungen nicht ohne röm. Vorurteil entgegentritt (z. B. Caes. Gall. 7,4,9f.: Betonung der Grausamkeit in der Charakteristik des V.). Der Kelte gefährdete in einem für C. auch innenpolitisch schwierigen Jahr (52 v. Chr.) alles bisher in Gallien Erreichte. C. selbst gesteht ein, sich mit umfassenden Rückzugsplänen getragen zu haben (Caes. Gall. 7,43,5f.).

V. wurde 52 wegen antiröm. Aktivitäten aus seiner Heimatstadt → Gergovia verbannt, kehrte mit frisch rekrutierten Anhängern zurück, vertrieb seine Gegner und nahm den Königstitel an. Er konnte schnell die verschiedensten gallischen Völker gegen Rom gewinnen und erhielt den Oberbefehl über die gemeinsamen Truppen (Caes. Gall. 7,4,2–8). V. trat für eine Taktik der verbrannten Erde ein, um die Römer von der Versorgung abzuschneiden und so zum Rückzug zu zwingen (Caes. Gall. 7,14,2–9). C. konnte jedoch das nicht geräumte Avaricum erobern, sich dort verproviantieren (Caes. Gall. 7,32,1) und schloß nun V. in Gergovia ein; während der Belagerung aber fielen die → Haedui von

Rom ab. Außer den Lingones, Remi und Treveri (Caes. Gall. 7,63,7) fanden sich alle gall. Völker in der Koalition des V. Er verteidigte Gergovia, die Römer zogen unter schweren Verlusten ab (Caes. Gall. 7,35–53, Cass. Dio 40,35–37). Ein Landtag in → Bibracte (Caes. Gall. 7,63 f.) erkannte V. als alleinigen Befehlshaber (*imperator*) an. Nach einer Niederlage in der Gegend von Dijon (Caes. Gall. 7,65–67; Cass. Dio 40,39) zog sich V. mit 80 000 Verteidigern nach → Alesia zurück. Vor der Ankunft eines kelt. Hilfskontingents gelang es C., die Bergfeste mit einem großen Verschanzungswerk zu umgeben. Die Angriffe der Entsatztruppen wurden zurückgeschlagen, Hunger zwang V. zur Aufgabe (Caes. Gall. 7,68–89; Plut. Caesar 27).

C. überliefert die letzte Rede des V. (Caes. Gall. 7,89,1–2); mit den Worten: *Vercingetorix deditur, arma proiciuntur* (›V. wurde ausgeliefert, die Waffen wurden niedergelegt‹) schließt er seinen Bericht vom gall. Aufstand und von V. (Caes. Gall. 7,89,4). Dieser wurde in das röm. Staatsgefängnis, das Tullianum, gebracht und nach sechs J. Haft hingerichtet, als C. mit bürgerkriegsbedingter Verspätung seinen → Triumph über Gallien feierte (Cass. Dio 43,19,4).

Der frz. Nationalismus des 19. Jh. verklärte V. E. DELACROIX zeichnete ihn bereits 1829; er wurde Motiv der Historienmalerei (TH. CHASSERIAU, 1855; L. ROYER, 1899; H.-P. MOTTE, 1886, 1904). Unter Napoleon III. entstanden berühmte Denkmäler (1856: Standbild von A. MILLET auf dem Mont-Auxois; 1866: erstes Modell der Reiterstatue von F. A. BARTHOLDI, dem Schöpfer der amerikanischen Freiheitsstatue, in Clermont-Ferrand). Während der Zeit des frz. Widerstandes lebte die Gestalt V. in Gedichten bei L. ARAGON (*La Diane française*, 1944) wieder auf; in den sechziger Jahren beginnt das erste Heft der *Asterix*-Serie (der Held ist selbst ein verniedlichter V.) mit einer gegen C.s Darstellung gerichteten Neudeutung der Kapitulation des Arverners, der seine Waffen nicht niederlegt, sondern sie auf C.s Füße wirft.

→ Alesia; Caesar (mit Karte); Gallia; Kelten (II.)

J. HARMAND, V., 1984 · C. JULLIAN, V., ²1902 · J. W. C. NORRIS, Caesar und V., 1931 · C. LÉLU, V. et la résistance gauloise, 1949 · E. MENSCHING, Über Caesar und V. im 20. Jhdt., in: H.-J. GLÜCKLICH (Hrsg.), Lat. Lit., heute wirkend, 1987, Bd. 1, 110–125.　　　　　　　　　　W. W.

Vercondaridubnus. Haeduer mit keltisch/venetischem Namen [1. 291; 2. 280]. C. Iulius V. war der erste Provinzialpriester an der am 1.8.12 v. Chr. von → Claudius [II 24] Drusus eingeweihten *ara Romae et Augusti* bei Lugdunum/Lyon (Liv. per. 139).
→ Haedui; Kaiserkult

1 SCHMIDT 2 EVANS.

D. FISHWICK, The Imperial Cult in the Latin West, Bd. 1.1, 1987, 97–102.　　　　　　　　　　　　　　W. SP.

Verecundus. Der sehr gebildete Bischof V. von Iunca (Byzacena, Tunesien) verfaßte Auslegungen bibl. Texte (9 B. *Commentarii super cantica ecclesiastica*), Gedichte (*De satisfactione*) und Exzerpte aus den Akten von → Kalchedon. Im Dreikapitelstreit (→ *sýnodos* II.D.) wurde er 551 von Kaiser Iustinianus [1] nach Konstantinopolis zitiert, hielt dort zu Papst → Vigilius und floh mit ihm in die Euphemiakirche von Kalchedon, wo er 552 im Asyl starb.

R. DEMEULENAERE (ed.), Verecundi Iuncensis opera (CCL 93), 1976 · F. BRUNS, s. v. V., in: S. DÖPP, W. GEERLINGS (Hrsg.), Lex. der ant. christl. Lit., ²1999, 623 f.　　S. L.-B.

Vereine I. DEFINITION II. GRIECHENLAND III. STAAT UND VEREINE IN DER RÖMISCHEN REPUBLIK IV. KAISERZEIT: RECHTSLAGE V. INNERE ORGANISATION VI. VEREINE DER KAISERZEIT VII. STAAT UND VEREINE IN DER SPÄTANTIKE

I. DEFINITION

V. sind längerfristige Zusammenschlüsse von Menschen in Gruppen mit gemeinsamen Zielen. Die Gründe hierfür können topographischer, rel. (*cultores*, »Verehrer« einer Gottheit – daher der dt. Begriff »Kultverein« in der Forsch.) und/oder wirtschaftlicher Natur (Vertreter eines bestimmten Gewerbes) sein, was sich auf Zielsetzung und Zusammensetzung der Mitgliedschaft auswirkt. Dabei sind die Grenzen hinsichtlich der Zusammensetzung, Motive und Organisation der einzelnen V. fließend.

II. GRIECHENLAND

Aus dem klass. Griechenland sind neben eindeutig polit. Organisationen wie → Phylen, → Phratrien oder Demen (→ *dễmos* [2]) v. a. solche V. bekannt, die sich rel. Zwecken widmeten (→ *orgeỗnes*, → *thíasos*). Unscharf bleibt der V.-Charakter bei den → *hetairíai*, die sowohl im sozialen als auch im polit. Bereich aktiv waren. Ähnliches gilt bezüglich ihrer Aktivitäten auch für die lokalen Vereinigungen der jungen Männer (→ *néoi*, → *ephēbeía*), da diese in der Regel von der jeweiligen → Polis organisiert wurden, oder auch die seit hell. Zeit bekannten V. »derer vom Gymnasium« (οἱ ἀπὸ τοῦ γυμνασίου; → Gymnasion II.) [1; 2; 3].

III. STAAT UND VEREINE IN DER RÖMISCHEN REPUBLIK

Die ältesten beruflichen V. in Rom (*collegia*) wurden angeblich von → Numa begründet (Plut. Numa 17). Sie sind von den V. staatlicher Bediensteter (→ *viatores*, → *apparitores*, → *scribae*, → *lictores*) zu unterscheiden, die ihrerseits recht alt sind. In der frühen Republik bestand wohl grundsätzliche Vereinigungsfreiheit für → *sodales*, solange keine öffentlichen Belange berührt wurden (so Lex XII tab. 8,27 = Gai. Dig. 47,22,4).

Die ersten nachweisbaren V. (2./1. Jh. v. Chr.) wurden von Gruppen ital. Händler (→ *negotiatores*) gegr., die sich auf Delos als V. der Mercurius-Verehrer (*Mercuriales*, griech. *Hermaïstaí*) organisierten, wobei sie Vorbilder aus Campanien aufgriffen [4]. Sie verfügten wie andere V. (z. B. die Poseidoniasten von Berytos) über V.-Häuser und Vermögen. Gründe für das zunehmende staatliche Mißtrauen gegenüber den V. nennt das → *senatus consultum de Bacchanalibus* (ILS 18; 186 v. Chr.): unautorisiertes Zusammentreten und Opfer außerhalb der Stadt, fehlende Kontrolle der Führer und Mitglieder [5].

Die zunehmend gewaltsamen polit. Auseinandersetzungen der späten Republik führten ab 64 v. Chr. zu einer ganzen Serie von V.-Gesetzen (*leges de collegiis*), die die nur schwer zu kontrollierenden Organisationen zu bekämpfen suchten. Einen Höhepunkt dieser Entwicklung stellten der *tribunus* [7] *plebis* P. → Clodius [I 4] (58 v. Chr.) und seine *lex de collegiis restituendis novisque instituendis* (»Gesetz über die Wieder- und Neugründung von V.«) dar, die wesentlich zur polit. Destabilisierung des Staates beitrug.

IV. Kaiserzeit: Rechtslage

Rechtsgrundlage des kaiserzeitlichen V.-Wesens war die (caesarische oder augusteische) *lex Iulia de collegiis*, die zw. offiziell gestatteten, geduldeten und verbotenen V. unterscheidet; Einzelentscheidungen kamen dem Senat zu. Deutlich wird dies z. B. in CIL VI 4416 (für ein *collegium symphoniacorum*, ein »Collegium von Kultmusikern«; vgl. auch CIL XIV 2112). Rechtsaufsicht über Kult-V. orientalischer Gottheiten hatte das röm. Priesterkollegium der → *quindecimviri sacris faciundis*, die den Priestern den Gebrauch der Kultinsignien erlaubten (CIL XIII 1751). In den röm. Prov. besaß der jeweilige Statthalter die Rechtsaufsicht über V. (vgl. Marcianus Dig. 47,22,1; Ulp. Dig. 47,22,2). Die Angst des röm. Staates vor schwer zu kontrollierenden V. zeigt sich bei Plin. epist. 10,33 f., wo Kaiser Traianus die Einrichtung eines *collegium fabrum* (→ *fabri*) von höchstens 150 Mitgliedern als Feuerwehr für Nikomedeia ablehnt, weil er die illegale Gründung einer *hetairía* befürchtet.

V. Innere Organisation

Röm. V. besaßen eine an staatlichen Institutionen orientierte Organisation mit Mitgliedsliste (*album*), gemeinsamen Vermögen (*arca*), satzungsgemäß gewählten Magistraten (*magistri* oder *quinquennales, curator/*→ *cura,* → *quaestor* oder → *arcarius*), einem *ordo, honorati, immunes* und Amtsdienern (→ *viator,* → *scriba*). Wie beim Eintritt in den *ordo decurionum* (→ *ordo* II.) fielen spezielle *summae honorariae* (»Ehrengelder«) für die Aufnahme in den V. oder die Bekleidung von Ämtern an. Das V.-Vermögen konstituierte einen »gemeinsamen Besitz« (*res communis*) der Mitglieder und war vom Privatvermögen streng getrennt (vgl. Dig. 3,4,7,1).

Ebenso wie Gemeinden oder Einzelpersonen gewannen V. einflußreiche Personen der Gemeinde oder des Staates als »Patrone« (→ *patronus*) für sich; bei wichtigen V. waren dies hochrangige Magistrate oder Angehörige des Ritter- oder Senatorenstandes (*ordo equester/ senatorius*) [6].

Wichtige Quellen für das V.-Leben sind die V.-Ordnungen (*leges*) der *cultores Dianae et Antinoi* (»Verehrer der Diana und des Antinoos«, CIL XIV 2112 = ILS 7212), des *collegium Aesculapi et Hygiae* (»Verehrer des Aesculapius und der Hygieia«; CIL VI 10234 = ILS 7213), der *eborarii* und *citronarii* (»Drechsler«; CIL VI 33883 = ILS 7214). Sie geben Auskunft über Mitgliedsbeiträge, Verhalten bei Treffen, aber auch über die Leistungen bei Bestattungen. Die sog. *collegia funeraticia* waren keine reinen »Bestattungs-V.« [7. 58 ff.]; finanzielle Leistungen (*funeraticium*), Bereitstellung von Begräbnisplätzen oder Mitwirken des V. bei der → Bestattung von Mitgliedern stellen nur einen Teil ihrer Aufgaben dar; vgl. die Vereinssatzung (*lex*) der *cultores Dianae et Antinoi*. Während sogar Sklaven einem V. beitreten konnten, lassen sich röm. Frauen nur in Ehrenpositionen nachweisen (*mater collegii*, wörtl.: »Mutter des V.«).

Vom Staat anerkannte V. konnten ein beträchtliches Vermögen besitzen, das aus Bargeld, Immobilien und sogar eigenen Sklaven (*Augustales* in Ostia: CIL XIV 367) bestand und durch Eintrittsgelder, Mitgliedsbeiträge (*stips menstrua*) und → Stiftungen gemehrt wurde. Seit Marcus [2] Aurelius (161–180 n. Chr.) konnten V. auch offiziell Legate empfangen (Dig. 34,5,20; → *legatum*). Aus den Stiftungen wurden u. a. Gelder für regelmäßige *cenae* (»Gastmähler«), → *sportulae* oder Geburtstagsfeiern erwirtschaftet [8; 9; 10].

VI. Vereine der Kaiserzeit

Während einfache Soldaten keine V. bilden durften, lassen sich seit den Severern (193–235 n. Chr.) neben bereits älteren lokalen V. von → Veteranen auch V. von Unteroffizieren (z. B. *optiones*) und Funktionsdienstgraden (etwa *signiferi*, »Fahnenträgern«) nachweisen. Diese verfügten über eigene Kassen, die beim Ausscheiden aus dem Militär (→ *missio*) oder bei Versetzung ein sog. *anularium* oder ein *viaticum* zahlten, ebenso wie über Versammlungsräume (→ *schola*) innerhalb des Lagers [11].

In V. der → *iuvenes* organisierten sich an vielen Orten die jungen Männer. Das Spektrum ihrer Tätigkeiten umfaßte eher Sport und Gesellschaft; gelegentlich übernahmen sie aber auch die Funktion einer Lokalmiliz [12]. Dabei sind die in den städtischen Gemeinden organisierten *iuvenes* etwa It.s von den *iuventutes* der Bataver oder Raeter zu unterscheiden, die die mil. einsatzfähige Jungmannschaft eines ganzen Stammes darstellten.

Überregional waren die Vereinigungen der → *technítai*, in der sich die Bühnenkünstler (→ Schauspiele) und → Athleten zusammenschlossen; sie waren als Kult-V. für Dionysos bzw. Herakles organisiert. Die Kaiser, die seit Augustus als ihre Schutzherren fungierten, garantierten die Privilegien dieser V., die neben ihrer Zentrale in Rom über lokale Organisationen an Orten mit wichtigen → Agonen (s. Nachträge) verfügten [13]. Von den gesetzlichen Einschränkungen wahrscheinlich unberührt blieben neben den alten V. der Staatsbediensteten die V. von Händlern (etwa → *negotiatores frumentarii*/»Getreidehändler«, → *suarii*/»Schweinehändler« u. a.), Reedern (→ *navicularii*) oder ausgewählten Berufen (Bäckern, *pistores*), die sich zunächst freiwillig zusammenfanden, dann aber durch enge Zusammenarbeit mit dem Staat (→ *praefectus* [4] *annonae*) und die dadurch gewonnenen Privilegien (→ *immunitas munerum*, »Leistungsbefreiung«; vgl. → *munus, munera* II. B.) immer mehr offiziellen Charakter gewannen [14]. Ebenfalls von Einschränkungen unberührt blieben ausgewählte Gruppen im Zusammenhang mit der *annona* (*mensores frumentarii*; → *mensor*, → *cura annonae*) oder lokale Vereinigungen, die öffentliche Aufgaben wie Brandbekämpfung (→ *Feuerwehr*, s. Nachträge) übernahmen. Dazu wurden sowohl rel. V. (→ *dendrophori*) als auch V. von Handwerkern (→ *fabri, centonarii*) herangezogen, die als Ausgleich Privilegien erhielten. Sklaven und Freigelassene einer Familie (v. a. des Kaiserhauses) oder einer bedeutenden Einzelpersönlichkeit konnten ebenfalls einen V. bilden.

VII. STAAT UND VEREINE IN DER SPÄTANTIKE

Seit den Severern (s. o.) wurden die rechtlichen Möglichkeiten für das Verlassen eines privilegierten V. immer mehr eingeschränkt, was letztlich Ende des 3. Jh. zur Zwangskorporation führte. Die Mitgliedschaft in den spätant. V. (*corpora*) der *navicularii, pistores, suarii* usw. gründete auf dem Besitz von Immobilien; die V. waren verpflichtet, für den Staat die entsprechenden Leistungen (*functio*) zu erbringen, besaßen dafür aber *immunitates* (»Befreiung von Pflichten«) und das Recht einer internen Lastenverteilung. Ein Verlassen dieser V. war nur durch Verzicht auf die gebundenen Vermögenswerte möglich [15]. Ähnliche Bestimmungen galten auch für V. von Handwerkern (*fabricenses, purpurarii, barbaricarii* u. a.), die zwar auf Dauer samt ihrer Werkstatt an den Beruf gebunden waren, aber wie staatliche Bedienstete *annonae* (»Getreidezuteilungen«) empfingen.

→ *Berufsvereine*; *Collegium* [1]; *Orgeones*; *Schola*; *Sodales*; *Technitai*

1 F. POLAND, Gesch. des griech. V.swesens, 1909 **2** N. F. JONES, Public Organization in Ancient Greece, 1987 **3** Ders., The Associations of Classical Athens, 1999 **4** N. K. RAUH, The Sacred Bonds of Commerce, 1993 **5** J.-M. PAILLER, Bacchanalia, 1988 **6** G. CLEMENTE, Il patronato nei collegia dell'impero romano, in: Studi classici e orientali 21, 1972, 142–229 **7** F. M. AUSBÜTTEL, Unt. zu den V. im Westen des röm. Reiches, 1983 **8** A. STUIBER, Heidnische und christl. Gedächtniskalender, in: JbAC 3, 1963, 24–33 **9** S. MROZEK, Les distributions d'argent et de nourriture dans les villes italiennes du Haut-Empire romain, 1987 **10** J. D'ARMS, Memory, Money, and Status at Misenum, in: JRS 90, 2000, 126–144 **11** H. SCHULZ-FALKENTHAL, Die Unterstützungstätigkeit in einem Militärkollegium der legio III Augusta in Lambaesis und das Problem der Sozialleistungen im röm. V.swesen, in: H. J. DIESNER u. a. (Hrsg.), Afrika und Rom in der Ant., 1968, 155–172 **12** P. GINESTET, Les organisations de la jeunesse dans l'occident romain, 1991 **13** P. FRISCH, Zehn agonistische Papyri, 1986 **14** L. DE SALVO, Economia privata e pubblici servizi nell'impero Romano. I corpora naviculariorum, 1992 **15** P. HERZ, Stud. zur röm. Wirtschaftsgesetzgebung. Die Lebensmittelversorgung, 1988.

W. COTTER, The Collegia and Roman Law, in: J. S. KLOPPENBORG, S. G. WILSON (Hrsg.), Voluntary Associations in the Graeco-Roman World, 1996, 74–89 · U. EGELHAAF-GAISER, A. SCHÄFER (Hrsg.), Rel. V. in der röm. Ant., 2002 · O. M. DE NIJF, The Civic World of Professional Associations in the Roman East, 1997 · F. M. DE ROBERTIS, Storia delle corporazioni e del regime associativo nel mondo romano (2 Bde.), 1972 · H. JANKUHN u. a. (Hrsg.), Unt. zu Handel und Verkehr der vor- und frühgesch. Zeit in Mittel- und Nordeuropa. V. Der Verkehr. Verkehrswege, Verkehrsmittel, Organisation, 1989. P. H.

Verfasser I. ALTER ORIENT UND ÄGYPTEN II. KLASSISCHE ANTIKE

I. ALTER ORIENT UND ÄGYPTEN

In der Regel war die Lit. im Alten Orient und Äg. anonym. V. waren die → *Schreiber* in den Schulen. Allerdings werden eine Reihe bedeutender lit. oder gelehrter Werke in eigenen listenartigen Kompilationen bestimmten V. zugeschrieben, wie z. B. äg. Weisheitslehren [1] oder das → *Gilgamesch-Epos*. Dessen V. Sîn-leqe-unnīnī [2; 3] hat den überl. Stoff des 18. Jh. verm. im 12. Jh. v. Chr. unter z. T. wörtl. Verwendung seiner Vorlagen und längerer oder kürzerer Textpassagen aus anderen lit. Werken (was nicht als Plagiat empfunden wurde) in die aus dem 7. Jh. überl. Form gebracht. Zahlreiche Texte, v. a. Königshymnen, königliche Monumentalinschr. und »autobiographische« Berichte (→ *Autobiographie*) aus Mesopot., dem Hethiterreich und Äg. vermitteln die Fiktion, der Protagonist selbst sei der V. gewesen.

1 J. ASSMANN, Gibt es eine »Klassik« in der äg. Lit.-Gesch., in: ZDMG Suppl. 6, 1983, 35–52 **2** W. F. G. LAMBERT, A Catalogue of Texts and Authors, in: JCS 16, 1962, 59–77 **3** J. J. A. VAN DIJK, Die Texte aus dem *rēš*-Heiligtum, in: H. J. LENZEN (Hrsg.), Uruk-Warka Vorberichte 18, 1962, 44–52 **4** Ders., W. W. HALLO, The Exaltation of Inanna, 1968. J. RE.

II. KLASSISCHE ANTIKE
A. SELBSTAUSSAGEN DES VERFASSERS
B. ROLLEN DES GRIECHISCHEN DICHTERS UND FIKTIONALITÄT
C. GESELLSCHAFTLICHER STATUS IN ROM

A. SELBSTAUSSAGEN DES VERFASSERS

Während wichtige Strömungen der mod. Lit.-Theorie wie die Intertextualitäts-Forsch. (→ Intertextualität) geneigt sind, die Rolle des V. für einen lit. Text herunterzuspielen oder im Sinne des »offenen Kunstwerks« (U. ECO) zu negieren und nicht nach einer Autorintention zu fragen, trifft dies für das ant. Interesse an Lit. und an ihren Produzenten nicht zu (vgl. Serv. Aen. praef. 1: *intentio Vergilii haec est . . .*, ›es ist Absicht Vergils, . . .‹). Entsprechend wird trotz gelegentlich anderslautender Stimmen (Cic. Brut. 71) der Beginn der Lit. biographistisch am Auftreten des Dichters Homer (→ Homeros [1]) festgemacht (z. B. Vell. 1,5,1–2; [1. 76f.] mit weiter Lit.) und so die Annahme anon. V. der homerischen Epen vermieden. Das wird auch dadurch befördert, daß die ›Odyssee‹ bereits im ersten Vers mit der emphatischen Betonung des Autoren-Ich einsetzt (ἄνδρα μοι ἔννεπε ..., ›nenne mir den Mann ...‹), so daß die Suche nach der biographisch faßbaren Gestalt Homers als des Archegeten der Dichtung, nach seiner Herkunft, seinem Äußeren etc. verständlich wird. Aus Homers Epen ist kein biographischer Aufschluß über den Dichter zu gewinnen, so daß die etwa aus der Gestalt des Sängers Demodokos [1] herausgesponnene Blindheit und andere legendenhafte Züge konkretes Wissen ersetzten [2].

Dieses Defizit füllte schon → Hesiodos aus, der sowohl in der *Theogonía* als auch in den *Érga kai hēmérai* jeweils am Beginn biographische Auskünfte erteilt und die eigene dichterische Sendung unterstreicht, indem er sich als durch die → Musen auserwählt und privilegiert erklärt (»Dichterweihe«). V. a. die in der ›Theogonie‹ geführte Auseinandersetzung mit seinem Bruder Perses [4] um das Problem der δίκη/*díkē* (»Recht«, »Gerechtigkeit«) legt nahe, daß nicht nur sachliche, sondern auch persönliche Beweggründe die Themenwahl bestimmt haben [3. 6–54].

In späterer Zeit finden namentlich → Prooimion bzw. → Prolog/Praefatio sowie → *sphragís* [3] (vgl. dazu: [4]) als Ort der Selbstvorstellung des V. Verwendung (vgl. → Urheberrecht), da dort situationsgebundene oder grundsätzliche Äußerungen auch ohne direkten Bezug zum eigentlichen Thema leichter möglich sind. Mit der Frage nach der Integration von Selbstaussagen in das poetische Werk ist auch das Problem von → Schriftlichkeit-Mündlichkeit insofern verbunden, als durch die enge Verknüpfung zw. der Person des V. und seinem schriftlich fixierten Werk eine freie Verwendung durch andere nach Art der *oral poetry* zumindest erschwert ist. Komplementär dazu vollzieht sich aber auch die Trennung des Schöpfers eines dichterischen Werkes von demjenigen, der es dem Publikum nur darbietet, wie es sich bereits im Übergang von den → Aoiden zu den → Rhapsoden manifestiert.

B. ROLLEN DES GRIECHISCHEN DICHTERS UND FIKTIONALITÄT

Die Überzeugung, daß Dichter auserwählt sind und unter göttlichem Schutz stehen, gilt für die aus Homer und Hesiod zu rekonstruierende Selbstauffassung der Aoiden ebenso wie für die Selbststilisierung der hell. Dichter als Priester (*hiereús*) [5] oder das → *vates*-Konzept der augusteischen Dichtung [6; 7; 8]; sie findet sich sogar noch in spätant. paganen (z. B. [9]) und christl. Vorstellungen von der Aufgabe des Dichters – aufgrund der gewandelten rel. Grundlagen notwendigerweise in modifizierter Form (vgl. z. B. → Prudentius, Praefatio und Epilog seiner Gedicht-Slg.). Allerdings wäre der Eindruck eines die ganze Ant. umgreifenden, unverrückbar feststehenden Verständnisses vom Status des Dichters irreführend. Denn die »Entdeckung der Fik-

tionalität« (s. [10]) führte zur Debatte über die »Wahrheit« von Dichtung – ein Problem, das entweder mit der Rettung durch → Allegorese oder später mit dem Postulat einer spezifischen Wahrheit der Poesie gelöst wurde. Im 9. Kap. von Aristoteles' ›Poetik‹ (1451a-b) wird der Unterschied zw. den Prosa-Formen, die τὰ γενόμενα (›das Geschehene‹) mitteilen, und der Dichtung, die sagt, οἷα ἂν γένοιτο (›was hätte geschehen können‹), formuliert. Gleichwohl bleiben Grenzüberschreitungen, z. B. beim → Lehrgedicht [11] eine auf sachliche Richtigkeit und tatsächliche Nutzbarkeit zielende dichterische Aussage.

Dagegen beanspruchen griech. Prosaautoren von Anfang an (jenseits unangemessener mod. Vorstellungen von Objektivität), ihr Publikum korrekt über den jeweils gewählten Gegenstand zu informieren. Das geht aus den historiographischen Selbstaussagen (die → Geschichtsschreibung wird im erwähnten Kap. 9 der aristotelischen ›Poetik‹ mit der Poesie konfrontiert und kann deshalb als paradigmatisch gelten) so unterschiedlicher griech. Autoren wie → Herodotos [1] (bes. im Prolog) und → Thukydides [2] (1,20,1) hervor (vgl. dazu [12. 36–63, 73–109]). Selbst eine tatsächlich völlig der Fiktionalität verhaftete Prosagattung wie der → Roman [13. 40f.] verzichtete nicht auf den aus formaler Anlehnung an die Historiographie abgeleiteten Wahrheitsanspruch (z. B. → Chariton).

Doch bedeutet das nicht, daß den Prosaautoren von vornherein größere Wertschätzung zuteil geworden wäre. Vielmehr erfüllen die Dichter eine wichtigere definitorische Funktion für das Selbstverständnis einer Gemeinschaft: die → Aoiden an den Königshöfen, die lyrischen Dichter (→ Lyrik) in der griech. aristokratischen Welt oder im privateren Kreis [14], die attischen Tragiker (→ Tragödie) für das Selbstbewußtsein der → *pólis* Athen [15. bes. 7–13]. Die Tendenz zu polit. Funktionalisierung setzte sich im Hell. fort, als die Dichter in die höfische Ges. (v. a. in Alexandreia [1]) integriert wurden (→ Hofdichtung; [16]). Historiker und V. von Fachprosa besaßen keine entsprechende Bedeutung.

C. GESELLSCHAFTLICHER STATUS IN ROM

Die Bedingungen für V. in Rom (generell [17]) waren v. a. in der Zeit der Republik und des frühen Prinzipats von denen im griech. Bereich grundsätzlich verschieden. V. a. Prosaformen wie Geschichtswerke und juristische Fachschriften waren die Domäne der (zumeist senatorischen, allenfalls equestrischen) röm. Oberschicht. Damit setzte sich eine schon in den priesterlichen → *Annales maximi* (einer der wenigen lit. Formen, die durch die Zuschreibung zu einer funktionalen Gruppe gleichsam anonymisiert sind) greifbare Nähe dieser Lit.-Formen zum Staat fort. In der lat. Dichtung, die sich ursprünglich keines hohen gesellschaftlichen Renommees erfreute, so daß die Selbstdarstellung eher in griech. denn ital.-röm. Paradigmen erfolgte (vgl. [18] für Epiker wie Dramatiker des 3. und 2. Jh. v. Chr.), sind erst ab → Lucilius Angehörige der führenden

Schicht anzutreffen [19]. Nach der tendenziell apolitischen, auf sich selbst konzentrierten neoterischen Dichtung (→ Neoteriker) weitete sich in augusteischer Zeit der Anspruch der Lit. auf eine umfassende, beinahe nationale Geltung aus [20. bes. 207–269]; zugleich stellte sich mit der Entstehung des → Prinzipats aber auch die Frage nach dem Verhältnis von Lit. und Politik [21], also nach der Stellung der V. im sich zu monarchischen Strukturen wandelnden röm. Staatsgebilde; diese ist sowohl im Detail als auch generell (in der Spannweite zw. → Panegyrik und Fundamentalopposition) in der Forsch. umstritten (Überblick bei [22]).

Komplementär und konkurrierend zu dieser universalen Ausrichtung ist die Hinwendung eines V. an einen spezifischen Adressatenkreis und eine Einzelperson (→ Widmung), die entweder namentlich benannt oder allg. als Leser tituliert ist (Ov. trist. 4,10,132 *candide lector*, ›verständiger Leser‹).

Bezeichnend für die hell. und röm. Lit. insgesamt – namentlich die Dichtung – ist die stete immanente, identitätsgewinnende oder polemische Auseinandersetzung der V. mit den eigenen Trad. als lit.-gesch. Selbstreflexion [23]. Befördert wird dies durch die Bildung lit. Gruppen und Zirkel, von denen der Maecenas- und Messallakreis (vgl. → Maecenas [2]; → Valerius [II 16] Messalla; → Zirkel, literarische) am folgenreichsten waren (vgl. [24]). Diese lit. Freundeskreise bildeten auch das primäre Publikum, an das sich die V. wandten – mit dem sog. Auditorium des Maecenas [2] auf dem Esquilin (→ Esquiliae) in Rom ist evtl. einer der Vortragsräume zu identifizieren [21] –, bevor nach intensiver Diskussion die Werke in öffentlichen Lesungen [25] und sogar auch dramatischen Aufführungen einer größeren Öffentlichkeit vorgestellt und damit gewissermaßen veröffentlicht wurden (→ Rezitation). Am Ende dieses Prozesses stand die vom Autor selbst oder einem Verleger (oder einem Hrsg.: Cicero für → Lucretius [III 1]) verantwortete Buchausgabe (vgl. → Auflage, Zweite), die zum Ursprung der weiteren → Textgeschichte wurde.

Trotz der Fokussierung auf die V.-Person (vgl. → Biographien von Dichtern) kannte die Ant. aber keinen festen Werkbegriff (vgl. [26. 1–14]), so daß eine Ed. nicht als Ende des Produktionsprozesses betrachtet wurde und keine prinzipiellen Hemmungen bestanden, von dritter Seite in das Werk eines V. einzugreifen – z. B. durch → Interpolationen – oder ihm gar Werke unterzuschieben, um so z. B. vom Prestige eines bekannten V.-Namens zu profitieren ([27]; vgl. → Fälschungen). → Kommunikation; Literarische Gattung; Literatur; Literaturbetrieb; Literaturtheorie; Musenanruf; Pseudepigraphie; Schriftlichkeit-Mündlichkeit; Textgeschichte; POETA VATES

1 U. SCHMITZER, Velleius Paterculus und das Interesse an der Gesch. im Zeitalter des Tiberius, 2000 2 E. VOGT, Homer – ein großer Schatten?, in: J. LATACZ (Hrsg.), Zweihundert Jahre Homer-Forsch., 1991, 365–377 3 E. STEIN, Autorbewußtsein in der frühen griech. Lit., 1990

4 W. KRANZ, Sphragis. Ichform und Namensiegel als Eingangs- und Schlußmotiv ant. Dichtung, in: RhM 104, 1961, 3–46 5 S. KOSTER, Kallimachos als Apollonpriester, in: Ders., Tessera, 1983, 9–21 6 H. DAHLMANN, Vates, in: Philologus 97, 1948, 337–353 7 J. K. NEWMAN, The Concept of Vates in Augustan Poetry, 1967 8 B. FEICHTINGER, Properz, Vates oder Haruspex?, in: CeM 42, 1991, 187–212 9 TH. KELLNER, Das dialektische Bildungsverständnis des Staatsdichters Claudian, in: U. SCHMITZER (Hrsg.), Beitr. zur paganen Kultur des 4. Jh. n. Chr. (im Druck) 10 W. RÖSLER, Die Entdeckung der Fiktionalität in der Ant., in: Poetica 12, 1980, 283–319 11 E. PÖHLMANN, Charakteristika des röm. Lehrgedichts, in: ANRW I 3, 1977, 813–901 12 O. LENDLE, Einführung in die griech. Gesch.-Schreibung, 1992 13 N. HOLZBERG, Der ant. Roman, 2001 14 W. RÖSLER, Dichter und Gruppe, 1980 15 C. MEIER, Die polit. Kunst der griech. Tragödie, 1988 16 G. WEBER, Dichtung und höfische Ges., 1993 17 E. FANTHAM, Lit. Leben im ant. Rom, 1998 (engl. 1996) 18 W. SUERBAUM, Unt. zur Selbstdarstellung älterer röm. Dichter, 1968 19 F.-H. MUTSCHLER, Zur Bed. des Ritterstandes für die Gesch. der röm. Lit. im 2. und 1. Jh. v. Chr, in: WJA N. F. 14, 1988, 113–135 20 M. CITRONI, Poesia e lettori in Roma antica, 1995 21 U. SCHMITZER, Die Macht über die Imagination. Lit. und Politik unter den Bedingungen des frühen Prinzipats, in: RhM (im Druck) 22 Ders., Dichtung und Propaganda im 1. Jh. n. Chr., in: M. ZIMMERMANN, G. WEBER (Hrsg.), Selbstdarstellung, Propaganda, Repräsentation von Actium bis Traian (im Druck) 23 E. A. SCHMIDT (Hrsg.), L'histoire littéraire immanente dans la poésie latine, 2001 24 P. WHITE, Promised Verse, 1993 25 G. BINDER, Öffentliche Autorenlesungen, in: Ders., K. EHRLICH (Hrsg): Kommunikation durch Zeichen und Wort, 1995, 265–332 26 O. ZWIERLEIN, Die Ovid- und Vergil-Revision in tiberischer Zeit, Bd. 1, 1999 27 W. SPEYER, Die lit. Fälschung im heidnischen und christl. Alt., 1971. U. SCH.

Verfassung (πολιτεία/*politeía*, lat. *res publica*), Verfassungstheorie.

I. NAME II. BEGRIFF UND TYPOLOGIE
III. ENTWICKLUNG DER TYPOLOGIE

I. NAME

Dem dt. Begriff »V.« (d. h. der Regierungsform eines Staates) entspricht im Griech. das Wort → *politeía* (Antiph. 3,2,1; Thuk. 2,37; Plat. rep. 8,562a; Aischin. 1,5; Aristot. pol. 3,1279a), das Platon [1] auch mit κατάστασις τῶν ἀρχῶν καὶ ἀρχόντων (»Einsetzung der Ämter und der Amtsinhaber«, Plat. leg. 6,751a), Aristoteles [6] mit τάξις τῶν τὴν πόλιν οἰκούντων (»Ordnung für die Einwohner der Stadt«, Aristot. pol. 3,1274b 34) paraphrasiert. Daneben kann *politeía* auch das → Bürgerrecht (Hdt. 9,34), die Gesamtheit der Bürgerschaft (Aristot. Ath. Pol. 54,3), den Lebensstil der Bürgergemeinde (Demosth. or. 19,184) oder auch allein die Regierung (Thuk. 1,127; Demosth. or. 18,87) bezeichnen [1. 37–123]. Cicero gibt *politeía* mit lat. → *res publica*, → *civitas* oder *genus rerum publicarum* wieder (Cic. rep. 1,31,47, 1,33,50, 1,34,51, 1,28,44).

II. Begriff und Typologie

Das Verständnis von *politeía* als Regierungsform einer → Polis schlägt sich seit dem 5. Jh. v. Chr. in den Begriffen der V.-Typologie nieder. Als die drei hauptsächlichen V.-Typen erscheinen → *monarchía*, → *oligarchía* oder → *aristokratía* und → *démos* [1] bzw. → *isonomía* (»Gleichheit vor dem Gesetz«, Hdt. 3,80–83; 1,242–249). Bildet bei den beiden ersten die Zahl der Regierenden den Begriff, zeigt die Bezeichnung *démos* oder *isonomía* für die Demokratie (*démokratía*: Hdt. 6,43; Antiph. 6,45), daß die Begriffsbildung auch dem Kriterium des gesetzlichen Anspruchs aller Bürger auf → Herrschaft folgen kann [7. 7–69]. Den Gegenbegriff zur *isonomía* bildet die → *tyrannís* (Hom. h. 8,5; Aischyl. Prom. 736; Aristoph. Nub. 564), die den durch kein Gesetz kontrollierten Willkürgebrauch der Herrschaft eines einzelnen bezeichnet. Die V.-Typologie erlaubt daher, den V.-Begriff zu rekonstruieren.

III. Entwicklung der Typologie

Die Entwicklung der V.-Typologie folgt der Entwicklung der ant. → politischen Philosophie. Die Sprecher in der V.-Debatte bei Herodot diskutieren die drei Haupttypen der V. vom Gesichtspunkt der Verführbarkeit der Herrschenden aus, die zur Verletzung der bestehenden gemeinsamen → Gesetze und Sitten führten (Hdt. 3,80–83). Den Hintergrund dieser Debatte bildete das Verständnis der attischen Demokratie als *isonomía*, die als Abwehrreaktion gegen die vorangegangene Tyrannis durch → Kleisthenes [2] institutionell verwirklicht worden war [13]. In den Parteidiskussionen am E. des 5. Jh. in Athen wurde von gemäßigten Demokraten eine Anknüpfung an Solon [1] mit dem Schlagwort → *pátrios politeía* (»Väter-V.«) gesucht [3. 1–25].

→ Platons [1] Eingriff in die polit. Debatte gab ihr eine unumkehrbare neue Richtung [1. 385–432]: Im ›Staat‹ (*Politeía*) setzt Platon die überkommene V.-Typologie voraus, erweitert jedoch die Anwendung des Begriffs, indem er *politeía* metaphorisch auch als die ›Herrschaftsformen der Seele‹ versteht. Zugleich ersetzt er das quantitative Kriterium der Zahl der Regierenden durch ein qualitatives (Plat. rep. Buch 8–9; [4. 21–71; 5. 263–285]): Neben der Aristokratie als der Herrschaft der Besten (Streben nach Gerechtigkeit) steht die Timokratie (Streben nach Ehre), die Oligarchie (Reichtum), die Demokratie (Freiheit und Gleichheit) und die Tyrannis (Gewalt und Willkür). Grundlegend ist jedoch v. a. Platons Unterscheidung der einen, gerechten Regierungsform (ὄντως πολιτεία/*óntōs politeía*) von den vielen ungerechten als deren Verfallsformen. Damit führt er das Staatsziel, die → Gerechtigkeit (identisch mit der geometrischen Gleichheit), als Kriterium der V. ein und begründet die Trad. des polit. Denkens, das die eine »beste V.« (*arístē politeía*) zu konstruieren sucht. Diesen Gedanken radikalisierend gesteht Platon seit seinem *Politikós* den »nicht richtigen V.« die Bezeichnung »V.« überhaupt nicht mehr zu (Plat. polit. 303c; Plat. leg. 8,832c: *stasioteía* statt *politeía*). Die beste V. realisiert sich in der Herrschaft der Vernunft (*noo-kratía*, »Herrschaft des → Intellekts«, vgl. Plat. leg. 4,713e–714a, jedoch ohne den Ausdruck), deren Gesetzgebung am Maßstab des Gerechten als des gemeinsamen Guten (*to koinón*, Plat. leg. 4,715a-c) orientiert ist (l.c.; [6. 258–292]). Platon formuliert damit den ersten »Konstitutionalismus« (vgl. → Politische Theorie II.).

Aristoteles [6] vereinigt die vorplatonische und platonische V.-Theorie, indem er drei richtige, am gemeinsamen Guten ausgerichtete V. (*basileía*/Königsherrschaft, *aristokratía* und *politeía*) von ihren Verfallsformen unterscheidet (*tyrannís*, *oligarchía* und *demokratía*; Aristot. pol. 3,6–7). Im Hinblick auf die in seiner Zeit bestehenden V. korrigiert er die V.-Typologie von Oligarchie und Demokratie gemäß dem soziologischen Kriterium des Besitzes – die Reichen versus die Armen (ebd. 3,8); v. a. jedoch verfeinert er im Rahmen einer Neukonzeption der polit. Philos. (ebd. 4,1) die Typologie durch Analyse der Spielarten innerhalb eines Typus sowie deren Institutionen, um durch die Kombination der Institutionen (→ »Mischverfassung«) den bestehenden Poleis zu größtmöglicher Stabilität zu verhelfen (ebd. 3,8; 3,11; 5,8–9; [10. 52–63]). Der Historiker → Polybios [2] führt dann, angesichts der Stabilität, die Rom von den griech. Staatsgebilden unterscheidet, den Gedanken der Misch-V. als historiographisches Modell ein (B. 6; [2. 40–95]). Ausgehend von Platons Konzeption eines Verfalls der V. nimmt Polybios einen Kreislauf des V.-Wandels an (Pol. 6,7,5–6,9,2), der durch die Misch-V. aufgehalten werden kann (6,10).

An alle diese griech. Vorbilder anknüpfend sucht → Cicero (*De re publica* und *De legibus*) die Gesichtspunkte der Stabilität und der »besten V.« (*optimus status civitatis*, Cic. rep. 1,20,33) zu vereinen: Das Rom der Zeit von den Königen bis zu den Gracchen mischte die Vorzüge der drei klass. V.-Typen (Cic. rep. 2); es erweist sich zugleich als der »beste Staat«, da der Konsens der Bürger über die Verteilung der Herrschaft von der Gerechtigkeit getragen werde (ebd. 2; 3; 8,219–244; 3,14,108–121).

→ Augustinus' Kritik an Ciceros Staatsideal (Aug. civ. 19,21 ff.) verzichtet auf jegliche V.-Typologie; er mißt die röm. *res publica* am christl. Gerechtigkeitsbegriff und spricht ihr den Namen und Begriff von *res publica* überhaupt ab (l.c.; [9; 14. 158–170]). Im Rückgriff auf das platonische Vorgehen ordnet → Boëthius am Ausgang der Ant. die drei klass. V.-Typen den drei Formen der musikalischen »Mitten« (*mediatas*) zu (Boeth. de institutione arithmetica 2,45; [12]) und bereitet damit eine vergleichbare Interpretation der V.-Formen durch J. Bodin im 16. Jh. vor (*Six livres de la république* 6,6; → Politische Theorie II.).

→ Aristokratia; Civitas; Demokratia; Gerechtigkeit; Herrschaft; Mischverfassung; Oligarchia; Platon [1] (G.3.); Politeia; Politische Philosophie; Res publica; Staat; Tyrannis; Aristokratie; Demokratie; Politische Theorie (II.); Verfassung; Verfassungsformen

1 J. Bordes, Politeia dans la pensée grecque jusqu'à Aristote, 1982 2 K. von Fritz, The Theory of the Mixed Constitution in Antiquity, 1954 (zu Polybios) 3 H. Fuks, The Ancestral Constitution, 1953 4 A. Hellwig, Adikia in Platos Politeia, 1980 5 W. Kersting, Platos ›Staat‹, 1999 6 A. Laks, The Laws, in: Ch. Rowe et al. (Hrsg.), Cambridge History of Greek and Roman Political Thought, 2000, 258–292 7 Ch. Meier, Entstehung des Begriffs Demokratie, 1970 8 A. Neschke, Justice et Etat idéal chez Platon et Cicéron, in: M. Vegetti (Hrsg.), La Republlica di Platone nella tradizione antica, 1999, 79–105 9 Dies., La cité n'est pas à nous, in: s. [8], 219–244 (zu Augustinus) 10 W. Nippel, Mischverfassungstheorie und V.realität in Ant. und früher Neuzeit, 1985 11 H. Ryffel, Μεταβολὴ πολιτειῶν. Der Wandel der Staatsv., 1949 12 M. L. Silvestre, Forme di governo e proporzioni matematiche: Severino Boezio e la ricerca dell' aequum ius, in: Elenchus 17.1, 1996, 95–109 13 G. Vlastos, Isonomia, in: Ders., Studies in Greek Philosophy, Bd. 1, 1995, 90–111 14 P. Weber-Schäfer, Einführung in die ant. polit. Theorie, 1976.   A. NE.

Vergewaltigung I. Begrifflichkeit II. Tatbestände III. Wertungen und gesetzliche Regelungen IV. Mythischer Kontext

I. Begrifflichkeit

Im mod. Sprachgebrauch wird der gewaltsam erzwungene Geschlechtsverkehr, der von der bezwungenen Person abgelehnt wird, als V. bezeichnet. Ein entsprechender ant. Terminus existiert nicht. Die griech. und röm. Terminologie zur Beschreibung des Tatbestands der V. deutet nur teilweise die mit dem Vorgang verbundene Gewalt an (z. B. βιάζεσθαι/*biázesthai*, lat. *violare*: Gewalt anwenden; ἁρπαγή/*harpagé*, lat. *rapina*: Raub); nicht selten wird der Aspekt der Gewalt verschleiert; mitunter wird die mit der V. einhergehende Erniedrigung des Opfers angedeutet (διαφθείρειν/*diaphtheírein*: verderben; ὕβρις/*hýbris*: Mißhandlung; *vitium*: Makel; *flagitium*: Schande). In den lit. Quellen finden sich zahlreiche Hinweise auf V., so in Mythen, in den Epen Homers, in Dramen, v. a. in den Komödien des Menandros [4], in Ovidius' ›Metamorphosen‹, in Ethnographie, Geschichtsschreibung, Dichtung, philos. und juridischen Texten (Sen. contr. 1,5; 7,8; Cod. Theod. 9,1,1; 9,2,5; 9,8,1; 9,24; 9,25; 9,38,4; 9,38,6f.).

II. Tatbestände

Als Täter werden von den griech. und röm. Autoren meist freie Männer benannt, bei den erwähnten Opfern von V. handelt es sich größtenteils um junge, oft unverheiratete Frauen, seltener um junge Männer. Nach den lit. Quellen scheinen v. a. Situationen, in denen Frauen sich außerhalb ihres Hauses und fern von ihren Angehörigen aufhielten, von den Tätern ausgenutzt worden zu sein. In den Komödien des Menandros werden wiederholt V. junger Frauen im Rahmen des Getümmels städtischer → Feste erwähnt (z. B. Men. Epitr. 486–490; 850–870). Die sexuelle Aneignung eigener

Sklavinnen oder Sklaven stand im Einklang mit der absoluten Verfügungsgewalt der Herren (→ *kýrios* II.; → Sklaverei), während es verboten war, sich an den Sklaven eines anderen zu vergreifen. Im Krieg und im Bürgerkrieg gehörte es zu den anerkannten Rechten des Siegers, über Frauen und Töchter der Besiegten zu verfügen; V. in diesem Kontext werden von ant. Autoren als triumphale Geste verstanden, welche die Entehrung der Unterlegenen zum Ziel hatte (Eur. Tro. 665 f.; Tac. ann. 14,31,1; 14,35,1; Tac. Agr. 31,1). V. freier Frauen sind topischer Bestandteil der Schilderungen der Machtergreifung grausamer Tyrannen in Griechenland (Hdt. 3,80,5; Athen. 10,444f–445a; Diod. 19,8,3–5; → *tyrannís*). Dieser Topos wurde auch auf röm. Kaiser übertragen, die dadurch als grausame Herrscher beschrieben und in die Nähe von Tyrannen gerückt werden sollten (Suet. Tib. 44f.; Suet. Cal. 24; Suet. Nero 28; Cass. Dio 80,13,1–4).

III. Wertungen und gesetzliche Regelungen

Welche Motive den Täter zur V. veranlaßten und inwiefern für die Tat er selbst, eine höhere Gewalt (Eros) oder das Opfer verantwortlich gemacht wurde, ist in der Forsch. umstritten. Im Rahmen der ant. moralischen Bewertung von V. spielt der Tatbestand der Gewaltanwendung eine unwesentliche Rolle. Die V. wurde in der Ant. v. a. deswegen mißbilligt, weil der Täter sich im Rahmen der gewaltsamen sexuellen Vereinnahmung seines Opfers den Status und das Recht eines Ehemannes anmaßte, ohne dazu legitimiert zu sein. Dies ist u. a. daran ablesbar, daß die V. einer verheirateten Frau meist als → Ehebruch (→ *adulterium*; → *moicheía*) wahrgenommen wurde. Sofern das Opfer noch unverheiratet war, konnte die Schande einer V., die meist erst durch eine Schwangerschaft konkret sichtbar und damit offenkundig wurde, dadurch abgewendet werden, daß der Täter sein Opfer heiratete (Plaut. Aul. 791–793; Ter. Ad. 473; Sen. contr. 1,5; 7,8; Quint. decl. 262). Ob solche »Zwangsheiraten« von Vergewaltiger und Opfer tatsächlich praktiziert wurden, wird in der Forsch. kontrovers diskutiert [5]. Zweifellos verweist die Idee der Zwangsheirat auf die enorme Bed. des legitimen, d. h. ehelichen Nachwuchses im Rahmen des ant. Bürger- und Erbrechts. Die psychischen Schäden der Opfer von V. wurden von griech. und röm. Autoren nur am Rande beleuchtet; die Situation der vergewaltigten Frau wird von Euripides [1] am Bsp. der → Kreusa [2] (Eur. Ion 859–906) und von Livius [III 2] in der Gesch. der → Lucretia [2] dargestellt, die nach Verlust ihrer Keuschheit Suizid begeht (*amissa pudicitia*; Liv. 1,57,6–1,59,6; vgl. auch Suet. Tib. 45).

Es sind verschiedene gesetzliche Regelungen bezeugt, die Strafen für V. festsetzten. In Athen legte bereits → Solon [1] eine Strafe von 100 Drachmen für die V. einer freien Frau fest (Plut. Solon 23,1; vgl. Lys. 1,32f.; Aischin. Tim. 15f.). Kinder, unter ihnen auch Jungen, waren gegen V. oder → Prostitution durch bes. gesetzliche Bestimmungen geschützt (Aischin. Tim.

6–17). In klass. Zeit konnte die V. einer beliebigen Person (frei oder unfrei, Mann oder Frau) auf dem Weg einer Schriftklage wegen → hýbris (II.; vgl. Aischin. Tim. 15 f.: γραφὴ ὕβρεως/*graphḗ hýbreōs*) oder einer Privatklage wegen Gewalt (δικὴ βιαίων/*dikḗ biaíōn*) verfolgt werden. Im Stadtrecht von → Gortyn sind je nach dem sozialen Status des Opfers der V. differenzierte Geldstrafen für den überführten Täter vorgesehen (Leges Gort. 2,2–15). Platon [1] sieht Straffreiheit vor, wenn ein Vergewaltiger von einem Verwandten (Vater, Bruder, Sohn der vergewaltigten Person) getötet wird (Plat. leg. 874c). In der röm. Republik und in der Kaiserzeit konnten Vergewaltiger wahrscheinlich nach den verschiedenen Gesetzen wegen Gewalttätigkeit (*leges de vi*) angeklagt werden (Dig. 48,5,30,9; 48,6,3,4; vgl. → *vis*). Verfolgung und Anklage der Täter oblagen den männlichen Angehörigen der vergewaltigten Frauen.

IV. Mythischer Kontext

V. werden in zahlreichen Mythen erwähnt, wobei oft Götter (etwa Apollon, Poseidon, Zeus oder Hades) oder Heroen wie Theseus und Peleus sterbliche Mädchen vergewaltigen (Apollon: Eur. Ion 436–451; zu Peleus und Thetis vgl. Hom. Il. 18,432–434). Eine Reihe von attischen Vasenbildern aus der Zeit von ca. 550 bis etwa 425 v. Chr. bilden überwiegend myth. Verfolgungsszenen ab, die als Darstellungen der aus der Myth. bekannten V. interpretiert werden können, wobei die V. allerdings nicht explizit gezeigt wird [8].

→ Ehe; Frau; Sexualität

1 S. Deacy, K. W. Arafat, Rape in Antiquity, 1997
2 G. Doblhofer, V. in der Ant., 1994 3 J. F. Gardner, Women in Roman Law and Society, 1986, 118–121
4 A. E. Laiou, Consent and Coercion to Sex and Marriage in Ancient and Medieval Societies, 1993 5 S. Lape, Democratic Ideology and the Poetics of Rape in Menandrian Comedy, 2001 6 MacDowell, 124–126
7 A. Richlin, Reading Ovid's Rapes, in: Dies. (Hrsg.), Pornography and Representation in Greece and Rome, ²1992, 158–179 8 A. Stewart, Rape?, in: E. D. Reeder (Hrsg.), Pandora, 1995, 74–90.   E. HA.

Vergilius. Röm. Gentilname, seit dem 1. Jh. v. Chr. v. a. in der Gallia Cisalpina bezeugt (hsl. häufig mit → Verginius verwechselt). Die Schreibung *Virgilius* für den Namen des Dichters V. [4] ist erst seit dem 5. Jh. n. Chr. belegt.

F. della Corte, s. v. Virgilio, EV 5.2, 1991, 2f.   K.-L.E.

[1] V. (seltener: Verginius), C. 57–55 v. Chr. Legat des L. Calpurnius [I 19] Piso in Macedonia; von Cicero (prov. 7) als integres Gegenbild zu Piso dargestellt. Vielleicht (so MRR 2,205) identisch mit V. [2].
[2] V. (auch: Verginius) Balbus, C. Aed. pl. 65 v. Chr., Praetor 62 (beide Male mit Q. Tullius [I 11] Cicero: Cic. Planc. 95 f.), 61–58 unüblich lange Propraetor von Sizilien. Im April 58 lehnte V. die Aufnahme des verbannten Cicero (l.c.) aus Angst vor P. Clodius [I 4] ab. Im Bürgerkrieg hielt V. zu Pompeius [I 3]. 46 verteidigte er Thapsos; Caesars Vormarsch auf die Stadt zwang die Pompeianer zur Schlacht vom 4. April, in der V. sich tapfer schlug. Er kapitulierte erst Wochen später (Bell. Afr. 28,1–4; 79; 86; 93,3) und wurde von Caesar enteignet (Cic. Att. 13,33,2).

[3] V. Eurysaces, M. Wohl Freigelassener (oder Sohn eines solchen), reicher Bäckereibesitzer und → *redemptor* (staatl. Lieferant? ILS 7460 a-c) für die Aedilen; bekannt durch sein »sprechendes«, mit Bäckerszenen geschmücktes Grabmal in Form eines Kornspeichers (*panarium*) an der Porta Praenestina in Rom (ca. 50 v. Chr.? [1. 329–332; 2. 355]), ausgegraben 1838. V.' Frau dürfte die nebenan begrabene Atistia sein (ILS 7460 d).

1 Nash, Bd. 2 2 Richardson.   JÖ. F.

[4] V. Maro, P. Der röm. Dichter Vergil, 70–19 v. Chr.; Verf. der *Aeneis* (= *A.*), der *Bucolica* (= *B.*, auch *Eclogae* = *E.*) und der *Georgica* (= *G.*).

I. Leben II. Werke
III. Überlieferung und Rezeption

I. Leben

Die ant. biographische Überl. zu V. ist reich; die dem V.-Komm. des Aelius Donatus [3] vorangestellte *Vita Donatiana* (*VD*), die erh. Hauptquelle, läßt sich fast ganz auf die *Vita Vergilii* in Suetonius' [2] *De poetis* (*VSD*) zurückführen. Aber auch hier scheinen manche Nachrichten auf biographischer Allegorese bes. von Passagen der *B.* zu beruhen oder können als von ant. Philologen erfundene Verteidigungsanekdoten betrachtet werden. Sogar Legendenbildung ist für die Geburtsumstände bereits in der *VSD* zu beobachten. Nach strengsten Kriterien verbleiben als authentische Nachr. für V.' Leben aus der *VSD* im wesentlichen nur: V. ist geb. am 15.10.70 v. Chr. in → Mantua, gest. am 21.9.19 v. Chr. in → Brundisium in → Calabria, bestattet bei Neapel; er besaß etwa 10 Mio. Sesterzen Vermögen beim Tod (was auf den Sozialstatus eines Ritters deutet), Hausbesitz in Rom, persönliche Kontakte zu → Augustus. Auch Details über die »feilende«, d. h. sorgfältig die Verse reduzierende Arbeitsweise V.' (konkret für die *G.*) sind unverdächtig; sie werden durch Berechnungen bestätigt, daß z. B. von den *G.* durchschnittlich etwa ein Vers pro Tag erarbeitet worden ist; die angegebene Dauer der Arbeit an den *B.* (3 J. für 829 V.), an den *G.* (7 J.; 2188 V.) und an der *A.* (11 J.; 9896 V. in den Edd.) wird im großen ganzen richtig sein, die konkrete Datier., die auf 39–37 v. Chr. für die *B.*, 36–30 für die *G.*, 29–19 für die *A.* zu führen scheint, weniger. Die Angaben über seine testamentarischen Verfügungen im Hinblick auf die unvollendete *A.* sind schon in der *VSD* widersprüchlich (›drei Testamente‹); allerdings kennt bereits Plin. nat. 7,114 die Trad., V. habe die *A.* verbrennen lassen wollen, doch Augustus habe das testamentswidrig verhindert.

Aus den *B.* darf man ferner auf Förderung durch Asinius [I 4] Pollio, Alfenus [4] Varus und Varius [I 2]

Rufus sowie auf Freundschaft zum Elegiker Cornelius [II 18] Gallus schließen, aus den *G.* auf Einflußnahme des → Maecenas [2] (georg. 3,42). Horatius [7], dessen Zeugnisse in der *VSD* nicht rezipiert sind, bezeichnet V. als guten Freund (sat. 1,5,41 f.), der ihn bei Maecenas eingeführt habe (sat. 1,6,54 f.). Weitere Nachr. in der *VSD*, etwa zum Schicksal V.' bei den Landenteignungen nach 42 v.Chr., werden dagegen eher auf Identifizierung von Figuren der *B.* mit V. selbst beruhen. Angaben über → Rezitationen der abgeschlossenen *G.* (29 v.Chr.) und von drei *B.* der *A.* vor Augustus durch V. persönlich samt anekdotischen Details (VSD 32; Serv. Aen. 6,861) lassen sich nicht falsifizieren.

Statt der relativ nüchternen *VSD* war in der Zeit vom Beginn des Buchdrucks bis ins 19. Jh. die Standard-Vita des V. eine durch Interpolationen aufgeschwemmte Fassung: der sog. *Donatus auctus* (*DA* oder *VSDauct.*, auch *Vulgata* genannt). Der *DA* als solcher ist offenbar erst Anf. des 15. Jh. entstanden. Seine Quellen reichen teils bis weit in das Alt. zurück, teils sind aber auch Anekdoten eingedrungen, die das allumfassende Wissen des V. dartun sollen. Von den eigentlichen Wundergeschichten des MA über den Zauberer und Magier Virgilius ist jedoch auch der *DA* frei.

II. WERKE

A. DAS GESAMTWERK B. BUCOLICA (EKLOGEN)
C. GEORGICA D. AENEIS
E. ANDERE VERGIL ZUGESCHRIEBENE WERKE

A. DAS GESAMTWERK

Seit der Spätant. wollte man in der Abfolge *B.* – *G.* – *A.* (für diese drei Werke galt V. – anders als für solche der → *Appendix Vergiliana*, vgl. u. II.E. – immer unbestritten als Autor) eine stufenweise Erfassung immer weiterer Daseinskreise, sogar eine Art Nachahmung der menschlichen Entwicklung erkennen (sog. *ordo temporum*-Konzeption: vom Hirten über den Bauern zum Krieger). Diese Vorstellung führte zu einer Serie von schematischen Begriffs-Triaden, die den drei »kanonischen« Werken V.' nach dem Muster von V.' Grabepigramm (*cecini pascua, rura, duces*; ›ich habe Weiden, Felder und Führer besungen‹) zugeteilt wurden und im 13. Jh. in der *Rota Vergilii* (in der *Poetria* des Johannes von Garlandia) erweitert und systematisiert wurden. Spätestens seit F. KLINGNER (1930, in: [15. Bd. 1, 3–17]) aber wird ›die Einheit des virgilischen Lebenswerkes‹ in einer schrittweisen Annäherung an die polit.-histor. Welt gesehen. Zu den gemeinsamen Zügen der einen Dichterpersönlichkeit, die hinter den drei unterschiedlichen Gattungen zugehörigen Werken mit ihren je verschiedenen Sprecherrollen steht, gehören: die Sympathie, oft geradezu Besorgtheit für Mensch, Tier und Pflanze; der geradezu schwermütige Ernst und die damit gepaarte Pathetik; das Suchen nach Sinn; die Religiosität; die Liebe zur Heimat It.; das Gefühl für Farben; das Interesse an Kunstobjekten; die unaufdringliche allseitige Bildung, v.a. Belesenheit; das »alexandrinische«

Streben nach Formvollendung und Intertextualität; die Klarheit, Musikalität und Eleganz der Sprache; die Ausgeglichenheit der Metrik (in allen drei Werken: Hexameter); in der jüngeren Forsch. wird für alle seine Werke, nicht nur für die *A.*, das Nebeneinander einer optimistischen und einer pessimistischen Tendenz und damit immer stärker die Vielfältigkeit und Vielschichtigkeit der Leseweisen betont.

B. BUCOLICA (EKLOGEN)

1. GATTUNG UND INHALT
2. CHRONOLOGIE UND STRUKTUR DES BUCHES
3. INTERTEXTUALITÄT UND INTERPRETATION

1. GATTUNG UND INHALT

Die *Bucolica* (= B., dieser Pl.-Begriff ist offenbar der Originaltitel), eine Zusammenstellung von 10 Eklogen (= ecl. oder E., kurze Gedichte, im Gegensatz zu B. auch im Sg. verwendbar), mit insges. 829 V. bilden – vom Sonderfall des Catullus [1] abgesehen – das erste (uns greifbare) aus Einzeldichtungen komponierte Buch der lat. Lit. (Vorbild für Horatius [7], Tibullus, Ovidius u.a.) und zugleich die Begründung der bukolischen Dichtung in Rom (→ Bukolik II.). Das allg. Vorbild ist die griech. Hirtendichtung des → Theokritos [2] (vgl. Verg. ecl. 4,1; 6,1). Das Theokrit zugeschriebene Gedichtcorpus aus *eidýllia*, ›Idyllen‹ (= kleinen Gedichten), enthält nicht nur Hirtendichtung, doch V. benutzt im wesentlichen nur die im engeren Sinne bukolischen »Idyllen«, die den Gesang von Hirten zum Gegenstand haben (bes. Theokr. 1 und 7). Auch wenn in den B. gelegentlich (wie in ecl. 4,1 ausdrücklich angekündigt) die Grenzen des pastoralen Ambiente überschritten werden, so sind die E. bei V. doch grundsätzlich »Lieder« von Hirten mit griech., oft direkt aus Theokrit stammenden Namen, die in einer geogr. nicht zu identifizierenden Ideallandschaft singen, in der Elemente des Siziliens Theokrits, der »geistigen Landschaft« Arkadien (B. SNELL, 1946; engl. in: [15. Bd. 1, 44–67]) und V.' Heimat Oberitalien zusammenfließen. Die bukolische Welt V.' ist zwar ein *locus amoenus*, ein Idyll im mod. Sinne, ein artifizielles Konstrukt, in dem die als Hirtensänger stilisierten Bewohner praktisch ausschließlich der Dichtung und der Musik leben, aber sie ist ständig gefährdet durch inhärente Elemente wie Leid und Tod und von außen kommende Einflüsse der polit. Welt.

Zu den Elementen der realen Welt gehören die Personen, denen einzelne *E.* gewidmet sind: Asinius [I 4] Pollio E. 4 und 8; einem Varus, wohl Alfenus [4] Varus E. 6; Cornelius [II 18] Gallus E. 10. Die Sphären von Realität und Fiktionalität sind jedoch selbst hier vermischt: In ecl. 9,35 f. mißt sich der singende Hirt Lycidas nicht an einem Menalcas oder Corydon, sondern an den realen Dichtern → Varius [I 2] Rufus und → Helvius [I 3] Cinna.

Die lyrischen, aber in Hexametern abgefaßten, also nicht direkt zum Gesang bestimmten Gedichte (sie wurden jedoch nach VSD 26 gesungen auf der Bühne auf-

geführt) sind entweder in unmittelbar »dramatischer«
Form als Dialog, teilweise als Wettgesang in abwech-
selnden Strophen oder in anderen Varianten der Kontrastierung zweier Gesänge zw. zwei oder drei Hirten
gestaltet (alle ungeradzahligen E. 1; 3; 5; 7; 9) oder sie
werden auktorial geboten (alle geradzahligen E.; vor
deren Anfang befanden sich im spätant. Cod. R jeweils
stilisierte Autor-Bildnisse V.'). Schon in der Ant. hat
man nach der Sprecherrolle diese dramatisch-mimeti-
schen E. mit Figuren-Rede von den erzählend-»dihe-
gematischen« E. mit Autor-Rede unterschieden. Die
auktorial stilisierten E. enthalten aber immer ebenfalls
längere Partien, die einer Figur in den Mund gelegt
werden, darunter in E. 4 Anführung eines *Cumaeum
carmen* (eines prophetischen Spruchs der → Sibylle von
Cumae), in E. 6 Referat des Gesanges Silens, in E. 10
die Liebesklage des Elegikers Gallus. Die damit einhergehende Rahmung ist ein wichtiges Darstellungsmittel
V.' [29]. In den Schlußversen (der → *sphragís* [3]) der G.
(4,565 f.) bezeichnet sich V. unter Anspielung auf ecl.
1,1 als Verf. der B.

2. CHRONOLOGIE UND STRUKTUR DES BUCHES
Eine überzeugende absolute oder relative Chronologie der 10 E. zu erstellen, ist schwierig. Es gibt nur
wenige sicher identifizierbare Anspielungen auf konkrete äußere Daten. So setzen die 1. und 9. E. die Land-
verteilungen in It. nach der Schlacht von → Philippoi
(42 v. Chr.) voraus; die 4. E. ist zum Konsulat des Asinius Pollio 40 v. Chr. (im Futur) geschrieben, also 41
oder auch erst 40; die 8. E. ist offenbar ebenfalls Pollio
gewidmet und spielt auf dessen triumphale Rückkehr
von seinem Prokonsulat in Makedonien 39 v. Chr. an,
sie könnte die zuletzt gedichtete sein (ecl. 8,11).

Zw. den einzelnen E. der Buchausgabe sind mannig-
fache strukturelle Beziehungen beobachtet worden.
Beim linearen Lesen wechseln in den E. Variation und
Kontinuität der Motive und die Sprecherrollen (Figuren oder Autor). Es ergeben sich zwei Hälften mit mo-
tivisch korrespondierenden Eck-E. (1–5 mit Preis eines
pastoralen »Gottes«; 6–10 Gallus). Bei allen sich über-
schneidenden Strukturen bzw. rivalisierenden Hypothesen bleibt der Eindruck einer überlegten Organisation des E.-Buches.

3. INTERTEXTUALITÄT UND INTERPRETATION
Schon in den B. zeigt sich die Komplexität der intertextuellen Beziehungen bei V. Er erweist sich als
»alexandrinischer« Dichter nicht nur in dem äußeren
Sinne, daß er Theokrit als Hauptvorbild wählt, sondern
auch dadurch, daß er die poetischen Ideale der alexandrinischen Dichter und deren Anhänger in Rom, der
→ Neoteriker, übernimmt (Cinna wird in ecl. 9,35 genannt). Doch auch erste Einflüsse des Lucretius [III 1]
(etwa das Verlangen nach einer Heilbringer-Figur) sind
schon in den E. und nicht erst in den G. nachzuweisen.
Die gleichzeitig entstehende röm. Liebeselegie (→ Elegie II.) ist in der Person und der Dichtung ihres Archegeten, des Cornelius [II 18] Gallus, in die verwandte
Gattung der B. integriert. Zur Deutung als bukolisch
verschlüsselte Poetik s. [22].

Zurückgetreten ist in der neueren Forsch. die biographische → Allegorese. Legitim ist es immerhin, nach
der von V. intendierten Identität jenes berühmten *puer*
(»Knaben«) in dem Epithalamium der 4. E. zu fragen.
Unter den vielen vorgeschlagenen Deutungen ist die
auf einen aus der Ehe des Octavianus [1] mit Livia [2]
erwarteten Sohn die wahrscheinlichste, aber schon mit
der Publikation dieses Gedichtes in der Slg. der B. zu
einer Zeit, als Iulia [6] im J. 39 v. Chr. bereits geb. war,
erweitern sich die Rezeptionsmöglichkeiten dieses un-
eindeutigen, d. h. offenen Gedichtes.

C. GEORGICA
1. INHALT UND AUFBAU   2. GATTUNGSASPEKTE
3. ADRESSATEN, STRUKTUR, IDEOLOGIE

1. INHALT UND AUFBAU
Das Lehrgedicht über den Landbau in 4 B. mit insges.
2188 V. ist eine Sachschrift (→ Lehrgedicht; → Agrarschriftsteller B.2.), in der in Hexametern die meisten
Tätigkeitsfelder des Bauern behandelt werden: in B. 1
der Ackerbau; in B.2 in etwas lockererem Aufbau die
Baumzucht (bes. von Ölbaum und Weinstock); integriert sind drei *laudes* (Lobreden): auf It. (136–176), den
Frühling (315–345), das Landleben (458–540); in B. 3
die Haustierzucht; in B. 4 als einziges Thema die Bienen, weniger jedoch eine Technik der → Bienenzucht
als eine Schilderung ihrer Welt (8–280); im 2. Teil (Einleitung 281–286 und spezieller 287–294) Ratschläge zur
Wiedergewinnung eines Bienenvolkes durch die Technik der sog. Bugonie, nach der aus einem verwesenden
Rind Bienen entstehen (295–314); es folgt dann nach
einem → Musenanruf (315 f.) eine aitiologische Erzählung (316–558) über die Erfindung der Bugonie durch
den Hirten Aristaeus/→ Aristaios [1]. Eingelegt ist darin
der Mythos von Orpheus und Eurydice (453–527 mit
den Abschlußversen 528 f.) als Rede des Meergreises
Proteus, aus der hervorgeht, daß Aristaeus am Tod Eu-
rydices Schuld trägt.

Manche Bereiche fehlen in V.' G., die man entsprechend der Trad. der vorausliegenden erh. lat. Pro-
sa-Hdb. (Cato [1], *De agricultura*; Varro [2], 3 B. *De re
rustica*, 37/6 publiziert und die sachliche Hauptquelle
der G., → Agrarschriftsteller B.) erwarten könnte: so
etwa die Arbeitskräfte (in idealisierender und weithin
anachronistischer Weise wird in den G. ein freier Klein-
bauer als Subjekt vorausgesetzt); der Bauern- oder Guts-
hof; trotz 4,116–148 auch der Gartenbau (im 1. Jh.
n. Chr von → Columella durch sein allein hexametri-
sches 10. Buch ergänzt); die Geflügelfarm (→ Kleintierzucht) und die Fischzucht (→ *piscina* [1]).

Alle B. haben ein von den lehrhaften Darlegungen
klar abgesetztes Proömium (→ *prooímion* III.) sowie ein
als Epilog gestaltetes Finale: B. 1 über Bürgerkriegsnot
und Friedenssehnsucht nach dem Tode Caesars (406–
514); B. 2 das Lob des Landlebens (458–540); B. 3 die
norische Viehseuche (478–566); B. 4 die autobiographische »Besiegelung« (*sphragís*) mit der Gegenüberstel-

lung Caesar (Octavianus [1]/Augustus) – Dichter (*Vergilium me*; 559–566).

Von den sachlich-technischen Teilen hebt sich auch der Mythos von der Stiftung des *labor improbus* (der »argen Mühsal«) durch Iuppiter ab (1,118–159, eine Art → Theodizee). Bed. und Implikationen des Schlüsselbegriffs in 1,145 f. werden kontrovers diskutiert: Hat das unablässige Sich-Abplagen alle Widrigkeiten überwunden oder – in einer eher dem Kontext angemessenen pessimistischen Auffassung – hat sich die verruchte Mühsal, d. h. die Notwendigkeit zur Plackerei, in jeder Hinsicht durchgesetzt? Andere Partien stechen durch intensive oder liebevolle Ausmalung der Szenerie hervor, so etwa die Beschreibung des Sturmes 1,322–334 oder des von autobiographischen Erinnerungen (*memini me ... Corycium vidisse senem*) bereicherten Gartens bei Tarent 4,125–148.

2. GATTUNGSASPEKTE

In der Forsch. stehen einseitig die nicht-lehrhaften Teile der *G.*, v. a. die → Exkurse, im Mittelpunkt; sie seien die eigentlich sinntragenden Partien des Lehrgedichts. V. gehe es nicht darum, ein praktisch brauchbares Hdb. für Bauern zu schreiben (darin ist sich die gesamte Forsch. einig); er benutze das Sachthema als Einkleidung für weit über dieses hinausgehende Aussagen von rel., philos. (konkret: epikureischer), kulturhistor. oder polit. Relevanz. Typologisch zählen die *G.* damit zu den das eigentliche Sachthema überschreitenden sog. »transparenten« Lehrgedichten.

V. stilisiert sich durch georg. 2,176 als röm. → Hesiodos; im Lob des Landlebens ist auch eine anon., doch deutlich erkennbare Huldigung an → Lucretius [III 1] enthalten. Damit stellt sich V. nicht in die Trad. prosaischer Fachbücher über die Landwirtschaft, sondern in die des lit. → Lehrgedichts. Der Einfluß von Hesiods *Érga* auf die *G.* besteht v. a. im missionarischen Ernst der in den *G.* ausgesprochenen Einsichten und Botschaften, wobei der Bereich der Landwirtschaft als moralisches Bsp. für die Verpflichtung dient, sich die Erde geradezu kriegerisch (eine häufig verwendete Metaphorik: [41]) untertan zu machen, aber auch für die Kultur-Pflanzen und -Tiere zu sorgen; dieser Sendungsauftrag des Dichters verbindet V. auch mit Lucretius (neben Anregungen etwa für die Schilderung einer »Pest« und des destruktiven *amor* in georg. 3,242–283 auch bei Tieren). Zu den ideologischen Quellen der *G.* mag auch der Abschnitt über die Freuden der landwirtschaftlichen Betätigung in Cic. Cato 51–60 mit Cato maior als Sprecher gehören und die Verherrlichung des ital. Bauern durch den originalen Cato [1] maior. Der Einfluß von → Aratos' [4] *Phainómena*, die V. bereits in lat. Übers. vorlagen, ist bes. in georg. 1,311–465 spürbar.

Die *G.* sind geprägt von anthropomorpher Stilisierung (sogar ein Pflug hat so etwas wie Ohren und Zähne: 1,172). Sie zeigt sich bes. beim Thema der Fortpflanzung von Pflanze (B. 2) und Tier (B. 3). Den Höhepunkt der Vermenschlichung bildet die Schilderung der Bienen im 4. B. (ein Bild Roms?).

3. ADRESSATEN, STRUKTUR, IDEOLOGIE

Der Adressat (eine für ein Lehrgedicht obligatorische Figur) der *G.* ist → Maecenas [2]; er wird einmal in jedem B. in einem Proömium (= Pr.; sogar an genau symmetrisch entsprechenden Stellen: 1,2–4,2; 2,41–3,41) angesprochen und geradezu als Auftraggeber (*iussa*) bezeichnet. In den belehrenden Partien (*partes iussivae*) herrscht aber die Ansprache an ein »Du« vor, das den Bauern meint. Eine für It. und darüber hinaus die ganze Welt wichtigere Rolle spielt Octavianus [1] (der spätere Augustus). Er ist im Pr. und auch im düsteren Finale von B. 1 (V. 502 f.) – und auch in der *sphragís* 4,560–562 – eine Retter- und Heilsfigur, ein zukünftiger Gott. Er wird im Zentrum des im Pr. zu B. 3 angekündigten panegyrischen Epos stehen, offenbar als Sieger im Kampf mit fremden Völkern und nach Beendigung der Bürgerkriege. Octavianus also ist es, der die Ordnung und den Frieden stiftet, was die Voraussetzung für eine erfolgreiche Arbeit des Bauern ist.

In der größten programmatischen Partie der *G.*, dem Pr. zu B. 3, mischen sich alexandrinische (auch in den *Aítia* des Kallimachos [3] gab es an analoger Stelle, im Pr. zum 3. B., mit dem ›Sieg der Berenike‹ eine entsprechende Partie) und un-alexandrinische (auch ennianische) Töne. Man würde es als → *recusatio* eines panegyrischen Epos (*Caesareis*) betrachten, wenn V. nicht anschließend wirklich in Gestalt der *A.* ein Epos geschrieben hätte, in dessen Mittelpunkt ideologisch, wenn auch nicht auf der Handlungsebene, Caesar (Augustus) steht.

Die stärkste Abweichung vom Programm einer ant. Lehrschrift bringt die 2. H. des 4. B., die für fast 250 V. einen nicht iussiven und auch nicht schildernden, sondern erzählenden Charakter hat, der Aristaeus-Mythos. Während Lucretius die Sinnhaftigkeit von Mythen, die auch er als Einlagen bietet, destruiert, dient der Mythos bei V. gerade umgekehrt einer optimistischen Sinnstiftung: Aristaeus, der vor V. weder mit der Bugonia noch mit Orpheus verbunden war, ist in den *G.* im Kampf mit dem Tod (anders als → Orpheus) der Erfolgreiche. Das Befremdende dieser Partie wird vielfach durch die Konstruktion subtiler Bezüge zum Rest des Buches zu entschärfen gesucht. Nur wenige Forscher akzeptieren h. die nicht widerspruchsfreie doppelte Überl. bei Servius [2], V. habe nach dem Selbstmord des Cornelius Gallus, der 26 v. Chr. als überheblicher → *praefectus Aegypti* bei Augustus in Ungnade gefallen war, eine ursprüngliche Lobrede auf Gallus aus dem Schluß der *G.* eliminiert und entweder durch die gesamte *Aristaei fabula* (so Serv. ecl. 10,1) oder aber allein die *Orphei fabula* (so Serv. georg. 4,1) ersetzt.

Die Struktur der *G.* ist durchsichtig: Die erste H. behandelt Pflanzen, die zweite Tiere. B. 1 und 3 haben, nicht nur wegen ihres jeweils düsteren Finales, einen dunklen Charakter, B. 2 und 4 einen relativ hellen. Das Finale von B. 2 und das Pr. von B. 3 gehören eng zusammen und überbrücken den Einschnitt zw. den beiden Hälften.

Auch die G. wirken auf heutige Philologen, gerade wegen ihres »transparenten« Charakters, ähnlich wie die B., mehrdeutig. Ähnlich wie zunächst für die A. gibt es auch für die G. – wie schon für deren Schlüsselbegriff *labor improbus* – optimistische und pessimistische Leseweisen. Die Dichtung als Ganzes macht die Spannungen innerhalb It.s (ein Begriff, der gerade in den G. wichtig wird), der Welt des Bauern und der Welt der zeitgenössischen Gesch., sichtbar.

D. Aeneis

1. Entstehung   2. Inhalt und Quellen
3. Intertextuelle Beziehungen, Narrativik und Struktur
4. Charakteristik und Würdigung

1. Entstehung

Obwohl man das Proömium von G. 3 als Ankündigung eines histor.-panegyrischen Epos zu Ehren des Caesar (seit 27 v. Chr.: → Augustus) verstehen konnte (einer *Caesareis*, s. o. II. C. 3.), war bereits um 25 v. Chr. Freunden bekannt (Prop. 2,34,65 f., auch Augustus selbst: VSD 30 f.), daß V. an einer *Aeneis* arbeitete. Nahe Berührungen zw. G. 4 und A. 1 lassen auf gleichzeitige Entstehung schließen. Die einschlägigen Nachr. der VSD 23 f. und 34 (ein bereits in 12 B. eingeteiltes Prosa-Konzept; Dichten von isolierten Einzelpartien ohne kontinuierliches Fortschreiten; provisorisches Skizzieren des Zusammenhangs durch Stützverse, sog. *tibicines*; Belassen von unvollständigen Versen, sog. Halbversen) begegnen immer wieder übertriebenen Zweifeln. Die in der hsl. Überl. bewahrten, von V. gewiß nicht intendierten 58 Halbverse zeigen, daß das Epos beim Tod V.' in der Tat noch nicht vollendet war. Der Editor → Varius [I 2] Rufus, ein Freund V.' und selbst Dichter, hat offenbar nicht mit eigenen Interpolationen in das postume Werk eingegriffen. Allerdings gab es schon früh Gerüchte (VSD 42), er habe eine Buch-Umstellung vorgenommen (3–1–2?) und das sog. Vorproömium (1,1a–1d *ille ego qui quondam*) sowie (so Serv. auct. Aen. 2,566) die Helena-Szene (2,567–588) getilgt.

In der mod. Forsch. wird die Entstehungs- und Ed.-Gesch. der A. kaum beachtet. Sie ist aber zur Erklärung mancher konzeptioneller Widersprüche zw. einzelnen Partien (z. B. die differierende Darstellung vom Schicksal des Steuermanns Palinurus in B. 5 und B. 6; die Irrfahrten in B. 3, obwohl am Ende von B. 2 bereits *Lydius Thybris* in *Hesperia* als konkretes Ziel genannt ist) unerläßlich. Eine harmonisierende Interpretation des postum edierten, aber als perfekte Einheit verstandenen Textes ist methodisch jedenfalls dann verfehlt, wenn sie sich als produktionsästhetisch versteht.

2. Inhalt und Quellen

In dem → Epos werden die Erlebnisse des Aeneas (→ Aineias [1]) und seiner troianischen Gefolgsleute auf ihrem Weg aus dem von den Griechen zerstörten → Troia zu der vom Schicksal in Orakeln und Prodigien verheißenen neuen Heimat Latium (→ Latini) am Tiber erzählt, und zwar bis zum finalen Sieg des Aeneas im Entscheidungsduell mit Turnus [1], seinem Hauptgegner in Latium und zugleich Konkurrenten um die Hand der einheimischen Königstochter Lavinia [2]. In der A. wird in rel. Hinsicht eine Kultübertragung geschildert: die der troianischen → Penates nach Latium (in das von Aeneas zu gründende → Lavinium); in polit.-histor. Hinsicht wird die Vorgesch. der Gründung Roms und der Entstehung des röm. Volkes aus troianischen und ital. Wurzeln erzählt; in genealogischer Hinsicht werden die Ahnen (Iulier, s. → Iulius) des derzeit regierenden Kaisers → Augustus in Gestalt des Aeneas, seiner göttlichen Mutter → Venus und seines Sohnes → Iulus/Ascanius vor Augen gestellt.

Da die variantenreiche Aeneas-Sage schon lange vor V. fest zur histor. Trad. für die Vorgesch. Roms gehörte (für uns am ehesten in den Fr. von B. 1 der *Origines* Catos [1] und in B. 1 der *Antiquitates Romanae* des Dionysios [18] aus Halikarnassos faßbar), ist die A. für Römer weniger ein myth. als ein histor. Epos. V. hat die meisten der Gestalten, die in der 2. H. der A. in It. auftreten, aus dieser »histor.« Überl. übernommen (so Turnus [1], Latinus [1], Amata, Euander/Euandros [1], Mezentius; nicht aber offenbar Camilla); auch Dido ist als solche eine »histor.« Gestalt. Zum anderen Teil stammen die Figuren aus der mythographischen Überl. (so etwa die Personen, die direkt mit dem Troianischen Krieg zusammenhängen wie z. B. Priamos, Hektor, Andromache, Diomedes [1]) oder stellen eine Analogie-Bildung V.' zu einer Gestalt der epischen Trad. dar. Oft fließen in einer Gestalt der A. Elemente mehrerer Vorbilder zusammen (etwa in Camilla; in Dido: die »histor.« Dido, Medeia, Kalypso, Kleopatra [II 12], nach Serv. auct. auch der Typus einer *flaminica*, vgl. → *flamines*). V. hat an der Gestalt des Aeneas dessen familienbezogene, schon seit jeher bezeugte → *pietas* (Rettung des Vaters Anchises aus dem brennenden Troia) zu einer umfassenden charakteristischen Eigenschaft gesteigert; wichtigstes aus der *pietas* fließende Verpflichtung des Aeneas ist es, den *fata* (→ Schicksal) zu dienen, die ein weltbeherrschendes Rom wollen.

3. Intertextuelle Beziehungen, Narrativik und Struktur

Der Aeneas der A. ist zwar ein aus der ›Ilias‹ (→ Homeros [1]) weitergeführter Held, aber Gegenstand der A. ist seine nach-homerische Gesch. Inhaltlich kann eine Nachahmung Homers also nur in Analogiebildungen zu Handlungskomplexen der ›Ilias‹ und schon gar der ›Odyssee‹ bestehen, sei es etwa in Leichenspielen (Aen. 5 – Hom. Il. 23), einem Abstieg in die Unterwelt (Aen. 6 – Hom. Od. 11) oder einer Figur wie Pallas, der dem Patroklos [1] der ›Ilias‹ entspricht. Aber die meisten »Stationen« der Irrfahrten des Aeneas im östlichen Mittelmeer – einschließlich eines Zusammentreffens mit → Dido in Karthago – wie auch die Akteure auf dem ital. Kriegsschauplatz waren durch die Aeneas-Sage vorgegeben. V. ist durchgehend Vertreter, kaum einmal Erfinder einer bestimmten Überl.

Die intertextuellen Beziehungen der *A.* (*imitationes* genannt) gehören schon seit der Ant., als bald nach dem Erscheinen der *A.* die »Diebstähle« V.' gesammelt wurden (VSD 44–46; einen Höhepunkt stellt für uns Macr. Sat. B. 5/6 dar), und durch die Intensivierung in der Neuzeit zu den am besten erforschten Aspekten des Epos. Stark beachtet werden seit jeher bis h. die homer. Einflüsse in der *A.* von der Übernahme von Versteilen bis hin zur Struktur. Die *A.* gilt als Zusammenfügung von ›Odyssee‹ (Aen. 1–6) und nachfolgender ›Ilias‹ (Aen. 7–12); ihr Gesamtkonzept ist aber das der ›Odyssee‹ (Irrfahrten und Wiedereroberung der Heimat).

V. übernimmt aus der epischen Gattungs-Trad. deren Darstellungsformen, und zwar teils direkt aus Homer oder auch Apollonios [2] Rhodios, teils aber schon vermittelt durch seine lat. epischen Vorgänger, zumal aus Ennius' [1] *Annales*. Neu in der *A.* ist die Aufgabe des homerischen distanzierten zugunsten eines (an den Schicksalen der Akteure, bes. der leidenden und jung sterbenden) teilnehmenden Erzählens. Diese Empathie in und zugleich Sympathie für die Gestalten einer von Männern und ihren Idealen dominierten Welt (in der bes. das Verhältnis von Vätern und Söhnen mehrfach thematisiert wird) ist weniger rhetor. als neoterisch. Sie ist verbunden mit der narrativen Technik eines wechselnden *point of view* (*focalization*), die sich nicht nur in der Vielzahl der Reden der epischen Akteure zeigt (einschließlich der Ich-Erzählung des Aeneas in B. 2/3 besteht die *A.* fast zur Hälfte aus Reden).

V. erweist sich in vielfacher Weise als gelehrter Dichter (*poeta doctus*): durch eine Unzahl von weiteren intertextuellen Bezügen auf griech., bes. → hellenistische Dichtung und auf lat. lit. Werke, auf Trad. auch nichtepischer poetischer Gattungen (von denen verlorene griech. und lat. Trag. und überhaupt die Darstellungs- und Strukturform des Dramatischen in der Forsch. immer stärker beachtet werden) und auf (v. a. histor. oder antiquarische, auch etym.) Prosatexte, auf nicht-lit. Bereiche (zumal den des rel. Kultus, aber auch etwa den der darstellenden Kunst, wovon mehrere fiktionale bedeutungsschwere → Ekphraseis von Kunstwerken zeugen: 1,450–493; 6,14–37; 8,626–731; 10,495–499). Deshalb galt er in der Spätant. als Meister aller denkbaren Wissensgebiete (und im MA sogar als Magier). Die mod. Forsch. geht, ohne hinreichende methodische Klärung, in der Annahme erlesenster angeblich intendierter Anspielungen V.' auf lit. oder kulturelle Praetexte immer weiter. Im großen und im kleinen bildet die *A.* geradezu wörtlich ein Gewebe (*textus*) von Binnenbezügen. Das läßt sich nicht nur an dem mehrfach angewandten Schema »(orakelhafte) Ankündigung – Erfüllung« oder an der Ausstrahlung und der Korrespondenz vieler der rund 100 Gleichnisse beobachten, sondern v. a. an dem bedeutungsvollen und konsistenten Einsatz der Metaphorik (etwa des Feuers oder der Jagd).

4. CHARAKTERISTIK UND WÜRDIGUNG
Neben dem anteilnehmenden ist ein wichtiger Grundzug der *A.* das Erzählen auf zwei Ebenen: jener

der epischen Vordergrundhandlung und der der (durch futurische Vorblicke vorausgenommenen) Augusteischen Zeit; Aeneas wirkt als eine Art Vorläufer des Augustus, Augustus als Vollender des Werkes, das Aeneas im Dienste des röm. *fatum* (ein das ganze Epos beherrschender Begriff) mit einer geradezu wörtlich »stoischen« Leidensfähigkeit begonnen hat. Das Epos V.' ist durch die Darstellung der röm. Vorgesch. als einer Art → Aitiologie des gegenwärtigen polit. Zustandes in doppelter Weise historisch.

In der Forsch. stehen sich im Hinblick auf die polit. Ideologie der *A.* seit 1963 bis in die Gegenwart zwei »Schulen« gegenüber: die »europäische« mit einer optimistischen, die »amerikanische« mit einer pessimistischen Interpretation der Haltung V.' (der mit dem epischen Erzähler gleichgesetzt wird) zu der in der *A.* vertretenen röm. Reichsideologie und zumal zu Augustus (*two-voices*-Theorie: Nebeneinander einer »offiziellen«, Rom und Augustus bejahenden Stimme V.' und einer »privaten« Stimme des Klagens um den Preis, der für die Durchführung der Mission gezahlt werden muß).

In einer komplementären Bewegung zu dem immer subtileren Bemühen, die *A.* als das Werk eines »alexandrinischen« *poeta doctus* zu erweisen, zeigt sich in der mod. Forsch. die geradezu ma. anmutende Tendenz, die *A.* zu enthistorisieren und im ganzen oder in Teilen allegorisch, symbolisch oder wenigstens (wie die *B.*) als poetologisch verschlüsselt aufzufassen, und zwar als so von V. intendiert. Charakteristisch für die derzeitige Interpretation der *A.* (instruktiv nachgezeichnet im Forsch.-Ber. [100], 1998) sind Begriffe wie Vieldeutigkeit, Vielstimmigkeit (*further voices*), Pluralität der Lesemöglichkeiten des Textes, Widersprüchlichkeit, Ambiguität – man könnte auch sagen: Subjektivität der Thesen.

E. ANDERE VERGIL ZUGESCHRIEBENE WERKE
Im allg. beschäftigt sich die mod. V.-Forsch. nur mit den drei »kanonischen« Werken *B.*, *G.*, *A.* Typisch ist, daß in der EV alle Bestandteile der → *Appendix Vergiliana* (eine mod. Sammelbezeichnung für andere, meist kleinere V. zugeschriebene Dichtungen) für allg. Betrachtungen zu V. grundsätzlich nicht berücksichtigt werden.

III. ÜBERLIEFERUNG UND REZEPTION
A. ÜBERLIEFERUNG UND ANTIKE KOMMENTARE
B. REZEPTION IN ALTERTUM UND MITTELALTER
C. NEUZEIT: LITERATUR UND KRITIK
D. NEUZEIT: BILD UND MUSIK

A. ÜBERLIEFERUNG UND ANTIKE KOMMENTARE
Es existieren noch über 1000 V.-Hss. aus dem 9.–12. Jh. (EV 3, 1987, 433–443). Die mod. Edd. stützen sich in erster Linie auf drei einigermaßen vollständige, in Capitalis rustica (→ Kapitale) geschriebene Hss. (M, P, R), die durch Fr. von vier anderen (F, V, A, G) und eines Palimpsestes (B mit 81 V. aus *A.* 1) ergänzt werden, die alle noch aus der Spätant. seit etwa 400 n. Chr.

stammen. Ma. Hss. des 8. (fast nur Cod. p) und des 9. Jh. werden zur Textkonstitution nur in strengster Auswahl berücksichtigt.

Neben dieser sehr reichhaltigen ant. Primär-Überl., die man nicht in ein Stemma bringen und damit auf einen Archetypus zurückführen kann, gibt es eine umfangreiche Sekundär-Überl. durch Lemmata und Zitate in den erh. ant. V.-Komm., bes. denen des → Servius [2] bzw. Servius auctus (mit vielen Hinweisen auch auf Lesarten, die Servius ablehnt), und durch Zitate in der ganzen ant. Lit., v. a. bei den Philologen (»Grammatikern«; vgl. → Philologie II.). Aber nicht nur die Quantität der Zitate, sondern auch das durch die ant. Komm. (einschließlich Macr. Sat.) repräsentierte Niveau der V.-Rezeption (= Rzp.) ist hoch. Ti. Claudius Donatus [4] geht es um die Herausarbeitung der jeweiligen Aussagetendenz (sog. »rhet.« Interpretation). Der Servius-Komm. zu V. ragt durch Informationsreichtum und Qualität seiner Interpretationen aus der Masse der sonstigen spätant. Komm. heraus.

B. Rezeption in Altertum und Mittelalter

Daß V. für das ganze Alt., für weite Perioden des MA und auch für mehrere Jh. der Neuzeit der einflußreichste ant. Autor überhaupt sein würde, bahnte sich bereits bei seinen Zeitgenossen an (Prop. 2,34,65 f.), in erster Linie bei Horaz und Ovid. Er wurde zu einem Klassiker, den die lat. Literaten – statt wie bisher griech. Vorbilder – »nachahmten«. Das zeigt sich bes. bei den Epikern der 2. H. des 1. Jh. n. Chr., wo → Lucanus [1] vergeblich eine Art Gegenmodell zur A. zu etablieren versuchte, → Silius [II 5] sich ihm in seinem Epos über den 2. Punischen Krieg aber eng anschloß und → Statius [II 2] seine Thebais (12,816 f.) der »göttlichen Aeneis« nachordnete. Für Quint. inst. 10,1,86 ist V. der größte Dichter nach Homer.

Die 4. Ekloge wurde seit Beginn des 4. Jh. als Prophezeiung Christi interpretiert, was V. den (im MA auch ikonographisch belegten) Rang eines Propheten verschaffte. Im übrigen benutzte man im frühen Christentum V.-Zitate nur selten im Sinne eines Autoritäts-Argumentes, eher zur Pointierung des eigenen Gedankens oder wegen einer gelungenen Formulierung des V.

Die G. wurden auch aus Sachinteresse gelesen; die A. transportierte eine polit. Ideologie, die rund 3 Jh. lang von den Kaisern direkt und danach weiterhin in der Form der Roma aeterna-Konzeption übernommen werden konnte. Als in der Spätant. diese histor. Bed., die noch bei → Prudentius einen gewissen Höhepunkt erreichte, kein Pendant mehr in der zeitgenössischen Realität hatte, wurden nicht nur die moralischen Qualitäten der Personen der A. gewürdigt, sondern wurde darüber hinaus der Weg frei zu einer existenziellen → Allegorese der A. (Fulgentius [1] im 6. Jh.; »Bernardus Silvestris« im 12. Jh.), die in den Leiden und Taten des Aeneas den Weg der Seele des Menschen in ihrer irdischen Einkörperung gespiegelt sieht.

Eine nicht zu unterschätzende Basis der V.-Rzp. bedeutete seine feste Stellung im schulischen Unterrichts-programm – sei es als Objekt elementarer sprachlicher und metr. Analyse, sei es als Gegenstand einer Lektüre aus rhetor. oder inhaltlichem Interesse. Im MA zeugen die zahlreichen Vitae Vergilianae, die oft systematisierte Einführungen in die Lektüre V.' (accessus) darstellen, und die nach Hunderten zählenden noch erh. ma. V.-Hss. von der weiterdauernden Präsenz V.' im Schulunterricht. Im Hoch-MA schob sich, ausgehend offenbar von Neapel, eher neben als über das Bild des Literaten V. die vielgestaltige Sage vom Zauberer Virgilius.

Zum Ruhme des Namens V. trug in exzeptioneller Weise bis in die Gegenwart bei, daß Dante in seiner Commedia (1307–1321) V. zur Führerfigur durch Purgatorio und Inferno (nicht mehr im Paradiso) wählte. Für Petrarcas (1304–1374) V.-Begeisterung gibt es viele Belege; hervorzuheben sind sein hexametrischer Brief an ihn (familiares 24,11), sein Epos Africa und sein Bucolicum carmen, eine Slg. von 12 bis zur Undurchschaubarkeit allegorisch verschlüsselten pastoralen Eklogen.

C. Neuzeit: Literatur und Kritik

Einem offenkundigen Bedürfnis entsprach der junge Humanist Maffeo Vegio (1406–1458), als er 1428 ein Supplementum Aeneidos, eine Abrundung der A. in 630 lat. Hexametern verfaßte: Dieses »13. B. der A.« gehörte bis zur Mitte des 17. Jh. zum festen Bestand der V.-Ausgaben. Die Rolle V.' im Bildungswesen wurde erneut durch Philipp Melanchthons (1497–1560) Reformen und die systematisierten Schulordnungen seit etwa 1525 bekräftigt. Der Ruhm V.' wurde seit der Renaissance auch poetologisch bestätigt: zunächst durch die 1527 publizierte Ars poetica des Marco Girolamo Vida, dann durch Iulius Caesar Scaligers († 1558) einflußreiche ›Poetik‹ (postum 1561 erschienen, rund 2 Jh. maßgebend auch für den Klassizismus); in beiden Poetiken wird V. als mustergültiger Dichter sogar über Homer gestellt. Eine Relativierung seiner Bed. erfuhr V. in der Lit.-Debatte der → Querelle des Anciens et des Modernes ab E. des 17. Jh. Erst seit der 2. H. des 18. Jh. kam es – auch durch den Einfluß der Begeisterung von Johann Joachim Winckelmann (1717–1768) für das idealisierte Griechentum – zu einer Wende, doch vorwiegend nur im dt.-sprachigen Raum. Jetzt wurde Homer als vermeintliches Originalgenie über den »sentimentalischen« und ihn nachahmenden Klassizisten V. gesetzt. Diese Einschätzung wurde von der im 19. Jh. aufkommenden Klassischen Philol. durch ihre Quellenforsch. zu V.' Werken tendenziell verstärkt. Erst seit dem A.-Buch von Richard Heinze (1903, [43]) wird V. wieder als eigenständiger Künstler gesehen.

Voraussetzung für jegliche Art von Rzp. war die leichte Verfügbarkeit von V.' Texten. Für V. gab es seit der Erfindung des Buchdrucks eine kontinuierliche, nach Hunderten zählende Flut von Edd. aller Art, zu denen sich schon seit dem 16. Jh. eine Fülle von Übers. in alle europäischen Nationalsprachen gesellte (erste dt. A.-Übers.: Thomas Murner 1515, dazu: [76. D 157]); die V.-Ausgaben und Übers. füllen eigene Bibliographien. Daneben gibt es einen immer stärkeren Strom von wiss. Sekundärlit.; derzeit sind in Bibliogr. pro J. 200 bis 300 Aufsätze oder Bücher zu V. verzeichnet.

Nach Umfang der Behandlung in der EV sind folgende Autoren bedeutende Figuren der V.-Rzp: BENVENUTO DA IMOLA (2. H. des 14. Jh.), BOCCACCIO, CERVANTES, DANTE, Ugo FOSCOLO (1778–1827), Luis GÓNGORA (1561–1627), GUGLIELMO DI CONCHES (1. H. 12. Jh., in Chartres Lehrer u. a. des JOHN OF SALISBURY), GUIDO DA PISA (13./14. Jh.), LEOPARDI, LOPE DE VEGA, MILTON, PASCOLI, PETRARCA, POPE, SHAKESPEARE und SPENSER. Die Buntheit der Liste mag die Vielseitigkeit der V.-Rzp. spiegeln.

Wichtiger denn als Anreger für einzelne Autoren ist V.' Rolle als Vorbild neuer oder erneuerter Gattungen. Die B. als die ersten lat. Hirtendichtungen haben nicht nur alle weiteren in der Ant. (→ Calpurnius [III 3] Siculus; → Einsiedler Gedichte; → Nemesianus [1]; der Christ → Endelechius) beeinflußt, sondern auch Neuansätze wie im Frankenreich des 8./9. Jh. (Alkuin, Modoin; im 10. Jh. die Ekloge des Theodulus) und in It. seit Anf. des 14. Jh. (DANTE; PETRARCA). Durch die Anknüpfung Jacopo SANNAZAROS an die B. in seinem Schäferroman *Arcadia* (Prosa mit eingelegten Eklogen, 1504 veröffentlicht) ist V. zum Vater der im 16./17. Jh. in ganz Europa verbreiteten Schäferdichtung und der Idyllen geworden (→ ARKADISMUS, → BUKOLIK). Die G. führten im England des 18. Jh. (unter dem Einfluß von John DRYDENS Übers.) zu einer Neubelebung des landwirtschaftlichen Lehrgedichts (maßgebend die Jahreszeitendichtung *The Seasons*, 1726–1730, von James THOMSON, mit unzähligen Nachahmungen).

Die neuzeitlichen Epen, die von V. stärker beeinflußt sind, lassen sich kaum aufzählen. In unterschiedlicher Weise (Inhalt, Motivik, Struktur, Metaphorik usw.) lassen V.-Einflüsse erkennen etwa Ludovico ARIOSTO (*L'Orlando furioso*, um 1506–1532), Luis de CAMÕES (*Os Lusíades*, um 1556–1570), Pierre de RONSARD (*La Franciade*, 1564–1572), Torquato TASSO (*Gerusalemme liberata*, 1559–1575), John MILTON (*Paradise Lost*, 1658–1674), VOLTAIRE (*La Henriade*, 1713–1724). Unter den Epen, die aus V.-Versen zusammengesetzt sind (→ Centonen), ist das bedeutendste die umfangreiche (13 B.) *Christias* (1638) des schott. Geistlichen Alexander ROSS [95].

Speziell an dt. Literaten sind für die V.-Rezeption wichtig: der Verf. des *Waltharius* (um 930; evtl. Ekkehart I. von St. Gallen, ca. 910–973); Heinrich von Veldeke, ca. 1140/50 bis vor 1210: *Eneit*, vollendet 1187/1189, wohl die bedeutendste original-nahe Umsetzung der *A.* überhaupt, hier in eine mhd. höfische Dichtung mit reicher Ausgestaltung einer Minnehandlung zw. Aeneas und Lavinia, nicht direkt auf der *A.*, sondern auf dem anon. alt-frz. *Roman d'Énéas* beruhend; S. BRANT, 1457–1521 (illustrierte V.-Ed., 1502); N. FRISCHLIN, 1547–1590 (lat. Dramatisierungen oder besser Dialogisierungen von *A.* 1: *Venus*, 1584, und 4: *Dido*, 1584, wie sie auch sonst im 16. Jh. verbreitet waren); Martin OPITZ, 1597–1639 (Begründung der arkadisch-pasto-

ralen Dichtung in Deutschland im Anschluß an *B.* und SANNAZARO: ›Schäfferey von den Nimpfen Hercinie‹, 1630); G. E. LESSING, 1729–1781 (in seiner kunsttheoretischen Hauptschrift ›Laokoon‹ von 1766 Konfrontation V./Skulptur zum Titelthema, V./Homer zur Schildbeschreibung); J. G. von HERDER, 1744–1803 (keine eigene Schrift zu V., dieser zu seinem Nachteil mit Homer konfrontiert); TH. HAECKER, 1879–1945 (stilisiert in seinem einflußreichen Essay ›Vergil‹ von 1931 V. aufgrund der ihm als *anima naturaliter christiana* (›von Natur aus christl. Seele‹) unterstellten Einsichten in das Wesen des Menschen zum ›Vater des Abendlandes‹; dazu: [84. 48–52]); H. BROCH, 1886–1951 (sein Roman ›Der Tod des Vergil‹, engl. 1945, dt. 1947, ist die wohl bedeutendste Auseinandersetzung des 20. Jh. mit V., zumal mit dessen Verhältnis zu Augustus; dazu: [84. 203–222; 92. H. 4, 35]).

Bald nach dem Zweiten Weltkrieg, bei dessen Ende Hermann BROCHS großer Roman und fast gleichzeitig T. S. ELIOTS *What Is a Classic* (1944: V. der einzige Klassiker ganz Europas) letzte Höhepunkte kreativer oder geistesgesch. Auseinandersetzung mit V. bedeuten, scheint V. seine führende Rolle im Geistesleben und weithin im kulturellen Gedächtnis Europas verloren zu haben. Emblematische Figuren und Konstellationen wie Laokoon und Hölzernes Pferd sind zwar bekannt, werden aber kaum mit der *A.* assoziiert. Zum 2000. Todesjahr V.' 1982 hat es keine wirklich große V.-Ausstellung gegeben. Aeneas ist nicht, wie etwa Odysseus, zu einem Prototyp des mod. Menschen geworden. Ob die für viele Jh. lebendigste Figur V.', → Dido, h. noch präsent ist, mag offen bleiben. Immerhin sichert die vielerorts noch verbindliche *A.*-Schullektüre in der Oberstufe der Gymnasien eine beschränkte originale V.-Kenntnis.

D. NEUZEIT: BILD UND MUSIK

Neben die lit. Rzp., ihr vielleicht an Wirkung teils sogar überlegen, tritt in der Neuzeit die Bed. der Werke V.' als Schatz von Bildsujets für Maler und bildende Künstler (aus der Ant. gibt es nur relativ wenige erh. Mosaike, Sarkophage oder, als die ältesten Rzp.-Zeugnisse, pompeianische Fresken nach Motiven V.'). Die *A.* dürfte nach der Bibel und Ovids *Metamorphoses* das meistillustrierte B. der Weltlit. sein. Die zyklische Buchillustration V.' beginnt bereits 1502 mit einer oft nachgeahmten Holzschnitt-Ausgabe durch Sebastian BRANT (schon zwei der spätant. V.-Cod. sind illustriert, der *V. Vaticanus* F und der *V. Romanus* R, vgl. → Buchmalerei; im MA waren Illustrationen in V.-Hss. selten; jedoch entstanden noch im 15. Jh. eine Reihe von prachtvoll illuminierten Codd., an ihrer Spitze der *V. Riccardianus* von Apollonio DI GIOVANNI DI TOMMASO, um 1465). Die Trad. der Illustrierung gerade von V.-Übers. hält sich bis in die Gegenwart. Daneben gab es andere Medien der künstlerischen V.-Rzp., in der eine kleine Anzahl von Szenen der *A.* immer wieder variiert wurden: Gemälde; Graphiken; it. Hochzeitstruhen (*cassoni*); Majolika-Teller v. a. aus Urbino; Emaille-Arbeiten aus Li-

57

58

VERGILIUS

moges; Gobelins aus Brüssel. Der Autor V. erhielt seit dem 13. Jh. Denkmäler in seiner Vaterstadt Mantua; verschiedene Maler – darunter RAFFAEL innerhalb seines ›Parnaß‹ von 1508–11 in der *Stanza della Segnatura* im Vatikan – und Graphiker gestalteten ein je eigenes Bild, das in Ermangelung einer autoritativen oder gar authentischen Überl. oft dem Typ des Propheten oder des Lehrers angeglichen war. Einen Höhepunkt der V.-Präsenz bedeutete die repräsentative Ausmalung vieler europäischer Fürstenschlösser vom 16. bis 18. Jh., bes. in der Barockzeit, mit *A.*-Zyklen, durch die ein typologischer Bezug (→ Typologie) zw. Aeneas und dem Fürsten hergestellt wurde. Sie bilden einen denkbar starken Kontrast zu der pessimistischen *A.*-Auffassung eines größeren Teils der jüngsten Forsch.

Die *A.* – vorwiegend die Dido-Handlung, aber auch Taten des Aeneas (einschließlich der Hochzeit mit Lavinia, also B. 13: C. MONTEVERDI, *Le nozze d'Enea con Lavinia*, 1640, Libretto von G. BADOARO) und der Camilla – war ein beliebtes Opernsujet ([80]; vgl. EV 3, 1987, s. v. *melodramma*); es gab zw. 1641 und 1860 etwa 140 Opern mit einschlägigen Titeln. Allein das Libretto von P. METASTASIO, *Didone abbandonata* (1724), ist mindestens 80mal vertont worden. Die bedeutendsten *A.*-Opern stammen von F. CAVALLI (*Didone*, 1641; Libretto von G. F. BUSENELLO), H. PURCELL (*Dido and Aeneas*, 1689; N. TATE) und H. BERLIOZ (*Les Troyens* 1856–58, sein eigenes Libretto stützt sich auf B. 1, 2 und 4 der *A.*). Eine ähnliche Vermittlerrolle für ein seit 1600 vieltraktiertes Opernsujet nimmt das 4. B. der *G.* für den Mythos von Orpheus und Eurydice ein. Das berühmteste (allerdings eher auf der von V. abhängigen Gestaltung in Ov. met. 10,1–77 basierende) Beispiel ist *Orfeo ed Euridice* (1762) von CH. W. GLUCK (Libretto von R. DA CALZABIGI).

→ Appendix Vergiliana; Literatur V. F.; EPOS; HOMER-VERGIL-VERGLEICH

I. LIT. (V. = VERGIL):

A. GESAMTDARSTELLUNGEN UND SAMMELBÄNDE:
1 W. F. JACKSON KNIGHT, Roman V., ¹1944, ²1966
2 K. BÜCHNER, P. V. Maro, RE-Sonderdruck, 1955 (= RE 8 A, 1021–1486) **3** B. OTIS, V. A Study in Civilized Poetry, 1963, 1995 **4** F. KLINGNER, V., 1967 **5** ANRW II 31.1–2, 1980–1981 **6** V. PÖSCHL (Hrsg.), 2000 Jahre V., 1983 **7** J. D. BERNARD (Hrsg.), V. at 2000, 1986
8 R. A. CARDWELL, J. HAMILTON (Hrsg.), V. in a Cultural Trad., 1986 **9** I. MACAUSLAN, P. WALCOT (Hrsg.), V., 1990 **10** R. M. WILHELM, H. JONES (Hrsg.), The Two Worlds of the Poet, 1992 **11** N. HORSFALL (Hrsg.), A Companion to the Study of V., 1995 **12** J. IRMSCHER (Hrsg.), V. Ant. Welt-Lit. in ihrer Entstehung und Nachwirkung, 1995 **13** C. MARTINDALE (Hrsg.), The Cambridge Companion to V., 1997 **14** R. JENKYNS, V.'s Experience. Nature and History: Times, Names, and Places, 1998 **15** P. HARDIE (Hrsg.), V. Critical Assessments, 4 Bde., 1999 (Ndr. von 85 Aufsätzen) **16** S. QUINN (Hrsg.), Why V., 2000 · (weitere Sammelbde. vor 1980 bei: W. SUERBAUM, KS, 1993, 342–345 · nach 1980 bei: Ders., s. [73], 400–407).

B. VITAE UND BIOGRAPHIE: **17** W. SUERBAUM, Von der Vita Vergiliana …, in: ANRW II 31.2, 1981, 1156–1262 **18** F. DELLA CORTE, s. v. Virgilio, EV 5.2, 1991, 2–97 **19** N. HORSFALL, V. His Life and Times, in: [11], 1–25.

C. BUCOLICA (= B.) BZW. EKLOGEN (= E.):
20 H. J. ROSE, The Eclogues of V., 1942 **21** M. C. J. PUTNAM, V.'s Pastoral Art, 1970 **22** E. A. SCHMIDT, Poetische Reflexion. V.s B., 1972 **23** A. J. BOYLE (Hrsg.), Ancient Pastoral, 1975 **24** R. KETTEMANN, Bukolik und Georgik … bei V., 1977 **25** E. COLEIRO, An Introduction to V.'s B., 1979 **26** J. VAN SICKLE, Reading V.'s Eclogue Book, in: [5], 576–603 **27** F. DELLA CORTE u. a., s. v. Bucoliche, EV 1, 1984, 540–582 **28** R. LECLERCQ, Le divin loisir. Essai sur les B. de V., 1996 **29** L. RUMPF, Extremus labor. V.s 10. Ekloge und die Poetik der B., 1996 (mit Forsch.-Ber. und Bibliogr.) **30** T. K. HUBBARD, The Pipes of Pan … The Pastoral Trad. from Theocritus to Milton, 1998, 45–139 **31** H. SENG, V.s Eklogenbuch, 1999.

D. GEORGICA (G.): **32** L. P. WILKINSON, The G. of V. A Critical Survey, ¹1969 (³1997) **33** A. J. BOYLE (Hrsg.), V.'s Ascraean Song, 1979 **34** M. C. J. PUTNAM, V.'s Poem of the Earth, 1979 **35** G. B. MILES, V.'s G., a New Interpretation, 1980 **36** F. DELLA CORTE u. a., s. v. Georgiche, EV 2, 1985, 664–698 **37** D. O. ROSS, V.'s Elements. Physics and Poetry in the G., 1987 **38** J. FARRELL, V.'s G. and the Trad. of Ancient Epic, 1991 **39** M. O. LEE, V. as Orpheus. A Study of the G., 1996 **40** R. CRAMER, V.s Weltsicht. Optimismus und Pessimismus in V.s G., 1998 **41** H. HECKEL, Das Widerspenstige zähmen: die Funktion der mil. und polit. Sprache in V.s G., 1998 **42** L. MORGAN, Patterns of Redemption in V.'s G., 1999.

E. AENEIS (A.): **43** R. HEINZE, V.s epische Technik, ¹1903 (³1915, Ndr. 1995, engl. 1993, it. 1996) **44** V. PÖSCHL, Die Dichtkunst V.s, 1950, ³1977 (engl. 1962) **45** G. N. KNAUER, Die A. und Homer, 1964 (dazu T. BERRES, V. und Homer, in: Gymnasium 100, 1993, 342–369) **46** M. C. J. PUTNAM, The Poetry of the A., 1965, ²1988 **47** K. QUINN, V.'s A. A Critical Description, 1968 **48** G. BINDER, Aeneas und Augustus. Interpretationen zum 8. B. der A., 1971 **49** G. HIGHET, The Speeches in V.'s A., 1972 **50** W. R. JOHNSON, Darkness Visible. A Study of V.'s A., 1976 **51** E. BURCK, Das röm. Epos, 1979, 51–119 **52** R. RIEKS, V.s Deutung der röm. Gesch., in: [5], 728–868 **53** Ders., Die Gleichnisse V.s, in: [5], 1011–1110 **54** G. WILLIAMS, Technique and Ideas in the A., 1983 **55** K. W. GRANSDEN, V.'s Iliad, 1984 **56** F. DELLA CORTE u. a., s. v. Eneide, EV 2, 1985, 236–310 **57** P. R. HARDIE, V.'s A. Cosmos and Imperium, 1986 **58** R. O. A. LYNE, Further Voices in V.'s A., 1987 **59** R. D. WILLIAMS, The A., 1987 **60** F. CAIRNS, V.'s Augustan Epic, 1989 **61** R. O. A. M. LYNE, Words and the Poet. … Style in V.'s A., 1989 (Ndr. 1998) **62** K. W. GRANSDEN, V.: The A., 1990 **63** S. J. HARRISON (Hrsg.), Oxford Readings in V.'s A., 1990 (Aufsätze von 1933–1987) **64** R. MARTIN (Hrsg.), Énée et Didon, 1990 **65** J. J. O'HARA, Death and the Optimistic Prophecy in V.'s A., 1990 **66** D. C. FEENEY, The Gods in Epic, 1991, 129–187 **67** R. F. GLEI, Der Vater der Dinge. Krieg bei V., 1991 **68** N. HORSFALL, Virgilio. L'epopea in alambicco, 1991 **69** M. C. J. PUTNAM, V.'s A. Interpretation and Influence, 1995 **70** H.-C. GÜNTHER, Überlegungen zur Entstehung von V.s A., 1996 **71** H.-P. STAHL (Hrsg.), V.'s A. Augustan Epic and Political Context, 1998 **72** M. C. J. PUTNAM, V.'s Epic Designs. Ekphrasis in the A., 1998

73 W. Suerbaum, V.s A., 1999 (mit Bibliogr.: 385–410).
F. Rezeption (= Rzp.): **74** D. Comparetti, Virgilio nel Medio Evo, ¹1872 (dt. 1875, engl. 1895, 1997), ²1937–1941 **75** V. Zabughin, Virgilio nel rinascimento italiano da Dante a Torquato Tasso, 2 Bde., 1921–1923 **76** B. Schneider, B. Kytzler (Hrsg.), V. Hss. und Drucke der Herzog August Bibl. Wolfenbüttel, 1982 **77** W. Taegert, V. 2000 Jahre. Rzp. in Lit., Musik und Kunst, 1982 (zu [76] und [77] vgl. W. Suerbaum, in: Gnomon 56, 1984, 208–228) **78** P. Courcelle, Lecteurs païens et lecteurs chrétiens de l'Énéide, 2 Bde., 1984 **79** M. Gigante (Hrsg.), Virgilio e gli Augustei, 1990 **80** K. D. Koch, Die A. als Opernsujet, 1990 **81** B. Pasquier, Virgile illustré de la Renaissance a nos jours, 1992 **82** P. Hardie, The Epic Successors of V., 1993 **83** C. Kallendorf (Hrsg.), V. (The Classical Heritage), 1993 **84** T. Ziolkowski, V. and the Moderns, 1993 **85** M. Desmond, Reading Dido, 1994 **86** E. Klecker, Dichtung über Dichtung. Homer und V. in lat. Gedichten it. Humanisten des 15. und 16. Jh., 1994 **87** C. Baswell, V. in Medieval England (12. Jh. bis Chaucer), 1995 **88** H. Sauer, s. v. V. im MA, LMA 8, 1997, 1522–1529 **89** N. Seeber, Enea Vergilianus (V. bei Piccolomini/Pius II.), 1997 **90** S. MacCormack, The Shadows of Poetry: V. in the Mind of Augustine, 1998 **91** M. Tudeau-Clayton, Jonson, Shakespeare, and Early Modern V., 1998 **92** W. Suerbaum, V. visuell, H. 1–5, 1998 **93** S. Freund, V. im frühen Christentum, 2000 **94** B. König, Transformation und Deformation: V.s A. als Vorbild span. und it. Ritterdichtung, 2000 **95** S. Döpp, Virgilius Evangelisans, 2000. Weitere Lit. zur Rzp.: [6], 63–221; [7], 107–327; [8], 52–146; [12], 83–93, 121–157; [13], 1–103; [30], 140–341; [64], 55–312.
Allg. zur Rzp. s. einschlägige Lemmata in der EV.

II. Bibliogr.: **96** W. Suerbaum, in: ANRW II 31.1, 1980, 3–358 (allg. und *A.*), 395–499 (*G.*); ANRW II 31.2, 1981, 1359–1399 **97** W. W. Briggs, in: ANRW II 31.2, 1981, 1265–1357 (*B.*) **98** A. MacKay, in: Vergilius (jährlich, z. B. 45, 1999, 77–110) **99** M. De Nonno u. a., in: G. Cavallo (Hrsg.), Lo spazio letterario di Roma antica, Bd. 5, 1991, 336–362 • s. auch: [73], 385–410 (*A.*).

III. Forsch.-Ber.: **100** P. Hardie, V., 1998.

IV. Edd.:
A. Gesamt: O. Ribbeck, 4 Bde., ²1894–95 (Ndr. 1966) • R. A. B. Mynors, 1969 (Ndr. 1972 u. ö.) • M. Geymonat, 1973 • J. Götte, ⁴1979 (*A.*, lat./dt.; ⁹1997); ⁴1981 (*B.*, *G.*, lat./dt.; *Vitae antiquae*, ed. von K. Bayer).
B. Vitae antiquae: G. Brugnoli, F. Stok, 1997 • Dies., in: EV 5.2, 1991, 427–540 (alle 382 biograph. Texte bis zum 15. Jh.).
C. Antike Komm.: C. Baschera, Scholia Veronensia, 1999 • G. Barabino, Interpretationes Vergilianae minores, 1991. Außerdem s. → Servius [2] und → Donatus [4].
D. Buc.: P. Holtorf, 1959 • R. Coleman, 1977 • W. Clausen, 1994.
E. Georg.: W. Richter, 1957 • M. Erren, 1985 (mit dt. Übers.) • R. F. Thomas, 1988 • R. A. B. Mynors, 1990 • A. Biotti, 1994 (B. 4).
F. Aen.: *B. 1–12*: E. Paratore, 1978–1981. *B. 1*: R. S. Conway, 1935 • R. G. Austin, 1971. *B. 2*: V. Ussani, 1952 • R. G. Austin, 1964. *B. 3*: R. D. Williams, 1962 • P. V. Cova, 1994. *B. 4*: A. S. Pease, 1935 • E. Paratore, 1947 • R. G. Austin, 1955. *B. 5*: G. Monaco, 1953 • R. D. Williams, 1960. *B. 6*: E. Norden, ³1926, ⁴1957 (Ndr.

1995) • R. G. Austin, 1977. *B. 7–8*: C. J. Fordyce, 1977. *B. 7*: N. Horsfall, 2000. *B. 8*: P. T. Eden, 1975 • K. W. Gransden, 1976. *B. 9*: Ph. Hardie, 1994 • J. Dingel, 1997. *B. 10*: S. J. Harrison, 1991. *B. 11*: K. W. Gransden, 1991. *B. 12*: W. S. Maguinness, ²1962 • A. Traina, 1997.

V. Gesamt-Komm.: C. G. Heyne (G. P. E. Wagner), ⁴1830–1841 (Ndr. 1968) • J. Conington, N. Nettleship, F. Haverfield, ³/⁵1883–1898 (Ndr. 1963) • R. D. Williams, 1972f. (*A.*), 1979 (*B.*, *G.*).

VI. Lexika: M. N. Wetmore, 1911 • H. Merguet, 1912 • H. H. Warwick, 1975 • D. Fasciano, 1982 • M. Wacht, 1996 • EV (dazu W. Suerbaum, in: Gnomon 60, 1988, 302–313; 69, 1997, 498–508). W. Su.

[5] V. Romanus. Lat. → Komödien- und Mimiambendichter vom E. des 1./Anf. des 2. Jh. n. Chr., von → Plinius [2] d. J. wegen seines Witzes als Beweis der poetischen Fruchtbarkeit auch der eigenen Zeit gelobt (Plin. epist. 6,21, dazu [2]). V. schrieb Komödien im Stil des → Menandros [4] und seiner Zeitgenossen für die → Rezitation im kleinen Kreis. Aber anders als die Alte Komödie wahrte V. Dezenz selbst beim Spott auf fiktive Personen. Titel oder Zitate sind nicht überl. Plinius lobt auch seine Mimiamben als fein, scharfsinnig, elegant und rhet. ausgefeilt. Aus diesem zeittypischen Stilurteil läßt sich kein lit. Vorbild (z. B. → Herodas oder Cn. → Matius [3]) erschließen.
→ Komödie

1 Bardon 2, 218 **2** A. N. Sherwin-White, The Letters of Pliny, 1966. Jü. Bl.

Vergina s. Aigai [1]

Verginia. Die legendäre Überl., die ihre bekannteste lit. Umsetzung in der dramat. wirkungsvoll gestalteten Schilderung des Livius (3,44–48; vgl. Dion. Hal. ant. 11,28–32) hat, kennt V. als Tochter des Verginius [I 3] und rankt um sie den Ber. über das Ende des Decemvirats (→ *decemviri* [1]): Da der *decemvir* Appius Claudius [I 5] sie ohne Aussicht auf Erfolg begehrte, veranlaßte er einen seiner Klienten, V. als Sklavin, die urspr. ihm gehört habe, jedoch dem Verginius als Kind untergeschoben worden sei, für sich zu reklamieren. In der darauf folgenden Gerichtsverhandlung unter dem Vorsitz des Ap. Claudius wurde sie – wie nicht anders zu erwarten – diesem zugesprochen und daraufhin von ihrem Vater, der ihr die Schande ersparen wollte, getötet. Dieser Vorfall bildete den Anlaß zur zweiten → *secessio plebis*. Der vorliegende livianische Ber. ist zweifellos nicht histor., sondern das Ergebnis der Ausgestaltung einer fest in der röm. Sagenwelt verankerten Legende (zur allg. Bekanntheit des Stoffes vgl. Ascon. 77 C), deren Kern sich noch bei Diodorus [18] Siculus (12,24,2–4) fassen läßt, wo nur von einem *decemvir* und einer Jungfrau (*virgo*; verm. hieraus der Name V. [1. 477]) die Rede ist (zu den Stufen der Ausgestaltung des Stoffes [2. 1530–1532]). Weitere Schilderungen des

Vorfalls finden sich u. a. bei Cicero (rep. 2,63; fin. 2,66; 5,64) und Zonaras (7,18), der in Anlehnung an seine Vorlage aus gracchischer Zeit V.s plebeiischer Herkunft bes. Bed. beimißt (zur Frage nach der aus Diod. geschlossenen patrizischen Herkunft V.s in der frühen Überl. des Stoffes vgl. [3. 453 f.[11]] mit weiterführender Lit.). Par. in der Ausgestaltung des Ber. über V. zur Lucretia-Erzählung (→ Lucretia [2]) sind unverkennbar.

1 R. M. OGILVIE, A Commentary on Livy Books 1–5, 1965
2 H. G. GUNDEL, s. v. Verginius (24), RE 8 A, 1530–1535
3 T. J. CORNELL, The Beginnings of Rome, 1995.

J. BAYET, Tite-Live, Histoire romaine, Bd. 3, 1942, 133–145 · H. G. GUNDEL, s. v. Verginius (7), RE 8 A, 1512–1516 · J. C. VAN OVEN, Le procès de Virginie d'après le récit de Tite Live, in: TRG 18, 1950, 159–190 · T. P. WISEMAN, Clio's Cosmetics, 1979, 106 f.   C. MÜ.

Verginius. Röm. Geschlecht verm. etr. Herkunft, das v. a. im 5. Jh. v. Chr. mit den Verginii Tricosti (Stammbaum der V. Tricosti in [1. 1519]) eine hervorragende Rolle in der röm. Politik spielte. Charakteristisch sind für die V. Tricosti die weiteren Cogn. Caelimontanus, Esquilinus und Rutilus. Ab ca. der Mitte des 5. Jh. schwand die polit. Bed. des Geschlechts aber zunehmend, bis es etwa um die Mitte des 4. Jh. in Bedeutungslosigkeit versank. Doch kann dies nicht zuletzt als Hinweis darauf gewertet werden, daß die den V. in der Überl. zugeschriebene Rolle in der frühen Republik – insgesamt verzeichnet die Überl. elf Consuln und zwei Consulartribune aus dieser Familie – jenseits aller Unsicherheiten in der Tat einen histor. Hintergrund hat, da spätere Interpolationen weitgehend ausgeschlossen sind.

Neben diesen patrizischen V. kennt die Überl. auch einige plebeiische Träger des Namens (V. [I 1; I 2; I 3]; s. auch → Verginia). Doch muß ihre Historizität wie auch ihre mögliche Beziehung zu den patrizischen V. fraglich bleiben (vgl. [1. 1509]).

1 H. G. GUNDEL, s. v. V., RE 8 A, 1507–1509.

I. REPUBLIKANISCHE ZEIT

[I 1] V., A. *Tr. pl.* 461, 460, 459, 458, 457 v. Chr. (MRR 1 zu den J.). Die Überl. zeichnet V. in seinem ersten Amtsjahr als unerschrockenen Kämpfer gegen Kaeso Quinctius [I 1], den er anklagte, in den weiteren J. als einen engagierten Verfechter des Antrages des C. → Terentilius Harsa, *tr. pl.* 462 (Liv. 3,11,9–13; 3,13,4 f., 3,13,9; 3,25,4; Dion. Hal. ant. 10,1–30).

[I 2] V., A. *Tr. pl.* 395 und 394 v. Chr. (MRR 1,89 f.). Widersetzte sich der Überl. nach in Einverständnis mit dem Senat dem Antrag seines Kollegen C. Sicinius, die Hälfte der Bürgerschaft im eroberten → Veii anzusiedeln, und wurde daher im folgenden J. zu einer Geldstrafe verurteilt (Liv. 5,25,13; 5,29,1; 5,29,6; zur zweifelhaften Historizität des Ber. vgl. [1. 1511; 2. 691 f.]).

1 H. G. GUNDEL, s. v. V. (4), RE 8 A, 1511 2 R. M. OGILVIE, A Commentary on Livy Books 1–5, 1965.

[I 3] V., L. Der Überl. nach Vater der → Verginia, die er erstach, als es ihm nicht gelang, sie vor dem Zugriff des Ap. Claudius [I 5] zu retten. Zum Prozeß vom Kriegsdienst nach Rom gekommen, kehrte V. nach der Tat zum Heer zurück, wo die Nachricht über die Vorfälle in Rom eine Empörung auslöste, die zum Zug des Heeres auf den → *mons Aventinus*, zur zweiten → *secessio plebis* auf den *mons sacer* und letztlich zum Sturz der → *decemviri* [1] führte. Im Anschluß hieran wurde V. zum *tr. pl.* (MRR 1,48) gewählt und klagte Claudius an, der daraufhin Selbstmord beging. Die Überl., die sich in ihrer elaborierten, so zweifellos nicht histor. Form bei Livius (3,44,1–54,11; 3,56,1–58,6; vgl. Dion. Hal. ant. 11,28–46) findet, ist das Ergebnis einer fortschreitenden Ausgestaltung der Erzählung um Verginia, in der auch V. als Plebeier, der gegen die Willkür der patrizischen *decemviri* angeht, an Kontur gewinnt.

[I 4] V. Tricostus, L. Nach Liv. 6,1,8 wurde V. unter Furius [I 13] Camillus als → *interrex* zum Consulartribun 389 v. Chr. gewählt. Evtl. identisch mit V. [I 9].

[I 5] V. Tricostus, Opiter. Die Überl. weist V. als *cos.* 502 v. Chr. verschiedene Leistungen zu: Nach Liv. 2,17,1–7 eroberte er mit seinem Mitconsul Sp. Cassius [I 19] Vecellinus die Stadt Pometia, die trotz Kapitulation wie eine eroberte Stadt behandelt wurde, und feierte einen Triumph. Nach Dion. Hal. ant. 5,49 f. eroberte V. in einem Überraschungsangriff → Cameria, während sein Kollege gegen die → Sabini kämpfte.

[I 6] V. Tricostus Caelimontanus, A. Angeblich kämpfte er als *cos.* 494 v. Chr. siegreich gegen die → Volsci, nahm → Velitrae und errichtete dort eine Kolonie. Nach Dionysios [18] von Halikarnassos war V. zudem in der ersten → *secessio plebis* Mitglied der Senatsgesandtschaft zur Plebs, eine Darstellung seiner Person, die sich deckt mit V.' maßvollem Auftreten gegenüber den Forderungen der Plebs bei Livius (2,29,7; 2,30,1; 2,30,10–15; 2,31,4; Dion. Hal. ant. 6,42,1 f.; 6,43,1; 6,69,3; MRR 1,13 f.). Die Nachricht bei Fest. 180 bezieht sich evtl. auf ihn (vgl. aber V. [I 8]).

[I 7] V. (Tricostus) Caelimontanus, A. Kämpfte als *cos.* 469 v. Chr. gegen die → Aequi und führte eine Strafexpedition gegen die → Sabini durch (vgl. Liv. 2,63,5–7; Dion. Hal. ant. 9,56,5 f. mit unterschiedlicher Beurteilung seiner Kriegsführung). Nach Livius war V. 467 Mitglied einer Dreimännerkommission zur Ackerverteilung (3,1,6; zur Historizität der Kommission unterschiedlich [1. 1523; 2. 393]; MRR 1,31 f.).

1 H. G. GUNDEL, s. v. V. (13), RE 8 A, 1522 f.
2 R. M. OGILVIE, A Commentary on Livy Books 1–5, 1965.

[I 8] V. Tricostus Caelimontanus, T. Als *cos.* 496 v. Chr. (MRR 1,12) kämpfte V. nach Dion. Hal. ant. 6,4,3 in der Schlacht am → *lacus Regillus*. Livius (2,21,3) nennt ihn – bei Datier. der Schlacht ins J. 499 – als *cos.* dieses J., dies jedoch nicht ohne Hinweis auf die bei Dion. Hal. vorliegende Überl. Die Nachricht bei Fest. 180, wonach ein V. unter den Kriegstribunen war, die 487 im Krieg gegen die → Volsci fielen und am Circus verbrannt wurden, könnte sich auf ihn beziehen (vgl. aber V. [I 6]).

[I 9] V. Tricostus Esquilinus, L. Nach Livius (5,8,1–5,13,8, bes. 5,11,4–5,12,1) leistete er als Consulartribun 402 v.Chr. seinem bei → Veii bedrängten Kollegen Sergius keine Hilfe, wurde daher zusammen mit seinen Kollegen des Amtes enthoben, im folgenden J. angeklagt und zu einer hohen Geldstrafe verurteilt. Evtl. identisch mit V. [I 4] (vgl. MRR 1,82f.).

[I 10] V. (Tricostus) Esquilinus, Opiter. Für das J. 478 v.Chr. ist in den hier fr. erh. Fasti Capitolini ein Suffektkonsulat des V. zu ergänzen (InscrIt 13,1,24f.; 89–91; 356f.; MRR 1,26; vgl. [1. 1526f.; 2. 371]). Zudem führt Livius (2,54,3) V. als *cos.* 473 v.Chr. an, dies aber mit Hinweis auf die alternative Überl. (bei Dion. Hal. ant. 9,37,1f.; Diod. 11,65,1), die Iulius [I 16] Iullus anführt. Dieser ist der Vorzug zu geben, wobei sich V.' Konsulat 473 bei Livius wohl daraus erklärt, daß in beiden J. (478 und 473) Aemilius [I 25] Mamercus das Konsulat bekleidete und durch Verwechslung dieser Konsulate V.' Suffektkonsulat bei Livius ins J. 473 geriet.

1 H. G. GUNDEL, s. v. V. (18), RE 8 A, 1525–1527
2 R. M. OGILVIE, A Commentary on Livy Books 1–5, 1965.

[I 11] V. Tricostus Rutilus, A. Als *cos.* 476 v.Chr. rettete V. der Überl. nach seinen Kollegen Sp. Servilius Structus Ahala, der, als die Veienter vor Rom standen, am → Ianiculum mit seinen Truppen in eine bedrängte Situation geraten war, und setzte sich, als dieser im folgenden J. angeklagt wurde, vehement für ihn ein (Liv. 2,51,4–8; 2,52,6–8; Dion. Hal. ant. 9,26,1–6; 9,28,4; 9,29,3f.; 9,33,2).

[I 12] V. Tricostus Rutilus, Proculus. Die Überl. berichtet von Verheerungen des V. als *cos.* 486 v.Chr. im Gebiet der → Aequi (Dion. Hal. ant. 8,68), weist V. aber auch eine Rolle beim Umsturzversuch seines Kollegen Sp. Cassius [I 19] Vecellinus zu: V. wird als Gegner der Pläne des Cassius gezeichnet, im Rahmen der beabsichtigten Verteilung von Ackerland nicht nur röm. Bürger, sondern auch die verbündeten Latini und Hernici einzubeziehen (Liv. 2,41,4–7; Dion. Hal. ant. 8,71,1–72,5; 75,1; 78,1f.). Zudem soll V. in seinem Konsulatsjahr den Tempel der Fortuna Muliebris (Dion. Hal. ant. 8,55,5) eingeweiht haben.

[I 13] V. Tricostus Rutilus, T. Der Überl. nach wurde V. als *cos.* 479 v.Chr. (MRR 1,35) im Kampf gegen → Veii von den Veientern eingeschlossen und mußte von seinem Kollegen K. Fabius [I 37] Vibulanus, dem der Kampf gegen die → Aequi zugefallen war, aus dieser Lage befreit werden (Liv. 2,48,4–7; Dion. Hal. ant. 9,14,1–8). Bei dem von Livius (3,7,6) als Opfer der Seuche des J. 463 erwähnten Augur T. V. Rutilus dürfte es sich um V. handeln. C. MÜ.

II. KAISERZEIT

[II 1] L. V. Rufus. Aus ritterlicher Familie (Tac. hist. 1,52,4), geb. 14/5 n.Chr., seine Heimatstadt war wohl Mediolanum [1]. Unter Kaiser Claudius [III 1] (41–54)

in den Senat aufgenommen; 63 war V. *cos. ord.*, was für einen Mann seiner Herkunft äußerst ungewöhnlich war und voraussetzte, daß er mächtige Patrone hatte, u. a. → Vibius [II 3] Crispus. 67 übernahm er das Kommando über das obergermanische Heer, dessen Befehlshaber, → Scribonius [II 10] Proculus, von → Nero in den Tod getrieben worden war. V. muß Nero somit als völlig vertrauenswürdig gegolten haben [1. 28f.]. Als → Iulius [II 150] Vindex in der Gallia → Lugdunensis gegen Nero revoltierte, reagierte V. zögernd, rückte schließlich doch gegen die Aufständischen vor und schlug sie 68 bei → Vesontio. Die später verbreitete Version, sein Heer habe von sich aus die Schlacht begonnen, während sich V. in einer Unterredung mit Vindex befand, ist als Versuch der Rechtfertigung gegenüber → Galba [2] anzusehen, dessen eigene, durch Vindex ausgelöste Erhebung durch das Verhalten des V. tatsächlich existentiell bedroht wurde (Plut. Galba 6). Die Akklamation zum Herrscher durch seine Truppen lehnte V. ab, hielt somit weiter zu Nero, auch eine weitere Akklamation nach dem Tod Neros wies er zurück (Plut. Galba 10). Schließlich ließ er sein Heer auf Galba vereidigen, der ihn aber noch im selben Jahr als Kommandeur abberief, was den neuen Kaiser Sympathien bei den Rheinlegionen kostete. Erst → Otho zog V. wieder heran und machte ihn am 1.3.69 zum *cos. II*; mit → Vitellius [II 2] arrangierte sich V. offensichtlich (Tac. hist. 2,68,4).

In der flavischen Zeit (69–96) hielt V. sich im Hintergrund und trat erst E. 96 wieder hervor, als → Nerva ihn zum *cos. III* für 97 designierte. Als er seine Danksagung für den Konsulatsantritt einübte, stürzte er, brach sich den Oberschenkel und starb an den Folgen – nicht vor Anf. Nov. 97, da er ein *funus publicum* (»Staatsbegräbnis«) erhielt und Tacitus [1] (*cos.* Nov./Dez. 97) die Leichenrede hielt (Plin. epist. 2,1,6). Als Inschr. für das Grabmal bei seiner Villa nahe Alsium plante er: »Er gab die Herrschaft nicht sich selbst, sondern dem Vaterland« (*imperium adseruit non sibi, sed patriae*: Plin. epist. 6,10,4), eine späte Verschleierung der Tatsache, daß er sich nicht rechtzeitig von Nero losgesagt hatte. Plinius [2] d. J. war mit ihm, auch wegen der gemeinsamen Heimat, näher bekannt.

→ Vierkaiserjahr

1 ECK (Statthalter) 2 SYME, V. Rufus, RP 7, 512–520 (mit der früheren Lit.). W. E.

[II 2] V. Flavus. Berühmter röm. Rhetor des 1. Jh. n. Chr., dessen Wirken nur schemenhaft faßbar ist (seine Biographie in Suetons *De grammaticis et rhetoribus* ist nicht überl.). V.' Lehrbuch über das gesamte rhet. System (vgl. → Rhetorik V., mit Schaubild) wurde von → Quintilianus [1] hochgeschätzt, zuweilen aber auch der mangelnden Differenziertheit in Einzelfragen geziehen (Quint. inst. 3,1,21; 3,1,45; 4,1,23; 7,4,24; 7,4,40; 11,3,126). V., Lehrer des Satirikers → Persius [2] (vita Persii 4), wurde im Zuge der polit. Maßnahmen nach der Pisonischen Verschwörung (65; → Calpurnius [II 13]) von Nero, der ihm seinen Ruhm als Rhet.-Lehrer neidete, verbannt (Tac. ann. 15,71,4). C. W.

Vergleich. Unter den antiken Begriffen εἰκών/*eikōn*
(wörtlich »Bild«, »Illustration«: häufig für kurze V.),
παραβολή/*parabolé* (bes. für Gleichnisse) sowie lat. *simile, similitudo* sind in der ant. Rhet. verschiedene ein
Wort, einen Satz, einen Text dominierende Phänomene
gefaßt, in denen eine Beziehung zw. zwei Sachverhalten bzw. Vorstellungsbereichen hergestellt wird. Die
primäre Funktion der Verdeutlichung rückt den V. in
die Nähe der → Tropen (Quint. inst. 4,1,70), des *exemplum* (5,11,22; vgl. aber Cic. inv. 1,49), der *figurae sen-
tentiarum* (Cic. de orat. 3,201 = Quint. inst. 9,1,31;
→ Figuren).

Eine Theorie des V. legt erstmals Aristoteles in seiner
›Rhetorik‹ (3,4,1406b) vor, in der er zw. kurzem (für
Prosa geeignetem) und elaboriertem (der Dichtung vor-
behaltenem) V. unterscheidet und diesen in Abgrenzung von und partieller Gleichsetzung mit der → Metapher definiert, von der er sich durch Einfügung einer
V.-Partikel (»wie«) unterscheide. Die → *Rhetorica ad
Herennium* (4,45,59–48,61) stellt den V. mit *imago*
(»Bild«) und *exemplum* (»Beispiel«) zu den Gedankenfiguren (die Metapher jedoch zum Wortschmuck; vgl.
aber Cic. de orat. 3,39,157) und nennt vier Funktionen
des V.: Schmuck, Beweis, offenes Aussprechen und
Vergegenwärtigung (*ornandi, probandi, apertius dicendi,
ante oculos ponendi causa*). Die Ähnlichkeit des V. müsse
keine vollständige sein, sondern beziehe sich in der Regel auf einzelne Aspekte (Cic. inv. 1,49 fügt als Bedingung die Wahrscheinlichkeit hinzu). Quintilianus [1]
bietet an den genannten Stellen die ausführlichste Behandlung des V. (weitere Referenzstellen in der lat. und
griech. Lit.: [1. §847]).

Der Modus der Beziehung zw. zwei Sachverhalten
ist nicht der Ersatz (*immutatio*), sondern beide Berei-
che/Sachverhalte werden beibehalten und durch eine
V.-Partikel nebeneinandergestellt. Bildempfänger und
Bildspender sind hierbei in der Regel durch ein näher zu
definierendes, aber nicht explizites *tertium comparationis*
unterschwellig aufeinander bezogen. Auch wenn durch
die Offensichtlichkeit der Zusammenstellung der die
Metapher auszeichnende paradoxe Charakter abgeschwächt werden kann, zeigt der V. in allen Sprachver-
wendungsarten alle Funktionen der Metapher: Ästhetisierung, Vergegenwärtigung und Verdeutlichung
›durch den Appell an die allgemeinen Erfahrungen des
Natur- und Menschenlebens‹ [1. §843].

Expandierte V., also solche, die eine größere Text-
einheit bilden und seit den homerischen Epen zum
Trad.-Bestand der Dichtung gehören [2; 3], können –
mit oder ohne V.-Partikel – große Eigendynamik ent-
falten, da nicht jeder Aspekt des Gleichnisses mit einem
Aspekt des Verglichenen in Beziehung gesetzt werden
kann. Dadurch wird ein semantischer Überschuß erzeugt, der die Poetizität des V. ausmacht (Beispiele:
Hom. Od. 23,233–240; Lucan. 1,150–157).
→ Metapher

1 Lausberg §§422–425 (Beweismittel), 843–847 (ornatus)
2 M. H. McCall, Ancient Rhetorical Theories of Simile
and Comparison, 1969 3 R. Rieks, Die Gleichnisse Vergils,
in: ANRW II 31.2, 1981, 1011–1110.   C. W.

Vergobretus. Nach Caes. Gall. 1,16,5 höchster Magistrat bei den → Haedui, wurde jährlich durch den Adel
gewählt und besaß als oberster Richter Gewalt über Leben und Tod. Caes. Gall. 7,32,3 charakterisiert seine
Macht als »königlich« (*regia potestas*). Er durfte das Stammesgebiet nicht verlassen. Kam es zu einem Interregnum, führten die Priester anstelle des Vorgängers bei der
Wahl des neuen V. den Vorsitz, doch durften zwei Mitglieder derselben Familie nicht zu beider Lebzeiten zum
V. gewählt werden (Caes. Gall. 7,33,2–3). Ferner existierte ein Adelsrat, dem nur jeweils ein Vertreter pro
Familie angehören durfte. 58 v. Chr. führte der proröm.
V. Liscus bei Caesar Beschwerde gegen → Dumnorix
(Caes. Gall. 1,18f.). 52 v. Chr. entschied Caesar durch
ein Schiedsgericht für Convictolitavis gegen Cotus,
welcher von seinem Bruder Valetiacus, der das Amt zuvor bekleidet hatte, offenbar unrechtmäßig zum V. ausgerufen worden war (Caes. Gall. 7,32f.).

Das Amt des V. scheint sich bis in die Kaiserzeit auch
bei anderen gallischen Stämmen erh. zu haben, da es
inschr. im Gebiet der → Bituriges und → Santoni sowie
auf Mz. der Lexovii bezeugt ist.

H. Birkhan, Kelten, 1997, 1001 f. · B. Maier s. v. V., Lex.
der keltischen Rel. und Kultur, 1994, 327 f.   W. SP.

Vergöttlichung   I. Alter Orient
II. Griechenland und Rom

I. Alter Orient
Die V. von → Herrschern steht im Alten Orient immer im Zusammenhang mit der Legitimation und Ausübung von → Herrschaft. Dabei wird grundsätzlich ein
Unterschied zw. den vergöttlichten Herrschern und
den eigentlichen Göttern gemacht.
A. Mesopotamien B. Ägypten C. Iran

A. Mesopotamien
Hinweise auf die V. lebender Herrscher sind geogr.
auf Babylonien und zeitlich auf das späte 3. und frühe
2. Jt. v. Chr. beschränkt: a) Einzelne Herrscher rekla-
mierten für sich göttliche Herkunft als Mittel der Herr-
schaftslegitimation. b) Herrscher der 3. Dyn. von → Ur
(21. Jh.) und einige aus der ihnen nachfolgenden Dyn.
von Isin (20. Jh.) wurden wegen ihrer Teilnahme am
Ritual der Heiligen Hochzeit als Gemahl der → Inanna
(s. Nachträge) vergöttlicht (→ *hierós gámos*). c) Herrscher
der altakkadischen Dyn. (24./23. Jh.) ließen sich zu
Lebzeiten vergöttlichen, weil sie das urspr. den → Stadt-
gottheiten zustehende Dominium über das Ackerland
des Staatsgebietes für sich in Anspruch nahmen
[1. 61 f.]. Für → Naramsin wurden wegen seiner mil.
Erfolge von den großen Göttern göttl. Ehren »als Gott
seiner Stadt« erbeten, woraufhin ihm ein Tempel errichtet wurde.

Die V. wurde äußerlich v. a. dadurch ausgedrückt, daß dem Namen des Vergöttlichten das Schriftzeichen für »Gott« vorangestellt wurde und ihm in bildlicher Darstellung göttl. Insignien zugeordnet wurden. Spezielle rituelle Akte, die zur V. führten, sind nicht bekannt. Eine V. von Privatpersonen gab es nicht. Die assyrische Königsideologie sah den Herrscher immer nur als Vicarius des Reichsgottes → Assur [2].
→ Gottkönigtum; Herrscher I.

1 H. J. NISSEN, Gesch. Alt-Vorderasiens, 1999 2 G. SELZ, The Holy Drum, the Spear, and the Harp, in: I. J. FINKEL, M. J. GELLER, (Hrsg.), Sumerian Gods and Their Representations, 1997, bes. 181 f.   J. RE.

B. Ägypten

Die Verehrung von Menschen als göttlich ist in Äg. durchgängig zu belegen. Diese besondere V. ist von der Göttlichkeit des Königs kraft Amtes und Abstammung deutlich zu trennen. Sie betrifft sowohl Könige und deren Familienmitglieder als auch Privatpersonen. Die Ursachen sind meist nicht eindeutig, häufig handelt es sich jedoch um Autoren von Weisheitslehren (→ Weisheitsliteratur). Es lassen sich unterschiedliche Grade von Göttlichkeit ausmachen, fast immer wird noch ein gewisser Abstand zu den »echten« Göttern gewahrt. Markanteste Ausnahme ist der in der Spätzeit zur Vollgottheit aufgestiegene Imhotep (→ Imuthes [2]) [5]. Je nach betroffener Person konnte der Kult eng lokal begrenzt oder landesweit verbreitet sein. Bezüglich der Anhängerschaft handelte es sich nicht nur um ein Phänomen des Volksglaubens; wichtige Kulte fanden auch königliche Förderung. Meist setzte die V. einer Person erst nach deren Tod ein. Nur in Einzelfällen ist eine Selbst-V. von Königen zu Lebzeiten zu beobachten [2]. Bemerkenswert ist, daß gerade diese nur von geringer Dauer war, während einige der postumen Kulte über Jh. bestanden bzw. sich sogar intensivierten [3].
→ Gottkönigtum; Herrscher II.; Pharao

1 J. CERNY, Le culte d'Amenophis Ier chez les ouvriers de la nécropole thébaine, in: BIAO 27, 1927, 159–203
2 L. HABACHI, Features of the Deification of Ramesses II (ADAIK 5), 1969 3 A. VON LIEVEN, Kleine Beitr. zur V. Amenophis I., in: ZÄS 128, 2001, 41–64 4 D. WILDUNG, Die Rolle äg. Könige im Bewußtsein ihrer Nachwelt, 1969
5 Ders., Imhotep und Amenhotep, 1977.   A. v. L.

C. Iran

Achäm. Herrscher beriefen sich weder auf göttl. Herkunft, noch genossen sie göttl. Verehrung [1. 55]. Der Sāsānide Šāpūr (→ Sapor [1]) bezeichnete sich als von den Göttern abstammend und als mazdaverehrenden (→ Ahura Mazdā) Gott (mittelpersisch bay, griech. θεός/theós). Er stand damit seinen Untertanen als Herrscher mit göttl. Eigenschaften gegenüber, wobei allerdings terminologisch ein Unterschied zw. dem göttl. Herrscher und etwa dem Gott Ahura Mazdā (yazd) [1. 220–222] gemacht wurde.
→ Gottkönigtum; Herrscher III.

1 J. WIESEHÖFER, Das ant. Persien, 1993.   J. RE.

II. Griechenland und Rom

Als metasprachlicher Begriff bezeichnet V. den Prozeß der (spontanen oder institutionalisierten) Deutung und Verehrung einer Sache, eines abstrakten Begriffes (→ Personifikation), einer Naturerscheinung oder eines Menschen – zu seinen Lebzeiten oder nach seinem Tod – als göttlich. Die »Apotheose« (nach griech. ἀποθέωσις/ apothéōsis), das V.-Ritual für die verstorbenen Kaiser (lat. → consecratio) von Augustus bis zur Umdeutung durch Constantinus [1] I. im Rahmen seiner eigenen Bestattung [1], ist ein Sonderfall dieses allgemeineren Phänomens. Die rituellen Mittel der V. sind dem Kult für die Götter entnommen und heben den Adressaten der V. auf deren Ebene: die Anrufung (→ Epiklese), das → Gebet oder der → hýmnos; rel. → Rituale wie das → (Trank-)Opfer oder die Verehrung einer Statue (Cic. off. 3,80); die Einrichtung eines festen Kultes mit Altar, Heiligtum, Priester und Fest.

Der Sophist → Prodikos soll zuerst postuliert haben, die frühen Menschen hätten die nutzbringenden Phänomene der Natur wie → Sonne und → Mond, später menschliche Erfinder (→ prôtos heuretês) als Götter verehrt (84 B 5 DK). Erweitert wurde dies durch den Stoiker → Persaios [2] von Kition mit der Vorstellung, Götter seien die für ihre Wohltaten vergöttlichten Menschen (Philod. de pietate 9; Cic. nat. deor. 1,38). Ein ganz ähnliches prodikeisches Modell könnte zuvor schon → Hekataios [4] von Abdera formuliert haben (FGrH 264 F 25 = Diod. 1,11,1–13,1; [2. 9f.]), doch ist die Zuschreibung umstritten [3. 283–287]. Als Paradigmen des für seine Wohltaten, kulturellen Leistungen und Eroberungen Vergöttlichten gelten im Hell. und in röm. Zeit → Dionysos, → Herakles oder die → Dioskuroi (Cic. leg. 2,19; Hor. carm. 3,3). → Euhemeros von Messene schließlich scheint neben Wohltätigkeit und Kulturleistung v. a. die Macht des → Herrschers als Grundbedingung für V. formuliert zu haben [3]. Produktiv adaptiert wurden diese hell. V.-Diskurse auch in Rom, etwa in → Ennius' Euhemeros-Übers. oder den Debatten über die V. einzelner seit dem 1. Jh. v. Chr. (Cic. rep. 6,13; [2]; Cass. Dio 51,20,8). Sie konvergierten in hell. und röm. Zeit mit der tatsächlichen V. lebender und toter → Herrscher (vgl. → Kaiserkult); die Verwandtschaft zw. den lit. Diskursen und den zeitgenössischen Rechtfertigungsstrategien für die V. zeigt sich etwa an den hell. Herrscher-Beinamen »Wohltäter« (→ Euergétēs) oder »Retter« (→ Sōtḗr).

Für die christl. Apologeten und die frühe Neuzeit war V. ein Indiz der Absurdität des »heidnischen« Göttlichkeitsbegriffs und Beweis für die Überlegenheit des jüd.-christl. → Monotheismus. Noch der mod. Forsch. galt der röm. Kaiserkult lange Zeit als rein polit. motivierte »Loyalitäts-Rel.« ohne tiefergehenden rel. Gehalt (dazu [4. 11–16]). Erst die Forsch. jüngerer Zeit hat versucht, seinen rel. Charakter, und damit das Problem der V., neu zu definieren: Sie positioniert den Herrscher zw. Menschen und Göttern, aber nicht gleichberechtigt mit diesen [4. 233; 5], oder deutet den Kaiser als Gott [6. 17–38].

Entscheidend − und die Forsch.-Debatten weiterführend − ist die Einsicht, daß eine von einem jüd.-christl. Dogma geprägte kategorische Dichotomie zw. Mensch und (apostasiertem) Gott, wie sie etwa die frühchristliche Lit. formuliert (vgl. Apg 14,8−18), für die griech.-röm. Gottesvorstellung so nicht gilt. Bereits die christl. trinitarischen Debatten in der frühen Kirche problematisieren diese Dichotomie (→ Trinität III.). Notwendig wird dann aber ein Modell, das die ganze Spannbreite der ant. Reaktionen auf die V. − von der Affirmation des Vergöttlichten als Gott bis hin zur Ambivalenz über seinen Status − beschreiben kann: In einer rel. Welt mit weitgehend anthropomorphen Gottesvorstellungen (vgl. → Anthopomorphismus), die Muster menschlichen Sozialverhaltens nach soziomorphen Kategorien auf die Götter projiziert und damit auch den Begriff »Gott« problematisiert (vgl. → Pantheon [1] III.; → Polytheismus I.), zeichnen sich die Götter vor den Menschen durch Unsterblichkeit und Macht aus. Gerade letztere Differenz läßt sich überwinden und ermöglicht die göttliche Verehrung einzelner neben den traditionellen Göttern: Menschen und Göttern werden konvergierende Handlungsbereiche zugeordnet, und der Prozeß der V. wird zum rel. Ausdruck eines situationsspezifischen oder institutionalisierten Gefühls der Dankbarkeit für Rettung, Wohlergehen und Sicherheit (Suet. Aug. 98,2). Auf diese Veränderung des Menschenbildes, welche die Praxis der V. mit sich brachte, reagierte v. a. der philos. Diskurs ambivalent und mit der an einem »menschlichen« Herrscherideal ausgerichteten Kritik (Cass. Dio 52,35,3−6; vgl. Suet. Vesp. 23,4) sowie der Verdammung einzelner »unwürdiger« Fälle (Seneca [2], *Apocolocyntosis*).

→ Euergetes; Herrscher IV.; Kaiserkult; Trinität; Totenkult; Verstirnungssage

1 S. REBENICH, Vom dreizehnten Gott zum dreizehnten Apostel?, in: Zschr. für ant. Christentum 4, 2000, 300−324 2 B. BOSWORTH, Augustus, the *Res Gestae* and Hellenistic Theories of Apotheosis, in: JRS 89, 1999, 1−18 3 R. J. MÜLLER, Überlegungen zur Ἱερὰ Ἀναγραφή des Euhemeros von Messene, in: Hermes 121, 1993, 276−300 4 S. R. F. PRICE, Rituals and Power, 1984 5 D. FISHWICK, The Imperial Cult in the Latin West, 1987−1992 6 M. CLAUSS, Kaiser und Gott, 1999. A. BEN.

Verina (Aelia V., griech. Βηρίνη). Oström. Kaiserin, Gattin Leo(n)s [4] I., gest. 484 n. Chr., begünstigte nach dem Tod ihres Gatten 474 zunächst die Herrschaft des Isauriers → Zeno(n) [18], Gatte ihrer Tochter Ariadne und Vater ihres Enkels → Leo(n) [5] II., unterstützte aber 475 vorübergehend eine Revolte ihres Bruders → Basiliskos gegen Zenon. 478 versuchte sie zusammen mit → Epinikos [2], den mächtigen *magister officiorum* → Illos zu stürzen; doch kam ihr dieser zuvor und verbannte sie nach Tarsos. Er konnte sie aber 484 dafür gewinnen, eine Revolte des Generals → Leontios [3] gegen Zenon zu unterstützen und den Usurpator am 19. Juli 484 in Tarsos zum Kaiser zu krönen. Als Zenon Truppen gegen Leontios entsandte, rettete er sich mit Illos und V. in die isaurische Festung Papyrios, wo die Verschwörer alsbald eingeschlossen wurden. Dort starb V. noch im gleichen Jahr. Ihr Leichnam wurde später nach Konstantinopel überführt und dort bestattet. PLRE 2, 1156.

T. E. GREGORY, s. v. V., ODB 3, 2160. F. T.

Verkehr. Die Überwindung von Distanzen durch Personen und Güter mit Hilfe von V.-Mitteln und auf V.-Wegen.
I. ALTER ORIENT II. KLASSISCHE ANTIKE

I. ALTER ORIENT

Die ältesten V.-Mittel sind Mensch und Tragtier sowie das Boot. Sie wurden gleichermaßen für den Nahwie für den Fern-V. eingesetzt, für den Einzel- wie für den Massentransport. Nicht nur im nomadischen Kontext (→ Nomaden) wurden → Esel und später → Kamele als unbespannte, ausdauernde und genügsame Transporttiere und V.-Mittel herangezogen. Für den Schwertransport mit begrenzter Reichweite benutzte man in Äg. Schlitten; ebenso im frühen Südmesopot., wo sie nur selten bezeugt sind (Schriftzeichen in den archa. Texten aus → Uruk; E. 4. Jt. v. Chr.). Originalfunde sind aus Mesopot. nicht erhalten, jedoch einige Darstellungen. Transportwagen waren in Äg. sehr selten, aus Südmesopot. am E. des 4. Jt. wieder nur als Schriftzeichen bekannt. Vierrädrige Kampfwagen sind auf der sog. Standarte aus dem → Ur-Friedhof (Mitte des 3. Jt.) abgebildet; ihr Aktionsradius war aber wegen fehlender Straßen beschränkt.

Der Fernhandel über den persisch-arabischen Golf bis zum Industal bzw. der südl. arab. Halbinsel wurde weitgehend über Schiffe abgewickelt, wahrscheinlich als Küstenschiffahrt. Die vom 2. Jt. v. Chr. an auf äg., neuassyrischen, späthethitischen und achäm. Reliefs dargestellten zweirädrigen → Wagen mit Pferde- bzw. Equidenbespannung wurden wohl nur mil. genutzt. Haupt-V.-Mittel in Äg. und Südmesopot. waren Wasserfahrzeuge in allen Größen vom einfachen Boot bis zu riesigen Lastschiffen, die in Äg. Obelisken transportieren konnten, in Südmesopot. bis zu 20 t (um 2000 v. Chr.) bzw. 130 t (7. Jh. v. Chr.; Hdt. 1,194) Getreide. Sowohl in Äg. wie in Südmesopot. fanden mit Schiffen − in Äg. z. T. aus kostbaren Materialien hergestellt − Götterprozessionen und -reisen statt.

Befestigte Straßen scheint es bis ins 1. Jt. v. Chr. nirgends im Vorderen Orient gegeben zu haben. Sie sind weder lit. noch arch. bezeugt, weder inner- noch außerstädtisch, auch wenn die mod. Begrifflichkeit dies zuweilen suggeriert (Seiden-, Weihrauch-, große Khorasanstraße etc.). Ausnahme ist der Teil der neubabylonischen Prozessionsstraße im Bereich der Südburg von → Babylon (7. Jh. v. Chr.), der mit großen, dichtgefügten Kalksteinplatten belegt war. Auch bei den → Königsstraßen des neuassyr. Reiches und der → Achaimenidai [2] waren höchstens Teile innerhalb der Städte befestigt. Die erh. V.-Netze innerhalb der altorientali-

schen Siedlungen erlaubten jedoch nur einen eingeschränkten V. mit anderen V.-Mitteln als Tieren.

Textquellen und sog. → Itinerare bezeugen seit dem
2. Jt. v. Chr. V.-Verbindungen zw. entfernt voneinander gelegenen Orten. Dabei handelt es sich um Handelsverbindungen, wie z. B. zw. dem altassyr. → Assur
und Anatolien, mittels Eselskarawanen, oder um den
Austausch von Prestigegütern zw. den verschiedenen
altoriental. Höfen und dem äg. Reich während der
Amarna-Zeit (14. Jh. v. Chr.). Ein ausgeprägtes Boten-
wesen diente u. a. auch der diplomatischen Nachrichtenübermittlung. Schließlich machte sich das Heerwesen die existierenden V.-Wege zunutze, wobei Kenntnisse über alternative Routen vorhanden waren. Die
aufgelisteten Orte lassen sich zuweilen mit Fundplätzen
gleichsetzen und ermöglichen auf diese Weise Aussagen
zur histor. Top. wie auch über Länge und Dauer einzelner V.-Abschnitte. Der neuassyr. Textüberlieferung
zufolge fungierten neben den Hauptflüssen künstlich
angelegte → Kanäle als Wasserstraßen, auch diese sind
arch. jedoch nur ansatzweise nachweisbar.
→ Handel I.; Nachrichtenwesen; Schiffahrt; Wagen

E. MARTIN-PARDEY, s. v. Schiff, LÄ 5, 601–610 ·
W. K. SIMPSON, s. v. Schiffbau, LÄ 5, 616–622 · W. HELCK,
s. v. Transportwesen, LÄ 6, 743 f. · M.-Ch. DE GRAEVE, The
Ships of the Ancient Near East (2000 – 500 B.C.), 1981 ·
G. F. BASS, Sea and River Craft in the Ancient Near East, in:
J. SASSON (Hrsg.), Civilizations in the Ancient
Near East, Bd. 3, 1995, 1421–1431 · D. A. DORSEY,
Transportation, in: E. M. MEYERS (Hrsg.), The Oxford
Encyclopedia of Archaeology in the Near East, 1997,
243 f. · F. M. FALES, Rivers in Neo-Assyrian Geography, in:
M. LIVERANI (Hrsg.), Neo-Assyrian Geography, 1995,
203–215 · W. NAGEL, E. STROMMENGER, Der
frühsumerische Kultschlitten – ein Vorläufer des Wagens?,
in: P. CALMEYER et al. (Hrsg.), Beitr. zur Altoriental. Arch.
und Altertumskunde, 1994, 201–209 · A. SALONEN, Die
Wasserfahrzeuge in Babylonien (Stud. Orientalia 8, 4),
1939.   H. J. N. u. AR. HA.

II. KLASSISCHE ANTIKE

In der Ant. verließen viele Menschen, gerade in den
ländlichen Gegenden, ihren Wohnort oder ihre Hei-
matregion nur selten; die Entfernung, die Bauern zu-
rücklegten, um zu einem → Markt zu gelangen, war
normalerweise wohl geringer als 20 km, die Entfernung, die an einem Tag hin und zurück bewältigt werden konnte. Auch Handwerker, die in größeren Städten
tätig waren, blieben meist vor Ort. Die mangelnde
→ Mobilität eines großen Teils der Bevölkerung hing
sicherlich damit zusammen, daß geeignete V.mittel
weitgehend fehlten. Nur wenige Menschen besaßen ein
Reittier (→ Pferd, → Maultier) oder Zugtiere mit Wagen, daher mußte ein großer Teil der Bevölkerung längere Entfernungen zu Fuß zurücklegen. Die → Straßen
(s. Nachträge) waren erst in röm. Zeit allgemein so tras-
siert, daß sie ganzjährig befahren werden konnten.
→ Reisen dauerten unter diesen Umständen lange, und
gerade Bauern und Handwerker konnten es sich kaum

leisten, ihren Hof oder ihre Werkstatt für einen längeren
Zeitraum zu verlassen.

Mobilität und Ortsveränderungen waren an be-
stimmte Bedingungen gebunden. So bewältigten Sol-
daten im Krieg oft große Distanzen, und spezialisierte
Händler beförderten Güter über weite Strecken. V. a.
Angehörige der Oberschicht hatten die materiellen
Möglichkeiten, für die Teilnahme an → Wettbewerben
oder als → Gesandte (s. Nachträge) fremde Städte und
Heiligtümer aufzusuchen. Im Fall von Schiffsreisen
mußte ein Reisender mit einem Schiffseigner einen
Kontrakt über eine Fahrt abschließen; ein regelmäßiger
Passagier-V. existierte wohl nicht.

Durch den forcierten röm. → Straßenbau verbesserten sich die Reisebedingungen grundlegend; für die
röm. Zeit sind auch speziell für die Anforderungen einer Reise gebaute Wagen belegt. Gleichzeitig intensivierte sich im Mittelmeerraum die → Schiffahrt, so daß
im gesamten Raum des Imperium Romanum bessere
V.-Verbindungen zu Lande und zu Wasser bestanden als
je zuvor. Eine grundlegende Verbesserung war dadurch
gegeben, daß die Straßenstationen (→ mansio; → statio)
Möglichkeiten des Aufenthalts und der Übernachtung
boten. Es blieben aber für den einzelnen Reisenden
Gefährdungen, so etwa durch Unwetter oder durch
→ Räuberbanden.

Während die V. auf den Fernstraßen wenig Probleme aufwarf, verhielt sich dies in den Städten anders.
Hier wurde der V. bald als lästig empfunden und bedurfte auch bes. Regelungen. So wurde für Rom verboten, auf den städtischen Straßen tagsüber mit einem
Wagen zu fahren (ILS 6085, 56 ff.). Trotz dieser Einschränkung bestand der Eindruck, daß die Straßen der
großen Städte überfüllt seien; es gibt eine Reihe von
Zeugnissen dafür, daß diese Situation kritisch gesehen
wurde (Iuv. 3,232–248; Sen. clem. 1,6,1; vgl. Mart.
4,64; → Lärm). Da die städtebauliche Situation sich
kaum änderte, bestand nur die Möglichkeit, den V. zu
begrenzen und v. a. das Reiten und Fahren in den Städten zu verbieten (Suet. Claud. 25,2; SHA Hadr. 22,6;
SHA Aur. 23,8).

In der Spätant. gab es ein neues Motiv, um zu reisen:
die → Pilgerschaft zu den heiligen Stätten oder aber der
Besuch von Heiligen. Allerdings ist für die Spätant. auch
der Verfall von Straßen bezeugt, so daß im Binnenland
viele V.-Verbindungen nicht mehr gut zu nutzen waren
(Rut. Nam. 37–42); der Niedergang der polit. Autorität
führte zudem zu einer wachsenden Unsicherheit außerhalb der urbanen Zentren.
→ Landtransport (mit Abb.); Mobilität; Reisen;
Schiffahrt; Straßen (s. Nachträge; mit Karten)

E. OLSHAUSEN, H. SONNABEND (Hrsg.), Zu Wasser und zu
Land. V.-Wege in der ant. Welt (Stuttgarter Kolloquium zur
historischen Geogr. des Alt. 7, 1999), 2002.   H. SCHN.

Verleumdung. Die V. wurde als schwere Persönlich-
keitsverletzung sowohl im griech. (att.) Recht als auch
im röm. Recht verfolgt. In Athen dürfte die V. unter

den Tatbestand der → *kakēgoría* (vgl. auch → *loidoría*) gefallen sein und zu einer Geldbuße auf private Klage hin geführt haben. Im röm. Recht war die V. ebenfalls ein Privatdelikt als eine Ausprägung der → *iniuria* (Rechtsverletzung). Mit der V. verwandt war möglicherweise das → *carmen famosum* (»Spottgedicht«) der 12 Tafeln (→ *tabulae duodecim*). Eine qualifizierte Art der V. war die röm. → *calumnia* (falsche Anschuldigung), die zu empfindlichen Strafen führen konnte. G.S.

Vermächtnis. Der t.t. V. des mod. Rechts ist geprägt durch das röm. → *legatum*, dessen wörtliche Übers. »V.« ist. Das röm. Recht unterschied bei der testamentarischen Regelung der Vermögensnachfolge nach dem Tod zw. der Einsetzung zum vollgültigen Rechtsnachfolger als Erbe (*heres*, s. dazu → Erbrecht III.) – bzw. mehrere Erben – und Zuwendung einzelner Gegenstände als V. Andere ant. Rechte enthalten keine vergleichbare Konstruktion.
→ Fideicommissum; Testament [2] IV. G.S.

Vermietung s. Wohnverhältnisse

Verminus. Röm. Gott, der wahrscheinlich als Urheber einer *verminatio* genannten Rinderseuche (Plin. nat. 28,180; 30,144) galt. Einziges Zeugnis stellt eine Inschr. (CIL I² 804 = ILLRP 281) dar, die die Dedikation eines Altars für V. durch den *duumvir* A. Postumius [I 10] Albinus bezeugt. Diese Maßnahme ist auf 175–173 v.Chr. zu datieren, als Seuchen, die als Prodigien (→ *prodigium*) aufgefaßt wurden, erhebliche Opfer an Rindern, aber auch an Menschen forderten (Liv. 41,21,5 und 10; Obseq. 10).

E. BUCHNER, s. v. V., RE 8 A, 1552 f. · L. CHIOFFI, s. v. V., ara, LTUR 5, 123 f. · RADKE, 315. G.DI.

Vermögensverteilung I. ALLGEMEIN
II. DIE VERMÖGENSARTEN UND IHRE
WIRTSCHAFTLICHE BEDEUTUNG
III. PERSONELLE VERMÖGENSVERTEILUNG

I. ALLGEMEIN

Die Unt. der V. in einer Ges. soll Aufschluß über die verschiedenen Vermögensarten und ihre ökonomische Bed. in einer Volkswirtschaft sowie über den Anteil einzelner Personen oder sozialer Gruppen am gesamten Volksvermögen gewähren. Da für die Ant. quantitative Angaben zur → Wirtschaft und zu → privaten Vermögen nur in äußerst begrenztem Umfang zur Verfügung stehen, sind die statistischen Methoden der modernen Wirtschaftswissenschaften im Bereich der ant. Wirtschaftsgeschichte nicht anwendbar; es ist nur möglich, aufgrund vereinzelter Zahlenangaben, allgemeiner Aussagen ant. Autoren und generalisierender theoretischer Annahmen qualitative Feststellungen zur ant. V. zu treffen, die allerdings im Vergleich mit Arbeiten zur V. in mod. Gesellschaften als wenig präzise erscheinen müssen. Eine wesentliche Schwierigkeit jeder Analyse der

ant. V. besteht ferner darin, daß die ant. Wirtschaft nicht statisch war, sondern in verschiedenen Epochen und in bestimmten Regionen durchaus Sonderentwicklungen aufwies, die oft erhebliche Auswirkungen auf die V. hatten; dabei spielten neben den primär wirtschaftlich bedingten Prozessen v. a. Veränderungen im polit. Kontext eine entscheidende Rolle.

II. DIE VERMÖGENSARTEN UND IHRE WIRTSCHAFTLICHE BEDEUTUNG

Die ant. Gesellschaften waren prämoderne Agrargesellschaften; unter dieser Voraussetzung war der landwirtschaftlich genutzte Boden die sozial und ökonomisch wichtigste Vermögensart. Landbesitz war für die bäuerliche Bevölkerung entscheidend für die Existenzsicherung, und der → Reichtum aristokratischer Oberschichten bestand vornehmlich aus Ländereien, die von abhängigen Bauern, Pächtern oder Sklaven bewirtschaftet wurden. Typische Angehörige der griech. und der röm. Oberschicht waren Großgrundbesitzer wie Phainippos [1] (Demosth. or. 42,5 ff.; 42,21; 42,26 f.) oder der jüngere Plinius [2], der von sich selbst sagte, fast sein ganzes Vermögen sei in Landbesitz angelegt (Plin. epist. 3,19,8; → Großgrundbesitz). Die niedrige Produktivität der → Landwirtschaft bot gesamtwirtschaftlich gesehen nur geringe Spielräume für die Entfaltung der städtischen Wirtschaft; für die Produktion im → Handwerk blieb die Handarbeit mit einfachen → Werkzeugen charakteristisch. Es ist hierfür bezeichnend, daß in der Aufstellung des Vermögens vom Vater des Demosthenes [2] im Fall der beiden Werkstätten (ἐργαστήρια/*ergastéria*; → *ergastérion*) nur die Sklaven und die zur Verarbeitung bereitgestellten Materialien aufgeführt werden (Demosth. or. 27,9 f.). Gerade in röm. Zeit konnten in der gewerblichen Produktion keine großen Vermögen erwirtschaftet werden; viele Handwerker waren arm oder verfügten allenfalls über bescheidenen Wohlstand. Demgegenüber erforderte ein Engagement in der → Schiffahrt immerhin die Bereitstellung einer größeren Geldsumme für den Kauf oder Bau eines Handelsschiffes; der Fernhandel selbst wurde jedoch oft durch → Seedarlehen finanziert, so daß ein einzelner Händler nicht unbedingt über ein nennenswertes Vermögen verfügen mußte. Der Vorrang des Landbesitzes unter den Vermögensarten hatte demnach strukturelle Ursachen und bestand bis zur Spätantike. Dennoch ist nicht zu übersehen, daß zu bestimmten Zeiten in einzelnen Regionen prosperierende Wirtschaftszentren entstanden, in denen ein aus Bank- und Handelsgeschäften stammender Reichtum konzentriert war. Dies trifft etwa auf den → Peiraieus zu; ein Trapezit (→ *trapezítēs*) wie Pasion [2] gehörte ohne Zweifel zu den reichsten Bürgern Athens (Demosth. or. 36,4 f.). Zu Beginn seiner *Politeía* schildert Platon [1] dieses Milieu vermögender Metoiken im Peiraieus (Plat. rep. 328b–331b; → *métoikos*). In augusteischer Zeit war etwa die Stadt → Gades ein Handelszentrum mit einer ungewöhnlich reichen Oberschicht (Strab. 3,5,3).

Ferner ist zu betonen, daß aristokratische Familien neben Landbesitz oft auch weiteres wirtschaftlich genutztes Vermögen besaßen. Im 5. Jh. v. Chr. stellten einzelne reiche Athener Sklaven als Arbeitskräfte für den Silberbergbau und waren auf diese Weise an den hohen Erträgen der Edelmetallgewinnung beteiligt (Xen. vect. 4,14 f.; → Bergbau); in Vermögensaufstellungen bei Isaios [1] werden neben dem Landbesitz Häuser in Athen oder im Peiraieus, Sklaven, die als Handwerker arbeiteten, und Darlehen genannt (Isaios 6,33 f.; 8,35; vgl. Aischin. Tim. 97; Demosth. or. 27,9–11). Dasselbe gilt auch für viele röm. Senatoren, die neben ihren Landgütern städtische Immobilien (Plut. Crassus 2) besaßen oder in den Provinzen Geld gegen hohe → Zinsen verliehen (Cic. Att. 5,21,10 ff.; 6,1,5 ff.; 6,2,7 ff.; Tac. ann. 13,42,4). Angehörige des *ordo equester* (→ equites Romani), die in vielen Fällen wie die Senatoren ausgedehnte Ländereien besaßen, waren an den *societates publicorum* (→ societas; → publicani) beteiligt.

In welchem Ausmaß polit. Kontexte die Vermögensstruktur beeinflußten, soll an zwei Sachverhalten verdeutlicht werden: Durch ein röm. Gesetz (*lex Claudia de nave senatorum*) wurde Senatoren 217 v. Chr. der Besitz von größeren Handelsschiffen untersagt (Liv. 21,63,2 ff.; vgl. Cic. Verr. 2,5,45); den Senatoren war damit ein Engagement im Fernhandel verwehrt, und sie bevorzugten deswegen Land- und Immobilienbesitz als Vermögensanlage. Als zweiter wichtiger Faktor ist in diesem Zusammenhang das Monopol der Städte, Herrscher und Gemeinwesen auf die Bodenschätze anzusehen; nur in relativ kurzen Zeiträumen konnten Privatleute Bergwerke besitzen und ausbeuten (Plut. Crassus 2; Tac. ann. 6,19,1). Normalerweise galten Edelmetallvorkommen als öffentliches Eigentum und wurden verpachtet, teilweise an Bergleute, die der Aufsicht eines Procurators unterstanden und nur auf einem kleinen Areal eines Bergbaudistrikts tätig sein durften (Vipasca: FIRA 1, 104 f.)

III. PERSONELLE VERMÖGENSVERTEILUNG

Zweifellos waren die ant. Gesellschaften von starken sozialen Disparitäten geprägt; ein großer Teil der Bevölkerung war sehr arm und konnte nur mühsam durch eigene körperliche Arbeit seine Existenz sichern; dieser → Armut stand der extravagante Reichtum einer kleinen Zahl von Angehörigen der polit. und sozialen Führungsschicht gegenüber. Im Vergleich zu den Verhältnissen in Griechenland scheint die Situation in Rom sich durch ein geradezu extremes Anwachsen der Vermögen reicher Senatoren (→ senatus) und → equites erheblich verschärft zu haben; derart riesige Vermögen waren bisweilen weniger aufgrund wirtschaftlicher als vielmehr polit. Aktivitäten entstanden. Während für die reichsten Griechen des 5. Jh. v. Chr. Vermögen in Höhe von 70, 100 und 200 Talenten genannt werden (Lys. 19,46–48) – was etwa 1,68 Mio, 2,4 Mio und 4,8 Mio HS entspricht –, belaufen sich die entsprechenden Angaben für röm. Vermögen auf mehrere 100 Mio HS. Diese Disparität in der V. spiegelt sich in der Konzentration

des Landbesitzes; einzelne Römer besaßen ganze Landschaften in It. oder große Teile von Prov. (Cic. leg. agr. 3,8; Plin. nat. 18,35). Zur Darstellung der ungleichen Landverteilung in solchen Gebieten, für die ein Verzeichnis der Besitzungen vorliegt, wurde bei [2] der Gini-Koeffizient berechnet und so ein Vergleich zw. verschiedenen Gebieten möglich gemacht (s. Tabellen).

Die in der Ant. geäußerte Kritik an der V. ist oft vom Ressentiment gegenüber dem Reichtum nichtaristokratischer Schichten geprägt, was viele Äußerungen von Theognis [1] verdeutlichen (Thgn. 315–318; 351–354; 373–400); deutlich radikaler wird diese Position im Bild des blinden → Plutos bei Aristophanes [3] formuliert: Die Unwürdigen werden reich, während die Armut weit verbreitet ist. In der polit. Philos. Platons [1] werden Reichtum und Armut gleicherweise negative Auswirkungen zugeschrieben, weswegen beide zu vermeiden seien (Plat. rep. 421c–422a). Grundlegend werden die Probleme der V. bei Aristoteles [6] diskutiert; nach seiner Auffassung besteht die Bürgerschaft der → Polis aus drei Schichten: den Reichen, den Armen und den Mittleren; eine extreme Ausprägung der V., so daß die einen sehr viel, die anderen nichts besitzen, führt zu polit. Instabilität. Aus diesem Grund gilt v. a. eine solche Polis als wohlgeordnet, die eine starke Schicht von Bürgern mit einem mittleren Vermögen aufweist (Aristot. pol. 1295b–1296a). In der röm. Republik wurde die Agrargesetzgebung mit Hinweis auf die Ungerechtigkeit der bestehenden V. begründet (Plut. Ti. Gracchus 9); → Catilina wies in seiner Agitation ebenfalls auf die seiner Meinung nach ungerechte V. hin (Sall. Catil. 20,8). Die Forderungen nach Landverteilung und → Schuldenerlaß (II. F.) werden ausführlich von Cicero erörtert und mit dem Argument abgelehnt, die Gemeinwesen seien entstanden, um das Privateigentum zu schützen (Cic. off. 2,72–85). Im Prinzipat wurde nach den Erfahrungen der Bürgerkriegszeit die V. nicht mehr in Frage gestellt; im Vordergrund polit. und philos. Diskussionen stand jetzt das Problem des → Luxus (Tac. ann. 2,33; 3,52–55).

→ Agrargesetze; Armut; Banken; Ges anadasmos; Großgrundbesitz; Handel; Landwirtschaft; Private Vermögen; Reichtum; Schulden, Schuldenerlaß; Sklaverei

1 D'ARMS/KOPFF 2 R. DUNCAN-JONES, Some Configurations of Landholding in the Roman Empire, in: FINLEY, Property, 7–33 3 DUNCAN-JONES, Economy, 17–32; 343 f. 4 FINLEY, Ancient Economy 5 H.-J. GEHRKE, Die klassische Polisgesellschaft in der Perspektive griech. Philosophen, in: Saeculum 36, 1985, 133–150 6 W. V. HARRIS, Between Archaic and Modern: Some Current Problems in the History of the Roman Economy, in: Ders. (Hrsg.), The Inscribed Economy, 1993, 11–29 7 JONES, Economy, 228–256 8 S. MRATSCHEK-HALFMANN, Divites et praepotentes, Reichtum und soziale Stellung in der Lit. der Prinzipatszeit, 1993 9 I. SHATZMAN, Senatorial Wealth and Roman Politics, 1975. H. SCHN.

Tabelle 1: Durchschnittsgröße von Ländereien und der Gini-Koeffizient

Ort	Datierung	Publikation	Errechnete Durchschnittsgröße der Ländereien in iugera	Gini-Koeffizient[1]	Zahl der Besitzungen
Ligures Baebiani	2. Jh. n. Chr.	CIL IX 1455	(120)	0,435	57
Veleia	2. Jh. n. Chr.	CIL XI 1147	(390)	0,526	46
Volcei	307 n. Chr.	CIL X 407	(312)	0,394	(36)
Lamasba/Numidia	218/222 n. Chr.	CIL VIII 18587	(17)	0,447	78
Magnesia/Asia	4. Jh. n. Chr.	IMagn. 122	(420)	0,679	67
Hermopolis/Ägypten	4. Jh. n. Chr.	JONES, Economy, 249ff.	76	0,856	198

1 Der Gini-Koeffizient mißt die Konzentration von Landbesitz, wobei Gleichverteilung dem Wert 0 und die Existenz eines einzigen Besitzes dem Wert 1 entspricht.

Tabelle 2: Die Gesamtfläche eines Gebietes und der Anteil der jeweils größten Besitzung

Ort	Fläche in iugera	Größte Besitzung in % der Gesamtfläche
Ligures Baebiani	8942/17884	11,2
Veleia	24318/48636	12,4
Volcei	11188	13,4
Lamasba	1316	7,6
Magnesia	28160	21,6
Hermopolis	15132	9,9

Vernunft s. Intellekt; Logos [1]

Verona (Οὐήρων). Stadt der → Raeti und → Euganei (Plin. nat. 3,130), nach deren Vertreibung der keltischen → Cenomanni [3] (Catull. 67,34; Liv. 5,35,1; Ptol. 3,1,31: Οὐήρωνα; vgl. Iust. 20,5,8), danach der → Veneti [1] (Liv. 1,1,2f.; vgl. Strab. 4,6,8; 5,1,6; Prok. BG 2,29,41: Βερώνη); am rechten Ufer des → Atesis (h. Adige/Etsch) gelegen, wo der Fluß an den Hängen des Colle di S. Pietro, einem südöstl. Alpenausläufer, eine enge Schleife bildet (vgl. Sil. 8,595; Serv. Aen. 9,676), auch h. noch V. Die strategisch und handelspolit. bedeutende Stadt lag am Kreuzungspunkt wichtiger schon vorröm. Straßen, die den Warenverkehr aus den Alpen und dem weiteren Norden weiterleiteten, nach It. östl. des Appenninus und ins Illyricum (die vom Brennerpaß herführende Straße und die nachmalige Via Gallica von Comum über Brixia, anschließend die nachmalige → Via Claudia Augusta und die → Via Postumia; vgl. Itin. Anton. 128,1; 274,9; 275,9; 282,3; Itin. Burdig. 558,11; Geogr. Rav. 4,30,17; Guido, Geographica 15,32; Tab. Peut. 4,3 f.). Aufgrund eines Gesetzes des Consuls C. Pompeius [I 8] Strabo 89 v. Chr. mit dem → ius (D.2.) Latii ausgestattet (Plin. nat. 3,138; Ascon. in Cic. Pis. 3; Cass. Dio 37,9,3; Paneg. 12,8,1 wohl irrtümlich colonia), zw. 49 und 42/41 v. Chr. zum municipium der tribus Publilia (Cass. Dio 41,36,3; FIRA I 20,14) erhoben und mit eigenem ager ausgestattet, seit Augustus in der regio X (Plin. nat. 3,130). Titularkolonie wohl seit Claudius [III 1] (Tac. hist. 3,8,1; problematisch die Nennung von V. als colonia schon bei Catull. 17,1). 69 n. Chr. wurde V. durch Circumvallation gesichert (vallum: Tac. l.c.), die

angesichts drohender Barbareneinfälle unter → Gallienus 265 n. Chr. von einem festen Mauerring (zugleich mit einer neuen Titularkolonie Colonia Augusta V. Nova Gallieniana: CIL V 3329) ersetzt wurde (unter Theoderich [3] verstärkt; Anon. Vales. 12,71).

Die reiche Stadt (Strab. l.c.; Tac. hist. l.c.; Mart. 14,195,1) war bekannt für Obstkulturen (Plin. nat. 15,48) und Weinanbau. 589 n. Chr. wurde sie von einer durch den Atesis verursachten Überschwemmungskatastrophe betroffen (Paulus [4] Diaconus, Historia Langobardorum 3,23). Arch. Überreste: Theater, Amphitheater, drei Stadttore, Forum, Kapitol, Basilika, Kurie, eine Kryptoporticus und Privathäuser.

Aus V. stammten die röm. Dichter Catullus [1] und Aemilius [II 10] Macer.

E. BUCHI, Porta Leoni e la fondazione di V. romana, in: Museum Patavinum 5, 1987, 13–45 · G. CAVALIERI MANASSE, La via Postumia a V., in: G. SENA CHIESA, E. A. ARSLAN (Hrsg.), Optima via. Atti del Convegno Internazionale di Studi »Postumia« (Cremona 1996), 1998, 111–143 · Dies., V., in: Tesori della Postumia (Ausst.-Kat.), 1998, 444–453 · Dies., V., in: Dies. (Hrsg.), Il Veneto nell'età romana 2, 1–57, 1987.   E. BU./Ü: H. D.

Verres, C. (um 115–43 v. Chr.), Sohn des Senators C. V. († um 71) und verm. einer Tadia. Fast alle Informationen über V. entstammen den Reden, die → Cicero 70 im Prozeß gegen V. hielt (Cic. div. in Caec.; Cic. Verr. 1; 2) und sind dieser Gattung entsprechend mit großer Vorsicht zu betrachten. Über die Jugend des V. ist außer toposhaften Vorwürfen wie Spielleidenschaft, Verkehr mit Prostituierten und Selbstprostitution (ebd. 2,1,32f.; 2,5,33 f.) nahezu nichts bekannt. Verheiratet war V. mit Vettia, der Schwester seines späteren Quaestors T. Vettius und des P. Vettius [I 2] Chilo. 84 wurde V. Quaestor des marianischen Consuls Papirius [I 9] Carbo (ebd. 2,1,34), lief jedoch 83 zu Cornelius [I 90] Sulla über. Der Vorwurf, V. habe dabei 600 000 HS unterschlagen, ließ sich wohl schon damals nicht überprüfen (ebd. 2,1,34–38). 80 machte Cn. Cornelius [I 25] Dolabella, der Proconsul Ciliciae, V. zu seinem Legaten (ebd. 2,1,41 f.). Beide nutzten die Reise über Achaia, Athen, die Ägäis und Asia, um sich zu bereichern und Kunstwerke an sich zu nehmen (ebd. 2,1,44–61). Auf einer Gesandtschaftsreise drangsalierten V. und sein Begleiter Rubrius in Lampsakos den Honoratioren Philodamos und dessen Tochter so sehr, daß es zu einem Aufruhr kam. V. entkam knapp und veranlaßte über den Statthalter von Asia, C. Claudius Nero, die Verfolgung des Philodamos und seines Sohnes (ebd. 2,1,63–85). Später nutzte V. den Tod des Quaestors C. Publicius [I 4] Malleolus, um dessen Erbe zu unterschlagen (ebd. 2,1,90–94). V., nun Proquaestor, und Dolabella bereicherten sich in ähnlicher Weise wie V. später in Sicilia (s.u.). Im Repetundenverfahren (→ repetundarum crimen) gegen Dolabella trat V. dann als Kronzeuge auf, um sich der Verfolgung und Rechnungsprüfung zu entziehen (ebd. 2,1,95–100).

Für 74 wurde V. zum praetor urbanus gewählt. Seine Amtsführung scheint nicht ungewöhnlich gewesen zu sein. Cicero äußert wenig mehr hierzu als die Standardvorwürfe, einer Prostituierten hörig gewesen zu sein und Entscheidungen verkauft zu haben (ebd. 2,1,104 f.; 119 f.; 136–140). Daß V. sein Edikt (→ edictum [1]) von vornherein auf bestimmte Einzelfälle hin verfaßt hätte, läßt sich nicht erhärten (ebd. 2,1,104–118; 155–158). Wenn V. sich nicht immer an sein Edikt gebunden fühlte (ebd. 2,1,119), war das weder ungewöhnlich, noch beging er damit einen Rechtsbruch [2. 669]. Bei der Aufsicht über die Restaurierung des Castor-Tempels in Rom erscheint der Amtsmißbrauch bei der Auftragsvergabe des V. hingegen wahrscheinlich (ebd. 2,1,127–154).

73–71 war V. Statthalter in Sizilien (→ Sicilia VI. E.). Seine Amtsführung scheint von dem Bemühen geprägt gewesen zu sein, den Zugriff Roms auf die Ressourcen der Prov. effizienter zu gestalten [4], zum Nachteil vieler Provinzialen. Durch sein mitunter brutales Vorgehen traf V. auch die → clientes einflußreicher Personen in Rom (u. a. C. Claudius [I 7] Marcellus; Cn. Pompeius [I 3]; vgl. aber [1]). Angreifbar wurde er dadurch, daß er öffentliche Mittel unterschlug und sich in verm. außergewöhnlichem Ausmaß (und mit einer Vorliebe für die → Toreutik des 4. und 3. Jh. sowie die Skulptur der klass. und spätklass. Zeit: [6]) griech. Kunstwerke aneignete (ebd. 2,4). Die Verwicklung in regelrechten Tempelraub scheint indes nicht beweisbar, und alles Übrige konnte V. als (günstige) Käufe und »Geschenke« deklarieren. Diese Praxis war wohl nicht eindeutig verboten (ebd. 2,4,9), doch waren wiederum Klienten mächtiger Personen betroffen (z. B. ebd. 2,4,48; 53). V.a. aber wa-

ren bei dem (Zwangs-)Ankauf eines wegen einer Versorgungskrise in Rom angeordneten zusätzlichen Getreidekontingents (frumentum emptum) und des dem Statthalter und seinem Gefolge zur Versorgung zustehenden Getreides (frumentum in cellam) Unterschlagungen und Erpressungen V.' evident (ebd. 2,3,163–225). Der eigentliche Skandal scheint dabei allerdings nicht in der offenbar üblichen Unterschlagung der vom Staat für den Ankauf angewiesenen Gelder und in der unentgeltlichen Eintreibung des → Getreides gelegen zu haben, sondern in der Höhe des Geldbetrages, den die Landwirte statt dieser Getreideabgabe zahlen mußten (ebd. 2,3,213–217).

Dieses Verhalten und die von der anstehenden Reform der röm. Geschworenengerichte geprägte polit. Situation des J. 70 ermöglichten es → Cicero, V. wegen Erpressung anzuklagen. Die Anklage warf V. bösartige und geldgierige Politik und Rechtsprechung gegenüber den sizil. Honoratioren (ebd. 2,2,19–138; zur Widerlegung der Vorwürfe: [4; 3]), eine korrupte und ungerechte Abgabenerhebung (ebd. 2,3) sowie die Erpressung von Kunstwerken (2,4) vor. Den Schlußpunkt setzte der in diesem Prozeß gar nicht zu verhandelnde Vorwurf, röm. Bürger getötet zu haben (ebd. 2,5,139–171). Er sollte kleinere Erfolge des V. bei der Bekämpfung von Piraten (ebd. 2,5,80–100) und letzten Anhängern des → Sertorius sowie bei der Verhinderung eines Ausgreifens des → Sklavenaufstandes [5. 137–143] überspielen. Die Tötung von als Staatsfeinden (vgl. → hostis) angesehenen röm. Bürgern durch einen Magistrat war ein rechtlich umstrittenes Delikt [5. 137–143], aber eine scharfe Waffe zur Diskreditierung der Gegenseite. V.' Verteidiger Hortensius [7] und die Caecilii [I 13; 17; 23] Metelli versuchten, den Prozeß zu verschleppen, weil sie hofften, als Consuln bzw. Praetor im J. 69 die Entscheidung des Gerichts manipulieren zu können (ebd. 1,6; 26–34). Cicero unterlief diese Taktik jedoch in der ersten Verhandlung durch eine zugunsten der Beweisaufnahme stark gekürzte Anklagerede (ebd. 1,53–55), so daß die zweite Verhandlung rechtzeitig beginnen konnte. Angesichts der scheinbar erdrückenden Fülle an Zeugen und Beweismaterial, gab V. vorzeitig auf und ging ins Exil (Ps.-Ascon. 205 St.). Die Entschädigungssumme belief sich jedoch statt der von Cicero vorgebrachten Schadenssumme von 40 Mio HS (ebd. 1,56) auf nur 3 Mio HS (Plut. Cicero 8,1).

Im Exil genoß V. seinen Reichtum, bis dieser ihm 43 doch noch zum Verhängnis wurde: Er verschaffte V. einen Platz auf der Proskriptionsliste (→ Proskriptionen) und damit den Tod (Sen. suas. 6,3; 24; Plin. nat. 34,6).

→ Cicero (I.); Kunstinteresse (B.); Provincia; Repetundarum crimen; Sicilia (VI. E.)

1 P. BRUNT, Patronage and Politics in the Verrines, in: Chiron 10, 1980, 273–289 2 E. MICHEL, La justice selon Verrès, in: Revue d'histoire du droit 78, 2000, 661–670 3 J. PLATSCHEK, Das ius Verrinum im Fall des Heraclius von Syrakus, in: ZRG 118, 2001, 234–263 4 R. SCHULZ,

Herrschaft und Regierung, 1997 **5** R. Scuderi, Il comportamento di Verre nell'orazione Ciceroniana De suppliciis, RAL ser. 9, 5, 1994, 119–143 **6** G. Zimmer, Das Sacrarium des C. Heius, in: Gymnasium 96, 1989, 493–520. J. BA.

Verritus. 57 n. Chr. zusammen mit → Mal(l)orix »Fürst« (*regebant*, Tac. ann. 13,54) der → Frisii, die röm. Militärterritorium südl. des IJsselmeers (→ Flevum) besetzt hatten. Nach Intervention des niedergerman. Statthalters L. → Duvius Avitus erbaten beide in Rom die Zuteilung der Gebiete. → Nero verlieh zwar beiden das röm. Bürgerrecht, lehnte die Zuteilung aber ab und ließ die Friesen gewaltsam vertreiben (Tac. ann. 13,54).

W. Will, Röm. »Klientel-Randstaaten« am Rhein?, in: BJ 187, 1987, 1–61, bes. 28 f. WE. LÜ.

Verrius. Röm. Gentilname vielleicht etr. Herkunft (Schulze, 287), erst seit dem 1. Jh. v. Chr. belegt.

K.-L. E.

[1] M. V. Flaccus
I. Leben II. Hauptwerke

I. Leben
V. war der führende → Grammatiker der Generation nach → Varro [2], geb. in → Praeneste nach 60 v. Chr. Suetons Biographie (gramm. 17) läßt Konkurrenz mit Varro erkennen: Der → Freigelassene (*libertinus*) V. steht dem röm. Ritter (*eques Romanus*), der Grammatiker dem Philosophen und Dichter (*philosophus et poeta*), dem Politiker und Militär gegenüber. V. wurde durch seine Lehrtätigkeit berühmt. Um 10 v. Chr. wurde er als Lehrer von Augustus' Enkeln C. Iulius [II 32] und L. Iulius [II 33] an den Hof gerufen und reich remuneriert. Er starb nach 14 n. Chr.; seine Heimatstadt bewahrte ihm ein ehrendes Angedenken.

V. war Traditionalist: Sein Kanon reichte nur bis zu Catullus [1] und Vergilius [4], Cicero und Livius [III 2]; die augusteische Lyrik zitierte er nicht. Sein Konservatismus (im Einklang mit der Kulturreform des Princeps) wie sein graecophiler Horizont erweisen ihn als Repräsentanten einer bikulturellen Epoche.

II. Hauptwerke
1. *De orthographia* behandelt die Diskrepanz zw. der älteren und der auf den analogisierenden Bemühungen Caesars und Ciceros basierenden Sprache; das Werk ist Hauptquelle für spätere Orthoepisten (ab Plinius' [1] *Dubius sermo*) und Orthographen (ab Cornutus [4]) und wurde – über die Vermittlung durch Plinius und Flavius [II 14] Caper (vgl. [1. 235]) – benutzt von Iulius [IV 19] Romanus (vgl. [1. 237]), Charisius [3] und Carminius [6] (vgl. [2. 131]), Terentius [III 3] Scaurus (vgl. [1. 225]), Velius [3] Longus (vgl. [1. 228]) und Marius [II 21] Victorinus (vgl. [2. 345]).

2. Die *Res memoria dignae* (»erinnerungswürdige Dinge«) umfaßten etwa 20 B.; sachlich-antiquarisch, an den Varronischen *Antiquitates rerum humanarum* (= ant. hum.)

ausgerichtet, wird deren auf Rom bezogener Themenbereich in Richtung auf röm. Reich und Welt, Mensch und Natur erweitert. Das Werk wurde extensiv von Plinius [1] d. Ä. (im Quellenregister zu B. 3; 7–8; 14–15; 18; 28–29; 33–35) und Gellius [6], im 3. Jh. n. Chr. von Cornelius [II 19] Labeo benutzt, im 4. Jh. von Solinus und Macrobius [1] herangezogen sowie mehrfach epitomiert. Einzelne B. daraus galten a) kostbarem Schmuck als Auszeichnung, b) der röm. Prähistorie nach Varros ant. hum. 2–4 (der entsprechende Teil in V.' *Res memoria dignae* bildete die Vorlage der → *Origo gentis Romanae* [2. 185]) und wurde rezipiert durch Suetonius' *De regibus* [1. 26 f.], benutzt von Solin. 1,1–33). – c) Das antiquarische Kalenderwerk *Commentarii fastorum* (terminus post quem 6 n. Chr., vgl. [7. 141 f.]), nach Varros ant. hum. 14–16 und antiquitates rerum divinarum 8–10, benutzt in den eigenen, in Fr. erh. → *Fasti Praenestini* [7], in Ovidius' *Fasti*, Plutarchos' [2] *Aetia Romana*, indirekt bei Cens. 19,4–22,17, Cornelius Labeo ([1. 78 f.; 6], danach Macr. Sat. 1 und Iohannes Lydos' [3] *De mensibus*), Solin. 134–147. – d) *Saturnus*, benutzt von Macr. Sat. 1. – e) *De nominibus*, erh. ist der Abschnitt über die Vornamen (*De praenominibus*) bei C. Titius Probus [2. 121] – Vorlage war hier Varro (wohl ant. hum. 5); behandelt wurden weiterhin Gentilnamen [9. 43 f., 62] und Cognomina [4. 17 f.; 10. 63 f.], vgl. Gell. 1,23,4–13. – f) *De natura hominis*, benutzt bei Plin. nat. 7 ff. – g) ›Nutztiere‹, es handelt sich wohl um Exzerpte aus einem größeren Werk, vgl. Plin. B. 8, 9 (10) und 29 (vgl. [5. 305 f., 317–321]). – h) ›Nutzpflanzen‹ vgl. Plin. 14, 15 und 18; Macr. Sat. 3,18–20.

3. *De significatu verborum* (›Die Bedeutung der Wörter‹), als Fazit von V.' linguistischen und antiquarischen Unt. zu seinem Lebensende hin vorgelegt, bekannt durch den Auszug des → Festus [6]. Das Lex. von wohl 40 B. benutzt über die zuvor genannten Werke hinaus die antiquarischen Schriften Varros und weitere Antiquare der spätrepublikanisch-frühaugusteischen Epoche (vgl. [4. 5–30; 8. 22–40, 53 f., 80–96; 9. 24–42]) und wird (überwiegend anon.) z. B. bei Gellius [6], Nonius [III 1] sowie in der Vergil- und Horazkommentierung benutzt bzw. zitiert.

Lit.: **1** P. L. Schmidt, C. Suetonius, in: HLL 4, §404 **2** Ders., Origo gentis Romanae, in: HLL 5, §532.1 **3** L. Mackensen, De Verrii Flacci libris orthographicis, 1899 **4** H. Willers, De Verrio Flacco glossarum interprete, 1898 **5** F. Münzer, Beitr. zur Quellenkritik der Naturgesch. des Plinius, 1897 **6** Th. Litt, De Verrii Flacci et Cornelii Labeonis fastorum libris, 1904 **7** A. Degrassi (ed.), Inscriptiones Italiae 13,2, 1963, 107–145 **8** R. Reitzenstein, Verrianische Forsch., 1887 **9** W. Strzelecki, Quaestiones Verrianae, 1932 **10** F. Bona, Contributo allo studio della composizione del De verborum significatu, 1964

Fr.: A. E. Egger, V. F./Festus, 1838, 9–31 · GRF 331–343, 509–523. P. L. S.

Verrucos(s)us. Röm. Cognomen (»Warzenträger«). Beiname des Q. Fabius [I 30] Maximus und des Asinius Pollio V. (PIR A 1243, *cos.* 81 n. Chr.).

KAJANTO, Cognomina, 246.   K.-L. E.

Verrugo. Grenzstadt der → Volsci in Latium, die mehrfach den Besitzer wechselte – von den Römern 445 v. Chr. besetzt und befestigt (Liv. 4,1,4), von den Volsci 422 zurückerobert, von den Römern 409 erneut erobert (Liv. 4,55,8), von den Volsci 407 zurückgewonnen (Liv. 4,58,3). 394 befand sich V. wieder in röm. Hand (Liv. 5,28,6). Der ON ist abzuleiten vom latin. *verruca = locus editus asperque* = »hochgelegener, rauher Ort« (Cato bei Gell. 3,7,6; vgl. Diod. 14,11; von → Tridentum bis → Eryx [1] auf Sicilia vorkommender ON). Lokalisierung unsicher, evtl. beim h. Colleferro im Tal des Trerus (h. Sacco).

NISSEN 2, 649.   G. U./Ü: J. W. MA.

Versammlungen
I. ALTER ORIENT
II. GRIECHISCH-RÖMISCHE ANTIKE

I. ALTER ORIENT
Der Alte Orient kannte zeitlich und regional verschieden ausgeprägte Formen von kollektiven Körperschaften mit unterschiedlichen Entscheidungsbefugnissen und Durchsetzungsmöglichkeiten. Wesentlich für die Rolle solcher kollektiver Körperschaften war zum einen deren histor. Genese, zum anderen ihre Einbettung in das jeweils vorliegende System von → Herrschaft. Volks-V. wie in der klass. Mittelmeerwelt gab es nicht; über V.-Plätze ist nichts bekannt. Für die Frühzeit Mesopotamiens (ca. 1. H. des 3. Jt. v. Chr.) sieht man in frühen Vokabularen (ca. 2900 v. Chr.: [2. Tf. 1 i 16] bzw. 2700 v. Chr.: [2. 10, Z. 16]), die einen GAL-UN-KEN (etwa »Großer, d. h. Vorsteher, der V.«) nennen, einen Hinweis auf die Existenz einer V., ohne daß deren Charakter im einzelnen ersichtlich ist. Aus der epischen Überl. um → Gilgamesch schließt man, daß sowohl der »Rat der Alten« (ab.ba, eigentl. »die Väter«) als auch die Stimme der waffenfähigen jungen Männer in Fragen von Krieg und Abenteuer in der Mitte des 3. Jt. v. Chr. eine Rolle spielten [6]. Allerdings scheint in letzter Instanz der Wille des → Herrschers ausschlaggebend gewesen zu sein. Belegt sind in Verwaltungs- und anderen Urkunden vom 24. bis 21. Jh. v. Chr. ab.ba.uru (etwa »Stadtväter«; [14. Bd. A/2. 131f.]). Ihre Einbettung in die großen Haushalte (→ Oikos-Wirtschaft) und ihre Befugnisse sind unklar. Auf einer landesweiten Ebene spielte die V. (sumer. unken, akkad. *puḫrum*) der Stadtfürsten (unter dem Vorsitz des gal.zu.unken.na, »Weisen der V.«, als *primus inter pares*) der einzelnen Territorialstaaten eine Rolle, die sich insbes. in der Erhebung der Stadtfürsten Nord- und Südbabyloniens gegen → Naramsin von Akkad zeigte. Im 21. Jh. v. Chr. legitimierte die V. der Stadtfürsten die Herrschaft der Könige von → Ur über das ganze Land, verweigerte sie aber letzt-endlich auch wieder [17]. Diese polit. Institution einer V. findet ihren lit. Reflex in der myth. Überl. (z. B. → *Enūma eliš*) in der V. der Götter, in der Entscheidungen per Konsens erreicht wurden [13. 112f.].

Während der altbabylon. Zeit (19.–17. Jh. v. Chr.) existierten zahlreiche kollektive Körperschaften auf lokaler Ebene, meist als Älteste (*šībūtum*) oder Stadtälteste (*šibūt ālim*) bezeichnet [7]. Sie entschieden – soweit ersichtlich – v. a. Rechtsfälle innerhalb örtlich definierbarer sozialer Gruppen, z. B. Stadtviertel (*bābtum*), Dorf etc., mit Vorstehern (*wakil bābtim, rabiānum, ḫazannum*). Hier spielen möglicherweise nomadische Trad. eine Rolle: Die altbabylon. Zeit war geprägt durch eine starke Durchsetzung des Landes mit nomadischen Gruppen, die die ihnen eigenen tribalen Institutionen und Mechanismen zur Konfliktbewältigung auch im Kulturland fortführten und in das vorherrschende monarchische Herrschaftssystem als Subsystem integrierten. Die ausschließliche Autorität des Herrschers wurde dadurch in keiner Weise berührt. Korporative Gremien mit Selbstverwaltungs- und Entscheidungskompetenz innerhalb des monarch. Herrschaftssystems sind vereinzelt bezeugt. Dazu gehörten v. a. die »Kaufmannschaften« (*kārum*) von → Sippar und anderen städtischen Zentren [10].

Eine bes. Form einer kollektiven Körperschaft mit weitgehender Entscheidungsbefugnis fand sich im kleinen Territorialstaat → Assur im 20./19. Jh. v. Chr. Die Ausübung von Herrschaft in Assur beruhte auf einem oligarchischen Prinzip. Entscheidende Körperschaft war die »Stadt« (*ālum*), repräsentiert durch die »großen« Familien, die durch ihre »Firmen« den Fernhandel Assurs mit Anatolien bestimmten und damit der Stadt Reichtum und Einfluß verschafften. Die V. (*ālum*, »Stadt«) wählte den jährlich wechselnden Exekutivbeamten (*līmum*; vgl. → Eponyme Datierung I.). Dritte Säule des Systems war der → Herrscher. Er vertrat als *iššiakkum* die Stadt gegenüber dem Stadtgott Assur, nach außen als »Fürst« (*rubāʾum*, »der Große«), und er fungierte als »Aufseher« (*waklum*) der V. (*ālum*) [12]. Im Herrschaftssystem Assyriens sind in der Folgezeit keine Spuren von kollektiven Körperschaften mit Entscheidungs- oder Selbstverwaltungskompetenz mehr zu finden.

Kollektive Körperschaften sind erst wieder aus dem Babylonien des 6.–3. Jh. v. Chr. bezeugt: Die *kiništum* genannte V. regelte Angelegenheiten (meist rechtlicher Natur) innerhalb der großen Tempelhaushalte und der großen städtischen Zentren, deren Angelegenheiten engstens mit dem jeweiligen Haupttempel der Stadt verknüpft waren [3; 11; 15. 437f.]. Einen Einfluß auf herrscherliche Entscheidungen gab es nicht.

Im hethit. Staat bildete der *panku-*, bestehend aus den Eliten des Reiches (u. a. Angehörige der königlichen Sippe), eine V., die in allen grundlegenden polit. Fragen zu beteiligen war. (→ Ḫattusa II. C.). Die Ältesten von Orten nahmen richterliche und kultisch-rel. Funktionen wahr [8].

Aus Syrien sind – abhängig von der regional und zeitlich begrenzten Quellenlage – Spuren kollektiver Körperschaften in Texten aus → Ebla (24. Jh. v. Chr.; [9]), → Mari (18. Jh.; [9]) und Emar (14. Jh.; [1]) bezeugt. In allen drei Orten waren die Ältesten deutlich in das jeweils existierende System von Herrschaft eingebettet, d. h. ihre Befugnisse waren begrenzt und der königl. Autorität untergeordnet.

Für die Verhältnisse im alten → Iran ist auf die Rolle der hohen Würdenträger des Reiches (synhédrion zur Arsakidenzeit oder »Rat des Königs« in der Sāsānidenzeit) bei der Wahl des Herrschers zu verweisen [16. 192, 226 f.].

→ Herrscher; Sozialstruktur; Stadt; Staat

1 D. ARNAUD, Emar, Bd. 6, 1986 2 M. CIVIL et al., Materials for the Sumerian Lexicon 12, 1969 3 M. DANDAMAYEV, Babylonian Popular Assemblies in the 1st Mill. B. C., in: Bull. of the Canadian Soc. for Mesopotamian Stud. 30, 1995, 23–29 4 J.-M. DURAND, L'assemblée en Syrie à l'époque pré-amorite, in: P. FRONZAROLI (Hrsg.), Miscellanea Eblaitica 2, 1989, 27–44 5 G. EVANS, Ancient Mesopotamian Assemblies, in: Journ. of the American Oriental Soc., 78, 1958, 1–11 6 T. JACOBSEN, Early Political Development in Mesopotamia, in: ZA 52, 1957, 91–140 7 H. KLENGEL, Zu den šibūtum in der altbabylon. Zeit, in: Orientalia 29, 1960, 357–375 8 Ders., Die Rolle der »Ältesten« im Kleinasien der Hethiterzeit, in: ZA 57, 1965, 223–236 9 Ders., »Älteste« in den Texten aus Ebla und Mari, in: M. LEBEAU, P. TALON (Hrsg.), Reflets des deux fleuves. FS A. Finet, 1989, 61–65 10 F. R. KRAUS, »kārum«, ein Organ städtischer Selbstverwaltung der altbabylon. Zeit, in: A. FINET (Hrsg.), Les pouvoirs locaux en Mésopotamie et dans les régions adjacentes, 1982, 29–42 11 H. M. KÜMMEL, Familie, Beruf und Amt im spätbabylon. Uruk, 1979 12 M. T. LARSEN, The Old Assyrian City State, 1976, 283–332 13 A. L. OPPENHEIM, Ancient Mesopotamia, ²1974 14 A. SJÖBERG (Hrsg.), The Sumerian Dictionary (PSD), 1984 ff. 15 R. J. VAN DER SPEK, The Šatammus of Esagila in the Seleucid and Arsacid Periods, in: J. MARZAHN, H. NEUMANN (Hrsg.), Assyriologica et Semitica. FS J. Oelsner, 2000, 437–446 16 J. WIESEHÖFER, Das ant. Persien, 1998 17 C. WILCKE, Die polit. Opposition nach sumer. Quellen: Der Konflikt zw. Königtum und Ratsversammlung. Lit.-Werke als polit. Tendenzschriften, in: A. FINET (Hrsg.), La voix de l'opposition en Mésopotamie, 1973, 37–65.   J. RE.

II. GRIECHISCH-RÖMISCHE ANTIKE

Die griech.-röm. Antike kannte seit der archa. Zeit zwei Formen der V. in polit. Gemeinschaften, nämlich (1) eine Rats-V. herausragender Mitglieder der Gemeinde (→ basileús; → patres), die häufig eine V. der Ältesten (→ gerusía; → senatus) oder ehemaliger Amtsträger (→ Áreios págos als V. ehemaliger → árchontes [1]) war, und (2) – in deutlichem Unterschied zum Alten Orient (s. o. I.) – auch eine V. des Volkes, d. h. der freien wehrfähigen männlichen Bevölkerung (in homerischer Zeit → agorá, später → ekklēsía; in Sparta → apélla; in Rom → curiae). Der Volks-V. stand jedoch keine Entscheidungsbefugnis zu; sie diente vielmehr als Akklamations- und Publikationsorgan für die in den Rats-V. der → aristokratía getroffenen Entscheidungen. In ihrer polit. Bedeutung noch kaum untersucht sind die regelmäßigen Treffen des archa. griech. Adels bei Festen wie den Olympischen Spielen. Die frühen Regeln des Zusammentritts der V., ihr Ablauf und die Form der Entscheidungsfindung liegen weitgehend im dunkeln; die Rats-V. als Instanz der Rechtssprechung, der internen Konfliktregelung und der Koordinierung gemeinsamer Maßnahmen (etwa bei der → Kolonisation oder mil. Unternehmen) traf sich wohl ebenso aus jeweils gegebenem Anlaß wie die Volks-V., die nur sporadisch zusammengerufen wurde.

Seit der Mitte des 7. Jh. v. Chr. zeigt sich eine Tendenz zur geregelten Organisation der V. Sie wird zuerst in der sog. Großen Rhetra (→ rhḗtra [2]) des → Lykurgos [4] in Sparta deutlich, die Ort und Zeit für die V. der apélla festlegte und die Kompetenzen für sie und die gerusía eingrenzte; dies erklärt sich aus dem allg. wachsenden Regelungsbedarf, der bei der konfliktträchtigen Entwicklung vom Adelsstaat zum Bürgerstaat (→ Polis; → Staat) entstand. In diesem Zusammenhang ist auch die Konstituierung einer dritten Form der V. zu sehen, nämlich die der → bulḗ, einer meist großen Rats-V. mit aristokratischen und nichtaristokratischen Mitgliedern (z. B. Rat der Vierhundert des → Solon [1] und Rat der Fünfhundert des → Kleisthenes [2] in Athen) oder auch nur mit nichtaristokratischen Ratsherren (wie verm. auf Chios). Dieses »Dreikammersystem« fand aber kaum Verbreitung; auch in Rom entwickelte die → plebs im → Ständekampf keine eigene Rats-V. neben dem Senat, und der Senat erreichte trotz der Aufnahme von Mitgliedern aus der plebs nie den Grad der Repräsentanz wie etwa der athenische Rat der Fünfhundert. Seit dem 5. Jh. (in Rom seit dem 4. Jh.) v. Chr. lag die Befugnis zur Letztentscheidung allg. in den Volks-V.; die Rats-V. wurden zu beratenden Gremien, deren Beschlüsse (probúleuma, → senatus consultum) die Politik lenkten, mit Ausnahme des athenischen Areopags, der 462 v. Chr. polit. entmachtet wurde.

Mit der Entwicklung von regionalen Bünden in Griechenland (z. B. → Peloponnesischer Bund; Boiotischer Bund, → Boiotia; Achaiischer Bund, → Achaioi; Aitolischer Bund, → Aitoloi; vgl. auch → amphiktyonía; → koinón II.; → Staatenbünde; → Staatsverträge; → sympoliteía) und von polit. Zusammenschlüssen mehrerer Gemeinden aus bestimmtem Anlaß (z. B. → Attisch-Delischer Seebund; → Korinthischer Bund, s. Nachträge; vgl. auch → hēgemonía; → symmachía) entstanden weitere Formen von V. Sie waren im Prinzip den V.-Formen der einzelnen Poleis nachgebildet, die in den Bünden ungeschmälert weiter bestanden; konkrete Gestaltung der Bundes-V. und deren Kompetenzen konnten aber Entstehungsursachen und Zielen entsprechend sehr unterschiedlich gestaltet sein. In der Regel besaßen diese Zusammenschlüsse einen Rat aus Abgeordneten der Bundesmitglieder (→ bulḗ; → synhédrion) und – bei den regionalen Bünden – eine Voll-V., zu der alle Bürger der Mitgliedsstaaten zugelassen waren (ekklēsía;

→ *sýnodos*; vgl. dazu → *koinón* II., → Staatenbünde). In hell. und röm. Zeit verloren zuerst diese Voll-V. ihre Bed. und dann die Bünde ihre Eigenständigkeit; sie bildeten zuweilen die territoriale Basis für die kaiserzeitlichen Provinziallandtage, eine jährlich stattfindende V. der Vertreter von Städten und Landschaften (→ *concilium* 3.), deren Funktion hauptsächlich im → Kaiserkult lag.

Rom besaß neben den stadtröm. V. (→ *comitia*; → *concilium* 2.; → *contio*; → *curiae*; → *senatus*) und den städtischen Gremien in den Prov. (→ *coloniae*; → *municipia*) keine weiteren polit. tätigen V. Der sog. »Italische Bund« (BELOCH), gebildet von Rom und seinen ital. Bundesgenossen (→ *socii*) seit der Mitte des 3. Jh. v. Chr., beruhte auf der Auflösung früherer polit. Verbindungen (vgl. → Latinischer Bund; → Latinerkriege, s. Nachträge) und besaß weder eine gemeinsame Rats-V. noch eine Gesamt-V. der Italiker; die Beziehungen zw. Rom und den »Bündnern« beschränkten sich auf deren mil. Zuzugspflicht im Kriegsfall und die Kontakte zw. röm. und ital. Oberschicht, welche der röm. Clientelbeziehung nachgebildet waren (→ *cliens*; → Bundesgenossensystem).

In der röm. Kaiserzeit entstanden neben dem Senat neue Formen der Rats-V., die der Kaiser als Beratungsorgane nutzte: anfangs das *consilium principis* (→ *consilium* 3.), unter Augustus durch → Los aus dem Senat besetzt, unter Tiberius [1] wieder aufgegeben und von den folgenden Kaisern frei gewählt und auch mit Rittern besetzt; seit dem 4. Jh. das (*sacrum*) → *consistorium* (vgl. auch → *comes*), zu dem die nun neben den Vertrauten des Kaisers auch hohe Verwaltungsbeamte kraft Amtes gehörten und das auch als Gerichtsorgan diente.

Die frühe christl. Kirche folgte in der Gemeindestruktur der jüdischen Presbyterialverfassung mit einer V. von Ältesten (*presbýteroi*) gemeint als kollegiale Leitung der Gemeinde (vgl. auch → Christentum C.; → Kirchenordnungen), die jedoch mit der Entwicklung des Bischofsamtes (→ *epískopos* [2]) an Bed. verlor. Die reichskirchliche Organisation orientierte sich an den territorialen und administrativen Vorgaben der röm. Provinzen und entwickelte seit dem 3. Jh. analog zu den Provinzial-V. überregionale V. von Bischöfen (Synoden und Konzile; → *concilium* 4.; → *sýnodos* II.) zur Regelung allg. Probleme des Glaubens und der Kirchenverfassung. Dabei gab es regelmäßige einmal jährlich stattfindende V. in Kirchenprovinzen (etwa in Karthago und Kappadokien); daneben V., die aus bes. Anlässen von einflußreichen Bischöfen in ihrem Amtsgebiet zusammengerufen wurden. Seit dem 4. Jh. erhielten diese auch von Kaisern einberufenen V. polit. Bed. im Rahmen der kaiserlichen Religionspolitik (→ *sýnodos* II. C.). → Polis; Sozialstruktur; Stadt; Staat; Versammlungsbauten

LIT.: vgl. die Bibliogr. zu den einzelnen Verweisstichwörtern. W. ED.

Versammlungsbauten I. DEFINITION II. GRIECHENLAND III. ROM

I. DEFINITION

Unter V. werden im folgenden alle Baulichkeiten der griech.-röm. Ant. zusammengefaßt, die im Rahmen der sozialen, polit. oder rel. Organisation einer Gemeinschaft einen architektonisch definierten Ort für Interaktion und Kommunikation darstellten. Eine eindeutige Funktionsbestimmung oder exklusive Nutzung solcher V. ist dabei nicht immer gegeben. Bisweilen sind Architekturen oder bauliche Teilbereiche als V. zu bezeichnen, die nach ant. (und mod.) Verständnis in der Hauptsache anderen Funktionen dienten: → Theater mit ihrer → Cavea oder die Androne (→ Andron [4]) von → Haus und → Palast als Schnittstellen zw. → Privatheit und Öffentlichkeit. Der Übergang von einem architektonisch ungestalteten, aber top. markant gelegenen Versammlungsort im Freien, etwa auf der griech. → Agora oder dem röm. → Forum, über eine nicht überdachte bauliche Akzentuierung bis hin zur Errichtung einer abgeschlossenen Architektur ist fließend, eine stringente Typologie der V. deshalb nicht zu konstatieren.

II. GRIECHENLAND

Als ältester V. im griech. Kulturbereich ist das bereits im homerischen Epos mehrfach (Hom. Od. 2,94; 19,16; 20,6 u.ö.) genannte → Megaron zu bezeichnen − das rechteckige oder quadratische Zentrum einer größeren Raumgruppe (etwa im Rahmen eines myk. Palastes) oder ein solitäres, einräumiges Gebäude mit Vorraum und einer Herdstelle in der Mitte (im Griechenland des frühen 1. Jt. v. Chr.), um die herum sich die zahlenmäßig kleine Gruppe aristokratischer Entscheidungsträger eines Gemeinwesens (→ Adel; → Aristokratie) bzw. die mit diesen meist identischen → Priester trafen. Im Kontext der sozialen und organisatorischen Ausdifferenzierung der griech. → Polis entstand die Notwendigkeit darüber hinausgehender V., die einer größeren Anzahl von Bürgern bzw. der gesamten Bürgerschaft Platz bieten mußten. Der seit dem späten 6. Jh. v. Chr. in zunächst unaufwendiger architektonischer Ausgestaltung in einen natürlichen Hang eingefügte Bautyp des → Theaters war geeignet, neben seiner kultisch-rituellen Funktion und seiner Bestimmung als Ort für Schauspiele auch als V. zu dienen (bezeugt als Tagungsort für überregionale Bündnisse u.a. in → Dodona und → Megale Polis). Aus der durch radial angeordnete, ansteigende Sitzreihen (→ Cavea) und einem Aktionsraum im Mittelpunkt charakterisierten Theaterform leiten sich verschiedentlich größere, bis hin zum Vollkreis gerundete, sicher nicht als Theater verwendete V. für die Volksversammlung ab, die nicht selten eine → Rednerbühne oder einen Podestbau im Zentrum besaßen; zu einer kanonischen Gestaltung kam es allerdings nicht: → Pnyx in Athen; Ekklesiasteria (→ *ekklēsiastḗrion*) in Metapontion, Akragas, Paionion, Poseidonia, Rhegion, Kassope und evtl. Sparta.

Grundrißtypen kleinasiatischer Buleuterien

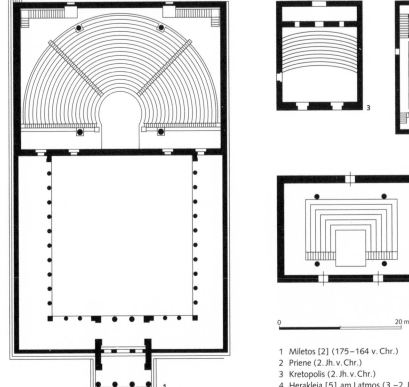

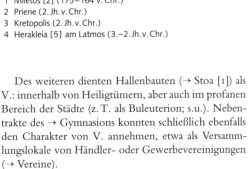

0 ——————— 20 m

1 Miletos [2] (175–164 v. Chr.)
2 Priene (2. Jh. v. Chr.)
3 Kretopolis (2. Jh. v. Chr.)
4 Herakleia [5] am Latmos (3.–2. Jh. v. Chr.)

Die bauliche Ausgestaltung der griech. Heiligtümer seit dem frühen 6. Jh. v. Chr. brachte ein weites Formenspektrum von V. mit sich – sowohl als Versammlungsort für die Priesterschaft wie auch für Besuchergruppen, etwa polit.-diplomatische oder rel. Delegationen. Zu den bekannteren Beispielen solcher V. zählen das → Prytaneion und das Theokoleion in → Olympia (II. C. 2.), ferner das für eine größere Kultgemeinde konzipierte → Telesterion von → Eleusis (→ ELEUSIS mit Abb.) sowie weitere anscheinend hiervon baulich abgeleitete V.: u. a. der »hypostyle Saal« im Apollonheiligtum von → Delos sowie analoge Erscheinungen in Dodona und, in sehr beachtlicher Größe, in Megale Polis – mit allerdings unsicherer Zuordnung zu einem Heiligtum (ebenso wie das formal ähnliche, in seiner Funktion nicht sicher bestimmbare »Odeion des Perikles« in Athen, vgl. → Athenai, mit Abb. Akropolis). Auch unter die V. in Heiligtümern zu subsumieren sind die zahlreichen dort anzutreffenden Bankett- und Speiseräume – entweder an größere Baukomplexe angegliedert (→ Pinakothek in den Propyläen der Akropolis von Athen; vgl. → Toranlagen, mit Abb.) oder als solitäre Architekturen präsent (→ Lesche der Knidier in → Delphoi; V. in → Labraunda).

Des weiteren dienten Hallenbauten (→ Stoa [1]) als V.: innerhalb von Heiligtümern, aber auch im profanen Bereich der Städte (z. T. als Buleuterion; s. u.). Nebentrakte des → Gymnasions konnten schließlich ebenfalls den Charakter von V. annehmen, etwa als Versammlungslokale von Händler- oder Gewerbevereinigungen (→ Vereine).

Die griech. Polis brachte im Zuge der Entfaltung ihres Organisations- und Verwaltungsrahmens seit dem späten 6. Jh. v. Chr. spezialisierte V. mit z. T. sehr markantem Grundriß hervor; sie waren in der Regel auf oder in unmittelbarer Nähe der → Agora gelegen. Neben Hallenbauten (u. a. der Stoa Basileios in Athen; vgl. → Stoa [1] mit Abb.) wurden Gebäude für die Prytanen (→ Prytaneion; für die Magistrate) und Buleuten (Buleuterion; für die Ratsmitglieder), aber auch Gebäude für Gerichtsverhandlungen (→ Heliaia) üblich. Letztere bildeten ebenso wie das Prytaneion keine spezifische Form aus – das Prytaneion begegnet in der Regel als repräsentativ ausgestaltetes, dabei erkennbar nicht privates, sondern »öffentliches« → Haus mit Herd- bzw. Klinenraum, Amtsräumen und → Peristylion (Ausnahme: die um 460 v. Chr. entstandene → Tholos in Athen). Für das Buleuterion findet sich dagegen zunächst die Form des langgestreckten, zweischiffigen Apsidensaals

(z. B. in → Olympia, mit Abb.; erste Bauphase) oder eine verkürzte Stoa (Orchomenos [1]; Olynthos), später setzte sich dann die Grundform des → Odeions mit halbrunder (Miletos [2]) bzw. gerundeter (Kretopolis) oder annähernd quadratisch und entsprechend über Eck angeordneten Cavea (Athen; Priene; Herakleia [5]/Latmos) durch, bisweilen um einen vorgelagerten Peristylhof ergänzt (Milet). Die in allen Fällen vorhandene → Überdachung begrenzte die Größe; Buleuterien faßten, abhängig von der Gesamtzahl der Bürger, zw. 200 und 1500 Personen. Auffällig ist das umgekehrt-proportionale Verhältnis zw. baulichem Aufwand und polit. Bed.: Der Prunkcharakter öffentlicher V. der Polis steigerte sich seit dem späten 4. Jh. v. Chr. sprunghaft (Milet; Priene), während zugleich die einstige Autonomie und oft demokratische Verfassung (→ *dēmokratía*) der Stadtstaaten, die das Vorhandensein dieser Bauten ursächlich bedingt hatten, im Angesicht des Entstehens der hell. Monarchien (→ *monarchía*) zu einer puren Fiktion gerieten, die durch solche Baumaßnahmen offenbar liebevoll gepflegt wurden.

III. ROM

Wichtigster polit. V. der röm. Ant. war der Architekturkomplex aus → Curia (s. Nachträge), Comitium und Rostra (→ Rednerbühne) in Rom (vgl. → Forum mit Abb.), der im Rahmen einer Umstrukturierung des → Forum [III 8] Romanum nach einem Brandschaden in der 2. H. des 1. Jh. v. Chr. seinen republikanischen Charakter weitgehend verlor. Das Comitium als Versammlungsort der röm. → *comitia* bestand dabei aus einer kreisrunden, gestuften und unüberdachten Anlage mit der Rednerbühne (und der *graecostasis*) auf der südl., dem *senaculum* (dem offenen, durch Ummauerung markierten Versammlungsplatz der Senatoren; vgl. → *senatus*) auf der westl. und dem Bau der Curia auf der nördl. Seite. Anhaltspunkte für diese Rekonstruktion geben weniger die spärlichen in Rom erh. Baureste, als vielmehr analoge Anlagen in Paestum (→ Poseidonia) und Cosa aus dem 3. Jh. v. Chr. Die röm. Curia als geschlossenes, rechteckiges Tagungsgebäude für den Senat wurde auf den legendären König Tullus Hostilius [4] zurückgeführt; der Bau wurde entsprechend der Vergrößerung des Senats sukzessive erweitert, nach dem Brand von 52 v. Chr. leicht nach SO versetzt und blieb dort als massiger Ziegelbau bis in die Spätant. ein architektonisches Wahrzeichen der Stadt Rom. Andere Versammlungsplätze in Rom hießen ebenfalls → *curia* (s. Nachträge), z. B. die *curia Pompei(i)* innerhalb der Porticus des → Theatrum Pompei(i) (mit Abb.), wo 44 v. Chr. Iulius Caesar ermordet wurde.

Das stadtröm. Baumuster wurde in die Koloniegründungen (→ *coloniae*) bes. des 3. Jh. v. Chr. übertragen (→ Alba Fucens, Poseidonia/Paestum, Cosa u. a. m.); in nicht-latinischen Städten tagten die Bürgerversammlungen bisweilen in theaterförmigen Anlagen (z. B. Cavea des Fortuna-Heiligtums von → Praeneste). In Provinzstädten der Kaiserzeit lagen die polit. V. allesamt am → Forum, wobei, wie das Beispiel → Pompeii zeigt,

dem Comitium als Ort von Wahlen weniger Aufmerksamkeit zuteil wurde als den Amtssitzen der städtischen Magistrate und Verwaltungen: Die Curia wurde – im Gegensatz zum Comitium-Bezirk – nach dem Erdbeben von 62 n. Chr. schnell und umfassend restauriert. Der u. a. in Pompeii anzutreffende Bautypus der Curia (Rechteckbau mit → Apsis gegenüber dem Eingang) fand als architektonisch unselbständiger Versammlungsraum Eingang in die Palast- und Villenarchitektur (*aula regia*; → Palast; → Villa). Ein bes. für die Rechtspflege wichtiger V. war darüber hinaus die röm. → Basilika.

Zu röm. Vereins- und Zunfthäusern sowie zum Typus des Katagogeion s. → Schola [4].

→ Curia (s. Nachträge); Polis; Privatheit und Öffentlichkeit; Verfassung; Versammlungen

J. CH. BALTY, Curia ordinis: recherches d'architecture et d'urbanisme antiques sur les curies provinciales du monde romain, 1991 · P. CARAFA, Il comizio di Roma dalle origini all'età di Augusto, 1998 · R. ETIENNE, Le Prytaneé de Délos, in: REA 99, 1997, 305–324 · D. GNEISZ, Das ant. Rathaus: das griech. Bouleuterion und die frühröm. Curia, 1990 · P. GROS, L'architecture romaine, Bd. 1, ²2002, 261–269 · M. H. HANSEN, T. FISCHER-HANSEN, Monumental Political Architecture in Archaic and Classical Greek Poleis, in: D. WHITEHEAD (Hrsg.), From Political Architecture to Stephanus Byzantius (Historia ES 87), 1994, 23–90 · M. HÜLSEMANN, Theater, Kult und bürgerlicher Widerstand im ant. Rom. Die Enstehung der architektonischen Struktur des Theaters, 1987 · A. IANELLO, I bouleuteria in Sicilia, in: Quaderni dell'Istituto di archeologia della Facoltà di lettere della Università di Messina 9 (1994), 1996, 63–98 · G. C. IZENOUR, Roofed Theatres of Classical Antiquity, 1992 · F. KOLB, Agora und Theater, Volks- und Festversammlung, 1981 · C. KRAUSE, Zur baulichen Gestalt des republikanischen Comitiums, in: MDAI(R) 83, 1976, 31–69 · F. KRISCHEN, Ant. Rathäuser, 1941 · H. LAUTER, Die Architektur des Hell., 1986, 156–166 · W. MACDONALD, The Political Meeting Places of the Greeks, 1943 · S. G. MILLER, The Prytaneion. Its Function and Architectural Form, 1978 · T. L. SHEAR Jr., Bouleuterion, Metroon, and the Archives at Athens, in: M. H. HANSEN et al. (Hrsg.), Stud. in the Ancient Greek Polis (Historia ES 95), 1995, 157–190 · B. TAMM, Auditorium and Palatium: a Study on Assembly-Rooms in Roman Palaces, 1963. C. HÖ.

Verschleppung

I. ALTER ORIENT UND ÄGYPTEN
II. KLASSISCHE ANTIKE

I. ALTER ORIENT UND ÄGYPTEN

Die im Zuge von Kriegshandlungen erfolgende gewaltsame V. von Kombattanten und Zivilpersonen war, wenn auch in unterschiedlichen Größenordnungen, in vielen Perioden der Gesch. des Alten Orients und Äg.s gängige Praxis. V. dienten einem doppelten Zweck: Sie ermöglichten zum einen die Gewinnung unfreier und daher leicht auszubeutender Arbeitskräfte, zum anderen waren sie ein probates Mittel, das mil. und ökonomische Potential besiegter Stämme, Städte oder Staaten nachhaltig zu schwächen.

In Mesopot. scheint man bereits gegen E. des 4. Jt. unfreie Arbeitskräfte durch V. ins Land geholt zu haben (Schriftzeichen »Frau + Fremdland« = »Sklavin«, »Mann + Fremdland« = »Sklave«) [1. 244]. V. größeren Stils führten erstmals die Könige der Territorialstaaten von Akkad (2334–2154 v. Chr.) und Ur (2112–2004) durch. Die Deportierten – fast durchgängig Mitglieder fremder Ethnien, darunter von ihren Männern bzw. Vätern getrennte Frauen und Kinder – wurden als Arbeitskräfte sowohl im Palast- als auch im Tempelsektor eingesetzt, die Männer v. a. als Söldner und (häufig geblendet) als Landarbeiter, die Frauen u. a. in der Textilindustrie. Die sumerischen Termini LÚ+KÁR »Gefesselter«, sag/arad »Sklave« und érin/guruš »(halbfreier) Arbeiter« markieren die stufenweise fortschreitende Integration der Deportierten [2].

Während sich in altbabylonischer Zeit (1. H. 2. Jt.) nur wenige Hinweise auf V. finden (z. B. Codex Ḫammurapi, § 32, 133–135), werden in mittelassyrischen [3. 2⁵] und in hethitischen Königsinschriften [4] Zehntausende von Deportierten erwähnt, wobei die hethit. Quellen terminologisch zwischen gefangenen Kriegern (LÚŠU.DAB/appant-) und Zivilgefangenen (LÚNAM.RA/arnuwala-) differenzieren. Eine Fülle von Bild- und Textquellen gibt Auskunft über V. während der Zeit des neuassyr. Imperiums. Bes. im 8. und 7. Jh. wurden ganze Völker aus neu eroberten Gebieten deportiert und entweder am entgegengesetzten Ende des assyr. Machtbereiches angesiedelt (z. B. die 722/720 von → Samaria nach Medien verschleppten Israeliten) oder für öffentliche Arbeiten in den assyr. Hauptstädten angestellt. Um die rel. Identität des Gegners zu untergraben, wurden auch Götterbilder entführt. Der rechtliche Status der Deportierten (wie die materielle Beute als šallatu bezeichnet) scheint von Fall zu Fall variiert zu haben; so besaßen polit. Geiseln einen Sonderstatus [3].

V. als Mittel der Kriegsführung ist im 1. Jt. auch für → Urartu und → Elam [1. 246] sowie für den syrisch-palaestinischen Raum [3. 48 n47, 49 n50] bezeugt. Während es die Regel war, daß sich deportierte Volksgruppen, wenn auch oft erst in der zweiten oder dritten Generation, in ihre neue Umgebung integrierten, scheinen die 597 und 587 von Nebukadnezar [2] II. verschleppten Juden erst im babylon. Exil zu ihrer spezifischen Identität gefunden zu haben [5. 109–114] (→ Juda und Israel; → Judentum). Die Achämeniden ließen die Juden in ihre Heimat zurückkehren (Esr 1), setzten ansonsten aber die altorientalische Deportationspraxis fort und verschleppten u. a. auch Griechen [6].

Auch die Ägypter pflegten Kriegsgefangene (sqr-ꜥnḫ, hierzu [7. 786]) zu verschleppen. Im AR und MR wurden v. a. Nubier [8], im NR vorzugsweise Asiaten und Angehörige der Seevölker (→ Seevölkerwanderung) nach Äg. verbracht und – z. T. mit Brandzeichen versehen – als Arbeiter und Soldaten verwendet. Syr. Mädchen verschleppte man wegen ihrer erotischen Anziehungskraft [9]. Recht verbreitet war in Äg. die Praxis, Verbrecher in Randgebiete zu deportieren und dort

Zwangsarbeit leisten zu lassen [10. 69]; derartige Verbannungen sind auch in Israel und bei den Hethitern, in Mesopot. dagegen nur selten bezeugt [3. 41–43].

→ Diaspora; Kriegsgefangene; Sklaverei

1 H. KLENGEL, s. v. Krieg, Kriegsgefangene, RLA 6, 243–246 2 I. J. GELB, Prisoners of War in Early Mesopotamia, in: JNES 32, 1973, 70–98 3 B. ODED, Mass Deportations and Deportees in the Neo-Assyrian Empire, 1979 4 S. ALP, Die soziale Klasse der NAM.RA-Leute und ihre hethit. Bezeichnung, in: Jb. für kleinasiatische Forsch. 1, 1950/51, 113–135 5 W. RÖLLIG, Deportation und Integration, in: CollRau 4, 1996, 100–114 6 E. OLSHAUSEN, Griechenland im Orient, in: Stuttgarter Beitr. zur Histor. Migrationsforsch. 2, 1995, 24–40 7 W. HELCK, s. v. Kriegsgefangene, LÄ 3, 786–788 8 R. GUNDLACH, Die Zwangsumsiedlung auswärtiger Bevölkerung als Mittel äg. Politik bis zum Ende des MR, 1994 9 W. HELCK, Die Beziehungen Vorderasiens zu Äg. im 3. und 2. Jt. v. Chr., 1962, 359–390 10 W. BOOCHS, s. v. Strafen, LÄ 6, 68–72.   E. FRA.

II. KLASSISCHE ANTIKE

Auch in der griech.-röm. Welt war die V. von Individuen oder größeren Bevölkerungsgruppen häufig. Meistens stand sie in unmittelbarem Zusammenhang mit mil. Auseinandersetzungen, Opfer waren sowohl Soldaten als auch Zivilbevölkerung (vgl. → Kriegsfolgen). Im Unterschied zur Vertreibung – wie etwa der in Sparta praktizierten → xenēlasía (Plut. Lykurgos 27; Thuk. 1,144) oder den in Rom periodisch wiederkehrenden Ausweisungen von Fremden, z. B. der Juden (Val. Max. 1,3,3; vgl. → Toleranz) – gilt dabei als den Tatbestand der V. konstituierendes Element (neben der gewaltsamen Entfernung aus der Heimat bzw. der Wahlheimat) die Zuweisung eines bestimmten neuen Aufenthaltsortes. Nach diesem Kriterium war die berüchtigte athenische Aktion gegen die Bewohner von → Aigina (431 v. Chr.) keine V., weil diesen nicht von den Athenern, sondern von den Spartanern ein neuer Aufenthaltsort (Thyrea; vgl. → Kynuria [2]) zugewiesen wurde (Thuk. 2,27). Von der → Verbannung (→ exilium) unterscheidet sich die V. dadurch, daß sie nicht von den eigenen polit. Instanzen, sondern von fremden Mächten und dazu in der Regel ohne rechtliche Grundlage veranlaßt wurde.

Typikum von V. in klass. Zeit war aus der Sicht der Täter die doppelte Motivation von Bestrafung und Gewinnung neuer Siedlungsplätze. Exemplarisch zeigt sich dies im Fall von Samos [3], dessen illoyale Haltung der Athener Timotheos [4] 365 v. Chr. mit der V. der Bewohner nach Iasos [4] ahndete, um dann 2000 athenische → klērúchoi auf der Insel anzusiedeln (Nep. Timotheos 1,1; Isokr. or. 15,111; Diod. 18,8,7). Auch bei den hell. Herrschern war die V. eine übliche Methode der Politik (prägnant die Darstellung bei Pol. 23,10,4–6 in bezug auf die Deportation von Küstenbewohnern durch Philippos [7] V. und deren Ersetzung durch für loyal gehaltene Thrakes). Bes. rigoros ging 223 v. Chr. Antigonos [3] Doson gegen die Stadt → Mantineia (III. B.) vor, deren Bevölkerung zum großen Teil nach Makedonia verschleppt wurde (Plut. Aratos 45,4).

Die Römer griffen im Rahmen ihrer Expansion ebenfalls wiederholt zum Mittel der V.; 241 v. Chr. traf dieses Schicksal die aufständischen Bewohner der Stadt Falerii [1] (Val. Max. 6,5,1; Eutr. 2,18). 167 v. Chr. wurden 1000 Angehörige der achaiischen Führungsschicht (unter ihnen Polybios [2]) nach It. deportiert (Pol. 30,13,6f.; Paus. 7,10,7–12), von denen 17 J. später noch 300 nach Griechenland zurückkehren konnten. Auch Römer wurden Opfer von V., als z. B. röm. Legionäre nach der Schlacht von Karrhai/Carrhae (53 v. Chr.; → Harran) von den Parthern in die → Margiana verschleppt wurden (Plin. nat. 6,47). Agrippa [1] siedelte 38 (oder 19) v. Chr. die rechtsrheinischen german. → Ubii am linken Rheinufer an (App. civ. 5,386; Strab. 4,3,4).

Speziell im röm. Kaiserreich hatten Verschleppte bestimmte öffentliche Aufgaben wahrzunehmen. Unter Tiberius [1] wurden zahlreiche Anhänger des Isis-Kultes und des jüd. Glaubens nach Sardinia deportiert, um das dortige Räuberunwesen zu bekämpfen (Tac. ann. 2,85,4). Zwangsarbeiter kamen 67 n. Chr. bei dem Versuch Neros [1], den → Isthmos von Korinthos zu durchstechen, zum Einsatz (Cass. Dio 63,16,2), darunter 6000 kriegsgefangene Juden aus dem 1. → Jüdischen Krieg (s. Nachträge; 66–74 n. Chr.; Ios. bell. Iud. 3,10; → Kriegsgefangene).

Individuelle V. als strafrechtlich relevantes Instrument (*poena legis*) gab es in Rom seit der frühen Kaiserzeit in der Form der → *relegatio* bzw. der → *deportatio*.
→ Deportatio; Exilium; Kriegsfolgen; Kriegsgefangene; Mobilität (B.); Relegatio; Seeraub; Sklavenhandel; Sklaverei; Toleranz; Verbannung

P. DUCREY, Le traitement des prisonniers de guerre dans la Grèce antique, 1968 · J. SEIBERT, Die polit. Flüchtlinge und Verbannten in der griech. Gesch., 2 Bde., 1979 · H. SONNABEND, Deportation im ant. Rom, in: A. GESTRICH u. a. (Hrsg.), Ausweisung und Deportation (Stuttgarter Beitr. zur Histor. Migrationsforsch. 2), 1995, 13–22 · H. VOLKMANN, G. HORSMANN, Die Massenversklavungen der Einwohner eroberter Städte in der hell.-röm. Zeit, ²1990.   H. SO.

Verschuldung s. Schulden, Schuldenerlaß

Verskunst s. Metrik

Verso s. Recto/Verso

Verstirnungssage (καταστερισμός/*katasterismós*), oder auch Sternsage. Sagentypus, der → Sternbilder und Sternkonstellationen mittels eines Mythos aitiologisch (→ Aitiologie) in ihrer Genese erklärt, in der Regel dadurch, daß ein Mensch oder Gott als Stern(bild) an den Himmel versetzt wird. Die Verstirnung entspricht dabei einer → Vergöttlichung (Apotheose). Obwohl Sternsagen in Äg. und im Alten Orient, wo die Himmelskörper selbst als quasi-personale Götter verehrt wurden, grundsätzlich bekannt waren, zeichnet sich die griech. Myth. durch eine bes. große Fülle an entsprechenden Erzählungen aus.

Vieles spricht dafür, daß es bereits früh V. gab. Die Quellen, die seit Homer V. bezeugen, greifen offenbar auf volkstümliche Überl. zurück, die bes. für Seefahrer mit ihrer Sternbeobachtung zu erwarten ist. Schon Hes. erg. 383 kennt z. B. das Sternbild der → Pleiaden als das der »Atlastöchter« und scheint damit implizit eine V. zu bezeugen (zum Großen Bären, Arkturos, vgl. u. a. Hom. Il. 18,487; Hom. Od. 5,273; Belege für weitere »mythisierte« Himmelserscheinungen s. [1. 429–475]). V. im prägnanten Sinne und gleichsam als eigenes Genre gab es jedoch erst seit dem Hell. Ob die seit dem 5. Jh. v. Chr. bezeugte Vorstellung, daß die menschlichen Seelen nach dem Tode zu Sternen werden (Aristoph. Pax 832f.; vgl. Plat. Tim. 41d–42b; → Seelenlehre), zur Ausbreitung von V. beigetragen hat, ist zweifelhaft.

Systematisch gesammelt und narrativ präsentiert lagen sie erstmals in den *Katasterismoí* des → Erathosthenes [2] aus Kyrene vor. Diese Slg., die die myth. Aitien für die → Sternbilder und ihre Namen enthielt, ist verloren. In der Forsch. umstritten sind der Titel und die Rekonstruktion des Werkes [2] aus einer (fälschlich unter Eratosthenes' Namen) erh. Epit. der *Katasterismoí*, den Scholien zu → Aratos' [4] *Phainómena*, den Scholien zur Arat-Übers. des → Germanicus [2] sowie dem astronomisch-myth. Werk des → Hyginus, *De astronomia* [3. 28f.; 4. 131f.; 5. 43f.]. In jedem Fall handelte es sich aber um ein Prosawerk, das die V. systematisch zusammenfaßte und aus dem viele Dichter seit dem Hell. schöpften [6]. Die gesamte Trad. des aitiologischen Dichtens von → Kallimachos' [3] *Aítia* an bezieht V. ein (Kall. fr. 110 mit Catull. 66: Locke der Berenike [3]; Nikandros bei Antoninus Liberalis 25,4: Kometen; Ov. met. 2,496–507: Callisto und Arcas; 8,174–182: Krone der Ariadne; 15,745–851: Caesar; vgl. Ov. fast. 2,153–192; 3,449–458; 3,458–516; 3,697–710; 5,111–128; 5,159–182; 5,493–544; 5,603–620; 5,693–720 etc.; [7. 291]). Beispiele für V.: → Andromeda, → Argo, Arkturos, → Bootes, Cheiron, Eridanos [1], → Hydra [1], → Kallisto, Kassiopeia, Kastor und Polydeukes (vgl. → Dioskuroi), Kepheus [1], Ketos, Ophiuchos, → Orion [1], Pegasos [1], Perseus [1], Sirius.
→ Sternbilder; Tierkreis; Vergöttlichung

1 PRELLER/ROBERT 1 2 C. ROBERT (ed.), Eratosthenis Catasterismorum Reliquiae, ²1963 3 F. BÖMER (ed.), P. Ovidius Naso, Die Fasten 1, 1957 (Komm.) 4 W. KRAUS, Ovid, in: M. VON ALBRECHT, E. ZINN (Hrsg.), Ovid (Wege der Forsch. 92), 1968, 269–294 5 E. MARTINI, Einleitung zu Ovid, 1933 (Ndr. 1970) 6 G. A. KELLER, Eratosthenes und die alexandrinische Sterndichtung, Diss. Zürich 1946 7 J. LOEHR, Ovids Mehrfacherklärungen in der Trad. aitiologischen Dichtens, 1996.

W. GUNDEL, Sterne und Sternbilder im Glauben des Alt. und der Neuzeit, 1922 · H. LLOYD-JONES, M. QUINTON, Myths of the Zodiac, 1986 · W. SCHADEWALDT, Griech. Sternsagen, 1956.   JO. L.

Vertico. Nervischer Adliger (→ Nervii), der auf die röm. Seite übergelaufen war und Q. → Tullius [I 11]

Cicero 54 v. Chr. während der Belagerung seines Winterlagers half, Nachrichten an Caesar zu senden (Caes. Gall. 5,45; 5,49).

Evans, 385 f.   W. Sp.

Verticordia s. Venus

Vertiscus. Remischer Adliger und Heerführer (→ Remi). V. fiel 51 v. Chr. als Befehlshaber eines auf seiten Caesars kämpfenden Stammeskontingents, das er trotz seines hohen Alters anführte, bei einem Reitergefecht mit den → Bellovaci (Caes. Gall. 8,12).

Evans, 386.   W. Sp.

Vertrag I. ALLGEMEINES
II. ALTER ORIENT, KEILSCHRIFTLICHER BEREICH
III. PHARAONISCHES ÄGYPTEN   IV. JUDENTUM
V. KLASSISCHE ANTIKE

I. ALLGEMEINES
Ein V. ist die (u. U. stillschweigende) Einigung zw. zwei oder mehr Personen über einen zu erreichenden Rechtserfolg (z. B. Kauf als Austausch von Ware gegen Entgelt). Im Verhältnis zum Geschäftszweck sind zu unterscheiden der rechtlich direkt auf den Zweck ausgerichtete V., das davon formal unabhängige, »abstrakte« Rechtsgeschäft und das »nachgeformte Rechtsgeschäft«. Abstrakt ist ein Rechtsgeschäft, dessen Rechtsfolge rechtlich mit dem von den Parteien angestrebten Rechtserfolg nicht verknüpft ist (z. B. Anerkenntnis einer Schuld, ohne diese als Kaufpreisschuld zu kennzeichnen) [1. 1382]. Als nachgeformt wird ein Rechtsgeschäft bezeichnet, welches, von seinem urspr. Zweck gelöst, zur Erreichung eines anderen Geschäftserfolgs verwendet wird (z. B. Ausgestaltung der Kaufpreisschuld als Darlehen bei einem Kreditkauf; grundlegend [3]). Vom V.-Begriff zu trennen ist die Frage nach der notwendigen Form (→ Urkunden I.). Zu unterscheiden sind Wirksamwerden und Wirkung des V. Den allein durch übereinstimmende Willenserklärungen zustandekommenden Konsensual-V. kannte erst das entwickelte röm. Recht (s. u. V.), im übrigen bedurfte es eines realen Moments (zum Angeld s. → arra) oder der Beeidigung. Mitunter wurden V.-Schlüsse wie andere Rechtsakte von Formalakten begleitet, jedoch ist für die außerröm. Ant. kein Formalismus röm. Art ersichtlich (zu den röm. Formalgeschäften s. u. V.). Trotz der weithin üblichen Schriftform genügte die Verschriftung allein nicht zur V.-Begründung, es bedurfte eines eigenen vertragsbegründenden Elements. Anders als h. gewährte der V. keinen Anspruch auf Erfüllung. Die Nichterfüllung hätte aber die Rechte der anderen V.-Partei verletzt und diese zum Vorgehen gegen den V.-Partner berechtigt. Der V. wirkte so indirekt auf die Erfüllung hin. Das Erscheinungsbild von V. ist von der Tatsache geprägt, daß es letztlich nur eine begrenzte Zahl an sowohl denkbaren wie auch sachgemäßen Regelungen gibt [2].

1 W. KUNKEL, s. v. Συγγραφή, syngrapha, RE 4 A, 1376–1387 2 T. MAYER-MALY, Die Wiederkehr von Rechtsfiguren, in: Juristenzeitung 26, 1971, 1–3 3 E. RABEL, Nachgeformte Rechtsgeschäfte. Mit Beiträgen zu den Lehren von der Injurezession und vom Pfandrecht, in: ZRG 27, 1906, 290–335; 28, 1907, 311–379 (= Ders., Gesammelte Aufsätze, Bd. 4: Arbeiten zur altgriech., hell. und röm. Rechtsgesch. 1905–1949, 1971, 9–104).

II. ALTER ORIENT,
KEILSCHRIFTLICHER BEREICH
In → Keilschrift sind V. seit Anfang des 3. Jt. v. Chr. bis zur Zeitenwende zeitlich und regional (→ Keilschriftrechte) in unterschiedlicher Zahl und für verschiedene rechtsgeschäftliche Typen überl., unter Umständen mehrere Hundert bis Tausende. Die ältesten schriftlich überl. V. sind Felderkäufe aus der früh-dyn. Epoche (29./28. Jh. v. Chr.). Beurkundet wurden v. a. die Gewährung von Rechten an wichtigen Gütern wie Immobilien (z. B. Landpacht; Grundpfand; → Pacht) und Geldangelegenheiten (z. B. → Darlehen oder Eheverträge – bei letzteren ging es nicht um die Heirat an sich!). Die bislang vorliegenden – auf vergänglichem → Schreibmaterial (Leder, Papyrus) geschriebenen und deshalb weniger zahlreich erh. – aramäischen V. aus dem 1. Jt. entstammen vorwiegend jüdischen Kreisen (→ Urkunde IV.); sie können deshalb grundsätzlich nicht als Zeugnisse einer keilschriftl. Rechtsordnung angesehen werden und – angesichts der verbreiteten Verwendung des → Aramäischen – auch nicht ohne weiteres als Zeugnisse einer »aram.« Rechtsordnung (gegen [7. 557]). Die Verbindlichkeit der V. beruhte auf realen Momenten (z. B. [9]), ergänzt oder ersetzt durch (promissorischen) Eid [5]; sie war nicht von einer schriftl. Beurkundung abhängig. Vertragsbegleitende Formalien sind wohlbelegt [8]. Aus dem öffentlichen Bereich liegen zahlreiche → Staatsverträge vor.

III. PHARAONISCHES ÄGYPTEN
Wie anderwärts waren rechtsverbindliche Vereinbarungen bei Eintritt Ägyptens in die gesch. Zeit (Anf. 3. Jt. v. Chr.) existent. Belegt sind sie v. a. auf → Papyrus, in größerem Umfang erst aus der ramessidenzeitlichen Arbeitersiedlung von Dēr al-Madīna in hieratischer Schrift und ab dem 7. Jh. v. Chr. (bis in die röm. Epoche) in demotischer Schrift und Sprache (→ Demotisches Recht). Von Einzelfällen abgesehen verdanken Rechtsakte aus dem AR und MR ihre Erhaltung nur dem Umstand, daß Urkunden als hieroglyphische Inschr. in die allg. zugänglichen Oberbauten privater Grabanlagen zur Dokumentation der vom Grabinhaber erlangten Rechte übertragen wurden (zur Beleglage z. B. [2; 11. 63–66]). → Ostraka wurden selten für die Niederschrift von V. verwendet.
Maßgebende V.-Theorie war das »Prinzip der notwendigen Entgeltlichkeit«; danach bedingt der Erwerb des Eigentums an Sachen, daß der Erwerber dem Veräußerer ein richtiges Entgelt gibt [10. 45–50]. Ein V. setzt also einen Realakt oder einen → Eid voraus. Der promissorische Eid diente ab dem späten NR lediglich

der Bestärkung, nicht mehr der Begründung einer Verbindlichkeit [11. 49–51; 10. 37f.]. Die Typenvielfalt der äg. V. ist groß (Überblick z.B. [1. 86–104]). An Staats-V. erh. ist nur – als hieroglyphische Inschr. – die äg. Version des der Schlacht bei → Qadesch folgenden Friedensschlusses (1258 v. Chr.).

IV. JUDENTUM

Ein t.t. für V. findet sich weder in der Torā noch im Talmud (→ Jüdisches Recht). Althebräische V. sind bislang nicht überl., wohl aber – v. a. in Aram. und Griech. – V. unter Juden (→ Urkunde IV.). Die Existenz von V. wird ferner durch Torā und Talmud bezeugt. Ein V. kam urspr. nur durch wirkliche, später durch fiktive Leistung oder über die Form, also als Real- (z.B. Gn 23,13–16) oder Literal-V. (z.B. Jer 32,44), zustande. Zur Bekräftigung dienten Zeugen und der promissorische Eid [6. 292–294]. Im Hinblick auf die Sippenstruktur des Volkes wird V. im alten Israel keine herausragende Rolle beigemessen, da Rechtsbeziehungen vorwiegend entweder durch verwandtschaftsrechtliche Regelungen bestimmt waren oder gegenüber Dritten sich aus unerlaubten Handlungen ergaben [4. 92].

1 W. BOOCHS, Altäg. Zivilrecht, 1999 2 H. BRUNNER u. a., s. v. Papyrus-Verzeichnis, LÄ 4, 672–898 3 M. COHN, s. v. V., Jüdisches Lexikon 4/2, 1927, 1202–1205 4 Z. W. FALK, Hebrew Law in Biblical Times, 1964 5 J. HENGSTL, Rechtl. Aspekte der Adler-Schlangen-Fabel im Etana-Epos, in: G. SELZ (Hrsg.), FS B. Kienast (im Druck) 6 F. HORST, Der Eid im AT, in: Evangelische Theologie 17, 1957, 366–384 (= Ders., Gottes Recht, 1961, 292–314) 7 E. LIPIŃSKI, The Aramaeans. Their Ancient History, Culture, Religion, 2000 8 M. MALUL, Studies in Mesopotamian Legal Symbolism, 1988 9 E. PRITSCH, Zur juristischen Bed. der šubanti-Formel, in: H. JUNKER (Hrsg.), At. Stud. FS F. Nötscher (Bonner biblische Beitr. 1), 1950, 172–187 10 E. SEIDL, Äg. Rechtsgesch. der Saiten- und Perserzeit, ²1968 11 Ders., Einführung in die äg. Rechtsgesch. bis zum Ende des NR, 1957 12 K. ZIBELIUS-CHEN, s. v. Staatsvertrag, LÄ 5, 1222f.   JO. HE.

V. KLASSISCHE ANTIKE

Für durch intensiven Handel ausgezeichnete Verkehrsgesellschaften wie diejenigen des klass. Griechenland, der hell. Welt und Roms hat die Verbindlichkeit von Abmachungen (vom alltäglichen → Kauf über den → Arbeitsvertrag bis zum → Staatsvertrag) zentrale Bedeutung. Daher gehört die rechtliche Bed. des V. zu den tragenden Strukturelementen der griech. und der röm. Rechtsordnung.

Im griech. Recht kommt der Begriff → synthḗkē dem modernen Verständnis des »V.« noch am nächsten. Er ist aber nicht fest umrissen und wird oft nur sinngleich mit dem »beurkundeten« V. (→ syngraphḗ) verwendet. Jedenfalls hat er keine ausschlaggebende Bed. für die Rechtsfolgen der Abrede. Noch ungenauer ist der Begriff des → synállagma, der nur allg. den »gegenseitigen Austausch« meint, ohne rechtliche Folgerungen daraus vorzuzeichnen. In Wahrheit ist die Kategorie des V. überhaupt ungeeignet, um daraus unmittelbar Wirkun-

gen im griech.-hell. Rechtsdenken abzuleiten. Ausgangspunkt der im Zusammenhang privater Abreden maßgeblichen griech. Vorstellung ist stattdessen die Vollstreckung, der ein »Schuldner« ausgesetzt ist. Sie kann sich entweder aus der unmittelbaren Unterwerfung unter den Vollstreckungszugriff ergeben; dies geschieht durch die → práxis-Klausel in öffentlichen oder privaten → Urkunden. Oder sie beruht auf der schädigenden unerlaubten Handlung (blábē; vgl. → blábēs díkē), die der »Schuldner« begeht, wenn er auf die Vermögensdisposition des »Gläubigers«, die zu dem Zweck erfolgt war, eine Gegenleistung zu erhalten (→ Zweckverfügung), seinerseits nicht abredegemäß reagiert. Das griech. Recht kennt keinen Anspruch auf die versprochene Leistung oder auf Schadensersatz statt der Leistung, sondern nur den indirekten Zwang zu abredegemäßem Verhalten, um den Vollstreckungszugriff zu vermeiden [1; 2; 3]. Die Übereinstimmung der Parteien (→ homología) richtet sich daher sogar bei einem beurkundeten Geschäft nicht auf eine gemeinsam festgelegte rechtliche Verbindlichkeit, sondern auf das Zugeständnis, daß die im Text niedergelegte haftungsbegründende Tatsache wahr sei.

Das röm. Recht hat demgegenüber den V. (lat. → contractus) als allg. privatrechtlichen Grundbegriff entwickelt. Im 2. Jh. n. Chr. unterscheidet der Jurist Gaius [2] (Gai. inst. 3,89) vier Arten von V.: Sie entstehen durch Einigung (→ consensus), durch die Erbringung der (einen) Leistung (sog. Real-V. wie das → Darlehen; → mutuum), durch den Gebrauch von Wortformeln (verbis, insbes. bei der → stipulatio) oder durch einen eher selten vorkommenden schriftlichen V. (→ litterarum obligatio). War hiernach eine Verbindlichkeit aus V. begründet, richtete sich diese unmittelbar auf die Leistung. Nach deren Inhalt unterschied man, ob die Verpflichtung (→ obligatio) auf ein dare (»geben«, insbes. »übereignen«), facere (»tun«) oder praestare (für anderes, z.B. als Bürge, praes, »einstehen«) gerichtet war (Gai. inst. 4,2). Kam es zum Prozeß über die Leistung, wurde der Verpflichtete freilich immer zu einer Geldsumme verurteilt (→ condemnatio sc. pecuniaria). Bei dem auf schlichter Einigung beruhenden V., der nur für vier Typen anerkannt war (→ consensus), wurde die Leistungspflicht durch die Prinzipien von Treu und Glauben (bona → fides II.) bestimmt. Keine V. und daher nicht klagbar waren hingegen die schlichten Abreden (→ pactum) außerhalb des Kanons anerkannter V. In vorsichtiger Rechtsfortbildung hat jedoch der Praetor (→ ius B. honorarium) in einzelnen weiteren Fällen dennoch einen Erfüllungsanspruch gewährt. Daraus wurde in der Spätant. eine allg. Lehre der »unbenannten« Innominat-V. entwickelt. Die röm. Vorstellung vom V. hat die kontinental-europäische Rechtsentwicklung bis zur Gegenwart nachhaltig geprägt.

→ Staatsvertrag; Vertragstreue; ANSPRUCH; CAUSA; SCHULDRECHT; VERTRAG

1 H.-A. RUPPRECHT, Kleine Einführung in die Papyruskunde, 1994, 113f. 2 WOLFF, 143 3 J. HERRMANN,

Verfügungsermächtigungen als Gestaltungselemente verschiedener griech. Geschäfte, in: Ders., KS, 1990, 59–70.

KASER, RPR, Bd. 1, 522–527 · HONSELL/MAYER-MALY/ SELB, 294–344.   G.S.

Vertragstreue. V. im internationalen Bereich zählte für Griechen zu den → ágraphoi nómoi, für Römer zu den bei allen Völkern geltenden Grundsätzen des *ius gentium* – hier verstanden als »Völkergemeinrecht« (→ *ius* A.2). Da der → Staatsvertrag unter dem sakralen Schutz der Schwurgottheit stand, wachten in Hellas und Rom in der Regel Zeus und Iuppiter über die Einhaltung der V. in ihren Eigenschaften als Wahrer des (Vertrags-)Eides und der → *pístis* bzw. → *fides* [1; 3; 4. 39, 53]. Diese jeweils zur Gottheit erhobene Verläßlichkeitsgarantie und V. ›verkörperte die Erwartung normgerechten Verhaltens‹ [3. 4; 2. 35 f.] und war damit die eigentliche ›Bindungsgrundlage‹ [2. 11] aller Völkerrechtsabkommen. Die Forderung nach V. wurde mit der *pacta sunt servanda*-Formel (»Verträge sind einzuhalten«; Cic. off. 3,92; vgl. 3,107; 1,23; Dig. 2,14,1. 7,7; → *pactio*) zu einem bis h. geltenden kategorischen Imperativ des Völkerrechts.

1 R. S. GRUEN, Greek and Roman fides, in: Athenaeum 60, 1982, 60–68 2 M. KASER, Ius gentium, 1993 3 D. NÖRR, Die fides im röm. Völkerrecht, 1991 4 K.-H. ZIEGLER, Völkerrechtsgesch., 1994.   P. KE.

Vertragus (οὐέρτραγος/*uértragos*). Windhund, der seiner Schnelligkeit wegen bes. für die Hasenjagd geschätzt wurde; der lat. Name *v.* ist von einem keltischen Wort abgeleitet. Die genaue Beschreibung des kräftigen, aber schlanken Hundes mit spitzer Schnauze und langen Ohren bei Arr. cyn. 3–6 ermöglichte [1] die Identifizierung ant. Darstellungen des *v.* Auf der Jagd wurden die in großen Gehegen gehaltenen Tiere von Sklaven an der Leine geführt und dann erst beim Anblick der aufgescheuchten Beute losgelassen. Die Jäger pflegten sie dabei auf dem Pferd zu begleiten. Gewöhnlich wurden je zwei *v.* auf einen Hasen angesetzt, den sie noch lebend übergeben sollten. Auf einem Relief aus Neumagen (→ Noviomagus [7] Treverorum) ist ein Kopf eines *v.* mit Halsband und Ring zum Befestigen der Leine erkennbar [2. Abb. 58]. Ein Bronzekopf befindet sich in London ([3. Bd. 1, 102, Fig. 38]; weitere Belege [4. 96]). → Hund; Jagd

1 G. RODENWALDT, V. in: JDAI 48, 1933, 204–225 2 W. VON MASSOW, Die Grabmäler von Neumagen, 1932, Nr. 37, S. 88 3 KELLER 4 TOYNBEE, Tierwelt.

J. AYMARD, Essai sur les chasses romaines, 1951 · W. H. GROSS, s. v. V., RE 8 A, 1662–1668.   C. HÜ.

Vertumnus (Voltumna). Urspr. etr. Gott [2; 4], den Varro ling. 5,46 mit älterer Lautung *Vortumnus* nennt; bei Livius hat sich eine latinisierte etr. Form *Voltumna* erhalten (z. B. Liv. 4,23,5; 4,25,7). Die Statue des *Vertumnus* war im *vicus Tuscus* am Fuße des Palatinus in Rom aufgestellt (Varro ling. 5,46). Prop. 4,2 läßt sie sprechen: Der Gott bezeichnet sich als aus → Volsinii stammender Etrusker, die die Stadt bei ihrem Brand verlassen habe. Nach ihrer Einnahme 264 v. Chr. wurden von den Römern angeblich 2000 Bronzestatuen weggeschafft (Plin. nat. 34,16,34; [1. 109–122]), wahrscheinlich nach der → *evocatio* des Gottes. In diesem Zusammenhang dürfte der Tempel für V. auf dem Aventin entstanden sein, denn darin befand sich ein Bild (InscrIt 13,2, p. 495) des Siegers von Volsinii, Fulvius [I 8] Flaccus (CIL I² 4,2836), als Triumphator (InscrIt 13,1, p. 547; Fest. 228).

Der Name des etr. Voltumna ist epigraphisch nicht belegt, auch fehlen Bildquellen; Voltumna gilt als Beiname des → Tinia [2. 78; 3], seine Gestalt dürfte aus der Verschmelzung eines Erdgeistes namens Volta (Plin. nat. 2,54,140) mit dem urtümlichen Gewittergott Tinia entstanden sein [5. 235 f.]. Varro ling. 5,46 bezeichnet *Vortumnus* als »obersten Gott Etruriens«. In diesem polit. Sinn diente er wahrscheinlich als Garant zwischenstaatlicher Übereinkünfte: Während des Krieges zw. Veii und Rom sollen sich bei seinem Heiligtum die Vertreter der etr. Stadtstaaten versammelt haben, um gemeinsame Entscheidungen zu treffen (z. B. Liv. 4,61,2; 5,17,6). Diese Bed. hatte der Gott in Rom nicht.

Die Statue des Gottes war in augusteischer Zeit aus Br., urspr. aber (vor Numa: Prop. 4,2,59 ff.) angeblich aus Holz, was auf das hohe Alter des Kultes hinweisen soll. Diese Nachricht spricht aber vielmehr für einen Versuch der röm. Annalistik, den etr. Gott in die frühröm. Rel. einzureihen und mit seinem Umzug nach Rom polit. Ansprüche zu legitimieren. Es waren verm. röm. Grammatiker, welche den Namen des etr. Gottes volksetym. mit lat. *vertere*, »wenden«, in Zusammenhang brachten; aus dieser Bed. heraus rekonstruierten lat. Dichter (Prop. 4,2) sein Wesen als Gott, der angeblich das Hochwasser abwende, als Gott der sich wandelnden Jahreszeiten, oder schlicht als der sich immer Wandelnde. Im volkstümlichen Milieu präsentiert er sich bei → Propertius [1] als junger, eleganter, männlicher und doch auch raffinierter, mädchenhafter Gott. Dieser V. stand in seinem Wesen dem jugendlichen Tinia nahe [3]. Der latinisierte V. ist noch z. Z. des Diocletianus inschr. belegt (CIL VI 803; 804).
→ Etrusci III.

1 G. COLONNA, Volsinio capto, in: M. HUMBERT (Hrsg.), Mélanges de droit romain et d'histoire ancienne, 1998, 109–122 2 M. CRISTOFANI, Voltumna: V., in: Annali della fondazione per il Museo Claudio Faina 2, 1985, 75–88 3 Ders., s. v. Voltumna, Dizionario della civiltà etrusca, 1985, 334 4 J. P. SMALL, s. v. V., LIMC 8.1, 235 5 PFIFFIG.   L. A.-F.

Vertunum. Röm. *vicus*, Name erst ma., im westl. Teil der *civitas Treverorum* (Belgien, Prov. Luxembourg, → Treveri), am Schnittpunkt der Flüsse Ton und Vire. V. entwickelte sich schwerpunktmäßig am rechten Ufer des Ton, das langsam zu einer Höhe von 20 m ansteigt (h. Vieux-Virton) und schließlich in das Plateau von

Majeroux übergeht; ferner auf der linken Seite in der engen Talsohle der Vire, wo ein Händlerviertel (h. Saint-Mard) entstand. V. lag an einer alten, verm. vorröm. Straße, die im Norden (bei Étalle) auf die röm. Verkehrsachse Durocortorum (h. Reims) – Augusta [6] Treverorum (h. Trier) stößt und im Süden in Richtung Virodunum (h. Verdun) die Verbindung zur Straße Durocortorum – Divodurum (h. Metz) herstellt. Der *vicus* erreichte bald nach seiner Gründung Mitte des 1. Jh. n. Chr. seine volle Ausdehnung (ca. 40 ha) und prosperierte bis Mitte des 3. Jh. An der nördl. Peripherie auf dem Plateau von Majeroux entstand ein Handwerkerviertel mit Töpfereien, Kalkbrennereien, Metallverarbeitung und einer Falschmünzerwerkstätte. Im Zentralbereich sind ein Tempel, öffentliche Thermen [1] und ein großes Gebäude mit Mosaiken nachgewiesen. Der Ort, dessen Infrastruktur mehr auf einen gewerblich-urbanen als agrarwirtschaftlichen Charakter hindeutet, ging in den Wirren um 280 (→ Probus [1]) unter (Brandspuren, Münzhortfunde), war aber zu Anf. des 4. Jh. um die h. Kirche St. Martin wieder besiedelt; für ein spätant. *castellum* fehlt aber der arch. Beweis. Endgültig wurde der Ort nach 406 aufgegeben, eine sehr spärliche Siedlungskontinuität in merowingischer Zeit bis ins hohe MA ist aber nicht auszuschließen; zwei ant. Nekropolen, eine im Süden (Champs Hayat) und eine im Norden (Anwesen Michelet).

→ Treveri

1 P. DEFOSSE, S. MATHIEU, Les thermes du vicus galloromain de Saint-Mard. Rapport de fouilles (1972–1980), in: Le Pays Gaumais 44–45, 1983–1984, 15–144.

A. CAHEN-DELHAYE u. a., Un quartier artisanal de l'agglomération gallo-romaine de Saint-Mard (Virton), 1994 · C. MASSART, A. CAHEN, Saint Mard (Vieux-Virton), in: J. P. PETIT, M. MANGIN, Atlas des agglomérations secondaires de la Gaule Belgique et des Germanies, 1994, 260f. (Nr. 331) · S. MATHIEU, L'agglomération romaine de Virton-Saint-Mard, in: Latomus 40, 1981, 332–360.

F. SCH.

Verucloetius. Keltisches Namenskompositum (»weit berühmt« [1. 123 f.]). Zusammen mit → Nammeius Leiter der helvetischen Gesandtschaft (→ Helvetii), die von Caesar 58 v. Chr. den Durchzug durch die röm. Prov. → Narbonensis erbat (Caes. Gall. 1,7,3).

1 EVANS. W. SP.

Verulae. Stadt der → Hernici in Latium am Südhang der Monti Ernici auf einem steilen Felsen (570 m H) im Tal des oberen Cosa, eines linken Nebenflusses des Trerus (bzw. Tolerus, h. Sacco), an einer nördl. Seitenstraße der → Via Latina, h. Véroli. V. schloß sich 307/6 v. Chr. den Hernici im Kampf gegen Rom nicht an, lehnte die als Belohnung dafür von Rom angebotene *civitas cum suffragio* ab und behielt mit der *civitas sine suffragio* (→ civitas B.) die eigenen Gesetze (Liv. 9,42,11; 9,43,23). *Municipium* (Plin. nat. 3,64); erwähnt werden → *duoviri* und Senat (CIL X 5796f.). Zw. 14 und 41 n. Chr. datiert

man die Fasti Verulani für die Monate Januar bis März. Reste der Stadtmauer (*opus polygonale*, mit späteren Ausbesserungen in *opus quadratum*; Liber coloniarum 239). Das Forum befand sich wahrscheinlich zw. der Kathedrale und dem Palazzo del Comune, wo Reste einer großen terrassierten Anlage gefunden wurden.

Im 5. Jh. n. Chr. wird ein christl. Presbyter aus V. erwähnt (CIL X 5799).

P. FORTINI, Testimonianze di età arcaica ed ellenistica da Veroli, in: Archeologia Laziale 10, 1990, 253–256 · E. M. BERANGER, s. v. V., EAA, 2. Suppl., Bd. 5, 1997, 1016 f. · F. COARELLI, Guide archeologiche Laterza: Lazio, 1982, 201–203 · P. G. MONTI, Via Latina, 1995, 116–123.
M. M. MO./Ü: H. D.

Verulamium. Ortschaft über dem Südufer des Flusses Ver beim h. St. Albans nordwestl. von → Londinium (h. London), seit dem 1. Jh. v. Chr. Siedlungszentrum der → Catuvellauni [1]. Die Siedlung weitete sich in das Tal aus, wo nach 43 n. Chr. die Römer ein Kastell bauten [2]. Evtl. seit flavischer Zeit *municipium* (Tac. ann. 14,33), durch den → Boudicca-Aufstand 60/1 n. Chr. in Mitleidenschaft gezogen, erhielt V. 79 oder 81 n. Chr. ein Forum (vgl. [3]) und um 100 n. Chr. öffentliche Gebäude. Etwa 155 n. Chr. wurden Teile der Stadt durch Feuer zerstört, aber sofort wieder aufgebaut; es entstanden ein Theater und prachtvolle Wohnbauten sowie mit Steintoren gesicherte Erdbefestigungen. 429 n. Chr. besuchte der Bischof Germanus von Autessiodurum (ca. 378–445) das Grab des hl. Albanus († um 303 n. Chr.) in V. (Constantius, Vita Sancti Germani, 14–16). Dieses Grab bildete den Kern des ma. St. Albans auf dem Hügel oberhalb der röm. Stadt.

1 R. E. M. WHEELER, V. A Belgic and Two Roman Cities, 1936 2 S. S. FRERE, V. Excavations, Bd. 1, 1972; Bd. 2, 1983 3 Ders., Excavations at V., in: The Antiquaries Journal 36, 1955, 1–10.

J. S. WACHER, The Towns of Roman Britain, ²1995, 214–241. M. TO./Ü: I. S.

Verus. Imp. Caesar L. Aurelius Verus Augustus (in lit. Quellen meist L. Verus genannt; seine Vita in der HA ist wenig vertrauenswürdig). Röm. Kaiser 161–169 n. Chr. Geb. am 15.12.130 als L. Ceionius Commodus, Sohn des L. Ceionius [3] Commodus, den → Hadrianus 136 adoptierte, der aber bereits am 1.1.138 starb, und der Avidia [1] Plautia (vgl. Stemma bei → Adoptivkaiser). Nach dem Tod des Vaters wurden er und der spätere → Marcus [2] Aurelius auf Befehl Hadrians von → Antoninus [1] Pius adoptiert. Sein Name nach der Adoption war L. Aelius Aurelius Commodus. V. wurde mit Pius' Tochter → Faustina [3] verlobt, doch wurde die Verlobung nach Hadrians Tod (138) wieder gelöst; später verlobt mit der Tochter des Marcus [2] Aurelius, → Lucilla, die er 164 heiratete. Seine Lehrer in lat. Rhet. waren Cornelius → Fronto [6], in griech. → Herodes [16] Atticus. Von seiner Korrespondenz mit Fronto sind Teile erh. (s. [3]). Andere seiner Lehrer, z. B. in Philosophie, nennt die HA (Verus 2,5). Vielleicht am 17.3.145 nahm er die *toga virilis* an [1. 90], doch trat er im Gegensatz zu Marcus unter Pius noch kaum hervor, obwohl er im J. 154 *cos. ord.* war und auch am *consilium* des Kaisers teilnahm [2. Nr. 163]. 161 übernahm er mit Marcus einen zweiten Konsulat.

Nach Pius' Tod (7.3.161) machte Marcus ihn zum gleichrangigen Augustus. V. erhielt alle kaiserlichen Rechte, Marcus Aurelius behielt sich nur die Würde des *pontifex maximus* und vorerst die Bezeichnung *pater patriae* vor. In dem 161 ausgebrochenen → Partherkrieg (B.) erhielt er den Oberbefehl; im späten Frühjahr 162 brach er mit großem Gefolge auf und erreichte, mit Stationen in Athen und Eleusis [1], wo er in die → *mystéria* (B. 2.) eingeführt wurde, erst im Herbst 162 Syrien. Dort teilte er nach der Überl. die Genüsse der Etappe, nicht die Gefahren der Front. Als er einer schönen und hochgebildeten Griechin aus Smyrna, Panthea, zu verfallen drohte (Cass. Dio 71,1,3), betrieb Marcus Aurelius, vielleicht früher als geplant, die Hochzeit mit seiner Tochter Lucilla, die in Ephesos gefeiert wurde. Die Siege, die von den senatorischen Befehlshabern erfochten wurden, nutzte V. für sein Prestige: 163 nahm er den Siegerbeinamen *Armeniacus* an, 165 *Parthicus Maximus*, 166 *Medicus*. Bei der Rückkehr nach Rom am 12.10.166 feierte er den Triumph über die Parther; gleichzeitig nahm er den Titel *pater patriae* an. Mit Marcus Aurelius nahm er am Feldzug (*expeditio*) in die Donauprovinzen im J. 168 teil; Im Winter erfolgte nach einem Aufenthalt in Aquileia [1] auf sein Drängen hin die Rückkehr nach Rom; während der Rückreise starb er Anf. 169 in → Altinum an einem Schlaganfall. Es folgten seine Bestattung im → Mausoleum Hadriani und die → *consecratio* (3.).

In der Überl. erscheint V. als oberflächlicher, leichtlebiger Genußmensch, als Gegenbild zu Marcus Aurelius (vgl. HA 1,4; 4,4–6; 9,8).

1 A. R. BIRLEY, Marcus Aurelius, ²1987 2 J. H. OLIVER, Greek Constitutions, 1989. 3 M. P. J. VAN DEN HOUT (ed.), Fronto, ²1988, 107–132.

A. R. BIRLEY, From Hadrian to the Antonines, in: CAH 11, 2000, 132–194 · G. R. STANTON, Marcus Aurelius, Lucius V., and Commodus: 1962–1972, in: ANRW II 2, 1975, 478–549 · W. SZAIVERT, Die Münzprägung der Kaiser Marcus Aurelius, Lucius V. und Commodus, 1986, 161–192.   W. E.

Verwaltung I. ALLGEMEIN II. ALTER ORIENT III. ÄGYPTEN IV. HETHITISCHES ANATOLIEN V. SYRIEN/PALAESTINA VI. IRAN VII. GRIECHENLAND VIII. ROM IX. BYZANZ

I. ALLGEMEIN

Die Staaten des Alt. verfügten über keine von Regierungstätigkeit und Rechtsprechung unabhängige exekutive V. im Sinne der modernen Gewaltenteilung. Die bei Aristot. pol. 1297b 35–1301a 15 angedeutete Dreiteilung (*tría mória*, 1297b 37) der Verfassungen in

einen beschließenden/gesetzgebenden Teil (*to buleuómenon*), ein ausführendes Element (»über die Ämter«: *to perí tas archás*) und die Rechtsprechung (*to dikázon*) ist eher dem Schematismus des Autors zuzuschreiben als einem polit. Konzept, zumal sich die genannten Bereiche in den folgenden Ausführungen (bis 1301a 15) stark überschneiden. V. im Alt. ist jeweils eine Funktion der Regierungstätigkeit und steht somit dem Inhalt des engl. Begriffs *government* näher als dem mod. Begriff der Administration/V. Die enge Verbindung zw. V. und Regierung zeigt sich in monarchisch regierten Systemen – im Alten Orient (s.u. II.) ebenso wie in der griech. → *tyrannís* und der → Hellenistischen Staatenwelt – in der häufig engen Beziehung zw. dem Herrscher und den Spitzen der V., die zu seiner Familie oder »Freunden« (vgl. → Hoftitel) gehörten und/oder direkt oder indirekt von ihm ausgewählt wurden und ihm unmittelbar verantwortlich waren (z. B. auch im röm. Prinzipat und in der Spätantike). In ausgeprägt demokratischen Systemen (s.u. VII.) wiederum wurden gesetzgebende, administrative und richterliche Funktionen z. T. nebeneinander, z. T. nacheinander von der Bürgerschaft insgesamt ausgeübt. In oligarchisch/aristokratisch organisierten Ges., v. a. im republikanischen Rom, blieb der Bedarf an öffentlicher V.-Tätigkeit wegen der zahlreichen vertikalen und horizontalen Nahbeziehungen (→ *cliens*; → *amicitia*) zw. den Bürgern naturgemäß gering.

→ Demokratia; Monarchia; Oligarchia   W. ED.

II. ALTER ORIENT

V.-Praktiken (darunter strikt befolgte Urkundenformulare und Handlungsabläufe, die u. a. auch Kontrolle von V.-Handeln ermöglichten) und V.-Strukturen (z. B. aufgabenspezifische und hierarchische Gliederung des V.-Personals, in der Regel dreigliedrig) lassen sich in Mesopot. anhand der ältesten Tontafeldokumente bereits um 3200 v. Chr. und etwa zur gleichen Zeit in → Elam erkennen. Wenig ältere Vorläufer sind gesiegelte Tonbullen, in die Symbole für Zahlen und Symbole der gezählten Gegenstände eingeschlossen waren. V.-Geschehen wird für den Verlauf der mesopot. Gesch. durch bisher ca. 100 000 publizierte V.-Urkunden faßbar.

V. im alten Mesopot. war bis ins 3. Jt. eine Funktion der Haushaltsführung innerhalb eines herrscherlichen *oíkos*. Im Lauf der Zeit entwickelte sich eine patrimoniale → Oikos-Wirtschaft, die zunächst kleinere, E. des 3. Jt. ganz Mesopot. umfassende patrimoniale Großhaushalte (die jeweils den »Staat« darstellten) umfaßte. Entsprechend komplexer und differenzierter gestalteten sich die V.-Abläufe und -Strukturen. Der patrimoniale Großhaushalt war horizontal (regional bzw. aufgabenspezifisch) und vertikal (zumeist dreistufig) gegliedert und auf eine zentrale administrative Einheit hin orientiert und von dort aus gelenkt. Die V.-Ämter waren in der Regel familienerblich (→ Familie I.). Im Gegensatz zu den hierarchisch strukturierten und verantworteten

V.-Abläufen der 3. Dyn. von → Ur (2112–2004 v. Chr.)
konnten z. B. V.-Entscheidungen unter → Ḥammurapi
oft durch unmittelbaren Zugang zum Herrscher herbeigeführt oder korrigiert werden. Vergleichbar sind die
Verhältnisse im von nomadischen Traditionen geprägten → Mari (18. Jh. v. Chr.; Patriarchalismus).

Die V. großer Territorien (v. a. in Assyrien) geschah
durch vom Herrscher ernannte → Statthalter, die zuweilen dem Herrscherclan (2. H. 2. Jt. v. Chr.) angehörten. Seit dem 8. Jh. v. Chr. rekrutierte der Herrscher
die Statthalter aus dem Kreis der Militärführer, die zumeist Eunuchen waren (→ Tiglatpileser [2] III.); damit
wurde die Bildung von Statthalterdynastien unterbunden.

III. Ägypten

Frühe Schriftdokumente aus Abydos [2] (ca. 3100–
3000 v. Chr.) bezeugen komplexe V.-Strukturen. Äg.
V.-Urkunden waren meist auf → Papyrus geschrieben
und sind daher nur in begrenztem Maß erhalten. Die
Landes-V. Äg.s war geprägt durch eine seit der 2. Dyn.
erkennbare Einteilung des Landes in »Gaue«, die sich im
großen und ganzen bis in ptolem. Zeit (372–30 v. Chr.;
→ nomárchēs) hielt. Eroberte Gebiete in Syrien/Palae-
stina wurden durch Statthalter regiert. V. in Äg. war
charakterisiert durch ein Nebeneinander von konkurrierenden V.-Strukturen (Palast, Tempel, fromme Stiftungen); die V. im äg. Staat geschah durch herrscherliche Dekrete, deren (negative) Wirkung, wenn nötig,
durch neue Dekrete korrigiert wurde [4. 111–136 und
233–238].

IV. Hethitisches Anatolien

Die erh. V.-Urkunden stammen fast ausschließlich
aus der letzten Phase des hethit. Reiches (meist Mitte
des 13. Jh. v. Chr.), überwiegend aus den Palast- und
Tempelarchiven von → Ḥattusa. Die Zahl der erh. Urkunden ist im Vergleich zu Mesopot. wesentlich geringer, was u. a. auch daran gelegen haben mag, daß neben
Tontafeln auch andere → Schreibmaterialien (Holztafeln) benutzt wurden. Insofern ist unser Wissen um die
V.-Praxis des hethit. Reiches lückenhaft. Erh. sind vorwiegend Urkunden, die den Eingang, die Thesaurie-
rung und die Redistribution von Abgaben (zumeist
Metall- und Textilprodukten) registrieren. Dabei handelte es sich u. a. um regelmäßige und ad-hoc-Kontrol-
len. Unterschiedliche Urkundenformulare und Tafel-
formate entsprachen den jeweiligen Dokumentations-
bedürfnissen [9]. Insofern lassen diese Urkunden eine
systematische Strukturierung der V. erkennen. Die Landes-V. war regional gegliedert, wobei jeweils mehrere
Gemeinden einer regionalen V.-Behörde (É.GAL = Palast) zugeordnet waren. Rechtswesen, Kult und allgemeine V. im Land wurden durch Dienstanweisungen an
die zuständigen Funktionsträger geregelt, das Verhältnis
zu den dem Reich einverleibten Territorien durch Va-
sallenverträge.

V. Syrien/Palaestina

Die in der Regel geringe territoriale Ausdehnung syrischer Staaten hatte insofern Einfluß auf die V.-Struk-
tur, als V. Teil der patrimonialen Palastorganisation war.
Zeugnisse dafür sind keilschriftliche V.-Urkunden aus
→ Ebla, → Alalaḫ, → Ugarit und Emar [8]. Für das aus-
gehende 2. Jt. und das 1. Jt. sind wegen des Wechsels zu
vergänglichem Schreibmaterial kaum Aussagen zu machen. Ausnahme sind die Zeugnisse des AT, die ebenfalls
eine auf den Herrscher bezogene V.-Struktur für die
Staaten → Juda und Israel erkennen lassen.

VI. Iran

Über die V.-Praxis unter den → Achaimenidai informieren die in → Elamisch verfaßten V.-Urkunden
aus dem für die → Persis zuständigen V.-Zentrum
→ Persepolis (bisher ca. 5000 Texte aus der Zeit von
492–458 v. Chr.). Danach wechselte die Amtssprache zu
Aramäisch, das auf vergänglichen Schreibstoffen geschrieben wurde (→ Reichsaramäisch). Die Urkunden
lassen eine umfangreiche, hierarchisch und nach Funktionen gegliederte Beamtenschaft erkennen. Charakteristisch erscheint das unmittelbare Eingreifen von Angehörigen des Herrscherclans in die täglichen V.-Vor-
gänge. Die V.-Struktur des Reiches war dreistufig:
Satrapien, Hyparchien und die lokale Ebene [13. 94–98,
102–119].

Mangels einheimischer oder auch aussagekräftiger
griech.-röm. Quellen ist über die V.-Strukturen bzw.
-Praxis der Arsakiden (→ Arsakes; ca. 250–224 v. Chr.)
wenig bekannt. Die Reichs-V. beließ Dynasten, die bereits unter den → Seleukiden tätig waren, in ihren Stellungen, soweit sie die parthische Oberherrschaft anerkannten. Verbunden damit war ein Recht auf regionale
Münzprägung. Außer diesen regna existierten Satrapien, die direkt dem Arsakidenherrscher unterstanden
[13. 197–199].

Besser unterrichtet ist man über die V. im Reich der
→ Sāsāniden aufgrund von Siegeln, Bullenlegenden,
Herrscherinschr., aber auch syr. Märtyrerakten. Wie in
parthischer Zeit war das Reich in »Königreiche« unterteilt, die von Dynasten und Königssöhnen verwaltet
wurden; daneben existierten reichsunabhängige Prov.
(šahr), verwaltet von → Satrapen (šahrab). Der šahrab war
mit zivilen Angelegenheiten (sowie Abgaben und vielleicht auch königl. Domänen-V.) betraut. Daneben existierte der mogbed (spiritueller oder ekklesiastischer
»Chef«) einer Prov., dem möglicherweise die V. der
Domänen des zoroastrischen Klerus oblag. Auf der Be-
zirksebene gab es das »Büro der Magier«, das u. a. für die
Schlichtung von Streitfällen auf lokaler Ebene zuständig
war. Den Ämtern auf Prov.-Ebene stand als Pendant auf
Reichsebene ein entsprechender Amtsträger gegenüber. Zudem existierten zahlreiche Ämter am Hof des
Herrschers, darunter die Hofkanzlei [13. 243–252].

→ Archiv; Herrscher; Oikos-Wirtschaft; Palast;
Sozialstruktur; Tempel; Urkunden

1 G. W. Ahlström, Administration of the State in Canaan
and Ancient Israel, in: J. M. Sasson (Hrsg.), Civilizations of
the Ancient Near East, 1995, 587–603 2 R. D. Biggs,
McG. Gibson, The Organization of Power – Aspects of
Bureaucracy in the Ancient Near East, 1987 3 W. Helck,

s. v. Landes-V., LÄ 3, 918–922 **4** B. KEMP, Ancient Egypt, 1989 **5** B. LION, Les gouverneurs provinciaux du royaume de Mari a l'époque de Zimri-Lim, in: D. CHARPIN, J.-M. DURAND (Hrsg.), Amurru 2. L'administration du royaume de Mari, 2002, 141–212 **6** H. J. NISSEN et al., Frühe Schrift und Techniken der Wirtschafts-V. im alten Vorderen Orient, 1990 **7** L. SASSMANNSHAUSEN, Beitr. zu V. und Ges. Babyloniens in der Kassitenzeit, 2001 · **8** J. D. SCHLOEN, The House of the Father – Patrimonialism in Ugarit and in the Ancient Near East, 2001 **9** J. SIEGELOVÁ, Hethit. V.-Praxis im Lichte der Wirtschafts- und Inventardokumente, 1986 **10** E. VON SCHULER, Hethit. Dienstanweisungen, 1957 **11** P. VILLARD, Les administrateurs de l'époque de Yasmah-Addu, in: s. [5], 9–140 **12** W. WATSON, N. WYATT, Handbook of Ugaritic Stud., 1999 **13** J. WIESEHÖFER, Das ant. Persien, 1993.

J. RE.

VII. GRIECHENLAND

Die V. der zahlreichen kleinen, eigenständigen Staaten, aus denen die griech. Welt bestand, lag nur selten bei professionellen V.-Beamten. In der Regel legten die Städte ihre V. so weit wie möglich in die Hände einzelner Bürger, die als Amateure die V.-Maschinerie am Laufen hielten. Doch bot diese »Amateur-Kultur« der griech. → pólis auch Möglichkeiten der Spezialisierung auf dem Feld der V.

Die meisten Informationen zur V. griech. Staaten bietet Athen (→ Athenai), das jedoch wegen seiner Größe, ausgeprägt demokratischen Struktur und Stellung als Vormacht des → Attisch-Delischen Seebunds und des Zweiten → Attischen Seebunds ein Sonderfall ist. So wie das demokratische Athen möglichst viele Bürger sowohl im Rat (→ ekklēsía) als auch in der Volksversammlung (→ dēmokratía) an der polit. Entscheidungsfindung zu beteiligen suchte, so war es auch bestrebt, möglichst viele Bürger reihum in die V. einzubeziehen: Die anfallende Arbeit wurde in zahlreiche kleine Bereiche geteilt, die jeweilige Aufgabe häufig auch einem Gremium übertragen (meist Gruppen von 10 Leuten; je einer aus jeder → phylḗ), die Beauftragten wurden durch → Los für ein Jahr bestellt und durften dasselbe Amt nicht erneut bekleiden. Sollte z. B. eine → Steuer erhoben werden, schlossen die → pōlētaí den entsprechenden Vertrag für das jeweilige Jahr mit einer Gesellschaft von Steuereinziehern; diese zahlte die Steuer bei Fälligkeit an die → apodéktai; unterblieb die fristgerechte Bezahlung, wurde sie von den → práktōres verfolgt ([Aristot.] Ath. pol. 47,2–48,2). Da zahlreiche Funktionen zu erfüllen waren, brachten viele Gremienmitglieder Erfahrungen aus früherer V.-Arbeit in ihre neue Tätigkeit ein. Viele Gremien wurden aus den Reihen der Ratsmitglieder bestellt; der Rat überwachte auch alle V.-Vorgänge. Die Schatzmeister der Tempel und andere Träger rel. Ämter galten als Teil des staatlichen V.-Apparats und wurden auf die gleiche Weise wie andere Amtsträger bestellt (z. B. die Schatzmeister der Athena: ebd. 8,1; 47,1; → tamías). Eine hierarchische Abstufung der Funktionen gab es nicht, doch bot sich für daran Interessierte die Möglichkeit, im Laufe ihres Lebens viele V.-Posten zu durchlaufen.

Nur wenige Posten erforderten spezielle Fertigkeiten und wurden folgerichtig nicht durch Los, sondern durch → Wahl besetzt, z. B. das Amt des »Sekretärs« (→ grammateís), der im Rat und in der → ekklēsía Dokumente zu verlesen hatte (ebd. 54,4). Im 4. Jh. v. Chr. wurde auch der Schatzmeister der → stratiōtiká durch Wahl bestimmt, vielleicht analog zu anderen mil. Amtsträgern, sowie der anfänglich wohl einzige Schatzmeister der → theōriká, später dann das zuständige Gremium (ebd. 43,1). Die Schatzmeister übten zusammen mit dem Rat die Aufsicht über die älteren erlosten Finanzgremien aus (ebd. 47,1) und brachten so einen Grad von Sachverstand in die Finanz-V. Athens. Die Beamten der theōriká verloren in den 330er Jahren durch ein von Hegemon eingebrachtes Gesetz an Kompetenzen (Aischin. or. 3,25; vielleicht durch Ersatz eines Einzelbeamten durch ein Gremium und Beschränkung der Amtszeit auf vier Jahre), doch nahm ein Beamter epí tēi dioikēsei eine ähnliche Position ein, die vielleicht von Lykurgos [9] als erstem bekleidet und im hell. Athen schließlich als Aufgabe eines Gremiums beibehalten wurde [7. 104–109; 235–240].

Da in Athen der Umfang an Aktenführung erheblich war, amtierten mehrere Sekretäre und nachgeordnete Sekretäre; der Hauptsekretär des Staates wurde jeweils für die Dauer einer Prytanie (ca. 35 Tage) bis in die 360er Jahre aus den Ratsmitgliedern genommen, danach für ein Jahr aus Freiwilligen, wobei die Bestellung gewöhnlich reihum durch jede phylḗ erfolgte ([Aristot.] Ath. pol. 54,3; vgl. [7. 135–141]). Es waren Bestandslisten der Tempelschätze (vgl. [6]) und Schiffsarsenale (vgl. [5]) zu erstellen und häufig inschr. zu fixieren, verschiedene Verträge abzuschließen, z. B. für die Einziehung der Steuern und die Verpachtung der Minen, und Gesetze, Volksbeschlüsse und Gerichtsurteile zu protokollieren. Als Hilfspersonal wurden öffentliche Sklaven (→ dēmósioi) genutzt, die Urkundenmaterial verwalteten und auf Wunsch vorlegten und Hilfe bei den ausgefeilten Prozeduren der Gerichtshöfe leisteten (ebd. 47,5–48,1; 63–65; 69,1); in einer Inschr. (IG II² 120,11–19) wird ein namentlich genannter Sklave aufgefordert, den Inhalt des Arsenals aufzunehmen, und den öffentlichen Schriftführeren aufgetragen, das Verzeichnis zu bestätigen. Zu den Aufgaben öffentlicher Sklaven gehörte es auch, Münzen zu prüfen und ihre Echtheit zu garantieren (SEG 36,72).

Föderativ organisierte Staaten und Verbände von Bundesgenossen entwickelten neben der V. der Poleis auch eigene V.-Apparate. So wählten die Athener im 5. Jh. v. Chr. aus ihren Bürgern die → hellēnotamíai als Schatzmeister des → Attisch-Delischen Seebunds (Thuk. 1,96,2). Im zweiten → Attischen Seebund des 4. Jh. führte nicht ein Athener, sondern ein Beauftragter der verbündeten Staaten den Vorsitz im → synhédrion [1. 229–244].

→ Hof; Hoftitel

1 S. ACCAME, La lega ateniese del secolo IV a. C., 1941 **2** A. BOECKH, Die Staatshaushaltung der Athener, Bd. 1 und

2, 1817, ³1886; Bd. 3, 1840 **3** Busolt/Swoboda
4 H. Francotte, Les finances des cités grecques, 1909, Ndr.
1964 **5** V. Gabrielsen, Financing the Athenian Fleet, 1994
6 D. Harris, The Treasures of the Parthenon and
Erechtheion, 1995 **7** P. J. Rhodes, The Athenian Boule,
1972.   P. J. R.

VIII. Rom
A. Republik B. Kaiserzeit

A. Republik

Die gesellschaftliche Ordnung der röm. Republik
einerseits und die Struktur des grundsätzlich allumfas-
senden → *imperium* der röm. Obermagistrate (→ *consul*
und → *praetor*) ließen in Rom wenig Raum für die Entstehung einer V. im modernen Sinn. Die Macht des
→ *pater familias* über alle zum Haushalt gehörigen Personen und die Fürsorgepflicht des → *patronus* für seine
→ *clientes* banden große Teile der Ges. (Freie, → Freigelassene und → Sklaven) an den sozialen, wirtschaftlichen und polit. Gestaltungswillen der Oberschicht, der
seinerseits über personale Beziehungen und institutionell im → *senatus* gebildet wurde. Die im *imperium* der
Magistrate (→ *magistratus*) zusammenfließenden hoheit-
lichen, mil. und zivilen Kompetenzen verhinderten den
Aufbau einer gesonderten zivilen V.; die prinzipiell in
der Schaffung der Praetur (→ *praetor*) als Gerichtsmagistrat (366 v. Chr.) angelegte Möglichkeit der Trennung
von mil. und ziviler Gewalt wurde – sofern sie als Konzept jemals bestand – nicht weiterverfolgt. Lediglich
in den Ämtern der → *aediles* und der → *viginti(sex)viri* lassen
sich im engeren Sinn verwaltende Tätigkeiten innerhalb
der Stadt Rom sowie in Campanien erkennen, wobei
auch hier der jährliche Wechsel keine Professionalisierung erlaubte. Eine gewisse Kontinuität des V.-Han-
delns entstand beim Hilfspersonal der Magistrate, den in
Abteilungen (*decuriae*) organisierten → *apparitores*, die
aus frei geborenen röm. Bürgern und Freigelassenen
(zuweilen auch der jeweiligen Magistrate) bestanden,
und den Staatssklaven (*servi publici*). Sie waren auch in
den Archiven (→ *tabularium*) beschäftigt, halfen beim
→ *census* und stellten das Personal, das den Amtsträgern
in den Prov. zur Hand ging; doch hatten auch sie in
weitem Umfang eher die Aufgabe, die röm. Macht zu
repräsentieren als Verwaltungsaufgaben zu übernehmen
(→ *lictor*; → *scriba*).

Das wachsende Herrschaftsgebiet Roms in It. und
den Prov. änderte an den V.-Erfordernissen wenig: In
It. war in den von röm. Bürgern bewohnten Städten die
→ *potestas* der → *quattuorviri* oder → *duoviri* vergleichbar
allumfassend wie das *imperium*. Deshalb lagen politische
und exekutive Funktionen in derselben Hand. Die Gemeinden der → *socii* behielten ihre Selbstverwaltung,
ihre Oberschicht stand meist in einer Art Klientelbezie-
hung zu Angehörigen der röm. → *nobiles*, so daß auch
hier kein von Rom zu bewältigender V.-Bedarf entstand. Dies galt gleichermaßen für die seit 227 v. Chr.
Schritt für Schritt eingerichteten → *provinciae*, in denen
Magistrate oder Promagistrate als → Statthalter die röm.

Macht repräsentierten, die V.-Tätigkeit aber den dortigen Gemeinden überlassen konnten, da im Konflikt-
fall der röm. Wille jederzeit mil. durchgesetzt werden
konnte. Wesentlich zur Minderung des V.-Umfangs
trug das – in der Ant. allg. übliche – Verfahren bei, private Unternehmer mit staatlichen Aufgaben in Rom
und den Prov. zu betrauen, etwa mit dem Einzug von
Steuern und Abgaben, dem Bau von Flotten, Häfen
oder Straßen, ebenso von öffentlichen und sakralen
Bauten (→ *publicani*; → *equites Romani*).

B. Kaiserzeit

Mit der Änderung des polit. Systems unter → Augustus trat kein abrupter Wechsel ein; doch wurden
Voraussetzungen geschaffen, die V. stärker von polit.
Entscheidungen zu trennen. Entscheidend war dafür die
Ausbildung einer monarchischen Spitze, von der her im
Laufe der Zeit jede Tätigkeit staatlicher Amtsträger ge-
steuert und kontrolliert werden konnte; denn faktisch
fühlten sich seit der Spätzeit des Augustus alle Amtsträger vom → *princeps* abhängig, obwohl dies zumindest bei
den Proconsuln (→ *proconsul*) rechtlich nicht der Fall
war.

In Rom selbst wurden bereits unter Augustus neue
Funktionsträger ernannt, die für gewisse bisher vornehmlich von den Censoren oder Aedilen betreute Bereiche des städtischen öffentlichen Lebens (→ *cura* [2])
verantwortlich waren, nämlich v. a. die *curatores aquarum*
für die Wasserversorgung, die *curatores aedium sacrarum et*
operum locorumque publicorum für die Pflege der Tempel
und der öffentlichen Gebäude und Plätze sowie die *cura*
alvei Tiberis für die Regulierung des Tiber. Ferner wurden einzelne Bereiche an senatorische *praefecti* gegeben:
die Verteilung des kostenlosen Getreides (→ *cura annonae*
II.; → *praefectus* [10]), die Leitung des *aerarium Saturni*
(→ *aerarium*; → *praefectus* [2]) sowie des *aerarium*
militare (→ *praefectus* [2]). Daneben entwickelten sich aus konkreten Erfordernissen des öffentlichen Lebens und der
zentralen polit. Funktion des Princeps neue Funktionen, die nicht mehr Personen aus der bisherigen Führungsschicht, den Senatoren, übertragen wurden, sondern Personen aus dem Ritterstand, aus dem Militär und
v. a. den Sklaven und Freigelassenen des Princeps selbst.
So wurde in Rom noch unter Augustus ein → *praefectus*
[4] *annonae* für die Getreideversorgung der Hauptstadt
sowie ein → *praefectus* [16] *vigilum* eingesetzt. Um den
Princeps entwickelten sich Funktionsbereiche (»Büros«)
für die Finanzen (*a* → *rationibus*), die Korrespondenz (*ab*
→ *epistulis*), das Bittschriftenwesen (*a* → *libellis*) und für
das private Hausgut des Princeps (*a patrimonio*; → *patri-*
monium D.). Vor allem aber übernahmen die Praetorianerpraefekten (→ *praefectus praetorio*) Schritt für Schritt
neben ihrer Schutzfunktion als Kommandeure der Garde auch Aufgaben im administrativen Bereich. All diese
Funktionsbereiche standen anscheinend nebeneinander; eine hierarchische Gliederung ist zumindest nicht
erkennbar. Fast alle diese genannten Funktionsträger
wirkten in Rom, doch betraf ihre Tätigkeit auch die
Provinzen.

Ebenfalls durch Augustus wurden in allen Provinzen unmittelbar von ihm abhängige und beauftragte Prokuratoren (→ *procurator* [1] und [2]) für die Leitung der Finanzen eingesetzt: in den *provinciae Caesaris* Finanzprokuratoren, den *provinciae populi Romani* Patrimonialprokuratoren. Seit der Mitte des 1. Jh. n. Chr. kamen Schritt für Schritt auch Prokuratoren für einzelne → Steuern hinzu, v. a. die Erbschaftssteuer (*vicesima hereditatum*), daneben für große Domanialbezirke, für Bergwerke und für Zollbezirke. Diese Funktionsträger verfügten in größerem Umfang über Personal aus kaiserlichen Sklaven und Freigelassenen, schufen aber dennoch keine flächendeckende V. mit vielen dezentralen Büros. Vielmehr erfolgte z. B. die Erhebung der Grund- und Kopfsteuer immer noch lokal durch Steuerpächter (→ *publicani*) oder die Amtsträger der städtischen oder regionalen Selbstverwaltung. Ebensowenig knüpften die Statthalter ein flächendeckendes administratives Netz in ihren Prov., doch entstand an dem Ort, an dem sich der höchste Vertreter der röm. Macht am längsten aufhielt, dem *caput provinciae*, mit der Zeit ein Archiv, das die Kontinuität von V. erleichterte. Das Personal der Legaten (→ *legatus* 4. und 5.), teilweise aber auch der Proconsuln, wurde den Truppen der jeweiligen Prov. entnommen; auch dieses Personal entwickelte eine über die Dienstzeit des Statthalters hinausgehende Kontinuität.

Die hierarchische Struktur war im 1. und 2. Jh. noch sehr einfach, da wohl alle senatorischen und ritterlichen Amtsträger nur den Princeps als übergeordneten Bezugspunkt hatten. Erst im Verlauf des 3. Jh. scheint sich eine stärker gestaffelte Hierarchie entwickelt zu haben, die eine Unterordnung auch der hohen provinzialen Funktionsträger unter die Leiter der stadtröm. administrativen Bereiche, etwa den *praefectus annonae* oder den *a rationibus* zur Folge hatte. Dabei gewann die Schriftlichkeit, die allerdings von Anfang an vorhanden war, ein immer höheres Gewicht.

Die administrativen Reformen seit Diocletianus (→ Diocletianus C.; → Constantinus [1]) bauten auf diesem so gestalteten System auf und entwickelten es fort, wobei sich mit der Neuschaffung der Ämter des → *magister militum* und des → *magister officiorum* die sich im 3. Jh. bereits entwickelnde Trennung von mil. und administrativen Funktionen unterhalb der Ebene der kaiserlichen Allgewalt durchsetzte. Dies führte u. a. zum Ausbau einer vielgliedrigen und personalintensiven V. (→ Diocletianus C.: Schaubild zur Reichsverwaltung; → *Notitia dignitatum*; → Roma I. E. 3.).

→ Bürokratie

L. DE BLOIS (Hrsg.), Administration, Prosopography and Appointment Policies in the Roman Empire, 2001 · P. BRUNT, Roman Imperial Themes, 1990 · W. ECK, Die V. des röm. Reiches in der Hohen Kaiserzeit, Bd. 1, 1995; Bd. 2, 1998 · Ders., Imperial Administration and Epigraphy: In Defence of Prosopography, in: FS Fergus Millar, Oxford (im Druck) · P. EICH, Zur Metamorphose des polit. Systems Roms in der Kaiserzeit, Diss. Köln 2002

(im Druck) · R. HAENSCH, Capita provinciarum. Statthaltersitze und Provinzialverwaltung in der röm. Kaiserzeit, 1997 · F. JACQUES, J. SCHEID, Rome et l'intégration de l'Empire, Bd. 1: Les structures de l'Empire romain 44 av. J.-C. – 260 ap. J.-C., 1990 (⁴1997; dt. 1998) · R. SCHULZ, Herrschaft und Regierung. Roms Regiment in den Prov. in der Zeit der Republik, 1997. W. E.

IX. BYZANZ

Das von → Constantinus [1] I. d. Gr. begründete V.-System, das für die Spätant. bzw. die frühbyz. Epoche (4.–6. Jh. n. Chr.) seine Geltung behielt, bildete die Basis für die weitere Entwicklung in der Zeit vom 7. bis zum 10./12. Jh. Doch wurde nun statt der zuvor lat. eine griech. Terminologie verwendet, und oft lassen sich die neuen mit den alten Kategorien nicht eindeutig zur Deckung bringen. Ferner war das System auch über die folgenden Jh. hinweg einem kontinuierlichen Wandel unterworfen, so daß genauere Beschreibungen nur für einen eng umgrenzten Zeitraum möglich sind. Für die Übersicht über die Zentral- und Provinz-V. der Epoche wurden im wesentlichen die Angaben eines »Handbuches der Sitzordnung bei kaiserlichen Banketten« (κλητορολόγιον/→ *klētorológion*) ausgewählt, das 899 von dem Speisemeister Philotheos verfaßt wurde (Ed.: [4. 65–235]), ergänzt durch Angaben aus einem der drei überl. τακτικά (→ *taktiká* [3], »Ranglisten«) des 9./10. Jh., dem *Taktikón Beneševič* von 934/44 (Ed.: [4. 237–253]).

Die Zentral-V. der Epoche läßt sich grob in die folgenden Bereiche gliedern: Palast-V., Kaiserkanzlei, Finanz-V., das kombinierte Ressort Post, Straßen und Außenpolitik, sowie Justiz und Militär. Das Amt des → *magister officiorum*, der mehrere dieser Bereiche kontrolliert hatte, erlosch im frühen 7. Jh. und bestand auch nicht unter anderem Namen weiter.

Die Palastbeamten, seit dem 4. Jh. meist → Eunuchen, unterstanden fortan dem παρακοιμώμενος (→ *parakoimómenos*, »der in der Nähe des Kaisers schläft«). Die kaiserliche Kanzlei führte zu Anf. der Epoche der πρωτασηκρήτης (→ *prōtasēkrḗtēs*), an dessen Stelle ab dem 9. Jh. mehr und mehr der ἐπὶ τοῦ κανικλείου (*epí tu kanikleíu*, »Tintenfaßbewahrer«) trat. In der Finanz-V., die als ganze dem σακελλάριος (*sakellários*) untersteht, ist das γενικόν (*genikón*, »Ressort für die allgemeinen Finanzen«) vom ἰδικόν (*idikón*, »Ressort für spezielle Ausgaben«) zu unterscheiden. Beide Behörden wurden je von einem λογοθέτης (→ *logothétēs*, »Verantwortlicher«) geleitet. Die kaiserlichen Domänen verwaltete ein μέγας κουράτωρ (*mégas kurátōr*, »Großverwalter«). Der λογοθέτης τοῦ δρόμου (→ *logothétēs tu drómu*, »Verantwortlicher für die Straße«) war für die Fernstraßen, das Postwesen und zugleich für die Außenpolitik zuständig.

Seit dem 7. Jh. war der ἔπαρχος τῆς Πόλεως (*éparchos tēs Póleōs*, »Stadtpraefekt von Konstantinopolis«) oberster Richter der Reichszentrale. Ihm unterstand der ἐπὶ τῶν δεήσεων (*epí tōn deéseōn*, »Zuständiger für Bittgesuche«), der die Appellationen entgegenzunehmen hatte. Zivilangelegenheiten und deren Beurkundung bearbeitete der κυαίστωρ (*kyaístōr*, vgl. lat. *quaestor*).

Verwaltung des Römisch–Byzantinischen Reiches um 900 n. Chr., nach dem Handbuch des Philotheos, 899

Angeführt sind die leitenden Positionen. Nummern bezeichnen die Rangstelle bei Philotheos.

Ggf. verweist ein Pfeil > auf untergeordnete Beamte. Zusätze nach Taktikon Beneševič (934/44) = B

Kaiser
Zentralverwaltung

Palast

1. Parakoimómenos > Eunuchenämter
2. Prōtobestiários (Bewahrer der Kleiderkammer)
3. Epí tēs trapézēs (Speisemeister)
4. Pinkérnēs (Mundschenk)
5. Papías (Hausmeister und Türhüter)
6. Tēs katastáseōs (Zeremonienmeister)

Palastmauern
Kómēs teichéōn

Kanzlei

1. Epí tu kanikleíu (⟨Bewahrer⟩ des ⟨kaiserlichen⟩ Tintenfasses)
2. Prōt(o)asēkrḗtis (Erster Sekretär) > Asēkrḗtis (Sekretäre oder Notare)

Fernstraßen/Post/Außenpolitik

1. Logothétēs tu drómu (Verantwortlicher für die Straße)
2. Prōtonotários tu drómu > Chartulárioi

Justiz

1. Éparchos tēs Póleōs (Praefekt von Konstantinopel)
2. Kyaistōr (Quaestor)
3. Epí tōn deḗseōn (Zuständiger für Bittgesuche)

Militär

Logothétēs tu stratiōtiku (Verantwortlicher für das Heer)

Flotte
Drungários ploḯmōn (Flottenadmiral)

Reittiere
1. Logothétēs tōn agelōn (Verantwortlicher für die Reittierherden)
2. Prōtostrátōr (Erster Stallmeister)
3. Kómēs tu staúlu (Zweiter Stallmeister)

Finanzen

1. Sakellários (Leiter des Fiskus)
2. Logothétēs tu genikú (Verantwortlicher für die allg. Finanzen)
3. Logothétēs tu idikú (Verantwortlicher für spezielle Ausgaben)
4. Mégas kurátōr (Domänenverwalter)

Garden

1. Hetaireiárchēs
2. Prōtospathários tōn basilikōn

Tágmata (Zentralarmee)
(Dom. = Doméstikos)
1. Dom. tōn scholōn
2. Dom. tōn exkubitōn
3. Drungários tu arithmú oder tēs bíglas
4. Dom. tōn hikanátōn
5. Dom. tōn numérōn
6. Dom. tōn optimátōn

Provinzverwaltung (Themen = Thémata; Str. = Stratēgós)

Italien
Str. Sikelías
Str. La(n)gobardías, B

Ionisches Meer
Str. Kephallēnías

Balkan
Str. Peloponnḗsu
Str. Nikopóleōs
Str. Helládos
Str. Strymónos
Str. Thessaloníkēs
Str. Dyrrhachíu
Str. Dalmatías

Nordküste des Schwarzen Meeres
Str. Chersōnos

Ägäis
Str. Sámu
Str. Aigaíu Pelágus

Anatolien (West)
Str. Thrakēsíōn
Kómēs Opsikíu

Anatolien (Mitte)
Str. Anatolikōn
Str. Bukellaríōn
Str. Kappadokías
Str. Paphlagonías
Str. Kibyrrhaiōtōn

Anatolien (Ost)
Str. Armeniakōn
Str. Charsianú
Str. Kolōneías
Str. Chaldías
Str. Likandú, B
Str. Sebasteías, B
Str. Leontokōmeōs, B
Str. Seleukeías, B

Das Militärwesen des byz. Reiches unterstand dem λογοθέτης τοῦ στρατιωτικοῦ (*logothétēs tu stratiōtikú*), der aber nur begrenzte Vollmachten hatte. Das Militär gliederte sich in ἑταιρεῖαι (*hetaireíai*, »Palastgarden«), τάγματα (*tágmata*, »die dem Kaiser verfügbare Zentralarmee«), die Truppenabteilungen der θέματα (*thémata*, s.u.) und das πλώϊμον (*plóïmon*, »Flotte«).

In der Provinz-V. ist der Übergang zum System der von einem στρατηγός (→ *stratēgós*, »General«) verwalteten *thémata* (»Themen«, d. h. Militärprovinzen, Sing.: → *théma*) das bes. Charakteristikum der Epoche. Die neuere Forsch. hat gezeigt, daß es nicht einem schöpferischen Akt kaiserlichen Reformeifers zu verdanken ist, sondern einerseits an die bereits in der Spätant. bestehenden Provinzarmeen anknüpfte [1; 2], andererseits in einem ca. 200 J. dauernden Entwicklungsprozeß zu seiner vollen Ausformung kam [3], dessen Ergebnis im *Klētorológion* des Philotheos und im *Taktikón Beneševic* (s.o.) erkennbar ist (s. Tabelle).

→ Hof; Hoftitel

1 J. F. HALDON, Byzantium in the Seventh Century, 1990 2 Ders., Administrative Continuities and Structural Transformations, in: Ders. (Hrsg.), State, Army and Society in Byzantium, 1995, Nr. 5 3 R.-J. LILIE, Die zweihundertjährige Reform, in: Byzantinoslavica 45, 1984, 27–39; 190–201 4 N. OIKONOMIDÈS, Les listes de préséance byzantines des IXe et Xe siècles, 1972 (mit frz. Übers., Komm.) 5 P. SCHREINER, Byzanz, ²1994.   F. T.

Verwandtschaft I. ALTER ORIENT UND ÄGYPTEN II. KLASSISCHE ANTIKE

I. ALTER ORIENT UND ÄGYPTEN

Sowohl die sumerischen als auch die akkadischen V.-Bezeichnungen sind – soweit nicht Primärnomina wie Vater (sumer. a.a, akkad. *abu*), Mutter (sumer. ama, akkad. *ummu*), Sohn (sumer. dumu, akkad. *māru*), Tochter (sumer. dumu.munus, »weibl. Sohn«, akkad. *mārtu*), Bruder (sumer. šeš, akkad. *ahu*), Schwester (sumer. nin, akkad. *ahātu*, »weibl. Bruder«) vorliegen – analytischer Natur (z. B. akkad. *abi abi* bzw. *abi ummi*, Großvater väterlicher- bzw. mütterlicherseits; Bruder des Vaters = Onkel). Im Sumer. bezeichnet šeš.bànda (wörtl. »kleiner Bruder«) auch den Neffen, was darauf hindeutet, daß generell Geschwister und Cousins gleich bezeichnet werden konnten. Eine bes. Rolle des älteren Bruders wird in der sumer. Myth. im Verhältnis zw. dem Gott → Enlil, dem höchsten Gott des sumer. Pantheons, und seinem älteren Bruder Enki sichtbar.

Aus dem Bereich amoritischer Nomaden (→ Amurru [1]) stammen Zeugnisse, die die bes. Rolle des (ältesten) Bruders der Mutter erkennen lassen, für den ein eigenes Wort (*hālum*) existierte [4].

Das Erbrecht war strikt patrilinear vom Vater auf den Sohn/die Söhne ausgerichtet. Der Erbsohn, für den es einen eigenen Terminus gab (sumer. ibila; akkad. *aplu*), war für Totenopfer und Ahnenkult (→ Vorfahren) verantwortlich. Adoption fand zwecks Bewahrung des Fa-

milienvermögens oft innerhalb der engeren V. statt, etwa eines Neffen durch dessen unverheiratete Tante [3. 154]. Bezeugte Thronfolgen weisen sowohl für die frühe sumer. Gesch. als auch für die Zeit der 3. Dyn. von → Ur (21. Jh. v. Chr.: Utuhegal – → Urnamma; Amarsin – Šusin) auf Bruderfolge hin. In der Gudea-Dyn. (22. Jh. v. Chr.) scheint das Prinzip der *cross-cousin-marriage* die Thronfolge bestimmt zu haben [5].

Polit. Über-, Unter- oder Gleichordnung wurden in Mesopot. (→ Pantheon) sowie im AT (»Völkertafel«, Gn 11) verschiedentlich in fiktiven V.-Beziehungen ausgedrückt.

Im Äg. [1] können die Wörter für Vater (*jt.f*) und Mutter (*mw.t*) auch die entsprechenden Mitglieder der nächsthöheren Generation bezeichnen, im Falle von Sohn (*z3*) und Tochter (*z3.t*, d. h. »weibl. Sohn«) auch Angehörige der beiden nächstniederen Generationen (Enkel, Urenkel). Die Termini für Bruder (*sn*) bzw. Schwester (*sn.t*, »weibl. Bruder«) gelten auch für Onkel, Tanten, Neffen und Nichten sowie Schwager oder Schwägerin. Das äg. V.-System war bilateral, d. h. Verwandte väter- und mütterlicherseits wurden gleich bezeichnet. Allerdings schließt diese Art der V.-Bezeichnung eine exakte Bezeichnung durch zusammengesetzte Formen (also Bruder des Vaters etc.) nicht aus. Es wurde streng zw. linealen und kollateralen Verwandten geschieden. Im Toten- und Ahnenkult kam dem Sohn eine bevorzugte Rolle zu. Vererbt werden konnte von Vater oder Mutter an Söhne oder Töchter. Bestimmte Heiratsregeln oder -muster lassen sich bisher nicht erkennen.

Die verwandtschaftlichen Beziehungen in Mesopot., Äg., Syrien-Palaestina und im Hethiterreich folgten in histor. Zeit strikt patrilinearen Mustern. Spuren eines ehemaligen Matriarchats oder von Matrilinearität lassen sich bisher nicht nachweisen.

→ Ehe; Familie; Frau; Personenrecht; Vorfahren

1 D. FRANKE, s. v. V.-Bezeichnungen, LÄ 6, 1032–1036 2 F. R. KRAUS, Könige, die in Zelten wohnten, 1965 3 J. RENGER, Unt. zum Priestertum in altbabylon. Zeit, in: ZA 59, 1969, 104–230 4 Ders., *mārat ilim*: Exogamie bei semitischen Nomaden im zweiten Jt. v. Chr., in: AfO 24, 1973, 103–107 5 Ders., The Daughters of Urbaba, in: B. L. EICHLER et al. (Hrsg.), FS Kramer, 1976, 367–369 6 C. WILCKE, Familiengründung im alten Babylonien, in: E. W. MÜLLER (Hrsg.), Geschlechtsreife und Legitimation zur Zeugung, 1985, 213–317.   J. RE.

II. KLASSISCHE ANTIKE
A. DEFINITION   B. GRIECHENLAND   C. ROM

A. DEFINITION

V. als eine Verbindung mehrerer Personen, die von gemeinsamen Stammeltern abstammen, erfährt in jeder Kultur unter Einfluß der rel., gesellschaftlichen und polit. Strukturen eine spezifische Ausprägung. In der neueren althistorischen Forsch. ist die Unt. antiker V.-Verhältnisse entscheidend von den Modellen und Theorien der anthropologischen bzw. ethnologischen Lit. angeregt und beeinflußt. Aufgrund der Quellenlage beschränken sich Arbeiten zur griech.-röm. V. allerdings überwiegend auf die uns bekannten Gruppen der besitzenden Oberschicht. Hinzu kommt, daß V. in den ant. Rechtsquellen zu → Erbrecht und Heiratsregeln zwar genau bestimmt wird, die Bed. von V.-Beziehungen in der sozialen Praxis jedoch schwer zu erschließen ist.

B. GRIECHENLAND

Die sakral- und familienrechtliche Zugehörigkeit zur V. (συγγένεια/ *syngéneia*) hing in Athen seit der Mitte des 5. Jh. v. Chr. von der Abstammung aus einer zw. Inhabern des Vollbürgerrechts geschlossenen rechtmäßigen → Ehe ab. Mit der Eheschließung erfolgte die Gründung eines → *oíkos*, der die Grundeinheit der → *pólis* bildete. Infolgedessen zielte auch die Gesetzgebung, insbes. das Ehe- und Erbrecht, auf die Erhaltung der *oíkoi* (Isaios 4,15; 6,9; 6,28; 6,63; 7,30; 11,1–4); aber auch die Demen (→ *démos* [2]) und → Phratrien waren an der Bewahrung der *oíkoi* ihrer Mitglieder interessiert.

In der V. standen die Agnaten im Zentrum. Die engere V. der ἀγχιστεία/→ *anchisteía*, in deren Zuständigkeit die Familien- und → Totenkulte fielen, erstreckte sich zwar auf seiten des Vaters und der Mutter bis auf die Kinder der Cousins und Cousinen, doch standen auch hier die Agnaten an erster Stelle, bes. aber beim Epiklerat (→ *epíkleros*). Für die Ehe wurden Partner aus der cognatischen V. bevorzugt: Zwar waren Ehen zw. Geschwistern sowie zw. Eltern und Kindern verboten, Ehen zw. Halbgeschwistern und zw. Cousins und Cousinen ersten Grades sowie zw. Onkel und Nichte sind jedoch bezeugt. Gleiches gilt für die → Adoption, bei der es als ungewöhnlich galt, nicht auf Angehörige der V. zurückzugreifen. Als Grund für das hier herrschende Prinzip der Endogamie wird nicht die Vorstellung von V. als einer Solidargemeinschaft angenommen, sondern zunächst das Bestreben, den *oíkos* und seinen Besitz ungeteilt zu vererben, daneben aber auch, den Totenkult für die Verstorbenen durch legitime agnatische Nachkommen zu garantieren.

C. ROM

1. GESELLSCHAFTLICHE BEDEUTUNG
2. HEIRATSREGELN 3. TERMINOLOGIE UND AFFEKTIVE BEZIEHUNGEN 4. KULT

1. GESELLSCHAFTLICHE BEDEUTUNG

In Rom existierte eine sehr präzise Terminologie für V. (*necessitudo*) und V.-Verhältnisse; unter → *cognatio* wurde die V. mütterlicherseits, aber auch die gesamte V. verstanden, während die patrilineare V. als → *agnatio*, die Schwägerschaft als *affinitas* und die V. allgemein und speziell zw. Geschwistern als *consanguinitas* bezeichnet wurde.

Die Bed. der V. für die röm. Gesellschaft wird von Cicero betont: *prima societas in ipso coniugio est, proxima in liberis, deinde una domus, communia omnia; id autem est principium urbis* [...]. *Sequuntur fratrum coniunctiones, post con-*

sobrinorum sobrinorumque, [...] *sequuntur conubia et affinitates, ex quibus etiam plures propinqui; quae propagatio et suboles origo est rerum publicarum* (Cic. off. 1,54: ›Die erste Gemeinschaft besteht in der Ehe selbst, die nächste in den Kindern, dann folgt das eine Haus und die Gütergemeinschaft; dies ist gleichsam der Ursprung der Stadt [...] Es folgen die Verbindungen der Brüder, danach die der Geschwisterkinder von väterlicher und mütterlicher Seite, [...] es folgen ferner die Eheverbindungen und Verschwägerungen, aus denen noch mehr Verwandte stammen. Diese Fortpflanzung und Nachkommenschaft ist die Entstehung der Gemeinwesen‹; → *res publica*). Die V.-Beziehungen charakterisieren hier agnatische und cognatische Elemente. Kleinste Einheit der V. war die unter der Gewalt des → *pater familias* stehende Kernfamilie. Bis auf die Ehefrauen trugen alle Mitglieder einschließlich der → Freigelassenen und Adoptierten den Namen der → *gens*, die Söhne zusätzlich das → Cognomen der Familie.

Das Erbrecht war zunächst streng agnatisch geregelt. In der späten Republik bezog die praetorische → *bonorum possessio* jedoch auch die *cognati* in den Kreis der Erbberechtigten ein.

2. HEIRATSREGELN

Es werden in deszendenter/aszendenter und kollateraler Richtung sieben V.-Grade unterschieden (Dig. 38,10); innerhalb dieser Grade sprach die Frau alle *consobrini* und *sobrini* als *fratres* an, diese wiederum begrüßten sie täglich mit dem verwandtschaftlichen *osculum* (→ »Kuß«; Pol. 6,11a,4; Plut. qu. R. 6 = Plut. mor. 265b-e). Daraus wurde ein frühes röm. Heiratsverbot bis zum 6. Grad erschlossen: Solche Heiraten waren ungültig und galten als *nefas* (→ *fas*) bzw. *incestum* (→ *incestus*), Kinder aus diesen Verbindungen als vaterlos (Gai. inst. 1,64). Das Verbot wurde erst abgeschwächt, als Claudius [III 1] die Tochter seines Bruders heiratete (Tac. ann. 12,5–7), auch wenn weiterhin das Verbot bestand, die Tochter der *amitina* (der Vaterschwester) zu heiraten (Gai. inst. 1,62). Dieses exogame Prinzip war auf Austausch angelegt, und die Herstellung von gegenseitig verpflichtenden sozialen Bindungen bestimmte auch die komplexen V.-Strukturen, die durch → Adoption, mehrmalige Heiraten und → Scheidungen ständig verändert werden konnten. Zu diesen Bindungen gehörten die durch Heirat erworbenen, nicht nach Graden unterschiedenen *affines*, Schwiegereltern und -kinder der Ehepartner (Dig. 38,4,3–7). Auch hier bestand ein Heiratsverbot, das durch den Tod der die *affinitas* begründenden Ehefrau nicht endete; ebenso fielen Eheverbindungen mit Stiefeltern, Halbgeschwistern und mit Adoptivkindern unter das Eheverbot.

3. TERMINOLOGIE UND AFFEKTIVE BEZIEHUNGEN

Über die Strukturierung der V. im sozialen und affektiven Bereich gibt die V.-Terminologie Aufschluß: Noch in der Prinzipatszeit kam neben dem *pater familias* agnatischen Verwandten, dem Bruder (*patruus*) und der Schwester (*amitina*) des Vaters, die Funktion zu, die nächste Generation streng in die gesellschaftlichen Normen einzuführen, um das Ansehen der agnatischen Familie zu wahren. Zum Bruder der Mutter (*avunculus*, wörtl. »Großväterchen«) bestand hingegen eine affektive Beziehung, die mit Milde einherging; der Nichte war er Beschützer und Verteidiger. Für die Schwester der Mutter (*matertera*) ist durch den Kult der → Mater Matuta eine sehr alte, enge Beziehung zu den Töchtern der Schwester bezeugt. Die soziale Bed. dieser begrifflichen Differenzierung und die damit verbundenen Rollenerwartungen sind allerdings zuletzt kritisch in Frage gestellt worden [14].

4. KULT

Der Kult der → Mater Matuta und die agnatisch geprägten → *Parentalia*, an denen die Ahnen geehrt wurden, deuten darauf hin, daß seit der Frühzeit cognatische und agnatische Elemente die röm. V. auch im kultischen Bereich kennzeichneten. Bei der öffentlichen Repräsentation der Familie wurde die bilaterale V. betont: Die im *atrium* angebrachten *stemmata* (Suet. Galba 2; vgl. Sen. benef. 3,28,2) wiesen auf die Leistungen der agnatischen und der cognatischen Vorfahren hin; beider *imagines* (→ *imagines maiorum*) wurden dem Trauerzug vorangetragen (→ Bestattung D.2.). Die seit dem frühen Prinzipat auftretende Polyonymie in der Aristokratie sollte ebenfalls oft durch Hinweis auf berühmte *cognati* die eigene *dignitas* erhöhen.

→ Adoption; Agnatio; Cognatio; Erbrecht; Familie; Gens; Oikos; Sozialstruktur

1 J. ANDREAU, H. BRUHNS (Hrsg.), Parenté et stratégies familiales dans l'antiquité romaine, 1990 2 M. BETTINI, Anthropology and Roman Culture. Kinship, Time, Images of the Soul, 1988 3 Ders., Familie und V. im ant. Rom, 1992 4 K. R. BRADLEY, Discovering the Roman Family, 1991 5 J. GOODY, Die Entwicklung von Ehe und Familie in Europa, 1989 6 S. HUMPHREYS, The Familiy, Women and Death, 1983 7 D. I. KERTZER, R. P. SALLER (Hrsg.), The Family in Italy from Antiquity to the Present, 1991 8 K.-H. KOHL, Ethnologie – die Wiss. vom kulturell Fremden, 1993, 32–52 9 J.-U. KRAUSE, Die Familie und weitere anthropologische Grundlagen (Bibliographie zur röm. Sozialgeschichte 1), 1992 10 W. K. LACEY, The Family in Classical Greece, 1968 11 C. B. PATTERSON, The Family in Greek History, 1999 12 B. RAWSON (Hrsg.), Divorce and Children in Ancient Rome, 1991 13 R. P. SALLER, Patriarchy, Property and Death in the Roman Family, 1994 14 Ders., Roman Kinship: Structure and Sentiment, in: B. RAWSON, P. WEAVER (Hrsg.), The Roman Family in Italy, 1997, 7–34.   M. D. M.

Vescia. Stadt der → Ausones am NW-Hang des → Mons Massicus, wo der → Liris (h. Garigliano) ins → Mare Tyrrhenum mündet (Lucan. 2,425). Ihre Lokalisierung steht noch aus. V. war in den Krieg zw. Rom und den → Latini (341–340 v. Chr.) verwickelt (Liv. 8,11,5 zum J. 340); es wurde 314 v. Chr. von den Römern zerstört (Liv. 9,25,4) und nicht mehr wiederaufgebaut. Der ON hat sich erh. im *saltus Vescinus* (Liv. 10,21,8; h. Monte Roccamonfina; [1. 12 f.]), in den *montes Vescini*, den *Aquae Vescinae* (h. Terme di Suio), im

ager Vescinus (Liv. 10,21,7, h. Piano di Sessa; hier wurde 298 v. Chr. die *colonia* → Sinuessa gegr.; vgl. 10,31,2; 10,46,9; Cic. leg. agr. 2,66) und im *pagus Vescinus* (bei S. Lorenzo; [2. 32]).

1 M. FREDERIKSEN, Campania, 1984 2 F. COARELLI, V.: una proposta di localizzazione, in: F. COARELLI (Hrsg.), Minturnae, 1989, 29–33.

NISSEN 2, 664.   G. U./Ü: J. W. MA.

Vescularius Flaccus. Ritter, eng mit Kaiser → Tiberius [1] befreundet, den er nach → Rhodos (V.) und später nach Capri (→ Capreae) begleitete. Auch bei der Vorbereitung des Prozesses gegen → Scribonius [II 6] Libo Drusus war er als Vertrauter des Tiberius tätig (Tac. ann. 2,28,1 f.). V. war wohl auch eng mit → Aelius [II 19] Seianus verbunden, was 32 n. Chr. zu seiner Hinrichtung führte (Tac. ann. 6,10,2).   W. E.

Vesidia. Tyrrhenischer Küstenfluß in der *regio VII* zw. → Pisae und Luna [3], h. Vezza. Er gab der h. Region Versilia den Namen. Falsch ist seine Lage in der Tab. Peut. 4,2 zw. → Vada Volaterrana und Velinae (verschrieben für Velatrae, vgl. → Volaterrae) verzeichnet.
                    G. U./Ü: J. W. MA.

Vesontio (Vesontine, Bisontii, Besantio, Οὐεσόντιον, h. Besançon, Dép. du Doubs), *civitas*-Metropole der → Sequani.

I. ANFÄNGE   II. BLÜTEZEIT
III. PROSPERITÄT UND STAGNATION

I. ANFÄNGE

Dank der hervorragenden top. Lage (Caes. Gall. 1,38,4; Iul. epist. 26; Ptol. 2,9,21) in einer beinahe kreisförmigen Schleife des → Dubis (h. Doubs; Radius 600 m), deren Isthmus im SO von einer natürlichen Erhebung (Colline de la Citadelle) blockiert wird, war der Ort seit der älteren Brz. besiedelt. Die bes. strategische Bed. von V. zeigte sich im Gallischen Krieg, als es → Caesar kurz nach Kriegsbeginn 58 v. Chr. gelang, V. noch vor → Ariovistus zu besetzen (Caes. Gall. 1,38 f.; vgl. Cass. Dio 38,34). Eine spätlatènezeitliche Siedlung konnte an den westl. und nördl. Ufern des Flußbogens nachgewiesen werden. Das Areal war durch einen Graben (Talweg) vom anderen Teil der Schleife abgetrennt, wo die Besiedlung nicht vor der 1. H. des 1. Jh. v. Chr. einsetzte [1; 2].

Doch erst zu Anf. der augusteischen Zeit (um 25 v. Chr.) läßt sich ein nach röm. Art angelegtes orthogonales Straßensystem feststellen [3]. Die Hauptachse (*cardo maximus*) bildete die aus SO von It. her über die Landenge in die Stadt hineinführende Fernverbindung (h. Grande Rue). Es wurden zwei Arten von Gittermustern festgestellt, eines aus der Zeit um 25 v. Chr. und eines mit regelmäßigeren *insulae* um 14–60 n. Chr. Über eine Brücke im Bereich einer Furt setzte sich der *cardo* fort und verzweigte sich in Fernstraßen: Die Itinerarien nennen zwei Routen nach NO, nach Epamanduodurum (h. Mandeure) auf den Rhenus [2] (h. Rhein) zu, eine nordwestl. nach Andematu(n)num (h. Langres) und eine südwestl. nach Cabillum (h. Chalon-sur-Saône) und weiter in die Narbonensis (Tab. Peut. 3,1; Itin. Anton. 348,5; 368,3). Von den arch. nachgewiesenen Straßen ist die nach Luxovium (h. Luxeuil) in Richtung Vosegus (h. Vosges, Vogesen) erwähnenswert.

68 n. Chr. verwehrte V. (Cass. Dio 63,24) in Unterstützung des C. Iulius [II 150] Vindex dem Statthalter Verginius [II 1] Rufus den Einlaß; in der Schlacht vor ihren Toren kam Vindex ums Leben [4]. Während der Erhebung des Iulius [II 43] Civilis 70 n. Chr. verhielt sich V. loyal (Tac. hist. 4,67). Ob V. von Galba der Titel einer *colonia* verliehen wurde, ist strittig (CIL V 6887).

II. BLÜTEZEIT

Die Stadt erlebte von flavischer bis in antoninische Zeit (2. Jh. n. Chr.) eine Blütephase, die zur großzügigen Ausgestaltung ihrer Infrastruktur führte. Die Besiedlung dehnte sich auf die ganze Halbinsel aus und griff auf das rechte Ufer des Dubis über. Ein Forum entstand auf der nordöstl. Seite des *cardo maximus* im Süden der Stadt (Square Castan). In der rel. Architektur ist sowohl kelt. als auch röm. Trad. vertreten. Bei dem sich an das Forum nach SO anschließenden Gebäude handelt es sich verm. um das → Nymphäum einer einheimischen Gottheit. Eine kreisförmige Anlage aus flavischer Zeit im Westen der Stadt (Chamars, zwei konzentrische Mauern, durch schiefe Quermauern miteinander verbunden) könnte neben der üblichen Deutung als Heiligtum einer einheimischen Gottheit (Mars Vesontius: CIL XIII 5368) auch als → *macellum* oder Versammlungsstätte erklärt werden.

In inschr. und bildlichen Darstellungen ist die Verehrung röm. Gottheiten überl., meist in synkretistischer Interpretation mit einheimischen Kulten, so für Mercurius Cissonius (CIL XIII 5373), Mercurius mit Apollo (CIL XIII 5366f.; 5373) und die → Matres (CIL XIII 5371); bezeugt sind aber auch kelt. Götter, unter anderen der Hammergott Sucullus (CIL XIII 5371), des weiteren eine Gottheit mit *cucullus* (→ Kleidung B.4.) und Hypnos mit einem → Torques (II.). Ein verm. dem röm. → Kaiserkult geweihter Tempel befand sich am *cardo* etwa 200 m nordwestl. des Forum.

Öffentlichen Veranstaltungen diente ein großes Amphitheater (138 × 106,5 m) jenseits des Flusses und ein Theater am Beginn des *cardo*, dessen *cavea* sich an die Colline de la Citadelle anlehnte. In der Nähe befand sich ein Verteilerbecken für das Trinkwasser, das über einen Aquädukt aus 10 km Entfernung hergeleitet wurde [5]. Unter der Straße sind Reste eines Sammlers für Abwasser nachgewiesen. Größere Thermen hat man im Norden ausgegraben (Marché Couvert). Allenthalben wurden Spuren von bis in kelt. Zeit zurückgehenden Wohnhäusern entdeckt; bemerkenswert sind v. a. die röm. Wohnarchitektur aus Stein mit Hypocaustum, Mosaiken, Wandmalereien und Marmorverkleidung. An mehreren Orten, bes. an der nördl. und nordöstl.

Peripherie, waren Wohn- und Werkstätten miteinander verbunden. Es gab Töpfereien, Webereien und eine Korbflechterei (oder Gerberei).

III. PROSPERITÄT UND STAGNATION

Die Unruhen der J. 173-175 in der *civitas Sequanorum*, Vorboten der aufkommenden allg. Reichskrise, wurden von Marcus [2] Aurelius niedergeschlagen (SHA Aur. 22,10); sie taten der Prosperität keinen Abbruch. Am südlichsten Punkt der Hauptachse, am Fuße der Colline de la Citadelle, wurde verm. infolge dieser Ereignisse ein Stadttor (h. Porte Noire oder Porte de Mars) errichtet, dem nicht fortifikatorische, sondern kommemorative Bed. zukam. Das noch in seinem h. Zustand imposante Bauwerk (16,60 × 2,10 m; H: 16,45 m) thematisiert in seinem reichhaltigen Dekor an den Wänden bes. die kaiserlichen Siege [6]. Durch die diocletianische Reichsreform wurde V. Metropole der neuen Prov. Maxima Sequanorum und verm. Sitz des *dux provinciae Sequanorum* (Not. dign. occ. 36; Notitia Galliarum 9,1). Auson. pro consulatu 7,31 berichtet von einer Rednerschule im 4. Jh. in V. 354 n. Chr. zählt Amm. 15,11,11 die Stadt zwar noch zu den »mächtigeren«, doch schon 360 bezeichnet sie Iul. epist. 26 (vgl. Amm. 20,10,3) als »zusammengedrängte Stadt« und Abglanz früherer Größe. Die Befestigungsmauer der zur Colline de la Citadelle zurückgezogenen Stadt ist arch. nachgewiesen. Die Anwesenheit des Bischofs Pancharius 346 läßt auf die Existenz einer episkopalen Anlage unter der h. Kirche Saint-Jean schließen [7. 70].

Weitere arch. Befunde: spätlatènezeitliche Gräber und Brandgräber bis zur Zeit des Nero im Westteil der Schleife (Viertel Chamars), Nekropolen auch auf dem rechten Flußufer und an den Ausfallstraßen.
→ Sequani

1 J.-O. GUILHOT, C. GOY (Hrsg.), Catalogue de l'exposition »20 000 m³ d'Histoire, Besançon«, 1992 2 J.-O. GUILHOT, Besançon (Doubs), in: P. JUD (Hrsg.), Die spätkelt. Zeit am südl. Oberrhein (Koll. Basel 1991), 1994, 137–144 3 G. CHOUQUER, Le plan de la ville antique et de la ville mediévale de Besançon, in: Revue archéologique de l'est et du centre-est 45, 1994, 361–407 4 L.-J. DOBY, Verginius at Vesontio, in: Historia 24, 1975, 75–100 5 L. JACOTTEY, Le problème de l'approvisionnement de Besançon antique: l'aqueduc d'Arcier, in: Caesarodunum 31, 1997, 399–404 6 H. WALTER, La Porte-Noire de Besançon, 2 Bde., 1986 7 C. MUNIER, Conciles gaulois du IVᵉ siècle (SChr 241), 1977.

R. BEDON, Atlas des villes, bourgs, villages de France au passé romain, 2001, 105–108 · C. FOHLEN (Hrsg.), Histoire de Besançon des origines à la fin du XVIᵉ siècle, 1964, 27–141 · J.-O. GUILHOT u. a., Besançon, Document d'évaluation du patrimoine archéologique urbain, 1990 · L. LERAT, Besançon antique, 1990 · M.-J. MORANT u. a., Besançon antique, in: E. FRÉZOULS (Hrsg.), Les villes antiques de la France, Bd. 2, 1988, 6–178.   F. SCH.

Vespa. Von dem sich V. (»Wespe«) nennenden lat. Dichter ist der einzige aus der Ant. erh. Berufe-Agon überl., der ›Streit zw. Koch und Bäcker‹ (*Iudicium coci et* *pistoris*); das Gedicht wurde vielleicht öffentlich vorgetragen (→ Rezitationen); es fand Aufnahme in die Anthologie des → *Codex Salmasianus* (Anth. Lat. 199; Anth. Lat.[3] 190). Datier.: zw. 2. und 5. Jh. n. Chr., wahrscheinlich 4. Jh. (Bezugnahme auf → Nemesianus [1] und → Ausonius wahrscheinlich). Das aus 99 Hexametern bestehende Stück läßt nach einem traditionellen → Musenanruf erst den Bäcker, dann den Koch auftreten und jeden seine Kunst mit z. T. pathetischen, epischen Stil parodierenden Worten rühmen. So sieht sich der Bäcker als Nachfahre des Vegetariers Pythagoras [2], und der Koch will für die Heroen des Mythos ihnen gemäße Speisen hergestellt haben, z.B. für Meleager (→ Meleagros [1]) ein Gericht aus Eberfleisch. Der Schiedsrichter, Vulcanus (→ Volcanus), lobt beide und droht ihnen für den Fall einer weiteren Auseinandersetzung mit dem Entzug des für ihre jeweilige Tätigkeit wesentlichen Elements, des Feuers.

→ Koch; Parodie

ED.: A.J. BAUMGARTNER, Unt. zur Anthologie des Codex Salmasianus, Diss. Baden (Schweiz) 1981, 13–89.
LIT.: V. MILAZZO, Polisemia e parodia nel iudicium coci et pistoris di V., in: Orpheus 3, 1983, 250–274 · K. SMOLAK, in: HLL 5, 1989, §550.1 · C.M. RABUZZI, Imitazione e parodia in A.L. 199R, in: Sileno 17, 1991, 259–279 · Dies., La fortuna di V., in: Sileno 18, 1992, 157–167.   K. SM.

Vespasia Polla. Tochter des → Vespasius Pollio aus Nursia. Verheiratet mit Flavius [II 39] Sabinus, mit dem sie drei Kinder hatte, darunter T. Flavius [II 40] Sabinus und den späteren Kaiser Vespasian (→ Vespasianus, mit Stemma). Da ihr Bruder Senator geworden war, motivierte sie auch ihre Söhne zu dieser Laufbahn (Suet. Vesp. 1,3; 2,2).   W. E.

Vespasianus. Röm. Kaiser 69–79. Geb. als T. Flavius Vespasianus am 17. Nov. 9 n. Chr. in Falacrinae bei Reate, als Sohn des Steuerpächters Flavius [II 39] Sabinus und der → Vespasia Polla, der Tochter eines ritterlichen Offiziers [1. 155–160]; verh. mit Flavia [1] Domitilla; aus der Ehe gingen 39 → Titus [3], 51 → Domitianus [1] hervor.

I. FRÜHE LAUFBAHN   II. KAISERERHEBUNG UND SICHERUNG DER HERRSCHAFT
III. KONSOLIDIERUNG DES REICHES

I. FRÜHE LAUFBAHN

Auf Drängen der Mutter schlug V. wie sein Onkel und sein älterer Bruder, Flavius [II 40] Sabinus, eine senatorische Laufbahn ein: Zunächst → *tribunus* [4] *militum* in Thrakien (wohl während eines Krieges), dann *quaestor Cretae-Cyrenarum*, 38 Aedil und bereits 39 Praetor. Narcissus [1] verschaffte ihm von Kaiser Claudius [III 1] das Kommando über die *legio II Augusta*, die V. von Obergermanien nach Britannien führte, wo er an der Eroberung teilnahm (→ Britannia). Seine Erfolge brachten ihm, obwohl nur Praetorier, die Triumphal-

ornamente (→ *ornamenta*) und zwei Priesterämter. Obgleich mit L. → Vitellius, dem engsten Vertrauten des Claudius, verbunden, wurde er spät (E. 51) *cos. suff.*, dann hemmten angeblich Differenzen mit → Agrippina [3] seinen Ehrgeiz; erst ca. 63/4 erreichte er durch Los den Prokonsulat in Africa. Verbindungen zu Senatoren, die zu → Nero [1] in Opposition standen, löste er; so trennte sich sein Sohn Titus von der Tochter des Marcius [II 3] Barea. V. begleitete → Nero auf der Reise nach Achaia; dort erhielt er das Kommando gegen die Aufständischen in Iudaea, wo er ab E. 66 kämpfte (Ios. bell. Iud. 3–7; → Jüdische Kriege: Nachträge). Beim Tod Neros unterbrach er die Kampfhandlungen und beobachtete die polit. Entwicklung; anscheinend dachte er früh daran, die Herrschaft im Reich zu übernehmen.

II. KAISERERHEBUNG UND SICHERUNG DER HERRSCHAFT

Absprachen mit Licinius [II 14] Mucianus, dem Statthalter von Syrien, und Iulius [II 6] Alexander, dem Praefekten in Äg., führten am 1. Juli 69 zur Akklamation durch die Truppen in Alexandreia [1], am 2. Juli durch die eigenen. Den Kampf gegen Vitellius überließ er Mucianus und den Donaulegionen, die sich ihm anschlossen; er selbst wollte Äg. sichern. Heilungswunder, die er dort vollbracht haben soll (Suet. Vesp. 7,2f.), wurden zur Legitimation seiner Herrschaft überall verbreitet. Diese erkannte der Senat am 21. Dez. 69 an, kurz darauf wurde die → *lex de imperio Vespasiani* (»Bestallungsgesetz«) durch das Volk beschlossen (ILS 243; Tac. hist. 4,3,3: *cuncta principibus solita*, »alles für einen Princeps Übliche«). Als Kaisernamen wählte V. nach kurzem Zögern in Anlehnung an Augustus (noch vor E. 69) Imperator Caesar Vespasianus Augustus.

Erst im Okt. 70 erreichte V. Rom, feierte im Juni 71 mit Titus den → Triumph über Iudaea, obwohl die Kämpfe noch bis zur Eroberung von → Masada 73 oder 74 durch Flavius [II 44] Silva (Ios. bell. Iud. 7,252–406) andauerten, und propagierte den Sieg, der eine wichtige Grundlage seiner Legitimation als Herrscher bildete, auf Münzen (Aufschrift *Iudaea capta*). Seine »niedere« Herkunft aus nichtsenatorischer Familie verstärkte ohnehin das Bedürfnis, seine Stellung zu legitimieren: Er akzeptierte 20 imperatorische Akklamationen, übernahm den ordentlichen Konsulat häufig (70–72, 74–77, 79: *cos. IX*), fast immer zusammen mit Titus, und stellte damit von Anfang an seine Söhne als Nachfolger vor. Widerstand gegen die Form seines → Prinzipats gab es, wenn auch nicht in massiver Form, von Anfang an (→ Helvidius [1] Priscus), doch konnte er die Mitglieder des alten Senats (→ *senatus*) gewinnen, weil er die Vergangenheit weitgehend ruhen ließ, und den Senat erneuern, indem er neue Leute, bes. seine Helfer von 69 aus dem Osten, aufnahm – zu einem großen Teil durch → *adlectio* in eine der Rangklassen während seiner Censur 73/4. Dabei erfolgte auch die Zählung (→ *census*) aller Bürger in It. (AE 1968, 145; Plin. nat. 7,162–164). Viele seiner Anhänger, z.B. Iulius [II 3] Agricola oder Ulpius [11] Traianus, wurden zu Patriziern gemacht; so

Die Flavische Dynastie

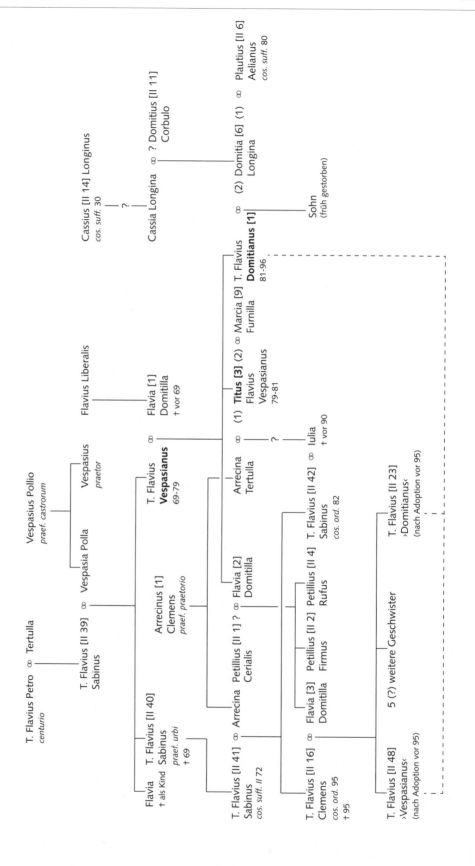

bildete sich schnell eine neue Führungsschicht, die zunehmend Senatoren (und Ritter) aus immer mehr Prov. in sich schloß.

III. KONSOLIDIERUNG DES REICHES

Wichtigste Aufgabe war die Konsolidierung des Reiches, v. a. der von Nero und durch die Bürgerkriege zerrütteten öffentlichen Finanzen. V. soll neben den alten → Steuern neue eingeführt haben (Suet. Vesp. 16), doch ist deren Art kaum bekannt – mit Ausnahme der jüd. Tempelsteuer, die nun in Höhe von 8 Sesterzen an die Kasse des Kapitolinischen Iuppiter floß. Vielmehr versuchte V. offenbar, die ohnehin fälligen Abgaben voll wiederzugewinnen, und zwar durch Sondergesandte oder die Anordnung eines *census* in vielen Prov. Dem entsprach allg. Sparsamkeit, selbst bei den Belohnungen für seine Soldaten, jedoch mit Ausnahme der Kosten für seine Selbstdarstellung: Aus der jüd. Beute ließ V. in Rom das → *templum Pacis* sowie das *amphitheatrum Flavium* (→ Kolosseum) als Siegesmonument errichten (vgl. CIL VI 40454a). Wichtig für den weiteren Integrationsprozeß war die Vergabe des latinischen Bürgerrechts (*ius Latii*, → ius D.2.) an alle Gemeinden auf der iberischen Halbinsel [2].

Eine weitere Aufgabe war die Erneuerung des Heeres, das fast reichsweit in die Bürgerkriege verwickelt gewesen war und bes. im → Bataveraufstand große Verluste erlitten hatte. Vier am Rhein stehende Legionen wurden aufgelöst, drei neu aufgestellt: die *IV Flavia, XVI Flavia* sowie die *II Adiutrix* (aus ehemaligen Flottensoldaten), andere Einheiten wurden aufgefüllt, viele Soldaten entlassen und (auch in It.) angesiedelt. Trotz der dabei entstandenen Kosten konnte das Reichsgebiet an mehreren Fronten in Kriegen erweitert werden: In Britannien und auf der rechten Seite des Mittelrheins wurden Gebiete gewonnen; im Osten wurde erfolgreich gegen → Parther und Alanen gekämpft (AE 1968, 145; [3]). Cappadocia und Galatia wurden zu einer Großprov. unter Leitung eines Consulars; Iudaea wurde einem Praetorier unterstellt; Lycia verlor die partielle Freiheit (vielleicht nur von Steuern) und wurde mit Pamphylia zu einer Prov. vereint. Antiochos [18] IV. von Kommagene wurde abgesetzt, sein Gebiet Syrien angeschlossen. Achaia erhielt seinen Provinzstatus wieder.

Am 24. Juni 79 starb V. Die → *consecratio* (3.) durch Titus erfolgte aus nicht bekannten Gründen relativ spät. Da Titus bereits über alle rechtlichen Kompetenzen verfügte, ging die Herrschaft reibungslos an ihn über.

1 G. ALFÖLDY, Inschr. aus Nursia (Norcia), in: ZPE 77, 1989, 155–180 2 H. GALSTERER, Unt. zum röm. Städtewesen auf der iberischen Halbinsel, 1971 3 G. ALFÖLDY, Traianus pater und die Bauinschrift des Nymphäums von Milet, in: REA 100, 1998, 367–399.

Mz.: RIC II 1–110 Nr. 1–803.
PORTRÄTS: G. DALTROP et al., Die Flavier (Das röm. Herrscherbild 2,1), 1966, 9–17.

LIT.: PIR² F 398 • E. FLAIG, Den Kaiser herausfordern, 1992, 356–416 • M. GRIFFIN, The Flavians, in: CAH 9, 2000, 1–83 • B. W. JONES (Hrsg.), Suetonius, Vespasian, 2000 • CH. P. JONES, Egypt and Judaea under Vespasian, in: Historia 46, 1997, 249–253 • B. LEVICK, Vespasian, 1999 • C. L. MURISON, Rebellion and Reconstruction. Galba to Domitian (An Historical Commentary on Cassius Dio's Roman History, 9: Books 64 – 67), 1999. W. E.

Vespasius Pollio. Ritter aus → Nursia. Er war dreimal *tribunus* [4] *militum* bei einer Legion, dabei einer *legio I*, sodann *praefectus* [5] *castrorum*, am ehesten in augusteischer Zeit (Suet. Vesp. 1,3; vgl. [1. 155–160]). Seine Tochter ist → Vespasia Polla; einer seiner Söhne erreichte senatorischen Rang (vgl. → Vespasianus, mit Stemma).

1 G. ALFÖLDY, Epigraphische Notizen aus It., in: ZPE 77, 1989, 155–180 2 DEMOUGIN, Nr. 192. W. E.

Vespronius. L. V. Candidus Sallustius Sabinus. Praetorischer Statthalter von → Numidia, *cos. suff.* noch in der Prov., etwa 176 n. Chr. Consularer Statthalter der *Tres Daciae* (→ Dakoi, Dakia C.) ca. 183–186. Wohl Proconsul von Africa (→ Afrika 3.) am Ende der Regierungszeit des → Commodus. Nach Tertullianus [2] (ad Scapulam 4,3) behandelte er Christen nachsichtig. Anfang 193 wurde er von Kaiser → Didius [II 6] Iulianus mit einer Senatsgesandtschaft dem anrückenden → Septimius [II 7] Severus entgegengesandt; dabei wäre er beinahe von den Soldaten wegen seiner »harten und filzigen Kommandoführung« (*ob durum et sordidum imperium*: HA Did. 5,6) getötet worden.

PISO, FPD, 141–144 • THOMASSON, Fasti Africani, 74. W. E.

Vesta. Röm. Göttin, bisweilen mit → Hestia identifiziert (Cic. nat. deor. 2,67; Cic. leg. 2,29); Indizien für möglichen sabinischen Ursprung: Varro ling. 5,74; [1. 168–170]. Auf das hohe Alter des röm. V.-Kultes deutet ihr archa. Rundtempel ebenso hin wie ihre Verbindung mit dem → *rex sacrorum* oder das archa. Ritual der Entfernung der als *stercus* (»Abfall«) beschriebenen *purgamina* aus ihrem Tempel am 15. Juli (*Quando stercum delatum fas*: Varro ling. 6,32; InscrIt 13,2,335 f.; 471; Fest. 466; [2. 320f.]). Der Rundtempel am Rande des Forum Romanum (zusammenfassend: [3]), dem König → Numa (Liv. 1,20,3; Fest. 320) zugeschrieben, besaß keine Kultstatue (Ov. fast. 6,253 f.; anders: Cic. nat. deor. 3,80), war im Regelfall nur den → Vestalinnen zugänglich und nicht inauguriert, daher eine *aedes* (Serv. Aen. 7,153; Gell. 14,7,7); das Innerste hieß *penus*. Dort war das *palladium* (→ palládion) untergebracht (Liv. 5,52,7; [4. 224–226]). Benachbart waren das → Atrium Vestae (→ Roma III., Karte 2, Nr. 44), Wohnraum der Vestalinnen, und der Lucus Vestae (im 1. Jh. v. Chr. belegt: Cic. div. 1,101). Der Tempel brannte mehrfach nieder und wurde daraufhin jedesmal wiederhergestellt: z. B. 241 v. Chr. (Val. Max. 1,4,5), 64 n. Chr. (Tac. ann. 15,41), 191 n. Chr. (Herodian. 1,14,4); die verschiedenen Restaurierungen sind durch Mz. belegt [5. 1724–1726; 6. 299⁶]. Der öffentliche Kult der Di → Penates war mit dem Palladium verknüpft; diese Trad. brachte V. in Zusammenhang mit den Gründungssagen der Stadt (→ Aineias [1]; vgl. [7]). Bes. in augusteischer Zeit wurde V. mit anderen Gottheiten verbunden (z.B. Verg. Aen. 5,744; [8]); am 28.4.12 v.Chr. weihte Augustus selbst eine *aedicula* (Altarnische) und *ara* (Altar) der V. in seinem Haus auf dem Palatin als zusätzliche Kultstätte (InscrIt 13,2,452). Auch in der späteren Kaiserzeit bestand das Interesse an V. fort [9. 260–262]; es ist belegbar bis ins späte 4. Jh. [10. 157–161].

Der öffentliche Kult betonte V.s Rolle als Beschützerin des staatlichen Feuers (*flammae custos:* Ov. fast. 6,258), das von den Vestalinnen gehütet wurde. Belege für private Verehrung sind dagegen spärlich (z.B. Ov. fast. 6,249–252; [5. 1775f.; 11. 210–222]). Es wird daher angenommen, daß aus einer urspr. Beschützerin des Herdfeuers im Hauskult die Beschützerin des öffentlichen → Feuers und Garantin des Bestandes Roms wurde [12]. Die Verdrängung eines urspr. privateren Kultes zeigt sich vielleicht im Fest der *Vestalia* am 9. Juni (InscrIt 13,2,467f.); deren Details sind unklar. V. wurde an diesem Tag von den Bäckern verehrt und als deren Schutzgottheit auch auf Wandmalereien abgebildet.

Die Hinweise auf eine urspr. Funktion im Hauskult sind schwach: *penus*, »Vorratskammer«, hieß sowohl das Innerste des röm. Hauses wie auch das des V.-Tempels. Im röm. Erbrecht existierte eine alte Verbindung zw. dem *penus*, den Di Penates und auch V. (Cic. har. resp. 12); der *penus* ermöglichte es dem Erben, den Kult (*sacra*) der Familie ohne größere Kosten durchzuführen (Dig. 33,9,3; Gell. 4,1,16–23; [13. 135–139]). V.s Funktion als »Hüterin der Flamme« mag auf eine urspr. Verbindung mit anderen Gottheiten des Hauskultes hinweisen; vgl. etwa die archa. Strafe für das Löschen eines Herdfeuers (Fest. 94) und die ant. Verbindung von V., Feuer und Zeugungskraft (Liv. 1,39,1f.; Plin. nat. 28,39). Aus einer urspr. Zugehörigkeit V.s zum Hauskult ließe sich auch die anschließende Erweiterung ihrer Funktion zur Schützerin des *penus* des röm. Staates, des Aufbewahrungsortes des Palladium, erklären. Vielleicht entwickelte sich V. also als Resultat dieses Prozesses zur öffentlichen Gottheit par excellence, während ihre anderen Aufgaben weitgehend von anderen Gottheiten übernommen wurden. Doch müssen solche Überlegungen spekulativ bleiben. Zur Ikonographie vgl. [14].

→ Feuer; Hestia; Vestalinnen

1 E. EVANS, The Cults of the Sabine Territory, 1939
2 L. HOLLAND, Janus and the Bridge, 1961 3 R. SCOTT, s.v. V., aedes, LTUR 5, 125–128 4 J.-L. GIRARD, La place de Minerve dans la rel. romaine au temps du principat, in: ANRW II 17.1, 1981, 203–232 5 C. KOCH, s.v. V., RE 8 A, 1717–1776 6 S. WEINSTOCK, Divus Iulius, 1971
7 G. RADKE, Die »dei penates« und V. in Rom, in: ANRW II 17.1, 1981, 343–373 8 C. R. PHILLIPS, A Note on Vergil's Aeneid 5,744, in: Hermes 104, 1976, 247–249
9 A. D. NOCK, A Diis Electa, in: Harvard Theological Rev.
23, 1930, 251–274 (= NOCK 1, 252–270) 10 M. SALZMAN, On Roman Time, 1990 11 H. WAGENVOORT, Pietas, 1980
12 DUMÉZIL, 324–331 13 A. WATSON, The Law of Succession in the Later Roman Republic, 1971
14 T. FISCHER-HANSEN, s.v. V., LIMC 5.1, 412–420 (Abb.).
C.R.P.

Vestalin (*virgo Vestalis*). Der Kult der → Vesta wurde von sechs *virgines* (*sacerdotes*) *Vestales* besorgt, die im → Atrium Vestae bei der *aedes Vestae* auf dem Forum Romanum lebten (→ Roma III.E., 2. Karte, Nr. 44). Die Gruppe wurde geleitet durch die *virgo Vestalis maxima* (Ehreninschr. v.a. des 3. Jh. n.Chr. mit Statuen auf dem Forum: CIL VI 32415ff.; [2]) und stand unter der Jurisdiktion des → *pontifex maximus*. Die V. wurde als Kind von sechs bis zehn Jahren durch den *pontifex maximus* »ergriffen« (*capere*). Dieser Akt hatte zivilrechtliche Folgen: (a) Ausscheiden aus dem Familienverband (v.a. aus der Erbfolge, vgl. → *intestatus*) ohne → *emancipatio* und → *deminutio capitis*, eine Bestimmung, die schon im XII-Tafel-Gesetz niedergelegt war (Gell. 1,12, aus M. Antistius [II 3] Labeo und Q. Fabius [I 35] Pictor); (b) Freiheit von der → *tutela* [1] (III.) *mulierum* (»Vormundschaft über die Frauen«, Gai. inst. 1,130; 145); (c) Zeugnisfähigkeit vor Gericht (→ *testimonium*; Tac. ann. 2,34). Die so aus dem röm. Sozialgefüge herausgehobene Priesterrolle bestimmte für die Dauer von 30 Jahren ausschließlich das Leben der V.: kultische Funktion und persönliches *commitment* (gemeinsames Leben, durch → Todesstrafe sanktioniertes Jungfräulichkeitsgebot) fielen zusammen, eine einzigartige Konstruktion innerhalb der röm. Priestertümer (Liv. 1,20,3; Dion. Hal. ant. 2,67; Plut. Numa 9,5–8; 10).

Ihre wichtigsten Aufgaben waren: Unterhaltung des → Feuers auf dem »öffentlichen Herd« (Cic. leg. 2,20); Zubereitung von → *mola salsa* (Fest. 152f.) und Reinigungsmitteln (Ov. fast. 4,731ff.; 629ff.); Teilnahme an den Feierlichkeiten des Staatskultes, protokollarisch bezeugt z.B. für die Saecularfeier 204 n.Chr. (CIL VI 32329,9f.; → *saeculum*). Leitung durch eine V. ist nur für das nächtliche Frauen-Fest der → Bona Dea bezeugt (Cic. har. resp. 37; Plut. Cicero 19,3; Plut. Caesar 9f.).

Die V. waren nicht Priesterinnen eines Frauenkultes; die Überl. läßt Interaktion oder Solidarität zw. V. und röm. Frauen nicht erkennen [3]. Die rechtliche Konstruktion bewirkte Isolation; eine Tendenz zur Depersonalisierung – die V. als lebendes Omen, ihre Tötung durch Lebendig-Begraben bei Verlust der Jungfräulichkeit (*incestum*) als Sühnung eines → *prodigiums* – wird von einigen Quellen verstärkt (Dion. Hal. a.O.; Plut. Numa 10; [4]). Die histor. Kontextualisierung muß diese Einseitigkeit des sakralrechtlich-theologischen Tableaus aufbrechen und auf die gesellschaftlich-polit. Instrumentalisierung der V. verweisen (Liv. 2,42; 4,44; 8,15; 22,57; [5]). Plinius' [2] Bericht (Plin. epist. 4,11,5–13) von der öffentlichen Tötung der V. Cornelia [II 5] – wohl der 62 n.Chr. (Tac. ann. 15,22,2) eingesetzten Cornelia Cossa – unter Kaiser Domitianus (Suet. Dom. 8) ist die einzige mit hoher Sicherheit auf einem

Augenzeugenbericht basierende Darstellung. Die durch die Todesstrafe garantierte Keuschheit im Dienste des öffentlichen Wohls ist der theologische Kern der einzigen und letzten pontifikalen Äußerung (Ende 4. Jh. n. Chr.) zur Verteidigung des röm. Jungfräulichkeitskonzepts gegen das der Christen (Symm. epist. 9,147f.; Symm. rel. 3,11,14; dagegen Prud. contra Symmachum 2,911–1013; Ambr. epist. 73,11f.; Ambr. de virginitate 13; Ambr. de virginibus 1,15).

Im westeuropäischen *imaginaire* überlebt das Keuschheitsmodell. Aus der Legende von der V. Tuccia (Dion. Hal. ant. 2,69; Val. Max. 8,1,5; Plin. nat. 28,2,12), die Wasser in einem Sieb trägt und so ihre Unschuld beweist, gewannen die Allegoriker der Renaissance (vgl. [6]) das Sieb als Emblem der Keuschheit; die Todesdrohung verbirgt sich im Mirakel. Vermittler waren Augustinus (Aug. civ. 10,16,32ff.) und PETRARCA [6]. Im Klassizismus war die V. eine Formel für weibliche Porträts; Beispiele: C.M. CLODION, J.-L. DAVID, J.-A. HOUDON; Angelica KAUFFMANN. Das in der Ant. kaum genutzte Motiv der Liebe einer V. (vgl. aber Sen. contr. 6,8) ist Thema von Oper (G. SPONTINI, La Vestale, 1807) und Drama (H. IBSEN, Catilina, 1849; A. PARODI, Rome vaincue, 1876). In der Sozialutopie von CH. FOURIER sind Vestalinnen und Vestalen Elite-Jugendliche, die ihre frei gewählte Jungfräulichkeit durch freie Liebeswahl beenden (Œuvres Bd. 1, ²1841, 257ff.).
→ Priester V.; Vesta

1 A. BIELMANN, R. FREI-STOLBA (Hrsg.), Les femmes antiques entre sphère privée et sphère publique (ECHO 2), 2002 2 R. FREI-STOLBA, Flavia Publicia, virgo Vestalis maxima, in: P. KNEISSL, V. LOSEMANN (Hrsg.), Imperium Romanum, 1998, 233–251 3 H. CANCIK-LINDEMAIER, Kultische Privilegierung und gesellschaftliche Realität, in: Saeculum 41.1, 1990, 1–16 4 Dies., Priestly and Female Roles in Roman Rel. The Virgines Vestae, in: Hyperboreus 2.2, 1996, 138–150 5 F. MÜNZER, Die röm. Vestalinnen bis zur Kaiserzeit, in: Philologus 92, 1937, 47–67, 199–222 6 M. WARNER, Monuments & Maidens, 1985, 241–244 (mit Abb.).   H.C.-L.

Vestibulum s. Haus II.D.1.; Palast IV.E.

Vestini (Οὐηστῖνοι). Italisches Volk (Name evtl. indeur., vgl. etwa → *Vesta*) am Osthang des Appenninus, südl. der → Picentes (Strab. 5,4,2), östl. der → Sabini (Strab. 5,2,1; 5,3,1), nördl. der → Paeligni. Seit augusteischer Zeit gehörte ihr überwiegend gebirgiges und karges Gebiet (Jagd, Viehwirtschaft, vgl. Sil. 8,516ff.; Plin. nat. 11,241; Mart. 13,31) zur *regio IV* (→ regio mit Karte). Durch eine Konjektur bei Plin. nat. 3,107 (vgl. Ptol. 3,1,59: Siedlungen der V.) [*Trasmontani; Aveiates*] nach *Pennenses* hat [1] das Verständnis der Textstelle gefördert: Unter Transmontani sind so die V. östl. des Gran Sasso (Aveia, h. Fossa, vgl. Sil. 518; Peltuinum mit Aufinum, h. Ofena am Oberlauf des → Aternus), unter Cismontani die V. westl. des Gran Sasso (Angulum, h. Francavilla al Mare an der Adria, südl. der Mündung des Aternus; Pinna, h. Penne) zu verstehen. Weitere Städte der V. waren Ostia Aterni bzw. Aternum (h. Pescara; Mela 2,65; Itin. Anton. 313,6) sowie, nicht lokalisiert, Frusteniae (Tab. Peut. 6,1), Cingilia und Cutina (Liv. 8,29,12).

Die V. werden erstmals erwähnt, als sie – im Zusammenhang mit den Spannungen zu Anf. des 2. Samnitenkrieges (326–304 v. Chr.; → Samnites IV.) – 326 ein Bündnis mit den Samnites eingingen, die Römer einen neuen Kriegsschauplatz im Osten des Appenninus fürchteten, im J. darauf die V. angriffen und unter dem Consul D. Iunius [I 17] in einer einzigen Schlacht besiegten (Liv. 8,29,1–14). Auf Betreiben der V. kam 302 v. Chr. ein Bündnis mit Rom zustande (Liv. 10,3,1). Damals wurden wohl die ersten Mz. der V. mit der Legende *VES* geprägt. Kontingente der V. befanden sich 225 v. Chr. unter den zu den Waffen gerufenen Verbündeten anläßlich des bevorstehenden Krieges gegen die Kelten in → Gallia Cisalpina (B.) (Pol. 2,24,12; Enn. ann. 229; → Gaesati; → Telamon). Die an Jagd und ein entbehrungsreiches, hartes Leben gewöhnte Jugend der V. (*iuventus Vestina*: Sil. 8,515–518) kämpfte in der Schlacht bei → Cannae 216 v. Chr. auf seiten des röm. Heeres wie auch in der Schlacht bei → Pydna 168 v. Chr. (Liv. 44,40,5–7). Am Vorabend des Bundesgenossenkrieges [3] (91–89 v. Chr.) wurden im Gebiet der V. (Obseq. 51; 54) → *prodigia* beobachtet, darunter ein Steinregen. Die V. nahmen am Bundesgenossenkrieg gegen Rom teil (Liv. per. 72; App. civ. 1,39,175; Oros. 5,18,8; 5,18,14: Niederlage und Tod des röm. Legaten Q. Servilius [I 13] Caepio im Juli 90 v. Chr.; Liv. per. 75f.; App. civ. 1,52,227; Oros. 5,18,25: Sieg des Consuls Cn. Pompeius [I 8] Strabo 89 v. Chr. über die Aufständischen; im J. darauf Kapitulation der V.). Kulte des Silvanus, Iuppiter, Hercules, der Venus und der *di Ancites* sind nachgewiesen (CIL IX 3515).

1 A. LA REGINA, Ricerche sugli insediamenti vestini, in: Memorie della Classe di Scienze morali e storiche dell' Accademia dei Lincei, Ser. 8, 13, 1968, 361–446.

E. MATTIOCCO, Centri fortificati vestini, 1986 • G. FIRPO, V. Fonti letterarie, in: M. BUONOCORE, G. FIRPO, Fonti latine e greche per la storia dell' Abruzzo antico, Bd. 2.2, 1998, 821–840 • G.F. LA TORRE, Il processo di urbanizzazione nel territorio vestino: il caso di Aveia, in: ArchCl 27 (1985), 1988, 154–170.   M.BU./Ü: H.D.

Vestinus

[1] V. starb nach Statius [II 2] (silv. 4,6,94) im frühen Alter und kam seinen Vorfahren gleich. Wohl vornehmer Herkunft, vielleicht Nachkomme von V. [2].

[2] **M. V. Atticus** s. M. Iulius [II 147] V. Atticus. W.E.

[3] **L. Iulius V.** Griech. Lexikograph, 1. H. 2. Jh. n. Chr., Vorsteher des → Museion in Alexandreia, Prokurator der röm. und griech. Bibliotheken und Geheimsekretär des Kaisers → Hadrianus (IG XIV 1085 = CIG III 5900). Laut Suda (o 835 s.v. Οὐηστῖνος) Verf. einer Epitome von → Pamphilos' [6] Glossenwerk, die wiederum Grundlage für Diogenianos' [2] Lex. *Pantodapḗ léxis* (›Ausdrücke jeglicher Art‹) wurde. Zwei wei-

tere bekannte Werke des V. waren laut Suda eine Glossen-Slg. zu Demosthenes [2] und eine zu Thukydides [2] und den att. Rednern.

→ Lexikographie

W. KROLL, s. v. Iulius (530), RE 10, 872 · PIR IV 3, Nr. 623 · K. ZIEGLER, s. v. V. (4), RE 8 A, 1789. ST. MA.

Vestorius. Röm. Gentilname [1]. Einziger bekannter Vertreter: V., C. 56–44 v. Chr. bezeugter, vielseitiger Geschäftsmann (Kreditmakler, Farbproduzent und Fernhändler) aus Puteoli, der mit → Pomponius [I 5] Atticus und → Cicero in enger Verbindung stand.

1 SCHULZE, 254 2 J. ANDREAU, Patrimoines, échanges et prêts d'argent, 1997, 99–118 3 D'ARMS, Index s. v. V.
J. BA.

Vestricius. T. V. Spurinna. Senator, vielleicht *homo novus*, wohl etr. Herkunft, aber nach [2. 542] eher aus einer in die → Transpadana ausgewanderten etr. Familie stammend. Geb. um 25 n. Chr., da er nach Plin. epist. 3,1,10 um 101 das 78. Lebensjahr vollendet hatte. Der Eintritt in den Senat erfolgte spätestens unter → Nero. 69 wurde er von → Otho zu einem der Kommandeure im Kampf gegen die Anhänger des → Vitellius [II 2] ernannt (Tac. hist. 2,11; 18 f.; 23; 36). Danach schweigt die Überl. bis zum J. 97. Nach Plinius d. J. übernahm er Aufgaben in mehreren Prov. (epist. 3,1,12: *quoad honestum fuit, obiit officia, gessit magistratus, provincias rexit*, »soweit es ehrenhaft war, hat er seine Pflichten erfüllt, Ämter bekleidet, Provinzen verwaltet«), wovon nur die Statthalterschaft in der consularen Prov. *Germania inferior* bekannt ist. Dieser ging ein Suffektkonsulat voraus; das Jahr ist umstritten, ebenso die Zeit, in der er *Germania inferior* leitete; am wahrscheinlichsten ist eine kurzfristige Statthalterschaft 97. Polit. war V. sicher eng mit → Nerva, wohl auch mit → Traianus [1] verbunden, wovon der zweite Konsulat am 1.4.98 zeugt. In Germanien führte er allein durch die Demonstration röm. Macht den König der Brukterer (→ Bructeri) zu seinem Stamm zurück, wofür er eine Triumphstatue erhielt (Plin. epist. 2,7,1 f.).

Verheiratet war V. mit einer Cottia; ein Sohn V. Cottius [3] starb als recht junger Mann (*adolescens*; Plin. epist. 2,7; vgl. 3,10). Plinius, der den Tagesablauf des V. als beispielhaft für den eines Senators, der sich aus den täglichen Geschäften zurückgezogen hat, schildert (epist. 3,1), war mit V. enger verbunden.

1 ECK (Statthalter), 152–154 2 SYME, RP 7, 541–550 (V. Spurinna). W. E.

Vesulus. Berg in den → Alpes Cottiae mit reichem Wildbestand in seinen Kieferwäldern (Verg. Aen. 707 ff.), h. Monte Viso bzw. Monviso (3841 m). Er galt als höchster Gipfel der → Alpes (Plin. nat. 3,117; Solin. 2,25); am V. entspringt der → Padus (h. Po; Mela 2,62; Mart. Cap. 6,640).

E. MEYER, s. v. V., RE 8 A, 1798. H. GR.

Vesuna. Ital. Göttin. Kulte im Gebiet der → Marsi [1] sind durch Votivinschr. belegt (VETTER, Nr. 223, aus → Antinum; Nr. 228b, »bei Milonia«). In den umbrischen → *Tabulae Iguvinae* III/IV (→ Iguvium) ist sie Adressatin von Opferhandlungen und Gebeten zusammen mit Pomonus Popdicus, einem Gott der Früchte und vielleicht des Jahreszyklus [1. 497]. Eine (hierarchische) Zuordnung zu diesem Gott wird auch in der Formulierung des Namens deutlich (*Vesune Puemunes Pupřikes*, »V. (Dat. Sg.) des P. P.«) und ist bedingt durch die Funktion der Gottheit im Handlungskontext (nicht durch myth. Genealogie) [1. 484–486]. Eine funktional vergleichbare Götterkonstellation scheint auf einem etr. Spiegel mit Beischr. myth. ausgedeutet (um 300 v. Chr., bei Orvieto: [2]): Er zeigt V. mit → Fufluns/Dionysos und in der Ikonographie der → »Mänaden« (Thyrsos, Tierfell).

1 A. L. PROSDOCIMI, Le religioni degli Italici, in: C. AMPOLO et al. (Hrsg.), Italia omnium terrarum parens, 1989, 475–545 2 J. P. SMALL, s. v. V., LIMC 8.1, 236 (Lit.).

C. LETTA, I culti di V. e di Valetudo tra Umbria e Marsica, in: G. BONAMENTE (Hrsg.), Assisi e gli Umbri nell'antichità, 1996, 317–339. M. HAA.

Vesuvius. Derzeit ruhender sog. Strato-Vulkan (Aschen- und Lava-Ausbrüche) in → Campania (zu den ant. Namensformen mit Sammlung aller lit. und inschr. Belege [6. 33 f., 128–136]), h. Vesuvio. Der h. 1281 m hohe kegelförmige Berg sitzt in einer Caldera (Monte Somma; höchster Gipfel: Punta del Nasone im Norden des V. mit 1132 m), die entstanden ist oder erweitert wurde, als der Gipfel des Berges beim Ausbruch des J. 79 n. Chr. weggesprengt wurde. Nach einer Ruhephase wuchs der h. Vulkankegel vom 3. Jh. n. Chr. an aus der Caldera empor [1; 2. 7 f., 12; 3. 13–29, 58–67; 6. 38–49; 7. 86 f.]. Größere Ausbrüche sind seither für die J. 203 (Cass. Dio 76,2,1 f.), 472 (Marcellinus Comes, Chronicon MGH AA 11, p. 90), 512 (Cassiod. var. 4,50), 1631 und 1944 bezeugt (Zusammenstellung aller bekannten Ausbrüche bei [3. 126–211, 339–357]). Ant. Beschreibungen des Berges: Strab. 5,4,8 (vor dem Ausbruch von 79 n. Chr.); Cass. Dio 66,21,1–4; Prok. BG 2,4,21–30; 4,35,1–7.

Der letzte Ausbruch vor dem des Jahres 79 lag viele Jh. zurück (um 700 v. Chr.; [3. 127 f., 339]). Doch war der vulkanische Charakter des Berges allgemein bekannt (Vitr. 2,6,1–3; Strab. l. c.); allerdings war man sich nicht bewußt, daß er immer noch gefährlich werden konnte (vgl. Plin. epist. 6,16,5). Der V. war vor dem J. 79 weitgehend bewachsen (Strab. l. c.; vgl. Frontin. strat. 1,5,21; Plut. Crassus 9,2; Flor. epit. 2,8 im Zusammenhang des Aufstandes des → Spartacus, dazu [6. 49–52]), an seinen Hängen lagen zahlreiche *villae rusticae* (→ Villa; Plin. epist. 6,16,13; vgl. → Boscoreale, → Boscotrecase). Ihre Prosperität verdankte die Region um den V. ganz wesentlich dem vulkanischen Boden. Dessen Qualitäten kamen, unterstützt von der Gunst des Klimas, erstens in der Landwirtschaft zum Tragen ([6. 35 f.], vgl. Verg. georg. 2,223 f.; bis zu vier Ernten im J.: Strab. 5,4,3; Wein:

Colum. 3,2,12; Plin. nat. 14,22; 14,34; Flor. epit. 1,11; Auson. Mos. 210; Gartenkulturen; großflächiger Getreideanbau erst seit dem 3. Jh. n. Chr. belegt [5. 265]), zweitens in der Bauwirtschaft bei der Gewinnung von Baumaterialien (Tuff, Lavagestein – z. B. zur Herstellung von Mahlsteinen, Pozzolanerde; [5. 265; 6. 37f.]) und drittens im Kurbetrieb und in der Touristik bei der Nutzung von Thermal- und Mineralquellen (z. B. in → Stabiae).

Bei dem von Erdbeben begleiteten Ausbruch des V. am 24./25. August 79 (zum Datum [6. 107–112]) kamen mehrere tausend Menschen zu Tode. Neben vielen verstreut liegenden *villae rusticae* und Luxusvillen (z. B. in → Oplontis) wurden die Städte → Pompeii, → Herculaneum und → Stabiae zerstört sowie weite Landstriche in Mitleidenschaft gezogen. Die Streuungsachse des pyroklastischen Niederschlags (Bimsstein und Ascheregen) war nach SO orientiert [5. 267²⁷, 478] und reichte über die Halbinsel von → Surrentum (h. Sorrento; → Mons Lactarius) bis in das Gebiet von → Poseidonia; er erreichte aber auch → Misenum im Westen des V. Eruptionsregen verursachten heiße Schlammströme (sog. Lahars). Plinius [2] der Jüngere beschrieb in zwei Briefen an Tacitus eindrucksvoll seine eigenen Erlebnisse und die seines Onkels, Plinius [1] des Älteren, während des Ausbruchs (Plin. epist. 6,16; 6,20; zu den Problemen, mithilfe dieser Briefe den genauen Verlauf des Ausbruchs zu rekonstruieren [2. 10f.; 4; 6. 53–56; 8. 380f.]; vgl. Cass. Dio 66,22f.; weitere Quellen [8. 382–388]). Kaiserliche Hilfsmaßnahmen sollten der Region wieder auf die Beine helfen (*curatores restituendae Campaniae*, Zuweisung von Finanzmitteln: Suet. Tit. 8,4; vgl. Cass. Dio 66,24,1; [6. 56f.]); die am stärksten zerstörten Gebiete wurden in der Ant. aber nicht (z. B. → Pompeii) bzw. nur allmählich wiederbesiedelt, Straßenverbindungen z. T. erst unter Hadrianus wiederhergestellt [5. 270–273].

→ Vulkan; Naturkatastrophen

1 C. ALBORE LIVADIE u. a., Eruzioni pliniane del Somma-Vesuvio, in: P. G. GUZZO, R. PERONI (Hrsg.), Archeologia e Vulcanologia in Campania, 1998, 39–86 2 M. FREDERIKSEN, Campania (hrsg. und erg. von N. PURCELL), 1984, 6–12 3 A. NAZZARO, Il Vesuvio, 1997 4 E. OLSHAUSEN, Mit der Katastrophe leben, in: Ders., H. SONNABEND (Hrsg.), Naturkatastrophen in der ant. Welt (Geographica Historica 10), 448–461 5 U. PAPPARLARDO, V. Große Ausbrüche und Wiederbesiedlungen, in: s. [4], 263–274, 476–480 6 E. RENNA, V. mons, 1992 7 F. TICHY, Italien (Wiss. Länderkunden 24), 1985, 85–88 8 G. WINKLER, Der Vesuvausbruch vom August 79 n. Chr. in der ant. Überl., in: s. [4], 376–395.   V. S.

Vetera. Seit früher Kaiserzeit röm. Lager am 60. Meilenstein rheinabwärts von → Colonia Agrippinensis (h. Köln; Tac. ann. 1,45,1) zw. dem h. Birten und Xanten. Der wohl einheimische Name deutet auf eine frühere, arch. nicht nachgewiesene Siedlung in der näheren Umgebung (vgl. Tac. hist. 4,18,3: *castra quibus Veterum nomen est*, »Lager mit Namen V.«, öfters in den Berichten über den → Bataveraufstand; Ptol. 2,9,14: Οὐέτερα). Das erste röm. Lager (V. I) lag auf dem Südhang des Fürstenberges, der sich aus dem niederrheinischen Tiefland erhebt, trotz mancher Flußbettverlagerung in der Zwischenzeit in etwa gleicher Entfernung vom Rheinverlauf wie heute gegenüber der Mündung der → Lupia (h. Lippe). Nach Tac. hist. 4,23,1 (vgl. 4,30,1; 5,14,2; 5,18 zur Top.) war die eine Seite des unter Augustus errichteten Lagers über einen sanft ansteigenden Hügel, die andere über ebenes Feld zugänglich (offenbar Nord- bzw. Südseite). Die Datier. wird durch das Fundmaterial bestätigt, demzufolge die Anlage etwa 13/2 v. Chr. im Zusammenhang mit den Feldzügen des älteren Drusus (→ Claudius [II 24]) erfolgte. Ein etwas früherer Stützpunkt ist nicht auszuschließen, aber arch. nicht erwiesen. Mehrere Übungslager, unter denen sich auch ein Standlager verbergen könnte, sind belegt. Die Zuordnung der ältesten Spuren zu konkreten Anlagen ist problematisch. Vorläufig gehört die »Umwehrung B« zum frühesten Lager.

Welche Truppen zunächst in welcher Stärke hier stationiert waren, ist offen. Zu rechnen ist mit Detachierungen und mit gemeinsamen Verbänden von Legionären und Auxiliarsoldaten. Der Grabstein eines M. Caelius (ILS 2244) mit Nennung der 9 n. Chr. im Teutoburger Wald untergegangenen 18. Legion gestattet die Vermutung, daß in V. Teile des Heeres des → Quinctilius [II 7] Varus stationiert waren. Der nach der Vernichtung des Varus befürchtete Übergang der → Germani über den Rhein (→ Rhenus [2]) und die Erhebung der rheinischen Stämme blieb dank des Entsatzes von V. durch Nonius [II 5] Asprenas (vgl. Vell. 2,120,3) aus.

Verm. durch den erneut an die Rheinfront entsandten Tiberius [1] wurde etwa 10 n. Chr. ein Zweilegionenlager auf dem Fürstenberg errichtet und spätestens 14 n. Chr. mit den *legiones V Alaudae* und *XXI Rapax* belegt (→ legio C. mit Karten). Das Lager hatte eine einmal erneuerte Befestigung aus einer Holz-Erde-Mauer. Als Augustus 14 n. Chr. starb, meuterten die niedergermanischen, darunter auch die in V. stationierten Legionen. Sie befanden sich damals aus unbekannten Gründen im Gebiet der → Ubii und kehrten nach Unterdrückung der Meuterei nach V. zurück, wo es zu einem Massaker von pflichttreuen Teilen des Heeres an den Drahtziehern der Meuterei und angeblich weiterhin zum Aufstand bereiten Elementen kam (Tac. ann. 1,48f.). In den Folgejahren nahmen die in V. stationierten Legionen an den Kriegszügen des → Germanicus [2] in das Gebiet der Germania Magna teil. Nach Abberufung des Germanicus 16/7 n. Chr. war V. verm. bis zur Erhebung des *oppidum Ubiorum* 50 n. Chr. zur *colonia* Statthaltersitz des niedergerman. Heeresbezirks (→ Colonia Ulpia Traiana, s. Nachträge).

E. der 20er J. oder zu Anf. der 30er J. des 1. Jh. n. Chr. wurde die alte Anlage abgebrannt, das Gelände planiert und ein Neubau errichtet. Bei der Versorgung der Besatzung spielten jetzt weniger einheimische als

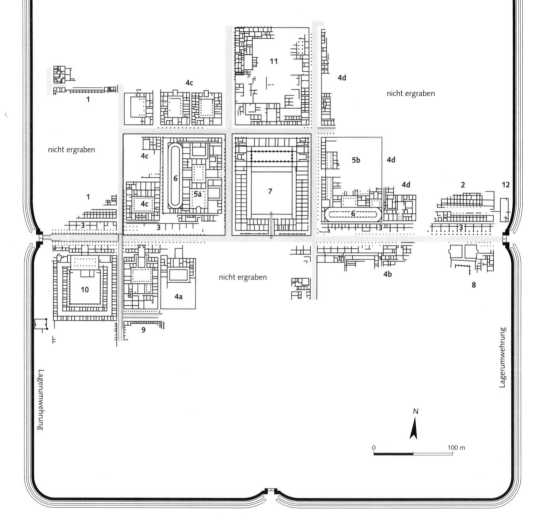

Vetera. Doppellegionslager der 5. und 15. Legion (54–68 n.Chr.); Grundriß.

1 Kohortenunterkünfte der 5. Legion
2 Kohortenunterkünfte der 15. Legion
3 Unterkünfte (tabernae) der Legionsreiter
Wohngebäude der Stabsoffiziere:
4a Lagerkommandant und senatorischer
   Tribun der 5. Legion
4b Lagerkommandant und senatorischer
   Tribun der 15. Legion
4c ritterlicher Tribun der 5. Legion
4d ritterlicher Tribun der 15. Legion

Legion:
5a Amts- und Wohngebäude (praetorium) des
   Legionskommandeurs der 5. Legion
5b Amts- und Wohngebäude (praetorium) des
   Legionskommandeurs der 15. Legion
6 Praetoriumsinnenhöfe
7 Lagerforum (principia)
8 Aufenthaltsraum (schola) der 1. Kohorte
   der 15. Legion
9 Wirtschaftsgebäude
10 Lazarett (valetudinarium) der 5. Legion
11 Verwaltungsgebäude der Lagerkommandanten
12 Latrine

röm. Produkte die entscheidende Rolle. Im Zusammenhang mit dem Britannienfeldzug des → Claudius [III 1] wurde die *legio XXI* in V. etwa 46 n. Chr. durch die *legio XV Primigenia* ersetzt. Damit verbunden war ein Lagerneubau mit Steinfundamentierungen. Anf. der 60er J. erfolgte dann der letzte Lagerausbau auf dem Fürstenberg, jetzt in Stein und in Ziegelbauweise. Die rechte Hälfte der *castra* nahm die 15., die linke Hälfte die 5. Legion ein (vgl. Abb.). Im Vorfeld entstanden *canabae* (→ Heeresversorgung III.) von beachtlichen Ausmaßen.

Im Verlauf des → Bataveraufstands wurde V. I zerstört (zu den Ereignissen vgl. Tac. hist. 4,21–23; 28–30; 36; 59 f.). Der Belagerungsring des → Iulius [II 43] Civilis konnte zwar E. 69 n. Chr. zunächst von den Römern durchbrochen werden, doch weitere Entsatzversuche scheiterten, so daß V. Anf. 70 n. Chr. kapitulierte; die Besatzung wurde zum großen Teil niedergemacht. Der Sieg der Römer unter → Petillius [II 1] Cerialis im Sommer 70 n. Chr. bei V. war mitentscheidend für das E. des Bataveraufstands (zur Schlacht bei V. vgl. Tac. hist. 5,14–18).

Auch infolge der Kaiserproklamation des Vitellius [II 2] (69 n. Chr.) durch die rheinischen Truppen wurde die Rheinarmee von Vespasianus reorganisiert. Fortan stand in V. nur noch eine Legion. Ein neues Lager (V. II) wurde ca. 1 km östl. des Fürstenbergs auf der hochwasserfreien Niederterrasse des Rheins angelegt. Das Lager bestand mit verschiedenen Besatzungen bis um 275/6. Seine Resttruppen wurden verm. in die spätant. Festung Tricensima im Bereich der Colonia Ulpia Traiana (h. Xanten) verlegt. Nachgewiesen sind ausgedehnte Gräberfelder.

→ Batavi; Germani; ARCHÄOLOGISCHER PARK

H. VON PETRIKOVITS, s. v. V., RE 8 A, 1801–1834 · Ders., Die Legionsfestung Vetera II, in: BJ 159, 1959, 89–133 · H. SCHÖNBERGER, Die röm. Truppenlager der frühen und mittleren Kaiserzeit zw. Nordsee und Inn, in: BRGK 66, 1985, 321–495, bes. 427 A 8, 440 B 14, 449 C 20, 459 D 21 · R. URBAN, Der »Bataveraufstand« und die Erhebung des Iulius Classicus, 1985 · M. GECHTER, Xanten, in: H. G. HORN (Hrsg.), Die Römer in Nordrhein-Westfalen, 1987, 619–625 · D. VON DETTEN, Die Überreste der augusteischen und tiberischen Legionslager von V. I, in: J.-S. KÜHLBORN (Hrsg.), Germaniam pacavi, 1995, 59–77 · N. HANEL, V. I. Die Funde aus den röm. Lagern (Rheinische Ausgrabungen 35), 2 Bd., 1995.   R.A. WI.

Veteranen (lat. *veterani*).

I. REPUBLIK   II. PRINZIPAT   III. SPÄTANTIKE

I. REPUBLIK

Das röm. Heeresaufgebot war in der Zeit der Republik ein Milizheer; alle Bürger mit Besitz, der die festgesetzte Vermögensgrenze überschritt (vgl. → *census*), waren verpflichtet, als Bewaffnete Militärdienst zu leisten, wobei die Dienstzeit sich nach den mil. Erfordernissen richtete und nicht genau geregelt war. Es war üblich, daß die nach dem Militärdienst aus dem Heer entlassenen Soldaten auf ihre Höfe zurückkehrten und

nach Ausbruch eines neuen Krieges wiederum eingezogen werden konnten (Pol. 6,19–26; Liv. 1,43,1–8; 1,42,34). Unter diesen Bedingungen waren die *veterani* (= *v.*), die ehrenhaft aus der Armee entlassenen Soldaten, bis zur späten Republik keine soziale Gruppe mit spezifischer Interessenlage, und sie waren nicht in der Lage, Forderungen zu artikulieren oder polit. Einfluß auszuüben. Immerhin ist für das frühe 2. Jh. v. Chr. mehrfach die Ansiedlung von ehemaligen Soldaten bezeugt; so sollten die Soldaten des Cornelius [I 71] Scipio nach dem 2. → Punischen Krieg für jedes Dienstjahr in Spanien oder Africa zwei → *iugera* Land erhalten, und bei Gründung latinischer → *coloniae* wurde Soldaten ebenfalls Land zugewiesen (Liv. 31,4,1–3; 31,99,5 f.; 32,1,6; 35,9,7 f.; 40,34,2–4). Keineswegs aber hatten die Soldaten Anspruch auf Landzuteilung oder eine andere Versorgung nach der Entlassung aus dem Militärdienst.

Nachdem die gracchische Agrargesetzgebung (vgl. → Sempronius [I 11 und I 16]; → Agrargesetze) gescheitert war und Marius [I 1] auch → *capite censi* in die Legionen aufgenommen hatte (Sall. Iug. 86,2–4), wurde die Versorgung der *v.* zu einem polit. Problem: Der mit Marius polit. eng verbundene Volkstribun L. Appuleius [I 11] Saturninus setzte 103 v. Chr. ein Gesetz durch, das die Verteilung von Land an die *v.* des Marius vorsah (Vir. ill. 73,1); es bleibt allerdings unklar, ob tatsächlich *v.* aufgrund dieses Gesetzes in größerer Zahl in Africa angesiedelt wurden. Auch das Agrargesetz des J. 100 v. Chr. hatte wohl primär die Versorgung der *v.* des Marius zum Ziel (App. civ. 1,29).

Zum ersten Mal verteilte Cornelius [I 90] Sulla in großem Umfang Land an *v.*; nach Beendigung des Bürgerkrieges 82 v. Chr. wurden in den Regionen, die Sulla Widerstand geleistet hatten, große Landflächen konfisziert und den ca. 80 000 *v.* zugewiesen (App. civ. 1,96; 1,100; 1,104). *Coloniae* der sullanischen *v.* sind etwa für Etrurien (Arretium und Faesulae: Cic. Mur. 49), Praeneste (Cic. leg. agr. 2,78) und Pompeii (Cic. Sull. 60 ff.) belegt. Diese Maßnahmen hatten kaum sozialpolit. Intentionen, sondern dienten in erster Linie der mil. und polit. Sicherung It.s. Auf diese Weise hatte die Ansiedlung von *v.* durchaus machtpolit. Charakter.

Dem Vorbild Sullas folgend, versuchte Cn. Pompeius [I 3] 70 v. Chr. Landzuweisungen an die *v.* durchzusetzen, die unter seinem Kommando und unter dem des Q. Caecilius [I 31] Metellus in Spanien gekämpft hatten. Da die Republik in finanziellen Schwierigkeiten war, wurde das entsprechende Gesetz jedoch nicht ausgeführt (*lex Plotia*; vgl. Cic. Att. 1,18,6; Cass. Dio 38,5,1). Während des Krieges gegen Mithradates [6] scheint Pompeius den Soldaten eine Landzuteilung versprochen zu haben; wie aus einer Bemerkung Ciceros hervorgeht, erwarteten die Soldaten 63 v. Chr., nach Kriegsende Land zu erhalten (Cass. Dio 38,5,2; Cic. leg. agr. 2,54). Ein Agrargesetz zugunsten der *v.* des Pompeius scheiterte zunächst am Widerstand des Senats (*rogatio Flavia*; vgl. Cic. Att. 1,18,6; 1,19,4; Cass. Dio 37,49 f.), konnte aber schließlich von → Caesar 59

v. Chr. durchgesetzt werden (*lex Iulia agraria*); durch ein zweites Gesetz wurde auch der → *ager Campanus* in die Landverteilung einbezogen. Ein Teil des für die *v.* bestimmten Landes sollte aufgekauft werden; neben den *v.* wurden auch besitzlose röm. Bürger berücksichtigt, die drei oder mehr Kinder hatten (Suet. Iul. 20,1–3; App. civ. 2,10f.; Cass. Dio 38,1,2–7,3). Um seine Soldaten an sich zu binden, verteilte Caesar während des Bürgerkrieges Land an *v.* seiner Legionen, verzichtete dabei aber aus polit. Gründen auf eine geschlossene Ansiedlung ganzer Einheiten (Suet. Iul. 38,1; App. civ. 2,94; Cass. Dio 42,54f.).

In den polit. Auseinandersetzungen nach Caesars Ermordung spielten die *v.* seiner Legionen eine entscheidende Rolle; zahlreiche *v.* waren im März 44 v. Chr. in Rom anwesend und stellten für den Senat sowie die Caesarmörder eine Bedrohung dar; sie forderten Rache für die Ermordung ihres Feldherrn und eine Garantie ihrer Besitzrechte an dem von Caesar verteilten Land (App. civ. 2,119f.; 2,125f.; 2,135; vgl. Cic. fam. 11,1,1). Im Sommer 44 v. Chr. stützte M. Antonius [I 9] sich auf die *v.* Caesars (Cic. fam. 11,2), und der jüngere Caesar ging im Oktober 44 v. Chr. nach Campanien, um die dort angesiedelten *v.* für sich zu gewinnen (App. civ. 3,40). Dem Sieg über die Caesarmörder folgten 41 v. Chr. umfangreiche Landzuweisungen in It.; das Interesse der *v.*, ihr Land zu behalten, und die Furcht vor weiteren Konfiskationen bestimmten in hohem Maße die folgenden Konflikte (Cass. Dio 48,6f.; App. civ. 5,27). Nach dem Sieg von Actium (→ Aktion; 31 v. Chr.) erhielten Soldaten mit einer langen Dienstzeit Land in It.; die früheren Besitzer wurden durch Geldzahlung entschädigt (Cass. Dio 51,4,5f.; R. Gest. div. Aug. 15,3; 16,1). Der Schwerpunkt der folgenden Ansiedlungen von *v.* in *coloniae* lag in den westlichen Prov., deren → Romanisierung dadurch entsprechend gefördert wurde. Für die Versorgung der *v.* wandte Augustus große Summen aus seinem eigenen Vermögen auf (R. Gest. div. Aug. 16,2), bis sie endgültig durch die Schaffung des → *aerarium militare* (s. Nachträge; 6 n. Chr.) geregelt wurde (R. Gest. div. Aug. 17,2); die Geldzahlungen an *v.* zum Zeitpunkt ihrer Entlassung aus dem Heer lösten schließlich die Ansiedlung von *v.* ab, ihre Höhe wurde je nach Dienstrang genau festgelegt.

→ Agrargesetze; Coloniae; Heerwesen

1 H. BOTERMANN, Die Soldaten und die röm. Politik in der Zeit von Caesars Tod bis zur Begründung des zweiten Triumvirats, 1968 2 BRUNT, 294–344 3 D. KIENAST, Augustus, ³1999 4 E. T. SALMON, Roman Colonization under the Republic, 1969 5 H.-C. SCHNEIDER, Das Problem der Veteranenversorgung in der späten röm. Republik, 1977 6 F. VITTINGHOFF, Röm. Kolonisation und Bürgerrechtspolitik unter Caesar und Augustus (AAWM), 1952. H. SCHN.

II. PRINZIPAT

In der Prinzipatszeit galten die Soldaten, die nach Ableistung der Dienstzeit oder bei vorzeitiger Entlassung aufgrund von Invalidität (*missio causaria*) sowie aufgrund kaiserlicher Gunst ihre ehrenvolle Entlassung, die *honesta* → *missio* (vgl. Dig. 3,2,2,2; 49,16,13,3), erh. hatten, als *veterani* (= *v.*). Syn. für *v.* wurden auch die t.t. *dimissi honesta missione, emissi, missici, emeriti, evocati* und *exauctorati* gebraucht. Der feierliche Tag der Entlassung – meist in einem der Wintermonate – war mit Kultakten (PDura 54, col. 1,7–9: 7. Jan.; → *Feriale Duranum*; vgl. Entlassungsweihungen wie AE 1973, 553f.; ILS 2181; 4833) und der Auszahlung der *ad signa* (»bei den Feldzeichen«, d. h. im Kellergeschoß der → *principia*) verwahrten Ersparnisse sowie der *praemia militiae* aus dem → *aerarium militare* (s. Nachträge) verbunden.

Systematische Landzuweisungen an *v.* lassen sich nach Augustus seltener und zuletzt unter Hadrianus in den Prov. nachweisen, die Möglichkeit der *missio agraria* existierte aber als Viritanassignation (Landzuweisung Mann für Mann) weiter. Spätestens seit dem 2. Jh. war jedoch die Geldzahlung (*missio nummaria*) als *praemium militiae* die Regel. *V.* erhielten bei Zugehörigkeit zu einem mil. *collegium* beim Ende des aktiven Dienstes das sog. *anularium* (Abstandszahlung: ILS 2438) als materielle Unterstützung für den Eintritt in das Zivilleben. Bei der *missio* erhielten die *v.* Entlassungsurkunden (→ *tabulae honestae missionis*), bei Berechtigung auch → Militärdiplome, mit denen sie bei Bedarf, etwa bei der → *epíkrisis* (s. etwa FIRA 3, 7b; vgl. PSI 1026), die daraus resultierenden Vergünstigungen belegen konnten. Die *v.* gewährten Privilegien (→ *immunitas*), die während der Prinzipatszeit einem gewissen Wandel unterlagen, galten dort, wo der *veteranus* sich niederließ, meist in der alten Heimat oder am vertrauten Garnisonsort (was seit dem späten 1. Jh. oft identisch war): etwa Steuer- und Leistungsfreiheit im Bereich der *munera personalia* und *mixta* (→ *munus* II.), Befreiung von → *portoria, vectigalia*, → *angaria*.

Die *v.* der verschiedenen Truppenteile waren dennoch nicht unbedingt gleichgestellt (PFouad I 21; SB 8, 9668; vgl. Cod. Iust. 7,54,9; 10,55,3). Die *v.* galten als → *honestiores* und rückten zum Teil in hohe Positionen der Gebietskörperschaften und städtischen Ansiedlungen auf (AE 1915, 69; 1921, 21); bes. auf dem weniger städtisch entwickelten Umland der Militärstandorte nahmen *v.* einen Elitestatus ein. Integration signalisiert ihr Engagement im Bereich der lokalen → Verwaltung, Wirtschaft sowie im Bereich der lokalen Kulte. V.-Familien (IGR 3, 1187; 1266) weisen auf ihr Standesbewußtsein hin. V.-Vereine (CIL VIII 2618; ILS 6847) dienten sozialen und kultischen Zwecken, etwa der Sorge um ehrenvolle Bestattung und wohl auch der Trad.-Pflege (→ Vereine).

→ Heerwesen; Missio

1 S. LINK, Konzepte der Privilegierung röm. V., 1989 2 J. C. MANN, Legionary Recruitment and Veteran Settlement during the Principate, 1983 3 F. MITTHOF, Soldaten und V. in der Ges. des röm. Äg. 1.–2. Jh. n. Chr., in: G. ALFÖLDY et al. (Hrsg.), Kaiser, Heer und Ges. in der röm. Kaiserzeit. Gedenkschr. E. BIRLEY, 2000, 377–405

4 G. WESCH-KLEIN, Soziale Aspekte des röm. Heerwesens in der Kaiserzeit, 1998 **5** H. WOLFF, Die Entwicklung der V.-Privilegien vom Beginn des 1. Jh. v. Chr. bis auf Konstantin d. Gr., in: Ders., W. ECK (Hrsg.), Heer und Integrationspolitik, 1986, 44–115.   O. S.

III. SPÄTANTIKE

In der Spätant. wurden den *v.* zahlreiche Privilegien gewährt, so v. a. die Steuerfreiheit für den *v.* selbst und für dessen Ehefrau (Cod. Theod. 7,20,4); waren *v.* als Händler tätig, brauchten sie auch keine Marktsteuern zu bezahlen (Cod. Theod. 7,20,2,4). *V.*, die nach ihrer Entlassung aus dem Militärdienst Land erhalten hatten, waren von der Grundsteuer befreit; um ihnen die Aufnahme landwirtschaftlicher Tätigkeit zu erleichtern, wurden ihnen Ochsen sowie Saatgut gestellt (Cod. Theod. 7,20,3; 7,20,8).

JONES, LRE, 635 f.   H. SCHN.

Veterinärmedizin I. ALTER ORIENT
II. KLASSISCHE ANTIKE

I. ALTER ORIENT
A. QUELLEN   B. SPEZIALISTEN
C. KRANKHEITEN UND BEHANDLUNG

A. QUELLEN
Indirekt: Die akkadische Rechts-Slg. des → Hammurapi (18. Jh. v. Chr.) erwähnt die Behandlung von Ochsen (→ Rind) und Eseln [1. 70, § 224 f.]. Direkt: Zehn Rezepte in ugaritischer und sechs sicher identifizierte Rezepte in akkad. Sprache sind bekannt; sie beschränken sich auf die Behandlung von Pferdekrankheiten [2].

B. SPEZIALISTEN
Soweit die Quellen Aussagen zulassen, unterschied man Veterinäre für Boviden und Equiden [1. 70, § 224, Z. 18; 4]. Bereits in präsargonischer Zeit (ca. 2400 v. Chr.) kannte man den Beruf eines Eselarztes [3]. Akkad. t.t. für einen Pferdearzt (belegt im 1. Jt. v. Chr.) ist *munaʾʾišu*, »der, der am Leben erhält«.

C. KRANKHEITEN UND BEHANDLUNG
Die akkad. Rezepte betreffen die Pferdekolik; die ugarit. nennen als Krankheitssymptome Husten, (auffälliges) Wiehern, Probleme beim Urinieren, Defäkieren und Nahrungsaufnahme sowie Kopfschmerz.

In akkad. Rezepten [2. 73–76] werden Drogen aus pflanzlichen Wirkstoffen – mitunter in Wein als Trägerstoff – in die Nüstern des Pferdes eingeflößt. Ein Rezept sieht 23 Drogen vor, die, in einem Lederbeutel verestelt, in den Anus des Pferdes eingeführt werden sollten. In ugaritischen Rezepten [2] werden Drogen aus pflanzlichen Wirkstoffen pulverisiert und in die Nüstern eingeführt.

→ Pferd

1 TUAT 1   **2** S. D. PARDEE, Les textes hippiatriques, 1985   **3** A. DEIMEL, Die Inschr. von Fara (WVDOG 43), Nr. 70 iii 4 ff.   **4** F. THUREAU-DANGIN, Lettres et contrats de l'époque de la première dynastie babylonienne (Textes cunéiformes, Musée du Louvre 1), 137 (Brief).   BA. BÖ.

II. KLASSISCHE ANTIKE
Nach Isid. orig. 4,9,12 wurde die V. (*medicina iumentorum*, »Medizin für Zug- und Lasttiere«) vom Kentauren → Chiron begründet. Die ältesten erh. Quellen sind lat.: → Cato [1], *De agricultura* (79–82: Rinderkrankheiten; 105: Schafräude; 111: Vergiftungen von Rindern und anderen Tieren; 112: Maßnahmen zur Gesunderhaltung der Rinder; 33 und 63: Futter für Rinder und andere Tiere; 92, 140–141: Opfer für die Gesundheit der Rinder); → Varro [2], *Res rusticae* (B. 2: Weide- und Hütetiere – z. B. Schafe und auch Hunde – mit Fortpflanzung, → Kastration sowie Krankheiten, v. a. von Pferden: 2,7,16; B. 3: Hoftiere, Geflügel, Wild und Fische einschließlich Aufzucht, mit Fortpflanzung, Symptome von Gesundheit und Krankheit, u. a. der Bienen: 3,16,20–22); → Columella, *De re rustica* (B. 6–9: Aufzucht von Groß- und Kleinvieh, Krankheiten und deren Behandlung – Rinder und Großvieh: 6,4–19, Kälber: 6,25–26, Pferde: 6,30–35, Maultiere: 6,38, Schafe: 7,5, Ziegen: 7,7, Schweine: 7,10, Hunde: 7,13 und Bienen: 9,13).

Die genannten lat. Autoren beziehen sich auf frühere (z. B. → Mago [12]), von deren Schriften jedoch kaum etwas erh. ist. Weitere Werke aus der Zeit vom 4. Jh. v. Chr. bis ins 1. Jh. n. Chr. enthalten vielfältige Erörterungen zur Welt der Tiere, ihren Krankheiten und deren Behandlung sowie zu ihrer Anatomie und Physiologie (→ Xenophon [2], *De equitandi ratione*; → Aristoteles [6], *Historia animalium*, *De partibus animalium*, *De generatione animalium*; → Pedanios Dioskurides, *De materia medica*; → Plinius [1], *Naturalis historia* B. 8–11).

Spätere griech. Schriften (das *Corpus hippiatricum*, → Apsyrtos [2], → *Hippiatriká* oder → *Geōponiká*) sind in veterinärmedizinischer Hinsicht noch nicht hinreichend erforscht. Unsere besten Quellen sind derzeit die nicht genau datierbaren spätant. lat. Abh. des → Pelagonius, → Palladius [1] und → Vegetius sowie die → *Mulomedicina Chironis*.

Der Inhalt dieser Schriften läßt sich mit demjenigen der therapeutischen Hdb. der Humanmedizin (→ Medizin) von frühbyz. Zeit an vergleichen, v. a. was das Großvieh betrifft (→ Rind und → Pferd): Symptome und Behandlung von Krankheiten – inneren (z. B. Pest, Fieber, Störungen der Verdauung sowie der Respiration) und äußeren (z. B. Verletzungen, v. a. von Huf und Klaue, Gelenkdysfunktionen, Blutungen, Tumoren) –, Parasitologie (einschließlich Einsatz von Blutegeln), Vergiftungen durch Futter sowie Frakturen. Die Therapeutik ist medikamentös und chirurgisch. Die Heilmittel sind sowohl pflanzlicher als auch tierischer Herkunft, Medikamente werden oral oder extern (durch Einreibung, Kompressen, Räuchern) appliziert. Bei chirurgischen Eingriffen handelt es sich um Schnitte, → Kauterisationen und das Einrichten von Brüchen. Besondere Aufmerksamkeit gilt dem Futter und der Fortpflanzung.

Die ant. V. gehört in den älteren Quellen in den Bereich der → Landwirtschaft (→ Agrarschriftsteller) und scheint erst spät ihre Autonomie erlangt zu haben; dabei blieb sie aber im wesentlichen auf die Funktion des Viehs als Nutztier (Zug- und Lasttier), Nahrungslieferant und Wirtschaftsfaktor ausgerichtet.

Die ant. Lit. zur V. wirkte in byz. Zeit und im westlichen MA nach, doch läßt sich dieser Einfluß beim derzeitigen Forsch.-Stand angesichts ungenügender Quellenkenntnis noch nicht abschätzen. Hippiatrische Hss. enthalten Illustrationen, deren Herkunft noch nicht bestimmt ist.

→ Hippiatrika; Mulomedicina Chironis; Pharmakologie

J. N. ADAMS, Pelagonius and Latin Veterinary Terminology in the Roman Empire, 1995 · L. BODSON, Le vocabulaire latin des maladies pestilentielles et épizootiques, in: G. SABBAH (Hrsg.), Le Latin médical, 1991, 215–241 · K.-D. FISCHER, Ancient Veterinary Medicine. A Survey of Greek and Latin Sources and Some Recent Scholarship, in: Medizinhistor. Journ. 23, 1988, 191–209 · J. SCHÄFFER, K.-D. FISCHER, s. v. Tiermedizin, LMA 8, 774–780 · S. LAZARIS, Contribution à l'étude de l'hippiatrie grecque et de sa transmission à l'Occident, in: M.-C. AMOURETTI, F. SIGAUT (Hrsg.), Traditions agronomiques européennes, 1998, 143–169 · D. TROLLI, Studi su antichi trattati di veterinaria, 1990.   A. TO./Ü: T. H.

Vetissos (Ueteston, Οὐέτεστον). Ort in → Galatia am Südrand des Gebiets der → Tolistobogioi (Ptol. 5,4,7; Tab. Peut. 9,5: *Vetissus*), ca. 8 km wnw vom h. Sülüklü. In röm. Zeit regionale Organisation als δῆμος Οὐητισ-σέων/*dẽmos Uētisséōn* (MAMA 7, 363); aus der Region um V. sind zahlreiche Inschr. erh. (MAMA 7, 311–401).

BELKE, 242 · E. KIRSTEN, s. v. V., RE 8 A, 2437–2439.   K. ST.

Vetranio. Röm. Kaiser 1. März – 25. Dez. 350 n. Chr., von niedriger Herkunft aus Oberpannonien, diente sich unter → Constantinus [1] und → Constans [1] bis zum *magister peditum* empor. Bei der Erhebung des → Magnentius befand er sich in Illyricum. Auf Bitten der → Constantina ließ er sich zum Kaiser ausrufen, um zu verhindern, daß sein Heer sich Magnentius anschloß, und wurde von → Constantius [2] anerkannt. Da dessen Unterstützung aber zu schwach war, schloß V. ein Bündnis mit Magnentius, prägte jedoch keine Mz. mit dessen Bild. Als Constantius schließlich nach Europa gekommen war, führte V. ihm sein Heer zu und dankte ab, als seine Truppen, beeinflußt von Constantius, ihm die Gefolgschaft aufkündigten. Er erlitt nicht das übliche Usurpatoren-Schicksal, sondern erhielt einen Ruhesitz in → Prusa, wo er bis 356 lebte. PLRE 1, 954, Nr. 1.   K. G.-A.

Vettienus. Röm. Gentilname [2]. Bezeugt ist 49–44 v. Chr. der Geschäftsmann V. ([1]: verm. ein → *argentarius* [2]), der mit → Pomponius [I 5] Atticus und → Cicero in Geschäftsbeziehungen stand (vgl. Cic. Att. 10,5,3; 10,11,5; 10,13,2; 10,15,4; 12,3,2; 15,13,3; 15,13a,1; 15,20,1).

1 J. ANDREAU, Patrimoines, échanges et prêts d'argent, 1997, 115 2 SCHULZE, 101.   J. BA.

Vettius. Weitverbreiteter ital. Gentilname.

I. REPUBLIKANISCHE ZEIT

[I 1] V., L. Röm. Ritter aus Picenum, um 106–59 v. Chr. V. diente verm. 89 im Stab des Cn. Pompeius [I 8] Strabo (ILS 8888; [1. 161 f.]) und bereicherte sich später als Günstling des Cornelius [I 90] Sulla (Sall. hist. 1,55,17). Später schloß sich V. → Catilinas Verschwörung an (Q. Tullius Cic. commentariolum petitionis 10), verriet sie aber 63 an → Cicero (Cass. Dio. 37,41; Oros. 6,6,7). 62 wurde V. offenbar von Gegnern Caesars gewonnen, um auch diesen als Verschwörer zu denunzieren. Er konnte jedoch keine Beweise vorlegen und wurde deswegen verurteilt (Suet. Iul. 17,1f).

59 provozierte V. die sog. »V.-Affäre«, indem er behauptete, mit vielen jungen → *nobiles* ein Attentat auf Cn. Pompeius [I 3] geplant zu haben, das auch der Consul M. Calpurnius [I 5] Bibulus unterstützt habe. V. fand keinen Glauben, wurde aber verhaftet. Caesar präsentierte V. in einer → *contio* dem Volk, wo er verm. auf Caesars Veranlassung die Namen der beschuldigten Personen änderte. Später wurde V. in der Haft ermordet. Urheber und Ziele der Affäre sind umstritten: Da die späteren Quellen (Plut. Lucullus 42,7 f.; Suet. Iul. 20,5; App. civ. 2,43–46; Cass. Dio 38,9) wenig zuverlässig scheinen, folgt der Großteil der mod. Forsch. (u. a. [4; 5]) Cicero (Att. 2,24; Vatin. 24–26), der den ausführlichsten Ber. liefert und Caesar für den Urheber hielt. Vielleicht wollte dieser Pompeius stärker an sich binden und die polit. Gegner diskreditieren. Umstritten ist, ob die Affäre zu einer Verlegung der Wahlen für 58 führte [5] oder als gescheiterte Verzweiflungstat Caesars zur Destabilisierung nach der Verlegung der Wahlen anzusehen ist [4]. Vielleicht lancierte auch Pompeius selbst den Skandal, um sein angeschlagenes Ansehen aufzubessern (so [2. 95 f.; 3]).

1 C. CICHORIUS, Röm. Studien, 1922 2 GRUEN, Last Gen. 3 B. MARSHALL, Pompeius' Fear of Assassination, in: Chiron 17, 1987, 119–133 4 C. MEIER, Zur Chronologie und Politik in Caesars erstem Konsulat, in: Historia 10, 1961, 68–98 5 L. R. TAYLOR, The Date and the Meaning of the V. Affair, in: Historia 1, 1950, 45–51.

[I 2] V. Chilo, P. Röm. Ritter, der verm. um 73 v. Chr. einer der *magistri* einer in Sicilia tätigen → *societas* von → *publicani* war (Cic. Verr. 2,3,166–168; [1]). Sein Bruder T. V. war Quaestor ihres Schwagers → Verres (ebd. 2,3,168; 5,114).

1 E. BADIAN, Publicans and Sinners, 1972, 72f.

[I 3] V. Chrysippus. 53–44 v. Chr. bezeugter → Freigelassener des Architekten Kyros und verm. selbst Architekt (Cic. Att. 13,29,1; 14,9,1; Cic. fam. 7,14,1).   J. BA.

[I 4] **V. Philocomus.** Röm. Grammatiker des ausgehenden 2. Jh. v. Chr., der die Werke des Zeitgenossen und Freundes → Lucilius [I 6] im Unterricht kommentierte (Suet. gramm. 2); → Valerius [III 3] Cato zählte dabei zu seinen Schülern (l.c.; vgl. auch Hor. sat. 1,10; ob diese Satire im weiteren Fortgang auf V. zu beziehen ist, ist umstritten). Lucilius (fr. 1322 MARX = Quint. inst. 1,5,56) verspottet wohl diesen V. wegen seines mittelital. Dialektes.

FR.: GRF 51.
LIT.: W. SUERBAUM, in: HLL 1, §191.1.　　　　J. R.

[I 5] **V. (Sabinus?), T.** 59 v. Chr. Praetor, danach verm. Statthalter von Africa (Cic. Flacc. 85). Unklar ist seine Beziehung zu dem Quaestor des → Verres (T. V.; vgl. V. [I 2]) und dem münzprägenden Beamten (T. V. Sabinus), dessen Datier. umstritten ist (BMCRR, Nr. 3370; RRC, Nr. 404; MRR 2,455; 3,219).　　　J. BA.

[I 6] **V. Scato, P.** Führer (*praetor*) der → Paeligni im → Bundesgenossenkrieg [3] 91–89 v. Chr. (Cic. Phil. 12,27) Er operierte 91 zunächst in Picenum, 90 im Grenzgebiet zw. Latium und den Marsi, wo er den röm. Consul P. Rutilius [I 1] Lupus am Tolenus schlug, aber von dessen Legaten C. Marius [I 1] zum Abrücken gezwungen wurde. Darauf zog er nach Süden ab, schlug bei Aesernia in Samnium das Heer des Consuls L. Iulius [I 5] Caesar und eroberte die Stadt. Im Frühj. 89 verhandelte er bei Asculum vergeblich mit dem Consul Cn. Pompeius [I 8] Strabo (Cic. Phil. 12,27), der darauf den Großteil der Italiker unterwarf. V. zeigte sich weiterhin nicht friedensbereit, sollte von seinen Truppen ausgeliefert werden und beging Selbstmord (Sen. benef. 3,23,5; Macr. Sat. 1,11,24). Hauptquelle: App. civ. 1,181–204.　　　　　　　　　　K.-L. E.

II. KAISERZEIT

[II 1] **M. V. Bolanus.** Senator, vielleicht aus Nord-It. stammend, wohl *homo novus*. Legionslegat 62 n. Chr. unter → Domitius [II 11] Corbulo im Osten, Suffectconsul 66. Im J. 69 schloß er sich → Vitellius [II 2] an, der ihn als konsularen Statthalter nach Britannien sandte. Dort hatte er gegen Aufstände zu kämpfen, zugleich aber Vitellius in It. mit dorthin entsandten Truppen zu unterstützen. Wenn Tacitus (Agr. 16,6) von V.' *inertia* (»Untätigkeit«) spricht, ist dies eher eine Folge der Bürgerkriegssituation und der Kämpfe in Gallien, wohin V. ebenfalls eine Legion schicken mußte (→ Vierkaiserjahr). Ende 71 erfolgte seine Rückkehr nach Rom, 73/4 die Aufnahme unter die → patricii; V. war Proconsul von Asia ca. 75/6. Sein Sohn ist V. [II 2].

BIRLEY, 62–65.

[II 2] **M. V. Bolanus.** Sohn von [II 1]; *cos. ord.* 111 n. Chr. Sein Bruder V. Crispinus wird von Stat. silv. 5,2,162–171 und ist wohl identisch mit C. Clodius [II 3] Crispinus.

[II 3] **C. V. Gratus Atticus Sabinianus.** Nachkomme von V. [II 6], Patrizier. *Cos. ord.* 242 n. Chr. (Laufbahn

in CIL VI 1529 = 41234). Sein Vater C. V. Gratus Sabinianus war *cos. ord.* 221.

K.-H. DIETZ, Senatus contra principem, 1980, 248–251.

[II 4] **M. V. Latro.** Ritter aus → Thuburbo [1] Maius in Africa. Als Praefekt der *cohors I Alpinorum* wurde er im Dakerkrieg von → Traianus [1] ausgezeichnet. Nach weiteren mil. Aufgaben *procur. annonae Ostiae et in Portu*, *procur.* des Patrimonialguts in Sizilien, Praesidialprocurator der → Alpes Cottiae und im J. 128 von Mauretania Caesariensis.

THOMASSON, Fasti Africani, 200 f.

[II 5] **C. V. Rufus.** *Cos. suff.* (nach CIL XII 4407) zusammen mit M. Porcius [II 1] Cato 36 n. Chr.

W. ECK, s. v. V. (42a), RE Suppl. 14, 841 f.

[II 6] **C. V. Sabinianus Iulius Hospes.** Aus dem Ritterstand. Die Herkunft der Familie ist unsicher; vielleicht aus Africa und möglicherweise mit V. [II 4] verwandt. Nach zwei Stellungen in der *militia equestris* (→ tres militiae) Aufnahme in den Senatorenstand durch Antoninus [1] Pius (Laufbahn in AE 1920,45). Nach der Praetur Legat des Proconsuls von Asia, danach im Spezialauftrag auf den *Cyclades* (→ Kykladen). Legionslegat bei der *legio III Italica*; Spezialmission in Gallien zur Kontrolle der städt. Finanzen. Legat der *legio XIV Gemina*, verbunden mit dem *iuridicatus* (→ iuridicus 1.) in Pannonia superior. → Praefectus [2] *aerarii* des *aerarium Saturni* in Rom; praetor. Statthalter von Pannonia inferior; in dieser Zeit Teilnahme an den Kämpfen gegen german. Stämme. 175 nach It. und Rom beordert, um gegen einen Angriff des → Avidius [1] Cassius gerüstet zu sein. Suffectconsul; Statthalter von Dalmatien, danach der Tres Daciae (→ Dakoi), schließlich von Pannonia superior. Um 190 Proconsul von Africa.

FPD, 131–137 · THOMASSON, Fasti Africani, 75.

[II 7] **V. Sabinus.** Angeblich Senator, dessen Name in der → Historia Augusta (HA, Max. Balb. 2,1) als Vectius Sabinus überl., aber häufig zu Vettius »verbessert« wird. Es handelt sich aller Wahrscheinlichkeit nach um eine fiktive Person.

H. BRANDT, Komm. zur vita Maximini et Balbini der Historia Augusta, 1996, 127.

[II 8] **M. V. Scato.** Senator aus der Gegend von → Marruvium, der nach dem Amt des *triumvir capitalis* und dem Militärtribunat bei der *legio IIII Macedonica* in → Mogontiacum (h. Mainz) als [*quaestor*] designatus gest. war, verm. im J. 69 (CIL IX 3649 = AE 1979,197 = AE 1991,565; vgl. [1. 477] mit früherer Lit.).

1 A. M. ANDERMAHR, Totus in praediis, 1998.　　　W. E.

[II 9] **V. Valens.** Aus Antiocheia [1], praktischer Astrologe und griech. Fachschriftsteller, nach [1. V] (vgl. [1. 7,116f.]) am 8.2.120 n. Chr. geb., verfaßte um 175 ein umfangreiches Werk in 9 B., die an einen Markos gerichteten *Anthologiae* (Ἀνθολογεῖων βιβλία). V. ist stolz auf seine klare Sprache, die → *koiné*, die sich von der Dunkelheit mancher seiner Quellen abhebe. Er behandelt alle wichtigen Einzellehren der Astrologie, jedoch ohne Systematik; ob die zahlreichen Umstellungen und Ergänzungen auf ihn oder einen Redaktor zurückgehen, steht nicht fest. Die Masse der 140 eigenen Horoskope [1. 7,81–131] bezieht sich auf Geburtsjahre zw. 50 und 173 n.Chr. und stammt aus den J. 139–173 n.Chr., eine Voraussage bezieht sich auf das J. 184 n.Chr. [1. V–VII]. Der – im Bereich der erh. griech. astrologischen Fach-Lit. relativ frühe – Text hat seinen besonderen Wert als Quellen-Slg.: V. schöpfte u.a. aus → Nechepso-Petosiris, → Kritodemos, → Hipparchos [6], → Hypsikles, → Timaios [4] und → Thrasyllos [2]; er wurde seinerseits benutzt von → Hephaistion [5], → Rhetorios und → Theophilos [8] von Edessa. Als Gebrauchstext wurde er oft und stark verändert. Neben der spätestens seit dem 7. Jh. lückenhaften griech. Version des Textes gab es eine über das Mittelpersische vermittelte arabische. Bei Byzantinern und Arabern stand V. in hohem Ansehen: Er wurde häufig epitomiert oder zitiert. Fälschlich wurden ihm (wahrscheinlich in byz. Zeit) zugeschrieben: Χρῆσμα τεχνωθέν/ *Chrêsma technōthén*, ›Instruierte Voraussage‹ (CCAG IV, 146), Περὶ τῶν παρανατελλόντων ἑκάστης μοίρας/ *Perì tōn paranatellóntōn hekástēs moíras*, ›Über die Begleitsternbilder eines jeden Einzelgrades‹ (CCAG I, 84,18), Κρίσις Οὐάλεντος Μαχούμετ/ *Krísis Uálentos Machúmet*, ›Beurteilung des Valens durch Mahomet‹ (CCAG V 3, 110–121). Auch mit dem Gründungshoroskop von Konstantinopolis wurde er in byz. Zeit irrtümlich in Verbindung gebracht [6. 217, 285].

→ Astrologie

ED.: **1** D. PINGREE, 1986 **2** J.-F. BARA, 1989 (B. 1 mit Komm.).

ENGL. ÜBERS.: **3** R. SCHMIDT (in Vorbereitung). LIT.: **4** E. BOER, s.v. V. (67), RE 8 A, 1871–1873 **5** F.H. CRAMER, Astrology in Roman Law and Politics, 1954, 190f. **6** W. und H.G. GUNDEL, Astrologumena, 1966, 216–221 **7** O. NEUGEBAUER, H.B. VAN HOESEN, Greek Horoscopes, 1959 **8** W. WARNING, De Vetii Valentis sermone, 1909.   W.H.

[II 10] V. Valens. Röm. Arzt und Liebhaber der → Messalina [2] (Plin. nat. 29,5,8; Tac. ann. 11,30,2, 31,3), 48 n.Chr. durch → Claudius [III 1] hingerichtet (Tac. ann. 11,35,3). V. war vielleicht Schüler des Apuleius Celsus und Lehrer des → Scribonius [II 3] Largus (compositiones, index 91; 94) und sammelte nach Plin. nat. 29,5,8 durch seine Beredsamkeit Schüler um sich; er erlangte Einfluß, wobei sich seine medizinische Schule nicht genauer bestimmen läßt. Doch ist das 1. Jh. n.Chr. in der Medizin durch die Ausbildung radikaler Theorie-Systeme gekennzeichnet, die zuweilen stärker durch den therapeutischen Erfolg als durch wiss. Grundlagen bestimmt waren.

Scribonius erwähnt zwei Rezepte (91; 94), Galenos drei zusammengesetzte Medikamente jeweils für die innere Anwendung (de compositione medicamentorum secundum locos 13,115, 285 und 292), welche den Namen des V. tragen. Bemerkenswert sind darin als Bestandteil das Opium sowie extravagante und kostspielige Drogen, wie in jener Zeit üblich. Schon zur Zeit Galens wurde die dritte Formel in unterschiedlicher Gestalt überl. Eine der Formeln des Scribonius, welche den Namen des V. tragen (94), wurde von Marcellus [8] Empiricus (16,8) übernommen.

R. HANSLIK, s.v. V. (51), RE 8 A, 1869 · F.P. MOOG, V. Valens. Kaiserlicher Leibarzt und einziger röm. Schulgründer (Würzburger medizinhistor. Mitt. 20), 2001, 18–35.   A. TO./Ü: T.H.

Vettona. Stadt in Umbria auf einem Hügel linksseits des → Tiberis zw. → Tuder und → Perusia, h. Bettona. *Municipium* der *tribus Clustumina* [1. 271]. Mauern in *opus quadratum* (→ Mauerwerk); Nekropolen vom 4. Jh. v. Chr. bis ins 2. Jh. n. Chr.

1 L.R. TAYLOR, The Voting Districts of the Roman Republic, 1960.

G. BECATTI, Nota topografica sulle mura di Bettona, in: SE 8, 1934, 397–400 · C. PIETRANGELI, s.v. Bettona, EAA 2, 76.   G. U./Ü: J. W. MA.

Vettones (Οὐέττονες). Zentral-iberischer Stamm mit Siedlungsgebiet zw. den Flüssen Anas und Durius (Ptol. 2,5,9), dessen keltischer Charakter nicht gesichert ist [1. 202f.]. Die V. waren Hirten und Viehzüchter. Sie entdeckten ein Kraut, das bes. wirksam gegen Schlangenbiß war (Cels. artes 5,27,10; h. Ziest, Stachys oder Betonica officinalis) und in Gallia *herba Vettonica* genannt wurde (Plin. nat. 25,84; vgl. → Placitus Papyriensis). Die V. erlitten 193 v. Chr. im Kampf gegen die Römer unter dem Praetor M. Fulvius [I 15] bei → Toletum eine Niederlage (Liv. 35,7,8). Gelegentlich wurde die röm. Prov. nach ihnen benannt: *provincia Lusitania et Vettonia* (CIL II 485; 1178; 1267).

1 TOVAR 2.

J. MALUQUER DE MOTES, Pueblos celtas, in: R. MENÉNDEZ PIDAL (Hrsg.), Historia de España, Bd. 1.3, ³1976, 25f. · TIR J–29 Emerita, 1995, 162 · A. SCHULTEN, R. GROSSE, s.v. V., RE 8 A, 1873f.   R. ST.

Vettulenus
[1] Sex. V. Cerialis. Senator, dessen Familie aus dem Sabinerland stammen könnte [1. 325–332]. Legionslegat im jüd. Krieg unter → Vespasianus; nach der Eroberung Jerusalems (70 n.Chr.) übernahm er als erster senator. Statthalter die Prov. Iudaea (→ Palaestina). Wohl in der 1. H. des Jahres 71 Rückkehr nach Rom; Suffektconsul wohl 72 oder 73. Von 75–78 als konsularer Legat von Moesia bezeugt (CIL XVI 22; vgl. [2. 30, Tab. I, Z. 9; 3]) Vielleicht bezieht sich ILS 988 auf ihn.

1 Syme RP, Bd. 1 2 RMD I, Nr. 2 3 W. Eck u. a., Neue Militärdiplome zur Gesch. der Prov. Germania inferior, in: Köln. Jb. 2001 (im Druck) 4 Ders., s. v. V. (1), RE Suppl. 14, 842–847 5 Th. Franke, Die Legionslegaten der röm. Armee in der Zeit von Augustus bis Traian, Bd. 1, 1991, 111 f.

[2] M. V. Civica Barbarus. Sohn von V. [4] und einer Plautia [2]. Geb. kurz vor 124 n. Chr.; Halbbruder des L. Aelius Caesar (→ Ceionius [3] Commodus), damit Onkel von L. → Verus. Patrizier; seine Laufbahn in AE 1958, 15. Cos. ord. 157; Mitglied der *sodales Antoniniani*. Als → *comes* begleitete er → Lucilla zur Hochzeit mit Verus nach Ephesos. Befreundet mit Herodes [16] Atticus; vgl. [1. 845 f., s. v. V. (2)].

[3] C. V. Civica Cerialis. Bruder von V. [1], *cos. suff.* ca. 75 n. Chr.; konsularer Legat von Moesia (bezeugt im J. 82). Während seines Prokonsulats in Asia ließ Domitianus [1] ihn töten (Tac. Agr. 42; Suet. Dom. 10,2); vgl. [1. 846, s. v. V. (3)].

[4] Sex. V. Civica Cerialis. Sohn von V. [1] oder V. [3]. Cos. ord. 106 n. Chr. mit L. Ceionius [2] Commodus, dessen Frau Plautia [2] er später heiratete. Vater von V. [2] und von V. [5]; möglicherweise Patrizier; vgl. [1. 846 f., s. v. V. (4)].

[5] Sex. V. Civica Pompeianus. Sohn von V. [4]; sein Halbbruder ist V. [2]. Cos. ord. 136 n. Chr. zusammen mit Ceionius [3] Commodus, dem späteren L. Aelius Caesar; vgl. [1. 847, s. v. V. (5)]

1 W. Eck, s. v. V. (2–5), RE Suppl. 14, 845–847.   W. E.

Vetulonia (etr. *Vatl*). Etr. Küstenstadt im SO von → Populonia (Plin. nat. 2,227 und 3,52; Ptol. 3,1,49: Οὐετουλόνιον; vgl. Frontin. strat. 1,2,7) beim h. V. Die Stadt lag auf einem Hügel (345 m), der im Osten zu einer Meeresbucht, einem idealen Naturhafen, abfiel. In diese Bucht mündete ein schiffbarer Fluß, der vom Bergbaugebiet (Kupfer, Eisen, Blei, Silber; → Massa Veternensis) beim Lago dell' Accesa herabführende Prile (h. Bruna), der den Standort V. als Umschlagplatz von See- und Überlandhandel förderte. (vgl. die Mz. von V.: Delphine, Dreizacke, Anker; HN 15). Seine Anschwemmungen und die des Umbro (h. Ombrone) schlossen die Bucht jedoch allmählich gegen das Meer ab, so daß sie schließlich den zu Ciceros Zeit als → Lacus Prelius bekannten See bildete (zum Plan des T. Annius [I 14] Milo, auf einer Insel im See eine Villa anzulegen: Cic. Mil. 74). Der Stadt war so der Seehafen genommen, was ihre urspr. wirtschaftliche Bed. stark beeinträchtigte.

Die ersten Siedlungsspuren in der Umgebung von V. (Val d' Ampio, Val Berretta, Selvello) stammen aus dem Alt- und Mittelpaläolithikum; aus der Eisenzeit stammen → Nekropolen (VII.) mit Pozzetto-Gräbern (Urnen in bikonischer, runder und Hüttenform; Grabbeigaben: kleine Gefäße, Waffen; → Villanova-Kultur). Um die Mitte des 8. Jh. v. Chr. setzen auch Körperbestattungen ein (reichere Grabbeigaben, z. T. Importe); von Steinkreisen umschlossene Gräbergruppen lassen auf eine vom Adel beherrschte Gesellschaft schließen. Ab dem 7. Jh. v. Chr. finden sich auch Kammergräber unter Erdhügeln mit reichen Grabbeigaben (lokale, aber auch aus anderen etr. Städten, Sardinia und Mitteleuropa, aus Griechenland und dem Vorderen Orient importierte Waren wie Wagen, Trensen, Waffen, Geschirr, Toilettenartikel), die den hohen sozialen Rang der Verstorbenen zeigen.

Die wenigen lit. Notizen zur Gesch. der Stadt lassen erkennen, daß V. überregionale Bed. hatte; so soll V. (Dion. Hal. ant. 3,51,4 zum J. 606 v. Chr.) in einen Krieg gegen die Römer unter Tarquinius [11] Priscus auf seiten der → Latini verwickelt gewesen sein; ferner wurden wesentliche Insignien staatlicher Macht in Rom (*fasces*, → *sella curulis, toga praetexta*) aus V. übernommen (Sil. 8,484–488).

Eindeutige Zeugnisse aus der Zeit zw. dem E. des 5. und dem E. des 4. Jh. v. Chr. fehlen bisher. Doch es liegt nahe, daß der Platz weiterhin besiedelt war; denn was seit dem 3. Jh. v. Chr. an schwarzgefirnißter Keramik, Architekturterrakotten und lokalen Mz. nachweisbar ist, läßt wieder auf eine prosperierende Stadtkultur in V. schließen, wo jetzt die → Via Aurelia (Baujahr 241 v. Chr.; Itin. Anton. 292,2: Straßenstation *ad Lacum Aprilem* [sic!]) vorbeiführte und die der Stadt wieder eine gewisse wirtschaftliche Bed. verschaffte. V. gehörte in der röm. Kaiserzeit zur *tribus Scaptia* in der *regio VII* (Plin. nat. 3,52). Doch war der Niedergang letztlich nicht aufzuhalten: Rutilius [II 1] Claudius Namatianus fuhr 417 n. Chr. auf seiner Seereise von Rom aus heimwärts nach Arelate an V. vorüber, übernachtete sogar in direkter Nähe von V., erwähnt aber in seinem Gedicht *De reditu suo* (337–348) V. mit keinem Wort.

→ Etrusci, Etruria

I. Falchi, V. e la sua necropoli antichissima, 1891 • D. Levi, Carta Archeologica di V., in: SE 5, 1931, 13–40 • Ders., La necropoli etrusca del Lago dell' Accesa, in: Monumenti Antichi 35, 1933, 1–135 • G. Camporeale, La tomba del Duce, 1967 • Ders., I commerci di V. in età orientalizzante, 1969 • Ders., Gli Etruschi, 2000, 351–362 • M. Cygielman, Note preliminari per una periodizzazione del villanoviana di V., in: P. Gastaldi u. a. (Hrsg.), La presenza etrusca nella Campania meridionale, 1994, 255–292 • S. Bruni (Hrsg.), Isidoro Falchi, 1994 • C. B. Curri, V. I (regio VII, 5), 1978.   Gl. C./Ü: J. W. MA.

Veturia. Nach der legendären Überl. zur frühen Republik hielt V. ihren Sohn Marcius → Coriolanus davon ab, mit einem volskischen Heer seine Vaterstadt Rom zu erobern (→ Volsci). Die bekannteste Version des vielfach aufgegriffenen Stoffes ist die des Livius [III 2] (2,40,1–12; vgl. u. a. Dion. Hal. ant. 8,39–54; Val. Max. 5,4,1; Plut. Coriolanus 33–36, wo V. allerdings *Volumnia* genannt wird; → Volumnia [1]), der zugleich ein Aition der Gründung des Tempels der → Fortuna *muliebris* liefert. Vorbilder in der griech. Tragödie (z. B. Eur. Phoen.; Eur. Hec.) sind unverkennbar. Mögliches lit. Vorbild ist der »Brief der Cornelia [I 1], Mutter der Gracchen« bei Nepos (fr. 59 Marshall).

R. M. Ogilvie, A Commentary on Livy Books 1–5, 1965, 334–336.   C. MÜ.

Veturius. Name eines röm. Geschlechts (vielfach auch als *Vetusius* überliefert; zur Herkunft der *gens Veturia* [1. 284]), nach der die → *tribus Voturia* benannt war [2. 42]. In verschiedenen Phasen der Republik spielten die Veturii eine prominente polit. Rolle: Vom Beginn der Republik bis zu den *leges Liciniae Sextiae* (367 v. Chr.) mit den Veturii [I 3–6] Cicurini, in der Zeit zw. 334 und 321 mit V. [I 1] und in der Zeit des 2. → Punischen Krieges mit den Veturii [I 7–8] Philones. Während der patrizische Stand der Cicurini und Philones als gesichert gelten kann (vgl. aber [3. 294 f.]), ist für V. [I 1] sowohl patrizischer Status als auch eine → *transitio ad plebem* vermutet worden. Verm. wird man jedoch ab etwa der Mitte des 4. Jh. von einem plebeiischen Zweig der Veturii ausgehen können, der mit V. [I 1] ins Konsulat gelangte, nach dessen demütigender Niederlage bei Caudium (s. u.) aber wieder in Bedeutungslosigkeit versank (zur Diskussion in der Forsch. vgl. hierzu [4. 114¹; 5. 585] und ausführlich zu den Veturii insgesamt [6]). Die Veturii der Kaiserzeit stehen in keinem direkten Zusammenhang zu denen der Republik.

I. REPUBLIKANISCHE ZEIT

[I 1] V. Calvinus, T. Consul 334 und 321 v. Chr. (MRR 1, 140; 150 f.). Veranlaßte als *cos. I* die Deduzierung (→ *deductio* [2], s. Nachträge) der Kolonie → Cales (Liv. 8,16,13 f.). Als *cos. II* hatte er die röm. Niederlage gegen die → Samnites bei → Caudium mitzuverantworten, obgleich der auf annalistischer Überl. fußende Bericht des Livius [III 2] (9,1,1–11,13) V.' Kollegen Sp. Postumius Albinus in den Mittelpunkt rückt: Eingeschlossen vom Feind, verbürgten die Consuln einen demütigenden, in Rom nicht anerkannten Frieden und wurden daher an die Samnites ausgeliefert, von diesen aber wieder zurückgeschickt. Zu V.' Herkunft s. o.

[I 2] V. (Calvinus), T. Verm. Sohn des V. [I 1]. Valerius [III 5] Maximus (6,1,9) nennt ihn in seinem Bericht über das Zustandekommen der *lex Poetelia* (*Papiria*) in der Rolle des jungen Mannes, dessen Schicksal den Anlaß zur Abschaffung des → *nexum* gab (→ Poetelius [3]), weil er, nachdem er in Schuldknechtschaft geraten war, von seinem Gläubiger sexuell bedrängt wurde.

[I 3] V. Cicurinus, C. Der Überl. nach siegte V. als *cos.* 455 v. Chr. (MRR 1, 42) mit seinem Kollegen Romilius [1] gegen die → Aequi am Algidus, wurde aber im folgenden Jahr mit ihm angeklagt und verurteilt – nach Livius [III 2], weil sie eigenmächtig den Erlös aus der Kriegsbeute an das → *aerarium* abgeführt hatten, nach Dionysios [18] von Halikarnassos im Zuge der Anklage, die → Siccius Dentatus gegen seinen Kollegen erhob (Liv. 3,31,2–6; Dion. Hal. ant. 10,48,3; 10,49,6). 453 wurde er nach Liv. 3,32,3 in das Collegium der → *augures* kooptiert. Trotz seines abweichenden Praenomens *Gaius* hält [1. 456] die Identität V.' mit V. [I 4] für möglich (vgl. MRR 1, 45 f.).

[I 4] V. Crassus Cicurinus, Sp. (T. oder L.?). Mit abweichenden Praenomina (Sp. in den Fasti Capitolini: InscrIt 13,1,26 f.; 364 f. und Diod. 12,23,1; T. in Dion. Hal. ant. 10,56,3; L. in Liv. 33,3,3) in der Überl. genannt als Mitglied des ersten Collegiums der → *decemviri* [1] 451 v. Chr. Vielleicht identisch mit V. [I 3] oder – wahrscheinlicher – mit V. [I 6] (vgl. MRR 1, 45 f.).

[I 5] V. Geminus Cicurinus, T. Der Überl. nach sah sich V. als *cos.* 494 v. Chr. (MRR 1, 13 f.) in der gespannten Situation dieses J. mit der Verweigerung des Kriegsdienstes durch die → *plebs* konfrontiert, ernannte daher mit seinem Kollegen Verginius [I 6] den M'. Valerius [I 30] Maximus zum → *dictator* und führte, nachdem dieser den Zwist vorläufig beigelegt hatte, Krieg gegen die → Aequi (Liv. 2,28,1–29,4; 2,30,4–9).

[I 6] V. Geminus Cicurinus, T. Sohn von V. [I 5]. Als *cos.* 462 v. Chr. (nach vorangegangenem *interregnum*) führte er mit seinem Kollegen den Kampf gegen die → Aequi und → Volsci so erfolgreich, daß ihm nach übereinstimmender Überl. eine → *ovatio* gewährt wurde (Liv. 3,8,2–20,4; vgl. Dion Hal. ant. 9,69–71; InscrIt 13,1,66 f.; 543). Möglicherweise identisch mit V. [I 4], einem der → *decemviri* [1] 451 ([1. 456]; vgl. MRR 1, 45 f.).

1 R. M. Ogilvie, A Commentary on Livy, Books 1–5, 1965 2 L. R. Taylor, The Voting Districts of the Roman Republic, 1960 3 R. E. A. Palmer, The Archaic Community of the Romans, 1970 4 Hölkeskamp 5 S. P. Oakley, A Commentary on Livy, Books 6–10, Bd. 2, 1998 6 I. Shatzman, Patricians and Plebeians: The Case of the Veturii, in: CQ, N. S. 23, 1973, 65–77.   C. MÜ.

[I 7] V. Philo, L. 220 v. Chr. Consul, drang im Krieg gegen die → Kelten in Oberitalien bis an die Alpen vor (Zon. 8,20,10). Eine angebliche Wahldiktatur 217 (CIL I² p. 24; Liv. 22,33,11 f.) ist unhistor. [1]. 210 starb er als Censor, nachdem er noch M. Livius [I 13] Salinator zur Rückkehr in die Politik veranlaßt hatte (Liv. 27,6,17 f.; 27,34,6).

→ Punische Kriege (II.)

1 T. Schmitt, Die Marci Pomponii Mathones, in: Göttinger Forum für Alt.wiss. 3, 2000, 83–110, bes. 89–91.

[I 8] V. Philo, L. 211 v. Chr. Senator (Liv. 26,33,5), könnte damals curulischer Aedil gewesen sein (Liv. 27,6,19; vgl. [1]). 209 war er *praetor peregrinus*; das gleichzeitige Kommando in Gallia, das sogar verlängert worden sein soll, ist unhistor. (Liv. 27,7,8; 27,22,5; vgl. [2]). 207 hatte er als Legat Anteil am Sieg am → Metaurus [2], den er in Rom verkündete (Liv. 27,51,1–6; 28,9,19). Als Consul 206 widmete er sich nach einem Raubzug gegen Consentia der endgültigen Befriedung → Lucanias (Liv. 28,11,12–15), bevor er zur Wahl nach Rom zurückkehrte (Liv. 28,38,6). 205 war er *mag. equitum* des Wahldictators Q. Caecilius [I 18] Metellus (Liv. 29, 11,9). Den Sieg bei Zama meldete er nach Rom (Liv. 30,40,1–3).

1 Münzer, 127f. 2 T. Schmitt, Die Marci Pomponii Mathones, in: Göttinger Forum für Alt.wiss. 3, 2000, 83–110, bes. 100. TA. S.

II. Kaiserzeit

[II 1] D. V. Macrinus. Ritterlicher Statthalter von Mauretania Tingitana 180 n. Chr. (AE 1957, 203 = [2. 349]). Ob er auch Procurator von Mauretania Caesariensis war (vgl. AE 1951, 141), bleibt ungewiß. Der zwischen 181 und 183 bekannte → *praefectus Aegypti* V. Macrinus ist wohl eher sein Vater. Wer von beiden mit dem von → Didius [II 6] Iulianus ernannten → *praefectus praetorio* zu identifizieren ist (HA Did. 7,5), muß offen bleiben.

1 Thomasson, Fasti Africani, 205, 233 2 J. Gascou, M. Euzen (Ed.), Inscriptions antiques du Maroc, Bd. 2, 1982.

[II 2] M. V. Veturianus. Senatorischer Statthalter von Numidien unter → Valerianus [2] und Gallienus; ob er vor oder nach dieser Statthalterschaft Proconsul von Sicilia wurde (AE 1914, 245), muß offen bleiben. Zum Zeitpunkt dieses Prokonsulats s. [1. 259 ff.].

1 M. Christol, G(aius) Macrinius Decianus, Gouverneur de Numidie, et l'histoire militaire de la Province au milieu du IIIe siècle, in: ZPE 138, 2002, 259–269. W. E.

Vetus Latina s. Bibelübersetzungen; Vulgata

Vetus Salina. Röm. Auxiliarkastell und Zivilsiedlung (*canabae* und *vicus*) an der Limesstraße Aquincum – Intercisa – Altinum (Ptol. 2,16,4: Σαλίνον; Itin. Anton. 245,4: *Vetus Salinae*; Not. dign. occ. 33,16,37: *Vetusalina*; Tab. Peut. 5,4: *Vetusalo*; Geogr. Rav. 220,8: *Belsalino* = *Bet(u)salino?*; CIL III 10305: *cives Romani ad Vetussalinas consistentes/*‹bei V. S. siedelnde röm. Bürger›, h. Adony, Kreis Fejér (Ungarn). Urspr. wurde in V. S. ein Holz-Erde-Kastell angelegt (drei Bauperioden von der Mitte des 1. Jh. bis in die 20er J. des 2. Jh. n. Chr.). Das Steinlager entstand unter Antoninus [1] Pius und überdauerte bis in die 2. H. des 3. Jh. Erh. ist die südwestl. Ecke des Lagers, der Rest wurde von der Donau (→ Istros [2]) weggeschwemmt. Als Besatzung von V. S. kennt man die *cohors II* und *cohors III Batavorum* sowie die *cohors II Alpinorum*. In der Spätant. wurde ein neues Steinkastell errichtet, in dem die *equites Dalmatae Vetusialinae* stationiert waren. Ein Dolichenum (Heiligtum des → Dolichenus) lag in der Nähe, ebenso eine Nekropole; gefunden wurden hier Meilensteine und drei Militärdiplome (2. Jh.). Röm. Präsenz kann noch für das 5. Jh. angenommen werden. → Limes V.

TIR L 34 Budapest, 1968, 118 · S. Soproni, Die letzten Jh. des pannonischen Limes, 1985, 73 · Z. Visy, Der pannonische Limes in Ungarn, 1988, 96–98. J. BU.

Vexillatio. Zur Verstärkung röm. Truppen auf einem Kriegsschauplatz wurden seit dem späten 1. Jh. n. Chr. nicht ganze Legionen (→ *legio*), sondern meist kleinere, zu diesem Zweck gebildete Einheiten, deren Soldaten aus einzelnen Legionen oder Auxiliareinheiten (→ *auxilia*) abgezogen worden waren, in das Kriegsgebiet verlegt. So stellten während des Jüdischen Krieges die in Äg. stationierten Legionen 2000 und die Grenztruppen am Euphrates 3000 Soldaten für die Belagerung Jerusalems (Ios. bell. Iud. 5,43 f.). Solche als *v.* bezeichnete Einheiten hatten normalerweise eine Stärke von 1000 (ILS 2726) oder 2000 Mann und wurden – oft auch aus den Soldaten verschiedener Legionen – für einen nicht festgelegten Zeitraum aufgestellt; es konnte durchaus vorkommen, daß die *vexillationes* erst nach mehreren Jahren zu ihrer Einheit und ihrem ursprünglichen Standort zurückkehrten. Bisweilen nahmen *v.* auch zivile Aufgaben wahr, etwa im Straßenbau (ILS 2478; 2479). Epigraphisch sind die *v.* gut belegt (*v.* von Legionen: ILS 950; 1153; 2284; 2287; 2480–2482; 2484–2486; 2726; 9114–9120; 9125 f.; 9200; *v.* von → *cohortes*: ILS 2556; 2614; 9127; 9132; *v.* von → *alae*: ILS 2546; 2724; 9143). In der Spätant. ist *v.* die Bezeichnung für Einheiten der → Reiterei (Veg. mil. 2,1,2).

1 A. K. Goldsworthy, The Roman Army at War 100 BC-AD 200, 1996, 27 f. 2 Jones, LRE, 54–59 3 L. Keppie, The Making of the Roman Army 1984, 197. H. SCHN.

Vexillum, -arius s. Auszeichnungen, militärische; Dona militaria; Feldzeichen

Via. Mod. architektonischer t. t., der beim dorischen Gebälk der Tempelringhalle (→ Dorischer Eckkonflikt; → Säule) den idealiter ringsum gleichmäßigen Abstand zw. den Mutuli (→ Mutulus) – bisweilen auch den Abstand zw. den → Guttae der Mutuli – am → Geison bezeichnet. C. HÖ.

Via Aemilia. Erbaut von M. → Aemilius [I 10] Lepidus in seinem Konsulat 187 v. Chr. (Liv. 39,2,10; CIL I² 617 ff.). Sie führte von → Ariminum nach → Placentia, wo sie in der → Via Postumia eine Fortsetzung hatte. Als Verlängerung der → Via Flaminia erschloß die V. Ae. die Gallia Cisalpina. C. Flaminius [2], der Kollege des Lepidus im Konsulat, baute (Liv. 39,2,6) im gleichen J. eine *via publica* (→ *viae publicae*) von → Bononia nach Arretium, wodurch die V. Ae. über die Via Cassia zwei Anbindungen nach Rom hatte. Zum Verlauf der V. Ae.: Itin. Anton. 98,7–100,4; 126,10–127,7; 286,8–288,3; Tab. Peut. 3,2–4,2. Seit Augustus (CIL XI 8103; AE 1957, 215) sind regelmäßig Reparaturarbeiten bis in die Spätant. belegt. Strab. 5,1,11 benennt zudem noch die Abzweigung von Bononia nach Aquileia als V. Ae. Kaiserzeitliche Straßencuratoren (→ *cura* [2]) sind zusammengestellt bei [1. 80]. Die V. Ae. wurde zum → *decumanus maximus* einiger Städte, zur Orientierungsachse von → Limitationen und war ferner namengebend für die Landschaft Aemilia (Mart. 6,85,6; Cic. fam. 10,30,4; vgl. → *regio* mit Karte).

1 W. Eck, Die staatliche Organisation It. in der hohen
Kaiserzeit, 1979.

H. Herzig, Le réseau routier des régions VI et VIII d'Italie,
1970 • T. P. Wiseman, Roman Republican
Road-Building, in: PBSR 38, 1970, 122–152, bes. 126–128.
M. RA.

Via Annia. Als Verlängerung der → Via Appia von
Capua nach Rhegion vom Praetor T. → Annius [I 15]
Rufus 131 v. Chr. angelegt. Die Benennung und die
Streckenführung (vgl. Itin. Anton. 109,1–111,5; 105,1–
106,4) dieser *via publica* (→ *viae publicae*) sind durch das
Elogium von Polla (ILLRP 454) in Verbindung mit dem
Meilenstein des Annius (ILLRP 454a) gesichert.

Eine zweite V. A. verlief von Bononia über Patavium
nach Aquileia; sie wurde verm. von T. Annius [I 13]
Luscus 153 v. Chr. erbaut.

F. T. Hinrichs, Der röm. Straßenbau zur Zeit der
Gracchen, in: Historia 16, 1967, 162–176 • Ders.,
Nochmals zur Inschr. von Polla, in: Historia 18, 1969,
251–255 • T. P. Wiseman, V. A., in: PBSR 32, 1964,
21–37 • Ders., V. A. again, in: PBSR 37, 1969, 82–91 •
Ders., Roman Republican Road-Building, in: PBSR 38,
1970, 122–152, bes. 128–130.
M. RA.

Via Appia. Die berühmteste Straße It.s (Strab. 5,3,6;
6,3,7; Stat. silv. 2,2,12; Prok. BG 1,14,6–11), erbaut
durch den Censor Appius Claudius [I 2] Caecus 312
v. Chr. (Liv. 9,29,6; Diod. 20,36,2; Frontin. aqu. 5,1;
Eutr. 2,9,2; ILS 54). Sie war die erste *via publica* (→ *viae
publicae*), die den Namen ihres Erbauers trug. Entgegen
Vir. ill. 34,6 und Strab. l.c. reichte die V. A. zunächst nur
von Rom bis Capua (Itin. Anton. 107,2–109,1; Itin.
Burdig. 611,4–612,5; Tab. Peut. 4,5–5,4). Wie Liv.
7,39,16 nahelegt, ging die V. A. wohl auf eine Vorgängerstraße zurück. Der Neubau des Appius zeichnete sich
zw. Rom und Tarracina durch eine fast durchgängig
gerade Trassenführung aus und symbolisierte die Überlegenheit Roms über die Natur [3. 147]. Der älteste
→ Meilenstein (CIL I² 21) der V. A. aus dem J. 253
v. Chr. nennt die Aedilen P. Claudius [I 29] und C. Furius (MRR 1, 211). Ferner existiert aus der Nähe von
Sinuessa noch ein Meilenstein eines Cn. Domitius (CIL
I² 822) aus dem J. 162 v. Chr.

Die Verlängerung der V. A. über Beneventum, Venusia, Tarentum bis Brundisium (Strab. l.c.; Itin. Anton.
111,6; 120,1–121,7; Itin. Burdig. 610,11–14; Tab. Peut.
5,4–6,1) wurde noch im 3. Jh. v. Chr. gebaut; sie erfolgte laut [2. 131] durch den Consul M. Aemilius Lepidus
285 v. Chr. (vgl. CIL I² 620). Schon in republikanischer
Zeit gab es zw. Beneventum und Brundisium eine Al-
ternativstrecke (Strab. 6,3,7) über Canusium, die bei
Cic. Att. 9,6,1; Hor. epist. 1,18,20 Via Minucia genannt
wird. Diese wurde 109 n. Chr. unter Traianus zur Via
Traiana ausgebaut [1] (CIL IX 6000–6052; ILS 452;
1035 f.; 1371).

Caesar (Plut. Caesar 5,9) ist für die Republik als einziger *curator viarum* (→ *cura* [2]) der V. A. bekannt. Kaiserzeitliche Straßencuratoren der V. A. sind zusammengestellt bei [2. 80]. Entgegen Diod. 20,36,2 war die V. A.
bis in die Kaiserzeit hinein lediglich in einigen Abschnitten gepflastert (Liv. 10,23,12; 10,47,4; 38,28,3;
vgl. 41,27,5). Umfangreiche Pflasterungen sind unter
Nerva und Traianus bezeugt (CIL X 6824; 6826; 6835;
6839; Cass. Dio 68,15,3¹). Zeugnisse verschiedener Kaiser belegen die intensive Nutzung der V. A. und regelmäßige Reparaturarbeiten (z. B. CIL X 6854) bis in die
Spätant. hinein (CIL IX 6076f.; X 6850f.; Prok. BG
1,14,6–10). Bes. in der Nähe Roms war die V. A. von
z. T. prächtigen Grabmälern (z. B. das der Caecilia [9]
Metella; → Grabbauten III.C.2., → Nekropolen VIII.)
gesäumt. Lit. Niederschlag fand die V. A. in Hor. sat. 1,5
(*Iter Brundisium*).

→ Straßen V.A. (mit Karte: Italien, s. Nachträge)

1 Th. Ashby, R. Gardner, The Via Traiana, in: PBSR 8,
1916, 104–171 2 W. Eck, Die staatliche Organisation It.s in
der hohen Kaiserzeit, 1979 3 Th. Kissel, Veluti naturae
ipsius dominus. Straßen und Brücken als Ausdruck des röm.
Herrschaftsanspruchs über die Natur, in: Ant. Welt 33,
2002, 143–153.

M. Humm, Appius Claudius Caecus et la construction de la
V. A., in: MEFRA 198, 1996, 693–746 • B. Macbain,
Appius Claudius Caecus and the V. A., in: CQ 74, 1980,
356–372 • J. R. Patterson, s. v. V. A., LTUR 5, 1999,
130–133 • St. Quilici Gigli (Hrsg.), La V. A., 1990 •
T. P. Wiseman, Roman Republican Road-Building, in:
PBSR 38, 1970, 122–152, bes. 130–133.
M. RA.

Via Aurelia. Verm. 241 v. Chr. vom Censor C. → Aurelius [I 3] Cotta angelegt, reichte die V. A. zunächst von
Rom bis → Cosa(e) (ILLRP 1288; Itin. Anton. 289,3–
292,1; Tab. Peut. 3,4–4,5). Durch den Censor M. Aemilius [I 37] Scaurus (AE 1986, 232; Vir. ill. 72,8) erfuhr
die V. A. 109 v. Chr. eine Erweiterung um die Via Aemilia Scauri, die nach Strab. 5,1,11 von Pisae entlang der
ligurischen Küste über Genua nach → Vada Sabatia
führte und eine Abzweigung nach Dertona hatte, wo sie
auf die → Via Postumia traf. Einige Zeugnisse (Cic.
Phil. 12,22; Cic. Catil. 2,6; SHA Pius 1,8) belegen, daß
der Name Via Aemilia Scauri schon im 1. Jh. v. Chr. von
der Benennung V. A. überlagert wurde. Laut Itin.
Anton. 289,3–299,4 (vgl. SHA Aurelian. 48,2) wurde in
der Kaiserzeit offensichtlich die gesamte *via publica*
(→ *viae publicae*) von Rom bis Arelate V. A. genannt und
somit auch die augusteische Via Iulia Augusta (vgl. CIL
V 8102 f.; 8106) im Namen überdeckt. Nach ILS 1071
gab es neben der V. A. Vetus auch noch eine V. A. Nova,
die evtl. der Consul L. Aurelius [I 7] Cotta 119 v. Chr.
als neue Trasse zw. Rom und Populonia anlegte. Die
kaiserzeitlichen *curatores viarum* (→ *cura* [2]) sind zusammengestellt bei [1. 80].

→ Straßen V.A. (mit Karte: Italien, s. Nachträge)

1 W. Eck, Die staatliche Organisation It.s in der hohen
Kaiserzeit, 1979.

G. M. De Rossi, La V. A. da Roma a Civitavecchia, 1968 · E. Fentress, V. A., Via Aemilia, in: PBSR 52, 1984, 72–76 · H. E. Herzig, Namen und Daten der V. A., in: Epigraphica 32, 1970, 50–65 · N. Lamboglia, La via Aemilia Scauri, in: Athenaeum 15, 1937, 57–68 · T. P. Wiseman, V. A. Nova and Via Aurelia Scauri, in: Epigraphica 33, 1971, 27–32.

M. RA.

Via Claudia Augusta. Zwei lat. Meilensteine (CIL V 8002; 8003 = XVII 4,1 Nr. 1) berichten, Claudius [III 1] habe 46/7 n. Chr. die V. C. A. angelegt, ›die Drusus, sein Vater, nach der mil. Öffnung der Alpen hatte erbauen lassen‹ (quam Drusus pater Alpibus bello patefactis derexserat). Die in der Inschr. genannte Verbindung von Ober-It. über Reschenscheideck und Fernpaß nach Augusta [7] Vindelicum (h. Augsburg) existierte mit Sicherheit bereits vor dem Krieg des Nero Claudius [II 24] Drusus gegen die Raeti (15 v. Chr.). Die claudische via publica (CIL XVII 4,1 Nr. 1–5; → viae publicae) besaß im Süden mit Altinum an der Adria (CIL V 8002) und Hostilia am Po (CIL V 8003 = XVII 4,1 Nr. 1: a flumine Pado, ›vom Fluß Po‹) zwei Zuführungen. Beide Straßen vereinigten sich in Tridentum (h. Trento). Wie Meilensteine belegen, wurde spätestens seit Septimius [II 7] Severus der Brennerpaß dem Reschenscheideck vorgezogen (CIL XVII 4,1 Nr. 6–29).

→ Straßen V. A. (mit Karte: Italien, s. Nachträge)

W. Cartellieri, Die röm. Alpenstraßen über den Brenner, Reschen-Scheideck und Plöckenpaß mit ihren Nebenlinien (Philologus Suppl.-Bd. 18), 1926, 1–186 · W. Czysz, Röm. Staatsstraße v. C. A., in: M. Pavan, G. Rosada (Hrsg.), La Venetia nell'area padano-danubiana (Convegno internazionale Venezia 1988), 1990, 253–283 · R. Heuberger, Zur Gesch. der röm. Brennerstraße, in: Klio 27, 1934, 311–336 · J. Pöll u. a., Die röm. Reichsstraße V. C. A. bei Lermoos (Tirol), in: Arch. Österreichs 9, 1998, 55–70.

M. RA.

Via Egnatia (ἡ Ἐγνατία ὁδός). Von Cn. Egnatius [I 2] um 143 v. Chr. (MRR 3,84 f.) angelegte via publica (→ viae publicae; AE 1973, 492; 1992, 1532). Mit → Dyrrhachion bzw. Apollonia [1] hatte die V. E. an der Adria zwei Ausgangspunkte und führte über Herakleia [2], Thessalonike [1] und Amphipolis bis Kypsela am Hebros (Strab. 7,7,4 geht auf Polybios zurück; abweichend Strab. 7a,1,10). Spätestens gegen E. der Republik wurde der Name auf die Strecke bis Byzantion ausgedehnt (Cic. prov. 4; Itin. Anton. 317,7–323,8; 329,5–332,9; Itin. Burdig. 601,6–609,3). Die V. E. hatte bereits eine mit meilensteinartigen Entfernungsanzeigern ausgestattete maked. Vorgängerstraße [1].

→ Straßen V. J. (mit Karte: Balkanraum, s. Nachträge)

1 Ch. Koukouli-Chrysanthaki, A propos des voies de communication du royaume de Macédoine, in: R. Frei-Stolba, K. Gex (Hrsg.), Recherches récentes sur le monde hellénistique, 2001, 53–64.

P. Collart, Les milliaires de la v. E., in: BCH 100, 1976, 177–200 · L. Gounaropoulou, M. B. Hatzopoulos, Les milliaires de la voie Egnatienne entre Héraclée des Lyncestes

et Thessalonique, 1985 · N. G. L. Hammond, The Western Part of the V. E., in: JRS 64, 1974, 185–194 · Ders., M. B. Hatzopoulos, The V. E. in Western Macedonia I, in: AJAH 7, 1982, 128–149 · Dies., The V. E. in Western Macedonia II, in: AJAH 8, 1983, 48–53 · G. Romiopoulou, Un nouveau milliaire de la v. E., in: BCH 98, 1974, 813–816.

M. RA.

Via Flaminia. Erbaut vom Censor C. → Flaminius [1] 220 v. Chr. (Liv. per. 20; nach Fest. 79,16 schon 223 v. Chr. unter seinem Konsulat; Strab. 5,1,11 verwechselt den Sachverhalt wohl mit dem Bau der Straße von → Bononia [1] nach → Arretium durch den Sohn C. Flaminius [2] 187 v. Chr.). Die V. F. führte von Rom über Narnia, Nuceria [2] nach → Ariminum (h. Rimini; Liv. 39,2,10; Strab. 5,1,11; 5,2,10; Tab. Peut. 4,2–5). Sie war die bedeutendste via publica (→ viae publicae) von Rom in die Ebene des Padus (h. Po) und wurde, wie u. a. die Silberbecher von Vicarello (CIL XI 3281–84; → Itinerare II. B.) zeigen, bei Reisen nach Gallia und Hispania der → Via Aurelia/Via Aemilia Scauri vorgezogen. Daneben gab es, verm. ab der Zeit des Vespasianus (69–79 n. Chr.), zw. Narnia und Nuceria eine zweite Trasse über Interamna [1] und Spoletium (Tac. hist. 2,64,1; Itin. Anton. 124,8–126,4; Itin. Burdig. 612,10–614,6; Prok. BG 2,11,9).

Durch Cic. Att. 1,1,2 ist für 65 v. Chr. Minucius [I 15] Thermus, der wohl auch der Erbauer des Pons Minucius (Lage unbekannt; R. gest. div. Aug. 20) war, als curator viarum (→ cura [2]) belegt. Die kaiserzeitlichen Straßencuratoren sind zusammengestellt bei [1. 82 f.]. Umfangreiche Arbeiten fanden unter Augustus (Cass. Dio 53,22,1; R. Gest. div. Aug. 20; Suet. Aug. 30,1; CIL XI 365) statt, wozu auch der Brückenbau bei Narnia (Mart. 7,93; Prok. BG 1,17,8–11 [2]) gehört. Für die Kaiserzeit belegen die Quellen kontinuierliche Reparatur- und Ausbauarbeiten (vgl. Mart. 9,57; Tunnelbau [3. 131–135] unter Vespasianus CIL XI 6106; Aur. Vict. Caes. 9,10).

Auch die Abzweigung von Nuceria über Septempeda nach Ancona ist nach Cic. Phil. 12,23 und Tac. ann. 3,9,1 als V. F. zu bezeichnen (Itin. Anton. 311,5–312,6). In der Nähe von Rom säumten viele Grabmonumente (Iuv. 1,171; Suet. Aug. 100,4) die V. F. Zahlreiche Quellen belegen eine rege Nutzung bis in die Spätantike (vgl. Cassiod. var. 12,18) und das MA.

→ Straßen V. A. (mit Karte: Italien, s. Nachträge)

1 W. Eck, Die staatliche Organisation It.s in der hohen Kaiserzeit, 1979 2 V. Galliazo, I ponti Romani, 1994, 183–190 3 K. Grewe, Licht am Ende des Tunnels, 1998.

Th. Asby, R. A. L. Fell, The V. F., in: JRS 11, 1921, 125–190 · M. H. Ballance, The Roman Bridges of the V. F., in: PBSR 19, 1951, 78–117 · A. Esch, Röm. Straßen in ihrer Landschaft, 1997, 59–90 · H. Herzig, Le réseau routier des régions VI et VIII d'Italie, 1970 · G. Messineo, A. Carbonara, V. F., 1993.

M. RA.

Via Latina. Eine der ältesten Straßen außerhalb Roms (Itin. Anton. 305,7 ff.; Tab. Peut. 4,5–5,1) mit vorröm.

Ursprung. Unklar ist der Name, der entweder allg. auf die durchquerte Landschaft Latium (→ Latini) oder auf den Tempel des Iuppiter Latiaris (Fest. 212,22) im Mons Albanus, dem wohl ältesten Ziel der Straße, zurückgeht. Da die V.L. im Gegensatz zu zahlreichen ital. → *viae publicae* keinen Erbauernamen trägt, muß sie früher datiert werden als die → Via Appia (312 v. Chr.). Während des 3. Jh. v. Chr. wurde schließlich, wie Liv. 10,36,16 zum J. 294 v. Chr. belegt, die gesamte Straße bis kurz vor → Casilinum V.L. genannt, wo sie mit der Via Appia zusammentraf. Mit dieser zusammen war die V.L. der bedeutendste Verkehrsweg (Strab. 5,3,9) von Rom in den Süden. Der älteste → Meilenstein (CIL I² 654) stammt vom Consul des J. 127 v. Chr., L. Cornelius [I 17] Cinna. Um 125 v. Chr. entstand bei Fregellae und Interamna [1] neben der nun offensichtlich als V.L. Vetus (ILS 1174; 8980; AE 1957, 161) bezeichneten Trasse eine V.L. Nova (ILS 1159). Die Meilensteine des C. Calvisius [6] Sabinus (CIL X 6895; 6897–6901; AE 1969/70, 89) und des Vespasianus (CIL X 6894; 6896; 6901) zeugen von reger Nutzung der Straße in der Kaiserzeit (vgl. auch Tib. 1,7,57ff.; Iuv. 5,55; Prok. BG 1,14,6 zum J. 535). Die *curatores viae Latinae* sind zusammengestellt bei [1. 83f.] (→ *cura* [2]).

→ Straßen V.A. (mit Karte: Italien, s. Nachträge)

1 W. Eck, Die staatliche Organisation It.s in der hohen Kaiserzeit, 1979.

R. Gelsomino, Ferentinum del sistema viario Romano, 1986 · J. R. Patterson, s. v. V.L., LTUR 5, 1999, 141 · L. Quilici, La v.L. da Roma a Castel Sacelli, 1978 · G. Radke, s. v. Viae publicae Romanae, RE Suppl. 13, 1417–1686, hier 1487–1494. M. RA.

Via Postumia. Als *via publica* (→ *viae publicae*) 148 v. Chr. durch den Consul Sp. Postumius [I 11] Albinus Magnus von Genua (CIL I² 624; 584,8 und 11f.) über Dertona, Placentia, Verona nach Aquileia [1] angelegt. Die V.P. war zusammen mit der → Via Aemilia die wichtige Verkehrsachse in der → Gallia Cisalpina.

→ Straßen V.A. (mit Karte: Italien, s. Nachträge)

G. Cera, La v.P. da Genova a Cremona, 2000 · G. Radke, s. v. Viae publicae Romanae, RE Suppl. 13, 1417–1686, hier 1601–1606 · Tesori della Postumia. Archeologia e storia intorno a una grande strada romana alle radici dell' Europa, 1998. M. RA.

Via publica s. Viae publicae

Via Sacra (»Heilige Straße«). Bedeutende stadtröm. Straße (*v.s.* bei Plin. nat. 19,23; Suet. Vit. 17,1, sonst meist *sacra via* genannt) zw. Titusbogen (Reliefdarstellung bei [1]; Inschr. *arcus in sacra via summa*) bzw. Larentempel (R. Gest. div. Aug. 19) und Vestaheiligtum (Mart. 1,70,4f.). Sie verbindet den Mons Palatinus und die östl. Stadtviertel mit dem Forum [III 8] Romanum (Plut. Cicero 22,1; Cic. Att. 4,3,3). Der Name geht auf die zahlreichen Heiligtümer an der Straße zurück (Ov. trist. 3,1,28): Haus des → *rex sacrorum* (Fest. 372), Tem-

pel des Iuppiter Stator (Plut. Cic. 16,3), → *regia* (Sitz des *pontifex maximus*, Fest. 372), Laren- und Vestatempel. Während der Republik war die V.S. bevorzugte aristokratische Wohngegend. Für die Kaiserzeit bezeugen Bauten wie der Tempel für Antoninus [1] Pius und Faustina [2] sowie die Basilika des Constantinus [1] ihre herausragende Bed. Für diese Zeit sind an der V.S. zahlreiche Goldschmiede und Juweliere belegt (ILS 7602; 7685; 7692–7694; 7700).

→ Roma (mit Karten)

1 M. Pfanner, Der Titusbogen, 1983, Taf. 1,1.

F. Coarelli, Il Foro Romano, ²1986, 11–118 · Richardson, 338–340 · F. Coarelli, s. v. Sacra via, LTUR 4, 1999, 223–228 · A. Rosenberg, s. v. Sacra via, RE 1 A, 1674–1677. M. RA.

Via Salaria. Die V.S., eine wichtige Handelsstraße aus frühröm. Zeit, erhielt ihren Namen aufgrund ihrer Bed. für den Salzhandel zw. dem Land der → Sabini und Rom (Fest. 436f.; Plin. nat. 31,89; vgl. Strab. 5,3,1). Als Fortführung der V.S. über Rom hinaus zu den Salinen an der Mündung des Tiberis (Liv. 1,33,9) dienten die Via Ostiensis bzw. die Via Campana. V.S. wurde verm. zunächst nur die Strecke zw. Rom und → Reate genannt. Unter Augustus [1. Nr. 2, 8, 46, 48] ausgebaut, führte sie weiter über Interocrium (h. Antrodoco) und Asculum bis nach Castrum Truentinium (→ Truentum) an der Adria (Itin. Anton. 306,3–308,1). Reparaturbeiten an der V.S. sind u. a. aus der Zeit des Traianus (98–117 n. Chr.) bekannt [1. Nr. 1, 6, 9]. Die kaiserzeitlichen *curatores viarum* (→ *cura* [2]) sind zusammengestellt bei [2. 84f.].

→ Salz II.D. Straßen V.A. (mit Karte: Italien, s. Nachträge); Viae publicae;

1 A. Donati, I miliari delle regioni IV e V dell' Italia, in: Epigraphica 36, 1974, 155–222 2 W. Eck, Die staatliche Organisation It.s in der hohen Kaiserzeit, 1979.

J. R. Patterson, s. v. V.S., LTUR 5, 1999, 144f. · L. Quilici, La V.S. da Roma all' alto Velino, in: Ders., S. Quilici Gigli (Hrsg.), Strade romane, 1994, 85–154 · G. Radke, s. v. Viae publicae Romanae, RE Suppl. 13, 1417–1686, hier 1644–1646. M. RA.

Viae publicae I. ITALIA II. PROVINZEN III. VIA MILITARIS IV. NACHLEBEN

I. ITALIA
A. DEFINITION B. TYPEN C. ORGANISATION D. BENENNUNG Z.Z. DER RÖMISCHEN REPUBLIK E. VERWALTUNG Z.Z. DER RÖMISCHEN REPUBLIK F. VERWALTUNG IN DER RÖMISCHEN KAISERZEIT G. BENENNUNG IN DER RÖMISCHEN KAISERZEIT H. KOSTEN J. TECHNIK K. SPÄTANTIKE

A. DEFINITION
V.p. sind durch Ulpianus (Dig. 43,8,2,20–24; vgl. Isid. orig. 15,16,1–7) und Siculus Flaccus (103–107 CLA-

VEL-LÉVÊQUE) klar definiert: Eine *via publica* verläuft auf öffentlichem Boden (*solum publicum*), dient dem öffentlichen Verkehr, wird von Magistraten mit *imperium* (*consul, praetor*) erbaut bzw. eingerichtet, aus öffentlichen Geldern finanziert und liegt außerhalb städtischer Siedlungen. Die wenigen bekannten Zeugnisse vom Bau einer *v.p.* durch einen Aedil (CIL I² 21; 22; 829) stammen aus der Frühzeit des röm. Straßenbaus. Neben *v.p.* erscheint gelegentlich in Rechtstexten und Inschriften als gleichwertiger Begriff *iter publicum* (Dig. 43,7,1; 43,8,2,3; 43,8,2,20; 43,8,2,35; CIL II 4644; VIII 21920). Auffälligstes arch. Merkmal von *v.p.* sind → Meilensteine, die nur an diesen aufgestellt wurden. Daneben sind die → Tabula Peutingeriana und die diversen → Itinerare wichtige Quellen bei der Bestimmung von *v.p.* Der Terminus *v.p.* erscheint in epigraphischen Zeugnissen überraschend selten (AE 1922, 129).

B. TYPEN

In der Praxis setzte sich die Gruppe der *v.p.* aus einer Vielzahl qualitativ unterschiedlicher Straßen- und Wegetypen (Dig. 43,11,1,1–3) zusammen. Dies ist auch daran abzulesen, daß eine *v.p.* durch Bedeutungsverlust ihren Rechtsstatus nicht einbüßte (Dig. 43,11,2). Insgesamt wurden während der Republik relativ wenige *v.p.* als Neubauten angelegt. Bei Neu- bzw. Ausbauten vorröm. Straßen waren neben mil. v.a. wirtschaftliche Aspekte relevant. Zudem waren die großen Straßenbauten auch Mittel und Ausdruck der röm. Herrschaftssicherung. Das Beispiel von → Narbo an der Via Domitia zeigt, daß die Anlage von *v.p.* mit Städtegründungen einhergehen konnte (Cic. Font. 13; Vell. 1,15,5; CIL XVII 2,294).

C. ORGANISATION

In einem Gebiet mit → Limitation konnte eine *v.p.* zugleich den → *decumanus* bilden bzw. mit einem → *limes* zusammenfallen. Das Kataster B von Arausio (h. Orange) belegt, daß dies nicht zwingend war, da die sog. Straße des Agrippa (CIL XVII 2, p. 54–63) nicht mit einem *limes* zusammenfällt. Wie Ausgrabungen zeigen, hat man sich bei der Anlage von *v.p.* entgegen den → *Tabulae duodecim* (Lex XII tab. 7,6 = Dig. 8,3,8) nicht an eine Mindestbreite gehalten. Vielmehr orientierte sich die Breite an den verkehrstechnischen Bedürfnissen. Wie u.a. aus Prok. BG 1,14,7 hervorgeht, sollten im Idealfall zwei Wagen aneinander vorbeifahren können (vgl. Isid. orig. 15,16,4). Der Fahrbahnkörper einer *v.p.* war laut Ulpianus (Dig. 43,11,1,2; vgl. Liv. 41,27,5) entweder gepflastert (*via lapide strata*), gekiest (*via glarea strata*) oder ohne jeden Belag (*via terrena*). Zudem konnte eine *v.p.* mit zwei beidseitig angrenzenden sog. Sommerwegen ergänzt werden. Die aufgestellten Meilensteine bildeten anscheinend die äußersten Begrenzungspunkte (CIL XVII 2, 569–574; TIR M 32, S. 24). Für die Bauausführung waren → *redemptores* (Siculus Flaccus l.c.) bzw. *mancipes* (Tac. ann. 3,31,5) zuständig. In der Praxis wurde sehr wahrscheinlich ein Großteil der Reparaturarbeiten von den Straßenanliegern (*possessores*) als *munus publicum* durchgeführt (Cato agr. 2,4; Dig.

49,18,4; 50,4,18,15; → *munus* II.). Wie sich dies mit der Feststellung vereinbaren läßt, daß *v.p.* mit öffentlichen Mitteln gebaut und instand gehalten wurden, ist offen. Der Einsatz von Strafgefangenen (Suet. Cal. 27,3) und Soldaten (Liv. 39,2,6; CIL V 7989) im → Straßenbau war wohl selten. Neben den Neubauten im Zuge der röm. Expansion (→ Via Aemilia: Liv. 39,2,10; CIL I² 617) dürften die meisten *v.p.* im republikanischen It. durch Weiternutzung bzw. Ausbau von vorröm. Straßen zu ihrem Rechtsstatus gelangt sein. Gerade in der frühen Republik ist von einer starken Prägung durch die etr. Straßenbau auszugehen.

D. BENENNUNG Z.Z. DER RÖMISCHEN REPUBLIK

Meist wurden *v.p.* nach dem *nomen* → *gentile* ihrer Erbauer benannt (Via Aemilia Scauri: AE 1986, 232; Vir. ill. 72,8; Via Domitia: CIL XVII 2, 294; Cic. Font. 18; → Via Egnatia: AE 1973, 492; 1992, 1532; Strab. 7,7,4). Eine Ausnahme ist die → Via Appia (CIL I² 21; Liv. 9,29,5 f.; Diod. 20,36,2), bei der das → *praenomen* des Appius Claudius [I 2] Caecus namengebend war. Das Beispiel der → Via Flaminia belegt, daß in der Ant. z.T. voneinander abweichende Informationen über Erbauer und Entstehungszeit einer *v.p.* vorlagen (Erbauer der Via Flaminia: C. Flaminius [1] nach Fest. 79 als Consul 223, nach Liv. per. 20 als Censor 220 v. Chr., sein Sohn C. Flaminius [2] nach Strab. 5,1,11 als Consul 187 v. Chr.). Daneben konnten *v.p.* auch nach ihren Zielorten (Via Ostiensis: Fest. 296) oder ihrer Funktion (→ Via Salaria: Plin. nat. 31,89) benannt werden. Straßennamen wurden auch auf Erweiterungen (Vir. ill. 34,6: die Via Appia bis Brundisium) oder auf Nebentrassen ausgedehnt (Itin. Anton. 125,2–5: die Via Flaminia über Spoletium statt über Mevania). Nur von den wichtigen Straßen in It. sind die ant. Namen zweifelsfrei bekannt. Außerdem ist zu bezweifeln, ob alle *v.p.* in der Ant. einen Namen trugen. Wie u.a. aus Cic. Att. 9,9,2; 9,16,13 hervorgeht, wurde anstatt des Straßennamens auch manchmal der Zielort angegeben (vgl. CIL I² 638).

E. VERWALTUNG Z.Z. DER RÖMISCHEN REPUBLIK

Von einer geordneten Straßenverwaltung (*cura viarum*) kann für It. in republikanischer Zeit nicht gesprochen werden. Offensichtlich wurden *curatores viarum* (→ *cura* [2]) selten und nur nach Bedarf berufen (Caesar laut Plut. Caesar 5,9 um 67 v. Chr. für die Via Appia; vgl. auch CIL I² 744). Gerade der private Finanzeinsatz Caesars legt zudem nahe, daß das → *aerarium* eine Straßenverwaltung, wie sie aus der Kaiserzeit bekannt ist, gar nicht hätte finanzieren können. Auch Meilensteine sind aus der Republik nur in geringer Zahl bekannt (ca. 30). Wie u.a. aus CIL I² 638 abzuleiten ist, wurden sie wohl nur an exponierten Punkten aufgestellt.

F. VERWALTUNG IN DER RÖMISCHEN KAISERZEIT

Ein deutlicher Wandel in der Organisation von Sanierung und Ergänzung des Straßennetzes setzte unter Augustus ein, als dieser 20 v. Chr. die *cura viarum* übernahm (Cass. Dio 54,8,4). Das Straßennetz muß wohl nicht zuletzt wegen der Bürgerkriege in desolatem Zustand gewesen sein. Vorausgegangen war der Versuch, die Kriegsgewinne exponierter Personen für den Straßenbau einzusetzen (Suet. Aug. 30,1; Cass. Dio 53,22,1; vgl. 47,17,4). Diesbezüglich ist die Bautätigkeit des C. Calvisius [6] Sabinus (CIL X 6895; 6897; 6899–6901; AE 1969/70, 89) wohl als Ausnahme zu werten (→ Via Latina; vgl. auch die Aktivitäten des Agrippa [1] laut Cass. Dio 49,43,1), auch wenn Augustus mit der umfangreichen Renovierung der → Via Flaminia ein Zeichen für solche privaten Initiativen setzen wollte (CIL XI 365; R. Gest. div. Aug. 20). Auf der Grundlage seiner *cura viarum* richtete Augustus ab 20 v. Chr. das Collegium der *curatores viarum* ein, die zunächst wohl gemeinsam für alle ital. Straßen zuständig waren. Diese Institution entwickelte sich in iulisch-claudischer Zeit kontinuierlich weiter. Seit Vespasianus war in ihrer Amtsbezeichnung auch der konkrete Zuständigkeitsbereich ausgedrückt (ILS 1005: *curator viae Aemiliae*; ILS 1077: *curator viae Flaminiae*). Offensichtlich bezog sich eine solche Titulatur nicht nur auf die Betreuung einer speziellen Straße, sondern auch auf einen bestimmten territorialen Bereich. Somit teilten sich die verm. acht *curatores viarum* in der hohen Kaiserzeit die it. Halbinsel nach Straßensträngen geogr. auf. Das Amt wurde mit ehemaligen Praetoren besetzt, denen zwei Lictoren zur Seite standen (Cass. Dio 54,8,4; Suet. Aug. 37). Daneben zogen die Straßencuratoren auch Fachleute wie *mensores* (Vermessungsingenieure; vgl. → *mensor*) heran (Mart. 10,18,5 f.). Ihre zentrale Aufgabe war die Überwachung der Funktionsfähigkeit der *v.p.*, d. h. die Steuerung der Reparaturarbeiten und der vereinzelten Neubaumaßnahmen an Teilstrecken. Wie aus Frontin. aqu. 101,1 hervorgeht, war die Arbeitsbelastung der *curatores viarum* nicht allzu hoch. Andererseits scheinen einige Mißstände auch jahrelang beibehalten worden zu sein (Tac. ann. 3,31,5; Cass. Dio 59,15,3–5; Mart. 9,57). Für kleine Straßen in der Nähe von Rom gab es daneben auch ritterliche *curatores* (ILS 6529). Bis zur Spätant. erscheinen Straßencuratoren niemals namentlich auf Meilensteinen, da dies einzig dem Kaiser vorbehalten war.

G. Benennung in der römischen Kaiserzeit

Da die *principes* in It. aufgrund ihrer *cura viarum* formal oberste Straßenbauer waren, ergaben sich auch hinsichtlich der Benennung von *v.p.* neue Bedingungen, da theoretisch jede *v.p.* von nun an »Via Augusta« hätte heißen müssen. Die *principes* ließen in der Regel bei Neubzw. Ausbauten oder Renovierungsarbeiten neue Meilensteine mit dem eigenen Namen aufstellen. Offensichtlich wollte man die eigenen Leistungen gebührend herausstellen, ohne einen Vorgänger nennen zu müssen. Dies hatte jedoch zur Folge, daß der tradierte republikanische Straßenname in der Kaiserzeit beibehalten und eine zusätzliche Benennung nach dem Kaiser nicht üblich wurde. Wenn ein kaiserlicher Straßenname in den Quellen vorliegt (Via Iulia Augusta: CIL V 8102; → Via Claudia Augusta: CIL V 8002; 8003 = XVII 4,1; Via Nova Traiana: CIL XI 8104; AE 1926,112), so hat dies eine ganz bestimmte, auf den jeweiligen Kaiser berechnete Bedeutung.

H. Kosten

Für die Kaiserzeit liegen einige Informationen über die Baukosten von *v.p.* vor. So stützt Cass. Dio 53,22,2 die Aussagen des Ulpianus und des Siculus Flaccus (l.c.), wonach *v.p.* aus öffentlichen Mitteln (*aerarium*) gebaut und instand gehalten wurden. Seit Augustus griff der → *fiscus* bei Straßenbauten in wohl zunehmendem Maß unterstützend ein (→ Via Appia durch Nerva: CIL X 6820; 6824; 6826; → Via Aurelia durch Septimius Severus: AE 1973, 226; → Via Latina durch Severus Alexander: CIL X 6893; allg. für die flavische Zeit: Stat. silv. 3,3,99 ff.). Es fehlen uns konkrete Kostenangaben für Bau- und Reparaturtätigkeiten. Einen Anhaltspunkt bieten hadrianische Meilensteine von der Via Appia (CIL IX 6072; 6075; AE 1930, 122), denen zufolge allein die Reparatur von 15,75 röm. Meilen 1.716 100 HS kostete. Dies zeigt, daß Bau und Unterhalt der *v.p.* enorme Geldmittel verschlangen. Bei aufwendigen Substruktionsbauten in sumpfigem oder gebirgigem Gelände, bei Brücken und aufwendigen Straßenpflasterungen müssen die Kosten um ein Vielfaches höher gewesen sein. Dies dürfte auch die kontinuierliche Unterstützung des *aerarium* durch die *principes* erklären.

J. Technik

Die Fahrbahnoberflächen der *v.p.* erfuhren während der Kaiserzeit eine Qualitätssteigerung. Während bis zur frühen Kaiserzeit sehr oft vom Befestigen (*munire*) der gekiesten Wege (Lex XII tab. 7,7; Cic. Font. 17; Liv. 41,27,5) gesprochen wird, erscheinen seit E. des 1. Jh. immer öfter Mitteilungen, die auf Steinpflasterungen hinweisen (ILS 263; 268; 5861; 5873). Andererseits belegen Inschr. wie CIL X 6824 (vgl. CIL X 6835), daß selbst die bedeutende Via Appia zw. Rom und Capua gegen Ende des 1. Jh. n. Chr. nicht durchgehend gepflastert war. Aufgrund des steinernen Straßenbelags tritt der Terminus *strata*, abgeleitet von *sternere* (»pflastern«), auf (Strata Diocletiana: AE 1993, 1600–1605).

K. Spätantike

Mit der Tetrarchie (Ende 3. Jh.) endete die Sonderstellung It.s auf dem Gebiet des öffentlichen Straßenwesens. So erscheint, im Gegensatz zur hohen Kaiserzeit, unter Diocletianus mit Vettius Proculus (CIL X 6892) erstmals ein *curator viarum* auf einem ital. Meilenstein (vgl. Fl(avius?) Romulus: AE 1904, 52; 1951, 17; 1975, 358).

II. Provinzen

A. Definition B. Typen
C. Organisation z.Z. der römischen Republik
D. Organisation in der römischen Kaiserzeit
E. Kosten

A. Definition

In den Prov., also den eroberten Gebieten ohne ital. Recht, war die Definition von *v.p.* an andere Bedingungen geknüpft. Der Boden ohne *ius Italicum* (→ *ius* D.3.) war laut Gai. Inst. 2,7 als → Kriegsbeute Eigentum des röm. Volkes oder des Kaisers (vgl. Dig. 49,15,20,1).

Somit war u. a. das Kriterium des *solum publicum* einer *v.p.* hier von sekundärer Bed. Die beiden Texte des Ulpianus (Dig. 43,8,2,20–24) und des Siculus Flaccus (103–107) können daher nicht genutzt werden. Da seit Beginn der röm. Landnahme im Mittelmeerraum, ähnlich der röm. Ausdehnung in It., von Magistraten und Promagistraten Straßen gebaut bzw. vorröm. ausgebaut wurden«, kann durchaus von *v.p.* gesprochen werden. So wurde z. B. in Sicilia, wohl unmittelbar nach der Einrichtung als erste Prov., Wegebau wie in It. betrieben (Strab. 6,2,1; AE 1957, 172).

B. Typen

In den Prov. soll daher für den wiss. Sprachgebrauch eine *via* als *v.p.* gelten, die durch Meilensteine oder auf der Tabula Peutingeriana bzw. in einem Itinerar belegt ist. Erscheint eine Strecke in mehreren Quellen gleichzeitig, so kann dies für eine exponierte Bed. sprechen (vgl. Via Domitia: CIL XVII 2, p. 75–106). Ähnlich den it. Verhältnissen existierte in den Prov. somit eine Gruppe qualitativ unterschiedlicher Straßen (vgl. Dig. 43,11,1,2), die jedoch alle als *v.p.* zu bezeichnen sind. Diese praktischen Kriterien sind auch der *lex agraria* von 111 v. Chr. (CIL I² 585, 89 = [1. Nr. 2] mit Komm.; → Agrargesetze) und der → *lex Ursonensis* (CIL I² 594, 78 = [1. Nr. 25] mit Komm.) zu entnehmen. In den unterworfenen Gebieten trat man auf diesem Gebiet gewissermaßen eine »Rechtsnachfolge« an. Dies zeigen z. B. auch die Meilensteine (CIL I² 650 f.; AE 1995, 1464) des M'. Aquillius [I 3] aus Kleinasien mit ihrer Reparaturmitteilung *restituit*. Unmittelbar nach der Sicherung der neuen Prov. Asia übernahm er 129–126 v. Chr. die attalidischen Straßen in direkter Nachfolge und baute sie aus. In den Prov. basierten die *v.p.* insgesamt nachhaltig auf dem vorröm. Wegenetz. So sprechen einige Quellen auch nicht vom Bau, sondern von der Vermessung der Straßen (Pol. 3,39; Strab. 7,7,4).

C. Organisation
z. Z. der römischen Republik

Ein weiterer Unterschied zu It. ist das Fehlen von Straßencuratoren. In der Republik wurden deren Aufgaben vereinzelt von Legaten im Stab des Statthalters übernommen (Cic. Font. 17 ff.). Die Meilensteine des Cn. Domitius [I 3] Ahenobarbus (CIL XVII 2, 294), des M'. Sergius (CIL I² 840) und des Q. Fabius Labeo (CIL I² 823 f.) zeugen zumindest von der Anlage einer »Westroute« von Oberitalien bis Nordspanien, und die des Cn. Egnatius [I 2] (AE 1973, 492; 1992, 1532) und des M'. Aquillius [I 3] (s. o., CIL I² 648 f.) von einer »Ostroute« von Unteritalien durch Macedonia nach Kleinasien. Neben diesen Aktivitäten, die als Ausdruck der Herrschaftssicherung zu deuten sind, sah man wohl das bestehende Verkehrsnetz als ausreichend an. So war das karthagische Straßennetz anscheinend so gut (vgl. CIL I² 585, 89), daß erst im J. 6/5 v. Chr. der Meilenstein (AE 1955, 40) des Africanus Fabius [II 13] Maximus Zeugnis von röm. Straßenbauaktivitäten in Nordafrika ablegt.

D. Organisation
in der römischen Kaiserzeit

Ähnlich wie in It. setzte mit dem Beginn der Kaiserzeit in den Prov. ein Wandel in der Straßenbauorganisation ein. Formal war der → *princeps* in den Prov. aufgrund seines → *imperium maius* oberster Straßenbauer und erscheint daher auf allen Meilensteinen an erster Stelle. Im 1. und auch 2. Jh. n. Chr. ist ein systematischer Ausbau des Straßennetzes in den Prov. anhand der Meilensteinsetzung festzustellen. Neben direkter Einflußnahme des Kaisers, z. B. bei seinen Reisen, vor Kriegszügen oder durch schriftliche Anweisungen (CIL VIII 10296: *ex auctoritate imp(eratoris) Caesaris Traiani Hadriani*), kümmerten sich auch Statthalter administrativ um das Straßennetz und werden daher z. T. auf Meilensteinen genannt (CIL X 7996: *viam ... vetustate corrupta<m> restituit curante M. Ulpio Victore pro(curatore) suo* = ›[Philippus Arabs] ließ die mit der Zeit abgenutzte Straße unter der Leitung seines Procurators M. Ulpius Victor wiederherstellen‹). Den größten Teil der Straßenverwaltung wird man den Städten und Gemeinden überlassen haben. Diese betonen daher ihre Position, indem sie ihren Namen ausführlich als Zählpunkt (*caput viae*) angeben (CIL VIII 10337 f.; AE 1965, 219) oder die Territoriumsgröße mit Hilfe der Entfernungsangaben aufzeigen (AE 1903, 95; CIL III 5997; XVII 2, 435–439). Grundsätzlich kann jedoch nicht von den Entfernungsangaben auf die Territoriumsgröße geschlossen werden. Die bedeutende Position der Städte und Gemeinden in der Straßenadministration könnte auch erklären, warum heute selbst von großen und wichtigen *viae*, die in Itineraren oder auf der Tabula Peutingeriana erscheinen, keine oder nur abschnittsweise Meilensteine bekannt sind. Anscheinend unterließen einige Gemeinden deren kostspielige Aufstellung, während andere dafür große Summen aufwandten. Auch das Aufkommen der Leugenzählung (→ *leuga*) in Gallia spricht für die starke Position der Gemeinden in der Straßenverwaltung.

E. Kosten

Bis auf ganz wenige Ausnahmen (vgl. CIL VIII 10117) wurden die Bau- und Unterhaltskosten vollständig von den Anliegern (Cic. Font. 17 ff.) bzw. den betroffenen Gemeinden (AE 1993, 1778: *decreto decurionum pecunia publica*; CIL VIII 10296; 10322; 10337 f.; 10362) getragen. *Aerarium* wie *fiscus* wären bei den für alle Prov. geschätzten 100000 km *v.p.* mit der Finanzierung auch überfordert gewesen. Eine Ausnahme stellt die Erhebung von Wegezoll zur Finanzierung des Straßenbaus dar (CIL VIII 10327 f.; 22391). Vereinzelt wurden bei bes. kostenintensiven Projekten auch weiter entfernte Gemeinden zur Finanzierung herangezogen (CIL II 2477; III 3202). Über die Bauausführenden ist wenig bekannt. Nicht zuletzt aus Kostengründen werden die Anlieger den überwiegenden Anteil selbst getragen haben (vgl. *lex Ursonensis* CIL I² 594, 98 = [1. Nr. 25] mit Komm.). Wie in It. waren Strafgefangene (Plin. epist. 10,32) und Soldaten (CIL VIII 22173) im Straßenbau wohl die Ausnahme. Ebenso waren Straßennamen in der Kaiserzeit selten (Via Sebaste in Kleinasien: ILS 5828; CIL III 6974; Via Augusta in Hispania: CIL II 4697; AE 1969/70, 280; die numidische Via Septimiana: CIL VIII 2705).

III. Via militaris

Die *via militaris* (*v.m.*) war kein eigenständiger Straßentypus, keine Sonderform der *v.p.* Eine Verbindung der *v.m.* mit dem → *cursus publicus* (Suet. Aug. 49,3) ist nicht sicher nachzuweisen. Von den 27 Belegen der *v.m.* stammen zahlreiche aus republikanischer Zeit, also vor der Einrichtung des *cursus publicus* (Cic. prov. 4; Cic. Pis. 40; Liv. 36,15,9–12; 44,43,1), oder beziehen sich nicht auf röm. Straßen (Curt. 5,8,5; 5,13,23). Cod. Theod. 8,5,3 deutet sogar auf die ausdrückliche Nichtnutzung der *v.m.* durch den *cursus publicus* hin. Ebenso kann auch eine umfassende Verbindung der *v.p.* zum Militär nicht festgestellt werden. So hat z. B. die Pflasterung der Straße Karthago – Theveste durch die *legio III* im J. 123 n. Chr. (CIL VIII 22173) nicht zu deren Bezeichnung als *v.m.* geführt. Ebenso auffällig ist die Tatsache, daß der Terminus *v.m.* trotz der hohen Konzentration röm. Truppen niemals in den germanischen oder pannonischen Prov. erscheint.

IV. Nachleben

Die Weiternutzung der großen *v.p.* reicht durch das MA bis in die Neuzeit (Via Appia: Goethe, ›Italienische Reise‹ 23.2.1787). Die mod. Benennung der oberit. Region Emilia-Romagna, letztlich abgeleitet von der → Via Aemilia, legt zudem Zeugnis von der prägenden Wirkung der *v.p.* ab.
→ Handel; Infrastruktur; Landtransport; Meilensteine; Reisen; Straßen- und Brückenbau (mit Abb.); Straßen V. (mit Karten, s. Nachträge); Verkehr II.

1 M. H. Crawford (ed.), Roman Statutes, 1996.

W. Eck, Die staatliche Organisation It.s in der hohen Kaiserzeit, 1979, 25–87 · Ders., Cura viarum und cura operum publicorum als kollegiale Ämter im frühen Prinzipat, in: Klio 74, 1992, 237–245 · R. Frei-Stolba u. a. (Hrsg.), Siedlung und Verkehr im röm. Reich, 2002 (im Druck) · H. E. Herzig, Probleme des röm. Straßenwesens, in: ANRW II 1, 1974, 593–648 · A. Kolb, Transport und Nachrichtentransfer im Röm. Reich, 2000 · R. Laurence, The Roads of Roman Italy, 1999 · Th. Pekáry, Unt. zu den röm. Reichsstraßen, 1968 · L. Quilici, S. Quilici Gigli (Hrsg.), Strade romane. Ponti e viadotti, 1996 · G. Radke, s. v. Viae publicae Romanae, RE Suppl. 13, 1417–1686 · M. Rathmann, Unt. zu den Reichsstraßen in den westl. Prov. des Imperium Romanum, 2002 (im Druck) · R. Rebuffat, Via militaris, in: Latomus 46, 1987, 52–67 · J. Šašel, Viae Militares, in: Stud. zu den Militärgrenzen Roms 2 (Vorträge des 10. Internationalen Limeskongresses in der Germania Inferior = BJ Beih. 38), 1977, 235–244 · H. Ch. Schneider, Altstraßenforsch., 1982 · T. P. Wiseman, Roman Republican Road-Building, in: PBSR 38, 1970, 122–152.

M. RA.

Viatores dienten in Rom v. a. als Amtsgehilfen (→ *apparitores*) bei allen senatorischen Beamten, dem → Princeps und den Inhabern der *tribunicia* → *potestas*, aber auch bei mehreren Kollegien der → *viginti(sex)viri* (ILS 1898; 1911; 1929) und bei vielen Priesterkollegien (ILS 1899; 1931; 4978; 4979; → *collegium*). Ihre Aufgaben deckten sich teils mit denen der Liktoren, bes. bei Beamten (z. B. → *tribunus* [7] *plebis*), denen kein → *lictor* zugeordnet war. Die *v.* fungierten als Boten, beriefen Senatoren (Cic. Cato 56) bzw. Richter (Cic. Cluent. 74) zu Sitzungen ein, luden Angeklagte vor (Liv. 8,18,8) und führten im Auftrag der Beamten Verhaftungen durch (Gell. 4,10,8). Sie waren in *decuriae* unterschiedlicher Zahl und Größe organisiert, taten wenigstens seit der spätrepublikanischen Zeit langjährig, oft lebenslang Dienst und bekamen ein Gehalt aus der Staatskasse (*merces*: CIL I² 587 col. 2,33); sie hatten das Recht, den Dienst durch einen Vertreter (→ *vicarius*) zu leisten (CIL I² 587 col. 2,24–30). Viele *v.* waren Freigelassene (Tac. ann. 13,27,1 für alle *apparitores*), aber es gab unter ihnen auch Freigeborene (Val. Max. 9,1,8), einige sogar aus dem Ritterstand (ILS 1921; 6141).

V. als Amtsdiener gab es nach röm. Vorbild auch in vielen → *municipia* (z. B. Ostia: ILS 6146; Narbo: ILS 6973; Urso: ILS 6087 cap. LXII). Sie begegneten außerdem als Personal von Berufs- und Begräbnisgenossenschaften in Rom (ILS 7243; 7350; → Verein) wie in anderen Städten (ILS 7212 col. 2,19). Vereinzelt sind auch private *v.* bezeugt (CIL VI 1941; 6375).

Ch. Habicht, s. v. V., RE 8 A, 1928–1940 · W. Kunkel, Staatsordnung und Staatspraxis, Bd. 2, 1995, 123–125 · Mommsen, Staatsrecht 1, 360–362. W. K.

Vibellius. V. ist ein bes. in → Campania belegtes Gentilnomen.

[1] Decius V. Führte die kampanische Truppe, die die Römer 282 oder 280 v. Chr. nach → Rhegion verlegt hatten. Die Besatzung errichtete dort später im Bündnis mit Gleichgesinnten in → Messana [1] auf Sizilien eine selbständige Herrschaft. Nach dem Sieg der Römer 270 wurden alle Überlebenden hingerichtet (Pol. 1,7; Diod. 22,1,2–3; Dion. Hal. ant. 20,4–5; Cass. Dio fr. 40,7–12).

[2] Cerrinus V. Taurea. Einer der führenden Männer aus → Capua, um die sich anekdotenhafte, oft genug widersprüchliche Einzelerzählungen im Zusammenhang mit ihrer Stadt im 2. → Punischen Krieg ranken [1].

1 J. von Ungern-Sternberg, Capua im Zweiten Punischen Krieg, 1975. TA. S.

Vibenna. Der etr. Familienname *Vipina* (mit Varianten: ET s. v. V.) ist in Etrurien bis nach dem 3. Jh. v. Chr. gut bezeugt. Eine Weihinschr. aus dem Menerva-Heiligtum (1. H. 6. Jh. v. Chr.; → Minerva) nennt einen Avile Vipiennas (ET Ve 3.11). Nach der etr. Überl. war Cailius Vivenna treuester Freund des Servius → Tullius [I 4], der in Etrurien → Mastarna hieß (CIL XIII 1668, Z. 19): Eine Wandmalerei im Grab der Familie Saties in

Vulci (etwa 330 v. Chr.) zeigt, wie Caile Vipinas von diesem aus der Gefangenschaft befreit wird [3]. Ein Grundstock echter etr. Überl. ist somit gut bezeugt.

Die röm. Überl. (Fest. 486,15 f. L., von R. GARRUCCI und K. O. MÜLLER ergänzt) erwähnt ein Brüderpaar V. aus Vulci namens Aulus (= A. V.) und Caelius (= C. V.): C. V. soll ein etr. Heerführer gewesen sein (Dion. Hal. ant. 2,36,2; Varro ling. 5,46; Tac. ann. 4,65), der zur Zeit des → Romulus [1] (Dion. Hal. ant. 2,36,2) oder des → Tarquinius [11] Priscus (Tac. ann. 4,65) von Etrurien nach Rom gekommen sei. Als Mitstreiter des aus Etrurien stammenden Königs von Rom, Servius Tullius, diente C. V. zur aitiologischen Erklärung der Bezeichnung des Hügels Caelius. A. V. steht mit dem Capitol in Zusammenhang (< *caput Auli*): Der in den Fundamenten des Iuppiter-Tempels in Rom aufgefundene Kopf des A. V. sollte Rom später die Herrschaft über Italien sichern (Fabius Pictor bei Arnob. 6,7 = FGrH 809 F 11; Dion. Hal. ant. 4,61,2; [2. 199–201; 1. 98 f.]). Die Verbindung der etr. *gens* Vipina mit Rom verrät, daß Rom etr. Familiengeschichten in die eigene Sagenwelt aufnahm.

→ Etrusci (III. Religion); Volci/Vulci

1 L. AIGNER FORESTI, Gli Etruschi e la loro autocoscienza, in: Contributi dell'Ist. di Storia antica dell'Univ. del Sacro Cuore 18, 1992, 93–113   2 A. ALFÖLDI, Early Rome and the Latins, 1963   3 F. BURANELLI u. a., La tomba François di Vulci, 1987.   L. A.-F.

Vibia

[1] Vielleicht eine Tochter des C. Vibius [II 9] Marsus, Gattin des L. Arruntius [II 8] Camillus Scribonianus; als dieser als Statthalter von Dalmatien 42 n. Chr. gegen Claudius [III 1] revoltierte, aber dabei scheiterte, wurde er auf der Flucht in ihren Armen getötet. Sie wurde verbannt, aber im J. 52 zusammen mit ihrem Sohn erneut angeklagt (vgl. Tac. ann. 12,52,1; Plin. epist. 3,16,7–9).

RAEPSAET-CHARLIER, 621 f., Nr. 798.   W. E.

[2] s. Matidia [2] (d. J.)

[3] s. Sabina

Vibidia. → Vestalin, im J. 48 n. Chr. die älteste im Vestalinnencollegium; → Messalina [2] bat sie kurz vor ihrem Tod wegen der Heirat mit C. → Silius [II 1] um Intervention bei Claudius [III 1] (Tac. ann. 11,32,2). In Athen wurde sie zusammen mit ihrem Vater → Vibidius Virro geehrt (IG II/III² 3532).

RAEPSAET-CHARLIER, 627, Nr. 805.   W. E.

Vibidius Virro. *Homo novus*, vielleicht aus Corfinium stammend. Spätestens 9 v. Chr. gehörte er dem Senat an (Frontin. aqu. 129). Tiberius [1] veranlaßte ihn, zusammen mit anderen den Senat zu verlassen, da er wegen seines Lebenswandels verarmt war und nicht mehr den senatorischen Mindestcensus besaß (Tac. ann. 2,48,3). Seine Tochter war → Vibidia.

R. SYME, Ten Studies in Tacitus, 1970, 76 f.   • T. P. WISEMAN, New Men in the Roman Senate, 1971, 273.   W. E.

Vibius. Seltenes lat. → Praenomen, Sigle *V.* Die Etym. des Namens ist unbekannt. Er stammt wie das gleichlautende Gent. aus osko-umbr. *Vïbie/o-*. Abgeleitete Gent. sind *Vibidius, Vibuleius, Vibulenus*. Das Praen. wurde wie sein Fem. *Vïbia-* ins Etr. als *Vipie* bzw. *Vipia* entlehnt; das daraus gebildete Gent. *Vipi(e)na* erscheint latinisiert als → Vibenna.

M. LEJEUNE, L'anthroponymie osque, 1976, 94; 131; 135   • SALOMIES, 61; 96 f.   • D. H. STEINBAUER, Neues Hdb. des Etr., 1999, 498.   D. ST.

I. REPUBLIKANISCHE ZEIT

[I 1] V. Curius. Praefekt Caesars, zu dem 49 v. Chr. Truppen von L. Manlius [I 18] Torquatus und P. Rutilius [I 2] Lupus überliefen (Caes. civ. 1,24,3). V. Curius, Altersgenosse Ciceros (Quint. inst. 6,3,73), war wohl ein älterer Verwandter.

[I 2] V. Pansa Caetronianus, C. (vgl. ILS 8890). Führender Caesarianer, vermögender (s. [2]) Sohn eines 81 v. Chr. proskribierten Senators Caetronius (Cass. Dio 45,17,1; vgl. [3. 255]), Adoptivsohn des Münzmeisters von 89/8 C. V. Pansa und Schwiegersohn des Q. Fufius [I 4] Calenus (Cic. ad Brut. 1,10,1). Vielleicht schon 59 stand V. zu Caesar (Cic. Brut. 218), dem er in Gallien und als *tr. pl.* 51 (Cic. fam. 8,8,6–8) diente. V.' Rolle im Bürgerkrieg ist unbekannt; 48 hatte er wohl ein Amt in Rom (Aedil oder Praetor? MRR 2, 258) und verwaltete 47–46 Bithynia-Pontus (MRR 2, 290; RPC 1,346 Nr. 2026). 45 entsandte Caesar seinen Vertrauten V. (Cic. fam. 6,12,2) in die Gallia Cisalpina und designierte ihn zum Consul für 43.

Mit Caesars Ermordung gewannen der von Cicero und dessen Bruder Q. Tullius [I 11] (ebd. 12,2,3; 16,27,1; Cic. Att. 16,1,4) geringgeachtete V. Pansa und sein Kollege → Hirtius ungeahnte Bed. als Anführer der Caesarianer, die zum Ausgleich mit der Republik bereit waren. Im April 44 war V., den D. Iunius [I 12] Brutus ablöste, bereits in Campania, wo die künftigen Consuln beim mißtrauischen Cicero Redeunterricht nahmen (ebd. 14,11,2; Suet. gramm. 25,3). Nach dem Amtsantritt zögerten beide, M. Antonius [I 9] den Krieg zu erklären; V., der nach Hirtius' Auszug die Geschäfte in Rom leitete, entschärfte Vorstöße Ciceros (Cic. Phil. 10,17), verschleppte die Erklärung des Antonius zum Staatsfeind (ebd. 8,1) und warb noch Anfang März 43 für einen Ausgleich (ebd. 12,6; 12,18). Cicero wiederum suchte gegen die Warnungen von Servilia [1] die künftigen Prov. der Consuln auf die Caesarmörder zu übertragen (Cic. fam. 12,7,1 f.; Cic. ad Brut. 2,4,2; Cic. Phil. 11,21 f.). Erst der Abmarsch von V.' Rekrutenheer nach Mutina (→ Mutinensischer Krieg) um den 19.3.43 beendete die Spannungen.

Vor dessen geplanter Vereinigung mit Hirtius erzwang Antonius Mitte April eine Schlacht bei Forum

Gallorum und schlug V., ehe der heranrückende Hirtius ihn seinerseits besiegte (Cic. fam. 10,30; App. civ. 3,272–289). V. wurde schwer verwundet nach Bononia [1] gebracht. Daß er nach Hirtius' Sieg und Tod am 21.4. unerwartet in der Nacht zum 23. starb (Cic. fam. 11,3,1 f.), lenkte den Verdacht auf seinen Arzt (Cic. ad Brut. 1,6,2), mittelbar auf den Nutznießer Octavianus [1], der nun den Oberbefehl der Senatsarmee an sich zog (Suet. Aug. 11; Cass. Dio 46,39,1). Ehrungen wie die Anerkennung als → imperator (Cic. Phil. 14 passim) wurden durch ein Staatsbegräbnis beider Consuln ergänzt (App. civ. 3,311; Val. Max. 5,2,10; Epitaph: ILS 8890). Mod. Urteile über den mit → Philodemos bekannten Epikureer (Cic. fam. 7,12; [1]) folgen Cicero.

1 T. DORANDI, Gaio bambino, in: ZPE 111, 1996, 41 f.
2 R. MATIJAŠIĆ, Cronografia dei bolli laterizi della figulina Pansiana nelle regioni Adriatiche, in: MEFRA 95, 1983, 961–995 3 G. V. SUMNER, The Lex Annalis under Caesar, in: Phoenix 25, 1971, 246–271; 357–371.   JÖ. F.

II. KAISERZEIT

[II 1] C. V. Afinius Gallus Veldumnianus Volusianus. Sohn von → Trebonianus Gallus; vgl. → Volusianus [1].

[II 2] M. V. Balbinus. Senator aus Treia. Nach den unteren Ämtern wurde er *praetor aerarii*, war Legat von Augustus und Tiberius und schließlich Proconsul der Narbonensis.

L. GASPERINI, G. PACI, in: EOS, Bd. 2, Italia: Regio V (Pianum), 201–244.

[II 3] L. Iunius Q. V. Crispus. Aus Vercellae stammend, ohne bedeutende Vorfahren (Tac. dial. 8,1). Eintritt in den Senat vielleicht schon unter Tiberius; *cos. suff.* 61; danach wohl *curator aquarum*; *proconsul Africae*, evtl. zu Anf. der Regierung des Vespasianus; um 72/3 *legatus Augusti pro praetore in censibus accipiendis Hispaniae citerioris* (AE 1939, 60); *cos. suff. II* im J. 74; *cos. suff. III* unter Domitianus, wohl im J. 83. Einflußreich unter Nero, ebenso unter Vitellius [II 2], Vespasianus und Domitianus. Sein Charakter war umstritten, wie Bemerkungen u. a. bei Tac. hist. 4,41; 43 und Iuv. 4,84 zeigen; als Redner war er berühmt. Er starb im Alter von 83 Jahren.

G. ALFÖLDY, Städte, Eliten und Ges. in der Gallia Cisalpina, 1999, 326 f. · PIR¹ V 379.

[II 4] V. Fronto. Ritterlicher *praefectus equitum* in Syrien; als der in Syrien internierte ehemalige Partherkönig Vonones [1] floh, brachte er ihn zurück (Tac. ann. 2,68).

[II 5] Q. V. Gallus. *Cos. suff.* 119 n. Chr. (AE 1979, 62).

J. SCHEID, Commentarii fratrum Arvalium, 1998, Nr. 68, II a Z. 11.

[II 6] A. V. Habitus. *Cos. suff.* 8 n. Chr. Proconsul von Africa ca. 16/7 n. Chr.

THOMASSON, Fasti Africani, 28.

[II 7] L. V. Lentulus. Ritter, der als *adiutor* einem *curator viarum, aedium sacrarum et operum publicorum* zugeordnet war (die genannten *viae* sind die Straßen in Rom); nach mil. Ämtern *procurator monetae, procurator* in Dalmatien und Pannonia, sodann in der Provinz Asia; *procurator a loricata* (zuständig für die Metallvorräte in Rom); *a rationibus*. Die Funktionen erstrecken sich von der frühdomitianischen Zeit bis nach 102 n. Chr. (IEph. 736; 2061; 3046).

PFLAUM 1, 156–158.

[II 8] M. V. Liberalis. *Cos. suff.* 166 n. Chr.

ALFÖLDY, Konsulat, 180.

[II 9] C. V. Marsus. Senator. Suffektconsul 17 n. Chr.; *comes* des Germanicus [2] im Osten des Reiches. 19 n. Chr. begleitete er nach dessen Tod → Agrippina [2] d. Ä. nach Rom zurück. Proconsul von Africa für drei Jahre, 26–29 oder 27–30 [1. 31]. Im J. 37 wurde er des Majestätsverbrechens angeklagt, aber Tiberius' Tod befreite ihn aus der Gefahr. Unter Claudius [III 1] war er von 42–44 Statthalter von Syrien; er verhinderte den Bau einer neuen Befestigung von → Jerusalem und ließ ein Treffen von mehreren Klientelkönigen bei Herodes [8] Iulius Agrippa I. abbrechen; auch gegenüber dem Partherreich handelte er energisch.

1 THOMASSON, Fasti Africani 2 E. DĄBROWA, The Governors of Roman Syria, 1998, 44–46.

[II 10] C. V. Maximus. Freund des Statius [II 2], der *Silvae* 4,7 an ihn richtete und ihm die *Thebais* widmete; auch mit Martialis [1] und Plinius d. J. bekannt. Vielleicht aus Verona stammend. *Praefectus alae* in Syrien ca. 92 n. Chr.; im J. 95 in Dalmatien tätig, vielleicht als *procurator* der Provinz. Bevor er als Praefekt nach Ägypten ging, könnte er in Rom als *praefectus vigilum* und/oder *praefectus annonae* tätig gewesen sein. *Praefectus Aegypti* 103–107; später scheint es zu einer Anklage und Verurteilung, vielleicht wegen Päderastie, gekommen zu sein. Er ist nicht mit dem Homonymen in CIL XVI 38 identisch.

DEVIJVER, V 100, p. 866 f.; 1772 f. · SYME, RP 1, 353 f.–360.

[II 11] C. V. Pansa. *Legatus pro [pr(aetore) i]n Vindol(icis)* (CIL V 4910 = ILS 847 = AE 1987, 789), wohl unter Augustus während der dortigen Kämpfe. Möglicherweise mit einem Pansa identisch, der Proconsul von Creta-Cyrenae gewesen sein könnte.

W. ECK, Senatorische Amtsträger in Rätien unter Augustus, in: ZPE 70, 1987, 203–209 · PIR² P 92.

[II 12] V. Passienus. Erfundene Gestalt in HA trig. tyr. 29,1; vgl. [1. 7].

1 R. SYME, Emperors and Biography, 1971.

[II 13] C. V. Postumus. Aus ritterlicher Familie in Larinum stammend; wohl frühzeitig Verbindung mit Tiberius. Aufnahme in den Senat. *Cos. suff.* 5 n. Chr.; Teilnahme an Kämpfen in Dalmatien unter Tiberius zwischen 6 und 9 n. Chr.; Auszeichnung mit den *ornamenta triumphalia*. In Dalmatien auch Statthalter, wohl ab 9 n. Chr. Von 12–15 oder 13– 16 Proconsul von Asia. In Rom wurde er von der *colonia Romulensis* offensichtlich mit einer Reiterstatue geehrt (AE 1966, 74).

VOGEL-WEIDEMANN, 220–224.

[II 14] C. V. Rufinus. Sohn von V. [II 15], die Familie stammt wohl aus Tusculum. Er dürfte der Rufinus gewesen sein, der laut Ov. Pont. 1,3 und 3,4 eng mit Tiberius verbunden war und unter ihm offensichtlich in Dalmatien und dann am Rhein gekämpft hatte. 21 oder 22 n. Chr. Suffektconsul; Proconsul von Asia 36/7. Unter Claudius [III 1] verm. 41/2 – 46/7 Legat des obergermanischen Heeres; damals wohl schon um die 55 Jahre alt.

ECK, Statthalter, 15 f. · SYME, RP 3, 1423–1435.

[II 15] C. V. Rufus. Vater von V. [II 14], wohl *homo novus*. Er heiratete → Publilia, die ehemalige Frau Ciceros. Erst in höherem Alter kam er zu einem Suffektconsulat 16 n. Chr. Zwischen 16 und 24 Leiter des *collegium* der *curatores alvei Tiberis* (CIL VI 1237).

SYME, RP 3, 1423–1435.

[II 16] C. V. Salutaris. Ritter aus → Ephesos. Zuerst Steuererheber in einer Steuerpachtgesellschaft, später übernahm er ritterliche mil. Dienststellungen, *subprocurator* in *Mauretania Tingitana*, *procurator Belgicae* unter Traianus. In Ephesos richtete er eine umfangreiche Stiftung ein (IEph. 27–36; 620; 3027).

G. ROGERS, The Sacred Identity of Ephesos, 1991, 136–151.

[II 17] L. V. Secundus. Bruder von V. [II 3]. Ritter; *procurator* in Mauretanien; wegen Erpressung im J. 60 angeklagt und verurteilt; im J. 69 durch den Einfluß seines Bruders freigesprochen. PIR¹ V 398.

[II 18] Q. V. Secundus. Wohl Sohn von V. [II 17]. *Cos. suff.* 86; wohl 101/2 Proconsul von Asia.

W. ECK, Jahres- und Provinzialfasten der senatorischen Statthalter von 69/70 bis 138/139, in: Chiron 12, 1982, 281–362, bes. 336. W. E.

[II 19] V. Sequester. Der Verf. einer wohl um 400 n. Chr. gefertigten knappen geogr. Namensliste *De fluminibus fontibus lacubus nemoribus paludibus montibus gentibus per litteras* (*Über Flüsse, Quellen, Seen, Haine, Sümpfe, Berge, Völker,* in jedem dieser Teile ›nach Anfangsbuchstaben‹ geordnet) könnte seinen Namen als kunstvolles Pseudonym aus Cic. Cluent. 8,25 *Sex. Vibium quo sequestre* gebildet haben. Für seinen Sohn Virgilianus zog er aus Scholien zu Vergilius' [4] *Aeneis,* Silius [II 5] Italicus (Punica 15), Lucanus [1] und Ovidius (met. 3 und 15; fast. 4) die Lokalnamen (auch rein myth. oder obsolete und falsch gedeutete) heraus, um sie ihrer Region zuzuordnen. Die wenigen, aber singulären Autorenzitate (aus Cornelius [II 18] Gallus, Stesichoros [1] und

Varro [3] Atacinus) fand er in seiner Quelle, wohl einer Schulauswahl der o.a. Dichter, bereits vor; dort Unkommentiertes ließ er ebenfalls weg. Das Werkchen diente als Hilfe beim Unterricht, ist geogr. wertlos, wurde aber von G. BOCCACCIO für ein ähnliches Lex. (1511 gedruckt) und von F. PETRARCA (dessen adnotierter Cod. verloren ist) verwertet, sogar noch nach dem Erstdruck (M. SALIUS, 1500) von dem Schweizer Humanisten A. TSCHUDI im 16. Jh. kopiert. Textbasis ist h. der Vaticanus lat. 4929 (10. Jh.), der u. a. auch Pomponius [III 5] Melas geogr. Werk *De chorographia* und Censorinus [4] enthält.

→ Scholien

R. GELSOMINO (ed.), V. S., 1967 (mit Bibliogr.) · W. STRZELECKI, s. v. V. S., RE 8 A, 2457–2462. KL. SA.

[II 20] N(umerius) V. Serenus. Senator; 16 n. Chr. war er als Praetorier einer der Ankläger des → Scribonius [II 6] Libo Drusus, fühlte sich aber von Tiberius nicht genügend belohnt. Proconsul der Baetica verm. 21/2; dort war er wohl die treibende Kraft für die massenhafte Publikation des *senatus consultum de Cn. Pisone patre* [1. 101–103]. Im J. 23 *de vi publica* angeklagt und nach Amorgos deportiert; im folgenden Jahr erneut durch seinen Sohn im Senat angeklagt [2]. Sein Sohn war V. [II 21].

1 W. ECK et al., Das senatus consultum de Cn. Pisone patre, 1996 2 Ders., Der Blick nach Rom. Die Affäre um den Tod des Germanicus und ihr Reflex in der Baetica, in: A. CABALLOS (Hrsg.), Carmona Romana (Actas del II Congreso de Historia de Carmona 1999), 2000, 543–557.

[II 21] N. V. Serenus. Sohn von V. [II 20], der seinen Vater im J. 24 n. Chr. erneut im Senat anklagte. 25 ging er erfolglos gegen Fonteius Capito vor. PIR¹ V 400.

[II 22] V. Severus. Freund des jüngeren Plinius. AE 1960, 348 ist nicht auf ihn zu beziehen.

SYME, RP 5, 459 · PIR¹ V 401.

[II 23] [T.] V. Va[rus]. Suffektconsul im J. 115 (FO² 110 und CIL XVI 172). Vielleicht war er zuvor Proconsul von Creta-Cyrenae.

W. ECK, s. v. V. (63a), RE Suppl. 14, 852.

[II 24] T. V. Varus. Wohl Sohn von V. [II 23], Statthalter von Cilicia unter Hadrianus (Dig. 22,5,3,1); *cos. ord.* 134. Die Familie stammt aus der Transpadana, vielleicht aus Brixia.

G. ALFÖLDY, Städte, Eliten und Ges. in der Gallia Cisalpina, 1999, 310.

[II 25] T. Clodius V. Varus. *Cos. ord.* 160; Sohn von V. [II 24].

G. ALFÖLDY, Städte, Eliten und Ges. in der Gallia Cisalpina, 1999, 311. W. E.

Vibo Valentia (Οὐιβῶνα Οὐαλεντία). Stadt in → Bruttium am → *Mare Tyrrhenum* im Süden des Golfs von S. Eufémia, landeinwärts nördl. am Vorgebirge von Tropea in 560 m H beim h. V.V. (bis 1928 Monteleone di Calabria). Gemeinsam mit → Medma im SW von Lokroi [2] in der 2. H. des 6. Jh. v.Chr. mit dem ON Hipponion (Ἱππώνιον) gegr., um den Bevölkerungsdruck zu vermindern (Ps.-Skymn. 307f.). 422 v.Chr. stand V.V. im Krieg mit Lokroi [2] (Thuk. 5,5,2f.). 389 v.Chr. wurde V.V. von Dionysios [1] I. erobert und zerstört, die Bevölkerung nach → Syrakusai (s. Nachträge) deportiert (Diod. 14,107,2); mit Hilfe der Karthager 379 v.Chr. wiederaufgebaut (Diod. 15,24). 356 v.Chr. von den Bruttii erobert (Diod. 16,15,2; Liv. 35,40,6). Zu Anf. des 3. Jh.v.Chr. wurde V.V. von Agathokles [2] erobert und mit einem Hafen ausgestattet (Diod. 21,15; Strab. 6,1,5; verm. beim h. Porto S. Venere). Anschließend kam die Stadt wieder unter die Herrschaft der Bruttii (Diod. 21,8). Im 2. → Punischen Krieg wurde das Gebiet von V.V. von den Karthagern verwüstet (Liv. 21,51). 192 v.Chr. wurde eine röm. *colonia* unter dem Namen V.V. gegr. (Liv. 34,53,1; 35,40,5f.; der Namensbestandteil Vibo ist wohl oskisch; unglaubhaft der Bericht bei Vell. 1,14,8, demzufolge schon 237 v.Chr. eine röm. Kolonie hier angelegt wurde). Die Stadt hatte eigene Münzprägung. Nach dem Bundesgenossenkrieg [3] 88 v.Chr. lag V.V. in der *tribus Aemilia*.

Aufgrund der mod. Überbauung des Stadtzentrums ist die ant. Stadtanlage noch nicht gefunden worden. Im Zentrum der h. Stadt lag wohl das der griech.; danach röm. Bebauung. Arch. Reste: Nekropolen, Wohngebäude, Werkstätten, Teile des Mauerrings mit halbrunden Türmen (6.–4. Jh.v.Chr.). Der in den Quellen (Duris FGrH 76 F 19; Archestratos fr. 34,8f. Brandt) bezeugte Reichtum von V.V. (besonders Thunfischfang: Ail. var. 15,3f.; verm. auch Schiffbau mit Holz aus der nahen Sila [1]) ist durch Funde von *villae rusticae* und Kaimauern bestätigt. Vier heilige Bezirke (Kulte unbekannt) und ein Heiligtum am Ufer des Cofino für Persephone-Kore. In der Nekropole von Hipponion wurde ein Goldplättchen mit orphischen Texten (5./4. Jh. v.Chr.) gefunden [1. 4 A 62] (→ Orphicae Lamellae).

1 G. Colli (ed.), La sapienza greca, Bd.1: Dioniso, Apollo, Eleusi, Orfeo, Museo, Iperborei, Enigma, ³1981.

F. Albanese, V.V. nella sua storia, 1962 • L. Richardson, s.v. Hipponion, PE, 394 • G. Zuntz, Die Goldlamelle von Hipponion, in: WS 89 = N.F. 10, 1976, 129–151 • S. Settis u.a., Giornate di studio su Hipponion – V.V., in: ASNP, Ser. III, 19, 1989, 413–876 • A. Bottini, Archeologia della salvezza, 1992, 51–64 • G. Giangrande, La lamina orfica di Hipponion, in: A. Masaracchia (Hrsg.), Orfeo e l'Orfismo, 1993, 155–248 • G. Iacobacci, La laminetta aurea di Hipponion, in: A. Masaracchia (Hrsg.), Orfeo e l'Orfismo, 1993, 249–264.   A. MU./Ü: H.D.

Vibulanus. Röm. Cognomen, wohl von einem unbekannten Ort abgeleitet, bes. in der Familie der Fabii (→ Fabius [I 37–39]) gebräuchlich.

Kajanto, Cognomina, 209.   K.-L.E.

Vibulenus s. Vibullius [II 2]

Vibullius. Seltener röm. Gentilname möglicherweise etr. Herkunft (Schulze, 405).

I. Republikanische Zeit

[I 1] V. Rufus, L. Anhänger und enger Vertrauter des Cn. Pompeius [I 3] Magnus, seit spätestens 49 v.Chr. sein → *praefectus* [8] *fabrum*. 56 wurde er zu → Cicero entsandt, um dessen Widerstand gegen die Landverteilung → Caesars in Campania zu unterbinden (Cic. fam. 1,9,10); 54 war er als Kurier bei Caesar (Cic. ad Q. fr. 3,1,18). Bei Ausbruch des Bürgerkrieges 49 wurde er nach Picenum gesandt, um für Pompeius Truppen auszuheben (Caes. civ. 1,15,4). Er löste dort den geschlagenen P. Cornelius [I 55] Lentulus Spinther ab und rekrutierte erfolgreich 14 Kohorten, die er L. Domitius [I 8] Ahenobarbus unterstellen mußte, mit dem er in Corfinium von Caesar gefangen wurde. Nach seiner Freilassung sandte ihn Pompeius zu L. Afranius [1] nach Spanien (Caes. civ. 1,34,1; 1,38,1), wo er erneut von Caesar gefangengenommen und begnadigt wurde (ebd. 3,10,1). Anf. 48 übermittelte er ergebnislos die Friedensvorschläge Caesars an Pompeius (ebd. 3,10–11); über sein Ende ist nichts bekannt.   K.-L.E.

II. Kaiserzeit

Das *nomen gentile* Vibullius erscheint in verschiedenen Zusammenhängen in der Nomenklatur senatorischer Familien aus Achaia, v.a. bei den Eurycliden und der Familie des Herodes [16] Atticus; siehe dazu [1. 120–123, 155–160; 2; 3. 209–245].

1 Halfmann 2 W. Ameling, Herodes Atticus, Bd. 1, 1983 3 A.R. Birley, Hadrian and Greek Senators, in: ZPE 116, 1997.

[II 1] Senator; als Praetor im J. 56 n.Chr. ging V. trotz des Protestes des Volkstribuns Antistius [II 5] Sosianus gegen die rauflustigen Anhänger von Schauspielern vor (Tac. ann. 13,28,1).

[II 2] V. Agrippa. Ritter, der im Senat angeklagt wurde, nach Cass. Dio 58,21,4 im J. 33, nach Tac. ann. 6,40,1 im J. 36. Er nahm noch im Senat Gift, wurde aber, obwohl schon tot, nochmals im Kerker von Liktoren erdrosselt, um die Bestrafung deutlich zu machen.

[II 3] L.V. Hipparchus. Aus athenischer Familie; er heiratete Annia Atilia Regilla Elpinice Agrippina Atria Polla, eine Tochter des Herodes [16] Atticus. Für eine Tochter aus dieser Ehe, Athenais, und für sich selbst sowie andere Verwandte ließ er in Olympia in der → Exedra des Herodes Atticus Statuen errichten.

W. Ameling, Herodes Atticus, Bd. 1, 1983, 112 · R. Bol,
Das Statuenprogramm des Herodes-Atticus-Nymphäums,
1984, 134 ff.　　　　　　　　　　　　　　　W. E.

Vica Pota. Röm. Göttin, deren vielleicht bereits archa.
Kult unterhalb der → Velia am Fuße des Hügels (Liv.
2,7,10) an der Stelle lokalisiert war, wo man einst das
Haus des P. Valerius [I 44] Poplicola wiedererrichtet
hatte (Ascon. p. 13 Clark); dies → natalis des Heiligtums
war der 5. Januar (InscrIt 13,2,391). Neben einer Etym.
des Namens aus *victus*, »Speise«, und *potus*, »Trank« (Arnob. 3,25; vgl. Sen. apocol. 9,4) gibt es die (plausiblere)
Ableitung von »siegen« (*vincendi atque potiundi*: Cic. leg.
2,28; vgl. Ascon. l.c.) und die Verbindung mit → Victoria [1].

R. E. A. Palmer, Roman Rel. and Roman Empire, 1974,
201–204 · S. Weinstock, s. v. V. P., RE 8 A, 2014 f. ·
F. Coarelli, s. v. V. P., LTUR 5, 148 f. (Lit.).　　　D. WAR.

Vicarius. »Stellvertreter« im allg. (Cic. Verr. 4,81; Liv.
29,1,8 f.; Quint. decl. 9,9; CIL I 202).
[1] (Polit.-mil. Amt). Im Bereich der röm. → Verwaltung (VIII.) begegnen *vicarii* bes. seit der hohen Kaiserzeit, als die staatlichen Aufgaben zunahmen und einzelne zivile und mil. Amtsträger die Aufgaben in ihrem
Sprengel nicht mehr dauerhaft allein wahrzunehmen
vermochten. Der Kaiser stellte ihnen Männer an die Seite, die sie in bestimmten Situationen vertraten oder ersetzten. Vor allem Statthalter wurden seit dem 3. Jh.
n. Chr. häufiger durch dafür eingesetzte ritterliche
→ *procuratores* vertreten: *vice praesidis* bzw. *agens vices praesidis*, *vice proconsulis*, »in Vertretung eines Statthalters«
(ILS 545; 593; 1186; 1370 f.). Auch Vertreter von Offi-
zieren sind vermehrt seit dem 3. Jh. nachzuweisen (ILS
1356; 2219; Amm. 14,11,5; Veg. mil. 3,4,6; Cod. Iust.
12,37,19; PCair. Masp. 67057; PMünch. 14,17). Dabei
scheint es häufig vorgekommen zu sein, daß Stellenin-
haber ihre Vertreter selbst ernannten (Iust. Nov. 8,4 und
134 pr.).
　Mit Beginn der Spätantike verfestigten sich einige
dieser Stellvertretungen in der Reichsverwaltung zu eigenständigen Ämtern. Der wichtigste Fall ist der *v.*, der
im 3. Jh. n. Chr. die Stellvertretung der Praetorianerpraefekten (*vice praefectorum praetorio*) v. a. im Bereich der
Rechtsprechung wahrgenommen hatte (Ulp. Dig.
32,1,1,4). Unter → Diocletianus wurde er dann zum
Vorsteher der neu geschaffenen Diözesen (→ *dioíkēsis*; Not. dign. occ. 1,24–29; or. 1,30–34). Dieselbe
Entwicklung machte auch der *v.* des Stadtpraefekten
(→ *praefectus urbi*) durch: Seine Funktion als Stellvertreter ist schon zur Zeit → Caracallas bezeugt (ILS 478),
wurde aber erst unter Diocletianus zu einem eigenständigen Amt aufgewertet (Zos. 2,9,3; Cod. Theod.
9,21,1). Spätestens 357 aber ging dieses Amt in der Di-
özesanstatthalterschaft des *vicarius praefectorum praetorio in
urbe* auf. Zur Zeit der → *Notitia Dignitatum* (Anfang des
5. Jh.) gab es 12 *vicarii* (einschließlich des → *comes (16)
Orientis* und des *praefectus Augustalis*).

Die *v.*, die nur vom Kaiser ernannt und abberufen
werden konnten, bekleideten einige der wichtigsten
Ämter der spätantiken Zivilverwaltung. Als Nachgeordnete der Praetorianerpraefekten (Cod. Theod.
1,15,13) und Vorgesetzte jeweils mehrerer Statthalter
(mit Ausnahme der Proconsuln) überwachten sie die
Provinzverwaltungen, wirkten an der Steuererhebung
mit, waren als *ordinarii iudices* in Kriminal- und Zivil-
gerichtssachen tätig und besaßen Appellationsgerichts-
barkeit (neben Cod. Theod. und Cod. Iust. vgl. auch
Cassiod. var. 6,15). Ihnen stand ein von einem *princeps*
geleitetes *officium* (»Büro« mit 200–300 *officiales*) zur Verfügung (Cod. Theod. 1,15,12–17; 28,1). Die Bed. des
Amtes spiegelte sich auch im Rang seiner Inhaber wider: Die *v.* waren zunächst *viri perfectissimi*, dann bald *viri
clarissimi* und seit ca. 385 *viri spectabiles* (→ *vir clarissimus*).
Die christl. Kirche übernahm im 4. Jh. den Begriff *v.*,
um einen Beauftragten des röm. Bischofs zu bezeichnen, zuerst den *v. Apostolicus* in Thessalonike; dadurch
sollte der röm. Primat unterstrichen werden [1].
[2] (Sklavenrang). Im Bereich der röm. Sklaverei bezeichnete *v.* den Untersklaven, der selbst von einem
Sklaven (*servus ordinarius*) gekauft worden war und dessen Aufgaben im Sinne eines Stellvertreters erfüllte oder
untergeordnete Tätigkeiten verrichtete (z. B. CIL VI
6384–6434; ILS 1503–1505; 7421; 7468; Dig. 15,1,11;
19; 33,8; 6,22). Solche *vicarii* (manchmal auch *peculiaris*,
conservus, *verna* genannt) gehörten zum → *peculium* der
servi ordinarii. Damit war auch der *v.* rechtlich (nicht de
facto) Eigentum des Herrn: Nur dieser konnte ihn frei-
lassen.
→ Dioikesis; Peculium; Procurator [1]; Sklaverei;
Verwaltung

1 Jones, LRE, 888 f.

W. Ensslin, K. Schneider, s. v. V., RE 8 A, 2015–2053 ·
J. Migl, Die Ordnung der Ämter. Prätorianerpräfektur und
Vikariat in der Regionalverwaltung des Röm. Reiches von
Konstantin bis zur Valentinianischen Dynastie, 1994 · F.
Reduzzi Merola, Servo Parere. Studi sulla condizione
giuridica degli schiavi vicari e dei sottoposti a schiavi nelle
esperienze greca e romana, 1990.　　　　　　A. G.

Vicellinus. Cognomen des Sp. Cassius [I 19] V.

Kajanto, Cognomina, 163.　　　　　　　　K.-L. E.

Vicesima (abgeleitet von *viginti*, »zwanzig«; wörtl. »der
zwanzigste Teil«). *V.* war in Rom die Bezeichnung für
fünfprozentige → Steuern (IV.); bes. wichtig waren die
v. manumissionum oder *libertatis* (Freilassungssteuer) und
die *v. hereditatium* (Erbschaftssteuer).
　Die *v. manumissionum* oder *libertatis* wurde nach der
annalistischen Trad. (Liv. 7,16,7; dazu [3]) bereits 357
v. Chr. vom röm. Heer bei Sutrium in einer Abstimmung nach → *tribus* beschlossen und vom Senat bestätigt. Sie wurde von dem → Freigelassenen oder dessen
Herrn bezahlt, vielleicht schon von Beginn an in Gold.
Die Höhe der Steuerzahlung richtete sich nach dem
Wert des Sklaven; sie wurde von Steuerpächtern (→ *pu-*

blicani) eingetrieben und ging urspr. an ein für Notfälle bestimmtes *aerarium sanctius*; 209 v. Chr. wurden die bis dahin gehorteten Erträge aus dieser Steuer für die Kriegführung gegen Hannibal [4] verwendet; es soll sich um 4000 Pfund Gold (ca. 1,3 t) gehandelt haben (Liv. 27,10,11). Caesar beanspruchte zu Beginn des Bürgerkriegs ebenfalls die aus diesen Steuern gebildeten Rücklagen für seine Truppen (Caes. civ. 1,14,1; Cic. Att. 7,21,2; App. civ. 2,41). Möglicherweise ging diese Steuer seit Claudius [III 1] an den → *fiscus*.

Die *v. hereditatium* wurde von → Augustus 6 n. Chr. zusammen mit der *centesima rerum venalium* und einer *v. quinta servorum venalium* (Sklavenverkaufssteuer) eingeführt, um das neu geschaffene → *aerarium militare* (s. Nachträge) zu alimentieren (Cass. Dio 55,25). Angesichts der sozialen Bed. von Erbschaften und Legaten in Rom erhob sich gegen diese Steuer v. a. in der Oberschicht ein massiver Widerstand, den Augustus mit der Drohung brach, sonst das *tributum* (→ Steuern IV.B.1.) in It. wieder einzuführen. Ausgenommen von der *v. hereditatium* waren nur nächste Verwandte und sehr kleine Erbschaften. Diese Ausnahmen wurden unter den Nachfolgern des Augustus abgeschafft und erst unter Traianus wieder eingeführt (Plin. paneg. 37–40). Caracalla soll mit seiner → *constitutio Antoniniana* allen freien Reichsbewohnern nur deshalb das Bürgerrecht verliehen haben, um sie der *v.* zu unterwerfen (Cass. Dio 78,9,5). Die Erbschaftssteuer war zunächst verpachtet; um ihre Einziehung zu erleichtern, wurden die → Testamente bei der *statio vicesimae* (BGU 326: στατιὼν τῆς εἰκοστῆς), dem für diese Steuern zuständigen lokalen Amt, aufbewahrt. Wie bei anderen Steuern üblich, amtierten auch bei der *v. hereditatium* → *procuratores* [1] über und neben den Pächtern. Ob sie diese irgendwann ersetzten, ist nicht zu sagen [2].

→ Eikoste; Erbrecht; Freilassung; Manumissio; Steuern

1 E. FERENCZY, The Rise of the Patrician-Plebeian State, in: Acta antiqua Academiae Scientiarum Hungaricae 14, 1966, 113–139 2 W. ECK, Zur Erhebung der Erbschafts- und Freilassungssteuer in Äg. im 2. Jh. n. Chr., 1977 (= Ders., Die Verwaltung des röm. Reiches in der hohen Kaiserzeit, Bd. 1, 1995, 341–348) 3 S. P. OAKLEY, A Commentary on Livy, Bd. 2, 1998, ad locum. H. GA.

Vicetia (Οὐικετία). Stadt der → Veneti [1] am Zusammenfluß von Retron (h. Retrone) und Astagus (h. Astico) zum → Togisonus (Strab. 5,1,8; Ptol. 3,1,30; Ail. nat. 14,8: Βικετία; zuvor evtl. von Kelten bewohnt: Iust. 20,5,8), h. Vicenza. Wegen der Lage an der → Via Postumia war V. von gewisser verkehrstechnischer Bed. (Itin. Anton. 128,2; Itin. Burdig. 559,1; Geogr. Rav. 4,30,30; Guido, Geographica 17,44; Tab. Peut. 3,4). Erstmals inschr. erwähnt 135 v. Chr. aus Anlaß der Gebietsabgrenzung zw. → Ateste und V. (CIL I² 636 = V 2490). Aufgrund eines Gesetzes des Consuls C. Pompeius [I 8] Strabo 89 v. Chr. mit dem → *ius* (D.2.) *Latii* ausgestattet (Plin. nat. 3,130; vgl. 3,138), zw. 49 und 42/41 v. Chr. zum *municipium* der *tribus Menenia* erho-

ben (CIL V p. 306), seit Augustus in der *regio* X. V. war bekannt für die Zucht von Aalen außergewöhnlicher Qualität (Ail. nat. 14,8). Kulte der Diana, Fortuna, Nemesis, Venus und der Nymphen (vgl. CIL V 3102–3107). Reste der Stadtmauer (an der Piazza Castello), der Brükke über den Togisonus (bis 1889 sichtbar unter dem Ponte degli Angeli), einer Kryptoporticus (→ *crypta, cryptoporticus*), eines Theaters (sog. Teatro di Berga) im Süden vor der Stadt, eines Aquaedukts, Nekropolen.

In V. wurde der Grammatiker Q. Remmius [2] Palaemon geboren.

1 E. BUCHI, Le strutture economiche del territorio, in: A. BROGLIO et al. (Hrsg.), Storia di Vicenza, Bd. 1, 1987, 145–157 2 L. CRACCO RUGGINI, Storia totale di una piccola città: Vicenza romana, in: s. [1], 205–303 3 Dies., Approcci e percorsi di metodo nella storia di una piccola città, Vicenza romana, in: La città nell'Italia settentrionale in età romana (Atti del convegno, Trieste, 13–15 marzo 1987. Collection de l'École Française de Rome, 130), 1990, 1–28 4 M. RIGONI, Vicenza, in: Tesori della Postumia (Ausst. Cremona), 1998, 460–466. E. BU./Ü: H. D.

Vici magistri (Sg. *vici magister*). Gewählte Vorsteher der *vici* (→ *vicus*) in der Stadt Rom und in ital. Städten.

I. ROM

Die *v. m.* sind schon in der Republik belegt, ihre Identität mit den bei Asconius (p. 6 CLARK) genannten *magistri collegiorum* ist (gegen [2]) nicht zu bezweifeln. Ihre Aufgabe war der Kult der *Lares Compitales* (→ Laren C.) und die Ausrichtung der → *Compitalia* am 1. Januar. In der späten Republik waren sie in die polit. Umtriebe der → *collegia* [1] verwickelt und für einige Jahre verboten, bis Clodius [I 4] sie wieder zuließ. Sie unterstanden verm. der Aufsicht der → *aediles*, denen die vier Stadttribus administrativ unterstellt waren (→ *tribus*).

Augustus teilte wohl 7 v. Chr. die Stadt neu in 14 Regionen (→ *regiones*) und 265 *vici* auf (Plin. nat. 3,66; Suet. Aug. 30; Cass. Dio 55,8; Roma III. F. mit Karte 3). In jedem *vicus* bestand nun ein Collegium von vier *magistri e plebe cuiusque viciniae lecti* (»aus der Bevölkerung der einzelnen Bezirke gewählte Vorsteher«), die ein Jahr amtierten. Sie rekrutierten sich aus Freien und Freigelassenen; allerdings sind in einer Weihinschrift von *v. m.* für Hadrianus (aus dem J. 136 n. Chr.) von 275 *magistri* nur 13 % Freie (ILS 6073). Sie unterstanden den neuen, aus Praetoren, Aediles und Volkstribunen erlosten Vorstehern der Regionen. Ihre Hauptaufgabe war die Pflege des Kultes der *Lares Compitales* und des → *Genius Augusti*, die Sorge für die damit zusammenhängenden Bauten und die Abhaltung der *ludi Compitales*, aber auch die Aufrechterhaltung der öffentlichen Ordnung. Verm. nur zu den Spielen war ihnen der Gebrauch der → *toga praetexta* sowie von zwei Liktoren und *servi publici* (»Staatssklaven«) gestattet. Sie waren auch mit der Getreideausteilung (→ *cura annonae*) und – bis zur Einrichtung der *cohortes vigilum* (→ *vigiles*) – dem Feuerlöschwesen in ihren Bezirken befaßt. Diese Organisation hatte mindestens bis zur Zeit des Cassius [III 1] Dio

Bestand, also bis Anf. 3. Jh. n. Chr. (Cass. Dio 55,8); unter Constantinus [1] waren dann nach den Regionalverzeichnissen jeder Region nur noch 48 *magistri* zugewiesen, unabhängig von der Zahl ihrer *vici*.

II. ITALIEN

Auch in ital. Städten sind ähnliche Organisationen bekannt, so in Verona drei freie *magistri* und drei Sklaven als *ministri*, die ein *compitum* (→ *compitalia*) wiederherstellten (CIL V 3257), in Neapel 1 n. Chr. zwei Freie und zwei Sklaven, die als *magistri* die Laren des Kaisers (*Lares Augustos*) pflegten. Eine flächendeckende Verbreitung von *v.m.* in It. nach einheitlichem Muster ist nicht wahrscheinlich.

1 J. BLEICKEN, s. v. V. M., RE 8 A, 2480–2483
2 A. FRASCHETTI, Roma e il principe, 1990, 242–250
3 M. TARPIN, Roma Fortunata, 2001, 117–119.   H. GA.

Victimarius (älter *victumarius*). »Opferdiener« im röm. Staatskult, dem Stand nach ein Sklave oder Freigelassener (vgl. für den stadtröm. Bereich CIL VI 2201; 9087; 9088; 33781), abgeleitet von lat. *victima*, »Opfertier« (CIL XII 533). Zu unterscheiden sind die *victimarii* von den *popae* (welche die Tiere durch Schlag mit dem Hammer betäubten). Nicht als Opferdiener zu bezeichnen ist der *cultrarius* [1. 2483] (= »Messerschmied«: CIL XI 3984; [2. Nr. 137; 3. 79]); in der Bed. »Opferdiener« mit dem → *culter* ist dieser Begriff lit. nur einmal belegt (Suet. Cal. 32), wird in der mod. Lit. aber dennoch häufig in der Bed. »Opferschlächter« benutzt.

Aufgaben und Zuständigkeiten der *v.* sind lit., epigraphisch und ikonographisch sehr gut belegt. Die *v.*, in Rom in eigenem → *collegium* [1] zusammengeschlossen, fungierten in der Staats- oder Munizipalverwaltung (CIL VI 971), in kaiserlichen Diensten und im Heer (CIL X 3501). Sie waren zuständig für die mit der Opferung der Tiere verbundenen technischen Aufgaben: das Führen der Opfertiere zum Opferplatz und das Töten mit dem Messer. Zahlreiche ikonographische Zeugnisse liefern ein anschauliches Bild dieser Handlungen (z. B. [4]). Gekleidet war der *v.* in einen z. T. mit Fransen versehenen Schurz (*limus*: Serv. Aen. 12,120), in dessen eingedrehtem Bund häufig ein Messer (*culter*) steckte. Der Schurz ist ein Hinweis auf die bei Staatssklaven bekannte Tracht (Isid. orig. 19,33,4).
→ Opfer (IV.)

1 S. WEINSTOCK, s. v. V., RE 8A, 2483–2485 2 ZIMMER
3 A. V. SIEBERT, Instrumenta sacra, 1999 4 F. FLESS,
Opferdiener und Kultmusiker auf stadtröm. histor. Reliefs,
1995, 70–78, 90 f.   A. V. S.

Victor (»Sieger«).
[1] Röm. Cognomen, erst ab der Mitte des 1. Jh. v. Chr. bezeugt (Cic. Att. 14,14,2), aber dann einer der häufigsten Beinamen und »Wunschname«.

KAJANTO, Cognomina, 57; 72; 89; 96; 98; 278 · H. SOLIN,
Die stadtröm. Sklavennamen, 1996, 100 f.   K.-L. E.

[2] (Röm. Götterepitheton), s. Hercules; Iuppiter; Mars; Tibur

[3] Röm. Kaisertitel ab Anf. des 4. Jh. n. Chr. Hatte sich im 1. bis 3. Jh. die Sieghaftigkeit der Kaiser v. a. in konkreten Siegerbeinamen wie *Parthicus* o. ä. ausgedrückt, so begann mit → Commodus, der das Epitheton *Invictus* (der »Unbesiegte«) propagierte, eine Umgestaltung dieser Siegestitel, die schließlich zu der Titulatur *v.* (auch *semper/ubique/undique v.*, *v. omnium gentium* etc.) führte, ohne daß deswegen die konkreten Siegerbeinamen aufgegeben worden wären. Wieso es zu der Weiterentwicklung von *invictus* zu *v.* kam (wobei auch *invictus* als Titel weiterbestand), ist umstritten (Eus. vita Const. 2,19,2 sah die Ursache in der Vision des Constantinus [1] vor der Schlacht an der Milvischen Brücke). Constantinus ging sogar so weit, *v.* als → Praenomen anstelle von → *imperator* zu verwenden (z. B. Eus. vita Const. 2,24,1). Im Laufe des 4. Jh. wurde *v.* meistens das Adjektiv *maximus* (»größter«) beigelegt und der Ausdruck außerdem mit *triumphator* verbunden. Dazu kamen weitere Steigerungen wie *super omnes retro principes victoriosissimus*. Daneben war aber noch Iustinus [4] II. *invictissimus* (»der gänzlich Unbesiegbare«).
→ Kaiser

L. BERLINGER, Beitr. zur inoffiziellen Titulatur der röm. Kaiser, Diss. Breslau 1935 · P. KNEISSL, Die Siegestitulatur der röm. Kaiser, 1969, 174–180.   K. G.-A.

[4] Der auch pagan belegte Name V. erscheint häufig in christl. Märtyrertexten und -kulten. Die ältesten Belege (Mitte 3. Jh.) stammen aus Afrika (Passio Montani et Lucii; Cypr. epist. 22,2; 76 f.). Die Zeugnisse mehren sich in der Spätant.; vom 4. Jh. an sind vielerorts V.-Kultstätten dokumentiert (Mailand, Marseille, Caesarea, Xanten, Trier u. a.). Ob den Kulten stets ein Martyrium zugrunde lag, muß offenbleiben, ebenso, ob einzelne dieser Kulte anderenorts Fuß gefaßt haben. Daß – zumindest in späteren Texten – ein (vom Kaiserkult beeinflußter? vgl. [1. 2492]) Ehrentitel der → Märtyrer zur Person mutierte, ist eine ansprechende Vermutung (bes. [2. 120 f.]; eher skeptisch [3]).
→ Märtyrerliteratur

1 S. WEINSTOCK, s. v. V., RE 8 A, 2485–2500 2 F. RÜTTEN,
Die V.verehrung im christl. Alt., 1936 3 V. SAXER, V. titre
d'honneur ou nom propre?, in: RACr 44, 1968, 209–218
4 B. KÖTTING, s. v. V., LThK² 10, 1965, 771–773.   PE. HA.

[5] V. I. Papst um 189–198. Seine von → Hippolytos [2], → Eusebios [7] von Kaisareia und → Hieronymus erwähnten Schriften sind nicht erh. Er versuchte, im Osterfeststreit (→ Kalender B.5.) mit Nachdruck den stadtröm. Führungsanspruch zur Geltung zu bringen [1]. Dabei berief sich V. möglicherweise auf → Petrus [1] und → Paulus [2], wie aus einem Antwortschreiben des Bischofs Polykrates von Ephesos, der am kleinasiatischen Osterdatum festhielt, zu schließen ist (Eus. HE 5,24; vgl. 3,31,3). Das schroffe Vorgehen V.s weckte Widerstand, v. a. bei → Eirenaios [2] von Lyon (Eus. HE 5,24,14–17; [2]).

1 N. Brox, Tendenzen und Parteilichkeiten im Osterfeststreit des zweiten Jh., in: ZKG 83, 1972, 291–324 **2** M. Richard, La lettre de saint Irenée au pape Victor, in: ZNTW 56, 1965, 260–282. R. BR.

[6] Hochrangiger Militär sarmatischer Herkunft in der 2. H. des 4. Jh. n. Chr. (Amm. 31,12,6). An Iulianos' [11] Perserfeldzug nahm er evtl. als *comes rei militaris* teil (Amm. 24,4,13; Zos. 3,16 f.). Er beteiligte sich an der Wahl des → Iovianus zum Kaiser, von dem er zum *magister equitum* befördert wurde (Amm. 25,5,2). Dieses Amt behielt er unter Valens [2], für den er 366 und 369 Verhandlungen mit den Goten (Amm. 27,5) und 377 mit den Persern führte (Amm. 30,2,4 f.). Er warnte Valens 378 vergeblich vor der Schlacht bei Hadrianopolis und versuchte während des Kampfes, den Kaiser zu retten (Amm. 31,12,6; 31,13,9). 369 war er Consul. Der streng orthodoxe V. (Theod. hist. eccl. 4,33,3) war mit der Tochter der Sarazenenkönigin → Mavia verheiratet (Sokr. 4,36,12; vgl. → Saraceni). → Libanios war mit ihm befreundet (Lib. or. 2,9). PLRE 1, 957–959, Nr. 4.
W. P.

[7] S. Aurelius V. Röm. Geschichtsschreiber. Geb. ca. 320 n. Chr. in Africa, stieg aus einfachen Verhältnissen aufgrund einer guten Ausbildung (Aur. Vict. Caes. 20,5 f.) 361 bis zum Statthalter der Pannonia Secunda (→ Pannonia III.) unter Kaiser Iulianus [11] auf. Er erhielt eine Ehrenstatue, fungierte unter Theodosius [2] I. als *iudex sacrarum cognitionum* (→ *cognitio* 2) und krönte mit der Stadtpraefektur in Rom ca. 389 (ILS 2945) seine Laufbahn. V. ist der Autor der wohl 360 verfaßten *Historiae Abbreviatae*, allg. *Liber de Caesaribus* oder auch *Caesares* genannt. Dieses Werk stellt in relativ kurzer Form die röm. Kaiser-Gesch. im Anschluß an → Livius [III 2] von Augustus bis Constantius [2] II. dar.

Erstmals bietet V. die Einteilung der Kaiser-Gesch. in die → Iulisch-Claudische und → Flavische Dynastie (s. Nachträge) sowie → Adoptiv- und → Soldatenkaiser bzw. spätant. Kaisertum. Die Schrift ist biographisch angelegt [1] (→ Biographie II.) und wird mit moralischen Urteilen und Bemerkungen des Autors zur eigenen Zeiterfahrung begleitet. Stilistisch ist gelegentlich → Sallustius [II 3] als Vorbild erkennbar. V. übt Kritik an der Dominanz des Militärs und hebt die Bed. von Bildung bei den Herrschern hervor (40,13). Er bezieht damit eine grundsätzlich senatorische Position, spart aber nicht mit Kritik am moralischen Verfall dieser sozialen Gruppe (37,7). Christentum und Kirche werden wie bei den übrigen nichtchristl. Gesch.-Schreibern des 4. Jh. nicht thematisiert [2. 97].

Bis zur Verdrängung durch die *Epitome de Caesaribus*, die anon. Kurzfassung des *Liber de Caesaribus* [3], scheint Aurelius V. in bescheidenem Maße benutzt worden zu sein. → Hieronymus (Hier. epist. 10,3) bittet um die Zusendung eines Exemplars, während er an seinem *Chronicon* arbeitet (vor 380), Iohannes → Lydos [3] (de magistratibus 3,7) zitiert ihn. Einfluß auf die → *Historia Augusta* und auf → Ammianus Marcellinus, der seine

sobrietas (»Nüchternheit«) rühmt (Amm. 21,10,6), ist möglich. Daneben haben sich wohl auch die Breviarien (→ Breviarium) des Eutropius [1] und des Festus [4] auf die Rezeption des *Liber de Caesaribus* ungünstig ausgewirkt. Noch in der Spätant. wurde das Werk von einem unbekannten Redaktor mit der → *Origo gentis Romanae* und der Schrift → *De viris illustribus urbis Romae* verbunden, wodurch sich eine durchgängige Kurzdarstellung der röm. Gesch. ergab, die als Ganzes unter dem Namen des Aurelius V. überl. wurde.

→ De viris illustribus; Geschichtsschreibung (III.D.-E.); Origo gentis Romanae

1 A. Momigliano, Il trapasso fra storiografia antica e storiografia medioevale, in: Rivista storica italiana 81, 1969, 286–303 **2** P. L. Schmidt, Zu den Epochen der spätant. lat. Historiographie, in: Philologus 132, 1988, 86–100 **3** J. Schlumberger, Die Epitome de Caesaribus, 1974.

Ed.: F. Pichlmayr, R. Gruendel, S. A. V. de Caesaribus, 1961.
Übers.: F. Pichlmayr, 1997.
Komm.: H. W. Bird, A Historical Commentary on A. V.'s Liber de Caesaribus, Diss. Toronto 1972 · Ders., S. A. V., A Historiographical Study, 1984.

[8] V. Tunnennensis (Tonnunensis). Bischof von Tunnuna ([1. 178 f.] vermutet diesen – in vielen unterschiedlichen Namensvarianten überl. – Ort in der Africa Proconsularis, vielleicht in der Nähe von Karthago), der während der Zeit seines Exils (seit 555) in → Konstantinopolis die Chronik des → Prosper Tiro von Aquitanien für die J. 443–566 (*terminus post quem* seines Todes) fortsetzte. Er legte besonderen Wert auf kirchengesch. Ereignisse der eigenen Zeit und trug damit weiter zur bereits bei Prosper erkennbaren Veränderung der Weltchronik zu einer Zeitchronik bei. Fortsetzer des V. ist Iohannes [20] Biclarensis.

→ Chronik D. und E.; Hieronymus

Ed.: **1** Th. Mommsen, Chronica minora, Bd. 2 (MGH AA 11), 1984 (Ndr. 1981), 163–210 **2** PL 68, 941–962. U. E.

[9] V. Vitensis. 480–484 n. Chr. Bischof von Vita in der nordafrikan. Prov. Byzacena (vgl. → Afrika [4], mit Karte). Er verfaßte während der Herrschaft der → Vandali in Nordafrika eine wohl 488/9 veröffentlichte *Historia persecutionis Africanae provinciae* in 3 B., eine an → Hieronymus und Rufinus [6] orientierte Kirchengesch. aus der Zeit des → Geisericus (428–477) und des → Hunericus (477–484), die einem Diadochus gewidmet ist. Er schildert darin die Verfolgung der katholischen Kirche durch die arianischen Vandalen (vgl. → Arianismus). Eine *Passio VII monachorum* (›Passion der Sieben Mönche‹) wurde wie auch der Prolog wohl später angehängt und gelangte damit unter dem Namen des V. in die Überlieferung.

Ed.: C. Halm, MGH AA 3.1, 1879 (Ndr. 1993 u. ö.) · M. Petschenig, CSEL 7, 1881.
Übers.: M. Zink, Bischof V.s Gesch. der Glaubensverfolgung im Lande Africa, 1883.

Lit.: S. Costanza, Vittorio e la Historia persecutionis, in: Vetera Christianorum 17, 1980, 229–268 · Ch. Courtois, V. de Vita et son œuvre, 1954 · H.-J. Diesner, Sklaven und Verbannte, Märtyrer und Confessoren, in: Philologus 106, 1962, 101–120 · R. Pitkäranta, Stud. zum Latein des V. Vitensis, 1978.   U.E.

Victoria

[1] Röm. Göttin und Personifikation des Sieges, etym. abzuleiten von *vincere*, »siegen« [5. 2501]. Im Gegensatz zu → Nike, ihrem griech. Pendant, an deren Personifikation und Ikonographie (als geflügelte Göttin, oft mit Füllhorn, Kranz und Palmzweig: [4. 239–269]) sie sich eng anlehnte, wurde V. als Versinnbildlichung des errungenen Sieges (meist militärisch, daher der enge Bezug auf → Mars, so CIL III 4412; VII 220; V. bei der *pompa circensis*: Cic. Att. 13,44,1; Ov. am. 3,2,45) früh und eigenständig kultisch verehrt [5. 2507]. Nach Dion. Hal. ant. 1,32,5 soll der V. schon zu Zeiten des → Euandros [1] auf dem Palatin jährlich geopfert worden sein, was wohl als späte propagandistische Fiktion zu deuten ist. Ihren ersten Tempel auf dem Palatin (→ Mons Palatinus, → Roma III., mit Karte 2) erhielt sie durch L. Postumius [I 16] Megellus im Kontext des 3. Samnitenkrieges (→ Samnites IV.), er wurde, wahrscheinlich am 1. August, ihrem Festtag, 294 v. Chr. geweiht (Liv. 10,33,9; [3. Bd. 1, 257]; schon 296 v. Chr. erste V.-Statue auf dem Forum: Zon. 8,1,2). Ab 204 v. Chr. wurde der Meteorstein der → Mater Magna [1] nach der Überführung aus Pessinus dort bis 191 v. Chr. verwahrt (Liv. 29,14,13). Bei diesem Tempel errichtete M. Porcius → Cato [1] für seinen Sieg in Spanien 193 v. Chr. einen Tempel der V. Virgo (Liv. 35,9,6). Auch außerhalb Roms lassen sich zahlreiche Heiligtümer der V. nachweisen (so Puteoli: CIL X 1887; Ancona: CIL IX 5904; Lusitania: CIL II 402).

In Rom erhielt V. herrschaftsideologische Bedeutung durch L. → Cornelius [I 90] Sulla, der 86 v. Chr. nach der Bezwingung des Mithradates [6] VI. (als Reaktion auf den Anspruch des C. → Marius [I 1], unbesiegbar zu sein [5. 2513]) ein *trópaion* für Mars, Venus und V. errichtete (Plut. Sulla 19,9f.) und am 1. Nov. 82 v. Chr. nach seinem Sieg über die Marianer öffentliche Spiele (die *ludi Victoriae*; Vell. 2,27,6) einführte. Diese wurde später konstitutiv für die von → Caesar nach der Schlacht von Munda vom 20.–30. Juli 45 v. Chr. gefeierten *ludi Victoriae Caesaris* (CIL I², p. 322f.; [5. 2515]). Octavianus ließ 29 v. Chr. in der damals neu eingeweihten *curia Iulia* die aus Tarentum [1] stammende Statue der V. auf dem Globus aufstellen (Cass. Dio 51,22,1f.; Suet. Aug. 100); dortselbst wurde am 28. August desselben Jahres der V.-Altar geweiht (Cass. Dio 51,22,1; CIL I², p. 327), vor dem die Opfer vor Beginn der Senatssitzungen stattfanden.

Dieser V.-Altar wurde am Ende der Ant. zum Symbol des »Heidentums« in der Auseinandersetzung mit dem Christentum: Constantius [2] II. hatte ihn 357 n. Chr. entfernen lassen (Ambr. epist. 18,32), Iulianos [11] wieder aufgestellt, Gratianus [2] 382 wieder ent-

fernt, Valentinianus [3] II. auf Betreiben des Symmachus [4] 392 wieder aufgestellt, bis Theodosius [2] I. ihn 394 endgültig entfernte ([1. 386] mit Lit.), wiewohl V. auch später ihre Popularität keineswegs verlor (vgl. Claud. de sexto consulatu Honorii 597).

V. wurde mit zahlreichen Epitheta versehen, v. a. mit geogr., um die Unterwerfung der betreffenden Völker begrifflich zu fassen (so z. B. schon unter → Claudius [III 1] als V. Britannica in Korinth [5. 2532], später unter Traian [CIL VIII 2354] und den Severern [CIL VIII 4583] als V. Parthica), daneben aber auch mit Beinamen wie Aeterna (»die Ewige«; CIL VI 3734), Domina (»die Herrin«; CIL VIII 10832) oder Sancta (»die Heilige«; CIL III 7687).

→ Nike; Personifikation

1 M. Beard, J. North, S. Price, Religions of Rome, Bd. 1, 1998 2 J. R. Fears, The Theology of Victory in Rome, in: ANRW II 17.2, 1981, 736–826 3 Nash 4 R. Vollkommer, s. v. V., LIMC 8.1, 237–269; 8.2, 167–194 (Lit.) 5 S. Weinstock, s. v. V., RE 8 A 2, 2501–2542.   JO.S.

[2] Auch Vitruvia genannt (SHA trig. tyr. 6,3; 24,1; 31,1), Mutter des → Victorinus [2], nach dessen Tod 271 sie im → Gallischen Sonderreich (s. Nachträge) bei den Soldaten (!) die Wahl des → Esuvius [1] Tetricus durchsetzte (Aur. Vict. Caes. 33,14), der sie zur Augusta erhob (SHA trig. tyr. 5,3).

→ Soldatenkaiser; Triginta tyranni

I. König, Die gallischen Usurpatoren, 1981, 158–160 · PIR¹ V 430 · PLRE 961 f.   ME.STR.

Victorianus s. Victorinus [1]

Victoriatus

(»Victoria-Mz.«: Cato agr. 15,2; Varro ling. 10,41; Quint. inst. 6,3,80), so genannt nach dem Standardtyp mit Iuppiterkopf auf dem Av. und → Victoria, die ein → *trópaion* bekränzt, auf dem Rv. [2. 15; 5. Taf. IX]. Der *v.* wurde um 211 v. Chr. eingeführt [2. 15], möglicherweise nach dem → *denarius* ([5. p. 7]; anders [4. 97]). Er ersetzte den → *quadrigatus* und hatte anfänglich ein Gewicht von 3,4 g, wurde dann aber wie der *denarius* reduziert und wog nur noch 2,9 g [6. 720]. Mit einem Gewicht von 3 → *scripula* entsprach der *v.* 3/4 des Denargewichtes, war aber weniger wert, da die Legierung des *v.* aus 80 % Silber und 20 % Kupfer bestand, der *denarius* hingegen aus reinem Silber gemünzt war. In Funden außerhalb It.s begegnet der *v.* selten. Er lief getrennt vom *denarius* um, zu dem er, da er kein Wertzeichen trug, in keiner festen Relation stand; somit war er nicht Teil des Denarsystems [1. 604; 2. 15].

Die frühen, anon. *victoriati* der ersten ein bis zwei J. wurden wie der *denarius* in großen Mengen geprägt ([4. 109; 5. Nr. 44,1], ab 211 v. Chr.: 200 Av.-/250 Rv.-Stempel; [5. Nr. 53,1], nach 211 v. Chr.: 400/500 Stempel), die späteren mit Buchstaben, Monogrammen oder Symbolen für Prägestätten – z. B. Luceria, Metapontum, Croton, Corcyra [3; 4. 108] – wurden in wesentlich geringerem Umfang ausgemünzt ([4. 109; 5. Nr.

57,1], 207 v.Chr.: 100/125 Stempel; [5. Nr. 58,1], 207 v.Chr.: 20/25 Stempel).

Bis etwa 170 v.Chr. hatte der *v.* den größten Anteil am umlaufenden Geld. Nachdem 168 v.Chr. umfangreiche Kriegsbeute aus Makedonien nach It. kam (→ Makedonische Kriege C.), wurde die Prägung des *v.* eingestellt, der *denarius* war nun die Haupt-Mz. Der um 100 v.Chr. erneuerte → *quinarius* nahm das Mz.-Bild des *v.* wieder auf [1. 605].

1 M. AMANDRY (Hrsg.), Dictionnaire de Numismatique, 2001, s. v. V. 2 J. P. C. KENT et al., Die röm. Mz., 1973 3 C. M. KRAAY, The Victoriate: A Note on Abbreviations, in: NC 1958, 39–41 4 H. B. MATTINGLY, The Victoriate, in: NC 1957, 97–119 5 RRC 6 SCHRÖTTER.   GE. S.

Victorinus

[1] V. war Statthalter der Prov. Britannia superior (Zos. 1,66,2; Zon. 12,29 D.) und ist vielleicht identisch mit Pomponius Victori(a)nus, *cos. ord.* und *praefectus urbi* 282 n. Chr. (Chron. min. 1,66 MOMMSEN).

BIRLEY, 180 f. · PIR² P 762 · PLRE 1, 962, Nr. 3 und 963, Nr. 2.

[2] Imp. Caesar M. Piavonius V. Invictus Augustus. Kaiser des Gallischen Sonderreiches Ende 269 – Frühjahr 271 n. Chr. (RIC 5,2, 379–398; CIL XIII 9040), Sohn der → Victoria aus reichem gall. Adel (Aur. Vict. Caes. 33,14). 265/6 *tribunus praetorianorum* (CIL XIII 3679 = ILS 563), ein erfahrener Militär (Aur. Vict. Caes. 33,12; Eutr. 9,9,2 f.), *cos. ord. I* zusammen mit → Postumus [3] 267 oder 268. Er war in Gallien und Britannien anerkannt, nicht jedoch in Spanien, und kämpfte erfolgreich gegen die Feldherren des → Gallienus, → Aureolus und Claudius (SHA Gall. 7,1; SHA trig. tyr. 6,1 f.). Nach siebenmonatiger Belagerung zerstörte er das E. 269 abgefallene Augustodunum (h. Autun), das vergeblich den Kaiser → Claudius [III 2] II. Gothicus zu Hilfe gerufen hatte, und ließ es vollständig ausplündern. *Cos. II* 270 oder 271 (CIL XIII 11976). Im Frühjahr 271 wurde V. wegen seines ausschweifenden Lebenswandels in Köln ermordet (SHA trig. tyr. 7,2; Eutr. 9,9,3; Oros. 7,22,11; Aur. Vict. Caes. 33,12 f.). Anschließend wurde er konsekriert.

Die Angaben über einen gleichnamigen Sohn (SHA trig. tyr. 6,3 und 7), der nach dem Tod des V. zum Kaiser erhoben wurde, sind offenbar fiktiv.

J. F. DRINKWATER, The Gallic Empire, 1987, 31, 35–38, 90 · KIENAST, 246 · I. KÖNIG, Die gallischen Usurpatoren von Postumus bis Tetricus, 1981, 141–157 · J. LAFAURIE, L'Empire Gaulois, in: ANRW II 2, 1975, 853–1012 · PIR² P 401 · PLRE 1, 965, Nr. 12.   T. F.

[3] V. von Poetovio. Der Bischof von Poetovio (h. Pettau, Ptuj) in → Pannonia Superior erlitt in der Verfolgung unter Diocletianus das Martyrium (wohl 304). Als erster verfaßte er in Anschluß an → Origenes [2] lat. Bibel-Komm. zu Gn, Lv, Jes, Ez, Hab, Prd, HL, Apk und Mt (Hier. vir. ill. 74). Erh. ist nur der Komm. zur

Apk (in Urfassung mit ausgeprägtem Chiliasmus und in Bearbeitung des → Hieronymus), der kurze *Tractatus de fabrica mundi* (mit Spekulationen zu den Zahlen 4, 7, 12 und dem 1000jährigen Reich) sowie ein Fr. zur Chronologie des Leben Jesu. Überl. und ihm zugeschrieben sind ferner eine antihäretische Schrift (unter den Werken des → Tertullianus [2]) und eine Auslegung des Gleichnisses von den zehn Jungfrauen (Zuschreibung unsicher). Sein mit vielen Gräzismen durchsetzter, unbeholfener Stil fand schon die Kritik des Hieronymus (epist. 58,10,1: *quod intellegit, eloqui non potest*).

ED.: M. DULAEY, 2 Bde., 1993.
LIT.: A. WLOSOK, V., in: HLL 5, § 573 (mit Edd. und Lit. bis 1986) · K. H. SCHWARTE, V. von Pettau, in: S. DÖPP, W. GEERLINGS (Hrsg.), Lex. der ant. christl. Lit., 1998, 627 f.   J. GR.

Victorius. Gallo-röm. Freund des → Sidonius Apollinaris. Obwohl Katholik, war er seit etwa 471 n. Chr. im Dienst des arianischen Westgoten → Euricus. Die Titel → *dux* und → *comes* sind für ihn bezeugt. Er trug Verantwortung *super septem civitates* in → *Aquitania I* und nach dessen Unterwerfung durch die Westgoten ab ca. 475 auch für Augustonemetum (Clermont). V. trat durch Kirchenbaustiftungen hervor. Seine Selbstherrlichkeit und sein ausschweifender Lebensstil machten ihn verdächtig, so daß er nach Rom auswich, wo er (479?) ermordet wurde (PLRE 2, 1162–1164, Nr. 4).   H. L.

Victricius. Geb. um 340 n. Chr., beendete zw. 360 und 363 nach seinem Übertritt zum christl. Glauben den Militärdienst (so jedenfalls Paul. Nol. epist. 18,7 mit detaillierter Beschreibung der Umstände) und wurde ca. 380/386 Bischof von → Ratomagus (h. Rouen). Aus dieser Zeit sind Briefe des → Paulinus [5] von Nola (epist. 18 und 37) und des röm. Bischofs Innocentius I. ([1. Bd. 1, 286]: ein *liber regularum*) an ihn erhalten. Schwerpunkt seiner Arbeit waren der Kampf gegen die homöische Reichskirchentheologie (→ Trinität III.; → Arianismus), die Förderung des → Mönchtums und die Christianisierung ländlicher Gegenden. Zeitweilig gehörte er zur Umgebung des → Martinus [1] von Tours (Sulp. Sev. dial. 3,2). V. starb zw. 404 und 409. Sein einziges erh. Werk, *De laude sanctorum* (›Lob der Heiligen‹), entstand aus Anlaß der Überführung von Reliquien aus It.; es enthält eine interessante Verbindung von Reliquien-, Märtyrer- und (neunizänischer) Trinitätstheologie, in der konventionelle Elemente zu einer ganz eigenständigen Synthese verbunden werden.

1 PH. JAFFÉ (ed.), Regesta pontificum Romanorum, Bd. 1, 1885 2 CPL 481.
ED.: J. MULDERS/R. DEMEULENAERE, CCL 64, 1985, 69–93.
LIT.: M. SKEB, s. v. V., in: Lex. der ant. christl. Lit., ³2002, 719 (mit Lit.) · E. VACANDARD, Saint Victrice, 1903.   C. M.

Victumulae (Ἰκτούμουλαι). Siedlung der keltischen → Insubres im Gebiet von → Vercellae [1]. Von den Römern als Handelsplatz im Krieg gegen die Galli (225–

222 v. Chr.) ausgebaut, befestigt und von den Umwoh-
nern besiedelt (Liv. 21,57,9 f.). 218 v. Chr. lagerte
→ Hannibal [4] bei V. (Liv. 21,45,3), bevor er die Ortschaft eroberte (Liv. 21,57,9 ff.). Dabei sollen sich die
Männer der Siedlung in den Häusern verbrannt oder
mit ihren Familien getötet haben (Diod. 25,17). Eine *lex
censoria* untersagte den Pächtern der nahegelegenen reichen Goldgruben, mehr als 5000 Arbeiter zu beschäftigen (Plin. nat. 33,78; vgl. Strab. 5,1,12).

G. RADKE, s. v. V., RE 8 A, 2088 f.   H. GR.

Vicus. Verwandt mit griech. **Ƒoĩkos* (vgl. → *oíkos*) und
ahd. *Wick*, bedeutet das lat. Wort *v.* »mehrere Häuser«
und bezeichnet sowohl ein Dorf innerhalb der Feld-
mark (→ *pagus*) als auch eine Häusergruppe an einer
Straße in der Stadt (deshalb häufig auch als Straßenname
verwendet, z. B. in Rom; vgl. [6]).
   Vici waren vermögensfähig, hatten eigene Kulte und
eigene Beamte. Nach Festus (p. 502 und 508 LINDSAY)
hatten sie z. T. eine eigene polit. Ordnung und hielten
Gericht (*partim habent rem publicam et ius dicitur*), andere
besaßen nur das Marktrecht. Sie waren sichtlich zentrale
Orte der *pagi*, wobei manche *pagi* auch mehrere oder gar
keine *v.* besitzen konnten, wie aus der Tafel von Veleia
deutlich wird (→ *alimenta*). Im griech. Bereich entsprechen den *v.* die κῶμαι/*kõmai* (→ *kõmē*).
   Die *v.* in Rom gingen vielleicht aus Siedlungsmit-
telpunkten des vorstädtischen Rom hervor (vgl. *v. Tuscus*; *v. Pallacinae*). Ihre Beamten waren die → *vici magistri*.
Augustus teilte Rom 7 v. Chr. in 14 Regionen und 265
v. ein (Plin. nat. 3,66), die bis zu Constantinus [1] auf
307 anwuchsen (→ Roma III. F. mit Karte 3). Die *v.*
waren die untersten Verwaltungseinheiten in Rom.

1 MOMMSEN, Staatsrecht, Bd. 3, 119 f. 2 A. W. VAN BUREN,
s. v. V., RE 8 A, 1958, 2090–2094 3 A. CALBI, L'epigrafia del
villaggio, 1993 4 J.-P. PETIT, M. MANGIN (Hrsg.), Les
agglomérations secondaires. La Gaule Belgique, les
Germanies et l'occident romain, 1994 5 CH. SCHULER,
Ländliche Siedlungen und Gemeinden im hell. und röm.
Kleinasien, 1998 6 LTUR 5, 151–201 7 M. TARPIN, Vici et
pagi en Europe occidentale, 2002.   H. GA.

Vicus Aventia (vulgo auch Vicoventia). → *Vicus* (vgl.
CIL V 2383; XI 421) in der *regio VIII* (Aemilia; vgl. → *re-
gio*, mit Karte). Aufschwung seit dem 1. Jh. n. Chr. als
Verwaltungszentrum des *saltus regionis Padanae Vercellen-
sium Ravennatium* (vgl. ILS 1509). Seit 431 n. Chr. als
Suffraganbistum von Ravenna dokumentiert (Petrus
Chrysologus, Sermo 175).

G. UGGERI, Insediamenti, viabilità e commerci, in:
N. ALFIERI (Hrsg.), Storia di Ferrara, Bd. 3, 1989, 57–60.
    G. U./Ü: H. D.

Vidacilius. Seltener ital. Gentilname. C. V. aus → Asculum war einer der aufständischen Italiker im → Bundesgenossenkrieg [3] 91–89 v. Chr. (App. civ. 1,181). Er
operierte zunächst in → Picenum, dann in → Bruttium;
im Winter 90/89 durchbrach er den Belagerungsring

des Cn. Pompeius [I 8] Strabo um Asculum, beging aber
wegen der aussichtslosen Lage dort Selbstmord (App.
civ. 1,207–209; Oros. 5,18,21).   K.-L. E.

Viderich (Vetericus). Amaler, kam mit seinem Vater
Berimund 427 n. Chr. aus dem hunnischen Herrschaftsbereich nach Gallien (Iord. Get. 251). Wohl identisch
mit Vitericus (Chron. min. 1,477 MOMMSEN), der 439
auf seiten der Römer gegen den Westgoten → Theoderich [1] I. kämpfte ([2. 259 f.]; anders z. B. [1]). Vater
des von → Theoderich [3] d. Gr. zum Nachfolger de-
signierten → Eutharicus Cilliga.

1 PLRE 2, 1157, s. v. Vetericus 2 H. WOLFRAM, Die Goten,
⁴2001.   WE. LÜ.

Vidimir. Ostgotenkönig ca. 451–473 n. Chr., Sohn des
Vandalarius, Bruder → Valamers und Theodemirs, Onkel → Theoderichs [3] d. Gr. Er nahm an den Zügen
Attilas teil (Iord. Get. 199), beherrschte neben seinen
Brüdern nach dessen Tod 454 ein Gebiet in Pannonien
(Iord. Get. 268), ab 461 als röm. Verbündeter. V. wurde
473 von Theodemir nach Italien entsandt und starb dort
während des Feldzugs (Iord. Get. 283 f.). Nachfolger
wurde sein gleichnamiger Sohn (Iord. Get. 284). PLRE
2, 1164.   WE. LÜ.

Vidua. Lat. Ausdruck und t. t. des röm. Rechts für die
→ Witwe (II.).   G. S.

Viehwirtschaft   I. ALTER ORIENT   II. ÄGYPTEN
III. GRIECHENLAND   IV. ROM

I. ALTER ORIENT

V. im Alten Orient und Äg. war immer systemisch
mit landwirtschaftlicher Produktion (Ackerbau) verbunden, insofern beide aufeinander angewiesen waren
und gemeinsam die Basis für die Subsistenz der Ges.
bildeten. Diese Vorstellung wurde (u. a.) in dem sumerischen Streitgedicht ›Mutterschaf und Getreide‹ [1]
verbalisiert.
   Grundlage der V. in Mesopot. war v. a. die Herdenhaltung von → Schafen und in geringerem Maße von
→ Ziegen, die terminologisch als »Kleinvieh« (sumerisch u₈.udu-ḫia; akkadisch *ṣēnu*) zusammengefaßt wurden. Schafe waren in erster Linie Lieferanten von
→ Wolle als Rohstoff für die → Textilherstellung, ansonsten von Milch und Fleisch; sie dienten auch als Opfertiere. Ziegenhaar war bes. im nomadischen Bereich
zur Herstellung von Zelten wichtig. Die Züchtung von
Schafrassen, die hochwertige Wollqualitäten lieferten,
ist für Mesopot. durch Urkunden seit E. des 4. Jt. v. Chr.
bezeugt [25]. Die Texte lassen eine stark differenzieren-
de Terminologie nach Rasse, Alter und Geschlecht erkennen.
   Das System der Herdenhaltung, insbes. des vorgegebenen Wachstums einer Herde wird aus Urkunden
vom Beginn des 3. Jt. [13. 190], des 21. bzw. des 18. Jh.
v. Chr. deutlich. Danach war ein Hirte, bei einer vor-

ausgesetzten Geburtenrate von einem Lamm pro Jahr und Mutterschaf am Ende des jährlichen Abrechnungszeitraums – unter Berücksichtigung einer Sterblichkeitsrate von 20% – zur Lieferung von 80 Lämmern pro 100 Mutterschafe verpflichtet ([7; 13]; für Rinder [8. 139–144]). War die Sterblichkeitsrate geringer als 20%, stellte der Hirte die überschüssigen Tiere in seine eigene Herde ein, war sie höher, trug er das Risiko. Im 1. Jt. v. Chr. lag die Rate etwas niedriger. Die Kadaver gefallener Tiere wurden von Abdeckern v. a. wegen der daraus zu gewinnenden Häute und Sehnen gesammelt. Risiken und Pflichten eines Hirten waren im Rechtsbuch des → Ḥammurapi (§§ 57 f.) geregelt, insbes. seine Sorgfaltspflichten beim Überhüten junger Saatfelder. Das Überhüten diente v. a. dazu, die jungen Getreidepflanzen zu kräftigerem Wachstum anzuregen. Außerdem sorgten die weidenden Tiere für eine sonst nicht vorhandene Düngung der Felder.

→ Rinder wurden sowohl in Mesopot. als auch in Äg. vorzugsweise als Pflugrinder gehalten. Deren Training zur Arbeit in Vierergespannen (v. a. in Mesopot.) war die Voraussetzung zur Optimierung des Getreideanbaus auf den großen Domänen (Größe zw. 50 und 200 ha) institutioneller Haushalte [12] (→ Oikos-Wirtschaft).

In der zentralisierten Wirtschaft Mesopot.s unter der 3. Dyn. von Ur (21. Jh. v. Chr.) wurden die Viehabgaben, die insbes. aus den Randgebieten im nördl. Osttigrisland geliefert wurden, teils tatsächlich, teils nur buchhalterisch über einen zentralen Viehhof in der Nähe von → Nippur geleitet. Der jährliche Durchsatz belief sich auf ca. 70 000 Tiere [18]. Abgabenrelevant war eine Rechengröße von Rind zu Schaf von 1:10.

Sofern Herdenhaltung im Kulturland erfolgte, konkurrierte sie hinsichtlich ihres Bedarfs an Weideflächen mit dem Ackerbau. Dies gilt insbes. für die Haltung von Rindern, die (anders als Schafe, die in Steppengebieten weiden konnten) auf das Kulturland mit ausreichendem Grünfutter angewiesen waren [14].

Neben der Haltung von Schaf, Ziege und Rind waren v. a. → Esel und Maultiere als Transporttiere von Bed., v. a. im Fernhandel (→ Handel I.). Das → Pferd spielte in der V. Mesopot.s keine, die Haltung von → Schweinen und Geflügel (v. a. Ente und Gans; → Kleintierzucht) nur eine mindere Rolle. Geflügelhaltung ist für Mesopot. insbes. in neubabylonischer Zeit (6./5. Jh. v. Chr.) in Texten aus Uruk bezeugt [16].

Über die V. in der Levante und Anatolien existieren nur wenige Nachrichten. Eine Ausnahme bilden die Texte aus → Ebla (24. Jh. v. Chr.), die von umfangreichen Schafherden und der damit verbundenen Textilproduktion handeln [11]. Eine Reflexion über die Probleme der Herdenhaltung stellt die Gesch. von Jakob [1] und Laban dar (Gn 29 f.).

Die Bed. und das hohe Ansehen, das der Hirte genoß, drückt sich in der Verwendung des Begriffs »Hirte« in der Titulatur mesopot. Herrscher aus [17. 244–250, 441–446]. Im AT war er Epitheton → Jahwes (z. B. Ps 23), im NT wird Jesus als »Guter Hirte« bezeichnet (Joh 10,11 ff.).

II. Ägypten

Das Schwergewicht der V. in Äg. bildete die Zucht und Haltung von Rindern, seit dem MR Gegenstand zahlreicher bildlicher Darstellungen in Mastaben (→ Mastaba). Rinder dienten sowohl als Arbeitstiere in der → Landwirtschaft als auch als bevorzugte Opfer- und Schlachttiere. Schwerpunkt der Rinderhaltung waren meist Unter-Äg. und das Nildelta, wo genügend Grünfutter zur Verfügung stand. Die Herden wurden auch durch den Einbezug von erbeuteten Tieren vergrößert, u. a. Rindern aus Nubien. Die wirtschaftliche Bed. der Rinderhaltung zeigt sich auch in der Art ihrer institutionellen Organisation (vgl. → Palast, → Tempel). Auch in Äg. konnten Hirten anscheinend Überschüsse in die Eigenherden einstellen. Die Haltung von Schafen, Ziegen und Eseln findet in den bildlichen Darstellungen keinen Niederschlag, was auf ihre geringere Bed. für die V. insgesamt hindeutet. Einen bedeutenden Zweig der äg. Wirtschaft stellte die Geflügelhaltung in Form von Stallhaltung und Mästung dar, u. a. auch bildlich dargestellt. V. a. Gänse waren bevorzugte Opfertiere (→ Opfer II.B.).

Da in Äg. anders als in Mesopot. außerhalb des landwirtschaftl. intensiv genutzten engen Niltals keine geeigneten Weidegebiete zur Verfügung standen, war eine umfangreiche Schafhaltung zur Deckung des Bedarfs an Textilien nicht möglich; Hauptrohstoff dafür war → Lein (Flachs).

→ Kleintierzucht; Landwirtschaft

1 B. ALSTER, H. I. J. VANSTIPHOUT, Lahar and Ashnan. Presentation and Analysis of a Sumerian Disputation, in: Acta Sumerologica 9, 1987, 1–43 2 P. BEHRENS, s. v. Geflügel, LÄ 2, 503–508 3 K. BUTZ, Konzentrationen wirtschaftlicher Macht im Königreich Larsa, in: WZKM 65/66, 1973/74, 1–58 4 W. HELCK, s. v. V., LÄ 6, 1986, 1036–1038 5 Ders., s. v. Schwein, LÄ 5, 762–764 6 B. HRUŠKA, Herden für Götter und Könige. Schafe und Ziegen in der altsumer. Zeit, in: Altoriental. Forsch. 22, 1995, 73–83 7 F. R. KRAUS, Staatliche Viehhaltung im altbabylon. Larsa, 1966 8 H. J. NISSEN et al., Frühe Schrift und Techniken der Wirtschaftsverwaltung im alten Vorderen Orient, 1990 9 J. N. POSTGATE, Early Mesopotamia, 1992, 159–166 10 Ders., M. A. POWELL (Hrsg.), Domestic Animals of Mesopotamia I und II (= Bull. on Sumerian Agriculture 7/8), 1993/1995 11 J. RENGER, Überlegungen zur räumlichen Ausdehnung des Staates Ebla an Hand der agrarischen und wirtschaftlichen Gegebenheiten, in: Annali dell'Istituto Universitario Orientale di Napoli, Series Minor 27, 1986, 293–311 12 Ders., Report on the Implications of Employing Draught Animals, in: Irrigation and Cultivation in Mesopotamia, Part II (Bull. on Sumerian Agriculture 5), 1990, 267–279 13 Ders., Wirtschaft und Ges., in: B. HROUDA (Hrsg.), Der Alte Orient, 1991, 187–215 14 Ders., Landwirtschaftliche Nutzfläche, Einwohnerzahlen und Herdengröße, in: H. GASCHE et al. (Hrsg.), FS L. de Meyer, 1994, 251–253 15 Ders., Das Palastgeschäft in der altbabylon. Zeit, in: A. C. V. M. BONGENAAR (Hrsg.), Interdependency of

Institutions and Private Entrepreneurs, 2000, 153–183 **16** M. SAN NICOLÒ, Materialien zur V. in den neubabylon. Tempeln I-III, in: Orientalia 17, 1948, 273–293; 18, 1949, 288–306; 20, 1951, 129–150 **17** J.-M. SEUX, Epithètes royales akkadiennes et sumériennes, 1967 **18** M. SIGRIST, Drehem, 1992 **19** L. STÖRK, s. v. Rind, LÄ 5, 257–263 **20** Ders., s. v. Schaf, LÄ 5, 522–524 **21** Ders., s. v. Ziege, LÄ 6, 1400f. **22** M. STEPIEN, Animal Husbandry in the Ancient Near East. A Prosopographical Study of Third-Millennium Umma, 1996 **23** K. SZARZYNSKA, Sheep Husbandry and Production of Wool, Garments and Cloths in Archaic Sumer, 2002 **24** G. VAN DRIEL, Bones and the Mesopotamian State? Animal Husbandry in an Urban Context, in: Bibliotheca Orientalis 50, 1993, 545–563 (Rez. zu M. A. ZEDER, Feeding Cities. Specialized Animal Economy in the Ancient Near East, 1991) **25** H. WAETZOLDT, Unt. zur neusumer. Textilindustrie, 1972 **26** F. ZEEB, die Palastwirtschaft in Altsyrien, 2001.

J. RE.

III. GRIECHENLAND

A. GEOGRAPHISCHE BEDINGUNGEN
B. VIEHWIRTSCHAFT IN MYKENISCHER UND HOMERISCHER ZEIT
C. DIE FORMEN DER VIEHWIRTSCHAFT
D. WIRTSCHAFTLICHE ZIELE

A. GEOGRAPHISCHE BEDINGUNGEN

Die Landschaft Griechenlands, der ägäischen Inseln ebenso wie des Festlandes, war in der Ant. (wie die meisten Regionen des Mittelmeerraumes) nicht gut zur V. geeignet. Hinreichende Mengen an → Tierfutter waren nur in einem begrenzten Zeitraum des Jahres verfügbar und zudem stark abhängig von den Niederschlägen im Winter und im Frühjahr. Große Herden konnten daher nur gehalten werden, wenn man sie dorthin trieb, wo genügend Futter zur Verfügung stand. Dessen Anbau oder die Einfuhr wiederum waren ökonomisch weniger sinnvoll als der Anbau von Pflanzen für die menschliche → Ernährung. Somit blieb Fleisch stets nur ein Nebenprodukt der V. Dennoch waren die Nutztiere seit ihrer → Domestikation im Neolithikum (7. Jt. v. Chr.) für die ant. → Wirtschaft unverzichtbar.

Es gab verschiedene Möglichkeiten der Tierhaltung in der mediterranen Landschaft. In einigen Epochen wie beispielsweise der frühen Neuzeit wurden v. a. → Schafe und → Ziegen im Sommer in die höheren Bergregionen, wo das Futter länger vorhanden war, und im Winter in die wärmeren Tiefebenen getrieben; dabei begleitete oft die Bevölkerung ganzer Dörfer, die von der V. abhängig waren, die Herden. Diese Wanderweidewirtschaft (Transhumanz) in Griechenland und It. hat die neuere Forsch. intensiv untersucht; dabei wurde betont, daß die Transhumanz der frühen Neuzeit auf der Existenz von Märkten und der Möglichkeit, sich mit den Herden über lange Entfernungen frei zu bewegen, beruhte. In der Welt der griech. Poleis waren beide Bedingungen nicht immer gegeben. Immerhin belegt der Bericht über die Hirten aus Korinth und Theben, die sich im Bergland trafen (Soph. Oid. T. 1133–1139), die

Existenz einer Wanderweidewirtschaft im klass. Griechenland.

B. VIEHWIRTSCHAFT IN MYKENISCHER UND HOMERISCHER ZEIT

Die beeindruckende Zahl von Schafen, die in der späten Brz. für die Herrscher von → Knos(s)os gehalten wurden, sind kein Indiz für die Existenz großer Herden innerhalb der Palastwirtschaft, denn sie können auch als Abgabe der Bevölkerung an den Herrscher zu deuten sein. Schon dieses Beispiel zeigt, daß auch polit., soziale und wirtschaftliche Faktoren, nicht allein die geogr. Bedingungen die Formen der V. bestimmten.

Da Homer oft Festessen der griech. Helden und Viehherden, die in Entfernung vom Wohnsitz ihrer adligen Besitzer gehalten wurden, erwähnt (Hom. Od. 14,100–108; vgl. Il. 15,630–636; 16,352–355), nahm die ältere Forsch. bisweilen an, daß die → Wirtschaft Griechenlands in der frühen Eisenzeit vorwiegend auf V. beruhte. Diese Auffassung kann nicht aufrecht erhalten werden, denn ohne Zweifel war auch in homerischer Zeit → Getreide das Grundnahrungsmittel für den größten Teil der Bevölkerung, die Fleisch normalerweise nur im Zusammenhang mit sozialen und rel. Aktivitäten wie Festen und → Opfern erhielt (→ Fleischkonsum). Es ist jedoch wahrscheinlich, daß die Zahl der Tiere im Verhältnis zur Zahl der Menschen in den Regionen mit relativ geringer Bevölkerungsdichte höher war als später in Gebieten mit größerer Bevölkerungsdichte. In der archa. Zeit kam es unter diesen Umständen vereinzelt zu Konflikten wegen der großen Viehherden reicher Aristokraten, die große Flächen als Weideland beanspruchten (Megara: Aristot. pol. 1305a).

C. DIE FORMEN DER VIEHWIRTSCHAFT

Gerade die Grenzgebiete zw. den Poleis oder in größeren Poleis zw. den Demen (→ *démos* [2]) scheinen für die Viehhaltung bevorzugt worden zu sein, was zu Grenzkonflikten führen konnte. Herden wurden aber auch in der Nähe der Siedlungen gehalten; allenfalls bewegten sie sich dann zw. lokalen Weidegebieten; dies war während des Neolithikums in Thessalien der Fall und wird auch für Attika in klass. Zeit angenommen. In der neueren Forsch. besteht keine Einigkeit darüber, in welchem Ausmaß die V. in die → Landwirtschaft insgesamt integriert war. So vertritt SKYDSGAARD die Auffassung, daß die Herden mit den Hirten neben dem Hof und den Ländereien als eigenständiger Besitz angesehen (vgl. Isaios 6,33) und nicht notwendigerweise auf dem Land ihres Besitzers gehalten wurden, während HODKINSON annimmt, daß auf zahlreichen bäuerlichen Besitzungen ein ausgeglichenes System der Landwirtschaft existierte, das sowohl → Getreide, → Wein und Bäume als auch eine kleine Zahl von Nutztieren umfaßte. Diese beiden Formen der Viehhaltung können in verschiedenen Zeiten und in verschiedenen Regionen durchaus nebeneinander existiert haben. Arch. Surveys zeigen, daß in hell. Zeit in einigen Gegenden kleine Bauernhöfe durch größere Besitzungen, auf denen auch größere Herden weideten, verdrängt wurden.

In vielen Poleis gab es wahrscheinlich eine Reihe reicher Bürger, die große Herden besaßen und die Opfertiere für die größeren Feste lieferten (→ Opfer); im hell. Orchomenos wurde einem Fremden erlaubt, 220 Rinder und Pferde sowie 1000 Schafe und Ziegen zu weiden (IG VII 3171; SEG 27, 63). Im Gegensatz dazu sind für Attika Herden mit mehr als 100 Schafen oder Ziegen nicht belegt.

D. WIRTSCHAFTLICHE ZIELE

Die Zucht und Haltung von → Pferden, → Eseln, → Rindern, → Schafen, → Ziegen und → Schweinen sind differenziert zu betrachten. Pferde gehörten zum Lebensstil sozialer Eliten und waren von nur geringem wirtschaftlichen Nutzen. Esel und Maultiere waren wertvoll als Zugtiere; letztere wurden auch zum Pflügen gebraucht. Rinder dienten primär als Arbeitstiere für das Pflügen und den Transport von Lasten (Plat. rep. 370e), sie wurden aber auch für Opfer geschlachtet; damit lieferten sie einen großen Teil des Fleisches, das in den Poleis bei den öffentlichen rel. Festen verzehrt wurde. Der Bedarf an Rinderhäuten für → Leder konnte in Athen durch Schlachten nicht gedeckt werden. Kuhmilch war − anders als die → Milch von Schafen und Ziegen − von keiner großen Bed. für die Bevölkerung des ant. Griechenland. Schafe wurden v. a. der → Wolle wegen gehalten, des wichtigsten Rohstoffs für die → Textilherstellung; auch das Haar der Ziegen wurde für verschiedene Zwecke verwendet. Schafe und Ziegen waren zudem wichtige Opfertiere; Lämmer und Kitze, die nicht für die Zucht ausgewählt wurden, stellten einen beträchtlichen Anteil des verzehrten Fleisches und waren die häufigsten Tiere bei Opfern unterhalb der Polis-Ebene. Bei privaten Festen wurden sie neben Schweinen geopfert, die ausschließlich des Fleisches wegen gehalten wurden.

Die unterschiedlichen Ziele der V. hatten auch verschiedene Formen der Tierhaltung und der Auswahl von Zuchttieren zur Folge. Kastrierte Tiere, gerade Ochsen, waren wertvolle Arbeitstiere (→ Kastration); Hammel lieferten bessere Wolle und wurden vornehmlich männlichen Gottheiten geopfert. Ferkel von Würfen, die zu groß waren, um von der Sau genährt zu werden, wurden bei kleineren Opfern geschlachtet; dies war auch möglich, weil für die Zucht nur verhältnismäßig wenig Eber gebraucht wurden. Die bei Ausgrabungen von Siedlungen gefundenen Tierknochen geben oft Aufschluß über das Alter und Geschlecht der Tiere und ermöglichen damit auch Aussagen über die Methoden und Ziele der V. in den betreffenden Regionen und Epochen.

→ Ernährung; Fleischkonsum; Landwirtschaft; Opfer; Rind; Schaf; Stallviehhaltung; Tierfutter; Wirtschaft; Ziege

1 A. BURFORD, Land and Labor in the Greek World, 1993, 144−159 2 H. GRASSL, Zur Gesch. des Viehhandels im klass. Griechenland, in: MBAH 4, 1985, 77−88 3 P. HALSTEAD, Pastoralism or Household Herding? Problems of Scale and Specialization in Early Greek Animal Husbandry, in: World Archaeology 28, 1996, 20−42 4 V. D. HANSON, The Other Greeks. The Family Farm and the Agrarian Roots of Western Civilization, 1995 5 S. HODKINSON, Animal Husbandry in the Greek Polis, in: WHITTAKER, 35−74 6 ISAGER/SKYDSGAARD, 89−93; 99−107 7 M. H. JAMESON, Sacrifice and Animal Husbandry, in: WHITTAKER, 87−119 8 M. H. JAMESON et al., A Greek Countryside: The Southern Argolid from Prehistory to the Present Day, 1994, 285−301 9 J. T. KILLEN, The Linear B Tablets and the Mycenaean Economy, in: A. MORPURGO DAVIES, Y. DUHOUX (Hrsg.), Linear B: A 1984 Survey, 1985, 241−305 10 R. OSBORNE, Classical Landscape with Figures, 1987 11 W. RICHTER, Die Landwirtschaft im homerischen Zeitalter, (ArchHom 2 H), 1968, 44−53 12 WHITTAKER. MI. JA.

IV. ROM

A. ALLGEMEINES   B. ARBEITSTIERE
C. ERZEUGNISSE DER VIEHWIRTSCHAFT
D. FORMEN DER VIEHWIRTSCHAFT

A. ALLGEMEINES

Die V. besaß im Imperium Romanum für die Erzeugung von Lebensmitteln relativ geringe Bed. im Vergleich zum Anbau von → Getreide, → Wein und → Gemüse sowie zur Erzeugung von Olivenöl (→ Speiseöle, s. Nachträge). Die Kerngebiete des Imperium Romanum waren dicht bevölkert, so daß Ackerland hauptsächlich für die Ernährung der Bevölkerung benötigt wurde; es bestand geradezu eine Konkurrenz zw. der Nutzung von Land als Anbaufläche und als Weidefläche. Unter diesen Voraussetzungen entwickelte sich eine intensive V. v. a. in entlegenen und schwach besiedelten Regionen, so etwa in Gebirgen oder Grenzprovinzen. Die V. hatte jedoch insofern eine wichtige Funktion für die röm. → Wirtschaft, als die Arbeitstiere für die → Landwirtschaft und das Transportwesen unverzichtbar waren und die Schafzucht mit der → Wolle überdies den wichtigsten Rohstoff für die → Textilherstellung lieferte.

In lit. Texten und insbes. in der Fach-Lit. zur Landwirtschaft (→ Agrarschriftsteller) wurde der V. dennoch hohes Ansehen beigemessen (Cic. off. 2,89; Varro rust. 2,1,1−11; Colum. 6 praef.) und Gewinn ausdrücklich als Ziel der V. genannt (Varro rust. 2,1,11).

B. ARBEITSTIERE

In vorindustriellen Agrar-Ges. stellten Arbeitstiere als Energiequelle die wichtigste Ergänzung menschlicher Muskelkraft dar (→ Energie). Sie wurden v. a. als Zugtiere in der → Landwirtschaft und im → Landtransport eingesetzt. Mit einem Ochsengespann konnte ein Bauer bei geringerem eigenen körperlichen Einsatz etwa drei Mal mehr Land als ohne Einsatz von Tieren bearbeiten. Dafür bestand wiederum die Notwendigkeit, → Tierfutter für die Ochsen zu beschaffen. Da arme Bauern ihr Land gänzlich dafür benötigten, ihre Familien zu ernähren, waren sie gezwungen, ihre Felder durch harte Arbeit selbst zu bestellen. Unter diesen Umständen war der Besitz eines Ochsengespanns das wichtigste Unterscheidungsmerkmal zw. armen Kleinbauern und wohlhabenden Bauern. Columella beginnt seine Beschreibung der Nutztiere mit der Bemerkung, daß der Ochse höher als alle anderen Tiere zu schätzen und der ›am härtesten arbeitende Helfer des Menschen in der Landwirtschaft‹ sei (*laboriosissimus adhuc hominis socius in agricultura*: Colum. 6 praef. 7). Neben den Ochsen sind auch der → Esel, der als Trag- und Zugtier vielfältig eingesetzt wurde, und das Maultier zu erwähnen. Im mil. Bereich spielte zudem das → Pferd eine wichtige Rolle.

C. Erzeugnisse der Viehwirtschaft

Daneben dienten Erzeugnisse der V. in der röm. wie in den meisten Ges. der menschlichen → Ernährung. Gerade die Beschreibungen von Festessen der Oberschicht (→ Gastmahl) bezeugen, daß große Mengen von Fleisch verzehrt wurden. Da im Mittelmeerraum gutes Weideland selten war, bei der Umwandlung von pflanzlichem Futter in Fleisch überdies erhebliche Kalorienmengen verloren gehen und so pro Hektar relativ wenig Fleisch erzeugt wurde, war Fleisch entsprechend teuer und blieb für den größten Teil der Bevölkerung deswegen ein unerschwingliches Luxusprodukt (vgl. → Fleischkonsum). Für die Ernährung spielte bes. Schweinefleisch eine bedeutende Rolle; → Schweine waren leicht zu halten, da sie Futter in den Wäldern fanden und auch Abfälle fraßen. → Milch für die Herstellung von → Käse stammte v. a. von → Ziegen und auch von → Schafen, während die Rinderhaltung in dieser Hinsicht keine große Bed. besaß. Die Milch wurde in Form von Hartkäse an den Markt gebracht; Weichkäse und Frischmilch wurden von Höfen in der Nähe der Städte geliefert. Die hochwertige feine → Wolle, das wichtigste Erzeugnis der Schafzucht, wurde für städtische Märkte produziert.

D. Formen der Viehwirtschaft

Kleinbauern hielten auf ihrem intensiv bewirtschafteten Land, teilweise auch auf der Brache, einige Schafe oder Ziegen. Größere Herden dieser Tiere konnten entweder in enger Verbindung mit dem → Getreideanbau oder aber in Form der Wanderweidewirtschaft (Transhumanz) in abgelegenen Regionen gehalten werden. So wurden in It. die großen Herden im Sommer in die Gebirgsregionen getrieben und im Winter in den Ebenen Süd-It.s geweidet (Varro rust. 2,2,9; 2,5,11; 3,17,9); die Hirten waren meist Sklaven, die die Tiere auf den langen Wanderungen begleiteten und vor wilden Tieren sowie Raub schützten; von den Aufsehern (*magistri*) wurde die Kenntnis der Schrift als Voraussetzung für die Anwendung der → Veterinärmedizin und für die Rechnungslegung erwartet (Varro rust. 2,10,10).

Die V. verlangte als extensive Produktion große Landflächen. Die Aufzucht von Ochsen für das Pflügen und die Haltung von Tieren für die Fleisch- und Milchproduktion scheint daher auf die größeren Güter beschränkt gewesen zu sein. Große Schafherden gab es v. a. in Nord- und Süd-It. in solchen Gegenden, in denen geringe Bevölkerungsdichte bestand. Es gibt An-

zeichen dafür, daß nach dem 2. → Punischen Krieg in einigen Regionen It.s Kleinbauern durch die Expansion der Weidewirtschaft von ihren Besitzungen verdrängt wurden. Großgrundbesitzer aus It. betrieben V. in großem Stil (→ Großgrundbesitz) außerdem in den Prov., etwa auf Sizilien oder in Epeiros. Zur üblichen Größe der Herden bietet Varro einige Angaben: So wurden 50–100 Ziegen, 100–150 Schweine und 100–120 Rinder jeweils in einer Herde gehalten (Varro rust. 2,3,10; 2,4,22; 2,5,18). Es bestanden bereits klare Vorstellungen über Aussehen und Eigenschaften der einzelnen Haustierarten, und durch eine sorgfältige Auswahl der männlichen Zuchttiere versuchte man, die Qualität der gezüchteten Tiere und der Erzeugnisse zu verbessern.

→ Ernährung; Esel; Fleischkonsum; Landwirtschaft; Maultier; Pferd; Rind; Schaf; Schwein; Ziege

1 C. Clark, M. Haswell, The Economics of Subsistence Agriculture, ⁴1970 2 H. Forbes, European Agriculture Viewed Bottom-Side Upwards: Fodder- and Forage-Provision in a Traditional Greek Community, in: Environmental Archaeology 1, 1998, 19–34 3 P. Halstead, Land Use in Postglacial Greece: Cultural Causes and Environmental Effects, in: P. Halstead, C. Frederick (Hrsg.), Landscape and Land Use in Postglacial Greece, 2000, 110–128 4 W. Jongman, Wool and the Textile Industry of Roman Italy, in: E. Lo Cascio (Hrsg.), Mercati permanenti e mercati periodici nel mondo romano, 2000, 187–197 5 S. Payne, Kill-off Patterns in Sheep and Goats: The Mandibles from Asvan Kale, in: AS 23, 1973, 281–303 6 J. Peters, Röm. Tierhaltung und Tierzucht, 1998 7 G. Waldherr, Ant. Transhumanz im Mediterran. Ein Überblick, in: P. Herz, G. Waldherr (Hrsg.), Landwirtschaft im Imperium Romanum 2001, 331–357 8 White, Farming 9 Whittaker. W. J./Ü: B. O.

Vienna. Stadt in der Gallia Narbonensis auf beiden Ufern des → Rhodanus (h. Rhône) an der Mündung der Gère, h. Vienne (Dép. Isère) auf dem linken Ufer sowie Saint-Romain-en-Gal und Sainte-Colombe (beide Dép. Rhône) auf dem rechten Ufer. Spätkelt. Siedlung der → Allobroges mit → *oppidum* auf den Hügeln Pipet und Sainte-Blandine sowie Handelsplatz an der Mündung der Gère. Im J. 61 v. Chr. vertrieb eine Erhebung der Allobroges unter → Catugnatus die dort ansässigen ital. Kaufleute, die dann → Lugdunum gründeten. V. wurde unter Augustus *colonia Iulia Augusta Florentia V.* (CIL XII 2327; mit *ius Latii*; → *ius* D.2.). V. blühte als Hauptort der Allobroges (Strab. 4,1,11) rasch auf, in der Rede des Claudius [III 1] vom J. 48 erscheint V. als *ornatissima ... colonia valentissima Viennensium* (ILS 212 II,10: ›prächtigste und stärkste Colonie der Viennenser‹), bei Mart. 7,87 als *pulchra Vienna* (›schönes V.‹). Das riesige Gebiet der *colonia V.* dehnte sich bis zum → Lacus Lemanus (h. Genfer See) sowie bis zur Grenze der Alpenprov. aus.

Nach dem Tod des Nero kam es zu Unruhen und Auseinandersetzungen mit Lugdunum (Tac. hist. 1,65; Suet. Vit. 9). V. stellte mit Valerius [II 1] Asiaticus bereits 35 n. Chr. einen Consul, weitere *consules* und *procuratores* sind aus antoninischer und severischer Zeit (138–235 n. Chr.) belegt. In der 2. H. des 3. Jh. erfolgten Einfälle der → Alamanni. Im Rahmen der Neuorganisation des Reichs unter Diocletianus wurde V. Hauptstadt der → *dioecesis Viennensis*, noch vor 314 auch *metropolis* der gleichnamigen Prov. (Concilia Galliarum I, p. 14 f.; Notitia Galliarum 11,3). V. war damit bis zum E. des 4. Jh. nach Augusta [6] Treverorum die zweitwichtigste Stadt der gallischen Provinz. V. war Sitz eines *procurator linyfii Viennensis* (Verwalter der kaiserlichen Leinenweberei von V.; Not. dign. occ. 11,62) sowie gemeinsam mit → Arelate des *praefectus classis fluminis Rhodani* (Not. dign. occ. 42,14; → *praefectus* [7]). Von den → Burgundiones im 2. Drittel des 5. Jh. eingenommen, wurde V. zu einem der Hauptorte der burgundischen Könige (Amm. 20,10; 21,1); seit 534 stand V. unter der Herrschaft der → Franci.

Eine erste Stadtmauer (mit 7250 m die längste in Gallia), deren Datier. in augusteische Zeit umstritten bleibt, umfaßt rechts des Rhodanus ein Gebiet von mehr als 200 ha. Eine zweite, nur 1920 m lange Mauer wurde im späten 3. oder frühen 4. Jh. errichtet.

Baudenkmäler: im Bereich des Forums der Tempel des Augustus und der Livia (zunächst für *Roma et Augustus*, dann für *Divus Augustus et Diva Augusta*); ein Theater für 13 500 Zuschauer (Dm 130,4 m), ein Odeion, ein Gebäude für die Kybele-Mysterien mit Tempel und vielleicht einem weiteren Theater. An mehreren Stellen innerhalb der ersten Stadtmauer Reste von Straßen, Kloaken und Wasserleitungen, Häuser mit Fresken und → Mosaiken. Südl. der Stadtmauer lag ein Circus (455,2×118,4 m); in diesem Bereich sind bis ins 3. Jh. n. Chr. auch Wohn- und Lagerhäuser nachgewiesen. Die Ausgrabungen in Saint-Romain-en-Gal und in Sainte-Colombe haben einen seit dem letzten Viertel des 1. Jh. v. Chr. besiedelten Stadtteil mit Häusern und Gewerbebauten freigelegt. Auch hier bricht die Besiedlung im 3. Jh. ab.

→ Gallia (mit Karte)

A. Pelletier, Découvertes archéologiques et histoire à Vienne de 1972 à 1987, in: Latomus 47, 1988, 34–52 · J.-L. Prisset u. a., Evolution urbaine à Saint-Romain-en-Gal, in: Gallia 51, 1994, 1–133 · R. Bedon, Atlas des villes, bourgs et villages de la France au passé romain, 2001, 324–331.

MI. PO.

Viereckschanze.

Quadratisch-rechteckige Einhegung mit ca. 80–100 m Seitenlänge aus Wall und Graben und gelegentlich Palisadenwänden. Die Deutung dieser Anlagen, die im keltischen Siedlungsbereich von Frankreich bis Tschechien vorkommen, ist bis h. umstritten. Meist werden sie als kelt. Heiligtümer des 3.–1. Jh. v. Chr. angesehen, die mit Opferschächten und hölzernen Kultbauten ausgestattet waren. Neue Ausgrabungen in Frankreich (vgl. [1]) haben dies durch reiche Opferfunde – darunter Nachweise von Tier- und → Menschenopfern, z. B. Schädeltrophäen, sowie meist unbrauchbar gemachte Waffen, Geräte und Schmuck –

bestätigt. V. scheinen ab dem 4. Jh. v. Chr. aufgekommen zu sein und fanden in den gallo-röm. Umgangstempeln ihre direkte Fortsetzung.

Forsch. der letzten Jahrzehnte haben Hinweise darauf erbracht, daß in Süddeutschland zumindest ein Teil der V. im 2./1. Jh. v. Chr. als umhegte Herrenhöfe (mit Dauerbesiedlung, Handwerk und Handel) dienten, in denen aber auch Kultbauten standen. Es wird erwogen, darin die von Caesar (z. B. Caes. Gall. 1,5; 2,7; 4,4; 7,14) erwähnten *aedificia* zu sehen.

→ Kelten V.; Keltische Archäologie; Tropaion

1 A. Haffner (Hrsg.), Heiligtümer und Opferkulte der Kelten, 1995 2 S. Rieckhoff, J. Biel, Die Kelten in Deutschland, 2001, 227–234 3 G. Wieland (Hrsg.), Keltische Viereckschanzen, 1999.   V. P.

Vierfarbmalerei

s. Aëtion; Alexandermosaik; Farben; Malerei I. B.

Viergöttersteine

sind ein Teil der Iuppiter-Giganten-Säulen (→ Säulenmonumente III.) und befinden sich unmittelbar auf deren Unterbau (es folgen nach oben hin der Zwischensockel mit den sog. »Wochengöttern« – z. B. Venus für den Freitag, Saturn für den Samstag –, ein schuppen- oder girlandenverzierter Säulenschaft mit Basis und ein Kopfkapitell mit dem einen → Giganten niederreitenden → Iuppiter). Die Götterfiguren der V. stehen in meist eingetieften Feldern: Üblicherweise handelt es sich um → Iuno (Vs.), → Minerva (linke Seite), → Mercurius (rechte Seite) und → Hercules (Rs.); es können aber auch andere Götter dargestellt werden, am häufigsten → Victoria, → Mars, ein → Genius, → Fortuna, → Silvanus [1], → Sol, → Ceres. Mitunter treten Götterfiguren auch paarweise auf (z. B. Venus/Vulcanus; Iuno/Minerva; Mars/Venus mit Amor). Bei einigen der V. ist eine Seite flach gehalten, um eine Weih-Inschr. aufzunehmen, die sich ansonsten auf dem über Iuno befindlichen Gesims oder dem darüber angebrachten Zwischensockel befindet.

Ca. 90 V. sind h. bekannt, hauptsächlich aus Unter- und Obergermanien, und Gallien, bes. der Belgica. Die Iuppiter-Giganten-Säulen kamen in neronischer Zeit auf (Große Mainzer Iuppitersäule: 59 n. Chr.), wobei die Produktion ihren Höhepunkt in den Jahren 170 bis 246 n. Chr. erreichte und nach 260 n. Chr. auslief.

G. Bauchhenss, P. Noelke, Die Iupitersäulen in den german. Prov., 1981 · M. Mattern, Röm. Steindenkmäler vom Taunus- und Wetteraulimes (CSIR Deutschland II 12), 2001, Nr. 177–180; 288; 317–320.   R. H.

Vierhundert s. Tetrakosioi

Vierkaiserjahr.

Mod. Bezeichnung für das Jahr 69 n. Chr., in dem vier → Kaiser z. T. gleichzeitig, z. T. in schneller Abfolge, das röm. Reich regierten (Galba; Otho; Vitellius; Vespasianus), im weiteren Sinn für die Zeit zw. der Revolte des → Iulius [II 150] Vindex gegen → Nero (Anfang 68 n. Chr.) in Gallien und der Kaisererhebung des → Vespasianus (1.7.69 in Äg., 3.7.69 in Syrien) bzw. dessen Anerkennung durch den Senat in Rom (21./22.12.69).

→ Galba [2], aus altem patrizischen Geschlecht, hatte sich dem Aufstand des Iulius Vindex angeschlossen, war im April 68 von Soldaten und Provinzialen in Spanien zum Kaiser ausgerufen und in Rom von Senat und Praetorianergarde am 8. Juni 68 (kurz vor dem Selbstmord Neros) anerkannt worden; durch polit. unsensibles Verhalten verlor er jedoch bald die Akzeptanz aller gesellschaftlich wichtigen Gruppen. Die Rheinarmee verweigerte am 1. Jan. 69 den Eid und rief am 2. Jan. → Vitellius [II 2] zum Kaiser aus. Der Versuch Galbas, seine Herrschaft durch die Adoption (10. Jan.) des jungen hochadligen Calpurnius [II 24] Piso, den er sofort zum Caesar ernannte, zu stabilisieren, mißlang, weil er dadurch → Otho düpierte, der als Statthalter von Lusitania 68 sofort auf Galbas Seite getreten war und sich selbst die Nachfolge des nun 70jährigen erhofft hatte.

Otho gelang es, sich am 15. Jan. von der Praetorianergarde zum Kaiser erheben zu lassen, was den Tod Galbas und Pisos zur Folge hatte. In der Schlacht bei Bedriacum (bei Cremona) am 14. April erlitt sein Heer, ohne auf die Donaulegionen warten zu können, gegen die schnell anrückenden Truppen des → Vitellius [II 2] eine schwere, aber nicht entscheidende Niederlage; dennoch beging Otho zwei Tage später Selbstmord.

→ Vespasianus, der wohl schon länger an eine eigene Usurpation dachte, aber seine Truppen auf alle bisherigen Kaiser vereidigt hatte, arrangierte seine Ausrufung zum Kaiser sorgfältig zusammen mit dem Statthalter von Ägypten (→ Alexandros [18]), dem Statthalter von Syrien (Licinius [II 14] Mucianus) und den Donaulegionen. Der Ausrufung zum Kaiser in Äg. (1. Juli) folgte unmittelbar die Akklamation durch seine und die Truppen in Syrien, der Marsch der Donaulegionen nach Italien mit dem Sieg über die Vitellianer wiederum bei Bedriacum und die Einnahme Roms, wo inzwischen auch Mucianus eingetroffen war. Mit der Anerkennung des Vespasianus durch den Senat im Dez. 69 endeten die Wirren, die fast das ganze röm. Reich berührt und in Mitleidenschaft gezogen hatten.

Die Bedeutung des V. liegt nicht in der Häufung von Kaisern (so wurden z.B. zwischen Dez. 192 und April 193 und wiederum von Jan. bis Mai 238 jeweils fünf Prätendenten zu Kaisern ausgerufen; vgl. auch → Soldatenkaiser; → Triginta Tyranni), sondern in der erstmals durch → Usurpation gewonnenen Stellung eines → Princeps. Dadurch wurde nicht nur die fehlende staatsrechtliche Verankerung des → Prinzipats, sondern auch dessen mil. Grundlage deutlich, da die Legitimation zur Herrschaft des jeweiligen Princeps primär aus der Zustimmung der Legionen bzw. der → Praetorianer floß.

E. FLAIG, Den Kaiser herausfordern, 1992, 240–410 · H. GRASSL, Unt. zum Vierkaiserjahr 68/69 n.Chr., 1973 · P. A. L. GREENHALGH, The Year of the Four Emperors, 1975 · K. WELLESLEY, The Long Year 69 A.D., 1975.
W.ED.

Viermännerkommentar. Moderne Bezeichnung eines verm. frühbyz. Komm. zur ›Ilias‹, einer Kompilation aus den vier Homerexegeten → Aristonikos [5], → Didymos [1], Ailios → Herodianos [1] und → Nikanor [12] (vgl. die Subskription der einzelnen Ilias-B. im Cod. Venetus A). Der V. gibt Auskunft über die sachliche und sprachliche Homerauslegung sowie die textkritischen Entscheidungen der Alexandriner im Umkreis des → Aristarchos [4] von Samothrake und bildet (neben den exegetischen → Scholien) die wesentliche Vorlage für die Homer-, v. a. die Iliasscholien, aber auch der den Homertext betreffenden Erklärungen im *Etymologicum Genuinum* (→ Etymologica), bei → Eustathios [4] und in der → Suda.

→ Homeros [1] VI.; Scholien I.

H. ERBSE, Beitr. zur Überl. der Iliasscholien (Zetemata 24), 1960 · K. LEHRS, De Aristarchi studiis Homericis, ³1882, 1–35 · M. SCHMIDT, Die Erklärungen zum Weltbild Homers und zur Kultur der Heroenzeit in den bT-Scholien zur Ilias (Zetemata 62), 1976, 1–39 · ScholiaIl. 1, XLV–LIX · M. VAN DER VALK, Researches on the Text and Scholia of the Iliad, Bd. 1, 1963.
ST.MA.

Vierreichelehre s. Weltreiche, Weltreichsidee

Vierzig s. Tettarakonta

Vigilantia. Schwester des Kaisers → Iustinianus [1] I., vermählt mit Dulcidius, Mutter der Praeiecta, des Heermeisters (→ *magister militum*) und *patricius* Marcellus [7] und des um 510–515 n.Chr. geborenen Kaisers → Iustinus [4] II., dessen Thronbesteigung sie 565 noch erlebte und auf den sie Einfluß hatte (Prok. BV 2,24,3; Victor Tonnunensis, Chron. min. ed. MOMMSEN: MGH AA 2,206; Corippus, In laudem Iustini, praef. 21 f.; 1,8 f.; 2,283).

A. CAMERON (ed.), Corippus, In laudem Iustini (mit engl. Übers. und Komm.), 1976, 121; 127; 168; 171 f. · PLRE 2, 1165; 3, 1376; 3,1315; vgl. 3, 428; 3, 1048f; 3, 816f. Nr. 5; 3, 754–756 · K. J. STACHE, Corippus, In laudem Iustini (Komm.), Diss. Berlin 1976, 69f., 334–336 · STEIN, Spätröm. R. 2, 743.
K.P.J.

Vigiles. Nach einem Brand in Rom unterstellte → Augustus 23 v.Chr. den curulischen → *aediles* 600 Sklaven zur Brandbekämpfung (Cass. Dio 54,2,4) und ersetzte damit die *triumviri nocturni* (Dig. 1,15,1) und zugleich die privaten Löschtrupps, die M. Egnatius [II 10] Rufus unterhalten hatte (Vell. 2,91,3 f.). Nachdem die Stadt Rom 7 v.Chr. in 14 → *regiones* aufgeteilt worden war, wurden 6 v.Chr. sieben *cohortes* für die Brandbekämpfung aufgestellt, die jeweils aus 1000 Mann, meist → Freigelassenen, bestanden (ILS 2154; 2178f.); jede dieser *cohortes* hatte zwei der vierzehn *regiones* Roms vor Feuer zu schützen (Cass. Dio 55,8,7; 55,26,4f.; Suet. Aug. 30,1; ILS 2154–2179). Überreste der Kasernen der *v.* (*castra*: CIL XIV 4381 = ILS 2155; CIL XIV 4387; *excubitoria*: CIL VI 3010 = ILS 2174) wurden in Rom und Ostia gefunden. Die *v.* waren dem *praefectus* [16] *vigilum* aus dem *ordo equester* (→ *equites Romani*) unterstellt; in seine Kompetenz fiel zudem eine untergeordnete Kriminaljurisdiktion (Dig. 1,15,3). Die Existenz der *v.* ist epigraphisch und lit. bis in das 3. Jh. bezeugt (ILS 2178; Cass. Dio 55,26,5). Die Brandbekämpfung erfolgte mittels Eimerstafetten, Äxten, Feuerpatschen und essiggetränkter Matten (Petron. 78,7; Plin. epist. 10,33,2; Dig. 33,7,12,18). Eine vergleichbare Einrichtung ist aus anderen Städten nicht bekannt; dort übernahmen Mitglieder von *collegia* (→ *collegium* [1]) die Brandbekämpfung (vgl. → Feuerwehr, s. Nachträge).

Die Aufstellung der *v.* konnte allerdings nicht verhindern, daß es in Rom nach Augustus zu großen Brandkatastrophen kam, so etwa in den Jahren 27, 36 und 64 n. Chr. (Tac. ann. 4,64; 6,45; 15,38–41; Cass. Dio 58,26,5; 62,16). In der Darstellung der stadtröm. → Wohnverhältnisse wurde die Brandgefahr betont (Vitr. 2,8,20; 2,9,16; Iuv. 3,197–222). Solche Brandkatastrophen sind auch für Städte in den Prov. bezeugt (Lugdunum: Sen. epist. 91; Tac. ann. 16,13,3; Nikomedeia: Plin. epist. 10,33 f.).

1 J. S. Rainbird, The Fire Stations of Imperial Rome, in: PBSR 54, 1986, 147–169 2 O. F. Robinson, Ancient Rome. City Planning and Administration, 1992, 105–110 3 R. Sablayrolles, Libertinus miles. Les cohortes de vigiles, 1996.   S. PA.

Vigiliae. Eine Hauptsorge röm. Feldherren galt der Sicherheit ihrer Truppen; sowohl im festen Legionslager als auch im Feld schützten sich die Legionen durch Aufstellung von Wachen, die vor dem Wall (*vallum*), außerhalb des Lagers, sowie an den Toren oder auf dem Wall aufgestellt waren; einzelne Wachen hatten auch die Aufgabe, die höheren Offiziere zu schützen (Pol. 6,35f.; Sall. Iug. 100,4). Polybios bietet eine präzise Beschreibung der Organisation des Wachdienstes (νυκτερινὴ φυλακή/*nykterinē phylakḗ*: Pol. 6,33–37; vgl. Onasandros 10,10f.; Veg. mil. 3,8,17ff.). Damit die Wachposten nicht ermüdeten, wurden sie in regelmäßigen Zeitabständen abgelöst: Der Tag war in zwei Zeitabschnitte von jeweils sechs Stunden (*excubiae*) eingeteilt, die Nacht in vier Abschnitte von jeweils drei Stunden (*vigiliae*). Schließlich wurde das Wort *v.* außerhalb des mil. Kontextes benutzt, um einen Teil der Nacht zu bezeichnen. Die → *bucinatores* und → *tubicines* kündeten durch ein → Signal den Wechsel der Wache an (Tac. hist. 2,29,2; Veg. mil. 3,8,17), und ein → *centurio* meldete den Beginn der Nachtwache (Tac. ann. 15,30,1). Jeder Wachposten bestand aus vier Mann (Pol. 6,33), jede *centuria* stellte zwei Wachposten, wobei die → *triarii* [1] vom Wachdienst befreit waren (Pol. 6,33); die → *velites* mußten ebenfalls Aufgaben im Wachdienst übernehmen (Pol. 6,35). Eine Parole, die auf einer → *tessera* geschrieben war, wurde vom → *tribunus* [4] *militum* den *centuriones* übergeben (Pol. 6,34); die Wachposten unterstanden generell den *centuriones* (Tac. hist. 2,29,3) und wurden von den *circitores* überwacht (Veg. mil. 3,8,18).

Jedes Vergehen im Wachdienst wurde nach einer genauen Unt. durch die Prügelstrafe (*fustuarium*), die meist zum Tod führte, bestraft (Pol. 6,36f.).   Y. L. B.

Vigilius. Diakon des Papstes Bonifatius II. (530–532), war mit dessen Nachfolger → Agapetos [2] in Konstantinopolis, wo er mit → Theodora [2] in Kontakt trat. Er brachte die Leiche Agapetos' († 22.4.536) nach Rom. Mit Intrigen gelang es ihm im März 537, den bereits gewählten Silverius abzusetzen und sich durch → Belisarios selbst zum Papst wählen zu lassen. Unter V. wurden nach der gotischen Belagerung Aufbauarbeiten in Rom geleistet (Vigilius-Inschr. in einigen → Katakomben). Mit fränkischen Bischöfen führte er einen Briefwechsel. Am 22.11.545 wurde V. verhaftet und (ganz unfreiwillig?) nach Catania/Katane gebracht; seine im Februar 546 an das hungernde Rom gesandte Weizensendung fiel den Goten in die Hände. Auf der Reise nach Konstantinopolis weihte er am 14.10.546 in Patrai den nach Ravenna reisenden Diakon → Maximianus [3] von Pola zum Bischof. Am 25.1.547 traf er in Konstantinopel ein, zähe Verhandlungen um die »Drei Kapitel« (→ *sýnodos* II.D.) setzten ein, derentwegen V. am 23.12.551 mit → Verecundus in die Euphemiakirche bei → Kalchedon floh, dann stimmte er aber doch der Verurteilung der »Drei Kapitel« zu und unterzeichnete am 8.12.553 auch die Anathematismen (Verfluchungen) der 5. Synode. Auf der Rückkehr nach Rom starb er in Syrakus am 7.6.555 (bestattet in Rom in San Marcello, Via Salaria).

A. Lippolt, s. v. V., RE Suppl. 14, 864–885.   S. L.-B.

Viginti(sex)viri (wörtl. »Zwanzigmänner« bzw. »Sechsundzwanzigmänner«)
I. Jahresmagistrate
II. Beamte für besondere Aufgaben

I. Jahresmagistrate

V. diente in Rom als Sammelbezeichnung für sechs Kollegien niederer Magistrate (*magistratus minores*: Cic. leg. 3,6), die seit dem 3. Jh. v. Chr. entstanden waren (zu undifferenziert Pomp. Dig. 1,2,29f.) und in spätrepublikanischer Zeit unter Vorsitz der Praetoren (bezeugt für *IIIviri capitales*: Fest. p. 468) in den Tributkomitien (→ *comitia*) gewählt wurden (Gell. 13,15,4): nämlich die → *tresviri* [4] *monetales* (auch *IIIviri a.a.a.f.f.*), → *tresviri* [1] *capitales*, → *decemviri* [2] *stlitibus iudicandis*, → *quattuorviri viarum curandarum*, sowie die → *quattuorviri praefecti Capuam Cumas* und die → *duoviri viis extra urbem purgandis*. Unter Augustus (vor 13 v. Chr.: Cass. Dio 54,26,7) wurden die beiden letzten Kollegien abgeschafft, so daß vier Kollegien mit insgesamt 20 Stellen (*vigintiviri*) übrigblieben. Die Bekleidung eines dieser Ämter wurde nun in der Regel Voraussetzung für den Eintritt in die senatorische Laufbahn (über Ausnahmen: [1]). Dabei genossen Münzmeisteramt und Decemvirat bis ins 3. Jh. n. Chr. deutlich höheren Rang: Junge Patrizier (und Söhne von Consularen: [2]) wurden bevorzugt *tresviri monetales* (vgl. ILS 986; 999; 1049), und auffällig viele *quaestores principis* (→ *quaestor* II.B.) waren vorher Münzmeister (ILS 964; 975; 980; 1029; 1040; 1057) oder *decemviri* (z.B. ILS 948; 991; 1063; 1071; 1077).

II. Beamte für besondere Aufgaben

V. wurden aus bes. Anlaß auch sonst bestellt: 59 v.Chr. eine Kommission von 20 Senatoren (darunter Cn. Pompeius [I 3] und M. Terentius Varro [2], welche die Durchführung von Caesars Ackergesetz sicherstellen sollte (Cass. Dio 38,1,6); 238 n.Chr. 20 Senatoren als *v. rei publicae curandae* zum Schutz Italiens gegen Kaiser → Maximinus [2] Thrax (SHA Gord. 10,1–2; Zos. 1,14,2; zur personellen Zusammensetzung [3]). Verm. gab es auch *v.* als munizipale Gremien (CIL 10,5915; ILS 6134).

→ Cursus honorum; Magistratus

1 D. McALINDON, Entry to the Senate in the Early Empire, in: JRS 47, 1957, 191–195 2 ALFÖLDY, Konsulat, 96–98 3 DIETZ, 326–332.

MOMMSEN, Staatsrecht 2, 592–610 · H. SCHAEFER, s.v. V., RE 8 A, 2570–2587. W.K.

Vigintiviri s. Viginti(sex)viri

Vilicus.
Der Begriff *v.* (von → *villa*, »Haus/Landgut«) bezeichnete in röm. Zeit allg. einen Gutsverwalter, manchmal aber auch niederes Verwaltungspersonal im privaten oder öffentlichen Dienst (*Caesaris vilicus*: ILS 1612; 1617; 1620; 1621; 1795; 5453; 7368; in der Steuereinziehung: ILS 1557; 1565; 1854; 1857; 1862; 1865). Der typische *v.* war ein Sklave (→ Sklaverei) oder → Freigelassener, der von einem dauerhaft abwesenden Landbesitzer damit beauftragt wurde, ein mittelgroßes Landgut mit Sklaven zu bewirtschaften. Solche Landgüter waren vom 2. Jh. v.Chr. bis zum 3. Jh. n.Chr. in It., darüber hinaus in der frühen Prinzipatszeit auch in den westl. Prov. weit verbreitet. Die grundlegende Beschreibung der Position und der Pflichten des *v.* sowie der ihm unterstellten *vilica* (»Verwalterin«) findet sich bei → Cato [1] (*vilici officia*: Cato agr. 5; 143 f.); → Columella wiederholt später – allerdings mit Ergänzungen – die Sicht Catos (Colum. 1,8,1–14; 11,1,3–29); die röm. Auffassungen zur Gutsverwaltung waren sicherlich von → Xenophon [2] beeinflußt (Xen. oik. 12–14; vgl. auch 9,11–19).

Die wichtigsten Pflichten eines *v.* waren die Leitung und Versorgung der Sklaven, die Organisation sämtlicher Landarbeiten, die Instandhaltung von Wirtschaftsgebäuden und Geräten, der Kauf notwendiger Gegenstände und Produkte und der Verkauf überschüssiger Erzeugnisse; außerdem hatte der *v.* genau Buch über Bargeld, Erträge und Arbeiten zu führen. Die *vilica* war für die Wohnräume, die Nahrung und die Kleidung aller Arbeitskräfte zuständig (Cato agr. 143; Colum. 12,1; 12,3,5–9). Von einem *v.* wurden Kenntnisse der → Landwirtschaft, Führungsqualitäten und die Fähigkeit des Schreibens, Lesens und Rechnens (vgl. Varro

rust. 2,10,10; polemisch: Colum. 1,8,4) sowie Pflichtbewußtsein und Loyalität seinem Herrn (*dominus*) gegenüber erwartet. Ein *v.* hatte oft beträchtliche Unabhängigkeit, allerdings konnte er durch genaue Vorschriften und gelegentliche Besuche des Landbesitzers kontrolliert werden. Daneben ging man aber auch zu Belohnungen über; so wurde dem *v.* zusammen mit der *vilica* eine Art Familienleben erlaubt (Cato agr. 143,1; Colum. 1,8,5); er konnte ferner über ein → *peculium* verfügen, und vielleicht wurde ihm ein Anteil an den Erträgen gewährt (vgl. Varro rust. 1,17,5–7). Inschr. von *vilici* bezeugen einen bescheidenen Wohlstand und Selbstbewußtsein (ILS 4441; 6337; 7367; 7370). Als der → Großgrundbesitz weiter expandierte, entstanden in der Gutsverwaltung komplexe Hierarchien: Ein → *procurator* [1], oft ein Freigeborener, kontrollierte ein oder mehrere Landgüter für einen Großgrundbesitzer (Colum. 1,6,7), und die Durchführung von Kauf und Verkauf wurde → *actores* (2.) übergeben.

→ Großgrundbesitz; Landwirtschaft; Villa

1 J.J. AUBERT, Business Managers in Ancient Rome, 1994 2 J. CARLSEN, Vilici and Roman Estate Management until A.D. 284, 1995 3 C. SCHÄFER, Zur Leitung landwirtschaftlicher Betriebe im Imperium Romanum, in: P. HERZ et al. (Hrsg.), Landwirtschaft im Imperium Romanum, 2001, 273–284 4 WHITE, Farming, 353–355. D.R.

Villa
I. DEFINITION
II. DIE VILLA RUSTICA III. DIE OTIUM-VILLA
IV. DIE SPÄTANTIKE DOMÄNE

I. DEFINITION

V. bezeichnete im lat. Sprachgebrauch im Gegensatz zum Stadthaus (*domus*) oder zur Hütte (*casa*; → *tugurium*) ein kombiniertes Wohn- und Wirtschaftsgebäude im Kontext der → Landwirtschaft (V.), vereinzelt auch einen landwirtschaftlichen Betrieb unter Einschluß aller Einrichtungen (übliche Bezeichnung hierfür: → *praedium*). Diese Verbindung zur Landwirtschaft löste sich im 2. Jh. v.Chr. allmählich auf, was sich in dem zunehmend ausdifferenzierten Begriffsspektrum spiegelt; neben die weiterhin im agrarökonomischen Bereich beheimatete »klass.« *v. rustica* (»Landhaus«, »Landgut«) traten V.-Formen, die zunehmend in den Bereich der Freizeit- und Mußekultur (vgl. → Freizeitgestaltung; → Muße III.: lat. *otium*) der städtischen (und hier zunächst überwiegend der stadtröm.) Oberschicht gehörten und als *otium*-V. zwar nicht typologische, aber doch funktionale Eigenständigkeit erlangten: *v. suburbana* (vor der Stadt gelegen), *v. maritima* (in Küsten- oder Seeuferlage) oder *v. urbana* (innerhalb der Stadt oder am Stadtrand gelegen). Auf Landwirtschaft wurde auch hier in der Regel nicht verzichtet. Sie spielte jedoch, als separierter Teil, im Erscheinungsbild der Anlagen kaum mehr eine Rolle. Rückte sie dennoch in den Mittelpunkt, dann nicht so sehr aus Gründen der ökonomischen Notwendigkeit als Erwerbsbetrieb, sondern viel-

Capri, 'Villa Iovis' des Tiberius;
1. Jh. n. Chr. (Grundriß).

1 Eingangshalle
2 Thermen
3 Küche
4 Zisterne
5 Aula
6 Kaiserliche Gemächer
7 Terrasse
8 Zisterne
9 Wandelhalle

Nordflügel: vermutlich kaiserliche
Privatgemächer
Ostflügel: Prunk- und Reprä-
sentationsräume
Südflügel: Thermenanlagen mit
Heizvorrichtung
Westflügel: Wirtschaftstrakt mit
Magazinräumen

0   40 m

mehr als Faktor der »Nobilitierung« des Besitzers bzw.
aus bukolischen Motiven, wobei im Sinne der *voluptas*
(»Lustbarkeit«) nicht selten eine hochspezialisierte, beinahe wiss.-akribisch betriebene Liebhaberei (Fisch-
und Austernzucht, Imkerei, Vogelhaltung, Weinanbau,
Wildtierhege, Blumenzucht u. a. m.) ausgeübt wurde.

Die Grenzen zw. V., *domus* (Stadthaus; → Haus) und
→ Palast waren schon in der Ant. fließend und sind
dementsprechend auch h. schwer festzulegen. Eine V.
in kaiserlichem Besitz konnte (bei Anwesenheit des Kaisers) zumindest zeitweise den Charakter eines Palastes
annehmen (wie z. B. die Tiberius-Villen auf Capri, s.
Abb., oder die Domitians-Villen bei → Circeii und
nahe → Alba Longa/h. Castel Gandolfo), ja konnte
auch dauerhaft als Palast bzw. dessen Bestandteil verstanden werden (Villa des Hadrian in → Tibur/Tivoli
nahe Rom). Eine klare typologische Scheidung zw. Palast und V. ist letztlich nicht möglich, was auch die »Pa-
lastvillen« diverser Herrscher nach 300 n. Chr., etwa des
Galerius [5] in → Thessalonike [1], des Diocletianus in
→ Spalatum/Split (→ Palast mit Abb.) oder des Maxen-
tius an der Via Appia bei Rom verdeutlichen. Auch zur
domus gab es keine präzise Abgrenzung; die diesbezügliche Unklarheit der ant. Begrifflichkeiten kulminiert in
der → *domus aurea* des Kaisers → Nero: Vom Konzept
und der innerstädtischen Lage her eigentlich der Prototyp der *v. urbana* im Funktionsrang eines Palastes,
wurde der Bau, der ganz unmittelbar mit den Luxus-V.
der röm. Aristokratie wetteiferte, wohl in Anlehnung an
die *domus Tiberiana* auf dem → Mons Palatinus in Rom
durchweg ebenfalls als *domus* bezeichnet.

Seit dem 3. Jh. n. Chr. kam in Verbindung mit den
krisenhaften Erscheinungen (und insbesondere dem
Kollaps der Stadtkultur des Imperium Romanum) der
landwirtschaftlich ausgerichteten Groß-Domäne eine
beherrschende Stellung innerhalb der Oberschicht zu
(→ Großgrundbesitz; → Domäne); hier entwickelte
sich ein vielfach verflochtenes Netz von »Großgrund-
Miniaturwelten« mit einer luxuriösen, gleichwohl
agrar-ökonomisch ausgerichteten V. im Zentrum, das
durch seine bisweilen rigorose Abkehr von der »offiziellen« Staatswelt ebenso gekennzeichnet war wie durch
frühfeudalistische Betriebsformen und dominat-ähnli-
che Sozialstrukturen (vgl. → Dominat).

Der Begriff *v.* beschrieb in der röm. Ant. mithin
nicht nur ein Bauwerk oder einen Baukomplex, sondern eine in Ergänzung oder Gegensatz zur Stadtkultur
gestellte, auf den ländlichen Bereich bezogene Lebensform. Grundlage der röm. V.-Kultur war dabei die seit
dem 3. Jh. v. Chr. zunehmende Ungleichheit des Landbesitzes, bes. in der Verknüpfung von kleinbäuerlicher
Subsistenzwirtschaft mit großgrundbesitzender Gutswirtschaft, darüber hinaus der Umschwung zur In-
tensiv-Landwirtschaft – beides Phänomene, die in der
Folge des Zweiten Punischen Krieges in den Jahren
unmittelbar vor 200 v. Chr. massiv zunahmen (→ Landwirtschaft V.).

II. DIE VILLA RUSTICA

Die *v. rustica* als ideologischer wie ökonomischer
Kern der röm.-republikanischen Gesellschaft ist von
→ Cato [1], → Columella, → Varro [2], → Vitruvius [2]

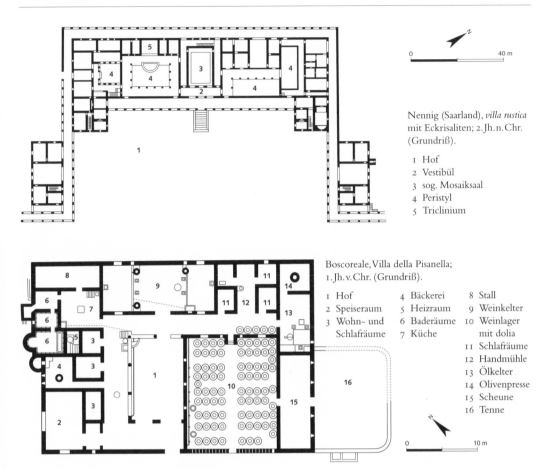

Nennig (Saarland), *villa rustica*
mit Eckrisaliten; 2.Jh.n.Chr.
(Grundriß).

1 Hof
2 Vestibül
3 sog. Mosaiksaal
4 Peristyl
5 Triclinium

Boscoreale, Villa della Pisanella;
1.Jh.v.Chr. (Grundriß).

1 Hof	4 Bäckerei	8 Stall
2 Speiseraum	5 Heizraum	9 Weinkelter
3 Wohn- und	6 Baderäume	10 Weinlager
Schlafräume	7 Küche	mit dolia
		11 Schlafräume
		12 Handmühle
		13 Ölkelter
		14 Olivenpresse
		15 Scheune
		16 Tenne

u. a. umfassend beschrieben worden. In der Frühzeit in
der Funktion als Landsitz als Pendant zum Stadthaus der
nobilitas (→ *nobiles*) auf das unmittelbare Umland Roms
begrenzt, erweiterte sich der Besitzerkreis von *villae rusticae* im Kontext der röm. Expansion seit dem 3. Jh.
v. Chr. auf eine mehr oder minder begüterte Mittel-
schicht im Umfeld eroberter oder neu gegründeter
Städte in Italien und den Prov., reduzierte sich seit ca.
150 v. Chr. dann aber durch die fortschreitende Bündelung des landwirtschaftlichen Besitzes in Händen
weniger Großgrundbesitzer. Baureste zahlreicher *villae
rusticae* wurden in z. T. sehr gutem Erhaltungszustand
gefunden. Einfache Gehöfte und repräsentative Gutsbe-
triebe standen dabei nebeneinander, wobei sich aus der
Größe der dem Wirtschaftsbetrieb vorbehaltenen Baulichkeiten die ökonomische Potenz und damit das landwirtschaftlich verfügbare Areal zumindest relativ rück-
erschließen läßt. Die zahlreichen weinproduzierenden
v. rusticae am Fuße des Vesuvs (→ Vesuvius) nö des heutigen Torre Annunziata, die im Ausbruch von 79 n. Chr.
untergegangen sind, machen dies deutlich: Die Anzahl
der in einem urspr. überdachten Raum gelagerten, jeweils ca. 800 l fassenden Tonbehälter (→ *dolium*) für die
Weingärung bzw. Weinlagerung (→ Wein I.) konnte
von 15 bis an die 100 reichen und somit recht genau

Auskunft über die ökonomische Bed. der Anlage geben.
Es ist jedoch keineswegs zwingend, in diesen V. unabhängige landwirtschaftliche Kleinbetriebe zu sehen; die
Zugehörigkeit zu einem großen Latifundium ist in jedem Falle möglich.

V. rusticae bestanden meist aus einer einzigen kompakten Baulichkeit, deren Kern ein Hof bildete; Kon-
glomerate aus mehreren separaten Gebäuden waren
demgegenüber selten und dann überwiegend in den
Prov. zu finden. Über den Hof erschlossen sich die verschiedenen Trakte, wobei die Wohn-, Schlaf- und Repräsentationsräume in der Regel deutlich weniger als
ein Drittel der Grundfläche beanspruchten und damit
markant hinter die Wirtschaftstrakte zurücktraten.
Während die V. außen meist wenig repräsentativ und in
exponierten Lagen wehrhaft ausgestaltet waren (Risa-
lit-V. in den nördl. Prov., s. Abb.), konnten im Einzelfall Schlaf- und Wohnzimmer reich mit Fresken geschmückt sein (z.B. die Fresken der *v. rustica* von
→ Boscoreale: New York, MMA; vgl. → Wandmalerei;
s. Abb.). In den NW-Prov. war der Einbau einer → Heizung gängig. Die Einbindung von repräsentativen,
agrarökonomisch aber funktionslosen architektonischen Elementen des Hauses in die V. – z.B. → Atrium
oder Peristyl-Hof (→ Peristylion) anstelle des Wirt-

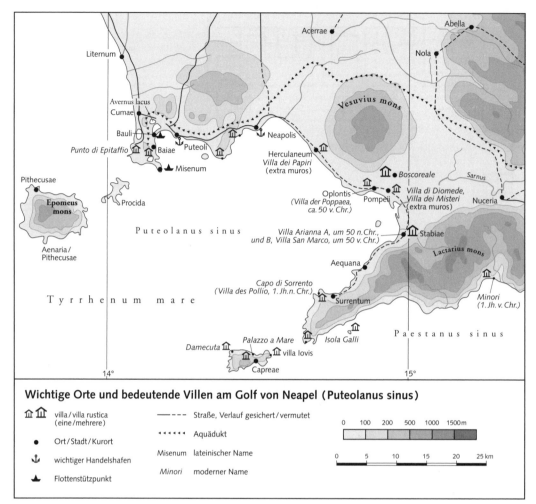

Wichtige Orte und bedeutende Villen am Golf von Neapel (Puteolanus sinus)

	villa / villa rustica (eine / mehrere)	-----	Straße, Verlauf gesichert / vermutet
●	Ort / Stadt / Kurort	◄◄◄◄◄	Aquädukt
⚓	wichtiger Handelshafen	Misenum	lateinischer Name
⚓	Flottenstützpunkt	*Minori*	moderner Name

schaftshofes – begann im 2. Jh. v. Chr. und markierte den Beginn der Trennung einer »reinen« *v. rustica* von der *otium*-V. der begüterten Oberschicht.

III. DIE OTIUM-VILLA

Topographische Vorlieben, architektonische Konzeption, Ausstattung der Räumlichkeiten sowie die mentalitätsgeschichtlichen Implikationen der *otium*-V. sind in den beiden ›Villenbriefen‹ des jüngeren → Plinius [2] (Plin. epist. 2,17 und 5,6) exemplarisch erfaßt. Die aus einer Vielzahl architektonischer Elemente zusammengefügten, dabei im Verhältnis zu den kompakten *v. rusticae* des öfteren baulich äußerst eklektisch und ausgreifend wirkenden Anlagen sind zunächst in ihrem Verhältnis zur Natur charakterisiert. In beherrschender, durch Plattformen und Substruktionen nicht selten künstlich erzeugter Panoramalage an Berghängen, Seeufern, auf Klippen oder an Meeresküsten errichtet, wurde die → Landschaft (s. Nachträge) in umfassender Weise in den Bau integriert: in Form architektonisch gerahmter, auf markante landschaftliche Punkte hin orientierter Blickachsen (die als Steigerung durch illusionistische → Wandmalereien im Inneren der Anlage

aufgegriffen und fortgeführt werden können), vermittels perspektivisch angelegter, die umgebende Natur rhythmisierender Gärten, durch Einbeziehung nötigenfalls umgelenkter Bäche, durch Errichtung künstlicher Hügel, Teiche, Grotten oder Terrassen. Die röm. Maxime von der Beherrschung der Natur durch Kultur (→ Umwelt) manifestierte sich in der *otium*-V. in umfassender Form.

Auch wenn diese V. in ihrer real-ökonomischen Situation meist weiterhin Mittelpunkt eines landwirtschaftlichen Betriebes war, wurde dieser Umstand durch das bauliche Erscheinungsbild der Anlagen zurückgedrängt, ja bisweilen gänzlich ignoriert. Allein das *otium* (»Muße«) war, wie die Plinius-Briefe belegen, für die Ausgestaltung und die Auswahl bestimmter Architekturelemente entscheidend; ökonomisch notwendige Betriebsgebäude lagen getrennt von diesem Kern der V. Unverzichtbare Bestandteile der V. waren das → Atrium, die → Diaetae, verschiedene, ruhig gelegene *cubicula*, ferner ein Kryptoportikus (→ Crypta), diverse weitere Portiken (→ Porticus), ein in den baulichen Kern integriertes sowie ein im Freien gelegenes → Triclinium

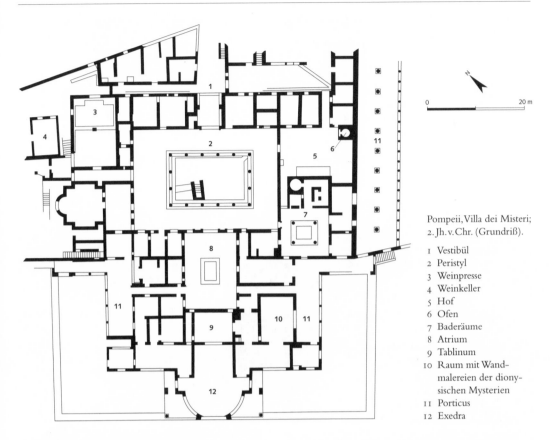

Pompeii, Villa dei Misteri;
2. Jh. v. Chr. (Grundriß).

1 Vestibül
2 Peristyl
3 Weinpresse
4 Weinkeller
5 Hof
6 Ofen
7 Baderäume
8 Atrium
9 Tablinum
10 Raum mit Wand-
    malereien der diony-
    sischen Mysterien
11 Porticus
12 Exedra

(z. B. in einer wasserdurchflossenen Grotte) bzw. ein *stibadium* (Speiselager im Garten), darüber hinaus umfangreiche → Gartenanlagen (*hortus*; vgl. → Xystos [1]) mit Gliederungselementen wie etwa trutzigen Aussichtstürmen (*turris*), die dem Ganzen bisweilen – als Anspielung auf befestigte Ummauerung – städtischen Charakter verliehen. Hinzu kamen Versorgungstrakte (Küche, ggf. Heizungsanlage) und ein Bad.

Der Ausstattungsaufwand differierte je nach finanzieller Potenz, aber auch nach den kulturellen Ambitionen des Besitzers: Mit allem erdenklichen Prunk (Kunstsammlung, üppige Wandmalerei, reiches Mobiliar, kostbarstes Geschirr, repräsentative Bibliothek etc.) versehene Anlagen (z. B. in → Baiae oder → Sperlonga, mit Abb.) standen V. mit einer bisweilen programmatisch bescheidenen bzw. auf den elitären Charakter einer »Bildungslandschaft« hin geformten Ausstattung gegenüber. Dabei darf jedoch der schon aus den Plinius-Briefen ersichtliche Umstand nicht ignoriert werden, daß allein der Besitz einer solchen V. gegenüber den Zeitgenossen *luxuria* (→ Luxus) demonstrierte, die sich durch betont schlichte Ausstattung als Rückverweis auf republikanische Tugenden zwar camouflieren, nicht jedoch verbergen ließ.

Die Anordnung der baulichen Elemente war abhängig von der top. Situation, wobei markant in die Landschaft gestellte V.-Anlagen fernab der Städte größere

Variationsmöglichkeiten aufwiesen (vgl. die labyrinthartig strukturierte, eine riesige Fläche bedeckende Hadrians-V. bei Tibur/Tivoli in Latium; ähnlich, aber deutlich kleiner und im Aufwand bescheidener, die beiden in den ›V.-Briefen‹ beschriebenen Plinius-V. in Laurentum und → Tusculum) als die baulich kompakt gehaltenen V. in unmittelbarer Stadtnähe wie z. B. die Diomedes-V. und die *Villa dei Misteri* bei → Pompeii, die *Villa di Settefinestre* bei Cosa oder die Pisonen-V. (*Villa dei Papiri*) bei → Herculaneum. Bevorzugte Standorte der *otium*-V. waren zunächst die Hügel im Umkreis der Stadt Rom (welche in einer Tagesreise erreichbar blieb), ferner die Küsten des südl. Latium und Campaniens sowie die Uferzonen der größeren nord- und mittel-it. Seen.

IV. DIE SPÄTANTIKE DOMÄNE

Die seit der Mitte des 2. Jh. v. Chr. zu konstatierende Trennung von *v. rustica* und *otium*-V. war auf It. beschränkt und kam auch dort spätestens mit Beginn des 3. Jh. n. Chr. aus der Mode. Die Krise des Imperium Romanum in der Zeit der Soldatenkaiser, insbesondere der Zusammenbruch der Stadtkultur in jenen Jahren (Verarmung der *decuriones*, vgl. → *decurio* [1]; *munera*, vgl. → *munus* II.) hatte das im Zuge der → Landflucht erfolgte Aufblühen eines ländlichen Domänenwesens zur Folge, das im Licht der arch. Überl. weniger in It. als in den Prov. markant in Erscheinung trat. Die V. war hier

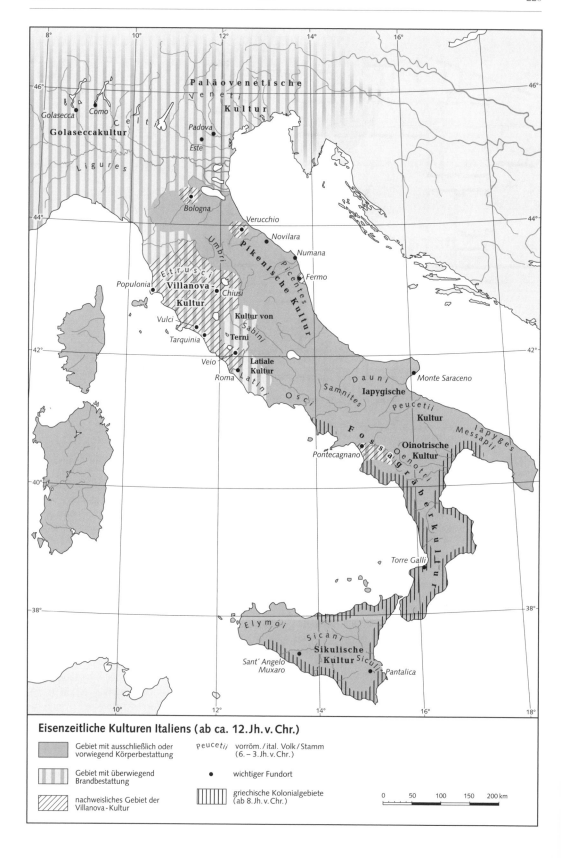

Eisenzeitliche Kulturen Italiens (ab ca. 12. Jh. v. Chr.)

Gebiet mit ausschließlich oder
vorwiegend Körperbestattung

Peucetii vorröm./ital. Volk/Stamm
(6. – 3. Jh. v. Chr.)

Gebiet mit überwiegend
Brandbestattung

● wichtiger Fundort

nachweisliches Gebiet der
Villanova-Kultur

griechische Kolonialgebiete
(ab 8. Jh. v. Chr.)

0   50   100   150   200 km

wieder integraler Bestandteil eines landwirtschaftlichen Betriebs, ohne allerdings auf repräsentativen Bau- und Ausstattungsluxus zu verzichten. Dabei geriet sie des öfteren zum »Palast« einer nach außen abgeschotteten »Welt im Kleinen«: weit abseits der Stadt und dabei bisweilen regelrecht verborgen plaziert (→ Piazza Armerina, mit Abb.), von Mauern, Türmen und Toranlagen mit nun durchaus ernst gemeintem Defensivcharakter umgeben, überreich mit → Mosaiken, Malerei und Plastik ausgeschmückt, zugleich um ein bis dahin in der V.-Architektur unbekanntes bauliches Zentrum, eine basilika-ähnliche *aula regia* für repräsentative Empfänge der Domänenherren ergänzt, die die Funktion der Anlage als Herrschaftsarchitektur im Rahmen frühfeudalistisch-großagrarischer Strukturen unmißverständlich klarmachte.

Die spätant. → Domäne wurde in ihrer baulichen Gestalt wie auch in ihrer generellen Funktionsweise in Lit. und bildender Kunst des 3., 4. und 5. Jh. des öfteren thematisiert (bildliche Darstellungen: Dominus-Iulius-Mosaik aus → Karthago sowie die V.-Mosaiken aus → Thabraca/Tabarka in Tunis; Venus-Mosaik aus → Cuicul/Djemila; Silberschale von Augusta [4] Raurica/Kaiseraugst; Deckelrückseite des Proiecta-Kastens aus dem Esquilin-Schatz in London, BM).
→ Garten, Gartenanlage (mit Abb.); Großgrundbesitz; Haus II.D. (mit Abb.); Landschaft (s. Nachträge); Landwirtschaft; Muße; Palast (mit Abb.); VILLA

M. BEAGON, Roman Nature, 1992 · R. BENTMANN, M. MÜLLER, Die V. als Herrschaftsarchitektur, ³1992 · H. DRERUP, Die röm. V., in: Marburger Winckelmannprogramm 1959, 1–24 · B. FEHR, Plattform und Blickbasis, in: Marburger Winckelmannprogramm 1969, 1–65 · R. FÖRTSCH, Arch. Kommentar zu den Villenbriefen des jüngeren Plinius, 1993 · P. GROS, L'architecture romaine, Bd. 2, 2001, 265–378 (mit ausführlicher Bibliogr.) · H. MIELSCH, Die röm. V.: Architektur und Lebensform, 1997 · R. NEUDECKER, Die Skulpturenausstattung röm. V. in It., 1988 · F. REUTTI (Hrsg.), Die röm. V., ²1990 · K. SCHNEIDER, V. und Natur. Eine Studie zur Oberschichtkultur im letzten vor- und ersten nachchristl. Jh., 1995 · L. SCHNEIDER, Die Domäne als Weltbild. Wirkungsstrukturen der spätant. Bildersprache, 1983 · P. ZANKER, Die V. als Vorbild des späten pompejanischen Wohngeschmacks, in: JDAI 94, 1979, 460–523.
KARTEN-LIT.: CH. HÖCKER, Golf von Neapel und Kampanien, 1999 · R. J. A. TALBERT (Hrsg.), Barrington Atlas of the Greek and Roman World, 2000, 44. C. HÖ.

Villa-Giulia-Maler. Attisch rf. Vasenmaler der frühen Klassik (470–450 v. Chr.), benannt nach einem fragmentierten Kelchkrater (Rom, VG 909) mit einem Reigen tanzender Frauen. Nach BEAZLEY [1] war er ein Vertreter des *academic wing of early classic vase-painting*, dessen beste Werke sich durch *a quiet nobility* auszeichnen. Er war ein vielseitiger Maler, der ein großes Repertoire unterschiedlichster Gefäßformen bemalte und verschiedene (auch wgr.) Maltechniken beherrschte.

Neben Standardthemen – feierliche Götterversammlungen und Libationsszenen, ein König und zwei Frauen (häufiges Rückseitenbild), Athleten, Frauen bei der Herstellung von Wolle – finden sich in seinem Werk auch erzählende Mythenbilder (→ Medeia und die Töchter des → Pelias, → Perseus [1] und Medusa u. a.) und ungewöhnliche Motive (Satyrfamilie, Frau mit schlafendem Kind an der Schulter). Die meisten seiner Stamnoi zeigen Bilder von Frauen, die als → Mänaden an einem Kultpfeiler mit Dionysosmaske ein Fest feiern, meist als Darstellung der → Lenaia interpretiert.

Sorgfältige Ausführung und ruhige, harmonisch wirkende Kompositionen mit Figuren in verhaltener Bewegung kennzeichnen die Bilder des V.-G.-M. Seine Schalenbilder stehen in der Werkstatt-Trad. des → Brygos-Malers. Seine Nachfolger sind der → Chicago- und der Methyse-Maler.

1 BEAZLEY, ARV², 618–626 2 BEAZLEY, Addenda², 270 f. 3 M. ROBERTSON, The Art of Vase-Painting in Classical Athens, 1992, 169–172, Abb. 178–181 4 J. BOARDMAN, Rf. Vasen aus Athen. Die klass. Zeit, 1996, 17 5 A. LEZZI-HAFTER, s. v. Vase painters, § II: Villa Giulia Painter, Dictionary of Art 32, 1996, 69 f. I. W.

Villanova-Kultur. Die V. gehört zu den bedeutendsten eisenzeitlichen Kulturerscheinungen im frühen It. (9. Jh. bis letztes Viertel des 8. Jh. v. Chr.). Die Unterteilungen sind nicht im gesamten Gebiet der V. einheitlich, doch wird generell von einer Frühphase (ca. 900–820 v. Chr.), einer Übergangsphase (ca. 820–770) und einer Endphase (ca. 770–730) ausgegangen. Das eigentliche Kerngebiet der V. deckt sich mit dem ant. Etrurien (→ Etrusci, Etruria, dem h. nördlichen Latium und der Toscana, doch erfolgten schon in der Frühphase Ausgriffe über den Apenninkamm hinweg nach Norden in die Poebene um Bologna und in das Gebiet um Rimini. Der V. sehr ähnliche Merkmale finden sich auch im heutigen Salernitano mit den Hauptorten → Sala Consilina und → Pontecagnano sowie im Gebiet um Fermo an der Adriaküste.

Kennzeichnend für die V. sind Brandbestattungen in bikonischen Urnen mit umgedrehter Schale als Deckel. In der Frühphase mit sehr wenigen Beigaben ausgestattet, weisen die Gräber seit dem 8. Jh. v. Chr. eine deutliche Differenzierung auf, die mit der Ausbildung von Rangstufen innerhalb der Ges. erklärt wird: Neben der zunehmenden Verwendung von Eisen zeigt sich diese in erster Linie in Trachtbestandteilen und zumeist aus Br. gefertigten Waffen. Typische Elemente sind bei den Frauen Kettengehänge, rautenförmige Ziergürtel, Fibeln und Gegenstände aus der Textilverarbeitung. Die Männer erhielten als Grabbeigaben einschneidige halbmondförmige Rasiermesser, Helme mit brn. Kamm, Rundschilde und zweischneidige Stichschwerter. Gemeinsam ist diesen getriebenen Br.-Objekten die verschwenderische Verzierung mittels Punzen, wie sie auch für die metallenen Gefäße (Schalen oder Urnen) üblich war.

Siedlungsreste sind bisher nur sporadisch erh., z. B. Tarquinia, Veii. Rückschlüsse auf die Hausformen lassen die Urnen in Gestalt kleiner Hütten zu, daneben sind Hausfundamente mit ovalem oder rechteckigem Grundriß überl. Die Hauptfundorte (Veii, Tarquinia, Vulci, Vetulonia, Populonia, Volterra, Bisenzio, Chiusi) entsprechen späteren Siedlungen der Etrusker. Da zw. der V. und der »orientalisierenden« Phase der etr. Kultur (7. Jh. v. Chr.) keine Zäsur besteht – die engen Kontakte mit der griech. Welt und Sardinien setzten schon im 8. Jh. v. Chr. ein (→ Kolonisation V.) –, ist die V. als Vor- bzw. Frühstufe der etr. Kultur zu bezeichnen.

→ Bononia [1]; Clusium; Tarquinii; Veii; Visentium; Volaterrae; Volci

G. Bartoloni, La cultura villanoviana, 1989 · F. di Gennaro, Forme di insediamento tra Tevere e Fiora dal Bronzo Finale al principio dell'età del Ferro, 1986 · A. Guidi, La necropoli veiente dei Quattro Fontanili nel quadro della fase recente della prima età del ferro italiano, 1993 · C. Iaia, Simbolismo funerario e ideologia alle origini di una civiltà urbana, 1999 · M. Pallottino, Riflessioni sul concetto di villanoviano, in: H. Blanck, S. Steingräber (Hrsg.), Miscellanea archeologica. FS T. Dohrn, 1982, 67–71 · Ders., Italien vor der Römerzeit, 1987, bes. 58 · S. Tovoli, Il sepolcreto Benacci-Caprara, 1989.   C. KO.

Villius

[1] V., Ap. Livius (3,54,13) führt V. als *tr. pl.* 449 v. Chr. an unter denen, die nach dem Ende des Dezem-virats (→ *decemviri* [1]) in dieses Amt ›mehr wegen der (in sie gesetzten) Hoffung als wegen ihrer Verdienste gewählt‹ wurden.   C. MÜ.

[2] V. Annalis, L. Brachte 180 v. Chr. als Volkstribun ein für die weitere Ausgestaltung des → *cursus honorum* grundlegendes Gesetz über Altersgrenzen ein, das die Konkurrenz um die Ämter regelte [1]. Dabei handelte er im Einvernehmen mit dem Senat, was ihm und seinen Nachkommen das ehrende Cognomen *Annalis* eintrug (Liv. 40,44,1). 171 war er → *praetor peregrinus* (Liv. 42,28,5; 42,31,9).

→ Nobiles

1 W. Kunkel, Staatsordnung und Staatspraxis der röm. Republik, 1995, 45 f.   TA. S.

[3] V. Annalis, L. Zeuge des SC vom 29.9.51 v. Chr. (Cic. fam. 8,8,5), wohl Praetor vor 57. V. war vielleicht ein Bekannter des Q. Tullius [I 11] Cicero (Cic. ad Q. fr. 3,1,20) und der 55 von M. Licinius [I 11] Crassus blutig geschlagene Senator (Plut. Crassus 35,3 = comparatio Nikias-Crassus 2,2 = 565f). 43 wurde V. proskribiert und vom eigenen Sohn den Mördern verraten (App. civ. 4,69f.).

[4] V. Annalis, Sex. Freund des T. Annius [I 14] Milo, wurde während einer Liebschaft mit Cornelia [I 5] Fausta verprügelt (Cic. fam. 2,6,1; Hor. sat. 1,2,64–67). 66 v. Chr. vielleicht Zeuge gegen C. Fundanius [1].   JÖ. F.

[5] V. Tappulus, L. Erreichte 213 v. Chr. als plebeiischer Aedil, daß mehrere wegen Unzucht (→ *stuprum*)

von ihm vor dem Volksgericht angeklagte Ehefrauen verurteilt und ins Exil geschickt wurden. Die → *ludi* (III. F.) *plebei* veranstaltete er mit einem Festmahl (*epulum*, vgl. → *epulo* [2]) zu Ehren Iuppiters (Liv. 25,2,9 f.). Wegen des großen Zeitabstandes ist es unsicher, ob er mit dem 199 für Sardinien zuständigen gleichnamigen Praetor identisch ist (Liv. 31,49,12; 32,1,2).

[6] V. Tappulus, P. Veranstaltete 204 v. Chr. als plebeiischer Aedil → *ludi* (III. F.) *plebei* mit Festmahl (*epulum*, vgl. → *epulo* [2]) zu Ehren Iuppiters und wurde fürs kommende Jahr zum Praetor für Sizilien gewählt (Liv. 29,38,4; 8). Obwohl sein *imperium* angeblich gerade nicht das Kommando über die Flotte dort umfaßte, soll genau ihm eben dieses 202 prorogiert worden sein (Liv. 30,1,9; 30,27,8; 30,41,6). 201 war er Miglied einer Landverteilungskommission in Samnium und Apulien (Liv. 3,4,3). 199 Consul, übernahm er erst spät im Jahr das Kommando im Krieg gegen → Philippos [7] V. und hatte sich in Apollonia [1] zunächst mit erheblichem Widerwillen der Soldaten auseinanderzusetzen, die sich über den andauernden Kriegsdienst in heimatfernen Gebieten beschwerten (Liv. 32,3,2–7; → Illyrische Kriege, s. Nachträge). An einem für 198 von Valerius [III 2] Antias überl. Sieg zweifelte schon Livius mit gutem Grund (Liv. 32,6,5–8); mitten in den Operationen wurde er von T. Quinctius [I 14] Flamininus abgelöst (Liv. 3,6,4; Plut. Flamininus 3,4 = 370c; Zon. 9,16). Unter diesem amtierte er 197 als Legat (Liv. 32,28,12) und später in der vom Senat eingesetzten Zehnmännerkommission erst für die Verhandlungen mit Philippos und dann für die Neuordnung Griechenlands (Pol. 18,42,5; Liv. 33,24,7). 196 und 193 nahm er an den ergebnislosen Gesandtschaften an Antiochos [5] III. teil; während der zweiten Reise konferierte er auch mit → Eumenes [3] II. und mit → Hannibal [4] (Pol. 18,48,3; 18,50,2–52,5; Liv. 35,13,6–35,14,4; 35,15,1–35,17,2) mit [1]). Während des Antiochos-Krieges bemühte er sich erfolglos um die Bewohner von Magnesia [1] als Verbündete (Liv. 35,39,4–8).

1 Gruen, Rome, 222–224.   TA. S.

Viminacium. Röm. Legionslager und Zivilsiedlung in → Moesia Superior (Ptol. 3,9,3: Οὐιμινάκιον; Prok. aed. 4,5,17; 4,6,1: Βιμινάκιον; Eutr. 9,20,2; Not. dign. or. 41,5;16;31;38; Itin. Anton. 133,2 f.; 217,5; Itin. Burdig. 564,8: *civitas Viminatio*; Tab. Peut. 7,2: *Viminatio*) beim h. Kostolac (Serbien). Die Siedlung lag im Gebiet der kelt. → Scordisci am rechten Ufer der Mlava nahe der Mündung in den → Istros [2] (h. Donau).

Der erste röm. Vorstoß hierher erfolgte in den J. 12/11 v. Chr., die Festigung der röm. Stellung im 1. Jh. n. Chr. Der Aufstieg von V. in röm. Zeit war durch seine strategische Lage bedingt. Als Besatzungstruppen sind die *legio IV Flavia* (evtl. seit 86 n. Chr.) und die *legio VII Claudia* (evtl. seit 98 n. Chr.) belegt. Während der Feldzüge unter Traianus gegen die → Dakoi diente V. offenbar als Sitz des röm. Oberkommandos. Die Zivilbevölkerung lebte in den *canabae* und war in einem *con-*

ventus civium Romanorum organisiert, aus dem unter Hadrianus das → *municipium* entstand. Die Blüte von V. erfolgte in severischer Zeit. Zur → *colonia* wurde V. 239 n. Chr. erhoben. Die Stadt besaß günstige Fluß- und Straßenverbindungen und war Sitz des Procurators von Moesia. Von 239 bis 258 war V. Münzstätte. Im J. 196 (?) wurde bei V. → Caracalla zum Caesar proklamiert (ILS 445); 285 n. Chr. siegte → Diocletianus in der Nähe der Stadt über → Carinus (Eutr. 9,20,2). In der Spätant. war V. Hauptstadt der Moesia I; hier waren die *legio VII Claudia* (Not. dign. or. 41,31) und eine Reitereinheit stationiert (Not. dign. or. 41,16). V. war auch Sitz des *praefectus* [7] *classis Histricae* (Not. dign. or. 41,38). 535 n. Chr. wurde in V. ein Erzbistum eingerichtet (Nov. 11). 441 n. Chr. verwüsteten → Hunni unter → Attila die Stadt (Priskos fr. 2). Unter Iustinianus [1] I. wiederaufgebaut, wurde V. 582 von den → Avares völlig zerstört.

Ergraben hat man die Umwallung des ersten Lagers, Straßenzüge und Teile des Drainage-Systems, Gebäude mit Hypokaustenheizung, Nekropole mit Kammergräbern.
→ Moesi, Moesia (mit Karte)

TIR L 34 Budapest, 1968, 119 · A. Mócsy, Ges. und Romanisation in der röm. Prov. Moesia Superior, 1970, 145–158 · Ders., Pannonia and Upper Moesia, 1974, 139f., 218f., 225f., Index · M. Mirković, Röm. Städte an der Donau in Obermoesien, 1968, 56–73, 164f. · Dies., Inscriptions de la Mésie Supérieure, Bd. 2, 1986, 21–59 (Introduction historique). J.BU.

Viminalis. Einer der sieben Hügel der Stadt Rom (→ Roma III. A. mit Karte 1), zw. → Mons Quirinalis und → Esquiliae gelegen. In der frühen Kaiserzeit ein vornehmes Wohnviertel (Mart. 7,73,2), an der Wende zum 4. Jh. n. Chr. wurde im NO des Hügels die riesige, von Kaiser Diocletianus gestiftete Thermenanlage errichtet (→ Thermen II. D.).

Richardson, 431, s. v. V. (mit Quellen). C.HÖ.

Vinalia. Name von zwei röm. Weinfesten, den V. Priora am 23. April (InscrIt 13,2,446f.) und den V. Rustica am 19. August (InscrIt 13,2,497f.). An den V. Priora brachte man verm. → Iuppiter, dem das Fest geweiht war, vom neuen Wein dar, der zu dieser Zeit in den Handel kam (Plin. nat. 18,287; Ov. fast. 4,863f.; Plut. qu.R. 45). Die Besänftigung des Wetters an den V. Rustica hatte ebenfalls Iuppiter zum Adressaten (Plin. nat. 18,284). Auch das dritte röm. Weinfest, die → Meditrinalia am 11. Oktober, war wahrscheinlich Iuppiter geweiht. Varro (rust. 1,1,6) nennt statt Iuppiter → Venus als die Adressatin der V. Rustica, vielleicht weil auch ihr ältester stadtröm. Tempel am 19. August dediziert worden war; allerdings ist 295 v. Chr., das Jahr der Einführung ihres öffentlichen Kultes in Rom, ein zu später Zeitpunkt für ein altes röm. Weinfest (Liv. 10,31,9), so daß die hier auftretende Diskrepanz wohl eher einen theologischen Disput zw. Varro und Verrius Flaccus

(Fest. 322 L.) widerspiegelt. Die genauen Termine solcher Weinfeste konnten v. a. in den Provinzen variieren (Dig. 2,12,4).
→ Wein

F. Bömer, Iuppiter und die röm. Weinfeste, in: RhM 90, 1941, 30–58 · G. Dumézil, Fêtes romaines d'été et d'automne, 1975, 87–97. C.R.P.

Vinarius s. Wein (II. B.)

Vincentius von Lerinum I. Leben II. Werke

I. Leben

V. von Lerinum (Lérins) starb vor 450 n. Chr., vielleicht um 435. Nach → Gennadius (De viris illustribus 65) und → Eucherius [3] (De laude heremi 42; Instructiones I, praef. p. 66,5 Wotke) wurde er in Nordfrankreich geb. und verfolgte einen profanen Lebenslauf, bevor er sich vor 427 als Priestermönch auf der kleineren der beiden Inseln Lerinum/Lérins vor Cannes niederließ (Saint-Honorat), die v. a. adligen Flüchtlingen aus Gallien als »Flüchtlingskloster« dienten [5]. Die Abgeschiedenheit des Ortes beschreibt V. mit traditionellen Topoi als Flucht vor dem »Getriebe der Städte« (Commonitorium 1,4). Er verwendete elegantes Latein und war offenkundig gut gebildet, beherrschte wahrscheinlich auch das Griechische.

II. Werke

Unter dem Pseudonym *Peregrinus* verfaßte V. gegen 434 – zunächst wohl zum Privatgebrauch – 2 B. eines antihäretischen Werkes, die er als ›Merkbücher‹ (*Commonitoria*) bezeichnete und als Zusammenfassung der mehrheitskirchlichen Lehre anlegte. Das 2. B. ist bis auf Reste verloren. Ein zweiter, ebenfalls belegter Titel, *Tractatus pro catholicae fidei antiquitate et universitate adversus profanas omnium haereticorum novitates*, ist sekundär; Versuche, den letztgenannten Titel einem anderen Autor zuzuschreiben, haben sich nicht durchsetzen können. Das Werk wendet sich gegen solche trinitätstheologischen und christologischen Lehrbildungen, die durch die großen Reichskonzilien des 4. u. 5. Jh. als → Häresie verurteilt worden waren (z. B. gegen die des → Nestorios). Berühmt geworden ist die Definition der kirchlichen Trad., die neben der Bibel axiomatischen Status hat: *In ipsa item catholica ecclesia magnopere curandum est, ut id teneamus quod ubique, quod semper, quod ab omnibus creditum est. Hoc est etenim vere proprieque catholicum.* ›Ebenso ist in der »katholischen« Kirche sehr darauf zu achten, daß wir das festhalten, was überall, was immer, was von allen geglaubt wird: Das ist nämlich wahrhaftig und im eigentlichen Sinne »katholisch«.‹ (2,5). Eine Entwicklung dieses Traditionsgutes gibt es nur in Form seines vertieften Verständnisses (23,4). In Form und Inhalt gibt es Anknüpfungen an die Schrift *De praescriptione haereticorum* des → Tertullianus [2].

Bei einer Reihe weiterer Texte ist die Zuschreibung an V. diskutiert worden, aber nicht zu belegen: Das sogenannte *Athanasianum* (*Quicumque vult . . .*), ein spätant.

gallisches Glaubensbekenntnis, könnte von → Caesarius [4] von Arelate oder V. stammen [2]. Da es unwahrscheinlich ist, daß die Vorlage der *Obiectiones Vincentianae* des → Prosper von Aquitanien (PL 51, 177–186) von V. stammt (so [3], anders [4]), kann man V. aufgrund der darin geäußerten Ansichten auch nicht zu den Gegnern des → Augustinus in Lerinum zählen (sogenannter »Semipelagianismus«: → Pelagius). Vielmehr verteidigt er, wie *Excerpta sanctae memoriae Vencentii Lirinensis insulae presbyteri ex universo beatae recordationis Augustini episcopi in unum collecto* zeigen, kirchliche Trinitätstheologie und Christologie gerade mit Texten des nordafrikanischen Bischofs. Nur im Blick auf die Vorstellung von einer göttlichen Prädestination folgt er – wie viele Mönche – nicht dessen radikaler Position.

→ Trinität

1 C. M. KASPER, Theologie und Askese. Die Spiritualität des Inselmönchtums von Lérins im 5. Jh., 1991 2 J. N. D. KELLY, The Athanasian Creed, 1964 (mit Ed.) 3 H. KOCH, V. v. L. und Gennadius (TU 31.2), 1907 4 W. O'CONNOR, St. Vincent of L. and St. Augustine, 1964 5 F. PRINZ, Frühes Mönchtum im Frankenreich (4. bis 8. Jh.), ²1988 6 M. VESSEY, »Opus Imperfectum«. Augustine and His Readers 426–435 A. D., in: Vigiliae Christianae 52, 1998, 264–285 7 CPL 510/511.
ED.: R. DEMEULENAERE, CCL 64, 1985, 147–195; 199–231.
C. M.

Vincula (wörtl. »Fesseln«). Schon nach den XII Tafeln (tab. 3,3; → *tabulae duodecim*) konnte der Gläubiger zum Zwecke der Zwangsvollstreckung den Schuldner in *v.* legen. Damit wurde eine Schuldhaft begründet. Sie zielte zunächst auf die Erzwingung der Schuldzahlung durch den Schuldner selbst oder einen Dritten, war aber auch Durchgangsstadium dazu, über den Schuldner persönlich nach Ablauf einer Frist zu verfügen, ihn z. B. in die → Sklaverei zu verkaufen oder ihn in Schuldknechtschaft der Summe, zu der er verurteilt war, abarbeiten zu lassen. Auf diese vorläufige Funktion der *v.* spielt noch eine Äußerung Ulpians (Dig. 48,19,8,7) über den → *carcer* (Kerker) an, wonach die Haft nicht zur Strafe diene, sondern zur Verwahrung. *Carcer* und *v.* werden vielfach syn. gebraucht. Die privaten *v.* in diesem Sinne wurden aber offenbar durch die *lex Poetelia* (wohl 326 v. Chr.) stark eingeschränkt. Eine privat(rechtlich)e Maßnahme blieben aber die *v.* als Strafe für Sklaven. Sie mußten ihre Arbeit gefesselt verrichten und wurden für die Nacht ins → *ergastulum* gesperrt. Auch *v. publica* (öffentliche *v.*) waren – wiederum verbunden mit Haft in einem → *carcer* – als Maßnahme des Magistrates möglich. Diese Befugnis ergab sich aus der → *coercitio* (Zwangsgewalt). Praktisch handelte es sich um Festnahme und Untersuchungshaft zur Vorbereitung eines Strafverfahrens. Gegen die *v.* war – wie gegen andere Maßnahmen der Koerzition – → *provocatio* möglich. Durch die *lex Iulia de vi* (1. Jh. v. Chr.) wurden die *v. publica* gegenüber freien Bürgern wohl überhaupt unterbunden. Später kamen sie aber wieder vor, seit dem 3. oder 4. Jh. n. Chr. nun auch als Maßnahme der Strafvollstreckung (Paul.

sent. 5,17,2), nämlich als zeitlich beschränkte Freiheitsstrafe.
→ Manus iniectio; Strafe, Strafrecht III.

TH. MAYER-MALY, s. v. V., RE 8 A, 2198–2206.   G. S.

Vindalium. Stadt in der Gallia Narbonnensis, in vorröm. Zeit *oppidum* der Cavares, nordöstl. von Avennio (h. Avignon), am Ufer der Sorgue (*Vindelicus amnis* bei Flor. epit. 1,37,4; Isid. orig. 9,2,96; Σούλγας/*Súlgas* bei Strab. 4,1,11), nahe der Mündung in den → Rhodanus, wohl bei Mourre-de-Sève (Dép. Vaucluse) zwischen Sorgues und Vedène gelegen. Im J. 121 v. Chr. besiegte dort Cn. Domitius [I 3] Ahenobarbus die → Allobroges (Liv. epit. 61; Plin. nat. 7,166; Oros. 5,13,2; Suet. Nero 2; Strab. 4,1,11).

G. BARRUOL, Les peuples préromains du Sud-Est de la Gaule, 1969, 242.   MI. PO.

Vindelici (Οὐινδόλικοι). Keltisches Volk auf der oberbayerisch-oberschwäbischen Hochebene, wohl auch in Vorarlberg und Tirol. Nach der Inschr. am Tropaeum Alpium (→ Tropaea Augusti; vgl. CIL V 7817; Plin. nat. 3,136f.; CIL V 4910: *Vindolici*) gab es mindestens vier Teilstämme der V.; nach Plin. nat. 1,133 zählten viele Teilstämme zu den V. Strab. 4,6,8 rechnet zu den V. die Likattioi (→ Licates, mit → Damasia), die Klautenatioi (Κλαυτηνάτιοι), die wohl eher raetischen → Vennones, die Estiones (Ἐστίωνες, mit Cambodunum [1]/h. Kempten) und die Brigantioi (Βριγάντιοι, mit → Brigantium/Bregenz); Ptol. 2,13,1 nennt außerdem noch die Rhunikatai (Ῥουνικάται), Leunoi (Λεῦνοι) und Konsuantai (Κωνσούανται; Ptol. 2,12,1). Nach der Eroberung des V.-Gebiets rekrutierten die Römer bei den V. (Cass. Dio 54,22,5); so erwähnt Tac. ann. 2,17,4 vier Cohorten der V. Das Gebiet der V. wurde spätestens unter Claudius [III 1], wahrscheinlich schon unter Tiberius [1] zusammen mit dem inneralpinen Raum (→ Raeti, mit Karte) zur Prov. Raetia et Vindelicia zusammengefaßt. Der nachmalige Hauptort dieser Prov., Augusta [7] Vindelicum/Augsburg, lag wohl im Stammesgebiet der V.

Hor. carm. 4,4,17ff. zufolge kämpfen V. mit Amazonenbeilen.

R. HEUBERGER, s. v. V., RE 9 A, 1–17.   G. H. W.

Vindemia s. Wein II. C.

Vindemitor. Name eines → Satyrs, des Lieblingsknaben des → Dionysos, nach seiner Verstirnung (vorher → Ampelos [4]; Ov. fast. 3,407f.). V. ist die seit augusteischer Zeit gebräuchliche lat. Übers. des Sternes Protrygeter (Προτρυγητήρ) (mod.: ε Virginis; Vindemiatrix).
CA. BI.

Vindex

[1] *V.* (wohl mit derselben Etym. wie → *vindicta*) war ein Bürge im röm. → Prozeßrecht. Er spielte in zwei verschiedenen Verfahrensabschnitten eine Rolle – bei der Ladung und der Vollstreckung, jeweils im Zusammenhang mit der → *manus iniectio* (persönlichen Vorführung). Sie war nach den XII Tafeln (tab. 1,1; → *tabulae duodecim*) zulässig, wenn der Beklagte der klägerischen Aufforderung, vor dem Gerichtsmagistrat zu erscheinen (→ *vocatio in ius*) nicht freiwillig Folge leistete. Einer solchen legalen Gewaltanwendung durfte sich der Betroffene nicht selbst, sondern nur mit Hilfe eines Dritten, eben eines *v.*, entziehen. Dieser übernahm die Haftung dafür, daß der Beklagte vor dem Magistrat erscheinen werde. Weil es hierbei um eine Sicherheit für den Kläger ging, mußten nach den XII Tafeln (tab. 1,4) die Vermögensverhältnisse von *v.* und Beklagten gleichwertig sein. Ferner begegnet die *manus iniectio* bei der die Zwangsvollstreckung einleitenden → *legis actio per manum iniectionem* (Lex XII, tab. 3,1–6). Auch diesem – wegen der gerichtlich festgestellten Schuld noch drückenderen – Zugriff konnte sich der Schuldner nur mit Hilfe eines Vollstreckungs-*v.* entziehen (*manum depellere*, »die Hand wegstoßen«). Voraussetzung hierfür war allerdings der Nachweis des *v.*, daß die persönliche Haftung des Schuldners und somit der handgreifliche Zugriff als deren Symbol unberechtigt war, daß also insbes. die in Frage stehende Schuld nicht (mehr) bestand. Andernfalls mußte nunmehr anstelle des Schuldners der *v.* unmittelbar (→ *addictus*) für die Schuld einstehen. Im Formularverfahren (→ *formula*) begegnet nur mehr der Ladungs-*v.*, dessen Haftung neben die des Beklagten tritt.

→ Prozeßrecht

M. KASER, K. HACKL, Das röm. Zivilprozeßrecht, ²1996, 66 ff.; 138 f.; 224 f.   C. PA.

[2] (βίνδιξ). Bezeichnung eines oström. Beamten, der seit → Anastasios [1] I. in den Stadtgemeinden anstelle der → *curiales* [2] für die Erhebung der Steuern, v. a. der *annona* (→ *cura annonae*), verantwortlich war. Die *vindices* (wörtl. »Bürgen«), die dem → *praefectus praetorio* unterstanden, hafteten nach dem System der Steuerpacht für die Ablieferung der Steuern an den Staat. Unter → Iustinianus [1] I. wurde die Steuerhaftung mehr und mehr an die Provinzgouverneure delegiert, nach seinem Tod (565 n. Chr.) ist das Amt nicht mehr bezeugt.

→ Steuern (V.)

W. ENSSLIN, s. v. V. (2), RE 9 A, 25–27.   F. T.

[3] s. Caesellius Vindex
[4] s. Iulius [II 150]

Vindicatio s. Rei vindicatio

Vindicianus. Helvius V., Arzt des 4. Jh. n. Chr., afrikanischer Herkunft, Lehrer des → Theodorus [3] Priscianus. V. hatte – wohl im J. 382 – Kontakt mit → Augustinus. Seine polit. Karriere schloß er mit einem Prokonsulat in Africa ab, wo er, nachdem er verm. 379 *comes archiatrorum* gewesen war, sich als Arzt betätigte. V. wird im *Codex Theodosianus* erwähnt (Cod. Theod. 10,19,9: 378 n. Chr.; 13,3,12: 379).

V. verfaßte mehrere, h. bis auf die Vorworte (*praefationes*) oder Fr. verlorene, durch die griech. Medizin beeinflußte Abh.: (1) eine Slg. von Rezepten, von der einzig die *Epistula ad Valentinianum* bei → Marcellus [8] überl. ist (CML 5, ²1968, pp. 46–53); (2) eine Einführung in die Physiologie in Form einer *Epistula ad Pentadium*, den er als *nepos* bezeichnet [1. 484–492]; (3) ein anatomisches Werk, aus dem lediglich Fr. mit den Überschriften *Gynaecia* [1. 426–463] und *De semine* [2] sowie einige Abschnitte einer *Epitome altera* [1. 467–483] überl. sind; (4) evtl. ein weiteres anatomisches Werk, aus dem das Fr. mit dem Titel *De natura generis humani* [3] und einige weitere Fr. aus der *Epitome altera* stammen.

Die vorliegenden Fr. aus (3) und (4) und deren unterschiedliche Fassungen sind das Ergebnis spätant. Überarbeitungen. Das gesamte Werk wurde im MA durchgehend benutzt.

1 V. ROSE, Theodori Prisciani Euporiston libri III, 1894
2 M. WELLMANN, Die Fr. der sikelischen Ärzte, 1901, 208–234 3 M. VAZQUEZ BUJÁN, Vindiciano y el tratado De natura generis humani, in: Dynamis 2, 1982, 25 f.

W. ENSSLIN, K. DEICHGRÄBER, s. v. V. (2) Avianus, RE 9 A, 29–36 · K.-D. FISCHER, Bibliogr. des textes médicaux latins. Premier supplément, 2000, 52 f. · J. KOLLESCH, Therapeutische Grundsätze im Werk des Vindician (NTM 3), 1966, 27–31 · P. MIGLIORINI, Dalla realtà al testo, in: G. SABBAH (Hrsg.), Le latin médical, 1991, 367–378 · PLRE 1, 967 · G. SABBAH et al., Bibliogr. des textes médicaux latins, 1987, 154–157 · L. ZURLI, L'epistola a Pentadio (e altre reliquie) di Vindiciano, in: N. SANTINI et al. (Hrsg.), Prefazioni, prologhi, proemi di opere tecnico-scientifiche latine, Bd. 2, 1992, 453–462.   A. TO./Ü: M. KRA.

Vindicius (auch *Vindex*: Pomp. Dig. 1,2,2,24). Eine Legendengestalt der röm. Geschichtsschreibung, z. B. Liv. 2,4,5–10. V. soll als Sklave eine Verschwörung der Tarquinii (vgl. → Tarquinius [7; 12]) zur Wiederherstellung der Königsherrschaft im J. 509 v. Chr. entdeckt haben. Zur Belohnung soll er freigelassen und in den röm. Bürgerstand aufgenommen worden sein. Möglicherweise diente diese Legende zur »histor.« Erklärung dafür, daß die → Freilassung nach röm. Recht zum Erwerb des → Bürgerrechts führte, nicht nur – wie in anderen ant. Rechten – zu einem minderen Status (s. → Freigelassene). Der Name V. bezieht sich auf den Vorgang der → Freilassung (*manumissio*) durch ein Rechtsgeschäft unter Lebenden: Bei dieser *manumissio vindicta* wurde nach Art eines »gestellten« Prozesses von einem »klagenden« Treuhänder die → *vindicta* (Stab) an den Sklaven angelegt (vgl. → Freilassung C.). Der (bisherige) Eigentümer schwieg dazu, so daß vom Praetor nach der Behauptung des »Klägers«, der Sklave sei frei, entschieden wurde.

H. GUNDEL, s. v. V., RE 9 A, 37–39.   G. S.

Vindicta. Im röm. Gerichtsverfahren der → *legis actio sacramento in rem* (»gesetzlichen Klage auf die Sache«) der Stab, der symbolisch an den Sklaven oder die Sache angelegt wurde, um den Anspruch des Klägers und den Gegenanspruch des Beklagten auf die Sache sinnfällig auszudrücken. Die Etym. von *v.* ist umstritten (dazu neuestens [1. 47 f.[12]]). Am wahrscheinlichsten erscheint der Zusammenhang mit *vim dicere* (»behaupten, die – rechtmäßige – Gewalt über die Sache zu haben«).

→ Rei vindicatio

1 A. BÜRGE, Röm. Privatrecht, 1999.   G. S.

Vindinum. Hauptort der *civitas* der → Aulerci Cenomani in der Gallia Celtica, später Lugdunensis (Tab. Peut. 2,3: Subdinnum; Ptol. 2,8,9: Οὐίνδινον), h. Le Mans (Dép. Sarthe), wichtiger Verkehrsknotenpunkt an der Sarthe. Wohl spätlatènezeitliches *oppidum* im Bereich des h. Vieux Mans (kelt. Skulpturen in einer Mauer des 3. Jh. n. Chr.; gallischer Gold-Stater). »Puits funéraires« (brunnenartige Schachtgräber) aus dem 1. Jh. n. Chr. sowie Spuren eines orthogonalen Straßennetzes sind erh.; die Fläche der kaiserzeitlichen Stadt wird auf 30–40 ha geschätzt. Aus der röm. Kaiserzeit stammen die Überreste von drei Aquaedukten, einem Brunnen, einem Amphitheater.

In der Spätant. wurde V. zum *castrum* umgestaltet (500 × 200 m, ca. 10 ha), dessen Mauer eine der besterhaltenen in Gallia ist; mehrere Türme und Nebentore sind erh. In V., jetzt *civitas Cenomannorum* (Notitia Galliarum 3,2), lag eine Besatzung des *praefectus laetorum gentilium Suevorum … et Cenomannos* (sic) *Lugdunensis Tertiae* (Not. dign. occ. 42,35). Weitere spätant. Belege: *Cenomannis* (Ven. Fort. Vita Sancti Paterni 10,33); *Cenomannica urbs* (Ven. Fort. Vita Mauritii 21,113; Greg. Tur. Franc. 7,36).

R. BEDON, Atlas des villes, bourgs et villages de la France au passé romain, 2001, 187 f.   MI. PO.

Vindius Verus. Röm. Jurist, Suffektconsul 138 n. Chr. (CIL XVI 84) und Consiliar des Antoninus [1] Pius (SHA Pius 12,1), ist in Iustinianus' [1] → *Digesta* (6. Jh. n. Chr.) nur mit fünf indirekten Zitaten vertreten.

O. LENEL, Palingenesia Iuris Civilis, Bd. 2, 1889, 1223 f. · R. A. BAUMAN, Lawyers and Politics in the Early Roman Empire, 1989, 248 f. · D. LIEBS, Jurisprudenz, in: HLL 4, 1997, 106.   T. G.

Vindobona. Röm. Lager mit Zivilsiedlung am Istros [2] (Danuvius/Donau) in der → Pannonia Superior, h. Wien. Die Etym. des ON V. ist umstritten, kelt. Ursprung darf angenommen werden; der h. ON Wien geht wohl auf die slawische (?) Bezeichnung des Wienflusses zurück. Erstmals lit. bezeugt bei Ptol. 2,14,3 (Οὐι[νδ]όβονα; vgl. Tab. Peut. 5,1: Vindomana; Itin. Anton. 34,25; 34,28; Not. dign. occ. 34,25; Aur. Vict. Caes. 16,14; (Ps.-)Aur. Vict. epit. Caes. 16,12; auf Meilensteinen und Ziegeln in Abkürzung). Die ältesten Siedlungsspuren im Wiener Raum gehen auf die vorindeur. Donauländische Kultur (3. Jt. v. Chr.) zurück; es finden sich eine latènezeitliche kelt. Siedlung auf dem Leopoldsberg sowie weitere kelt. Siedlungen im h. Stadtgebiet von Wien.

Um die Mitte des 1. Jh. n. Chr. wurde hier ein Detachement (→ *vexillatio*) der *legio XV Apollinaris* aus → Carnuntum stationiert (CIL III 4570). In der 2. H. des 1. Jh. dürfte ein Hilfstruppenlager (→ *auxilia*) in unbekannter Lage (Holz-Erde-Bauweise) errichtet worden sein. Das Lager wurde nacheinander von mehreren berittenen Einheiten, darunter der *ala I milliaria Britannica* (CIL III 4575 f.; 15197), belegt [1. 86; 2. 243]. Im h. Wiener Stadtgebiet (Schwechat, *Ala nova*: Itin. Anton. 248,1; Not. dign. occ. 34,7,18) findet sich noch mindestens ein weiteres Auxiliarlager [3].

Um 100 n. Chr. begann die *legio XIII Gemina* mit dem Bau eines Legionslagers auf einer Terrasse (Hoher Markt) über dem h. Donaukanal (ant. Donaunebenarm; CIL III 15196). Die von der *legio XIV Martia Victrix* fortgeführten Baumaßnahmen wurden nach 114 n. Chr. von der *legio X Gemina* vollendet. Das Lager mit steinerner Umwehrung lag nahe dem Steilabfall zum Fluß und war von Norden, Osten und Westen durch Wasserläufe natürlich geschützt, die Südseite künstlich stark befestigt. Es hatte einen unregelmäßig rechteckigen Grundriß (Innenfläche ca. 18,5 ha). Teile der Befestigung sowie Spuren der Innenbebauung sind durch zahlreiche Grabungen bekannt. Mindestens vier Bauphasen lassen sich nachweisen: 1. Lagerneubau; 2. Wiederaufbau nach Zerstörung in den Kriegen mit den → Marcomanni (166–175 und 177–180 n. Chr.); 3. Bauperiode in der 1. H. des 3. Jh.; 4. Bauphase Anf. 5. Jh. mit weitgehender Umstrukturierung des Lagerinneren.

Rund um das Lager entstanden *canabae* (→ Heeresversorgung III.; Holz-, dann Steinbauten) mit gewerblich genutzten Bereichen, die z. T. auf Besiedlung vor Errichtung des Legionslagers zurückgehen. Außerhalb der Verteidigungsanlagen des Lagers fanden sich an dessen Ost-, Süd- und Westseite Nekropolen. Eine weitere Zivilsiedlung entwickelte sich im h. 3. Wiener Stadtbezirk, wohl aus einem → *vicus* im Zwickel von zwei Straßen hervorgegangen. Dabei handelt es sich um die Siedlungsagglomeration der einheimischen kelt.-illyrischen Bevölkerung (schnell stark romanisiert), deren ehemaliges Zentrum auf dem Leopoldsberg wohl spätestens mit dem Bau des Legionslagers aufgegeben worden war. Durch einen Angriff der Marcomanni um 166 n. Chr. wurden Lager und Siedlungen zerstört, danach wieder aufgebaut.

Kaiser Marcus [2] Aurelius war öfter in V.; ob er hier auch gestorben ist, läßt sich nicht klären. Die Zivilsiedlung erhielt um 212 n. Chr. den Rang eines → *municipium*. Eine Altar-Inschr. mit dem → *cursus honorum* eines Gemeindefunktionärs (CIL III 4557, h. verschollen) bezeugt die Ämter von *duoviri iure dicundo*, des *aedilis*, *quaestor* und *praefectus fabrum* (→ *fabri*). Das Stadtterritorium von V. wurde aus dem von → Carnuntum herausgetrennt. Seine Ostgrenze verlief am östl. Ufer der Schwechat, die westl. Begrenzung folgte der Grenze zw. den Prov. Pannonia und Noricum. Wenngleich Forum und Kapitol noch nicht sicher lokalisiert sind, deuten doch zahlreiche arch. Funde auf einen repräsentativen Ausbau der Zivilstadt. Verschiedene röm., einheimische und orientalische Kulte sind – auch inschr. – belegt (Apollo → Grannus, → Sirona, → Mithras, → Serapis). 233 erfolgte eine Regulierung des Wienflusses, evtl. auch die Anlage einer → Naumachie nahe der Mündung der Wien in den Istros [2].

In der Spätant. gehörte V. zur Prov. Pannonia I. Im 4. Jh. kam es auch hier zur Truppenreduzierung (Grenzheer). Ende dieses Jh. wurde die *classis Histrica* von Carnuntum nach V. verlegt. Ein christl. Grabstein aus dem 4. Jh. darf als Hinweis auf die Präsenz des Christentums in V. gelten; ob die Peterskirche auf eine frühchristl. Kirche zurückgeht, ist nicht geklärt. Durch einen Einfall der Marcomanni um 395 wurde V. in Mitleidenschaft gezogen. Arch. Befunde deuten auf die Präsenz von → Goti und → Alanoi in V. Um 433 wurde Pannonia I an die → Hunni abgetreten; Anf. des 6. Jh. fiel V. an die → Langobardi, von 568 bis zum E. des 8. Jh. herrschten in V. die → Avares. Eine romanische Restbevölkerung scheint sich bis in das Früh-MA in V. gehalten zu haben.
→ Carnuntum; Legio (mit Karten); Pannonia (mit Karte); Völkerwanderung (mit Karten)

1 O. Harl, V., in: Ders. (Hrsg.), V. – die Römer im Wiener Raum, 1978 2 W. Bömer, Wien – V., in: H. Friesinger, F. Krinzinger, Der röm. Limes in Österreich, 1997, 241–252 3 M. Kandler, Schwechat – Ala Nova, in: M. Kandler, H. Vetters, Der römische Limes in Österreich, 1989, 187–192.

A. Neumann, V., 1972 · Ders., s. v. V., RE 9 A, 53–80. Zu neuen arch. Funden: Fundort Wien (Zschr. 1998 ff.).   G.H.W.

Vindolanda. Röm. Kastell ca. 40 km westlich von Newcastle, h. Chesterholm, in flavischer Zeit (69–96 n. Chr.) gegr. [1]. Unter Hadrianus wurde das Kastell erneuert; der Hadrianswall verlief 3 km nördl. davon (→ Limes II., mit Karte). Auch ein Jh. später wurde das Kastell erneuert. Ein großer *vicus* entwickelte sich westl. davon im 2. und 3. Jh. [2. 1700; 3]. Bedeutendster Fund in V. sind die → Vindolanda-Tafeln.

1 P. Bidwell, The Roman Fort of V. at Chesterholm, 1985 2 R. G. Collingwood, R. P. Wright, The Roman Inscriptions of Britain, 1965 3 R. E. Birley, V., 1977.

TIR Britannia Septentrionalis, 1987, 22.   M.TO./Ü: I.S.

Vindolanda-Tafeln. In dem Kastell → Vindolanda (h. Chesterholm) am Hadrianswall in Britannien 1973 zuerst identifizierte, wenige mm dicke Holztäfelchen (*tablets*), die mit → Tinte beschrieben sind. Seit dem Fund der ersten Exemplare wurden dort über Tausend dieser – vollständig meist ca. 9 x 20 cm großen – Tafeln ausgegraben, zusammen mit Hunderten von Wachstafeln. Der immer feuchte, moorige Boden in Vindolanda hat sicherlich die Erhaltung begünstigt, doch wurden solche Tafeln inzwischen auch in anderen röm. Militärlagern gefunden (z. B. Carlisle; vgl. [4]), und sind in weiteren zu vermuten.

Analog dem im NW des Reiches sicher raren und teuren → Papyrus wurden die Tafeln als universeller Beschreibstoff verwendet, für Privat- und für Dienstkorrespondenz, v. a. aber für die unzähligen Listen, die das Militär produzierte. Die Texte illustrieren trefflich das »Innenleben« v. a. der neunten Bataverkohorte, die zw. ca. 90 und 105 n. Chr. an der damals noch offenen Nordgrenze der Prov. → Britannia stationiert war: den ewig gleichen Trott des Garnisonslebens, der durch Statthalterbesuche, Feste, Urlaub oder Abkommandierung aufgelockert wurde; das gesellige Leben der Kommandeure und ihrer Familien mit den Kollegen in den Nachbarkastellen, das auch im Briefwechsel zw. den Ehefrauen der Offiziere deutlich wird [3. 256–265] (vgl. → Literaturschaffende Frauen II.); die Versorgung der Truppe durch private Händler. Die V.-T. sind auch ein deutlicher Beleg für eine bis weit in die unteren Ränge reichende Literarität zumindest im Bereich des Heeres.
→ Schreibmaterial; Tabula; Vindolanda

1 A. Birley, A Band of Brothers. Garrison Life at Vindolanda, 2002 2 A. K. Bowman, J. D. Thomas, Vindolanda: The Latin Writing Tablets, 1983 3 Dies., The Vindolanda Writing Tablets (Tabulae Vindolandenses II), 1994 4 R. S. O. Tomlin, Roman Manuscripts from Carlisle: The Ink-written Tablets, in: Britannia 29, 1998, 31–84.
       H. GA.

Vindonissa. Röm. Militärlager und Zivilsiedlung auf der Landzunge am Zusammenfluß von Aare und Reuss beim h. Windisch, wo für vorröm. Zeit eine kelt. Siedlung vermutet wird. Im Zusammenhang mit dem Alpenkrieg (15 v. Chr.) unter Tiberius [1] und Claudius [II 24] Drusus mag hier bereits ein kleines Kastell angelegt worden sein. Aber erst in den J. 16/17 n. Chr. faßte die röm. Militärverwaltung – infolge der nach der Niederlage im → Saltus Teutoburgiensis nötigen Reorganisation der Rheingrenzen-Sicherung – den Entschluß, eine Legion in das Gebiet der → Helvetii zu verlegen. Als erste Einheit zog die *legio XIII Gemina* hier ein. Diese Truppe errichtete den ersten Bau des Lagers verm. aus Holz, der später in Stein erneuert wurde (vgl. die Bauurkunde CIL XIII 11513 und die Grabinschr. CIL XIII 5206). 45 n. Chr. zog an ihrer Stelle die *legio XXI Rapax* in das Lager von V. ein. Fast alle Dienstgebäude, Kasernen und Offiziershäuser, Bad und Krankenstation, Tempel, Magazine wurden von dieser Legion errichtet. Außerhalb der Lagerumwallung baute die Legion am Forum und am Amphitheater der *canabae* (→ Heeresversorgung III.) vor dem Westtor des Lagers (vgl. CIL XIII 5195). Der große Bedarf an Ziegelmaterial wurde von einer eigenen Legionsziegelei (Ziegel mit Stempel *XXI L*) gedeckt (weitere Belege vgl. CIL XIII 5208; 5218; 11514; 11524). 69 n. Chr. schickte → Vespasianus die *legio XI Claudia Pia Fidelis* nach V., die bis 101 n. Chr. dort stationiert war (vgl. die zahlreichen Grab- bzw. Weihesteine von Neubürgern dieser Legion: CIL XIII 5207; 5209–5240 bzw. CIL XIII 5197; 11500 f.; 11506–11508; 11525; Ziegel mit Stempel *LEG XI CPF*). Auch

Zeugnisse von Auxiliareinheiten fanden sich in V. (*cohors VI Raetorum*: CIL XIII 12456; *cohors VII Raetorum*: CIL XIII 12457; *cohors III Hispanorum*: CIL XIII 12446–12448).

Nach dem Abzug der *legio XI* samt ihrer *auxilia* wurde das Lager vorerst nicht wieder besetzt. Jetzt ergriff die rasch angewachsene kelt. und kelto-röm. Zivilbevölkerung in den *canabae* von den Lagerbauten Besitz. Als die Grenzkontrollinie des → Limes (III. und IV.) in Germania Superior und Raetia Mitte des 3. Jh. n. Chr. aufgegeben und die röm. Reichsgrenze auf die Rhein-Donau-Linie zurückgenommen wurde, bedeutete dies für V. eine Remilitarisierung, aber die neu einrückende Truppe war kleiner als die urspr. Legionen und beanspruchte nur noch den Platz eines Kastells, das zu Anf. des 4. Jh. das Areal der urspr. kelt. Befestigung einnahm.

Bei V. schlug Constantius [1] zw. 300 und 304 eine Gruppe von → Alamanni (Paneg. 6(7),4 und 6). Die Stadt gehörte nach der Reichsreform unter Diocletianus zur Prov. Maxima Sequanorum der *dioecesis Galliae* (→ *dioíkēsis* II.; Notitia Galliarum 9). Das Kastell diente der anwachsenden Bevölkerung im Südteil des alten Lagers als Fluchtburg, deren Mauern nachweisbar unter Valentinianus [1] I. (364–378 n. Chr.: CIL XIII 5205) ausgebessert wurden.

→ Legio (mit Karten)

F. STAEHELIN, Die Schweiz in röm. Zeit, ³1948, 130–139, 623–633 · E. HOWALD, E. MEYER, Die röm. Schweiz, 1940, 279–304 · G. WALSER, Röm. Inschr. in der Schweiz, Bd. 2, 1980, Nr. 147–191 · W. DRACK, R. FELLMANN, Die Römer in der Schweiz, 1988, 537–550 · E. ETTLINGER, s. v. V., RE 9 A, 82–105 · J.-P. PETIT, M. MANGIN, P. BRUNAUX (Hrsg.), Atlas des agglomérations secondaires de la Gaule Belgique et des Germanies, 1994, 131 f. G. W.

Vinea s. Poliorketik (I. A. mit Abb.)

Vinia Crispina. Tochter des T. Vinius [II 1] (Rufinus). Ihr Mann, dessen Name nicht bekannt ist, war offensichtlich in die Pisonische Verschwörung verwickelt (→ Calpurnius [II 13] Piso); sie wurde durch Intervention des → Ofonius Tigellinus gerettet. 68 n. Chr. wollte ihr Vater sie mit → Otho verheiraten. Nach der Ermordung ihres Vaters Anfang 69 ließ sie ihn bestatten.

RAEPSAET-CHARLIER 629, Nr. 807. W. E.

Vinicius (auch *Vinucius*). Ital. → Gentile, das seit dem 1. Jh. v. Chr. belegt ist (SCHULZE, 110; 380).

I. REPUBLIKANISCHE ZEIT

[I 1] V., L. Zwischen 54 und 52 v. Chr. Münzmeister (RRC 436; MRR 2, 455), 51 *tr. pl.* (Cic. fam. 8,8,6) und 33 *cos. suff.* (InscrIt 13,251; 254 f.). Verm. war er der *procos. Asiae*, der 27 oder wenig später in Kyme [3] den Erlaß der Consuln Agrippa [1] und Augustus durchsetzte [1]. Die Zuweisung anderer in Inschr. genannter *procos.* namens V. ist unsicher [2]. Wenn AE 1988,20 auf ihn zu beziehen ist, wäre er 17 v. Chr. noch am Leben gewesen. Sein Sohn war V. [II 1].

1 H. ENGELMANN (ed.), Die Inschr. von Kyme, 1976, Nr. 17 2 H. PLEKET, The Greek Inscriptions in the Rijksmuseum van Oudheden at Leyden, 1958, 61 f. J. BA.

II. KAISERZEIT

[II 1] L. V. *Triumvir monetalis* (→ *tresviri* [4]); da Augustus auf den Münzen die *tribunicia potestas VII* und *VIII* trägt, weist dies auf das J. 16 v. Chr. Suffektconsul 5 v. Chr.; enger mit → Iulia [6], Augustus' Tochter, verbunden, was Augustus kritisierte (Suet. Aug. 64,2). V. war Sohn und Enkel eines Lucius V.; sein Vater war der Consul von 33 v. Chr., V. [I 1]. Keine Verwandtschaft, jedenfalls keine direkte, bestand zu den Vinicii [II 2–4], deren erster Senator ritterlicher Herkunft war. PIR¹ V 443.

[II 2] M. V. Vater von V. [II 4], Großvater von V. [II 3], aus ritterlicher Familie stammend (Tac. ann. 6,15,1); wohl als Parteigänger des Octavianus in den Senat aufgenommen. Im Krisenjahr 19 v. Chr. war V. Suffektconsul, woraus man auf eine besondere Vertrauensstellung bei → Augustus schließen kann. Schon vor dem Konsulat war er in Gallien als dessen Legat tätig (Cass. Dio 53,26,4), 13 v. Chr. im Illyricum an Kämpfen gegen Pannonier beteiligt (Vell. 2,96,2). Möglicherweise Proconsul von Asia [1. 171 f., Nr. 45]. Ihm ist ILS 8965 zuzuweisen; das dort erwähnte Kommando im Illyricum ist wohl in die Jahre um 1 v. Chr. anzusetzen, in Nachfolge des Domitius [II 2] Ahenobarbus [2. 26–39]. Von ca. 1–4 n. Chr. war V. Befehlshaber des Heeres am Rhein, wo er ein *immensum bellum* (»ungeheuren Krieg«) zu führen hatte (Vell. 2,104,2); die Wertung durch Velleius [4] ist aber unter dem bes. Gesichtspunkt zu sehen, daß natürlich Tiberius [1], der von V. das Kommando übernahm, das Verdienst zukommen mußte, ab Herbst 4 n. Chr. die Lage schnell unter Kontrolle zu bringen. Auszeichnung mit den *ornamenta triumphalia* sowie einer Triumphalstatue, unter der eine *speciosissima inscriptio* (»höchst glänzende Inschr.«) angebracht war (Vell. 2,104,2). V. war eng mit Augustus und, wie Velleius' kommentierende Bemerkungen zeigen, auch mit Tiberius verbunden.

1 J. REYNOLDS, Aphrodisias and Rome, 1982 2 R. SYME, Danubian Papers, 1971.

[II 3] M. V. Sohn von P. V. [II 4], Enkel von M. V. [II 3], Urenkel eines P. Vinicius [1. 304–317]. *Cos. ord.* 30 n. Chr.; in diesem Jahr widmete ihm Velleius [4] sein Geschichtswerk (Vell. 1,8,1; 13,5). Zweifellos war V. mit → Aelius [II 19] Seianus verbunden, doch wurde er nicht in dessen Untergang hineingezogen, da die gesamte Familie engsten Kontakt mit Tiberius [1] hatte. Dieser verheiratete V. im J. 32 mit Iulia → Livilla [2], einer der Töchter von Germanicus [2]. 36 war V. Mitglied einer Kommission, die Brandschäden in Rom abschätzen sollte (Tac. ann. 6,45,2), unter Caligula Proconsul von Asia [2. 211]. Als seine Frau Livilla wegen einer Verschwörung verbannt wurde, blieb V. unbehelligt. Er war in die Ermordung Caligulas involviert und wohl bereit, die Herrschaft zu übernehmen, wovon ihn die Consuln abhielten. Claudius [III 1] nahm ihn auf Grund seiner verwandtschaftlichen Stellung offensichtlich mit auf den Britannienfeldzug; dafür wurde er mit den *ornamenta triumphalia* ausgezeichnet. Obwohl seine Frau von Messalina [2] aus dem Weg geräumt wurde, blieb er weiter mit Claudius verbunden. 45 *cos. ord. II*, doch 46 ließ nach der Überl. Messalina auch ihn ermorden; Claudius veranlaßte für ihn ein *funus censorium* (Cass. Dio 60,27,4; → *funus publicum*), weshalb [1. 304–317] gute Gründe sieht, an der Überl. hinsichtlich der Ermordung zu zweifeln.

1 VOGEL-WEIDEMANN 2 THOMASSON 1.

[II 4] P. V. Vater von V. [II 3], Sohn von V. [II 2]; vor 2 n. Chr. *legatus pro praetore* des Augustus in *Thracia Macedoniaque*, wo Velleius [4] unter ihm als Militärtribun diente (Vell. 2,101,3); dieses Kommando gehörte in den Entstehungsprozeß der Prov. Moesia [1. 533; 2. 52–61]; *cos. ord.* 2 n. Chr.; vielleicht Proconsul von Asia [3. 171f., Nr. 45]. Als Calpurnius [II 16] Piso ihn im J. 20 n. Chr. als Verteidiger engagieren wollte, lehnte er ab (Tac. ann. 3,11,2). Berühmt war V. als Redner, der auf sachliche Klarheit Wert legte (Sen. contr. 7,5,11).

1 SYME, RP 2, 533 2 R. SYME, Danubian Papers, 1971 3 J. REYNOLDS, Aphrodisias and Rome, 1982 4 VOGEL-WEIDEMANN, 311–314.

[II 5] T. V. Iulianus. Senator, vielleicht aus der Narbonensis stammend [1. 531f.], Suffektconsul 80 n. Chr.; kein genealogischer Zusammenhang mit den augusteischen Vinicii.

1 SYME, RP 2.   W. E.

Vinius (auch → *Vinnius*). Röm. → Gentile, das seit dem 1. Jh. v. Chr. belegt ist (SCHULZE, 380; 425).

I. REPUBLIKANISCHE ZEIT

[I 1] V. (Rufus?), T. Wurde 43 v. Chr. proskribiert, aber von seiner Frau Tanusia und seinem Freigelassenen V. [I 2] gerettet und dann begnadigt (App. civ. 4,187; Cass. Dio 47,7,4f.; Suet. Augustus 27,2). Verm. ist er der Großvater des T. V. [II 1] (Tac. hist. 1,48,2: fälschlich *maternus avus*), der bis zur Praetur gelangte. Vielleicht ist V. auch identisch mit dem *VIIIvir* (→ *octoviri*) T. V. Rufus aus → Amiternum, woher die Familie dann verm. stammte (ILS 3701).

[I 2] V. Philopoemen, T. Freigelassener von V. [I 1], der 43 v. Chr. seinen proskribierten Patron versteckte und später aufgrund dieser Tat in den Ritterstand erhoben wurde (App. civ. 4,187; Cass. Dio 47,7,4f.; Suet. Augustus 27,2).

MRR 3, 221f. · SYME, RP 2, 537.   J. BA.

II. KAISERZEIT

[II 1] T. V. (Rufinus?). Geb. 21/2 n. Chr., aus senatorischer Familie. Militärtribun unter Caligula in Pannonien, wo er mit der Frau seines Legaten Calvisius [8] Sabinus Ehebruch begangen haben soll. Der Herrscher-

wechsel zu Claudius [III 1] ließ ihn einer Bestrafung entgehen. Nach der Praetur Legionslegat, unter Nero Proconsul der Narbonensis. 68 unter → Galba erneut Legat in Spanien, vielleicht *legatus iuridicus*. Bei der Akklamation Galbas war er führend. Deshalb hatte er größten Einfluß bei diesem; Zeichen dafür ist auch der ordentliche Konsulat im J. 69 zusammen mit Galba. V. verhinderte die Bestrafung von → Ofonius Tigellinus; A. Vitellius [II 2] wurde auf seinen Rat hin zum untergermanischen Heer entsandt. Seinen Vorschlag, → Otho zu adoptieren, lehnte Galba jedoch ab; dennoch wurde V. am 15. Jan. 69 von Othos Anhängern getötet. Seine Tochter war → Vinia Crispina.

H.-G. PFLAUM, Les fastes de la province de Narbonnaise, 1978, 7–13 · PIR[1] V 450.

[II 2] Q. V. Victorinus. Senator, verheiratet mit Sulpicia Dymiana, 3. Jh. n. Chr.

W. ECK, s. v. V. (5a), RE Suppl. 14, 896.   W. E.

Vinnius. Variante des Gentile → *Vinius* (SCHULZE, 425). Wichtigster Vertreter ist V. Asina (Hss. und Scholien überliefern verschiedene Cogn.), Adressat von Hor. epist. 1,13, der Dichtungen des Horaz an Augustus überbringen soll. Der soziale Status des nicht sehr vorteilhaft dargestellten Boten läßt sich nicht ermitteln, vielleicht ist V. auch fiktiv.   J. BA.

Vinovia (Οὐιννοούιον). Das röm. Kastell in Binchester an der wichtigen röm. Straße von → Eboracum (h. York) zum Hadrianswall (Ptol. 2,3,16; [1. 1036]; → Limes II.), am Übergang über den Vedra (h. Wear), 12 km südl. von Durham. V. wurde in flavischer Zeit (69–96 n. Chr.) wohl unter Cn. Iulius [II 3] Agricola gegr., unter Hadrianus aufgegeben, aber in spätantoninischer Zeit und dann vom 3. Jh. an wieder genutzt. Ein umfangreicher *vicus* entwickelte sich außerhalb des Kastells (mit langen, schmalen Geschäftshäusern [2. 111, 299; 3. 253]).

Steine aus V. wurden zum Bau der nahegelegenen angelsächsischen Kirche in Escomb benutzt.

1 R. G. COLLINGWOOD, R. P. WRIGHT, The Roman Inscriptions of Britain, 1965 2 R. E. HOOPPELL, V., in: JBAA 43, 1887, 111–123, 299–306 3 R. E. HOOPPELL, V., in: JBAA 46, 1890, 253–287.

TIR Britannia Septentrionalis, 1987, 7f.   M. TO./Ü: I. S.

Vintium (Οὐίντιον). *Municipium* in den → Alpes Maritimae auf dem Territorium der ligurischen Nerusii (Ptol. 3,1,41; Notitia Galliarum 17,8), h. Vence westl. von Nizza; seit dem 5. Jh. Bischofssitz (Greg. Tur. Franc. 9,24).

G. BARRUOL, Les peuples préromains du sud-est de la Gaule, 1969, 368f. · RIVET, 342.   H. GR.

Viola s. Veilchen

Violentia (wörtl. »Gewalt«). In der Verbindung *crimen violentiae* seit der Spätant. anstelle von *crimen* → *vis* t.t. für das Gewaltverbrechen. Der Tatbestand des *crimen violentiae* ist außerordentlich umfassend und geht über den durch die *lex Iulia de vi* (Iulisches Gesetz über Gewalt, 1. Jh. v. Chr.) erfaßten Bereich weit hinaus. → Constantinus [1] (Anf. 4. Jh. n. Chr.) setzt generell für dieses → *crimen* die → Todesstrafe fest (Cod. Theod. 9,10,1 = Cod. Iust. 9,12,6 a. 317). Hauptfälle des *crimen violentiae* waren gewaltsame Besitzvertreibung, gewaltsame Freiheitsberaubung und eigenmächtige Besitzergreifung des Gläubigers an ihm verpfändeten Gegenständen (Paul. sent. 2,14,5).
→ Strafe, Strafrecht

1 G. WESENER, s. v. V., RE 9 A, 157–161 2 TH. MAYER-MALY, s. v. Vis (2), RE 9 A, 311–337, bes. 332–340
3 J. COROI, La violence en droit criminel Romain, 1915, 303 ff. 4 H. NIEDERMEYER, Crimen plagii und crimen violentiae, in: FS P. Bonfante, Bd. 2, 1930, 400–417
5 Ders., Ausgewählte Introduktorien zu Ulpian und zur Rechtslehre von der »vis«, in: FS S. Riccobono, Bd. 1, 1936 (Ndr. 1974), 193–217, bes. 203–212 6 C. DUPONT, Le droit criminel dans les constitutions de Constantin, 1953, 72–79
7 L. SOLIDORO MARUOTTI, La repressione della violenza nel diritto romano, 1993, 98–101.   GU. WE.

Vipitenum. → *Mansio* (evtl. im 2. Jh. n. Chr. gegr.; Itin. Anton. 275; 280; Tab. Peut. 4,2: *Vepiteno*) im Val d'Isarco, h. Vipiteno (dt.: Sterzing) an der → Via Claudia Augusta, die von Pons [8] Drusi und Altinum her über den Brennerpaß nach Augusta [7] Vindelicum (h. Augsburg) führte. Nicht lokalisiert, wohl zw. Matreia und Sublavione. Das Gebiet um V. wurde in der Bronze- und Eisenzeit wahrscheinlich von autochthonen vorindeur. Völkern bewohnt, die von den Römern generell als → Raeti bezeichnet wurden. Nach der röm. Eroberung durch Claudius [II 24] Drusus wurde das Territorium von Claudius [III 1] in die Prov. Raetia eingegliedert. Noch 827 und 828 n. Chr. in der *Traditio Quartini*, einer Schenkungsurkunde vom 31.12.827, erwähnt.

L. VENEZIANO, Un miliario di Settimio Severo a Vipiteno, in: RIL 124, 1990, 43–49 · TIR Mediolanum, 1966, 145 · G. WALSER, Die röm. Straßen und Meilensteine in Raetien, 1983, 34–36.   M. M. MO./Ü: H. D.

Vipsanius s. Agrippa [1–2]

Vipstanus
[1] C. V. Apronianus. Sein genealogischer Zusammenhang ist unklar. *Cos. ord.* 59 n. Chr.; Proconsul von Africa 68/9. Der Anschluß seiner Prov. an → Otho vollzog sich ohne eine Initiative von seiner Seite. Als → *Arvalis frater* von 57–86 bezeugt; im Februar 86 wurde sein Nachfolger gewählt, also war V. kurz vorher verstorben.

SCHEID, Frères, 257 f. · THOMASSON, Fasti Africani, 41 f.

[2] L. V. Gallus. Praetor, 17 n. Chr. gestorben (Tac. ann. 2,51,1), wohl auch in IG II² 4185 genannt. Verm. jüngerer Bruder von V. [3].

[3] M. V. Gallus. *Cos. suff.* 18 n. Chr. (FO² 41; 61). Wohl Bruder von V. [2] und vielleicht Vater von V. [4] und [8]. Er oder sein Bruder wurden durch Heirat mit der Familie der Valerii Messallae verbunden.

[4] Messalla V. Gallus. Vielleicht Sohn von V. [2] oder [3]. Wohl Sonderbeauftragter des Claudius [III 1] in Teanum Sidicinum im J. 46 (InscrIt 13,1, p. 264). 48 n. Chr. als Nachfolger seines Bruders *cos. suff.* (Juli bis Dezember) [1. 247]. Consularer Statthalter von Pannonia im J. 53/4 [2. 147 f.]. Wohl 59/60 Proconsul von Asia als Nachfolger seines Bruders V. [8]. V. [5] könnte sein Sohn oder Neffe sein.

1 G. CAMODECA, Tabulae Pompeianae Sulpiciorum, 1999
2 J. FITZ, Die Verwaltung Pannoniens in der Römerzeit, Bd. 1, 1993 3 VOGEL-WEIDEMANN, 423–428.

[5] V. Messalla. Nachkomme vielleicht des *cos. ord.* vom J. 48 n. Chr., vgl. V. [8]; *claris maioribus* (Tac. hist. 3,9,2 f.). Tribun der *legio VII Claudia*; nahm auf seiten der flavischen Truppen im Herbst 69 n. Chr. an der Schlacht von Bedriacum teil, ebenso bei der Eroberung Roms im Dezember. Über den Krieg äußerte er sich später literarisch. Im J. 70 setzte er sich für seinen Halbbruder Aquilius [II 5] Regulus ein, obwohl er verm. dem Senat noch nicht angehörte. Tacitus macht ihn zu einem der Gesprächspartner im *Dialogus de oratoribus* [1. 100–111]. Er dürfte vor Erreichen des Mindestalters für den Konsulat gestorben sein. CIL VI 41080 könnte sich auf ihn oder einen anderen V. des 1. Jh. n. Chr. beziehen (s. den Komm. G. ALFÖLDYS zur Inschr.).

1 SYME, Tacitus 1.

[6] L. V. Messalla. Nachkomme von V. [5]. *Cos. ord.* 115 n. Chr. mit M. Pedo Vergilianus; vgl. [1. 173 ff.]. V. [9] ist wohl sein Sohn.

1 H. M. COTTON, W. ECK, P. MURABBA'AT 114 und die Anwesenheit röm. Truppen in den Höhlen des Wadi Murabba'at nach dem Bar Kochba Aufstand, in: ZPE 138, 2002, 173–183.

[7] C. V. Poblicola. Wohl Senator, 63 n. Chr. in ein nicht identifizierbares Priestercollegium kooptiert.

VOGEL-WEIDEMANN 426.

[8] L. V. Poblicola. Mit seinem Bruder V. [4] 46 n. Chr. in Teanum Sidicinum wohl als Sonderbeauftragter tätig. 48 n. Chr. *cos. ord.* zusammen mit L. Vitellius [II 4]. Er stellte einen Antrag im Senat, Claudius [III 1] den Titel *pater senatus* zu verleihen, was dieser ablehnte (Tac. ann. 11,25,4). Proconsul von Asia 58/9. V. [5] ist vielleicht sein Sohn.

VOGEL-WEIDEMANN 423–427.

[9] L. V. Poblicola Messalla. Wohl Sohn von V. [6]. Patrizier, *salius Collinus* (→ salii [2]; CIL XIV 4245).

Wohl frühzeitig gestorben, da er sonst einen ordentlichen Konsulat erhalten hätte – wenn sich nicht eine Inschr. aus Lanuvium (AE 1911, 95) auf ihn bezieht; dann könnte der Konsulat in die Spätzeit des Hadrianus oder unter Antoninus Pius fallen.

H. M. COTTON, W. ECK, P. MURABBA'AT 114 und die Anwesenheit röm. Truppen in den Höhlen des Wadi Murabba'at nach dem Bar Kochba Aufstand, in: ZPE 138, 2002, 173–183.   W. E.

Vir clarissimus (bzw. *clarissimus vir* = *c.v.*, wörtl. etwa »hochangesehener Mann«; griech. *lamprótatos*, seit ca. 160 n. Chr. nachweisbar; bis zum 3. Jh. n. Chr. auch *krátistos*). In (spät-)republikanischer Zeit ein allg. senatorisches Ehrenprädikat; in der Kaiserzeit entwickelte sich *v. c.* zum Rangtitel für Angehörige des Senatorenstandes (→ *senatus*). Bis zum frühen 2. Jh. n. Chr. entstand daraus ein feststehender Titel der Senatoren (bis ins 4. Jh. lautete er *c.v.*), der seit dem 2. Jh. auch auf deren Angehörige übertragen wurde (*clarissima femina*, *c. iuvenis*, *c. puer*, *c. puella*). Frauen verloren ihn in der Regel bei der Heirat mit einem Rangniederen, während Männer ihn bei entsprechender Adoption behalten durften. Um Senator zu werden, mußte auch ein geborener *v.c.* mindestens die Quaestur, später (ab 4./5. Jh.) die Praetur ausgeübt haben. Nach den Verwaltungsreformen des → Diocletianus und des Constantinus [1] blieb *v.c.* zunächst der einzige Titel der höheren Beamten, ab ca. 365 gab es daneben als Folge der Ausweitung des Senatorenstandes auch die → *illustres* und → *spectabiles*, wobei die *viri clarissimi* die niedrigste (dritte) Rangklasse bildeten; allerdings hießen auch die anderen weiterhin z. B. *v.c. et illustres*. *V.c.* konnte man auch durch → *adlectio* oder Verleihung von → *ornamenta* werden. Im 5. Jh. wurden die *v.c.* von der Teilnahme an den Senatssitzungen ausgeschlossen; andererseits wurde ihnen die Wahl ihres Wohnortes freigestellt.
→ Hoftitel (C.)

J. GAGÉ, Les classes sociales dans l'Empire romain, 1964 · O. HIRSCHFELD, Die Rangtitel der röm. Kaiserzeit (SPrAW), 1901 · JONES, LRE, bes. 528–530 · H. LÖHKEN, Ordines dignitatum, 1982.   K. G.-A.

Vir egregius (wörtl. etwa »herausragender Mann«). Begegnet zuerst unter Marcus [2] Aurelius als allg. Bezeichnung für die Angehörigen des *ordo equester* [1. 28] (→ *equites Romani*), ab 180/183 als offizieller, nicht vererbbarer Amtstitel bezeugt (CIL VIII 10570, col. IV, Z. 10). Im 3. Jh. n. Chr. sank seine Bed.; Licinius [II 4] kennt in seiner Verfügung von 317 vier Rittergrade, den *perfectissimus vir*, *ducenarius vir*, *centenarius vir* und den *egregius vir* als unterste Stufe (Cod. Theod. 12,1,5, Z. 5). Die Inferiorität des Titels lag an der zunehmenden Vergabe von Auszeichnungen, die in die oberen Funktionsebenen des Ritterranges führten, und am Aufstieg der Ritter in den Senatorenstand (→ *vir clarissimus*). Der letzte *v.e.*, Claudius Aurelius Generosus, ist für das J. 324 bezeugt (AE 1937, 172; [2. 522, 577]); in den Rechts-

quellen ist der Titel *v.e.* nach 384 nicht mehr belegt (vgl. die Auflistung der Rittergrade in Cod. Theod. 6,30,7 sowie Not. dign. or. 13,21–34). Der Ritterrang gliederte sich nun in drei Abstufungen der *perfectissimi viri* [3. 526f.].
→ Ducenarius; Hoftitel (C.); Perfectissimus

1 H. LÖHKEN, Ordines dignitatum, 1982 **2** S. LEFEBVRE, Les chevaliers dans les hommages publics d'Afrique, in: S. DEMOUGIN et al. (Hrsg.), L'ordre équestre, 1999, 513–578 **3** JONES, LRE.   ME. STR.

Virbius. Männliche Gottheit aus dem Kreis der → Diana im Rahmen ihres wenig bekannten Kultes von → Aricia (Serv. Aen. 5,95; 7,84); nach V. wurde die Straße von Aricia zum Heiligtum auch als *clivus Virbi* bezeichnet (Pers. 6,56 mit schol.). Der älteste Beleg für V. findet sich in der Gleichsetzung mit → Hippolytos [1], wobei diese Deutung lediglich darauf basiert, daß Pferde im Heiligtum von Aricia verboten waren (Verg. Aen. 7,774–779; Ov. fast. 3,266). Einziges Zeugnis für eine Verehrung des V. außerhalb Aricias ist eine Grabinschr. in Neapel, die einen *flamen Virbialis* erwähnt (CIL X 1493). Anscheinend durfte das Kultbild des V. nicht berührt werden, was auch zu seiner Deutung als Sonnengott führte (Serv. Aen. 7,776).

G. RADKE, s. v. V., RE 9 A, 178–182.   CA. BI.

Virdo (Virda). Fluß, der von den Allgäuer Alpen nordwärts, ungefähr parallel zum Licca (h. Lech), durch das Alpenvorland fließt, h. Wertach. Er mündet nach 133 km in → Augusta [7] Vindelicum (h. Augsburg) in den Licca (vgl. Ven. Fort. 641; Paulus Diaconus, Historia Langobardorum 2,13). Für den Namen kommen kelt. (»kräftig«, »schnell«) oder röm. Ursprung (von lat. *viridis* = »grün«, nach der Farbe des Wassers) in Betracht; seit dem 10./11. Jh. Werthahe/-a, Wertha. Das Tal des V. stellt streckenweise eine natürliche Verkehrsverbindung zw. Augusta [7] Vindelicum und → Cambodunum [1] (h. Kempten) dar. Ihm folgte daher die röm. Straße (mit nahen Limitationsspuren); allerdings verlief die Straßentrasse wegen ausgeprägter Hochwassergefahr nicht im Talgrund, sondern östl. auf einem flachen Höhenrücken zw. V. und Licca; hier lagen ant. und frühma. Siedlungen. Die Talaue wurde wohl als Weidegrund genutzt.

G. WIMMER, Die Wertach, 1904/05 · R. HEUBERGER, S. GUTENBRUNNER, s. v. V., RE 9 A, 183 f. · H. FREI, Wertach, in: G. GRÜNSTEUDEL u. a. (Hrsg.), Augsburger Stadtlexikon, ²1998, 926 f.   G. H. W.

Virgilius Maro. »Künstlername« [8. 16 f., 26; 13. 75 f.] eines lat. Grammatikers des 7. Jh. (*terminus ante quem* ist 658 n. Chr., vgl. [10]), also eines jüngeren Zeitgenossen des → Isidorus [9]. Herkunft (›Land nördlich oder südlich der Pyrenäen‹ [9. 15; 12]) und Wirkungsbereich (Irland: [5; 11]; England: [7]; vgl. dagegen [10]) sind umstritten. Vielleicht war V. M. ein konvertierter Jude ([9. 14 f.], dagegen [8. 22–26; 11. 56–61]).

Werke: Verloren sind (1) *Commentarii de mundi creatione adversus paganos* (›Über die Schöpfung gegen die Heiden‹; epist. 7,4); (2/3) zwölf bzw. fünfzehn Lehrbriefe an die Schüler Donatus (epit. 4, 14, vgl. 15,1) und Fabianus (epist. pr. 3). Erh. sind (4) zwölf von fünfzehn (epist. 2,1) Büchern *Epitomae* (B. 1–11 und B. 15) sowie (5) acht Lehrbriefe (*Epistolae*) an einen Diakon Germanus. *Epitomae* und *Epistolae* stimmen in der Behandlung der acht Wortarten (Nomen, Pronomen, Verbum etc. = epit. 5–9) überein; in epit. 2–4 kommen Buchstaben, Silben und Metra, in 10 und 11 *scinderatio fonorum* [8. 18 f.; 13. 84–88], eine Art Geheimsprache, und Etymologie hinzu. Die *Epitomae* runden *De sapientia* (epit. 1) und eine fingierte Gesch. der Grammatik (epit. 15) ab (zu den verlorenen Abschnitten epit. 12–14 vgl. [3]).

Eine parodische Tendenz (vgl. epit. 15 und den 14tägigen Streit um den Vokativ von *ego*, epist. 2,4; vgl. aber [6. 149 f.]) steht im Dienst der Kritik an dem zeitgenössischen Grammatikerbetrieb [8. 20 f.], Sprachspiele (sprechende Namen [13. 11–16]; *XII genera Latinitatis*, epit. 1,4 [13. 88–93]) und Spekulationen wohl auch im Dienste einer tieferen, nicht historistischen Wahrheit (vgl. [13. 106–108]; zu pädagogischen Prinzipien: [16]). Benutzt sind neben → Grammatikern (Donatus: [13. 5–7], wohl auch Galbungus und Glengus [6. 144–147]; Priscianus; zur Art der Benutzung allg. [15]) und Isidorus [9] [13. 98–101] auch Bibel und Kirchenväter [13. 16 f.]. Die Sprache des V. M. [17] steht in der Trad. einer bewußt dunklen, mit künstlichen und fremdsprachlichen (hebräischen, griech.) Wörtern arbeitenden Latinität, wie sie zumal im irischen Raum vertreten war.

Die hsl. Überl. [2. XXIV-XXVIII, XXXI-XXXIII, XXXV-LXII; 7. 49–51; 18] erfolgte über einen Archetypus mit beiden Werken (Neap. IV. A. 34); nur die *Epitomae* über einen Hyparchetyp in Codd. ab dem 8. Jh. ließ den Text der *Epitomae* vom 8. bis 11. Jh. über Nordfrankreich bis nach Deutschland und It. gelangen. Die Rezeption seit dem 7. Jh. [2. XXVIII-XXXI; 7. 50 f.; 13. 101–105] war weitgehend auf den Bereich insularen Kultureinflusses beschränkt.

ED.: **1** J. HUEMER, 1886 **2** G. POLARA, 1979 (mit Übers.) **3** V. LAW, Fragments from the … Epitomae of V. M., in: Cambridge Medieval Celtic Stud. 21, 1991, 113–125 (ergänzend).
FORSCH.-BER.: **4** G. POLARA, Gli studi su V. M., in: Vichiana 6, 1977, 241–278 (außerdem: [5], 35–47).
LIT.: **5** M. HERREN, Latin Letters in Early Christian Ireland, Nr. VII (1979), 1996 **6** Ders., s. [5], Nr. XVIII (1992) **7** V. LAW, The Insular Latin Grammarians, 1982, 42–52 **8** K. SMOLAK, Der dritte Vergil, in: Wiener Humanistische Blätter 30, 1988, 16–27 **9** B. BISCHOFF, Die 'Zweite Latinität' des V. M., in: MLatJb 23, 1988, 11–16 **10** D. Ó CRÓINÍN, The Date … of V. M., in: G. BERNT (Hrsg.), Trad. und Wertung. FS F. Brunhölzl, 1989, 13–22 **11** M. HERREN, V. the Grammarian, in: Peritia 9, 1995, 51–71 **12** A. CIZEK, V. le grammairien, in: J.-M. PICARD (Hrsg.), Aquitaine and Ireland in the Middle Ages, 1995, 127–136 **13** V. LAW, Wisdom, Authority and Grammar in the Seventh Century, 1995 **14** G. POLARA, A proposito delle dottrine grammaticali di V. M., in: Historiographia linguistica 20, 1993, 205–220 **15** Ders., V. M. e la parodia delle dottrine grammaticali, in: I. ROSIER (Hrsg.), L'héritage des grammairiens latins, 1988, 109–120 **16** L. MUNZI, Tertius Vergilius ego, in: Res publica litterarum 16, 1993, 69–83 **17** B. LÖFSTEDT, Zum Wortschatz des V. M., in: Philologus 126, 1982, 99–110 **18** CPL Nr. 1559. P. L. S.

Virgo Caelestis s. Tinnit

Virgo Vestalis s. Vestalin

Viriatus (inschriftlich und lit. auch *Viriathus*). Lusitanischer Bandenführer und Widerstandskämpfer 147–139 v. Chr. Aufgewachsen als Hirte (Diod. 33,1,1), entkam er 150 dem Massaker des Ser. → Sulpicius [I 10] Galba und wurde 147 von den durch C. Vetilius bedrängten → Lusitani zum Anführer ernannt (App. Ib. 60,251–62,260). Durch bewegliche Kampfführung, Scheinfluchten und Überraschungsangriffe wurde er zum gefährlichen Gegner des röm. Heeres (vgl. [1]), das durch den 3. → Punischen Krieg geschwächt war. V. schlug 147 C. Vetilius, 146 C. Plautius [I 3] und brachte Teile von Hispania citerior in seine Gewalt sowie Hispania ulterior, das Q. → Fabius [I 23] Maximus Aemilianus 144 zurückerobern konnte (ebd. 62,260–65,278). V. scheint auch 143 die → Celtiberi zum Abfall von den Römern bewegt zu haben, der 133 mit der Zerstörung von → Numantia endete (App. Ib. 66,279 f.). Nach einer schweren Niederlage des Q. → Fabius [I 29] Maximus Servilianus 140 kam es zum Friedensvertrag, in dem die Gebietserwerbungen des V. bestätigt, er selbst als *amicus populi Romani* (»Freund des römischen Volkes«) anerkannt wurde (ebd. 67,283–69,295). Doch veranlaßte Q. Servilius [I 11] Caepio 140 den Senat zur Wiederaufnahme des Krieges. Nach eher erfolglosen mil. Unternehmungen ließ er V. 139 durch seine eigenen Landsleute ermorden (ebd. 70,296–74,316). In der ant. Historiographie erscheint V. als moralisches Gegenbild zu den perfiden röm. Kommandeuren ([2]; Liv. per. 54: *vir duxque magnus*, ›ein großer Mann und Heerführer‹; Flor. epit. 1,33,15: *V. Hispaniae Romulus*; vgl. Diod. 33,1; 33,7; 33,19; 33,21a; Cass. Dio fr. 73; 75; 77 f.; Oros. 5,4,1–14; zu weiteren Belegstellen [3]).

1 H. G. GUNDEL, Probleme der röm. Kampfführung gegen V., in: Legio VII Gemina, 1970, 109–130 **2** R. W. BANE, The Development of Roman Imperial Attitudes and the Iberian Wars, in: Emerita 44, 1976, 409–420 **3** H. SIMON, Roms Kriege in Spanien, 1962, 87–138.

J. S. RICHARDSON, The Romans in Spain, 1996, Index s. v. V. • Z. W. RUBINSOHN, The Viriatic War and Its Roman Repercussions, in: Riv. storica dell' Antichità 11, 1981, 161–204. D. RO.

Viridomarus (Viridomaros). Keltisches Namenskompositum: »Starker Held«? [1. 125].
[1] Insubrerfürst, der 222 v. Chr. durch die Hand des Consuls M. → Claudius [I 11] Marcellus bei Clastidium fiel (Liv. per. 20) [2. 379 f.].

[2] Junger Haeduer von niedriger Abkunft, der durch die Protektion des → Diviciacus [2] bei Caesar zu hohem Ansehen gelangte. Zusammen mit → Eporedorix [2] deckte er 52 v. Chr. die Verschwörung des → Litaviccus auf. Später war er einer der vier Kommandanten zur Befreiung von → Alesia. (Caes. Gall. 7,38,2; 39,1 f.; 40,5; 54,1; 55,4; 63,9; 76,3) [3. 251 f.].
→ Caesar (C.); Haedui; Insubres

   1 EVANS 2 HOLDER 3 B. KREMER, Das Bild der Kelten bis in augusteische Zeit, 1994.   W. SP.

Viridorix. Keltisches Namenskompositum [1. 126]. Häuptling der venetischen Unelli, der 56 v. Chr. ein großes Heer aus alliierten Stämmen zusammengezogen hatte und das Lager des röm. Legaten Q. → Titurius Sabinus belagerte. Durch eine List gelang es Sabinus, das Heer des V. vernichtend zu schlagen (Caes. Gall. 3,17-19; Cass. Dio 39,45).
→ Caesar (C.); Veneti

   1 EVANS.   W. SP.

Virilis s. Fortuna (B.)

Viriplaca. Nur bei Val. Max. 2,1,6 belegt ist eine stadtröm. Göttin (*dea*) V., deren kleines Heiligtum (*sacellum*) noch zur Zeit des → Tiberius [1] auf dem Palatin stand: Dorthin seien (allerdings nicht mehr zur Zeit des Valerius Maximus) Paare gegangen, um Ehestreitigkeiten durch den wechselseitigen Austausch ihrer Argumente beizulegen. Der Name der Göttin wurde, ganz im Sinne der moralisierenden Strategie des Autors, mit der Etym. *a placandis viris*, »von der Besänftigung der Ehemänner«, erklärt. V. wurde unter Zuhilfenahme der problematischen rel.-evolutionistischen Kategorien des 19. und 20. Jh. grundlos als »Sondergöttin« (→ Sondergötter) bzw. als eine der in den → *indigitamenta* erwähnten Gottheiten [1] gedeutet. Mit → Iuno in deren Funktion als Göttin der Ehe wurde V. ebenso identifiziert [2. Bd. 2, 39] wie mit → Venus Verticordia zusammengestellt [3. 182¹].

   1 W. EISENHUT, s. v. V., RE 9 A, 233 f. 2 J. A. HARTUNG, Die Rel. der Römer, 2 Bde., 1836 3 J. GAGÉ, Matronalia, 1963.

   H.-F. MUELLER, Roman Rel. in Valerius Maximus, 2002, 73 mit Anm. 23.   A. BEN.

Virius
[1] L. V. Agricola. *Cos. ord.* 230 n. Chr.; wohl Sohn von V. [4], Bruder von V. [6]; zur weitverzweigten, aber nicht klar erkennbaren Verwandtschaft vgl. IEph III 710 B; PIR¹ V 476.
[2] V. Apronianus. Senator; verwandt mit V. [1] und V. [6] (IEph III 710 B).
[3] V. Gallus. *Corrector Campaniae*; identisch mit dem *cos. ord.* des Jahres 298 n. Chr. PLRE I, Gallus Nr. 2.
[4] V. Lupus. Senator; Suffectconsul noch unter Commodus (?). An den Kämpfen gegen Clodius [II 1] Albinus beteiligt, wohl im J. 196 n. Chr., möglicherweise als

consularer Legat von Germania inferior. 197 Legat von Britannien. Seine Söhne waren V. [1] und [6].

   ECK, Statthalter, 188 f.

[5] V. Lupus. Nach seiner Grabinschrift aus Rom (CIL VI 31775 = ILS 1210 = CIL VI 41235) war er *praeses Arabiae*, dann *Syriae Coeles*, zw. ca. 260 und 270 n. Chr.; *iudex sacrarum cognitionum per Orientem* und *per Aegyptum*; *cos. ord. II* 278; *praefectus urbi* 278-280. Sohn von V. [1] oder V. [6].

   M. PEACHIN, Iudex vice Caesaris, 1996, 127-129.

[6] L. V. Lupus Iulianus. Wohl Sohn von V. [4] und Bruder von V. [1]; obwohl Patrizier, nur *IIIvir capitalis*, Legat unter dem Proconsul von Lycia-Pamphylia, *adlectus inter quaestorios* wohl aus einem bes. Grund, *praetor*, im J. 232 n. Chr. *cos. ord.* Unter Gordianus [3] war V. vielleicht consularer Legat von Syria Coele.

   K. DIETZ, Senatus contra principem, 1980, 254-256.   W. E.

Viroconium (Οὐιροκόνιον). Röm. Legionslager, ca. 55 n. Chr. in Verbindung mit mil. Operationen im oberen Tal des → Sabrina (h. Severn) angelegt [1. 292 f.]; h. Wroxeter. Ca. 74 n. Chr. aufgegeben, entwickelte sich V. noch E. des 1. Jh. zum Hauptort der *civitas Cornoviorum* [2]. Die Stadt erhielt 128/9 n. Chr. ein Forum [1. 288] und später ab Mitte des 2. Jh. Thermen [3]. Zahlreiche Privathäuser wurden vom 2. Jh. an errichtet. Im 4. Jh. wurde das Forum aufgegeben, die Thermen wurden ab 350 n. Chr. nicht mehr benutzt; immerhin war die *palaestra* der Thermen bis ins 5. und 6. Jh. hinein in Betrieb.

   1 R. G. COLLINGWOOD, R. P. WRIGHT, The Roman Inscriptions of Britain, 1965 2 G. WEBSTER, The Cornovii, 1975 3 D. ATKINSON, Report on the Excavations at Wroxeter 1923-1927, 1942.

   P. BARKER, The Baths Basilica Wroxeter: Excavations 1966-1990, 1997 · TIR Britannia Septentrionalis, 1987, 84 f.   M. TO./Ü: I. S.

Virodunum. Röm. *vicus* in der Gallia Belgica im Gebiet der Mediomatrici (Itin. Anton. 364,3; Not. dign. occ. 42,68; Not. Galliarum 5,4: *Verodunum*; unterschiedliche Namensformen bei Greg. Tur. Franc. *passim*) auf einem Sporn zw. dem Mosa [1] (Maas) und seinem Nebenfluß, h. Scanne, an einem Kreuzungspunkt der Straße Durocortorum − Divodurum mit regionalen Straßen, h. Verdun, Dép. Meuse. Ein kelt. Oppidum ist arch. nicht gesichert, die kaiserzeitliche Top. ist weitgehend unbekannt (→ *macellum* in der Rue de Mazel?); schon in der mittleren Kaiserzeit war V. Zentrum einer Gebietskörperschaft, die sich in der Spätant. aus dem Territorium der Mediomatrici herauslöste und zu einer eigenen → *civitas* avancierte. Zu dieser Zeit wurde die Stadt mit einer 10 ha einschließenden Mauer umgeben. Im 4. Jh. ist die Anwesenheit sarmatischer Truppen mit ihrem Anhang nachgewiesen; vgl. den *praefectus Sarmatarum* (Not. dign. occ. l.c.). Nekropole entlang der Route nach Durocortorum und im Norden von V.

R. BEDON, Atlas des villes, bourgs, villages de France au passé romain, 2001, 321 • N. GAUTHIER, Verdun, in: Ders., Top. chrétienne, Bd. 1, 1986, 61–65 • TIR M 31, 186 • P. WUILLEUMIER, s. v. V., RE 9 A, 240 • F. GAMMA, V., 1997 • M. TOUSSAINT, Le territoire et les limites de la Civitas Verodunensium, in: Bull. archéologique du Comité des Travaux Historiques et Scientifiques 1951/52 (1954), 343–357.   F. SCH.

Viromandui. Volk in der Gallia Belgica, Nordfrankreich, siedelte in der Region Picardie auf der sog. »Schwelle von Vermandois« am Oberlauf des → Samara (h. Somme) und des → Isara [2] (h. Oise; Liv. per. 104; Plin. nat. 106; Ptol. 2,9,11; Oros. 6,7). Teilweise von dichten Wäldern umgeben, hatten die V. als Nachbarn die → Nervii und → Atrebates [1] im Norden und NO, die → Ambiani und → Bellovaci im Westen und die → Suessiones im Süden. Während → Caesars Gallischem Krieg gehörten sie der belgischen Koalition von 57 v. Chr. an (Caes. Gall. 2,4,9) und wurden in der Schlacht am Sabis [1] besiegt (2,16,2; 2,23,4). Das spätlatènezeitliche *oppidum* der V. (16–20 ha) befand sich in Vermand an der Spitze eines Plateaus über dem Tal des Omignon, das nur im Süden und Westen durch einen Erdwall und Graben geschützt werden mußte. Das an einer alten Ost-West-Transversalen gelegene Stammeszentrum verlor nach der röm. Eroberung an Bed., als sich der verkehrsgeogr. Schwerpunkt in den neugegr. *civitas*-Hauptort → Augusta [10] Viromanduorum (s. Nachträge) 12 km südöstl. davon verlagerte. Das *oppidum* blieb aber weiterhin besiedelt. Im NW daran anschließend, in »Le Calvaire«, das von der neuen Straße Augusta Viromanduorum–Samarobriva durchquert wurde, entstand ein neues Viertel mit vorwiegend wirtschaftlicher Ausrichtung (Keramik-, Glasproduktion). Auf der anderen Seite des Omignon, in »Le Champ des Noyers«, befand sich ein bedeutender Kultbezirk in gallo-röm. Trad., dessen Wurzeln bis in die mittlere Latènezeit zurückreichen und der als rel. Zentrum der V. verstanden werden muß. Abgesehen von einigen inschr. Belegen von V. innerhalb und außerhalb ihrer *civitas* (ILS 2096; 7054; CIL XIII 1465; 1688; 3529; 8341 f.) hat das Volk keine weiteren Spuren in der schriftl. Überl. der hohen Kaiserzeit hinterlassen. In der Spätant. wurde die Befestigungsmauer des alten *oppidum* u. a. mit → Spolien ausgebaut.

Parallel zum Niedergang von Augusta Viromanduorum erlebte der Ort einen Aufschwung und wurde zum *caput civitatis* mit dem Namen Viromandis befördert (Notitia Galliarum 6,5). Überall reicht die Besiedlung bis zum E. des 4. Jh. Die Funde zeugen von einer prosperierenden Zivilbevölkerung, die von Anf. des 4. Jh. an durch eine Garnison geschützt wurde, die teilweise aus german. Söldnern und ihren Familien bestand. Berühmt ist Viromandis wegen seiner insgesamt sechs spätant. Gräberfelder, bes. wegen des prunkvoll ausgestatteten Grabes des sog. »Chef militaire«, dessen Beigaben auf eine ostgerman. Volksgruppe mit einer starken pontisch-danubischen Trad. hinweisen [1; 2] (zu german.

und sarmatischem Militär im Gebiet der V.: Not. dign. occ. 42,65; 42,67). Mit dem Verlust des in der Spätant. erhaltenen Bischofssitzes an Noviomagus [4] verm. 531 n. Chr. büßte Viromandis an Bed. ein.

1 D. SCHORSCH, The Vermand Treasure, in: Metropolitan Museum Journ. 21, 1986, 17–40 2 C. VON CARNAP-BORNHEIM, Kaiserzeitliche german. Trad. im Fundgut des »Chef militaire« in Vermand, in: T. FISCHER (Hrsg.), Germanen beiderseits des spätant. Limes, 1999, 41–61.

R. BEDON, Atlas des villes, bourgs, villages de France au passé romain, 2001, 321 f. • J.-L. COLLART, Le déplacement du chef-lieu du V. au Bas-Empire à Vermand, in: Rev. archéologique de Picardie 3/4, 1984, 245–258 • Ders., Vermand, in: J. P. PETIT, M. MANGIN (Hrsg.), Atlas des agglomérations secondaires de la Gaule Belgique et des Germanies, 1994, 230 f. (Nr. 269).   F. SCH.

Virtus. Lat. *v.* heißt allg. die Qualität des Mannes (*vir*), die sich v. a. als Tapferkeit äußert (zu weiteren Bed. vgl. → Tugend). Als Konzept sozialer und ethischer Wertevorstellungen ist lat. *v.* dagegen die Übers. der griech. *areté*. Auch im christl. Sprachgebrauch umfaßt *v.* viele verschiedene Tugenden (Aug. civ. 4,20). In Rom wurde V. als Göttin der »Mannhaftigkeit« zuerst in Verbindung mit → Honos verehrt. Die Umstände der Tempelgründungen und die Kultikonographie der V. auf republikanischen und kaiserzeitlichen Mz. – eine behelmte Frau mit Lanze, deren Fuß häufig auf Kriegsspolien ruht – legen eine enge Verbindung zu Krieg und Kriegsführung nahe: 222 v. Chr. gelobte M. Claudius [I 11] Marcellus vor der Schlacht von Clastidium einen Tempel für V. und Honos; das *votum* (→ Weihung, Weihgeschenk II.) wurde aber erst 208 (Liv. 27,25,7–9) erfüllt und der Tempel vor der Porta Capena in Rom schließlich 205 v. Chr. eingeweiht (Liv. 29,11,14). Wahrscheinlich wurde lediglich eine *cella* mit dem Kultbild der V. einem bereits bestehenden Honos-Heiligtum hinzugefügt, das Q. Fabius [I 28] Maximus Rullianus im späten 4. Jh. v. Chr. hatte erbauen lassen. Ein zweiter Tempel für Honos und V. vor der Porta Collina wurde von P. Cornelius [I 70] Scipio Africanus nach 133 v. Chr. errichtet. In nächster Nachbarschaft hierzu stand eine Statue der V., die 38 v. Chr. vom Blitz getroffen wurde (CIL VI 3735; Cass. Dio 48,43,4). Aus der Beute seiner Siege in den Kriegen gegen die Cimbri ließ C. → Marius [I 1] einen dritten Tempel beim späteren Ort des Titus-Bogens erbauen (Cic. div. 1,59). Auch Pompeius [I 3] ließ V. neben weiteren Gottheiten in dem Tempel verehren, der Teil des von ihm errichteten Theaterkomplexes war. V. gehört zu den vier »Tugenden«, mit denen Augustus 27 v. Chr. geehrt wurde (R. Gest. div. Aug. 34,2); in der kaiserlichen Mz.-Prägung erscheint V. vor 69 n. Chr. aber selten.

→ Personifikation; Tugend

W. EISENHUT, V. Romana, 1973 • R. FEARS, The Theology of Victory at Rome, in: ANRW II 17.2, 1981, 736–826 (bes. 747 f.) • Ders., The Cult of Virtues, in: ANRW II 17.2, 1981, 827–948, (bes. 859–861) • T. GANSCHOW, s. v. V., LIMC

8.1, 273–281 • L. RICHARDSON, *Honos et V.* and the Sacra Via, in: AJA 82, 1978, 240–246 • A. ZIOLKOWSKI, The Temples of Mid-Republican Rome, 1992, 58 f. D. WAR.

Virtutes dicendi (ἀρεταὶ λέξεως/ *aretaí léxeōs*, »Vorzüge des sprachlichen Ausdrucks«).

I. TERMINOLOGIE UND SYSTEMATIK
II. ENTWICKLUNG

I. TERMINOLOGIE UND SYSTEMATIK

Die ant. Lehre vom besten Gebrauch sprachlicher Mittel (*v. d.*) gehört in den Bereich des sprachlichen Ausdrucks (→ *elocutio*, λέξις/ *léxis* oder φράσις/ *phrásis*) und geht von der Prämisse eines zu erreichenden Optimums aus: dies entweder intrinsisch bzw. produktionsästhetisch als Erfüllung von Regelvorschriften der → *téchnē* (lat. *ars*) oder extrinsisch bzw. rezeptionsästhetisch als erfolgreicher Persuasionsprozeß (*persuadere*, πείθειν/ *peíthein*; Quint. inst. 2,15,12; [8]). Im Zuge einer Etablierung der rhet. *ars* kann der beste sprachliche Ausdruck nicht mehr nur am faktischen Persuasionserfolg des Redners (*orator*) gemessen werden, sondern auch an einem immanenten Regelsystem bzw. einem akzeptierten sprachlichen Code. Den Vorzügen (*virtutes*) werden daher in den technischen Traktaten die Fehler (*vitia*, κακίαι/ *kakíai* bzw. ψυχρόν/ *psychrón*, wörtl. »Frostiges«) als zu Meidendes gegenübergestellt. Als Hauptgesichtspunkte der *v. d.* werden Sprachrichtigkeit (*latinitas* bzw. ἑλληνισμός/ *hellēnismós*), Klarheit (*perspicuitas*, σαφήνεια/ *saphéneia*, bes. durch Wörter in eigentlicher Bed.), Angemessenheit (*aptum*, πρέπον/ *prépon*) und Schmuck (*ornatus*, κόσμος/ *kósmos*, κατασκευή/ *kataskeué*) genannt (Cic. or. 79; Quint. inst. 8,1,1).

II. ENTWICKLUNG

Die Polarität von »richtig« und »falsch« wird bei → Aristoteles [6], wie in seiner Ethik (vgl. Aristot. eth. Nic. 1106a 13), durch eine exklusive richtige Mitte (μεσότης/ → *mesótēs*) zw. zu meidenden Extremen konstituiert (Aristot. rhet. 1404b 1–4; [9]); diese Mitte ist die Klarheit zw. einer zu banalen Ausdrucksweise einerseits und einer gekünstelten andererseits, reguliert durch die Angemessenheit; Aristoteles definiert so eigentlich nur eine einzige *virtus dicendi* [10. 30]. → Theophrastos folgt dieser Konzeption; er scheint in seiner verlorenen Schrift *Perì léxeōs* [1. Fr. 681–704] lediglich die Klarheit um die Sprachrichtigkeit erweitert und die Aristotelische Forderung nach Verfremdung näher durch *ornatus* spezifiziert zu haben (vgl. [1. Fr. 684]: *suave et affluens*; [5. 251–268, bes. 257 f.; 4; 2]).

In der Folge entwickelt sich eine Graduierung sprachlicher Mittel nach Maßgabe der Redesituation und des referierten Gegenstands im Sinne des *aptum*; das bildet die Grundlage der → *genera dicendi*. Nach Diog. Laert. 7,59 fügten die Stoiker noch die → *brevitas* hinzu. Dionysios [18] von Halikarnassos (epist. ad Pompeium 3) unterscheidet zw. notwendigen *v. d.* – Reinheit der Sprache (τὸ καθαρόν/ *katharón*), Klarheit (σαφήνεια/ *saphéneia*), Kürze (συντομία/ *syntomía*; vgl. lat. → *brevi-*

tas) – und zusätzlichen *v. d.* – Anschaulichkeit (ἐνάργεια/ *enárgeia*), ethisch-pathetischer Darstellung (μίμησις ἠθῶν/ *mímēsis ēthôn*), Größe/Eindrücklichkeit (τὸ μέγα καὶ θαυμαστόν/ *to méga kaí thaumastón*), Stärke (ἰσχύς/ *ischýs*), Anmut, Eingängigkeit (ἡδονή/ *hēdoné*, πειθώ/ *peithô*), Angemessenheit – und schafft so einen differenzierten Bewertungs-Code der zu beurteilenden Prosa. → Elocutio; Literaturtheorie; Rhetorik

1 W. W. FORTENBAUGH et al. (ed.), Theophrastus of Eresus: Sources for his life, Writings, Thought and Influence, 2 Bde., 1992 (mit engl. Übers.) 2 G. M. A. GRUBE, Theophrastos as a Literary Critic, in: TAPhA 83, 1952, 172–183 3 D. HAGEDORN, Zur Ideenlehre des Hermogenes, 1964 4 G. L. HENDRICKSON, The Peripatetic Mean of Style and the Three Stylistic Characters, in: AJPh 25, 1904, 125–146 5 D. C. INNES, Theophrastus and the Theory of Style, in: W. W. FORTENBAUGH et al. (Hrsg.), Theophrastus of Eresus: On his Life and Work, 1985, 251–268 6 G. A. KENNEDY, Theophrastus and Stylistic Distinctions, in: HSPh 62, 1957, 93–104 7 J. KNAPE, Was ist Rhetorik?, 2000 8 Ders., s. v. Persuasion, HWdR 6, 2002 9 TH. SCHIRREN, Persuasiver Enthusiasmus in Rhetorik 3, 7 und bei Ps. Longin, in: J. KNAPE, TH. SCHIRREN (Hrsg.), Aristotelische Rhet.-Trad. (erscheint 2003) 10 J. STROUX, De Theophrasti virtutibus dicendi, 1912. TH. SCH.

Virunum. Ital.-röm. Handelsplatz (norisches Eisen) auf dem Magdalensberg (1058 m) in Kärnten am Ostrand des Zollfelds mit Heiligtum auf der Bergkuppe. Die Identität von V. mit einem einheimischen kelt. Zentralort, bisweilen mit → Noreia identifiziert, ist bisher nicht bewiesen. Um die Mitte des 1. Jh. n. Chr. wurde das Siedlungszentrum auf das nahe Zollfeld verlagert. Seit Claudius [III 1] *municipium* (*Claudium V.*, Plin. nat. 3,16), bis in die 2. H. des 2. Jh. Hauptort der Prov. → Noricum. Umfangreiche Ausgrabungen seit der 2. H. des 18. Jh. legten das Stadtzentrum mit Forum, Capitol (mit Tempel), mehrere → *insulae*, ein Theater, einen weiteren Großbau (Statthalterpalast?) sowie mehrere Heiligtümer frei. Eindeutige Hinweise auf einen Bischof in V. gibt es erst für das J. 591 n. Chr. Anf. des 5. Jh. erfolgte der Niedergang der unbefestigten Stadt.

G. PICCOTTINI, Alt-V., in: Ant. Welt 29, 1998, 185–198 • Ders., H. VETTERS, Führer durch die Ausgrabungen auf dem Magdalensberg, ⁵1999 • H. VETTERS, s. v. V. (1), RE 9 A, 244–309 • G. DOBESCH, Zu V. als Namen der Stadt auf dem Magdalensberg und zu einer Sage der kontinentalen Kelten, in: Carinthia I, 187, 1997, 107–128. G. H. W.

Vis (wörtl. »Gewalt«, »Gewaltanwendung«) kann zwar als lat. Gegenbegriff zu *ius* verstanden werden (Cic. Caecin. 5; → *ius* A. I.), doch gilt dies nicht uneingeschränkt, da die röm. Rechtsordnung auch erlaubte Eigenmacht kennt. Die Zulässigkeit der gewaltsamen Abwehr unmittelbarer, rechtswidriger Angriffe – *vim vi repellere licet* – gilt als Prinzip des *ius naturale* (Dig. 43,16,1,27; vgl. Cic. Mil. 10), das entsprechend in allen Rechtsordnungen anerkannt wird (Dig. 9,2,45,4). Gelegentlich wird auch institutionalisierte Rechtsgewalt als *vis ac potestas* bezeichnet (Dig. 26,1,1 pr. zur *tutela*). In der polit. Rhetorik verweist die Rede von der *v. tribunicia* auf die mit der Wahrnehmung der Amtsgewalt der Volkstribunen (→ *tribunus* [7] *plebis*) verbundenen Möglichkeiten des Mißbrauchs (Cic. leg. agr. 2,14; Cic. leg. 3,26; Sall. hist. 3,48,12).

Spätestens seit Beginn des 2. Jh. v. Chr. untersagten diverse praetorische Interdikte (→ *interdictum*) die gewaltsame Aneignung von (Grund-)Besitz (*vim fieri veto*; Dig. 43,17,1), schützten jedoch nur den letzten rechtmäßig in den Besitz gelangten Besitzer, ließen demnach Selbsthilfe in anderen Fällen weiterhin zu (Cic. Tull. 44 f.; Cic. Caecin. 92 f.; Gai. inst. 4,154). Als Reaktion auf die gewalttätig ausgetragenen Besitzstreitigkeiten der nachsullanischen Zeit verbot ein 69 v. Chr. eingeführtes Interdikt den Einsatz bewaffneter Banden ohne jede Einschränkung (Cic. Caecin. 23); bereits 76 war eine (über die → *lex Aquilia* hinausgehende) Klage vor → *recuperatores* gegen diese Art der Gewaltanwendung ermöglicht worden (Cic. Tull. 8–12; 41–45).

Auch die Eröffnung einer strafrechtlichen Verfolgung von Gewaltanwendung, die sich gegen die staatliche Ordnung richtet, fällt in diese Zeit. Durch eine *lex Lutatia* (wahrscheinlich 78 v. Chr.; → Lutatius [4]) bzw. einer *lex Plautia de vi* (vor 63 v. Chr.; → Plautius [I 12]) oder [I 12]) waren zumal bewaffnete Angriffe auf Senat und Magistrate, die Besetzung öffentlicher Plätze mit Bewaffneten, die Beschädigung oder Inbrandsetzung öffentlicher Gebäude und das Anheuern von Banden zu diesen Zwecken vor einem (wohl ständigen) Geschworenengericht (→ *quaestio*) verfolgbar (Cic. Cael. 1; 70; 78; Cic. Sull. 54; Sall. Catil. 31,4 mit 27,2; Ascon. p. 55C).

Spätere Gesetze schrieben diese Regelungen fort und ergänzten sie. Wenn auch auf Caesar eine *lex de vi* zurückgeht (Cic. Phil. 1,23), so dürften doch die in den ›Digesten‹ (48,6 und 48,7) angeführten *leges Iuliae de vi* Augustus (wahrscheinlich zw. 19 und 16 v. Chr.) zuzuschreiben sein. Zu den wesentlichen Neuerungen zählte, daß nun auch Vergehen von Amtsträgern, namentlich Verstöße gegen das Provokationsrecht (→ *provocatio*; Dig. 48,6,7; Paul. sent. 5,26,1), sowie die von bewaffneten Banden ausgeübten Gewalttaten als *v.* strafrechtlich verfolgt werden konnten. Für die in den ›Digesten‹ vorgenommene Unterscheidung zwischen *v. publica* und *v. privata* und ihre angebliche Behandlung in zwei unterschiedlichen Gesetzen lassen sich keine eindeutigen Kriterien bezüglich Tatbeständen (Schädigung öffentlicher oder privater Interessen), Tätergruppen (Amtsträger oder Privatpersonen) und Strafmaß (Todesstrafe oder Einziehung eines Vermögensdrittels) erkennen; hinzu kommt, daß eine Reihe von Fällen angeführt wird, die offensichtlich erst seit dem 3. Jh. n. Chr. als *v.* qualifiziert wurden, so daß dieser Begriff seitdem tendenziell von der Kasuistik abgelöst wurde und jede Form von Gewaltverbrechen umfaßte; seit Constantinus [1] (Cod. Theod. 9,10,1) wurde dafür → *violentia* verwendet.

J. D. Cloud, Lex Iulia de vi, in: Athenaeum N. S. 66, 1988, 579–595; N. S. 67, 1989, 427–465 • A. W. Lintott, Violence in Republican Rome, 1968 • Th. Mayer-Maly, s. v. Vis, RE 9 A, 311–347 • W. Vitzthum, Unt. zum materiellen Gehalt der »Lex Plautia« und »Lex Julia de vi«, 1966. W. N.

Visellius. Röm. → Gentile, das seit dem 2. Jh. v. Chr. sicher belegt ist (Schulze, 256; 441; 445).

[1] V. Aculeo, C. Röm. Ritter verm. aus Arpinum, der mit der Schwester von → Ciceros Mutter Helvia [1] verheiratet war. V. galt als Kenner des bürgerlichen Rechts und war mit dem Redner L. Licinius [I 10] Crassus näher bekannt (Cic. de orat. 1,191; 2,2; 2,262; Cic. Brut. 264).

[2] V. Varro, C. (vor 103–vor 55 v. Chr.). Sohn (?) von V. [1] und Vetter Ciceros (Cic. Brut. 264; Cic. prov. 40). Um 80 war V. als *tr. mil.* in Asia (Cic. Verr. 2,1,71), vor 73 *qu.* (Sherk, 23), vielleicht *tr. pl.* (falls Autor der *lex Visellia de cura viarum*: ILS 5800) und *aed. cur.* in einem unbekannten Jahr (Cic. Brut. 264; Vitr. 2,8,9; Plin. nat. 35,173). Im folgenden Jahr starb V., der wie sein Vater als Rechtsgelehrter galt, während seiner Amtszeit als *iudex quaestionis* (»Untersuchungsrichter«; Cic. Brut. 264). Val. Max. 8,2,2 weiß von einem »Skandalprozeß« zu berichten.

MRR 3, 222 • D. R. Shackleton Bailey, Two Studies in Roman Nomenclature, 1976, 76; 134 • G. Sumner, Review of Shackleton Bailey, Two Studies in Roman Nomenclature, in: CPh 73, 1978, 159–164. J. BA.

Visentium. Stadt in Süd-Etruria am SW-Ufer des Lacus Volsiniensis (Lago di Bolsena), h. Monte Bisenzio. Lediglich der Verlauf der Stadtmauer, ein Aquaedukt, Uferbefestigungen und als Getreidespeicher gedeutete Mauerreste erinnern an das röm. V. (*municipium*; *tribus Sabatina*).

Wichtiger ist der Ort für die Kenntnis der etr. und v. a. für die frühe ital. Eisenzeit. Ausgedehnte Nekropolen (u. a. Olmo Bello, Polledrara, San Bernardino) mit reichen Br.- und Edelmetallbeigaben zeugen von der Bed. der Villanova-Siedlung (→ Villanova-Kultur). Sie dürfte bis zur Gründung von → Volsinii Novi der maßgebliche Platz gewesen sein, der die Kontrolle über den Bolsena-See erlaubte. Später gehörte V. wahrscheinlich zum Territorium von → Tarquinii. Seit dem 5. Jh. v. Chr. ist der langsame Niedergang faßbar; spätestens mit Einrichtung der Via Cassia, die den Ort nicht mehr berührte, verlor er endgültig seine Bed. Erwähnung der *Visentini* oder *Vesentini* in ant. Quellen finden sich z. B. bei Plin. nat. 3,5,52.

→ Etrusci, Etruria; Volsinii

E. Bormann, s. v. V., CIL XI,1 2909–2924 (Ethnikon) • F. Delpino, s. v. Bisenzio, in: M. Cristofani (Hrsg.), Dizionario illustrato della civiltà etrusca, 1985, 38 f. • J. Driehaus, Ricerche su un insediamento arcaico a Monte Bisenzio, in: SE 53, 1985, 51–64 • L. Gasperini, Nuove iscrizioni etrusche e latine di »V.«, in: Epigraphica 21, 1959, 31–50 • U. Pannucci, Bisenzo e le antiche civiltà: intorno al Lago di Bolsena, ³1989. C. KO.

Vishtaspa, Vištāspa- s. Hystaspes

Visio Dorothei s. Visionsliteratur

Visionsliteratur. Die in der jüdischen und christl. V. dargestellten Visionen, die in Träumen oder in → Ekstase erfahren wurden, dienten dazu, mystische Offenbarung, göttliches Eingreifen sowie den eschatologischen Konflikt zw. göttlicher Gerechtigkeit und Gnade zu beschreiben. In der bestbekannten Kategorie, den »Höllenfahrten«, führt ein göttliches Wesen einen Seher an den Ort der Qualen der Verdammten (Zephania-Apokalypse, Petrus-Apokalypse, Paulus-Apokalypse, s. → Paulus [2] III., urspr. griech. Esra-Apokalypse, lat. *Visiones Esrae*, Thomasakten 55–57). Ebenfalls häufig in diesen Visionen ist ein Aufstieg in den Himmel (so etwa in Schriften des 3. Jh. v. Chr. bis 2. Jh. n. Chr.: Buch der Wächter = 1 Hen 1–36, Bilderreden des → Henoch = 1 Hen 37–71, Zephania-Apokalypse, 2 Hen, Abraham-Apokalypse, Himmelfahrt des Jesaja, Testamentum Levi, 3 Bar).

Die dichte Bilderwelt, die Symbolik und die allegorische Sprache der V. benötigen oft einen deutenden Mittler (z. B. einen → Engel, s. Nachträge), manchmal unterhält sich der Seher direkt mit Gott, oder die Interpretation wird dem Leser überlassen. Manche Texte präsentieren Offenbarungen unter dem Namen einer großen Autorität (→ Pseudepigraphie II.) wie → Abraham [1], Zephania, → Elias [1] oder → Esra [1] (4–6 Esra). Texte aus der alten Kirche schildern teilweise oder als ganze die Visionen, die an die Jünger Jesu ergingen, so etwa an Iohannes [1], → Maria [II 2] Magdalena, → Petrus [1], Bartholomäus oder → Thomas [1].

Die Maria-Apokalypse beschreibt die Reise der Mutter Jesu (→ Maria [II 1]) in die Unterwelt, wo sie um Gnade für die Verdammten fleht. Verwandt ist die Paulus-Apokalypse (früher als die Maria-Apokalypse) mit aufrüttelnden Visionen des Lebens nach dem Tod, des Paradieses und des Gerichts über Gerechte und Gottlose; sie hatte wohl den größten Einfluß auf die »Höllenfahrten« und inspirierte, zusammen mit der Petrus-Apokalypse, viele volkstümliche christl. Vorstellungen von Himmel und Hölle, v. a. im MA (so etwa DANTES Inferno). Zur V. gehören ferner die Visionen des → Hermas, die Sibyllinischen Orakel (→ *Sibyllini libri*), das Buch des Elchesai, der kürzlich entdeckte Pap. Bodmer XXIX sowie die lat. *Visio Dorothei*, eine Vision des Christen Dorotheus, der als Wächter des himmlischen Palastes vorgestellt wird. Visionen begegnen auch zentral in einigen Märtyrertexten (→ Märtyrer; → Märtyrerliteratur) wie z. B. dem Martyrium der → Perpetua und Felicitas.

Künftige Forsch. muß sich der Frage nach den Ursprüngen dieser Schriften, ihrer Intertextualität und ihrem jüdischen oder christl. Charakter zuwenden, ferner der Debatte, inwieweit diese Visionen lit. Darstellungen authentischer Erfahrungen sind oder ob sie nur ethische,

eschatologische, prophetische oder politische Inhalte übermitteln.

→ Apokalypsen; Henoch; Jenseitsvorstellungen; Katabasis; Neutestamentliche Apokryphen; Testamentenliteratur; Traum; Unterwelt

ED.: F. BOVON, P. GEOLTRAIN, Écrits apocryphes chrétiens, Bd. 1, 1997 • J. H. CHARLESWORTH, The Old Testament Pseudepigrapha, Bd. 1, 1983 • W. SCHNEEMELCHER, Nt. Apokryphen, Bd. 1, ⁶1999; Bd. 2, ⁵1989.
LIT.: E. BENZ, Die Vision, Erfahrungsformen und Bilderwelt, 1969 • P. DINZELBACHER, Vision und V. im MA, 1981 • M. HIMMELFARB, Tours of Hell, 1985.
A. G. B./Ü: M. HE.

Vistilia

[1] Wohl Tochter von Sex. → Vistilius. Verheiratet mit dem Senator Titedius Labeo. 19 n. Chr. erklärte sie sich vor den Aedilen als Prostituierte, um der Strafe der *lex Iulia de adulteriis* zu entgehen (→ *adulterium*). Sie wurde auf die Insel Seriphos verbannt (Tac. ann. 2,85,2).

W. ECK, s. v. V., RE Suppl. 14, 910 f. • SYME, RP 2, 811.

[2] Wohl Schwester von Sex. → Vistilius. Bei Plin. nat. 7,39 werden ihre sechs Ehen genannt, aus denen sechs Kinder hervorgingen; während die Ehemänner nicht alle exakt identifiziert werden können, sind die Kinder bekannt: Glitius [3], wohl der Sohn des Glitius [2] Gallus; Q. Pomponius [II 18] Secundus und P. Pomponius Secundus; Orfitus, wohl Vater des gleichnamigen Consuls von 51 n. Chr. (→ Cornelius [II 50]); P. Suillius [3] Rufus und → Milonia Caesonia (s. Nachträge). Plinius hebt besonders hervor, daß sie die meisten ihrer Kinder bereits im siebten Monat zur Welt brachte.

W. ECK, s. v. V., RE Suppl. 14, 911 • SYME, RP 2, 811–814.
W. E.

Vistilius. Sex. V. Senator der augusteisch-tiberischen Zeit, der es bis zum praetorischen Rang brachte; aus Iguvium stammend. Eng mit Nero Claudius [II 24] Drusus d. Ä. verbunden, dann von → Tiberius [1] in den Kreis seiner *amici* (→ *amicitia*) übernommen. Wegen eines Pamphlets, das er angeblich gegen Caligula verfaßt hatte, von Tiberius verstoßen, worauf er sich das Leben nahm (Tac. ann. 6,9,2). Wohl Bruder von Vistilia [2], Vater von Vistilia [1].

SYME, RP 2, 810 f.   W. E.

Vistula (Ούιστούλα). Hauptstrom des h. Polen (Amm. 22,8,38: *Bisula*; Plin. nat. 4,81; 97; 100: *Vistla, Visculus*; abgeleitet von indeur. *vis = »fließen«: german. *Wistlo, slavisch Visla), h. Weichsel (polnisch Wisła). Der V. entspringt mit seinen Quellflüssen Schwarze und Weiße Weichsel im Jablunka-Gebirge in den West-Beskiden, von Ptol. 2,11,4; 3,5,5 zutreffend im Osten des Askiburgion-Gebirges angegeben. Das weitverzweigte Mündungsdelta (h. Bucht von Danzig/Gdańsk) bildete eine natürliche Einfallspforte für Einwanderer aus Scandiae (→ Scadinavia). Für die augusteischen Geographen (vgl. Mela 3,33) ist der V. die Ostgrenze des german.

Siedlungsgebietes. Der Lauf des V. bildete einen Teil der Bernsteinstraße vom → *mare Suebicum* nach → Carnuntum bzw. Aquileia [1] (Plin. nat. 37,45).

S. GUTENBRUNNER, s. v. V., RE 9 A, 364 f.   G. H. W.

Visurgis. Fluß, der nach Ptol. 2,11,1 (Οὐισούργιος) in Verbindung mit 2,11,5 im → Mons Melibocus entspringt [2. 560], h. Weser; zur Etym. vgl. [1. 366 f.]. 12 v. Chr. gelangte Nero Claudius [II 24] (Drusus d. Ä.) auf dem Seeweg ins Land der Chauci zw. Amisia [1] (h. Ems) und V. (Cass. Dio 54,32,2). 11 v. Chr. zog er auf dem Landweg gegen Cherusci und Chauci zum V., ohne diesen zu überschreiten (Cass. Dio 54,33,1–3). Erst 9 v. Chr. drang er über den V. bis zum Albis (h. Elbe) vor und soll u. a. am V. *praesidia atque custodia* (»Schutzbauten und Wachposten«) angelegt haben (Flor. epit. 2,30,26). Verm. hat auch Tiberius [1] 8/7 v. Chr. den V. wieder erreicht bzw. überschritten (vgl. Vell. 2,97,4), sicher geschah dies 4/5 n. Chr. bei seinem zweiten germanischen Kommando (Vell. 2,105,1; 2,106,2; Cass. Dio 55,28,5). 9 n. Chr. geriet → Quinctilius [II 7] Varus beim Zug vom V. zum Rhenus [2] (h. Rhein) in den Hinterhalt, der zum Untergang des röm. Heeres führte (Cass. Dio 56,18,5). Danach wurde erst 16 n. Chr. der V. wieder erreicht und überschritten (Tac. ann. 2,9 f.; 2,12,1: u. a. wohl fiktives Streitgespräch zw. → Arminius und Flavus [1] am V.) sowie bei → Idistaviso am V. (Tac. ann. 2,16,1) eine für Rom erfolgreiche Schlacht geschlagen. Nach Abberufung des Germanicus [2] hat offenbar kein röm. Heer mehr den V. erreicht. Als Verkehrsweg war der wohl nahezu durchgängig schiffbare Fluß zweifellos von wirtschaftlicher Bed. für Anrainer und überregionalen Handel.

1 S. GUTENBRUNNER, W. JOHN, s. v. V., RE 9 A, 366–371 2 G. CH. HANSEN, Ptolemaios (Komm.), in: J. HERRMANN (Hrsg.), Griech. und lat. Quellen zur Frühgesch. Mitteleuropas, Bd. 3, 1991, 553–587.

H.-W. GOETZ, K.-W. WELWEI (Hrsg.), Altes Germanien, 1995.   R. A. WI.

Vita s. Autobiographie; Biographie; Vitae Sanctorum

Vita Gregorii. Die erste Vita über → Gregorius [3] d. Gr. befindet sich als angelsächsische Hs. aus der 1. H. des 9. Jh. n. Chr. in der Kloster-Bibl. von St. Gallen [1. 182]. Es handelt sich um einen Text auf 18 Bl., der von unterschiedlichen Schreibern teilweise mit zahlreichen Korrekturen und Fehlern kopiert wurde und auf die → Biographie eines Mönches aus dem engl. Whitby zurückgehen muß [2]. Lange in Vergessenheit geraten, war die *V. G.* meist nur bekannt durch Erwähnung in der von Iohannes Diaconus verfaßten *V. G.* (PL 75, 61). Durch die erste Gesamtausgabe der frühen Gregorsviten 1904 [3] stellte sich die Frage nach den Abhängigkeiten von Iohannes und → Paulus [4] Diaconus, → Beda Venerabilis und der *V. G.* – die beiden letztgenannten zitieren Daten aus dem → *Liber Pontificalis.* Die 33 Kap. der *V. G.* wurden höchstwahrscheinlich als Lesungen für die Feiertage des St. Gregor verfaßt und enthalten Lobreden (wie z. B. die Wunderberichte) und Lehrtexte (Legenden oder Aussagen Gregors). Der anon. Autor betont die rein mündlichen Quellen, auf denen sein Werk beruhe. Nach Angaben im Text muß die *V. G.* zw. 680 und 714 n. Chr. geschrieben worden sein und ist damit eines der frühesten angelsächsischen lit. Werke.

→ Gregorius [3]; Hagiographie (s. Nachträge)

1 G. SCHERRER, Verzeichnis der Hss. der Stiftsbibl. von St. Gallen, 1875 2 P. EWALD, Die älteste Biographie Gregors I., 1886, 17–54 3 F. A. GASQUET, A Life of Pope St. Gregory the Great, 1904.

B. COLGRAVE, The earliest Life of St. Gregory the Great, in: Celt and Saxon 1963, 119–137.   S. ZU.

Vita patrum Iurensium (»Leben der Väter vom Jura«). Eine lat. biographische Serie, die das Leben der Äbte Romanus, Lupicinus und Eugendus, Gründer der Klöster Condat (= St. Oyend, St. Claude), St. Lupicin und Romainmôtier im burgundischen Jura beschreibt (Ed.: [1; 2]). Sie lebten an der Wende vom 5. zum 6. Jh. und gehörten zu dem von Kloster Lérins beeinflußten Rhônemönchtum [3]. [1] hielt die Trilogie für eine Fälschung des 9. Jh.; neuere Forschungen verfechten eine Datier. um 520 [2. 53–57].

→ Hagiographie (s. Nachträge); Vitae Sanctorum

ED.: 1 B. KRUSCH, Passiones vitaeque sanctorum aevi Merovingici et antiquiorum aliquot (MGH Scriptores rerum Merovingicarum 3), 1910 (Ndr. 1979), 131–166 2 F. MARTINE, Vie des pères du Jura, 1968. LIT.: 3 F. PRINZ, Frühes Mönchtum im Frankenreich, 1965, 66–69.   W. B.

Vita Sanctae Genovefae. Die *V. S. G.* (Ed.: [1]) erzählt in breiter, oft solözistischer Form, wie während des Vordringens der Hunnen (451) und der Franken [4] nach Paris mitten im Zerfall der röm. Kultur der Glaube an das Wunderbare an allen Ecken blüht [2]. Genovefa (»das Zauberweib«), Jungfrau und vielfache Helferin, starb 502. Die Angabe des Verf., er schreibe 18 J. danach, wird von der mod. Forsch. wieder ernst genommen [3; 5].

→ Hagiographie (s. Nachträge); Wunder

ED.: 1 B. KRUSCH, Passiones vitaeque sanctorum aevi Merovingici et antiquiorum aliquot (MGH Scriptores rerum Merovingicarum 3), 1910 (Ndr. 1979), 215–238. LIT.: 2 W. BERSCHIN, Biographie und Epochenstil im lat. MA, Bd. 2, 1988, 8–14 3 M. HEINZELMANN, J.-C. POULIN, Les vies anciennes de Sainte Geneviève de Paris, 1986 4 J.-C. POULIN, Geneviève, Clovis et Remi, in: Clovis. Histoire et mémoire, 1997, 331–348 5 S. WITTERN, Frauen, Heiligkeit und Macht. Lat. Frauenviten, 1994.   W. B.

Vita Sanctae Melaniae. Die *V. M. senatricis* ist die älteste erh. ausführliche lat. → Biographie einer Frau [3. 156 f.]. Es ist nicht geklärt, ob es sich bei dem erst 1905 publizierten lat. Text [1] um ein Original oder um eine Übers. einer griech. Fassung [2] handelt. Jedenfalls ist das Werk von einem Priester Gerontius bald nach dem Tod der jüngeren → Melania [2] († 31.12.439 in Jerusalem) in Palaestina geschrieben worden. Es schildert die Askese der reisenden und stiftenden reichen Römerin [4] aus dem Senatorenstand vor dem Hintergrund eines tiefen allg. rel. und sozialen Umbruchs [5]. Der biographische Brief des → Hieronymus über → Paula (Hier. epist. 108 Epitaphium Sanctae Paulae) ist das wichtigste lit. Vorbild für die *V. S. M.* [3. 156–159]. → Frau IV.; Hagiographie (s. Nachträge); Vitae Sanctorum

ED.: 1 M. RAMPOLLA DEL TINDARO, Santa Melania Giuniore: senatrice Romana, 1905 2 D. GORCE, Vie de sainte Mélanie (mit frz. Übers.), 1962.
LIT.: 3 W. BERSCHIN, Biographie und Epochenstil im lat. MA, Bd. 1, 1986 4 B. FEICHTINGER, Apostolae apostolorum, 1995, 227–232 5 CH. KRUMEICH, Hieronymus und die christl. feminae clarissimae, 1993, 117–153.   W.B.

Vita Sancti Alexii. Die *V. S. A.* ist eine ursprünglich syrische Erzählung über Mar Riscia, den »Gottesmann«, der unter Bischof → Rabbulā von Edessa [2] (412–435) starb [1]. Vor seinem Tod erzählte der Asket Mar Riscia, er sei als Sohn aus reicher röm. Familie nach Edessa geflohen, um der Heirat zu entgehen und sich ganz Gott zu widmen (»Alexiusmotiv«; → Alexios). Vor dem 9. Jh. entstand die griech. Fassung [2], die Alexius nach Rom zurückkehren und unerkannt im elterlichen Haus leben läßt. Erste lat. Fassungen erschienen im 10. Jh. [3; 4]. Der Gottesmann bekam einen symbolischen Namen (*Alexios* = »Schutzhelfer«). Das Pathos der Legende verdichtete die letzte Phase der Vita zum Leben unter der Treppe des Elternhauses [5. 169–171]. In der Armutsbewegung des 12. Jh. spielt Alexius eine Rolle: Seine Legende gab den Ausschlag für die Bekehrung des Kaufmanns Petrus Waldes, des Begründers der Waldenser.
→ Vitae Sanctorum

ED.: 1 A. AMIAUD, La légende syriaque de saint Alexis l'homme de dieu, 1889 2 F. M. ESTEVES PEREIRA, Légende grecque de l'homme de Dieu saint Alexis, in: Analecta Bollandiana 19, 1900, 241–253 3 J. BOLLANDUS et al. (ed.), Acta Sanctorum Iulii, Bd. 7.4 (= 33), 1725 (Ndr. 1868), 251–253 4 U. MÖLK, Die älteste lat. Alexiusvita, in: Romanistisches Jb. 27, 1976/77, 304–315.
LIT.: 5 W. BERSCHIN, Biographie und Epochenstil im lat. MA, Bd. 1, 1986.   W.B.

Vitae Sanctorum (»Heiligenleben«), wichtige Gattung der hagiographischen Lit. Unter den Dokumenten, die sich auf frühchristl. → Heilige (B.) und deren Verehrung beziehen, kommt den *V. S.* eine besondere Rolle zu. Dem lit. Genus nach zählen sie zur → Biographie (›spirituelle Biographie‹ [5. 8]), können aber auch Züge anderer griech.-röm. → literarischer Gattungen (z. B. des Romans) sowie biblischer Erzählungen annehmen. Die neuere Forsch. spricht vom hagiographischen Diskurs, der eine Vielzahl von Textsorten betrifft und in Struktur und Funktion zahlreiche Berührungspunkte mit der zeitgenössischen griech.-röm. Lit. aufweist [7. 152, 159–164]. Die Anfänge der *V. S.* sind eng verbunden mit den frühchristl. Märtyrerberichten (→ *Acta Sanctorum*; → *Passio*). Anschauliches Beispiel ist eines der frühesten Heiligenleben, die Vita des Bischofs Cyprianus [2] von Karthago (CPL 52).

Auf F. LOTTER geht eine grobe Unterscheidung zweier Grundformen der *V. S.* zurück (vgl. [7. 153]): Der rhet.-idealisierende Typus der christl. → Biographie (III.) ist stark dem zeitgenössischen griech.-röm. Vorbild verpflichtet, erhält aber durch die persönliche Gestaltung des Verf. einen spezifisch christl. Charakter [7. 164]. Ihr gegenüber steht die hagiographisch-stilisierende Heiligenvita, die auch in Sammlungen auftritt (u. a. → *Historia monachorum in Aegypto*: CPG 5620, *Historia Lausiaca* des → Palladios [3]: CPG 6036) und den Ursprung der Heiligenlegende bildet.

Die frühesten *V. S.* erzählen meist von Asketen. In Form und Inhalt zum Vorbild wurde die *Vita Antonii* (Leben des → Antonios [5]) von → Athanasios (CPG 2101), deren Vorlagen (Philosophenviten?) und Gattung umstritten sind (vgl. [7. 161–163]). → Hieronymus verfaßte E. des 4. Jh. mit den novellenhaften Viten des Paulos von Theben und des Malchus sowie der dem → Roman nahestehenden Vita des Hilarion eine hagiographische Trilogie. Über frühchristl. Asketinnen berichten → Gregorios [2] von Nyssa (*Vita Macrinae/*›Leben der → Makrina‹: CPG 3166) und Gerontius (→ *Vita S. Melaniae Iunioris*, ›Leben der hl. Melania [2] d. J.‹: CPL 2211). Im 6. Jh. verfaßte → Kyrillos [3] von Skythopolis wichtige Mönchsviten. Unter den ebenfalls früh nachweisbaren Bischofsviten verdienen bes. Beachtung die Werke des → Gregorios [2] von Nyssa (*Vita Gregorii Thaumaturgi*, ›Leben des → Gregorios [1] Thaumaturgos‹: CPG 3184), Sulpicius [II 14] Severus (*Vita Martini Turonensis*, ›Leben des → Martinus [1] von Tours‹: CPL 475), → Palladios [3] (*Dialogus de vita Ioannis Chrysostomi/*›Dialog über das Leben des Iohannes [4] Chrysostomos‹: CPG 6037), → Paulinus [3] von Mailand (*Vita Ambrosii*, ›Leben des → Ambrosius‹: CPL 169) und des → Possidius (*Vita Augustini*, ›Leben des → Augustinus‹: CPL 358). Die gewaltige Zahl an *V. S.*, nicht zuletzt auch in den Sprachen des christl. Orients (u. a. Leben des Hl. → Rabbulā von Edessa) – mehr als 3000 Einzeltitel sind allein für den griech. Bereich nachgewiesen –, wird durch Verzeichnisse [2–4] zumindest großflächig erschlossen.

→ Acta Sanctorum; Biographie III.; Hagiographie (s. Nachträge); Heilige; Literatur VI.; Passio

ED.: 1 CH. MOHRMANN (Hrsg.), Vite dei santi, 4 Bde., 1974–1975 (mit it. Übers.) 2 Bibliotheca hagiographica latina (BHL), 2 Bde., 1898–1901 (Ndr. 1992); Bd. 3 (Supplément), 1986 3 Bibliotheca hagiographica graeca (BHG), ³1957 (Ndr. 1985), mit Novum Auctarium 1984 4 Bibliotheca hagiographica orientalis (BHO) 1910, Ndr. 1954.

LIT.: **5** G. BARDY, s. v. Biographies spirituelles, Dictionnaire de Spiritualité 1, 1932, 1624–1634 **6** T. BAUMEISTER, s. v. Vita, in: S. DÖPP, W. GEERLINGS (Hrsg.), Lex. der ant. christl. Lit., 1998, 629–632 (Lit.) **7** M. VAN UYTFANGHE, s. v. Heiligenverehrung, RAC 14, 150–183 **8** Ders., s. v. Biographie II (spirituelle), RAC Suppl. 1, 2001, 1088–1364 (bes. 1171–1364) **9** D. VON DER NAHMER, Die lat. Heiligenvita, 1994. J. RI.

Vitalianus. Flavius V., oström. Heerführer, der 513 n. Chr. wegen mangelnder Versorgung seiner Truppen, aber auch als Anhänger der Christologie der Synode (→ *sýnodos* II.D.4.) von Kalchedon gegen den monophysitisch gesinnten Kaiser → Anastasios [1] I. rebellierte (→ Monophysitismus). Als V. dessen Neffen → Hypatios [4], der mit einem Heer gegen ihn entsandt worden war, in seine Gewalt gebracht hatte, willigte er 514 ein, diesen gegen hohes Lösegeld freizulassen und als Gegenleistung für die Ernennung zum → *magister militum per Thracias* und ein Einlenken des Kaisers in der Glaubensfrage den Aufstand zu beenden. Als Anastasios aber eine zugesagte Synode nicht einberief, griff V. 515 erneut Konstantinopolis an und blieb bis zum Tod des Kaisers sein erbitterter Gegner. Unter dessen Nachfolger → Iustinus [1] I. 518 zum *magister militum praesentalis* und 520 zum *consul* ernannt, wurde er 520 auf Veranlassung des späteren Kaisers → Iustinianus [1] I. ermordet. PLRE 2, 1171–1176. F. T.

Vitalis. Heerführer im Krieg Ostroms gegen die Goten in It., nur bei → Prokopios [3] (BG 3,10,2) unter dem Namen Βιτάλις als *magister militum per Illyricum* ca. 539–544 n. Chr. bezeugt. PLRE 3, 1380f., Nr. 1 (s. v. Vitalius). F. T.

Vitellia

[1] Tochter von Kaiser → Vitellius [II 2], der sie mit Valerius [II 2] Asiaticus verheiratete, der im Jahr 69 n. Chr. Statthalter der Provinz Belgica war (Tac. hist. 1,59,2). Nach dem Tod des Vaters wurde sie von Vespasianus geschont und mit einer Person hoher sozialer Stellung verheiratet.

RAEPSAET-CHARLIER 640, Nr. 817. W. E.

[2] Ortschaft in Latium, beim h. Civitella vermutet, erstmals lit. erwähnt im Zusammenhang mit den Ereignissen um → Coriolanus (Liv. 2,39,4: Vetelia). Die *Vitellienses* zählten zu den Völkern der *Albenses* (Plin. nat. 3,69; → Latini). 393 v. Chr. von den → Aequi erobert (Liv. 5,29,3). Erh. hat sich der ON im Namen der *gens V.* (→ Vitellius), deren Familiengöttin V. und dem Namen der Straße (Via V.), die vom → Ianiculum in den SW von Rom zum *campus Salinarum* führte (Suet. Vit. 1,2f.).

NISSEN 2, 543, 602. G. U./Ü: H. D.

Vitellius. Röm. Gentilname, in der Form → *Vitellia* auch ON, Deminutivbildung von → *Vitulus* (so [1]). Die Nachr. über die frühe Familiengesch. bei Suet. Vit. 1,1–3 sind fiktiv.

I. REPUBLIKANISCHE ZEIT

[I 1] Bezeugt ist der Name erst in spätrepublikanischer Zeit. Erfunden sind deshalb die *Vitellii fratres*, die mit den *Aquilii fratres* (→ Aquillius [I 1]) nach annalistischer Überl. 509 v. Chr. die junge Republik stürzen wollten (Liv. 2,4,1–3; Plut. Publicola 3,4); ebenso erfunden die Frau des Republikgründers L. → Iunius [I 4] Brutus, Vitellia (Suet. Vit. 1,2).

1 WALDE/HOFMANN 2, 807. K.-L. E.

II. KAISERZEIT

[II 1] A. V. Sohn von V. [II 5], Bruder von V. [II 3], [II 6] und [II 8]. Eintritt in den Senat vielleicht erst unter Tiberius [1]. Daß CIL VI 879 sich auf ihn bezieht, ist nur möglich, wenn man einen Irrtum in der Angabe des Vaters annimmt; andernfalls war der dort Genannte sein Sohn. Cos. *suff.* 32 n. Chr.; noch während des Konsulats soll er nach Suet. Vit. 2,2 gestorben sein, wovon in den → *Fasti Ostienses* auffälligerweise nichts erwähnt wird. Suet. Vit. 2,2 nennt ihn *famosusque cenarum magnificentia* (»berüchtigt durch seinen Tafelluxus«).

[II 2] A. V. Röm. Kaiser 69 n. Chr. (→ Vierkaiserjahr). Sohn von V. [II 3] und → Sextilia, Bruder von V. [II 4]; geb. am 7. oder 24. Sept. 12 oder 15 n. Chr. V. war in erster Ehe mit Petronia, in zweiter Ehe Ehe mit Galeria [2] Fundana verheiratet; Kinder: Vitellia [1], V. [II 9] und [II 10]. Von Anfang an war sein Leben eng mit dem jeweils regierenden Herrscher verbunden, allein schon durch seinen Vater, der enger Vertrauter des Tiberius [1] und des Claudius [III 1] war. V. hielt sich bei Tiberius auf Capri auf und hatte Kontakt zu Caligula, angeblich wegen seines Könnens als Wagenlenker (V. war Anhänger der *factio Veneta*, → *factiones* II.). Vor seiner Zeit als *cos. ord.* 48 sind keine Ämter bekannt außer der Zugehörigkeit zu den → *Arvales fratres*. 60/1 n. Chr. war er wohl Proconsul von Africa, im Jahr darauf blieb er angeblich noch dort als Legat seines Bruders. Seine Amtsführung als Statthalter wird von Suetonius [2] (Vit. 5) lobend hervorgehoben. Als *curator operum publicorum* (→ *cura* [2]) in Rom soll er wertvolle Gegenstände in den Tempeln durch Fälschungen ersetzt haben.

Von → Galba wurde er im Herbst 68 nach Germania inferior gesandt, wo er am 1. Dezember sein Amt antrat. Er begab sich sogleich zu allen Truppenteilen in seinem Einsatzgebiet, deren Haltung gegenüber Galba sehr kritisch war. Verm. wurden so bereits Grundlagen für die Zukunft gelegt, so daß die Akklamation durch die Truppen von Mainz und v. a. durch die Bonner Legion unter Fabius [II 21] Valens nicht überraschend kam. Am Abend des 2. Januar 69 wurde er im → *praetorium* der Colonia Claudia Ara Agrippinensium (h. Köln) von der Bonner Legion als → *imperator* akklamiert, am Tag darauf folgten die anderen Einheiten des niedergermanischen Heeres. V. nahm das Cognomen Germanicus an. Sein voller Name lautete zunächst A. V. Germanicus Imperator. Er trug damit als erster nicht den Namen Augustus, auch nicht Caesar. In kurzer Zeit schlossen sich ihm fast alle Statthalter in Gallien, Britannien und

Spanien an. Noch im Januar rückten zwei Heeresgruppen nach dem Süden ab, um mit Waffengewalt den Anspruch zunächst gegen Galba, dann gegen → Otho durchzusetzen. In der Schlacht von Bedriacum (bei Cremona) am 14. April 69 wurde Otho besiegt, der sich selbst tötete. Am 19. April folgte die Anerkennung des V. durch den Senat, am 30. April wurden die *comitia tribuniciae potestatis* abgehalten. Erst bei seinem Einzug in Rom am 18. Juli akzeptierte V. den Augustusnamen, ebenso den Oberpontifikat. Den Namen Caesar übernahm er auch jetzt nicht, angeblich wollte er dies jedoch kurz vor seinem Tod tun (Tac. hist. 3,58,3); sein Name lautete von da an: A. V. Germanicus Imp. Augustus (so auf Mz.). Er ließ sich zum *consul perpetuus* ernennen. In Rom entließ er die bisherigen Praetorianer und setzte an deren Stelle Soldaten seiner Legionen; dabei wurde die Zahl der Einheiten auf 16 erhöht.

Die Nachricht von der Erhebung des Vespasianus zum Kaiser löste nicht unmittelbar mil. Maßnahmen aus; V. scheint lange inaktiv geblieben zu sein, vielleicht verursacht durch Krankheit. Erst als auch der Abfall der moesischen Truppen bekannt wurde, entsandte er Alienus Caecina [II 1] sowie Fabius [II 21] Valens in den Norden und ernannte Lucilius [II 2] Bassus zum Flottenpraefekten. Doch als die ersten flavischen Truppen unter Antonius [II 13] Primus in Oberitalien erschienen, fielen bald einzelne Kommandeure und Truppen ab. Am 24./25. Okt. 69 wurden, wiederum bei Bedriacum, V.' Truppen geschlagen. V. rückte nicht zusammen mit seinem restlichen Heer vor, das sich am 17. Dez. bei → Narnia ergab. Verhandlungen mit den Flavianern, an denen Flavius [II 40] Sabinus, Vespasianus' Bruder, in Rom beteiligt war, endeten ohne Erfolg, obwohl V. abdanken wollte. Am 20./21. Dez. wurde V. bei der Erstürmung Roms gefangen und erlag seinen Verletzungen.

Eine erkennbar neue Politik begann V. kaum. Wichtig war seine Ablehnung des Caesarennamens; auch übertrug er als erster wichtige Aufgaben, die bis dahin von → Freigelassenen ausgeführt wurden, an einen Ritter (siehe ILS 1447). In der Überl. gilt er als verweichlichter Gourmet, der ausschließlich an Luxus, Speisen und Getränken Interesse hatte. Einen methodischen Weg, hinter diese Fassade zu sehen, hat man bisher nicht gefunden.

CH.L. MURISON, Rebellion and Reconstruction: Galba to Domitian. An Historical Commentary on Cassius Dio's Roman History, Books 64–67 (A.D. 68–96), 1999 · B. RITTER, V. Ein Zerrbild der Geschichtsschreibung, 1992 · VOGEL-WEIDEMANN, 189–196.

[II 3] L. V. Sohn von V. [II 5], Bruder von V. [II 1], [II 6] und [II 8], Vater des Kaisers V. [II 2]; geb. nicht später als 10 v.Chr.; verheiratet mit → Sextilia. Frühzeitig Verbindung zur *domus Augusta*, v.a. über Antonia, die Enkelin des Augustus. *Frater Arvalis* seit 28 n.Chr. Seine senatorische Laufbahn verlief relativ langsam, da er als *cos. ord.* im J. 34 schon mindestens 44 Jahre alt war.

Tiberius [1] betraute ihn 35 mit der Statthalterschaft Syriens und einer allgemeinen Aufsicht über die Lage im Osten (Tac. ann. 6,32,3). Es gelang V., eine Krise in den Beziehungen mit den → Parthern ohne mil. Eingreifen zu lösen. Er schuf Ordnung in Iudaea, indem er Pontius [II 7] Pilatus nach massiven Anklagen durch die jüdischen Führer abberief und nach Rom sandte; von Tiberius erhielt er die Erlaubnis, den Hohepriestern wiederum die Verfügung über die heiligen Gewänder zu gewähren. In Cappadocia griff V. mil. gegen die Cietae ein. 37 brach er beim Tod des Tiberius einen Feldzug gegen das Nabatäerreich ab, 39 wurde er von Caligula zurückberufen; trotz Spannungen mit diesem konnte er durch *adulatio* (»Schmeichelei«) in dessen Nähe überleben.

Mit → Claudius [III 1] war V. eng verbunden, ebenso mit Messalina [2] und den kaiserlichen Freigelassenen (Suet. Vit. 2,4f.; wie die negative Zeichnung im konkreten Kontext zu verstehen ist, bleibt unklar). 43 cos. II zusammen mit Claudius; während dessen Britannienfeldzug war er Claudius' »Stellvertreter« in Rom; nach Sueton (Vit. 2,4) übertrug ihm Claudius die *cura imperii*. 47 *cos. III* wiederum mit Claudius; *censor* 47/8 zusammen mit dem Kaiser. Eine solche Anhäufung von höchsten Ehren und Kompetenzen hat kaum je ein anderer Senator erreicht. V. war angeblich ein willfähriges Werkzeug Messalinas (vgl. [1]), bei deren Sturz er sich vorsichtig zurückhielt. Auch mit → Agrippina [3] stand er sogleich in engster Verbindung; u.a. schlug er im Senat vor, eine Ehe zw. Agrippina und ihrem Onkel Claudius zu erlauben. Auch strich er Iunius [II 36] Silanus, der mit Claudius' Tochter Octavia [3] verlobt war, aus der Senatsliste, um damit für Agrippinas Sohn, den späteren Nero, den Weg zu einer Heirat mit der Tochter des Herrschers zu öffnen. Eine Anklage gegen V. im Senat im J. 51 blieb erfolglos. Als er noch unter Claudius starb, erhielt er ein *funus censorium* (→ *funus publicum*); unter einer Memorialstatue stand im Text: *pietatis immobilis erga principem* (»von unverrückbarem Pflichtgefühl gegenüber dem Princeps«: Suet. Vit. 3,1). In der Überl. erscheint V. als fähiger Funktionsträger und als aalglatter Höfling, dem es gelang, allen Herrschern zu dienen.

1 TH. WIEDEMANN, Valerius Asiaticus and the Regime of Vitellius, in: Philologus 143, 1999, 323–335 2 E. DĄBROWA, The Governors of Roman Syria, 1998, 38–41 3 PIR¹ V 500 4 VOGEL-WEIDEMANN, 192–196.

[II 4] L. V. Sohn von V. [II 3], jüngerer Bruder von V. [II 2]; verheiratet zunächst mit Iunia [4] Calvina, einer Angehörigen der kaiserlichen Familie, später mit einer Triaria. Cos. suff. 48 n.Chr. als Nachfolger seines Bruders; *frater Arvalis*. Proconsul von Africa ebenfalls als Nachfolger seines Bruders, der nach Suet. Vit. 5 als Legat des V. in der Prov. blieb (Amtsjahr vielleicht 61/2 [1. 39]). Als sein Bruder V. [II 2] als Kaiser akklamiert wurde, war Lucius in Rom. Obwohl er in der Begleitung Othos nach Oberitalien gehen mußte, blieb er unversehrt. Seinen Bruder traf er in Lugdunum. Als der

Kaiser im Herbst 69 wegen des Kampfes gegen die flavischen Truppen Rom verließ, wurde Lucius die Sorge um Rom aufgetragen. Gegen die abgefallene Flotte von Misenum setzte er Praetorianer in Marsch, dabei kam es zur Einnahme von Tarracina; bei Bovillae wurde er gefangen und getötet. Ob er neben dem älteren Bruder eine eigenständige Rolle spielte, ist nicht zu erkennen.

1 THOMASSON, Fasti Africani 2 VOGEL-WEIDEMANN, 196–199.

[II 5] P. V. Ritter aus Luceria; *rerum Augusti procurator,* also wohl Patrimonialprocurator unter Augustus. Vater von vier Söhnen, V. [II 1], [II 3], [II 6] und [II 8] (Suet. Vit. 2,2).

[II 6] P. V. Sohn von V. [II 5], Bruder von V. [II 1], [II 3] und [II 8]. Aufnahme in den Senat bereits unter Augustus. V. war im moesisch-thrakischen Bereich im J. 12 n. Chr. mit mil. Aufgaben tätig [1. 90f.]. Im J. 15 führte er unter Germanicus am Rhein zwei Legionen. 16 n. Chr. war er am *census* in Gallien beteiligt. Proconsul von Bithynia et Pontus vielleicht 17/8; anschließend *comes* des Germanicus in Syria, bei dessen Tod in Antiocheia im Herbst 19 er anwesend war. 20 n. Chr. war V. einer der Ankläger des Calpurnius [II 16] Piso im Senat; die Rede, in der er die Anklage des Giftmordes erhob, veröffentlichte er (Plin. nat. 11,187). *Praefectus aerarii militaris* im J. 31. Nach dem Sturz des → Aelius [II 19] Seianus wurde V. angeklagt und einem seiner Brüder in Hausarrest übergeben, wo er sich selbst tötete.

1 R. SYME, History in Ovid, 1978 2 M. CORBIER, L'aerarium Saturni et l'aerarium militare, 1974, 358–367 3 PIR¹ V 502 4 VOGEL-WEIDEMANN, 191 f.

[II 7] Q. V. Wohl Bruder von V. [II 5]; Senator. PIR¹ V 504.

[II 8] Q. V. Sohn von V. [II 5], Bruder von V. [II 1], [II 3] und [II 6]; *quaestor* unter Augustus. Unter Tiberius mußte er den Senat verlassen, da er aus eigenem Verschulden verarmt war (Tac. ann. 2,48,3). PIR¹ V 505.

[II 9] V. Germanicus. Sohn von V. [II 2] und Galeria [2] Fundana. Nach dem Sieg über die Othonianer verlieh ihm der Vater den Namen Germanicus. Auf Befehl des Licinius [II 14] Mucianus Ende Dez. 70 getötet.

[II 10] V. Petronianus. Sohn von V. [II 2]. Angeblich vom Vater getötet. PIR¹ V 509.

[II 11] P. V. Saturninus. Nicht *frater Arvalis* im J. 124 n. Chr., sondern einer der *pueri patrimi matrimi* (→ amphithaleis paídes).

J. SCHEID, Commentarii fratrum Arvalium, 1998, 216.

[II 12] M. Flavius V. Seleucus. *Cos. ord.* im J. 221 n. Chr., DEGRASSI, FC 62. W. E.

Vitigis (Οὐίττιγις). Erster nicht amalischer Ostgotenkönig in It. 536–540 n. Chr., Nachfolger → Theodahats, Neffe des Ulitheus, Onkel des → Uraias. *Spatharius* (»Schwertträger«) des → Athalaricus (Cassiod. MGH AA 12,476). Nach dem Versagen Theodahats gegenüber der

byz. Invasion wurde V. Ende 536 in Reate vom gotischen Heer zum König erhoben (Prok. BG 1,11,5). Er ließ Theodahat ermorden (Prok. BG 1,11,6) und zog anschließend nach Ravenna, wo er → Matasuntha, die Enkelin → Theoderichs [3] d. Gr., zur Ehe zwang (Prok. BG 1,11,27) [3. 162; 4. 343]. Inzwischen ging Rom an → Belisarios verloren (Prok. BG 1,14,14). V. führte Verhandlungen mit den Franken, um den Kampf gegen Byzanz aufnehmen zu können (Aufgabe Südgalliens: Prok. BG 1,13,26f.). Anschließend belagerte er Rom (Anfang 537 – März 538: Prok. BG 1,19–2,9), zog sich aber nach byz. Feldzügen in Norditalien und Ariminium Mitte 538 nach Ravenna zurück. Mit fränkisch-burgundischer Hilfe konnte Mediolanum [1] (h. Mailand) 539 zurückgewonnen werden (Prok. BG 2,21–38). Nach der Eroberung Auximums durch Belisar (Ende 539) wurde V. jedoch in Ravenna belagert (Prok. BG 2,28). Komplizierte Verhandlungen mit Belisarios führten März 540 zu einem Vertrag ([1. 205–207]; [2]). V. ging mit Matasuntha nach Konstantinopolis und starb zwei Jahre später (Iord. Get. 313).

→ Ostgoten

1 PLRE 3,1382–1386 2 A. SCHWARCZ, Überlegungen zur Chronologie der ostgotischen Königserhebungen nach der Kapitulation des Witigis, in: K. BRUNNER, B. MERTA (Hrsg.), Ethnogenese und Überlieferung, 1994, 117–122 3 P. AMORY, People and Identity in Ostrogothic Italy, 1997, 460f. 4 H. WOLFRAM, Die Goten, ⁴2001, 341–349. WE. LÜ.

Vitiris. Ein auch im Pl. angerufener Gott unbekannter Funktion, der auf rund 50 meist transportablen kleinen Weihaltären erscheint, die alle von Militärplätzen am Hadrianswall bzw. aus dessen Vorposten stammen (→ Limes II.). Die Vokale des Namens variieren in den lat. Inschr. zw. *i* und *e* (*V., Viteris, Vetiris, Veteris*); dem Anlaut einige Male vor- oder nachgestelltes *H* (z. B. *Hvitiris, Vheteris*) deutet auf einen germanischen Namen. Ein Zusammenhang zw. dem (spätkaiserzeitlichen?) Kult des V. und der Anwesenheit germanischer Truppen am Wall ist anzunehmen.

F. M. HEICHELHEIM, s. v. V., RE 9 A, 408–415 • E. BIRLEY, The Deities of Roman Britain, in: ANRW II 18.1, 1986, 3–112 (bes. 52, 62–64). M. E.

Vitorius

[1] C. V. Hosidius Geta. Sohn von V. [2], geb. vor 95 n. Chr; seit 118 n. Chr. bei den *fratres Arvales* bezeugt. *Praefectus urbi feriarum Latinarum causa, quaestor Traiani* (CIL VI 370079 = 41116). Praetor vor 120 [1. 35, Anm. 22]; Suffektconsul unter Hadrianus (vor 139, da er in ILS 7190 genannt ist) [2. 53, 379–384].

1 W. ECK, Senatoren von Vespasian bis Hadrian, 1970 2 SCHEID, Collège.

[2] M. V. Marcellus. Senator, der aus Teate Marrucinorum stammte, geb. kurz nach 60 n. Chr. Einer seiner Mitschüler war ein C. Septimius Severus. Gerichtsred-

ner; Aufnahme in den Senat spätestens kurz nach 85.
Nach der Praetur *curator viae Latinae* Anfang der 90er
Jahre; Statius [II 2], der ihm das 4. Buch der *Silvae* widmete, sagte ihm um 95 ein Legionskommando voraus.
Suffektconsul im J. 105 (FO² 46). Möglicherweise war
V. um 120/2 Proconsul von Africa [1. 53 f.]. Verheiratet
wohl mit einer Hosidia, einer Tochter von C. Hosidius
[3] Geta. Außer Statius widmete ihm auch Quintilianus
[1] ein Werk, die *Institutio oratoria*. Sein Sohn ist V. [1].

1 Thomasson, Fasti Africani.

Syme RP 3, 1306. W.E.

Vitrasius

[1] L. V. Flamininus. Wohl Nachkomme von V. [2].
Senator aus Cales, wo er von seinem Sohn L. V. Ennius
Aequus bestattet wurde [1]. Suffektconsul 122 n. Chr.,
anschließend *curator alvei Tiberis, legatus pro praetore exer-
citus et provinciae Dalmatiae* (vielleicht waren in dieser
Zeit größere Truppenmassen dort stationiert, weswegen
die Besonderheit betont wurde), als konsularer Legat in
Moesia superior bezeugt zw. 131 und 133 in einem un-
publizierten Militärdiplom (Katalog Lanz, Auktion 104:
Orden und Ehrenzeichen, 29.5. 2001, Nr. 1). Wohl anschließend, jedenfalls nicht vor 127/8, *legatus pro praetore
Italiae Transpadanae,* d. h. einer der vier Consulare, die
Hadrian zur Verwaltung Italiens einsetzte [2]. Proconsul
von Africa um 137 [3. 59].

1 G. Camodeca, Quattro carriere senatorie del II e III
secolo, in: EOS I, 529–545 2 W. Eck, Die italischen legati
Augusti propraetore unter Hadrian und Antoninus Pius, in:
Ders., Die Verwaltung des röm. Reiches, 1995, Bd. 1,
315–326 3 Thomasson, Fasti Africani.

[2] C. V. Pollio. Ritter aus Cales, der unter Tiberius [1]
nach zwei mil. Ämtern *procurator* der Provinzen *Aquitania* und *Lugdunensis* wurde (CIL X 3871). *Praefectus Aegypti* von 38–41 [1. 271]. Er ist mit dem bei Cass. Dio
58,19,6 genannten Praefekten Äg. identisch.

1 G. Bastianini, Lista dei prefetti d'Egitto dal 30ᵃ al 299ᵖ, in:
ZPE 17, 1975, 263–328.

[3] T. V. Pollio. Wohl Nachkomme von V. [1], oder
mit ihm zumindest verwandt, aus Cales. Senator. Legat
der *legio VII Gemina*; Statthalter der *Lugdunensis* unter
Hadrianus (Dig. 27,1,15,17). Suffektconsul um 137;
wohl mit dem bei Aristeides (or. 50,94) genannten Proconsul von Asia um 151/2 identisch.

Alföldy, FH, 120.

[4] T. Pomponius Proculus V. Pollio. Sohn von V.
[3]. Patrizier. Seine Laufbahn ist fast vollständig in CIL
VI 41145 erhalten. Nach den unteren Ämtern erhielt er
um 151 einen Suffektkonsulat; danach konsularer Statthalter von Moesia inferior ca. 156 – 159, unter Marcus
[2] Aurelius und Verus in *Hispania citerior*; Proconsul von
Asia ca. 167/8; *comes* von Marcus Aurelius und Lucius
Verus, von Marcus Aurelius und dann von Marcus Au-

relius und Commodus. Auszeichnung mit *dona militaria*.
Amicus der Herrscher, *cos. II ord.* 176. Seine herausra-
gende Stellung beruhte v. a. auf seiner Heirat mit Annia
Fundania Faustina, der Cousine des Marcus Aurelius.
Zur Ehrung mit Statuen siehe G. Alföldy im Komm.
zu CIL VI 41145. W.E.

Vitrum s. Waid

Vitruvius

[1] V. Vaccus, M. Nach Livius (8,19,4–8,20,10) führte
V., ein einflußreicher Bürger aus → Fundi, den Aufstand an, den → Privernum unter der Beteiligung von
Fundi im J. 330/329 v. Chr. gegen Rom unternahm.
Nach Beendigung des erfolglosen Aufstands wurde er in
Rom hingerichtet. Schwer zu erklären ist V.' Rolle bei
diesem Aufstand insofern, als er offenbar auch in Rom
selbst nicht unbedeutend war und dort ein Haus besaß,
das dann auf Senatsbeschluß zerstört wurde (noch Cic.
dom. 101 kennt »die Wiesen des Vaccus« als den Ort, an
dem dieses Haus stand).

S. P. Oakley, A Commentary on Livy Books VI-X, Bd. 2,
1998, 602–606 • E. Papi, s. v. Domus: M. Vitruvius Vaccus,
LTUR 2, 1995, 215. C.MÜ.

[2] Röm. Fachschriftsteller und Architekt, 1. Jh. v. Chr.
I. Biographisches
II. Werk und Überlieferung
III. Bedeutung des Werks

I. Biographisches

Vom röm. Architekten, Poliorketiker und Ingenieur
V. ist im Rahmen der Überl. seiner Abh. *De architectura
libri decem* (›Zehn Bücher über Architektur‹) ebenso wie
im Kontext ant. Zitate aus diesem Werk (u. a. durch
Plinius [1], Frontinus, Cetius Faventinus und Sidonius
Apollinaris) nur der Gentilname überl.; verschiedene
Vornamen (Gaius, Lucius, Marcus) sind im Zuge der
»Wiederentdeckung« seiner Schrift in der Renaissance
entstandene Fiktionen und somit ebensowenig authen-
tisch wie der ihm in einer (diesbezüglich zweifelhaften)
Passage des Vorworts in → Cetius Faventinus' *De diversis
fabricis architectonicae* (um 300 n. Chr.) zugeschriebene
Beiname *Pollio* [2. 262].

V. war nach eigenem Bekunden zunächst im Heer
Caesars als Poliorketiker (hier mit der Herstellung von
Artilleriewaffen; Vitr. 1 pr. 2; 8,3,25) und damit in einem typischen Berufszweig des röm. → Architekten tätig, später dann (verm. im Stabe des M. Vipsanius
→ Agrippa [1]) als Wasserbauingenieur (Vitr. 8,6; Frontin. aqu. 25) in Rom und, in geringem Umfang, als Architekt im Hochbau (Vitr. 5,1,5; 6 pr. 4). Auf diesem
Gebiet ist allein seine Konzeption der Basilika von
→ Fanum Fortunae bezeugt (Vitr. 5,1,6–10), deren
überraschend unkanonische Formung die kritische Beurteilung seiner Schrift als weitgehend theoretisches,
der eigentlichen Architektenpraxis fernstehendes Werk
ebenso gefördert hat wie eine gesunde Skepsis der mod.

Architektur-Forsch. gegenüber vielen seiner Äußerungen zu architektonischen Gestaltungsfragen. Seine Ausführungen zu bautechnischen, astronomischen und mechanischen Sachverhalten gelten eher als verläßlich.

V.' genaue Lebensdaten sind unbekannt, aber seine Tätigkeit in der 2. H. des 1. Jh. v. Chr. steht fest. Enge Beziehungen zum Hofe des → Augustus (Fürsprache der Octavia) sicherten sein materielles Auskommen; seine Beschäftigung mit Architektur diente nach eigenen Angaben (6, praef. 5) der Sache (und damit im Rahmen persönlicher Eitelkeit letztlich auch seinem Nachruhm), nicht jedoch dem Gelderwerb.

II. Werk und Überlieferung

Die *De architectura libri decem* sind gemäß der *praefatio* (»Vorrede«) zum ersten B., die dem »Fürstenlob« der späteren V.-Epigonen (ALBERTI, PALLADIO u. a.) zum Vorbild geworden ist, dem Augustus (nicht zuletzt als Dank für erwiesene Großzügigkeiten) gewidmet; der Text ist, wie gelegentliche Reminiszenzen an Horaz-Oden (vgl. → Horatius [7]) belegen, zumindest in den jüngsten Teilen erst nach deren Abfassung im J. 23 v. Chr. entstanden, jedoch offenbar über einen längeren Zeitraum hinweg erarbeitet bzw. kompiliert worden. Lediglich einmal wird Octavian mit seinem seit 27 v. Chr. gängigen Ehrentitel *Augustus* angesprochen (5,1,7), ansonsten durchweg als *Imperator Caesar*; alle in der Schrift erwähnten Bauten entstammen der Zeit vor 31 v. Chr.; die jüngste zitierte Quelle sind Varros *Disciplinae* (verm. 34/33 v. Chr.). Einigkeit über die genaue Entstehungszeit, die Homogenität des Textes, den Zeitpunkt der Verbindung einzelner B. mit ihren Vorreden und die urspr. Abfolge der einzelnen B. existiert weiterhin nicht.

Der Gesamtcharakter des Werks ist widersprüchlich: Einerseits wird ein Anspruch auf Universalbildung postuliert und damit Allgemeinverständlichkeit als pädagogisch-ästhetisches Anliegen begründet, andererseits erscheint nicht selten Augustus als primärer Adressat und die Schrift als ein gelehrter Versuch im Rahmen des nach der Schlacht von Actium (→ Aktion, 31 v. Chr.) beginnenden umfassenden Bauprogramms, Augustus' Blick für Architektur zu schärfen, und zwar im Sinne eines pragmatischen Konservativismus. Jedem der zehn B. ist eine Vorrede vorangestellt, die nur selten Bezug zum Thema des jeweiligen B. aufweist; mit Ausnahme der explizit auf den Gegenstand der folgenden Abh. (Wasserbau) bezogenen *praefatio* zu B. 8 steht vielmehr die *dignitas*, die »Würde« der Architektur, ferner – auf einer Meta-Ebene – die Funktion des Traktats (einhergehend mit zahlreiche Rekursen auf dessen Nützlichkeit) sowie die Person des Verfassers im Vordergrund.

Die zehn B. sind wie folgt organisiert: B. 1 behandelt die Ausbildung des Architekten, ästhetische Grundbegriffe, eine sachliche Einteilung des Gebietes der Architektur sowie Prinzipien des → Städtebaus. B. 2 erörtert Baumaterialien und Bautechniken, die B. 3 und 4 geben Anleitungen zum Tempelbau, B. 5 formuliert Grundsätze zur Errichtung öffentlicher Bauten, die B. 6

und 7 behandeln das Privathaus unter verschiedensten Aspekten. B. 8 thematisiert den Wasserbau (→ Wasserversorgung), B. 9 befaßt sich mit → Astronomie und Zeitmessung (→ Uhr), B. 10 schließlich enthält Grundsätze der → Mechanik und Anweisungen zum Bau von Maschinen.

Die knappe, technische, bisweilen schwer verständliche Diktion des Werkes war in ihrer Mischung aus schmuckloser Umgangssprache, Anachronismen und → Archaismen vielfach Gegenstand von philol. Debatte und sprachkunstorientierter Kritik. Das Anliegen des Textes war zweifelsohne Allgemeinverständlichkeit; insofern war – nach mod. Kriterien – der Text eher der eines Sach- denn eines Fachbuchs (→ Fachliteratur), geschrieben für einen größeren Benutzerkreis, vorzugsweise auch für Bauherren. V.' Werk war in der Ant. bekannt (früheste Zitate bei Plin. nat. 35; 36), blieb aber inhaltlich weitestgehend unrezipiert (s. u.). Die älteste der h. knapp 30 bekannten, vor 1200 entstandenen Hss. (Harleianus 2767: London, BM) entstammt dem 8. Jh.; diese sowie weitere sechs bis zum 10. Jh. entstandene Hss. (Paris, Leiden, Vatican, Brüssel, Wolfenbüttel, Sélestat; alle darüber hinaus erh. Texte sind spätere Abschriften dieser Vorlagen) gehen nach allg. Auffassung der Forsch. auf einen gemeinsamen Archetyp zurück. Die Überl. läßt sich über Einhard (8./9. Jh.), möglicherweise über → Isidorus [9] von Sevilla (6./7. Jh.), sicher dann über → Sidonius Apollinaris (5. Jh.), M. → Cetius Faventinus (3./4. Jh.) und → Frontinus (1. Jh. n. Chr.) direkt bis in die frühe Kaiserzeit zurückverfolgen. Textlücken und Kompilationsfehler lassen sich mittels einer Synopse der frühen Hss. weitgehend schließen und bereinigen, so daß insgesamt eine verläßliche Textüberl. vorliegt. Die dem urspr. Text wohl in nicht geringer Zahl beigefügten Zeichnungen und Risse sind bereits in der Ant. verlorengegangen.

III. Bedeutung des Werks

Die Bed. der *De architectura libri decem* ist aus verschiedenen Blickwinkeln zu beurteilen. Hohen Wert erhält diese umfangreichste ant. → Ekphrasis von Architektur durch die Verarbeitung zahlreicher Quellen, insbes. von nicht direkt überl., hier jedoch mehr oder weniger wörtlich und ausführlich zitierten Auszügen aus Schriften früherer Architekten. Aus Werken u. a. des → Pytheos, → Hermogenes [4], → Satyros [3], Aristoxenos, → Ktesibios [1] und Diades wird explizit zitiert. Orientiert hat sich V. in allg. Weise ferner an → Poseidonios [3] (Hydrologie und Wasserbau), → Lucretius [III 1] (epikureische Kulturlehre), einem der seinerzeit geläufigen Komm. des → Aratos [4] (Astrologie) und an → Varros [2] *Antiquitates* (Baugesch.). Darüber hinaus finden sich in katalogischer Auflistung zahlreiche Hinweise auf weitere Schriften ant. Architekten und Mechaniker, so daß durch den V.-Text – unabhängig von Einzelheiten – zumindest über die generelle Tatsache der Schriftlichkeit der architektonischen und technischen Überl. seit dem Hell. ebenso Kenntnis besteht wie über vereinzelte Architektenschriften aus vorhell. Zeit.

Von erheblicher Bed. sind darüber hinaus die aus V.' Schrift resultierenden Kenntnisse über den ant. Architekturbegriff, die Ausbildung und das thematische Arbeitsfeld des ant. Architekten – das neben der *aedificatio* (Hochbau) die *gnomonice* (Uhrenbau), die *machinatio* (Maschinenbau) und schließlich den Wasserbau, also vier umfangreiche Fachgebiete umfaßte –, über zentrale Bereiche röm. Technikkunde und die (allerdings wegen ihrer vielfach latinisierten griech. Begriffe oft problematische, gleichwohl meist Allgemeingut gewordene) Nomenklatur von Architektur. V.' → Architekturtheorie hingegen, also die Bestrebung, Normen zu setzen, Begriffe zu prägen und Leitvorstellungen zu etablieren, blieb in der Ant. selbst ohne Nachhall. Erst die »Wiederentdeckung« V.' in der Frührenaissance griff auf diesen inhaltlichen Kern des ant. Textes zu. V.' Schrift bot dabei den vorbildhaften Rahmen für eine abstrakte, nunmehr intensiv revitalisierte Architekturkonzeption. Zum einen fanden sich Begründungen für Bauformen (etwa die Entwicklung der Architekturformen aus primitivem und fortgeschrittenem Holzbau sowie die Verfeinerung der Tempeltypen durch verschiedene Erfindungen) und naturalistische Herleitungen von Bauten (»Urhütte«), Maßen und Proportionen, ferner ein Begriffsgefüge für die Scheidung von Theorie (*ratiocinatio*) und Baupraxis (*fabrica*), zweckmäßige Terminologie zum Planungs- und Entwurfsprozeß (*ordinatio, dispositio, eurythmia, symmetria, modulus*), des weiteren Begrifflichkeiten für wesentliche Leitgrundsätze von Architektur (*utilitas, firmitas, venustas*) sowie schließlich einfach umsetzbare Gestaltungsregeln (etwa für → Proportionen von Räumen, für Säulenabstände, Säulenhöhen usw.) in Verbindung mit ausführlichen Baubeschreibungen.

Inwieweit V.' Schrift indessen einen allgemeingültigen Verständnisrahmen für die Architektur der Ant. selbst bietet, ist bis h. Gegenstand kontroverser Diskussion unter Architekten, Archäologen und Kunsthistorikern. Konsens herrscht zumindest darüber, daß V.' theoretische Darlegungen in weiten Teilen nicht die Realität der Baupraxis des spätrepublikanischen Rom spiegeln, sondern in der Vorstellungswelt des kleinasiatischen Hoch-Hell. zu Hause sind.

→ Architekt; Architekturtheorie; Augustus; Bauwesen; Ekphrasis; Fachliteratur; Poliorketik; Technik; ARCHITEKTURTHEORIE/VITRUVIANISMUS

ED.: 1 V.ROSE, H. MÜLLER-STRÜBING (edd.), V. de architectura libri decem, 1867 (mit durchlaufender Zählung) 2 F.KROHN (ed.), V., 1912 3 F.GRANGER (ed.), V. on Architecture, 1931 (mit engl. Übers., Einleitung und Bibliogr.; zahlreiche Nachdrucke) 4 C.FENSTERBUSCH (ed.), Vitruv: Zehn B. über Architektur, 1964 (mit dt. Übers., Einleitung und Bibliogr.), ²1976 5 P.FLEURY, P. GROS et al. (edd.), Vitruve. De l'architecture, 1990ff. (mit frz. Übers., Einleitung und Komm.).
TEXTÜBERL., INDIZES, NACHSCHLAGEWERKE: H.NOHL, Index Vitruvianus, 1876 (basierend auf der Zählung von ROSE/MÜLLER-STRÜBING) • B.EBHARD, Die zehn B. Vitruvs und ihre Herausgeber seit 1484, 1918 (Ndr. 1962) • L.CALLEBAT, P. FLEURY, Dictionaire des termes techniques du »De architectura« de Vitruve, 1995 • T.N.HOWE, I.D.ROWLAND, M.J.DEWAR, V. Ten Books on Architecture, 1999 (engl. Übers. mit Einleitung, Komm. und Abb.).
LIT.: P.FLEURY, La mécanique de Vitruve, 1993 • H.J.FRITZ, Vitruv. Architekturtheorie und Machtpolitik in der röm. Ant., 1995 • P.GROS, Vitruve. L'architecture et sa théorie, à la lumière des études récentes, in: ANRW II 30.2, 1982, 659–695 • Ders., Hermodoros et Vitruve, in: MEFRA 85, 1973, 137–161 • H.KNELL, Vitruvs Architekturtheorie, ²1991 • W.H.KRUFT, Gesch. der Architekturtheorie, ⁴1995, 20–43 • H.PLOMMER, V. and Later Roman Building Manuals, 1973 • S.SCHULER, V. im MA, 1999 • F.W.SCHLIKKER, Hell. Vorstellungen von der Schönheit des Bauwerks nach Vitruv, 1940 • B.WESENBERG, Beitr. zur Rekonstruktion griech. Architektur nach lit. Quellen, 1983 • S.WEYRAUCH, Die Basilika des Vitruv, 1976 • E.WISTRAND, V.-Stud., 1933.   C.HÖ.

Vitta. Teil der diademartigen Binde der röm. Priester- und Priesterinnentracht bzw. des kultischen Schmucks. *Vittae* sind die beiderseits hinter den Ohren herabhängenden wollenen Bänder oder quastenförmigen Enden bzw. Fransen. *V.* wird häufig syn. für die gesamte Wollbinde, die → *infula* verwendet (insbes. in der Dichtung), jedoch ist das Verhältnis bzw. der Unterschied (s.o.) zw. *infula* und *v.* eindeutig geklärt [1. 1–3; 2. 292].

1 U.STAFFHORST, P. Ovidius Naso, Epistulae ex Ponto III 1–3, 1965 2 F.BÖMER, O. Ovidius Naso, Metamorphosen B. XV, 1986 (Komm.)
A.V.SIEBERT, Quellenanalytische Bemerkungen zu Haartracht und Kopfschmuck röm. Priesterinnen, in: Boreas 18, 1995, 77–92 • Dies., Instrumenta sacra (RGVV 44), 1999, 139; 271 Nr. 77.   A.V.S.

Vitudurum. *Vicus* bzw. spätröm. Kastell beim h. Ober-Winterthur (Kanton Zürich, Schweiz). E. des 1. Jh. v. Chr. wurde dort eine Station (→ *statio*) an der Straßenverbindung vom röm. Legionslager in → Vindonissa zum raetischen Zentrum in Augusta [7] Vindelicum angelegt. V. wuchs in den beiden ersten Jh. der röm. Kaiserzeit zu einem → *vicus* mit gallo-röm. Tempelbezirk, Thermen und Wohnviertel heran. Als die röm. Herrschaft in Germania mit der Aufgabe des → Limes (III.) zusammenbrach, ließ Diocletianus die alte Ost-West-Verbindung durch den Ausbau des *vicus* V. zur Festung mit einer durchschnittlich 3 m starken Mauer und Türmen (h. teilweise konserviert) sichern (vgl. die Bau-Inschr. von 294 n.Chr.: ILS 640).

F.STAEHELIN, Die Schweiz in röm. Zeit, ³1948, 633 • W.DRACK, R.FELLMANN, Die Römer in der Schweiz, 1988, 556–561 • E.MEYER, s.v. V., RE 9 A, 489–491.   G.W.

Vitula s. Vitulatio

Vitulatio. Die *v.* wird im röm. Kalender als der Tag der Freude verzeichnet (lat. *vitulari* bei altröm. Dichtern bedeutet »Freude ausdrücken«) und steht in einer nicht mehr eindeutig erklärbaren Beziehung zu einem Fest, das mit kriegerischen Handlungen zu tun hatte. Sie wurde am 6. Juli und nicht, wie bisher angenommen, am 8./9. Juli begangen [1; 2. 572]. Dabei wurden Feiern zu Ehren der Göttin Vitula (Macr. sat. 3,2,11–15), der personifizierten Göttin der Freude und des Sieges (→ Personifikation), mit Opfern (an Iuppiter?) und Spielen durchgeführt. Die *v.* steht wohl in Zusammenhang mit den → Poplifugia am 5. Juli.

1 W. EISENHUT, s. v. Vitula, RE 9 A, 491–493 2 J. RÜPKE, Kalender und Öffentlichkeit, 1995.   A. V. S.

Vitulus. Röm. Cognomen (»Jungstier«) bei → Mamilius [6–7].

KAJANTO, Cognomina, 329.   K.-L. E.

Vivarium s. Tiergarten, Tiergehege

Viventius. Aus Siscia, half 364 n. Chr. als *quaestor sacri palatii* (→ *quaestor* III.) Anhängern des Iulianos [11], denen vorgeworfen wurde, Magie zu betreiben (Amm. 26,4,4). Er versuchte 365–367 als *praefectus urbis Romae* vergeblich, die Unruhen anläßlich der zw. → Damasus und → Ursinus umstrittenen Bischofswahl zu beenden (Amm. 27,3,11 f.). 368–371 war er *praefectus praetorio Galliarum*. Zahlreiche Gesetze sind an ihn adressiert (z. B. Cod. Theod. 7,13,5; 13,10,4). PLRE 1,972.   W. P.

Vivianus. Der wohl E. des 1. Jh. n. Chr. tätige röm. Jurist schrieb ein einziges, von → Ulpianus und von → Iulius [IV 16] Paulus mehrfach zitiertes Werk [1], entweder einen Ediktskommentar [2] oder *Digesta* [3. 34 ff.].

1 O. LENEL, Palingenesia Iuris Civilis, Bd. 2, 1889, 1225 ff.
2 SCHULZ, 235; 270 3 C. RUSSO RUGGERI, Viviano giurista minore?, 1997.   T. G.

Viviscus. Vorröm. keltische Straßenstation am → Lacus Lemanus (h. Genfer See; Ptol. 2,12,5: Οὔικος; Itin. Anton. 352,1; Tab. Peut. 3,2 f.; Geogr. Rav. 4,26) an der Route vom Summus Poeninus (h. Großer St. Bernhard) nach Genava, h. Vevey (Kanton Waadt). In V. zweigte eine Straße nordwärts über Minnodunum (h. Moudon) nach → Aventicum (h. Avenches) ab. Diese Straßenkreuzung war durch einen Posten von → *beneficiarii* gesichert (CIL XII 164).

J.-P. PETIT u. a. (Hrsg.), Atlas des agglomérations secondaires de la Gaule Belgique et des Germanies, 1994, 131 • E. MEYER, s. v. V., RE 9 A, 503 f.   G. W.

Vix. Bei dem Dorf V. nahe Châtillon-sur-Seine (Burgund) gelegene keltische → Nekropole des 5.–1. Jh. v. Chr. Das bekannteste Grab ist das der »Prinzessin von V.« in einem → Tumulus mit mächtiger Holzkammer; dieses Fürstinnengrab des frühen 5. Jh. v. Chr. (→ Fürstengrab) enthielt eine reiche Ausstattung mit griech. und etr. Importgut (→ Krater aus Bronze, Phiale/ → Patera aus Silber, griech. Keramik) sowie einem → Torques aus Gold und einem Prunkwagen. Zu der

Nekropole gehörte die befestigte Siedlung auf dem benachbarten Mont Lassois als Fürstensitz und ein kleines Heiligtum des frühen 5. Jh. v. Chr. mit quadratischer Grabeneinhegung (ähnlich einer → Viereckschanze) mit Frg. von Kalksteinfiguren (Krieger, Frauen u. a. mit Torques sowie Resten vom Opfermahl).
→ Keltische Archäologie

P. BRUN, B. CHAUME (Hrsg.), V. et les éphémères principautés celtiques, 1997, 179–200 • B. CHAUME, V. et son territoire à l'Age du fer, 2001.   V. P.

Vlachoi (Βλάχοι). Byz. ethnographische Bezeichnung unklarer (ethnischer oder sozialer) Abgrenzung. Etym. handelt es sich um die slavische Bezeichnung für alle Romanen in SO-Europa: Der alte keltische Stammesname der → Volcae wurde von den Germanen während der Völkerwanderungszeit auf ihre roman. Nachbarn übertragen (»Walch«, »Welschen«); die Südslawen (Βλάχ/ *Vlach*) sind für die Lautform verantwortlich, die in den byz. Chroniken (Iohannes → Skylitzes p. 329,80 THURN, interpoliert) oder bei Kekaumenos vorliegt (Strategikon p. 66 ff. und v. a. 74 f. WASSILIEWSKY-JERNSTEDT: Darstellung der Lebensweise der V. und Spekulationen über ihre dakische Abstammung nach Art der ant. *Origo gentis*-Darstellung, verbunden mit negativen Klischees vom untreuen nomadischen Räubervolk). Die Osmanen gebrauchen *eflak*.

In den mod. Balkansprachen bezeichnen griech. *vláchos* und verwandte slav. Formen in der Regel die Gruppe der — fast durchweg orthodoxen — romanischsprachigen Wanderhirten. Deren Wirtschaftsgrundlage bestand in der Fernweidewirtschaft [1], aber auch in Transportwesen, Fernhandel und Handwerk, bis die mod. Nationalstaaten den Erhalt von Gruppenzugehörigkeit und Sprache zunehmend in Frage stellten. *V.* ist dabei Fremdbezeichnung, die Eigenbezeichnung der Gruppe ist zumeist *armani*, d. h. Romani (s. [2], bes. [2. 56 ff.]). Ihre Sprache, durchweg erst nach-ma. ausreichend belegt, ist dem Rumänischen nahe verwandt (→ Balkanhalbinsel, Sprachen), enthält aber in der Regel weniger Slawismen als dieses, dafür aber mehr Gräzismen, Turzismen usw. Traditionell wird sie zu einem der vier Hauptdialekte des Rumänischen gerechnet; Bestrebungen, sie als eigene → romanische Sprache zu werten, nehmen zu.

Hauptproblem der Forsch. sind v. a. das Verhältnis zur ant. Romanität (→ Romanisierung) im SO der Balkanhalbinsel [3], verkompliziert durch die nationalistisch aufgeladene Kontinuitätsfrage im Falle der Romanen nördlich der Donau: Da die Aromunen/V. in der Moderne in der Regel südlich der Donau und südlich der Jireček-Linie siedeln und die byz. Quellen *V.* in einem weiteren Sinne als h. verwenden, sind ihre Ethnogenese, ihr Verhältnis zu den Dakorumänen und zu anderen transhumanten graecophonen Gruppen (wie den Sarakatsanen) umstritten. Verm. sind die V./Aromunen Nachfahren jener romanisierten Bewohner des Imperium Romanum, die im Gefolge der Slaveneinbrüche (→ Slaven) unter den Schutz des byz. Reiches nach Süden flohen (so [4. bes. 131 ff.]), so daß etwa Thessalien im MA als *Megálē Vlachía* (»Groß-Vlachien«, Niketas Chroniates p. 638,50 VAN DIETEN) bezeichnet werden konnte.

→ Balkanhalbinsel, Sprachen (B.)

1 A. BEUERMANN, Fernweidewirtschaft in Südosteuropa, 1967 2 TH. KAHL, Ethnizität und räumliche Verteilung der Aromunen in Südosteuropa, 1999 3 G. SCHRAMM, Frühe Schicksale der Rumänen: in: Ders., Ein Damm bricht: die röm. Donaugrenze und die Invasionen des 5.–7. Jh. im Lichte von Namen und Wörtern, 1997, 275–343 4 Ders., Eroberer und Eingesessene. Geogr. Lehnnamen als Zeugen der Gesch. Südosteuropas im 1. Jt. n. Chr., 1981.

M. BLAGOJEVIC, s. v. Vlachen, LMA 8, 1789 · D. DROICHENKO-MARKOR, The Vlachs, in: Byzantion 54, 1984, 508–526 · A. KAZHDAN, s. v. Vlachs, ODB 3, 2183 f. · P. NASTUREL, Les Valaques balcaniques au Xe–XIIIe siècles, in: ByzF 7, 1979, 89–112 · T. J. WINNIFRITH, The Vlachs, History of a Balcan People, 1987.   J. N.

Vocatio in ius. Im röm. Recht der »Ruf« (im Sinne der Ladung) »vor das Gericht«. Die *v. i. i.* betrifft das in jeder Rechtsordnung (ganz bes. aber in Frühzeiten der Entwicklung) fundamentale Problem, wie ein Beklagter vor Gericht gebracht werden kann: Sofern kein unmittelbarer Zwang zur Verfügung steht bzw. gestattet ist, müssen für die Gerichtsladung wenigstens mittelbar wirkende Sanktionen vorgesehen werden. In der Rechtsentwicklung Roms begegnen beide Varianten: In den Zwölftafeln (tab. 1,1 ff.; → *tabulae duodecim*, ca. 450 v. Chr.) war für den ältesten Prozeßtyp der → *legis actio* (Klage nach dem (XII Tafel-)Gesetz) vorgeschrieben, daß der Kläger den Beklagten formlos zunächst zum freiwilligen Erscheinen aufforderte; scheiterte dieses Ansinnen, und bot der Beklagte keinen Gestellungsbürgen (→ *vindex* [1]) auf, konnte der Kläger Gewalt anwenden (→ *manus iniectio*). Im klass. röm. Prozeßtyp des Formularprozesses (→ *formula*) gab es nach wie vor den *vindex;* im Verhältnis zw. Kläger und Beklagten gewann aber allmählich die weniger handgreifliche Form des → *vadimonium* Oberhand – eine rechtsgeschäftliche Verpflichtung, auf deren Einhaltung freilich wirksam Druck ausgeübt wurde: Zuwiderhandlungen waren durch das praetorische Edikt (→ *edictum* [2] *perpetuum*) mit Strafen oder Einweisung des Klägers in das Vermögen des Beklagten sanktioniert (vgl. Dig. 2,5–7).

In diesem Edikt finden sich außerdem Aussagen darüber, gegen wen eine *v. i. i.* nicht bzw. nur eingeschränkt stattfinden konnte. Bestimmte Amtsträger, Brautleute oder etwa Handlungsunfähige konnten gar nicht (Dig. 2,4,2 und 4 pr.), Personen, denen gegenüber der Kläger zur Ehrfurcht (*reverentia*; Dig. 2,4,13) verpflichtet war (z. B. die Eltern oder der Patron, Dig. 2,4,4,1 ff.) durften nur mit Einverständnis des Praetors vor Gericht gerufen werden. Die *v. i. i.* konnte an allen erdenklichen Orten vorgenommen werden (Dig. 2,4,20: z. B. im Bad, im Theater); nicht jedoch (Dig. 2,4,18) im Hause des Be-

klagten selbst. Hierin liegt die gesamteuropäische Wurzel für den später allein England zugeschriebenen Rechtssatz *my home is my castle*. Im Falle eines Verstoßes erhielt der Beklagte eine *actio iniuriarum* (»Klage wegen rechtswidrigen Verhaltens«, → *iniuria*).

→ Antestatio; Prozeßrecht

M. KASER, K. HACKL, Das röm. Zivilprozeßrecht, [2]1996, 64–69; 221–231.   C. PA.

Voccio, Voctio. König von → Noricum mit wohl keltischen Namen [1. 478 f.]. Eine Schwester des V. hatte → Ariovistus in Gallien geheiratet, 58 v. Chr. kam sie zusammen mit dessen anderer Frau um (Caes. Gall. 1,53,4).

→ Caesar (C.)

1 EVANS.   W. SP.

Voconius

I. REPUBLIKANISCHE ZEIT

[I 1] V. Naso, Q. War 66 v. Chr. Richter im Prozeß gegen A. Cluentius [2] Habitus (Cic. Cluent. 147 f.), daher verm. 67 Aedil. Vor 60 war V. Praetor (Cic. Flacc. 50). Unklar ist die Beziehung zu dem V., der 49 Statthalter war (Cic. Att. 8,15,3), und dem Naso, der 45 verm. Augur war (ebd. 12,17).   J. BA.

[I 2] V. Saxa, Q. Brachte 169 v. Chr. als Volkstribun (→ *tribunus* [7] *plebis*) mit Unterstützung des M. Porcius → Cato [1] ein → *plebiscitum* (→ *lex Voconia*) durch, wonach es Angehörigen der obersten Censusklasse nicht erlaubt war, Frauen per → Testament [2] (IV.) als Erben einzusetzen. Außerdem wurde verboten, daß ein → *legatum* oder eine → *donatio mortis causa* den Umfang des Erbes überschritt (Cic. Verr. 2,1,106–108; Gai. inst. 2,225 f.; 2,274; Gell. 6,13,3; 17,6,1; 20,1,23; Cass. Dio 56,10,2).

→ Erbrecht III.; Frau II.

A. WEISHAUPT, Die lex Voconia, 1999.   TA. S.

II. KAISERZEIT

[II 1] C. Licinius Marinus V. Romanus. Sein voller Name ist in CIL II 3866 erhalten. Aus Saguntum in der Hispania citerior stammend; da gleichaltrig mit → Plinius [2], Anfang der 60er Jahre des 1. Jh. n. Chr. geboren. In Tarraco *flamen provinciae Hispaniae citerioris* [1. 76 f.]. Plinius erlangte für ihn das *ius trium liberorum* (→ *ius* E.2.); doch scheiterte er, ihm durch Traianus [1] den Zugang zum Senat zu ermöglichen, obwohl V. schließlich das notwendige senatorische Vermögen von seiner Mutter erhielt. Der senatorische Statthalter Priscus, wohl Iavolenus [2] Priscus, sollte ihm eine Stelle als Militärtribun zuerkennen. V. war als Anwalt tätig; Plinius sandte ihm seine Schriften zur Beurteilung. Verbindung auch mit Pompeia → Plotina. Verheiratet mit Popilia Rectina.

1 G. ALFÖLDY, Flamines provinciae Hispaniae citeriores, 1973 2 PIR[2] L 210 3 SYME, RP 2, 480–482.

[II 2] Q. V. Saxa Fidus. Senator, dessen Laufbahn in ILS 8828 (= TAM II 1201A = [1]) und IPerg 154 bis zum Konsulat bekannt ist: *Xvir stlitibus iudicandis*, Tribun der *legio III Cyrenaica* und *XII Fulminata* (in dieser Funktion Teilnahme am Partherkrieg des Traianus [1]). Quaestor in *Macedonia*, Volkstribun, Praetor; *curator viae Valeriae* ca. 132/3; dabei führte er einen *dilectus* (»Truppenaushebung«) durch. Legat der *legio IV Scythica*, *proconsul Ponti et Bithyniae*, kaiserlicher Legat von Lycia Pamphylia, ca. 143–146 [2]; *cos. suff.* 146. Vgl. [3. 645 f.].

> 1 D. J. BLACKMAN, in: J. SCHÄFER, Phaselis, 1981, 154–159
> 2 CHR. KOKKINIA, Die Opramoas-Inschrift von Rhodiapolis, 2000, 258 3 W. ECK, Latein als Sprache polit. Kommunikation, in: Chiron 30, 2000, 641–660.   W. E.

Vocontii (Οὐοκόντιοι). Keltischer Volksstamm in der Gallia → Narbonensis (Strab. 4,6,4; Notitia Galliarum 11,10), dessen Gebiet im Norden durch den Isara [1] (h. Isère) und das Gebiet der → Allobroges (Caes. Gall. 1,10,5), im Westen durch das Gebiet der → Segovellauni und Cavares sowie das Tal des → Rhodanus (h. Rhône), im Süden durch das Hochland der Vaucluse, den mons Vintur (h. Mont Ventoux), den Unterlauf des → Druentia (h. Durance) und das Gebiet der → Salluvii, im Osten durch den Oberlauf des Druentia und das Gebiet verschiedener Alpenvölker begrenzt wurde. Zum Verband der V. gehörten mehrere kleinere Stämme, wie die Vertamocori, Sogiontii, die Avantici und die Sebaginni [1. 278–294].

Zu kriegerischen Auseinandersetzungen zw. Rom und den V. kam es erstmals im Zusammenhang des Feldzuges, den M. Fulvius [I 9] Flaccus 125 v. Chr. gegen die Salluvii unternahm (Liv. per. 60; [2. 105]). 124/3 v. Chr. setzte C. Sextius [I 3] Calvinus den Feldzug gegen die V., Salluvii und → Ligures erfolgreich fort [2. 106]. Auch der Propraetor M. Fonteius [I 2] hatte sich 76–74 v. Chr. mit den V. auseinanderzusetzen (Cic. Font. 9,20). Spätestens Mitte des 1. Jh. v. Chr. galten die V. als treue Verbündete der Römer (Cic. fam. 10,18–23; 21; [1. 280 f.]). Damals wurden die V. wohl in den Rang einer *civitas foederata* erhoben (Plin. nat. 3,37; 7,78; [3. 251–264]). Seit der 2. H. des 1. Jh. v. Chr. [4. 192] besaßen sie das *ius Latii* (Plin. nat. 3,37; 7,78). Sie hatten gegenüber dem Proconsul der Narbonensis eine gewisse Autonomie (Strab. 4,6,4). Auf diesen rechtlichen Status ist es wohl zurückzuführen, daß die V. ihre obersten Beamten nicht als *duoviri* oder *quattuorviri*, sondern als *aediles* (CIL XII 1375; 1514; 1579), *praetores* (CIL XII 1369; 1371) und *praefecti* (CIL XII 1368; 1375) bezeichneten [3. 288]. Weiterhin sind nachgewiesen *seviri* (CIL XII 1363 f.; 1367 f.), *flamines* (CIL XII 1368; 1372 f.), *flaminicae* (CIL XII 1361 ff.) und *pontifices* (CIL XII 1368; 1373; AE 1976, 400). Die V. sind in der frühen Kaiserzeit der einzige Volksstamm in der Gallia Narbonensis, aus dem zwei Auxiliareinheiten, die *ala Augusta Vocontiorum* und die *ala Vocontiorum*, aufgestellt wurden [8. 151 f.].

Neben einer Vielzahl gallischer und röm. Gottheiten (CIL XII 1276 ff.) ist die lokale, bes. in → Dea Augusta Vocontiorum (h. Die) verehrte Göttin Andarta (CIL XII 1537; 1539; 1554; 1560; 1707) [7. 24] hervorzuheben. Außergewöhnlich ist die Erwähnung zweier Hauptorte → Vasio (h. Vaison-la-Romaine) und Lucus Augusti (h. Luc-en-Diois) bei Plin. nat. 3,37 [4], der das Gebiet aus eigener Anschauung kannte (Plin. nat. 2,150). Ob Vasio das polit. und wirtschaftliche und Lucus Augusti, dessen Funktion E. des 3. Jh. Dea Augusta Vocontiorum übernahm, das rel. Zentrum der *civitas* war, kann nicht geklärt werden [9]. Mela 2,75 und Ptol. 2,10,17 nennen nur Vasio als Hauptort. Über Lucus Augusti ist wenig bekannt (Tac. hist. 1,66,3) [5. 291], auch arch. Reste [6. 39–43, Nr. 69] und Inschr. (CIL XII 1578 f.; XIII 8059) sind kaum vorhanden. Neben den erwähnten Städten wird bei Plin. nat. 3,37 die Zahl von 19 weiteren weniger bed. Orten im Gebiet der V. angeführt. Hervorzuheben sind → Segustero [5. 294–295] und → Vapincum.

Anf. des 4. Jh. wurde das Gebiet der V. in die *civitas Deensium* um Dea Augusta Vocontiorum (Notitia Galliarum 11,7) und die *civitas Vasiensium* um Vasio (Notitia Galliarum 11,10) geteilt. In diesen beiden *civitates* entstanden Bistümer. Ebenfalls im 4. Jh. wurden dann die *civitates Vappencensium* und *Segestericorum* (Notitia Galliarum 16,6 f.) aus dem Gebiet herausgelöst.

> 1 G. BARRUOL, Les peuples préromains du Sud-Est de la Gaule, 1969 2 DEGRASSI, FCap. 3 C. GOUDINEAU, Les fouilles de la Maison au Dauphin, Recherches sur la romanisation de Vaison-la-Romaine (Gallia Suppl. 37), 1979 4 H. WOLFF, Vocontiorum Civitatis Foederatae Duo Capita -Bemerkungen zur Verfassung der Vocontiergemeinde, in: Acta Archaeologica Academiae Scientiarum Hungaricae 41, 1989, 189–195 5 RIVET, 286–299 6 J. SAUTEL, Carte arch. de la Gaule Romaine 11: Carte et texte du département de Drôme, 1957 7 P. FINOCCHI, Dizionario delle Divinità indigene della Gallia Narbonense, 1994 8 D. B. SADDINGTON, The Development of the Roman Auxiliary Forces, 1982 9 H. DESAYE, Die et Vaison, in: P. GROS (Hrsg.), Villes et campagnes en Gaule romaine, 1998, 143–156.   CH. W.

Völker- und Stammesnamen. Aus der griech.-röm. Ant. sind Ethnika aller Art (z. B. Κρῆτες, Κορίνθιοι, *Campānī, Ligurēs*) reichlich überliefert, dazu auch Ktetika zur Bezeichnung von Gegenständen bzw. Abstrakta (κρητικός, κορινθιακός, *campānicus, ligustīnus*). Völker- und Stammesnamen (kurz: VN) können als ON (Λοκροί, *Tarquiniī*) und als PN (myk. Dat. *i-ja-wo-ne /Iāwonei/*) fungieren. Wie für ON wurden in der Antike auch für VN Stammväter erfunden (Ἕλλην, Δῶρος, Αἴολος, Ἰταλός; → Aiolos [1], → Doros, → Hellen, → Italus). Unter den VN lassen sich zwei Typen unterscheiden:

(1) VN, die eine Beziehung zur Region erkennen lassen, in welcher der Stamm wohnte oder aus der er sich ausgebreitet hatte. Im allg. basieren sie auf dem ON (Grundwort oft undurchsichtig), aber auch umgekehrt (Θετταλοί, *Campānī* > Θετταλία, *Campānia*; vgl. auch ON Βοῖον (ὄρος) > VN Βοιωτοί > ON Βοιωτία), und werden mit Suffixen gebildet, z. B. *-iio-* (z. B. Ἀργεῖοι

zu ON Ἄργος) und *-(V)no- (Rōmā-nī, Tuscul-ānī, Prae-nest-īnī; griech. -[ι]ωος bzw. -ᾱνός bei VN Unteritaliens bzw. Kleinasiens, z. B. Ταραντῖνοι, Σαρδιανοί). Im Griech. sind *-ēµ- (Hom. und Spätere), *-(ī)tā-, *-(i)ā/ōtā- produktiv und lösen oft *-iι̯o- ab, vgl. Μυκηναῖος > Μυκανεύς, myk. ro-u-si-jo /Lousios/ > Λουσ-ιάτας zu ON Λοῦσοι; eher relikthaft sind *-ān-, -ant-, -µon- (z. B. Αἰνιᾶνες, Ἄβαντες, Ἴάονες). Im ital. Gebiet: *-ko- (Faliscī zu ON Falerii), auch *-ko-lo- (Tusculī zu Tu(r)scī); *-ensi- (oft bei fremden VN, Carthāgin-i-), *-(V)ti- (etr.?: Camertēs zu ON Camer[-īnum]). Möglich sind unterschiedliche Bildungen für einen VN (z. B. Vols-cī: Ὄλσοι; Sabīnī, Sabellī, Samnītēs aus *sab-n-īno-, *sab-en-lo-, *sab-n-īti- zu ON Samnium [2]).

(2) VN, die auf Motive hinweisen, die auf Selbstbenennung (a-e) oder auf Benennung durch andere Völker (f) beruhen: (a) Angehörigkeit zur eigenen Sippe: Suēbī (germ.) zu idg. *s(µ̯)e-bʰ(o)-, »von eigener Art« (got. sibja, »Sippe«), Teutisci (: diutisk, »zum Volk [got. þiuda] gehörig«). (b) Gesamtheit (vgl. Alemannen): Πάµφυλοι, Αἰολεῖς (: αἰόλος »beweglich, bunt«). (c) Tiernamen: Hirpīnī bzw. Pīcentēs zu samnit. (h)irpus »Wolf« bzw. lat. pīcus (ON Pīcēnum); Bruttiī, Βρέττιοι, Frentānī »Hirschleute« (: messap. βρένδον· ἔλαφον, ON Brundisium [h. Brindisi]). (d) Wohnsitz: Aequī : Aequīculī (: aequus »flach«, ON Aequum Tuticum). (e) Preisende Namen, z. B. »stark« (altlat. Forctēs »fortēs« aus *bʰr̥ĝʰ-ti-, vgl. auch *bʰr̥ĝʰ-n̥t-, »hoch«: Burgundiī [germ.], Brigantēs [gall.]). (f) Beleidigende Namen, z. B. »unverständlich« (Παφλαγόνες für Griechen Kleinasiens, vgl. παφλάζειν, »stottern«; βάρβαροι).

Die VN (wie die ON) haben sich oft von einem urspr. Raum ausgeweitet, z. B. saßen die Ἕλληνες urspr. in der Phthiotis, die Italī (Ἴταλοι) im griech. Gebiet um den Golf von Tarent (: ON *Ϝιταλία nach einer µ-losen griech. Variante von ἔτε/αλον: uitulus, »Kalb«). Demgemäß werden allg. VN auch ortsbezogen gebraucht, vgl. Ἀχαιοί, Αἰολεῖς zu Ἀχαία, Αἰολίς). Der VN Πελασγοί (urspr. in Dodona und Thessalien) hat die Bed. »vorgriech.« bzw. »uralt« entwickelt [1].

Manche griech. bzw. ital. Stämme übernahmen vorgriech. bzw. vorital. VN; andere wurden auch durch Nachbarvölker benannt, daher gibt es Fälle von mehrfacher Benennung, z. B. etr. Ῥασέννα/Rasna : griech. Τυρσηνοί/Τυρρηνοί: lat. Etruscī/Tu(r)scī. Paradebeispiel: Die Griechen, die sich Ἕλληνες nannten (bei Homer auch Ἀχαιοί, Δαναοί, Ἀργεῖοι), wurden von den Italikern Graecī, Graiī genannt, nach dem ersten griech. Stamm (Γραικοί, Γραῆς [Dodona], ON Γραική, Γραῖα [Oropos, Eretria]), den sie trafen, entsprechend von den Iranern Yaunā (altpers.: Ἰάονες), von den Anatoliern Aḫḫiι̯aµ̯a- (zu Ἀχαιοί).
→ Geographische Namen; Onomastik; Wortbildung

1 J. L. García Ramón, Pelasgos y micénicos en Tesalia, in: Zephyrus 26/27, 1976, 473–478 **2** H. Rix, Sabini, Sabelli, Samnium, in: BN 8, 1957, 127–143 (= Ders., KS, 2001, 106–122).

G. B. Pellegrini, Toponimi ed etnici dell'Italia antica, in: Prosdocimi, 79–127 · E. Risch, Ein Gang durch die Gesch. der griech. ON, in: MH 14.2, 1965, 63–74 (= Ders., KS, 1981, 133–144) · M. Sakellariou, Peuples préhelléniques d'origine indo-européenne, 1977 (Materialsammlung) · F. Solmsen (hrsg. von E. Fränkel), Idg. EN als Spiegel der Kulturgesch., 1922, 95–110.

J. G.-R.

Völkerrecht I. Überblick

II. Friedensregelungen III. Kriegsrecht
IV. Diplomatischer Verkehr und
Fremdenrecht V. Theorie des Völkerrechts

I. Überblick

Als ein eigenes Rechtsgebiet ist das V. in der frühen Neuzeit (v. a. durch Hugo Grotius, 1583–1645) etabliert worden. Dafür hat sich der aus dem röm. Recht stammende Begriff des → ius (A.2.) gentium durchgesetzt, der in der Ant. nicht V. bezeichnete, sondern diejenigen Vorstellungen vom → Recht überhaupt, die – wie man annahm – allen Völkern gemeinsam waren. Dazu gehörten auch Grundsätze, die dem V. im engeren Sinn zuzuordnen sind, wie die Unverletzlichkeit diplomatischer Vertreter (Dig. 50,7,18). Einen Begriff für das V. selbst hatte die Ant. hingegen noch nicht. Dennoch war bereits den ant. Kulturen das V. der Sache nach bekannt, jedenfalls dessen »klass.« Themen: Kriegsrecht (wenn auch nur ausschnitthaft), Friedensschlüsse, Bündnisse und Gesandtschaftsrecht. Mit dem V. berührt sich ferner die überall anzutreffende Regelung des Umgangs mit Fremden, → Fremdenrecht).

II. Friedensregelungen

Wichtigstes Instrument des ant. V. war der → Staatsvertrag. Die Überl. solcher Verträge aus dem Alten Orient reicht bis in die Mitte des 3. Jt. v. Chr. zurück. Bes. bekannt ist der Friedensvertrag zw. Ramses [2] II. von Äg. und dem hethit. König Ḫattusili II. (bisher III.) wohl aus dem J. 1259 v. Chr., von dem sogar eine Kopie im UNO-Hauptquartier in New York ausgestellt wird (→ Qadesch). Dieser Vertrag wurde von beiden Parteien bei ihren Göttern beschworen; dementsprechend wurde der Vertragsbruch unter den Fluch der Götter gestellt. Die vertragsschließenden Parteien folgten damit einem ant. Grundmuster, das auch noch bei röm. Staatsverträgen eingehalten wurde. Ähnliche Kontinuität zeigt sich bei der Anrede der vertragsschließenden Könige und Herrscher als »Brüder« im erwähnten Ramses-Frieden und auch noch z. B. im diplomatischen Verkehr des röm. Kaisers Constantinus [1] d. Gr. (Anf. 4. Jh. n. Chr.) mit dem Partherkönig. Solche Verbrüderungsformeln kommen nicht nur auf höchster staatlicher Ebene vor, sondern bestimmen auch den Umgang zw. den niedrigeren Chargen der → Diplomatie. Im Sinne des V. sind sie – mod. gesprochen – Ausdruck gegenseitiger Anerkennung und der Akkreditierung. Nicht alle Staatsverträge beruhten jedoch auf einer Gleichordnung der Partner; zahlreich sind z. B. schon in den auswärtigen Beziehungen des Hethiterreiches

(→ Ḫattusa) Verträge mit abhängigen Staaten. Die griech. Bündnisverträge der »klass.« Zeit (6.–4. Jh. v. Chr.) hatten ebenfalls oft die Struktur einer hegemonialen → *symmachía*, und ein wesentlicher Bestandteil vieler röm. Verträge war die Unterwerfung des auswärtigen Gemeinwesens als Vertragspartner unter die → *maiestas* (A.) (»überlegene Macht« Roms (vgl. auch → *foedus*; → *pax*). Noch weiterreichend als derartige Verträge hatte die → *deditio*, ein Kapitulationsvertrag, sogar die Aufgabe eigener Staatlichkeit zur Folge. Sie war nach röm. Verständnis allerdings kein Staatsvertrag, weil sie einem der Partner seine Qualität als Staat gerade nahm. Als → Vertrag begründete aber sogar die *deditio* noch Pflichten des übernehmenden Staates, also Roms.

Die polit. Kultur Griechenlands mit seinen Stadtstaaten war ein guter Nährboden für die Entwicklung zw.-staatlicher Schiedsgerichte. Im frühen ant. V. kamen sie offenbar noch nicht vor und auch in der röm. Politik spielten sie keine nennenswerte Rolle. Umso deutlicher ragt die Pflege der → Schiedsgerichtsbarkeit (s. auch → *diaitētaí*) unter den griech. Poleis als ›ein eindrucksvolles Zeichen hoher Rechtskultur‹ [1. 37] hervor.

III. Kriegsrecht

Das ant. → Kriegsrecht war in weitem Umfang eher staatliches Recht und Herrschaftsideologie als V. Rechtliche Regelungen für die Kriegführung selbst oder zur Bekämpfung von »Kriegsverbrechen« (ein mod. Ausdruck) gab es nicht. So war es auch eher eine polit. Selbstverständlichkeit als eine rechtliche Regel, daß die Bevölkerung des besiegten Staates mit ihrem Eigentum und mit ihren eigenen Personen → Kriegsbeute war. Rechtlich interessant war eigentlich nur die Verteilung der Beute unter den Siegern (vgl. → Kriegsfolgen).

Nach innerstaatlichen Regeln mußten vor Kriegsbeginn auch bestimmte Formen und teilweise sogar inhaltliche Anforderungen erfüllt werden. Darauf verweist das Gebot des AT (Dt 20), vor Eröffnung der Kampfhandlungen dem Gegner ein Friedensangebot zu unterbreiten. V. a. in Rom wurde der Krieg von der vorherigen Mitwirkung der Priester abhängig gemacht: Nur ein Krieg, der unter Einhaltung der rituellen Handlungen von → *fetiales* begonnen wurde, war ein »rechter«, ordnunsgemäßer Krieg. Aus dieser urspr. Bed. des *bellum iustum* entwickelte sich aus allerersten Ansätzen in der Staatslehre → Ciceros eine Lehre vom gerechten, für legitime Ziele geführten Krieg. Dadurch wurde das *bellum iustum* zugleich zu einer Regel für die gesamte Gemeinschaft der Staaten und Völker (vgl. auch → Kriegsschuldfrage). Früh schon entwickelte man auch bes. Kriegsverträge, z. B. über Gefangenenaustausch, freien Abzug und v. a. Waffenruhe oder -stillstand (→ Kriegsrecht). Zeugnisse über eine Waffenruhe finden sich in der Ilias (Hom. Il. 7,394 f.; 7,408 f.). Für den Waffenstillstand hatten sowohl das Griech. (→ *ekecheiría*) als auch das Lat. (→ *indutiae*) einen t.t.

IV. Diplomatischer Verkehr und Fremdenrecht

Im Mittelpunkt des ant. diplomatischen Kontaktes stehen die Gesandten, die aber nicht als ständige Vertreter ihrer Staaten oder Herrscher am Sitz einer fremden Regierung ihr Amt ausübten, sondern nur von Fall zu Fall entsandt und bevollmächtigt wurden. Daneben sind schon aus dem Alten Orient Zeugnisse des diplomatischen Briefverkehrs zw. Herrschern oder Amtsträgern, auch an fremde Gesandte, typischerweise mit der Anrede »Bruder«, überliefert. Für Gelegenheitsgesandtschaften wurden meist hochrangige Persönlichkeiten ausgewählt. Es gab aber, v. a. im diplomatischen Verkehr Griechenlands, auch den Boten oder Herold (→ *kḗryx* [2]), der nur die Erklärungen seiner Polis überbrachte. Er stand unter dem bes. Schutz der Götter und galt als unverletzlich. Diese Regel mag gemeinsam mit dem ebenfalls rel. bedingten speziellen Schutz der *fetiales* als ursprünglichen Gesandten und Herolden des röm. Staates die Quelle des röm. Rechtsgrundsatzes gewesen sein, daß der Gesandte (→ *legatus*) als »unverletzlich, heilig« (*sanctus*) galt. Daraus hat dann Isidoros [9] von Sevilla (Isid. orig. 5,6) im 7. Jh. n. Chr. die *legatorum non violandorum religio* (»rel. Verpflichtung zur Unverletzlichkeit der Gesandten«) als Beispiel eines völkerrechtlichen Satzes gebildet. Diese Immunität der Herolde und Gesandten berührt sich mit dem bes. Schutz, den Fremde überhaupt vielfach in der Ant. genossen; davon zeugt u. a. das AT (Ex 22, 23; Dt 24,27).

Wie eine eigene Teilordnung des V. erscheint im Rückblick v. a. das griech. → Fremdenrecht mit der → *proxenía* als Vorläuferin des mod. Konsulats, der → *asylía* (vgl. auch → *ásylon*), der *isopoliteía* (vergleichbar der mod. Niederlassungsfreiheit) und den Rechtshilfeverträgen (*symbolaí*), durch die nicht nur Asyl und Niederlassungsrecht gewährleistet, sondern auch Gerichtsschutz für den Fall der Verletzung dieser Rechte oder bei der Notwendigkeit, private Forderungen einzuklagen, gewährt wurde. Ähnliche Erscheinungen sind in Rom zu beobachten mit dem anerkannten Gastverhältnis des *hospitium publicum* (→ Gastfreundschaft III.), des *amicus populi Romani* (»Freund des röm. Volkes«) und dem Rechtsschutz für Fremde (*peregrini*) nach dem → *ius* (A.2.) *gentium* vor dem → *praetor peregrinus*. Daran knüpften noch die Kaiser der Spätant. an (z. B. Cod. Iust. 4,64,4 zum Schutz des Handelsverkehrs zw. Angehörigen des Partherreiches und des röm. Reiches).

V. Theorie des Völkerrechts

Auch wenn die Ant. weder eine dogmatische noch eine philos. Theorie des V. hervorgebracht hat, verwirklichten sich in der Praxis derjenigen Erscheinungen, die man als Bereiche des V. ansehen kann, Rechtswerte, die Gegenstand allg. rechtstheoretischer und philos. Reflexion geworden sind. So wurde in allen oben erwähnten ant. Kulturen die Verbindlichkeit von → Verträgen anerkannt. Während der Vertragsbruch zunächst als rel. Frevel betrachtet wurde, entwickelte sich in Griechenland und Rom später ein säkulares Ver-

ständnis für die praktische Klugheit und philos. Angemessenheit des Vertrauens (griech. → *pístis*, lat. → *fides*) auf die Einhaltung von Abreden. Zusammen mit der stoischen Vorstellung von einer einheitlichen Menschheit (→ Menschenwürde; → Menschenrechte) führte diese Denkweise bei röm. Autoren wie Cicero und Livius im 1. Jh. v. Chr. zu einer theoretisch fundierten Sicht der internationalen Beziehungen, an die frühneuzeitliche Rechtsdenker bei der Begründung einer Theorie des »Natur- und V.« anknüpfen konnten.
→ Agraphoi nomoi; Amphiktyonia; Diplomatie; Fides; Fremdenrecht; Hostis; Kriegsrecht; Menschenrechte; Pistis; Praeda; Staatsvertrag

1 K.-H. ZIEGLER, V.geschichte, 1994.

C. BALDUS, Regelhafte Vertragsauslegung nach Parteirollen im klass. röm. Recht und in der mod. Völkerrechtswissenschaft, Bd. 1, 1998 · DULCKEIT/SCHWARZ/WALDSTEIN, 138–143 · M. KASER, Ius gentium, 1993 · D. NÖRR, Aspekte des röm. V. Die Bronzetafel von Alcántara, 1989 · Ders., Die Fides im röm. V., 1991 · H. STEIGER, Vom V. der Christenheit zum Weltbürgerrecht, in: P.-J. HEINIG et al. (Hrsg.), Reich, Regionen und Europa in MA und Neuzeit. FS P. Moraw, 2000, 171 ff. · W. GRAF VITZTHUM, V., ²2001, 49 ff. · A. WATSON, International Law in Archaic Rome, 1993 · A. ZACK, Studien zum »Röm. V.« …, 2001 · K.-H. ZIEGLER, Zum V. in der röm. Antike, in: M. SCHERMAIER u. a. (Hrsg.), Iurisprudentia universalis, FS Th. Mayer-Maly, 2002, 933–944.   G.S.

Völkerwanderung I. WORTGESCHICHTE II. ZEITGRENZEN UND HISTORISIERUNG III. FORSCHUNGSGESCHICHTE IV. GRUNDZÜGE DER VÖLKERWANDERUNG

I. WORTGESCHICHTE

Als eindeutiger Epochenbegriff findet sich V. erstmals im Titel von SCHILLERS Studie ›Über V., Kreuzzüge und Mittelalter‹ (1792). Noch M. I. SCHMIDT hatte 1778 in der Einleitung zu seiner ›Gesch. der Deutschen‹ mit einem Vorbehalt von der ›sog. V.‹ gesprochen, und J. G. HERDER 1791 im 16. Buch der ›Ideen zur Philos. der Gesch. der Menschheit‹ die ›lange V.‹ von früheren Zügen der »Barbaren« zum Mittelmeer unterschieden (Kap. 6, 1985, 438). Die Individualbezeichnung V. setzte sich dann rasch durch. F. HEGEL verwandte sie 1822 im 4. Teil der ›Philos. der Gesch.‹ (Erster Abschnitt, Bd. 12, 1970, 419) und F. SCHLEGEL 1828 in der 11. Vorlesung der ›Philos. der Gesch.‹ (Bd. 9, 1971, 254). Ebenfalls 1828 bemerkte HEINE im 3. Teil der ›Reisebilder‹ (Kap. 23, Bd. 2, 1969, 205) über Verona, die Stadt sei ›erste Station für die german. Wandervölker‹ gewesen in einer Gesch., die ›von den Historikern die V. genannt wird‹. RANKE allerdings mochte das Wort nicht oder schränkte es wie SCHMIDT durch ein »sog.« ein (Aus Werk und Nachlaß 4, 1975, 434; 460).

Gebildet wurde die Zusammensetzung V. im Anschluß an die nichtant. Verbindungen *populorum migratio* und *migratio gentium*. In → Eugippius' 511 verfaßter *Vita S. Severini* findet sich für den Umzug der Bevölkerung von Noricum nach It. *populi migratio* und *populi transmigratio* (Vita 40,6; 43,9; Kap. 40; 44). Auf das spätlat. *invasio barbarica* geht die in den angelsächsischen und romanischen Sprachen übliche Epochenbezeichnung »Barbareninvasion« zurück, die zugleich die Blickrichtung der griech. und lat. Quellen übernimmt [4; 7].

II. ZEITGRENZEN UND HISTORISIERUNG

Ob V. oder Barbareninvasion – beide Begriffe bezeichnen im Grunde nur die Ouvertüre einer Entwicklung, die dazu führte, daß sich auf dem Boden des weström. Reiches, in Gallien, Spanien, Nordafrika und It., eigenständige Herrschaften unter german. Königen bildeten. Nachdem Rom jh.-lang Eindringlinge, die aus dem riesigen Hinterland jenseits von Rhein und Donau gegen das Imperium vorstießen, abgewehrt, unterworfen oder integriert hatte, war es dazu im 5. und 6. Jh. n. Chr. nicht mehr in der Lage, nachdem die kaiserliche Zentralgewalt im Westen immer schwächer geworden war und schließlich endete. Die ersten, die sich ihre Selbständigkeit auf Reichsboden ertrotzten, waren die → Tervingi oder → Westgoten/Visigothae, die 376 den → Hunni auswichen und über die Donau drängten, wo ihnen Kaiser Valens [2] zunächst Siedlungsland in Thrakien überließ, aber 378 von ihnen bei Adrianopel (→ Hadrianopolis [3]) vernichtend geschlagen wurde. Diese Ereignisse werden gewöhnlich als der Beginn der V. betrachtet. Mit dem J. 568 hat die V. auch einen anerkannten Endpunkt; damals zogen die → Langobardi von Pannonien nach Italien. Sie waren die letzten, die sich im Westen eine eigene Herrschaft schufen.

Der röm. Historiker → Ammianus Marcellinus sah um 390 das Eindringen der → Goti lediglich als ein weiteres Glied in der Kette der großen röm.-german. Zusammenstöße, die mit den Zügen der → Cimbri und → Teutoni E. des 1. Jh. v. Chr. begonnen und sich in den Markomannenkriegen des Marcus [2] Aurelius 166–180 n. Chr. sowie in den Gotenstürmen des 3. Jh. fortgesetzt hatten (vgl. Amm. 31,5,12–17). Ammianus (14,6,3) war sich auch mit vielen Nichtchristen einig, daß die *victura dum erunt homines Roma* (»solange es Menschen geben wird, siegreiche Stadt Rom«) die neue Gefahr ebenso bestehen werde wie die früheren Herausforderungen. Dagegen sahen seine christl. Zeitgenossen Ambrosius (de fide 2,137–138; expositio evangelii secundum Lucam 10,10), Hieronymus (epist. 60,16) und Tyrannius Rufinus [6] (Historia ecclesiastica 11,13) den Untergang der *urbs aeterna* (»der ewigen Stadt«) nahen. Die optimistische wie die pessimistische Sicht setzten sich in der Folgezeit fort und standen der Bewertung der V. als einer eigenständigen Epoche im Wege. Ihre Historisierung kam erst lange nach ihrem Abschluß, zum ersten Mal in dem Rückblick, mit dem der langobardische Mönch Paulus [4] Diaconus um 795 seine *Historia Langobardorum* eröffnete [7. Kap. II]. Aber noch hinter RANKES »sog. V.« steht der methodische Einwand, daß 376 keine neue Epoche begann, da Rom schon seit Jh. mit den Germanen zu tun gehabt habe (→ Germani).

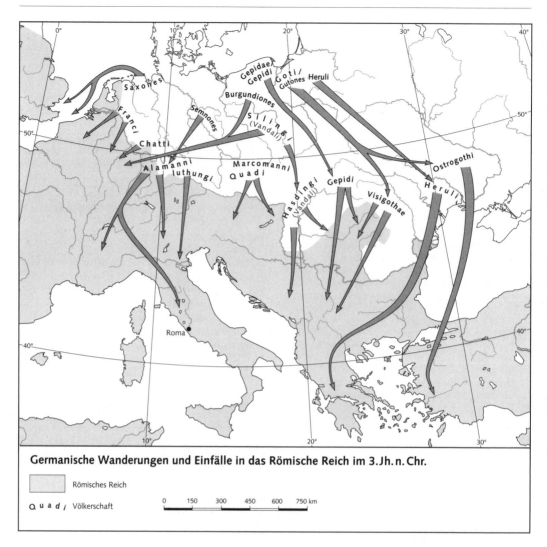

Germanische Wanderungen und Einfälle in das Römische Reich im 3. Jh. n. Chr.

Römisches Reich

Q u a d i Völkerschaft

0 150 300 450 600 750 km

III. FORSCHUNGSGESCHICHTE

Das wiss. Interesse für die V. setzte bei Gelehrten des Humanismus ein, die von der 1455 entdeckten *Germania* des → Tacitus [1] angeregt wurden. 1530 veröffentlichte W. PIRCKHEIMER eine *Germaniae ex variis scriptoribus perbrevis explicatio*, und 1557 verfaßte der Wiener Arzt W. LAZIUS sein Werk *De gentium aliquot migrationibus*. Eine breite, bis in das 20. Jh. anhaltende Wirkung entfaltete Tacitus' Ansicht, die Germanen seien ein einheitliches, »nur sich selbst gleichendes« Urvolk, das sich aus einzelnen, ebenfalls einheitlichen Stämmen zusammensetze (Tac. Germ. 4,1). Die Etym. von lat. → *gens* und *natio* und die Metapher »Stamm« begünstigten biologische Vorstellungen bis hin zur german. Rasse [2. 135]. Wo daher die Überl. von wandernden Stämmen spricht, weckte sie in der Regel das Bild eines geschlossenen Zuges, dessen Teilnehmer eine gemeinsame Abstammung und eine einheitliche Lebenswelt verbanden. Vereinzelte Zweifel, ganze Völker seien samt ›Kind

und Kegel, Zick und Beck‹ losgezogen [20], verbreiteten sich erst, als die Klass. Philologie die vielen topischen Elemente in der ant. Historiographie und Ethnographie herausarbeitete [8; 15].

Weiteren Fortschritt brachte die unideologische Analyse der Überl. nach dem Zweiten Weltkrieg, welche die Zeitgebundenheit der schriftlichen Quellen in Rechnung stellte, die philol.-histor. Kritik an den Ergebnissen der Archäologie überprüfte und neue Fragestellungen der Sozialgeschichte und der vergleichenden Ethnographie aufnahm. Bahnbrechend wurde das Buch von R. WENSKUS [9], der frühere Ansätze weiterführte und auf breiter Quellenbasis nachwies, daß ein Stamm kaum je die feste Größe war, als die er in der ausschließlich nichtgerman. Überl. erscheint. Häufig gab es nur »Traditionskerne«, die die Träger des Stammesnamens und der Überl. waren und die sich und ihr Umfeld durch Akkumulation und Akkulturation immer wieder veränderten. Für das Verständnis der V. ergaben sich

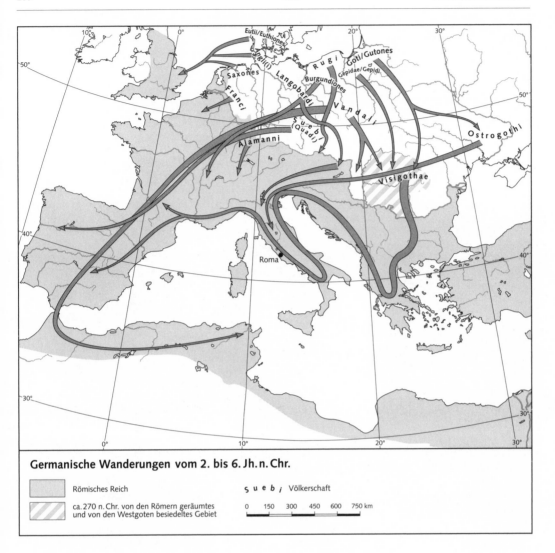

Germanische Wanderungen vom 2. bis 6. Jh.n.Chr.

Römisches Reich

ca. 270 n. Chr. von den Römern geräumtes
und von den Westgoten besiedeltes Gebiet

Ʂ u e b i Völkerschaft

0   150   300   450   600   750 km

daraus neue Ansätze, die sich in den letzten Jahrzehnten
in intensiver Forsch. niederschlugen [5; 6]. Sie erledig-
ten auch das früher v. a. in Deutschland gepflegte Kli-
schee, junge german. Völker hätten einem alt gewordenen Imperium, einer vergreisten Bevölkerung oder
einer erschlafften Kultur den Todesstoß versetzt [3].

IV. Grundzüge der Völkerwanderung

Das Ziel, nach dem die → Westgoten (Visigothae)
376 strebten, war dasselbe wie das früherer german.
Gruppen, die nicht lediglich durch Raub- und Plünderungszüge vom Reichtum der Grenzprovinzen profitieren wollten: Sie erstrebten Wohnsitze im Imperium
Romanum in der Hoffnung, dort bessere Lebensbedingungen und mehr Sicherheit zu finden (→ Alaricus [2];
→ Ataulfus; → Vallia). Das Ziel blieb auch in der Folgezeit gleich. Die → Suebi, → Vandali und → Alanoi,
die 406 über den Rhein und 409 über die Pyrenäen
vorstießen, verfolgten es ebenso wie die Burgunder
(→ Burgundiones), die sich 413 um Worms, und die

→ Franci, die sich bald darauf in Nordgallien niederlie-
ßen. Die → Angli, Jüten (Eutii/Euthiones) und → Sa-
xones setzten sich um 430 im Süden Britanniens fest.
Die → Ostgoten (Ostrogothi) und die → Langobardi
suchten in Italien eine neue Heimat, die einen 489
(→ Theoderich [3] d. Gr.), die anderen 568. Dasselbe
Ziel bestimmte noch Binnenwanderungen wie die der
Vandalen, die 429 nach Nordafrika zogen. Zunächst
sollte es immer eine Region des Reiches sein, die man in
Besitz nehmen wollte, und nur der Hunnenkönig
→ Attila fiel aus dem Rahmen, als er 450 die Kaiser-
schwester → Honoria zur Frau wollte und dazu die
Hälfte des Westreiches als Mitgift forderte [18. 93–97].

Germanen hatte Rom während der ganzen Kaiserzeit aufgenommen und von ihnen auch immer wieder
profitiert. Das war bei den vielen tausend Siedlern und
→ Kriegsgefangenen der Fall, denen die Kaiser Land zu-
wiesen, v. a. aber galt es für die Germanen, die im röm.
Heer dienten. Ihr Zustrom setzte bereits im frühen

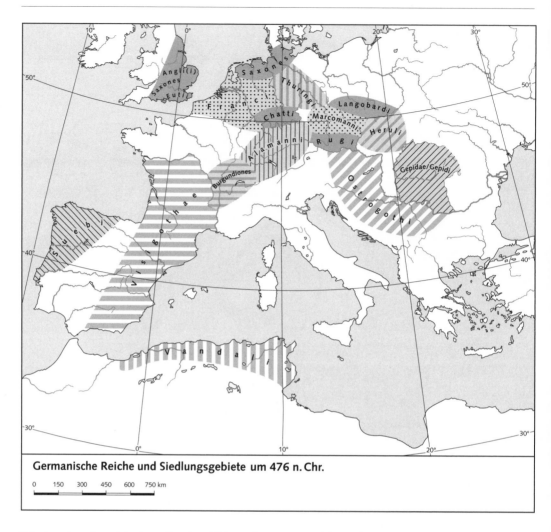

Germanische Reiche und Siedlungsgebiete um 476 n. Chr.

0   150   300   450   600   750 km

Prinzipat ein und erreichte im 4. Jh. seinen Höhepunkt, als unter Constantinus [1] I. die überwiegende Mehrzahl der Truppen german. Herkunft war. Constantinus öffnete den Germanen zudem das Offizierskorps: Tüchtige Soldaten konnten in die oberen Ränge aufsteigen, oder der Kaiser verlieh Angehörigen des german. Adels Offiziersstellen [14. 9–29, 30–53; 16]. Unter seinem Sohn Constantius [2] II. begann dann die nicht mehr abreißende Kette der german. Heermeister (→ *magister militum*; Aëtius [1]; Arbogastes; Bauto; Merobaudes [1]; Ricimer; Stilicho). Kein gesamtgerman. Nationalgefühl hemmte diese »Reichsgermanen«, wenn sie gegen andere Germanen innerhalb und außerhalb der Grenzen eingesetzt wurden. Nicht nur die mil. Karriere festigte ihre Loyalität gegenüber Kaiser und Reich, sondern mehr noch die Versorgung, die sie und ihre Angehörigen nach dem aktiven Dienst erwartete. Die kaiserliche Politik nach 376 hatte also Vorbilder in der früheren Siedlungs- und Militärpolitik. An sie dachte der Redner → Themistios, als er Kaiser Theodosius ausmalte, wie die Westgoten, die 382 unter weitgehender Autonomie

angesiedelt worden waren, eines Tages gute röm. Bürger werden würden (Them. or. 16,211 C-D).

Doch eine solche Integration kam nicht mehr zustande, weder bei den Westgoten noch bei den späteren Eindringlingen; die Gründe lagen auf röm. wie auf german. Seite. Der friedlichen Eingliederung stand zunächst der Ehrgeiz der german. Führer und die Beutelust ihres Gefolges entgegen. Selbst wenn die Kaiser den Führern, die mehr Heerkönige als Volkskönige waren, hohe Ämter übertrugen, um sie in ihre Politik einzubinden, gaben diese ihre Absicht nicht auf, eine eigene territoriale Machtstellung zu begründen, in der sie eher autonome Herren als willige → *foederati* waren. Ihrer Absicht kam entgegen, daß der Reihe starker Kaiser, die im 4. Jh. das Imperium nach innen und außen gesichert hatten, im 5. Jh. nur noch schwache Throninhaber folgten (→ Kinderkaiser). Nachteilig wirkte sich ferner aus, daß sich die beiden Reichshälften nach 395 auseinanderentwickelten und die german. Führer häufig Gelegenheit bekamen, die Gegensätze zwischen Ost und West für eine Machtpolitik auszunützen, die ihre Grenze schließlich mehr am german. Nachbarn als am röm. Widerstand fand. Die Integration wurde folglich immer mehr zu einer Illusion.

Aber auch die Gegenpolitik zur Integration, die Abwehr der Angreifer und die Vertreibung der Eingedrungenen, scheiterte, angefangen mit Adrianopel 378 (→ Hadrianopolis [3]), wo Rom eine der schwersten Niederlagen seiner Geschichte erlitt: etwa zu zwei Dritteln ging dabei das Feldheer der Osthälfte des Reiches im Kampf gegen Ost- und Westgoten verloren. Die Westhälfte hatte also zunächst die besseren mil. Voraussetzungen, und wären dem energischen Valentinianus [1] I., der die → Alamanni mehrmals zurückschlug, Kaiser von ähnlichem Format gefolgt, so wäre Gallien nach 406 schwerlich zum Tummelplatz verschiedener german. Heerhaufen geworden, und Spanien und Nordafrika hätten verm. nie einen Germanen gesehen. Die Aussicht, die Eindringlinge erfolgreich abzuwehren, war umso besser, als deren Zahl längst nicht so groß war, wie die ant. Überl. – historiographischer Trad. folgend – wollte [7. 99–101]. Doch nach Theodosius unterzog sich kein Kaiser, erst recht keiner der »Kinderkaiser«, mehr der Pflicht eines *Imperator Augustus*, an der Spitze eines Heeres für die *securitas* (»Sicherheit«) des Reiches zu sorgen. Vielen Heermeistern gelangen zwar Teilerfolge, die Entstehung german. Territorialherrschaften konnten sie aber nicht aufhalten. Zu deren Verfestigung trug die alte röm. Taktik bei, die Germanenkönige gegeneinander auszuspielen, mit der Folge, daß die Niederlage des einen die Stellung des anderen stärkte. Die »Vielvölkerkoalition«, die Aëtius [2] gegen Attila 451 (→ Campi Catalauni) zusammenbrachte und die die hunnische Expansion beendete, blieb eine Ausnahme.

Danach gab es im Westen, wo die monarchische Spitze wegbrach, niemanden mehr, der eine große Strategie zur Wiederherstellung des Reiches verfolgt hätte. Was eine kaiserliche Zentralmacht im Westen, die dazu willens gewesen wäre, hätte erreichen können, bewies → Iustinianus [1] I. im Osten, dessen Reconquista 534 erst das Vandalenreich in Nordafrika, dann 555 die Ostgotenherrschaft in Italien beendete (vgl. → Belisarios; → Narses). Das Ende der westgot. Herrschaft in Spanien kam nicht mehr durch einen röm. Kaiser, sondern 711 durch die → Araber (→ Rodericus), und die Selbständigkeit der Langobarden hob 776 Karl der Große auf, dessen Franken die Haupterben der V. wurden.

→ Alamanni; Alani; Alanoi; Angli; Burgundiones; Franci; Germani; Goti; Greuthungi; Hunni; Langobardi; Migration; Ostgoten; Roma (II. E.3.a); Saxones; Suebi; Tervingi; Vandali; Westgoten; EPOCHEN; GESCHICHTSMODELLE

1 RGA 2 W. CONZE, Rasse, in: Geschichtliche Grundbegriffe 5, 1984, 135–178 3 DEMANDT 4 E. DEMOUGEOT, La formation de l'Europe et les invasions barbares, 1979 5 D. GEUENICH (Hrsg.), Die Franken und die Alemannen bis zur »Schlacht bei Zülpich« (496/97). Ergänzungsbde. zum RGA 19, 1998 6 A. KRAUSE, Die Gesch. der Germanen, 2002 7 L. MUSSET, Les invasions: Les vagues germaniques, 1969 8 E. NORDEN, Die germanische Urgesch. in Tacitus' Germania, 1920; ⁴1959 9 W. POHL (Hrsg.), Kingdoms of the Empire. The Integration of Barbarians in Late Antiquity, 1997 10 Ders., Die Germanen (Enzyklopädie deutscher Gesch. 27), 2000 11 Ders., Die V. Eroberung und Integration, 2002 12 K. ROSEN, Die V., 2002 13 TH. SCHIEFFER (Hrsg.), Europa im Wandel von der Ant. zum MA (Hdb. der Europäischen Gesch. 1), 1976; ⁴1996 14 K. F. STROHEKER, Germanentum und Spätantike, 1965 15 K. TRÜDINGER, Stud. zur Gesch. der griech.-röm. Ethnographie, 1918 16 M. WAAS, Germanen im röm. Dienst, ²1971 17 R. WENSKUS, Stammesbildung und Verfassung. Das Werden der früh-ma. gentes, 1961; ²1977 18 G. WIRTH, Attila. Das Hunnenreich und Europa, 1999 19 H. WOLFRAM, Das Reich und die Germanen. Zwischen Ant. und MA, 1990 20 Zedlers Universallexikon, Bd. 63, 1750, s. v. Züge ganzer Völker.　　　　K.R.

KARTEN-LIT.: B. KRÜGER, Die Germanen, Bd. 2, 1983 · W. POHL, Die V., 2002 · O. MAENCHEN-HELFEN, Die Welt der Hunnen, 1978 · L. KWANTEN, A History of Central Asia 500–1500, 1979 · RGA, s. die einzelnen Völkerschaften.

Vogelfang (ὀρνιθευτική/*ornitheutiké*, ἰξευτικά/*ixeutiká*; lat. *aucupium*). Wie die große Zahl beiläufiger Erwähnungen zeigt, war der V. in der Ant. wahrscheinlich weit verbreitet und wurde in ländlichen Regionen wohl häufig praktiziert. In lit. Texten erscheint der V. regelmäßig in Verbindung mit der → Jagd und dem Fischfang (→ Fischerei), so schon bei Sophokles [1], der den V. anführt, um die Überlegenheit der Menschen den Tieren gegenüber zu veranschaulichen (Soph. Ant. 342–347). Platon [1] behandelt den V. dementsprechend unter den Vorschriften zur Jagd, lehnt ihn aber als Betätigung für freie Jünglinge ab; der V. soll nur auf unbebauten Feldern oder im Gebirge erlaubt sein (Plat. leg. 823a–824a). Die jeweiligen Eigenheiten von Jagd, Fischfang und V. werden in den *Halieutiká* (I) sowie in den *Kynēgetiká* des Oppianos [2] (II) in einer Gegenüberstellung präzise erfaßt (Opp. hal. 1,1–55; Opp. kyn. 1,47–80); dabei wird hervorgehoben, daß ein Vogelfänger die Tiere nicht mit einer Waffe tötet.

Der V. war schon in homerischer Zeit bekannt und wird im 4. Jh. v. Chr. von Xenophon [2] knapp beschrieben (Hom. Od. 22,468–470; Xen. Kyr. 1,6,39). In der späten röm. Republik gehörte der Hinweis auf den V. zum Lob des Landlebens (Cic. Cato 56; Hor. epod. 2,33 f.; Catull. 114,3; vgl. später auch Mart. 9,54). Aber auch in der Darstellung des kleinbäuerlichen Milieus findet der V. Beachtung (Verg. georg. 1,139; 1,271; Longos 3,5 f.).

Es gab verschiedene Formen des V., die – allerdings unvollständig – von Xenophon und Oppianos aufgelistet werden (Opp. hal. 1,29–34; Opp. kyn. 1,64–66). Wichtigstes und charakteristisches Hilfsmittel für den V. war zweifellos das Netz (δίκτυον/*díktyon*; lat. *rete*), das schon bei Homer, später auch in zahlreichen Epigrammen belegt ist (Hom. Od. 22,468–470; Anth. Gr. 6,11–16; 6,179–187); die Verwendung von Leimruten (ἰξός/*ixós*; lat. *viscum*, (h)*arundo*) wird anschaulich von Longos l.c. geschildert (vgl. auch Petron. 40,6; Plin. nat.

16,248). Zum Anlocken gebrauchte man abgerichtete artverwandte Vögel, aber auch → Eulen, die von den Singvögeln am Tage angegriffen wurden (Xen. Kyr. 1,6,39; Opp. hal. 4,120–125; Aristot. hist. an. 609a); in Thrakien wurden kleinere Vögel mit Hilfe von → Falken gejagt (Aristot. hist. an. 620a-b; vgl. Plin. nat. 10,23). Bevorzugte Jahreszeit für den V. war der Winter; bei Vergil wird er ausdrücklich zu den Tätigkeiten dieser Jahreszeit gerechnet, und die Szene bei Longos spielt im Winter, in dem die Vögel auf den tief verschneiten Feldern kein Futter mehr finden und die Nähe der Siedlungen suchen (Verg. georg. 1,259–275; Longos 3,3–6).

Es bleibt unklar, ob Vögel lebendig gefangen wurden, um sie als → Haustiere (s. Nachträge) zu halten. Daphnis jedenfalls tötet und rupft die von ihm gefangenen Vögel, die schließlich auch verzehrt werden (Longos 3,6,2; 3,9,3). In It. wurden → Drosseln gefangen, um sie in Vogelhäusern zu mästen (Colum. 8,10,1). Eine beeindruckende bildliche Darstellung des V. mit einer Eule als Lockvogel findet sich auf einer sf. attischen Amphore (6. Jh. v. Chr., New York, Privatsammlung; [2]).

1 E. Böhr, V. mit Leim und Kauz, in: AA 1992, 573–583 2 J. Boardman (Hrsg.), The Oxford History of Classical Art, 1993, 71 f. 3 A. W. Mair (ed.), Oppian, Colluthus, Tryphiodorus, 1928, XXXIV-XXXVI 4 K.-W. Weeber, Alltag im Alten Rom. Das Landleben, 2000, 255–259, s. v. V.   H. SCHN.

Vogelschau (ὀρνιθομαντεία/ornithomanteía bzw. ὀρνιθοσκοπία/ornithoskopía, auch ὀρνιθεία/ornitheía; lat. auspicium, augurium; vgl. → augures; vgl. umbrisch aves anzeriaom). Divinationstechnik; die Deutung ergibt sich aus der Konstellation der visuellen und akustischen Zeichen (Vogelart, [Flug-]Bewegung; Vogellaute) und aus ihrer Einordnung in einen durch Umgrenzung definierten und durch Binnengliederung semantisch organisierten Raum (lat. → templum; → Limitation I., → pars antica, postica).

Die Lehre von der V. in It. ist, z. T. vermittelt über die Autoren zur Etrusca disciplina ([9. 105–115; 5. 150–152]; → Umbricius), fr. in der Lit. (bes. bei den röm. Antiquaren) überl. (Quellen-Slg.: [8]; Rekonstruktionsversuch: [3]). Das längste Ritual-Fr. zur V. in der klass. Ant. ist in den umbr. → Tabulae Iguvinae überl. (2./1. Jh. v. Chr.; Textabfassung: 3. Jh. v. Chr.: [7. 33 f.]; Komm.: [6. 609–613, 742–748, 757]). Einrichtungen für die V., sog. auguracula, versuchte man in Rom, Cosa, → Bantia und → Marzabotto arch. zu identifizieren (→ templum mit Lit.). Gesicherte bildliche Darstellungen der V. sind aus dem ant. Griechenland und It. nicht überl.; zur Diskussion der Szene in der etr. Tomba François (die den Grabinhaber Velsaties, eine kleinere Figur und einen Vogel zeigt) vgl. zuletzt [2; 10].

Die reich differenzierte Terminologie der V. im Hethitischen [11; 1] zeigt die Vielfalt der grundsätzlich denkbaren Zeichen. Die Frage, ob, analog zur Leber-

schau (→ haruspices C., mit Abb.), eine Überl. der Techniken und Termini der V. im Alten Vorderen Orient (zur dortigen V. vgl. [4]) in den Westen und dort über die Etrusca disciplina in die röm. Rel. gelangte, bedürfte der Unt.

→ Augures; Divination (VII., mit Abb.); Lituus; Templum (mit Abb.)

1 A. Archi, L'ornitomanzia ittita, in: SMEA 16, 1975, 119–180 2 M. Lesky, Zum Gewand des Vel Saties in der Tomba François, in: L. Aigner-Foresti (Hrsg.), Die Integration der Etrusker und das Weiterwirken etr. Kulturgutes ..., 1998, 177–185 3 A. Magdelain, L'auguraculum de l'arx à Rome et dans autres villes, in: REL 47, 1969, 253–269 4 G. McEwan, A Seleucid Augural Request, in: ZA 70, 1980, 58–69 5 Pfiffig 6 Prosdocimi 7 H. Rix, Descrizioni di rituali in Etrusco e in Italico, in: A. Quattordio Moreschini (Hrsg.), L'Etrusco e le lingue dell'Italia antica, 1985, 21–37 8 Roman Augury and Etruscan Divination, 1975 9 C. O. Thulin, Die etr. Disciplin, Bd. 3, 1909 (Ndr. 1968) 10 C. Weber-Lehmann, Die Auspizien des Vel Saties, in: R. F. Docter (Hrsg.), Classical Archaeology Towards the Third Millennium (Proc. Amsterdam 1998), 1999, 449–453 11 A. Ünal, Zum Status der »Augures« bei den Hethitern, in: RHA 31, 1973, 27–56.

P. Catalano, Contributi allo studio del diritto augurale, 1960 · J. Linderski, The Augural Law, in: ANRW II 16.3, 1986, 2146–2312 · A. Giovannini, Les livres auguraux, in: La mémoire perdue. Recherches sur l'administration romaine, 1998, 103–122.   M. HAA.

Vokal s. Aussprache; Lautlehre; Metrik (bes. V. C., VI. A. und B.); Prosodie II.

Volasenna

[1] P. V. Suffektconsul ca. 54 n. Chr.; Proconsul von Asia wohl 62/3 [1. 438–441]. Wohl Bruder von V. [2].

1 Vogel-Weidemann.

[2] C. V. Severus. Wohl Bruder von V. [1]. Suffektconsul mit Cn. Hosidius [4] Geta Nov./Dez. 47 n. Chr. [1. 247]. Vgl. CIL VI 8,3, p. 4784 ad 31767.

1 G. Camodeca, Tabulae Pompeianae Sulpiciorum, 1999.   W. E.

Volaterrae (Οὐολατέρρα, etr. Velathri). Etr. Stadt (vgl. Strab. 5,2,5 f.; CIE 1185; 1231) auf einer hochgelegenen Terrasse mit abschüssigen Hängen zw. den Flüssen Caecina [III 1] im Westen und Era im Osten, h. Volterra.

I. Geschichte   II. Archäologie

I. Geschichte

Als Mitglied des etr. → Zwölfstädtebundes beherrschte V. das Gebiet zw. → Arnus im Norden, → Vada Volaterrana am → Mare Tyrrhenum im Westen und → Falesia im Süden. Wahrscheinlich bestanden seit dem späten 7. Jh. v. Chr. Handelsbeziehungen zu den Zentren an der Küste des Mare Tyrrhenum. V. war an der etr. Expansion nord- und ostwärts über den → Appenninus hinaus beteiligt (Familie der Caicna ~ Caecina aus V. erwähnt auf einer Stele aus Felsina/→ Bononia [1]). Mit vier anderen etr. Städten unterstützte V. die → Latini gegen den röm. König Tarquinius [11] Priscus (Dion. Hal. ant. 3,5).

298 v. Chr. siegte der röm. Consul L. Cornelius [I 76] Scipio Barbatus bei V. über die Etrusci (Liv. 10,12,4–8). V. war spätestens seit 281 v. Chr. mit Rom verbündet (vgl. den Triumph des Consuls Q. Marcius [I 16] Philippus über die Etrusci: MRR 1,190). Im Zweiten → Punischen Krieg lieferte V. an Rom Getreide und Holzplanken für den Bau von Schiffen (Liv. 28,45,15). In V. sammelten sich Etrusci und von Cornelius [I 90] Sulla Proskribierte, die von 82 bis 80 v. Chr. der Belagerung durch Sullas Truppen standhielten, bevor sie kapitulieren mußten; V. verlor das erst 89 v. Chr. gewonnene Bürgerrecht, die Bürger wurden enteignet (Strab. 5,2,6; Liv. per. 89). Unter → Ciceros Konsulat 63 v. Chr. wurde V. wieder in die alten Rechte eingesetzt (Cic. S. Rosc. 20; 105; Cic. Caecin. 18; Cic. dom. 78f.; Cic. fam. 13,4,1–4; Cic. Att. 1,19,4). Unter dem → Triumvirat 43 v. Chr. mußte V. eine Kolonie röm. Veteranen aufnehmen (Liber coloniarum 214). Zum *municipium* erhoben, gehörte V. zur *regio VII* (Ptol. 3,1,48), *tribus Sabatina*. Überregionale Bed. hatte die ortsansässige *gens* → Caecina (Cic. fam. 6,5–9; 10,25,3; 13,66,1 f.; Cic. Att. 16,8,2; Ciceros Rede Pro Caecina). A. Caecina [I 4] war der Autor eines Werkes über die *Etrusca disciplina* (→ Divination VII.; Cic. fam. 6,6,3; Plin. nat. 1,2b; Sen. nat. 2,39; [1; 2. 295; 3]). In V. wurde der Dichter A. Persius [2] Flaccus geboren.

II. ARCHÄOLOGIE

Auf der Akropolis (Pian di Castello) gibt es Siedlungsspuren ab 1000 v. Chr., eine Siedlung mit dem ON Velathri ist ab dem E. des 8. Jh. v. Chr. nachweisbar, Nekropolen bei Badia-Guerruccia und Ripaie. Im Stadtgebiet in Ripaie finden sich bis ins 9. Jh. v. Chr. zurückreichende Grabanlagen (z. B. Grab QI). Im späteren 6. Jh. v. Chr. gab es Heiligtümer auf der Akropolis (Architekturterrakotten); Gräber wurden mit Stelen (vgl. die Stele des Avle Tite) ausgestattet. Die Stadt wurde von einem großen Mauerring umgeben (*opus polygonale*; stellenweise noch bis 15 m H mit einer Stärke von bis zu 4 m sichtbar; erh. sind auch zwei Stadttore; vgl. die Erwähnung bei Strab. 5,2,6). Auf der Akropolis sind Reste eines Tempels aus dem 4. Jh. v. Chr. vorhanden, besser erh. jedoch Reste aus dem 3. Jh. v. Chr. (etr. Tempel B; späterer Tempel A mit bedeutenden architektonischen Terrakotten vom E. des 3. Jh. v. Chr.). In dieser Zeit wird die Emission des sog. → Aes grave angesetzt [4]. In der Mitte des 1. Jh. v. Chr. erfolgten Wiederherstellungsarbeiten an der Mauer (Porta all'Arco); in den Nekropolen ist die Verwendung von Aschenurnen aus Tuff und Alabaster bezeugt [5; 6]. In der Kaiserzeit wurden von der *gens Caecina* wichtige Gebäude gestiftet: Theater in Vallebuona aus dem 1. Viertel des 1. Jh. n. Chr. mit der späteren Anfügung einer *porticus*

post scaenam (→ Porticus II.). In der Nähe der Porta S. Felice und beim Theater Thermen (Mitte 3. Jh. n. Chr.), die unter Verwendung von → Spolien vom Theater errichtet wurden [7].

→ Etrusci, Etruria (mit Karte)

1 F. MÜNZER, s. v. Caecina (7), RE 3, 1237f. 2 M. TORELLI, Senatori etruschi della tarda repubblica e dell'impero, in: Dialoghi di Archeologia III,3, 1969, 285–363 3 D. VOTTERO (ed.), Seneca, Questioni naturali (mit it. Übers.), 1989, 344, Anm. 1 4 M. CRISTOFANI MARTELLI, Il ripostiglio di V., in: Annali dell'Istituto Italiano di Numismatica 22, 1977, 87–104 5 Dies. et al., Urne volterrane, Bd. 1: I complessi tombali (Corpus delle urne etrusche di età ellenistica 1), 1975; Bd. 2, 1977ff. 6 G. CATENI, F. FIASCHI, Le urne di V. e l'artigianato artistico degli etruschi, 1984 7 M. MUNZI, N. TERRENATO, V.: il teatro e le terme, 2000.

E. FIUMI, V. etrusca e romana, 1976 · M. MUNZI, N. TERRENATO, La colonia di V., in: Ostraka 3, 1994, 31–44 · N. TERRENATO, Tam firmum municipium, in: JRS 88, 1998, 94–114 · Dies. et al., V. tra tardoantico e alto medioevo, in: Archeologia Medievale 21, 1994, 639–656 · G. MAETZKE (Hrsg.), Aspetti della cultura di V. etrusca (Atti del XIX Convegno di Studi Etruschi ed Italici 1995), 1997 · M. TORELLI (Hrsg.), Atlante dei siti archeologici della Toscana, 1992, 187–197 · R. ENGKING, G. RADKE, s. v. V., RE 9 A, 721–740 · S. STEINGRÄBER, Etrurien, 1981, 39–109.

M. M. MO./Ü: H. D.

Volcacius

[1] V. Sedigitus. Verfasser eines literaturgesch. lat. → Lehrgedichts (Plin. nat. 11,244) in Senaren (→ Metrik VI. C. 3.), wohl vom E. des 2. Jh. v. Chr. Erh. sind (wohl über Varro, *De poetis*) vier Fr. (insgesamt 20 Verse) zur → Palliata (→ Komödie II. C.). Sie befassen sich mit Dichterbiographien (fr. 2 FPL = 3 GRF zu Terentius' [III 1] Tod), Echtheitsfragen (bei Gell. 3,3,1 zu Plautus; fr. 3/4 zur behaupteten Kooperation des Cornelius [I 70] Scipio mit Terentius) und Literaturkritik. Die Dichter werden nach ihrer Bühnenwirksamkeit bewertet: Terentius' *Hecyra* wird niedrig eingestuft (fr. 4/2), in dem Kanon der noch gespielten Palliatendichter (neun, dazu Ennius ›des Alters halber‹) gehen die ersten Preise an → Caecilius [III 6], → Plautus und → Naevius [I 1]; Terentius erscheint erst an sechster Stelle (fr. 1, vgl. Don. vita Terentii 7). Das Werk steht (mit dem etwa gleichzeitigen Lehrgedicht des → Porcius [I 12] Licinus) in der Trad. von → Accius' *Didascalica*.

→ Literaturkritik; Komödie; Palliata

FR.: FPL³ (BLÄNSDORF), 101–103 (mit Bibl.) · COURTNEY, 93–96 · GRF, 82–84.
LIT.: W. SUERBAUM, s. v. V. S., in: HLL 1, § 144.

[2] Verf. eines Komm. zu Ciceros Reden, den Hier. contra Rufinum 1,16 in einer Serie von Klassikererklärungen (Vergil, Sallust... Terenz) erwähnt, vgl. noch Hier. epist. 70,2,1. Vielleicht identisch mit dem Verf. der *Scholia Bobiensia*.

P. L. SCHMIDT, s. v. V., in: HLL 5, § 526.1.   P. L. S.

Volcae. Kelt. Volksstamm in der Gallia → Narbonensis. Urspr. aus Germania stammend, zogen die V. in
zwei Gruppen z. T. nach Griechenland und Kleinasien
(→ Tectosages), z. T. nach → Gallia (A.). Ihr erstes Auftreten im SO von Gallia dürfte in der Mitte des 3. Jh.
v. Chr. anzusetzen sein [1. 85–90]. Im Zusammenhang
mit dem Alpenfeldzug unter Hannibal [4] (→ Punische
Kriege) erwähnt Liv. 21,26,6f. (vgl. Pol. 3,37,9; App.
Hann. 4) die V. im Gebiet des → Rhodanus (h. Rhône),
erst später sind sie bis nach → Tolosa (h. Toulouse) nachzuweisen. Zur Zeit der Einrichtung der Prov. Gallia
Transalpina 121 v. Chr. umfaßte das Gebiet der V. den
Raum zw. Pyrene [2] im Süden, dem → Garumna (h.
Garonne und Gironde) im Westen, dem → Cebenna
mons (h. Cévennes) im Norden und dem Rhodanus im
Osten. Durch das Gebiet der V. verlief die wichtige
röm. Verbindungsstraße nach Hispania, die Via Domitia
von Ugernum (h. Beaucaire) zur Pyrene, die der alten
mythischen Via Heraclea folgte (Pol. 3,39; Strab.
4,1,12).

Die V. gliederten sich in zwei Teilstämme, die V.
Arecomici (= V. A.) und die V. Tectosages (= V. T.). Die
zahlenmäßig kleinere Gruppe der V. A. siedelte haupt-
sächlich westl. des Rhodanus; ihr Gebiet wurde im
Westen vom Gebiet der V. T. und im Norden vom Ge-
biet der → Helvii begrenzt. Hauptort der V. A. war
→ Nemausus [2] (h. Nîmes; Strab. 4,1,12; Plin. nat.
3,37; Ptol. 2,10,10) [2]. Inschr. erwähnt ist ein *praetor
Volcarum Arecomicorum* (CIL XII 1028). Das Gebiet der V.
→ Tectosages (II.) reichte von der Pyrene im Süden und
dem Garumna im Westen bis zum Gebiet der V. A. im
Osten. Hauptort der V. T. war Tolosa (Strab. 4,1,13;
Plin. nat. 3,37; Ptol. 2,10,9; Cass. Dio 27,90). Weitere
bedeutende Städte in ihrem Gebiet waren: → Narbo (h.
Narbonne; urspr. im Gebiet der V. A.: Strab. 4,1,12,
nach der Einrichtung der Prov., spätestens 52 v. Chr.
den V. T. unterstellt: Caes. Gall. 7,7,4), → Baeterrae (h.
Béziers) und Carcaso (h. Carcassonne; Plin. nat. 3,36).

Hannibal [4] zog 219/218 v. Chr. durch das Gebiet
der V., die sich ihm Liv. 21,26,6f. zufolge schließlich
westl. des Rhodanus entgegenstellten. Wohl seit
121/118 v. Chr. mit den Römern verbündet, brachen
die V. T. während der Invasion der → Cimbri und
→ Teutoni das Bündnis mit Rom. 106 v. Chr. eroberte
und plünderte der Consul Q. Servilius [I 12] Caepio
Tolosa (Strab. 4,1,13; Cass. Dio 27,90; zum Raub der
Schätze aus dem Tempel des Apollon und aus anderen
Heiligtümern in Tolosa, dem *aurum Tolosanum* Cic. nat.
deor. 3,74; Iust. 32,3,10; Gell. 3,9,7; Oros. 5,15,25). 104
v. Chr. nahm L. Cornelius [I 90] Sulla, der unter Marius
[I 1] als Legat diente, einen der Anführer der V. T., Co-
pillus, gefangen (Plut. Sulla 4,1). 77 v. Chr. lehnten sich
die V. A. zusammen mit den Helvii im Zusammenhang
mit dem Krieg gegen → Sertorius gegen Rom auf, weshalb ihr Gebiet → Massalia (h. Marseille) zugeschlagen
wurde (Caes. civ. 1,35,4; Cic. Font. 26). Während Caesars Gallienfeldzug blieben die V. insgesamt den Römern treu (Caes. Gall. 7,7; 7,64f.).

Die Existenzgrundlage der V. war ihre Landwirtschaft (Getreideanbau: Caes. Gall. 1,10,2), doch brachte
ihnen auch – bei ihrer Mittlerstellung zw. Hispania und
Gallia wie auch It. – (Umschlag-)Handel mit landwirtschaftl. Produkten (Getreide, Wein) sowie mit Metallen
(Gold, Silber, Eisen, Zinn, Blei) viel ein (Strab. 4,1,13;
Liv. 21,20,8) [1. 137–200; 3. 115–117]. Zur Münzprägung der V. vgl. [4. 54–59, 169–171].

1 M. LABROUSSE, Toulouse antique, 1968 2 M. CHRISTOL,
C. GOUDINEAU, Nîmes et les Volques Arécomiques, in:
Gallia 45, 1987, 87–103 3 RIVET 4 D. F. ALLEN, The Coins
of the Ancient Celts, 1980.

J.-C. ARRAMOND, J.-L. BOUDARTCHOUK, Le Capitolium de
Tolosa?, in: Gallia 54, 1997, 203–238 · A. DIRKZWAGER,
Strabo über die Gallia Narbonensis, 1975, 55; 85 · R. DE
FILIPPO, Nouvelle définition de l'enceinte romaine de
Toulouse, in: Gallia 50, 1993, 181–204 · M. MASSY,
Languedoc-Roussillon, in: Gallia Informations, 1992.1,
87–200 · M. PROVOST u. a., Carte archéologique de la Gaule
Romaine 30, Bd. 1–3: Le Gard, 1999 · H. BANNERT, s. v. V.,
RE Suppl. 15, 937–960 (mit Karte).   CH. W.

Volcanalia s. Volcanus

Volcanus ist die urspr. (CIL I² 453; VETTER Nr. 200B 6b;
Volchanus: CIL I² 1218; *Volganus*: CIL I² 364; *Volkanus*:
CIL IX 6349), *Vulcanus* die jüngere Namensform des
röm. Gottes. Versuche, diesen über etr. → Velch(ans)
[1. 289–409] auf einen kretischen Ϝελχάνος (*Welchános*,
bzw. → Zeus Velchanos) [1. 155–287] zurückzuführen
und seine Ursprünge so im östl. Mittelmeerraum zu lokalisieren, sind primär an sprachlichen Ähnlichkeiten
ausgerichtet; eine sich daraus ergebende Charakterisierung als urspr. »Vegetationsgottheit« ist hypothetisch,
jene Kategorie zudem für die Erklärung des röm. Gottes
wenig hilfreich.

In Rom und der röm. Welt rief man V. in seiner
Funktion als Gott des → Feuers zum Schutz vor dessen
vernichtender Gewalt unter versch. Beinamen an: *Quietus* (»der Stille«, CIL VI 801), *Mitis* (»der Milde«, AE
1983,827) und → *Mulciber* (CIL V 4295; XI 5741). Mit
→ Stata Mater (die »das Feuer zum Stehen bringt«) wird
V. Quietus inschr. assoziiert (CIL VI 802). V. werden »zum Schutz vor Bränden« rötliche, die Farbe der
lodernden Flammen imitierende Opfertiere dargebracht (CIL VI 826; vgl. Tac. ann. 15,44; Weihung durch
einen → *praefectus* [16] *vigilum*: CIL VI 798; [2. 955f.;
958f.]). Früh belegt ist die Metonymie V. = »Feuer«
(Naev. 121f. TRF³ = 97 TRAGLIA; Enn. ann. 509; Plaut.
Amph. 341; Plaut. Aul. 359; Plaut. Men. 330; CIL I²
1218; Verg. Aen. 7,77; u.ö.), bzw. werden Gott und
Feuer verbunden (zuerst in der Dichtung: Naev. fr. 45
TRF³ = 36 TRAGLIA; fr. 60 FPL³). Diese Verbindung erklärt wohl, daß V. in Teilen der lit. Überl. als Vater der
»aus dem Feuer geborenen« → Cacus, → Caeculus und
Servius → Tullius [I 4] (Ov. fast. 6,625–628) galt; sie erklärt auch die Darstellung der Verbrennung der von den
Feinden erbeuteten Waffen als Darbringung an V. (Liv.
8,10,13; App. Hann. 133; Serv. Aen. 8,562).

Problematisch ist die Bewertung der Funktion als »Feuergott« als die primäre bzw. urspr. »altröm.« des Gottes (so [3]). Der Befund belegt eine – für polytheistische Systeme charakteristische – funktionale Ausdifferenzierung (dazu → Pantheon [1] III.), zumal V. wohl bereits im 4. Jh. v. Chr. in Myth. und Ikonographie, darin dem etr. → Sethlans ähnlich, mit dem griech. »Schmiedegott« → Hephaistos identifiziert werden konnte (vgl. [4. 290f. Nr. 78f.]). Auf spätrepublikanischen Mz. erscheinen als Attribute des V. → pilleus (»Kappe«), Zange, Hammer und Amboß [4. 293]. Die Charakterisierung als »Blitzgott« (nur bei Serv. Aen. 1,42) mag auf eine sekundäre Identifikation mit dem etr. Sethlans zurückgehen, die Beschreibung als Gott der unterirdischen Feuer und »Vulkane« auf die Identifikation mit Hephaistos. Bereits bei dem → lectisternium für eine röm. → Zwölfgötter-Gruppe von 217 v. Chr., das V. mit → Vesta zusammenstellt, ist griech. Kulttheologie vorauszusetzen (Enn. ann. 240f.; Liv. 22,10,9; [5. 97–103]).

Nach einer röm. Trad. geht die Einrichtung des Volcanals, des offenen V.-Heiligtums oberhalb des Comitiums in Rom, auf → Romulus [1] (Plin. 16,236; Plut. Romulus 24,5), die Einführung des Kultes nach einer anderen auf T. → Tatius zurück (Varro ling. 5,74; Dion. Hal. ant. 2,50,3). Die Identifizierung des Volcanals mit einem Heiligtum des frühen 6. Jh. v. Chr. bei der Stelle des → Lapis Niger [6. 161–188; 7] wird in der Forsch. heute überwiegend akzeptiert. Selbst unter Voraussetzung dieser Identifizierung ist eine im Votivdepot (→ Votivkult) jenes Heiligtums gefundene sf. att. Scherbe (ca. 570/560 v. Chr.), die Hephaistos' Rückholung in den Olympos [1] zeigt [8. 56], aber kein zwingendes Indiz für eine mehr als punktuelle, d. h. für eine allg. akzeptierte zeitgenössische Gleichsetzung des V. mit dem griech. Gott. Ein zweites Heiligtum, erbaut vor 214 v. Chr., stand auf dem → Campus Martius bzw. dem Areal des Circus Flaminius (Liv. 24,10,9; InscrIt 13,2, 149; [9]; vgl. [10. 218–242]).

V. hatte einen → flamen (Varro ling. 5,84; kaiserzeitlicher Beleg: CIL VI 1628 = 41294), der der → Maia [1], Partnerin der V. (so zumindest Gell. 13,23,2), am 1. Mai opferte (Macr. Sat. 1,12,18–20). → Maiesta als Gattin des Gottes ist dagegen kultantiquarische Spekulation (Calpurnius Piso fr. 42 PETER = 10 FORSYTHE). → Feriae für V. nennen die Kalender für den 23. Mai (InscrIt 13,2,460f.). Ein Opfer von lebenden Fischen fand während der ludi Piscatorii am 7. Juni beim Volcanal für den Erfolg zukünftiger Fänge statt (Fest. 232; 274–276 L.); in der Gegenüberstellung von Wasser und Feuer liegt vielleicht ein Schlüssel zum Verständnis dieses Rituals. Die Volcanalia mit Brandopfern von (lebenden?) Tieren für V. und Maia fielen auf den 23. August (InscrIt 13,2,500–502; Varro ling. 6,20).

Die herausragende lokale Stellung des V.-Kults in der röm. Siedlung → Ostia ([11. 337–343]; vgl. AE 1986, 114f.), aus seiner Funktion als »Feuergott« allein nicht zu erklären, belegt das sakrale Amt eines → pontifex Vol-

cani et aedium sacrarum (z. B. AE 1968,81; AE 1988,216), dem → aediles und → praetores sacris Volcani faciundis unterstellt waren (CIL XIV 4553; 4625; AE 1986,111f.; AE 1989,125; vgl. AE 1995,244). Auch im röm. It., den NW-Prov. und darüber hinaus (z. B. AE 1995,1226) bezeugen bildliche Darstellungen (Statuetten, → Weihreliefs, → Viergöttersteine: [4. 293–298; 12; 13. 202, 204]) und Inschr. die Verbreitung des Gottes. Ob unter dem Namen des V. vereinzelt auch ein einheim. Gott verehrt wurde (→ interpretatio), ist im konkreten Fall oft schwer entscheidbar. Zusammen mit anderen Gottheiten (AE 1968,302; AE 1974,512), in Verbindung mit dem → Kaiserkult (vgl. CIL XIII 3528) oder allein ist V. der Adressat mil. (z. B. CIL III 305; [14. 275]) und magistratischer Weihungen, aber auch von privatem Kult (z. B. AE 1903,27; vgl. AE 1997,412); in Lararieninventaren (→ Lararium) ist er dagegen kaum repräsentiert [13. 193].

→ Hephaistos (III.); Vulkan

1 G. CAPDEVILLE, V., 1995 (Lit.) 2 W. EISENHUT, s. v. V., RE Suppl. 14, 948–962 3 G. WISSOWA, s. v. V., ROSCHER 6, 356–369 4 E. SIMON, G. BAUCHHENSS, s. v. V., LIMC 8.1, 283–298 5 CH. R. LONG, The Twelve Gods of Greece and Rome, 1987 6 F. COARELLI, Il Foro Romano, Bd. 1, 1983 7 Ders., s. v. Volcanal, LTUR 5, 1999, 209–211 8 M. CRISTOFANI (Hrsg.), La Grande Roma dei Tarquini, 1990 9 D. MANACORDA, s. v. V., aedes, in: s. [7], 211–213 10 F. COARELLI, Il Campo Marzio, 1997 11 R. MEIGGS, Roman Ostia, ²1973 12 F. BROMMER, Der Gott V. auf provinzialröm. Reliefs, 1973 13 A. KAUFMANN-HEINIMANN, Götter und Lararien aus Augusta Raurica, 1998 14 G. L. IRBY-MASSIE, Military Rel. in Roman Britain, 1999.   A. BEN.

Volcatius

[1] V. Tullus, C. 53–48 v. Chr. als junger Offizier Caesars bezeugt (Caes. Gall. 6,29,3: adulescentem; 8,46,4(?); Caes. civ. 3,52,2). Bruder oder Vetter von V. [3].

[2] V. Tullus, L. (vor 109–nach 46 v. Chr.). Obwohl bei der Wahl zur Ädilität gescheitert, gelangte V. 66 zum Konsulat (Cic. Planc. 51), in dem seine denkwürdigste Tat offenbar die Zurückweisung der Kandidatur des → Catilina für das Konsulat war (Sall. Catil. 18,3). 56 trat er für die Rückführung Ptolemaios' [18] XII. durch Pompeius [I 3] nach Äg. ein (Cic. fam. 1,1,3; 1,2,1; 1,4,1). Bei Ausbruch des Bürgerkrieges versuchte er wie andere zu vermitteln (Cic. Att. 7,3,3; 8,1,3; 9a,1; 9,10,7; 9,19,2). Deshalb war V. 46 dann gegen die Begnadigung des Caesarfeindes M. Claudius [I 15] Marcellus (Cic. fam. 4,4,4).

[3] V. Tullus, L. Sohn von V. [2]. 46 v. Chr. praet. (Cic. fam. 13,14), danach Statthalter in einer Nachbarprov. Syriens (Cic. Att. 14,9,3). 33 war V. cos. (InscrIt 13,1,251; 254f.; 283; 508f.), später procos. Asiae (SEG 15, 815). Verm. ist V. der um den Staat verdiente Onkel von Propertius' [1] Freund (V.) Tullus (Prop. 1,6,19f.).

SYME, RP 2, 536f.; 557–565 · T. WISEMAN, New Men in the Roman Senate, 1971, 276f.   J. BA.

Volcei. Stadt in → Lucania auf einem Hügelkamm (663 m H) im Tal des → Tanager, h. Buccino (Prov. Salerno). 209 v. Chr. von den Römern unterworfen (Liv. 27,15,2), erst *municipium* der *tribus Pomptina*, dann *praefectura* (Liber coloniarum 1,209). Ihr fielen die Numestrani (Plin. nat. 3,61; → Numistro) und die *pagi Forensis* und *Naranus* (Nares Lucanae, h. Lo Scorzo) zu (CIL X 407).

V. BRACCO, V. (Forma Italiae, Regio III, Bd. 2), 1978 · Ders., V. in: Supplementa Italica, N. S. 3, 1987 · W. JOHANNOWSKY, Italici e Magna Grecia, 1990, 35–40 · BTCGI 4, 209–212. G. U./Ü: H. D.

Volci/Vulci (Plin. nat. 3,51,52; etr. *Velch?*, Ὄλκιον/ *Ólkion*, Steph. Byz. s. v.). Stadt in der südl. Maremma am Westufer des Fiora-Flusses, der V. mit dem Inneren Etruriens und der 12 km entfernten Küste verband. Bereits im Neolithikum und in der Kupferzeit besiedelt, erfuhr V. im 9. und 8. Jh. v. Chr. eine erste Blüte (→ Villanova-Kultur). Vom E. des 7. bis zum Beginn des 5. Jh. v. Chr. war V. eine der reichsten Städte Etruriens und exportierte Keramikprodukte und Br.-Arbeiten über It. hinaus bis in die keltische und griech. Welt. Aus den seit dem 18. Jh. ergrabenen → Nekropolen stammt ein Großteil der bekannten hochwertigen attischen Keramik. Die bedeutende einheimische Keramik-Trad. reicht von etrusko-korinthischer (*Pittore della Sfinge barbuta*) über sf. (→ Pontische Vasenmalerei, → Micali-Maler) bis zur rf. Keramik des Hell. (Vanth-Gruppe; vgl. → Vanth). Nach einer Krise im 5. Jh. blühte V. im 4. Jh. v. Chr. nochmals auf. Unter den Grabbauten ragen die sog. Cuccumella (→ Tumulus, 7. Jh. v. Chr.) und die Tomba François (spätes 4. Jh. v. Chr., h. in der Villa Albani, Rom) heraus, das Grabmal der Familie Saties, dessen Fresken Kampfszenen etr. und röm. Aristokraten (→ Mastarna; Servius → Tullius [I 4]) illustrieren. 280 v. Chr. triumphierte der röm. Konsul Ti. → Coruncanius über V. (InscrIt 13,1 p. 73), das 273 v. Chr. mit der Gründung der lat. *colonia* → Cosa(e) seine Küstengebiete verlor. 90 v. Chr. wurde V. röm. → *municipium*. Arch. Zeugnisse zeigen u. a. Stadtmauerfundamente, Tore (5./4. Jh.), eine Brücke (1. Jh. v. Chr.), Tempel, eine röm. Villa (1. Jh. n. Chr.); Weiterleben als bescheidenes Landstädtchen bis ins 4. Jh. n. Chr. → Etrusci, Etruria (mit Karten); Umbri, Umbria (mit Karte)

S. GSELL, Fouilles dans la nécropole de Vulci, 1891 · C. IAIA, Simbolismo funerario e ideologia alle origini di una civiltà urbana, 1999, 81–92 · A. M. SCUBINI MORETTI, Vulci e il suo territorio, 1993 · Dies., Ricerche archeologiche a Vulci: 1985–1990, in: M. MARTELLI (Hrsg.), Tyrrhenoi Philotechnoi, 1994, 9–49 · S. STEINGRÄBER, Etrurien, 1981, 183–203. MI. LE.

Volero. Ein »verschollenes« röm. → Praenomen ohne Sigle, in DEGRASSI, FCap., 37 für den Consulartribun von 399 v. Chr., Volero Publilius [I 2] P. f. Voler. n. Phi-

lo, belegt. Etym. ist es *n*-Stammerweiterung zu → *Volusus/Volesus*.

SALOMIES, 59; 169 f.; 190. D. ST.

Volesus s. Volusus

Volgum s. Valcum

Volk. Wie der mod. Begriff »Volk« (im Sinne von Bevölkerung, breite Masse, soziale Unterschicht, Staatsvolk, Nation u. a.) waren die ant. Begriffe, die mit »V.« übersetzt werden (δῆμος/→ *démos* [1] und → *populus*), nicht eindeutig. *Démos* wie *populus* hatten jedoch niemals die Bed. »Bevölkerung«, da sich beide ausschließlich auf die Bürger mit polit. Rechten bezogen (→ Bürgerrecht; → Volkszählung). *Démos* konnte die Gesamtheit der Bürger eines Staates meinen, aber auch nur die Unterschichten, die »Masse«, die auch als οἱ πολλοί/ *hoi polloí* (»die Vielen«), πλῆθος/*pléthos* (»Menge«) und ὄχλος/*óchlos* (»Pöbel, Mob«) bezeichnet wurden. Im Sinn von »Staatsvolk« wurde *démos* in Verbindung mit dem → Ethnikon (s. Nachträge) verwendet (z. B. »der Demos der Athener« bzw. auch nur »die Athener«; vgl. → Staat) oder zusammen mit dem Rat (→ *bulé*) genannt (»auf Beschluß des Rates und des Demos«).

Bei den Römern umfaßte *populus* ebenfalls die Gesamtheit der auf dem → *ager Romanus* (s. Nachträge) lebenden Bürger, in der Form *populus Romanus* bezeichnete *populus* – wie in der Verbindung mit *senatus* (→ SPQR) – seit der späten Republik auch das Staatsvolk (Cic. rep. 1,25,39). Im *populus* mitenthalten war die → *plebs* (wörtl. »Füllmenge«, von lat. *plere* = »füllen«, vgl. griech. *pléthos*); dieser Begriff umfaßte alle röm. Bürger außer den → *patres* (vgl. → Ständekampf), bezeichnete aber nach der Aufnahme der Oberschicht der *plebs* in die polit. Führungsschicht (→ *nobiles*) die ärmeren Bürger, schließlich nur noch die stadtröm. Masse. Seit der späten Republik wurden beide Begriffe sehr unscharf: Einerseits konnte *plebs Romana* synonym mit *populus Romanus* gebraucht werden [1], andererseits wird bei Tac. hist. 1,4,3 das V. in Rom in einen »anständigen Teil« (*pars populi integra*) und die »schmutzige Plebs« (*plebs sordida*) geteilt [2]; dabei umfaßt *plebs* nur noch den Teil der Einwohner Roms, die weder Fremde oder Sklaven noch Senatoren oder Ritter sind [3. 38 f.].

1 B. KÜHNERT, Populus Romanus und sentina urbis. Zur Terminologie der plebs urbana der späten Republik bei Cicero, in: Klio 71, 1989, 432–441 2 H. SEILER, Die Masse bei Tacitus, 1936 3 E. FLAIG, Den Kaiser herausfordern, 1992. W. ED.

Volksetymologie. In der Mitte des 19. Jh. geprägter Begriff (zuerst wohl bei [1]), mit dem die bewußte oder unbewußte Deutung von Wörtern und ihre darauf beruhende Umgestaltung (im Sinne einer Angleichung an vermeintlich Bildungsverwandtes) durch Muttersprachler gemeint ist. Volksetymologische Umgestaltungen lassen sich im Wortschatz der klass. Sprachen vielfach nachweisen. So wird allg. angenommen, daß griech. κλόνις/*klónis* (»Steißbein«) seinen dem altind. *śróni-* (»Schenkel«), lat. *clūnis* (»Hinterkeule«) entgegenstehenden Vokalismus (zu erwarten wäre ⁺κλοῦνις) einer Angleichung an das Verb κλονέω (»in Bewegung setzen«) verdankt, ähnlich wie dt. *Friedhof* das aus mhd. *frîthof* zu erwartende *Freithof* wegen der Assoziation an *Frieden* verdrängt hat. In bes. Maße ist V. bei der Integration von → Lehnwörtern zu beobachten; so wurde z. B. das griech. Wort für »Messing«, ὀρείχαλκος/*oreíchalkos* (wörtlich »Berg-Erz«), im Lat. vielfach durch *aurichalcum* wiedergegeben, da das VG des Kompos. mit *aurum*, »Gold«, in Verbindung gebracht werden konnte; ähnlich wurde lat. *carbunculus*, »Kohlenstück«, wegen des Anklangs an *funkeln* ins Dt. als *Karfunkel* entlehnt. Im Griech. betrafen derartige Angleichungen vielfach hebr. Termini. So dürfte die Bezeichnung des jüdischen → Pesah-Fests (hebr. *pæsah*) im christl. Kontext an das griech. Wort für »leiden« angelehnt worden sein (πάσχω/*páschō* – πάσχα/*páscha*, »Osterfest«; vgl. z. B. Lactantius in PL 6, 531 A); im Lat. haben sich das hebr. Fremdwort *iōbēlaeus* (*annus*) (< *jôbel*, »Widderhorn«, wohl über griech. ἰωβηλαῖος/*iōbēlaíos*) und das Erbwort *iūbilāre*, »rufen«, gegenseitig beeinflußt, so daß das »Jubeljahr« zu *iūbilaeum* umgestaltet und *iūbilāre* auf das freudige »jubilieren« eingeschränkt wurde.

→ Etymologie (Nachträge); ETYMOLOGIE

1 E. FÖRSTEMANN, Ueber dt. Volksetym., in: ZVS 1, 1852, 1–25.

K. G. ANDRESEN, Über dt. V., 1876 · O. KELLER, Lat. V. und Verwandtes, 1892 (Ndr. 1974) · H. PAUL, Prinzipien der Sprachgesch., ³1898, § 150–152, S. 198–202 · R. THURNEYSEN, Wortschöpfung im Lat., in: IF 31, 1912–13, 276–281 · J. B. HOFMANN, Zur Wortschöpfung im Lat., in: IF 60.3, 1952, 273–276 · SCHWYZER, Gramm., 38 f. · O. PANAGL, Aspekte der V., 1982 · H. OLSCHANSKY, V., 1996.　　　　　　　　　J. G.

Volkslieder. Die Entscheidung, welche ant. Gedichte als V. zu bezeichnen sind, ist nicht eindeutig. Die Kategorie »griech. V.« ist eine Schöpfung der mod. Herausgeber von griech. Dichtung; anders als poetische Gattungen wie → *dithýrambos*, → *paián*, → *íambos* usw. spiegelt das V. keine ant. Klassifizierung wider. Die Reste griech. V. (kurze Gedichte und Fr.) sind unter dem üblichen mod. Titel *Carmina popularia* in mod. Ausgaben frühgriech. → Lyrik gesammelt [1; 3. 488–514; 4; 5. 463–482]. Diese Texte gingen wohl aus chorischem und monodischem Vortrag zu unterschiedlichen Anlässen hervor; sie belegen die Bed. des Gesangs in der griech. Kultur (»Gesangskultur«: [6]). In metrischer Hinsicht weisen sie eine bemerkenswerte Vielfalt von einfachen Iamben bis hin zu Ionikern und verschiedenen äolischen Kola auf [7. 146–149] (→ Kolon; → Metrik).

Das mod. Verständnis von griech. V. ist eng mit Annahmen zur Entwicklung der → Lyrik verbunden, nämlich daß hinter den etablierten lyrischen Formen eine lange mündliche Trad. von V. stehe. Die frühesten Belege stammen aus der ›Ilias‹, wo Lieder erwähnt werden, die aus der späteren lyrischen Trad. bekannt sind: → *paián* (Hom. Il. 1,472–473; 22,391), → *thrḗnos* (24,720–722), → *ailínos* oder → *línos*-Gesang (18,570), sowie → *hymenaíos*, das Hochzeitslied (18,493). Unter den sog. *Carmina popularia* (s. o.) gibt es Zeugnisse für all diese Liedtypen: 858 PMG ist ein Paian an Euros, den Ostwind; 878 PMG stammt aus einem Klagelied; 880 PMG wird von Schol. Hom. Il. 18,570 aus dem Linos-Gesang zitiert; 881 PMG umfaßt Fr. eines traditionellen Hochzeitsliedes.

All diese Lieder sind in den rel. Traditionen der griech. Gemeinschaften verwurzelt; Kulthandlungen waren wohl unter den häufigsten Anlässen für die Aufführung von Liedern. Die Mehrzahl der den *carmina popularia* zugeschriebenen Passagen scheinen tatsächlich einem kultischen Rahmen anzugehören. Nicht immer enthüllen die Zeugnisse die Rolle dieser Lieder in den jeweiligen Riten. In einigen Fällen ist der kultische Ort erkennbar: die → Anthesteria (883 PMG), → Lenaia (879 PMG), die Megalartia für Demeter (847 PMG), die eleusinischen → Mysteria (862 PMG). Häufiger findet sich jedoch nur ein vager Hinweis auf einen → Hymnos an eine bestimmte Gottheit (860 PMG), auf das Singen »bei den Götterfesten« (ἐν ταῖς ἑορταῖς; Plut. Apophthegmata Laconica 15 zitiert 870 PMG), oder auf die Durchführung eines »bestimmten Opfers« (Plut. Theseus 16,2 = fr. 868 PMG). In wenigen Fällen erhellen die Testimonien den Zusammenhang: Theognis von Rhodos (FGrH 526 F 1) überlieferte das rhodische Schwalbenlied (848 PMG), einen Text, der Licht auf das rituelle Betteln auf dieser Insel wirft [8]; Plut. qu. Gr. 36 bewahrt die Anrufung des Dionysos durch die Frauen von Elis (871 PMG) bei den Thyia oder Dionysia [9]; Semos von Delos (FGrH 396 F 24) zitiert 851 PMG bei einer detaillierten Beschreibung von kultischer Phallosverehrung [10. 137–144; 11. 31–35] (vielleicht eine Parodie von Eur. Hipp. 73 ff. [12. 36], doch ist die Ähnlichkeit nur oberflächlich und formal; die Verknüpfung von lyrischer Anrede und iambischer Widmung in den beiden Textstellen des Semos und des Euripides spricht eher für einen kultischen Anlaß).

V. wurden auch bei zahlreichen nichtkultischen Gelegenheiten aufgeführt: als Bestandteil von Spielen (861, 875, 876 PMG; → Wettkämpfe), zur Begleitung von → Tanz (852 und 864 PMG) oder mil. Märschen (856 und 857 PMG); als Gesang oder Rezitation eines Herolds bei athletischen Wettkämpfen (863, 865, 866 PMG).

Plut. Amatorius 17 zitiert ein populäres Liebeslied aus Chalkis (873 PMG); Athen. 15,697b spricht von »frivoleren Liedern« (καπυρώτεραι ᾠδαί) und zitiert 853 PMG als ein Beispiel für »Seitensprung-Lieder« (μοιχικαί). Eine Trad. populärer erotischer Lieder scheint hinter dem Liebesduett in Aristoph. Eccl. 952–968 zu stehen [13]. Zu den V. gehören des weiteren → Arbeitslieder; auch die attischen → *skólia* können als V. angesehen werden.

Die meisten Texte in PMG sind ohne Autorenzuweisung überliefert; vielleicht sind einige V. auch unter den sog. *Adespota* der PMG versteckt. Nur auf Pap. überl. Texte verursachen bes. Zuordnungsprobleme. D. PAGE reihte den Paian an Euros (858 PMG) unter die *Carmina popularia*, den ähnlichgestalteten Paian aus Erythrai (933–934 PMG) dagegen unter die *Adespota* (verm. deshalb, weil 858 PMG aus Sparta stammt, wo traditionelle Lieder wiederholt aufgeführt wurden, vgl. Plut. Lycurgus 21; [14. 3]). Einige V. werden in der ant. Trad. auch bekannten Dichtern zugeschrieben: Der Hymnos an Herakles in Olympia wurde Archilochos (fr. spur. 324 WEST²) [12. 138 f.], das Schwalbenlied auf Samos Homeros [1] zugewiesen (Vita Homeri Herodotea 464 ALLEN) [15. 245–275]. Trotz aller Unsicherheiten der Klassifizierung ist »V.« eine für die griech. Dichtung nützliche Kategorie; sie wirft Licht auf die Trad., innerhalb derer die wichtigen griech. Lyriker arbeiteten.

→ Fest, Festkultur; Lied; Lyrik

ED.: **1** PMG, 847–883 · D. A. CAMPBELL (ed.), Greek Lyric, Bd. 5, 1993, 232–269 (mit engl. Übers.) **3** H. W. SMYTH, Greek Melic Poets, 1906.
LIT.: **4** G. LAMBIN, La chanson grecque dans l'antiquité, 1992 **5** F. PORDOMINGO, in: O. PECERE, A. STRAMAGLIA (Hrsg.), La letteratura di consumo nel mondo greco-latino, 1996 **6** C. J. HERINGTON, Poetry into Drama, 1985 **7** M. L. WEST, Greek Metre, 1982 **8** N. ROBERTSON, Greek Ritual Begging in: TAPhA 113, 1983, 143–169 **9** S. SCULLION, Dionysus at Elis, in: Philologus 145, 2001, 203–218 **10** A. PICKARD-CAMBRIDGE, Dithyramb, Tragedy and Comedy, ²1962 **11** C. G. BROWN, Iambos, in: D. E. GERBER, A Companion to the Greek Lyric Poets, 1997 **12** M. L. WEST, Studies in Greek Elegy and Iambus, 1974 **13** C. M. BOWRA, A Love Duet, in: AJPh 79, 1958, 376–391 (= Ders., On Greek Margins, 1970, 149–163) **14** I. RUTHERFORD, Pindar's Paeans, 2001 **15** G. MARKWALD, Die homerischen Epigramme, 1986.

CH. BR./Ü: RE. M.

Volksrecht I. BEGRIFF II. REICHSRECHT UND VOLKSRECHT VOR DER CONSTITUTIO ANTONINIANA III. REICHSRECHT UND VOLKSRECHT NACH DER CONSTITUTIO ANTONINIANA IV. VOLKSRECHTE IN DER SPÄTANTIKE

I. BEGRIFF

V., ein von L. MITTEIS [1. 4–9] 1891 geprägter Begriff, bedeutet die einheimischen Rechtstraditionen in den Prov. des *imperium Romanum*, im Gegensatz zum röm. Recht als »Reichsrecht«: Die Verleihung des Bürgerrechts (→ *civitas* [2]) an (nahezu?) alle freien Reichsbewohner durch die → *Constitutio Antoniniana* (212 n. Chr.; dazu [2; 3]) führte entgegen manchen ant. Quellen (z. B. Theod. gr. aff. cur. 9,13 RAEDER) nicht zu einer Ausrichtung des provinzialen Rechtslebens am röm. Recht. Dies ergibt sich aus Papyri, Inschr. und Rückschlüssen aus kaiserlichen Reskripten (→ *rescriptum*; v. a. der diokletianischen Kanzlei um 300 n. Chr.)

auf Anfragen aus östl. Provinzen. Als (fortbestehendes) lokales Recht unterscheidet sich das V. von → Vulgarrecht als depraviertem röm. Recht. Für die bes. Rechtsverhältnisse einer bestimmten Prov. (z. B. die *Lex Hieronica* für Sizilien; *Bibliothḗkē enktéseōn/* → Grundbuch für Ägypten, weitere Beispiele bei [5]; *Monumentum Ephesinum* für Asia, vgl. dazu zuletzt [6]) wird die Kategorie »Provinzialrecht« verwendet [4]; [5. 174–191]. Zu V. in der (juristischen) Byzantinistik vgl. [7. 115]; zu V. in der (juristischen) Germanistik vgl. [8].

II. REICHSRECHT UND VOLKSRECHT VOR DER CONSTITUTIO ANTONINIANA

Wann lokales Recht zur Anwendung kommen sollte (bzw. mußte), war in den röm. Prov. nicht einheitlich festgelegt (ausführlich [9]). Nach der sog. *lex Rupilia* (Gerichtsordnung für Sizilien, 132 v. Chr., Cic. Verr. 2,2,32 ff., dazu [9; 10. Register; [11]) sollen Sizilier derselben Stadt vor den einheimischen Gerichten gegeneinander prozessieren (*domi certet suis legibus*, ›zu Hause streite er nach seinen Gesetzen‹). Die statthalterliche Jurisdiktion galt hingegen zw. Römern, Römern und Siziliern (Richter: Sizilier oder Römer je nach der Nationalität des Beklagten), Siziliern verschiedener Gemeinden (wohl Sizilier als Richter) und zw. Privaten und Gemeinden (dazu [11]). Auch nach dem Provinzialedikt des Q. → Mucius [I 9] Scaevola (*procos. Asiae* wohl 94 v. Chr.) galt der Grundsatz, ›daß die Griechen untereinander nach ihren Gesetzen entscheiden‹ (*ut Graeci inter se disceptent suis legibus*, Cic. Att. 6,1,15).

Jedoch konnten nach Cic. Flacc. 48 ff. (dazu [9; 10. Register]) Griechen derselben Stadt vor einem vom Statthalter bestellten (wohl röm.) Collegium von → *recuperatores* prozessieren. Plutarchos [2] (Plut. praecepta gerendae rei publicae 19) bemerkt, daß die Provinzialen ihren eigenen Gerichten mißtrauen und sich lieber an den Statthalter wenden. Der röm. Prozeß in den Prov. war der Formularprozeß (→ *formula*) [12]; anders in Äg. [5]. Grundlage war das Jurisdiktionsedikt (Provinzialedikt) des Statthalters [12] – Kenntnisse des röm. Rechts wurden auch in den Prov. vermittelt (zuletzt [13] mit Lit.); andererseits setzten sich auch die (stadtröm.) Juristen mit Geltung und Anwendung des lokalen Rechts auseinander [14]. Vom Statthalter eingesetzte Rekuperatorenbänke lassen sich z. B. für die Prov. Asia, Macedonia, Lycia sowie für die Prov. Arabia nachweisen [10. 2069 ff., 2219 ff.].

Ein illustratives Beispiel für das rasche Eindringen röm. Rechts in die provinziale Praxis bilden die Urkunden aus den J. 94–132 n. Chr. im Archiv der jüd. Witwe Babatha in der 106 n. Chr. eingerichteten Prov. Arabia (s. [15; 10. 2109 ff., 2173 ff., 2199 ff.]; auch [16; 17]), z. B. drei Ausfertigungen einer wortgetreuen griech. Übersetzung der röm. Formel der *actio tutelae* (Vormundschaftsklage, P Yadin 28–30), die Babatha wohl in einem Streit um die Vormundschaft für ihren Sohn Jesus (aus erster Ehe) verwenden wollte (vgl. dazu [18]), sowie verschiedene → *denuntiationes* (»Erklärungen«, dazu [10. 2173, 2191 ff.]). Zwei Kaufverträge des Jahres 130 sind mit einer formgerechten Stipulationsklausel (→ *stipulatio*) in Griech. versehen (PYadin 21 f., vgl. dazu [19. 475 ff.]), die die Verträge vor dem röm. Statthalter in Petra klagbar machten. Die Vermengung der Rechtskreise zeigt auch der griech. Ehevertrag Shelamzions, der Tochter des (zweiten) Ehemanns der Babatha, mit ihrem (ebenfalls jüd.) Bräutigam aus dem Jahre 128 (PYadin 18): Die Parteien verweisen hinsichtlich des Unterhalts, den der Bräutigam der Braut (und künftigen Kindern) leisten muß, auf einen *hellēnikós nómos* (»griech. Gesetz«, Z. 16); durch eine Stipulationsklausel wird der Vertrag aber dem röm. Recht unterstellt. Der Ehevertrag Babathas mit ihrem zweiten Mann (122–125 n. Chr.) war noch als aramäische *kʿtūbbā* abgefaßt [20].

In Äg. (ausführlich [5]) lebten nach der röm. Eroberung das äg. Recht und das ptolem. Königsrecht gleichsam als »regionale Gewohnheit« fort. Die statthalterliche Rechtsprechung war freilich auch bei Prozessen zw. Ägyptern nicht daran gebunden. So berief sich im Prozeß der Dionysia (POxy. 2,237; 186 n. Chr.) die Klägerin auf Entscheidungen röm. Richter, die einen äg. Rechtssatz, der dem Vater den Rückruf seiner Tochter aus der Ehe auch gegen ihren Willen erlaubte, als »ungerecht« außer acht ließen.

III. Reichsrecht und Volksrecht nach der Constitutio Antoniniana

Die Auswirkungen der → *Constitutio Antoniniana* sind für Äg. am besten bezeugt [5]. Dort blieben die hergebrachten Geschäftstypen und Formulare in Gebrauch (doch bestand stets die Möglichkeit einer → *interpretatio Romana*). Die Durchsetzung röm. Rechts läßt sich für die Stipulationsklausel [21] nachweisen, die ab dem Jahre 220 n. Chr. schlagartig gehäuft in Verträgen erscheint (Konsequenz eines Urteils des Statthalters zur Ungültigkeit eines Vertrages?), für das lat. Manzipationstestament (→ *testamentum*) und für das *ius liberorum* (»Vorrecht aufgrund der Kinderzahl«). Manche Papyri erwähnten ausdrücklich die → *patria potestas* (»väterliche Gewalt«), andere gehen von der vermögensrechtlichen Selbständigkeit der Kinder aus. Teilfreilassungen, die nach röm. Recht unmöglich sind, bleiben weiter bezeugt.

Die Sätze des → Syrisch-römischen Rechtsbuches bzw. seiner griech. Vorlage stimmen hingegen mit dem röm. Recht überein (Ed. und Komm. [22]; anders noch [1]). Es könnte sich um *interpretationes* zu einer (nicht näher erschließbaren) Slg. kaiserlicher Konstitutionen handeln (so [22. Bd. 3, 26 ff.]); den *terminus post quem* für die Letztredaktion bildet der Tod Kaiser Leo(n)s [4] I. 474 n. Chr. Unter Iustinianus [1] (6. Jh. n. Chr.) konnte kein vom röm. Recht abweichendes Volksrecht mehr Geltung beanspruchen (vgl. Const. Tanta § 23; 533 n. Chr.). Ausdrücklich verbietet der Kaiser in zwei Novellen (Edicta Iustiniani 3: 23.07.535; Coll. 168 Novellae 21 = Authenticum 21: 18.03.536) für den röm. Teil Armeniens (Prov. seit E. 4. Jh. n. Chr.), lokale Rechts-Trad. wie das auf Männer beschränkte Erbrecht, die Kaufehe sowie die Ehe ohne Dotierung (→ Mitgift; vgl.

→ *dos*) der Frau. Es sollen ausschließlich die röm. Gesetze gelten: *et nihil Armeniorum leges a Romanorum differre*, ›und die Gesetze der Armenier sollen sich in nichts von denen der Römer unterscheiden‹ (Authenticum 21,1).

→ Vulgarrecht; VULGARISMUSFORSCHUNG

1 MITTEIS 2 J. OLIVER, Greek Constitutions of Early Roman Emperors from Inscriptions and Papyri, 1989 3 P. KUHLMANN, Die Gießener lit. Papyri und die Caracalla-Erlasse, 1994 4 D. NÖRR, Iurisprudentia universalis von Schreiberhand: zur *katharopoiesis*-Klausel, in: M. SCHERMAIER u. a. (Hrsg.), Iurisprudentia universalis. FS Th. Mayer-Maly, 2002, 529–547 5 WOLFF, Bd. 1, 2002 6 M. AMELOTTI, Leggi greche in diritto romano, in: Minima epigraphica et papyrologica 4.6, 2001, 11–23 7 D. SIMON, Provinzialrecht und V., in: Fontes minores 1, 1976, 102–116 8 E. KAUFMANN, s. v. V., in: A. ERLER u. a. (Hrsg.), Handwörterbuch der dt. Rechtsgesch., Bd. 5, 1998, 1004–1006 9 W. KUNKEL, R. WITTMANN, Staatsordnung und Staatspraxis der röm. Republik, Bd. 2: Die Magistratur (HdbA 3,2,2), 1995, 354–363 10 D. NÖRR, Historiae iuris antiqui. Gesammelte Studien, 3 Bde., 2002 11 J. PLATSCHEK, Das ius Verrinum im Fall des Heraclius von Syrakus, in: ZRG 118, 2001, 234–263 12 K. HACKL, Der Zivilprozeß des früheren Prinzipats in den Provinzen, in: ZRG 114, 1997, 141–159 13 D. LIEBS, Rechtskunde im röm. Kaiserreich. Rom und die Provinzen, in: s. [4], 383–407 14 M. TALAMANCA, Particolarismo normativo ed unità della cultura giuridica nell'esperienza romana, in: Diritto generale e diritti particolari nell'esperienza storica (Kongr. Florenz 1998), 2001, 9–276 15 Y. YADIN, N. LEWIS (ed.), The Documents from the Bar Kokhba Period in the Cave of Letters (Judean Desert Studies), Bd. 1: Greek Papyri, 1989, Bd. 2: Hebrew, Aramaic and Nabatean-Aramaic Papyri, 2002 16 H. COTTON, Ἡ νέα ἐπάρχεια Ἀραβία: The New Province of Arabia in the Papyri from the Judean Desert, in: ZPE 116, 1997, 204–208 17 Dies., Some Aspects of the Roman Administration of Judaea/Syria-Palaestina, in: W. ECK (Hrsg.), Lokale Autonomie und röm. Ordnungsmacht, 1999, 75–89 18 T. CHIUSI, Zur Vormundschaft der Mutter, in: ZRG 111, 1994, 155–196 19 H. L. W. NELSON, U. MANTHE (ed.), Gai institutiones III 88–181, 1999, 475–479 (mit Komm.) 20 H. COTTON, XHev/Se 2, Inv. No. 870: A Cancelled Marriage Contract from the Judean Desert, in: JRS 84, 1994, 66–86 21 D. SIMON, Studien zur Praxis der Stipulationsklausel, 1964 22 W. SELB, H. KAUFHOLD, (ed.), Das Syrisch-röm. Rechtsbuch, Bd. 1–3, 2002.   W. KA.

IV. Volksrechte in der Spätantike

Als V. (meist Pl. V.e) bezeichnet man seit dem 19. Jh. die Gesetze, die von den germanischen Königen auf dem Boden des früheren röm. Reiches in der Spätant. erlassen worden sind. Im humanistischen Geist der frühen Neuzeit hatte man sie *leges barbarorum* (»Barbarengesetze«) genannt. In der mod. Forsch. ist meist nur noch von *leges* die Rede, was aber mißverständlich ist, da → *lex* auch eine Rechtsquelle des röm. Rechts von den Zwölftafeln (→ *tabulae duodecim*) bis zu den → *Constitutiones* der spätant. Kaiser war, andererseits noch spätere germanische V. als *lex* bezeichnet werden (wie die *lex*

Alamannorum und die *lex Baiuvariorum*, beide spätestens 8. Jh. n. Chr.).

Bes. wichtige spätant. Quellen für den Westen des früheren röm. Reiches sind die *leges Romanae*, die für die röm. (lat. sprechenden) Untertanen der germanischen Könige galten. Die einflußreichste → Rechtskodifikation dieses Typs ist die *lex Romana Visigothorum* (506 n. Chr.) unter König → Alaricus [3] II. (deshalb auch: *Breviarium Alarici*). In den zeitweilig von den → Westgoten eroberten Gebieten Südfrankreichs war diese *lex* das geltende geschriebene Recht (*droit écrit*), bis sich im 12./13. Jh. dort das röm. Recht des → *Corpus iuris* durchsetzte. Es handelt sich um eine Slg. verschiedener röm. Rechtsquellen, v. a. Auszügen aus dem → *Codex* (II.) *Theodosianus*, einer zusammenfassenden Bearbeitung der *Institutiones* des → Gaius [2] und Teilen der ›Paulussentenzen‹ (vgl. → Iulius [IV 16] Paulus). Außerdem enthält die *lex* eine → *interpretatio* (I.), teilweise mit Verweisungen auf andere Quellen des röm. Rechts. Ein vergleichbares Werk der → Ostgoten war das *Edictum Theoderici* aus der Zeit → Theoderichs [3] d. Gr. (474–526) mit Auszügen aus dem *Codex Theodosianus* und den vorangegangenen Slgg. der *Constitutiones* (→ Codex II.B.). Dieselben Vorlagen wie für die *lex Romana Visigothorum* haben in die *lex Romana Burgundionum* (A. 6. Jh. n. Chr.) Eingang gefunden. Sie könnten daher von jener beeinflußt worden sein.

→ Vulgarrecht; VULGARISMUSFORSCHUNG

1 DULCKEIT/SCHWARZ/WALDSTEIN, 306–308
2 TH. MAYER-MALY, s. v. Röm. Vulgarrecht, in: A. ERLER et al. (Hrsg.), Handwörterbuch zur dt. Rechtsgesch., Bd. 4, 1990, 1132–1137 3 H. SIEMS, s. v. Lex Romana Visigothorum, in: s. [2], Bd. 2, 1978, 1940–1949
4 H. NEHLSEN, s. v. Lex Romana Burgundionum, in: s. [2], Bd. 2, 1978, 1927–1934. G. S.

Volkstribunen s. Tribunus [7] plebis

Volksversammlung s. Apella; Comitia; Concilium; Ekklesia; Versammlungen

Volkszählung. Die V. in der Antike hatte ihren Ursprung im Bestreben, die mil. Leistungskraft einer Gemeinschaft festzustellen, und beschränkte sich daher anfänglich auf den wehrfähigen und zum Kriegsdienst berechtigten Teil der Bevölkerung, also auf die männlichen erwachsenen Bürger. Da wegen des vorherrschenden Prinzips der Selbstausrüstung der mil. Dienst als Reiter, Schwerbewaffneter (→ *hoplítai*), Leichtbewaffneter oder in mil. Hilfsdiensten von der wirtschaftlichen Leistungskraft des Bürgers abhängig war, ergab sich eine Gliederung in Vermögensklassen durch → Schatzung (→ *census*; vgl. → *timē*), in die dann auch ökonomisch wirksame Daten wie die Zahl der arbeitsfähigen Familienmitglieder (Frauen, Kinder, Sklaven) einflossen (vgl. → Familie; → *oíkos*). Doch zielte die ant. V. primär nicht darauf, die Zahl der Gesamtbevölkerung, sondern die ökonomische Potenz der Hauhaltsvorstände (→ *ký-*

rios II.; → *pater familias*) festzustellen. Diese konnte dann auch für die Beteiligung an öffentlichen Aufgaben zugrundegelegt werden, und zwar sowohl für die finanzielle (→ Steuern; → Liturgie; → *munus*) als auch für die polit. Leistung, da das Vermögen die Zulassung zur polit. Mitwirkung, das Gewicht der Stimme bei → Wahlen und v. a. die Wählbarkeit zu öffentlichen Ämtern bestimmte.

Trotz der polit. Bed. der V. sind für den griech. Raum (mit Ausnahme des ptolem. Ägypten; vgl. → *laographía*; [1. 1–30]) bis in die röm. Kaiserzeit kaum Nachrichten über den technischen Vorgang, die zuständigen Beamten, die zeitlichen Abstände und die Archivierung der Daten einer V. vorhanden. In Rom war mit der Einsetzung von → *censores* (angeblich seit 443 v. Chr.) eine Instanz geschaffen, die in fünfjährigem Abstand die Bürgerlisten überprüfte, Veränderungen im Vermögen feststellte und neue Bürger in die Listen eintrug. Der *census* gründete auf Selbsteinschätzung der Bürger, erforderte persönliches Erscheinen und wurde im Amtslokal der *censores* archiviert (→ Atrium Libertatis, seit Sulla im → Tabularium). Die Census-Zahlen der röm. Republik, die mit ca. 130000 am Beginn der Republik begannen und vor dem → Bundesgenossenkrieg [3] (91–87) ca. 390000 erreichten [2. 13 f.], geben nur die Anzahl der wehrfähigen Männer wieder [2. 15–25], doch mußte unter Augustus eine Änderung der Erfassung (einschließlich der Frauen?) eingetreten sein (zu den Gründen [2. 113–120]), da sonst der sprunghafte Anstieg der Bürger von etwa 1 Mio nach dem Bundesgenossenkrieg auf fast 5 Mio in augusteischer Zeit (R. Gest. div. Aug. 8,2–4) nicht verständlich würde.

In den → *provinciae* des röm. Reiches führten die Statthalter in republikanischer Zeit wohl die früheren Schatzungsverfahren fort (etwa in Sizilien die *lex Hieronica*: → Hieron [2] II.), so daß die Hauptlast der V. bei den Städten lag und die Listen in das Archiv am Sitz des Statthalters übernommen wurden (→ Verwaltung VII.). Seit Augustus wurde systematisch ein Provinzialcensus durchgeführt, der erste 27 v. Chr. in Gallien, der nach und nach das ganze Reich erfaßte und in regelmäßigen (vielleicht 10jährigen) Abständen wiederholt wurde. Die Weihnachtserzählung des Lukas-Evangeliums (2,2) fußt auf dem Census, den der Statthalter Syriens (»Landpfleger«), P. → Sulpicius [II 13] Quirinius, 6 n. Chr. durchführte, weil → Iudaea an die Prov. Syria angeschlossen wurde [3. 7–22]. Das Censusformular (*forma censualis*) in den Digesten (50,15,4; aus *De censibus* des → Ulpianus, um 200 n. Chr.) enthält nur die Angaben, die für die Feststellung des *tributum soli* (»Bodensteuer«) aus dem landwirtschaftlichen Ertrag notwendig waren [3. 30–32], nicht die Meßkriterien für das nur den Provinzialen auferlegte *tributum capitis*, die »Kopfsteuer« (→ *capitatio*), deren Einzug eine genaue Erfassung der Gesamtbevölkerung einer Prov. und damit eine V. im mod. Sinne voraussetzte.

→ Bevölkerungsgeschichte; Steuern (III. und IV.); Verwaltung (VII. und VIII.)

1 R. S. BAGNALL, B. W. FRIER, The Demography of Roman Egypt, 1994 2 P. A. BRUNT, Italian Manpower, 225 B. C.-A. D. 14, 1971 3 F. UNRUH, »…daß alle Welt geschätzt würde.« V. im röm. Reich, 2001 4 K. J. BELOCH, Die Bevölkerung der griech.-röm. Welt, 1886. W. ED.

Volnius. Schriftsteller wohl des 1. Jh. v. Chr., der »etruskische Tragödien« (*tragoediae Tuscae*) schrieb. V. war Gewährsmann Varros [2] (ling. 5,55; verfaßt um 45 v. Chr.) für die etr. Herkunft der Namen der ersten röm. → *tribus*: *tribus Titiensium, tribus Ramnium, tribus Lucerum*.

C. O. THULIN, Die etr. Disciplin III, 1909 (Ndr. 1968), 48 · W. STRZELECKI, s. v. V., RE 9 A, 766 f. M. HAA.

Vologaises (Οὐολόγαισος u. a.; lat. *Vologaeses* u. a., parth. *Walagaš*), Name iranischer und armenischer Herrscher (→ Parther).

[1] V. I., Sohn des → Vonones [2] II. und einer griech. Nebenfrau (Tac. ann. 12,44; bei Ios. ant. Iud. 20,3,4 irrtümlich als Sohn des → Artabanos [5] II. bezeichnet). 50/51 n. Chr. erkämpfte er sich den parthischen Thron gegen → Gotarzes II. Die erste Phase seiner Herrschaft war von einem Zweifrontenkrieg gegen die Römer in Armenien sowie einen Sohn des → Vardanes [2] bestimmt, der von Hyrkanien aus operierte. Dabei gelang es V., den Prätendenten etwa 61 zu vernichten. Bezüglich Armeniens wurde 63/66 eine Einigung erzielt, gemäß der V.' jüngster Halbbruder → Tiridates [5] König wurde, jedoch nicht parthischer, sondern römischer Suzeränität unterstand. Das Verhältnis zu Rom war auch in den folgenden Jahren Schwankungen unterworfen (vgl. → Iulius [II 11]; [II 76]), bes. als sich Vespasianus weigerte, V. gegen die Alanen zu unterstützen (Cass. Dio 65,15,3), die um 75 in die Reiche seiner Brüder → Pakoros [2] und Tiridates eingefallen waren. V. muß ungefähr zur selben Zeit wie Vespasianus (ca. 79) gestorben sein (vgl. Cass. Dio 66,17,3), nachdem er Pakoros [3] zum Mitregenten angenommen hatte.
→ Sāsāniden

M. SCHOTTKY, Parther, Meder und Hyrkanier, in: AMI 24, 1991, 61–134; 113–121, Stammtafel VI; VII · Ders., Quellen zur Gesch. von Media Atropatene und Hyrkanien in parthischer Zeit, in: J. WIESEHÖFER (Hrsg.), Das Partherreich und seine Zeugnisse, 1998, 435–472; bes. 445–449; 454; 464–467.

[2] »V. II.«, einem angeblichen Sohn von V. [1], werden parth. Münzen von 77/8 n. Chr. zugewiesen [1. p. 174–176]. Diese Zuweisung ist jedoch umstritten und verwirrt die Zählweise der parth. V.

1 G. LE RIDER, Suse sous les Séleucides et les Parthes. Les trouvailles monétaires et l'histoire de la ville (Mémoires de la Mission Archéologique en Iran 38), 1965.

[3] V. II. (III.?), wohl ein Sohn des → Pakoros [3], von dem er den Thronanspruch gegen → Osroes [1] erbte. Er gewann mit dessen Tod die Alleinherrschaft und regierte bis 147/8 n. Chr.

M. J. OLBRYCHT, Das Arsakidenreich zw. der mediterranen Welt und Innerasien, in: E. DĄBROWA (Hrsg.), Ancient Iran and the Mediterranean World (= Electrum 2), 1998, 123–159, bes. 138–150.

[4] V. III. (IV.?), Sohn eines Mithradates und Partherkönig seit 147/8 n. Chr., setzte 151 seine Herrschaft in der → Mesene durch [1]. Als einziger parthischer Herrscher erklärte er dem röm. Reich von sich aus den Krieg und ließ 161 durch → Osroes [2] Armenien erobern. Eine Gegenoffensive (seit 162) führte 165 zur Einnahme von Seleukeia [1] und Ktesiphon, doch mußten die Römer 166 den Rückzug antreten, da im Heer eine Seuche ausgebrochen war. Nach weiteren Konflikten um Armenien (→ Sohaemus [4]) kam es erst 176 zu Friedensverhandlungen mit Marcus [2] Aurelius (SHA Aur. 26,1). V. regierte noch bis 193.

1 D. S. POTTER, The Inscriptions of the Bronze Herakles from Mesene, in: ZPE 88, 1991, 277–290.

[5] V. IV. (V.?), Sohn von V. [4], der ihn 191 n. Chr. zum Mitregenten annahm, seit 193 alleiniger Partherkönig. Als Septimius [II 7] Severus 195 parthische Gebiete in Mesopotamien besetzte, wich V. in sein Stammland zurück. Nach dem Abzug des Kaisers fiel V. in Mesopotamien ein und belagerte 196 Nisibis. 198 kehrte Severus zurück und eroberte Babylon, Seleukeia [1] und Ktesiphon. V., der sich erneut ins Landesinnere zurückgezogen hatte, konnte sein Reich nach dem Abzug der Römer zurückgewinnen und regierte noch bis 207/8 (→ Parther- und Perserkriege).

[6] V. V. (VI.?), Sohn von V. [5], Großkönig seit 207/8 n. Chr. Der Aufstand seines Bruders → Artabanos [8] IV. beschränkte das Herrschaftsgebiet des V. auf Babylonien. Seine prekäre Stellung veranlaßte ihn wohl, der Forderung Caracallas nach der Auslieferung zweier Flüchtlinge nachzukommen (Cass. Dio 78,19,1; 21,1). Die Reihe seiner datierten Tetradrachmen aus Seleukeia [1] endet zunächst um 222, eine einzelne Prägung von 227/8 steht isoliert [1. 286]. Spätestens damals muß V. dem → Sāsāniden → Ardaschir [1] I. erlegen sein.

1 D. G. SELLWOOD, An Introduction to the Coinage of Parthia, ²1980.

zu V. [1–6]: M. KARRAS-KLAPPROTH, Prosopographische Studien zur Gesch. des Partherreiches, 1988, 192–209 · K. SCHIPPMANN, s. v. Balâš I-VI, EncIr 3, 574–579.

[7] V., dem Sohn des → Sanatrukes [2], überließ Traianus [1] 116 n. Chr. einen Teil Armeniens (Cass. Dio [75,9,6], in den Ausg. nach 68,30,3). Hadrianus erkannte seine Herrschaft an (SHA Hadr. 21,11). V. herrschte noch 134–136, als sein Land von den Alanen heimgesucht wurde (Cass. Dio 69,15,1).

[8] Ein V. erscheint unter den Bewerbern um die armenische Krone, die zugunsten des → Sohaemus [4] übergangen wurden (Fronto, Ad Verum Imp. 2,16, p. 126 VAN DEN HOUT). Falls er nach dessen Tod doch noch an die Macht gekommen sein sollte, mag seine Herrschaft in das Jahrzehnt nach 180 n. Chr. fallen.

[9] (armenisch Wataršak), ein jüngerer Sohn des armen. Königs → Pap. Nachdem der Reichsfeldherr Manuel Mamikonian den König → Warazdat vertrieben hatte, machte er → Arsakes [5] III. und den V. zu gemeinsamen Herrschern, wobei V. nur die Position eines Mitkönigs einnahm und mit seinem Bruder schnell unter persischen Einfluß geriet (Faustos [4] Buzandaci 5,37–44). Offenbar starb V. bald (vgl. Moses [2] Chorenaci 3,41), da er zur Zeit der Aufteilung Armeniens zwischen (Ost-)Rom und Persien (384–389 n. Chr.) nicht mehr erwähnt wird. PLRE 1, 929.

M.-L. CHAUMONT, s. v. Armenia and Iran II, EncIr 2, 418–438, bes. 425; 428 · C. TOUMANOFF, s. v. Arsacids VII, EncIr 2, 543–546.

[10] Bei den griech. Autoren u. a. Βλάσης/ *Blásēs* (Prok. BP 1,5,2; 1,6,17), Βάλας/ *Bálas* (Agathias 4,27) und Οὐάλας/ *Ouálas* (Theophanes anno 5969 und 5971) neupers.-arab. *Balâš* genannt; pers. Großkönig seit 484 n. Chr. Er war ein Sohn → Yazdgirds [2] II. und kam nach dem Tod seines Bruders → Peroz [1] im Kampf gegen die → Hephthalitai an die Macht. V. schloß Frieden mit Wahan Mamikonian, dem Anführer der aufständischen Armenier, und erhielt dessen Hilfe im Thronkampf gegen seinen Bruder Zarer. Nach vier Jahren humaner und toleranter Regierung wurde er durch seinen Neffen → Cavades [1] I. ersetzt, der ihn blenden ließ. PLRE 2, 1136.

M.-L. CHAUMONT, s. v. Balâš, Sasanian King of Kings, EncIr 3, 579. M.SCH.

Vologaisia s. Vologesocerta

Vologesocerta (Plin. nat. 6,122; Ptol. 5,20,6: Οὐλογαισία/ *Vologaisía*; Amm. 23,6,23: *Vologessia*; Tab. Peut. 11,4: *Volocesia*; Steph. Byz. s. v. Βολογεσσίας). Stadt in Babylonia, vom Partherkönig → Vologaises I. am → Naarmalcha nahe → Seleukeia [1] und als Konkurrenz dazu gegr.; verm. beim h. Abū Ḥalafīya.

A. OPPENHEIMER, Babylonia Judaica in the Talmudic Period (TAVO Beih. B 47), 1983, 198–207. E.O.

Volones. So wurden die etwa 8000 Sklaven bezeichnet, die der Senat nach der röm. Niederlage bei Cannae 216 v. Chr. (→ Hannibal [4]) auf freiwilliger Basis rekrutieren ließ (Liv. 22,57,11 f.; Fest. 511; Macr. Sat. 1,11,30); nach dem Sieg über Hanno bei Beneventum 214 v. Chr. wurden die *v.* feierlich freigelassen (Liv. 24,14–16). Eine vergleichbare Rekrutierung Unfreier wird Marcus [2] Aurelius zugeschrieben (SHA Aur. 21,6). In beiden Fällen wurden *libertas* (→ Freiheit) und → *civitas* in Aussicht gestellt, während sonst ein Kampfeinsatz von Sklaven generell ihre → Freilassung voraussetzte (Serv. Aen. 9,546).

1 L. SCHUMACHER, Sklaverei in der Ant., 2001, 188–191
2 K.-W. WELWEI, Unfreie im ant. Kriegsdienst, Bd. 3: Rom, 1988, 5–18. LE.SCH.

Volsci. Die Volsker, italisches Volk in Mittelitalien.
I. EINWANDERUNG UND ERSTE ZUSAMMENSTÖSSE MIT ROM II. KRIEGE GEGEN ROM BIS ZUM ENDE DER AUTONOMIE
III. DIE VOLSCI SÜDLICH DES LIRIS

I. EINWANDERUNG UND
ERSTE ZUSAMMENSTÖSSE MIT ROM

Die V. wanderten wohl gegen E. des 6./Anf. 5. Jh. v. Chr. aus dem zentralen → Appenninus in den Süden von Latium (→ Latini) ein. Bestätigung findet diese Annahme durch die Verwandtschaft des volkischen mit dem umbrischen Dialekt; vgl. die Inschr. auf der Tabula Veliterna (4./3. Jh. v. Chr.; VETTER, Nr. 222). In die sagenhafte Vorgeschichte der V. führt Vergilius [5], der die V. unter ihrer Fürstin → Camilla als Verbündete des → Turnus aufführt (Verg. Aen. 11,539–828); Rückprojektionen späterer Ereignisse in die Königszeit sind Berichte der röm. Geschichtsschreiber über den Krieg, den Ancus Marcius [I 3] gegen die V. geführt haben soll (Dion. Hal. ant. 3,41,5), ebenso die Information, daß Tarquinius [12] Superbus die V. in einer Schlacht geschlagen und ihnen → Suessa Pometia entrissen habe (Liv. 1,53,2; Dion. Hal. ant. 4,50,2 ff.). Der Bericht über eine Gesandtschaft der → Aurunci (s. Nachträge), die sich vor dem Senat in Rom für die V. einsetzte (Liv. 2,26,4; 495 v. Chr.), ist evtl. ein Reflex der Kontakte, in deren Verlauf die V. in den von den Aurunci urspr. besiedelten Raum einzogen (Mons Lepinus: Colum. 10,131, h. monti Lepini; → Ager Pomptinus, Küstenbereich von → Antium nach → Tarracina).

Diese frühen Auseinandersetzungen Roms mit den V. (Liv. 6,12,2) zeigen, wie sehr sich die Römer bemühen mußten, ihren Einfluß im Süden Latiums wiederzugewinnen, der ihnen durch die V. verlorenzugehen drohte und den z. B. der röm.-karthagische Vertrag von 509 v. Chr. dokumentiert (Pol. 3,22). Wie problematisch die Römer diese Auseinandersetzung sahen, zeigt die von der röm. Geschichtsschreibung in die J. 491–488 v. Chr. eingeordnete (Cic. Brut. 41), im wesentlichen legendäre Gestalt des Römers → Coriolanus (Dion. Hal. ant. 8,14–36; Liv. 2,33–40), der als Exulant bei den V. an der Spitze volsk. Truppen bis vor Rom zog. In diesem Ringen ging es bes. um die Städte Velitrae, Cora, Norba, Satricum, Ecetra, Antium, Corioli, Tarracina (volkisch: Anxur) sowie die röm. Kolonien Pometia (Liv. 2,16,8; beim h. Cisterna di Latina), Signia (h. Segni) und Circei (Liv. 2,9 ff.; Dion. Hal. ant. 5–7).

II. KRIEGE GEGEN ROM BIS ZUM ENDE
DER AUTONOMIE

Über 150 J. (von ca. 500 bis ca. 350 v. Chr.) benötigten die Römer, um das von den V. beanspruchte Gebiet sukzessive wieder, dann aber endgültig in ihre Hand zu bekommen. Teils führten sie Kriege gegen einzelne volsk. bzw. von den V. gehaltene Städte, teils gegen die V. insgesamt. Immer wieder aber fanden sich auch verschiedene volsk. Städte zum Widerstand gegen Rom zusammen, immer wieder wurden mit der Gesamtheit der V. abgeschlossene Verträge von einzelnen volsk. Städten gebrochen. Die Assignation des → Ager Pomptinus durch Rom im J. 383 v.Chr. (Liv. 6,21,4) erregte ebenso wie die Einrichtung der *tribus Pomptina* (→ *tribus*, mit Karte) im J. 358 v.Chr. (Liv. 7,15,12) den Widerstand der V. Zur mil. und polit. Sicherung legte Rom, aber auch die V. Kolonien in den gefährdeten Gebieten an (vgl. Liv. 7,27,2).

Kriege Roms gegen einzelne volsk. Städte: → Antium: röm. Triumphe: 468 v.Chr. T. Quinctius [I 5], 462 L. Lucretius [I 10]; 459 L. Cornelius [I 58]. Liv. 6,2,13 notiert einen 70jährigen Krieg, die Forsch. macht daraus einen 70jährigen Frieden oder einen 7jährigen Krieg, bevor z.Z. der Gallierkatastrophe (→ Gallia Cisalpina B.) die Antiaten 389 v.Chr. erneut in einen Krieg gegen Rom eintraten; 386 Kämpfe gegen die Antiaten; 377 Kapitulation; 346 Triumph des M. Valerius [I 11] Corvus; 338 Erhebung zusammen mit Velletri, Niederlage bei Astura; Kapitulation. Anlage einer röm. Kolonie. Triumph des C. Maenius [I 3]. – → Ardea: Entsetzung der von den V. belagerten Stadt, Triumph des M. Geganius [1] Macerinus 443. – Artena (nicht lokalisiert): 404 erobert und zerstört. – → Ecetra: 459 Triumph des Q. Fabius [I 38]; 431 T. Quinctius [I 9]. – → Privernum: 357 Kämpfe, 329 Aufstand im Bund mit → Fundi; erobert, Triumph der Consuln L. Aemilius [I 24] und C. Plautius [I 5]. – → Satricum: 499 oder 496 Teilnahme an der Schlacht am → Lacus Regillus gegen die Römer; 395 und 386 Aufstand; 377 und 346 zerstört. – → Tarracina: 406 v.Chr. erobert. – → Velitrae: 494 erobert, Anlage einer röm. Kolonie; 395 Aufstand; 370 belagert; 358 Aufstand; 340–338 Aufstand zusammen mit Antium, Niederlage bei Astura und Eroberung; Anlage einer neuen Kolonie. Triumph des C. Maenius [I 3]. – → Verrugo (nicht lokalisiert): 408 erobert, im Jahr darauf wieder von den V. zurückgewonnen.

Gesamt-volsk. Aktionen, teilweise zusammen mit den → Aequi: Friedensvertrag mit Rom 396 (Liv. 5,23,12); 390 Aufstand, 389 Niederlage bei Maecium (bei Lanuvium? Liv. 6,2,8; vgl. Diod. 14,117; Triumph des M. Furius [I 13] Camillus); 385 Niederlage, Triumph des A. Cornelius [I 21]. Rom schloß nur mit den einzelnen volskischen Städten, nicht mit der Gesamtheit der V. einen endgültigen Friedensvertrag.

III. DIE VOLSCI SÜDLICH DES LIRIS

Die V. im Süden des → Liris (h. Garigliano; → Arpinum, → Casinum, → Fregellae) wurden weniger von den geschilderten Auseinandersetzungen mit Rom tangiert; sie gerieten im Zusammenhang mit den Samnitenkriegen (→ Samnites IV.) zw. die Fronten, was bes. problematisch wurde, als Rom 328 v.Chr. in Fregellae eine Kolonie anlegte (Liv. 8,22,1 f.; 8,23,6). Nach der Niederlage der Römer bei → Caudium 321 v.Chr. erhob sich → Satricum (in unbekannter Lage am oberen Liris; Liv. 9,12,5–8; 9,16,2–10), konnte sich aber 319 nicht gegen die Römer behaupten. Mit der Einrichtung der *tribus Oufentina* (318) war auch in diesem südl. V.-

Gebiet die röm. Herrschaft auf Dauer etabliert (Liv. 9,20,6; vgl. Diod. 19,72,3 f.). Aus dem volsk. Arpinum stammten → Marius [I 1] und → Cicero.

→ Tribus (Karte)

E. MANNI, Le tracce della conquista volsca nel Lazio, in: Athenaeum 17, 1939, 233–279 · F. COARELLI, Roma, i V. e il Lazio antico, in: Crise et transformations des sociétés de l'Italie antique au Ve siècle av. J.C. (Rome 1987), 1990, 135–154 · M. NAFISSI, s.v. V., EV 5.1, 1990, 617–619 · H. SOLIN, Sul concetto di Lazio nell'antichità, in: Ders. (Hrsg.), Studi storico-epigrafici sul Lazio antico, 1996, 1–22 · G. FIRPO, Per un' introduzione metodologica allo studio dei rapporti tra Roma e gli Equi, in: M. BUONOCORE, G. FIRPO, Fonti latine e greche per la storia dell'Abruzzo antico, Bd. 2.1, 1998, 285–363 · P.G. MONTI, Terra dei V., 1989 · G. RADKE, s.v. V., RE 9 A, 773–827.

M.BU./Ü: H.D.

Volscius. V. Fictor, M. Die histor. schwerlich zutreffende und in sich nicht schlüssige ant. Überl. (hierzu [1]) weist V. mit einzelnen Abweichungen Volkstribunate in den J. 461 bis 457 v.Chr. zu (MRR 1, 37–41) und verknüpft ihn mit dem Prozeß gegen Kaeso → Quinctius [I 1], den V. anklagte, seinen Bruder tödlich verletzt zu haben. Zunächst 459 von Kaesos Vater → Quinctius [I 7] Cincinnatus aufgrund der Interzession seiner Mittribunen vergeblich der Falschaussage (vgl. das V. beigegebene Cogn. *Fictor*, »Erdichter«) angeklagt, wurde er 458 von Cincinnatus als → *dictator* verurteilt und ging ins Exil (Liv. 3,13,2 f.; 3,23,7; 3,24,3–7; 3,25,2; 3,29,6). Daß dieser Bericht unvereinbar ist mit der fortgesetzten Bekleidung des Volkstribunats in diesem Jahr, ist evident. Zur Etym. von V.' *nomen gentile* vgl. [2. 107; 3. 523].

1 H.G. GUNDEL, s.v. V. (2), RE 9 A, 827–829 **2** SCHULZE **3** J. REICHMUTH, Die lat. Gentilicia, 1956.   C.MÜ.

Volsinii (etr. Velzna/Velsna). Die Vermutung [1. 451, Anm. 61], daß es in Etruria zwei Städte mit dem Namen V. gegeben habe, findet in neuester Zeit immer mehr Zustimmung. So geht man davon aus, daß zwei etr. Städte diesen ON getragen haben: [1] V. Veteres (h. Orvieto) und [2] V. (h. Bolsena).

[1] Die urspr. Stadt (→ Urbs Vetus) lag auf einem Tuffelsen (325 m H, ca. 5 km Umfang) im SO des Tals des → Pallia in der Nähe der Mündung in den → Tiberis. Die Besiedlung des Felsens reicht mindestens ins 10. Jh. v.Chr. zurück (subappenninische Keramik aus Ausgrabungen unter der Kirche von S. Andrea). Aus dem 9. und 8. Jh. v.Chr. gibt es wenige Belege, deutlich mehr und bedeutendere Funde datieren aus dem 7.–5. Jh. v.Chr. V. war Mitglied des etr. → Zwölfstädtebundes (dessen kultisches Zentrum war das *fanum* Voltumnae in V.). Wegen vollständiger ma. und mod. Überbauung ist von der ant. Siedlung wenig bekannt. Aus der 2. H. des 5. und aus dem 4. Jh. v.Chr. stammen regelmäßig angelegte Nekropolen mit Fossa- und Kammergräbern (Inschriften und Wandmalerei) aus Tuffquadern, Grabbeigaben (wertvolle Handarbeiten lokaler Produktion und Import aus Griechenland), Tempel (bezeugt durch

architektonische Terrakotten, orientiert an Vorbildern der griech. Kunst des 5. Jh. v. Chr.), 2. H. des 5. und 4. Jh. v. Chr. In die Mitte des 4. Jh. v. Chr. datieren Gräber mit Dipinti mit Jenseitsbezügen (→ Etrusci III. C.3.) sowie Waffen und rf. Keramiken teils aus lokaler Produktion, teils importiert.

Die wohlhabende und mächtige Stadt, die den Römern lange Zeit Widerstand leistete (Val. Max. 9,1; Liv. 5,31 f.; 10,37; Oros. 4,5), wurde 264 v. Chr. von diesen nach V. [2] evakuiert und zerstört, die Siedlungsstätte verlassen (Zon. 8,7).

[2] In V. (Itin. Anton. 286,1; Tab. Peut. 5,1), h. Bolsena, am Lacus Volsiniensis (h. Lago di Bolsena) wurde die Bevölkerung von V. [1] angesiedelt. Dort finden sich Zeugnisse einer etr. Stadt mit Nekropolen mit Keramik (späte Villanovazeit und orientalisierende Epoche), ein Mauerring aus dem 4. Jh. v. Chr. und Reste zweier Tempel aus dem 3.–2. Jh. v. Chr., Hausfundamente aus röm. Zeit, desgleichen Forum, Basilika, Amphitheater. Liv. 7,3,7 erwähnt für V. einen Tempel der → Nortia.

Aus V. [2] stammten Seianus (→ Aelius [II 19]) und der Dichter → Avienus.

→ Etrusci, Etruria (mit Karten); Villanova-Kultur; Zwölfstädtebund

1 K. O. MÜLLER, Die Etrusker, 1828.

M. BIZZARI, Orvieto etrusca, 1967 · M. TORELLI, Il donario di M. Fulvio Flacco nell'area di S. Omobono, in: Quaderni dell'Istituto di Topografia Antica della Università di Roma 5, 1968, 71–76 · G. CAMPOREALE, La Collezione Alla Querce. Materiali archeologici orvietani, 1970 · Ders., Buccheri a cilindretto di fabbrica orvietana, 1972 · Ders., Gli Etrusci, 2000, 301–312 · R. BLOCH, Recherches archéologiques en territoire volsinien, 1973 · M. CAGIANO DE AZEVEDO, Un trionfo e una distruzione: M. Folvios e Volsinium, in: PdP 27, 1972, 239–245 · F. RONCALLI, Il »Marte« di Todi, in: Memorie della Pontificia Accademia Romana di Archeologia 11,2, 1973, 1–141 · F. PRAYON u. a., Orvieto. Tübinger Ausgrabungen in der Cannicella-Nekropole 1984–1990, in: AA 1993, 5–99 · M. BONAMICI u. a., Orvieto. La necropoli di Cannicella, 1994 · Annali della Fondazione per il Museo Claudio Faina, Bd. 1, 1980; Bd. 2, 1985; Bd. 3, 1987; Bd. 6, 1999 · F. T. BUCHICCHIO, Note di topografia antica sulla V. romana, in: MDAI(R) 77, 1970, 19–45 · W. V. HARRIS, The Via Cassia and the Via Traiana Nova between Bolsena and Chiusi, in: PBSR 33, 1965, 113–133 · A. E. FERUGLIO u. a., Pittura Etrusca a Orvieto, 1982 · L. RICETTI (Hrsg.), Studi su Orvieto Preromana, in: Bolletino dell' Istituto Storico Artistico Orvietano 44–45, 1988–89 [1992], 1–311 · S. STEINGRÄBER, Etrurien, 257–297.   GI.C./Ü: H.D.

Volteius. Röm. → Gentile vermutlich etr. Herkunft (SCHULZE, 259). Bekanntester Vertreter ist V. Mena. Der Auktionator offenbar unfreier Herkunft, der durch ein Geschenk des L. Marcius [I 13] Philippus Bauer wird und dadurch schließlich ins Unglück gerät (Hor. epist. 1,7,46–95), ist eine konstruierte Gestalt. Sie dient Horaz als viertes und ausführlichstes Beispiel für die Probleme, die Geschenke von Gönnern bereiten können.

O. HILTBRUNNER, V. Mena, in: Gymnasium 67, 1960, 289–300.   J.BA.

Voltumna s. Vertumnus

Voltur. Berg vulkanischen Urspr. rechts des Aufidus im südl. Samnium, der h. Monte Volture mit den Gipfeln des Monte Pizzuto (1327 m) und des Monticchio (1262 m), an dessen Westhang zwei kleine Kraterseen liegen. Obwohl im südl. Samnium (→ Samnites) gelegen, wird er von Hor. carm. 3,4,9 und Lucan. 9,185 (*Vultur*) in Apulia (→ Apuli) lokalisiert, von wo er weithin zu sehen sei. Der Name des Berges wird mit der etr. Wurzel in → Volturnus (Wind und Fluß), Veturia (Insel im → Mare Tyrrhenum), Volturcia (→ *gens*), mit der oskischen Bed. »Berg«, aber auch mit *volvere* (»wälzen«, bezogen auf die Lava) und *voltur* (»Geier«; vgl. Serv. Aen. 10,145) in Verbindung gebracht, ohne daß eine Klärung möglich wäre.

G. RADKE, s. v. V., RE 9 A, 856 f. · NISSEN 2, 827.
                    G. VA./Ü: H. D.

Volturcius. → Gentile etr. Herkunft (SCHULZE, 260). Wichtigster Vertreter: V., T., ein Anhänger des → Catilina. 63 v. Chr. wurde der aus Kroton stammende V. verhaftet, als er im Auftrag des P. Cornelius [I 56] Lentulus die Gesandten der Allobroger begleiten und einen Brief an Catilina überbringen sollte. Für seine Aussagebereitschaft wurde ihm Straffreiheit zugestanden (Cic. Catil. 3,4; 4,5; Sall. Catil. 44–47; 50,1; Flor. 2,12,9; App. civ. 2,13–15).   J.BA.

Volturnum (Οὐουλτοῦρνος).
[1] Ortschaft im Norden von Campania an der Mündung des → Volturnus [1] ins → Mare Tyrrhenum (Strab. 5,3,10; 5,4,4; Varro ling. 5,29; Plin. nat. 3,61; Mela 2,70), h. Castel Volturno. Sie wurde im Kampf gegen Hannibal [4] 212 v. Chr. von den Römern zum Kastell ausgebaut (Liv. 25,20,2). Die 197 in Rom beantragte (Liv. 32,29,3) → *colonia* wurde 194 v. Chr. nach V. geführt (Liv. 34,45,1). V. war Sitz einer *praefectura* (Fest. 242,10; → *praefectus iure dicundo*). V. wurde 38 v. Chr. auf Befehl des Sex. Pompeius [I 5] in der Auseinandersetzung mit dem nachmaligen Augustus zerstört (Cass. Dio 48,46,1). Dieser ließ in V. erneut eine *colonia* anlegen und den Ort befestigen (Liber colonialis 239). 95 n. Chr. erhielt V. durch den Bau der Via Domitiana nordwärts Anschluß an die → Via Appia und gewann damit an verkehrspolit. Bed. (vgl. Stat. silv. 4,1, im Titel; Cass. Dio 67,14,1; V. als *statio* in der Tab. Peut. 6,3). Wenige ant. Reste finden sich im h. Ortsteil Civitá. Vgl. [2; 5; 6].
[2] Urspr. etr. ON der von den → Samnites umbenannten Stadt → Capua. Ein Zusammenhang zw. V. und dem Fluß → Volturnus [1] wird heute allg. geleugnet. Zu den verschiedenen ant. Etymologien für Capua vgl. Liv. 4,37,1 und Serv. Aen. 10,145 [1; 3; 4; 7].

1 BTCGI 4, s. v. Capua, 455–476 2 L. CRIMACO, V., 1991 3 J. HEURGON, Recherches sur l'histoire, la rel. et la civilisation de Capoue préromaine, ²1970 4 Ders., s. v. Capua, EV 1, 656–658 5 NISSEN 2, 697 6 G. RADKE, s. v. V. (1), RE 9 A, 858 f. 7 Ders., s. v. V. (2), RE 9 A, 859.
                    G. VA./Ü: H. D.

Volturnus

[1] Fluß in Süd-It. (ca. 185 km L) mit einem Einzugsgebiet von ca. 5677 km². Er entspringt am SO-Hang des Monte Metuccia (nahe → Aesernia) aus einer großen Karstquelle, nimmt Nebenflüsse aus den Monti del Matese und schließlich den Calor (h. Calore) westl. des → Mons Taburnus auf, bevor er nördl. des → Tifata Mons zum Mare Tyrrhenum durchbricht, wo er mit seinen Aufschüttungen die campanische Ebene (Strab. 5,4,4; Serv. Aen. 7,728) geschaffen hat. Hier bildet er zahlreiche Sümpfe und erreicht die Küste mit einem Delta bei → Volturnum [1] (Varro ling. 5,4,29; Liv. 25,20,2; 25,22,5; 26,7,9; 32,29,3; 36,37,3; Dion. Hal. ant. 7,3,3; Strab. 5,3,10; 5,4,4; Mela 4,2,70; Plin. nat. 3,61; Stat. silv. 4,3,88–94; Plut. Fabius Maximus 6,3). Er durchzog so durchwegs samnitisches Siedlungsgebiet (Varro ling. 5,4,29). In der ant. Lit. wird er als wilder und gefährlicher (Claudianus, Panegyricus Probino et Olybrio consulibus 256), schnell fließender Fluß (Lucan. 2,423) geschildert, der viel Erde mit sich führt (Ov. met. 15,714f.) und deshalb von gelber Farbe (Stat. silv. 4,3,67ff.) und voll Untiefen ist (Verg. Aen. 7,728ff.). Der V. war von strategischer Bed. bes. im Zusammenhang der Samnitenkriege und des 2. Punischen Krieges (Liv. 10,20,6; 10,31,2; 22,14,1; 23,14,13; 25,22,5; Dion. Hal. ant. 15,4).

→ Volturnum

G. RADKE, s. v. V. (2), RE 9 A, 861–864 · A. RUSSI, s. v. V., EV 5, 619f. · NISSEN 2, 711.   G. VA./Ü: H.D.

[2] Adressat des stadtröm., bereits in den spätrepublikanischen → Fasti Antiates maiores verzeichneten Festes der Volturnalia am 27. August war laut dreier kaiserzeitlicher Kalender (InscrIt 13,2,503) der Gott V. Auch Varro leitet (in einer verderbten Passage, Varr. ling. 6,21) das Fest möglicherweise von diesem ab. Der anderweitig nicht belegte *flamen Volturnalis* (Enn. ann. 116; → *flamines*) galt als sein → Priester (Varro ling. 7,45; vgl. Paul. Fest. 519,19f. L.), ihn selbst nennen die tiberianischen Fasti Vallenses (InscrIt 13,2,149) *flumen* (»Fluß«). Diese Information kann, muß aber nicht ein Indiz für die Existenz eines stadtröm. Flußgottes V. sein; eine sekundäre Identifikation mit dem Fluß V. [1] wäre ebenfalls denkbar. Auch bei dem in der euhemeristisch-mythographischen Trad. (bei Arnob. 3,29) als Vater der Quellnymphe → Iuturna und Großvater des Fons (»Quelle«) bezeichneten V. handelt es sich vielleicht um den Fluß V. [1]. Der Name V. ist nach Ansicht Varros (ling. 5,29) nicht lat.; doch auch die Alternative eines etr. Ursprungs des V., abzuleiten von der etr. Namensform *velθurna*, ist nicht sehr plausibel.

→ Flußgötter; Personifikation

LATTE, 37, 77¹, 131f. · RADKE, 347f.   A. BEN.

[3] Lat. Name für den trockenen, warmen Wind, der mit dem SO-Wind → Euros identifiziert wird (u. a. Varro bei Sen. nat. 5,16,4; Colum. 5,5,15: *vulturnus*; Vitr. 1,6,10; Plin. nat. 2,119 und 18,338; Gell. 2,22,10); die

etym. Ableitung vom Berg → Voltur ist unwahrscheinlich. Der V. wird zuerst von Lucr. 5,745 (Zit. bei Isid. orig. 13,11,6) als ›hoch oben donnernd‹ (*altitonans*) erwähnt. Verhängnisvoll war, daß er 216 v. Chr. in der Schlacht bei → Cannae gegen Hannibal [4] der nach Süden ausgerichteten röm. Front Staub ins Gesicht wehte (Liv. 22,43,10f. und 46,8f.).

→ Winde

G. RADKE, s. v. V. (1), RE 9 A, 860f. · K. NIELSEN, Les noms grecs et latins des vents, in: Classica et Mediaevalia 7, 1945, 1–113.   C. HÜ.

Volubilis. Stadt der → Mauretania Tingitana in strategisch günstiger Lage 20 km nördl. von Meknès (Marokko); h. Walīla. Urspr. war V. wohl eine berberische Siedlung, doch wurde der im Landesinneren gelegene Ort relativ früh punisiert. Seit dem 4./3. Jh. v. Chr. war V. eine der Residenzen der maurischen Herrscher. Spätestens seit dem 3. Jh. v. Chr. stand V. unter → Sufeten. Neupun. Inschr. bezeugen das Fortleben der pun. Sprache bis in die Zeit des maurischen Königs Ptolemaios [24] (23–40 n. Chr.); außerdem sind etwa 600 Stelen (neu)pun. Stils gefunden worden. Der Tempel B (1. – 3. Jh. n. Chr.), der sog. Tempel des Saturnus, lag außerhalb des maurischen Stadtmauerrings. Nach dem Tod des Ptolemaios schloß sich V. Rom an [2. 116] und wurde unter Claudius [III 1] röm. (nicht latinisches) → *municipium* [1]. Wahrscheinlich war die Stadt, in der etwa 10 000 Menschen wohnten, neben → Tingis (h. Tanger) die Residenzstadt des Procurators der Mauretania Tingitana. Aus der Blütezeit des 2. und 3. Jh. sind Ruinen zahlreicher öffentlicher Bauten erhalten. Berberische, pun., griech. und röm. Götter beherrschten das kultische Leben der Stadt. Seit E. des 3. Jh. drang auch das Christentum in V. ein. Etwa zu dieser Zeit wurde V. von berberischen Stämmen besetzt. Im 4. Jh. scheint es in V. keine röm. Soldaten und Magistrate mehr gegeben zu haben.

Belege: Mela 3,107; Plin. nat. 5,5 (*Volubile oppidum*); Ptol. 4,1,14; 8,13,6 (Οὐολουβιλίς); Itin. Anton. 23,2 (*V. colonia* [irrtümlich]); Geogr. Rav. 43,2 (Bolubili). Inschr.: CIL VIII, 9993–9996; 10950f.; 10987; Suppl. 3, 21821–21904; [2. 45–183]; AE 1969–1970, 747; 1983, 995; 1985, 989; 1987, 1091; 1989, 875; [3. 1–11]; RIL 886.

→ Afrika (mit Karten); Mauretania

1 J. GASCOU, Municipia ciuium Romanorum, in: Latomus 30, 1971, 133–141 2 L. CHATELAIN (ed.), Inscriptions latines du Maroc, 1942 3 L. GALAND u. a. (ed.), Inscriptions antiques du Maroc 1, 1966.

M. BEHEL, Un temple punique à V., in: Bull. archéologique du Comité des travaux historiques N. S. 24 (1993–1995), 1997, 25–51 · J. BOUBE, Documents d'architecture maurétanienne au Maroc, in: Bull. d'archéologie marocaine 7, 1967, 263–367 · V. BROUQUIER-REDDÉ et al., Le temple B de V.: nouvelles recherches, in: AntAfr 34, 1998, 65–72 · M. CHRISTOL, J. GASCOU, V., cité fédérée?, in: MEFRA 92,1,

1980, 329–345 • J. Gascou, La succession des bona vacantia et les tribus romaines de V., in: AntAfr 12, 1978, 109–124 • H. Ghazi-Ben Maïssa, V. et le problème de regia Iubae, in: A. Mastino, P. Ruggeri (Hrsg.), L'Africa romana. Atti del 10 convegno di studio, Bd. 1, 1994, 243–261 • Huss, 32 (mit weiterer Lit.) • A. Jodin, L'enceinte hellénistique de V. (Maroc), in: Bull. archéologique du Comité des travaux historiques N. S. 1–2 (1965–1966), 1968, 199–221 • Ders., V. regia Iubae, 1987 • Y. Le Bohec, Onomastique et société à V., in: A. Mastino (Hrsg.), L'Africa romana. Atti del 6 convegno di studio, Bd. 1, 1989, 339–356 • M. Lenoir, V. du Bas-Empire à l'époque islamique, in: Bull. archéologique du Comité des travaux historiques N. S. 19B (1983), 1985, 425–428 • Ders., Inscriptions nouvelles de V., in: Bull. d'archéologie marocaine 16, 1985/86, 191–233 • A. Luquet, V., 1972 • M. Makdoun, Nouvelles recherches sur le quartier nord-est de V., in: Bull. archéologique du Comité des travaux historiques N. S. 25 (1996–1998), 1999, 41–51 • M. Ponsich, V. in Marokko, in: Antike Welt 1.2, 1970, 3–21 • Ders., Le temple dit de Saturne à V., in: Bull. d'archéologie marocaine 10, 1976, 131–144 • Ders., s. v. V., DCPP, 493 f. (mit weiterer Lit.) • R. Thouvenot, V., 1949 • M. Risse, V. Eine röm. Stadt in Marokko (Ant. Welt, Sonderheft), 2001. W. HU.

Volumnia

[1] Nach der vielfach überl. Erzählung um Marcius → Coriolanus (in der V. allerdings nur eine Nebenrolle spielt) ließ sich dieser, als er mit einem Heer der → Volsci vor Rom stand, durch die Bitten seiner Frau V. und seiner Mutter → Veturia davon abhalten, seine Heimatstadt anzugreifen (die Erzählung u. a. bei Liv. 2,39,1–2,40,11; Dion. Hal. ant. 8,40–54; Val. Max. 5,2,1; 5,4,1; Plut. Coriolanus 33,1–36,6, wo jedoch nicht die Ehefrau, sondern die Mutter den Namen V. trägt). C. MÜ.

[2] Freigelassene (und Geliebte: Cic. fam. 9,26,2) des P. Volumnius [3] Eutrapelus, unter dem Künstlernamen → Kytheris als Mimen-Schauspielerin (mima: Cic. Phil. 2,58 u. ö.) bekannt, hatte ca. 49–46 v. Chr. M. Antonius [I 9] (Cic. Att. 10,10,5; Cic. Phil. 2,58; 2,61), evtl. vorher M. Iunius [I 10] Brutus (Vir. ill. 82,2) als Liebhaber. Später stand sie in Beziehung zu C. → Cornelius [II 18] Gallus (Serv. ecl. 10,1), der sie unter dem Decknamen Lycoris besang (bes. Ov. trist. 2,445; Mart. 8,73,6; Pap. von Qaṣr Ibrīm = FPL[3] 257, fr. 2).

H. Leppin, Histrionen, 1992, 228 f. W. K.

Volumnius. Name eines urspr. etr. plebeiischen Geschlechtes (etr. Form velimna), das in der Frühzeit der Republik bedeutend war. Die Volumnii des 1. Jh. v. Chr. stammen nicht davon ab. Das Grab der V. in → Perusia (h. Perugia) mit bilinguen Inschr. (CIL XI 1963 – CIE 3763) wurde vom 2. Jh. an genutzt.

Schulze, 258 f. K.-L. E.

[1] V., P. Kämpfte 42 v. Chr. als Freund des M. Iunius [I 10] Brutus in der Schlacht von → Philippoi und verfaßte darüber ein heute verlorenes Werk (Plut. Brutus 48; 51). Evtl. identisch mit V. [4]? J. BA.

[2] V. Amintinus Gallus, P. Die Überl. berichtet nichts Nennenswertes für V.' Konsulat 461 v. Chr. (MRR 1, 36 f.), läßt ihn aber im folgenden J., nachdem sein Amtsnachfolger im Kampf gegen Ap. → Herdonius [1] gefallen ist, die Führung in diesem Kampf übernehmen und führt ihn für das J. 458 als Gesandten zu den → Aequi an (Liv. 3,18,9; 3,25,6–9; Dion. Hal. ant. 10,22,4–6). C. MÜ.

[3] V. Eutrapelus, P. 50–44 v. Chr. als Briefpartner Ciceros bezeugter röm. Ritter (Cic. fam. 7,32; 33; 9,26). Vielleicht identisch mit dem 66 erwähnten Richter im Prozeß gegen A. Cluentius [2] (Cic. Cluent. 198). 44 schloß V. sich Antonius [I 9] an (Cic. Att. 15,8,1; Cic. Phil. 13,3) und ist verm. mit dem von Nepos (Nep. Att. 9,4; 10,2; 12,4) genannten praef. fabrum identisch.

[4] V. Flaccus. 43 v. Chr. als Gesandter des D. Iunius [I 12] Brutus an den Senat bezeugt (Cic. fam. 11,12,1; 11,18,1). Vielleicht identisch oder verwandt mit dem gleichnamigen → quattuorvir aus Signia (ILLRP 666). Die Identität mit anderen V. bleibt unsicher. J. BA.

[5] V. Flamma Violens, L. Einer der prominentesten Plebeier (→ plebs) in der Zeit um die Wende vom 4. zum 3. Jh. v. Chr. Er war mit der Patrizierin Verginia (Liv. 10,23,3–10) verheiratet und bekleidete 307 seinen ersten Konsulat (Liv. 9,42,4 f.; vgl. Diod. 20,80,1 f.), was der Annalist L. → Calpurnius [III 1] Piso übergangen hat (Liv. 9,44,3 mit [1]). Zum zweiten Mal amtierte er 296 zusammen mit demselben Kollegen wie zuvor, nämlich mit App. → Claudius [I 2] Caecus. Der Bericht über die Wahlen für das Folgejahr ist das früheste erh. Zeugnis für die Leitung durch den plebeiischen Kollegen (Liv. 10,21,13–10,22,9 mit [2; 3]; vgl. → consul). V.' Anteil an den Kriegserfolgen gegen → Sallentini, → Samnites und → Etrusci ist wegen der widersprüchlichen Überl. (Liv. 10,17,11 f.; 10,18,7; 10,26,5–7; 10,30,6 f.) nicht sicher zu bestimmen. Nachrichten über eine → prorogatio des imperium 295 (Liv. 10,22,9) und über eine Tätigkeit als legatus 293 (Liv. 10,40,7; 10,41,9–14) sowie über den Stolz seiner Frau auf seinen Ruhm lassen vermuten, daß er ein bedeutender Politiker war.

1 G. Forsythe, The Historian L. Calpurnius Piso Frugi and the Roman Annalistic Tradition, 1994, 336–339
2 R. Rilinger, Der Einfluß des Wahlleiters bei den röm. Konsulwahlen von 366 bis 50 v. Chr., 1976, bes. 47 f.
3 K.-J. Hölkeskamp, Die Entstehung der Nobilität, 1986, 136. TA. S.

Voluntarii (wörtl. »Freiwillige«). V. waren in der frühen Republik alle röm. Bürger der vier ersten Vermögensklassen (Liv. 1,42,4–43,13), die sich außerhalb des jährlichen Aufgebots bzw. nach dem wehrpflichtigen Alter von 17 bis 46 Jahren (Gell. 10,28,1) freiwillig zum Militärdienst verpflichteten (Dion. Hal. ant. 10,43,3; Liv. 3,57,9; 10,25,1 f.). Auch als im 3. Jh. v. Chr. die reguläre Dienstzeit für die Fußtruppen mit 16, für die → Reiterei mit 10 Feldzügen erfüllt war (Pol. 6,19,2; Liv. 32,3,2–7), behielt der Militärdienst seine Bed. für die mil. Stärke Roms, wobei eine Besoldung durchaus motivierend gewirkt haben mag (Liv. 4,59,11; 5,7,12; Diod. 14,16,5; Pol. 6,39,12 f.; vgl. → Sold). Nach Livius [III 2] diente Sp. Ligustinus nach seiner Entlassung aus dem Militärdienst von 195 bis 171 v. Chr. mehrmals als *voluntarius* und brachte es auf 22 Dienstjahre, teilweise als *evocatus* (→ *evocati*; Liv. 42,34,5–35,2; vgl. App. Ib. 84; Liv. 42,31,4). Insofern relativiert sich die Wertung Sallusts (Sall. Iug. 86,2; vgl. Val. Max. 2,3,1; Plut. Marius 9,1), Marius [I 1] habe um 107 v. Chr. in großem Stil die fünfte Vermögensklasse der → *capite censi* auf freiwilliger Basis (*uti quoiusque lubido erat*) in die Armee aufgenommen. Die Praxis war weder ganz neu, noch führte sie zu einer »Proletarisierung« der Legionen. Abgesehen von Notsituationen wurde auch im 1. Jh. v. Chr. die freiwillige Verpflichtung von → Veteranen bevorzugt (Cass. Dio 36,14,3; 49,34,3; App. civ. 5,3).

Mit Augustus gelangte die Professionalisierung des röm. Militärs zum Abschluß, als er die aktive Dienstpflicht der Legionäre (→ *legio*) zunächst auf 16, dann auf 20 J. festlegte (Cass. Dio 54,25,5 f.; 55,23,1; Suet. Aug. 49,2); eine freiwillige Verlängerung des Militärdienstes war damit (abgesehen von den → *evocati*) obsolet geworden. In der Kaiserzeit ist der Begriff der *v.* auf bestimmte Auxiliarkohorten begrenzt (z. B. CIL III 386 = ILS 2718; 6758 = ILS 2760; VI 3520 = ILS 2731; 32929 = ILS 2700; IX 5835 = ILS 1415; XIII 8824 = ILS 9178; 11717). Diese *coh(ortes) vol(untariorum) c(ivium) R(omanorum)* hatte Augustus im Pannonischen Aufstand bzw. nach der Varus-Katastrophe (→ Quinctilius [II 7]) überwiegend aus → Freigelassenen rekrutiert (Suet. Aug. 25,2; Cass. Dio 55,31,1; Plin. nat. 7,149; Macr. Sat. 1,11,32) und den Bürgertruppen angeglichen (Tac. ann. 1,8,2). In den später regulären Hilfstruppen (→ *auxilia*) konnten auch Nichtbürger dienen, ohne daß die Bezeichnung entfallen wäre (CIL XIII 7382; XVI 38; 96 = ILS 2005; 179).
→ Heerwesen

1 P. A. BRUNT, The Fall of the Roman Republic, 1988, 240–280 **2** E. GABBA, Republican Rome, the Army and the Allies, 1976, 1–69 **3** P. A. HOLDER, The Auxilia from Augustus to Trajan, 1980 **4** L. KEPPIE, The Making of the Roman Army, 1984 **5** D. B. SADDINGTON, The Development of the Roman Auxiliary Forces from Caesar to Vespasian, 1982 **6** J. W. RICH, The Supposed Roman Manpower Shortage of the Later Second Century B. C., in: Historia 32, 1983, 287–331. LE. SCH.

Volusenus

[1] V. Quadratus, C. Aus → Sestinum (? vgl. [1]), Militärtribun Caesars in Gallien, v. a. für »Kommandounternehmen«, bewährt beim Überfall auf → Octodurus 56 v. Chr., als Kundschafter vor der Landung in Britannien 55 und beim Entsatz von Q. Tullius [I 11] Cicero 53 (Caes. Gall. 3,5,2; 4,21; 6,41,2 – die Identität dieses C. V. mit Quadratus ist weithin akzeptiert: MRR 3, 71). Eine Mordmission von V., nun Praefekt, gegen → Commius schlug 52 fehl; ein zweites Treffen der Feinde endete 51 mit einer gefährlichen Verwundung

V.' (8,23,4–6; 48,1–8), der im Bürgerkrieg (48 vor Dyrrhachion) seinerseits einem Anschlag entging (Caes. civ. 3,60,4). Der Einzug V.' in Caesars Senat [2. 147] bleibt (plausible) Vermutung.

1 F. CENERINI, Personaggi e genti curiali in un municipo dell' Appennino, in: Riv. Storica dell' Antichità 16, 1986, 139–153 **2** T. P. WISEMAN, New Men in the Roman Senate, 1971. JÖ. F.

[2] L. V. Catulus. Da er in CIL VI 31543 durch *f(ilius)* spezifiziert wird, muß sein gleichnamiger Vater auch dem Senat angehört haben, und zwar in augusteischer Zeit. Der Sohn war, wohl zu Anfang der Regierungszeit des Tiberius [1], Mitglied im *collegium* der *curatores alvei Tiberis* (CIL VI 31543), später auch im *collegium* der *curatores locorum publicorum iudicandorum* (CIL VI 1267a-b; 31573 f. = ILS 5940 f.; vgl. zum Amt [1. 284–290], → *cura* [2]). Nach Quintilianus [1] (10,1,24) wurde er in einem Prozeß von Domitius [III 1] Afer und Sallustius Passienus Crispus verteidigt, vielleicht in claudischer Zeit.

1 W. ECK, Die Verwaltung des röm. Reiches in der Hohen Kaiserzeit, Bd. 1, 1995. W. E.

Volusianus

[1] Imp. Caes. C. Vibius Afinius Gallus Veldumnianus V. P. F. Invictus Aug. (RIC 4,3, 173–189). Röm. Kaiser Mitte 251 bis Mitte 253 n. Chr. Geb. ca. 230 in Perusia (?) als Sohn des → Trebonianus Gallus und der Afinia Gemina Baebiana. Nach der Schlacht bei → Abrittos gegen die Goten und dem Tod des → Decius [II 1] riefen die Legionen seinen Vater und ihn im Juni 251 zum Imperator aus (Eutr. 9,5; Zon. 12,21 D.); gleichzeitig wurde er vom Vater zum Caesar ernannt (Aur. Vict. Caes. 30), ca. zwei Monate später zum Augustus ausgerufen (z. B. ILS 524). Als Mitte 253 die moesischen Legionen den M. Aemilius → Aemilianus [1] zum Kaiser erhoben und dieser nach Italien zog, stellten sich Trebonianus Gallus und V. ihm entgegen, wurden aber im Aug. 253 von den eigenen Truppen bei Interamna ermordet (Aur. Vict. Caes. 31,2; Eutr. 9,5).

KIENAST, 210 f. • M. PEACHIN, Roman Imperial Titulature, 1990, 36 • PIR V 376. T. F.

[2] Rufius Antonius Agrypnius V., Sohn des Ceionius [13] Rufius Albinus, Onkel der Melania [2] d. J. Vornehmer Nichtchrist, vor 412 n. Chr. *procos. Africae* und *quaestor sacri palatii*, 411/2 in Karthago, Korrespondenz mit → Augustinus; 417/8 *praef. urbis Romae*, 428/9 *praef. praetorio Italiae*; 436 warb er als Gesandter für Valentinianus [4] III. um Eudoxia [2], erkrankte schwer; Melania besuchte ihn und brachte ihn dazu, sich kurz vor seinem Tod am 6. Jan. 437 taufen zu lassen. PLRE 2, 1184–85, Nr. 6. K. G.-A.

[3] Stadtrömer. Gehörte seinem Namen zufolge zum Geschlecht der Ceionii, kooperierte mit den Ostgoten (→ Theoderich [3]); *patricius*, 503 n. Chr. *consul*, 510/11 Mitglied eines senatorischen Fünfmännergerichts

(→ *quinquevirale iudicium*) in einem Magieprozeß gegen zwei Senatoren; wohl 511 gestorben. PLRE 2, 1183 f.

H.L.

[4] s. Ceionius [8–9; 16]

Volusius. Aus dem Etr. stammendes röm. Gentilnomen, dessen Träger erstmals im 1. Jh. v. Chr. erscheinen. Die Familie gelangte unter Kaiser → Augustus mit V. [II 2] Saturninus in die Nobilität und konnte im 1. Jh. n. Chr. erhebliches Vermögen erwerben (große Grabanlage an der Via Appia: CIL VI 7281–7393).

SYME, AA, Index s. v. V. · Ders., RP 2, 605–616. K.-L.E.

I. REPUBLIKANISCHE ZEIT

[I 1] *Haruspex* (→ *haruspices*) in C. Verres' Gefolge 73–71 v. Chr., mehrfach als → *recuperator* in – laut Cicero (Verr. 2,2,75; 2,3,28; 54; 137) – unfairen Prozessen eingesetzt.

[I 2] V., Cn. Reiste 51 v. Chr. mit C. → Pomptinus zu Cicero nach Kilikien (Cic. Att. 5,11,4). Wohl nicht identisch mit Q. V. [I 3].

[I 3] V., Q. Aus Cingulum (?) [2. 277], übernahm 50 v. Chr. für Cicero (Att. 5,21,6 – als Praefekt?) die Gerichtsbarkeit auf Cyprus. 44 trat er als Verteidiger des Piraten Catilius auf (Cic. fam. 5,10a,2). Aus der Ehe mit einer Schwester des Ti. Claudius [I 19] Nero [1. 424⁴] ging verm. V. [II 2] hervor, unter dessen Vorfahren mindestens ein Praetor (Q. V.?) war (Tac. ann. 3,30,1).

1 SYME, RR 2 T. P. WISEMAN, New Men in the Roman Senate, 1971. JÖ.F.

II. KAISERZEIT

[II 1] L. Volusius Maecianus. Röm. Jurist der Antoninenzeit im 2. Jh. n. Chr. [2], Schüler des → Iulianus [1] (Dig. 35,1,86 pr.) und des → Vindius Verus (Dig. 35,3,32,4). V. war Consiliar des Antoninus Pius (SHA Pius 12,1) und seiner beiden Adoptivsöhne, der *divi fratres* (Dig. 37,14,17 pr.). Er erteilte dem jungen Marcus [2] Aurelius Rechtsunterricht (SHA Aur. 3,6), für den er eine kurze Schrift *Assis distributio* (›Verteilung von Erbschaften‹; ed. [1]) verfaßte. V. war 160–162 n. Chr. → *praefectus Aegypti*, seit 164 → *praefectus* [2] *aerarii* und 166 Suffectconsul (AE 1955, 179). Er schrieb *Quaestiones de fideicommissis* (›Fideikommißfragen‹ in 16 B.; vgl. dazu → *fideicommissum*), ferner – neben der des → Venuleius [II 5] Saturninus – die erste Monographie *De iudiciis publicis* (›Über öffentliche Gerichte‹, 14 B.) und die erste röm. Juristenschrift in griech. Sprache: *Ex lege Rhodia* (Dig. 14,2,9; dazu [3. 132 f.]; ›Aus der *lex Rhodia*‹, dem Gesetz über Havarei, d.h. über Schäden während einer Reise am Schiff und seiner Ladung; vgl. dazu → *iactus*).

1 E. SECKEL, B. KÜBLER, Iurisprudentiae anteiustinianae reliquiae, Bd. 1, ⁶1908, 409–418 2 A. RUGGIERO, L. Volusio Meciano tra giurisprudenza e burocrazia, 1983 3 D. LIEBS, Jurisprudenz, in: HLL 4, 1997, 130–133. T.G.

[II 2] L. V. Saturninus. Wohl Sohn des von Cicero in Zypern eingesetzten Q. V. (Cic. fam. 5,20,4), geb. um 60 v. Chr. Die Familie stammt vielleicht aus Lucus Fe-

roniae, wo sie eine große Villa besaß [2. 461–484 = 3. 125 ff.]. Eintritt in den Senat vielleicht noch in der Triumviratszeit; 12 v. Chr. *cos. suff.*; *VIIvir epulonum*. Von Augustus zum *IIIvir turmis equitum recognoscendis* ernannt (Tac. ann. 3,30,1; AE 1983,399). Proconsul von Africa ca. 7/6 v. Chr. [4. 23]; consularer Statthalter von Syrien 4–6 n. Chr. Gest. 20 n. Chr. [5. 26 f.].

[II 3] L. V. Saturninus. Sohn von V. [II 2], geb. 38/7 v. Chr., da er 56 n. Chr. im 93. Lebensjahr starb. Nur seine konsulare Laufbahn ist bekannt [2. 461–484 = 3. 125 ff.]. Die frühe Laufbahn muß recht regelmäßig verlaufen sein, da er 3 n. Chr. mit ca. 40/41 Jahren zum Konsulat kam. Noch unter Augustus war V. Proconsul von Asia, wohl erst anschließend konsularer Statthalter in einer unbekannten Prov., danach in Dalmatien bis mindestens 38 [6. 17–19]. Unter Claudius [III 1] *praefectus urbi*; das Amt führte er bis zu seinem Tod im 93. Lebensjahr. Nero ließ ihm ein *funus censorium* (→ *funus publicum*) ausrichten; der Senat beschloß zu seinen Ehren die Errichtung von neun Statuen an verschiedenen Orten in Rom (CIL VI 41075a; [7. 129–167 = 3.271 ff.; 8. 259 ff.]; dies war Teil des Bemühens Neros, die Unterstützung des Senats zu erhalten). Sein Sohn ist V. [II 4]; sein älterer Sohn könnte ein L. V. Saturninus, *pontifex*, sein (CIL VI 7393); vgl. [9. 37 ff.].

[II 4] Q. V. Saturninus. Sohn von V. [II 3]; von Claudius [III 1] verm. unter die Patrizier aufgenommen. *Cos. ord.* 56; in dieser Eigenschaft hielt er für seinen Vater die öffentliche Leichenrede. Mitglied in drei Priesterkollegien: der → *sodales Augustales*, der *sodales Titii* und der *Arvales fratres*. 61 wurde V. als Legat in die Belgica zur Durchführung eines *census* gesandt. Dabei kam es zu Rangstreitigkeiten mit Sextius [II 1] Africanus. Seine Söhne waren die Consuln von 87 (L. V. Saturninus) und 92 n. Chr. (Q. V. Saturninus) [2. 475–477 = 3. 131 ff.; 11].

→ Symmachus [2]

1 M. BONOCORE, Schiavi e liberti dei Volusii Saturnini, 1984 2 W. ECK, Die Familie der Volusii Saturnini in neuen Inschr. aus Lucus Feroniae, in: Hermes 100, 1972, 461–484 3 Ders., Tra epigrafia, prosopografia e archeologia. Scritti scelti, rielaborati ed aggiornati, 1996, 125 ff. 4 THOMASSON, Fasti Africani 5 E. DĄBROWA, The Governors of Roman Syria, 1998 6 A. JAGENTEUFEL, Die Statthalter der röm. Prov. Dalmatia, 1958 7 W. ECK, Senatorial Self-Representation: Developments in the Augustan Period, in: F. MILLAR, E. SEGAL (Hrsg.), Caesar Augustus. Seven Aspects, 1984 8 S. ORLANDI, Statuae in publico positae: Gli onori a L. Volusio Saturnino e il problema della porticus Lentulorum, in: ZPE 106, 1995, 259–268 9 I. DI STEFANO MANZELLA, Lucius V. Saturninus »pontifex« e »patruus«, in: Epigraphica 63, 2001, 37–46 10 Ders., Le iscrizioni e la genealogia dei Volusii Saturnini, in: A. M. SGUBINI MORETTI (Hrsg.), Fastosa rusticatio. La villa dei Volusii Saturnini a Lucus Feroniae, 1998, 30 ff.; ²1998, 38 ff. 11 W. ECK, s. v. V. (20–21), RE Suppl. 14, 963 f. 12 Ders., I Volusii Saturnini, (Archeologia. Materiali e problemi 6), 1982. W.E.

Volusus (auch *Volesus*). Seltenes lat. → Praenomen, wohl aus alter Überl. ohne → Rhotazismus übernommen. Etym. gehört es mit Ablaut zur Wurzel von *val-ēre* »stark, gesund sein« und zum Gent. → *Valerius*. Sekundär als → Cognomen bei *L. Valerius Messalla V.* (*cos.* 5 n. Chr.; → Valerius [II 22]). Ein V. gilt als Ahnherr der Valerii (→ Valerius [I 10]). Vom Praen. sind die Gent. → *Volus(i)enus*, → *Volusius* abgeleitet.

SALOMIES, 61; 322 · WALDE/HOFMANN 2, 727.   D.ST.

Volute. Mod., dem frz. entlehnter architektonischer t.t. für ein spiral- oder schneckenförmiges Dekorelement an Konsolen, Giebeln und Kapitellen meist ionischer Ordnung (→ Säule). Der vielbewunderte, präzise Riß einer hoch- bzw. spätklass. Kapitell-V. mit ihrem oftmals gemalten oder eingelegten Dekor (→ Intarsien) wurde verm. mit einem sich im Kreisdurchmesser gleichmäßig reduzierenden Zirkelschlag erzeugt; ein entsprechendes Gerät ist zumindest hypothethisch rekonstruierbar. Darüber hinaus erscheint die V. als Henkel des nach ihr benannten Voluten-Kraters (→ Gefäße, Gefäßformen, mit Abb.), auch in der → Toreutik.

H. BÜSING, B. LEHNHOFF, V.-Konstruktion am Beispiel der Erechtheion-Osthalle, in: Ant. Kunst 28, 1985, 106–119 · K. HITZL, Die Entstehung des V.-Kraters von den frühesten Anfängen bis zur Ausprägung des kanonischen Stils in der attischen sf. Vasenmalerei, 1982, 4–14 · W. KIRCHHOFF, Die Entwicklung des ionischen V.-Kapitells im 6. und 5. Jh. v. Chr., 1988 · T. LOERTSCHER, Voluta constructa. Zu einem kaiserzeitlichen V.-Konstruktionsmodell aus Nordafrika, in: Ant. Kunst 32, 1989, 82–103.   C.HÖ.

Volux. Sohn des Maurenkönigs → Bocchus [1], brachte im Krieg der Römer gegen seinen Schwager → Iugurtha im J. 106 v. Chr. den L.→ Cornelius [I 90] Sulla zu Bocchus, der damit seinen Seitenwechsel signalisierte. Die dramatische Schilderung dieses riskanten Geleitzuges bei Sallustius [II 3] (Sall. Iug. 101,5; 105–107), die den V. als unzuverlässigen, feigen »Barbaren« zeigt, geht wohl auf Sullas Memoiren zurück.   L.-M.G.

Vonones

[1] V. I. war der älteste der vier parthischen Prinzen, die von ihrem Vater → Phraates [4] IV. 10 v. Chr. in röm. Obhut gegeben wurden. Etwa 8 n. Chr. konnte er die Nachfolge des → Orodes [3] III. antreten, doch gelang es ihm nicht, den Respekt des national-iranisch gesinnten Adels zu erringen, der → Artabanos [5] II. gegen ihn aufstellte. V. konnte seinen Konkurrenten zwar vorübergehend zum Rückzug in die medischen Berge nötigen, mußte aber schließlich vor ihm nach Armenien fliehen. Er versuchte den dortigen Thron zu gewinnen, der nach dem endgültigen Rücktritt der → Erato [2] frei war, konnte sich aber auch hier angesichts Artabanos' drohender Haltung nicht etablieren. Sein köngliches Exil im syrischen Antiocheia [1] dauerte ebenfalls nicht lange, da Artabanos seine Entfernung aus dem grenznahen Raum durchsetzte. V. wurde nach Pompeiopolis

in Kilikien verlegt. Von hier aus versuchte er 19 n. Chr. zu fliehen, wurde aber eingeholt und von → Remmius [1] ermordet.

[2] V. II., ein Bruder → Artabanos' [5] II., war dessen Nachfolger als Unterkönig von Atropatene. Als sich sein Bastardsohn → Vologaises [1] I. 51 n. Chr. gegen → Gotarzes II. durchsetzte, scheint er V. zum (titularen) Großkönig gemacht zu haben, doch starb dieser bald (Tac. ann. 12,14,4).

M. SCHOTTKY, Parther, Meder und Hyrkanier, in: AMI 24, 1991, 61–134, bes. 61–63; 77 f.; 81; 113–116, Stammtafel II; IV-VII · Ders., Quellen zur Gesch. von Media Atropatene und Hyrkanien in parthischer Zeit, in: J. WIESEHÖFER (Hrsg.), Das Partherreich und seine Zeugnisse, 435–472, bes. 445; 448; 465–467.   M.SCH.

Vopiscus. Seltenes röm. → Praenomen (bei Dion. Hal. ant. 9,37,1 Οὐοπῖσκος), das bei *V. Iulius* (*cos.* 473 v. Chr.) begegnet. Nach ant. Zeugnissen bezeichnet *vopīscus* denjenigen von einem Zwillingspaar, der bei der Geburt überlebt. Die Etym. des Appellativs ist strittig. Als Cogn. erscheint es bei einem der angeblichen Verfasser der → *Historia Augusta*, Flavius V.

SALOMIES, 59–60; 141; 275 · WALDE/HOFMANN 2, 835.   D.ST.

Voraussetzungen der Redekunst

I. TERMINOLOGIE UND SYSTEMATIK
II. NATURA/ARS-DIALEKTIK
III. RHETORISCHE PROPÄDEUTIK

I. TERMINOLOGIE UND SYSTEMATIK

Teilt man die Redekunst (→ Rhetorik) in *ars*, *artifex* und *opus* (Kunstsystem, Künstler, Werk) ein (Quint. inst. 2,14,5), muß auch die Frage erörtert werden, welche Voraussetzungen (= V.) der *artifex* (der kunstgerecht verfahrende Produzent) für das Gelingen der Textproduktion mitbringen muß: Die sog. *natura/ars*-Dialektik [6. §§37–41; 5] gehört in die Trias von *natura*, *ars* (bzw. τέχνη/ → *téchnē*), → *exercitatio* (»Natur«, »Kunstsystem«, »Übung«; vgl. Cic. de orat. 1,96–159). Die Rhet. steht indes auch im Kontext anderer Künste und Wissenschaften, die sie anwenden muß. Die Bed. dieser extrinsischen Aspekte für die Rhet. ist nicht unumstritten. Der Begriff *praesuppositiones* (sc. *artis*; = »V.d.R.«) ist für die ant. Latinität nicht belegt, ὑπόσχεσις/*hypóschesis* nicht als rhet. t.t. in diesem Sinne; irreführend ist es auch, die *ars* als ihre eigene Voraussetzung zu definieren (vgl. Übersicht zum Artikel → Rhetorik).

II. NATURA/ARS-DIALEKTIK

Während sich der Dichter der archa. Zeit als Medium der → Musen (C.; vgl. → Musenanruf) verstehen und Form und Inhalt durch überirdische Mächte legitimieren konnte (Inspiration, vgl. → Enthusiasmus), bezieht Pindaros [2] dezidiert sein dichterisches Können auf die natürliche Anlage (φυά/*phyá*), die allem nur Angelernten weit überlegen sei (Pind. O. 2,83–88). Diesem Verständnis läuft das von der → Sophistik entwickelte *téchnē*-Konzept zuwider. Protagoras (fr. B 3 DK) hält Naturanlage (φύσις/*phýsis*) in Verbindung mit Übung (ἄσκησις/*áskēsis*) für eine V. erfolgreicher Unterweisung. Plat. Phaidr. 269d folgt dieser sophistischen Linie, wenn er bei dem von Natur aus begabten Redner zusätzlich Wissen (ἐπιστήμη/*epistếmē*) und Übung als V. rednerischen Erfolges nennt ([4. 164, Anm. 342]; vgl. Isokr. or. 13,14–15). Aristoteles [6] schreibt die Fähigkeit, wirksame Metaphern zu bilden, der Naturanlage zu (Aristot. poet. 1459a 6f.; rhet. 1410b 7f.), d.h. diese Erkenntnisleistung ist nicht eigentlich technisch zu vermitteln [1]. Während Platon [1] die göttliche Inspiration nicht ohne Ironie behandelt (Plat. Ion 533c 9–536d 8; [3. 54–77]; anders [2. 255–365]) und als schöpferische μανία/*manía* (»Wahnsinn«, »Raserei«) deklariert (Plat. Phaidr. 248e), sucht Aristoteles nach einer physiologischen Grundlage besonderer Begabung in der → Melancholie (Aristot. poet. 17; Aristot. probl. 30,1); bereits Demokritos fr. Nr. B 18, B 21 DK hatte bestimmte Naturen als bes. empfänglich für Inspiration gehalten.

Natura-Aspekte kommen in der sog. → *Rhetorica ad Herennium* bei der Qualität der Stimme (*figura vocis*: Rhet. Her. 3,19) und der → *memoria* (3,28–29) zur Sprache. In beiden Bereichen obliegt es der technischen Unterweisung, als Training (*cura*) oder Methode (*ars*, *doctrina*) natürliche Fähigkeiten zu verstärken und auszubauen. Für Cicero gilt, daß geistige Beweglichkeit zum *ingenium* (Naturanlage) gehört, die *ars* hier aber motivierend wirken kann. Körperliche Anlagen wie Sprechfähigkeit, Stimmklang, Lungenkapazität und äußere Erscheinung sind so ausschlaggebend, daß solche Defizienzen selbst bei geistiger Begabung und Ausbildung rednerischen Erfolg regelmäßig zunichte machen (Cic. de orat. 1,113–133). Und im *sermo corporis* (»Körpersprache«, ebd. 3,216) zeigt sich zumal das Geziemende (*decorum*), das gerade nicht Sache der *ars* ist (ebd. 1,132). Quintilianus (inst. 2,19) bringt das Dilemma auf die bündige Formel, daß die *natura* das Material für die *ars* liefere: Ohne Anlage vermöge die *ars* nichts, während höchste Kunstfertigkeit in ihrer Wirkung durch *natura* noch gesteigert werden könne (vgl. Isokr. or. 15, 189–190).

→ Pseudo-Longinos' ›Über das Erhabene‹ (8) führt zwei von dessen fünf Quellen auf Naturanlage zurück: Gedankenfülle und → Pathos. Gleichwohl setzt sich der Autor die Aufgabe, das Erhabene (ὕψος/*hýpsos*) technisch zu lehren (1,1; 2): Das Genie begeht mitunter zwar Fehler, aber das trübt die rhet. Wirkung nicht, während Regelbefolgung alleine diese keineswegs garantiert (33–36).

III. Rhetorische Propädeutik

Cicero konfrontiert das Ideal oratorischer Universalkompetenz – wobei er der philos. Ethik bes. Wert beimißt (Licinius [I 10] Crassus in Cic. de orat. 1,69; 1,64) – mit einer Beschränkung des Redners (*orator*) auf dessen eigene Kunstfertigkeit als *artifex* (kunstgerecht verfahrender Produzent), dessen lebensweltlicher Aufgeschlossenheit der Erwerb anderer Kenntnisse, soweit erforderlich, überlassen wird (Antonius [I 7] in Cic. de orat. 1,214; 1,248). Bereits Plat. Phaidr. 269d–274b hatte die Rhet. auf die philos. Dialektik gründen wollen, die alle Wirkungszusammenhänge offenlegte. Quint. inst. 1–2 entwickelt ein Bildungskonzept des zukünftigen Redners, das bereits im Säuglingsalter ansetzt, um den Spracherwerb bis zum fortgeschrittenen Gramm.-Unterricht (Sprachwiss. und Dichtererklärung) in den Blick zu nehmen. Hieran schließen sich die rhet. → *progymnásmata*: Sentenzen (*sententiae*, → *gnómē*), → Chrien, Ethologie an Charakterdarstellungen. Aus den Bereichen der → *enkýklios paideía* werden die Fächer Musik (→ *musikế* sc. *téchnē*; → Musik IV. E.) und Geometrie als V.d.R. empfohlen (ebd. 1,10).

→ Enkyklios paideia; Kunst; Rhetorik; Techne

1 D. BREMER, Empedokles, Aristoteles und die Erkenntnisleistung der Metapher, in: Poetica 12, 1980, 350–376 2 S. BÜTTNER, Die Lit.-Theorie bei Platon und ihre anthropologische Begründung, 2000 3 H. FLASHAR, Der Dialog Ion als Zeugnis Platonischer Philos., 1958 4 E. HEITSCH, Platon, Phaidros, 1993 (dt. Übers. und Komm.), ²1997 5 F. NEUMANN, s.v. »Natura-Ars Dialektik«, HWdR 6 (im Druck) 6 LAUSBERG.   TH. SCH.

Vorfahren I. ALTER ORIENT II. ÄGYPTEN III. GRIECHENLAND IV. ROM

I. ALTER ORIENT

Das Wissen um die eigenen V. legitimierte im Alten Orient im individuellen und gesellschaftlichen Bereich Status und Rechte materieller und ideeller Art. Dieses Wissen orientierte sich an den patriarchalisch geprägten → Verwandtschafts-Verhältnissen. Zeugnisse dafür sind u.a. Geschlechterlisten (→ Genealogien; AT: Gn 5; 11,10–32; 22,20–24; 25,1–9; Rt 4,18–22: V. → Davids [1]; 1 Sam 9,1–2: V. Sauls; Mt 1,1–17: V. Jesu), die assyrische → Königsliste, die Nennung königlicher V. in den Inschr. assyr. und achäm. → Herrscher oder die Wahl des Namens eines entfernten (auch fiktiven) V. als Thronname, der programmatisch an diesen erinnern sollte (→ Naramsin; → Sargon [3]; vgl. auch die epische Trad., die sich mit beider Namen verbindet). Viele dieser Zeugnisse enthalten fiktive Elemente. Dies gilt u.a. für die Behauptung der Herrscher der 3. Dyn. von Ur (21. Jh. v. Chr.), Brüder bzw. Nachkommen des → Gilgameš zu sein, womit sie ihrer Herrschaft bes. Würde und Legitimität verleihen wollten. Während sich in den genannten Beispielen die Erinnerungstiefe tatsächlicher oder fiktiver Art über erhebliche Zeiträume erstreckt (im Falle der Inschr. assyr. Herrscher über viele hundert Jahre), läßt sie sich für den individuellen Bereich nur in wenigen Fällen nachweisen. Sie orientierte sich dabei u.a. an Rechtsurkunden, die vermögensrelevante Rechtsgeschäfte einer Familie betrafen und als solche archiviert wurden. [6. 185; 7. 348]. Im 1. Jt. v. Chr. wurde in Babylonien eine dreigliedrige Namengebung (Name, Vatersname, Familienname) üblich. Dabei entspricht der Familienname oft einem V., der nachweislich viele hundert Jahre zuvor gelebt hatte.

Die Pflege der Erinnerung an die V. äußerte sich auch im Ahnenkult. Im Kult selbst manifestierte sich das Wissen um die V. im Typ der at. Vätergottheit (»Gott Abrahams, Isaaks und Jakobs«) bzw. in nabatäischen Inschr. [1].

→ Familie; Genealogie; Verwandtschaft

1 A. ALT, Der Gott der Väter, 1929, in: Ders., KS 1, 1953, 1–78 2 J. J. FINKELSTEIN, The Genealogies of the Hammurapi Dynasty, in: JCS 20, 1966, 95–118 3 D. O. EDZARD, A. K. GRAYSON, s. v. Königsliste, RLA 6, 77–135 4 F. R. KRAUS, Könige, die in Zelten wohnten, 1965 5 A. MALAMAT, King Lists of the Old Babylonian Period and Biblical Genealogies, in: W. W. HALLO (Hrsg.), FS E. Speiser, 1968, 163–165 6 J. RENGER, Unt. zum Priestertum in altbabylonischer Zeit, in: ZA 59, 1969, 104–230 7 C. WUNSCH, Die Geschäftsurkunden der Familie Egibi, in: J. RENGER (Hrsg.), Babylon. Focus mesopot. Gesch., Wiege früher Gelehrsamkeit, Mythos in der Moderne, 1999, 341–364. J. RE.

II. ÄGYPTEN

In der Haltung gegenüber den V. vereinte sich die äg. Trad. des Respekts vor Älteren mit Vorstellungen von der hohen Wirkmacht der »gerechtfertigten« Verstorbenen. Die ferneren V. standen zudem in äg. Sicht der mit der Schöpfung eingesetzten Weltordnung (→ Maᵓat) näher. Sie bildeten stets einen kulturellen Bezugspunkt: Einerseits waren ihre Werke normativ, andererseits ist auch das Übertreffen derselben ein Topos in Königs- und Privat-Inschr. Diese eher abstrakten Konzepte fanden ihre praktische Umsetzung in der Nachahmung histor. Vorbilder der eigenen oder vorausgegangener Dyn. durch Könige (z.B. Kopien von Reliefs Ramses' II. durch Ramses III.); Anknüpfung an die V. zeigt sich auch in der Namengebung (z.B. Verwendung von Thronnamen von Königen des AR und MR in NR und Spätzeit/1. Jt.). Die Verehrung der V. zeitigte ferner Phänomene eines Ahnenkultes wie Ahnenbüsten. Statuenreihen, Königslisten oder private Stammbäume vergegenwärtigten die V. als Generationenfolge und die Benannten konnten litaneiartig beopfert werden. Dieser Kult ist aber von der echten → Vergöttlichung zu unterscheiden.

→ Totenkult

1 R. J. DEMARÉE, The 3ḫ iqr n Rᶜ-Stelae on Ancestor Worship in Ancient Egypt, 1983 2 D. B. REDFORD, Pharaonic Kinglists, Annals and Day-Books, 1986 3 P. VERNUS, Essai sur la conscience de l'Histoire dans l'Égypte pharaonique, 1995 4 G. VITTMANN, Der große Priesterstammbaum in Karnak, in: Stud. zur Altäg. Kultur 30, 2002, 351–371, Taf. 20–22. A. v. L.

III. GRIECHENLAND

Die V. (griech. πρόγονοι/prógonoi; selten πατέρες/patéres: Hom. Il. 6,209; Pind. P. 8,45) wurden bei den → Genésia und anderen Gedenktagen durch Totenopfer geehrt (→ Totenkult), im allg. aber nicht über zwei Generationen hinaus. Größere Bed. hatten die V. für → Adel und Herrscherfamilien. Homerische Helden

rühmen sich in ausführlichen Genealogien ihrer Herkunft (z. B. Hom. Il. 14,113–120; 20,208–241), empfinden diese aber auch als Verpflichtung (Hom. Od. 24,506–512). Pindar nennt die V. im Siegerlob adliger Athleten (z. B. Pind. P. 7,13–17; Pind. N. 6,15–26); seit dem 4. Jh. v. Chr. stehen sie oft am Beginn der rhet. Lobrede (Isokr. or. 9,12–20; rhet. Theorie erstmals bei Anaximen. ars rhet. 35,5–10), und vornehme Angeklagte verteidigen sich vor Gericht mit den Verdiensten ihrer V. (And. 1,141–143; Isokr. or. 16,24–28; allg. Lys. 30,1). Bis in hell. Zeit führen bes. → Herrscher ihre Herkunft fiktiv auf namhafte V. oder gar Gottheiten zurück (Peisistratos [4]: Hdt. 5,65,3; maked. Könige: Hdt. 8,137–139; Diadochen: OGIS 54,4 f.; Plut. Aemilius 12,9; Iust. 15,4,2–4).

In Politik und Diplomatie wurden Ansprüche und Rechte eines Volkes häufig mit Leistungen der gemeinsamen V. begründet (z. B. Hdt. 7,159; Thuk. 1,73–74; 3,54,3 f.). Im att.→ epitáphios [2] lógos wurden die V. gelobt (Lys. 2,3–66; Plat. Mx. 237a 6–241e 5), in Reden vor Kriegsbeschlüssen (Thuk. 1,144,4; Isokr. or. 7,84; 8,36 f.) und Schlachten (Thuk. 7,69,2; Xen. an. 3,2,11–16) als Vorbild empfohlen. Seit dem Ende des 5. Jh. diente die → pátrios politeía als Maßstab einer guten → Verfassung; im 4. Jh. entwarf Isokrates (bes. in or. 4; 7; 12) das Wunschbild eines vorbildlichen Staates der V. (bes. [3. 135–154]).

IV. ROM

Zentrale Bed. hatten die V. (maiores; auch patres, z. B. Liv. 22,14,4) in der röm. Ges. (bes. [5. 2–33]). Jede Familie verehrte (bes. bei den → Parentalia) die V. (verm. der letzten drei Generationen: Fest. p. 247) als di(vi) parentes (ILS 7519) bzw. dei parentum (CIL XI 4327 u.ö.). Nichtkultisch war die Ahnenverehrung der Nobilität [1. 115–117], die ihre Atrien mit Stammbäumen (stemmata: Plin. nat. 35,6; Sen. benef. 3,28,2) und Wachsmasken der V. (→ imagines maiorum) schmückte und durch Münzbilder an ihre Leistungen erinnerte (Verzeichnis: [2. 333–338]). Magistrate lobten beim Amtsantritt ihre V. (Cic. leg. agr. 2,1; Suet. Tib. 32,1). An der → Bestattung der Nachkommen nahmen die V. in effigie teil und wurden in der Leichenrede (→ laudatio funebris) rühmend erwähnt (Pol. 6,54,1). Denn die Leistungen der V. legitimierten die polit. Führungsrolle ihrer Familien, halfen den Nachkommen bei der Amtsbewerbung (commendatio maiorum: Cic. Planc. 67; Pis. 1 f.) und in Prozessen, waren ihnen aber auch Ansporn und Herausforderung (Sall. Iug. 4,5 f.), da sie sich einem erheblichen Erwartungsdruck gegenübersahen (z. B. Pol. 31,24,10; Cic. Planc. 51; ILS 6) und ihm manchmal nicht gerecht wurden (z. B. Cic. fin. 1,24; Cael. 33 f.).

Die Hochachtung vor dem Ansehen der V., denen alle Einrichtungen des öffentlichen und privaten Lebens (Einzelheiten: [4. 82–114]), bes. die staatlichen Institutionen (Cic. Sest. 137; Sall. Catil. 5,9) zugeschrieben wurden, führte dazu, daß viele traditionsbewußte Römer (Cic. off. 1,121; Sulpicius Rufus in Cic. fam. 4,11,1; Cato Uticensis: Cass. Dio 37,22,4) auch das Vorbild der V. insgesamt als maßgebend ansahen. Seit dem Aufkommen eines Verfallsbewußtseins im 2. Jh. v. Chr. wurde eine grundlegende sittliche Erneuerung nach dem Beispiel der V. (→ *mos maiorum*) vielfach gefordert (Cato, fr. 58 Malcovati; Scipio Aemilianus bei Gell. 4,20,10; Edikt bei Suet. gramm. 25,1).

→ Imagines maiorum; Mos maiorum; Totenkult

1 F. Bömer, Ahnenkult und Ahnenglaube im alten Rom, 1943 2 H. I. Flower, Ancestor Masks and Aristocratic Power in Roman Culture, 1996 3 K. Jost, Das Beispiel und Vorbild der V. bei den attischen Rednern und Geschichtsschreibern bis Demosthenes, 1936 4 H. Roloff, Maiores bei Cicero, 1938 5 J. Vogt, Ciceros Glaube an Rom, 1935 (Ndr. 1963).　　　　　W. K.

Vorganium. Ort im Gebiet der → Os(s)ismi(i), wohl in Kérilien-en-Plounéventer (Dép. Finistère), wo eine vorröm. Siedlung und ein kaiserzeitlicher *vicus* (ca. 30 ha, Theater) nachgewiesen sind. V. ist nicht identisch mit → Vorgium, dem Hauptort der *civitas*.

P. Galliou, Carte Archéologique de la Gaule 29, Le Finistère, 1989, 95–98.　　　　　MI. PO.

Vorgium. Stadt der Gallia Celtica im Gebiet der Aremorici (→ Aremorica), später der Lugdunensis, seit augusteischer Zeit Hauptort der *civitas* der → Os(s)ismi(i) (Ptol. 2,8,5: Οὐοργάνιον; Tab. Peut. 2,2: *V.*; ebenso der Meilenstein von Maël-Carhaix CIL XIII 9013), h. Carhaix (Dép. Finistère). In der Spätant. verlor V. seinen Rang als *civitas*-Hauptort an Gesocribate (h. Brest). Die Diskussion über die Identität von V. mit → Vorganium ist negativ entschieden. Nur V. steht für Carhaix, Ptol. l.c. verwechselte offenbar zwei Siedlungen [1. 31–36]. Die Angabe von CIL XIII 9016 (Meilenstein von Kerscao) *Vorgan(io) m(ilia) p(assuum) V[II. . .]* läßt Vorganium weiter nördl. vermuten, wohl in Kérilien-en-Plounéventer (Dép. Finistère). V. war, offenbar erst in augusteischer Zeit gegr. (keine vorröm. Siedlungsspuren nachgewiesen), ein wichtiger Straßenknotenpunkt. Regelmäßiges Straßennetz, Aquaedukt, *fanum*.

1 L. Pape, La civitas des Osismes à l'époque gallo-romaine, 1978, 95–101.

R. Bedon, Atlas des villes, bourgs et villages de la France au passé romain, 2001, 132f. • P. Galliou, Carte archéologique de la Gaule 29, Le Finistère, 1989, 43–49.　　　　　MI. PO.

Vorgriechische Sprachen I. Allgemeines II. Formales, Wortbildung III. Mediterranes Substrat, Anatolisches Substrat? IV. »Paragriechisch«, »Pelasgisch«; die Sprache von Linear A

I. Allgemeines

Die v.S. (vgl. → Griechenland, Sprachen), die auf griech. Boden vor der Ansiedelung der Griechen gesprochen wurden, haben keinen verständlichen Text hinterlassen: Die Sprache von → Linear A und das → Lemnische, das → Eteokretische und das → Eteokyprische bleiben unentziffert. Die in der Ant. belegten autochthonen → Völker- und Stammesnamen sind mit keiner bekannten Sprache assoziierbar, und die arch. Befunde sind für eine linguistische Bewertung kaum hilfreich. Die v.S. sind nur indirekt in einer Anzahl von Wörtern – insbes. Bezeichnungen von Pflanzen, Tieren (vgl. → Onomastik), Geräten, auch Titeln wie z.B. τύραννος/*týrannos*, βασιλεύς/→ *basileús* – und z. T. darauf basierenden EN (ON und Ethnika, PN, auch → Götternamen) sowie in Suffixen verspürbar, die sich als nicht-griech. erweisen (d. h. als Wörter ohne idg. Etymologie, bzw. den griech. Lautgesetzen nicht entsprechend). Nicht-griech. heißt aber nicht immer »aus vorgriech. Substrat«. Nicht dazu gehören semitische Lw., z.B. χρυσός »Gold«, χιτών »Leibrock« (myk. *ku-ru-so*, *ki-to*), δέλτος »Tafel« oder μύρρα »Myrrhe«, die im → Sprachkontakt (Handelsverkehr u. a.) übernommen wurden [8].

Für die Übernahme vorgriech. Wörter bietet das → Mykenische ggf. einen *terminus ante quem*. Aber solange die v.S. mit dem Griech. koexistiert haben – bis ins 1. Jt. v. Chr. –, wurden Lw. übernommen. Viele von ihnen werden von den Glossographen überl., doch ohne Zeitangabe.

II. Formales, Wortbildung

Bei vorgriech. Wörtern sind Phonemschwankungen üblich, z.B. τερέβινθος/τέρμινθος »Terebinthe«; σίβδα »Granate«/ON Σίδη; oder μόλυ/ιβδος / myk. *mo-ri-wo-do*/μόλιβος »Blei«; einige zeigen z. T. Adaptierung, z.B. πρότανις (nach προ-) neben πρύτανις/βρυτανεύω. Rein formal lassen sich einige Formantien als vorgriech. erkennen, u. a. (a) -*Vsso*- (z. T. att. boiot. -*Vito*-): κολοσσός »Statue«, ὑσσός »Wurfspieß«; ON Παρνασσός, Ἀλικαρνασσός, Λυκαβηττός. (b) -*Vso*/*ā*-: κερασός »Kirschbaum«, κίτισος »Kleeart«; ON Κηφισός, Τυλισός, Θήβασα, Μύλασα. Wegen ON Κνωσός (myk. *ko-no-so*), mit Ethnikon (argiv.) Κνῶσιαν (mit *-s- > -ʰ-), ist -*Vso*/*a*- eher von *-Vsso*- zu trennen, auch wenn Paare mit -σος/-σσος (Ἰασός/Ἰασσός) belegt sind. (c) *-Vntʰo*-: ἀσάμινθος »Badewanne« (myk. *a-sa-mi-to*), ἐρέβινθος »Kichererbse«, ὄλο/υνθος »wilde Feige« (auch ON); ON Ἐρύμανθος, Ζάκυνθος, Κόρινθος (myk. *ko-ri-to*). (d) -*ndā*-: Καρυάνδα, Λάρανδα. (e) -*m(e)no*/*ā*-: ON Ὀρχομενοί (myk. *e-ko-me-no*), Λῆμνος, Λάρυμνα, Μήθυμνα. (f) -*(u)nnā*-: Göttername Δίκτυννα (: ON Δίκτη, myk. *di-ka-ta-de* /Diktān-de/), Δελφύνη (: Δελφοί, idg. *gʷelbʰ-!), auch myk. *pi-pi-tu-na* (Knosos). (g) -*ān(ā)*-: vgl. ἀπήνη »Radwagen«; ON Ἀθῆναι/-αι, Μυκῆναι; vielleicht Ethnika Ἀκαρνᾶνες, Ἕλληνες. Ob es sich im Falle von (c) und (d) um Varianten mit Kons.-Schwankung oder um zwei verschiedene Formantien handelt, muß offen bleiben. Zu ein- und derselben Basis werden ON mit mehreren Formantien gebildet, z.B. Κόρινθος und Κορησσός; Λάρισα, Λάρυμνα, Λάρυνθος/Λαρύσιον, Λαρίνα und Λάρανδα; Πύρανθος (Kreta), Πύρασος (Thessalien), Πύρινδος (Karien), luw. *Puranda*.

III. Mediterranes Substrat, Anatolisches Substrat?

Als gesichert darf die Existenz eines undeutlichen, wohl heterogenen »mediterranen« Substrats im Griech. (sowie in anderen idg. Sprachen) gelten, aus dem eine Reihe von Wörtern stammt, z. B. ἐλαία »Olive«, μίνθη »Minze« (myk. *e-ra-wa*, *mi-ta*, vgl. lat. *olīva, menta*), κυπάρισσ/ττος »Zypresse« (*ku-pa-ri-so*), οἶνος »Wein« (myk. *wo-no*, lat. *uīnum*, heth. *u̯ii̯ana-*), κισσός »Efeu«, νάρκισσος »Narzisse«, νικύλεον »Feige«, ὑάκινθος »Hyazinthe«, ON Θῆβαι (myk. *te-qa*).

Weniger klar sind die Profile anderer vorgriech. Sprachen sowie ihre geogr. Verteilung. Die Tatsache, daß ON bzw. Formantien sowohl im ägäischen Raum wie in Anatolien zu Hause sind, hat die Vermutung nahegelegt, daß es in Griechenland, v. a. im Bereich der minoischen Welt, ein luw. (vielmehr in einem weiteren Sinne anatolisches) Substrat gegeben hat. Diese plausible Hypothese basiert auf folgenden Voraussetzungen: Die ON auf -σσος entsprechen den anatol. auf -(*š*)*ša*- (eigentlich Pl. Ntr. des Zugehörigkeitssuffixes *-s(s)a/i-*), vgl. Παρνασσός : *Parnas(s)a* zu luw. *parna-* »Haus, Tempel«, die auf -νθος (und -ανδα) denen auf *-(a)nda*; die Götternamen bzw. Beinamen auf -υννα lassen sich mit anatol. *-u̯an(n)i-* (spät-luw. *-un(n)i*) vergleichen, die auf -μ(ε)νος, -μ(ε)να könnten eine Adaptationsvariante von ihnen sein.

Frei von Bedenken sind die Entsprechungen aber nicht: -σσ/ττος weist auf *-t'o-* [12], anatol. -*š(š)a*- eher auf -*s'a*-, -*ssa*-; -νθος und -νδα lassen sich nicht einfach als Wiedergabe von anatol. *-(a)nda* erklären. Andere Möglichkeiten bleiben keineswegs ausgeschlossen: (a) ein gemeinsames vor-idg. Substrat (etwa das »Ägäische«; vgl. → Ägäische Koine) [11], (b) eine Ausweitung von Sprachgut aus Anatolien, sei es idg. oder nicht-idg., oder (c) bloß Entwicklung gemeinsamer Züge (wie *-(o)ϝεντ-* »mit etw. versehen« [myk. */-wont-/*] : anatol. *-u̯ant-* aus idg. *-u̯ent-*), sei es inner- oder noch außerhalb Griechenlands [9. 111 ff.]. (a) und (b) sind im Falle von ἐλέφας (myk. *e-re-pa*) und heth. *laḫpaš* »Elfenbein« oder κύανος (myk. *ku-wa-no-*) »Lapislazuli« und NA₄*ku̯annan* möglich [9. 106].

IV. »Paragriechisch«, »Pelasgisch«; die Sprache von Linear A

Wie viele v.S. es gab (und welcher Sprachfamilie sie angehörten), ob es Schichtungen je nach Regionen gab (und welche), in welchem Maße die v.S. auf das Urgriech. wirkten, muß weitgehend im dunkeln bleiben. Daß idg. v.S. existiert haben, ist möglich; und zwar gibt es Wörter, die von der zu erwartenden griech. Lautung abweichen und trotzdem idg. zu sein scheinen, z. B. σῦς »Schwein« (myk. *su-qo-ta* = συβώτης, vgl. jungavest. *hū*, ahd. *sū*) mit erhaltenem s- (neben griech. ὗς, myk. *we-e-wi-ja* /*hu̯eu̯i̯a*/= ὕειος) oder homer. ἄστυ »Stadt« (myk. *wa-tu*) gegenüber zu erwartendem *ϝᾱστυ (idg. *u̯ástu-: ved. *vástu-* »Residenz«, tochar. B *ost*, A *waṣt* »Haus«). Eine rein konventionelle Rubrik »Paragriech.« läßt sich für solche Wörter rechtfertigen [7. 118–124]. Genaueres läßt sich aber nicht sagen.

Versuche, konkrete idg. v.S. anzusetzen (Paradebeispiel: das sog. »Pelasgische« mit seinen Varianten), scheinen zum Scheitern verurteilt: In der Tat basieren die »pelasg.« Wörter, z. B. πύργος »Turm« mit ON Πέργαμος (aus *b^hr̥ĝ^ho-*, dt. »Burg«?), τύμβος (und τύμος) »Grabhügel« (aus *d^hm̥b^ho-*: griech. τάφος »Grabmal«?; eher zu lat. *tumulus*, mittelirisch *tom* »Hügel«) oder ON Γόρτυς, Γυρτών (aus *ĝ^hord^h-*: aksl. *gradŭ*, russ. *gorod* zu *g^horto-*: griech. χορτός »Weideplatz«, lat. *hortus*, ahd. *garto*) auf ungenauen Lautgesetzen bzw. falschen Etymologien [4].

Von der Sprache des Linear A (d. h. der minoischen Kultur, vgl. Kulturwörter wie ἀσάμινθος) lassen sich einige Züge erkennen: Schwankung *e/i* (δέπας/myk. *di-pa/dipas/*, πίθος/*qe-to* /*k^u et^hos/*), wahrscheinlich auch *i/u* (ON Ἴτανος/myk. *u-ta-no*), Nebeneinander von /*d-l*/ vs. /*r*/ (umstrukturiert in myk. /*d*/ vs. /*l-r*/, vgl. *da-pu₂-ri-to-jo*, Gen.) : Λαβύρινθος [6. 616 f.], wie δάφνη/λάχνη »Lorbeer«).

→ Eteokretisch; Eteokyprisch; Geographische Namen; Griechenland, Sprachen; Griechisch; Indogermanische Sprachen; Lemnisch; Linear A; Mediterrane Sprachen

1 J. Chadwick, Greek and Pre-Greek, in: TPhS 1968, 80–98 2 E. Furnée, Die wichtigsten kons. Erscheinungen des Vorgriech., 1972 (Materialsammlung) 3 L. Gil, El sustrato pregriego: ojeada histórica y panorámica actual, in: Estudios clásicos 12, 1968, 249–285 4 D. A. Hester, »Pelasgian« – a New Indo-European Language?, in: Lingua 13, 1965, 335–384 5 Ders., Pre-Greek Place Names in Greece and Asia Minor, in: RHA 61, 1957, 107–119 6 A. Heubeck, Überlegungen zur Sprache von Linear A, in: Ders., G. Neumann (Hrsg.), Res Mycenaeae, 1983, 155–170 7 A. Leukart, Die frühgriech. Nomina auf *-tās* und *-ās*, 1994 8 E. Masson, Recherches sur les plus anciens emprunts sémitiques en grec, 1967 9 A. Morpurgo Davies, The Linguistic Evidence: Is There Any?, in: G. Cadogan (Hrsg.), The End of the Early Bronze Age in the Aegean, 1986, 93–123 10 M. S. Ruipérez, Sobre el sustrato lingüístico en Grecia, in: D. M. Pippidi (Hrsg.), Assimilation et résistance à la culture gréco-romaine (Madrid Congr. 1974), 1976, 529–536 11 F. Schachermeyr, s. v. Prähistorische Kulturen Griechenlands, RE 22, 1350–1548 12 W. F. Wyatt, Greek -σσος/-ττος, in: Glotta 46, 1968, 6–14.   J. G.-R.

Vorhang (παραπέτασμα/*parapétasma*, προκάλυμμα/*prokálymma*, αὐλαία/*aulaía*; lat. *velum, aulaea*). In griech. und röm. Zelten (Athen. 12,538d), Häusern, Palästen, vereinzelt auch in Tempeln (Lk 23,45; vgl. Paus. 5,12,4), waren V. an Türen, Fenstern (Iuv. 9,105), als Wanddekoration (Iuv. 6,227) und an den Interkolumnien der Atrien und Peristyle angebracht; sie dienten zum Abhalten von Regen oder Sonne (Ov. met. 10,595). Darstellungen solcher V. sind aus der griech. und röm. Kunst bekannt (z. B. die *parapétasma*-Darstellungen auf röm. Relief-Sarkophagen) und in originalen Frg. aus der Spätant. überl. (→ Textilkunst). Die V. waren an Ringen befestigt (Plin. nat. 13,62) und auf Stangen aufgezogen. Die zurückgeschlagenen V. befestigte man mittels V.-Haltern an Türpfosten oder Wänden.

I. Nielsen, Hellenistic Palaces, 1999, 97, 134. Zur weiteren
Bibliogr. s. auch → Textilkunst. R.H.

Vormundschaft. Die V. spielte sowohl im attischen
Recht (vgl. → *epítropos* [2]) als auch im röm. Recht (vgl.
→ *tutela* [1]) eine wichtige Rolle. Sie bestand nicht nur
gegenüber Kindern und Heranwachsenden, soweit sie
nicht unter → *patria postestas* (»väterlicher Gewalt«) waren, sondern in weitem Umfang auch als Ge-
schlechts-V. gegenüber → Frauen (→ *kýrios* II., → *tutela*
[1] III.). G.S.

Vorratswirtschaft I. Alter Orient
II. Griechenland III. Rom

I. Alter Orient
Das Anlegen von Vorräten, bes. von wenig verderblichen Nahrungsmitteln (v.a. → Getreide), ist für Gesellschaften, deren → Landwirtschaft stark von umwelt-
bedingten und polit. Risiken betroffen ist, von existen-
tieller Notwendigkeit. Das Paradigma für eine solche
Erfahrung ist die auf das alte Äg. bezogene at. Episode
von den sieben fetten und den sieben mageren Jahren
(Gn 41,25–36). Die vom 4. Jt. v. Chr. an zentralisierte
→ Wirtschaft (I.) in Mesopot. verfügte auch über eine
zentrale V., die jedoch nur durch Texte bekannt ist. Im
System der bis zum E. des 3. Jt. v. Chr. in Mesopot.
vorherrschenden → Oikos-Wirtschaft konnten durch
zentral gesteuerte Vorratshaltung in den institutionellen
Haushalten die Risiken von geringen bzw. totalen Mißernten ausgeglichen und damit den haushaltsabhängigen
Untertanen weitgehend die für ihre Subsistenz notwendigen → Rationen zugeteilt werden.
In der seit Beginn des 2. Jt. individualisierten landwirtschaftlichen Produktion war die Versorgung und V.
Sache der individuellen Produzenten, die damit oft ungeschützt den Risiken von Mißernten ausgesetzt waren.
Rechtsurkunden, die Verbrauchsdarlehen dokumentieren (→ Darlehen I.), zeigen, wie das Unvermögen, ausreichende Vorräte anzulegen, zu gravierenden Eng-
pässen v.a. in der Zeit unmittelbar vor der neuen Ernte
führte [4. 196–198]. Mehrere aufeinanderfolgende Mißernten führten zu einer nicht mehr auflösbaren
Verschuldung (→ Schulden), die letztendlich in Schuld-
sklaverei endete. Paradigmatisch wird diese Erfahrung
in der Josephs-Gesch., bes. in Gn 47,13–26, dargestellt.
Am besten erh. sind die Speicheranlagen der hethitischen Hauptstadt → Hattusa (15.–13. Jh. v. Chr.), die
Magazinbauten mit Pithoi im urartäischen Karmir Blur
(1. Jt. v. Chr.; → Urartu) sowie Speicherbauten in Palaestina (Bēt Yerah, Tall Ğāmā), die an die äg. Anlagen
des MR und NR erinnern. Neben der textlichen Überl.
sind aus Äg. Maßnahmen der V. v.a. aus dem MR und
NR bekannt (bienenkorbförmige Kornspeicher mit
Kuppeldach, belegt z.B. durch Wandmalereien in Banī
Ḥasan, Tall al-ʿAmārina und → Thebai [1]). Zentral-
magazine in Form von Reihungen schmaler Lagerräu-
me entlang eines Korridors dienten der Lagerung unterschiedlicher Güter, z.B. im Ramesseum und in Ma-
dīnat Hābū in Theben (NR, Ramses II. und III.).
→ Landwirtschaft; Wirtschaft

1 T. Breckwoldt, Management of Grain Storage in Old
Babylonian Larsa, in: AfO 42–43, 1995/96, 64–88
2 J. D. Currid, The Beehive Granaries of Ancient Palestine,
in: ZPalV 101, 1985, 97–110 3 Ders., Rectangular
Storehouse Construction during the Israelite Iron Age, in:
ZPalV 108, 1992, 99–121 4 J. Renger, On Economic
Structures in Ancient Mesopotamia, in: Orientalia 63, 1994,
157–208 5 J. Seeher, Getreidelagerung in unterirdischen
Großspeichern, in: SMEA 42.2, 2000, 261–301
6 T. F. Strasser, Storage an States on Prehistoric Crete, in:
Journ. of Mediterranean Archaeology 10.1, 1997, 73–100.
J. RE. u. K. BA.

II. Griechenland
Da → Getreide, das wichtigste Grundnahrungsmittel
der ant. Gesellschaften, in einem relativ kurzen Zeitraum gegen Ende des Frühjahrs geerntet wurde, aber das
ganze Jahr über von der Bevölkerung für die → Ernährung benötigt wurde, bestand die Notwendigkeit, es
über einen Zeitraum von mindestens zwölf Monaten zu
lagern; darüber hinaus mußten auch Vorräte von Saat-
getreide für die nächste Aussaat angelegt werden. Ähnliches gilt für → Wein und Olivenöl (→ Speiseöle, s.
Nachträge), die ebenfalls Grundnahrungsmittel waren
und in → Tongefäßen gelagert wurden. Da es aufgrund
von ungünstigen Witterungsbedingungen zu Mißernten kommen konnte, war es ohne Zweifel sinnvoll,
über Vorräte zu verfügen, die länger als ein Jahr ausreichten; somit gehörte die Vorratshaltung zu den
grundlegenden Strategien der Existenzsicherung v.a.
bäuerlicher Familien, aber auch der städtischen Bevölkerung.
Bereits → Hesiodos betonte die Bed. der V. für den
bäuerlichen Haushalt; ebenso wie die Feldarbeit sei die
Schaffung von Vorräten an Getreide notwendig, um die
bäuerliche Familie vor Hunger zu bewahren. Ferner
gibt der Dichter den Rat, das Getreide nur sparsam zu
verbrauchen, damit die Vorräte tatsächlich bis zur nächsten Ernte reichten (Hes. erg. 301; 307; 361–369; 411;
600f.). In der Darstellung der → Landwirtschaft bei
→ Xenophon [2] spielt die V. ebenfalls eine zentrale
Rolle. Aufgrund der Arbeitsteilung zw. dem Mann, der
außerhalb des Hauses arbeitet, und der → Frau, die im
Haus tätig ist, weist Xenophon die V. dem Aufgabenbereich der Frau zu. In diesem Zusammenhang wird die
Tätigkeit der Frau ausdrücklich als gleichwertig der Arbeit des Mannes bezeichnet: Ohne eine sorgfältige V.
wird die Beschaffung von Gütern für den Haushalt
nutzlos. Die Frau hatte dafür zu sorgen, daß die gelagerten Güter nicht zu schnell aufgebraucht wurden, das
gelagerte Getreide seine Qualität für die Zubereitung
von Speisen behielt, → Wolle für die Herstellung von
→ Kleidung verarbeitet wurde und die verschiedenen Getreidesorten getrennt gelagert wurden (Xen. oik.
7,22–40; 8,9).

Obgleich die V. sonst nur selten und dann meist beiläufig erwähnt wird, scheint sie im ant. Griechenland
üblich gewesen zu sein. Es ist bezeichnend, daß ein Gesetz der Stadt Selymbria, das die Ablieferung der privaten Getreidevorräte verfügte, den Bürgern erlaubte, den
Vorrat für ein Jahr zurückzubehalten (Aristot. oec.
2,2,17; 1348b–1349a); in Mantineia gab es nach einer
guten Ernte im folgenden Jahr so große Getreidevorräte, daß die Spartaner mit einer langen Belagerung der
Stadt rechnen mußten (Xen. hell. 5,2,4). In der Lit. finden sich erste Hinweise auf Schädlinge, v.a. auf
→ Mäuse, die einen Teil des Getreides fressen (Aristot.
hist. an. 580b; Theophr. char. 16,6).

III. Rom
A. Die römische Gutswirtschaft
B. Das Versorgungsproblem in den römischen
Städten   C. Öffentliche Vorratswirtschaft
in Rom: die Horrea

A. Die römische Gutswirtschaft

Bei → Cato [1] dient V. nicht mehr vorrangig der
Existenzsicherung eines Landbesitzers, seiner Familie
und seiner Arbeitskräfte, sondern primär dem wirtschaftlichen Ziel, für den Verkauf der Erzeugnisse die
Zeit hoher → Preise abzuwarten. Diese Zielsetzung findet deutlichen Ausdruck in der Ausstattung der Landgüter: Es sind erhebliche Lagerkapazitäten vorgesehen,
so 100 *dolia olearia* für ein Ölgut und 800 *dolia* für das
Weingut (→ *dolium*), die für die Lagerung von → Wein
aus fünf Weinlesen ausreichen sollen. Auch der Abwehr
von Schädlingen widmet Cato seine Aufmerksamkeit;
er empfiehlt einen besonderen Verputz des Getreide-
speichers (*granarium*), um Kornwürmer und Mäuse ab-
zuhalten (Cato agr. 3,2; 10,4; 11,1; 92).

Bei den späteren → Agrarschriftstellern findet sich
eine ähnliche Akzentsetzung. → Varro [2] beschreibt
ausführlich die *granaria*; Getreide soll nicht direkt auf
dem Boden gelagert werden, dem Ost- oder Nordwind
ausgesetzt sein und vor feuchter Luft bewahrt werden.
Daneben erwähnt Varro die unterirdischen Getreidespeicher (*sirus*) in Regionen außerhalb It.s, etwa in Kappadokien und Thrakien. Es ist beachtenswert, daß Varro
nicht nur auf die Lagerung von Getreide, Wein und Öl,
sondern auch.von Obst und anderen Erzeugnissen eines
Gutes eingeht. Die V. wurde zweifellos zu einem wichtigen Faktor der marktorientierten Gutswirtschaft (Varro rust. 1,13,1; 1,56–69). Dem entsprechen auch die
Ausführungen → Columellas, der im Abschnitt über die
Wirtschaftsgebäude einer → *villa* die Speicher und La-
gerräume eingehend behandelt. Da Columella in der
Bodenfeuchtigkeit ein entscheidendes Problem für die
Lagerung von Getreide sieht, empfiehlt er, *granaria* in
einem durch eine Treppe zugänglichen Obergeschoß
anzulegen; neben der Feuchtigkeit sieht er im Befall
durch den Kornwurm die häufigste Ursache von Verlusten (Colum. 1,4,7; 1,6,9–17; 2,20,6; 12,2; vgl. Verg.
georg. 1,181–186; Vitr. 6,5,2; 6,6,4).

B. Das Versorgungsproblem
in den römischen Städten

Im städtischen Milieu war für einen großen Teil der
Bevölkerung eine V. nicht möglich, da in den engen
Wohnungen meist kein Platz für Vorräte vorhanden war
(→ Wohnverhältnisse); durch Einkauf mußte der tägliche Bedarf an Lebensmitteln und Konsumgütern gedeckt werden (Dion Chrys. 7,105f.). Die ärmeren
Schichten der Stadtbevölkerung – in Rom etwa die
→ *plebs urbana* – waren damit auf das Angebot der Märkte angewiesen und in der Zeit der Knappheit extrem
steigenden Getreidepreisen ausgesetzt. Hier entstand
ein polit. Konfliktpotential, das in der späten Republik
die Popularen dazu veranlaßte, durch → Frumentargesetze die Versorgung der stadtröm. Bevölkerung mit
Getreide zu sichern. Es war eine Konsequenz dieser polit. Intervention in das Marktgeschehen, daß die Republik und seit Augustus auch der *princeps* durch Anlegen großer Vorräte Vorsorge gegen eine Verknappung
des Getreides in Rom treffen mußte (→ *cura annonae*).
→ Ernährung; Getreide; Mangelernährung;
Nahrungsmittel

1 A. Burford, Land and Labor in the Greek World, 1993,
141f. **2** T. W. Gallant, Risk and Survival in Ancient
Greece, 1991, 94–98; 179–181 **3** White, Farming, 426–431.
                                          H. Schn.

C. Öffentliche Vorratswirtschaft in Rom:
die Horrea
1. Begriff   2. Konstruktion
3. Funktionen   4. Horrea ausserhalb Roms

1. Begriff

Seit Beginn des 2. Jh. v. Chr. erforderte die Lagerung
und Konservierung von → Nahrungsmitteln, insbes.
von → Getreide, den Bau von Getreidespeichern und
Lagerhallen in Rom. Bevor solche städtischen Gebäude
mit dem Wort *horreum* (= *h.*; abgeleitet von: *hordeum*,
»Gerste«) bezeichnet wurden, verwendeten die Römer
den weniger präzisen Begriff → *porticus*.

2. Konstruktion

Auf der → *Forma Urbis*, dem aus der Severerzeit (E.
2. Jh.-Anf. 3. Jh.) stammenden Marmorplan der Stadt
Rom, sind die öffentlichen *horrea*, die auf dem Gelände
zw. dem Aventinus und dem Tiber lagen, an ihren Namen und ihrer bes. Struktur erkennbar (→ Roma III.,
Karte 1., Nr. 87; 88). Dabei unterscheidet sich der
Grundriß des als *Horrea Lolliana* bezeichneten Bauwerks
durch seine langen und engen Kammern (*cellae*), die um
zwei Höfe angelegt waren und sich zu ihnen öffneten,
erheblich von dem Gebäude, das aufgrund der letzten
Buchstaben seines Namens als *Porticus Aemilia* identifiziert werden kann. 193 v. Chr. erhielt der neue Han-
delshafen Roms, den Livius [III 2] als → *emporion* bezeichnete, auf Initiative des M. Aemilius [I 10] Lepidus
große, als *porticus* bezeichnete Lagerhallen (Liv.
35,10,12; vgl. 41,27,8). Sie erstreckten sich in sieben ge-
wölbten Schiffen über das Gelände, das zum Tiber hin

stark abfiel. Seit dem späten 2. Jh. v. Chr., seit der *lex frumentaria* des C. Sempronius [I 11] Gracchus, die eine Verteilung von öffentlichem Getreide an die *plebs urbana* vorsah (→ Frumentargesetze), ergriffen prominente Nobilitätsfamilien bei dem Bau öffentlicher Getreidespeicher (*h. publica*) die Initiative; diese trugen normalerweise den Namen ihres Erbauers: *H. Sempronia* (ILS 5727), *Sulpicia* (im Prinzipat *Galbana*, ILS 3445), *Lolliana* (ILS 1620), *Seiana* (ILS 3665) und *Aniciana*. Die *H. Lolliana* scheinen aus zwei nebeneinanderliegenden Gebäudekomplexen bestanden zu haben, was auf unterschiedliche Funktionen hinweist. Im Gegensatz dazu wiesen die *H. Agrippiana*, die auf Befehl des M. Agrippa [1] in der Nähe des Forums am westlichen Abhang des Palatinus errichtet worden waren, ein → *macellum* mit Läden auf, die sich zu der *porticus* des Peristyls hin öffneten. Allein die drei oberen Stockwerke dienten wohl der Lagerung von Getreide.

3. FUNKTIONEN

Verschiedene Getreidespeicher und Lagerhallen gelangten durch Erbschaft oder Konfiskation in den Besitz des → *princeps*. Sie hatten für den *princeps*, der für die Versorgung der Stadt mit Getreide, für die Getreideverteilung (→ *cura annonae*) und schließlich auch für die Verteilung von Öl (→ Speiseöle, s. Nachträge) verantwortlich war, tatsächlich eine wichtige Funktion bei der Lagerhaltung; daher wurden von den *principes* weitere *h.* errichtet. So war die *Porticus Minucia frumentaria* der Ort, an dem das Getreide an die Empfangsberechtigten verteilt wurde. Die Lage dieses Bauwerks ist allerdings umstritten; kürzlich wurde von [11] vorgeschlagen, es mit den Gebäuderesten bei der Via Arenula in Tibernähe zu identifizieren.

Es bestand unterdessen kein Monopol des *princeps* auf solche Lagerhallen, von denen viele weiterhin Privatleuten gehörten, die – ähnlich wie die *principes* – die *cellae* vermieteten. Die Bestimmungen solcher Mietverträge sind in den *leges horreorum* epigraphisch überl. (ILS 5914). Ladeninhaber (so etwa C. Iulius Lucifer, *vestiarius de horreis Agrippianis*: CIL VI 9972 = ILS 7571) geben in Inschr. Hinweise auf ihre Tätigkeit. Die *h.* dienten auch als bewachte Aufbewahrungsorte für Wertobjekte. So konnte man einen einzelnen Schrank (→ *armarium*), einen Safe (→ *arca*) oder einen ganzen Raum (*cella*) mieten. Damit scheinen die *h.* im Prinzipat den Tempeln Konkurrenz gemacht und sie vielleicht sogar in dieser Funktion ersetzt zu haben. Angesichts der ständigen Bedrohung durch Diebstahl und Feuer standen die *h.* unter dem bes. Schutz eines → *genius* (ILS 3663–3665; 3668); dies gilt auch für Ostia und für die Provinzen.

4. HORREA AUSSERHALB ROMS

Die in Ostia, dem Hafen Roms an der Tibermündung, errichteten *h.* sind auf die Prinzipatszeit zu datieren. Allein die *H. Epagathiana* (140–150 n. Chr.; → Ostia mit Lageplan, Nr. 63) sind durch eine am Ort selbst gefundene Inschr. zu identifizieren. Der gute Erhaltungszustand dieser verschiedenen Speicheranlagen gestattete es, ihre innere Aufteilung, die Konstruktion und die Besonderheiten ihrer Anlagen zu untersuchen. So wurde durch einen Zwischenraum zw. Erdboden und dem Niveau des Getreidelagers das Getreide vor Feuchtigkeit geschützt, und ein Zwischenraum von 2 m zu den Nachbargebäuden diente als Schutz vor Feuer. Auch im Bereich der Häfen des Claudius [III 1] und des Traianus [1] in → Portus [1] (im NW von Ostia) wurden solche Speicheranlagen errichtet.

In den Prov. gab es ebenfalls derartige Bauwerke, so v. a. in Gallia Narbonensis (im westl. der Rhône gelegenen Teil von Vienne, in Saint-Romain-en-Gal), in Lykien (in den benachbarten Städten Myra/h. Demre, und Patara) und in Africa (Leptis Magna, Cuicul/h. Djémila). Einige sind als *h.* aufgrund ihrer Lage an der Rhône oder am Hafen von → Leptis Magna identifiziert worden, andere aufgrund von Inschr., die sie als *h.* bezeichnen. Die *h.* der Legionen, Holz- oder Steinbauten, lagen nicht weit entfernt von den Unterkünften und in einigen Fällen in der Nähe des Stabsgebäudes (→ *principia*) der Legionslager.

1 M. CORBIER, Trésor et greniers dans la Rome impériale (Ier–IIIe siècles), in: E. LÉVY (Hrsg.), Le système palatial en Orient, en Grèce et à Rome, 1987, 411–443 2 R. ETIENNE, Extra portam Trigeminam: Espace politique et espace économique à l'emporium de Rome, in: L'Urbs. Espace urbain et histoire (Ier siècle av. J.-C.–IIIe siècle ap. J.-C.; Actes du colloque, Rome 1985), 1987, 235–249 3 P. GROS, Greniers et entrepôts, in: Ders., L'architecture romaine, Bd. 1: Les monuments publics, 1996, 465–474 4 J. P. MOREL, La topographie de l'artisanat et du commerce dans la Rome antique, in: vgl. [2], 127–155 5 C. PAVOLINI, Ostia, 1983, 32f.; 74ff.; 111f.; 226ff. 6 RICHARDSON, 191–195 7 G. E. RICKMAN, Roman Granaries and Store Buildings, 1971 8 E. RODRIGUEZ-ALMEIDA, Il Monte Testaccio, 1984, 35–39 9 E. M. STEINBY (Hrsg.), Lexicon topographicum urbis Romae, Bd. 3, 1996, s. v. horrea, 37–50 10 C. VIRLOUVET, Tessera frumentaria. Les procédures de la distribution du blé public à Rome, 1995, 81–117 11 F. ZEVI, Per l'identificazione della Porticus Minucia frumentaria, in: MEFRA 105, 1993, 661–708. MI. CO.

Vorromanisch. Die Ausbreitung der lat. Sprache über Latium (→ Latini) hinaus (als Folge der röm. Expansion) hat das → Latein in Kontakt mit verschiedenen einheimischen Idiomen gebracht, die z. T. (wo die → Romanisierung tiefer eindrang) durch das Lat. verdrängt wurden. Wichtige Spuren der vorromanischen Substratsprachen (→ Sprachkontakt) leben in der Romania fort und zählen zu den für die Differenzierung der romanischen Sprachen wichtigen Faktoren. Die Erforschung des vorromanischen Erbes in den romanischen Sprachen kann sich teilweise auf gesicherte histor. Befunde stützen (in den Fällen, wo die vorroman. Sprachen – spärlich oder reichlich – direkt bezeugt sind, z. B. → Keltische Sprachen, → Oskisch-Umbrisch, → Venetisch, → Messapisch, → Etruskisch), arbeitet jedoch auch mit der Erschließung vorhistor. Völker und Kulturen, die mit Unsicherheiten verbunden ist (→ Mediterrane Sprachen). So weisen interessante Wortglei-

chungen zw. Alpendialekten und iberoroman. Sprachen (z. B. alpinisch *ganda/ganna* »Geröll«, portugiesisch *gándara* »steiniges Land«, oder friaulisch *roje* »Kanal«, spanisch *arroyo*) auf ein altes gemeinsames voridg. Substrat. Dabei führt die Erforschung des vorroman. Sprachgutes zu neuen Einsichten in die europäische und mediterrane Vor- und Frühgeschichte.
→ Latinisierung; Mediterrane Sprachen; Sprachkontakt; ROMANISCHE SPRACHEN

J. HUBSCHMID, Praeromanica, 1949 · Ders., Alpenwörter romanischen und vorroman. Ursprungs, 1951 · C. TAGLIAVINI, Le origini delle lingue neolatine, ⁶1972
                      M. B. C.

Vorsehung s. Prädestinationslehre III.; Providentia

Vorsokratiker. Seit der maßgeblichen Edition von H. DIELS [1] ein gebräuchlicher Ausdruck für die Bezeichnung einer Gruppe ganz unterschiedlicher griech. Denker, die zwar nicht alle zeitlich vor → Sokrates [2] zu datieren sind (einige von ihnen – die Sophisten, Demokritos [1] oder Philolaos [2] – sind zumindest seine Zeitgenossen), die aber durch sein Denken (noch) nicht beeinflußt waren (vgl. [2. VIII]). Der Erfolg dieser Bezeichnung wurde durch den Einfluß NIETZSCHES verstärkt, nachdem dieser auf den Begriff »Vorplatonische Philosophen« verzichtet hatte [3].

Der Ausdruck »vorsokratische Philos.« (davon abgeleitet das kürzere »V.«) ist nicht vor dem 18. Jh. belegt [4], stützt sich jedoch auf eine Reihe ant. Quellen, die (zunächst in apologetischem Kontext) den Bruch zw. Sokrates [2] und seinen Vorgängern unterstreichen (Plat. apol. 19c; Xen. mem. 1,1,11; Plat. Phaid. 96a 6–100a 7; Cic. Tusc. 5,8). Das Wesen dieses »Bruchs« gab Anlaß zur Diskussion. Platon (in der ›Apologie‹) und Xenophon [2] bestanden darauf, daß Sokrates sich ausschließlich mit den ›menschlichen Angelegenheiten‹ (τὰ ἀνθρώπινα/*ta anthrópina*) beschäftigt habe – im Gegensatz zu seinen Vorgängern, die sich der als theologisch gefährlich geltenden sog. »Unt. der Natur« (περὶ φύσεως ἱστορία/*perí phýseōs historía*, Plat. Phaid. 96a 6ff.) widmeten –, und machten Sokrates so zum Begründer der → »Ethik« (Diog. Laert. 1,4). Aristoteles [6] (metaph. 1,6,987b 1–4; 13,4,1078b 17–32; part. an. 642a 24–31) dagegen sieht das Verdienst des Sokrates eher in seiner Thematisierung des ›Begriffs‹ oder der »Formalursache« (εἶδος/*eídos*). Damit ist freilich eine gewisse Kontinuität zw. Sokrates und seinen Vorgängern hergestellt, die nach dem berühmten Bericht der ›Metaphysik‹ (1,3–10) an der allmählichen Entwicklung der aristotelischen vier Ursachen (αἰτίαι/*aitíai*) arbeiteten. Aufschlußreich ist, daß Aristoteles die von uns »V.« genannten Denker einfach als »erste Philosophen« bezeichnete (vgl. τοὺς πρότερον ἡμῶν … φιλοσοφήσαντας; τῶν δὴ πρώτων φιλοσοφησάντων; Aristot. metaph. 1,3,983b 1f.), was ganz klar ihre Zugehörigkeit zu einem gemeinsamen Projekt benennt, das Aristoteles bei → Thales, dem Begründer der → Naturphilosophie beginnen ließ.

Der Begriff »V.« sollte daher mit Vorsicht verwendet werden. So richtig es sein mag, daß für viele Denker vor Sokrates die Ausarbeitung eines kosmologischen Systems ein Hauptanliegen war (→ Milesische Schule; → Kosmologie), so sind sie doch allesamt keine reinen »Naturforscher« (um nur auf → Herakleitos [1] zu verweisen); fast keinem von ihnen fehlt die Reflexion über Ethik, Rel. oder die Bestimmung des Menschen (neben der → Sophistik ist das bes. deutlich bei → Empedokles [1]). Was → Parmenides betrifft, der für die Gesch. der Herausbildung der Philos. den Wendepunkt des Denkens vor Sokrates repräsentierte, verneint er im ersten Teil seines Gedichts die Möglichkeit einer »Physik«.

Unter all den Substituten, die man vorgeschlagen hat, um den Schwächen des Begriffs »vorsokratische Philos.« zu begegnen, wie etwa »vorsophistische Philos.« [5; 6], »kosmologische Periode« (im Gegensatz zur »anthropologischen Periode«), ist die aristotelische Wendung »erste Philosophen« noch die beste (vgl. [7. 21³³]), auch wenn sie ihrerseits die Frage aufwirft, inwieweit alle von ihm genannten Denker wirklich als »Philosophen« zu bezeichnen sind [8; 9].
→ VORSOKRATIKER

1 H. DIELS, Die Fr. der V., ¹1903 2 W. KRANZ, in: DIELS/KRANZ, Bd. 2 3 F. NIETZSCHE, Die vorplatonischen Philosophen, in: G. COLLI et al. (ed.), Nietzsche, Werke. Kritische Gesamtausgabe, Bd. II.4, 205–362 4 J. A. EBERHARDT, Allg. Gesch. der Philos., 1796 (¹1788), 47 5 F. UEBERWEG, Grundriss der Gesch. der Philos. des Alt., ⁸1894 6 W. NESTLE, in: ZELLER, Bd. 1.1., ⁶1919, 225, Anm. 7 A. LONG, The Cambridge Companion to Early Greek Philosophy, 1999 8 A. LAKS, Philos. présocratique. Remarques sur la construction d'une catégorie de l'histoire philosophique, in: Ders., C. LOUGUET (Hrsg.), Qu'est-ce que la philos. présocratique, 2002, 17–38 9 G. E. R. LLOYD, Le pluralisme de la vie intellectuelle avant Platon, in: s. [8], 39–53.

J. MANSFELD, Die V., 1987 (griech.-dt., ohne Sophisten) · G. S. KIRK, J. E. RAVEN, M. SCHOFFIELD, Die vorsokratischen Philosophen, 1994 (engl. ¹1957) · A. P. D. MOURELATOS (Hrsg.), The Presocratics. A Collection of Critical Essays, 1992 · B. ŠIJAKOVIĆ, Bibliographica Presocratica/1450–2000, 2001.   A. LA./Ü: B. v. R.

Vortigern heißt in britannischen (→ Nennius, Historia Brittonum 31–49) und angelsächsischen Quellen der König, der 428 oder 449 n. Chr. die Angelsachsen unter → Hengist und Horsa anwarb und dadurch die Eroberung Britanniens durch die Germanen verschuldete. → Gildas 23 erwähnt V. nicht namentlich, sondern benennt ihn mit dem wohl wenig angemessenen Titel *superbus tyrannus* (»hochmütiger Tyrann«). PLRE 2, 1185.

A. J. KETTLE, s. v. V., LMA 8, 1860 · J. MORRIS, Arthurian Period Sources 3, 1995, 171f.   M. SCH.

Vortumnus s. Vertumnus

Vorzeichen s. Divination; Omen; Prodigium; Vogelschau

Vorzeichnung s. Inschriften III.D.; Mosaik II.C.

Vosegus. Das sich über ca. 200 km erstreckende Mittelgebirge im Osten Frankreichs (Caes. Gall. 4,10; Lucan. 1,397; Plin. nat. 16,197; Vibius Sequester 145,16 RIESE; *Vosagus*: Tab. Peut. 3,2–4; Ven. Fort. 7,4; Greg. Tur. Franc. 10,10), h. Vogesen (frz. Vosges), bildet im Osten den westl. Rand der Oberrheinischen Tiefebene und geht im Westen in die Hochfläche von Lothringen und die Monts Faucilles über, setzt sich im Norden im Pfälzerwald fort und fällt im Süden zur Burgundischen Pforte hin ab. Der V. gilt als Grenze zw. den röm. Prov. → Belgica und Germania Superior (→ Germani [1] II.C.).

In der nordwestl. Buntsandsteinzone des V. (zw. Petite-Pierre und Cirey-sur-Vezouze) sind aus gallo-röm. Zeit etwa 100 Kleinsiedlungen nachgewiesen, die eine eigenständige »Kultur der Höhendörfer der Vogesen« bilden und sich von der Zivilisation der *villae* und *vici* des Plateaus von Lothringen und der elsäßischen Ebene durch eine Reihe von Charakteristika, insbes. Archaismen unterscheiden. Kennzeichnend ist die Verwendung von Steinblöcken zur Begrenzung der Wege, zur Einfriedung zentraler Gehöfte und äußerer Felder und zum Unterbau von Holzhäusern, ferner die starke Verbreitung von Iuppiter-Giganten-Säulen (→ Säulenmonumente III.) in Schutzfunktion für die Familie und von Grabstelen in Form von Häusern.

Die Ansiedlung der Bevölkerung (deren Hauptbetätigung in der Weidewirtschaft lag) in dieser Gegend geht nicht auf vorröm. Zeit zurück, sondern wurde frühestens in spätaugusteischer (NO: Wasserwald, Saverne) bzw. claudisch-neronischer (SW: Saint-Quirin) Zeit in diese Randregion abgedrängt und ist Zeugnis für die Grenzen röm. Akkulturation.

V. wurde auch als Waldgottheit verehrt (CIL XIII 6059; ILS 3916; 3917 = ESPÉRANDIEU, Rec. 7, 207).

F. PÉTRY, Les limites de l'acculturation à l'époque gallo-romaine, in: L' Annuaire de la société d' histoire et d' archéologie de la Lorraine 79, 1979, 35–48 • Ders., Les agglomérations des sommets vosgiens, in: J.-L. MASSY (Hrsg.), Les agglomérations secondaires de la Lorraine Romaine, 1997, 399–405. F.SCH.

Vota (Pl. von lat. *votum*, »Gelübde gegenüber den Göttern«; *v. suscipere*, »ein Gelübde ablegen, eine den Göttern wohlgefällige Tat auszuführen, wenn diese vor Unheil bewahren«; *v. solvere*, »Gelübde erfüllen, die Tat ausführen, wenn man glücklich durchgekommen ist«). Neben den privaten *v.* gab es in der Kaiserzeit die *v. publica* der Untertanen für bestimmte Unternehmungen des Kaisers. Auf Mz. finden sich *v.* erstmals und mit genauer Formel unter → Augustus, z.B.: IOVI VOT(a) SVSC(epta) PRO SALVT(e) CAES(aris) AVG(usti) S.P.Q.R., *v.* ohne nähere Bezeichnung (Traianus [1], Hadrianus), später meist die alle fünf J. erneuerten *v.* für eine weitere glückliche Regierungszeit von 5 (V), 10 (X) usw. Jahren. Hierbei ist ohne nähere Angaben oft nicht

zw. *v. suscepta* (»Gelübden«) und *v. soluta* (»eingelösten Gelübden«) zu unterscheiden. Beide verbinden Formeln wie VOT V MVLT X oder VOT V SIC X, VOT V ET X ist beidemal mit *suscepta* zu ergänzen. Die *v.* wurden oft auch vorgezogen; so ließ Tacitus [2], der nur ein halbes Jahr regierte, Mz. gleich mit VOTIS X ET XX prägen, Probus [1] mit VOT SOLVTA X, obwohl er nur sechs J. regierte. Mz.-Bilder sind Legende in Kranz (mit Bezug auf die *v.* oder Nennung der → Decennalia; Antoninus [1] Pius – Anastasios [1] I.), der opfernde Kaiser (Antoninus Pius – Tetrarchie), Kaiser in Konsulartracht bei der Eröffnung der Festspiele (4.–5. Jh.), Victoria (Victorien) mit und ohne *v.*-Schild (Gallienus – Iustinianus [1] I.; auch auf der Decennalienbasis auf dem Forum Romanum in Rom), Roma (5. Jh.). Jährliche *v. publica* der Untertanen am Tag des Regierungsantritts erwähnt Plinius (epist. 10,52f.; 10,102f.), Cassius Dio beschreibt die Feiern der Decennalia des Septimius [II 7] Severus (76,1,1–5; vgl. Herodian. 3,10,1f.). Weitere allg. *v.* oder mit anderen Zusätzen auf Mz.: *v. Augusti; v. Caess.; votis felicibus* (Flotte im Hafen; Commodus, Diocletianus); *v.* als Glückwünsche zur Kaiserhochzeit (Eheschließungsszene; Marcus [2] Aurelius, Commodus); *v. orbis* (Valerianus [2]), oft *v. publica* (Hadrianus – Honorius [3]).

→ Weihung

1 P. BASTIEN, Les solidi des vota publica de Valentinien I. à Théodose I., in: Numismatica e Antichità Classiche 14, 1985, 305–333 2 A. CHASTAGNOL, Jubilés décennaux et vicennaux des empereurs sous les Antonins et les Sévères, in: RN 1984, 104–124 3 H. MATTINGLY, The Imperial »V.«, in: Proceedings of the British Academy 36, 1952, 155–195; 37, 1953, 219–268 4 SCHRÖTTER, s.v. V. 5 M. THIRION, Les v. impériaux sur les monnaies entre 337 et 364, in: SNR 44, 1965, 5–21 6 O. ULRICH-BANSA, V. Publica, in: Anthemon. FS C. Anti, 1954, 5–45. DI.K.

Votienus Montanus. Bekannter (Tac. ann. 4,42,1) Redner der frühen Kaiserzeit aus → Narbo (h. Narbonne). Von seiner Heimatstadt durch P. → Vinicius [II 4] angeklagt, mußte er sich vor Tiberius [1] verantworten (Sen. contr. 7,5,12); 25 n.Chr. wegen Beleidigung des Kaisers verurteilt (Tac. l.c.) und verbannt, starb er 27 (Hier. chron. p. 173b H.) oder später [3]. Trotz seiner Polemik gegen die Mode der → *declamationes* (Sen. contr. 9, pr. 9,6,10) konnte sich V. dem Schulbetrieb nicht ganz entziehen, wie Zitate bei Seneca [1] d.Ä. zeigen (ebd. 9,1–6; 10,2–3). Sein Stil galt als etwas ungepflegt; so trug ihm die Neigung zu wiederholender Variation den Ruf eines ›Ovid unter den Rednern‹ ein (9,5,15ff.). Von seinen Schriften (9,6,18) ist nur der Titel seiner ersten Rede (›Für Galla Numisia‹, 9,5,15f.) bezeugt.

FR.: 1 H. MEYER, Or. Rom. Frg.a, ²1842, 556–558.
LIT.: 2 H. BORNECQUE, Les déclamations, 1902, 200f.
3 R. HELM, Hieronymus' Zusätze in Eusebius' Chronik (Philol. Suppl. 21.2), 1929, 74f. P.L.S.

Votivinschriften s. Weihinschriften

Votivkult. Form der symbolischen Interaktion in rel. Kontext, bestehend aus dem mit einer Bitte (→ Gebet) verbundenen Gelübde (griech. εὐχή/*euchḗ*, εὐχωλή/ *euchōlḗ*; lat. *votum*) des Ausführenden und dem Einlösen des Gelübdes als Dank für die Erfüllung der Bitte. Gelübde und Dank können jeweils durch das Aufstellen (griech. ἀνατιθέναι/*anatithénai*, auch ἱστάναι/*histánai*) bzw. das Geben (lat. *ponere, (donum) dare*; vgl. auch etr. *mul(u)vanice, tur(u)ce*: [2; 12]) eines Votivgegenstands (griech. ἀνάθημα/→ *anáthēma*, δῶρον/*dōron*, lat. *votum*) ausgedrückt sein. Es handelt sich dabei um Gegenstände unterschiedlicher Größe und unterschiedlichen ökonomischen Wertes: (bemalte) Holztafeln (griech. *pínakes*, lat. *tabulae*); kleine, häufig mit Hilfe von Matrizen in großer Menge (zur Herstellung von Tonvotiven: [7; 9]) produzierte Nachbildungen von Tieren, Menschen, Gottheiten oder anderen Motiven, oft aus Ton oder Bronze; wenn die angesprochene Gottheit Heilfunktionen hatte, auch Nachbildungen menschlicher Körperteile und Organe (sog. »anatomische Votive«; [5; 1; 4]); in Griechenland auch mit Texten und Bildern versehene steinerne Weihreliefs oder Relieftäfelchen (griech. τύποι/*týpoi*). Ausführender und/oder Adressat können auch auf kleineren Gegenständen inschr. angegeben sein. Der V. unterscheidet sich von einer anderen Form der rituellen Interaktion, dem → Opfer, z. B. durch das Gelübde und durch das verhältnismäßig dauerhafte Material des Votivgegenstands sowie durch eine eigene ant. Terminologie – ein Unterschied, der auf der Metaebene durch eine mißverständliche Begrifflichkeit (vgl. etwa *votive offering, offerta votiva*) manchmal verwischt wird.

Votivgegenstände wurden in Heiligtümern für andere Besucher sichtbar aufgestellt oder aufgehängt, manchmal in Gewässern versenkt [10; 11]. In Heiligtümern aufgestellte Votivgegenstände können als materieller Ausdruck einer vom Ausführenden als geglückt betrachteten symbolischen Interaktion mit einer Gottheit und insofern, sichtbar aufgestellt, als werbewirksame Faktoren in der Konkurrenz der ant. Heiligtümer und Kulte untereinander verstanden werden (vgl. [6]; → Polytheismus I.). Arch. sind Votivgegenstände nur ausnahmsweise im urspr. Aufstellungskontext [3], meist dagegen als sog. Votivdepots belegt. Diese einfachen oder befestigten Erdaushebungen wurden innerhalb von Tempelbezirken gefunden und so gedeutet, daß die Votivgegenstände in regelmäßigen Abständen, vielleicht aus Platzgründen, abgeräumt und deponiert wurden; Abraumgruben entstanden aber auch dann, wenn ein Heiligtum umstrukturiert oder aufgegeben wurde. Funde von Gegenständen mit Votiv-Inschr. in Gräbern sind erklärungsbedürftig (zu solchen Funden s. [8]); ein solcher Befund wird nicht durch eine Verbindung der betreffenden Gottheiten zur Unterwelt, sondern eher durch eine Zweitverwendung ehemaliger Votivgegenstände als Grabbeigaben zu erklären sein.

Der Votivgegenstand steht in einer bedeutungsvollen Beziehung zu anderen Komponenten der Handlung: zum Ausführenden, zu seinem Anliegen, zu der adressierten Gottheit. Diese Beziehung ist variabel: Die Bilder können dabei eine bereits bestehende Funktion einer Gottheit ausdrücken, aber auch im Vollzug der Handlung eine solche Funktion punktuell erst schaffen (vgl. [6]). Daher läßt sich, im Gegensatz zu einer geläufigen – implizit auf strukturfunktionalistischen Vorstellungen beruhenden – Forsch.-Meinung, aus gleichen oder ähnlichen Bildmotiven nicht zwingend auf ähnliche Anliegen der Ausführenden und auf ähnliche Funktionen von Gottheiten schließen.

→ Heilgötter, Heilkult; Relief; Weihung

1 G. Baggieri u. a., »Speranza e sofferenza« nei votivi anatomici dell'antichità (Ausst.-Kat. Rom), 1996
2 G. Colonna, Iscrizioni votive etrusche, in: G. Bartoloni et al. (Hrsg.), Anathema (Scienze dell'Antichità 3–4), 1989/90, 875–903 3 A. Comella, Il materiale votivo tardo a Gravisca, 1978 4 M. Fenelli, Depositi votivi in area etrusco-italica, in: Medicina nei secoli 7, 1995, 367–382 5 B. Forsén, Griech. Gliederweihungen, 1996 6 M. Haase, Votive als Werbemedien?, in: U. Veit u. a. (Hrsg.), Spuren und Botschaften. Interpretationen materieller Kultur (Kongreß Tübingen 2000), im Druck 7 S. Karatzas, Technical Analysis, in: H. Nagy, Votive Terracottas from the »Vignaccia«, Cerveteri, in the Lowie Museum of Anthropology, 1988, 3–11 8 A. Maggiani u. a., Vasi attici figurati con dediche a divinità etrusche, 1997 9 A. Muller, Les terrescuites votives du Thesmophorion: de l'atelier au sanctuaire (Études Thasiennes 17), 2 Bde., 1996 10 P. Pensabene, Terrecotte votive dal Tevere, 1980 11 E. Sauer, The Coin Deposit from Bourbonne-les-Bains in the Light of Coin Offerings in Springs in the Roman Empire, Diss. Oxford 1999 12 B. Schirmer, I verbi etruschi mul(u)vanice e tur(u)ce: Prolegomena per una determinazione di semantica ed impiego, in: PdP 48, 1993, 38–58.

S. B. Aleshire, The Athenian Asklepieion. The People, their Dedications, and the Inventories, 1989 · B. Alroth, Greek Gods and Figurines: Aspects of the Anthropomorphic Dedications, 1989 · Dies., Changes in Votive Practice? From Classical to Hellenistic, in: R. Hägg (Hrsg.), Ancient Greek Cult Practice from the Archaeological Evidence, 1998, 217–228 · G. Bartoloni u. a. (Hrsg.), Anathema. Regime delle offerte e vita dei santuari nel mediterraneo antico (Scienze dell'Antichità 3–4), 1989/90 · M. Bentz, Etr. Votivbronzen des Hell., 1992 · J. W. Bouma, Religio votiva, 3 Bde., 1996 · A. Campus, Ex voto come fine, ex voto come mezzo, in: Rivista di studi fenici 25, 1997, 69–77 · A. Comella, Tipologia e diffusione dei complessi votivi in Italia in epoca medio- e tardo-repubblicana, in: MEFRA 93, 1981, 717–798 · T. Derks, Gods, Temples and Ritual Practices, 1998, 215–239 · W. H. D. Rouse, Greek Votive Offerings, 1902 · M. Torelli u. a. (Hrsg.), Corpus delle stipi votive in Italia, 1986ff. · F. T. Van Straten, Gifts for the Gods, in: H. Versnel (Hrsg.), Faith, Hope and Worship, 1981, 65–151. M. HAA.

Votum, Votive s. Votivkult; Weihung

Vouni. Moderner Name für die ausgedehnte befestigte Palastanlage auf einem Hügel über der Bucht von Morphou an der Nordküste von → Kypros, ca. 7 km westl. von Soloi [1], wohl Residenz eines der kyprischen Stadtkönige. Um 500 v. Chr. erbaut, ca. 380 v. Chr. zerstört (von wem, ist unbekannt). In den ersten beiden Bauphasen bis zur Mitte des 5. Jh. entstand eine Anlage mit zentralem Peristylhof, um den sich die Wohn- und Repräsentationsräume gruppierten, und einem Magazintrakt im SW. Im folgenden Errichtung eines Obergeschosses und eines zweiten Hofes mit weiteren Wirtschaftsräumen im Osten. Der Palast ist von mehreren kleinen Kulträumen und Heiligtümern umgeben, von denen das größte auf der Südspitze des Hügels nach Aussage von Funden (Athena-Statuetten) der Athena geweiht war.

E. GJERSTAD u. a., V., in: Ders. et al. (Hrsg.), The Swedish Cyprus Expedition 3, 1937, 76–290 · Ders., The Cypro-Geometric, Cypro-Archaic and Cypro-Classical Periods, in: Ders. et al. (Hrsg.), The Swedish Cyprus Expedition 4.2, 1948, 13–16, 23–29 · V. KARAGEORGHIS, A Guide to V. Palace, 1965 · MASSON, 213–216 · A. T. REYES, Archaic Cyprus, 1994, 91–94.   R. SE.

Vramschapuh s. Wahram

Vulca. Etr. Koroplast aus → Veii. Nach Plin. nat. 35,157 fertigte V. in Rom das tönerne Kultbild des → Iuppiter Capitolinus im Auftrag des Tarquinius [11] Priscus (1. H. 6. Jh. v. Chr.) für den jedoch erst 509 v. Chr. geweihten Tempel. Hypothetisch ist die Zuweisung der weiteren Bauplastik dieses Tempels sowie jener des Tempels von Veii an V. Ein sog. *Hercules fictilis* des V. in Rom (Plin. nat. l.c.) ist nicht näher definiert und nicht identisch mit einer bei Mart. 14,178 genannten Statuette.

M. PALLOTTINO s. v. V., EAA 7, 1206 f. · O. W. VON VACANO, V., Rom und die Wölfin. Unt. zur Kunst des frühen Rom, in: ANRW I 4, 1973, 523–583 · A. ANDRÉN, In Quest of V., in: RPAA 49, 1976/77, 63–83.   R. N.

Vulcanus s. Volcanus

Vulgärlatein
I. DEFINITION
II. QUELLEN UND FORSCHUNGSGESCHICHTE
III. BESONDERHEITEN GEGENÜBER DEM KLASSISCHEN LATEIN

I. DEFINITION
Der nach lat. *vulgaris sermo* gebildete t.t. »V.« ist in seiner Definition und Berechtigung nicht unumstritten, dient aber im allg. als Bezeichnung für die von der Norm der klassisch-lat. Schriftsprache abweichenden Formen der primär mündlich konzipierten Spontansprache, also der lat. Sprechsprache und deren Widerspiegelung in bestimmten schriftlichen Dokumenten. In diesem Sinne entspricht »V.« als Sammelbegriff verschiedenen v.a. soziokulturell, regional und diachronisch differenzierten Sprachvarietäten. Bes. sprachhistorisches Interesse kommt dem V. als der Basis der → ROMANISCHEN SPRACHEN zu, wobei das von den romanischen Idiomen fortgeführte bzw. vorausgesetzte »protoromanische« V. nur eine Teilmenge des Sprech-Lat. darstellt, andererseits aber auch »gemein-lat.« Entsprechungen zur klass. Sprache einschließt.

II. QUELLEN UND FORSCHUNGSGESCHICHTE
Als mündliche Sprache ist das V. nirgends in direkter, authentischer Form zugänglich. Seine Besonderheiten und diachronischen Veränderungen lassen sich aber einerseits aus bestimmten schrift-lat. Quellen und andererseits aus dem indirekten Zeugnis der roman. Sprachen in Annäherung erschließen. Zu den lat. Quellen zählen neben expliziten etwa sprachkorrigierenden Hinweisen von Grammatikern (z. B. *auris non oricla*; Glossen) verschiedene »vulgärlat. gefärbte« Dokumente, die die gesprochene Sprache bis zu einem gewissen Grad widerspiegeln: einzelne lit. Texte, die mit dem Ziel einer realistischen Darstellung auch spontansprachlich-volkssprachliche Elemente verwenden (z. B. die Komödien des → Plautus und → Terentius [III 1] oder die *Cena Trimalchionis* des → Petronius [5]); Texte christlicher Autoren, die der Sprache der breiten Massen gewisse Konzessionen machen; nachklass. Texte, die aufgrund mangelnder Kenntnis der lit. Norm und/oder geringer lit. Ansprüche mehr oder weniger unbewußt vulgärlat. Züge einfließen lassen, z. B. das sog. *Itinerarium Egeriae*, → Peregrinatio ad loca sancta; Fachtexte; Chroniken; Gesetzestexte; Urkunden; Privatbriefe; private Inschr., die v. a. durch graphische Normabweichungen lautliche Entwicklungen bezeugen (vgl. etwa in Pompeii *Niycherate vana succula que amas Felicione et at porta deduces illuc tantu in mente abeto* ›Nikerate, du nichtsnutziges Ferkel, die du den Felicio liebst und ihn mit vor's Tor nimmst, das sollst du nur bedenken!‹, CIL IV 2013). Anthologien vulgärlat. gefärbter Texte: [1; 2. 171 ff.; 3]. Als Bestätigung und weithin auch als Ergänzung der schrift-lat. Quellen dient die Rekonstruktion aus dem Romanischen, etwa das von allen roman. Idiomen vorausgesetzte *auric(u)la* (»Ohr«), aber auch nicht bezeugte, aus roman. Fortsetzern erschlossene »Asteriskformen«, wie etwa *comiitiare* (»anfangen«).

Das V. ist seit über 100 J. Gegenstand intensiver Forsch. von latinistischer und romanistischer Seite, wobei sich gerade eine Verbindung beider Blickwinkel als sinnvoll und fruchtbar erweist. Bes. hervorzuheben sind nach der ersten systematischen Teiluntersuchung von [4] etwa die Werke von E. LÖFSTEDT (u. a. [5]), der Überblick über die lat. Umgangssprache von [6] sowie die seit 1985 stattfindenden Kolloquien über V. und Spät-Latein [7]. Als jüngere Forschungsüberblicke vgl. die Artikel von [8], als maßgebende Handbücher [2] und [9].

III. Besonderheiten gegenüber dem klassischen Latein

A. Sprechsprachliche Universalien

B. Nachklassische Entwicklungen (Auswahl)

A. Sprechsprachliche Universalien

Als mündlich konzipierte Sprache zeigt das V. eine Reihe von »universalsprachlichen« Merkmalen, die v. a. von den spezifischen Bedingungen der mündlichen Kommunikation bestimmt werden. Zu diesen teils schon bei [6] berücksichtigten grundsätzlichen Besonderheiten zählen etwa die sog. »Gesprächswörter« (Gliederungs-, Kontakt-, Korrektursignale, Interjektionen, Modalpartikel; z.B. *et, heu, heus, hui, iam, sane*), Satzsegmentationen, Satz(ab)brüche, die Bevorzugung von inhaltlich allgemeinen Ausdrücken (z.B. *ire* »gehen« auch für *abire* »weggehen« und für *proficisci* »aufbrechen«) sowie von expressiven Varianten (s. B.3.). Vgl. [10; 11. 102–118; 12; 13].

B. Nachklassische Entwicklungen (Auswahl)

1. Lautung 2. Morphosyntax 3. Wortschatz

1. Lautung

Teilweise schon früh bezeugt und von allen roman. Sprachen vorausgesetzt sind v. a. einige kons. Reduzierungen wie das Verstummen von *-m* und von *h* (vgl. etwa in der oben zit. Inschr. *Felicione, porta, tantu* für *Felicionem, portam, tantum* und *abeto* für *habeto*). In der Entwicklung des Vokalsystems treten die klass. Quantitätsoppositionen gänzlich zurück, wobei es teils zum Ersatz durch Qualitätsoppositionen, teils zu Kollisionen (bei *a* sowie weithin $\breve{\imath} > \rho$, $\breve{u} > \rho$) kommt.

2. Morphosyntax

Die → Flexion des Nomens zeigt eine grundlegende Umgestaltung der klass. Kasus-Dekl., mit der Verallgemeinerung des Akk. als obliquen Kasus (z.B. *solem*, mit dem erwähnten Schwund von *-m*, > it. *sole*) und der Ausbreitung präpositioneller analytischer Umschreibungen (*de* für den Gen., *ad* für den Dat.) sowie – im Übergang zum Romanischen – der Herausbildung eines Artikels (v. a. aus dem Demonstrativum *ille*). In der Konjugation des Vb. werden die traditionellen Flexionsstrukturen in höherem Grad beibehalten, einzelne Formkategorien erfahren jedoch Umstrukturierungen, welche teilweise gleichfalls einer offenbar breiteren Analytisierungstendenz entsprechen (so das Fut. mit dem Ersatz des Typus *cantabo* durch zunächst modale Periphrasen wie *cantare habeo*).

3. Wortschatz

Das V. ist gekennzeichnet v. a. durch die Bevorzugung und Verallgemeinerung von inhaltlich sowie formal ausdruckskräftigen (teils zugleich eindeutigeren und/oder einfacheren) Bezeichnungsvarianten oder Neubildungen, so etwa gegenüber *flere* »weinen« : *plo-*

rare, plangere; edere »essen« : *comedere, manducare; pulcher* »schön« : *formosus, bellus; vis* »Kraft« : *fortia* (3. Jh. n. Chr.). Insgesamt sind in der Entwicklung zum Romanischen von den tausend häufigsten klass. Wörtern etwa ein Drittel, vom Gesamtwortschatz ein wesentlich höherer Anteil ganz zurückgetreten [11].

→ Latein

1 G. ROHLFS, Sermo vulgaris latinus, ³1969 2 V. VÄÄNÄNEN, Introduction au latin vulgaire, ³1981 3 M. ILIESCU, D. SLUSANSKI, Du latin aux langues romanes, 1991 4 H. SCHUCHARDT, Der Vokalismus des V., 3 Bde., 1866–1868 5 E. LÖFSTEDT, Philologischer Kommentar zur Peregrinatio Aetheriae, 1911 6 J.B. HOFMANN, Lat. Umgangssprache, ³1951 7 Latin vulgaire – latin tardif: Bd. 1, J. HERMAN (Hrsg.), 1987; Bd. 2: G. CALBOLI (Hrsg.), 1990; Bd. 3: M. ILIESCU, W. MARXGUT (Hrsg.), 1992; Bd. 4: L. CALLEBAT (Hrsg.), 1995; Bd. 5: H. PETERMANN (Hrsg.), 1999 8 G. HOLTUS et al. (Hrsg.), Lexikon der Romanistischen Linguistik, Bd. 2.1, 1996 9 J. HERMAN, Le latin vulgaire, ³1975 (span.: El latín vulgar, 1997) 10 A. STEFENELLI, Sprechsprachliche Universalien im protoromanischen V., in: [7], Bd. 3, 347–359 11 Ders., Das Schicksal des lat. Wortschatzes in den romanischen Sprachen, 1992 12 P. KOCH, Une langue comme toutes les autres: Latin vulgaire et traits universels de l'oral, in: [7], Bd. 4, 125–144 13 R. MÜLLER, Sprechen und Sprache. Dialoglinguistische Studien zu Terenz, 1997.

A.ST.

Vulgarrecht. Der Begriff V. (erstmalig [1. 113, 139]) bedeutet in der mod. rechtsgesch. Diskussion ein (spätant.) simplifiziertes röm. Recht im Gegensatz zu einem »Hochrecht« oder »Kunstrecht« der »klass.« röm. → Iurisprudentia (1.–3. Jh. n. Chr.). Hierin unterscheidet sich das V. vom → Volksrecht als lokalem einheimischem Recht. Als Kennzeichen des V. (dazu bereits [2; 3; 4; 5]) sind etwa ein Schwund der Begrifflichkeit gegenüber den Schriften der klass. röm. Juristen, die Verwendung rhet. Stilmittel sowie das Abstellen auf Billigkeitsgesichtspunkte anzusehen, wodurch die Konturen klass. Rechtsinstitute verwischt bzw. diese ganz aufgehoben werden (ausführlich [2; 3] und eingehend zu einzelnen Rechtsmaterien [6; 7]). Als Beginn des V. gilt die Herrschaft → Constantinus' [1] I. d.Gr. (A. 4. Jh. n. Chr.); vulgarrechtliche Tendenzen sind sowohl in der östl. wie der westl. Reichshälfte bemerkbar (zur juristischen Lit. in It. [8], in Afrika [9] und in Gallien [10], zu einem einzelnen juristischen Werk [11]).

Erkenntnisquellen für das V. bilden die spätant. Kaisergesetze (zumeist nur in den Exzerpten des *Codex Theodosianus* und *Codex Iustinianus* erh., vgl. → *Codex* II.C.); vollständig sind nur posttheodosianische → *Novellae* (B.) sowie vereinzelte Kaisergesetze in Slgg. wie der → *Collatio legum Mosaicarum et Romanarum* oder den → *Fragmenta Vaticana* überl.), spätant. Werke wie die *Pauli sententiae* (vgl. → Iulius [IV 16] Paulus; neue Palingenesie dieses Werks bei [12]) oder die *Epitome Gai* (vgl. → Gaius [2]), Aufzeichnungen röm. Rechts in den Germanenstaaten (z.B. *Lex Romana Burgundionum*; → Burgundiones), Urkunden etc. Doch wird heute die Verwendung rhet. Stilmittel in Kaisergesetzen bereits in die Zeit vor Constantinus [1] 1. angesetzt, auch ist nach der jeweiligen Form einer kaiserlichen Rechtsetzung zu differenzieren (ausführlich [5], auch zur juristischen Lit.); die oft nur auszugsweise Überl. erschwert häufig das Verständnis der Gesetze [13]. Die Wirkungsgesch. dieser Quellen (insbes. vermittels der *Lex Romana Visigothorum*; vgl. → Alaricus [3]) im Westen ist beachtlich [14; 10].

→ VULGARISMUSFORSCHUNG

1 H. BRUNNER, Zur Rechtsgesch. der röm. und germanischen Urkunde, 1880 2 M. KASER, s. v. V., RE 9 A, 1283–1304 3 KASER, RPR 2 4 F. HORAK, s. v. V., KlP 5, 1340f. 5 P. PIELER, Byz. Rechtslit., in: HUNGER 2, 341–480 6 F. BAUER-GERLAND, Das Erbrecht der Lex Romana Burgundionum, 1995 7 M. JOHLEN, Die vermögensrechtliche Stellung der weström. Frau in der Spätant., 1999 8 D. LIEBS, Röm. Recht in Italien, 1987 9 Ders., Röm. Jurisprudenz in Afrika, 1993 10 Ders., Röm. Jurisprudenz in Gallien (2. bis 8. Jh.), 2002 11 N. KREUTER, Röm. Privatrecht im 5. Jh. n. Chr. Die Interpretatio zum westgotischen Gregorianus und Hermogenianus, 1993 12 D. LIEBS, Die pseudopaulinischen Sentenzen, in: ZRG 112, 1995, 151–171; ZRG 113, 1996, 132–242 13 W. E. VOSS, Recht und Rhet. in den Kaisergesetzen der Spätant., 1982 14 M. CONRAT, Gesch. der Quellen und Lit. des röm. Rechts, 1891 (Ndr. 1963).

G. STÜHFF, V. im Kaiserrecht, 1966 · R. BACKHAUS, K. H. MISERA, Ernst Levy und das V., in: W. DOERR u. a. (Hrsg.), Semper apertus. Sechshundert Jahre Ruprecht-Karls-Universität, Bd. 3, Heidelberg, 1986, 186–214 · TH. MAYER-MALY, s. v. Röm. V., in: A. ERLER u. a. (Hrsg.), Handwörterbuch zur dt. Rechtsgesch., Bd. 4, 1990, 1132, 1137 · E. LEVY, West Roman Vulgar Law: The Law of Property, 1951 (= Weström. V.: Das Obligationenrecht, 1956) · Ders., Gesammelte Schriften, Bd. 1, 1963, 163–320 · F. WIEACKER, V. und Vulgarismus, in: Studi A. Biscardi, Bd. 1, 1982, 33–51 · WIEACKER, RRG.

W. KA.

Vulgata. Die *V.* ist die von → Hieronymus (= H.) besorgte Revision der von starken Textdifferenzen geprägten alten lat. → Bibelübersetzung (der sog. *Vetus Latina*, früher auch *Itala*). Die Bezeichnung *V.* (lat. *vulgatus* = »allg. verbreitet«; seit dem 1. Jh. n. Chr. auch auf lit. Werke angewendet, vgl. z. B. Hier. epist. 65,9) wurde erst vom Konzil von Trient (1545–1563) festgelegt. Über H.' Bibel-Revision berichten – z. T. auch topisch – seine Briefe (bes. 53, 57, 70, 106) und Prooemien. Von Papst → Damasus (Evangelien-Prolog) dazu gedrängt, revidierte H. ca. 383 die Evangelien, ab 384 die Psalmen und wohl auch das übrige AT nach der → Septuaginta bzw. nach der *Hexaplá* (→ Bibelübersetzungen I. B. 2.; → Origenes [2]; Hier. epist. 112,19; erh. nur die Psalmen, Hiob und zwei Prologe). 390–407 befaßte sich H. mit einer grundleg. neuen, auf dem Hebräischen basierenden (vgl. → Masora, Masoreten) Übertragung des AT (die Psalmenübersetzung der zweiten Fassung, das sog. *Psalterium iuxta Hebraeos*, wurde um 800 durch diejenige der ersten Fassung, das sog. *Psalterium Gallicanum*

Zähldifferenzen und unterschiedliche Buchbezeichnungen zwischen hebräischer Bibel und Septuaginta/Vulgata

Hebräische Bibel		Septuaginta/Vulgata	
Ps	1–8	Ps	1–8
	9–10		9
	11–113		10–112
	114–115		113
	116,1–9		114
	116,10–19		115
	117–146		116–145
	147,1–11		146
	147,12–20		147
	148–150		148–150
	–		151
Jer	1,1–25,13	Jer	1,1–25,13
	25,15–38		32,1–24
	26–43		33–50
	44		51,1–30
	45		51,31–35
	46		26
	47		29,1–7
	48		31
	49,1–6		30,17–22
	49,7–22		30,1–16
	49,23–27		30,29–33
	49,28–33		30,23–28
	49,34–39		25,14–19
	49,42		25,20
	50–51		27–28
	52		52

Für Prov hat die Stuttgarter *Septuaginta*-Ausgabe [7] die masoretische Zählung beibehalten, druckt aber die Textabschnitte dem *Septuaginta*-Text gemäß in folgender Reihenfolge ab:

$$
\begin{array}{l}
\text{Prov} \quad 1,1-24,22 \\
\qquad 30,1-14 \\
\qquad 24,23-34 \\
\qquad 30,15-31,9 \\
\qquad 25,1-29,27 \\
\qquad 31,10-31
\end{array}
$$

ersetzt; → Psalmen II.). Tob und Jdt übersetzte ein Dolmetscher für H. aus dem Aramäischen ins Hebräische. Die nicht revidierten Bücher (3–4 Esra, Weish, Sir, Bar, 1–2 Makk) wurden in der Form der *Vetus Latina* beibehalten. Für Apg, nt. Briefe und Apk rechnet man mit einem wenig späteren Revisor (für die Paulus-Schriften evtl. Rufin der Syrer). Die *V.* ist auch in den von H. bearbeiteten Teilen uneinheitlich. Die Hebr.-Kenntnisse des H. werden in der Forsch. kontrovers beurteilt (gewiß verwertete er Informationen jüdischer Gewährsleute). Erzählende Partien sind freier, theologisch wichtige Stellen wörtlicher übersetzt (sogar die Wortstellung gilt als *mysterium*: Hier. epist. 57,5).

Buchnamen in hebräischem Bibeltext, Septuaginta und Vulgata

Masoretentext	Septuaginta	Vulgata		
1./2. Samuel	1./2. Könige	1./2. Samuel	oder	1./2. Könige
1./2. Könige	3./4. Könige	1./2. Könige		3./4. Könige
Esra	2. Esra 1–10	1. Esra		
Nehemia	2. Esra 11–23	2. Esra		
–	1. Esra	3. Esra		
–	–	4. Esra		
–	Baruch	Baruch 1–5		
–	Brief Jeremias	Baruch 6		
–	Susanna	Daniel 13		
–	Bel und der Drache	Daniel 14		
–	Ode 12	Gebet Manasses		
–	–	Laodikenerbrief		

In der *Septuaginta* und der *V.* sind einzelne Schriften anders bezeichnet als im Masoretentext.

Im Laufe der Jahre gelangt H. zu großer übersetzungstechnischer und stilistischer Meisterschaft; sein Einfluß auf die gepflegte ma. Latinität ist gewaltig. In den etwa 10000 Hss. sind häufig *V.* und *Vetus Latina* vermischt. Das Edieren der *V.* setzt daher ein »Ausgrenzen« der altlat. Varianten voraus (was erst möglich ist, wenn eine umfassende Ausgabe der *Vetus Latina* vorliegt). Das Konzil von Trient erkannte 1546 die *Vetus vulgata Latina* als maßgeblich an und forderte eine korrekte Edition. Nach einigem Zögern legte Sixtus V. 1589 die sog. *Sixtina* vor, die bald nach seinem Tod verboten und 1592 durch die *Clementina* Clemens' VIII. ersetzt wurde. M. LUTHER stützte sich bei seiner Bibel-Übers. nicht auf die *V.*, sondern auf den hebräischen und griech. Originaltext (daher die Zähldifferenzen).
→ Bibel; Bibelübersetzungen; Hieronymus; Septuaginta; Übersetzung (s. Nachträge)

ED.: 1 Biblia Sacra iuxta Latinam Vulgatam versionem, Rom, 18 Bde., 1926–1995 2 H. DE SAINTE-MARIE, Sancti Hieronymi Psalterium iuxta Hebraeos (Collectanea biblica Latina 11), 1954 3 R. WEBER u. a., V., 1969 (⁴1994; beide Psalter synoptisch) 4 J. WORDSWORTH, H. J. WHITE, V., 1889–1954 (für NT zu berücksichtigen) 5 A. JÜLICHER, W. MATZKOW, Itala, Das NT in altlat. Überl., 4 Bde., 1938–1963 (²1963–1976) 6 Vetus Latina, Die Reste der altlat. Bibel, hrsg. von der Erzabtei Beuron, 1949ff. (entsprechende Apparate zur V.) 7 A. RAHLFS, Septuaginta, 1935 (Ndr. 1979).
LIT.: B. FISCHER, Das NT in lat. Sprache, in: K. ALAND (Hrsg.), Die alten Übers. des NT, 1972, 1–92 · B. FISCHER, Lat. Bibelhss. im frühen MA, 1985 · HOFMANN/SZANTYR, 44*–46*; LXIX-LXX · A. KAMESAR, Jerome, Greek Scholarship, and the Hebrew Bible, 1993 · F. KAULEN, Sprachliches Hdb. zur biblischen V., ²1904 (Ndr. 1973) · B. KEDAR, The Latin Translations, in: M. J. MULDER, H. SYSLING (Hrsg.), Mikra, 1988 · S. REBENICH, Jerome: The »Vir trilinguis« and the »Hebraica veritas«, in: Vigiliae Christianae 47, 1993, 50–77 · F. STUMMER, Einführung in die lat. Bibel, 1928 · C. B. TKACZ, Labor tam utilis, The Creation of the V., in: Vigiliae Christianae 50, 1996, 42–72 (mit Lit.).   H. MA.

Vulgientes. Keltischer Volksstamm in der Gallia Narbonensis. Hauptort der V. war in röm. Zeit die *colonia Apta Iulia Vulgientum*, h. Apt (Dép. Vaucluse).

P. WUILLEUMIER, s. v. V., RE 9 A, 1304 f. · R. BEDON, Atlas des villes, bourgs et villages de la France au passé romain, 2001, 78 f.   MI. PO.

Vulkan. Eine griech. oder lat. Entsprechung des mod. Begriffs V. ist in der ant. Lit. nicht zu finden; immerhin werden einzelne vulkanische Erscheinungen gekennzeichnet wie z. B. der Lavastrom durch griech. ῥύαξ/ *rhýax* (< ῥέω/ *rhéō*, »fließen«; vgl. auch die bei Diog. Laert. 5,49 genannte Schrift des Theophrastos *Perí rhýakos tu en Sikelíai*), *Vulcanius amnis* (Claud. rapt. Pros. 172; von lat. *Vulcanius*, »zum V. und seinem Wirken gehörig«), *saxa liquefacta* (Verg. Aen. 3,576) oder *massa ardens* (Iuv. 10,130). Zum röm. Gott s. → Volcanus.

In der seismisch und tektonisch sensiblen mediterranen Welt waren V. zu allen Zeiten ein histor. relevanter Faktor. Naturgemäß liegen die meisten ant. Nachr. über jene V. vor, die in mehr oder minder regelmäßigen Abständen ausbrachen und partiell große Zerstörungen anrichteten. Die häufigste Frequenz an Eruptionen ist für die → Aitne [1] (h. Ätna) auf Sicilia überl., während die ausführlichsten Ber. über den Ausbruch des → Vesuvius im J. 79 n. Chr. vorliegen (Plin. epist. 6,16; 6,20; vgl. auch → Herculaneum, → Pompeii sowie → Stabiae). Umstritten sind Datier. und Auswirkungen des großen V.-Ausbruches von → Thera (vgl. [1]). Aktiv ist seit der Ant. auch die → Strongyle auf den → Aeoli insulae (*insulae Vulcani*: Liv. 21,51,3). Bei allem Schrecken, den V. mit ihren destruktiven Kräften verbreiteten und den die Volksreligion durch Opfer- und Sühnezeremonien für die verantwortlich gemachten Götter (→ Poseidon, → Volcanus) zu kompensieren versuchte, war in der Ant. der – besonders in Campania evidente – Zusammenhang zw. Vulkanismus und Fruchtbarkeit des Bodens durchaus bekannt (Vitr. 2,6,1 f.; Prok. BG

2,4,21–30). Volkstümlich mit dem Wirken mythischer Wesen (→ Giganten, → Typhoeus) in Verbindung gebracht (Hes. theog. 820–880), wurden die vulkanischen Aktivitäten auch wiss. erforscht und bes. von Poseidonios [3] in Relation zu Erdbeben gesetzt (Poseid. fr. 43 THEILER).

→ Naturkatastrophen

1 S. MARINATOS, The Volcanic Destruction of Minoan Crete, in: Antiquity 13, 1939, 425–439.

S. BIANCHETTI, Der Ausbruch des Ätna und die Erklärungsversuche der Ant., in: E. OLSHAUSEN, H. SONNABEND (Hrsg.), Naturkatastrophen in der ant. Welt. Stuttgarter Koll. zur Histor. Geogr. des Alt. 6, 1996 (Geographica Historica 10), 1998, 124–133 · F. SAUERWEIN, s. v. V., in: H. SONNABEND (Hrsg.), Mensch und Landschaft in der Ant., 1999, 585–589 · H.-U. SCHMINCKE, Vulkanismus, ²2000 · H. SONNABEND, Naturkatastrophen in der Ant., 1999. H.SO.

Vultur s. Geier

Vulva. Varro [2] (rust. 2,1,19) zufolge von lat. *volvere*, »wickeln«, abgeleitet, womit das Umwickeln des Foetus gemeint ist. In der frühen Kaiserzeit wurde v., ähnlich wie *matrix*, neben dem Begriff *uterus* als t.t. für die Gebärmutter verwendet [1]. Alle drei Begriffe blieben die gesamte Ant. hindurch in Gebrauch; bei spätlat. medizinischen Schriftstellern kommt v. selten vor. Der Begriff veränderte im Laufe der Zeit seine Bed., indem er auch die Vagina (Celsus, De medicina 4,1,12) und sogar die Klitoris mit einschloß (Iuv. 6,129). Isidorus [9] von Sevilla bringt das Wort in seiner ›Etymologie‹ (Isid. orig. 11,1,137) mit *valva* (im Sinne von »Tor zur Gebärmutter«) in Verbindung, was darauf hindeutet, daß auch er davon ausging, der Begriff beinhalte die Zervix und möglicherweise auch die Vagina. Seine Analogie erinnert zudem an Vorstellungen von der Gebärmutter als einem gekammerten Uterus mit Eintrittspforte.

→ Frau II. F.; Uterus

1 J. N. ADAMS, The Latin Sexual Vocabulary, 1982, 100–109.
V. N./Ü: L. v. R.-B.

W

W (sprachwissenschaftlich). W ist ein nachantiker Buchstabe, entstanden aus einer Ligatur von *V V*, der Bezeichnung von kons. *u̯* in westgermanischen Sprachen [1. 102 § 105].

→ V (sprachwissenschaftlich)

1 W. BRAUNE, H. EGGERS, Ahd. Gramm., ¹⁴1987. B.F.

Waage. In der Ant. war nur die Hebel- (oder Balken-)W. (σταθμός/*stathmós*, τάλαντον/*tálanton*; lat. *libra*, auch *statera*, *trutina*) bekannt; sie ist zuerst für Äg. (AR, 5. Dyn.) belegt und wurde in archa. Zeit in Griechenland verwendet. Sf. Vasenbilder (Arkesilas-Schale, Paris, CM; Amphora des Taleides-Malers, New York, MMA, vgl. BEAZLEY, ABV, 174,1) zeigen eine gleicharmige Hebel-W. mit zwei Schalen für das Wägegut und für abgestufte Gewichte. In den Epen Homers dient die W. bereits als Symbol (Schicksals-W.: Hom. Il. 8,69–74). Seit dem späten 1. Jh. v. Chr. fand die → Schnellwaage zunehmend Verbreitung, ohne jedoch die gleicharmige W. zu verdrängen, die in der frühen Prinzipatszeit weiterhin in Handel und Handwerk verwendet wurde; sie ist auf zahlreichen röm. Grabreliefs dargestellt.

Die W. besaß eminente Bed. für die griech. Wissenschaftsgeschichte, denn Aristoteles [6] gelang es, mit den Eigenschaften der W. die Funktion des Hebels zu erklären und auf diese Weise das Hebelgesetz zu formulieren (Aristot. mechanica 848a 11–850b 10; vgl. auch Heron, mechanika 2,7; → Mechanik).

→ Schnellwaage (mit Abb.)

1 J. CHARBONNEAUX et al., Das archa. Griechenland, 1969, Abb. 84; 89 2 E. MARTIN-PARDEY, s. v. W., LÄ 6, 1081–1086 3 E. MICHON, s. v. Libra, DS 3, 1222–1231 4 A. MUTZ, Röm. W. und Gewichte aus Augst und Kaiseraugst, 1983 5 H. SCHNEIDER, Das griech. Technikverständnis, 1989, 238–245 6 ZIMMER, Nr. 1; 14; 18; 121; 124f.; 139. M.PU.

Wacholder. Der Name κέδρος/*kédros* (→ *cedrus*) bezeichnete bei den Griechen u. a. verschiedene W.-Arten wie den Stech-W. (auch ὀξύκεδρος/*oxýkedros*: Iuniperus oxycedrus L.) und den in höheren Gebirgslagen Griechenlands wachsenden Gemeinen oder Heide-W. (I. communis L.). Letzterer hieß auch κεδρίς/*kedrís* (Theophr. h. plant. 1,9,4; 1,10,6; 1,12,1), während mit ἄρκευθος/*árkeuthos* der Zypressen-W. (I. phoenicea) mit erst im zweiten Jahr reifenden Beeren gemeint sein soll (ebd. 1,9,3; 3,12,3 f.). In Griechenland kommen h. sechs Arten vor, u. a. der Steinfruchtartige W. (I. drupacea; [1. 33, Farbfoto 55]), der kaum von Zedern, dem Lebens- (Thuja L.) und dem Sadebaum (I. sabina L.) unterschieden werden kann. Bei den Römern hieß der W. *iuniperus* (Varro rust. 1,8,4; Verg. ecl. 7,53; Plin. nat. 16,73; Isid. orig. 17,7,35). Inwieweit tatsächlich der W. (*kédros*) – und nicht die Zeder – als Bauholz, zur Kosmetik und als Räuchermittel (vgl. Hom. Od. 5,60) Verwendung fand, bleibt unsicher. Plinius erwähnt W.-Pfähle (nat. 17,174), W.-Beerenwein (ebd. 14,112, vgl. Dioskurides 5,36,2 WELLMANN = 5,46 BERENDES) und die diuretisch wirkende Beere (*arkeuthís*) u. a. gegen

Husten sowie Schmerzen der Brust, der Seite und des Magens (Plin. nat. 24,54f., vgl. *árkeuthos* bei Dioskurides 1,75 WELLMANN = 1,103 BERENDES).

1 H.BAUMANN, Die griech. Pflanzenwelt, 1982.

M.C.P. SCHMIDT, s.v. Ceder, RE 3, 1821–1826 · H.O.LENZ, Botanik der alten Griechen und Römer, 1859 (Ndr. 1966), 355–362 · J.MURR, Die Pflanzenwelt in der griech. Myth., 1890 (Ndr. 1969), 127–129.   C.HÜ.

Wachs (κηρός/*kērós*, lat. → *cera*). Die Waben der → Bienen lieferten bei Einschmelzung (Plin. nat. 21,83) das billige (Colum. 9,16,1) W., das man durch Kochen in Seewasser unter Zusatz von Natron und durch anschließendes Trocknen an der Luft bleichte (Plin. nat. 21,84; vgl. Dioskurides 2,83 WELLMANN = 2,105 BERENDES). In der Medizin diente es zur Herstellung von Salben und Pflastern (Plin. nat. 22,117 und 30,70) sowie Zäpfchen (→ Pharmakologie). Aus W. formte man Kleinplastiken (κηροπλαστική/*kēroplastikḗ*: Poll. 7,165) als Kinderspielzeug (Aristoph. Nub. 878), Spielfiguren (Plin. nat. 8,215; → Kinderspiele, → Puppen), Hausgötter (*Lares*: Iuv. 12,87), Götterstatuen (Plin. epist. 7,9,11), Zierfrüchte (Priap. 42,2), allerlei Tiere (Petron. 69,9), Büsten (Hor. epist. 2,1,264f.; Ov. met. 10,285; Pers. 5,40; Iuv. 7,237; Anth. Pal. 7,602) und sogar lebensgroße Figuren (Cass. Dio 56,34; → *imagines maiorum*; vgl. → *funus imaginarium*). Beim Metallguß (mit verlorener Form) formte man über einem Gipskern das Modell aus W. und überzog es mit geschlämmtem Ton. Dann goß man flüssiges Metall darüber, wodurch das W. ausgeschmolzen wurde (→ Bildhauertechnik II.B.1. und II.C. mit Abb.). W.-Farben benutzte man zur → Enkaustik (Varro rust. 3,17,4; Sen. epist. 121,5; Vitr. 7,9,3). Die röm. → Schreibtafeln (*cerae*) hatten einen Überzug aus gefärbtem Wachs, in das die Buchstaben mit einem → Griffel (*stilus*) aus Metall eingeritzt wurden (Ov. am. 1,12,11 und 3,7,29; Quint. inst. 1,1,27). Bei den Römern wurden Kerzen (*candela*, vgl. → Beleuchtung) aus Talg (Colum. 2,21,3; Amm. 18,16,15) und W. (*cerei, candelae*: Apul. met. 4,19,2; Mart. 14,42; Varro ling. 5,119; Plin. nat. 16,178 mit Dochten aus Binsen; Iuv. 3,287) verwendet.
→ Bienen; Bienenzucht; ABGUSS

BLÜMNER, Techn. 2,151–163 · S.ADAM, Technique of Greek Sculpture in the Archaic and Classical Periods, 1966 · R.BÜLL, E.MOSER, s.v. W., RE Suppl. 13, 1347–1416.   C.HÜ.

Wachstafel s. Cera; Schreibtafel

Wachtel (griech. ὁ, ἡ ὄρτυξ/*órtyx*, lat. *coturnix*). Der sehr kleine, schlecht gegen den Wind fliegende und dabei angeblich klagende (vgl. Aristot. hist. an. 8(9),12,597b 14; Plin. nat. 10,66) Hühnervogel W. (Coturnix coturnix) schließt sich, wie man glaubte, auf seinem Frühjahrs- und Herbstdurchzug (Aristot. ebd. 597a 22–27) im nördl. Mittelmeergebiet der Führung des Wachtelkönigs (ὀρτυγομήτρα/*ortygomḗtra*; Plin. nat. 10,66), eines Rallenvogels (Crex crex), an. Dabei wurde er mit Netzen (Diod. 1,60) gefangen, in die er mit Vogelscheuchen (Dionysios, Ixeuticon 3,9, [1]) und Spiegeln getrieben wurde (Klearchos und Solon bei Athen. 9,393a). Varro nennt bestimmte Inseln als Rastplätze der W. (Varro rust. 3,5,7; vgl. Plin. nat. 10,66: *certa hospitia*, »bestimmte Rastorte«). Man hielt sie als gezähmte → Haustiere (Aristoph. Pax 789; Plut. Alkibiades 10) und verwendete sie wie Haushähne zu W.-Kämpfen (Plat. Lys. 211e; Aristoph. Av. 1299f.; vgl. Petron. 53), bei denen die Männchen schrien (Aristot. hist. an. 4,9,536a 26f.; Plin. nat. 11,268), oder veranstaltete das sog. W.-Klopfen aus einem aufgezeichneten Kreis heraus, die ὀρτυγοκοπία/*ortygokopía* (Poll. 9,107; vgl. [3. 164]). Auch war die W. trotz ihres geringen Preises – vielleicht wegen ihrer Paarungslust (Aristot. hist. an. 8(9),8,614a 26–28) – eine beliebte Liebesgabe (Plat. Lys. 211e; Aristoph. Av. 707; Anth. Pal. 12,44).

In zoologischer Hinsicht wird von der W. berichtet, daß ihre Gallenblase am Darm sitze (Aristot. ebd. 2,15,506b 21; Plin. nat. 11,194), daß sie einen Kropf habe (ebd. 2,17,509a 12–15), sich nicht auf Bäume niederlasse (ebd. 8(9),614a 33f.), ein großes Herz mit drei Kammern besitze (Alexandros von Myndos bei Athen. 9,392c) und auf dem Erdboden in einer Mulde brüte (Aristot. hist. an. 8(9),8,613b 7–12 und 614a 31). Die Männchen kämpfen miteinander um die Rangfolge (ebd. 614a 5f.). Die Samen von Giftpflanzen verträgt die wie der Mensch angeblich an → Epilepsie leidende W. sehr gut (Plin. nat. 10,69); sie wird deshalb als Nahrung von Griechen und Römern gemieden. Verzehrt wurde sie jedoch in Ägypten (Hdt. 2,77: gepökelt in rohem Zustand) und Palaestina (Num 11,31–33). Ihre Feinde sind der → Pelikan (Ail. nat. 6,45) und v.a. der → Habicht (Plin. nat. 10,66; Ail. nat. 7,9; vgl. Aristot. hist. an. 8(9),11,615a 5).

Nach der W. sind viele Orte (z.B. → Ortygia, schon bei Hom. Od. 5,123 und 15,404) benannt. Die auf Delos geb. griech. Göttin → Artemis, aber auch → Leto und → Asteria [2] wurden in eine W. verwandelt (Apollod. 1,4,1; schol. Apoll. Rhod. 1,308; Hyg. fab. 53). Bei den → Phöniziern war sie Opfertier für → Herakles [1] (Eudoxos bei Athen. 9,392d = fr. 284a LASSERRE). Zwei griech. Mz. zeigen eine W. oder ein → Frankolin-Huhn [2. Taf. 5,47–48], ein Edelstein trägt vielleicht eine auf einer Ähre stehende W. [2. Taf. 21,17]. Zu bildlichen Darstellungen s. [3. 164].

1 A.GARZYA (ed.), Dionysii ixeuticon, 1963
2 F.IMHOOF-BLUMER, O.KELLER, Tier- und Pflanzenbilder auf Mz. und Gemmen des klass. Alt., 1889 (Ndr. 1972)
3 KELLER 2, 161–164.

D'ARCY W.THOMPSON, A Glossary of Greek Birds, 1936 (Ndr. 1966), 215–219 · G.JENNISON, Animals for Show and Pleasure in Ancient Rome, 1937, 16ff., 101 und 115ff.   C.HÜ.

Waffen I. ALTER ORIENT UND ÄGYPTEN
II. MINOISCH-MYKENISCHE ZEIT
III. PHÖNIZISCH-PUNISCHER BEREICH
IV. IBERISCH-HISPANISCHER BEREICH
V. EISENZEITLICHES ITALIEN
VI. KELTISCH-GERMANISCHER BEREICH
VII. KLASSISCHE ANTIKE

I. ALTER ORIENT UND ÄGYPTEN

Waffen gehören zu den frühesten vom Menschen und seinen Vorfahren gefertigten Geräten. Pfeilspitzen und Klingen aus Stein bildeten bis zum Neolithikum (ca. 10000 v. Chr.) die ersten faßbaren W. im Alten Orient. Seit dem 4. Jt. v. Chr. wurden W. z. B. auf Rollsiegeln und Stelen im kriegerischen Konflikt oder bei der Jagd abgebildet. Von nahkampfgeeigneten Keulen sind zumeist allein die Köpfe aus Stein oder Metall erh.; eine Ausnahme bildet das Depot des chalkolithischen Fundplatzes Naḥal Mišmār in Palaestina (6. Jt. v. Chr.). Einen Hinweis auf Holz als Material für W. gibt das sumerische Wortzeichen für W., das mit dem Determinativ für »Holz« versehen wird. Erst mit dem Aufkommen von → Bronze in der 2. H. des 4. Jt. v. Chr. sind Schwerter (wie das Sichelschwert), Dolche und verschiedene Formen der Streitaxt (z. B. Fensteraxt) belegt. Sie finden sich – als Prunkobjekte auch aus Edelmetall – v. a. in Gräbern von der Levante bis Iran und wurden zuweilen im Ritual verwendet. Nur aus Textüberl. und bildlichen Darstellungen sind dagegen die sog. Götter-W. bekannt, z. B. die mehrfach-löwenköpfige Keule des Ningirsu.

Größere Distanzen wurden mit Fern-W. wie Schleudern (Wurfgeschosse zumeist aus Lehm), Lanzen oder → Pfeil und Bogen überbrückt, deren hohe Effizienz den Ausbau von Befestigungsanlagen vorantrieb. Der Kompositbogen ist seit der Zeit der Dyn. von → Akkad bekannt (Siegesstele des → Naramsin von Akkad, ca. 2200 v. Chr.) und löste bis zur späten Brz. den Reflexbogen in Äg. und dem Alten Orient ab.

Helme und Schilde waren als Schutz-W. bereits seit der Mitte des 3. Jt. v. Chr. vorhanden (sog. Geierstele des Eannatum von Lagaš, um 2450 v. Chr.). Zu ihnen gehörten später auch Panzerhemden aus Br. Im eisenzeitlichen → Urarṭu (8.–7. Jh. v. Chr.) waren Schilde und Gürtelbleche prunkvoll verziert.

Schwerfällige zweiachsige Kriegswagen wurden im 2. Jt. v. Chr. vom leichten einachsigen → Streitwagen abgelöst, der wie die Belagerungsmaschinen der neuassyrischen Zeit (10.–7. Jh. v. Chr.) als Angriffs-W. zu begreifen ist.
→ Militärtechnik

R. CHAPMAN, s. v. Weapons and Warfare, in: E. M. MEYERS (Hrsg.), The Oxford Encyclopedia of the Ancient Near East, Bd. 5, 1997, 334–339 • H. ERKANAL, Die Äxte und Beile des 2. Jt. in Zentralanatolien (Prähistor. Br.-Funde 9.8), 1977. AR.HA.

II. MINOISCH-MYKENISCHE ZEIT

Die W. standen seit der frühesten Forsch. zur ägäischen Brz. (ca. 2700–1200 v. Chr.) im Vordergrund. SCHLIEMANNS reiche W.-Funde in den Schachtgräbern von → Mykenai bestätigten nicht nur die homerische Deutung der myk. Kultur, sondern charakterisieren diese bis heute als kriegerisch. Faktisch sind aber W.-Funde in Gräbern, Depots u. ä. eher selten, auf dem Festland wie auch auf Kreta. Beinahe wichtiger für die Diskussion sind die Darstellungen von W. auf Siegeln, Keramik, Edelmetallgefäßen, in der Wandmalerei und auf den W. selbst (z. B. Niello-Dolch aus dem Schachtgrab IV in Mykenai); sie zeigen auch Kleidung und Schutz-W. (die kaum erh. sind) und ermöglichen es, eine Vorstellung von der Kampftechnik (Einzel- oder Gruppenkampf, Wagenkämpfer) und darüber hinaus von der sozialen Stellung der Krieger zu entwickeln. Schriftliche Erwähnungen von W. in Linear B-Texten sind selten und wenig ergiebig, dagegen spielen die homerischen Epen bei der Interpretation eine bedeutende Rolle.

Die brz. Ägäis erscheint eingebunden in den überregionalen W.-Handel und den Technologietransfer zw. dem Vorderen Orient und Mitteleuropa, etwa bei der Entwicklung vom früh-brz. Griffangel- zum Griffzungenschwert. Eine Werkstatt für W. hat man in → Knosos ausgemacht; aus Kreta stammt auch der im Zusammenhang mit W. meistdiskutierte Befund: die sog. Kriegergräber. Auf Grundlage der mitbestatteten W. versucht eine Gruppe von Forschern zu beweisen, daß die Toten vom Festland her eindringende Mykener gewesen seien, das andere Lager erkennt in ihnen Minoer, die unter äußerem Druck ihre friedliche Lebensweise aufgegeben hätten. Die jeweilige Deutung hat histor. und kulturelle Konsequenzen, etwa in Bezug auf Ursachen und Datier. der Zerstörung der minoischen Paläste, die Gründe für das Auftreten von → Linear B auf Kreta, die Gründe für die Ablösung der Minoer im Fernhandel usw. Die Diskussion ist grundsätzlich und zeigt die Grenzen der Interpretation, nicht nur bei brz. W.
→ Ägäische Koine; Minoische Kultur und Archäologie; Mykenische Kultur und Archäologie; Wandmalerei II.

R. A. AVILA, Brn. Lanzen- und Pfeilspitzen der griech. Spät-Brz. (Prähistor. Br.-Funde 5/1), 1983 • H.-G. BUCHHOLZ, J. WIESNER, Kriegswesen (ArchHom E), Teil 1, 1977; Teil 2, 1980 • O. HÖCKMANN, Lanzen und Speere der ägäischen Brz. und des Übergangs zur Eisenzeit, in: H.-G. BUCHHOLZ (Hrsg.), Ägäische Brz., 1987 • G. KARO, Die Schachtgräber von Mykenai, 1930/1933 • I. KILIAN-DIRLMEIER, Die Schwerter in Griechenland (außerhalb der Peloponnes), Bulgarien und Albanien (Prähistor. Br.-Funde 4.12), 1993 • W. LÖWE, Spät-brz. Bestattungen auf Kreta, 1996 • C. F. MACDONALD, A Knossian Weapon Workshop in Late Minoan II and III A, in: R. HÄGG, N. MARINATOS (Hrsg.), Function of the Minoan Palaces, 1987 • TH. J. PAPADOPOULOS, The Late Bronze Age Daggers of the Aegean I (Prähistor. Br.-Funde 11), 1998 • N. K. SANDARS, Later Aegean Bronze Swords, in: AJA 67, 1963, 117–153. G.H.

III. PHÖNIZISCH-PUNISCHER BEREICH

Die phönizisch-punischen Stadtkulturen der Levanteküste entfalteten in W.-Technik und Kriegskunst keine bes. Innovationskraft, sondern kopierten vielmehr die Vorbilder v. a. der mesopot. Großmacht Assyrien. → Salmanassar III. erwähnt im Bericht über seinen Feldzug von 853/52 v. Chr. phöniz. Streitwagen-Einheiten. Karthago setzte noch im 5. und 4. Jh. v. Chr. in den sizilischen Kriegen derartige Truppen ein (z. B. Diod. 11,20,2–3), war aber für mil. Konflikte mit den anderen mediterranen Kulturen gezwungen, eine eigene schwere Infanterie mit Hopliten-Bewaffnung zu schaffen. Die strategisch-taktische Rolle der in der Regel mit kleinem Rundschild, Speer und Dolch bewaffneten leichten Infanterie, die aus Vasallen und Söldnern rekrutiert wurde, wurde bes. von Hannibal [4] entwickelt. Zu den »klass.« W. der karthagischen Heere gehörte seit dem 4./3. Jh. der (kleine) afrikanische → Elefant (Loxodonta africana cyclotis).

G. BRIZZI, L'armée et la guerre, in: V. KRINGS (Hrsg.), La civilisation phénicienne et punique (HbdOr I Bd. 20), 1994, 303–315.   H. G. N.

IV. IBERISCH-HISPANISCHER BEREICH

Die hispanische Bewaffnung unterlag vielfältigen Einflüssen: Im end-brz. SW der iberischen Halbinsel belegen Stelen u. a. orientalische → Streitwagen und Herzsprungschilde bzw. atlantische Karpfenzungenschwerter; auf orientalische Vorbilder gehen Pfeilspitzen mit Widerhaken zurück. Iberische Herzschutzpanzer und Kammhelme meist aus vergänglichem Material (z. B. Leder) setzen nahöstl. bzw. ital. Anregungen voraus (s. u. V.). Der Rundschild in brz. Tradition (caetra), Schwert und/oder Dolch sowie Lanze bildeten die Grundausstattung der iberischen Panhoplie. Keltischer Knopfhelm und Langschild (scutum) setzten sich unter ital. Einfluß seit dem 3. Jh. v. Chr. durch. Die Verbreitung der → Falcata konzentrierte sich auf den iber. Osten und Süden, die der Langschwerter auf den keltiber. NO (La Tène-Vorbilder), die der Kurzschwerter und Antennendolche auf die keltiber. Meseten. → Pyrenäenhalbinsel (mit Karte)

M. BLECH u. a., Hispania Antiqua. Denkmäler der Frühzeit, 2001 · A. J. LORRIE, La evolución de la panoplia celtibérica, in: MDAI(Madrid) 35, 1994, 212–257 · F. QUESADA, El armamento ibérico, 1991 · P. F. STARY, Zur eisenzeitlichen Bewaffnung und Kampfesweise auf der Iberischen Halbinsel (Madrider Forsch. 18), 2 Bde., 1994.   M. BL.

V. EISENZEITLICHES ITALIEN

Die eisenzeitlichen Kulturen It.s (ca. 12.–7. Jh. v. Chr.) hatten eine recht einheitliche W.-Ausstattung, die in den meisten Gebieten auf den Kampf Mann gegen Mann ausgerichtet war. Bildliche Zeugnisse liefern v. a. Situlen (→ Situla) für Nord-, brn. Kleinplastiken und Steinstatuen für Mittel- und Südit.; das Gros der Funde sind Grabbeigaben, wobei die W. innerhalb des Grabkomplexes die Paradeausrüstung repräsentieren.

Die Schutz-W. umfaßten brn. Helme, Panzer, Beinschienen und Schilde. Charakteristisch sind brn. sog. Kammhelme (→ Helm, mit Abb.), auch einfacherer Form mit einem kleinen stielförmigen Aufsatz über der Kalotte statt des spitzen Kammes. Im Süden scheint unter dem Einfluß der griech. Kolonien schon bald der korinthische Helm adaptiert worden zu sein. Beinschienen sind sehr selten und treten in eisenzeitlichem Kontext als geschnürte Modelle auf. Die Körperpanzerung bestand wohl meist aus Leder; Metall wurde hauptsächlich in Form von Scheiben über lebenswichtigen Organen eingesetzt. Schilde zeigen sowohl runde als auch ovale Formen. Gemeinsam ist allen Defensiv-W. die geom. Verzierung in Treib- und Punztechnik, die Kreisaugen-, Vogel- und Sonnenbarkenmotive einschließt und Verbindungen zur → Hallstatt-Kultur dokumentiert.

Als Angriffs-W. dienten Schwert und Lanze; Pfeile dürften meist als Jagd-W. zu deuten sein. Die Lanzenspitzen sind meist lorbeerblattförmig, dreieckig oder olivenblattförmig; häufig ist die Tülle bis weit in die Spitze hineingezogen. Das Ende des Holzstieles wurde oft mit einem spitzen Lanzenschuh bewehrt. Die Schwerter, zunächst als Stich-W. geformt, wurden zunehmend zu Hiebschwertern umgebildet. Die Griffmen – u. a. auch Antennengriffe – umfassen Vollgriff- und Griffzungenschwerter, die oft mit Knochenplatten und Bernsteineinlagen verziert wurden. Eine Besonderheit im pikenischen und südital. Raum ist die máchaira, ein gebogenes Hiebschwert.

Während sich in Mittel- und Südit. die Bewaffnung im Lauf der Zeit immer mehr an der griech. Hoplitenrüstung orientierte, blieb der Norden mehr auf den Hallstattraum ausgerichtet, eine Tendenz, die sich mit den Kelteneinfällen (ab ca. 4. Jh. v. Chr.) noch verstärkte.

V. BIANCO PERONI, Die Schwerter in It./Le spade nell'Italia continentale (Prähistor. Br.-Funde 4.1), 1970 · M. EGG, Ital. Helme. Stud. zu den ältereisenzeitlichen Helmen in Mittelit. und den Alpen, 1986 · P. F. STARY, Zur eisenzeitlichen Bewaffnung und Kampfweise in Mittelit., 2 Bde., 1981.   C. KO.

VI. KELTISCH-GERMANISCHER BEREICH

W. aus dem keltischen und germanischen Bereich sind arch. hauptsächlich durch Grab- und Opferfunde sowie gelegentliche Darstellungen überl., wobei vorrangig ihre bes. Wertschätzung und Funktion als Statussymbol bzw. Rangabzeichen zum Ausdruck kommt. Aus Siedlungen, Werkstätten oder gar von Schlachtfeldern sind sie kaum belegt. Daher ist ungewiß, ob der Gesamtbestand an W. erfaßt ist und ob sich daraus ein Bewaffnungsschema erschließen läßt.

In der → keltischen Archäologie sind sowohl Angriffs- als auch Schutz-W. belegt, v. a. als Beigaben in kelt. Krieger- und auch → Fürstengräbern. Im Laufe der Entwicklung von der frühkelt. → Hallstatt-Kultur des 6.–5. Jh. v. Chr. zur → Latène-Kultur des 5.–1. Jh.

v. Chr. veränderten sich die W.-Formen und auch die
Zusammensetzung der Bewaffnung.

Wichtigste Angriffs-W. war das → Schwert, das lediglich im 6./5. Jh. v. Chr. zeitweise durch den Dolch
ersetzt wurde. Die Lanze war ebenfalls eine wichtige
Angriffs-W. der Kelten; sowohl mächtige Stoßlanzen
für den Nahkampf als auch leichtere Wurflanzen als
Fern-W. sind belegt. Die übliche Schutz-W. der Kelten
der jüngeren Eisenzeit (5.–1. Jh. v. Chr.) war der Schild;
davon sind v. a. die unterschiedlichen Eisenbuckel als
Beschlag (zunächst in Spindel- oder Bandform, später
rund und hutförmig), sowie gelegentlich eiserne Griffe
(Schildfessel) und Randbeschläge erhalten. → Helme in
unterschiedlichster Form und Konstruktion wurden in
reicheren kelt. Kriegerbestattungen oft als Rangabzeichen mit aufwendiger Verzierung (Vergoldung, Helm-
busch) und weniger als funktionstüchtige W. beigegeben. Nur selten gibt es in den Gräbern (z. B. Ciumeşti/
Rumänien) oder Opferfunden (z. B. Bern-Tiefenau/
Schweiz) Hinweise auf Panzer. Diese sind z. B. auf
den Kriegerstelen vom → Glauberg dargestellt, was auf
enge Kontakte mit der griech. Welt hinweist. Auf diesen
Stelen (so etwa auch in → Vix) ist auch die übrige Bewaffnung mit Schwert und Schild für das 5. Jh. v. Chr.
wiedergegeben. Aus hell. Zusammenhang stammen die
W.-Darstellungen aus → Pergamon (Weihreliefs, Figur
des »Sterbenden Galliers«) mit Schwert, Schild usw.

Bei kelt. wie german. Bestattungen ist vielfach zu
beobachten, daß W. für die Grablege unbrauchbar gemacht wurden, u. a. durch Verbiegen oder Zerbrechen.
Auch an den Kultplätzen, z. B. den kelt. → Viereckschanzen oder den german. Opfermooren wie dem
→ Thorsberger Moor ist dies zu beobachten.

Die german. W. waren insgesamt etwas einfacher
und beschränkten sich v. a. auf Schwerter, Lanzen und
Schilde; Körperschutz durch Helm oder Panzer war
nicht üblich.

→ Germanische Archäologie

C. von Carnap-Bornheim, Beitr. zu röm. und
barbarischer Bewaffnung in den ersten vier nachchristl. Jh.,
1994 • O.-H. Frey, Kompositpanzer der frühen Kelten, in:
E. Pohl et al. (Hrsg.), Arch. Zellwerk. FS H. Roth, 2001,
201–208 • H. Lorenz, Totenbrauchtum und Tracht, in:
BRGK 59, 1978, 1–38 • F. Müller, Der Massenfund von
der Tiefenau bei Bern. Zur Deutung latènezeitlicher
Sammelfunde mit W., 1990 • A. Rapin, Un bouclier
celtique dans la colonie grecque de Camarina (Sicile), in:
Germania 79, 2001, 273–296 • Th. Stöllner, Grab 102
vom Dürrnberg bei Hallein, in: Germania 76, 1998,
67–176 • T. Weski, W. in german. Gräbern der älteren röm.
Kaiserzeit südl. der Ostsee (British Archaeological Reports.
International Ser. 147), 1982 • N. Zieling, Stud. zu
german. Schilden der Spätlatène- und der röm. Kaiserzeit
im freien Germanien (British Archaeological Reports.
International Ser. 505), 189.   V.P.

VII. Klassische Antike
A. Griechenland B. Rom

A. Griechenland

Für die vor-archa. Zeit sind als → Bewaffnung hölzerne Wurf- und Stoßspeere mit brn. Spitzen, Hieb-
und Stichschwerter sowie Rundschilde aus organi-
schem Material bekannt. Die W. waren ab dem 7. Jh.
v. Chr. auf den Kampf in der → phálanx ausgerichtet.
Die Hopliten (→ hoplítai) trugen einen Stoßspeer, ein
kurzes zweischneidiges eisernes Stichschwert (ξίφος/
xíphos) oder ein konkav einschneidiges Hiebschwert
(κοπίς/kopís; μάχαιρα/máchaira). Als Schutz-W. dienten
ein Rundschild (ὅπλον/hóplon) sowie je nach Besitz-
stand verschiedene Panzer (θώραξ/→ thórax [1]) und
→ Helme. Die Leichtbewaffneten führten neben leichten Wurfspeeren einen sichelförmigen → Schild (πέλτη/
péltē; vgl. → peltastaí) aus Weidengeflecht; seit dem späten 5. Jh. kämpften unter den Leichtbewaffneten auch
→ Schleuderer. In Makedonien verbreitete sich im
4. Jh. v. Chr. eine 5–6 m lange Lanze (σάρισα/→ sá-
ris(s)a), die eine bes. tiefe phálanx ermöglichte.

B. Rom

In der Zeit der Republik hatten Art und Wirkung
der röm. W. bei gleichbleibender Bed. des → Schildes
eine höhere Flexibilität gegenüber der griech. phálanx
zur Folge. Seit dem 3. Jh. v. Chr. sind starke keltibe-
rische Einflüsse erkennbar. Angriffs-W. der Legionssol-
daten waren zwei Wurfspieße (→ pilum); bis zum 1. Jh.
v. Chr. verwendeten die → triarii [1] eine Lanze mit
blattförmiger Spitze (→ hasta [1]; lancea, vgl. → lancearii),
während die → velites mit leichten, kurzen Wurfspießen
(iaculi) kämpften. Im Nahkampf kamen Kurzschwerter
(gladius, → Schwert) und Dolche (pugio) zum Einsatz.
Ein ovaler, später rechteckiger → Schild (scutum) sowie
verschiedene Panzer und → Helme schützten die Legi-
onssoldaten. Ihre W. wurden seit dem 1. Jh. v. Chr. zunehmend vereinheitlicht, während die → auxilia bis in
die Prinzipatszeit lokaltypische W. einsetzten.

In der Spätant. erfolgte eine Übernahme der schwer-
gepanzerten → Reiterei aus dem Osten. → Pfeil und
Bogen und Schleudern (→ Schleuderstock; → funditores)
wurden von den auxilia, → Katapulte von den Legionen
häufig eingesetzt; diese avancierten aber nicht zu den
Haupt-W. röm. Heere in der Feldschlacht.

→ Bewaffnung; Heerwesen; Kataphraktoi; Legio;
Militärtechnik; Reiterei; Schleuderer; Taktik

1 M. C. Bishop, J. C. N. Coulston, Roman Military
Equipment, 1993 2 P. Connolly, Greece and Rome at
War, ²1998 3 A. M. Snodgrass, Arms and Armour of the
Greeks, ²1999.   F. MEI.

Wagen I. Alter Orient und Ägypten
II. Klassische Antike

I. Alter Orient und Ägypten

Als ein- oder zweiachsiges Gefährt diente die W. im
Alten Orient als Transportmittel für Menschen, Götter

und Gegenstände, deren Gewicht oder Größe das Tragen durch Mensch und Tier ausschlossen. W. wurden im Kampf, in Kult und Ritual, für Repräsentation, Reise und Gütertransport sowie Vergnügen (z. B. manchen Formen der → Jagd) genutzt. Zeichen der frühen Schrift (archa. Texte aus Uruk, Ende des 4. Jt. v. Chr.; → Keilschrift) zeigen die ersten gezogenen Gefährte mit Achse und/oder Rad. Zwar erlaubte der W. eine Erhöhung der Transportleistung, doch war er wegen der unterschiedlichen Landschafts-und Wegeverhältnisse im Vorderen Orient (keine ausgebauten Straßennetze; → Verkehr) nur teilweise einsetzbar; Lasttier oder Schiff blieben weiterhin wichtig. Ab der Mitte des 3. Jt. v. Chr. sind einfache zweiachsige Kasten-W. aus Holz mit doppelter Rinderbespannung und Scheibenrädern bezeugt, außerdem schnellere Vierspänner mit hoher Kastenfront und Equiden als Zugtieren, verm. Maultieren. Der W.-Kasten bot bis zu zwei Personen Platz. Die Anspannung erfolgte über Deichsel und Joch. Belastungsspuren davon sind im Knochenbefund von Zugtieren erkennbar.

Fortschritte in der mil. Technologie führten ab dem 2. Jt. v. Chr. zum Einsatz des wendigen → Streitwagens (nunmehr mit Speichenrädern) als Kampfinstrument, der dann auch bei der Jagd und Repräsentation eingesetzt wurde. In neuassyrischer Zeit (9.–7. Jh. v. Chr.) repräsentieren Darstellungen Herrscher und Würdenträger im Streit-W. stehend – ein Schema, das sich bis in achäm. Zeit fortsetzte. Von den zahlreichen altorientalischen kleinformatigen Terrakotta-W. unterschiedlicher Epochen sind Detailinformationen über nicht erh. Aufbauten (z. B. der Plane) zu gewinnen. Abbildungen von Göttern in W. sind einerseits Darstellungstypus, andererseits auf den Transport von Götterbildern zu beziehen.

In Äg. wurde der einachsige W. ab der Mitte des 2. Jt. v. Chr. durch die → Hyksos eingeführt. Als Streit-W. wurde er von zwei Pferden gezogen und diente v. a. der schnelleren Fortbewegung des Wagenlenkers und des Kriegers mit Bogen. In königlichen Prunk-W. saß der → Pharao entweder allein oder mit Königin und Kind (so bei der Fahrt zum Tempel in der Amarnazeit). Neben der mil. Funktion diente der W. v. a. im NR der Zurschaustellung des sozialen Prestiges seiner Besitzer (des Pharaos und des äg. Adels). Äg. Beamte fuhren zum Ort ihrer Tätigkeit mit dem W. Als transportable Fortbewegungsmittel ließen sich W. und Zugtiere auf Reisen auch auf dem Schiff unterbringen. Als Jagdgefährt wird der W. nur kurz (in der 18. Dyn.) in Privatgräbern dargestellt, danach gilt diese Darstellungsweise offenbar allein für den Pharao. Sportlichen Charakter zeigen die Schießübungen vom W. aus auf Zielscheiben (18. Dyn.; → Sport). Vierrädrige W. sind in Äg. selten belegt. → Streitwagen; Verkehr

M. A. LITTAUER, J. H. CROUWEL, Wheeled Vehicles and Ridden Animals in the Ancient Near East, 1979 · W. DECKER, s. v. Wagen, LÄ 6, 1130–1135 · C. BECKER, Der Beitrag archäozoologischer Forsch. zur Rekonstruktion landwirtschaftlicher Aktivitäten – ein kritischer Überblick, in: H. KLENGEL (Hrsg.), Landwirtschaft im Alten Orient (=Berliner Beitr. zum Vorderen Orient 18), 1999, 43–58.

AR. HA.

II. KLASSISCHE ANTIKE

s. Bigae; Landtransport (mit Abb.); Quadriga; Reisen; Streitwagen; Verkehr

Wagenlenker s. Agitator; Factiones II.

Wagenrennen s. Circus II.; Factiones II.; Hippodromos [1]; Pferd IV. C.; Sport; Sportfeste IV.; Zirkusparteien

Wahlen. Im staatlich-polit. Bereich dient die W. der Bestellung von Organen (Einzelpersonen oder Gremien), die meist auf Zeit von der Mehrheit der Wahlberechtigten mit der Vorbereitung und Durchführung gemeinschaftlicher Aufgaben betraut werden; in monarchischen Systemen hat die polit. W. keine Bed. Über den Bestellungsmodus von Funktionsträgern (für mil. Aufgaben oder in der Rechtssprechung) in frühen Aristokratien liegen keine Nachrichten vor, doch dürfte die Auswahl eher in Konsensverfahren und nach dem Prinzip der Rotation (→ Reziprozität) erfolgt sein als durch Mehrheitsbeschlüsse. Erst die Ausdehnung der mil. und polit. Berechtigung auf bäuerliche Schichten (vgl. → hoplítai), die seit dem 7. Jh. v. Chr. in fast allen ant. Gesellschaften zu beobachten ist und zur Ausbildung und Festigung der Staatlichkeit führte (→ pólis; → res publica; → Staat), machte es zunehmend notwendig, institutionalisierte Wahlverfahren zu entwickeln, um Aufgaben an Funktionsträger (→ archaí; → magistratus) zu übertragen und deren Handeln durch den Willen der Mehrheit zu legitimieren. Da hiermit aber »Eliten auf Zeit« entstanden, entwickelten sich zugleich Verfahren zur Kontrolle der Macht, die von der Zulassung zur Kandidatur über die Überwachung der Tätigkeit der Gewählten bis zu deren Rechenschaftslegung reichten. Diese Ziele prägten die Wahlverfahren in Griechenland (am besten erschließbar für Athen) und Rom, lassen aber aufgrund der unterschiedlichen ges. Strukturen auch sehr unterschiedliche Lösungen der Probleme von Machtübertragung, -legitimation und -kontrolle erkennen.

Gemeinsam war beiden Systemen die Beschränkung der Wählerschaft auf die erwachsenen freien Männer mit vollem → Bürgerrecht; im Gegensatz zu Rom durften jedoch in griech. Gemeinden, die oligarchisch strukturiert waren (→ oligarchía) arme Bürger nicht wählen. Frauen und auch dauerhaft ansässige freie Männer ohne Bürgerrecht waren prinzipiell von W. ausgeschlossen. Gemeinsam waren auch das Prinzip der Rotation (Annuität) durch jährliche W. (in Rom mit Ausnahme der → censores und abgeschwächt durch die Funktion des → promagistratus), das strikte Verbot der anschließenden Wiederwahl (in Athen mit Ausnahme des → *stratēgós*) und die Erschwerung einer weiteren Kandidatur für das gleiche Amt (in Athen konnte nur für die → *bulḗ* ein zweites Mal kandidiert werden, in Rom war seit dem 2. Jh. v. Chr. ein zehnjähriger Abstand zw. zwei Kandidaturen zum → *consul* vorgeschrieben, eine Wiederholung anderer Ämter verhinderte faktisch der vorgeschriebene → *cursus honorum*). Gemeinsam war auch die interne Kontrolle durch die Besetzung eines Amts mit jeweils mehreren Beamten (Kollegialität). Im Prinzip gemeinsam war die Beschränkung der Wählbarkeit auf Angehörige der reichen Oberschicht: Selbst im demokratischen Athen des 5. Jh. v. Chr. kamen die obersten Finanzbeamten (→ *hellēnotamíai*) nur aus der ersten Vermögensklasse (→ *pentakosiomédimnoi*) und stammten die Strategen und Archonten – trotz der Zulassung der zweiten Klasse (→ *hippeís*) im J. 487 und der dritten Klasse (→ *zeugítai*) 457 v. Chr. zum Archontat – auch im 4. Jh. v. Chr. aus den reichsten Familien; für die meisten der (angeblich) 700 Beamten Athens galten diese Beschränkungen jedoch nicht. In Rom war eine polit. Laufbahn immer nur für die höchste Censusklasse der Ritter (→ *equites*) möglich, da schon das niedrigste Amt (→ *quaestor*; → *tribunus* [7] *plebis*) eine mehrjährige mil. Dienstzeit als Ritter voraussetzte. Dies galt auch noch in der Kaiserzeit (→ *tres militiae*).

Deutliche Unterschiede zeigen sich jedoch in der Differenzierung der Wahlkörper und der Versammlungsorte. In Griechenland trat die Wahlversammlung (→ *ekklēsía*; → *apélla*) bei allen W. in der Stadt zusammen, auf der → *agorá* (in Athen auch auf der → Pnyx oder im Theater des Dionysos). In Rom wurden die Magistrate mit mil. Vollgewalt (→ *imperium*: → *consules*; → *praetores*) und die *censores* vom Gesamtvolk (→ *populus*) in den nach mil. Einheiten gegliederten → *comitia centuriata* außerhalb des → *pomerium* auf dem Marsfeld gewählt (mit aufgezogener roter Kriegsflagge auf dem Capitolium), die anderen (→ *aediles*; → *quaestores*) innerhalb der Mauern, und zwar von dem nun nach → *tribus* gegliederten Gesamtvolk. Eine röm. Besonderheit war die W. der Volkstribunen und der plebeiischen Aediles (auf dem Forum oder Capitolium) durch die in *tribus* gegliederte Versammlung der → *plebs*, die nur einen Teil des Gesamtvolks darstellte; dennoch banden seit dem 3. Jh. (*lex Hortensia*, 287 v. Chr.) die von der Plebsversammlung (*concilia plebis*) unter Leitung der Tribunen beschlossenen Gesetze alle röm. Bürger.

Deutliche Unterschiede bestanden auch im Abstimmungsmodus. Zum einen hatte in Griechenland jede Stimme das gleiche Gewicht, in Rom vernichtete das Prinzip des Gruppenvotums teilweise den Wert der einzelnen Stimme: Jede → *centuria* (insgesamt 193) bzw. jede → *tribus* (insgesamt 35) besaß in Rom nur eine Stimme, ungeachtet der Menge der jeweils Anwesenden. Das Gewicht der Stimmen wurde in Rom weiterhin verfälscht durch die ungleiche Anzahl der Bürger in den Stimmabteilungen und den Abbruch der W. in den *comitia centuriata*, sobald die Mehrheit erreicht war (wo-

bei die restlichen Abteilungen gar nicht mehr abstimmten). In Griechenland waren die W. prinzipiell öffentlich – es wurde durch Handaufhebung (→ *cheirotonía*) abgestimmt, in Sparta durch Zuruf; in Rom wurde mit den *leges tabellariae* seit 139 v. Chr. (vgl. Papirius [I 5] Carbo) die geheime Abstimmung mit Täfelchen (*tabellae*) eingeführt, auf die man den Namen des Kandidaten schrieb (es war aber anscheinend üblich, die Tafeln beim Wahlakt vorzuzeigen, vgl. Plut. Cato min. 46; → *pons* [2]). Zum andern spielte das → Los in Griechenland (zumindest in Athen) eine weit größere Rolle als in Rom: In Athen wurden seit der Mitte des 5. Jh. v. Chr. mit Ausnahme der Strategen und *hellēnotamíai* alle Amtsträger einschließlich der Ratsmitglieder (→ *bulḗ*) durch das Los bestellt; in Rom war das Los zwar nicht ohne Bed. bei der Organisation des Wahlablaufs (Reihenfolge der Wahleinheiten und der Kandidaten; → Los C. 1.), ersetzte aber niemals die W. durch die Bürger.

Auch die Kontrolle der Kandidaten und Beamten sowie die Rechenschaftspflicht differierten stark: In Athen wurden die Kandidaten von einem Richtercollegium und häufig auch vom Rat überprüft (→ *dokimasía* 2.), konnten im Amt ständig kontrolliert und vor Gericht gezogen werden und hatten am Ende der Amtszeit vor zwei Gremien Rechenschaft zu erstatten (→ *eúthynai*), deren Ergebnis zu einem Prozeß führen konnte. In Rom überprüfte lediglich der wahlleitende Beamte die Zulassung zur W. (konnte sie auch verweigern); während der Amtszeit war der Magistrat (→ *magistratus*) immun und nach der Amtszeit zu keiner Rechenschaft verpflichtet, konnte aber (meist durch polit. Gegner) wegen Verfehlungen im Amt vor Gericht gezogen werden. Die fehlende institutionalisierte Kontrolle in Rom wurde durch eine umso schärfere soziale Kontrolle durch die Standesgenossen des Kandidaten (→ *candidatus*) ersetzt, der während seiner polit. Laufbahn starkem Konformitätsdruck ausgesetzt war und nur Erfolg haben konnte, wenn er sich – v. a. als polit. Neuling (*homo novus*) – im Sinne des Senats und der → *nobiles* polit. korrekt verhielt. Dieser Druck wurde seit Caesar und bes. in der Kaiserzeit durch die Nähe zu den Mächtigen ersetzt, weil nun die Empfehlung des → Kaisers bzw. ein auf die Veranlassung des Kaisers aus Senatoren und Rittern gebildetes Gremium (→ *commendatio*; → *destinatio*; → *Tabula Hebana*) die W. des Genannten sicherte. Die W. durch das Volk wurde zur Scheinwahl und starb im Laufe des 1. Jh. n. Chr. aus. Die → *municipia* und → *coloniae* der westl. Prov. des Reiches folgten dem röm. Bespiel: Die Mitglieder des städtischen Rats (→ *curiales*; → *decurio* [1]) kooptierten weitere Mitglieder, und der Rat wählte die Magistrate (→ *duoviri*; → *quattuorviri*; vgl. → *Lex Irnitana*; → *Lex Malacitana*). In den östl. Prov. lebte die W. in den griech. Poleis auch in der Kaiserzeit weiter fort.

Die verbreitete Verwendung des Loses als Mittel der Beamtenwahl (vgl. → Los) machte in Griechenland die Wählerbestechung zu einem marginalen Problem; diese wurde nur bei der W. zum Strategen wichtig, wo sich

Möglichkeiten der Beeinflussung durch finanzielle Großzügigkeit zeigten (s. → Kimon [2]), durch Entfernung des polit. Gegners (s. → ostrakismós) oder durch Freundeskreise (→ hetairía [2]). Griech. Gesetze zur Eindämmung manipulativer Praktiken sind jedoch nicht bekannt. In Rom dagegen war Wahlbestechung (→ ambitus) wohl allgegenwärtig; im »Wahlkampfhandbuch« (Commentariolum petitionis) des Q. → Tullius [I 11] Cicero gehören Maßnahmen gegen Bestechungsversuche des polit. Gegners zum selbstverständlichen Standard des Wahlkampfes. Dies führte zu zahlreichen – letztlich wirkungslosen – ambitus-Gesetzen und am Ende des 2. Jh. v. Chr. zur Einführung eines ständigen Gerichtshofs für dieses Delikt.

C. NICOLET, The World of the Citizen in Republican Rome, 1980, 207–315 · R. FREI-STOLBA, Unt. zu den W. in der röm. Kaiserzeit, 1967 · R. RILINGER, Der Einfluß des Wahlleiters bei den röm. Konsulwahlen von 360–50 v. Chr., 1976 · E. S. STAVELEY, Greek and Roman Voting and Elections, 1972 · L. R. TAYLOR, Roman Voting Assemblies, 1966.   W. ED.

Wahlkampf s. Ambitus; Partei(en); Wahlen

Wahram (Vararanes).
[1] W. I. Sohn → Sapors [1] I., persischer Großkönig 273–276 n. Chr. In seine Zeit fallen Gefängnis und Tod → Manis. PLRE 1, 945.

[2] W. II. Sohn von W. [1], pers. Großkönig 276–293. W. hatte 283 mit → Carus [3] zu kämpfen, der bis Ktesiphon vordrang. Der plötzliche Tod des Kaisers und der Rückzug der Römer verschafften dem König wieder Luft. PLRE 1, 945.

A. SH. SHABAZI, s. v. Bahrâm I-II, EncIr 3, 515–517.

[3] W. III. Sohn von W. [2], wurde nach viermonatiger Herrschaft 293 von → Narses [1] gestürzt. PLRE 1, 945.

E. KETTENHOFEN, Tirdâd und die Inschr. von Paikuli, 1995 · O. KLÍMA, s. v. Bahrâm III, EncIr 3, 517.

[4] W. IV. Wohl ein Sohn → Sapors [3] III., pers. Großkönig 388–399 n. Chr. Unter ihm wurden die oström.-pers. Verhandlungen über die Teilung Armeniens abgeschlossen. PLRE 1, 945.

O. KLÍMA, s. v. Bahrâm IV, EncIr 3, 517–518.

[5] W. V. Gor (»Wildesel[-Jäger]«). Sohn → Yazdgirds [1] I. und Enkel von W. [4], pers. Großkönig 420/1–438/9. W. kam mit Hilfe der Lachmiden, an deren Hof er aufgewachsen war, auf den Thron. Zu Beginn seiner Herrschaft wurde er zu einem Angriff auf Ostrom gedrängt, doch kam es bald zu einem Friedensschluß. In Persarmenien setzte W. 428 → Artaxias [4] IV., den Sohn von W. [7], ab und unterstellte das Land der direkten persischen Verwaltung. Die pers. Rezeption, die W. zum Helden von Jagd- und Liebesabenteuern macht, kulminiert in dem 1197 vollendeten Epos Haft paikar des Niẓāmī (dt. Übers. [2]). PLRE 2, 1150.

1 O. KLÍMA, W. L. HANAWAY, JR., s. v. Bahrâm V Gôr, EncIr 3, 518–519 2 J. C. BÜRGEL, Die Abenteuer des Königs Bahram und seiner sieben Prinzessinnen, 1997.

[6] W. VI. Tschobin. Der den Mihrân von → Rhagai entstammende General diente → Hormisdas [6] IV., bis er von diesem 589 n. Chr. seines Kommandos enthoben wurde. W. rebellierte und versuchte 590, die Nachfolge des ermordeten Hormisdas anzutreten, unterlag jedoch im Jahr darauf → Chosroes [6] II. und dessen byz. Hilfstruppen. Er floh zu den Türken, wo er bald ermordet wurde. W., der sich selbst auf arsakidische Trad. berufen zu haben scheint, gilt als der Stammvater der ma. iranischen Dyn. der Samaniden. PLRE 3A, 166f.

D. FRENDO, Theophylact Simocatta on the Revolt of Bahram Chobin and the Early Career of Khusrau II, in: Bulletin of the Asia Institute 3, 1989, 77–88 · A. SH. SHABAZI, s. v. Bahrâm VI Čobin, EncIr 3, 519–522.

[7] (Wramschapuh). Der Bruder des → Chosroes [4] III. wurde gegen Ende des 4. Jh. n. Chr. an dessen Stelle von W. [4] zum König von Persarmenien bestimmt und regierte bis ca. 415.

M.-L. CHAUMONT, s. v. Armenia and Iran II, EncIr 2, 418–438, bes. 429.   M. SCH.

Wahrheit (ἀλήθεια/alḗtheia; lat. veritas).
I. PHILOSOPHIE II. CHRISTENTUM

I. PHILOSOPHIE

Aus der Umgangssprache in den Rang eines zentralen philos. Terminus rückte alḗtheia im Lehrgedicht des → Parmenides (= P.; um 500 v. Chr.) auf. Die W. (ἀληθείη/alētheíē) lehrte die Göttin den Dichter vom bloßen Schein der menschlichen Meinungen (δόξαι/dóxai) zu unterscheiden (28 B 1 und 8 DK). Nur was ist (d. h. das Seiende) ist wahr, denn was nicht ist, kann weder gedacht noch ausgesprochen werden (28 B 2, 3 und 8 DK), und was ist (das Seiende), ist ein einziges. P. hinterließ der nachfolgenden Philos. das Problem der Falschheit: Eine falsche Aussage würde ein Denken dessen, was nicht ist, involvieren, womit der falschen Aussage der Boden entzogen scheint.

Die Hinwendung der → Sophistik zum Menschen brachte mit dem Homo-mensura-Satz des → Protagoras (›Der Mensch ist das Maß aller Dinge: der Seienden, daß sie sind, der Nichtseienden, daß sie nicht sind‹, 80 B 1 DK, 5. Jh. v. Chr.) eine konsequente Umorientierung auch in der Auffassung von W., daß ›das jeweils Vorgestellte für den Vorstellenden wahr sei‹ (τὰ ἀεὶ δοκοῦντα … τῷ δοκοῦντι εἶναι ἀληθῆ, Plat. Tht. 158e). Als → Platon die »Was ist X?«-Frage der sokratischen Suche nach Definitionen zu der Frage nach den Ideen als der eigentlichen Wirklichkeit entwickelte (→ Sokrates [2]; → Ideenlehre), knüpfte er an den Grundzug der Lehre des P. an: Die platonischen Ideen sind gleichsam das Seiende des P. in Vielheit – entsprechend der Vielheit der Fälle des prädikativen »ist« der Definitionsfrage (»ist

X«) gegenüber dem einen existenzialen »ist«, von dem P. ausgegangen war. Im Sonnengleichnis des ›Staates‹ verleiht die Idee des Guten den anderen Ideen »W.« (ἀλήθεια/ *alḗtheia*) und das Seiende (τὸ ὄν/ *to ón*; Plat. rep. 508d), d. h. durch ihre Zugehörigkeit zu dem von der Idee des Guten regierten Ideenkosmos sind die Ideen das, was sie sind; dadurch besitzen sie den W. begründenden Charakter von Objekten eigentlicher Erkenntnis.

Im ›Theaitetos‹ und im ›Sophistes‹ analysiert Platon das Problem der falschen Aussage. Ein wahrer Satz heißt: von etwas, das ist, zu sagen, daß es ist, von etwas, das nicht ist, zu sagen, daß es nicht ist (Plat. Soph. 261d–263d). Doch erst → Aristoteles [6] (=A.) beseitigte das Haupthindernis der Existenznegation, nämlich die Identifikation von Referenz und Sinninhalt eines Ausdrucks (vgl. Aristot. an. post. 92b 4–8), somit die Identifikation von »über nichts sprechen« mit »nichts sagen«, und erklärte die W. von »a ist nicht« mit der W. jeder negativen Prädikation »a ist nicht F« (vgl. Aristot. cat. 13b 16–33); diese Lösung lebt in der heutigen Logik einerseits in der sog. Ontologie der polnischen Logikschule (S. LEŚNIEWSKI), andererseits bei W. V. O. QUINE fort [1; 2]. Die allgemeinste der Erklärungen der wahren Aussage durch A. ist: ›Was ist, so auszusagen, daß es ist, oder was nicht ist, so auszusagen, daß es nicht ist: das ist wahr‹ (Aristot. metaph. 1011b 27). Gegenüber scholastischen Formulierungen (Thomas von Aquin, disputatio de veritate quaestio 1, articulus 3), die etwa von einer Korrespondenz mit den Sachen sprechen, ist die aristotelische Formel ein vorbildlich klares Modell geblieben, an das die neuere Semantik angeknüpft hat [3].

Unter den Gebrauchsweisen von »ist« und »sein« hebt A. auch die »veritative« heraus. Sie liefert das ›Seiende als Wahres‹ (ὂν ὡς ἀληθές, Aristot. metaph. 1017a 31–35, 1026a 34f.), das nicht eine Beschaffenheit der Sachen ist, sondern im Verstand (διάνοια/ *diánoia*) liegt (ebd. 1027b 25ff.). Bei A. besteht das Seiende als Wahres in dem, was man h. »Propositionen« (im nichtsprachlichen Sinn) nennt; bei Thomas von Aquin (De ente et essentia, Kap. 1; Summa Theologiae Ia quaestio 48 articulus 2 ad 2) wurde daraus das Seiende als Existierendes überhaupt; diese Erweiterung hat durch F. BRENTANO in die neuere Philos. Eingang gefunden [4; 5].

Im Hellenismus verlagerte sich die Frage auf das W.-Kriterium [6; 7].

→ Logik; Ontologie

1 C. LEJEWSKI, Zu Leśniewskis Ontologie, in: Ratio 2, 1958, 50–78 2 W. V. O. QUINE, From a Logical Point of View, ²1961, 165f. 3 A. TARSKI, Die semantische Konzeption der W. und die Grundlagen der Semantik, in: G. SKIRBEKK (Hrsg.), Wahrheitstheorien 1980, 140–188 4 F. BRENTANO, Von der mannigfachen Bedeutung des Seienden nach Aristoteles 1862, 37 5 Ders., W. und Evidenz 1930, 30, 48 6 G. STRIKER, Κριτήριον τῆς ἀληθείας (Nachr. der Akad. der Wiss. Göttingen, 1974.2), in: Dies., Essays on Hellenistic Epistemology and Ethics, 1996, 22–76 7 Dies., Epicurus on the Truth of Sense Impressions, in: s. [6], 77–91.

N. DENYER, Language, Thought and Falsehood in Ancient Greek Philosophy, 1991 · M. FREDE, Plato's Sophist on False Statements, in: R. KRAUT (Hrsg.), The Cambridge Companion to Plato 1992, 397–424 · M. HEIDEGGER, Platon: Sophistes, 1992 · R. HERBERTZ, Das W.problem in der griech. Philos., 1913 · CH. H. KAHN, The Verb »Be« in Ancient Greek, 1973, 184–194; 331–370 · F. M. LEAL CARRETERO, Der aristotelische W.begriff und die Aufgabe der Semantik, Diss. Köln 1983 · J.-P. LEVET, Le vrai et le faux dans la pensée greque archaïque, 1976 · W. LUTHER, »W.« und »Lüge« im ältesten Griechentum, 1935 · Ders., »W.«, Licht und Erkenntnis in der griech. Philos. bis Demokrit, 1966 · B. SNELL, Die Entwicklung des W.begriffs bei den Griechen, in: Ders., Der Weg zum Denken und zur W., 1978, 91–104 · J. SZAIF, Platons Begriff der W., ²1998 · E. TUGENDHAT, Der W.begriff bei Aristoteles, in: Ders., Philos. Aufsätze, 1992, 251–260 · C. J. F. WILLIAMS, What is Truth?, 1976 · P. WILPERT, Zum aristotelischen W.begriff, in: Philos. Jb. der Görres-Ges. 53, 1940, 3–16. W. SA.

II. CHRISTENTUM

Der Begriff W. (ἀλήθεια/ *alḗtheia*; *veritas*) dient im NT dazu, das Geschehen um → Jesus von Nazareth theologisch zu vertiefen. Das Wort bedeutet eigentlich im griech. Sinn, v. a. bei den Synoptikern (Mk, Mt, Lk), die »Richtigkeit« eines Sachverhaltes (Gegensatz ψεῦδος/ *pseúdos*, »Lüge«), damit verbunden die »Aufrichtigkeit« oder »Wahrhaftigkeit« im ethischen Sinn. → Paulus [2] entlehnt (wie schon die → Septuaginta) die Bed. »Zuverlässigkeit«, »Treue«, »Beständigkeit« (im existentiellen Sinn – Gegensatz »Enttäuschung«) vom hebr. ᵃᵉmæt (v. a. Röm 3,3–7). In diesem Sinn spricht auch das AT (Gn 32,11; 47,29; Jos 2,14; 2 Sam 2,6; 15,20 u. a.) von ›die W. tun‹ (ἀλήθειαν ποιεῖν; 1 Kor 13,6; 2 Kor 13,8; Gal 5,7). So ist auch für Paulus W. ein Geschehen, das Gehorsam beansprucht. Daher kann Paulus den Begriff auf das Christusgeschehen (2 Kor 11,10; Gal 2,5; 2,14; 4,16) wie auf die Offenbarung Gottes in der Welt (Röm 1,18–25) beziehen.

Iohannes identifiziert den W.-Begriff vollständig mit dem Christusgeschehen und der Offenbarung Gottes (Jo 1,14; 1,17; 8,32; 14,6) unter Rückgriff auf die etym. Bedeutung »Unverborgenheit« (nämlich Gottes; *alḗtheia* zu *lanthánein*, »verborgen sein«; vgl. Jo 1,18 mit Jo 14,9). Mit diesem W.-Begriff macht Johannes klar, was z. B. mit der Anrede Gottes als Vater durch Jesus und dem Doppelgebot der Liebe Mt 22,34–40 gemeint war. ›Die W. tun‹ (Jo 3,21) heißt nun im johanneischen Schrifttum ›in der Liebe bleiben‹ (1 Jo 4,16), die Gottes Wirklichkeit ist (Jo 3,16) und die er durch seinen Sohn den Menschen geschenkt hat (1 Jo 4,7–10). So bringt Johannes den griech. und hebr. W.-Begriff zur Synthese.

Die Patristik folgt Johannes, billigt nur noch Gott, bzw. der → Trinität, die W. zu und führt so zum Begriff der ewigen, immerwährenden W. (Aug. soliloq. 2,2,32; Aug. conf. 11,10; Aug. trin. 8,38; Aug. de libero arbitrio 2,34).

1 L. B. Puntel et al., s. v. W., in: LThK³ 10, 2001, 926–939 (Lit.) 2 G. W. H. Lampe, A Patristic Lexicon, s. v. ἀλήθεια, ⁹1996.

                                   J. BÜ.

Wahrnehmungstheorie

I. Definition
II. Vorsokratiker III. Platon
IV. Aristoteles und seine Schule
V. Hellenismus (Stoiker, Epikureer)
VI. Kaiserzeitliche und christliche
Rezeption

I. Definition

Sinneswahrnehmung (= Sw.) kann als nichtkognitive Aufnahme von Sinnesreizen durch die Wahrnehmungsorgane definiert werden. W. versucht, Entstehung und Wesen der Sw. sowie ihre Rolle im Erkenntnisprozeß zu erklären. Bereits die ant. Theorien behandelten Kernfragen wie den Mechanismus der Sw., deren Zuverlässigkeit (bzw. Anfälligkeit für Illusion und Irrtum) oder ihr Verhältnis zu Denken, Wissen und Erinnerung, alles Fragen von unverminderter Relevanz. Jedoch unterschieden sie nur erst allmählich zw. physischen und psychischen bzw. zw. Sinneseindrücken und kognitiv interpretierender Wahrnehmung. Früheren griech. Auffassungen zufolge ist der Geist (die Seele) eher Beobachter und Beurteiler der Sinnesdaten als Faktor der Sw. selbst (erst bei Plotinos wird Projektion (προβολή, *probolḗ*) begrifflich gefaßt). Zu beachten ist, daß der griech. Begriff αἴσθησις (*aísthēsis*) eine weitere Bed. als »Sw.« hat, da er Stimmungen, Bewußtsein und geistiges Erfassen (»W.«) einschließt. Im allg. sind die ant. Theorien zw. den Extremen der mechanistischen Physiologie und der psychologischen Epistemologie zu verorten. Man kann freilich von einer stufenweisen Entwicklung von rein mechanistischen Erklärungen zur → Erkenntnistheorie sprechen.

II. Vorsokratiker

Die Fr. der sog. Vorsokratiker (6.–5. Jh. v. Chr.) erlauben eine Teilrekonstruktion der Thesen der frühen griech. Philosophen zur Sw., die eher Antworten auf Einzelfragen als umfassende Theorien darstellen. Von den fünf Sinnen interessiert diese Denker v. a. das Sehen. Beschäftigung mit einem alle Sinneswahrnehmungen synthetisierenden Vermögen findet sich explizit erst bei Platon [1] (Plat. Tht. 184d), davor vielleicht in → Alkmaions [4] außerordentlicher Ansicht, das Gehirn sei das Zentrum der Sinneseindrücke (Theophr. de sensibus 25; s. u. Galenos). Aristoteles [6] (Aristot. an. 416a 29) teilt die Theorien der Vorsokratiker nach dem Kriterium ein, ob in ihnen Gleiches Gleiches (→ Empedokles [1]) oder Ungleiches Ungleiches (→ Anaxagoras [2]) wahrnimmt.

→ Parmenides erklärt als erster die Sinne für unzuverlässig (28 B 7 DK) und verwirft einen empirischen Weltzugang grundsätzlich. Er betont, daß das Sein nur durch logisches Denken (*nóos, nóēma*) erkannt werden könne, denn Seiendes und Denkbares seien dasselbe (28 B 8 DK). Damit wurde eine fortdauernde Diskussion um die Glaubwürdigkeit der Sw. angestoßen. Einige Denker nach Parmenides rehabilitierten die Sw. unter der Bedingung, daß sie vom → Intellekt (νόος/*nóos*) beurteilt werde (Emp. 31 B 2–3 DK; Herakl. 22 B 55; 22 B 107 DK), während andere die Sinnesgegenstände (φαινόμενα/*phainómena*) skeptischer einschätzten (so Anaxag. 59 B 21–21a DK; Demokr. 68 B 115 DK). → Demokritos [1] z. B. stellte die berühmte These auf, daß »Farbe« und »Süßigkeit« konventionsbedingte Bezeichnungen für »sekundäre« Qualitäten seien, die von den »primären« (wirklichen) Eigenschaften der Atome (z. B. ihrer Position oder Anordnung) abhingen (68 B 9–11 DK).

Der Sehmechanismus wird v. a. auf zwei Weisen erklärt (vgl. Theophr. de sensibus 1): entweder mit Ausflüssen (*aporrhoaí*) von seiten des Objekts (Emp. 31 B 89 DK) oder mit dem Ausgriff des Auges auf das Objekt mittels eines »Sehstrahls« (s. u. III.). Laut → Empedokles besteht alles (auch die Seele) aus vier Grundelementen, deren »symmetrische« Ausflüsse sich in die Poren (*póroi*) der entsprechenden Wahrnehmungsorgane einfügen. Dies soll erklären, wie die Sinnesobjekte zu dem richtigen Organ in Beziehung stehen und z. B. Feuerteilchen, d. h. weiße Gegenstände, vom Feuer im Auge wahrgenommen werden (31 B 109 DK). Empedokles bemerkt, daß zwei Augen nur eine einzige Sicht produzieren (31 B 86 DK). Demokritos [1], der über die Sinne (65 B 5f–h DK) und den Geist (*nóos*) schrieb, meint, daß in Vorstellungen (*deíkela*) die gesamte Gestalt des Objektes gewahrt bleibe. Hören entstehe dadurch, daß die Luft zu etwas Dichtes stoße (nach Emp. 31 B 99 DK) läutet das Innenohr ›wie eine Glocke‹. Das Riechen wird mit der Atmung (Emp. 31 B 102 DK) oder dem Gehirn (Diogenes [12] von Apollonia bei Theophr. de sensibus 39) in Zusammenhang gebracht. Beim Schmecken stehen Aromen im Mittelpunkt (Demokritos bei Theophr. de sensibus 65–67).

III. Platon

→ Platon [1] schreibt der Sw. nur eingeschränkte Bed. zu und äußert häufig starke Zweifel an ihrem Wert als Erkenntnisquelle (Plat. Tht. 186d; Plat. Phaid. 73–76; Plat. rep. 476; 523–524). Er betont die Grenzen der Sw. (ohne sie jedoch als völlig unzuverlässig zu verwerfen) und ordnet ihr das rationale Denken (*nus* oder *to logistikón*) über, das die empirischen Daten als Spuren einer höheren metaphysischen Realität interpretiert. Dennoch stellt sein ›Timaios‹ eine vieldiskutierte W. auf, die eine Synthese bereits älterer Auffassungen darstellt (vier Grundelemente, Dreiecke als atomare Bestandteile von Körpern; → Elementenlehre): Das Sehen ensteht durch eine Verschmelzung (vgl. *synaúgeia*, Aet. 4,13,11) des »Augenfeuers« (d. h. seines Sehstrahls) mit einem ihm ähnlichen Feuer außerhalb (Plat. Tim. 45b 3–d 2). Hören, Schmecken (Aromen) und Riechen (das Tasten ist hier kein eigener Sinn) sowie auch der konventionelle Charakter unserer Sprache für die Sinnesreize werden beschrieben. Sinnesobjekten fehlt die Dauerhaftigkeit, die nur dem »Receptaculum« (*hypodochḗ*) zukommt.

Größe und Beweglichkeit der Teilchen bestimmen die Qualität der Einwirkung auf die Sinne.

Platon hielt offenkundig den Informationswert der Sw. für minimal und erachtete die Sinne als nicht geeignet, eine integrierende Bewußtseinsquelle zu bilden. Die von den Sinnen vorgestellte Welt steht unter dem Verdikt, widersprüchliche Aussagen zuzulassen (ein wichtiger Punkt in Platons ›Phaidon‹ und ›Politeia‹ bei der Argumentation für die Unzuverlässigkeit der Sinne). Im ›Theaitetos‹ benützt der rationale Seelenteil als Lebens- und Bewußtseinsträger den Körper als sein Instrument (vgl. Demokr. 68 B 159 DK). Sehen und Hören dienen teleologisch der Betrachtung des Universums und dem Verständnis seiner Ordnung (Plat. Tim. 45–47; → Teleologie, s. Nachträge).

IV. Aristoteles und seine Schule

→ Aristoteles' [6] umfassende und detaillierte W. (*De anima* und *De sensu*) baut auf allgemeineren Prinzipien seiner Physik auf (vier Ursachen, Potentialität und Aktualität). Auch er nimmt eine naturgemäße Kompatibilität zw. Sinnesorganen und -objekten an. Obwohl Substanzen aus Form (*eídos*) und → Materie zusammengesetzt sind, wird nur erstere vom Sinnesorgan wahrgenommen (Aristot. an. 424a 16–17), indem sie in ihm eine qualitative Veränderung bewirkt. Objekt und Sinnesorgan (einander unähnlich, aber potentiell ähnlich) werden aktual ähnlich. Damit vereint Aristoteles die zwei vorsokratischen Prinzipien (Gleiches zu Gleichem, Ungleiches zu Ungleichem, s.o. II.) in einem Ansatz. Das Sinnesorgan selbst wird von ihm als »Mittleres« (*méson*, Aristot. an. 424a 2–7) verstanden, das die Extreme jeder Klasse der zahlenmäßig endlichen (sens. 445b 24 ff.) Sinnesobjekte wahrnehmen kann. Ein Medium ist bei allen Sinnen erforderlich (außer für den Tastsinn, sens. 434b 11), z.B. das »Transparente« (*diaphanés*) zum Sehen (438b 15), die Luft zum Hören (419a 32) und ein nicht genanntes Medium zum Riechen (419a 32f.). Aristoteles macht geltend, daß Irrtum nur bei allgemeinen Qualitäten wie Größe, Gestalt, Beharren und Bewegung auftrete, die Wahrnehmung spezifischer Qualitäten (wie etwa »weiß«, »süß«) jedoch immer richtig sei. Der rationale Seelenteil (*nus*) interpretiert Vorstellungen (*phantasíai*), die durch Sinneseindrücke hervorgerufen werden.

→ Theophrastos (V.) folgt Aristoteles grundsätzlich, verfeinert jedoch dessen W. und ergänzt sie um empirische Belege, an denen manche Neuerungen ablesbar sind (fr. 273–296 [7], z.B. neue Begriffe wie *díosmon* für das Geruchsmedium; vgl. seine Abh. ›Über Farben‹; ›Über Geräusche‹; ›Über Gerüche‹). Er scheint als erster eine wechselseitige Durchdringung von Stoffteilchen in kleinsten Hohlräumen angenommen zu haben (*De igne*; vgl. → Straton [2]). Bei Aromen konzentriert er seine Unt. v. a. auf Pflanzen (Theophr. c. plant. 6) und stellt ihr Wesen bzw. ihre Entstehungsursachen heraus (Theophr. de sensibus 89; c. plant. 6,1,2).

→ Straton [2] setzte die Tendenz zu mehr Empirie fort. Wir wissen von drei »Monographien« (z.B. ›Über

das Sehen‹, Diog. Laert. 5,59). Er hält Poren für eine notwendige Voraussetzung für die Wechselwirkung von Substanzen und erörtert die Verortung eines Zentralorgans (fr. 110–111 Wehrli).

V. Hellenismus (Stoiker, Epikureer)

Sw. wurde auch bei den philos. Schulen des Hell. thematisiert. Ihr Hauptinteresse galt jedoch der → Erkenntnistheorie, soweit sie die Argumente der Skeptiker zu widerlegen suchten, die an der Richtigkeit der kognitiven Interpretation von Sinneseindrücken zweifelten (→ Karneades; → Pyrrhon; vgl. → Skeptizismus, s. Nachträge).

Der → Stoizismus erklärt die Sw. und ihre Interaktion mit der Seele materialistisch (→ Materialismus). Die Sinne sind fünf von acht Seelenvermögen (μέρη τῆς ψυχῆς/*mérē tēs psychḗs*, SVF II 836, 885), die alle → pneúma (wörtl. »Atem«) haben. Das seelische Zentralorgan (*hēgemonikón*) ist eine Art Spinne im Netz (SVF II 879). Das Sehen kommt dadurch zustande, daß das kegelförmige Sehfeld wie ein Stab (*baktḗrion*, SVF II 863–865) ausgestreckt wird. Das Ergebnis eines Sinnesreizes, die *phantasía* (»Vorstellung«), wird von Chrysippos [2] als Abdruck in der Seele (wie eines Ringes in Wachs, SVF II 53; 485) beschrieben. Seine Schrift *De Anima* ist teilweise bei Galenos überl. (SVF II 879–911).

→ Epikuros folgt Demokritos' → Atomismus (Epik. epist. ad Herodotum 49–53), ist aber weniger skeptisch: Er hält die Eigenschaften makroskopischer Körper (Süßigkeit, Farbe) für wirklich und meint, daß ›alle Wahrnehmungen wahr sind‹ (*invenies primis ab sensibus esse creatam notitiem veri neque sensus posse refelli*: Lucr. 4,478 f.; Diog. Laert. 10,31–32; Epik. kýriai dóxai 23). Kontinuierlich auf die Sinne (Sehen, Hören, Riechen) eindringende Ausflüsse bewirken die Sinneseindrücke. Irrtümer beruhen auf der ›Meinung, die wir hinzufügen‹ (49–50). Lucretius [III 1] (4,239–721) beschreibt Sehen, Riechen, Hören und Schmecken eingehender (der Tastsinn fehlt trotz Epikuros' Monographie zum Thema, Diog. Laert. 10,28). Hinsichtlich des Sehens vertritt er die (problematische) Position, daß ausfließende »Bilder« (*simulacra*), wenn diese den Sinnen entsprechen (*aptus*, Lucr. 4,677) Vorstellungen hervorrufen. Der Kontakt entsteht durch Übergänge (*foramina*) zw. den Atomen. Viele problematische Aspekte dieser W., z.B. die Größe der Objekte im Verhältnis zum Auge oder die Vielzahl der Ausflüsse, wurden von anderen ant. Autoren heftig kritisiert (Theophr. de sensibus 51–58; Cic. fam. 15,16,1; Alex. Aphr. Mantissa 134,28–136,28; Macr. Sat. 7,14,5–12).

VI. Kaiserzeitliche und christliche Rezeption

In nach-hell. Zeit wurden die bekannten Positionen zur W. beibehalten und synkretistisch kombiniert (mit Neuentdeckungen in der Optik, z.B. gestützt auf → Eukleides [3]; vgl. → Physik VII.). Die Vertreter des → Mittelplatonismus nahmen eine platonistische Standardposition ein (→ Alkinoos [2], Didaskalikos 18–19). Der Aristoteliker → Alexandros [26] von Aphrodisias

(200 n. Chr.) korrigierte einige Aspekte der aristotelischen Theorie des Sehens; z. B. schloß er die Qualitätsveränderung aus, um die Kollision von Farben zu vermeiden (Alex. Aphr. in Aristot. an. 62,1–13); ferner kritisierte er Epikurs Atomismus (s. o. II.). Für den Arzt → Galenos (129–200 n. Chr.) war das Gehirn Ort der Wahrnehmung (*De usu partium*). Zusammen mit der Optik soll seine detailliert ausgearbeitete → Anatomie das Sehen erklären: Das zerebrale *pneúma* (im Sinne des → Stoizismus) greift nach dem pneumatischen Strom der Gegenstände aus (vgl. Platon) und nimmt eine qualitative Veränderung wahr (vgl. Aristoteles).

Christl. Autoren verteidigen die Sw. gegen den Skeptizismus (z. B. Tert. de anima 17; 2. Jh. n. Chr.) und greifen auf mechanistische philos. und medizinische Erklärungsmodelle zurück. So übernimmt → Nemesios (De natura hominis 182–183, 4. Jh. n. Chr.) von Galenos das »Zugleicherkennen« (*syndiagignóskein*) sowie Beispiele für optische Täuschungen. Mehr am christl. Glauben orientiert als an physiologischen Prozessen, verwenden sie oft Begriffe für Sw. als Analogie für die Erkenntnis Gottes (z. B. Orig. contra Celsum 1,48).

Der Ansatz des → Plotinos (3. Jh. n. Chr.) ist platonisch (Plot. enneades 4,6): Die Seele nimmt in einem Akt willentlicher Betrachtung (mit dem Körper als bloßem Instrument) die Form ohne Materie wahr (vgl. Aristot. an. 424a 16 f.; 429a 15 f.). Der Kontakt mit den Sinnesobjekten setzt Abstand von diesen, aber (gegen Aristoteles) kein Medium voraus (Plot. enneades 2,8), Sehen und Hören geschieht durch *sympátheia* (stoisch; vgl. Poseidonios [3]). Plotinos betont den aktiven Charakter der Sw. (als eine Form des Urteils, *krísis*). → Augustinus (4. Jh. n. Chr.) schließt sich Plotinos an, speziell beim durchgängigen Dualismus von Körper und Seele (Aug. conf. 10,14,21; *sentire est animae per corpus*, ›Das Wahrnehmen ist Sache der Seele mit Hilfe des Körpers‹: 10,7,11), was im MA weiterwirkte.
→ Atomismus; Elementenlehre; Erkenntnistheorie; Intellekt; Materialismus; Phantasie; Seelenlehre

1 J. I. BEARE, Greek Theories of Elementary Cognition, 1992 (¹1906) 2 H. BALTUSSEN, Theophrastus Against the Presocratics and Plato, 2000 3 L. BRISSON, Perception sensible et raison dans le Timée, in: T. CALVO, L. BRISSON (Hrsg.), Interpreting Timaeus-Critias, 1997 4 F. CORNFORD, Plato's Cosmology, 1939 5 G. O'DALY, Augustine's Philosophy of Mind, 1987 6 E. K. EMILSSON, Plotinus on Sense-Perception, 1988 7 W. FORTENBAUGH et al. (Hrsg.), Theophrastus of Eresus. Sources for His Life, Writings, Thought and Influence, 2 Bde., 1992 8 H. B. GOTTSCHALK, The De coloribus and Its Author, in: Hermes 92, 1964, 59–85 9 Ders., The De audibilibus and Peripatetic Acoustics, in: Hermes 96, 1968, 435–460 10 W. JAEGER, Nemesios von Emesa, 1914 11 T. JOHANSEN, Aristotle on the Sense Organs, 1997 12 M. KOENEN, Lucretius' Olfactory Theory, in: K. ALGRA et al. (Hrsg.), Lucretius and His Intellectual Background, 1997 13 O. KÖRNER, Die Sinnesempfindungen in Ilias und Odyssee, 1932 14 A. LAKS, Soul, Sensation and Thought, in: A. A. LONG (Hrsg.), The Cambridge Companion to Early Greek Philosophy, 1999, 250–270 15 J. MANSFELD, Die Vorsokratiker, 1987 16 R. W. SHARPLES, Alexander of Aphrodisias, in: ANRW II 36.2, 1987, 1176–1243 17 R. E. SIEGEL, Galen on Sense Perception, 1970.

H. BA./Ü: B. ST.

Waid (griech. ἰσάτις/*isátis*, lat. *vitrum* und *glastum*: z. B. Plin. nat. 22,2), die Farbstoffpflanze Färber-W., Isatis tinctoria L. Diese Cruciferengattung gedeiht in Europa in mehreren Arten. Bis zur Erfindung des Indigofarbstoffs im 19. Jh. diente sie zur Blaufärbung von Textilien (→ Färberei). Die bis 1,4 m hohe perennierende Pflanze hat gelbe Blüten [1. 157, Farbfoto 326], die sich zu einsamigen, bei der Reife dunkelvioletten Schötchen entwickeln. Den Brei aus den zermahlenen dürren Blättern (nach [1. 159]: Blüten) und Wasser ließ man gären und mit Luftsauerstoff zu einem blauen Farbstoff oxidieren (vgl. der *Indicus*, Indigo: Plin. ebd. 35,30 und 46; → Farben mit Tab.). Die Britannier färbten sich nach Caes. Gall. 5,14,2 zur Abschreckung der Gegner damit ihren Körper vor dem Kampf (vgl. Mela 3,6,51). Ihre Frauen verwendeten es, offenbar zur Abwehr böser Geister, zur Färbung des gesamten nackten Körpers bei gewissen Riten (Plin. ebd. 22,2). Die zerriebenen Blätter, mit Gerstenbrei aufgelegt, sollten Hautgeschwüre heilen (Plin. ebd. 20,59, vgl. Dioskurides 2,184 WELLMANN = 2,215 BERENDES).

1 H. BAUMANN, Die griech. Pflanzenwelt, 1982.

M. SCHUSTER, s. v. W., RE Suppl. 8, 911–914.   C. HÜ.

Waisen (ὀρφανός/*orphanós*; lat. *orbus*).
I. GRIECHENLAND   II. ROM

I. GRIECHENLAND

Hohe → Sterblichkeit sowie ein großer Unterschied im → Heiratsalter von Mann und Frau führten in der griech.-röm. Ant. dazu, daß viele Kinder ihren Vater noch vor Erreichen der Volljährigkeit verloren. Nach griech. Auffassung galt ein vaterloses Kind als W. (ὀρφανός/*orphanós*). Für W. wurde ein Vormund (ἐπίτροπος/→ *epítropos* [2] bzw. ὀρφανιστής/*orphanistés*), zumeist ein agnatischer Verwandter, häufig ein Onkel väterlicherseits, bestellt; es war auch möglich, im → Testament einen Vormund zu bestimmen. Der Vormund verwaltete das Vermögen seiner Mündel, das er ihnen im klass. Athen bei Erreichen der Volljährigkeit mit 18 Jahren einschließlich der unterdessen angefallenen Erträge und Zinsen intakt auszuhändigen hatte. Der nun volljährige Sohn konnte damit den väterlichen → *oíkos* übernehmen, er erbte das Familienvermögen und den Familienkult, garantierte also den Fortbestand des *oíkos*.

In Athen, aber auch in anderen griech. *póleis*, wurden rechtliche Regelungen getroffen, die die W. vor Verlust des väterlichen Erbes schützen sollten. W., → Witwen, Erbtöchter (→ *epíklēros*) und Frauen, die von ihrem verstorbenen Ehemann schwanger waren, standen unter dem Schutz des *árchōn epónymos* (→ *árchontes* [I]). Bei diesen Rechtsvorschriften ging es nicht ausschließlich um den Schutz der W. selbst, als vielmehr um die Sicherung der *oíkoi* der Bürger einer → *pólis* (Aristot. Ath. pol. 56,6f.; vgl. zu Charondas Diod. 12,15). Das Verfahren gegen Vormünder hatte, wie auch andere Verfahren, für die ein bes. öffentliches Interesse bestand, die Form einer εἰσαγγελία/→ *eisangelía*: Die Klage konnte auch von einem nicht direkt Betroffenen eingebracht werden, und der Kläger mußte keine Strafe befürchten, wenn er nicht eine festgesetzte Zahl von Richterstimmen erhielt. Der Schutz, der den W. von der *pólis* gewährt wurde, war allerdings nicht immer hinreichend; die Schutzlosigkeit der W. wird in attischen Gerichtsreden mehrfach betont (Isaios 5,9–11; Demosth. or. 27,6–8; 27,63–66). Tatsächlich war es für minderjährige Kinder, deren Vermögen von Vormündern veruntreut wurde, oft schwierig, außerhalb ihrer Familie einen Beistand zu finden, der sich ihrer Interessen angenommen hätte.

Die Aufgabe des Vormundes war angesichts der Klagemöglichkeiten undankbar; die Verwaltung des Mündelvermögens erforderte einen großen Zeitaufwand, und dem Vormund drohte stets die Klage wegen Veruntreuung von Mündelgut. Um erst gar nicht einer solchen Klage ausgesetzt zu werden, verpachteten viele Vormünder das Vermögen ihrer Mündel an Dritte. Derjenige, der es pachtete, hatte aus seinem Vermögen eine Sicherheit zu stellen. Während der Minderjährigkeit verfügten die W. auf diese Weise über ein sicheres Einkommen, aus dem ihr Unterhalt finanziert werden konnte.

Es sind mehrere Prozesse gegen Vormünder wegen Veruntreuung des Vermögens ihrer Mündel bezeugt; so klagte Demosthenes [2] gegen den von seinem Vater zum Vormund bestimmten → Aphobos (Demosth. or. 27–29; vgl. auch or. 30 und 31). Wie strittig die Rechnungslegung und insbes. die Aufstellung der Kosten für den Unterhalt der W. sein konnte, zeigt das Verfahren gegen → Diogeiton (Lys. 32); ein weiterer Fall wird eher beiläufig in einem Erbschaftsprozeß erwähnt (Isaios 7,6f.).

W., deren Väter im Krieg gefallen waren, wurden in Athen seit dem 5. Jh. v. Chr. auf öffentliche Kosten aufgezogen; Aristoteles [6] schreibt dieses Gesetz dem → Hippodamos zu (Thuk. 2,46,1; Plat. Mx. 248e–249a; Aristot. pol. 1268a).

II. ROM

Starb in Rom ein → *pater familias* ohne → *Testament*, wurde der nächste männliche Agnat (→ *agnatio*) Vormund (*tutor*; → *tutela* [1] *legitima*); in der Regel handelte es sich hierbei um einen Onkel väterlicherseits oder einen älteren Bruder. Die *tutela legitima* fiel dorthin, wohin die Erbschaft des Mündels (*pupillus, pupilla*) fallen würde, mit der Ausnahme, daß eine Frau zwar erben, aber nicht die Vormundschaft übernehmen konnte. Der Vormund war für alle Fragen der Vermögensverwaltung zuständig. Die Jungen wurden von der Vormundschaft mit Erreichen des 14. Lebensjahres befreit, aber auch

dann erlangten sie noch nicht die volle Geschäftsfähigkeit: Bis zum Alter von 25 J. unterstanden sie einem *curator*, dessen Zustimmung zu den von ihnen getätigten Geschäften erforderlich war. Die Erziehung der W. wurde zumeist von der Mutter geleitet, sofern sie nicht wieder geheiratet hatte; sie konnte aber nicht über das Vermögen ihrer Kinder entscheiden.

Im röm. Recht war die Vormundschaft seit dem Zwölftafelgesetz (→ *tabulae duodecim*) präzise geregelt; einzelne Bestimmungen betraften die Bestellung der Vormünder, deren Befugnisse und die Beendigung einer Vormundschaft; es bestand die Möglichkeit, eine Vormundschaft abzulehnen oder Vormünder abzusetzen (Inst. Iust. 1,13–15; 1,17–22; 1,24–26; 2,8,2).

→ Erbrecht; Familie; Kind, Kindheit; Verwandtschaft; Witwe

1 M. GOLDEN, Childhood in Classical Athens, 1990
2 R. JUST, Women in Athenian Law and Life, 1989, 30–32
3 J.-U. KRAUSE, Witwen und W. im Röm. Reich, 4 Bde., 1994/5 4 I. WEILER, Zum Schicksal der Witwen und W. bei den Völkern der Alten Welt, in: Saeculum 31, 1980, 157–193. J.K.

Wal. Der größte, den → Delphinen [1] verwandte Meeressäuger wurde – unter Einengung des ursprünglich allg. für große Meerestiere gebrauchten Wortes – τὸ κῆτος/*kêtos* genannt (zuerst Hom. Od. 12,97; lat. Lehnwort *cetus*, plur. *cete(a)*: Ambrosius, exameron 5,10,28 und 5,11,32; Isid. orig. 12,6,8); daneben gibt es auch φάλαινα/*phálaina* (Aristot. hist. an. 1,5,489b 4f.), lat. *ballaena* (Plaut. Rud. 545; Ov. met. 2,9; Plin. nat. 9,4; 9,8 und 9,16) für das angeblich weibliche Tier und für das männliche ironisch *musculus* (»Mäuschen«, Isid. orig. 12,6,6). Außerdem kommt für die W. der Nordsee bzw. des Atlantik der Name φυσητήρ/*physētér*, lat. *physeter* (Plin. nat. 9,8; Solin. 52,42; Strab. 15,2,12 (725) vor, möglicherweise für den Pottwal [1. 200]). Viviparie bei den W. und das Säugen der Jungen erwähnen außer Aristoteles (hist. an. 1,5,489b 4f.) Plinius (nat. 9,21 und 78) und Ambrosius (exameron 5,3,7), ihre mit den Lungen verbundenen Spritzröhren wiederum Plinius (ebd. 9,19, nach Aristot. l.c.). Ambrosius (l.c.) behauptet sogar, daß die W. ihre Jungen zu deren Schutz ins Maul nähmen. Barten-W. kennt nur Aristot. hist. an. 3,12, 519a 23f. In der Bibel kommt der W. mehrfach vor (Gn 1,21; Hiob 7,12; Jes 27,1; Dan 3,79), v. a. aber in der Gesch. des von einem W. gefressenen Jonas (Jon 2,1: *piscis grandis*; vgl. Mt 12,40: *Ionas in ventre ceti*; vgl. auch → *De Iona*).

1 LEITNER.

KELLER 1, 409–414. C. HÜ.

Walagasch, Walakasch, Walasch s. Vologaises

Wald. Sprachlich wird der W. im Lat. (Serv. Aen. 1,310) nach dem jeweiligen Grad der Kultivierung durch den Menschen (*silva, nemus*, → *saltus*) und der mit ihm verbundenen rel. Sphäre (*lucus*, → »Hain«) differenziert. Der W. bereitete einerseits Furcht und Unbehagen (Cic. nat. deor. 2,6; Plin. nat. 12,3), andererseits wurde er als Ort der (auch produktiven) Ruhe und Erholung geschätzt (Plin. epist. 1,6,2; 9,10,2; Tac. dial. 9,6; 12,1). Eine extrem negative Konnotation erhielt der W. bei den Römern im Rahmen der mil. Operationen in Germanien in augusteischer Zeit (Tac. Germ. 5,1; Cass. Dio 56,19,5–20 zum Feldzug des P. Quinctilius [II 7] Varus; → Saltus Teutoburgiensis). Mit der Anlage von Schneisen (*limites*) versuchte man in der Folgezeit, den W. als mil. Hindernis auszuschalten (Frontin. strat. 1,3,10).

Von großer Bed. war in der Ant. die Funktion des W. als Wirtschaftsfaktor. Die → Jagd stellte einen wichtigen Erwerbszweig dar, diente aber auch schon seit homerischer Zeit als standesgemäße Tätigkeit der → Aristokratie (Hom. Od. 19,418–458). Der stets große Bedarf an → Holz führte zu umfangreichen Rodungen, die freilich, trotz mancher kritischer Aussagen von Zeitgenossen (Plat. Krit. 111a-e zum Rückgang der Wälder in Attika und ihrer Fruchtbarkeit für das Weidevieh), die reichen W.-Bestände (z.B. für Kreta Strab. 10,4,4) insgesamt nur punktuell dezimierten.

Rechtlich gehörten die ant. W. zum Königsbesitz, bei den Römern zum → *ager publicus* bzw. zum Besitz des Kaisers, doch standen sie auch in Privateigentum.
→ Hain; Holz; Landschaft (s. Nachträge)

J. K. ANDERSON, Hunting in the Ancient World, 1985 · A. CHANIOTIS, Die kretischen Berge als Wirtschaftsraum, in: E. OLSHAUSEN, H. SONNABEND (Hrsg.), Gebirgsland als Lebensraum (Geographica Historica 8), 1996, 255–266 · R. MEIGGS, Trees and Timber in the Ancient Mediterranean World, 1982 · M. NENNINGER, s. v. W., in: H. SONNABEND (Hrsg.), Mensch und Landschaft in der Ant., 1999, 593–595 · Ders., Die Römer und der W. (Geographica Historica 16), 2001. H.SO.

Waldalgesheim. Das Grab einer keltischen »Fürstin« aus der 2. H. des 4. Jh. v. Chr. wurde 1869 bei W. (Landkreis Mainz-Bingen) entdeckt; es war urspr. wohl von einem nicht erh. großen → Tumulus überdeckt. Von der reichen Ausstattung sind u. a. verzierter Hals-, Arm- und Beinschmuck aus Gold, verzierte Gürtelteile, eine kelt. Br.-Kanne, ein aus Campanien stammender Br.-Eimer und Teile eines zweirädrigen → Streitwagens erh. Die kelt. Ornamentik einiger Objekte wird nach diesem Fund als »W.-Stil« bezeichnet. Das Fürstinnengrab von W. ist das jüngste aus dem Kreis der → Hunsrück-Eifel-Kultur.
→ Fürstengrab; Keltische Archäologie

H. BAITINGER, B. PINSKER (Red.), Das Rätsel der Kelten vom Glauberg (Ausstellungskat.), 2002, bes. 304–306 · H.-E. JOACHIM, W. Das Grab einer kelt. Fürstin, 1995. V.P.

Walīd
[1] W. I. 6. Omajjadenkalif (geb. 668 n. Chr., regierte 705–715; → Omajjaden A.), setzte die Islamisierungspolitik seines Vaters ʿAbd-al-Malik fort. Er ließ die am Ort des Hadad/Iuppitertempels stehende Johanneskirche in → Damaskos (C.) in eine Moschee umwandeln (Omajjadenmoschee; dazu → ARABISCH-ISLAMISCHES KULTURGEBIET I. A.) sowie die al-Aqṣā-Moschee in → Jerusalem und die Prophetenmoschee in Medina (→ Yaṯrib) errichten. Unter seiner Herrschaft begann die Eroberung der iberischen Halbinsel (711), von → Chorāsān und Transoxanien (712), islam. Truppen erreichten das untere Indusgebiet (713).
[2] W. II. 11. Omajjadenkalif (geb. 706 n. Chr., regierte 743–744). V. a. der Dichtung und der Jagd zugetan, war seine kurze Herrschaft gekennzeichnet durch zahlreiche innenpolit. Unruhen. Erbauer des Wüstenschlosses al-Mušatta.

H. KENNEDY, The Prophet and the Age of the Umayyads, 1986 · G. HAWTING, s. v. Umayyads, EI, CD-ROM, 1999ff. · D. DERENK, Leben und Dichtung des Omaiyadenkalifen al-Walid ibn Yazid, 1974. I. T.-N.

Walken, Walker. Wollgewebe, die für die Herstellung von → Kleidung vorgesehen waren, wurden durch W. (κναφευτική/*knapheutikḗ* sc. τέχνη/*téchnē*; lat. *fullonica*) zu Tuch verarbeitet; das Gewebe erhielt dadurch eine größere Festigkeit und Dichte. Zu diesem Zweck wurden die Gewebe in einem Gemisch aus warmem Wasser, Soda sowie menschlichem oder tierischem Urin (*urina fullonia*: Plin. nat. 28,174; bes. geschätzt war der Urin von → Kamelen: Plin. nat. 28,91; vgl. auch Mart. 6,93) mit den Füßen gestampft. Danach wurden die Gewebe mit Walkererde, einem bes. Ton (*creta fullonica*), behandelt. Die besten Sorten lieferten die Inseln Kimolos (*creta Cimolia*: Plin. nat. 35,36; 35,196), Samos und Lemnos. Die Gewebe mußten dann erneut mit den Füßen gestampft werden, um sie zu verfilzen. Nachdem die Stoffe gründlich gewaschen, von den Walkersubstanzen gereinigt und getrocknet worden waren, erfolgte das Aufrauhen (κνάπτειν/*knáptein*; lat. *pectere*). Dies geschah mit Hilfe von Disteln oder mit Bürsten; weiße Gewebe wurden überdies mit → Schwefel behandelt, um größere Leuchtkraft zu erzielen. Sie wurden über einem halbrunden Gestell (*viminea cavea*) ausgebreitet, unter dem der Schwefel verbrannt wurde (Apul. met. 9,24; Plin. nat. 35,198). Anschließend wurden die Gewebe geschoren, um noch hervorstehende Wollfasern zu beseitigen, und zuletzt mit einer Tuchpresse (*prelum*) gepreßt.

Da das W. im Haushalt aufgrund fehlender Installationen nicht möglich war, übernahmen spezialisierte Walker (κναφεῖς/*knapheís*; lat. *fullones*) in eigenen Werkstätten (κναφεῖα/*knapheía*; lat. *fullonicae*) diese Arbeit; sie sind für das späte 3. Jh. v. Chr. durch die *lex Metilia de fullonibus* belegt (Plin. nat. 35,197). Daneben reinigten und wuschen Walker auch gebrauchte Kleidungsstücke. In Pompeii gab es mehrere Walkereien; die wichtigsten

Arbeitsvorgänge des W. und die Tuchpresse sind auf Wandbildern, so im Hause der Vettii, in der Walkerei des L. Veranius Hypsaeus (Pompeii VI VIII 20–21) sowie auf einem Grabstein aus Agedincum/h. Sens dargestellt.
→ Kleidung; Textilherstellung; Wolle

1 BLÜMNER, Techn. 1, 170–190 2 W. O. MOELLER, The Wool Trade of Ancient Pompeii, 1976 3 J. P. WILD, Textile Manufacture in the Northern Roman Provinces, 1970, 18–27 4 Ders., Textiles, in: STRONG/BROWN, 167–177.
A. P.-G.

Wallfahrten s. Pilgerschaft; WALLFAHRTEN

Walnuß s. Iuglans

Waluburg (Βαλουβουργ). Semnonische Seherin (»Sibylle«), die auf einem → óstrakon des 2. Jh. n. Chr. aus → Elephantine (Äg.) genannt ist: Βαλουβουργ Σήνονι σιβύλλα (SB III 6221). Die Inschr. enthält eine Liste von Personen, die zum Stab des → praefectus Aegypti gehörten; W. stand also in röm. Diensten und dürfte für Zeichendeutung und Wahrsagung zuständig gewesen sein. Ihr Name geht vielleicht auf gotisch *walus (Pilger-, Wander- oder Zauberstab) zurück.

Andere germanische Seherinnen hatten wohl ebenfalls polit. Funktionen über den Stamm hinaus, so Ganna, eine Nachfolgerin der → Veleda, die zw. 92 und 96 n. Chr. mit ihrem König Masyus in Rom empfangen wurde (Cass. Dio 67,5,3). Das Beispiel der W. zeigt, daß germanische Seherinnen, hin und wieder verbunden mit niedrigen priesterlichen Aufgaben, in ganz unterschiedlichen Funktionen wirken konnten (dazu [5]).
→ Semnones; Sibylle

1 R. BRUDER, Die germanische Frau im Lichte der Runeninschr. und der ant. Historiographie, 1974, 151–162 2 E. SCHRÖDER, Walburg, die Sibylle, in: ARW 19, 1918, 196–200 3 R. SIMEK, s. v. W., Lex. der germanischen Myth., 1984, 458 4 D. TIMPE, s. v. Ganna, 2. Historisches, RGA 10, ²1998, 429 f. 5 H. VOLKMANN, Germanische Seherinnen in röm. Diensten, 1964.
W. SP.

Wanax. Myk.-griech. Begriff (vgl. u. a. Nom. Sg. wa-na-ka = wanaks, Dat. Sg. wa-na-ka-te = wanaktei und Adj. wa-na-ka-te-ro = wanakteros) für den »König« (Herrscher, Souverän, höchster Würdenträger) in den myk.-griech. Kleinkönigtümern Ende des 13. Jh. v. Chr., auf Kreta (→ Knosos), in der Argolis (→ Mykenai), in Messenien (→ Pylos [2] II.) und in Boiotien (→ Thebai [2] II. A.).

Die Griechen (Selbstbezeichnung: Ἕλληνες, »Hellenen«) haben verm. um 2500 v. Chr. den Wechsel von FH II zu FH III durch Einwanderung in das später nach ihnen benannte Griechenland mitverursacht (→ Mykenische Kultur und Archäologie B.1.). Erst allmählich scheint sich in der Argolis, in Boiotien und Messenien ein gewisser Reichtum eingestellt zu haben (→ Mykenische Kultur und Archäologie B.2. und 3.); die zunehmende Organisation der lokalen Paläste und der von ihnen dominierten Landstriche ist nicht ohne das Vorbild des minoischen Kreta denkbar (→ Minoische Kultur und Archäologie). Die auf dem griech. Festland erh. Archive mit Tontafeln in → Linear B-Schrift (vgl. → Mykenisch) stammen alle aus den letzten Monaten vor der Zerstörung der myk. Paläste durch Einwirkung von Feuer. Nach Auskunft dieser Tontafeln war der w. der König im jeweiligen Palast und in dem von dort aus kontrollierten Gebiet. Er besaß mit Sicherheit eine Reihe von Privilegien. Der Grad seiner Machtfülle und sein Gewicht im rel. Bereich werden unterschiedlich beurteilt [1. 40–101]; es spricht aber vieles dafür, dem w. sogar divine kingship (»gottähnliche Königsstellung«) zuzusprechen. So steht z. B. in der Fragment-Serie der Täfelchen aus Pylos sein Titel an jener Stelle der Opfergabenempfänger, an der ansonsten ein Göttername vermerkt ist; insgesamt erscheint in der Palastarchitektur wie auch im Religiösen alles auf eine zentrale Rolle des Königtums ausgerichtet [5]. Laut Tontafel PY Ta 711 hat der w. von Pylos soeben eine Person namens Augēwās zum Dāmokoros (»Volkspfleger«?) bestellt, was auf eine allg. Zuständigkeit für die innere Organisation des Gebiets hinweist.

Der zweite Mann im myk. Königreich war der mil. wichtige → Lāwāgetās (wörtl.: »Anführer des Kriegsvolks«, lāwo-; vgl. u. a. myk.-griech. Nom. Sg. ra-wa-ke-ta und Adj. ra-wa-ke-si-jo = lāwāgesijo). Verblüffend ist, daß im 6. Jh. v. Chr. in Phrygien ein (König?) Midas, dem eine Grabanlage gestiftet wurde, mit der Titulatur (im Dat. Sg.) lavagtaei vanaktei geehrt wurde [3. 333–344]. Diese Gleichheit im myk.-griech. und altphryg. Vokabular wird am besten verständlich, wenn man annimmt, daß die Begriffe lawagetas und w. bereits in der Mitte des 3. Jt. v. Chr. bei den Vorfahren der späteren Griechen und Phryger verwendet wurden, als beide noch auf dem Balkan lebten und in näherem Kontakt standen [6]. Verm. war die ursprüngliche Bed. von w. »Güter gewinnend« [2. 66–68].

Der Terminus w. erhielt sich, leicht verändert, im 1. Jt. v. Chr., der König wurde aber nun als βασιλεύς (→ basileús) bezeichnet. In den homerischen Epen ist ἄναξ/ánax (Ϝάναξ; das anlautende W/Digamma wurde nicht mehr gesprochen, in der Metrik aber noch berücksichtigt) ein ›Titel, der einem Gott, Herrscher, Heerführer von Untergebenen und Gleichgestellten in Anrede und Gespräch und vom Dichter in der Erzählung beigelegt wird‹ [4. 781–790]. Vgl. weiter [1. 215–221; 6].
→ Ägäische Koine; Minoische Kultur und Archäologie; Mykenische Kultur und Archäologie; Phryges; Phrygisch

1 P. CARLIER, La royauté en Grèce avant Alexandre, 1984 2 I. HAJNAL, Mykenisches und homerisches Lexikon, 1998 3 M. LEJEUNE, Mémoires de philologie mycénienne, Bd. 3, 1972 4 LFE 1, 1979, s. v. Anax 5 T. G. PALAIMA, The Nature of the Mycenaean Wanax, in: P. REHAK (Hrsg.), The Role of the Ruler in the Prehistoric Aegean, 1995, 119–139 6 C. BRIXHE, Achéens et Phrygiens en Asie Mineure, in: M. FRITZ (Hrsg.), Novalis Indogermanica. FS G. Neumann, 2002, 49–73.
M. M.-B.

Wandmalerei   I. Alter Orient   II. Ägypten
III. Minoisch-mykenische Kultur
IV. Etrurien   V. Klassische Antike

I. Alter Orient

Zahlreiche altorientalische → Tempel, → Paläste und Privathäuser waren innen bemalt, doch sind wegen der *a secco*-Technik meist nur Spuren davon erh. Sämtliche Farben besitzen ihre eigene Symbolik. Mit Rot, der Farbe für Leben und Kraft, wurden schon im 10. Jt. v. Chr. Hauswände und -böden bestrichen (z. B. ʿAin Mallaha, Israel). Der Malgrund war Lehm oder Kalkputz [1; 2]. Die ältesten und am besten erh. figürlichen W. stammen aus den Häusern von Çatalhüyük (7. Jt.): Neben Jagdszenen mit Menschen und Tieren finden sich an den Wänden und auf Bodenstegen rundplastische bemalte Frauenfiguren und Bukranien.

Im späten 4. Jt. weist die Gestaltung der W. im dreigeteilten Bau von Tall ʿUqair auf gesellschaftliche Veränderungen: Hier äußert sich eine herrschaftliche Ordnung in der Darstellung von hierarchischen Menschenprozessionen in einem orthogonalen Rahmen. Für die 1. H. des 2. Jt. ist die Bemalung im Palast von → Mari (Syrien) erh. (neue Rekonstruktion: [4]); ihre Entstehung erstreckt sich vielleicht von der Ur-III-Zeit bis zu Ḥammurapis Einnahme der Stadt (um 2100 bis 18. Jh. v. Chr.). Dabei ist die sog. ›Investitur des Zimrilim‹ (Hof 106) wohl vor dessen Herrschaftszeit entstanden [5]. Die neuassyr. Orthostaten-→ Reliefs waren urspr. teilweise farbig bemalt. Als billiger Ersatz für die Reliefs ist die W. im Palast des assyr. Statthalters in → Til Barsip (mod. Tall al-Aḥmar, Syrien, 8. Jh. v. Chr.) zu betrachten.

1 A. Nunn, Die W. und der glasierte Wandschmuck im Alten Orient, 1988 2 P. R. S. Moorey, Ancient Mesopotamian Materials and Industries. The Archaeological Evidence, 1994 (²1999) 3 J.-C. Margueron et al., Les appartements royaux du premier étage dans le palais de Zimri-Lim, in: MARI 6, 1990, 433–451 4 B. Pierre-Muller, Une grande peinture des appartements royaux du palais de Mari (salles 219–220), in: MARI 6, 1990, 463–558 5 J.-C. Margueron, Mari: A Portrait in Art of a Mesopotamian City-State, in: J. Sasson (Hrsg.), Civilizations of the Ancient Near East, Bd. 2, 1995, 887–899.

II. Ägypten

Weit mehr W. sind aus Äg. bekannt, mit denen die zahlreichen Gräber der Pharaonen und der Beamtenschaft ausgestattet wurden. Dabei steht die W. im Schatten der bemalten → Reliefs. Die ältesten W. gehen auf die spätvorgesch. Zeit (4. Jt. v. Chr.) zurück. Nach den Felsgräbern von Beni Hasan (12. Dyn.) sticht die thebanische Nekropole der 18. Dyn. (20.–19. Jh. v. Chr.) wegen ihres einzigartigen Reichtums an W. hervor.

G. Robins, Egyptian Painting and Reliefs, 1986 (Ndr. 1990) · W. V. Davies (Hrsg.), Colour and Painting in Ancient Egypt, 2001.   A. NU.

III. Minoisch-mykenische Kultur

Die brz. W. (ca. 2700–1200 v. Chr.) wurde in → Freskotechnik aufgebracht, Details und Nachbesserungen auch *a secco*. Bilder und Ornamente schmückten neben Wänden auch Fußböden, Herdeinfassungen und stuckierte Säulen in Innenräumen. Auch an Außenfassaden (z. B. Zentralhof → Phaistos [4], Kuppelgrab von → Tiryns) sind Malereien bekannt, und sogar Opferschalen (→ Thera) oder ein Sarkophag aus Agia Triada wurden in dieser Technik bemalt. Die W. wird hauptsächlich einem kultischen, herrschaftlich repräsentativen Ambiente zugeordnet, was die Möglichkeit der Übertragung dieses Luxus auf Häuser der Oberschicht nicht ausschließt. Der schlechte Erhaltungszustand der Pigmente und die Ausgrabungstechnik in den meisten Fundorten verfälschen das Bild. Wie bei der Palastarchitektur (→ Palast IV. B.) bestimmt die Frage nach dem äußeren Einfluß die Diskussion um den Beginn der ägäischen W. Fußbodenbemalung und Wandbilder in ägäischer Technik und mit ägäischen Themen in Tel Kabri an der Levanteküste und Tall ad-Dabʿa/Auaris in Äg. bezeugen eher den Austausch und die »brz. Koine« im östl. Mittelmeer.

Zeugnisse ägäischer W. sind aus drei Regionen – Kreta, griech. Festland und Inseln – bekannt; sie stammen aus unterschiedlichen Zeiten und sind auch stilistisch deutlich voneinander zu trennen. Eine übergreifende Darstellung der ägäischen W. ist deshalb kaum möglich, es lassen sich nur allg. Kategorien festlegen.

Kreta: Man kann eine kleine ältere Gruppe, vertreten etwa durch die Fresken von Agia Triada mit einer lebendigen freien Komposition von einer späteren Gruppe unterscheiden, die eher durch eine stereotype parataktische Komposition charakterisiert ist. Bei der genaueren stilistischen Bestimmung kommt zu dem Problem von Zentrum und Peripherie und dem der Datier. der mit W. versehenen Gebäude auch die histor. Frage nach der Wirkung myk. Präsenz etwa im Palast von → Knosos.

Griech. Festland: Auch hier existieren zwei stilistisch unterscheidbare Gruppen, wovon die erste aus dem Abfall der letzten Renovierung der Paläste (z. B. → Tiryns und → Pylos [2]) stammt (daher keinen architektonischen Zusammenhang mehr aufweist) und die zweite in wenigen Resten in den zerstörten Gebäuden aufgefunden wurde.

Inseln: Die bes. gute Erhaltung der Fresken in Akrotiri/→ Thera in ihrem urspr. Kontext hat die Diskussion über die ägäische W. deutlich verändert. So eröffnete sich die Möglichkeit, vom Bildprogramm in den wenigen bemalten Räumen eines Hauses auf die Funktion dieser Räume oder des Hauses zu schließen. Aber auch hier beeinträchtigen Datierungsfragen und die fiktive Vorstellung von kolonieähnlicher Abhängigkeit von Kreta in stilistischer Hinsicht eine sichere Zuordnung im Rahmen der gesamten ägäischen W.

In der arch. Forsch. ist die ägäische W. eher ein Fundus für externe Fragen, die Einzelaspekte aufgreifen,

z. B. wird das Fehlen von Kampfbildern auf kretischen Fresken in Zusammenhang mit einer minoischen Friedensperiode gebracht. Über die zeitlich und regional unterschiedlichen Voraussetzungen dieser teils kontemplativen, teils nahezu propagandistischen Kunstform besteht noch Forschungsbedarf. Mit dem Ende des brz. wirtschaftlichen und gesellschaftlichen Systems verschwand auch diese luxuriöse Form der Selbstdarstellung einer Elite.

→ Ägäische Koine (mit Karten); Frau (I*, s. Nachträge); Kreta; Minoische Kultur und Archäologie; Mykenische Kultur und Archäologie

M. CAMERON, Fresco, a Passport into the Past, 1999 · CH. G. DOUMAS, Die W. von Thera, 1996 · S. A. IMMERWAHR, Aegean Painting in the Bronze Age, 1990 · M. L. LANG, The Palace of Nestor at Pylos in Western Messenia, Bd. 2: The Frescoes, 1969 · N. MARINATOS, Kunst und Rel. im alten Thera, 1988 · G. RODENWALDT, Tiryns, Bd. 2: Die Fresken des Palastes, 1912 · CH. A. TELEBANTOU, Ακρωτήρι Θήρας. Οι τοιχογράφοι της δυτικής οικίας, 1994.   G. H.

IV. ETRURIEN

Seit ihren Anfängen im 7. Jh. v. Chr. ist die etr. W. eng mit der etr. Vasenmalerei verbunden, die ihrerseits von der Entwicklung in Griechenland (Korinth, Ionien, Athen) beeinflußt ist; diese Verbindung findet auch in der lit. Überl. um die Person und das künstlerische Umfeld des um 650 v. Chr. nach Tarquinii eingewanderten Korinthers → Demaratos [1] ihren Niederschlag (Plin. nat. 35,16).

Die Farben – zunächst nur rot, gelb, braun und schwarz – wurden direkt auf die geglätteten Felswände etr. Kammergräber aufgetragen, wobei im 7. Jh. als figürliche Bildmotive Vögel, Fabeltiere und Heroen vorherrschen (Veii: Tomba (= T.) delle Anatre; → Caere/Cerveteri: T. dei Leoni dipinti; T. degli Animali dipinti). Ähnliche Tiermotive sind auch für die tönernen Dachverkleidungsplatten etr. Wohnhäuser des 7. Jh. überl. (→ Acquarossa; [1]). Im 6./5. Jh. v. Chr. kamen verstärkt figürlich und ornamental bemalte Tonplatten (→ pínax [6]) auf [2]. Bei den weiterhin dominierenden Grabmalereien waren die Wände mittels dünner Grundierungs- und Verputzschichten aus Kalk-Lehmgemisch präpariert, die Figuren wurden durch Vorritzungen markiert, und die Farbpalette wurde um Weiß, Blau, Grün sowie Mischtöne bereichert [3. 93–95]. Hauptzentrum war → Tarquinii, wo sich die Entwicklung der Malstile, der externen Einflüsse und der Bildmotive am besten verfolgen läßt: Noch in der Trad. der korinthischen Kunst steht die T. delle Pantere (vor 550 v. Chr.), während sich die ionische Mal-Trad. in Gräbern wie der T. dei Tori (um 530/520) und die attische erstmals in der T. delle Bighe (um 490) widerspiegeln. Um 530/520 begegnet in der T. degli Auguri eine großformatige, alle vier Wände der Grabkammer füllende Figurenmalerei über einfarbigem Sockel mit der Darstellung von Leichenspielen. Die Bilderwelt der archa.

Gräber, neben Tarquinii v. a. in → Clusium/Chiusi (T. della Scimmia; T. del Colle), schildert in erster Linie Lebensbereiche der lokalen Aristokratie, wie Jagd und Tanz, sportliche Wettkämpfe und Bankette. Landschaftsmotive (T. della Caccia e della Pesca) sind dagegen selten.

Die etr. W. des 4.–2. Jh. ist technisch, stilistisch und ikonographisch stark von der (Vasen-)Malerei Unterit.s (→ unteritalische Vasenmalerei) beeinflußt. Das gilt ebenso für die Präparierung des Malgrundes aus mehreren dicken Verputzschichten wie für die differenzierten Farbabstufungen mit Chiaroscuro-Effekt [3. 95 f.]. Anstelle der heiteren Sport- und Tanzszenen tritt nun der Jenseits-Aspekt deutlicher hervor: bei den Bankett-Szenen durch Namensbeischriften von Verstorbenen (Tarquinii: T. degli Scudi) oder durch die Präsenz von Totengeleitern und Unterweltsgöttern (Volsinii-Orvieto: T. Golini I). In der T. dell'Orco (Tarquinii) ist diese Thematik durch Odysseus' Reise in die Unterwelt bereichert [4]. Myth., mit Tod und Jenseits verbundene Bildthemen schmücken auch das Innere der T. François in → Volci/Vulci (um 300 v. Chr.): Auf Ereignisse des 6. Jh. v. Chr. zurückgehende Kampfszenen zwischen etr. und röm. Aristokraten (→ Mastarna) stehen am Anfang der Historienmalerei in Italien [5]. Häufig sind Totenprozessionen mit Verstorbenen, Magistraten und Todesdämonen (Tarquinii: T. Bruschi; T. Tifone; T. del Colloquio).

Die etr. W. hatte neben ihrer figürlich-thematischen und ornamentalen auch architektonische Funktion, wobei der Hauscharakter des Grabes (→ Grabbauten III.C.1.) durch entsprechende Bemalung betont wurde: in archa. Zeit durch die Imitation farbiger Stoffe an Wänden und Decken, durch Architekturelemente wie Firstbalken, Architrave, Fenster und Türen [6] sowie in der Spätzeit durch die Wiedergabe von Waffen und Küchengerät im Atrium: Caere-Cerveteri, T. dei Rilievi (um 300 v. Chr., vgl. [7]).

→ Etrusci, Etruria III. C. 3.; Grabmalerei; Malerei; Nekropolen VII.; Totenkult III.; Tongefäße II.A.3.

1 C. E. ÖSTENBERG, Case etrusche di Acquarossa, 1975 2 F. RONCALLI, Le lastre dipinte di Cerveteri, 1965 3 L. VLAD BORELLI, Technik und Konservation der etr. Malerei, in: S. STEINGRÄBER (Hrsg.), Etr. W., 1985, 91–100 4 C. WEBER-LEHMANN, Polyphem in der Unterwelt?, in: MDAI(R) 102, 1995, 71–100 5 F. BURANELLI (Hrsg.), La Tomba François di Vulci, 1987, 225–243 6 A. NASO, Pitture dipinte, 1996 7 H. BLANCK, G. PROIETTI, La Tomba dei Rilievi a Cerveteri, 1986.

M. CRISTOFANI s. v. pittura, in: Ders. (Hrsg.), Dizionario della civiltà etrusca, 1985, 223–225 · F. MESSERSCHMIDT, Beitr. zur Chronologie der etr. W., 1926 · M. MORETTI, Nuovi monumenti della pittura etrusca, 1966 · M. PALLOTTINO, La peinture étrusque, 1952 · S. STEINGRÄBER (Hrsg.), Etr. W., 1985 · F. WEEGE, Etr. Malerei, 1921.   F. PR.

V. KLASSISCHE ANTIKE
A. EINLEITUNG, TECHNIK B. KLASSISCHES GRIECHENLAND UND EINFLUSSGEBIETE C. ROM UND EINFLUSSGEBIETE D. NACHLEBEN

A. EINLEITUNG, TECHNIK

Die technischen Voraussetzungen für W. (τοιχογραφία/*toichographía*; lat. *expolitio*; *opus tectorium*; *parietum pictoria*; → Farben; → Freskotechnik) waren schon Thema der ant. Fachlit. (z.B. Plin. nat. 35,49; 36,177; Vitr. 7,3–14). Die Verfahren variierten leicht je nach Epoche und Landschaft und hingen auch von der natürlichen Beschaffenheit der vorgegebenen Bildträger ab: Diese wurden entweder nur geglättet (z.B. Felswände) oder durch Ein- oder Mehrschichtputze für einen trockenen oder nassen Farbauftrag vorbereitet [1. 87–94; 2; 3. 26–35]. Am besten erforscht ist die – handwerklich raffinierteste – röm. W., bei der wohl eine Mischtechnik aus Fresko- und Temperamalerei angewandt wurde. Ihre leuchtkräftige Wirkung ist der Glättung des Putzes und der abschließenden manuellen Politur, nicht etwa einer Behandlung mit Wachs zu verdanken, wie immer noch irrtümlich angenommen wird. [2. 70f., 104f., 145f.; 15. 15–17].

B. KLASSISCHES GRIECHENLAND UND EINFLUSSGEBIETE

Ant. Schriftquellen speziell zur W. sind nicht sehr zahlreich, was die Vorrangstellung der höher geschätzten, weit häufiger erwähnten Tafelmalerei nahelegt (Plin. nat. 35,118; zur Quellenlage allg. vgl. → Malerei; [4. 99ff.]). Das mag damit zusammenhängen, daß die an eine wie auch immer geartete Architektur und damit einen festen Platz »gebundene« Malerei anfangs nicht so gebräuchlich, weil auf wenige öffentliche, sakrale und funeräre Bereiche beschränkt war. In Privathäusern dürfte sie im 6. und 5. Jh. v. Chr. eine Ausnahme (→ Agatharchos) gewesen sein, wird sie doch in der zeitgenössischen Lit. als Luxus und damit negativ bewertet [5. 1, 9, 58]. So befanden sich die berühmten frühklass. Monumentalgemälde von → Polygnotos [1], → Panainos und → Mikon in Tempeln und öffentlichen Versammlungsgebäuden (Paus. 1,15,1f.; 1,18,9; 10,25–31). Ein Grund für die seltene Erwähnung könnte auch in der möglicherweise unterschiedlichen Beurteilung der eher handwerklich und anonym tätigen W.-Werkstätten gegenüber einem renommierten → Künstler mit spektakulären Einzelwerken liegen ([6. 10f.]: Vergleich mit der Renaissance).

Trotz der relativ spärlichen Schriftquellen und der oft desolaten Erhaltungslage der → Malerei ist die W. noch am besten überl. – sowohl wegen der relativ dauerhaften Bildträger als auch angesichts bedeutender Neufunde der letzten Jahrzehnte (diese stammen meist aus den Randgebieten der griech. Welt). Die wenigen Nachweise früharcha. W. bestehen aus einigen farbigen Stuckresten vom Poseidontempel in Isthmia bei Korinth aus dem späten 7. Jh. v. Chr. [1. 88; 7. 259], doch ist ihr Zustand zu frg., um über das zugrundeliegende De-

korationssystem zu unterrichten. Die nächsten Belege stammen bereits aus spätarcha. Zeit; es handelt sich um Kammer- und Kistengräber verschiedener Regionen. Aus dem späten 6. und frühen 5. Jh. v. Chr. stammen die großformatigen Dekorationen mit Wagenausfahrts- und Symposienszenen der lykischen Kammergräber in Kızılbel und Karaburun [8; 9]. Bedeutend für die Erforschung der griech. Malereientwicklung ist neben maked. Beispielen aus Vergina (→ Aigai [1]; → Malerei; → Nikomachos [4]) auch der große Komplex unterital. → Grabmalereien [10. 3; 11; 12]. Aus dem frühen 5. Jh. v. Chr. stammt das bekannte »Tauchergrab« aus Paestum (→ Poseidonia). Der Hauptteil der übrigen zahlreichen Kriegs- und Kampfszenen, der Lebens- und Mythenbilder aus Unter-It. datiert jedoch ins 4. und frühe 3. Jh. v. Chr. Aus dem 4./3. Jh. stammen auch die Friese des thrakischen Kuppelgrabes von Kazanlǎk, das neben Wagenrennen ein Fürstenpaar inmitten seines Gefolges zeigt. Späthell. sind die Malereien des maked. Grabes des Lyson und Kallikles (Lefkadia), die bereits eine illusionistische Architekturauffassung zeigen [13]. Seit dem 4. Jh. v. Chr. sind auch farbig dekorierte Räume mit floralen, architektonischen oder abstrakten Motiven aus Privathäusern bekannt [5. 56; 14. 347, 516, 577f.; 15. 21–25].

C. ROM UND EINFLUSSGEBIETE
1. ÜBERBLICK 2. FORSCHUNGSGESCHICHTE 3. HISTORISCHE ABFOLGE VOM 2. JH. V. CHR. BIS 1. JH. N. CHR.

1. ÜBERBLICK
Die heutige Vorstellung von röm. W. ist durch Einzelfunde v. a. aus dem kaiserzeitlichen Rom und die bes. gut erh. Überreste in den durch den Vesuvausbruch 79 n. Chr. verschütteten Häusern und Villen von → Pompeii, → Herculaneum und anderen campanischen Landstädten geprägt. In den vergangenen Jahrzehnten wurde das Material durch weitere Ausgrabungen und zufällige Entdeckungen in dieser Region bereichert sowie durch Funde aus verschiedenen Prov. des röm. Reiches ergänzt, die bis in die → Spätantike reichen. Der materielle Bestand wird durch etliche Schriftquellen unterstützt und erläutert. So nennt → Plinius [1] d. Ä., dem als Zeitgenossen des 1. Jh. n. Chr. diese Art von Wanddekoration durchaus vertraut war, eine Reihe von röm., ital. und wohl auch urspr. griech. Malern (z. B. Plin. nat. 35,19f.; 115ff.; 120; 154) schon aus republikanischer Zeit. Daraus ergibt sich, daß bereits 304 v. Chr. der Salustempel auf dem Quirinal in Rom mit W. versehen wurde. Viele wichtige Hinweise gibt auch der in augusteischer Zeit schreibende Bauforscher → Vitruvius [2]. In B. 7,5 von *De architectura* umreißt er die Entwicklung der W. der »Alten« (*antiqui*) und polemisiert gleichzeitig gegen aktuelle Auswüchse (*iniqui mores*, »entarteter Geschmack«; *error*, »Irrweg«; *monstra*, »Ungeheuerlichkeiten« u. a.).

2. FORSCHUNGSGESCHICHTE

Eine erste gründlichere Beschäftigung mit röm. W. setzte, obwohl sie bereits seit dem 15. Jh. vereinzelt von zeitgenössischen Künstlern kopiert worden waren, in der ersten H. des 18. Jh. ein. Im Vordergrund standen dabei gezielt nach Kunstwerken suchende, zunächst vom bourbonischen Königtum initiierte Ausgrabungen einzelner Komplexe in Herculaneum, Pompeii und → Stabiae, die nur teilweise dokumentiert wurden. Wegen der zeitgebundenen Grabungstechnik, der nur zufälligen Bergung einzeln ausgeschnittener Bilder, sowie der bis h. mangelhaften Konservierung der verbliebenden bemalten Wände sind viele der damals noch gut sichtbaren Fresken unter den Natureinflüssen zerstört und ihrer urspr. Kontexte beraubt worden. K. SCHEFOLD [23] versuchte 1957, die erh. Befunde in Pompeii mit den v. a. im Nationalmuseum von Neapel befindlichen Mittelbildern und den nur noch durch alte Publikationen bekannten Malereien katalogartig für den ganzen Ort wiederherzustellen. Eine erste systematische Ordnung hatten die Funde durch ein großes, in der ersten H. des 19. Jh. erschienenes Stichwerk von F. MAZOIS erh. [15. 12f.]. Die erste eigentlich wiss. Auswertung erfuhren die Malereien 1868 durch W. HELBIG. Die bis h. gültige, wenn auch immer wieder verfeinerte und modifizierte Ordnung in vier »Stile« verdankt die Forsch. A. MAU, der 1882 die ›Gesch. der decorativen W. in Pompeji‹ herausbrachte [15. 12–15]. Die typologische Unterscheidung der verschiedenen gemalten Wandsysteme, aber auch Boden- und Deckendekorationen in chronologischer Abfolge nach charakteristischen Merkmalen ist unter dem Oberbegriff »Stil« im üblichen Wortsinne unglücklich, jedoch bis h. gebräuchlich.

Die Problematik von Herkunft, Entstehung und Übernahme bzw. Umwandlung einzelner »Stil«-Elemente, die teilweise mit Vorbildern aus Bühnenprospekten des Theaters, neuerdings eher aus der hell. Palast- und späthell. Villenarchitektur erklärt werden [15. 35–38], die Verbindung mit der jeweiligen histor. und polit. Situation wird – nachdem rein kunsthistor. orientierte Stud. seltener geworden sind – h. bevorzugt diskutiert. Röm. W. als gesellschaftliches Phänomen wird als Folge von → Hellenisierung und Akkulturation an griech. Geschmack und Lebensstil erklärt [16. passim]. Auch Fragen nach dem Zusammenhang von Raumdekorationen und -funktionen innerhalb fest umrissener Hausstrukturen mit dem Leben ihrer Bewohner und Besucher können durch neue Dokumentationen des erh. Bestandes besser beantwortet werden [17].

3. HISTORISCHE ABFOLGE

VOM 2. JH. V. CHR. BIS 1. JH. N. CHR.

Den ersten Stil, auch Inkrustationsstil oder *masonry style* genannt (→ Inkrustation), findet man in → Pompeii während des 2. Jh. v. Chr. v. a. in öffentlichen Gebäuden und großen Häusern der Oberschicht (Haus des Sallust, Haus des Fauns). Das – u. a. durch gliedernde Stuckelemente – plastisch wirkende Dekorsystem ist aus der Monumentalarchitektur abgeleitet und imitiert eine aus verschiedenen Bauelementen und -stoffen aufgemauerte Quaderwand. Die einfarbige oder gemusterte Fassung ahmt eine Verkleidung mit kostbaren Marmorplatten nach. Der erste Stil ist keine genuin röm. Erfindung, sondern herrschte seit dem Hell. im gesamten griech. Raum vor, wenn auch in unterschiedlichen Ausprägungen, und beeinflußte von dort aus die röm. W. [18].

Der zweite Stil, eine illusionistische Architekturmalerei, beginnt etwa um die Wende vom 2. zum 1. Jh. v. Chr. und reicht bis an dessen Ende. Hauptkennzeichen sind das zunehmende Aufbrechen der geschlossenen Wandgliederung durch aufgemalte Säulen oder Pilaster auf hohen Sockeln sowie kühne Aus- und Durchblicke im oberen Wandteil auf weitere mehrschichtige gemalte Architekturelemente. In Rom ist er zuerst in der Casa dei Grifi auf dem Palatin zu finden, in Pompeii und Umgebung in den großen Aristokratenvillen (Mysterienvilla in Pompeii; in → Boscoreale und → Oplontis). In den Aristokratenvillen finden sich Beispiele für die in dieser Zeit erstmals auftretenden großen Figurenfriese, die Gegenstand zahlloser Deutungen wurden ([15. 40–45, 46–48]; konträre Deutung bei [19] und [20. 42–52]). Beispiele für den späten, deutlich zurückgenommen wirkenden zweiten Stil sind die Häuser des Augustus und der Livia auf dem Palatin (→ Mons Palatinus) sowie die Villa Farnesina in Rom, in denen sich die Architekturprospekte um zentrale Mittelbilder anordnen. Auch kommen zu den Architekturdarstellungen und Figurenfriesen neue Themen hinzu, z. B. erdachte und komponierte Landschaften mit Versatzstücken aus der Heiligtumsarchitektur und sich darin aufhaltenden Menschen und Tieren, sowie Mythen in Kopien nach klass. und hell. Vorbildern aus der griech. Tafelmalerei.

Der dritte Stil (ca. 20 v. Chr. bis 40/50 n. Chr.), auch als »Kandelaberstil« bekannt, bringt eine Ornamentalisierung und Abstraktion der gemalten Architekturelemente hervor. Preziös wirkende Metallständer und vegetabile Elemente werden zur Gliederung verwendet. Dadurch erscheint die gleichmäßige weiße, rote oder schwarze Wand wieder mehr als geschlossene Fläche; ihre Farbwirkung hinter scheinbar davor schwebenden filigranen Ornamentbändern ist verstärkt. Kleine Bildchen (Menschen, Tiere, Pflanzen, Dinge) und Figurengruppen werden eingestreut, eine Vorliebe für Gartenlandschaften und ägyptisierende Motive kommt hinzu. Beispielhaft für den entwickelten dritten Stil sind die Villa von → Boscotrecase und die pompeianische Villa Imperiale.

Der vierte Stil (ca. Mitte bis E. 1. Jh. n. Chr.) ist zu vielschichtig in seiner Erscheinung, die Beispiele zu umfangreich, als daß er mit einer Kurzdefinition charakterisierbar wäre. Er vereint eine Wiederaufnahme der Architekturprospekte des zweiten Stils und eine Weiterentwicklung des dritten Stils in einer neuen, malerischeren Sprache: Mittelbilder, frei in die Wandfläche eingestellte Personen und Gruppen, Friese, Imitate großer und kleiner Klapptafelgemälde sowie ornamental wirkende Embleme bereichern in der figürlichen Malerei das Dekorsystem. Beispiele für diesen letzten Stil sind die → *domus aurea* des Nero in Rom und das Vettierhaus in Pompeii. In der 1. H. des 2. Jh. dominieren Wände in der Trad. des 2. oder 4. Stils. Gleichzeitig setzt eine Reduktion von Architekturformen und Symmetrie ein. Einfache Felderdekoration gewinnt an Bed. Dieses Nebeneinander unterschiedlicher Dekorsysteme bleibt in der Folgezeit bestehen, wobei die einfache Felderdekoration an Bed. gewinnt. Mit dem Untergang der Vesuvstädte endet die röm. W. nicht; zur weiteren Entwicklung vgl. [15. 93–138].

D. NACHLEBEN

Seit der Renaissance sind Elemente röm. W. in neuzeitlichen Innendekorationen öffentlicher wie privater Natur zeitweilig wiederaufgenommen worden. Beispielhaft seien die Kopien nach Fresken des Nasoniergrabes in Rom im 18. Jh. [21], das Pompejanum in Aschaffenburg, unter Ludwig I. von Bayern von F. GÄRTNER 1849 fertiggestellt [22], oder die in Malibu von J. P. GETTY als Museum konzipierte Kopie der Papyri-Villa in Herculaneum genannt (→ MALIBU).

→ Farben; Freskotechnik; Grabmalerei; Malerei; Ornament; Pompeii (mit Stadtplan); Villa; KLASSISCHE ARCHÄOLOGIE III. C.; POMPEJI

1 I. SCHEIBLER, Griech. Malerei der Ant., 1994 2 A. KNOEPFLI, Reclams Handbuch der künstlerischen Techniken 2, 1990, 133–153 3 N. KOCH, Techne und Erfindung in der klass. Malerei, 2001 4 A. ROUVERET, Profilo della pittura parietale greca, in: G. PUGLIESE CARRATELLI (Hrsg.), I Greci in Occidente, 1996, 99–108 5 V. HARWARD, Greek Domestic Sculpture and Origins of Private Art Patronage, 1982 6 S. ROETTGEN, W. der Frührenaissance in It. 1, 1996 7 F. CROISSANT, La peinture grecque et l'histoire des styles archaïques, in: M.-CH. VILLANUEVA-PUIG et al. (Hrsg.), Céramique et peinture grecques: modes d'emploi, Actes du colloque international 1995, 1999, 257–267 8 M. MELLINK, Kizilbel: An Archaic Painted Tomb Chamber in Northern Lycia, 1998 9 O. BINGÖL, Malerei und Mosaik in der Türkei, 1997 10 S. STEINGRÄBER, Grabmalerei in Unteritalien, in: Ant. Welt 20.4, 1989, 3–23 11 M. CIPRIANI, F. LONGO, Poseidonia e i Lucani, 1996 12 M. MAZZEI, Arpi, L'ipogeo della Medusa e la necropoli, 1995 13 S. MILLER, The Tomb of Lyson and Kallikles, 1993 14 W. HOEPFNER, Gesch. des Wohnens, 1999 15 H. MIELSCH, Röm. W., 2001 16 P. ZANKER, Pompeji. Stadtbild und Wohngeschmack, 1995 17 J.-A. DICKMANN, Domus frequentata, 2 Bde., 1999 18 P. GULDAGER BILDE, The International Style: Aspects of Pompeian First Style and Its Eastern Equivalents, in: Acta Hyperborea 5, 1993, 151–177 19 P. VEYNE, Les mystères du gynécée, 1998 20 G. SAURON, La grande fresque de la villa des Mystères à Pompéi, 1998 21 B. ANDREAE, C. PACE, Das Grab der Nasonier in Rom, in: Ant. Welt 32.4, 2001, 369–382; 32.5, 2001, 461–479 22 K. SINKEL, Das Pompejanum von Aschaffenburg, 1984 23 K. SCHEFOLD, Die Wände Pompejis, 1957.

E. DE CAROLIS, Dei ed eroi nella pittura pompeiana, 2000 • J. und M. GUILLAUD, La peinture à fresque au temps de Pompei, 1990 • H. LAVAGNE (Hrsg.), Jeunesse de la beauté. La peinture Romaine antique, ²2001 • R. LING, Roman Painting, 1991 • Ders., Stuccowork and Painting in Roman Italy, 1998 • E. MOORMANN, Functional and Spatial Analysis of Wall Painting, 1992 • R. A. TYBOUT, Aedificiorum figurae, 1989.   N.H.

Wanze (ὁ, ἡ κόρις/*kóris*, lat. *cimex*; v. a. die als blutsaugender Schmarotzer lästige Bett-W., Cimex lectularius). Als typisch für das Bett der armen Leute wird die W. lit. zuerst bei Aristophanes (Nub. 634, Ran. 115 und Plut. 541) erwähnt. Davon kommt die Redensart ›nicht einmal eine W. besitzen‹ (*nec tritus cimice lectus*, Mart. 11,32,1; vgl. Catull. 23,2). Als schlimmer Parasit stand die W. auch syn. für Kuppler oder Lit.-Kritiker (Plaut. Curc. 500; Anth. Pal. 11,322,6; Hor. sat. 1,10,78). Bei den Christen galt sie als Beispiel für Güte und Weisheit des Schöpfers (Arnob. 2,47 u. a.).

Aristoteles (hist. an. 5,31,556b 23f. und 26f.) kannte ihre Fortpflanzung noch nicht, er läßt die W. aus äußerlicher Feuchtigkeit an anderen Tieren ungeschlechtlich entstehen, aber ihrerseits nach der Paarung sogenannte Nissen (κόνιδες/*kónides*) hervorbringen, die eine neue Generation bilden. Es gab – trotz deren offensichtlicher Wirkungslosigkeit – zahllose Bekämpfungsmittel wie z. B. → Essig, Öl, → Meerzwiebeln, Tiergalle und → Pech (vgl. Geop. 13,14; Varro rust. 1,2,25). Die W. selbst diente als Medizin gegen Quartanfieber, Krämpfe und Schlangengift (Plin. nat. 29,61–64; Dioskurides 2,34 WELLMANN = 2,36 BERENDES). In der Tiermedizin sollte eine W. oder der Rauch eines verbrannten Exemplars verschluckte Blutegel aus der Speiseröhre eines Tieres entfernen (Colum. 6,18,2; Plin. nat. 29,62; Geop. 13,14, 7).

KELLER 2, 399–400 • W. RICHTER, s. v. W., RE Suppl. 14, 822–825.   C.HÜ.

Waräger (Βάραγγοι). Skandinavier, die etwa ab dem frühen 10. Jh. n. Chr. über das Gebiet der Kiever Rus' nach Byzanz gelangten (deshalb auch oft als Rus'/'Ρώς bzw. Tauroskythen bezeichnet), ab dem 11. Jh. auch Angelsachsen, die im byz. Heer (wo sie als bes. zuverlässig galten), v. a. aber in der kaiserlichen Garde dienten. Ihre kennzeichnende Waffe war die Streitaxt, die ihnen den Beinamen »Axtträger« (πελεκυφόροι/*pelekyphóroi*) eintrug.

S. FRANKLIN, A. CUTLER, s. v. Varangians, ODB 3, 2152.   F.T.

Waraz (Βαράθης, *Varazes*). Ein Armenier, der 548 von → Iustinianus [1] an der Spitze von 800 Landsleuten nach Italien geschickt wurde und gerade zur rechten Zeit kam, um Verus (PLRG 3B, 1370) und seine → Heruli vor der völligen Vernichtung durch → Totila zu retten (Prok. BG 3,27). 551 aus Italien zurückgeholt, wurde er in → Lazika als Anführer von 800 Tzanen (armen. Teilstamm) gegen die Perser eingesetzt (Prok. BG

4,13,10). Seine Identität mit einem 556 in Lazika kommandierenden Armenier W. (Agathias 4,13) ist umstritten. PLRE 3B, 1362 f. M.SCH.

Warazdat (Varazdat). Nach → Paps Ermordung wurde 374 n. Chr. sein Neffe (Vetter?) W. von der röm. Regierung als König in Armenien eingesetzt. Er ließ den Reichsfeldherrn Mušel Mamikonian, den Sohn des → Wasak [1], ermorden und wurde von dessen Bruder Manuel um 378 vertrieben (Faustos [4] Buzandaci 5,34 f.; 5,37; legendär Moses [2] Chorenaci 3,40). PLRE 1, 945.

> M.-L. CHAUMONT, s. v. Armenia and Iran II, EncIr 2, 418–438, bes. 428 · R. H. HEWSEN, The Successors of Tiridates the Great, in: Rev. des études arméniennes 13, 1978/79, 99–126 · J. MARKWART, Südarmenien und die Tigrisquellen, 1930, 69–71. M.SCH.

Warenplomben s. Zoll

Warpalawas (»der an Kenntnissen Überlegene«, hethitisch Warballawa, assyrisch Urballa). Luwischer Herrscher von Tuwana (griech. → Tyana), dem ehemals assyr. Tabal (in Kappadokien). Sohn Muwaharanis (İVRIZ 2, [1. 327 f.]). W. war Zeitgenosse Tiglatpilesers [2] III. und Sargons [3] II. von Assyrien (2. H. 8. Jh. v. Chr.). In der Inschrift BOR (Bor-Stele, [1. 291, 294]) bezeichnet er sich als *hantawati-*, »König« (lykisch *xñtawati* = βασιλεύς/ → *basileús*). W. war ein Verehrer des → Wettergottes Tarhunzas, dem er aus Dankbarkeit einen Weinberg pflanzte und eine Stele aufstellte. Dieser hatte ihm ›die Feinde unter die Füße gelegt‹ (BOR § 9). Bekannt ist das kolossale Felsrelief von İvriz mit Inschrift *in situ* (İVRIZ 1). Es zeigt die Epiphanie des Wettergottes »Tarhunzas vom Weingarten«. Dieser hält in der Rechten Weinreben, mit der Linken umfaßt er Gerstenähren. Dem Gott gegenüber steht der Stifter W.

> 1 K. BITTEL, Die Hethiter, 1976 2 J. D. HAWKINS, Corpus of Hieroglyphic Luwian Inscriptions, 2000, 425–531 (zu den Inschr. von Tabal). PE.HÖ.

Wasak (Vasak, lat. Vasaces).
[1] W. Mamikonian. Armenier, Reichsfeldherr unter → Arsakes [4] II. von Armenien. W. suchte gute Beziehungen zu Rom zu erhalten. Zusammen mit dem König fiel er um 368 in die Gefangenschaft → Sapors [2] II., der W. schinden ließ (Prok. BP 1,5: Βασσίκιος; Faustus [4] Buzandaci 3,16; 4,2; 4,11; 4,16; 4,20; 4,23–49; 4,53 ff.).
[2] W. von Siunik, seit 442 Statthalter von Armenien, geriet in den Konflikt zw. seinen christl. Landsleuten und seinem zarathustrischen Oberherrn → Yazdgird [2] II. Nach dem persischen Sieg bei Awarayr 451 verlor er Stellung und Besitz. PLRE 2, 1151 f.

> M.-L. CHAUMONT, s. v. Armenia and Iran II, EncIr 2, 418–438, bes. 430. M.SCH.

Wasit (*al-Wāsiṭ*). Stadt sö von al-Kūt (Südirak), wurde von dem omajjadischen Gouverneur Ḥaǧǧāǧ ibn Yūsuf 703 n. Chr. als Zentrum der Heeresverwaltung und Administration gegründet, um die Garnisonsstädte al-Baṣra und al-Kūfa zu ersetzen. W. hatte in omajjad. Zeit (→ Omajjaden) die Funktion einer Hauptstadt. Gegenüber lag das frühere sāsānidische Verwaltungszentrum Kaskar. Ausgrabungen im Zentrum des Stadtgebietes ergaben Reste der frühesten Moschee mit einer Seitenlänge von 100 m mit mehrschiffigem Gebetssaal, Hof und umlaufenden Säulengängen sowie qualitätvollem Baudekor. Der direkt an die Moschee anschließende Palast war doppelt so groß. Die in W. gefundene Lösung für die zentrale Lage von Moschee und Palast hatte Vorbildcharakter.

> F. SAFAR, W., 1945 · K. A. C. CRESWELL, Early Muslim Architecture, Bd. 1.1, ²1969, 132–138, Pl. 39 · B. FINSTER, Frühe Iranische Moscheen, 1994, 26 f. JE.KR.

Wasserhebegeräte I. ALLGEMEIN
II. DER SCHÖPFBALKEN III. WASSERRÄDER
IV. DIE ARCHIMEDISCHE SCHRAUBE
V. DAS PRINZIP DER EIMERKETTE
VI. PUMPEN VII. ANWENDUNGSBEREICHE
VIII. DER ANTRIEB DER WASSERHEBEGERÄTE
IX. ARCHÄOLOGISCHE FUNDE

I. ALLGEMEIN

Wasser, das in der ant. Zivilisation für verschiedene Zwecke, im Haushalt als Trinkwasser, für die Zubereitung von Speisen, für die Hygiene (→ Körperpflege), im → Handwerk für die Metallverarbeitung (→ Metallurgie) und für das → Walken von Stoffen, im öffentlichen Bereich für Badehäuser und für → Thermen und schließlich in der → Landwirtschaft für die → Bewässerung von Gärten (→ Garten) und Feldern benötigt wurde, stand im Mittelmeerraum als Oberflächenwasser nicht in ausreichender Menge und Qualität zur Verfügung; das Wasserdargebot schwankte zudem im Verlauf des Jahres, denn bedingt durch das saisonale Ausbleiben der Niederschläge versiegten im Sommer viele Flußläufe und Quellen. Damit war die Bevölkerung auf die Nutzung unterirdischer Wasserreservoire durch Abteufen von Brunnenschächten angewiesen: Wie ein entsprechendes athenisches Gesetz zeigt, wurden private → Brunnen mit einer Tiefe von bis zu 18 m angelegt (Plut. Solon 23). Unter diesen Umständen mußte Wasser in Gefäßen aus beträchtlicher Tiefe gehoben werden; aufgrund des hohen Gewichts von Wasser war dies eine mühevolle Arbeit, die erst durch den Bau von Wasserleitungen (→ Wasserversorgung II.C.) und Brunnenhäusern mit einem Wasserausfluß im 6. Jh. v. Chr. zumindest in den urbanen Zentren überflüssig wurde; viele ländliche Siedlungen erhielten aber bis zur Spätant. weiterhin ihr Wasser aus Schachtbrunnen (→ Brunnen). Bei der Bewässerung von Gärten und Feldern im ptolem. und röm. Äg. war es zudem notwendig, das Wasser von Bächen und Flüssen bzw. Flußarmen auf das höhere

Niveau des bewässerten Landes zu heben. Damit waren die W. für die ant. Zivilisation und Wirtschaft wichtige technische Installationen.

II. Der Schöpfbalken

In der archa. Zeit wurden Tongefäße an einem Seil ohne weitere Hilfsmittel in den Brunnen hinabgelassen und wieder heraufgezogen. Durch bildliche Darstellungen auf attischen Vasen ist für das 6. Jh. v. Chr. eine Hebevorrichtung, der Schöpfbalken, belegt, der direkt am Brunnen errichtet wurde: Ein senkrechter Pfosten trug einen beweglichen Jochbalken, der an einem Ende mit einem Gewicht versehen war; am anderen Ende wurde das Gefäß mit einem Seil befestigt. Durch das Gegengewicht wurde das Heben des gefüllten Gefäßes deutlich erleichtert. Allerdings war diese Vorrichtung nur bei geringen Tiefen wirksam; dennoch wurde der Schöpfbalken noch in röm. Zeit verwendet (*tolleno*: Plin. nat. 19,60). Eine andere Möglichkeit, Wasser zu heben, bestand darin, über dem Brunnen eine Rolle anzubringen; auf diese Weise wurde die Arbeit zwar nicht reduziert, aber durch die Richtungsänderung – das Seil mußte nun herabgezogen werden – der Bewegung des Menschen besser angepaßt. Es ist unklar, seit welcher Zeit die Rolle für das Heben von Wasser genutzt wurde; auf einem spätant. Mosaik wird ein Brunnen mit einer → Winde dargestellt (die Samariterin am Brunnen, Ravenna, Sant' Apollinare Nuovo).

III. Wasserräder

Unter den W. (*organa, quae ad hauriendam aquam inventa sunt*) beschreibt Vitruvius [2] zwei Wasserschöpfräder: Das *tympanum* war ein breites, trommelförmiges Rad, das sich um die Achse bewegte. Die Trommel selbst besaß mehrere Kammern mit jeweils einer Öffnung am äußeren Rand zur Aufnahme des Wassers und einem Loch nahe der Achse, durch das bei der Drehung des Schöpfrades das Wasser wieder ausfließen konnte. Damit wurde das Wasser etwa um die halbe Höhe des Rades gehoben. Eine andere Form des Schöpfrades erwies sich als leistungsfähiger: Bei diesem Typus bestand der Randkranz aus abgedichteten Kästen, die sich bei der Drehung des Rades im Wasser zunächst füllten und dann am Scheitelpunkt angelangt wieder entleerten. In diesem Fall entsprach die Höhe, um die das Wasser gehoben wurde, fast dem Durchmesser des Rades; beide Schöpfräder wurden von Menschen gedreht (Vitr. 10,4,1–3).

IV. Die archimedische Schraube

Die archimedische (= archim.) → Schraube (κοχλίας/*kochlías*, wörtl. »Schnecke«; davon abgeleitet lat. *coclea*), die erstmals für die Zeit des Königs Hieron [2] von Syrakus (269–215 v. Chr.) belegt ist und in der Ant. als Erfindung des → Archimedes [1] galt (Athen. 5,208f; Diod. 1,34,2; 5,37,3 f.), wird ebenfalls von Vitruvius ausführlich dargestellt (Vitr. 10,6): Sie bestand aus einem langen runden Stamm, um den spiralförmig Holzleisten gelegt und befestigt wurden; diese wurden dann mit schmalen Holzlatten abgedeckt, so daß Kammern entstanden, die abgedichtet werden konnten.

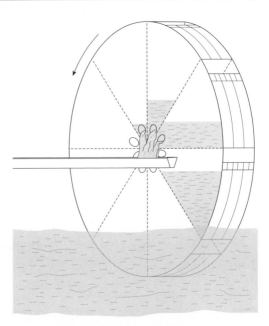

Tympanum (Rekonstruktion nach Vitr. 10,4).

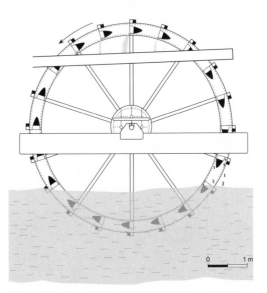

Wasserheberad; aus Dolaucothi, Wales (Rekonstruktion).

Wenn man die schräg zw. zwei Pfosten aufgestellte Schraube in Drehung versetzte, wurde das Wasser in den Kammern gehoben. Da die Schraube nur bei einer geringen Neigung effizient arbeitete, konnte das Wasser nicht so hoch befördert werden wie mit einem Schöpfrad; immerhin war es möglich, durch Aufstellung mehrerer Schrauben hintereinander größere Höhen zu überwinden.

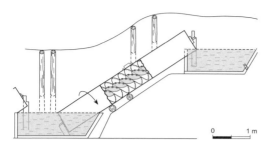

Sog. Schraubenpumpe oder Wasserschnecke (coclea) des Archimedes [1]; aus Centenillo, Spanien (Rekonstruktion).

V. DAS PRINZIP DER EIMERKETTE

Das Prinzip der Eimerkette war in der Ant. bereits bekannt und findet bei Vitruvius in der Darstellung der W. Berücksichtigung (Vitr. 10,4,4): Wasserbehälter aus Br. mit einem Fassungsvermögen von etwa 3 Litern waren an einer eisernen Kette befestigt, die über eine Welle über den Brunnen gelegt wurde und bis zum Wasserspiegel reichte. Durch Drehen der Welle wurden die Behälter gefüllt, gehoben und dann in Höhe der Welle entleert. Nach den arch. Funden zu urteilen, bevorzugte man entgegen den Bemerkungen des Vitruvius als Material wohl Seile und Holz für die Wasserbehälter.

VI. PUMPEN

Eine Pumpe, die Wasser durch Druck in die Höhe beförderte, wurde von Ktesibios [1] konstruiert. Das Gerät (σίφων/*síphōn*) besaß zwei Zylinder mit Kolben, die mit einem einzigen Griff verbunden waren, so daß jeweils ein Kolben nach unten und einer nach oben bewegt wurde. Zwei Ventile regelten den Zufluß des Wassers und wurden bei Druck verschlossen; auf diese Weise wurde das Wasser durch eine Steigleitung in die Höhe gedrückt (Vitr. 10,7,1–3). Das Prinzip der Doppelkolbenpumpe wurde im 1. Jh. n. Chr. auch für die Konstruktion einer Feuerspritze angewandt (vgl. Heron, pneumatiká 1,28).

VII. ANWENDUNGSBEREICHE

Ohne Zweifel war der wichtigste Einsatzbereich der W. die → Bewässerung von Land in Äg. und im Vorderen Orient; für das Nildelta ist die Verwendung archim. Schrauben schon früh belegt (Diod. 1,34,2); in anderen Regionen bewässerte man mit Hilfe dieser Geräte Gärten; Plinius [1] erwähnt in diesem Zusammenhang das Schöpfrad, die Pumpe und den Schöpfbalken (*rota, organa pneumatica, tolleno*: Plin. nat. 19,60). Die W. wurden aber auch zu anderen Zwecken genutzt; so diente die archim. Schraube im 3. Jh. v. Chr. dazu, das Bilgenwasser in Schiffen abzupumpen (Athen. 5,208f). Die Salinen erhielten mit Hilfe von Schöpfrädern Wasser (Vitr. 10,4,2). In den röm. Bergwerken war die Installation von W. notwendig geworden, als die Römer im 2./1. Jh. v. Chr. begannen, in Spanien Edelmetallvorkommen unterhalb des Grundwasserspiegels auszu-

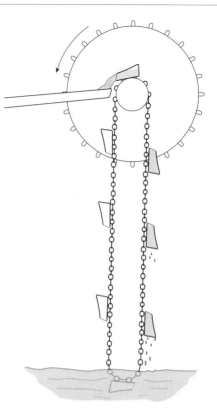

Eimerkette (der Inhalt eines Eimers entspricht einem congius = 3,275 l).

beuten; damit war die Wasserhaltung zu einem entscheidenden technischen Problem des → Bergbaus geworden. Es beeindruckte die Zeitgenossen tief, daß es den Römern gelang, mit Hilfe von archim. Schrauben große Mengen Wasser aus den Bergwerken abzupumpen (Diod. 5,37,3 f.; Strab. 3,2,9). Neben den archim. Schrauben wurden dort auch Schöpfräder verwendet; sie waren paarweise so aufgestellt, daß das Wasser über mehrere Stufen eine beträchtliche Höhendifferenz überwinden konnte. Die Gewinnung von Edelmetallen – und damit die → Münzprägung Roms – hing somit auch von der Leistungsfähigkeit der W. ab. In Äg. sicherten die Römer mit diesen W. ferner die → Wasserversorgung eines ihrer Legionslager (Strab. 17,1,30).

VIII. DER ANTRIEB DER WASSERHEBEGERÄTE

Die großen Schöpfräder und die archim. Schraube mußten von Menschen mit den Füßen gedreht werden (Vitr. 10,4,2; 10,6,3); die Römer setzten in Äg. hierfür Gefangene ein (Strab. 17,1,30); es gibt auch Hinweise dafür, daß Angeklagte zu dieser Schöpfarbeit verurteilt wurden (Artem. 1,48; Suet. Tib. 51,2). Waren Schöpfräder an Flüssen aufgestellt, bestand die Möglichkeit, die Strömung des Wassers als Antrieb zu nutzen; hierzu war es nötig, am Radkranz des Schöpfrades Schaufeln anzubringen; damit übernahm das Schöpfrad gleichzeitig die

Funktion des Antriebs (Vitr. 10,5,1). In Äg. versah man in der Prinzipatszeit die Eimerkette schließlich mit einem Transmissionsmechanismus, so daß die Welle durch tierische Muskelkraft gedreht werden konnte (Sāqiya): Die Welle war mit einem → Zahnrad versehen, das in ein zweites, größeres horizontales Zahnrad eingriff; durch die Drehung des horizontalen Zahnrades wurde auch die Welle der Eimerkette gedreht. Das horizontale Zahnrad war mit einer waagerechten Stange verbunden, an die ein Ochse angeschirrt werden konnte (Sulp. Sev. dialogi 1,13).

IX. ARCHÄOLOGISCHE FUNDE

Unsere Kenntnis der ant. W. beruht wesentlich auf arch. Zeugnissen und Funden. Unter den bildlichen Darstellungen sind v. a. zwei Wandgemälde hervorzuheben: Ein Wandbild in → Pompeii (Casa dell' Efebo) zeigt eine archim. Schraube, die von einem Ägypter gedreht wird; der Mann hält sich mit beiden Händen an einer waagerechten Stange fest, die Schraube ist mit einem Dach versehen, das wohl die Verdunstung reduzieren und den Menschen bei der Arbeit zugleich vor der Sonneneinstrahlung schützen sollte. Das Bild veranschaulicht sehr gut die Feststellung des Artemidoros, daß diejenigen, die ein W. drehen, ›wie beim Gehen ausschreiten, immer aber auf demselben Fleck bleiben‹ (Artem. 1,48). Auf einem Fresko aus der Westnekropole von Alexandreia [1] sind zwei Ochsen dargestellt, die eine Eimerkette antreiben (Alexandria, Griech.-röm. Museum). In röm. Bergwerken Spaniens und Britanniens sind Teile von archim. Schrauben und Schöpfrädern gefunden worden; aufgrund dieser Funde konnten die W. präzise rekonstruiert und ihre Verwendung genau analysiert werden. Weiteres arch. Material stammt aus Pompeii und → Cosa; in beiden Fällen diente eine Eimerkette der städtischen Wasserversorgung; in Pompeii war sie in den Stabianer Thermen installiert. Reste von Kolbenpumpen sind insbes. in den nw Provinzen in größerer Zahl gefunden worden; viele dieser Pumpen bestanden aus Holz.

Die Konstruktion und Entwicklung der W. gehört zu den faszinierenden Beispielen technischer Innovation in der Ant. Das Heben von Wasser wurde durch Schöpfräder und Pumpen mechanisiert; die Geräte wurden für unterschiedliche Zwecke eingesetzt und weiter verbessert. Dabei wurden Errungenschaften aus anderen Zweigen der → Technik für die Entwicklung der W. übernommen. So lag der Transmissionsmechanismus der Wassermühle (→ Mühle) in veränderter Form der Konstruktion der von einem Tier angetriebenen Eimerkette zugrunde. Die ant. W. besaßen eine solche Leistungsfähigkeit, daß sie fast unverändert noch im 20. Jh. genutzt wurden, so etwa die Sāqiya und die archim. Schraube zur Bewässerung in Äg. Das Prinzip der archim. Schraube findet noch heute beim Transport fester, kleinkörniger Stoffe Anwendung.

→ Bergbau; Bewässerung; Brunnen (mit Abb.); Mechanik; Schraube; Wasserversorgung

1 G. C. BOON, C. WILLIAMS, The Dolaucothi Drainage Wheel, in: JRS 56, 1966, 122–127 2 C. DOMERGUE, Les mines de la péninsule Ibérique dans l'antiquité romaine, 1990, 443–460; 548–556 3 J. F. HEALY, Mining and Metallurgy in the Greek and Roman World, 1978, 93–100 4 J. G. LANDELS, Engineering in the Ancient World, 1978, 84–98 5 A. NEYSES, Eine röm. Doppelkolben-Druckpumpe aus Eichenholz aus dem Vicus Belginum (Wederath/Hunsrück, Kreis Berkastel-Wittlich), in: Technikgeschichte 39, 1972, 177–185 6 J. P. OLESON, Greek and Roman Mechanical Water-Lifting Devices, 1984 7 Ders., Water-Lifting, in: Ö. WIKANDER (Hrsg.), Handbook of Ancient Water Technology, 2000, 217–302 8 TH. SCHIØLER, Roman and Islamic Water-Liftig Wheels, 1973 9 R. TÖLLE-KASTENBEIN, Ant. Wasserkultur, 1990 10 WHITE, Farming, 146–172.   H. SCHN.

Wasserleitungen waren wesentlicher Bestandteil der → Wasserversorgung und damit der → Infrastruktur ant. Städte; sie führten zum einen Frischwasser von einer außerhalb der Stadt gelegenen Quelle unterirdisch oder überirdisch (röm. Aquädukte mit bis zu 130 km L) in die Stadt oder bildeten als unterirdisches Leitungsnetz die Voraussetzung für eine innerörtliche Wasserverteilung. → Wasserversorgung I. C.; II. C. und E.   C. HÖ.

Wassernuß. Der einzige Vertreter der Familie der Trapaceae (früher Hydrocaryaceae) heißt wegen der Form der Nußfrucht griech. ὁ τρίβολος/tríbolos sc. ἔνυδρος/énhydros (»Dreispitz«), βουκέφαλος/buképhalos (»Rindskopf«), ταυροκέρας/taurokéras (»Stierhorn«), lat. tribulus sc. aquaticus. V. a. an sumpfigen Stellen kalkarmer Flüsse in den klimatisch günstigen Zonen Europas und Asiens wächst diese Pflanze bis auf die lederartigen, gezähnten Schwimmblätter unter Wasser (gute Beschreibung bei Theophr. h. plant. 4,9,1–3; vgl. Plin. nat. 21,98) und erzeugt harte schwarze Früchte. Diese sind stärkereich und wurden seit vorgesch. Zeit roh oder gemahlen als Brotersatz verzehrt, v. a. bei den Thrakern (Dioskurides 4,15 WELLMANN und BERENDES). In der Pharmazie wurde die W. als adstringierendes und kühlendes Mittel gegen Entzündungen, Geschwüre und Blasensteine verordnet (Dioskurides l. c.; Plin. nat. 22,27).

F. LAMMERT, s. v. Triboloi, RE 6 A, 2413–2415 ·
M. SCHUSTER, s. v. W., RE 8 A, 485–487.   C. HÜ.

Wasserspiele. In der klass. Ant. wurde der bereits aus dem Vorderen Orient vereinzelt bekannte verschwenderisch-spielerische Umgang mit Wasser erst im Kontext einer gesicherten → Wasserversorgung, eines vorbehaltlos ausgelebten, zumindest in Teilen positiv definierten öffentlichen und/oder privaten → Luxus und insbes. im Rahmen des spezifisch röm. Naturverständnisses (→ Umwelt II.) zu einem Faktor, der sich auch in entsprechenden Baulichkeiten niederschlug. In der griech. Poliswelt waren W. nicht üblich.

W. sind zunächst im Zusammenhang mit opulent ausgestalteten → Gartenanlagen belegt. Bes. im → Palast (→ Domus Aurea, Kaiserpaläste auf dem → Mons Palatinus in Rom) und in der röm. → Villa fanden sich

(z. T. künstlich angelegte) plätschernde Bäche, wasser-
umflossene Garten- oder Grotten-Triclinien und kleine
Springbrunnen (Plin. epist. 2,17,25; 5,6,19–22). Die
Funktion diverser großer Wasserbecken in verschiedenen hasmonäischen Palästen hell. Zeit (→ Hasmonäer)
bleibt demgegenüber unklar. W. waren auch in provin-
ziellem, »kleinbürgerlichem« Ambiente beliebt, was die
zahlreichen Zierbrunnen in den Häusergärten von
→ Pompeii zeigen. Springbrunnen in den röm. Städten
waren seit der frühen Kaiserzeit immer häufiger und
hatten überwiegend repräsentativen, weniger funktionalen Charakter im Rahmen der lokalen Wasserversorgung. Das monumentalste Beispiel war die *meta sudans*
in Rom (→ Meta [2] C.), ein in der Nähe des Kolosseums unter Kaiser Domitianus [1] erbauter, kegelförmi-
ger Springbrunnen (ähnlich, aber erheblich kleiner, ein
gut erh. Brunnen im numidischen → Cuicul/Djemila).
Als Springbrunnen fungierte auch ein wasserspeiender
→ Triton [1] auf dem Marsfeld in Rom, den Pompeius
[I 3] dort in seiner Porticus aufstellen ließ (vgl. Prop.
2,32,11 f.). Zu den W. zählten auch die zahlreichen
röm. Prunk-Nymphäen (→ Nymphäum), die jedoch
des öfteren zugleich der Trinkwasserentnahme dienten.

R. AMEDICK, Ein Vergnügen für Augen und Ohren. W. und
klingende Kunstwerke in der Ant., in: Ant. Welt 29, 1998,
497–507; 30, 1999, 49–59 • R. TÖLLE-KASTENBEIN, Ant.
Wasserkultur, 1990, 187–199.   C.HÖ.

Wasseruhr s. Uhr

Wasserversorgung I. ALTER ORIENT
II. KLASSISCHE ANTIKE

I. ALTER ORIENT
A. ALLGEMEINES B. FLUSS-, GRUND- UND
QUELLWASSERVERSORGUNG
C. WASSERLEITUNGEN D. WASSERBEVORRATUNG
E. RECHTLICHE ASPEKTE

A. ALLGEMEINES
Trotz ihrer zentralen Bed. für die Entstehung und
Entwicklung von Siedlungen wurde die Trink- und
Brauch-W. altorientalischer Städte bislang nie systematisch untersucht. Die Aufarbeitung der zahlreichen
arch. Befunde wird dadurch erschwert, daß sie in den
meisten Fällen nicht genau genug, in anderen überhaupt
nicht aufgenommen wurden. Einzige Ausnahme stellen
die W.-Anlagen von Städten und Festungen im alten
Israel dar, die korrekt aufgenommen und intensiv erforscht wurden [5].
B. FLUSS-, GRUND- UND
QUELLWASSERVERSORGUNG
Die technisch einfachste Form der W. war die Nutzung von oberirdischem Wasser, und zwar von Flüssen
oder intermittierenden Wasserläufen (Wadis). Je nachdem wie groß der zu überwindende Höhenunterschied
war, wurde das Wasser mittels Eimer und Seil bzw. Le-
dersack sowie seit dem letzten Drittel des 3. Jt. v. Chr.

mit dem Hebelschöpfbaum (arabisch *šādūf*) geschöpft.
Wasser wurde ferner aus künstlichen Wasserläufen (Kanälen) bezogen, die typisch für den Alten Orient sind
(→ Kanal, Kanalbau). In inschr. Quellen werden sie stets
in Verbindung mit der künstlichen → Bewässerung des
Bodens erwähnt. Viele Städte in Südmesopot. lagen an
Kanälen, andere wurden sogar von Kanälen durchquert
(z. B. in → Uruk, oder Kār-Tukultī-Ninurta/Tulūl al-
'Aqar im Nordirak). Je nach Wasserstand und Nut-
zungsfläche konnte man aus den Kanälen – sogar be-
quemer als aus Flüssen – Wasser zum Zweck der W.
schöpfen. Einen Hinweis auf diese Nutzung findet man
in Ninive, wo → Asarhaddon (680–669 v. Chr.) einen
Kanal zur Tränkung von Pferden graben ließ.
Die Abteufung von Brunnen zur Gewinnung von
Grundwasser ist im Alten Orient schon in prähistor.
Zeiten bezeugt (Fara, Tall 'Obēd). Brunnen sind inschr.
sowie arch. in Zusammenhang mit Gebäuden in urbanen Siedlungen (→ Palästen, → Tempeln, Wohnhäusern) und mit Feldern und Gärten nachzuweisen. Neben runden kamen auch rechteckige Brunnen vor. Das
Wasser wurde mit Seil und Eimer mit Hilfe einer Rie-
menscheibe oder einer Rolle mit Kurbel geschöpft. Ein
beeindruckendes Beispiel ist der 30 m tiefe Brunnen des
Anu-Adad-Tempels in → Assur [1], den → Salmanassar
III. (858–824 v. Chr.) graben ließ. Vereinzelt sind Brun-
nennamen belegt (in Assur, Nippur, Ur, z. B. »Honig-
brunnen«, »Er-hat-sein-Volk-bewahrt«, »Leuchtendes
Silber«, vgl. [4. 337 e]).
Die Erschließung weit entfernter Wasserressourcen
(Fluß- und Quellwasser) zur Versorgung einer Hauptstadt hatte in Assyrien eine lange Tradition (14.–7. Jh.
v. Chr.) und war auch eine wichtige Aufgabe urartä-
ischer Könige (9.–8. Jh. v. Chr.; → Urartu). Obwohl die
Kanalsysteme für die assyrischen Hauptstädte Assur,
Kār-Tukultī-Ninurta, → Kalhu, Dūr-Šarrukīn und bes.
für Ninive (→ Ninos [2]) in den Texten ausschließlich in
Verbindung mit der Bewässerung von Feldern gebracht
werden, dienten sie wahrscheinlich auch zur W. dieser
Städte. Dies gilt auch für die Wasserbauten der urartäischen Hauptstadt Tušpa (Van), da das Wasser des Van-
Sees (→ Thospitis Limne) wegen des hohen Salzgehalts
nicht trinkbar ist. Verm. auch zur W. der Stadt → Arbela
[1] leitete der assyr. König → Sanherib (704–681 v. Chr.)
Wasser vom Wādī Bastūra ab. Die erste Strecke der
Wasserführung erfolgte in allg. durch einen Freilauf-
stollen. Über die Wasserverteilung innerhalb der jeweiligen Orte ist nichts bekannt.
Quellfassungen für die W. von Städten waren im
Alten Orient, abgesehen von Israel, eher selten. Der assyr. König Ilu-šuma (20. Jh. v. Chr.) berichtet über die
Einfassung zweier Quellen und die Leitung des Wassers
in die Stadt Assur [7. 17, Z. 30–48]. Im urart. Bereich
sind Quellfassungen bei Tušpa und 'Ein-e Rūm im iranischen Aserbeidschan aus der Zeit des Königs Minua
(ca. 810–785/780 v. Chr.) durch Inschr. *in situ* bezeugt.
Die W. der befestigten Siedlungen im eisenzeitlichen Israel basierte auf Grundwasser, hauptsächlich aber

auf Quellen, die am Fuß eines besiedelten Hügels entsprangen. Um die W. in Kriegszeiten zu sichern, wurden unterirdische Fassungen und Zuleitungssysteme gebaut, die aus folgenden Elementen bestanden: Eingang zu einem Schacht im Stadtinneren, vertikaler Zugangsschacht, Verbindungstunnel zw. Schacht und Quelle, Wasserkammer. Solche Anlagen wurden in → Gezer, → Gibeon, Hazor, Jerusalem und → Megiddo gefunden. Bes. interessant ist die W. von → Jerusalem (mit Karte B.) aus der Gihon-Quelle, die in unterschiedlichen Zeiten durch den Warren-Schacht, den Šiloaḥ-Tunnel und den Hiskija-Tunnel erfolgte. Der Anstieg der Einwohnerzahl erforderte später ein System von vier Wasserleitungen, die Quellwasser aus der weiteren Umgebung in die Stadt leiteten; sie entstanden zw. dem 2. Jh. v. Chr. und dem 1. Jh. n. Chr.

C. Wasserleitungen

Eine Vielzahl von → Kanalisations-Anlagen ist in altoriental. Städten sowohl arch. als auch inschr. vom 4. bis zum 1. Jt. v. Chr. bezeugt: Stein- und Ziegelkanäle, Tonrohre und Tonrinnen, Sickerschächte. Die Mehrheit dieser Kanalisationen diente jedoch nach heutigem Forsch.-Stand der Entsorgung von Abwasser. Nur in seltenen Fällen ist eine Anlage als Frischwasserzuleitung zu bezeichnen, wie z. B. in einigen anatolischen FO des 2. Jt. v. Chr.: In der hethitischen Hauptstadt → Ḫattusa leitete eine Tonrohrleitung Frischwasser durch das südl. Stadttor in die Unterstadt. Mehrere Steinkanäle bildeten die Wasserleitung in Alaçahöyük, wo auch ein Verästelungsnetz vorhanden war. Im Felsheiligtum → Yazılıkaya wurden mehrere Rohrleitungen entdeckt, die Wasser zum kultischen Gebrauch einleiteten. Eine genaue Unt. der altoriental. Leitungen könnte zur Bestimmung weiterer Wasserleitungen, bes. in Zusammenhang mit Gewerbeanlagen, führen. Druckwasserleitungen sind im Orient vor der röm. Zeit nicht bezeugt.

D. Wasserbevorratung

Das sumer. Wort pú sowie seine akkadische Entsprechung *būrtu* bzw. *būru* bezeichneten sowohl Brunnen als auch Zisternen (= Z.). Diese Doppelverwendung gilt auch für das hebräische *bōr*, das in der Bibel häufig vorkommt. Der akkad. Terminus *gubbu* (»Z.«) ist in Texten aus dem 8. und 7. Jh. v. Chr. belegt (früher nur als Bestandteil von Ortsnamen). Eine Z. von ca. 21 × 12 m in einem Lagerhaus in Ninive (→ Ninos [2]) ist in einer Kaufurkunde bezeugt. Fels-Z. sind in der Stadt Sarduriḫinele (Çavuştepe) sowie in weiteren urart. FO (Davti-blur, Yeşilalıç) nachzuweisen.

Die W. der Wüstenfestungen am Jordantal, die eine bes. wichtige Rolle in der Periode zw. dem Makkabäer-Aufstand (167 v. Chr.; → Makkabäer, s. Nachträge) und der röm. Eroberung (63 v. Chr.) spielten, erfolgte durch Z., die auf unterschiedliche Weise gespeist wurden. In einigen Fällen wurde ein Teil des Oberflächenabflusses nach einem intensiven Regen in Sammelrinnen gefangen und in die Z. geführt (Alexandreion, Kypros). In anderen Fällen konnte das Hochwasser eines Wadi zur Füllung von Z. abgeleitet werden (→ Dok, Hyrkania,

→ Masada, → Machairus). Ferner war es auch möglich, die Schüttung von Quellen für die Speisung der Z. nutzbar zu machen (Kypros, Herodeion). Festungs-Z., die durch Transfer aus den unteren, außerhalb der Stadt liegenden Z. gefüllt wurden, sicherten die Wasserversorgung bei Belagerungen. Die W. von Masada erfolgte durch siebzehn große und acht mittlere und kleine Z., die ein Gesamtspeichervolumen von 48000 m³ hatten. Das Wasser wurde von Packtieren transportiert, wofür ein effizientes Netz von Pfaden gleichzeitig mit dem Bau der Z. angelegt wurde.

E. Rechtliche Aspekte

Der Zugang bzw. die Verteilung von Trink- und Brauchwasser wurde in den altoriental. Rechtscorpora nicht geregelt. Die einzigen Paragraphen, die direkt oder indirekt von Wasserrechten handeln, betreffen die Bewässerung (durch Nachlässigkeit verursachte Schäden, Zugang zu Bewässerungswasser). Auch die selten bezeugten Klauseln in Rechtsurkunden regeln ausschließlich die Nutzung von Wasser für landwirtschaftliche Zwecke.

1 A. M. Bagg, Assyr. Wasserbauten, 2000 2 Ders., Wasserhebevorrichtungen im Alten Mesopot., in: Wasser & Boden 53/6, 2001, 40–47 3 C. A. Burney, Urartian Irrigation Works, in: AS 22, 1972, 179–186 4 Chicago Assyrian Dictionary, Bd. B, 1965, 335–338, s. v. būrtu A; 342 f., s. v. būru B 5 W. Dierx, G. Garbrecht (Hrsg.), Wasser im Heiligen Land, 2001 6 G. Garbrecht, The Water Supply System at Tuşpa (Urartu), in: World Archaeology 11, 1980, 306–312 7 A. K. Grayson, Assyrian Rulers of the Third and Second Millennium BC, 1987 8 C. Hemker, Altoriental. Kanalisation, 1993 9 F. Safar, Sennacherib's Project for Supplying Erbil with Water, in: Sumer 3, 1947, 23–25.   A. M. B.

II. Klassische Antike

A. Allgemeines
B. Grund- und Quellwasserversorgung
C. Wasserversorgung durch Leitungen
D. Wasserbevorratung   E. Wasserverteilung
F. Rechtliche und organisatorische Aspekte

A. Allgemeines

Eine verläßliche W. ist für jede dörfliche oder städtische Ansiedlung und für menschliches Leben überhaupt zwingend notwendige Voraussetzung. Insbes. in der mediterranen Klimazone mit ausgeprägter Sommertrockenheit ist die W. von erheblicher Bed. für die Siedlergemeinschaften. Die aus technischer Sicht vergleichsweise einfache Einrichtung eines abgeteuften → Brunnens mit ausreichender Grundwasserkapazität war oft nicht oder nur unter großen Schwierigkeiten möglich; deshalb war ein erheblicher baulicher und organisatorischer Aufwand für das Herleiten, Speichern und Verteilen von Wasser in Kauf zu nehmen. Bei der Anlage von neuen Siedlungen (etwa im Kontext der → Kolonisation) war die Frage der W. von gleicher Bed. wie die fortifikatorische Eignung des potentiellen Siedlungsortes.

In Mythos und Kult der klass. Ant. spielte Wasser eine dementsprechend große Rolle: Die Verehrung von bisweilen mit spezifischen Brunnen oder Quellen in Zusammenhang gebrachten → Nymphen (vgl. auch → Naiaden, s. Nachträge) und anderen mit Wasser in Verbindung stehenden myth. Figuren war weithin üblich, ebenso die Errichtung von diesbezüglichen Heiligtümern und die Einrichtung von Kultfesten. Während heutige Kenntnisse der W. griech. Städte nahezu ausschließlich aus arch. Befunden resultieren, sind bezüglich der W. Roms und seiner Prov.-Städte durch Textquellen zahlreiche technische, juristische und organisatorische Details bekannt, v. a. durch → Vitruvius [2] (B. 8 seiner Abhandlung ›Über die Architektur‹ und → Frontinus (De aquaeductu urbis Romae/›Über die Aquädukte der Stadt Rom‹); auf diese in der mod. Fach-Lit. ausführlich herangezogenen Quellen wird im folgenden nicht im Detail verwiesen.

Das Komplementärproblem der W. ist die Wasserentsorgung; vgl. dazu → Entwässerung; → Kanalisation. Zur W. im agrarischen Kontext s. → Bewässerung.

B. Grund- und Quellwasserversorgung

Die Nutzung von mittels → Brunnen oder Quellfassung erschlossenen natürlichen Frischwasser-Ressourcen war grundsätzlich die technisch einfachste Form der W., die jedoch für die vollständige Versorgung einer größeren Siedlung selten ausreichte. Möglich waren hier das Einfassen einer offenen Quelle, das Erschließen einer »verborgenen« Quelle mittels Sickergalerien (z. B. Korinth, obere Peirene-Quelle (→ Peirene [2] II.); Perachora bei Korinth) oder das Abteufen eines Brunnens hinab zu einer grundwasserführenden Schicht. Aufwendige Brunnenbauten und Quellfassungen (z. B. in → Tiryns; → Mykenai; → Athenai) zeugen bereits in myk. Zeit gleichermaßen von der Bed. solcher Anlagen wie auch von der Notwendigkeit, Quellen vor Verunreinigungen und – im Kriegsfall – vor feindlicher Intervention zu schützen. Bei ergiebigen Brunnen mit dauerhafter Wasserführung wurde der Schacht durch Ausmauerung (und nicht nur mit Holzverschalung) gesichert; verschiedene einfachere Schöpf- oder komplizertere Wasserhebekonstruktionen standen für die Brunnennutzung zur Verfügung (Zieh-Eimer über Rollenzug; Tret-Trommel; Schöpfeimer-Kette; Kolbenpumpen; → Wasserhebegeräte).

C. Wasserversorgung durch Leitungen

Die W. durch Leitungen bildet eine technische Ergänzung der Grund- bzw. Quell-W. Wasserleitungen (griech. ὀχετός/ochetós; ὑδραγωγεῖον/hydragōgeíon; lat. aquae ductus) begegnen dabei einerseits als bauliche Einrichtungen zur Nutzung von Quellen und Brunnen außerhalb eines Siedlungsareals, mithin zur Heranführung des dort gewonnenen Wassers. Sie nahmen in diesen Fällen immer an einer meist baulich gut gesicherten, da außerhalb der Siedlung gelegenen Quellfassung ihren Anfang und verbanden diese mit einem in der Regel repräsentativ ausgestalteten Sammler in der Stadt (vgl. → Brunnen). Andererseits konnten Wasserleitungen auch zur innerörtlichen Wasserverteilung dienen (s. dazu unten E.).

Das Herbeiführen des Wassers einer außerhalb des Stadtgebietes gelegenen Quelle durch eine Leitung aus ineinandergefügten Tonrohren (Athen, Wasserleitung am Dipylon), aus durchbohrtem Stein oder vermufften Bleirohren (→ Ephesos, Artemision) war in griech. Städten immer dann üblich, wenn keine ausreichende Quelle innerorts existierte, was im Zuge der Siedlungsverdichtung seit dem frühen 6. Jh. v. Chr. für nahezu alle größeren griech. Ortschaften zutraf (u. a. → Athenai, → Megara [2], → Aigina, → Priene, → Ephesos). Hierzu wurde zunächst ein natürliches Gefälle ausgenutzt, das selten 2% überstieg und den Wasserdruck auf der Leitung niedrig hielt (ungewöhnlich war in dieser Hinsicht die tönerne Wasserleitung von Priene mit einem Schluß-Gefälle von 10% und dementsprechend hohem Druck). Eine unterirdische und damit unsichtbare Führung der Leitung war nicht nur üblich, sondern v. a. aus fortifikatorischen Erwägungen ebenso wünschenswert und notwendig wie der Schutz der Quelle, etwa um einem potentiellen Belagerer keine sofort wirksame Handhabe zur Unterbrechung der W. zu geben. Dies schützte allerdings nicht davor, daß Belagerer sich – wie z. B. die Athener vor Syrakus im → Peloponnesischen Krieg – gezielt auf die Suche nach Wasserleitungen machten und sie systematisch zerstörten (Thuk. 6,100,1). Neben Tonrohren waren zur Wasserführung Stollen (vgl. Abb. 1) und gedeckte Kanäle üblich (Athen; → Syrakusai: s. Nachträge); nicht selten wurden Wasserleitungen auch durch → Tunnel (s. Nachträge) geführt, wobei derjenige des → Eupalinos (mit Abb.),

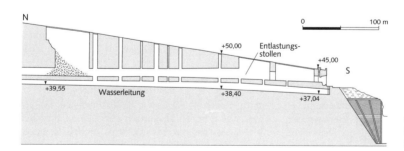

Abb. 1: Syrakusai. Doppelstollen der Ninfeo-Leitung, spätklass.; südl. Abschnitt (Schnitt).

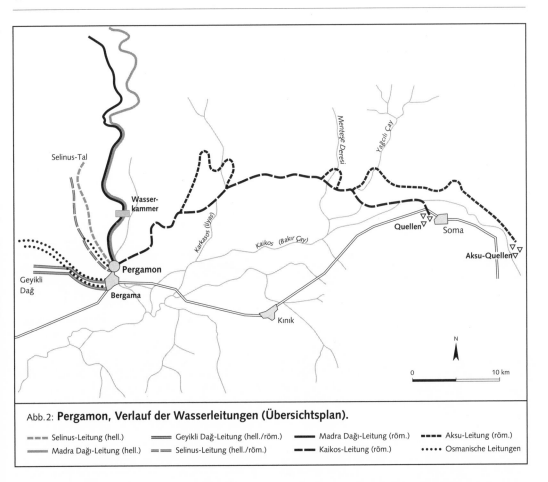

Abb. 2: Pergamon, Verlauf der Wasserleitungen (Übersichtsplan).

==== Selinus-Leitung (hell.)   ▦▦▦▦ Geyikli Dağ-Leitung (hell./röm.)   ▬▬▬ Madra Dağı-Leitung (röm.)   ▬▬▬▬ Aksu-Leitung (röm.)

▬▬▬ Madra Dağı-Leitung (hell.)   ≡≡≡ Selinus-Leitung (hell./röm.)   ▬▬ Kaikos-Leitung (röm.)   •••• Osmanische Leitungen

durch den die Stadt → Samos [3] seit dem 6. Jh. v. Chr. mit Wasser versorgt wurde, in griech. Zeit der aufwendigste Bau dieser Art blieb.

Die Notwendigkeit eines mehr oder minder konstanten Gefälles setzte solchen Leitungen in Länge und Verlauf enge Grenzen, die erst um 400 v. Chr. mit dem Aufkommen von Druckwasserleitungen überschritten werden konnten (frühes Beispiel: → Olynthos). Mit dieser Technik, die auf dem »Prinzip der kommunizierenden Röhren« basiert, konnten Fern-Leitungen angelegt werden, die auch Gelände-Steigungen und Senken überwanden, solange der Endpunkt der Leitung tiefer und kein Punkt der Leitung insgesamt höher lag als die Quelle (vgl. Abb. 4). Voraussetzung war druckfestes Leitungsmaterial (Bleiplatten, die zu bedingt druckfesten Röhren mit mandelförmigem Querschnitt gebogen und verlötet oder mit Stein vermufft wurden; gehöhlter Stein; selten verwendet: Br. und Holz). Bei Fernwasserleitungen war die Kombination von kanalisierter Gefälleleitung und einer nur bei Bedarf integrierten Druckstrecke üblich, wobei das Wasser zu Beginn und am Ende der Druckstrecke in Becken gesammelt wurde (z. B. → Aspendos; → Lugdunum/Lyon; vgl. Abb. 3). Eine in Verlauf und Technik gut bekannte und

in Teilen erh. Druckwasserleitung ist die von → Pergamon aus dem 3. (?) Jh. v. Chr. In den Leitungsverlauf eingefügt waren – bes. als Möglichkeiten der Umlenkung bzw. Richtungsänderung in der Trasse – verschließbare und reinigungsfähige Absetzbecken (als wasserhygienische Maßnahmen) sowie – meist im Bereich des Leitungsendes – Druckausgleichsbecken (Priene). Die z. T. erhebliche Länge von Druckwasserleitungen ist oft nicht durch das Fehlen nähergelegener Quellen begründet, sondern eine Folge des Bauprinzips, denn nur genügend hoch gelegene, zudem wasserreiche Quellen kamen in Frage; sie wurden der Ausbeutung tiefer, dabei näher am Ort gelegener Quellen vorgezogen (vgl. Abb. 2).

Die in röm. Zeit übliche Bauweise entsprach – bei bisweilen deutlicher Vergrößerung der Anlagen – im Grundsatz den griech.-hell. Verfahren; sie ist bei Vitr. 8,6 in ihren technischen Details ausführlich geschildert. Die im Gegensatz zu Griechenland weitestgehend oberirdische Trassierung von Wasserleitungen und die als Bauwerke dem Brückenbau vergleichbaren, weithin sichtbaren Aquädukte (vgl. Abb. 4) setzten einen intakten, befriedeten Flächenstaat (und damit die Unnötigkeit einer dem potentiellen Feind verborgenen Lei-

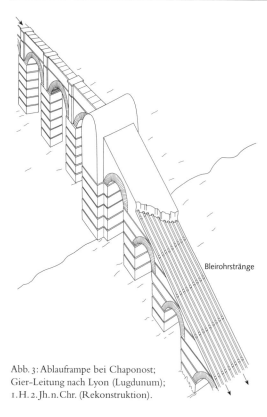

Bleirohrstränge

Abb. 3: Ablauframpe bei Chaponost;
Gier-Leitung nach Lyon (Lugdunum);
1.H. 2.Jh.n.Chr. (Rekonstruktion).

tungsführung) voraus. Die frühesten dieser auf Bögen
aufgelegten Aquädukte versorgten die Hauptstadt Rom
(Aqua Appia, 312 v. Chr.; Anio Vetus, 272 v. Chr.; Aqua
Marcia als erste komplett oberirdische Leitung, nach 144
v. Chr.; Aqua Tepula, um 125 v. Chr.); der Bau weiterer
Aquädukte für den (nicht nur wegen der zunehmenden
Siedlungsdichte, sondern v. a. auch durch den immer
zahlreicheren Bau und Betrieb von → Thermen) rapide
steigenden Wasserbedarf der Metropole wurde im 1.
und 2. Jh. n. Chr. zu einer erstrangigen Bauaufgabe der
Kaiser (Aqua Virgo, Aqua Iulia, Aqua Claudia, Aqua
Traiana; vgl. → Roma III. mit Karte 4). Die Länge der
einzelnen Leitungen wuchs von knapp 17 km (Aqua
Appia) auf knapp 100 km an (Aqua Marcia), im 2. Jh.
n. Chr. sogar bis auf gut 130 km (hadrianischer Aquädukt von → Karthago); eine subtile Nivellierung mit
minimalen Gefällen von ca. 30 cm/km wie etwa beim
Aquädukt von → Nemausus [2]/Nîmes (mit Plan) und
der Kaikos-Leitung von Pergamon (vgl. Abb. 2) war –

zusammen mit dem Bau eines wasserdicht ausgemör-
telten Kanals (specus) und der souveränen Beherrschung
der Drucktechnik – Voraussetzung solcher Ingenieurs-
bauten.

Wie bei den in ihrer → Bautechnik gleichartigen
Brücken (→ Straßen- und Brückenbau) war der Werkstoff → opus caementicium der Garant für hohe Bauge-
schwindigkeit, haltbare Statik und auch für eine an jede
Geländesituation anpaßbare Formbarkeit; auch hier
manifestierte sich das in der röm. → Architektur allge-
genwärtige Motiv des Überwindens von Natur durch
Kultur (→ Umwelt II.; → Villa). Konstruktive, in diesem Sinne aber auch symbolische Höhepunkte des
Aquädukt-Baus finden sich v. a. in den röm. Prov. (Pont
du Gard bei Nemausus [2]/Nîmes; »Wasserkastell« bei
Aspendos). Einzelne ant. Wasserleitungen (u. a. → Se-
govia [1], → Tarraco/Tarragona) sind bis h. in Gebrauch
geblieben, darüber hinaus dienten Bauprinzip und opti-
sches Erscheinungsbild der röm. Aquädukte auch in der
Neuzeit generell als Leitlinie bei Neubauten von Aquädukten (u. a. I Pilastri auf Ischia, 16./17. Jh.; Ponti della
Valle nahe Maddaloni bei Caserta als direkte Adaption
des Pont du Gard durch den Barockarchitekten Luigi
VANVITELLI, 18. Jh.).

D. WASSERBEVORRATUNG

Kernelement einer effektiven Wasserbevorratung ist
die Anlage von unterirdischen, entweder in den Fels
geschlagenen, in wasserundurchlässige Schichten eingetieften oder mit hydraulischem Mörtel gemauerten
→ Zisternen (= Z.) zur Sammlung des Regenwassers;
auch Naturhöhlen konnten als Zisternen ausgebaut
werden. Z. sicherten als Gemeinschaftsanlage bisweilen
allein die W. einer Siedlung: Bekannteste Beispiele sind
das quellenlose Alexandreia [1] und Miletos [2], ferner
alle auf Bergkuppen gelegenen Ortsneugründungen des
3./2. Jh. v. Chr. wie z. B. Neu-→ Pleuron. Z. konnten
ferner einzelne Häuser innerhalb eines größeren
Wohnkomplexes (Karthago) oder Villen (Capri, Villa
Iovis) und Gutshöfen ohne eigene Quelle versorgen.
Die Existenz einer Z. brachte Vorteile im Kriegs- und
Belagerungsfall mit sich, aber auch Nachteile hinsichtlich der Wasserhygiene und der generellen Abhängigkeit von ausreichenden Winter-Niederschlägen. Z.
fanden sich zur Ergänzung der W. regelmäßig auch in
Siedlungen mit Quell- und Leitungsversorgung. Neben
die Regenwasser-Z. trat das grundsätzlich baugleiche,
ebenfalls unterirdisch angelegte Reservoir zur Spei-
cherung von Frischwasser aus der Quelle bzw. der Leitung; es diente nicht allein als Vorratslager, sondern als

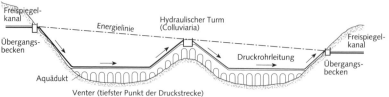

Abb. 4: Röm. Druckwasser-
leitung (Funktionsskizze).

technisch notwendiger Zwischenspeicher (Leitungs-speicher) innerhalb des Versorgungsflusses und damit als Bindeglied zw. Wasserleitung und Endverbraucher im Rahmen der innerörtlichen Wasserverteilung.

Regenwasser-Z. mit ihren z. T. komplizierten Sammelvorrichtungen sind u. a. in Epidauros, Perachora, Samos [3] und Delos erh.; als Reservoire sind in Griechenland der »Brunnen« von Megara, aus der röm. Ant. u. a. die riesigen Anlagen am westl. Golf von Neapel gut erh. Beispiele (letztere für die W. der in Misenum stationierten Flotte; die Schiffstanks wurden mittels Schöpfwerken über ein vielgliedriges System von Holzleitungen befüllt). Erwähnenswert sind auch die Reservoire von Karthago, Rom und Konstaninopel. Die fast vollständig erh. *Piscina Mirabilis* (→ *piscina* [1]) von → Bauli (1. Jh. n. Chr.) wies einen umbauten Raum von 22 000 m³ und eine Speicherkapazität von knapp 11 000 m³ auf, was von verschiedenen Anlagen in Rom sowie der »Philoxenos-Z.« in Konstantinopel (erbaut um die Mitte des 6. Jh. n. Chr.) noch deutlich übertroffen wurde.

Alle Trinkwasser-Z. und -Reservoire wiesen an ihrem tiefsten Punkt und/oder am Zulauf Absetzbecken sowie bisweilen technische Vorrichtungen zur Entleerung auf; sie unterschieden sich darin von den ebenfalls nicht seltenen Brauchwasser-Z. für industrielle oder gewerbliche Zwecke (z. B. die »Erzwaschanlagen« vom → Laureion oder die Wasserbecken für Gerbereien, Färbereien etc.). Der im Vorderen Orient und Äg. über Jh. übliche Bau von Talsperren zur bevorrateten Nutzung von Flußwasser (→ Euphrates [2], → Tigris, → Nil) erlebte in der röm. Kaiserzeit eine Renaissance, allerdings meist zu Zwecken der Be- und Entwässerung landwirtschaftlicher Nutzflächen und seltener als Wasserbaumaßnahme im Rahmen der Trinkwasserversorgung (u. a. in Augusta [2] Emerita/Mérida und → Glanum).

E. WASSERVERTEILUNG

Zu allen Zeiten der Ant. war die manuelle Verteilung des Trinkwassers üblicher als Hausanschlüsse an das Trinkwassernetz. In griech. Städten wurde das über eine Leitung in die Stadt geführte Wasser in einem an prominenter Stelle angelegten, repräsentativen Brunnen(haus) (κρήνη/*krénē*), gesammelt, dort geschöpft und in die Häuser getragen; die *krénē* war als wichtiger Treffpunkt der Frauen von großer sozialer Bed. Bisweilen schlossen sich einige kleinere, über innerstädtische (und immer unterirdisch verlaufende) Leitungen versorgte Laufbrunnen an, die entfernte Stadtteile bedienten (Athen, Priene).

Eine Hierarchisierung und Systematisierung der innerörtlichen Wasserverteilung fand sich in röm. Städten, wenn – wie etwa in Rom – mehrere in die Stadt führende Leitungen vernetzt wurden und die W. auch bei Ausfall einzelner Zuflüsse auf annähernd gleichbleibendem Niveau gehalten werden konnte. Am besten bekannt ist die W. → Pompeiis. Das über Aquädukte in die Stadt geführte Wasser wurde in hoch gelegenen Verteilertürmen (*castella*) am Stadtrand gesammelt, dort gefil-

tert und über einen Schiebe-Regler (Wasserschloß) in drei Leitungssträngen weitergegeben: An den ersten schlossen sich die im Stadtgebiet verstreuten Laufbrunnen und kleineren, dezentralen Speicher – die öffentliche Trinkwasserversorgung – an (allein M. V. Agrippa [1] errichtete während seiner Amtszeit als *curator aquarum* 700 solcher Laufbrunnen in Rom; im 4. Jh. n. Chr. sind für Rom ca. 1350 solcher Anlagen bezeugt), der zweite Strang bediente Thermen, Theater und andere Bauten der Stadt, der dritte schließlich Privatabnehmer (einzelne Privatleute, Gewerbebetriebe oder *consortia* wie z. B. Nachbarschaften; diese Leitungen mußten auf eigene Rechnung verlegt und gewartet werden). Bei Wasserknappheit konnten einzelne Stränge abgeschaltet werden – die allg. Trinkwasserversorgung hatte dabei Vorrang vor den öffentlichen Bauten, diese wiederum vor den Privatleitungen. Prunknymphäen (→ Nymphäum) und Springbrunnen wie die *meta sudans* in Rom (→ Wasserspiele) waren aus technischer Sicht zwar Bestandteile der W., dabei aber in erster Linie Ausdruck einer öffentlichen *luxuria* (→ *luxus*) und nicht funktional in die W. der Stadt eingebunden.

F. RECHTLICHE UND ORGANISATORISCHE ASPEKTE

Bes. in den Großstädten war das Funktionieren der öffentlichen W. von zentraler Bed., dementsprechend groß war der hiermit befaßte Personenkreis. Ca. 700 Bedienstete waren in der Stadt Rom im 1. Jh. n. Chr. in diesem Bereich tätig. Die Zuständigkeit (und damit auch die Verantwortung) lag in griech. Städten bei gewählten Aufsichtsbeamten (Aristot. Ath. pol. 43,1), in Rom bei den *curatores aquarum* (→ *cura* [2]).

Der Neubau oder die Erweiterung von W.-Anlagen hatte Vorrang vor privaten Belangen einzelner; das Prinzip der entschädigten Enteignung von Grundstücken war in der röm. Kaiserzeit gängig, wenn es zu keiner Einigung mit dem Grundbesitzer kam. Neben dem Unterhalt der Anlagen galt ein bes. Blick dem Wasserdiebstahl durch Anzapfen der außerstädtischen Bereiche von Aquädukten: → Frontinus notierte bei seiner Bestandsaufnahme der stadtröm. Wasserleitungen u. a. für die Aqua Marcia einen Zufluß von 185 000 m³/Tag an der Quelle, jedoch einen Abfluß von nur 115 000 m³/Tag am Leitungsende in Rom – mithin einen Schwund von 70 000 m³ (knapp 40 % der Kapazität) pro Tag, der nur zum kleinen Teil aus Bauschäden resultierte. Ein vom Consul T. Quinctius [II 2] Crispinus Sulpicianus 9 v. Chr. erlassenes Gesetz belegte das illegale Anzapfen von Wasserleitungen mit einer Strafe von 100 000 Sesterzen. Zu Brunnengesetzen, insbes. zur Strafbarkeit von mutwilligen Wasserverschmutzungen und zu den per Gewohnheitsrecht fixierten Verhaltensregeln im Umgang mit der öffentlichen W. vgl. → Brunnen E.

→ Bewässerung II.; Brunnen (mit Abb.); Entwässerung; Infrastruktur; Kanalisation (mit Abb.); Quelle; Technik; Wasserhebegeräte (mit Abb.)

1 G. Bodon et al., Utilitas necessaria. Sistemi idraulici nell'Italia romana, 1994 2 J. Bonnin, L'eau dans l'antiquité, 1984 3 J.-P. Boucher (Hrsg.), Journées d'études sur les aqueducs romains (Kongr. Lyon 1977), 1981 4 Ch. Bruun, The Water Supply of Ancient Rome, 1991 5 P. Crouch, Water Management in Ancient Greek Cities, 1993 6 M. Döring, Wasser für den »Sinus Baianus«, in: Ant. Welt 33, 2002, 305–319 7 W. Eck, Die W. im röm. Reich, in: Ders. (Hrsg.), Die Verwaltung des röm. Reiches in der hohen Kaiserzeit, Bd. 1, 1995, 179–252 8 H. Eschebach, Die Gebrauchs-W. des ant. Pompeji, in: Ant. Welt 10, 1979, 3–24 9 G. Garbrecht, Meisterwerke ant. Hydrotechnik, 1995 10 K. Geissler, Die öffentliche W. im röm. Recht, 1998 11 K. Grewe, Planung und Trassierung röm. Wasserleitungen, 1985 12 T. Hodge, Roman Aquaeducts and Water Supply, 1992 13 D. Kek, Der röm. Aquädukt als Bautypus und Repräsentationsarchitektur, 1996 14 A. Malissard, Les Romains et l'eau. Fontaines, salles de bains, thermes, égouts, aqueducs, 1994 15 H. Manderscheid, G. Garbrecht, Die Wasserbewirtschaftung röm. Thermen, 3 Bde., 1994 16 R. Tölle-Kastenbein, Ant. Wasserkultur, 1990 17 Dies., Das archa. Wasserleitungsnetz für Athen, 1994 18 W. Müller-Wiener, Griech. Bauwesen in der Ant., 1988, 174f. 19 W. Wölfel, Wasserbau in den alten Reichen, 1990. C. Hö.

Wasserzeichen s. Kodikologie; Papier

Wau. Die einzige Gattung der Resedaceae, die (mit ca. 30 Arten, u.a. Reseda lutea L.) im Mittelmeergebiet wächst. Aus der Wurzel wurde der gelbe Farbstoff gewonnen, der bereits für die Pfahlbauten an Schweizer Seen (um 3000–700 v. Chr.) nachgewiesen wurde. Das lat. *lutum* genannte Kraut wurde in It. angebaut und zum Färben der Kleidung, v. a. des rotgelben Brautschleiers *flammeum* (*flammearii*, »Verfertiger von Brautschleiern«, bei Plaut. Aul. 510; → Hochzeitsbräuche III.), aber auch als Malerfarbe (Vitr. 7,14,2) verwendet (→ Färberei, → Farben mit Tab.). Plin. nat. 27,131 empfiehlt eine dem W. verwandte *reseda* (»Stillkraut«) aus der Gegend von → Ariminum gegen Eiteransammlungen und Entzündungen zusammen mit einer beim Auflegen dreimal zu sprechenden Beschwörungsformel.

M. Schuster, s. v. W., RE 8 A, 523–525. C. Hü.

Weben, Weberei, Webstuhl s. Texilherstellung

Wegegottheiten. Im griech.-röm. → Polytheismus gab es nur wenige Gottheiten, die ausschließlich mit Wegen, → Reisen und Reiserouten zu Land oder zur See assoziiert waren; bei solchen Anlässen konnten je nach den Bedürfnissen des Reisenden unterschiedliche Götter aus dem lokalen oder überregionalen → Pantheon [1] (III.) um Unterstützung angerufen werden ([1]; Hor. carm. 1,5,13f.).

Bereits bei Homer treten Poseidon, Kalypso und Leukothea (→ Meergottheiten) in Zusammenhang mit Odysseus' Seefahrten, sowie Athena mit dessen Landreisen in Erscheinung (Hom. Od. 13,190f.). Ebenfalls schon in Hom. Il. 24,334f. erscheint → Hermes als Weg-

und Reisebegleiter und als *psychopompós* (»Seelengeleiter« auf dem Weg in die Unterwelt; vgl. röm. → Mercurius). Die Götter selbst konnten im Mythos als Reisende auftreten (Paus. 8,10,1; vgl. [2]).

Dagegen existierte auf der kultischen Ebene eine konkrete Gruppe von Göttern, die an Straßen- und Wegkreuzungen, *compita* (vgl. → *compitalia*), sowie bei Grenzziehungen verehrt wurden – Orten, die man, vergleichbar den Türen und Toren (→ Torgottheiten), bisweilen als ambivalent empfand: Hermes (vgl. → Hermen), → Hekate, → Diana Trivia, → Biviae, Triviae und Quadruviae, die Lares compitales oder Lares viales (→ Laren), → Terminus. Allerdings liegen keine Indizien dafür vor, daß an Wegen regelmäßig und ausschließlich diesen Gottheiten Opfer dargebracht wurden.

1 D. Wachsmuth, Pompimos ho daimon, 1967 2 D. Flückiger-Guggenheim, Göttliche Gäste, 1984. C. R. P.

Wegerich s. Plantago

Weichtiere. Aristoteles (hist. an. 1,1,487b 15f.) definiert die W. (μαλάκια/ *malákia*; lat. *mollia* sc. *animalia*, z. B. Plin. nat. 9,73; 11,133 und 11,267) als blutlose, schwimmfähige (Meeres-)Tiere mit einem harten inneren Stützelement (στερεόν/ *stereón* = σήπιον/ *sépion* oder ξίφος/ *xíphos*, »Schwert«, hier der ebd. 4,1,524b 22–27 gut beschriebene meist kalkige Schulp), mit acht Armen mit je zweireihigen Saugnäpfen (δικότυλοι/ *dikótyloi*), einem Kopf und einem von einer Flosse (πτερύγια/ *pterýgia*) umgebenen Leib (κύτος/ *kýtos*; ebd. 4,1,523b 1–5 und 21–29). Wir nennen diese → Tintenfische h. Kopffüßer (Cephalopoda) und rechnen, anders als Aristoteles, alle Schnecken und Muscheln ebenfalls zum Stamm der Mollusca. Die beiden zusätzlichen verlängerten Fangtentakeln (προβοσκίδες/ *proboskídes*) des eigentlichen Tintenfisches (σηπία/ *sépía*; z. B. Sepia officinalis) und des kleinen (τευθίς/ *teuthís*, vielleicht Alloteuthis media) und des großen Kalmars (τεῦθος/ *teúthos*, vielleicht Loligo vulgaris) hebt Aristoteles bes. hervor und beschreibt ihre Bed. für den Nahrungserwerb und die Begattung (523b 29–524a 9). Mit den acht Armen, ihren tatsächlich paarigen Flossen und ihrem Mundtrichter (κοιλὸς αὐλός/ *koilós aulós*; 524a 9–13) schwimmen die W.

Keller 2, 507–516 · A. Steier, s. v. Tintenfische, RE 6 A, 1393–1406. C. Hü.

Weide

[1] s. Viehwirtschaft

[2] (Baumart). Griech. ἰτέα/ *itéa* und Nebenformen, ἡ οἰσύα/ *oisýa* (Poll. 7,176), ἐλίκη/ *helíkē* (bes. in Arkadien nach Theophr. h. plant. 3,13,7) sowie lat. *salix* bezeichnen in ant. Quellen in unspezifischer Weise (vgl. die Beschreibungen bei Theophr. l.c.; Plin. nat. 16,174–177) jeweils eine der im Mittelmeergebiet wachsenden Arten aus der formenreichen Familie der Salicaceae, und zwar am Wasser (vgl. Hor. carm. 2,5,7f. und Ov. met. 10,96: *amnicola*) die Silber-W. (Salix alba L.), Bruch-W. (S. fragilis L.), Korb-W. (S. viminalis L.), Sal-W. (S. caprea L.), Mandel-W. (S. triandra L.), Purpur-W. (S. purpurea L.) sowie die im Gebirge wachsende Seegrüne W. (Salix glauca). Die Trauer-W. (S. babylonica L.) kannte die Ant. wahrscheinlich nicht.

Hom. Il. 21,350 erwähnt die W. am Ufer des Flusses → Skamandros, Hom. Od. 10,510 in der Unterwelt mit dem Beinamen ὠλεσίκαρπος/*ōlesíkarpos* (»fruchtabwerfend«, zitiert bei Theophr. h. plant. 3,1,3 und Plin. nat. 16,110). Man hielt die männlichen »Kätzchen« nämlich für Früchte. Die Pflanze verbreitet sich tatsächlich vegetativ durch Wurzelschößlinge oder Stecklinge (Theophr. ebd. 3,1,1).

Der Anbau der W. war in It. wegen ihrer vielseitigen Verwendbarkeit – z.B. der Ruten als Flechtwerk – beliebt und galt als ertragreich (Cato agr. 1,7: *salictum*, »W.-Pflanzung«, zitiert bei Varro rust. 1,7,9; Plin. nat. 16,176). Eine genaue Anweisung für den Anbau gibt Colum. 4,30,2–7. Am häufigsten wurde der Bast zum Festbinden der Weinranken verwendet (z.B. Colum. 4,30,2 und 11,2,92; 4,13,2 wird er jedoch für ungeeignet gehalten), die Ruten dienten als Flechtwerk für Körbe (für Bienen: Colum. 9,6,1) und sonstige Gefäße (Theophr. ebd. 5,7,7), auch sogar für Schilde (Thuk. 4,9,1; Theophr. ebd. 5,7,7; vgl. Verg. Aen. 7,632f.). Das Holz wurde zu Latten oder Keilen, z.B. für die Ölpresse, verarbeitet. Die reichlichen Austriebe der beschnittenen Bäume (Theophr. ebd. 4,16,2; Plin. nat. 16,175) wurden an das Vieh verfüttert, die Blüten boten den Bienen Nektar und Pollen.

Medizinisch wurden die adstringierend wirkenden Blätter, die (u.a. fiebersenkende und bis ins 20. Jh. zur Konservierung von Lebensmitteln verwendete Salicylsäure enthaltende) Rinde und der Saft der W. gegen Augenkrankheiten, Kopf- und Ohrenschmerzen sowie Darmkrankheiten innerlich verordnet, äußerlich gegen Hautkrankheiten und Gicht (Plin. ebd. 24,56–58; Dioskurides 1,104 WELLMANN = 1,135 BERENDES).

M. SCHUSTER, s.v. W., RE 8 A, 582–590.   C.HÜ.

Weihinschriften, die ein Objekt als → Weihung einer oder mehrerer Personen an eine Gottheit (oder Gottheiten) bezeichnen, zählen zu den ältesten → Inschriften; häufig drücken sie Dank für Sieg in der Schlacht oder für glücklich überstandene Schiffahrt im Handel aus. Oft entstanden W. aufgrund eines im Moment der Gefahr geleisteten Gelübdes, deshalb die Formel *VSLM, votum soluit libens merito* (›freiwillig und nach dem Brauch hat er das Gelübde eingelöst‹). Inschriftträger ist entweder ein Steinsockel (z.B. für Statuen) oder das geweihte Objekt selbst (z.B. Helme oder Brustpanzer aus der → Kriegsbeute). Auch Weihgeschenke aus Edelmetall konnten Inschr. tragen, ebenso Keramikbecher mit gemalten Aufschriften (die sog. *pocola deorum*). Altäre trugen neben Darstellungen der Gottheit oft auch einen entsprechenden Text.

W. begannen in Rom im 6. Jh. v. Chr. mit Weihungen an Castor und Pollux sowie an Mars. Die Mehrzahl der bei [1] ins 7.–4. Jh. datierten zwölf Inschr. sind Götterweihungen. Historisch bes. wichtig – und umstritten – ist die Weihung an Mars (*Mamarti*) der Kriegergefolgschaft eines Publius Valerius (→ *lapis Satricanus*). In der Kaiserzeit verbreiteten W. sich auch in Gebiete, die bislang weder Inschr. noch bildliche Darstellung ihrer Götter gekannt hatten, z.B. Inschr. für die → Matres in Germanien. Inschr. für die Kaiser übernahmen häufig Züge der W. Ab dem 4. Jh. n.Chr. verschwanden mit dem Sieg des Christentums nichtchristl. W. bald (wenn auch lokal unterschiedlich rasch).

→ Votivreligion; Weihung

1 A. DEGRASSI (ed.), Inscriptiones Latinae liberae rei publicae. Imagines, 1965.

E. MEYER, Einführung in die lat. Epigraphik, 1973, 64–66 · J. TOULOUMAKOS, Bilingue (griech.-lat.) Weihinschr. der röm. Zeit, in: Tekmeria 1, 1995, 79–129 (mit Bibliogr.).
                                                              H.GA.

Weihrauch (λίβανος/*líbanos*, λιβανωτός/*libanōtós* als semit. Lehnwort, lat. *tus*). Ein Harz aus den in der griech.-röm. Ant. im Aussehen unbekannten (vgl. Plin. nat. 12,55–57) Boswellia-Sträuchern (z.B. B. Carteri), das wegen seines Wohlgeruchs verbrannt wurde. Die auch in Indien und an der Küste von Somalia wachsenden W.-Sträucher kannten die Griechen nur aus Arabien (Theophr. h. plant. 9,4,2; Plin. nat. 12,51). Im Osten des Mittelmeerraums benutzte man den W. zu kathartischen und apotropäischen Zwecken, in Äg. wie bei den Assyrern, Babyloniern, Kretern und Persern im Götterkult und bei Begräbnissen. In Palaestina wurde er geopfert (Dt 2,30) oder diente als kostbares Geschenk (Mt 2,11).

Wie die Araber verbrannten die Griechen W. in vielen Kulten und in den → Mysterien. → Pythagoras [2] befürwortete die Verwendung als Opfergabe, Platon (leg. 8,847b-c) lehnte diese ab. Bei den Griechen wurde er auch bei Hochzeiten (Sappho 44,30) und Symposien (Xenophan. 1,7) verwendet. Als Reinigungsopfer war W. in Griechenland selten (Ausnahme: schol. Aischin. 1,23). In Rom spielte der W. bei Opfern, im Toten- und Kaiserkult eine Rolle. Im Christentum setzte er sich trotz ursprünglicher Ablehnung (vgl. Cod. Theod. 16, 10,12) als Räuchermittel zu Beginn der Messe, aber auch bei Bestattungen und Prozessionen durch.

Die W.-Körner bildeten gelegentlich einen Bestandteil von medizinischen Rezepten (z.B. Cato agr. 70,19; Plin. nat. 25,131). Auf Vasenbildern ist das Abbrennen von W. häufig abgebildet. Der W.-Handel (Plin. nat. 12,54: durch die → Minaioi in Arabien; vgl. Theophr. h. plant. 9,4,6 und Plin. ebd. 12,63) war bedeutend (→ Weihrauchstraße). Man unterschied verschiedene Qualitäten, auch Verfälschungen (Plin. ebd. 12,65). Die *libanōtrís* diente offenbar als W.-Kästchen sowie als Räucherfäßchen.

R. PFISTER, s.v. Rauchopfer, RE I A, 267–286 · W. W. MÜLLER, s.v. W., RE Suppl. 15, 700–777.   C.HÜ.

Weihrauchstraße. Überlandverkehrsweg zw. den Anbaugebieten des → Weihrauchs (=We.) im Süden der Arabischen Halbinsel (Ẓufār) sowie den Stapelplätzen am Mittelmeer (→ Gaza) und Persischen Golf (→ Gerrha). Der Beginn des We.-Handels ist möglicherweise an den Anf. des 1. Jt. v. Chr. zu datieren, Schriftquellen stammen erst aus griech.-röm. Zeit. Der Transport des We. geschah mit Dromedaren, deren Domestikation (evtl. im 3. Jt. v. Chr.) Voraussetzung für den Fernhandel durch die arab. Wüstengebiete war. Wichtige Stationen der W. waren Qānīʾ, Sabwa, Mārib, Qarnāwu, Nagrān, Tabāla, → Yaṯrib, Dedān, → Petra; in Nagrān gab es eine Abzweigung nach Gerrha. Der Höhepunkt des We.-Handels war im 1.– 2. Jh. n. Chr., ab dem 4. Jh. kam es zum Rückgang. Die Kontrolle der W. hatte zunächst das südarab. Reich → Sabaʾ, zw. dem 4. und dem Ende des 2. Jh. v. Chr. das Reich Maʿīn (→ Minaioi). Vom 2. Jh. v. Chr. bis 1. Jh. n. Chr. führte der nördl. Teil der W. durch nabatäisches Gebiet (→ Nabataioi). Wichtiger Umschlagplatz dort war → Leuke Kome [2]. Mit der Entdeckung der → Monsun-Winde gewann ab Ende des 2. Jh. v. Chr. der Seehandel über das Rote Meer an Bed.; wichtige Häfen waren Okēlis und Muza am Bāb al-Mandab sowie → Berenike [9] und → Myos Hormos in Äg., von wo Ladungen nach Koptos und dann nilaufwärts nach Alexandreia [1] gebracht wurden. → Indienhandel (mit Karte)

W. W. MÜLLER, s. v. Weihrauch, RE Suppl. 15, 700–777 · B. VOGT, Im Reich der Düfte: Weihrauch und Weihrauch-Handel in und um das Glückliche Arabien herum, in: W. DAUM et al., Im Land der Königin von Saba, 1999, 205–222.   K. BA.

Weihrelief s. Relief

Weihung, Weihgeschenk I. ALTER ORIENT UND ÄGYPTEN II. KLASSISCHE ANTIKE

I. ALTER ORIENT UND ÄGYPTEN
Weihgeschenke (W.-G.) an unterschiedliche Gottheiten spielten in der rel. Praxis des Alten Orients und Äg.s eine wichtige Rolle. Bezeugt ist das Vorkommen von W. und W.-G. v. a. durch Inschr. auf geweihten Objekten. Die ältesten, eindeutig zu identifizierenden W.-G. aus Mesopot. stammen aus dem 24. Jh. v. Chr. [14], aus Äg. aus vorgesch. und frühdyn. Zeit (E. des 4./Anfang 3. Jt.; z. B. Narmer-Palette). Die erh. oder inschr. bezeugten W.-G. aus Mesopot. stammen überwiegend von → Herrschern bzw. Angehörigen der Herrscherfamilie. Die Weihformel, oft auf einer Statue des Beters angebracht, lautet ›Für die Gottheit NN hat PN (dieses) geweiht‹, oft erweitert durch den Zusatz ›für sein Leben (Wohlergehen)‹ [6. 60 f., 71–73]; bei der W. von Tempeln und anderen Kultbauten lautet das operative Verbum in der Regel ›hat (für den Gott NN) seinen Tempel namens … gebaut‹. Der Bau von → Tempeln war Prärogative altorientalischer Herrscher. Ein hethitischer Text erwähnt die kostbaren Materialien aus aller Herren Länder, die im Tempel verbaut wurden (Keilschrifttexte aus Boghazköy, Bd. 4, Nr. 1 = ANET 356). In Äg. war der Bau von Tempeln meist mit umfangreichen Landschenkungen des Pharaos an den Tempel verbunden [9. 237]. Für Mesopot. sind als W.-G. fast nur Kultobjekte bezeugt, zumeist erwähnt in den Jahresnamen der Herrscher der 3. Dyn. von Ur und der verschiedenen Dyn. der altbabylonischen Zeit (vgl. → Zeitrechnung). Auch hethitische Texte erwähnen W.-G. [10]. In Äg. wurden in großer Zahl Götterfigurinen oder -statuen dediziert, die, wenn beschriftet, den Namen des Gottes und des Stifters enthielten [1. 1078]. Aus Mesopot. ist eine Reihe von steinernen W.-G. erh. [3], aus kostbaren Materialien gefertigte nur selten [3. 157 f.]. Die Stiftung von lebendem Vieh an Tempel wird v. a. in äg. und hethit. Texten erwähnt [1; 10].

In welchem Umfang W.-G. in Mesopot. auch von Privatpersonen gestiftet wurden, läßt sich weder inschr. noch arch. genau feststellen. Aufgrund der anders gearteten klimatischen Bedingungen in Äg. ist dort eine Vielzahl von W.-G. unterschiedlicher Art, Material und Qualität von Privatpersonen erh. [1. 1078]. In manchen äg. Tempeln sind Werkstätten für Weih- und Votivgaben nachzuweisen, die an Pilger und fromme Beter verkauft wurden [1. 1080].

Von den W.-G. zu unterscheiden sind Votivgaben (ex-voto-Gaben), die der Gottheit auf Grund eines Gelübdes für ein erhörtes → Gebet post factum dediziert wurden [1. 1077]. Von Votivgaben in Form silberner Embleme sprechen mesopot. Omen-Apodosen [2; 4], von versprochenen Silbergaben Rechtsurkunden [8]; aus Äg. sind zahlreiche Votivgaben [9. 72–80, 93, 304 f.] u. a. in Form von menschlichen Gliedern arch. nachweisbar.

Die Weihung von Personen an Tempel aufgrund einer wirtschaftlichen Notlage ist für Mesopot. verschiedentlich bezeugt: v. a. in der Zeit der 3. Dyn. von Ur (21. Jh. v. Chr.; Personen als sumer. ›a.ru.a, »geweiht«, bezeichnet [7; 11]) und der neubabylon. Zeit (6./5. Jh. v. Chr.; dort širku, »Geschenk«, d. h. (Tempel)oblate genannt [5]). In altbabylon. Zeit gab es die Institution der nadītum, einer Klasse von unverheirateten und zur Keuschheit verpflichteten Frauen – Töchtern aus der Oberschicht, die dem Tempel bzw. dessen Gott geweiht, dort für ihre Familien beten sollten [12. 155 f.].

1 H. BRUNNER, s. v. Votivgaben, LÄ 6, 1077–1081
2 Chicago Assyrian Dictionary, Bd. E, 1958, 284, s. v. erēšu A
3 Ebd., Bd. Q, 1982, 157 f., s. v. qâšu 2ʾ 4 Ebd., Bd. Š/1, 1989, 333, s. v. šamšatu 5 Ebd., Bd. Š/3, 1992, 106–111, s. v. širku 6 D. O. EDZARD, J. RENGER, s. v. Königsinschr., RLA 6, 59–77 7 I. J. GELB, The Arua-Institution, in: RAssyr 66, 1972, 1–32 8 R. HARRIS, Old Babylonian Temple Loans, in: JCS 14, 1960, 126–137 9 B. J. KEMP, Ancient Egypt, 1991 10 H. OTTEN, V. SOUCEK, Das Gelübde der Königin Puduḫepa an die Göttin Lelwani, 1965 11 Philadelphia Sumerian Dictionary, Bd. 1, 1992, 156–160, s. v. a.ru, a.ru.a A 12 J. RENGER, Unt. zum Priestertum in altbabylon. Zeit, I, in: ZA 58, 1967, 110–188 13 J. DE ROOS, Hettitische geloften, 1984 14 H. STEIBLE, Die altsumer. Bauund Weihinschr., 1982.   J. RE.

II. KLASSISCHE ANTIKE
A. GRIECHISCH   B. RÖMISCH/LATEINISCH
C. WIRKUNG

A. GRIECHISCH

Der dt. Begriff »W.« stammt aus dem Mhd. und ist als Substantiv zu *wīhen* (»weich« = »hl. machen«) zu verstehen. Im Griech. leitet sich der Begriff von ἀνατιθέναι (*anatithénai*, »aufstellen«, »aufhängen«, »errichten«) ab. Das Aufstellen eines Weihgeschenkes (= W.-G.; ἀνάθημα/→ *anáthēma*) bezeichnet zugleich den Weiheakt. W.-G. sind seit dem 8. Jh. v. Chr. mit dem Aufkommen von (befestigten) → Heiligtümern arch. nachweisbar; häufigste Kontexte öffentlicher W., sofern es sich nicht um einen Einweihungsakt von Tempeln, → Kultbildern oder -gerät handelt, waren bis in das 3. Jh. v. Chr. Kriege (z. B. Paus. 1,28,2; 1,40,3). Die griech. W.-G. waren entweder Dank an die Gottheit oder (menschliche) Vorleistung für die von ihr erwartete Unterstützung, letztere häufig in Zusammenhang mit einem Gelübde [1. 154; 9. 137]. Neben Kriegsbeute wurden bes. oft Bronze- oder Tonfiguren, (monumentale) Standbilder, Gemälde, Gefäße und Dreifüße von Städten oder Feldherren geweiht.

Das Zeus-Heiligtum in → Olympia wurde seit ca. 700 v. Chr. zum ersten prominenten panhellenischen Aufstellungsort von W.-G., später folgten u. a. → Delphoi (Apollon-Orakel), → Ephesos (Artemision), → Samos [3] (Heraion). Die dort von Städten oder Feldherren aufgestellten W.-G. waren Selbstdarstellung eigener Frömmigkeit (→ *eusébeia*) in der Öffentlichkeit; sie trugen zudem zur Steigerung des Ansehens der Heiligtümer bei und regten zu weiteren Bautätigkeiten an (z. B. offene Säulenhallen) [1. 156; 8. 58]. Seit dem 3. Jh. v. Chr. entstanden lit. Beschreibungen bes. prominenter Heiligtümer und ihrer W.-G., die ihrerseits z. T. vielleicht als »Werbeschriften« für weitere Besucher anzusehen sind (z. B. Menodotos von Samos bei Ath. 16,655 über das Heraion; Demokritos von Ephesos FGrH 267 F 1 über das Artemision).

In Hell. und Kaiserzeit stellten → Herrscher ebenfalls W.-G. in griech. Heiligtümern auf, vorzugsweise in den bes. prominenten (Präsenz in der Memorialkultur); dies geschah häufig in Zusammenhang mit der Gewährung von weiteren *beneficia* (→ *beneficium*; vgl. → Euergetismus) der Stadt gegenüber, der das Heiligtum gehörte (z. B. IEph 2,274: Dank der Ephesier an Hadrian für W.-G. an das Artemision, Verleihung des Erbrechts an das Heiligtum und Gewährung von Getreidespenden an die Stadt durch Hadrian). Umgekehrt boten Herrscherbzw. → Kaiserkult Anlässe für Städte, W.-G. aufzustellen (Paus. 1,18,6: W. je eines gesonderten Standbildes Hadrians durch Athen und seine Kolonien im athenischen Zeus-Heiligtum).

B. RÖMISCH/LATEINISCH

Röm. bzw. lat. Bezeichnungen für W. sind → *consecratio* und → *dedicatio* [6. 35 ff., 190 f.]. Wohl prominentester Aufstellungsort für öffentliche röm. W. sowie solche fremder (d. h. nichtröm.) Herkunft in Rom war das → *Capitolium* (z. B. Liv. 6,29,8). Solange Rom auf verbündete ital. Gemeinden angewiesen war, teilte es die gemeinsame Kriegsbeute mit diesen, u. a. zur W. in den Tempeln der Städte (Liv. 10,46,7). In der frühen Kaiserzeit wurde vom Senat anläßlich eines Gelübdes (*votum*, vgl. → Votivkult) der stadtröm. *equites* für die Gesundheit der Kaiserin bestimmt (das *votum* konnte nur im Fortuna-Heiligtum in → Praeneste eingelöst werden), daß alle Kulthandlungen und Heiligtümer innerhalb It.s röm. Recht und v. a. röm. Machtbefugnis unterstanden (Tac. ann. 3,71), d. h. die Römer suchten seitdem wohl nicht mehr um Erlaubnis für ihre W. und Aufstellung von W.-G. in ital. Tempeln nach.

In peregrinen Gemeinden der Prov. waren röm. W.-Formen für eine Rechtsgültigkeit der W. nicht erforderlich (vgl. Plin. epist. 10,49 und die Antwort Traians, Plin. epist. 10,50), jedoch die Durchführung durch städtische Beamte Bedingung (Dig. 1,8,6,3). Einweihungen von Tempeln und die Aufstellung von W.-G. durch röm. Beamte oder die Kaiser selbst waren von den provinzialen Städten des Ostens begehrte Privilegien, die sowohl den Status der Gemeinde als auch den ihres Heiligtums erhöhten (z. B. Paus. 2,17,3; 10,35,4); dies ist für den westlichen Teil des Reiches noch weniger untersucht als für den östlichen.

C. WIRKUNG

In der christl. Trad. wurde das Aufstellen von Bildnissen und Gegenständen verschiedenster Art in Einlösung eines Gelübdes praktisch ungebrochen fortgeführt (vgl. etwa Anth. Gr. 1,35: Drei Christen weihen dem Erzengel Michael ein Gemälde und legen ein Gelübde ab) [9. 141]; lediglich die Empfänger der W.-G. änderten sich. Die lit. Beschreibung bedeutender Heiligtümer, der in ihnen aufgestellten kostbaren W.-G. sowie berühmter Weihender etc. fand erste christl. Vertreter etwa in Prokopios [3], Paulos [4] Silentiarios oder in der → Peregrinatio ad loca sancta [2] (vgl. → Ekphrasis). In die christl. Rechtssprache der katholischen Kirche wurde insbes. der Ausdruck *consecratio* übernommen, der neben der W. in ein christl. Amt auch das Weihen von Gegenständen an Gott bezeichnet [7] (→ Heilige, Heiligenverehrung).

→ Heilgötter IV. B.; Relief II.; Votivkult;
Weihinschriften

1 BURKERT 2 F. FELTEN, W. in Olympia und Delphi, in: MDAI(A) 97, 1982, 79–97 3 J. FERGUSON, Among the Gods, 1989 4 T. LINDERS (Hrsg.), Gifts to the Gods, 1987 5 B. NEUTSCH, Schiffsvotive und Schiffsprozessionen am Cap Palinuro als Nachleben der Ant., in: Klearchos 7, 1965, 93–103 6 E. M. ORLIN, Temples, Rel. and Politics in the Roman Republic, 1997 7 P. PLANK, s. v. Weihe, LMA 8, 1997, 2104–2108 8 S. PRICE, Religions of the Ancient Greeks, 1999 9 J. RÜPKE, Die Rel. der Römer, 2001.   C. F.

Wein (οἶνος/*oínos*; lat. *vinum*).
I. Ägypten und Alter Orient
II. Klassische Antike

I. Ägypten und Alter Orient

Arch. Befunde (Ausgrabungen, bildliche Darstellungen in Gräbern) sowie äg. und griech.-röm. Texte enthalten vielfältige Informationen zum Anbau, zur Bereitung und zur Verwendung von W. in Äg. von der Frühzeit bis in ptolem.-röm. Zeit. W. (äg. *jrp*; koptisch *ērp*; altnubisch *orpj/ē*; vgl. bei Sappho 51 ἔρπις/*érpis* [9. 46], verm. ein altes fremdes Kulturwort [7. 1169]) wurde offensichtlich aus klimatischen Gründen v. a. in Unter-Äg. bzw. im Nildelta und den Oasen angebaut; seit ptolem. Zeit scheint sich der W.-Anbau auch nach S. ausgedehnt zu haben. W.-Stöcke wurden in der Regel in Gärten zusammen mit Obstbäumen gepflanzt und die Ranken zu »Lauben« gezogen, die den Wurzelbereich durch ihren Schatten vor Austrocknung schützten. Bildliche Darstellungen zeigen, daß in Äg. Rot-W. die Regel war; erst seit hell. Zeit lassen Darstellungen und Textzeugnisse auf die Existenz von Weiß-W. schließen. Bereits sehr frühzeitig (1. Dyn./3000–2635 v. Chr.) und später in größerem Detail wurden Herkunft (Lage, Verwalter des Weingutes) und Jahrgang auf Weingefäßen notiert. Wein galt als bevorzugtes Getränk für Pharaonen und Götter.

In der sumerischen Überl. des 3. Jt. spielte W. (sumer. *geštin*) – anders als → Bier – anscheinend keine Rolle im Kult oder als königliches Getränk [8. 32f.]. Erst seit Beginn des 2. Jt. scheint W. (akkadisch *karānu*) aus den umliegenden Bergregionen im Norden und Osten des Irak und aus Nord-Syrien importiert worden zu sein. Texte aus → Ebla bezeugen W.-Kultur für das 24. Jh. v. Chr. [3. 122–124]. Belegt sind roter und weißer, alter und neuer W. Geschmacklich wurde W. in Vergleichen als »süß« bezeichnet. Texte aus → Mari (18. Jh. v. Chr.) belegen, daß W. für die königliche Tafel mit importiertem Eis gekühlt wurde [3. 248]. Bildlich sind W.-Trauben und -Reben auf neuassyrischen Palastreliefs dargestellt (7. Jh. v. Chr.) [6. 354f.]. Über W.-Anbau und -Herstellung geben Texte aus Mesopot. keine Auskunft. Im 1. Jt. v. Chr. wurde W. auch von Straßenhändlern (*ša karānim*) vertrieben [1. 206].

1 Chicago Assyrian Dictionary, Bd. K, 1971, 202–206, s. v. *karānu, ša karānim* 2 Ebd., Bd. Š/3, 1992, 347f., s. v. *šurīpu* 3 W. J. Darby et al., Food: The Gift of Osiris, 1977, bes. 551–618 4 P. Fronzaroli, Osservazioni sul lessico delle bevande dei testi di Ebla, in: L. Milano (Hrsg.), Drinking in Ancient Societies, 1994, 121–127 5 J.-J. Glassner, Les dieux et les hommes – Le vin et la bière en Mésopotamie ancienne, in: D. Fournier, S. d'Onofrio (Hrsg.), Le ferment divin, 127–146 6 B. Hrouda, Der Alte Orient, 1998 7 Ch. Meyer et al., s. v. W., W.-Krug, W.-Opfer, W.-Trauben, LÄ 6, 1169–1192 8 P. Michałowski, The Drinking Gods: Alcohol in Mesopotamian Ritual and Mythology, in: s. [4], 27–44 9 W. Westendorf, Koptisches Hand-WB, 1971. J. Re.

II. Klassische Antike

A. Weinbau B. Weinhandel
C. Weinherstellung
D. Weinsorten und -qualitäten
E. Weinkonsum
F. Verwendung des Weins im Kult

A. Weinbau

1. Einleitung 2. Griechenland 3. Rom und das Imperium Romanum 4. Spätantike
5. Anbau und Arbeiten
6. Die Erziehung der Rebe
7. Produktionsformen und Erträge

1. Einleitung

Die Weinrebe (ἄμπελος/*ámpelos*; lat. *vitis*), die in ihrer Wildform urspr. wohl im Kaukasus beheimatet war, gehörte im Alten Orient und im Mittelmeerraum zu den ältesten Kulturpflanzen. Spätestens seit ca. 2000 v. Chr. war W. in Griechenland bekannt. Da W. neben → Getreide und Olivenöl als Grundnahrungsmittel der ant. Bevölkerung anzusehen ist, war der Weinbau (= Wb.) in der gesamten Ant. einer der wichtigsten Zweige der → Landwirtschaft.

2. Griechenland

Für die myk. Zeit ist Wb. relativ selten belegt; W. wird in den Listen von Nahrungsmittelrationen nicht aufgeführt; in → Knosos wurden aber die Lagerbestände an W. erfaßt. In den Epen Homers erscheint W. bereits als übliches Nahrungsmittel (σῖτος καὶ οἶνος/*sítos kai oínos*, »Nahrung und W.«: Hom. Il. 9,706; 19,161; vgl. 5,341; Hom. Od. 7,265); die ›Ilias‹ bietet eine eindrucksvolle Beschreibung des Wb. dieser Zeit (Hom. Il. 18,561–572). Der Wb. war in archa. Zeit im östl. Mittelmeerraum weit verbreitet (Histiaia: Hom. Il. 2,537; Arne: Hom. Il. 2,507; Lemnos: Hom. Il. 7,467f.; Phrygien: Hom. Il. 3,184; ferner die Inseln Ithaka und Syria: Hom. Od. 1,193; 15,406; Onchestos: Hom. h. 4,186–188; Klaros: Hom. h. 9,5). Für eine große Bed. des Wb. in klass. Zeit spricht einmal die in der Gesch.-Schreibung häufig erwähnte Zerstörung von W.-Pflanzungen in Kriegen, die große Aufmerksamkeit, die Xenophon [2] dem Wb. schenkt (Xen. oik. 19,1–12), sowie die breite Beachtung, die der W. und sein Konsum in lit. und philos. Texten fanden. Der Wb. erreichte einen hohen Standard, wie aus den detaillierten Anweisungen für Pächter von W.-Land (IK 38/352) und der ausführlichen Darstellung des Wb. bei Theophrastos (c. plant. 3,11–16) hervorgeht. Die hell. Könige besaßen ein deutliches Interesse an der Intensivierung und technischen Verbesserung des Wb. – etwa durch die Einführung neuer Rebsorten. Ein instruktives Beispiel hierfür liefert das ptolem. Äg. und insbes. das Zenon-Archiv, das den Import verschiedenster Rebsorten aus der griech. Welt in den Fayum belegt (P Cairo Zen. I 59033; → Zenon [5]). Ein offensichtlich von Zenon selbst kopiertes Hdb. über die Behandlung der Reben (PSI 6,624) dokumentiert die Verwendung von Fachliteratur im

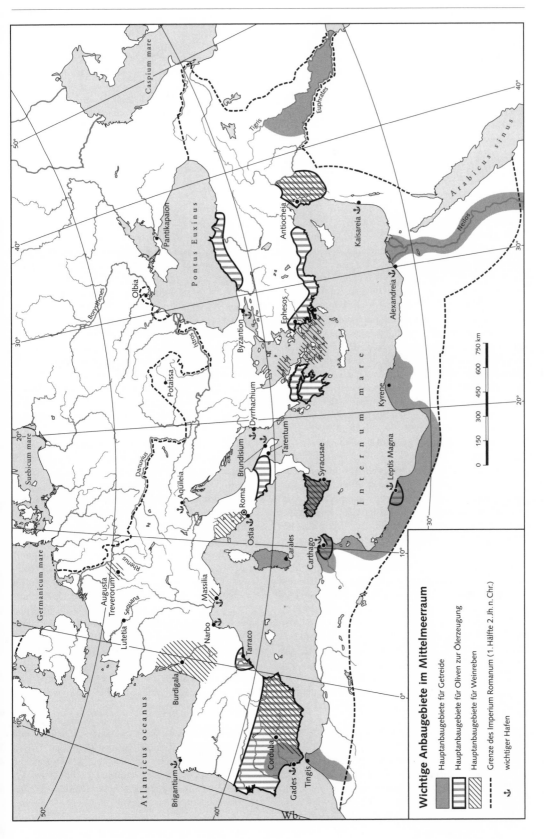

Wichtige Anbaugebiete im Mittelmeerraum

Hauptanbaugebiete für Getreide

Hauptanbaugebiete für Oliven zur Ölerzeugung

Hauptanbaugebiete für Weinreben

Grenze des Imperium Romanum (1. Hälfte 2. Jh. n. Chr.)

wichtiger Hafen

0   150   300   450   600   750 km

3. ROM UND DAS IMPERIUM ROMANUM

Während die Griechen im Zuge der → Kolonisation den Wb. auch im Westen, auf Sizilien, in Süditalien und in Südfrankreich (zu Massilia/Marseille vgl. etwa Iust. 43,4) einführten, scheinen die Römer die Kenntnis des W. von den Etruskern übernommen zu haben. Vieles spricht dafür, daß der Wb. und dementsprechend der W.-Konsum bei den Römern zunächst eine eher marginale Rolle spielten. Seit dem 2. → Punischen Krieg gewann der Wb. wirtschaftlich an Bed.; insbes. in Campania entwickelte sich eine auf Wb. spezialisierte Villenwirtschaft (→ villa); bei Cato findet sich ein genaues Inventar eines solchen W.-Gutes (Cato agr. 11). Bis zum J. 121 v.Chr., aus dem der nach dem Consul L. Opimius [1] benannte Opimianer stammte, bezeichnete man, wie Plinius [1] bemerkt, W. nach dem amtierenden Consul, während später auch die verschiedenen Sorten unterschieden wurden (Plin. nat. 14,94; vgl. 14,55; 14,59–72). In der späten Republik kam es zu einem regelrechten Aufschwung im Wb.; in der frühen Prinzipatszeit stieg die Nachfrage nach W. in Rom und in It. stetig an, was ein wachsendes Engagement der Oberschichten im Wb. zur Folge hatte. Im Verlauf der röm. Expansion wurde der Wb. auch in den westl. Prov. eingeführt, insbes. in der Gallia Narbonensis, Tarraconensis und der Baetica (→ Hispania Baetica), deren W. in großen Mengen nach Rom exportiert wurde. Wb. war im gesamten Mittelmeerraum verbreitet, namentlich in Africa und Äg., Syrien, Palaestina (vgl. etwa Mt 20,1–16), Kleinasien und Griechenland. Selbst für → Dura Europos und das mittlere Euphratgebiet ist Wb. belegt.

→ Cato [1] hielt schon früh den Wb. für einen der ertragreichsten Zweige der → Landwirtschaft; eine ähnliche Auffassung vertrat später → Columella: In einer exemplarischen Berechnung der im Wb. erzielten Gewinne versucht er nachzuweisen, daß Wb. einen höheren Gewinn einbringt als der Geldverleih (Cato agr. 1,7; Colum. 3,3). Allerdings wurden die Erwartungen der Großgrundbesitzer oft enttäuscht: Plinius [2] klagt in seinen Briefen häufig über schlechte W.-Ernten und die daraus resultierende Verschuldung der coloni (Plin. epist. 8,2; 8,15; 9,16; 9,20; 9,28,2; 9,37; → colonatus).

Bei Cicero wird ein Verbot des Wb. in den Prov. erwähnt, das wohl dem Schutz der ital. W.-Produktion dienen sollte (Cic. rep. 3,16). Im Prinzipat wurde der Wb. als Konkurrenz zum Getreidebau empfunden, wie ein Edikt des Domitianus zeigt, das die Neuanlage von W.-Gärten in It. verbot und ihre partielle Vernichtung in den Prov. anordnete; der Princeps bestand jedoch nicht auf der Durchführung seiner Anordnung (Suet. Dom. 7,2; Philostr. Ap. 6,42).

4. SPÄTANTIKE

Der Wb. behielt in der Spätant. seine große Bed.; so schenkt ihm etwa Palladius [1] breite Beachtung. Wo das Klima es gestattete, wurde Wb. in den Prov. betrieben: In Gallien etwa schob sich die nördl. Grenze des Wb. bis in die Täler von Seine und Mosel vor (Auson. Mos. 20ff.; 152ff.).

5. ANBAU UND ARBEITEN

Entsprechend seiner wirtschaftlichen Bed. wird der Wb. bei den röm. → Agrarschriftstellern eingehend behandelt (Cato agr. 11; 19; 24ff.; 32f.; 41; 49; 105–115; 137; 147f.; Varro rust. 1,8; Colum. 3–5,8; Plin. nat. 14,8–136; 17,152–215; Pall. agric. passim). W. wurde in geschlossenen Pflanzungen (ἡ ἄμπελος/ámpelos, ὁ ἀμπελών/ampelón; lat. vinea, vinetum) kultiviert. Die äg. Papyri zeigen, daß zw. den Reben auch verschiedene andere Pflanzen (etwa Obst, Oliven, Gemüse) als Zwischenkulturen angebaut wurden, was aber nicht nur für diesen Raum gilt (vgl. IK 38/352); die Aussaat von Getreide zw. W.-Stöcken war wohl üblich (Colum. 5,7,3). Ein W.-Garten verlangte ganzjährige Aufmerksamkeit und große Sorgfalt (P Oxy. 3354; vgl. Verg. georg. 2,397–419): Im Winter bzw. Januar mußte zunächst der W.-Stock von den feinen, im Sommer entstandenen Wurzeln befreit werden (ablaqueatio: Colum. 4,4,2; 4,8,2; 4,9,1; 4,22,3; Pall. agric. 2,1). Im Februar war der Rebschnitt (putatio) durchzuführen (Pall. agric. 3,12,1), der mit Arbeiten an der Rebunterstützung verbunden war (s.u.). Es folgte im Mai oder Juni das Abbrechen der überflüssigen grünen Triebe am W.-Stock (pampinatio: Plin. nat. 17,190; Pall. agric. 6,2,1). Kurz vor der Lese wurde der W.-Stock entlaubt, um die Belüftung der Rebe und die Lichteinwirkung auf sie zu verbessern (Colum. 4,28,1). Es gab weitere notwendige, sich über das ganze Jahr erstreckende Arbeiten, so v.a. das Hacken des Bodens, das nach Columella zw. März und Oktober mindestens einmal im Monat durchgeführt werden sollte; auf diese Weise wurden Unkraut und Gras entfernt (Colum. 4,5; vgl. auch Plin. nat. 17,188f.; vgl. für Äg. P Soterichos 1,19–22; P Lond. III 1003, p. 259,11: zwei- bzw. fünfmaliges Hacken des Bodens). Der Rebbestand mußte mit Hilfe von Absenkern oder Stecklingen verjüngt werden (Colum. 4,15; Plin. nat. 17,212); hierzu wurde von Spezialisten auch die Pfropfung angewandt (Colum. 4,29).

Die Lese, die in It. im September erfolgte (Colum. 11,2,66–71; Pall. agric. 10,11,1–2), galt als bes. arbeitsintensiv: Während die übrigen Arbeiten ein Winzer für eine Fläche von sieben → iugera ausreichte (Colum. 3,3,8), wurde bei der Lese eine größere Zahl an Erntearbeitern benötigt, so daß es zu einem Mangel an Arbeitskräften kommen konnte (SB 14, 12107,21–24; organisiertes Auftreten der Lesearbeiter in Pompeii: CIL IV 6672). Unter diesen Bedingungen sieht Cato den Verkauf der Trauben am Stock vor; der Käufer hatte damit selbst die Arbeitskräfte für die Lese zu stellen und die Arbeiten zu organisieren (Cato agr. 147; vgl. 137; Plin. epist. 8,2). Eine anschauliche Schilderung einer W.-Lese auf Lesbos bietet → Longos (Daphnis und Chloe 2,1f.). Die Trauben wurden in großen Trögen (linter; Tib. 1,5,23; Cato agr. 11,5) zur Kelter gebracht, mit den Füßen ausgetreten und mit Hilfe von W.-Pressen (→ Pressen) gepreßt, der W. wurde in großen → Tongefäßen gelagert (s.u. C.).

Die Erziehung der Rebe ohne Unterstützung
(sine pedamento)

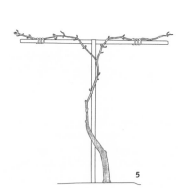

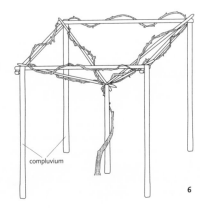

1

2

3

Die Erziehung der Rebe mit Unterstützung
(cum pedamento)

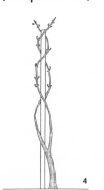

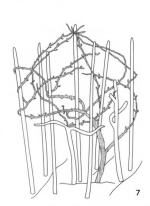

complium

4

5

6

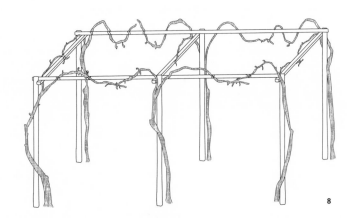

7

8

9

1 vitis prostrata
2 vitis capitata
3 vitis bracchiata
4 vitis pedata
5 vitis iugata (canteriata)
6 vitis compluviata
7 vitis characata
8 pergula
9 vitis arbustiva

Die Arbeiten im Wb. wurden in der Ant. eindrucksvoll bildlich dargestellt, so die W.-Lese auf einer att. sf.
Amphora (Würzburg, Martin-von-Wagner-Museum;
BEAZLEY, ABV, 151,22) oder die Pflege der W.-Stöcke
im Winter auf einem röm. Mosaik aus Nordafrika (frühes 3. Jh. n. Chr., Cherchel, Musée Archéologique);
auch das große Jahreszeiten-Mosaik aus Vienna enthält
mehrere Szenen aus dem Wb. (St. Germain-en-Laye,
Musée des Antiquités Nationales).

6. DIE ERZIEHUNG DER REBE

Die Reberziehung bestimmte das Wachstum und die
Gestalt der Rebe (lat. *vitis*; vgl. Colum. 5,4–6; Plin. nat.
17,164f.). Grundsätzlich lassen sich zwei Formen unterscheiden (vgl. Abb.): die Reberziehung ohne Unterstützung (*sine pedamento*) und die mit Unterstützung
(*cum pedamento*). Bei ersterer rankte die Rebe sich am
Boden entlang (*vitis prostrata*), oder es wurden alle Zweige bis zu einer bestimmten Höhe abgeschnitten, so daß
sich ein Kopf bildete oder seitlich Arme in die Höhe
ragten (*vitis capitata* oder *bracchiata*). Bei der Reberziehung *cum pedamento* wurde die Rebe an einem einzelnen
Stock in die Höhe gezogen (*vitis pedata*) oder aber an
einem Stock mit einem Querholz, so daß sie nach zwei
Seiten wuchs (*vitis iugata, cant(h)eriata*). Die Ranken einer Pflanzenreihe konnten auch miteinander verbunden
werden. An einem Stock mit vier Armen konnte die
Rebe nach vier Seiten hin erzogen werden (*compluvi-
um*). Daneben bestand die Möglichkeit, rund um die
Rebe mehrere Stöcke aufzustellen, so daß die Zweige in
Kreisen um den Rebstock herum erzogen wurden (*vitis
characata*). Für Eßtrauben und für dekorative Zwecke
am Haus wurde die Pergola (*pergula*) genutzt. In einzelnen Landschaften wurde die Rebe an einem Baum erzogen (Colum. 5,6; Plin. nat. 14,10; 17,199); hierfür
wurden bes. Bäume mit wenig Laub wie Pappel, Ulme
und Esche genutzt (*vitis arbustiva*).

7. PRODUKTIONSFORMEN UND ERTRÄGE

Drei Typen von W.-Gärten sind zu unterscheiden,
nämlich solche, die einen mehr oder minder guten W.
für die lokale und regionale Bedarfsdeckung produzierten, ferner jene, die hochwertigen Qualitäts-W. für den
Handel erzeugten und schließlich die, die ein billiges
Massenprodukt lieferten. Über die Erträge gibt es relativ
wenig Angaben: Varro erwähnt Regionen in It., in denen pro → *iugerum* 10 bis 15 *cullei* (5200–7800 l) W. erzeugt worden sein sollen, während Plinius als Ertrag pro
iugerum 7 bis 10 *cullei* (3640–5200 l) angibt (Plin. nat.
14,52; vgl. Varro rust. 1,2,7). Columella hingegen geht
von 3 *cullei* als niedrigstem Ertrag aus und legt seiner
Modellrechnung eine Ernte von einem → *culleus* (520 l)
zugrunde (Colum. 3,3,10f.); als Marktpreis für einen
culleus W. nennt Columella 300 HS.

→ Alkoholkonsum (Nachträge); Ernte; Getränke;
Handel; Landwirtschaft; Nahrungsmittel; Pressen (mit
Abb.); Rauschmittel; Transportamphoren

1 M.-C. AMOURETTI, La viticulture antique, in: REA 90,
1988, 5–17 2 Dies., J. P. BRUN (Hrsg.), La production du vin
et de l'huile en Méditerranée, 1993, 151–161 3 H. CADELL,
La viticulture scientifique dans les archives de Zénon, PSI
624, in: Aegyptus 49, 1969, 105–120 4 G. HAGENOW, Aus
dem W.-Garten der Ant., 1982, 39–58 5 V. D. HANSON,
Warfare and Agriculture in Classical Greece, ²1998, 68–71
6 ISAGER/SKYDSGAARD 7 N. PURCELL, Wine and Wealth in
Ancient Italy, in: JRS 75, 1985, 1–19 8 W. RICHTER, Die
Landwirtschaft im homerischen Zeitalter (ArchHom 2, H),
²1990 9 ROSTOVTZEFF, Hellenistic World, 1164f.; 1188f.
10 K. RUFFING, Herstellung, Sorten, Qualitätsbezeichnungen
von W. im röm. Äg. (1.–3. Jh. n. Chr.), in: MBAH 17.1,
1998, 11–31 11 Ders., Wb. im röm. Äg., 1999
12 M. SCHNEBEL, Die Landwirtschaft im hell. Äg., 1925,
239–292 13 A. TCHERNIA, Le vin de l'Italie romaine, 1986
14 B. WELLS (Hrsg.), Agriculture in Ancient Greece, 1992,
77–86; 161–166 15 WHITE, Farming, 229–246.

B. WEINHANDEL

1. GRIECHENLAND UND HELLENISMUS   2. ROM UND DAS RÖMISCHE REICH   3. SPÄTANTIKE

1. GRIECHENLAND UND HELLENISMUS

W. gehörte in der Ant. zu den wichtigen Handels-
gütern und wurde z. T. über große Entfernungen zu
den Absatzmärkten befördert. Das Spektrum des Wein-
handels (= Wh.) reichte vom Detailhandel in Dörfern
und urbanen Zentren über den Produzentenhandel
zur lokalen Bedarfsdeckung bis hin zum Wh. durch spezialisierte Händler (οἰνέμπορος/*oinémporos*; οἰνοπώλης/
oinopṓlēs; οἰνοπράτης/*oinoprátēs*; lat. *negotiator, negotians*
oder *mercator vinarius*) auf regionaler und überregionaler
Ebene.

Ein erster Hinweis auf Wh. findet sich bereits bei
Homer: Schiffe aus Lemnos brachten den vor Troia la-
gernden Griechen W., der gegen verschiedene Naturalien getauscht wurde (Hom. Il. 7,467–475). Der arch.
Befund belegt ebenfalls Wh. in dieser Zeit: Amphoren
aus Chios gelangten im 8. Jh. v. Chr. nach Smyrna, Amphoren aus Lesbos im 7. Jh. v. Chr. nach Athen. W. aus
Lesbos wurde zudem nach Naukratis exportiert (Strab.
17,1,33). Im 5. Jh. v. Chr. begann Thasos sich zu einem
Zentrum des Wh. zu entwickeln, das W. in das Pontosgebiet, die nördliche Ägäis, nach Athen und Äg. (P
Cairo Zen. I 59012) lieferte; gleichzeitig wurde es Schiffen aus Thasos untersagt, fremde W. in das Gebiet zw.
dem Berg Athos und Kap Pacheie zu bringen (IG XII
Suppl. 347). Peparethos, Kos, Mende und Chios führten
im 4. Jh. v. Chr. regelmäßig W. in das Pontosgebiet aus
(Demosth. or. 35,35). Funde gestempelter Amphoren
(→ Amphorenstempel) bezeugen eine große Reichweite des Wh. von Rhodos, das während des Hell. in
großem Umfang W. nach Alexandreia [1] exportierte.
Daneben entwickelte Delos sich nach der Erklärung
zum Freihandelshafen durch die Römer zu einem bedeutenden Umschlagplatz für W.; ein Indiz hierfür ist
die Präsenz ital. W.-Händler auf der Insel (IDélos 1711).
Seit dem 3. Jh. v. Chr. trieben Händler auch von Leu-
kas, Knidos, Syrien und Sizilien aus regen Wh. Im 1. Jh.
v. Chr. wurde W. aus Chios und Kos in großem Umfang nach It. eingeführt (Varro rust. 2 praef. 3).

2. ROM UND DAS RÖMISCHE REICH

Phönizische Amphoren in Rom bezeugen einen W.-Import bereits für das 7. Jh. v. Chr.; aber erst nach dem 2. → Punischen Krieg begannen die Römer, in großem Umfang W. aus dem Osten zu importieren und ital. W. nach Spanien und Gallien zu exportieren. Wie die Funde von Amphoren des Typs »Dressel 1« in Gallien deutlich machen, wurden im 2. und 1. Jh. v. Chr. beträchtliche Mengen von ital. W. nach Gallien ausgeführt (vgl. Diod. 5,26,3); in der Forsch. wird ein Volumen von 100000 hl/Jahr angenommen. An diesem Handel waren auch die Sestii, Großgrundbesitzer aus Cosa, beteiligt [8]. Im frühen Prinzipat war der ital. W. einer zunehmenden Konkurrenz des W. aus der Hispania Baetica und Tarraconensis sowie Gallia Narbonensis ausgesetzt.

Im Prinzipat entwickelte Rom einen extrem hohen Bedarf an W.: Schätzungen zufolge lag der Konsum zw. 1 und 1,5 Mio hl/Jahr. Für den Wh. wurde in Rom ein W.-Hafen und ein W.-Markt geschaffen (*portus vinarius*: CIL VI 37807 = ILS 9429; *forum vinarium*: CIL VI 9181; in Ostia: CIL XIV 409 = ILS 6146). Augustus lehnte eine darüber hinausgehende Verantwortung für die stadtröm. W.-Versorgung entschieden ab (Suet. Aug. 42,1). W.-Händler sind für Rom und Ostia epigraphisch gut bezeugt (Rom: ILS 7276; 7277; 7485–7487; Ostia: ILS 6146; 6162). Ein Sarkophag aus Ancona zeigt den Verkauf von W. in einer W.-Handlung (ZIMMER, 177). Der Bedarf wurde seit den Flaviern (2. H. 1. Jh. n. Chr.) zunehmend auch durch den Import billigen W.s aus Gallien gedeckt. In Lugdunum/Lyon existierte ein *corpus* der *negotiatores vinarii* (ILS 7030; 7033; → *negotiator*), und W.-Händler dieser Stadt waren auch in Rom tätig (CIL VI 29722 = ILS 7490). Unter den Severern diente W. aus Mauretanien, der Ägäis und bes. aus Kreta zunehmend der Versorgung der Stadt Rom. Während im Mittelmeerraum W. überlicherweise in Amphoren (→ *amphora*) transportiert wurde, verwendete man in den nw Prov. zu diesem Zweck Holzfässer. Beim → Landtransport wurden schwere Wagen mit einem einzigen großen Faß eingesetzt, wie mehrere Reliefs aus Gallien zeigen (ESPÉRANDIEU, Rec., 3232).

3. SPÄTANTIKE

Das Preisedikt des Diocletianus führt nicht weniger als sieben ital. W.-Sorten auf (→ Edictum [3] Diocletiani 2,1a–7); der Preis ist wesentlich höher als der einfacher W. (ebd. 2,9f.). W. war bereits unter Aurelianus (270–275) in die stadtröm. annona (→ *cura annonae*) einbezogen worden (SHA Aurelian. 48); im 4. Jh. wurde W. zu einem um 25% reduzierten Preis in Rom verteilt (Cod. Theod. 11,2,2; 11,2,3). Trotz dieser Initiativen kam es in der Stadt zeitweise zu erheblichen Unruhen wegen W.-Mangels (Amm. 14,6,1; 15,7,3; 27,3,4). Noch im 6. Jh. erreichten W. aus dem östl. Mittelmeerraum It. (Cassiod. var. 12,12,3). Auch Konstantinopolis entwickelte sich zu einem bedeutenden Absatzmarkt für fremde W., allerdings in weit bescheidenerem Umfang als Rom in der Prinzipatszeit.

1 A. CHANIOTIS, Vinum Creticum excellens: Zum Weinhandel Kretas, in: MBAH 7.1, 1988, 62–89 2 B. G. CLINKENBEARD, Lesbian Wine and Storage Amphoras, in: Hesperia 51, 1982, 248–267 3 J.-Y. EMPEREUR, Y. GARLAN (Hrsg.), Recherches sur les amphores grecques, 1986, 145–196 4 Y. GARLAN, Les timbres amphoriques de Thasos 1, 1999 5 P. HERZ, Studien zur röm. Wirtschaftsgesetzgebung, 1988, 296–302 6 JONES, LRE, 704f. 7 E. KISLINGER, Zum Weinhandel in frühbyz. Zeit, in: Tyche 14, 1999, 141–156 8 D. P. S. PEACOCK, D. F. WILLIAMS, Amphorae and the Roman Economy, 1986 9 D. RATHBONE, Italian Wines in Roman Egypt, in: Opus 2.1, 1983, 81–98 10 K. RUFFING, Zum Weinhandel zw. It. und Indien im 1. Jh. n. Chr., in: Laverna 10, 1999, 60–80 11 Ders., Einige Überlegungen zum Weinhandel im röm. Äg., in: MBAH 20.1, 2001, 55–80 12 B. SIRKS, Food for Rome, 1991, 391–394 13 A. TCHERNIA, Italian Wine in Gaul at the End of the Republic, in: GARNSEY/HOPKINS/WHITTAKER, 87–104.

KARTEN-LIT.: K.-W. WEEBER, Panem et circenses (Ant. Welt, Sonder-H. 158), 1994, bes. Abb. 235. K.RU.

C. WEINHERSTELLUNG

Die W.-Lese (τρυγητός/*trygētós*, lat. *vindemia*) fand in den Mittelmeerländern von Ende August bis Ende September statt, in den nördlich angrenzenden Gebieten bis zu mehreren Wochen später. Die Trauben wurden zunächst in Becken oder Kufen ausgetreten; die Maische wurde dann in Quetschmaschinen oder → Pressen weiter entsaftet (s.o. II.A.5.). Dabei entstand Most, der gefiltert und in die Gärbehälter (griech. πίθος/*píthos*, lat. *dolium*) geleitet wurde, wo er zu W. vergor. Im Frühling des nächsten Jahres wurde der junge W. (über dem Bodensatz) abgezogen, gefiltert und in Amphoren und Krüge abgefüllt, auf denen Jahrgang und Anbaugebiet, gelegentlich auch der Name des Winzers vermerkt waren (→ Amphorenstempel).

Die vielen Varietäten des W. (vgl. Colum. 3,2,1–32; Plin. nat. 14,20–43) wurden außer nach Anbaugebiet und Alter v. a. nach Farbe, Geschmack, Konsistenz, Geruch und Stärke unterschieden (Gal., Komm. zu Hippokr. de victu acutorum 3,1 f.; Athen. 29b). Naturreine W. galten als Ideal (Colum. 12,19,1–2), blieben wegen der unzureichenden W.-Bereitungstechnik aber Illusion. Vielmehr nahm der W. Fremdgeschmack vom Aufbewahrungsgefäß, das regelmäßig mit → Pech und Harz versiegelt war, sowie von Zusatzstoffen an. Letztere wurden dem W. während der Herstellung und Konservierung zugegeben, um ihn zu stabilisieren (Pech, Harz, Salzwasser) sowie um Geschmack, Geruch (Süßmost, Gips, Gewürze) und Aussehen (→ Aloe) zu verbessern (Plin. nat. 14,120–130). Zahlreiche Hinweise auf Herstellung und Verwendung von W. (v. a. als Medizin, z.B. zur Beförderung des Stuhlgangs und des Wasserlassens, gegen Hüftschmerzen, Würmer) gibt Cato agr. 104–125.

D. WEINSORTEN UND -QUALITÄTEN

W. war wegen des florierenden W.-Handels allgemein verbreitet und überall verfügbar. Die Spanne des Angebots reichte vom Qualitäts-Wein. (*genus nobile*:

Plin. nat. 14,87) über den Tafel-W. bis zum Trester-W. (*vinum deuterium*; *lora*: Colum. 12,40; Plin. nat. 14,86). Dabei scheinen Rot-W. die Weiß-W. mengenmäßig übertroffen zu haben. Das Gros der angebotenen W. waren Tafel-W. (*trikótylos*, wörtl. »drei kleine Becher enthaltend«, wohl ein Wein, von dem man drei Karaffen für einen Obolos bekam), die innerhalb eines Jahres getrunken und nur über kurze Strecken transportiert wurden. Einige W. genügten auch gehobenen Ansprüchen, waren länger haltbar und wurden überregional gehandelt. In griech. Regionen waren dies W. aus Chios, Lesbos, Mende und Thasos [1. 141–146]. Zur Zeit des Plinius [1] gab es ca. 80 solcher W. im gesamten röm. Reich (Plin. nat. 14,87). Rund zwölf dieser Qualitäts-W. (u.a. Albaner, Caecuber, Calener, Falerner, Formianer, Mamertiner, Massiker, Surrentiner) galten sogar als Spitzen-W., die zehn bis zwanzig Jahre und noch länger reifen mußten. Der Massengeschmack bevorzugte süße, liebliche W.; das zeigen insbesondere die beliebten Spezial-W. wie Honig-W. (*mulsum*), Gewürz-W. (*aromitates*, *vinum conditum*, speziell Rosen-, Pfeffer-W.: Plin. nat. 14,107–109) und Likör-W. (*passum*), der aus Trockenbeeren gekeltert wurde (Plin. nat. 14,80f.). Weitere nicht aus Trauben hergestellte W. waren z.B. Apfel- und Kirsch-W.

E. WEINKONSUM

W. war im Mittelmeergebiet ein Alltagsgetränk für alle Schichten. Als alkoholhaltiges Genußmittel konkurrierte er in den südl. und nördl. angrenzenden Gebieten der ant. Welt aber mit → Bier und Honig-W. (→ Met). Schätzungen besagen, daß Männer im kaiserzeitlichen Rom durchschnittlich 0,8–1 l W., Frauen die Hälfte davon am Tag tranken [2. 26]. W. wurde (in geringen Mengen) während des Essens konsumiert, doch war er v.a. Teil des rauschhaften Erlebens in der Gemeinschaft. Die förmlichste Art des Trinkens war das *sympósion* (→ Gastmahl) bzw. die → *comissatio*, ein sich an das eigentliche Essen (δεῖπνον/→ *deípnon*, lat. → *cena*) anschließendes Gelage zumeist aristokratischer bzw. reicherer Männer. Das gemeinsame W.-Trinken förderte das Gespräch und die Geselligkeit, bot Gelegenheit, bes. soziale Beziehungen anzuknüpfen und bestimmte kulturelle Praktiken auszuüben. Dagegen befriedigte die einfache männliche Bevölkerung ihr Bedürfnis nach geselligem Trinken überwiegend in Schankstuben (καπηλεῖον/*kapēleíon*, lat. *caupona*; → Wirtshaus), die in Städten weit verbreitet waren. Hier hatten auch Frauen und Sklaven Zugang, die nach den herrschenden Normen von förmlichen Trinkgelagen ausgeschlossen waren.

W. war wegen seiner Rauschwirkung ein wichtiger kultureller Faktor in der klass. Ant. (→ Rauschmittel); es galten deshalb strenge Regeln im Umgang mit W. Seit frühgriech. Zeit war es üblich, W. mit Wasser gemischt zu trinken; als normal galt ein Verhältnis von einem Teil W. auf zwei oder drei Teile Wasser (Athen. 10,426b-f). W. wurde im Sommer gern kalt getrunken; im Winter pflegte man dem W. eher warmes Wasser beizumischen.

Das Mischen des W. mit Wasser war auch ein Mittel, sich normativ von der »barbarischen« Welt abzugrenzen: Unzivilisierte Menschen (vgl. → Barbaren) tranken ungemischten W. und verloren die Kontrolle über sich. Ein frühes Beispiel für unkontrollierten → Alkoholkonsum (s. Nachträge) ist → Polyphemos (Hom. Od. 9,353–374).

Der vorübergehende Rausch war gesellschaftlich akzeptiert, Mediziner warnten aber vor zu starkem Genuß von W., weil er den Körper schädige. Dagegen betrachteten sie ihn richtig dosiert als ein Allheilmittel, das gegen viele körperliche und seelische Krankheiten helfe (Plin. nat. 23,31–51; Pedanios Dioskurides 5,7–83).

F. VERWENDUNG DES WEINS IM KULT

Den ant. Menschen galt der W. als Offenbarung göttlichen Wirkens (z.B. Hor. sat. 1,4,88f.; Hor. carm. 2,19,1–8; 3,25). Er war wichtiger Teil des griech. und röm. Libationsopfers (→ Trankopfer); er gehörte ferner z.B. zum röm. Frauenfest der → Bona Dea, zu Göttermahlzeiten (vgl. Cato agr. 83), zur → *supplicatio*. Als Gabe des → Dionysos bzw. → Bacchus angesehen, diente W. als Stimulanz in den Ritualen der dionysischen → Mysterien. Die Christen übernahmen ihn in ihren Kult (s. [3]).

→ Alkoholkonsum (s. Nachträge); Comissatio; Ernährung; Eßkultur; Gastmahl; Getränke; Rauschmittel

1 A. DALBY, Essen und Trinken im alten Griechenland. Von Homer bis zur byzantinischen Zeit, 1998 2 A. TCHERNIA, Le vin de l'Italie romaine, 1986 3 H. CANCIK-LINDEMAIER, s.v. Eucharistie, HrwG 2, 1990, 347–356.

M.-C. AMOURETTI, J.-P. BRUN (Hrsg.), La production du vin et de l'huile en Méditerranée. Oil and Wine Production in the Mediterranean Area, 1993 · J. ANDRÉ, Essen und Trinken im alten Rom, 1998 · P. E. McGOVERN et al. (Hrsg.), The Origins and the Ancient History of Wine, 1996 · O. MURRAY, M. TECUSAN (Hrsg.), In vino veritas, 1995 · A. TCHERNIA, J.-P. BRUN, Le vin romain antique, 1999.   A.G.

Weisheit (σοφία/*sophía*, lat. *sapientia*).
I. GRIECHISCH-RÖMISCH II. JÜDISCH
III. CHRISTLICH IV. ISLAMISCH

I. GRIECHISCH-RÖMISCH

A. ALLGEMEINER UND PHILOSOPHISCHER BEGRIFF
B. VORSOKRATIK
C. SOKRATES UND PLATON D. ARISTOTELES
E. HELLENISMUS UND SPÄTANTIKE

A. ALLGEMEINER UND PHILOSOPHISCHER BEGRIFF
Das griech. Substantiv σοφία/*sophía* (ionisch: σοφίη/*sophíē*), abgeleitet vom seit dem 6. Jh. v. Chr. bezeugten Adj. σοφός (*sophós*), bedeutet allg. die überlegene Fertigkeit und Sachkunde, welche den Fachmann und → Künstler vor den Vielen auszeichnet und ihm Ansehen verschafft. *Sophía* (= s.) wird für jede praktische Meisterschaft verwendet – etwa die des Steuermanns, Baumeisters, Arztes, Feldherrn oder Staatsmanns (vgl.

Hom. Il. 15,411 f.: Zimmermann; Pind. N. 7,17: Wetterkundiger; Eur. Ion 1139: derjenige, der die Fläche eines Zeltes berechnen kann; Sol. 1,51 f.: Dichter). So bezeichnet s. das souveräne vollendete Wissen, das technische Fertigkeit (→ *téchnē*), Lebensklugheit und polit. Urteilskraft umfaßt. In der griech. Philos. spezialisierte und verengte sich der Begriff auf das theoretische Wissen, das dem Menschen einen gottähnlichen Zustand gewährt. In den hell. und spätant. Philosophenschulen kamen das theoretische und das praktische Moment im Idealwissen des Weisen wieder zusammen (z. B. im → Stoizismus).

B. VORSOKRATIK

Im ältesten griech. Denken wird s. den → Sieben Weisen zugesprochen: Sie sind noch keine Philosophen, sondern ehrwürdige Männer, die wegen ihrer Menschenkenntnis, ihrer praktischen Lebensklugheit und polit. Urteilskraft, also ihres überragenden Wissens gerühmt werden und schon seit Platon [1] (Plat. Prot. 343a) als Vorbilder gelten. Unter den ihnen zugeschriebenen Sprüchen und Testimonien (DIELS/KRANZ Bd. 1, p. 61–66) findet sich die Legende vom im Meer gefundenen Dreifuß mit der Inschr. ›Dem Weisesten‹ (τῷ σοφοτάτῳ/*tōi sophotátōi*). Jeder Weise, der ihn bekommt, reicht ihn dem nächsten weiter, bis der letzte – oder alle zusammen – ihn schließlich dem Gott → Apollon weiht und nach Delphi, dem Sitz der göttlichen W., sendet. Die sog. → Vorsokratiker – besonders die ion. Naturphilosophen Herakleitos [1], Xenophanes [2], Anaxagoras [2], die Pythagoreer (z. B. Philolaos [2]) und Demokritos [1] – verwenden den Begriff s. zunehmend im Sinne von explizit theoretisch-philos. Forsch., die mit → Tugend und exemplarischer Lebensführung einhergeht. Das Corpus der frühgriech. W. hat [1] dadurch zu rekonstruieren versucht, daß er die Fr. der »Vorsokratiker« durch Ausklammerung der späteren begrifflichen Verschüttungen unter dem Titel *La sapienza greca* emendiert und neugeordnet hat. Die auf elf Bände geplante Ed. ist wegen seines frühzeitigen Todes nicht über den dritten Band hinausgekommen.

C. SOKRATES UND PLATON

Bei → Sokrates [2] und → Platon [1] wird ein schon bei → Pythagoras [2] aufkommender Gedanke maßgeblich formuliert: Die eigentliche s. gebührt nur Gott, während der Mensch sich damit bescheiden muß, »Freund der W.« (φιλό-σοφος/*philó-sophos*) zu sein (Plat. Phaidr. 278d; vgl. Plat. symp. 204a; → Philosophie A.). Durch das Verhältnis zur s. unterscheide sich ferner der Philosoph vom Sophisten (→ Sophistik). Dieser glaube, die s. zu besitzen, mache aus ihr eine Kunst und lasse sich dafür bezahlen, daß er sie jedermann lehrt (Plat. Prot. 312c). Der »Philo-soph« weiß dagegen nur, daß er nichts weiß. Als W.-Freund steht er ›zw. dem Weisen und dem Unwissenden‹ (Plat. symp. 204b; vgl. Plat. Phaidr. 279a). Er ist kein Weiser, auch kein einfacher Unwissender, sondern ist von der Liebe zur s. so motiviert, daß er sein ganzes Leben als Suche danach gestaltet.

Die anzustrebende s. als das höchste theoretische Wissen, als Einsicht in die Idee des Guten und die → Prinzipien »jenseits des Seins« (→ Ideenlehre), macht den Menschen gottähnlich (Plat. rep. 10,611c; Plat. Tim. 51e; Plat. leg. 10,897b). S. ist darum die höchste → Tugend (Plat. Prot. 330a), diejenige unter den vier Kardinaltugenden (s., »W.«; ἀνδρεία/*andreía*, »Tapferkeit«; σωφροσύνη/*sōphrosýnē*, »Selbstbeherrschung«; δικαιοσύνη/*dikaiosýnē*, »Gerechtigkeit«; vgl. → Platon [1] G.2.), die im Idealstaat von den Philosophenkönigen verlangt wird (Plat. rep. 4,428e–429a).

Eine wirkungsreiche Wesensbestimmung der s. in Abgrenzung von der *philosophía* findet sich in den akademischen ›Definitionen‹ (Plat. def. 414b; vgl. Xenokrates [2] fr. 161 HEINZE = fr. 259 ISNARDI PARENTE): S. sei »anhypothetische«, also hypothesenfreie, d. h. feste »Wissenschaft« (ἐπιστήμη ἀνυπόθετος/*epistémē anhypóthetos*) des ewig Seienden und von dessen Ursachen, die Philos. dagegen ein »Streben nach Wissen« (ἐπιστήμης ὄρεξις/*epistémēs órexis*) samt der entsprechenden Sorge um die Seele (ἐπιμέλεια ψυχῆς/*epiméleia psychés*). Während also die Philos. hypothetisch verfährt, ist die s. unmittelbare Einsicht in die Ursache des Seins. Spätere christl. Theologen konnten deshalb in der platonischen s. eine Art Gotteserkenntnis (γνῶσις θεοῦ/*gnósis theú*) wiederfinden.

D. ARISTOTELES

Vom gewöhnlichen Sprachgebrauch ausgehend versteht → Aristoteles [6] in der ›Nikomachischen Ethik‹ (Aristot. eth. Nic. 6,7) unter s. zunächst die höchste Stufe des Wissens (εἰδέναι/*eidénai*) innerhalb eines bestimmten Fachgebietes; in diesem Sinne ist sie Vollkommenheit in einer bestimmten Kunst (σοφία ἀρετὴ τέχνης/*s. areté téchnēs*, 6,7,1141a 12; vgl. → *téchnē*). Über diese partielle (κατά μέρος/*katá méros*) s. hinaus führt er eine ganzheitliche s. ein: diese ist das höchste Wissen im ganzen (ὅλως/*hólōs*). Sie umfaßt ἐπιστήμη (*epistémē*) und νοῦς (*nus*, 6,7,1141a 18–19; 1141b 3), also syllogistische Wiss. und noetische Prinzipienerfassung, apodiktische Beweisführung und unmittelbarer Besitz der Anfangsgründe, von denen die Beweisführung ausgeht. Sie ist Vernunfttugend (ἀρετὴ διανοητική/*areté dianoētiké*), Vollkommenheit des wiss. Seelenvermögens (ἐπιστημονικόν/*epistēmonikón*), während die praktische Klugheit (φρόνησις/*phrónēsis*) Vernunfttugend des berechnenden Seelenvermögens (λογιστικόν/*logistikón*) ist.

W. wird also der praktischen → Klugheit gegenübergestellt: Sie ist zwar nicht gebietend (ἐπιτακτική/*epitaktiké*) und dient nicht wie diese dem Leben, sie hat jedoch das notwendig Seiende, die höchste himmlische Wirklichkeit, zum Gegenstand (6,13). Als »Weise« (*sophoí*) und Vorbilder für die theoretische, rein an der s. orientierte Lebensform nennt Aristoteles → Thales und → Anaxagoras (eth. Nic. 6,7,1141b 3 ff.), als Vorbild für die praktische Klugheit (*phrónēsis*) Perikles (eth. Nic. 6,5,1140b 7 ff.; → Praktische Philosophie C.1.).

Eine genaue Wesensbestimmung der s. findet sich zu Anfang der ›Metaphysik‹ (Aristot. metaph. 1,2,982a

3–17). Nach Wahrnehmung (αἴσθησις/*aísthēsis*), Erinnerung (μνήμη/*mnémē*), Erfahrung (ἐμπειρία/*empeiría*), Kunst (τέχνη/*téchnē*) und Wiss. (ἐπιστήμη) wird *s.* als das allerhöchste Wissen bezeichnet, und zwar aus folgenden Gründen: (1) sie weiß alles; (2) sie kann auch das Schwierige erkennen; (3) sie ist das strengste Wissen und lehrt zugleich am meisten; (4) sie wird um ihrer selbst willen vollzogen; (5) sie herrscht über alles andere.

E. Hellenismus und Spätantike

In den hell. Philosophenschulen wird das Idealbild des Weisen (σοφός/*sophós*, lat. *sapiens*) bestimmend, der ein theoretisches und praktisches Wissen verkörpert, so bei den → Megarikern, im → Kynismus und v. a. im → Stoizismus und in der → Epikureischen Schule (Diog. Laert. 10,117–131; [15. 330–341]). Bes. wirkungsmächtig war die stoische Auffassung vom Weisen, die von Zenon [II 2] aus Kition und → Chrysippos [2] ausgebildet wurde und jahrhundertelang als Bezug galt – bis in die Neuzeit hinein, als noch Justus Lipsius eine Abh. ›Von der Beständigkeit des Weisen‹ (*De constantia sapientis*, 1584) schrieb. W. definieren die Stoiker als ›Wiss. der göttlichen und menschlichen Tatsachen‹ (θείων τε καὶ ἀνθρωπίνων ἐπιστήμη/*theíōn te kai anthrōpínōn epistémē*, SVF II 35–36). Cicero übernimmt diese Definition wörtlich: *sapientia quae est rerum divinarum et humanarum scientia* (Cic. off. 1,43,153; vgl. → Praktische Philosophie D.). Seneca [2] bespricht sie ausführlich: *sapientia* sei das ›vollendete Gut des menschlichen Geistes‹ (*perfectum bonum mentis humanae*), Philos. sei dagegen ›Liebe und Zuneigung zur W.‹ (*sapientiae amor et affectatio*; Sen. epist. 89). Die W. und der Weise als Vorbild wurden somit in der röm. Philos. – bes. bei Cicero und Seneca – zu einem beliebten Hauptmotiv, deren Behandlung lit. Vorzüglichkeit erreicht, sich jedoch begrifflich an den griech. Stoizismus anlehnt.

W. ist in diesem stoischen Sinne nicht nur theoretische Erkenntnis, sondern zugleich Disposition (διάθεσις/*diáthesis*), d.h. ethisches Grundverhalten, deshalb Grundtugend im Theoretischen wie im Praktischen, die alles gut verrichtet und zum guten Leben führt und auch in widrigen Situationen die Glückseligkeit aufrechtzuerhalten hilft (→ Glück). Sie ist Lebenskunst (τέχνη τοῦ βιοῦν/*téchnē tu biún*, lat. *ars vivendi*; Cic. fin. 3,4; 4,19; Cic. Tusc. 2,12; SVF II 117; Epikt. 4,1,63; 1,14,2), ja Kunst aller Künste (τέχνη τεχνῶν/*téchnē technōn*, SVF II 301). Allein der Weise besitzt sie. Dadurch ist er göttlichen Wesens (Diog. Laert. 7,119; Cic. leg. 17,22; Epikt. 1,9,4 f.).

In den spätant. Philosophenschulen, bes. seit dem mittleren → Stoizismus, wird *sophía* – oft mit *phrónēsis*, lat. *prudentia* synonym – jetzt vorwiegend als die erste der vier Kardinaltugenden verstanden (vgl. Plut. de virt. morali 5,2,443e–444e; Alkinoos [2], Introductio in Platonem 1). Sie wird auch im Sinne des Wissens aufgefaßt, das gemäß Plat. Tht. 176b eine »potentielle Gottähnlichkeit« (ὁμοίωσις θεῷ κατὰ τὸ δυνατόν/*homoíōsis theō̂i katá to dynatón*, Stob. 2,49,17 f.) ermöglicht, und demnach mehr und mehr theologisiert. So ist *s.* für

→ Plotinos mit *phrónēsis* identisch, und zwar als Schau des Geistes (Plot. enn. 1,2,6). Schließlich wurde sie in den synkretistischen neuplatonischen und gnostischen Schulen zur → Hypostase gemacht und personifiziert. → Erkenntnistheorie; Ethik; Glück; Klugheit; Sieben Weise; Tugend; Weisheitsliteratur

1 G. Colli, La sapienza greca, 3 Bde., 1977–1980 2 W. Burkert, W. und Wissenschaft. Studien zu Pythagoras, Philolaos und Plato, 1962 (engl.: Lore and Science in Ancient Pythagoreism, 1972) 3 J. Domański, La philos., théorie ou manière de vivre. Les controverses de l'Antiquité à la Renaissance, 1996 4 T. B. Eriksen, Bios theoretikos. Notes on Aristotle's Ethica Nicomachea X, 6–8, 1976 5 J.-A. Festugière, Contemplation et vie contemplative selon Platon, 1936 (²1950) 6 B. Gladigow, Sophia und Kosmos, 1965 7 P. Hadot, Exercices spirituels et philos. antique, 1987 8 Ders., Qu'est-ce que la philos. antique?, 1995 9 W. Jaeger, Über Ursprung und Kreislauf des philos. Lebensideals (SPrAW, Philos.-Histor. Kl., 25), 1928, 390–421 (= Ders., Scripta minora, Bd. 1, 1960, 347–393) 10 A. Kenny, Aristotle on the Perfect Life, 1992 11 H. Leisegang, s. v. Sophia, RE 3 A, 1019–1039 12 G. Luck, Zur Gesch. des Begriffs *sapientia*, in: ABG 9, 1964, 203–215 13 B. Snell, Die Ausdrücke für den Begriff des Wissens in der vorplatonischen Philos., 1924 14 Ders., Leben und Meinungen der Sieben Weisen, 1952 15 H. Usener, Epicurea, 1887 16 U. Wilckens, s. v. σοφία…, ThWB 7, 465–475. F. VO.

II. Jüdisch

A. Altes Testament und frühes Judentum
B. Späteres Judentum

A. Altes Testament und frühes Judentum
1. Allgemein 2. Die Krise der Weisheit

1. Allgemein

Mit dem mod. Fachbegriff »W.« wird – im Anschluß an die hebr. Begriffe *ḥokmā*, »W.«, und *ḥākām*, »weise« – eine geistige Bewegung im AT benannt. W. bezeichnet dabei das aus Erfahrung gewonnene Wissen, das ein Zurechtfinden im Leben allg. oder in einem speziellen Fachbereich ermöglicht. Solche »Lebensweisheit« verdichtet sich in Erfahrungssätzen, die v. a. in Spr gesammelt sind und oft sprichwörtlichen Rang angenommen haben, z. B.: ›Wer andern eine Grube gräbt, fällt selbst hinein‹ (Spr 26,27; vgl. → Weisheitsliteratur). In diesem Satz spiegelt sich der wichtigste Grundgedanke weisheitlichen Denkens: die »schicksalwirkende Tatsphäre« [4. 26] (oder »Tun-Ergehen-Zusammenhang« [4. 41]), daß eine Untat gewissermaßen automatisch auf denjenigen zurückfällt, der sie begangen hat. Ihre theolog. Relevanz hat W. darin, daß sie das durch Erfahrung erschlossene »Ordnungsgeheimnis« [8. 194] der Welt auf Gott als dessen Urheber (→ Weltschöpfung) zurückführt. W. ist nicht ein spezifisch israelitisches Phänomen, sondern steht im Kontext und Einfluß der (wohl über Kanaan vermittelten) W. Äg.s und Mesopotamiens: In Äg. steht → Ma'at als Zentralgestalt für »Gerechtigkeit«, »Wahrheit«, »Ordnung«, welche der

→ Pharao zu gewährleisten hat. Die W. Mesopotamiens kennt keine vergleichbare personale und begriffliche Verdichtung und Konzeption, sondern ist mehr praxisorientiert. Spr 22,17–23,11 stammen fast wörtl. aus dem äg. W.-Buch des Amenemope (vgl. → Weisheitsliteratur).

2. DIE KRISE DER WEISHEIT

Die Beobachtung, daß die wirkliche Welt nicht dem weisheitlichen Konzept entspricht, wird – wie schon weit früher in Mesopotamien, aber auch in Äg. – in nachexilischer Zeit zunehmend zu einem Problem der at. Theologie. Gründe dafür sind die allmähliche Ausbildung eines individuellen Schuldverständnisses (Jer 31,29f.; Ez 18,2) sowie wohl die Formierung der Torā (Gn-Dt) im 5./4. Jh. in der vorliegenden Form, mit der die Erfüllung des Willens Gottes an einer festen Gesetzes-Slg. kontrollierbar wird. Weisheitlich geprägte Theologie versucht diese Krise mit verschiedenen Strategien zu bewältigen. Dazu zählen: die umgekehrte Verknüpfung von Tat und Ergehen (gerade wenn es einem schlecht ergeht, gehört man zu Gott: Ps 34,20; vgl. Ps 70; 86); die Postulierung der Uneinsehbarkeit der W. (Prd 3,1–8; 3,11; vgl. Hiob 28; Bar 3,31), die zu einer Glaubenssache wird (Prd 8,12f.; vgl. die Hiob-Gesch.); die Eschatologisierung der W. (Dan 12,1–3; Sapientia Salomonis 3,1–9; 5,15; 15,3) und Mythologisierung. Nach letzterem Modell muß »Frau W.« ihre nicht mehr selbstverständlichen Sätze den Menschen predigend einschärfen (Spr 1,20f.). Ihre Konkurrentin, »Frau Torheit« (Spr 9,13–18), sucht die Menschen mit verdrehten Sprichwörtern zu gewinnen (Spr 9,17; → Weisheitsliteratur).

Die Verbindung von W. und Torā ist für das → Judentum zentral: Gottesfurcht ist Anfang der W. (Ps 111,10); weise ist, wer über der Torā meditiert (Ps 1,2; 37,30f.). Mit der Mythologisierung entwickelte sich die W. im hell. Judentum in Richtung einer → Hypostase [2] mit den Eigenschaften der Präexistenz und Schöpfungsmittlerschaft (Spr 8,22–30), so etwa bei → Philon [12] von Alexandreia (Legum allegoriae 1,65), der die W. mit dem für das Christentum so bedeutenden Begriff λόγος/→ lógos [1] gleichsetzt [10. 209–211, 265–267; 5. 166–170]. Zu Parallelität der Attribute von W. und → Isis vgl. [3].

1 J.J. COLLINS, Jewish Wisdom in the Hellenistic Age, 1997
2 O. KEEL, Jahwes Entgegnung an Ijob, 1978
3 J.S. KLOPPENBORG, Isis and Sophia in the Book of Wisdom, in: Harvard Theological Review 75, 1982, 57–84
4 K. KOCH, Gibt es ein Vergeltungsdogma im AT?, in: Zeitschrift für Theologie und Kirche 52, 1955, 1–42
5 B.L. MACK, Logos und Sophia, 1973 6 R.E. MURPHY, The Tree of Life, 1990 (²2002) 7 L.G. PERDUE (Hrsg.), In Search of Wisdom, 1993 8 G. VON RAD, W. in Israel, 1970
9 H.H. SCHMID, Wesen und Gesch. der W., 1966
10 H.-F. WEISS, Unt. zur Kosmologie des hell. und palästin. Judentums, 1966.   M. HE.

B. SPÄTERES JUDENTUM

Während sich W. (hebr. ḥokmā) im AT v.a. auf lebenspraktische Kenntnisse der handwerklich-künstlerischen Art (Ex 31,3), der Herrschaft (1 Kg 3,12; → Salomos Bitte um W. weist diese als notwendiges Attribut des erfolgreichen Königtums aus), der rechten Beratung (2 Sam 16,15–23) und der überlegten Meisterung des Lebens (Spr 8,32–35) bezieht, tritt in der späteren jüd. Lit. der handwerkliche Aspekt zurück. W. gewinnt (zusätzlich zu den menschheitsbezogenen, nicht unbedingt moralischen Aspekten des bibl. Konzepts) rel. Bedeutung, die in der Identifikation von W. und Torā mündet, die mit der Verbindung von Gn 1,1 und Spr 8,22 begründet wird, so daß die aramäischen Bibelübers. Gn 1,1 als ›Mit W. schuf Gott...‹ wiedergeben.

Im hell. Judentum wurde eine Vereinbarkeit und teilweise Identität der »jüdischen« W. mit der griech. Philos. als Aspekt der W. postuliert, so daß griech. Philosophen als Schüler der biblischen W. galten (vgl. z.B. ›W. Salomos‹/Sapientia Salomonis). W. wurde in der → Weisheitsliteratur (IV.) propagiert und zum Lebensziel erkoren. Dagegen kannte das rabbinische Judentum eine von der jüd. Gelehrsamkeit abweichende »griechische W.« (d.h. die griech. Philos.) und verbot ihr Studium (bBQ 82b) ebenso wie griech. Sitten (→ Judentum C.). Im Zuge der rabbinischen Bemühungen um eine weite Verbreitung spezifisch jüdischer rel. Praxis tritt W. im Sinne des gottesfürchtigen Lebenswandels und der Gesetzestreue aus dem Bereich des Herrschaftswissens heraus und wird allg. angestrebtes rel. Ziel. Schon nach biblischem Verständnis war W. meist mit direkter göttlicher Inspiration verbunden, wie auch in der bibl. → Weisheitsliteratur deutlich wird. Dazu gehört W. als Verstehen von Träumen und Omina (Gn 41,15; Dan 1,17). Nach rabbinischer Sicht kennt der Weise (ḥākām) die göttlichen Gebote und richtet sich nach ihnen (nach bBB 12a steht er höher als ein → Prophet). W. wird mit rabbinischer Gelehrsamkeit identifiziert, »Weiser« wird t.t. für Lehrer, der Gelehrtenschüler wird talmid ḥākām (»Schüler eines Weisen«) genannt.

Die schon bibl. belegte Tendenz zur (weiblichen) Personifikation der W. (Spr 8: ḥokmā) wird im rabbinischen Judentum konsequent weitergeführt. Seit Philon [12] von Alexandreia (gest. 50 n. Chr.) wird dabei W. mit der Torā identifiziert. So wird W. in der palaestinisch-aramäischen → Bibelübersetzung von Gn 1,1 als Plan der → Weltschöpfung ausgelegt: ›Mit W. schuf der Herr Himmel und Erde.‹ Damit wird Šābuʿōt (Wochenfest, Gabe der Tora) zum Fest der W.; in dessen Liturgie wird seit dem 6. Jh. n. Chr. die Gabe der Tora an Mose poetisch als Hochzeit der W. mit dem von der W. gewähltem Bräutigam beschrieben.

→ Weisheitsliteratur

G. BOCCACINI, The Preexistence of the Torah, in: Henoch 17.3, 1995, 329–350 · J.J. COLLINS, Jewish Wisdom in the Hellenistic Age, 1997 · J.H. ELLENS, Sophia in Rabbinic Hermeneutics and the Curious Christian Corollary, in:

J. Krazovec (Hrsg.), The Interpretation of the Bible (International Symposium ... on the Occasion of the Publication of the New Slovenian Bible, Ljubljana 1996), 1998, 521–546.   E. H.

III. Christlich
A. Jesus   B. Frühes Christentum

A. Jesus

Die heutige Forsch. (grundlegend [4]) sieht in → Jesus nicht mehr nur den Endzeitpropheten, sondern auch den W.-Lehrer: Jesus selbst bezog weisheitliche Trad. zentral in seine Verkündigung von der Gottesherrschaft (Mk 1,15) mit ein, weil die Gottesherrschaft nicht in einem Gegensatz zur → Weltschöpfung steht, sondern diese vollendet/erneuert. Die Gleichnisse bringen die Gottesherrschaft typisch weisheitlich in einen (analogen, überbietenden, steigernden oder kontrastierenden) Zusammenhang zur Schöpfung. Weisheitliche Sentenzen (Lk 11,10/Mt 7,8: ›Wer sucht, der findet‹; vgl. auch Mk 4,22; → Weisheitsliteratur) wollen das Verhalten von Jesus und Jüngern plausibel machen (Mk 2,16f.). V. a. in Worten der Logienquelle (→ Jesus A.2.b) erscheint Jesus als Gesandter der W. Gottes (Lk 11,49–51; vgl. Weish 7,27 und 10,10–16), der von den Menschen abgelehnt wird (deuteronomistische Vorstellung des leidenden → Propheten). Bei Mt rücken W. und Jesus einander noch näher (Lk 11,49: ›W. Gottes‹, Mt 23,34: ›ich‹; vgl. auch Mt 11,2 und 19).

B. Frühes Christentum

Nur bei → Paulus [1] (1 Kor 1,24; 30) wird Christus im NT (neben anderen Parallelbegriffen) ausdrücklich »W. (Gottes)« genannt. Dabei geht es aber nicht um Christus als personifizierte oder hypostasierte W., sondern um das Verständnis der Botschaft vom gekreuzigten Christus gegenüber der Welt-W. In den Ermahnungen anderer nt. Briefe (insbes. Jak) dienen weisheitliche Materialien oft dazu, ein gebotenes Verhalten als plausibel zu begründen.

In einigen (z. T. hymnisch geprägten) Texten, wohl mit Wurzeln im hell. Judenchristentum, werden Wesensmerkmale der hypostasierten W., nämlich Präexistenz und Schöpfungsmittlerschaft, auf Jesus Christus übertragen (Phil 2,6–11; Kol 1,15–20; Hebr 1,1–4; Jo 1,1–18). Damit wird die Bed. des Auferstandenen und Erhöhten in den Uranfang der Schöpfung zurückprojiziert. Obwohl damit W.s-Theologie die Christologie entscheidend geprägt hat, trägt Christus in diesen Texten (wohl nicht zuletzt wegen des grammatikalischen Geschlechts) nie den (fem.) Begriff *sophía*, »W.«; an dessen Stelle rückte mit Jo 1,1–18 der im Christentum fortan zentrale (mask.) Begriff λόγος (→ *lógos* [1]; zu → Philon [12] s.o.). Dennoch berief sich noch → Athanasios im Kampf gegen den → Arianismus auf die Identität von *lógos* und W. Der »Heiligen W.« (→ Hagia Sophia), verstanden als Attribut Gottes oder als zweite oder dritte Person der → Trinität, sind viele byz. Kirchen geweiht. Eine andere Ausprägung als selbständige Person neben

Jesus Christus erfuhr die hypostasierte (→ Hypostase) W. (s.o. II. A.2.) in den Systemen der → Gnosis (vgl. z. B. Iren. adversus haereses 1,1,2–1,2,4; dazu [1; 2]).

1 R. H. Arthur, The Wisdom Goddess, 1984
2 D. J. Good, Reconstructing the Tradition of Sophia in Gnostic Literature, 1987 3 H.-J. Klauck, »Christus, Gottes Kraft und Gottes W.« (1 Kor 1,24), in: Ders., Alte Welt und neuer Glaube, 1994, 251–275 4 H. von Lips, Weisheitliche Traditionen im NT, 1990 5 S. Vollenweider, Christus als W., in: Evangelische Theologie 53, 1993, 290–310.   M. He.

IV. Islamisch

Arab. *ḥikma* bezeichnet in vorislamischer Zeit zunächst nur Handlungsmaximen erfahrener weiser Männer (*hakīm*, Pl. *hukamāʾ*). Hinzu kamen eine Reihe von Sprüchen, die v. a. dem sagenhaften Propheten Luqmān zugeschrieben wurden, der wiederum auf nahöstl. W.-Trad. zurückgeht (v. a. → Aḥiqar, [3. 57f.]; → Weisheitsliteratur V.). Im Koran ist W. hingegen eine göttliche Gabe, die mit Reinheit verbunden (Koran 2,123) und den → Propheten (VI.) eigen ist [2]. Im rel. Kontext implizierte W. nun die Kenntnis spiritueller Wahrheit und das Wissen um Erlaubtes und Unerlaubtes im Rahmen des rel. Gesetzes. Anders im weltlichen Umfeld: Unter Einfluß des griech. Konzepts der *sophía* (s.o. I.) bezog sie in islamischer Zeit dann auch die Wiss. mit ein, so daß *ḥikma* bei Ibn Sīnā (Avicenna) schließlich zum Stamm und Wurzel sämtlicher Wiss. wurde [2], da sie alles menschliche Wissen umfaßt.

1 L. Gauthier, La racine arabe ḥ-k-m et ses dérivés, in: E. Saavedra (Hrsg.), Homenaje a D. Francisco Codera, 1904, 435–436 2 A. M. Goichon, s. v. Ḥikma, EI², CD-ROM 1999 3 D. Gutas, Classical Arabic Wisdom Literature: Nature and Scope, in: Journ. of the American Oriental Society 101.1, 1981 49–86.   I. T.-N.

Weisheitsliteratur I. Alter Orient   II. Ägypten III. Klassische Antike   IV. Judentum   V. Islam

I. Alter Orient
A. Begriff   B. Quellen

A. Begriff

Bei der Anwendung des Begriffs W. auf altmesopot. lit. Werke muß zw. der Vorstellung von Weisheit (=Wh.; akkadisch *nēmequ*, sumerisch nam.kù.zu, »wertvolles Wissen«) [10; 11] als einem allgemein-menschlichen Erfahrungsschatz und dem Konzept von Wh. als Expertise im Kult unterschieden werden. Auf der einen Seite steht eine Anzahl nicht homogener, formal unterschiedlicher lit. Gattungen, in denen Wissen, Handlungsweisen, Ratschläge und Verhaltensmaßstäbe weitergegeben werden, auf der anderen Seite die Wh. als genuines Konzept und Expertise sowohl im Kult als auch in der Magie mit den lit. Gattungen der Rituale, Beschwörungen und → Gebete. Hier spielt der Gott Enki/Ea mit seinem Sohn Asaluḫi/→ Marduk, die als

»Herren/Götter der Wh.« schlechthin gelten [1. 1], eine zentrale Rolle; dementsprechend ist der Weise derjenige, der in die einzelnen Rituale und Zeremonien eingeweiht ist (→ Magie I.; → Ritual III.). Im folgenden geht es um die Weisheit als allg.-menschlichem Erfahrungschatz.

B. Quellen
1. Sumerisch   2. Akkadisch

1. Sumerisch

Die sumer. W., die auf einem dialogischen Verhältnis zw. Lehrer und Schüler (die Texte sprechen vom Weisen und seinem Sohn) basiert, hatte ihren Sitz im Leben in Schreiberschulen am Königshof (→ Schreiber). Dabei handelte es sich um Institutionen, die aufgrund ihres konservativen und traditionsgebundenen Charakters ein durch Pflichtbewußtsein, Affektkontrolle und die Fähigkeit zur Einordnung bestimmtes Ethos schufen.

Die Texte, die so zu einem zentralen Instrument der »Beamtenzucht« gemacht wurden, lassen sich formal folgendermaßen abgrenzen: (a) Dialoge, (b) Monologe, (c) Sammlungen von Sprüchen.

Zu (a) zählt die Gattung der Streitgespräche, in deren Mittelpunkt Zwiegespräche personalisierter Tiere, Jahreszeiten oder landwirtschaftlicher Geräte und Werkzeuge stehen, wobei der Streit jeweils durch den → Herrscher entschieden wird, dem als Höchsten in der Hierarchie die Rolle des weisen Richters zukommt [2]. Eine weitere Gruppe von Texten in Dialogform sind die sog. ›Schulstreitgespräche‹, in welchen Schüler mit ihrem bereits erlernten Wissen prahlen [3].

(b) In Monologform gehalten sind einige der sog. Schulsatiren – Texte, mit denen der Schüler zu Pflichtbewußtsein und Ein- und Unterordnung gemahnt werden soll [4]. Ebenfalls als Monolog tradiert sind die Unterweisungen eines »Weisen« an seinen »Sohn«, u. a. die ›Unterweisungen eines Bauern an seinen Sohn‹ [5] (in denen detaillierte Instruktionen zu Bestellung von Feldern, Aussaat und Ernte erteilt werden), die ›Unterweisungen des Ur-Ninurta‹ [6] sowie die ›Unterweisungen des Šuruppag‹ [7] – beides in eine Rahmenhandlung eingebettete Sprichwörtergedichte (→ Sprichwort).

(c) Zu den Spruchsammlungen im weitesten Sinne gehören → Fabeln, → Rätsel und → Sprichwörter.

Ferner werden in Anlehnung an den biblischen Wh.s-Begriff (vgl. → Weisheit) lit. Werke zur W. gerechnet, in denen die Betonung auf einem frommen Leben oder der Gottesfurcht liegt; dazu gehört etwa die Klage ›Der Mann und sein Gott‹ [8].

2. Akkadisch

Der Sitz im Leben der akkad. W. ist weniger deutlich als bei der sumer. W. Das liegt nicht nur daran, daß der Tempel neben dem Königshof zur zentralen Leitstelle der Schreiberschulen wurde, sondern auch daran, daß die Schreiberschulen, wie sie für den sumer. Bereich bekannt sind, durch das familien- und berufsgebundene Erlernen von Lesen und Schreiben in den Hintergrund gedrängt wurden. Zum anderen läßt das Erscheinungsbild vieler akkad. lit. Werke kaum Aussagen über das geistige Umfeld des Entstehungsortes zu, da ein Großteil davon als Abschrift aus der Bibliothek des → Assurbanipal in Ninive stammt (→ Bibliothek II.A.). Thematischer Mittelpunkt der akkad. W. ist die Mahnung zu Pflichtbewußtsein und Affektkontrolle, moralische Lehren, ferner das Thema der Gottesfurcht und -gerechtigkeit.

Parallel zu den Werken der sumer. W. lassen sich für die akkad. W. Dialoge und Spruchsammlungen ausmachen. So findet sich z.B. auch hier das Genre der Streitgespräche [1. 150–212]. Schwach vertreten ist die Monologform der Unterweisung mit einer Imitation (?) der ›Unterweisungen des Šuruppag‹ und zwei Slgg. von Ermahnungen zu pflichtbewußtem und gottesfürchtigem Leben, adressiert an »meinen Sohn« bzw. an eine zweite Person [1. 96–109]. Zu den Spruch-Slgg. zählen → Fabeln und → Sprichwörter.

Das Thema rechtmäßigen Verhaltens ist Gegenstand zweier weiterer Gattungen, die aus der sumer. W. nicht bekannt sind: Lehr-Hymnen, die neben moralischen Ermahnungen den Lobpreis auf eine Gottheit enthalten (›Ninurta-Hymne‹, ›Šamaš-Hymne‹ [1. 118–138]), und Verhaltensmaximen, formuliert in »Wenn-dann«-Sätzen; dazu gehören der sog. ›Fürstenspiegel‹ [1. 110–115] und eine Gruppe sog. ›Verhaltensomina‹ [9].

Umfangreicher vertreten ist in der akkad. W. die lit. Aufarbeitung des → Hiob-Themas, wobei wiederum zw. zwei Gattungen zu unterscheiden ist: die Marduk-Hymne ›Preisen will ich den Herrn der Wh.‹ [1. 121–138] und ein als ›Babylonische Theodizee‹ bezeichneter Dialog über göttliche Gerechtigkeit und Prädestination [1. 63–91].

→ Literatur (II.); Schreiber; Sprichworte; Weisheit

1 W.G. Lambert, Babylonian Wisdom Literature, 1960 2 H.L.J. Vanstiphout, Disputations, in: W.W. Hallo (Hrsg.), The Context of Scripture, Bd. 1, 1997, 576–588 3 Ders., School Dialogues, in: s. [2], 588–593 4 Å. Sjöberg, Der Vater und sein mißratener Sohn, in: JCS 25, 1973, 105–169 5 M. Civil, The Farmer's Instructions. A Sumerian Agricultural Manual, 1994 6 B. Alster, Ur-Ninurta, in: s. [2], 570 7 Ders., The Instructions of Šuruppak: A Sumerian Proverb Collection, 1975 8 J. Klein, Man and His God, in: s. [2], 573–575 9 B. Böck, Die babylonisch-assyrische Morphoskopie, 2000, 40–42, 128–147 10 H. Galter, Die Wörter für Weisheit im Akkad., in: I. Seybold (Hrsg.), Meqôr hayyîm. FS G. Molin, 1983, 89–105 11 C. Wilcke, Göttliche und menschliche Weisheit im Alten Orient, in: A. Assmann (Hrsg.), Arch. der lit. Kommunikation, Bd. 3: Weisheit, 1991, 259–270.

B. Alster, Väterliche Weisheit in Mesopot, in: A. Assmann (Hrsg.), Arch. der lit. Kommunikation, Bd. 3: Weisheit, 1991, 103–115 · G. Buccellati, Wisdom and Not: The Case of Mesopotamia, in: Journ. of the American Oriental Society 101.1, 1981, 35–47 · S. Denning-Bolle, Wisdom in Akkadian Literature: Expression, Instruction, Dialogue, 1992.   BA.BÖ.

II. Ägypten

Zu den typischen äg. Textgattungen gehören die ›Lebenslehren‹ (*sb3y.t*). Ihre übliche Sprechsituation ist die eines Vaters, der seinem Sohn gute Ratschläge gibt, daher werden sie im Gegensatz zu fast allen sonstigen äg. lit. Gattungen mit expliziten Autorennamen (vgl. → Verfasser) verbunden. Diese sind aber Teil der programmatischen Intention der Werke und deshalb nicht als verläßliche Zuschreibungen zu werten – die Frage ihres pseudepigraphischen Charakters ist bis h. nicht geklärt. Insbes. gilt dies für diejenigen Lehren, die Prinzen und Wesiren des AR (ca. 2700–2300 v. Chr.) zugeschrieben werden und damit die ältesten lit. Werke Äg.s darstellen würden – Hss. sind bislang jedoch erst aus dem MR (ab ca. 1900 v. Chr.) belegt. Die ›Lehre des Djedefhor‹ behandelt v. a. die Einsetzung von Totenpriestern, Wahl der Ehefrau sowie von Konkubinen. In der ›Lehre des Ptahhotep‹ wird der Beamte bes. auf verschiedene Situationen als Untergebener vorbereitet.

Eine spezielle Gruppe stellen zwei Lehren der Ersten Zwischenzeit und des MR dar, die Königen zugeschrieben werden und in bes. Maß polit. Ratschläge enthalten, gepaart mit einem Rückblick auf die Handlungen des Vaters [4. 315–317]. Auch sonstige Lehren des MR sind stark von direkter Einflußnahme zugunsten des Herrscherhauses geprägt. Im NR (ab ca. 1300 v. Chr.) verlagerte sich der Schwerpunkt mehr auf den privaten Bereich, wobei explizit rel. Themen in den Vordergrund treten. Hervorzuheben ist die Lehre des Amenemope, die deutlichen Einfluß auf Spr 22,17–24,22 ausgeübt hat. Daneben wurden für Schulzwecke Musterbriefe, Ermahnungen, Hymnen u. ä. gesammelt und als »Lehren« etikettiert. Die zahlreichen spätzeitlichen und demotischen Lehren weisen Berührungspunkte mit ähnlichen Texten aus dem vorderasiatischen und griech. Bereich (Sprüche des → Sextus [2]; Sentenzen des → Menandros [4]) auf: Insbes. die Lehre des → Ahiqar, die auch direkt ins → Demotische übersetzt wurde, hatte einigen inhaltlichen wie formalen Einfluß. Formal bestehen die Lehren neben einem Prolog und Epilog aus Kapiteln, die v. a. in älterer Zeit sehr kasuistisch strukturiert waren, später lockerte sich die Struktur. In den demot. Lehren herrscht die Tendenz vor, den Aufbau in Maximen aufzugeben und Einzelaussagen in lockerer assoziativer Abfolge aufzureihen (z. B. ›Lehre des Anchscheschonqi‹ [2]).

Sehr viel unsicherer ist die gattungsmäßige Zuordnung etlicher weiterer Texte, die in der Forsch. traditionell als im weiteren Sinne »weisheitlich« aufgefaßt werden. Am ehesten in dieser Richtung zu werten ist das noch unpublizierte ›Thotbuch‹ (ein Dialog zw. dem Gott → Thot und einem »Weisheitsliebenden«) sowie der Mythos vom Sonnenauge (→ Tefnutlegende), in dem eine Katze und ein Affe diskursiv-weisheitliche Gespräche führen. Als Vermittler wesentlicher kultureller Werte waren die oft über lange Zeiten überl. Weisheitslehren wichtige Konstituenten der äg. Kultur. → Imuthes [2]; Literatur (II. B.); Schreiber; Sprichwort (II.).

1 H. Brunner, Die Weisheitsbücher der Ägypter, 1991 2 M. Lichtheim, Late-Egyptian Wisdom Literature in the International Context, 1983 3 A. Loprieno (Hrsg.), Ancient Egyptian Literature, 1995 4 R. B. Parkinson, Poetry and Culture in the Middle Kingdom, 2002 5 K. F. D. Römheld, Die Weisheitslehre im Alten Orient, 1989 6 P. Vernus, Sagesses de l'Égypte pharaonique, 2001.
JO. QU.

III. Klassische Antike
A. Allgemein B. Archaische Periode
C. Klassische Zeit bis römische Kaiserzeit
D. Septuaginta, Christentum, Gnosis E. Rom

A. Allgemein

Lange vor Homer und Hesiod gab es in Mesopotamien und Äg. lit. Werke ermahnenden und belehrenden Inhalts. Typischerweise haben sie die Form z. B. von knapp formulierten praktischen Unterweisungen, etwa eines Vaters an den Sohn; in anderen Fällen scheinen die Texte wenig mehr zu sein als eine Slg. von → Sprichwörtern, die einem König oder Weisen zugeschrieben werden. Dieses lit. Corpus wird in der mod. Forsch. als »W.« bezeichnet. (s. o. I. und II.).

W. ist eine volkstümliche Gattung, bestimmt durch ihre aphoristisch formulierten Ratschläge zu weltlichen Fragen (im Gegensatz zu philos. Spekulation über Ursachen und Gesetzmäßigkeiten der Wirklichkeit). Die Bestimmung und Definition von W. in der griech.-röm. Kultur ist schwieriger. Es gab keine feste Gattung für Unterweisungs-Lit., auch wurde zw. didaktischer und narrativer Dichtung nicht unterschieden. Daher empfiehlt sich eine Orientierung am altorientalischen W.-Modell.

B. Archaische Periode

Das der nahöstlichen W. ähnlichste griech. Werk sind die *Érga kai hēmérai* (›Werke und Tage‹) des → Hesiodos (8. Jh. v. Chr.), eine an seinen Bruder Perses gerichtete Mahnung in Hexametern, welche Mythen, → Gnomen, → Fabeln und Warnungen vor göttlicher Vergeltung mit praktischer Unterweisung zu moralischen, sozialen, rel. und landwirtschaftlichen Fragen verbindet. Verwandter Natur waren zwei weitere Hexametergedichte: Hesiodos' (weitgehend verlorene) *Megála érga* und die ihm zugeschriebenen sog. *Cheírōnos hypothḗkai* (›Mahnsprüche des → Chiron‹), ein gnomisches Werk (Quint. inst. 1,1,15), in dem der weise Kentauros den jungen Achilleus instruiert. Im → ›Wettkampf Homers und Hesiods‹ (205–210 Allen) erklärt der König, daß es gerecht sei, entgegen der allg. Meinung der Griechen Hesiod die Siegerkrone zuzusprechen, da dieser für Landbau und Frieden eintrete; diese Erklärung zeigt einen Konflikt zw. didaktischer und dem populären Geschmack entsprechender narrativer Dichtung auf.

Die gnomische Trad. setzt sich in den sog. *Phocylidea* fort, einer Slg. von hexametrischen Gnomen, die mindestens ein Jh. nach Hesiod entstand (→ Phokylides [1]). Die lehrhafte Poesie der archa. Periode nahm jedoch bevorzugt die Form der → Elegie an: → Mimnermos, → Solon [1] und v. a. → Theognis. Von den 1400 letzterem insgesamt zugeschriebenen Versen richten sich 300 an seinen Geliebten (hetaíros) und Mitbürger Kyrnos (vielleicht wie auch Hesiods Perses eine histor. Person?). Theognis' aphoristisch gefaßte Ratschläge machten ihn schon im 5. Jh. v. Chr. zu einem beliebten Schulautor. Wenn Isokrates (2,23,43) im 4. Jh. v. Chr. Hesiod, Phokylides und Theognis die ›besten Ratgeber für menschliches Verhalten‹ nennt (und beklagt, daß die Menge ihre Ermahnungen, hypothékai, ignoriere), bezeichnet er damit die bes. Qualität dieser Dichtung als W.

Eine griech. Variante der W. deutet sich in der allmählichen Kanonisierung der → Sieben Weisen an. In der frühgriech. Lit. ist σοφία/sophía (→ Weisheit I.) mit praktischen Fähigkeiten und Fertigkeiten (τέχνη/ → téchnē) verbunden: mit Tischlerei, Heilkunde, Dichtung, Prophetie, Reiten und Schiffsnavigation. So erweist sich auch die sophía der Sieben Weisen in der praktischen Umsetzung: sowohl persönlich oder in polit. klugem Handeln wie auch in sprachlicher Meisterschaft (vgl. das homerische Ideal: Vortrefflichkeit im klugen Ratschlag wie im Krieg, Hom. Il. 1,258). Platon [1] betont den sprachlichen Aspekt: Man könne Weisheit der Sieben Weisen an ihren kurzen und denkwürdigen Sprüchen erkennen (Plat. Prot. 343a).

C. KLASSISCHE ZEIT BIS RÖMISCHE KAISERZEIT

Bei Homer und in der archa. Zeit sind gnomische Aussagen weit verbreitet. Wörter mit allg. Bedeutung wie ἔπος (épos, Hom. Il. 15,206), αἶνος (aínos, Hom. Il. 23,795) oder λόγος (lógos, Alkaios fr. 360), die freilich für eine ganze Reihe von Sprechakten (Lob, Tadel, Ermahnung, Beleidigung) benutzt werden, andererseits Wendungen wie ἀγαθός (agathós, »tüchtig zu«) und χρή (chrē, »man muß«) mit Inf. oder φράζεο (phrázeō, »bedenke«) mit folgendem Gemeinplatz können als Hinweis auf sprichwörtliche Ausdrücke dienen. Der sog. gnomische Aorist (Hes. erg. 218) und das epische τε (te, Hom. Od. 3,147), beides proto-indeur. Konstruktionen, markieren ebenfalls häufig gnomische Aussagen. Erst im 5. und 4. Jh. v. Chr. wurden (vielleicht unter dem Einfluß der → Sophistik) spezifische Begriffe differenziert, um die – sich teilweise deckenden – Bereiche von Lebensweisheit, Mahnspruch, Sprichwort und Ausspruch zu unterscheiden: γνώμη/gnṓmē, ὑποθήκη/hypothḗkē, παροιμία/ → paroimía, ἀπόφθεγμα/ → apóphthegma. Von diesen Begriffen ist gnṓmē der älteste (belegt schon bei Herakl. 22 B 78 DK im Sinne von praktischer Lebensweisheit) und der umfassendste (vgl. γνωμολογία/gnōmología bei Aristoteles [6] in der Bed. »Unt. von Sentenzen«, Arist. rhet. 2,1394a 19–26).

Trotz des zunehmenden Interesses der → Rhetorik an Gnomen erreichte die griech. W. kaum den hohen lit. Rang der ›Sprüche‹ im AT. Sie florierte v. a. in Form von »Spruchweisheit«, d. h. speziellen Sprechakten in ›einem fast unsichtbaren Bereich von volkstümlicher Lit., der die griech. Kultur auf relativ niedrigem Gestaltungsniveau durchdringt‹ [9. 50]. Als weitere Mani-

festationen von W. im Bereich der Prosa sind zu nennen: die gnomische Sprache von → Herakleitos' Werk; die Schriften der »Sophisten« (sophistaí, wörtl. »Weisheitslehrer«), die die Jugend in einer Fülle von Disziplinen unterwiesen (u. a. Mathematik, Politik, Gramm. und Rhet.); → Demokritos' Slg. praktischer Lebensweisheiten (Gnṓmai); → Isokrates' »Fürstenspiegel« ›An Nikokles‹ (in dem er sich an einen jungen König wendet wie ein Lehrer an seinen Schüler); einige Lehrschriften → Xenophons [2], darunter der Oikonomikós (mit Instruktionen u. a. zum Landbau und Unterweisungen an eine junge Ehefrau) oder ›Über die Jagd‹ (an »die Jugend« gerichtet: 1,18); die Monósticha (›Einzeiler‹) des → Menandros [4]; die vier B. Apophthégmata des → Plutarchos [2]. Platon [1] kann jedoch nicht als Autor von W. im genannten Sinne gelten; er betrachtete sich (wie sein Lehrer Sokrates [2]) eher als φιλόσοφος/philósophos denn als σοφός/sophós (»Weisen«), indem er sich von der Alltagswelt weg und den Ideen zuwandte. Auch → Epikuros verfaßte zwar mit den Kyríai dóxai eine Slg. von Maximen, suchte aber wie spätere epikureische sophoí (»Weise«) Distanz zur Polis und den praktischen Dingen.

Die Werke der späteren Stoiker (→ Stoizismus) können in gewisser Hinsicht als W. gelten: Sie fordern Engagement in der Politik und das Bemühen, eine gerechte Gesellschaft zu schaffen. Marcus [2] Aurelius' Meditationes wird man hier nicht einreihen, denn auf der Suche nach persönlicher Einsicht richten sie sich »An sich selbst« (Εἰς ἑαυτόν/Eis heautón).

D. SEPTUAGINTA, CHRISTENTUM, GNOSIS

Mit wenigen Ausnahmen (wie Eur. Med. 840–45) findet sich eine → Personifikation der sophía erst in der griech. Übers. der → Septuaginta (›Sprüche‹ und ›Prediger‹). Die Christen übernahmen das jüdische Verständnis der göttlichen Sophia als Ausfluß der Herrlichkeit Gottes und identifizierten sie bisweilen mit dem Heiligen Geist der → Trinität (→ Weisheit II.). Die nt. Evangelien betrachten → Jesus als Verkörperung der Weisheit (Lk 7,35), was → Paulus [2] mit seiner Aussage verkompliziert, Gott habe »die Weisheit der Weisen« zunichte gemacht und sie in »Torheit« gewendet (1 Kor 1,18–22). In der → Gnosis ist die göttliche Sophia einer der Äonen, das weibliche Prinzip und Gegenstück zum Vater. Andere Aspekte der gnostischen Sophia verbinden sie mit dem kosmischen → dēmiurgós [3] und der Errettung des Menschen.

E. ROM

In der lat. Lit. kann eine große Zahl von praktischen Hdb. als Fortführung der Traditionen von W. angesehen werden. Cato [1] maior (das Cognomen Cato bezeichnet angeblich seinen Scharfsinn) ist hier mit seiner Slg. von Mahnsprüchen an seinen Sohn (Ad filium) und mit dem ebenfalls an den Sohn gerichteten Brief De re militari (›Über die Kriegskunst‹) zu nennen. Ebenso könnte man verschiedene lat. Hdb. zum Landbau als eine Form von W. einstufen (→ Agrarschriftsteller). wenn auch einige Handbücher über Landwirtschaft –

Catos *De agri cultura* (an einen jungen Mann gerichtet), Varros *De re rustica* (an seine junge Frau gerichtet) und Columellas *De re rustica* (an einen Gutsnachbarn gerichtet) – Elemente von W. enthalten, sind sie doch zu technisch und thematisch zu spezialisiert, um ganz hierher zu gehören. In der Trad. eines erweiterten Begriffs von W. stehen aber lat. Hdb. über Redner und Rhet. (Cato [1], Cicero, Quintilianus) oder auch → Senecas [1] d. Ä. Werk *Oratorum et rhetorum sententiae, divisiones, colores* (für seine Söhne verfaßt) sowie die Ap. → Claudius [I 2] Caecus (*censor* 312 v. Chr.) zugeschriebenen moralischen Abh., Catos [1] *Carmen de moribus* und → Senecas [2] d.J. *Epistulae morales* (an seinen Freund Lucilius). Auch → Lucretius' [III 1] Lehrgedicht *De rerum natura* enthält Elemente von Ermahnung und Rat zur Lebensweisheit, die mit der W. seit ihren Anfängen typologisch zusammenhängen.

→ Fabel; Gnome; Lehrgedicht; Literatur; Rätsel; Sprichwort

1 P. FRIEDLÄNDER, Ὑποθῆκαι, in: Hermes 48, 1913, 558–616 2 D. GOOD, Reconstructing the Trad. of Sophia in Gnostic Literature, 1987 3 A. M. IERACI-BIO, Le concept de paroimia: Proverbium dans la haute et la basse antiquité, in: F. SUARD (Hrsg.), Richesse du proverbe, Bd. 2, 1984, 83–94 4 J. F. KINDSTRAND, The Greek Concept of Proverbs, in: Eranos 76, 1978, 71–85 5 A. LARDINOIS, The Wisdom and Wit of Many: The Orality of Greek Proverbial Expressions, in: J. WATSON (Hrsg.), Speaking Volumes, 2001, 93–107 6 Ders., Wisdom in Context: The Use of Gnomic Statements in Archaic Greek Poetry, Diss. Princeton 1995 7 R. MARTIN, The Seven Sages as Performers of Wisdom, in: C. DOUGHERTY, L. KURKE (Hrsg.), Cultural Poetics in Archaic Greece, 1993, 108–128 8 A. W. NIGHTINGALE, Sages, Sophists, and Philosophers: Greek Wisdom Literature, in: O. TAPLIN (Hrsg.), Literature in the Greek and Roman Worlds, 2000, 156–191 9 J. RUSSO, Prose Genres for the Performance of Traditional Wisdom in Ancient Greece: Proverb, Maxim, Apophthegm, in: L. EDMUNDS, R. W. WALLACE (Hrsg.), Poet, Public and Performance in Ancient Greece, 1997, 49–64 10 Ders., The Greek Concept of Proverbs, in: Journ. of Folklore Research 20, 1980, 121–130 11 M. L. WEST, Hesiod, Works and Days, 1978. S. SC./Ü: A. GL.

IV. JUDENTUM

Die hebräische Bibel enthält verschiedene Texte, die der W. zugerechnet werden und die im Judentum große Bed. haben; neben ›Sprüchen‹, → ›Hiob‹ und → ›Qohelet‹ (›Prediger‹) auch einige Psalmen. Das gemeinsame Thema der → Weisheit (II.) als Lebensform wird in unterschiedlichen Formen ausgeführt; u. a. in der traditionellen Lehrform (mit direkter Anrede, Ermahnung und genauen Handlungsanweisungen), aber auch durch die Hinterfragung theologischer Konzepte. Die theologische Ausrichtung der W. tritt in den späteren Texten offener zutage. Ein wesentlicher Anteil der jüdischen → apokryphen Literatur (A.) und pseudepigraphischen Schriften wird der W. zugerechnet, so etwa die ›Weisheit des Ben Sīrā‹ (→ Sirach), Teile des griech. Daniel, 1 Esra 3,1–4,41 und vieles mehr. Die Überl. der W. auch in → Qumran (→ Totes Meer, Textfunde) deutet auf deren Einbindung in den Kanon der biblischen → Literatur (IV.). Bes. im hell. → Judentum (C.) spielte die W. eine wichtige Rolle, um die Vereinbarkeit der jüd. Rel. mit der griech. Philos. aufzuzeigen. Die im 1. Jh. v. Chr. in Alexandreia [1] entstandene griech. ›Weisheit Salomos‹ (Σοφία Σαλωμώνος/ *Sophía Salōmónos*) wendet sich an Juden und Nicht-Juden und demonstriert zunächst die Vorteile der jüd. Rel., bevor sie die Vorzüge der Weisheit und ihrer Lehren detailliert beschreibt (→ Weisheit II.).

Das rabbinische Judentum (→ Rabbinische Literatur) griff auf die biblische W. zurück und zitierte breit aus verschiedenen Texten, darunter auch der nicht kanonischen ›Weisheit des Ben Sīrā‹. Die ersten vier Kap. des → Mischna-Traktats *ʾAbōt* (›Sprüche der Völker‹) bestehen aus namentlich rabbinischen Gelehrten zugeschriebenen Weisheitssprüchen, die teils als Ermahnung, teils als allg. Feststellung formuliert sind. Die Aufnahme des Traktats in die Liturgie in gaonäischer Zeit (9.–10. Jh.) wies *Avot* als wichtigstem Vertreter der rabbinischen W. hohen Status zu und garantierte ein regelmäßiges Studium des *Avot*. Talmudische Formen der W. (→ Rabbinische Literatur IV.) sind u.a. Spruchsammlungen (z. B. bBer 17a), Traumdeutungen (bBer 56a–57a), Zahlensprüche (z. B. mAvot 5; bQid 49b) und medizinische Ratschläge (z. B. bGit 68b–69a); sie finden sich über den Talmud verteilt und vermitteln rel. und praktische Weisheit, die oft mit W. anderer Kulturen eng verwandt ist. Volkstümliche Sprichwörter werden – durch Bezugnahme auf die Bibel rel. gedeutet – zur W. gestaltet (z. B. bBQ 92b). Weitestgehend gehören auch die beiden nach-talmudischen kleinen Traktate *Dæræk ʾÆræs Rabba* und *Dæræk ʾÆræs Zuta* zur rabbinischen W.

Die mod. Auseinandersetzung um die Datier. der sog. ›Weisheitsschrift aus der Kairoer → Geniza‹, die in bibl. Duktus gehalten ist, beweist, daß das Genre der W. im Judentum stark konventionalisiert war. Mit [3] und [5] ist ihre Entstehung im 9.–10. Jh. anzunehmen. Das hebr. ›Alphabet des Ben Sīrā‹ ist eine ma. Parodie der W., in der kindliche Schüler seinen Lehrer durch Fabeln und Sprüche belehrt. Die Nachfolge der ant. W. treten im MA ethische Testamente (schriftliche Ermahnungen und Regeln für die Nachfahren des Verf.) und Musarliteratur (Anleitungen für ein gottgefälliges und gutes Leben, ethische Schriften) an, die ebenfalls Ermahnungen, Fabeln, Sprüche und Erzählungen kombinieren, um eine Erziehung zum weisheitlichen (= rel.) Leben zu fördern.

→ Apokryphe Literatur A.; Bibel B.; Literatur IV.; Rabbinische Literatur; Weisheit II.

1 C. BENNEMA, The Strands of Wisdom Trad. in Intertestamental Judaism, in: Tyndale Bulletin 52.1, 2001, 61–82 2 B. Z. BOKSER, Wisdom of the Talmud, 1951 3 E. FLEISCHER, The Proverbs of Saʾid ben Bābshād, 1990, bes. 47–63, 155–168 4 D. H. KING, Ideological Confluence in the Wisdom of Solomon, 1982 5 S. SCHECHTER,

A Further Fr. of Ben Sira, in: JQR 12, 1900, 459ff.
6 G. Stemberger, Der Talmud, 1982, 214–226 **7** G. Veltri,
Ma. Nachahmung weisheitlicher Texte, in: Theologische
Rundschau 57.4, 1992, 405–430.   E. H.

V. Islam

Sehr entwickelt und umfangreich ist die arab. W.
(arab. *ḥikma*, »Weisheit«, auch W.) die z. T. auf Übers.
und Adaptationen griech., pers. und indischer Vorlagen
beruht. Grundlage der Übernahme fremden Materials
bildete die im rel. Kontext umstrittene Vorstellung, au-
toritatives Wissen käme von den Weisen der Vergangenheit, unabhängig von ihrem kulturell-rel. Hintergrund; typisch sind deshalb eklektische Sammlungen.
Die dem sagenhaften Luqmān zugeschr. W. beruht so
z. B. auf biblischen, apokryphen und syr. → Aḥiqar-
Traditionen; seit dem 9. Jh. nahm diese Gestalt auch
Züge des → Aisopos an. Auf persische und indische
Quellen gehen v. a. viele Werke der → Fürstenspiegel-
Lit. (z. B. Kalīla wa Dimna und der Sindbadroman) zurück. Der apokryphe Zyklus der Briefe zwischen Aristoteles [6] und Alexandros [4] d. Gr. verwendete hingegen v. a. byz. Verwaltungs- und Kriegs-Hdb. aus dem
6./7. Jh. [4]. Von großer Nachwirkung war das umfangreiche griech.-hell. gnomische Material (→ Gnome [1]),
das Ḥunain ibn Isḥāq im 9. Jh. übersetzte und das somit
die Grundlage zahlreicher arab. Gnomologien bildet
([7], vgl. auch [1; 5; 8]). W. bildet einen wichtigen Teil
arab. Lit. und fand in Sprichwortsammlungen, Verwal-
tungs-Hdb. und Bildungswerken Eingang.
→ Weisheit (V.)

1 I. Alon, Isocrates Sayings in Arabic, in: Israel Oriental
Studies 6, 1976, 224–228 **2** L. Gauthier, La racine arabe
ḥ-k-m et ses dérivatives, in: E. Saavedra (Hrsg.),
Homenaje a D. Francisco Codera, 1904, 435–436
3 A. M. Goichon, s. v. Ḥikma, EI², CD-ROM 1999
4 M. Grignaschi, Les Rasā'il Arisṭāṭālisa ilā Iskandar de
Sālim Abū-l-ʾAlā et l'activité culturelle à l'époque
Omayyade, in: Bulletin des Études Orientales 19,
1965–1966, 7–83 **5** D. Gutas, Greek Wisdom Literature in
Arabic Translation, 1975 **6** Ders., Classical Arabic Wisdom
Literature: Nature and Scope, in: Journ. of the American
Oriental Society 101.1, 1981 49–86 **7** A. Loewenthal,
Honein Ibn Ishak, Sinnsprüche der Philosophen, 1896
8 F. Rosenthal, Knowledge Triumphant, 1970
9 M. Ullmann, Die arab. Überl. der sog.
Menandersentenzen, 1961.   I. T.-N.

Weißdorn. Griech. κράταιγος/*krátaigos* oder κραται-
γῶν/*krataigṓn*, lat. *spina alba* sind Namen für verschiedene stachelige Pflanzen (vgl. Plin. nat. 24,108; Colum.
3,11,5; 7,7,2 und 7,9,6); bei Plin. nat. 21,68 bedeutet
z. B. *spina alba* offenbar die eßbare Eberwurz (Carlina).
Dazu gehört auch ὅα/*óa* oder ὅη/*óē*, lat. *sorbus*, die Eber-
esche. Eine genaue Identifizierung der in den ant. Texten jeweils gemeinten Arten von Crataegus und Sorbus
ist unmöglich. Bei Theophr. h. plant. 3,15,6 wird wahrscheinlich der Azarol-W. (Crataegus azarolus) beschrieben, was Plin. nat. 27,63 falsch mit *aquifolium* (mögli-

cherweise die Stechpalme, Ilex aquifolium L.) übersetzt.
Von den bei Plin. nat. 15,85 erwähnten vier Arten lassen sich vielleicht drei folgendermaßen bestimmen:
1. Zweigriffliger W. (Crataegus oxyacantha L.), der wohl
auch bei Dioskurides 1,93 Wellmann = 1,122 Berendes mit ἡ ὀξυάκανθα/*oxyákantha* gemeint ist; 2. der
Speierling (*sorba* oder *sorva*; Sorbus domestica L.); 3. die
Elsbeere (*torminale*; Sorbus torminalis Crantz); letztere
wurde als adstringierende Heilpflanze benutzt (Cels. artes 4,26,6). Dagegen sollte die Wurzel von C. oxyacantha zu Frühgeburten führen. W.-Ruten hefteten die
Römer an den Kalenden des Juni an Türen und Fenster
zur Abwehr von Schädigungen für Menschen (Ov. fast.
6,129ff.). Die Früchte des Speierlings verzehrte man
eingelegt – wie auch Birnen – in Mostsaft (*sapa*; Cato
agr. 7,4 und 143,3; Pall. agric. 3,25,10) oder auch getrocknet (vgl. Varro rust. 1,58). Nach Verg. georg. 3,380
stellten die Skythen durch Vergären aus dem Speierling
ein alkoholisches Getränk her.
→ Rauschmittel

M. Schuster, s. v. W., RE 8 A, 610–612.   C. Hü.

Weißgrundige Vasenmalerei. Keramik mit hellem,
weißlichem Überzug aus kaolinithaltigem Tonschlicker
als Grundlage für die Bemalung ist in geom. und archa.
Zeit aus verschiedenen Landschaften Griechenlands
(v. a. Ionien, Lakonien, Kykladen) bekannt. Doch nur
in Athen entwickelte sich wgr. bemalte Keramik ab
530/525 v. Chr. zu einer eigenständigen Gattung neben
der sf. und rf. bemalten. Daher wird der Begriff wgr. V.
fast nur in Zusammenhang mit attischer Keramik gebraucht.

Der helle Überzug sollte die Keramik verm. kost-
barer erscheinen lassen, vielleicht Assoziationen an Elfenbein oder Marmor wecken. Allerdings wurde nie die
gesamte Oberfläche eines Gefäßes weiß grundiert, häufig auch wgr. und rf. Bemalung kombiniert (z. B. Schalen mit wgr. Innenbild und rf. Außenbildern). Da wgr.
V. weniger haltbar als rf. oder sf. Malerei ist, wurde sie
v. a. bei Votiv- und Grabgefäßen angewandt. Dabei lassen sich folgende Maltechniken unterscheiden:

(1) Schwarzfigurig auf weißem Grund: Verm. vom
Töpfer → Nikosthenes in Athen eingeführt, dann auch
von anderen Werkstätten aufgenommen, unterscheidet
sie sich nur durch den Malgrund, der selten rein weiß,
sondern gelblich oder hellbeige ist, von der üblichen sf.
Malerei und kommt hauptsächlich auf Gefäßen von
kleiner bis mittlerer Größe vor.

(2) Umrißzeichnung auf weißem Grund: Sie wurde
ab dem E. des 6. Jh. v. Chr. vorzugsweise bei Schalen,
→ Alabastra und kleinen Lekythen (→ Lekythos [1]) angewandt und zunächst mit den aus der rf. Malerei bekannten Relieflinien ausgeführt, ab 500 v. Chr. jedoch
zunehmend mit gelbbraunen Linien aus verdünntem
Glanzton. Eine Kombination von (1) und (2) ist die sog.
Semi-outline-Technik, die nur in der 1. Hälfte des 5. Jh.
v. Chr. und fast ausschließlich auf Lekythen und Alabastra zu beobachten ist.

(3) Vierfarbenbemalung mit Glanzton und Erdfarben: Entwickelt im 1. Viertel des 5. Jh. v. Chr., verm. in der Töpferwerkstatt des → Euphronios [2], zeigt sie eine Kombination aus Umrißzeichnung mit Glanzton und farbig gemalten Flächen und findet sich hauptsächlich auf Schalen und Pyxiden (→ Pyxis); Details wie Früchte, Schmuck, Gefäße oder Waffenteile können mit Tonschlicker aufgehöht und vergoldet sein. Die Farbpalette ist auf Rot- und Brauntöne, Gelb, Weiß und Schwarz beschränkt.

(4) Frühklassische Lekythenbemalung mit Glanzton, Erdfarben und nichtkeramischen Mattfarben: Sie entstand im 2. Viertel des 5. Jh. v. Chr. zur Bemalung größerer Lekythen für den Grabkult. Die Bilder sind weitgehend aus farbigen Flächen aufgebaut, reine Umrißzeichnung ist fast nur noch bei der Darstellung männlicher Körper zu sehen. Die Frauenkörper sind mit weißer Deckfarbe, die Kleider mit schwarzem Glanzton, mit Erdfarben, teilweise auch mit nichtkeramischen Farben wie Zinnober oder Äg. Blau gemalt. Die meisten dieser Lekythenbilder zeigen Szenen im Frauengemach, Grabszenen sind noch selten. Bekannte Beispiele stammen vom → Achilleus-Maler.

(5) Polychrome Lekythenbemalung: Sie löst um 450 v. Chr. die frühklass. Lekythenbemalung ab. Deckweiß und schwarzer Glanzton verschwinden aus den Bildern, die Frauenkörper werden wieder in reiner Umrißzeichnung gegeben, die Verwendung nichtkeramischer Farben nimmt zu. Gleichzeitig beginnen einige Maler, zur Zeichnung der Konturen statt Glanzton rote oder schwarzgraue Mattfarbe zu verwenden (Initiator war der → Sabouroff-Maler). Nur diese Konturzeichnungen werden noch vor dem Brand aufgetragen, die übrige Bemalung nach dem Brand. Die Farben haften daher schlecht, sind oft nicht mehr oder nur noch in geringen Resten vorhanden, die Beurteilung der urspr. Farbigkeit ist damit problematisch. Die Bilder zeigen überwiegend Grabszenen. Wichtige Lekythenmaler der Klassik (5. Jh.), neben den bereits genannten, sind: Thanatos-, Vogel-, Quadrat-, Frauen-, Schilf- und → Phiale-Maler, ferner Maler der → Gruppe R und Triglyphen-Maler. Gegen Ende des 5. Jh. v. Chr. sind unter dem Einfluß der Tafelmalerei erste Versuche einer Schattengebung bei der Darstellung männlicher Körper zu beobachten (Gruppe der *Huge lekythoi*).

Wgr. V. bleibt in der 2. Hälfte des 5. Jh. v. Chr. weitgehend auf Grablekythen beschränkt. Als deren Produktion um 400 v. Chr. zu Ende geht, hört auch die wgr. V. auf. Erst im Hell. tauchen an verschiedenen Orten wieder Keramikgattungen mit weißem Überzug auf, teils mit monochromer, teils mit polychromer Bemalung: → Lagynos, → Hâdrâ-Vasen, → Canosiner Vasen, → Centuripe-Gattung.

→ Keramikherstellung; Tongefäße II. A.

D. C. KURTZ, Athenian White Lekythoi. Patterns and Painters, 1975 · J. R. MERTENS, Attic White-Ground: Its Development on Shapes Other than Lekythoi, 1977 · I. WEHGARTNER, Attisch wgr. Keramik, 1983 · Dies., Neue Unt. zur wgr. Lekythenbemalung, in: J. CHRISTIANSEN (Hrsg.), Proc. of the 3rd Symposium on Ancient Greek and Related Pottery, Kopenhagen 1987, 1988, 640–651 · M. ROBERTSON, The Art of Vase-Painting in Classical Athens, 1992, 51–56, 155–159, 185–188, 198–205, 207–210, 252–255 · U. KOCH-BRINKMANN, Polychrome Bilder auf wgr. Lekythen, 1999. I. W.

Weitsprung (griech. ἅλμα, *hálma*; lat. *saltus*). In Äg. war eine Art Hoch-W. als Kinderspiel bereits im AR bekannt [1. 619f.]. In der griech.-röm. Ant. ist W. nur im Mythos (z. B. Hom. Od. 8,128) als Einzelwettbewerb belegt. In der wirklichen Sportpraxis dagegen kommt er durchgängig (verm. als zweite Disziplin) im Rahmen des → *péntathlon* vor. Nach [2. 57–60] handelt es sich um einen fünffachen kontinuierlichen Sprung (vgl. Them. in Aristot. phys. 5,3) aus dem Stand, der unter Flötenbegleitung (Paus. 5,7,10; 5,17,10; Philostr. gymnastikos 55), wie oft bildlich dargestellt [3. Taf. LVb, LX], von einem Absprungbalken (βατήρ, *batér*) in eine aufgelockerte Bahn (σκάμμα, *skámma*) von 50 Fuß Länge im → Stadion ausgeführt wurde. Die Wendung »über das Aufgegrabene hinaus« (ὑπὲρ τὰ ἐσκαμμένα, *hypér ta eskamména*: »weiter als erlaubt«, Plat. Krat. 413b) wurde sprichwörtlich [4. 23–30]. Sprunggewichte (ἀλτῆρες, *haltéres*) aus Blei, Bronze [5] oder Stein (zw. 1,072 und 4,629 kg), die vielleicht als Relikte von Lanze und Schild des Hopliten (→ *hoplítai*) zu deuten sind, wurden benutzt, und eine exakte Fußspur mußte erkennbar sein. Weitenangaben wie 55 Fuß (→ *pus*) für Phayllos von Kroton (Eust. ad Hom. Od. 8,197) oder 52 Fuß für Chionis von Sparta (Sextus Iulius Africanus, Olympionicarum fasti 30) sind selten. W. war auch Bestandteil der etr. Sportkultur [6. 287–294].

→ Sport; Sportfeste

1 W. DECKER, M. HERB, Bildatlas zum Sport im Alten Ägypten, 1994 2 J. EBERT, Zum Pentathlon der Ant., 1963 3 J. JÜTHNER, F. BREIN, Die athletischen Leibesübungen der Griechen, Bd. 2.1, 1968 4 F. GARCÍA ROMERO, El deporte en los proverbios griegos antiguos, 2001 5 D. KNOEPFLER, Haltère de bronze dédié à Apollon Hékabolos dans la collection G. Ortiz (Genève), in: CRAI 1994, 334–337 6 J.-P. THUILLIER, Les jeux athlétiques dans la civilisation étrusque, 1985.

I. WEILER (Hrsg.), Weitsprung, 1992. W. D.

Weizen s. Getreide

Wels s. Glanis

Welt I. WORTBEDEUTUNG II. ÄGYPTEN UND MESOPOTAMIEN III. WELT ALS ORDNUNG IV. WELT ALS ORT V. WELT ALS SEINSWEISE

I. WORTBEDEUTUNG

Sprachgeschichtlich entspricht das dt. »W.« (wie engl. *world*) nicht dem griech. κόσμος (*kósmos*), sondern αἰών (*aión*) in seiner hell. Bedeutung von »Menschenalter«. Die Etym. ist klar ablesbar im niederländischen *wereld*:

wer (lat. *vir*) – *eld* (»Lebensalter«, vgl. engl. *old*). Die W. ist, wo wir uns befinden, nachdem wir »in die W. gekommen« sind und noch nicht »die W. verlassen« haben, d. h. die jetzigen Lebensverhältnisse unter Mitmenschen. Die mod. Begrifflichkeit, die um »W.« kreist, ist daher dem ant. griech. Verständnis fremd, ebenfalls der neuzeitliche Gebrauch im Sinne von »bewohnbare Erde«, ja von »Menschen« (vgl. frz. *du monde*: »Leute«; diesem entspräche im ant. Griech. eher *oikuménē*, die Erde als Aufenthalt der Menschen). Selbst der Gebrauch von »Kosmos« für »Universum« ist eher eine künstliche Neubildung (kaum älter als A. VON HUMBOLDTS Titel ›Kosmos‹ (1845) denn griechisch.

II. ÄGYPTEN UND MESOPOTAMIEN

Die Kulturen des Alten Orients hatten kein Wort, um das Ganze des Seienden einheitlich zu bezeichnen, wohl dagegen Wörter für die bewohnbare Erde (als Gegensatz zum unerreichbaren Himmel, dem Sitz der Götter). Gleichermaßen begnügten sich die großen Flußkulturen des Nil-Tals und Mesopotamiens zur näheren Bestimmung des Gegenstands der »Schöpfung« zunächst mit einer Auflistung der wichtigsten Bereiche (etwa Meer, Urwasser, Festland, usw.). Dabei wird des öfteren die senkrechte Gegenüberstellung Erde/Himmel bevorzugt (z. B. im Sumerischen EN-KI, im Akkadischen *šamû u erṣetum*, im bibl. Hebr. *šāmayim wᵉ-æræs*, Gn 1,1). Daneben gab es das Adjektiv »All« (Ägypt. *tm*) oder ein Substantiv für »Allheit« (Akkad. *kiššatu, gimirtu*). Dem babylonischen Gott Marduk wird redundant die Herrschaft über »die Ganzheit der ganzen Allheit« (*kiššat kal gimrēti*) zugesprochen (Enūma Eliš 4,14).

III. WELT ALS ORDNUNG

Ursprünglich hatte das Griech. für »die W.« kein Wort. Homer listet die Teile des Seienden auf (so in der W.-Einteilung durch Zeus/*Diós dasmós*, Hom. Il. 15,189–193) und nennt keinen Oberbegriff. Hesiodos betont die Vollständigkeit der Aufzählung durch das Adjektiv *pánta* (»alle (Dinge)«, Hes. theog. 738 und 809; vgl. Aischyl. fr. 105 METTE). Herakleitos fügt den Artikel hinzu und spricht von *ta pánta* (Herakl. 22 B 1, 7, 53, 64, 66, 80, 90 DK). Mit Empedokles [1] wird die Formel im Singular: *to pan* (»das All«, 31 B 13; 14; 26,7; 17,32 DK). Ungefähr gleichzeitig nennen die Propheten Israels den Gegenstand der Handlung Gottes »das Ganze« (*ha-kol*, Jer 10,16; vgl. Jes 44,24).

Erst ab dem 5. Jh. v. Chr. erscheint *kósmos* als der Name des Alls (vgl. → Kosmologie). Gleichzeitig wird *phýsis* (»Natur«) zum Begriff des In-sich-Beruhenden, im Unterschied etwa zu → *nómos* [2] als dem Inbegriff des »Gesetzten« (→ Gesetz). Die Verwendung von *kósmos* wird gewöhnlich Pythagoras [2] zugeschrieben, ist aber erst bei Herakleitos [1] eindeutig belegt (22 B 30 DK). Dank Platons ›Timaios‹ hat sich *kósmos* als Begriff für das ganze Seiende durchgesetzt. Ein verwandter Begriff wie *uranós* (»Himmel«) kann auch den ganzen Inhalt der als eine Kugel vorgestellten W. bezeichnen, wobei der Unterschied zw. Himmel und Erde letztendlich aufgehoben wird. Das Wort *kósmos* bedeutet »Ord-

nung« und »Schönheit« des Ganzen. Durch die Konnotation von Kosmetik bzw. Taktik wurde es lange als Metapher empfunden (Tert. adversus Hermogenem 40,2; Johannes Scotus Eriugena, in Joh, 3,6,21 f.); dies trifft auch auf die lat. Übers. *mundus* zu (Plin. nat. 2,3,4). Nach Platon [1] und Aristoteles [6] (der sich Eudoxos [1] und Kallippos anschloß) herrscht das Modell eines Systems konzentrischer Sphären, in dem der Erde die niedrigste Stelle zugewiesen ist (→ Astronomie C.). Nur über die Anzahl der zur Erklärung der himmlischen Phänomene notwendigen Sphären wurde gestritten; schon Aristoteles gesteht dazu eine gewisse Unsicherheit (Aristot. metaph. 12,8,1074a 16f.). Die Hypothesen des Klaudios → Ptolemaios [65] (2. Jh. n. Chr.) blieben unangefochten bis zu den Astronomen Andalusiens des 12. Jh. (al-Biṭrūǧī), die sie im Namen der aristotelischen Physik angriffen.

IV. WELT ALS ORT

Wird die W. als Ordnung vorgestellt, ist eine genaue Beschreibung des W.-Gefüges relevant. Dagegen setzt das menschliche In-der-W.-Sein als ein unmittelbar Erlebtes keine bestimmte Vorstellung der W. voraus. Der Eintritt ins Leben wird durch Metaphern ausgedrückt: Die W. ist eine Stadt, deren Gesetzen man gehorchen soll (Phil. legum allegorias 3,32,9; Phil. de praemiis et poenis 7,41), oder ein Theater, auf dessen Bühne man auftritt (M. Aur. 11,3). Sie ist ein prächtiger Tempel, den man mit Ehrfurcht betreten soll (Sen. quaest. 7,30,1; vgl. Plut. de tranquillitate animi 20,477c). Die → Geburt ist wie ein Heraustreten aus einer wohl eingerichteten Höhle in einen wunderbar bemalten Palast (Aristoteles bei Cic. nat. deor. 2,37,95). Die Natur führt uns ins Leben und in die ganze Welt ein (Ps.-Longinos, de sublimi 35,2). Plotinos postuliert die Zugehörigkeit der Seelen zur W., die noch früher ist als deren Fall in den Leib: es sei den Seelen wesentlich, weltlich zu sein (Plot. 3,2[47],7,23–27 SCHWYZER-HENRY; → Seelenlehre).

V. WELT ALS SEINSWEISE

Im christl. Gebrauch von griech. *kósmos* und lat. *mundus* schwingt das hebräische *ʿōlām* mit. Ursprünglich bedeutete es wohl jeden entfernten Zeitabschnitt. Als mit dem Hell. die jüd. und griech. Kultur einander begegneten, bezeichnete *ʿōlām* schon »Zeitalter«, genauer eine Epoche der gesamten Heilsgesch., wobei dem »jetzigen Zeitalter« (*ha-ʿōlām ha-zeh*) des Unheils das »kommende Zeitalter« (*ha-ʿōlām ha-baʾ*), die erhoffte direkte Regierung Gottes gegenübergestellt wird. Die Geburt ist ein In-die-Welt-Eintreten; diese letztgenannte Formel ist im NT belegt (Jo 1,14), bei den frühen Kirchenvätern (Clemens von Rom, epist. 1 ad Corinthios 38,3; Aristeides [4], Apologie 1) und bei den Rabbinern des babylonischen Talmuds (Rosh ha-Shana 16a). Bei Paulus [2] ist die »W.« (*kósmos*) das, wovon der Christ Abstand nehmen soll: Gott hat ihre → Weisheit der Torheit überführt (Röm 1,20). Folglich darf der Christ die Haltung (*schéma*) der Welt nicht nachahmen (Röm 12,2). Im Johannesevangelium bezeichnet »W.« (*kósmos*) die

Haltung der Menschen, die von Gott getrennt werden (Jo 1,9; 13,1; 16,33). Nach der → Gnosis ist die W. das Geschöpf eines Stümpers oder eines Henkers. Sie ist die Folge eines Falls (Philippos [28]-Evangelium 99,95,2 f.): In die W. sind wir durch einen Abfall vom überweltlichen Vater eingetreten, und zwar als Hineingeworfene (ἐμβάλλειν/*embállein*; Clem. Alex. excerpta ex Theodoto 78,2). Die Schönheit der W. ist eine Falle für die in ihr schmachtende Seele. Das mittelalt. *saeculum* drückt eine Seinsweise aus, die sich vom mönchischen Ordensstand abhebt: das »weltliche« Leben der Laien.
→ Astronomie; Kosmologie; Weltschöpfung

R. BRAGUE, Aristote et la question du monde, 1988 • Ders., La sagesse du monde, ²2002 • J. KERSCHENSTEINER, Kosmos. Quellenkritische Unt. zu den Vorsokratikern, 1962 • W. KRANZ, Kosmos, 2 Bde., 1955–1957 • C. S. LEWIS, World, in: Ders., Studies on Words, ¹1960 (und Ndr.), 214–269.   R. BRA.

Weltalter(mythos) s. Zeitalter

Weltentstehung s. Kosmologie; Weltschöpfung

Weltreiche, Weltreichsidee I. ALTER ORIENT
II. KLASSISCHE ANTIKE

I. ALTER ORIENT
Die Vorstellung von einer die gesamte bekannte Welt umfassenden → Herrschaft drückte sich in Mesopotamien in verschiedenen königlichen Epitheta – u. a. »Herrscher der vier Regionen (der Welt)« (*šar kibrāt arbaʾim/erbettim*), »Herrscher über die Gesamtheit« (*šar kiššatim*), »Herrscher der Herrscher« (*šar šarrāni*) – aus. Der Titel »Herrscher der vier Regionen (der Welt)« ist erstmals für den Akkad-Herrscher → Naramsin (23. Jh. v. Chr.) bezeugt. Allerdings wurde der darin zum Ausdruck gebrachte Anspruch nach Ausweis zeitgenössischer Zeugnisse insofern nicht erfüllt, als sich der Machtbereich Naramsins höchstens bis an die Grenzen des »Fruchtbaren Halbmondes«, d. h. im Osten bis zum → Zagros, im Norden bis zur Tauruskette (→ Tauros [2]), im Westen bis zum Mittelmeer, und im Süden bis zum → Persischen Golf, d. h. »vom oberen bis zum unteren Meer« erstreckte, obwohl die Kenntnis von der existierenden Welt weit darüber hinausging (iranisches Plateau, Indusdelta, Oman). Noch weniger entsprach der mit diesem Titel verbundene Anspruch im Falle der nachfolgenden mesopot. Dynastien vom 21. bis zum 18. Jh. v. Chr. der Wirklichkeit [1. 305–308]. Erst im 14. Jh. v. Chr. war der Titel »Herrscher der vier Regionen« gelegentlich wieder Teil der Titulatur der Herrscher von Äg., → Hattusa, Assyrien und Babylonien, die sich in ihrer gegenseitigen Korrespondenz aber eher als → Großkönige bezeichneten; dieser Titel drückte in diesem Zusammenhang zum einen eine regionale Vormachtstellung, zum anderen die gegenseitige Akzeptanz als Großmacht aus.

Vom 11. Jh. v. Chr. bis zum Ende des assyrischen Reiches (E. des 7. Jh. v. Chr.) bezeichneten sich assyr. Herrscher durchgängig mit einem gewissen Recht als Großkönige, da im Vorderen Orient neben ihnen keine ebenbürtige Macht existierte. Der Anspruch auf Weltherrschaft wurde seit Assurnaṣirpal II. (883–859 v. Chr.) mit der Aufnahme des Titels »Herrscher der vier Regionen« in die assyr. Königstitulatur erhoben.

Anspruch auf und Streben nach Weltherrschaft waren verbunden mit erfolgreicher mil. Expansion weit über die Grenzen Mesopot.s hinaus. Deren Zweck war v. a. die Kontrolle bzw. Sicherung von Handelsrouten (→ Handel I.) und damit verbunden der für das rohstoffarme Mesopot. existentiell wichtige Zugang zu den Quellen wesentlicher strategischer und prestigebesetzter Güter (z. B. Metalle, Bauholz, Aromatica, wertvolle Steine).

Obwohl die Herrscher von Äg. und Hattusa zuweilen über ihre eigenen, geogr. klar erkennbaren Grenzen hinaus erobernd vordrangen, finden sich in ihrer jeweiligen Titulatur kaum Hinweise auf einen Weltherrschaftsanspruch, der dem der mesopot. → Herrscher vergleichbar wäre.

Inwieweit die Vorstellungen über Weltherrschaft gegen E. des 1. Jt. v. Chr. im Vorderen Orient virulent waren, zeigt die Episode von → Nebukadnezars [2] Traum und den vier W. in Dan 2, wo es insbes. vom ehernen Reich heißt, daß es ›über die ganze Erde herrschen‹ werde (V. 39); dabei ist die Parallele zum Epitheton achäm. Herrscher (Dareios [1] I., Xerxes I., Artaxerxes [2] II.) »König der Erde« (*šar qaqqari*) deutlich.
→ Großkönig; Herrscher; Herrschaft

1 J.-M. SEUX, Epithètes royales akkadiennes et sumériennes, 1967, 292–320 2 J. WIESEHÖFER, Das ant. Persien, ³1998.
                                                                J. RE.

II. KLASSISCHE ANTIKE
A. EINFÜHRUNG: »DREI-REICHE-SCHEMA«
B. HELLENISTISCHES »VIER-REICHE-SCHEMA«
C. DAS RÖMISCHE »FÜNF-REICHE-MODELL«
D. WELTREICHE IN DER JÜDISCHEN TRADITION
E. PAGANE UND JÜDISCH-CHRISTLICHE TRANSLATIO IMPERII

A. EINFÜHRUNG: »DREI-REICHE-SCHEMA«
Verm. beeinflußt von den Ideen und Ansprüchen altorientalischer Herrscher, die Grenzen ihrer jeweiligen Reiche mit denen der Welt gleichzusetzen (s. o. I.), entwickelte sich ab dem 5. Jh. v. Chr. die Vorstellung von einer Abfolge von W. (griech. *oikuménē*; lat. *orbis terrarum*); diese wiederum wurde bereits früh ideologisiert. Die Einführung eines solchen W.-Schemas, das zuerst – als Abfolge von drei W. (Assyrien-Medien-Persien) – bei Herodotos [1] faßbar ist (1,95; 1,130), wird in der mod. Forsch. üblicherweise den → Achaimenidai [2] (Kyros [2] d. Gr. oder spätachäm. Königen) zugeschrieben ([11; 8. 197–212; 14] mit der älteren Lit.). Da das Schema jedoch in den Königsinschriften

(vgl. → Bisutun) fehlt, die histor. Existenz des Mittelglieds, eines entwickelten »Mederreiches«, zu Recht bezweifelt wird und das Modell der herodoteischen Sicht der Gesch. der → oikuménē entspricht, liegt es nahe, es auf Herodot zurückzuführen ([15]; vgl. [12; 9]). Während bei Herodot allein das Perserreich die Herrschaft über ganz Asien erringen kann (und dabei das ganze territoriale Erbe der Vorgängerreiche in sich aufnimmt) und Aufstieg und Fall aller Reiche nicht zuletzt mit den sittlichen Qualitäten der Herrscher korrelieren, spricht → Ktesias, bei dem das »Drei-Reiche-Schema« deutlicher zum Ausdruck kommt, auch schon den Assyrern die Herrschaft über ganz Asien zu (FGrH 688 F 1 und 5).

B. HELLENISTISCHES »VIER-REICHE-SCHEMA«
Nach der Zerstörung des Achaimenidenreiches durch den Makedonen Alexandros [4] d. Gr. muß sich, in ähnlich positiver Ausprägung, ein »Vier-Reiche-Schema« gebildet haben (Theorien der Entstehung zitiert in [7. 16–18]); darauf weisen die vier Reiche im at. Buche Daniel (Dan 2: Babylonien-Medien-Persien-Griechenland/Makedonien, hier jedoch mit dem Wunsch verbunden, die bestehenden Verhältnisse zu überwinden) und das Fünfer-Schema der röm. Historiographie (s.u. II.C.) hin. Die dort vorausgesetzte Abfolge Assyrien-Medien-Persien-Makedonien ist zwar im Hell. nicht belegt, doch spricht viel dafür, den → Seleukiden die Erweiterung des Dreier-Schemas zuzusprechen (und nicht etwa bereits Alexandros [4] oder gar einer antihellenischen orientalischen Opposition) [14].

C. DAS RÖMISCHE »FÜNF-REICHE-MODELL«
Ab dem 1. Jh. v. Chr. (nach der Neuordnung des Ostens 63 v. Chr. durch Pompeius [I 3]; vgl. Cass. Dio 37,21,2; Plut. Pomp. 45,5–7) erscheint Rom unbestritten als fünftes Glied der W.-Kette (Urheber: Theophanes [1] v. Mytilene?, Poseidonios [3]?) [14], auch wenn die Römer bereits vorher den Anspruch auf Weltherrschaft erhoben haben dürften (Pol. 1,2,2–8) und Aemilius Sura [2] (bei Vell. 1,6,6; Sura im 1., nicht im 2. Jh. [3. 63 f.], anders: [2. 111]) sowie Pompeius [III 3] Trogus den röm. Siegen über die Antigoniden eine entsprechende welthistor. Bedeutung zumessen möchten (vgl. → Makedonische Kriege). Die orientalische Viererreihe, erweitert um Rom unter Anerkennung der bestehenden Verhältnisse und der Sonderstellung des kaiserzeitlichen Imperium Romanum als Reich von ewiger Dauer und geradezu um dieses letzten Reiches willen angelegt, findet sich später auch bei Tacitus (hist. 5,8), bei Appian (praef. 9), in der »Romrede« des Ailios Aristeides [3] (26,91) sowie bei Claudianus [2] (De consulatu Stilichonis 3,159–166) und Rutilius [II 1] Namatianus (1,81–92).
Für Dionysios [18] v. Halikarnassos, der das urspr. Dreierschema (s.o. II.A.) von Herodot und Ktesias bezogen haben dürfte, sind die Antigoniden (nicht die Seleukiden) die Makedonen, deren (viertes) Reich von Rom, dem letzten und zugleich größten aller bisherigen

Reiche, abgelöst wurde [1. 413–417]. Bei Pompeius [III 3] Trogus, der seine Historiae Philippicae nach der Abfolge der imperia gliedert und damit bes. prägnant die Idee der »Herrschaftsweitergabe« (imperium transferre; s.u. II.E.) ausdrückt, folgt den östl. Reichen der Assyrer, Meder und Perser die Herrschaft Alexandros d. Gr., der dem imperium Europae (Iust. 12,16,5) das imperium Asiae (11,14,6) hinzufügte und sich als erster zu Recht rex terrarum omnium et mundi (»König aller Länder und der Welt«: 12,16,9) nennen lassen konnte. Nach dem Streit seiner Nachfolger um regnum et imperia (13,1,8) und der Aufteilung des Gesamtreiches (15,4,10) traten die Römer (Rom als caput orbis, »Hauptstadt des Erdkreises«: 43,1,2) und die Parther die Nachfolge des imperium Macedonicum an (divisio orbis, »Teilung des Weltkreises« 20 v. Chr.: 41,1,1) [13].

D. WELTREICHE IN DER JÜDISCHEN TRADITION
Verm. gründet auch das Viererschema des Buches Daniel (Dan 2) auf der traditionellen (herodoteischen) Dreierfolge; es ersetzt jedoch, bedingt durch jüd. Trad. und Gesch., Assyrien durch Babylonien. Während in Dan 2 die eschatologische Hoffnung auf das endgültige Gottesreich nicht als dringlich empfunden wird (Datier. deshalb wohl vor den Auseinandersetzungen mit Antiochos [6] IV.), ist die Vision der Tiere des Chaos in Dan 7 bereits stark durch ebendiese Hoffnung bestimmt [4].
Dem (urspr. vielleicht nicht jüd. [4. 168]) 4. Buch der Sibyllinischen Weissagungen (→ Sibyllini libri; ca. 80 n. Chr. abgeschlossen [10. 1064; 5. 454]) liegt das hell. »Vier-Reiche-Schema« (mit Assyrien als erster Macht) zugrunde; im 3. Buch, 158–161 (2. oder ausgehendes 1. Jh. v. Chr. [5. 447 f.] findet sich ein Achter- bzw. Zehnerschema ([Kronos-]Ägypter-Perser-Meder-Aithiopen-Assyrer-Makedonen-Ägypter-Römer-[Messianisches Reich]).

E. PAGANE UND JÜDISCH-CHRISTLICHE TRANSLATIO IMPERII
Bei Pompeius [III 3] Trogus fehlen die Idee einer höheren Legitimation der translatio und die Vorstellung einer »von den historischen ›Realitäten‹ losgelösten Herrschaftsmacht« [13. 234]; in seiner Theorie verbindet sich der Gedanke der Abfolge von W. mit einem Verlaufsmodell der Entwicklung von Herrschaften und Staaten, das an der Lehre eines zwar naturgesetzlichen, aber menschlicher Einwirkung doch offenen Entstehens, Werdens und Vergehens orientiert ist [13]. Der Widerspruch zw. der gleichzeitigen Existenz zweier W. (Rom und Parthia) und der translatio imperii-Idee, die ein einziges W. voraussetzt, läßt sich bei Trogus dadurch auflösen, daß imperium (mit dem Zusatz terrarum oder orbis) für ihn Welt-Herrschaft, nicht jedoch gleichzeitig Welt-Reich bedeutet haben kann [13. 222]. Zwischen dem paganen Vierer- bzw. Fünfer-Schema und den Belegen aus der jüd.-apokalyptischen, rabbinischen und christl. Lit., die fast durchgängig am Vierersystem des Buches Daniel (mit anschließendem messianischen und/oder Gottesreich) orientiert sind, gibt es keine Verbindung [8. 221]. Deutlich zu trennen von der Vorstel-

lung des Trogus sind auch der durch → Hieronymus (in von ihm übersetzten Texten des Alten Testaments [etwa Dan 2,21; Sir 10,8] und in seiner Weltgesch.) vermittelte Gedanke des *regna transferre* – mit der Vorstellung von Gott als dem Urheber und von Sünde und *virtus* als Ursachen der *translatio* – sowie die späteren christl. Translationstheorien [6. 17–36].

→ Roma I.E.

1 J.M. ALONSO NÚÑEZ, Die Abfolge der Weltreiche bei Polybios und Dionysios von Halikarnassos, in: Historia 32, 1983, 411–426 2 Ders., Aemilius Sura, in: Latomus 48, 1989, 110–119 3 P. BURDE, Untersuchungen zur ant. Universalgeschichtsschreibung, 1974 4 J.J. COLLINS, Daniel. A Commentary on the Book of Daniel, 1993 5 J.-D. GAUGER, Sibyllinische Weissagungen, 1998 6 W. GOEZ, Translatio Imperii, 1958 7 K. KOCH, Europa, Rom und der Kaiser vor dem Hintergrund von zwei Jahrtausenden Rezeption des Buches Daniel, 1997 8 R.G. KRATZ, Translatio Imperii: Untersuchungen zu den aramäischen Danielerzählungen und ihrem theologiegeschichtlichen Umfeld, 1991 9 D. MENDELS, The Five Empires: A Note on a Hellenistic Topos, in: AJPh 102, 1981, 330–337 10 H. MERKEL, Apokalypsen, 1998 11 D. METZLER, Beobachtungen zum Geschichtsbild der frühen Achämeniden, in: Klio 57, 1975, 443–459 12 A. MOMIGLIANO, The Origins of Universal History, in: R.E. FRIEDMAN (Hrsg.), The Poet and the Historian, 1983, 133–154 13 B.R. VAN WICKEVOORT CROMMELIN, Die Universalgeschichte des Pompeius Trogus, 1993 14 J. WIESEHÖFER, Vom »Oberen Asien« zur »gesamten bewohnten Welt«: Die hell.-röm. Weltreiche-Theorie, in: M. DELGADO et al. (Hrsg.), Europa: Tausendjähriges Reich und Neue Welt. Zwei Jahrtausende Gesch. und Utopie in der Rezeption des Danielbuches (im Druck) 15 J. WIESEHÖFER, The Medes and the Idea of the Succession of Empires, in: G. LANFRANCHI, R. ROLLINGER (Hrsg.), Continuity of Empire: Assyria, Media, Persia (im Druck).
                                                              J.W.

Weltschöpfung   I. DEFINITON
II. MESOPOTAMIEN   III. ÄGYPTEN
IV. GRIECHENLAND UND ROM   V. JUDENTUM
VI. CHRISTENTUM   VII. ISLAM

I. DEFINITION

Der Begriff W. (κτίσις/*ktísis*, lat. *creatio*) in engem Sinne ist in zwei Richtungen abzugrenzen: Im Unterschied zu Kosmogonie bezieht sich W. auf einen personalen Akt; im Unterschied zu Weltbildung (→ *dēmiurgós* [3]; vgl. [1]) bezeichnet W. nicht die bloße Gestaltung einer bereits existierenden Materie vergleichbar dem schöpferischen Tun eines Künstlers, sondern das absolute Erschaffen von allem (der Welt im Sinne des »Alls«, τὰ πάντα/*ta pánta*) aus dem Nichts. Die Vorstellung einer W. in diesem Sinne läßt sich erst im Christentum des 2. Jh. nachweisen. Sie ergibt sich als ontologisch-kosmologische Konsequenz aus dem Bekenntnis zur souveränen Schöpfermacht des christlichen/ biblischen Gottes. Sie taucht v.a. im Zusammenhang mit Auslegungen der biblischen Schöpfungs-Gesch. auf [2;

3] und wird dabei in Anknüpfung und Antithese zu populären und philos. Schöpfungsvorstellungen entwikkelt.

1 W. THEILER, s.v. Demiurgos, RAC 3, 1957, 694–711 2 In principio: interprétations des premiers versets de la Genèse (Centre d'Études des religions du livre), 1973 3 J.C.M. VAN WINDEN, s.v. Hexaemeron, RAC 14, 1988, 1250–1269.
                                                              AN.M.

II. MESOPOTAMIEN

Im älteren Mesopot. (vor → *Enūma eliš*) wurde keine einheitliche Kosmogonie (= K.) entwickelt. Hinweise zu K.-Vorstellungen finden sich außer in myth. und magischen Texten v.a. in Götterlisten ([2; 3]; → Liste). Bes. Beachtung galt hier den Vorfahren des Götterkönigs → Enlil mit dem zentralen Paar Enki-Ninki (»Herr Erde« – »Frau Erde«). K. wurde als Zeugung aufeinanderfolgender Paare gesehen: Die Handelnden sind Götter als Verkörperung der Elemente. Den anfänglichen Urozean verkörpert Nammu, die asexuell Himmel und Erde gebiert [3]. In *Enūma eliš* sind die Urgötter Apsû (das unterirdische »Süßwassermeer«) und → Tiāmat (»Meer«). Ein zentrales Moment der K. ist die Trennung von Himmel und Erde (so auch im einzigen Hinweis auf K. im Hethitischen [1. 570]). Ausgeführt wird dies in *Enūma eliš*, wonach der siegreiche Herrscher → Marduk die erschlagene Tiāmat teilt und aus ihr Himmel und Erde bildet. Der Kosmos wird gestaltet und bevölkert: durch das Handeln von Göttern (z.B. durch Bauen), durch Metamorphose getöteter Götter (wie Tiāmat) oder das Bilden aus Lehm [1. 546f.].

→ Akītu-Fest; Anthropogonie; Kulturentstehungstheorien; Neujahrsfest

1 W. HEIMPEL, G. BECKMAN, s.v. Mythologie A., RLA 8, 537–572 2 W.G. LAMBERT, s.v. Kosmogonie, RLA 6, 218–222 3 F.A.M. WIGGERMAN, Mythological Foundations of Nature, in: D.J.W. MEIJER (Hrsg.), Natural Phenomena, 1992, 279–306.   WA.SA.

III. ÄGYPTEN

Hinweise auf äg. W.-Vorstellungen finden sich in versch. Textgattungen (lit., magisch, hymnisch, Ritual- und Totentexte) und in Bildern. Erst späte Texte, bes. auf den Wänden von Tempeln griech.-röm. Zeit, geben ausführlichere Darstellungen. Unterschiedliche Trad. können bestimmten Orten (→ Heliopolis [1], → Memphis, → Thebai [1], → Esna) zugewiesen werden. Die Aussagen sind jedoch weder lokal noch zeitlich eindeutig zu gliedern, sondern durchdringen sich gegenseitig.

Der undifferenzierte Zustand vor der Schöpfung ist geprägt durch Urfinsternis und Urflut. Aus ihr erheben sich Urhügel oder Urkuh, die dem von selbst entstandenen männlichen oder weiblichen Demiurgen als fester Grund dienen. Der Schöpfer verkörpert die Einheit des Göttlichen und aller Existenz. Aus seiner Differenzierung entstehen Götter, Menschen, Himmel, Erde und alle Lebewesen, und zwar durch das Ausscheiden von Samen, Speichel, Schweiß und Tränen, oder durch schaffenden Ausspruch. Nach anderen Trad. erfolgt Kosmogonie (= K.) durch einen handwerklichen Akt. Eine kanonische oder gar hierarchische Abfolge der Geschöpfe wurde nicht entwickelt. K. kann als Schaffung (z. B. durch Hochheben des Himmels) und Einrichtung des Lebensraums für die präexistenten Menschen und Götter gedeutet werden. Die äg. K. ist als *creatio primordialis* nicht abgeschlossen, sondern bedarf der zyklischen Erneuerung im Kampf gegen die Kräfte des Chaos, versinnbildlicht u. a. im täglichen Aufgang der Sonne aus dem Urgewässer oder dem jährlichen Auftauchen des Landes aus der Nilüberschwemmung.

S. BICKEL, La cosmogonie égyptienne, 1994 ·
E. HORNUNG, Vom Ursprung der Dinge, in: Ders., Geist der Pharaonenzeit, 1989, 35–50.   HE. FE.

IV. GRIECHENLAND UND ROM

Der griech.-röm. Welt blieb die Vorstellung von einer Erschaffung der Welt durch einen oder mehrere Götter weitgehend und lange Zeit fremd. Bei → Hesiodos (8. Jh. v. Chr.) bildet die Entstehung der Götter (→ Theogonie) lediglich ein Moment der Entstehung der Welt (Kosmogonie). Vom Erschaffen (ποιεῖν/ *poieín*) durch die Götter ist bei ihm nur im Blick auf die Menschen die Rede (→ Anthropogonie). Heraklit (→ Herakleitos [1], 500 v. Chr.) lehrt die Ungewordenheit des Kosmos, die Atomisten den unaufhörlichen Wechsel von Entstehen und Vergehen der Welten (→ Atomismus); für → Lucretius [III 1] (1. Jh. v. Chr.) ist die Natur die Hervorbringerin immer neuen Lebens (*rerum natura creatrix*). In Auseinandersetzung mit der biblischen Schöpfungs-Gesch. lehnt → Galenos (2. Jh. n. Chr.) die Vorstellung von der souveränen Schöpfermacht Gottes ab [8. 1393 f.]. Statt des Begriffs W. sollte für die pagane griech.-röm. Ant. also eher von Weltentstehung bzw. Kosmogonie (= K.) gesprochen werden. Wenngleich sich schon bei Homer Reflexe früher Vorstellungen von K. finden (Hom. Il. 14,153 ff.: Reflex des Sukzessionsmythos; Hom. Od. 1,51 zum Trennungsmythos von Himmel und Erde mit → Atlas [2] als Trenner), begegnet K. im eigentlichen Sinne zuerst bei → Hesiodos, und zwar als Teil einer → Theogonie (Hes. theog. 116–138; [1. 621]): Am Anfang steht das → Chaos; daraus entstehen die »breitbrüstige Erde« (→ Gaia), der finstere → Tartaros und → Eros [1], ferner die Finsternis (Erebos, vgl. → Unterwelt), die Nacht (→ Nyx), die wiederum → Aither und Hemera (Äther und Tag) hervorbringt. Gaia gebiert dann den Himmel (→ Uranos), die Berge und das Meer (Pontos [1], → Okeanos); erst dann beginnen die Generationen, die jene zahlreichen Personifikationen enthalten, die die im Kosmos wirkenden Mächte repräsentieren. Eros, der die sexuelle Zeugung personifizierende *daímōn* (→ Dämonen V. A.-B.), ist bei dieser Entwicklung vom Chaos zum Kosmos die entscheidende Kraft. Mit Hesiod ist schon jener Übergang von einer »mythischen« zu einer quasi-»philosophischen« Erklärung der Welt aus ihrer Entstehung eingeleitet, der sich bis in die vorsokratischen Weltentstehungslehren fortsetzt (→ Milesische Schule).

Das neben dem hesiodeischen zweite mythische Konzept von K. wurde im Bereich der → Orphik entwickelt. Zentrales Moment dieser K. ist die Hervorbringung eines Eis (durch die Nacht/→ Nyx oder durch → Chronos), aus dem schließlich → Phanes [1] (der Erstgeborene: *Prōtógonos*) schlüpft, das zentrale orphische Wesen schlechthin; dieser wird schließlich von → Zeus verschluckt, und es bildet sich das heutige Göttergeschlecht [2. 23; 3. 37].

→ Pherekydes [1] von Syros steht mit seiner (nicht so sehr wie Hesiod) orientalisch beeinflußten K. schon diesseits der Schwelle zur rational-philos. Erklärung der Welt: Bemerkenswert ist insbes. seine Prämisse, Zas (Zeus), Chronos (Zeit) und Chthonia (Erde) hätten schon immer existiert [2. 61–66] und der Schöpfungsimpuls sei von Chronos ausgegangen (ähnliche K. bei → Musaios [1], → Epimenides, → Akusilaos).

Die Weltentstehungslehren der sog. → Vorsokratiker operieren in z. T. bewußter Abgrenzung von myth. Vorstellungen mit materiellen ἀρχαί/*archaí* (→ Prinzipien), in denen der Kosmos seinen Ursprung habe: → Thales (Wasser), → Anaximandros (das → *ápeiron*, d. h. das »Unbegrenzte«, das aus einer ewigen Bewegung heraus Warmes und Kaltes erzeuge, habe eine Feuerkugel erzeugt, die schließlich zur Entstehung des Kosmos geführt habe, [2. 138–145]), → Herakleitos [1] (ewiges Feuer), → Anaximenes [1] (Luft und deren Verdichtung; [2. 166 f.]), → Empedokles [1] (vier Elemente im Kreislauf der Veränderung, angetrieben durch *philótēs* (»Liebe«) und *neíkos* (»Haß«) [2. 313–336]. Die Vertreter des → Atomismus (→ Demokritos [1], → Leukippos [5], → Epikuros, → Lucretius [III 1]) erklären die Entstehung der (vielen existierenden) Welt(en) aus der jeweils ewig wiederkehrenden Zusammenballung und Verwirbelung von Atomen [2. 454–459] (vgl. auch später das Konzept des ewig wiederkehrenden Werdens und Vergehens im → Stoizismus (IV.; [4. 319–409]).

Setzten diese vorsokratischen Denker die K. also im wesentlichen in der einmaligen oder wiederkehrenden Neuordnung bestehender materieller Prinzipien an, so leiten andere dagegen den Kosmos aus geistigen Prinzipien ab: Die Pythagoreer (→ Pythagoras [2]; → Philolaos [2]) leiteten die »Entstehung« des Kosmos aus der »Eins« ab [2. 372–374], → Anaxagoras [2] aus dem *nus* (»Geist«) selbst [2. 397–420]. Damit war der konzeptuelle Boden bereitet, auf dem → Platon [1] seine W. im >Timaios< aufbauen konnte: Dort wird die Entstehung der Welt auf einen Demiurgen (δημιουργός/→ *dēmiurgós* [3], wörtl. »Handwerker«) zurückgeführt, der auch »Schöpfer und Vater« (ποιητὴς καὶ πατήρ) genannt wird. Dieser Handwerker stellt aus der vorgegebenen Materie den Kosmos nach dem Muster (παράδειγμα/→ *parádeigma*, s. Nachträge) der intelligiblen Welt her (Plat. Tim.).

In der Zeit nach Platon tritt diese Vorstellung zunächst wieder in den Hintergrund, sie erlebt jedoch in der Kaiserzeit eine Renaissance: Einerseits begegnen hier populäre Identifikationen des Demiurgen mit

→ Zeus (z.B. in der koptischen Version des hermetischen Traktates Asclepius, NHCod 6,8,75,13–17) oder mit → Hermes (z.B. Naassenerpredigt: → Hippolytos [2], refutatio 5,7,29, 3. Jh. n. Chr.); andererseits erhält der Demiurg einen bes. Platz in den Kosmologien des → Mittelplatonismus und → Neuplatonismus: als vom obersten Gott bzw. dem »Einen« getrennter, untergeordneter Schöpfergott [6; 7. 27–106].

Die prominenteste Darstellung einer K. in der lat. Lit. findet sich in Ov. met. 1,5–88: Ausgangspunkt ist auch hier das Chaos (5–20). Dann folgt die Trennung der Elemente (21–31), die Ordnung der schweren Elemente und die Einteilung in fünf Zonen (32–51), die Ansiedlung der leichten Elemente (52–68), schließlich die lebenden Wesen: Gestirne, Götter, Tiere (69–75), am Ende der Mensch (76–88). Die myth. Darstellung ist stark von naturphilos. Vorstellungen geprägt. Die Trennung der Elemente spielt dabei die Hauptrolle (vgl. auch Cic. nat. deor. 1,10,25 ff.). Die Faszination kosmologischer Thematik für die hell.-röm. Dichter zeigen auch Stellen wie Apoll. Rhod. 1,496 ff.; Verg. georg. 2,475; Hor. epist. 1,12,16; Prop. 3,5,25; [5. 15–47].

→ Anthropogonie; Elementenlehre; Kosmologie; Natur, Naturphilosophie; Prinzip; Welt

1 NILSSON, GGR I 2 G. S. KIRK et al., Die vorsokratischen Philosophen, 1994 3 M. L. WEST, The Orphic Poems, 1983 4 A. A. LONG, D. N. SEDLEY, Die hell. Philosophen, 2000 5 F. BÖMER, P. Ovidius Naso, Metamorphosen Buch I–III, 1969 (Komm.) 6 M. BALTES, Die Weltentstehung des platonischen Timaios und die ant. Interpreten, 1976/78 7 L. BRISSON, Le même et l'autre dans la structure ontologique du Timée de Platon, 1974 8 J. KÖHLER, s.v. Schöpfung II–III, in: HWdPh 8, 1393–1399.

H. SCHWABL, s.v. W., RE Suppl. 9, 1433–1582.

AN. M. u. L. K.

V. JUDENTUM
A. FRÜHES JUDENTUM/HEBRÄISCHE BIBEL
B. NACHEXILISCHES JUDENTUM

A. FRÜHES JUDENTUM/HEBRÄISCHE BIBEL
Die kanaanäische Rel. hatte die kontinuierliche Erhaltung (creatio continua) der Welt zum Zentralthema. Eine anfängliche Erschaffung (prima creatio) der Welt erscheint implizit in verschiedenen Götterepitheta (ugarit. qny oder bny, »Schöpfer«), wird aber, so etwa in den Texten aus → Ugarit (um ca. 1200 v. Chr. zerstört), nirgends explizit ausgeführt. Sie deutete den Vegetationskreislauf als ständigen Kampf von kreativen und destruktiven Gottheiten (Theomachie) um das Gottkönigtum. Als die israelitischen Stämme ab E. 11. Jh. die kanaanäischen Städte, darunter → Jerusalem, eroberten, wurden diese Aspekte in die genuin israelitische Gottesvorstellung integriert und zugleich uminterpretiert: Gott hat schon in Urzeiten die Chaosmächte gebändigt und ist daher fortwährend König (Ps 93; 47; 29; [1. 15–69; 4. 21–86, 165–225]). Betont wird die creatio continua: Gott gibt Leben und entzieht es wieder (Ps 104,29 f.; zur

Rezeption der Echnaton-Trad. in Ps 104: [4. 38–49]; → Amenophis [4]). Dabei wurde die Vorstellung eines grundsätzlichen Anfangshandelns impliziert, aber noch nicht mit expliziter Schöpfungsterminologie ausgedrückt.

Erst in der Krisenerfahrung des babylonischen Exils (ab 587 v. Chr.) kam definitiv die Vorstellung einer anfänglichen Schöpfung (= Sch.) zum Durchbruch und diente als theologischer Ansatzpunkt für Hoffnung auf einen Neuanfang angesichts der gescheiterten Gesch. Israels (→ Juda und Israel). So schließt Deuterojesaja (Jes 40,12–31) von Gottes Schöpfermacht auf dessen Heilswillen. In theologischer Nachbarschaft steht der Sch.-Bericht der → Priesterschrift (wohl E. 6. Jh. v. Chr.), Gn 1–2,4a (dazu [2]); er schöpft aus einer reichen rel.-gesch. Trad. und erinnert formal an die Königsinschriften der Achämeniden (→ Achaimenidai [2]; Taten des Großkönigs) sowie die altoriental. Listenwissenschaft (vgl. → Liste; → Königsliste). Der nüchterne Text über die Erschaffung von ›Himmel und Erde‹ (1,1) ist bis ins Detail durchstrukturiert: In symmetrischer Gliederung (1–1–2/1–1–2) fallen auf sechs Tagesabschnitte acht Sch.-Werke: 1) Licht, 2) Himmel, 3a) Erde und Meer, 3b) Pflanzen, 4) Himmelskörper, 5) Wasser- und Lufttiere, 6a) Landtiere, 6b) Menschen. Die Werke sind nach einem wiederkehrenden Schema aufgebaut: a) Gott ordnet im Wort die Erschaffung an; b) Feststellen des tatsächlichen Geschehens in der Formel: ›Und es geschah so.‹; c) Bericht der Schöpfungsausführung als Tat Gottes; d) Gott billigt und beurteilt das Geschaffene als ›gut‹ (nach c) und d) oft Benennung und Segnung des Geschaffenen).

Im Unterschied zu den Schöpfungsmythen aus dem assyrisch-babylon. Raum betont der Sch.-Bericht der Hebräischen Bibel, daß außer Gott alles Geschöpfe sind. Bei Sonne und Mond (im Zweistromland Gottheiten) wird hier nur von zwei »Lampen« gesprochen; die in der babylon. → Astronomie und → Astrologie hoch bedeutsamen Sterne werden nur ganz beiläufig erwähnt (Gn 1,16). Als letztes Werk erschafft Gott den Menschen ›als männlich und weiblich‹ (1,27), der in seiner Gottebenbildlichkeit Statthalter Gottes auf Erden ist (die Vorstellung stammt aus der über Persien vermittelten äg. Königsideologie; → Herrscher II.).

Die daran anschließende Paradieserzählung Gn 2,4b–3,24 (dazu [3]; → Paradies) aus anderer Feder (sog. Jahwist; Datier. umstritten: 10. oder 6. Jh. v. Chr.?) nimmt nur in einem überleitenden Halbsatz (2,4b) auf die W. Bezug und konzentriert sich ganz auf die Erschaffung des ersten (und zwar männlichen) »Menschen« (ʾādām) aus dem »Erdboden« (ʾᵃdāmā; Wortspiel!) und deren anthropologischen Folgen. Für diesen Menschen richtet Gott auf dem noch unbebauten Erdboden einen »Garten« (→ parádeisos) als Lebensraum ein mit Pflanzen, Flüssen, Tieren und schließlich einer Frau als Gefährtin.

Die Wirkungs-Gesch. von Gn 1–2,4a (wie auch von 2,4b–3,24) in Theologie, Lit., Kunst usw. ist unermeßlich und bereits innerhalb des AT faßbar: In Fortschreibungen innerhalb älterer → Psalmen ist die Vorstellung einer anfänglichen Schöpfung (*prima creatio*) von Gn 1 her eingedrungen, bes. deutlich etwa Ps 104,5–9 und 148,6 f. [4. 73 f.], ähnlich auch Spr 8,22–31, wo die → »Weisheit« als erstes Geschöpf Gottes bei der danach folgenden W. Gott als »Liebling« zur Seite steht (8,30). Das Konzept der Verankerung von Gottes Heilshandeln in seinem Schöpferhandeln geriet in spätpersisch-hell. Zeit in eine Krise angesichts des Schicksals des leidenden Gerechten (Hiob) und der Undurchsichtigkeit des Schicksals (Prd, v. a. 3,11). Bei Sirach (Sir 24) treten an die Stelle der W. Torabefolgung und Tempelkult als Orte der Heilsvergewisserung.

→ Paradies

1 J. JEREMIAS, Das Königtum Gottes in den Psalmen, 1987
2 O. H. STECK, Der Schöpfungsbericht der Priesterschrift, ²1981 3 Ders., Die Paradieserzählung, in: Ders., Wahrnehmungen Gottes im AT, 1982, 9–116
4 H. SPIECKERMANN, Heilsgegenwart, 1989 5 R. G. KRATZ, H. SPIECKERMANN, s. v. Schöpfer/Schöpfung II. Altes Testament, TRE 30, 1999, 258–283 (Lit.). M. HE.

B. NACHEXILISCHES JUDENTUM

Die Aufnahme griech. Begriffe in die Diskussion der W. führte im hell. → Judentum zu Ansätzen einer Schöpfungstheologie, die aristotelische, platonische und stoische Elemente enthält. Dabei werden die Begriffe *kósmos* (→ »Welt«) und *nómos* (»Gesetztes«) miteinander verknüpft; gegen Aristoteles [6] wird sowohl die Ewigkeit der Welt und auch eine Entstehung der Welt in der → Zeit abgelehnt. Gegen den → Stoizismus wird die Einzigkeit der Welt vertreten, die nur durch Gottes Güte erschaffen werden konnte (Aristobulos).

In der → rabbinischen Literatur findet die Diskussion der W. v. a. in Midraschim zur ›Genesis‹ statt (z. B. GenR 1–17 und PRE 3–11); daneben finden sich verstreute Aussagen in Midraschim und Talmudim. Biblische Traditionen werden hier gegen »heidnisch«-philos. und gnostische Positionen verteidigt. Gegen die Identifikation von *Tohu* (etwas Wüstes), *Bohu* (»Leere«), Dunkelheit etc. mit der *prima materia* wird eingewandt, daß diese am ersten Tag geschaffen wurden (GenR 1,4). Sechs Konzepte wurden vor der Welt erschaffen, dazu zählen u. a. die Tora und der Name des → Messias. Gott ist einziger Schöpfer: → Engel (s. Nachträge) wurden erst am zweiten oder fünften Tag geschaffen (GenR 1,3), oder rieten Gott von der W. ab (GenR 8,4; bSanh 38b). Die Verf. wenden sich dabei gegen dualistische Auslegungen von Gn 1,26. Die W. erfolgte ohne jede Anstrengung, allein durch Intention bzw. Wort (mAv 5,1; bMeg 21b). Nach Auslegungen von Spr 8,22 war die Tora Mittel und Plan der W. (mAv 3,14). Die Welt kehrt zu *Tohu* und *Bohu* um, wenn Israel nicht die Tora annimmt (bShab 88b). Die W. ist vollkommen (SifreDt § 307); sie endet mit der Erschaffung von zehn Dingen, die in der späteren Weltgesch. von Bed. sind, in der Abenddämmerung des sechsten Tages. Diskussionen um die Reihenfolge in der W. beziehen sich meist auf die logische Kohärenz, nicht auf die zeitliche Abfolge.

Schon früh waren esoterische Aspekte mit der W. verbunden, wie das Verbot, das »Schöpfungswerk« (*maʿǎśē b'rēšīt*) öffentlich zu lehren (mHag 2,1), zeigt. Dabei steht die W. durch Buchstaben im Mittelpunkt, wie im *Sefær Yeṣira* (Sefer ha-→ Jezira), das die 32 Bahnen der W. als die 22 Buchstaben und die 10 Grundzahlen (*sephirot*) benennt. Andererseits wird die W. mehrfach in der jüdischen Liturgie angesprochen; die Einheit des Schöpfers, der seine Allmacht in der W. dokumentiert, gehört so zum exoterischen Wissen.

A. ALTMANN, A Note on the Rabbinic Doctrine of Creation, in: Journal of Jewish Studies 7, 1956, 195–206 ·
D. BÖRNER-KLEIN, Tohu und Bohu. Zur Auslegungsgesch. von Gen 1,2a, in: Henoch 15, 1993, 3–41 · D. T. RUNIA, Philo of Alexandria and the Timaeus of Plato, 1983 ·
N. SAMUELSON, Judaism and the Doctrine of Creation, 1994. E. H.

VI. CHRISTENTUM

A. HELLENISTISCHES JUDENTUM UND URCHRISTENTUM B. GNOSIS C. PATRISTIK
D. DUALISTISCHE KOSMOLOGIEN

A. HELLENISTISCHES JUDENTUM UND URCHRISTENTUM

Das 2. Makkabäerbuch und → Philon [12] sprechen zwar von einer Schöpfung (= Sch.) aus dem Nichts (οὐκ ἐξ ὄντων/*uk ex óntōn*: 2 Makk 7,28), allerdings nicht in einem ontologischen Sinne: Der Gedanke einer ewigen Materie wird nicht ausgeschlossen [11. 1–26; 20]. Das NT übernimmt den Sch.-Glauben des AT (der Sch.-Akt wird meist als κτίσις/*ktísis*, das Sch.-Werk als αἰῶνες/*aiónes* und τὰ πάντα/*ta pánta* bezeichnet) und entfaltet ihn heilsgeschichtlich durch das Bekenntnis zur doppelten Sch.-Mittlerschaft des Logos (→ *lógos* [1] G.), der mit Christus identifiziert wird: Wie die Welt urspr. durch den Logos, den präexistenten Christus, geschaffen wurde, so hat Christus als neuer Adam auch die in Adam gefallene Sch. zur neuen Sch. gemacht. Durch den Blick auf die Vollendung der neuen Sch. am Ende der Zeiten erhält der Sch.-Gedanke eine eschatologische Dimension (Belege: [10. 1395]). Auch als Christen begannen, sich mit philos. Lehren auseinanderzusetzen, führte der biblische Glaube an den allmächtigen Schöpfer nicht direkt zur Ablehnung der Lehre von der präexistenten Materie. Christl. Philosophen wie → Iustinos [6] (Iust. Mart. apol. 10,2) und → Athenagoras (legatio 15,2 f.; 19,4; 10,3), aber auch → Hermogenes [6] (vgl. [5. 198–234]) und → Clemens [3] von Alexandreia [11. 122–150] konnten beides miteinander vereinbaren.

B. GNOSIS

Der Sch.-Gedanke wurde v. a. da als Problem empfunden, wo man den Kosmos als feindlich und widergöttlich erfuhr. So stellte man in der → Gnosis die Frage nach der Vereinbarkeit einer mangelhaften Welt mit einem vollkommenen Gott (→ Theodizee). Zu ihrer Lösung wurden in der Gnosis zwei Wege beschritten [6].

Die Minderheit gnostischer Systeme ging von mehreren Prinzipien (*archaí*) aus (→ Prinzip): Von Ewigkeit her existiert neben dem obersten Gott noch ein irreduzibles Ungewordenes (→ Materie, → Chaos oder Finsternis). Während dieser Gedanke meist mit der Vorstellung von einem bösartigen oder zumindest unwissenden Schöpfergott verbunden wurde (z.B. tractatus tripartitus NHCod 1,5,105,1; de origine mundi NHCod 2,5,100,14), identifiziert der am Rande der Gnosis stehende → Markion den Demiurgen mit dem geschichtlich wirksamen Gott des AT, dessen Strafgerechtigkeit er der Gnade des von Christus verkündeten Gottes gegenüberstellt [11. 54–62].

So einfach hier die Theodizeefrage durch den Prinzipiendualismus gelöst war, so umständlich mußte das Entstehen des Kosmos und der Materie in der Mehrheit gnostischer Entwürfe erklärt werden, denn hier ging man von einem Prinzip aus (so schon der Markionschüler → Apelles [3]: [5. 82–89]): Der Mythos schildert hier jeweils, wie Kosmos und Materie durch die Selbstüberhebung demiurgischer Mächte entstehen. Die derart gestörte urspr. Seinsordnung wird entsprechend erst wieder durch die Vernichtung der materiellen Welt wiederhergestellt. Im valentinianischen System (→ Valentinus [1]) hat der höchste Gott mit der Schöpfung nichts zu tun. Er bringt lediglich das πλήρωμα/*plérōma* (die »Fülle«; Bezeichnung der unmittelbar aus Gott hervorgegangenen, transzendenten Welt im Unterschied zum Kosmos) durch → Emanation (προβολή/*probolé*) hervor. Nach dem Fall der Sophia (→ Weisheit) schafft diese mit Hilfe des Demiurgen aus ihren materialisierten Affekten den Kosmos [11. 104–119].

Bei → Basileides [2], dessen Kosmologie sich grundlegend von der anderer Gnostiker unterscheidet, begegnet erstmals der Gedanke der *creatio ex nihilo*. Ihm zufolge besteht die W. in der Erschaffung (καταβολή/*katabolé* im Gegensatz zur valentinianischen προβολή/*probolé* = Emanation) des Weltsamens, aus dem dann die gesamte Wirklichkeit nach dem Plan (πρόνοια/*prónoia*) Gottes entsteht. Der Weltsame aber ist aus dem Nichts geworden; und auch er ist noch nichts-seiend (vgl. Hippolytos [2], refutatio 2,1,4, dazu [11. 72]), denn er enthält alles Seiende nur potentiell [11. 63–86].

C. PATRISTIK

Die ersten nichtgnostischen Theologen, die sich ausdrücklich gegen die Weltbildungslehre wandten und eine Sch. aus nichts vertraten, waren → Tatianos und → Theophilos [4] von Antiocheia [11. 151–167]. Tatianos führt die Entstehung der Materie unmittelbar auf Gott zurück (προβάλλεσθαι/*probállesthai* wohl nicht im Sinne von Emanation, sondern von Erschaffung); der Logos gestaltet sie dann zum Kosmos. Bei Theophilos ist dann ausdrücklich von der Sch. ›aus nichts‹ (ἐξ οὐκ ὄντων/*ex uk óntōn*; ad Autolycum 1,4; vgl. 2,4; 2,10; 2,13; 1,8) die Rede, und zwar in so formelhafter Gestalt, daß man annehmen kann, er habe diese Wendung bereits vorgefunden. Theophilos begründet die Sch. aus nichts mit der μοναρχία/*monarchía* (Alleinursprünglich-

keit und Souveränität) Gottes (der eine ungewordene, dann ja gottgleiche Materie widerspräche) und mit seinem allmächtigen Willen (welcher der Schaffenskraft eines Künstlers überlegen sein müsse; zur Wirkung dieser Argumente: [12. 52–70]).

Ihre bleibende Gestalt hat die kirchliche Sch.-Lehre durch Irenaeus von Lyon erhalten (→ Eirenaios [2]; [11. 167–182]). In Auseinandersetzung mit der gnostischen Kosmologie, die ihm zufolge von der platonischen abhängt, betont er, daß die Sch. unmittelbar und ausschließlich auf Gottes souveränen und allmächtigen Willen zurückgeht. Gegen die gnostischen Spekulationen fordert er dazu auf, sich mit den Auskünften der Schrift zu bescheiden: Gott hat die Materie geschaffen, und die Welt hat einen zeitlichen Anfang (Iren. adversus haereses 2,28,3; 2,28,7); der Sinn der W. liegt in der Erschaffung des Menschen und in der heilsgeschichtlichen Zuwendung Gottes, die letztlich die Menschheit zu Gott führt; aus der Sch. läßt sich auf den guten Schöpfer schließen.

Spätere Theologen befaßten sich v.a. mit dem seit den → Vorsokratikern und → Aristoteles [6] diskutierten Problem, wie aus Unveränderlichem Veränderliches, aus Ewigem Zeitliches hervorgehen kann: Nach → Origenes [2] ist die Sch. ein ewiger Vorgang in Gott: die so erschaffenen geistigen Wesen sind als Ideen im Logos (Orig. de principiis 1,5; 1,22; 4,3–5); erst nach dem Fall der Geistwesen wird die irdische Welt durch den Logos geschaffen (2,1; 3,5,1–5). Ihre Mängel dienen der Erziehung der Seelen (Orig. contra Celsum 7,50; [13]). → Augustinus rettet die Vorstellung der Unveränderlichkeit Gottes durch den Gedanken, daß im göttlichen Willen (*voluntas*) immer schon alles enthalten war, auch die Erschaffung der Zeit: Gott ist also nicht zeitlich, sondern zeitmächtig, d.h. er ist der Zeit nicht unterworfen, sondern beherrscht sie (Aug. civ. 11,4–6; 12,10–21; Aug. conf. 11,10,12–14,27). Dabei verbindet Augustinus die *creatio ex nihilo* (»Erschaffung aus dem Nichts«) mit dem Weltbildungsgedanken: Gott schuf zuerst aus Nichts die formlose Materie und gestaltete diese dann zu geordnetem Kosmos (Aug. de genesi contra Manichaeos 1,5,9–7,12; Aug. de genesi ad litteram liber imperfectus 3,10–4,18; Aug. conf. 12; Aug. de genesi ad litteram 1,14,28–15,30). Aus der *creatio ex nihilo* folgt bei Augustinus (de genesi ad litteram 5,20, ähnlich Greg. M. moralia 15,38) die *creatio continua* (»fortwährende Erhaltung der Sch.«): da die Welt aus Nichts geschaffen ist, bedarf sie zu ihrem Weiterbestehen eines fortwährenden Seinszuflusses. Damit liefert er die philos. Begründung für einen alten Inhalt des christl. Bekenntnisses, der an stoische Kosmosfrömmigkeit anknüpfte (→ Stoizismus IV.), diese aber in einem entscheidenden Punkt umformte: Der Schöpfer und Erhalter wird als in die Gesch. eingreifende Person gedacht (Kol 1,17; Hebr 1,3; Jo 5,17). In Augustinus' platonisch inspiriertem System wird die »Gutheit« der Sch. dadurch gewahrt, daß das Böse als *privatio boni* (»Mangel an Gutem«) definiert wird [4. 263–286; 16; 18; 22].

D. DUALISTISCHE KOSMOLOGIEN

Mit der Betonung der Allmacht Gottes und der Gutheit der Sch. wandten sich die patristischen Autoren gegen unterschiedliche dualistische Konzepte, die davon ausgehen, daß sich zwei gleichewige Prinzipien, Gott und Materie, gegenüberstehen: den Manichäismus (→ Mani) [7. 166–188], den → Priscillianismus (dagegen die Synode von Toledo 447), den Mandäismus (→ Mandäer) [14], den kosmogonischen Mythos des → Bardesanes, gegen den → Ephraem schrieb [9] und der dann frühbarabische Sch.-Erklärungen beeinflußte. → Anthropogonie; Chaos; Demiurgos [3]; Materie; Natur; Prinzip; Theogonie; Welt

1 M. BALTES, Die Weltentstehung des platonischen Timaios und die ant. Interpreten, 1976/78 2 J. BIRREE, Der Mensch als Medium und Adressat der Schöpfungsoffenbarung, 1989 3 L. BRISSON, Le même et l'autre dans la structure ontologique du Timée de Platon, 1974 4 K. FLASCH, Augustin, 1980 5 K. GRESCHAT, Apelles und Hermogenes, 2000 6 R. HAARDT, Schöpfer und Schöpfung in der Gnosis, in: K.-W. TRÖGER (Hrsg.), AT – Frühjudentum – Gnosis, 1980, 37–48 7 M. HUTTER, Das Erlösungsgeschehen im manichäisch-iranischen Mythos, in: Ders. u. a., Das manichäische Urdrama des Lichts, 1989, 153–236 8 In principio: interprétations des premiers versets de la Genèse (Centre d'Études des religions du livre), 1973 9 T. JANSMA, Ephraems Beschreibung des ersten Tages der Schöpfung, in: Orientalia Christiana Periodica 37, 1971, 295–316 10 J. KÖHLER, s. v. Schöpfung II-III, in: HWdPh 8, 1393–1399 11 G. MAY, Schöpfung aus dem Nichts, 1978 12 J. PÉPIN, Théologie cosmique et théologie chrétienne, 1964 13 A. PÉREZ DE LABORDA, El mundo como creación, in: Helmantica 46, 1995, 33–80 14 K. RUDOLPH, Theogonie, Kosmogonie und Anthropogonie in den mandäischen Schriften, 1965 15 D. T. RUNIA, Philo of Alexandria and the Timaeus of Plato, 1983 16 R. J. TESKE, The Motive for Creation According to St. Augustine, in: Modern Schoolman 65, 1987/88, 245–253 17 W. THEILER, s. v. Demiurgos, RAC 3, 1957, 694–711 18 N. J. TORCHIA, Creatio ex nihilo and the Theology of St. Augustine, 1999 (Rezension von J. A. VAN DEN BERG in: Vigiliae Christianae 55, 2001, 111–113) 19 J. C. M. VAN WINDEN, s. v. Hexaemeron, RAC 14, 1988, 1250–1269 20 H.-F. WEISS, Unt. zur Kosmologie des hell. und palästinischen Judentums, 1966. AN. M.

VII. ISLAM

Schon in der ältesten koranischen Offenbarung (6,1–5) gibt sich Gott → Mohammed als Schöpfer zu erkennen. Der Gedanke, die ganze Welt sei Gottes Schöpfung und werde durch sein ständiges Handeln aufrechterhalten, zieht sich durch den gesamten → Koran und bestimmte in der Folge entscheidend das islamische Bild des Kosmos. Schöpfung ist im → Islam kein einmaliger Vorgang am Anfang der Gesch., sondern ein in jedem Augenblick greifbares Geschehen, das für den Menschen als Gotteszeichen und Mahnung dient. Diese Vorstellung scheint auf von jüdischen und christlichen Quellen unabhängigen Spekulationen zu beruhen (vgl. den Schöpfungsbericht von 'Adī ibn Zaid, ähnlich auch Umaia ibn Abī 's-Salt [1. 176f., 179f.]). Auf ihr gründet die islamische Lehre (v. a. die Mu'tazila) der ständigen Schöpfung als göttliches Attribut.

Auf at. Vorbilder (s. o. V.) gehen hingegen diejenigen Koranstellen zurück, welche die einmalige Schöpfung der Welt in sechs Tagen (7,54; 10,3; 11,7; 25,59), den Thron Gottes (69,17) und die Erschaffung des ersten Menschen aus Lehm (30,20) erwähnen; ein eigentlicher Schöpfungsbericht fehlt aber im Koran. Im Unterschied zum AT ruht Gott nicht im Anschluß, da ihn keine Müdigkeit überkommen kann (2,255), er ist immer für die Schöpfung da und hält sie aufrecht. Der Einfluß bibl. Erzählgutes ist auch sehr stark im islam. Traditionskorpus, dem Hadīt, in dem verschiedene myth. Überlieferungen aus der rabbinischen → Haggada und aus der hell. und iranischen → Gnosis zur Ausschmückung und Erläuterung dieser Koranstellen herangezogen wurden (z. B. → Tabarīs Einführung zu seinen ›Annalen‹).

In der philos. Spekulation hatten hingegen neuplatonische Vorstellungen einer Ewigkeit der Schöpfung (spez. → Proklos' [2] ›Timaios‹-Komm.) entscheidenden Einfluß (v. a. auf Ibn Sīnā/Avicenna und al-Fārābī/Alfarabius/Avennasar); spätere Entwicklungen v. a. in der islam. Mystik (Ibn 'Arabī) sahen schließlich in der Schöpfung einen Ausdruck und Spiegel Gottes. Ähnliche Gedanken finden sich bei der Ismā'īlīya (Ismaeliten) und der Šī'a (Schiiten).
→ ARABISCH-ISLAMISCHES KULTURGEBIET I. C. 3.2.

R. ARNALDEZ, s. v. Khalḳ, EI², CD-ROM 1999 · L. GARDET, s. v. Ibdā, EI², CD-ROM 1999 · T. NAGEL, Der Koran, 1984, 172–184 · TH. J. O'SHAUGHNESSY, Creation and the Teaching of the Qur'an, 1985. I. T.-N.

Weltseele s. Mittelplatonismus D.2; Natur, Naturphilosophie I. M.; Platon G.4; Plotinos C.2.

Weltsprache I. ALLGEMEIN
II. ALTER ORIENT III. KLASSISCHE ANTIKE

I. ALLGEMEIN

Unter dem Begriff »W.« wird h. zweierlei verstanden: (1) eine eigens entworfene Plansprache, die als Verkehrssprache der ganzen Welt dienen soll; solche Bestrebungen sind v. a. im 19. Jh. zu verzeichnen (z. B. Esperanto, Volapük), blieben aber erwartungsgemäß hinter dem selbstgesetzten Anspruch zurück. (2) Eine tatsächlich weltweit verwendete Sprache ist heute v. a. das Englische, das sich im Gefolge der Kolonialzeit auf sämtlichen Kontinenten mindestens als subsidiäre Verkehrssprache für Personen unterschiedlicher Muttersprache etabliert hat und oft als überregionale Amtssprache in ehemaligen Kolonialstaaten auch nach der Unabhängigkeit weiter verwendet wird (da oft stärker ausgebaut als die autochthonen Sprachen; des weiteren verhindert die sprachliche Zersplitterung z. B. Indiens bis h. die Ersetzung des Englischen als übergeordnetes Kommunikationsmedium durch eine einheimische Nationalsprache). V. BI.

II. ALTER ORIENT

Die Vorherrschaft des → Akkadischen als Korrespondenz- und Urkundensprache im Bereich des »Fruchtbaren Halbmondes« beruhte zum einen auf dem mesopot. Kultureinfluß in Nordsyrien (seit dem 24. Jh. v. Chr.; → Ebla) und später in der gesamten Levante und zum anderen darauf, daß weder ein anderes für die Wiedergabe → semitischer Sprachen brauchbares Schriftsystem (vgl. → Schrift II.) noch ein anderes adäquates → Schreibmaterial als die Tontafel zur Verfügung stand. Diplomatische Briefe (→ Brief D.1.) aus den Archiven von → Mari bezeugen für das 18. Jh. v. Chr. den Gebrauch des Akkad. als Verkehrssprache in ganz Syrien. Im 14./13. Jh. war das Akkad. die wesentliche Korrespondenzsprache zw. den → Herrschern Ägyptens, Syrien-Palaestinas, Zyperns, des Hethiterreiches (→ Ḫattusa), Assyriens, Babyloniens und Elams (→ Amarnabriefe). → Urkunden wurden in Syrien-Palaestina (u. a. Hazor, Ugarit, Alalaḫ), dem hethitischen Großreich (→ Ḫattusa II.) und → Elam ebenfalls auf Akkad. verfaßt (18. bis 13. Jh. v. Chr.). Eine Konkurrenz zum → Ägyptischen mit seinem hieroglyphischen Schriftsystem (→ Hieroglyphen) und dem → Papyrus als Schriftträger bestand wegen der andersartigen sprachlichen Struktur des Äg. nicht.

Mit dem Erscheinen von aram. Bevölkerungsgruppen im gesamten Vorderen Orient gegen Ende des 2. Jt. v. Chr. übernahm deren Sprache, das → Aramäische mit einem eigenen alphabetischen Schriftsystem, in zunehmendem Maße die Rolle des Akkad. als Verkehrs-, Verwaltungs- und Umgangssprache. Insbes. im Achämenidenreich (→ Achaimenidai) war das Aram. die bevorzugte Verkehrsprache (→ Reichsaramäisch; → Arsames [3]). Mit der Expansion des Achämenidenreiches seit Dareios I. [1] (6. Jh. v. Chr.) fand das Aram. bis nach Baktrien und Indien (→ Aśoka) Verwendung. → Bilingue B.; Trilingue   J. RE.

III. KLASSISCHE ANTIKE

Für die klass. Ant. kann man von einer W. im Sinne von globaler Präsenz nicht sprechen. Gleichwohl fungierten einzelne Sprachen immer wieder als zunächst gleichermaßen schriftliches und mündliches Verständigungsmedium (→ Schriftlichkeit/Mündlichkeit) über weiträumige Regionen und in der Wahrnehmung ihrer Sprecher über die → oikuménē insgesamt; dabei spielte für die Kulturen des ant. Mittelmeeres das Prestige der Schriftlichkeit und überhaupt die Existenz eines schriftlichen Sprachstandards eine entscheidende Rolle. Das gilt sowohl für das → Griechische als auch für das → Lateinische. Hier sind zwei Formen der Verbreitung zu unterscheiden:

(1) Ausbreitung der »W.« auf Kosten der einheimischen Idiome (→ Sprachwechsel), die letzten Endes auch von der einheimischen Bevölkerung typischerweise zuerst auf der geschriebenen, dann auf der gesprochenen Ebene aufgegeben wurden. Keltische Idiome (→ Keltische Sprachen, mit Karte) starben im h.

Frankreich und Spanien (→ Hispania II.) gegenüber dem Lat. aus. Für das h. Frankreich außer der früh stark romanisierten → Narbonensis sind etwa → Augustodunum (h. Autun) und → Lugdunum (h. Lyon) als Zentren der → Romanisierung anzusehen, doch ist gesprochenes → Gallisch vereinzelt noch mindestens bis ins 3. Jh. n. Chr. bezeugt: z. B. die Prophezeiung einer Druidin zur Zeit des Severus [2] Alexander (222–235 n. Chr.) »in gallischer Sprache« (Gallico sermone, SHA Alex. 18,60,6). Der röm. Jurist Ulpianus ließ noch um 200 n. Chr. Gallisch ausdrücklich als Sprache eines → Testaments zu (Ulp. Dig. 32,1,2). In Spanien endete die Mz.-Prägung in iberischer Sprache im 1. Jh. v. Chr. Das Ende schriftlicher (auch indirekter) Bezeugung vor-röm. Sprachen auf der iberischen Halbinsel liegt in der beginnenden Kaiserzeit (→ Hispania II.; immerhin überlebte das → Baskische bis heute).

In Kleinasien starben die lokalen Sprachen gegen Anfang der Kaiserzeit ebenfalls gegenüber dem Griech. aus: letzte phrygische Inschr. stammen aus der Kaiserzeit; letzte lykische Inschr. datieren zwar schon in das 4. Jh. v. Chr., doch ist die gesprochene Sprache noch in Apg 14,11 belegt. Von der Existenz eines keltischen Idioms in Kleinasiens, das mit dem aus der Gegend von Trier weitgehend identisch sei, berichtet Hieronymus (Komm. zu Gal 2,3; um 400 n. Chr.)

(2) Ausbreitung der »Eroberersprache« nur auf schriftlicher und offizieller Ebene sowie als Verständigungsmedium der Eliten, ohne daß die jeweils eigene Sprache aufgegeben worden wäre, also unter Bedingungen zumindest partieller gesellschaftlicher → Mehrsprachigkeit (→ Diglossie, → Latinisierung, → Hellenisierung). Das gesprochene → Aramäisch und → Ägyptisch hielten sich neben dem Griech. und später auch der durch den Islam vorangetriebenen Ausbreitung des Arabischen noch lange Zeit stand. Die → Peregrinatio ad loca sancta (E. 4. Jh. n. Chr) berichtet, ›in dieser Prov. versteht ein Teil der Bewohner sowohl Griech. als auch → Syrisch‹ (in ea provincia pars populi et grece et siriste novit, 47,3; es folgt ein Bericht über Bibellesungen auf Griech. mit syrischer mündlicher Übers.). Dies bildete in der Spätant. die Grundlage für neue Schriftsprachen (Syrisch, bis heute in Sprachinseln als lebendige Sprache erhalten, und → Koptisch).

Das Imperium Romanum mit seinem weitgehenden Verzicht auf eine offizielle Sprachpolitik (Ausnahme: die Zeit des Kaisers → Diocletianus, in der vorübergehend u. a. keine griech. Reskripte mehr verfaßt wurden [1. 117]) ist insofern ein Spezialfall, als Griech. in den östlichen Reichsteilen auch als Verwaltungssprache intakt blieb und von den röm. Amtsträgern verwendet wurde; auch die genuin röm. Führungsschicht war zweisprachig (Caesars letzte Worte waren laut Suet. Caes. 82 griech.!), so daß von Latein als »W.« für die Zeit des Imperium Romanum trotz singulärer Durchsetzungskraft nicht gesprochen werden kann.

1 B. ROCHETTE, Le Latin dans le monde grec, 1997
2 G. NEUMANN, J. UNTERMANN, Die Sprachen im Röm.
Reich der Kaiserzeit (Koll. April 1974), 1980 3 P. ACHARD,
The Development of Language Empires, in: U. AMMON
(Hrsg.), Sociolinguistics/Soziolinguistik (Hdb. zur Sprach-
und Kommunikationswiss. 3.2), 1988.   V. BI.

Weltwunder (griech. z. B. ἑπτὰ θεάματα/heptá theáma-
ta: Strab. 14,652; 656; 16,738; 17,808 u. a.; lat. z. B. [sep-
tem] miracula: Plin. nat. 36,30; Mart. de spectaculis 1,1;
septem opera mirabilia: Hyg. fab. 223; septem spectacula:
Vitr. 7, praef.). Als »W.« wurden in der Ant. großartige
menschliche Kulturleistungen, herausragend durch ihre
technische Konstruktion und künstlerische Ausschmük-
kung, bezeichnet. Der Begriff W. wird von Gell.
3,10,16 auf Varros verlorene Schrift septem opera in orbe
terrae miranda zurückgeführt. Eine Gruppe von meist
sieben W. ist seit dem 3. Jh. v. Chr. belegt (und verm. in
der seit dem Früh-Hell. zu konstatierenden Neigung
begründet, Wundersames und Spektakuläres zu sammeln und zu rühmen; vgl. → Paradoxographoi).

Zahlreiche Listen mit W. waren, durchaus auch in
Konkurrenz miteinander, in der Ant. im Umlauf und
wurden bis in die Renaissance immer wieder modifi-
ziert und diskutiert: Als frühe und zugleich verläßliche
Quelle gilt der Epigrammatiker → Antipatros [8] aus
Sidon (um 150 v. Chr.), der in Anth. Pal. 9,58 die Mauern von → Babylon, die chryselephantine Zeusstatue im
Tempel von Olympia (vgl. → Goldelfenbeintechnik;
→ Pheidias), die → »Hängenden Gärten der Semiramis«
in Babylon, den Koloß von Rhodos (→ Chares [4];
→ Rhodos III.), die äg. → Pyramiden, das → Maussol-
leion von Halikarnassos und den Artemis-Tempel von
Ephesos (→ Chersiphron; → Ephesos I. C.; → Metage-
nes [2]) als W. zusammenstellte. In späteren Listen, u. a.
bei Diod. 1,63 (τὰ ἑπτὰ τὰ ἐπιφανέστατα ἔργα/ ta heptá ta
epiphanéstata érga) und 2,11 (τὰ ἑπτὰ τὰ κατονομαζόμενα
ἔργα/ ta heptá ta katonomazómena érga) und Strabon (s. o.),
sind einzelne W. ausgetauscht; hinzu treten u. a. der
→ Leuchtturm vor Alexandreia [1] (pháros), der Hörner-
Altar im Heiligtum von → Delos (III. A.), eine Stein-
brücke über den → Euphrates [2], die äg. Stadtanlage
von Theben (→ Thebai [1]) und der Palast des Kyros [2]
in Ekbatana. In einem christl. Überlieferungsstrang (bei
→ Gregorius [4] von Tours) fanden zudem die legendäre Arche Noah und der salomonische Tempel in
→ Jerusalem Aufnahme als W. (Greg. Tur. de cursu stel-
larum 1–3). Fast immer dominiert die Siebenzahl; als
»achtes« W. hinzugefügt wurde im 6. Jh. n. Chr. von
Cassiodorus (Cassiod. var. 7,15,4: fabricarum septem miracula) die Stadt Rom. Auch die wegen ihrer Überkup-
pelung (vgl. → Kuppel) spektakuläre → Hagia Sophia in
Konstantinopel erreichte den Rang eines W. (→ Kosmas [3] von Jerusalem, PG 38, 547). Eine unter dem
Autorennamen → Philon [17] von Byzanz überl. Schrift
Perí tōn heptá theamátōn widmete sich monographisch
den sieben W.

Die W.-Listen mit ihrem Schwerpunkt im Vorderen
Orient und Äg. dokumentieren zum einen die seit dem

Früh-Hell. evidente Verschiebung der kulturellen Ko-
ordinaten weg vom griech. Kernland (die Entstehung
der originären W.-Liste im 3. Jh. v. Chr. gilt als sicher);
sie erweisen andererseits den »alten Hochkulturen« ihre
Reverenz – nicht zu Unrecht ist → Herodotos [1] mit
seiner Bewunderung für bautechnische Leistungen Äg.s
und des Orients als »geistiger Vater« der W.-Listen bezeichnet worden. Lange Zeit als Kuriosum des Alt. ab-
getan, sind sie als wichtiges Rezeptionsphänomen ant.
Kultur erst seit kurzem erkannt und eigener Gegenstand
der Forsch. Die allg. Vorstellung von den W. ist durch
die weitverbreiteten Illustrationen von Martens VAN
HEEMSKERCK (1498–1574) und Johann Bernhard FI-
SCHER VON ERLACH (1656–1723) geprägt worden.
→ WELTWUNDER

K. BRODERSEN, Die Sieben W. Legendäre Kunst- und
Bauwerke der Ant., 1996 · P. A. CLAYTON, M. J. RICE
(Hrsg.), Die Sieben W. der Ant., 1990 · M. DAWID, W. der
Ant. Baukunst und Plastik, 1968 · TH. DOMBART, Die
Sieben W. des Altertums, 1967 · W. EKSCHMITT, Die
Sieben W., ²1991.   C. HÖ.

Wendehals. Der den → Spechten verwandte rinden-
farbige Vogel, der den Hals schlangenartig um 180°
verdrehen kann und je zwei Krallen nach vorn und hin-
ten gerichtet hat (Aristot. hist. an. 2,12,504a 11–19;
Aristot. part. an. 4,12,695a 23 f.; Plin. nat. 11,256), hieß
ἴυγξ/íynx oder κίναιδος/kínaidos (wörtl. »unzüchtiger
Mensch«) bzw. κιναίδιον/kinaídion (Hesych. s. v.), mit
lat. Lw. iunx (Laevius fr. 27,3) oder iynx. Ail. nat. 6,19
läßt ihn mit seinem eigenartigen Ruf eine Flöte imitie-
ren. Mit seiner langen Zunge in einem dünnen Schnabel
fängt er Insekten. Nach Dionysios, ixeuticon 1,23 [1]
erbeutet er so Ameisen.

In Griechenland wurde der W. schon mindestens seit
dem 6. Jh. v. Chr. beim Liebeszauber verwendet. Für
Pind. N. 4,35 und Aischyl. Pers. 987 verkörpert der Vogel die zwischenmenschliche Anziehungskraft bzw.
Sehnsucht. In Theokritos' [2] Eidyllion 2 wird der íynx
in einem neunmal wiederholten Beschwörungsvers von
einem Mädchen aufgefordert, den Geliebten ins Haus
zu ziehen (vgl. Anth. Pal. 5,204). Dafür band man
den lebenden Vogel oder ersatzweise ein Wollstück auf
ein Speichenrad (ῥόμβος/→ rhómbos; vgl. → Iynx [1];
→ Magie, v. a. III. C. 1.), das gedreht wurde (schol. Pind.
P. 4,214; vgl. Prop. 2,28,35 und 3,6,26; Ov. am. 1,8,7;
[2. 127, Abb.]). Aphrodite selbst soll den W. dem → Ia-
son [1] als Helfer zur Gewinnung von → Medeia aus
dem Olympos [1] herbeigeschafft haben (Pind. l. c.).
Eine Berliner Gemme [3. Taf. 21,21; 4. Fig. 20] zeigt
diese Szene. Nach Kallimachos (fr. 685 PFEIFFER) wurde
Iynx, die Tochter der Echo, von Hera in diesen Vogel
verwandelt, um Zeus vor ihren Annäherungsversuchen
zu bewahren.
→ Iynx [1]

1 A. GARZYA (ed.), Dionysii Ixeuticon, 1963 2 D'ARCY W.
THOMPSON, A Glossary of Greek Birds, 1936 (Ndr. 1966),
124–128 3 F. IMHOOF-BLUMER, O. KELLER, Tier- und

Pflanzenbilder auf Mz. und Gemmen des klass. Alt., 1889 (Ndr. 1972) 4 KELLER 2, 52–54.

H. GOSSEN, s. v. Ἴυγξ, RE 10, 1384–1386. C.HÜ.

Wepwawet (*Wp-wȝ.wt*/Upuaut, »Wegeöffner«) wird als stehender Schakal oder schakalköpfiger Mann dargestellt. Er ist einerseits ein Totengott (vgl. → Anubis), andererseits führt seine Standarte auch das »Horusgeleit« des Königs an, wenn sich dieser in der Öffentlichkeit zu Fuß fortbewegt. Einen Reflex davon gibt Hdt. 2,122, wo ein Priester von zwei Schakalen zum Demeter-Heiligtum geführt wird [3. 58 f.]. Verm. verbirgt sich W. auch hinter dem bei Diod. 1,18 als Begleiter des → Osiris genannten Makedon [1. 83]. Clem. Al. Strom. 5,7,43 legt eine astronomische Deutung der Gestalt des W. als die beiden Hemisphären oder Wendekreise nahe [5. 81 f.], Indizien dafür finden sich schon in einem Hymnus aus dem MR [4. 64–70]. Hauptkultort war → Lykonpolis (h. Asyūṭ). Zahlreiche dort gefundene Votivstelen bezeugen die Verehrung der dem W. heiligen Schakale [2].

1 A. BURTON, Diod. Siculus Book I. A Commentary, 1972 2 T. DUQUESNE, Votive Stelae for Upwawet from the Salakhana Trove, in: Discussions in Egyptology 48, 2000, 5–47 3 A. B. LLOYD, Herodotus, Book II, Commentary 99–182, 1993 4 P. MUNRO, Die beiden Stelen des Wnmj aus Abydos, in: ZÄS IV-VI 5 J. F. QUACK, Ein neuer funerärer Text der Spätzeit (pHohenzollern-Sigmaringen II), in: ZÄS 127, 2000, 74–87, Taf. X-XVII.

A. v. L.

Werbung. Die wohl einfachste und effektivste Art, W. für ein Produkt zu betreiben bzw. etwas anzukündigen, war das laute Ausrufen auf Marktplätzen und Straßen (vgl. → Propaganda). Daneben sprach die geogr. Herkunft eines Produktes für seine Qualität; so sind Formulierungen wie »tarentinische« oder »amorginische Gewänder«, »chiotischer Wein«, »Falerner Wein« usw. auch als Gütesiegel oder Qualitätsmerkmal überl. Ferner konnte W. in Schriftform an Hauswänden (→ Graffiti, s. Nachträge), durch → Briefe, Epigramme usw. erfolgen.

Abzusetzen von kommerzieller W. sind die in der athenischen Vasenmalerei des 6. Jh. v. Chr. aufkommenden → Lieblingsinschriften, die einen jungen Adligen preisen und ihn dadurch der Gruppe bzw. Öffentlichkeit bekannt machen. Eine bes. Form der Eigen-W. wandte der Vasenmaler → Euthymides an, indem er auf eine Amphora (München, SA 8730) schrieb: ›Wie Euphronios [es] niemals [kann/konnte]‹. Ebenso können Künstlersignaturen, z.B. von Vasenmalern und -töpfern, als Hinweis auf die Beherrschung des Materials und künstlerische Qualität in der Darstellung und damit als Eigen-W. verstanden werden (→ Künstler; → Töpfer; → Vasenmaler).

Zumindest die röm. Ant. kannte auch W. durch Anzeigen mit und ohne Illustration an Häuserwänden, die – aufgrund der bes. Überl.-Lage – v. a. aus → Pompeii

bekannt sind. So sind Wahlanzeigen (z. B. CIL IV 117; 180; 710), in denen ein Kandidat für ein polit. Amt vorgeschlagen oder empfohlen wird, ebenso erh. wie Anzeigen für Gladiatorenspiele und Tierhetzen (z. B. CIL IV 1189; 5215; 4397), Vermietungen von Wohnraum (z. B. CIL IV 138; 807, vgl. Petron. 38) und Preislisten für Lebensmittel oder Wein an Geschäften (z. B. CIL 1679; 5380; 8566). Einige der pompeianischen Anzeigen werben auch für Spiele, die andernorts stattfanden (CIL IV 1187; 3881; 3882); W. konnte also offenbar über die Grenzen einer Stadt hinaus gehen.

Eine bes. Gattung der W. sind Aushängeschilder (erh. z. B. in Ostia, Pompeii). Hierbei handelt es sich um Stein- oder Tonreliefs, die in die Außenwände von Läden und Geschäften eingelassen waren und die dort betriebenen Gewerbe annoncierten (z. B. zwei Männer mit Amphora für einen Weinladen, Platte mit Maurergerät für einen Maurer. W. für → Bordelle (Lupanare) gehörte zum Alltag röm. Städte. Bei anderen Geschäften waren Handwerker oder Arbeiter bei der Ausübung ihrer Tätigkeit dargestellt und warben so für den Laden; häufig waren auch Wirtshausschilder (Pompeii: CIL IV 806 f.; ähnlich Ostia: CIL XII 4377). Mosaikbilder und Inschr. im Fußboden auf der *Piazza delle Corporazione* in Ostia vor den Geschäften weisen auf die dort ansässigen Gewerbe und Handelsniederlassungen hin (z. B. Holzhändler, Seiler, Reeder aus verschiedenen Städten).

Daß Prostituierte durch ihr Erscheinungsbild (z. B. durchsichtige Kleidung) auf Straßen und Plätzen W. für sich betrieben, versteht sich (→ Prostitution); Bettler und Schiffbrüchige malten ihr Unglück auf Tafeln und leierten ihr Schicksal in Versen herunter (Pers. 1,88; Iuv. 14,301); damit wurde um Mitleid und eine Spende geworben. Die Selbstdarstellung der Familien durch ihre Grabmäler an den Ausfallstraßen der griech. und röm. Städte wurde von Fremden und Durchreisenden sowie Einheimischen rezipiert.

→ Graffiti (s. Nachträge); Handel; Kommunikation; Nachrichtenwesen; Propaganda; WERBUNG

W. KRENKEL, Pompejanische Inschr., 1963 · C. PAVOLINI, La vita quotidiana ad Ostia, 1986. R. H.

Werftanlagen (νεώρια/*neória*, Ntr. Pl./lat. *navalia*, Ntr. Pl.). Für die frühgriech. Zeit sind W. als dauerhafte bauliche Einrichtungen für den → Schiffbau nicht nachgewiesen; Schiffbau vollzog sich als spezialisierter Teil der → *materiatio* an jeweils ad hoc ausgewählten Orten in Küsten- bzw. Hafennähe (Pylos [1]; vgl. Hom. Od. 6,263–272). Spätestens seit dem frühen 6. Jh. v. Chr. gehörten W. im Rahmen der Autonomie der griech. → Polis ebenso zur Infrastruktur der Kriegsmarine (→ Flottenwesen) wie Schiffshäuser und Magazine für Takelagen (→ Skeuothek). Inwieweit diese W. ausschließlich mil. Charakter hatten oder auch dem Bau und der Wartung von Zivilschiffen dienten, ist unklar; die Bestimmung von Bauresten als »W.« (z. B. in → Oiniadai [1], → Gyth(e)ion, → Syrakusai: s. Nachträge, → Thurioi) ist oft unsicher. Im → Peloponnesischen

Krieg waren bei Flottenüberfällen die W. ein erstrangiges Ziel [3]. Ihre Vernichtung war ein schwerer Schaden für den Gegner; bes. Augenmerk kam hier dem Holzlager zu, das wesentlicher Bestandteil einer W. war.

Für die Zentren der röm. Flotte (insbes. → Ravenna, → Brundisium, → Misenum, → Baiae, → Puteoli, → Ostia) sind ebenfalls umfangreiche W. vorauszusetzen, arch. Befunde über deren genaues Erscheinungsbild stehen jedoch aus bzw. sind von den dokumentierten Architekturresten der Häfen nicht spezifisch abzugrenzen (vgl. Vitr. 5,12). W. mußten nicht zwingend in unmittelbarer Küstennähe liegen; bezeugt ist der Landtransport sogar von großen Schiffen auch über weite Entfernungen (Prunk-Schiffe vom → Lacus Nemorensis/Nemi-See, die wohl in Misenum gebaut worden waren). Lit. überl. sind W. mit Helligen und Rampen, Slipanlagen für die Schiffswartung, vereinzelt sogar Trockendocks (→ Motya). Vgl. → Hafen/Hafenanlagen; → Schiffahrt; → Schiffbau (jeweils mit Bibliogr.).

1 L. CASSONS, Ships and Seamanship in the Ancient World, ³1986 2 P. A. GIANFROTTA, A Roman Shipyard at Minturno, in: H. TZALAS (Hrsg.), 2nd International Symposium on Ship Construction in Antiquity (Kongr. Delphi 1987), 1990, 195–205 3 O. HÖCKMANN, Ant. Seefahrt, 1985, 153–156, 184 Anm. 37.   C. HÖ.

Werkstatt s. Ergasterion; Handwerk; Technik; Werkzeuge

Werkzeuge

I. ALTER ORIENT UND ÄGYPTEN
II. KLASSISCHE ANTIKE

I. ALTER ORIENT UND ÄGYPTEN

Die W. der vorderasiatischen Kulturen und Äg.s umfaßten die wichtigsten auch h. in ähnlicher Gestalt und Funktion verwendeten Typen. Die Nutzung von naturbelassenen Objekten als W. sowie deren Veränderung mit dem Ziel der Verbesserung ihrer Eigenschaften reicht bis ins Paläolithikum zurück (z. B. Stein-W. mit verschiedenen Grundfunktionen; zunehmende Differenzierung hinsichtlich ihrer Gebrauchseigenschaften). Verbesserungen lagen im Bereich der Handhabung (Griff, Schäftung, Stiel), der systematischen Nutzung mechanischer Prinzipien wie z. B. der Achslagerung (*tournette*/drehbare Arbeitsplatte für die → Keramikherstellung) und des Antriebs (Töpferscheibe seit dem 4. Jt. v. Chr. in Vorderasien). Mit der entstehenden Staatlichkeit im 4. Jt. v. Chr. kam es in Vorderasien und Äg. zur Entwicklung von neuen und zur Weiterentwicklung von sog. »klass.« W. Neue Werkstoffe (z. B. → Kupfer, → Bronze, → Eisen, → Stahl), neue Technologien (z. B. Metallguß) und fortschreitende Spezialisierung in Handwerk und Technologie (z. B. Glastechnologie, vgl. → Glas, → Metallurgie, Steinschneidetechnik) hatten die Entwicklung zahlreicher Spezial-W. mit weiterer Differenzierung zur Folge. Eine Gesamtschau ist schwierig, u. a. wegen der fließenden Grenzen zu tech-

nologisch verwandten Hilfsmitteln sowie wegen der unterschiedlichen Einsatzgebiete von W.: z. B. im häuslichen Bereich, in → Landwirtschaft und → Viehwirtschaft, bei → Jagd und Kriegswesen (→ Heerwesen; → Militärtechnik), im → Handwerk und Kunsthandwerk oder im → Bauwesen.

Quellen sind v. a. Textzeugnisse, Darstellungen von W. (insbes. auf äg. Reliefs und Wandmalereien), die als W. erkannten arch. Objekte sowie indirekte Nachweise über verwendete W. und deren Gebrauch durch Spuren an arch. Fundstücken. Die Frage, seit wann bestimmte W. bekannt waren, ist meist schwer zu beantworten, da das betreffende W. verm. bereits vor seinem »ersten« Nachweis (Abb., Nennung in Texten, Objektfund) genutzt wurde. In wenigen Fällen läßt sich der Zeitpunkt genauer eingrenzen: W.-Spuren an Rollsiegeln (→ Siegel) belegen, daß schnell drehende Schneidrädchen, montiert auf eine horizontal gelagerte Achse (Drehspindel), zumindest seit dem 2. Drittel des 4. Jt. v. Chr. eingesetzt wurden, wodurch nachfolgend die Steinschneide-Technologie entscheidend beeinflußt wurde (Bearbeitung von Hartgestein). Die horizontale Fixierung des zu bearbeitenden Objekts und dessen schnelle Rotation führte zur Entwicklung der Drechsel-/Drehbank, eingesetzt z. B. bei der Stein- und Holzbearbeitung.

Die große Zahl von altorientalischen und äg. W. entwickelte sich in vorgesch. Perioden aus wenigen Grundtypen, deren mechan. Wirkung insbes. als Schlagen (z. B. Hammer), Schneiden/Trennen (z. B. Messer), Perforieren (z. B. Nadel, Pfriem, Bohrer), substanzabhebendes (z. B. Schaber, Säge, Stichel, Gravier-W.) oder substanzbelassendes Gestalten (z. B. Punze, Ziselier-W.) zu beschreiben ist. Die technolog. Weiterentwicklung der W. war u. a. abhängig vom Werkstoff (z. B. Erde, Holz, Stein, Metalle, Keramik inkl. Glas/Glasur/Quarzkeramik) sowie von vielen technolog. Fortschritten: In der altorientalischen Landwirtschaft haben sich trotz Modifikationen die Grundwerkzeuge Spaten, Hacke, Egge, Sichel u. a. nicht entscheidend weiterentwickelt; Innovationen liegen bei der → Bewässerungs-Technologie (→ Wasserhebegeräte) und beim → Pflug (Grabstock – einfacher Ritzpflug aus Holz – Pflug mit bewehrtem Schar – Pflug mit Saattrichter/»Säpflug«). Der Bohrer ist in seiner Grundform seit der Vorgesch. bekannt. Spezialformen dieses W. und Verbesserungen seiner Wirkungsweise waren abhängig von Veränderungen des Antriebs (manuell, mechan.: »Pump«-Antrieb, Bogenantrieb), vom Typ (Vollbohrer, Hohlbohrer), vom Material des Bohrkopfes (organisch: z. B. Holz, Stein, Metalle) und der Qualität des Schleifmittels (Quarzsand, Korund, Diamantpulver).

→ Technik

J. DESHAYES, Les outils de bronze, de l'Indus au Danube (IVe au IIe millenaire), 2 Bde., 1960 • R. DRENKHAHN, Die Handwerker und ihre Tätigkeiten im alten Äg. (Ägyptologische Abh. 31), 1976 • A. LUCAS, Ancient

Egyptian Materials and Industries, ⁴1962 · P. R. S. Moorey, Ancient Mesopotamian Materials and Industries. The Archaeological Evidence, 1994.   R. W.

II. Klassische Antike
A. Terminologie B. Werkzeugtypen und archäologische Quellen

A. Terminologie

W. werden h. in der Regel als Geräte für die Bearbeitung von Rohstoffen (v. a. Metall, Holz und Stein) bei der handwerklichen Produktion definiert. Diese Sichtweise entspricht nicht dem ant. Denken, wie die griech.-lat. Terminologie zeigt. Sehr viel mehr als nur W. im mod. Sinn umfaßt das Bedeutungsspektrum der Begriffe σκευή/skeué und instrumentum, die für nahezu alle Geräte und Gegenstände im Haushalt vom Tontopf bis zum Gewand verwendet wurden (Poll. 10,112; 146; Varro ling. 5,105). Andere ant. Begriffe, deren Bed.-Spektrum sich mit der mod. Vorstellung von W. überschneidet, sind: ἐργαλεῖα/ergaleía (»Dinge, die man zur Arbeit braucht«, Hdt. 3,131), ὅπλα/hópla (»W., Waffen, Schiffsgerät«, Hom. Il. 18,409), μηχανή/mēchanḗ, lat. machina (»mechanisches Gerät«, Hdt. 2,125; Vitr. 10,1) und ferramenta (»Geräte aus Eisen«, Veg. mil. 2,25).

Insbes. in der philos. Lit. findet sich häufig ὄργανον/órganon in der Bed. »W.« oder »mechanisches Gerät«. Platon [1] veranschaulicht seine abstrakten Überlegungen zur Sprache und zur Benennung von Dingen durch einen Vergleich mit dem Gebrauch und der Herstellung von órgana (Beispiele: Bohrer, Weberlade, Schiffssteuerruder und Kithara: Plat. Krat. 388a–390d); zu den órgana zählen auch Kriegsmaterial und Ackergeräte. Die Herstellung von órgana verlangt nach Platon ein bestimmtes Wissen, weswegen die Bauern und Handwerker ihre órgana nicht selbst anfertigen, sondern sie von Schmieden und Zimmerleuten beziehen. Damit die Handwerker sich stets geeignete órgana leisten können, ist es notwendig, das Aufkommen von → Armut zu verhindern (Plat. rep. 370cd; 374d; 421d–422a). → Aristoteles [6] unterscheidet zw. unbeseelten órgana wie einem Steuerruder und beseelten órgana wie dem Gehilfen des Steuermanns (Aristot. pol. 1253b); in der röm. Lit. wird von Varro [2] eine ähnliche Einteilung für instrumenta vorgenommen (Varro rust. 1,17). Von den machinae grenzt Vitruvius die órgana ab, indem er feststellt, daß eine machina ein von mehreren Personen bedientes Arbeitsgerät ist, während ein organum von nur einer Arbeitskraft geführt wird (Vitr. 10,1).

B. Werkzeugtypen und archäologische Quellen

Die meisten ant. W. bestanden aus einem Holzgriff und einem Eisenteil, das die Hauptbelastung bei der Arbeit aushalten mußte. Die bis zur Einführung des → Eisens am Anf. des 1. Jt. v. Chr. in der W.-Herstellung insgesamt dominierende → Bronze wurde in der griech.-röm. Zeit noch häufig für Fein-W. und Präzisionsinstrumente wie Nadeln und Arztbestecke ver-

wendet (→ Medizinische Instrumente, mit Abb.). Bodenfunde, Vasenbilder, Wandmalereien und Reliefdarstellungen wie das Grabrelief eines Schmieds aus Ostia (Zimmer, Nr. 119) zeigen die enorme Formenvielfalt ant. W., die sich allerdings meist auf die bereits im Alten Orient und in Äg. bekannten Grundtypen für die Metall-, Holz-, und Steinbearbeitung zurückführen lassen.

Wichtige in der Ant. gebräuchliche und in vielen Varianten vorkommende W. waren → Messer (σμίλη/smílē; lat. culter), Hammer (σφῦρα/sphýra; lat. malleus bzw. marcus), Amboß (ἄκμων/ákmōn; lat. incus), Axt (πέλεκυς/pélekys; lat. ascia, securis), Dechsel (Axt mit Klinge quer zum Stiel, lat. ascia), Säge (πρίων/príōn; lat. serra), Stichsäge (lat. lupus), Feile (ῥίνη/rhínē; lat. lima), Stichel (lat. caelum), Zahneisen (W. von Bildhauern und Steinmetzen, ξοῖς χαρακτή/xoís charaktḗ; lat. scalprum), Meißel (σμίλη/smílē, γλυφεῖον/glypheíon; lat. tornus, scalprum), Schlägel (κολαπτήρ/kolaptḗr), Maurerkelle (lat. trulla), Hebel (lat. vectis), → Schere (lat. axicia, forfex), Bohrer (τρύπανον/trýpanon, τέρετρον/téretron; lat. modiolus, terebra). Mit trýpanon bezeichnete man auch Belagerungsmaschinen, die Löcher in Mauern »bohrten« (Ain. Takt. 32,5 f.).

Das differenzierte Spektrum an W. zeugt von dem hohen Niveau ant. Handwerker, die der Verbesserung ihrer W. nicht ablehnend gegenüberstanden. Während in der Brz. wohl nur Federzangen, die großen Pinzetten ähneln, im Gebrauch waren, nutzte man bereits in spätmyk. Zeit die viel leistungsfähigeren Gelenkzangen (πυράγρα/pyrágra; lat. forceps). Wesentliche technische Fortschritte erzielte man in griech.-röm. Zeit bei der Oberflächenbearbeitung durch die Entwicklung von Hobeln (lat. runcina). Eine erste schriftliche Erwähnung eines Hobels könnte der in einer Aufzählung von W. eines Tischlers des 3. Jh. v. Chr. genannte ῥυκάνη/rhykánē sein (Anth. Pal. 6,204 f.). Die frühesten Abb. von Hobeln finden sich auf röm. Mz. des 1. Jh. v. Chr. Nur durch arch. Quellen sind in röm. Zeit Lötkolben nachgewiesen; sie entsprechen in der Formgebung den heutigen Hammerlötkolben.

Die Abb. von typischen W. auf Grabsteinen und Firmenschildern dienten seit der Prinzipatszeit vermehrt auch als Bildsymbole für das Gewerbe der in dieser Zeit immer selbstbewußter auftretenden Handwerker. Hammer, Amboß und Zange weisen auf das Schmiedehandwerk, Kelle und Lot auf Bauhandwerker sowie der Dechsel und die Säge auf das holzverarbeitende Gewerbe.

→ Aristoteles [6] C.3.; Messer; Schere

1 Blümner, Techn. 2 R. Finster, s. v. Organon, HWdPh 6, 1363–1368 3 W. Gaitzsch, Eiserne röm. W., British Archeological Reports, Internat. Ser. 78, 1980 4 Ders., W. und Geräte der röm. Kaiserzeit, in: ANRW II 12,3, 1985, 170–204 5 M. Feugère (Hrsg.), Bibliographie Instrumentum 1994–2001, 2001 6 A. Jockenhövel, Frühe Zangen, in: S. Hansen (Hrsg.), Arch. in Hessen, FS F.-R. Herrmann, 2001, 91–102 7 F. Lammert, s. v. τρύπανον, RE 7 A, 713 f. 8 H. Schneider, Das griech. Technikverständnis, 1989 9 Zimmer.   BJ. O.

Wermut (ἀψίνθιον/apsínthion oder ἡ ἄψινθος/ápsinthos bzw. ἀψινθία/apsinthía, lat. *absinthium* seit Plaut. Trin. 935) bildet in mehreren der etwa 200 Arten der Gattung → Artemisia [3] aus der Familie der Compositae beliebte Gewürz- und → Heilpflanzen. In erster Linie war es Artemisia absinthum L., die auf dem griech. Festland durch A. arborescens L. vertreten war. Die gelbblühende, krautige Pflanze erreicht eine H von etwa 1,20 m und hat lanzettförmige, weißgrau behaarte Blätter, die Aroma- und Bitterstoffe enthalten. Kappadokia und Pontos [2] lieferten die beste Qualität.

Plinius [1] rühmt den W. als sehr wichtiges adstringierendes und purgierendes (Plin. nat. 27,45) sowie Kleider gegen Motten schützendes (ebd. 27,52) Mittel. Das *Corpus Hippocraticum* (→ Hippokrates [6]) erwähnt die Pflanze öfter, z.B. de morbis 3,11; de internis affectionibus 52 und de muliebribus 1,74; 1,78. → Pedanios Dioskurides (3,23 WELLMANN und BERENDES) und Plinius (nat. 27,45–52) empfehlen ihn innerlich gegen nahezu alle Erkrankungen der Verdauungsorgane und äußerlich als Absud gegen Geschwüre, Entzündungen und Verletzungen. Der Würzwein aus W. (ἀψινθίτης/apsinthítēs sc. οἶνος/oínos, lat. *absinthites*, Dioskurides l.c., Plin. l.c. und 14,109; Herstellung s. Dioskurides 5,39 WELLMANN = 5,49 BERENDES und Colum. 12,35) war v.a. in Kleinasien und Thrakien beliebt und wurde als magenfreundlich u.a. gegen Krankheiten der Leber, Nieren und der Verdauung eingesetzt.

M. SCHUSTER, s.v. W., RE 8 A, 1553–1558.   C.HÜ.

Wertzeichen. W. sind auf griech. Mz. selten, da man die einzelnen Nominale nicht nur durch Metall, Größe und Gewicht, sondern meist auch durch unterschiedliche Mz.-Bilder zu differenzieren wußte. Nur gelegentlich findet man ausgeschriebene Wertangaben oder -bezeichnungen in Form von Abkürzungen mit dem (oder den) ersten Buchstaben der Nominalbezeichnung (z.B. O für → *óbolos*: Metapont, 5. Jh. v.Chr. [1. Nr. 1503]; Δ für *dióbolos*: Korinth, 5. Jh. v.Chr.; vgl. den Index bei [2]).

W. unter Weglassung der Nominalbezeichnung finden sich häufiger in It. und Sizilien (im sizilischen Litren- und Unzensystem; → *litra*, → *uncia*) sowie im röm. As- und Unzensystem (→ *as*; → *uncia*). Dabei wurde die Einheit mit *I* bezeichnet, die Zahl der Unzen gerne mit Wertkugeln ausgedrückt (z.B. in Kentoripa, Sizilien, 2. H. 3. Jh. v.Chr.: drei Kugeln für Trias, zwei Kugeln für Hexas [3]). Auf Mz. Rhegions stehen nach dem Zweiten → Punischen Krieg (218–202 v.Chr.) unter röm. Einfluß die Zahlzeichen *IIII* für → *triás* bzw. *III* für → *tetrás* [1. Nr. 2555–2562].

In Etrurien tragen Mz. vom 5.–3. Jh. v.Chr. W. wie z.B. ↑ = 50, ΛXX = 25; *XII>* = 12 ½; *XX* = 20; *CC* = 10; *X* = 10; *C* = 5; *>* = 5; *>II* = 2 ½; *I* = 1 [1. p. 216; 4].

Die Römer verwendeten gleich zu Anfang ihrer Münzprägung in der 1. H. des 3. Jh. v.Chr. beim → *aes grave* die W. *I* für *As* als Einheit, *S* (= *semis*) für das halbe *as*, eine, zwei, drei, vier oder fünf Wertkugeln für

→ *uncia*, → *sextans*, → *quadrans*, → *triens* und → *quincunx* [5. XV]. Diese W. finden sich auf den Br.-Mz. der röm. Republik im 2. und 1. Jh. v.Chr. bis hin zu Marcus Antonius [9] (ca. 39 v.Chr.; [6. Nr. 530]). Als Rom während des Zweiten Punischen Krieges neue Gold- und Silber-Mz. einführte, erhielten diese auch Wertziffern wie ↓*X* = 60 (*asses*), *XXXX* = 40, *XX* = 20, *X* = 10 (für den → *denarius*), *V* = 5 (für den → *quinarius*), *IIS* für den → *sestertius*. In der röm. Kaiserzeit wird der Gebrauch von W. für röm. Mz. bis auf vereinzelte Ausnahmen aufgegeben: So setzt Kaiser Nero kurzfristig etwa 64 n.Chr. die Zahlzeichen *II*, *I*, *S* und drei Punkte auf → *dupondius, as, semis* und *quadrans* [7. 16].

Besonders im 3. Jh. n.Chr. brachten zahlreiche Städte in Kleinasien und im thrakischen Raum griech. Wertziffern auf ihren Mz. an. Um auf die inflationären Entwicklungen schneller reagieren zu können, wurden solche Zahlzeichen oft nachträglich durch Gegenstempel eingeschlagen [8. 52ff.] (vgl. → Geldentwertung). Seit der → Münzreform des → Aurelianus [3] (274 n.Chr.) wurden Zahlen auf den röm. Mz. angebracht, die angeben, wieviele Mz. der betreffenden Sorte auf ein röm. Pfund gehen, entweder mit röm. oder griech. Zahlen (z.B. *XXI* oder *KA* für den → *Antoninianus*) [7. 117]. Seit der Mz.-Reform Kaiser Anastasios' [1] I. (E. 5. Jh. n.Chr.) tragen die byz. Br.-Mz. Wertangaben mit griech. Buchstabenziffern (seltener lat. Zahlen), so M für den → *follis* [3], K für den halben *follis*, I für das *decanummium*.

Zu spezifischen W. vgl. die Artikel zu den einzelnen griech. und röm. Münzen.

→ Münzfüße; Münzprägung I.; Münzreformen; Münzverschlechterung

1 N.K. RUTTER et al. (ed.), Historia Numorum. Italy, 2001 2 W. LESCHHORN, P.R. FRANKE, Lex. der Aufschriften auf griech. Mz., Bd. 1, 2002, 420f. 3 SNG I, 597–598 4 P. MARCHETTI, La métrologie des monnaies étrusques avec marques de valeur, in: Contributi introduttivi allo studio della monetazione etrusca (Annali dell'Ist. Italiano di Numismatica 22, Suppl.), 1975, 273–296 5 E.A. SYDENHAM, The Coinage of the Roman Republic, 1952 6 CRAWFORD 7 R.A.G. CARSON, Coins of the Roman Empire, 1990 8 C. HOWGEGO, Greek Imperial Countermarks, 1985.   W.L.

Wespe (ὁ σφήξ/sphḗx, lat. *vespa*). Die W. kommt im Mittelmeergebiet in mehreren Familien der Hautflügler vor. In den ant. Quellen ist fast immer die staatenbildende (Aristot. hist. an. 1,1,488a 10; 5,23,554b 22–29; 8(9),41,627b 23–628b 31; gen. an. 3,9,758b 18–759a 3) Papier-W. gemeint. Aristoteles [6] (hist. an. 8(9),41, 627b 23 ff.) unterscheidet wilde und zahme W.; davon sind die ersteren seltener, größer und auf Felsen lebend, vielleicht Feld-W. Da die Tracheenatmung noch unbekannt war, hielt man W. für blutlose Nichtatmer mit Flügeln. Mit → Bienen sind sie verwandt, man beschrieb sie oft im Vergleich mit ihnen. Dies geschieht bei Aristot. hist. an. 5,23,554b 22ff. auch mit der größeren und gefährlicheren Hornisse (ἀνθρήνη/anthrḗnē, ἀνθρηδών/anthrēdṓn, lat. *crabro*).

Man unterschied Arbeiterinnen (ἐργάται/*ergátai*), die fruchtbaren Königinnen (Weisel; ἡγεμόνες/*hēgemónes*, μῆτραι/*métrai*) und die nur zeitweilig auftretenden männlichen Drohnen (κηφῆνες/*kēphénes*). Wegen ihres Fleißes rechnete Aristoteles (ebd. 8(9),38,622b 19) die W. zu den ἐργατικώτατα ζῷα/*ergatikṓtata zôa*, den »arbeitsamsten Tieren«. Aristoteles wußte auch, daß W. u. a. Insekten bzw. Spinnen fressen (Aristot. hist. an. 5,20,552b 26–30 = Plin. nat. 11,72). Wenn sie Schlangenfleisch gefressen (Plin. nat. 11,281; Ail. nat. 5,16 und 9,15) oder eine Schlange gestochen hätten, werde ihr Stich gefährlicher. Das Fehlen eines Stachels bei Weiseln, woran Aristoteles zweifelt (ebd. 8(9),41,628b 1–3), galt als Zeichen ihrer Friedfertigkeit (Plin. nat. 11,74; Ail. nat. 5,15). Bes. die Hornissen waren gefürchtete Feinde der Bienen (z.B. Verg. georg. 4,245; Colum. 9,14,10; Plin. nat. 11,61). Homer (Il. 12,167–170 und 16,259) und andere (Aristoph. Vesp. 404f.; Kall. fr. 191,27 PFEIFFER) schildern ihre Angriffslust. Man verglich sie deshalb mit den att. Richtern (Aristoph. l.c.) oder stichelnden Dichtern (Anth. Pal. 7,71; 7,405 und 7,408). Mittel gegen ihre Stiche findet man u.a. bei Plin. nat. 20,173 und 23,118. Man glaubte auch an die Entstehung der W. aus Leichen von Pferden (Plin. nat. 11,70; Ail. nat. 1,28) bzw. Eseln (Isid. orig. 12,8,2). Auch in der Fabel kommen W. vor (Aisop. 325, 504, 556 und 598 PERRY).

KELLER 2, 431–435 · W. RICHTER, s. v. W., RE Suppl. 15, 902–908.   C.HÜ.

Westabhangkeramik. Mod. t.t. für eine Gattung der griech. Feinkeramik, bes. aus dem östl. Mittelmeerraum spätklass. und hell. Zeit. Der Name wurde 1901 von C. WATZINGER [6] nach kurz zuvor am Westabhang der Akropolis in Athen entdeckten Gefäßen geprägt. Es handelt sich um eine Gattung der → Schwarzfirnis-Keramik, die zusätzlich mit weißem, rosa oder gelblichem Tonschlicker, oft in Kombination mit Ritzungen, vertikalen Riefelungen und Radstempelverzierungen, ornamental verziert ist. Sie entwickelte sich im 4. Jh. v. Chr. aus einer Keramikgattung, die mit aufgelegten gelblich-orangen plastischen Ornamenten Vergoldung nachahmte. Obwohl W. v. a. aus Athen gut bekannt ist, waren mehrere Zentren im östl. Mittelmeerraum an der Produktion beteiligt (bes. → Pergamon). Im Hinblick auf die rückläufige wirtschaftliche Position Athens im 4.–3. Jh. v. Chr. war die in Athen bezeugte Entwicklung der W. wohl nicht typisch, sondern spiegelte eher allg. Tendenzen wider. Bevorzugte Gefäßtypen (→ Gefäße, Gefäßformen) sind Pyxiden, Kratere, Hydrien, Amphoren, Peliken, Kannen, Krateriskoi, Kantharoi, Kelchbecher, Schalen und Lebeten. Im westl. Mittelmeerraum kommen nahe verwandte Gattungen der polychromen Keramik vor (z. B. → Gnathiavasen). W. überdauerte in Abwandlungen bis in die 2. H. des 2. Jh. v. Chr.

→ Keramikhandel; Keramikherstellung; Tongefäße II.A.

1 J. W. HAYES, Fine Wares in the Hellenistic World, in: T. RASMUSSEN, N. SPIVEY (Hrsg.), Looking at Greek Vases, 1991, 183–202 2 G. KOPCKE, Golddekorierte attische Schwarzfirniskeramik des 4. Jh. v. Chr., in: MDAI(A) 79, 1964, 22–84 3 S. I. ROTROFF, Attic West Slope Vase Painting, in: Hesperia 60, 1991, 59–102 4 Dies., Hellenistic Pottery. Athenian and Imported Wheelmade Tableware and Related Material (Agora 29), 1997 5 J. SCHÄFER, Hell. Keramik aus Pergamon, 1968 6 C. WATZINGER, Vasenfunde aus Athen, in: MDAI(A) 26, 1901, 50–102.   R.D.

Westgoten. Gotisches Volk, entstanden an der Wende vom 4. zum 5. Jh. n. Chr. aus Resten der im 4. Jh. in → Thracia und Moesia (→ Moesi) angesiedelten, auch als *Vesi* (»die Guten, Edlen«) bezeichneten → Tervingi (Cassiodorus bildet im 6. Jh. das geogr. Gegensatzpaar *Ostrogothi-Vesegothi/ Visigothi/ Visigothae*). Die Bezeichnung *Vesi* findet sich bei → Sidonius Apollinaris auch für die W.

Die got. → *foederati* der Römer auf der Balkanhalbinsel hatten 391 Alarich I. (→ Alaricus [2]) zum König erhoben. Ihre Armee erlitt zwar in Kämpfen gegen die weström. Truppen mehrfach große Verluste, wurde aber nach dem Tod des → Stilicho 408 durch dessen Truppen unterschiedlichster Herkunft und durch Zuzug pannonischer Goti und Alanoi unter Alarichs Schwager und Nachfolger Athaulf (→ Ataulfus) verstärkt. Dieser führte das got. Heer 412 nach Gallien. Nach seiner Heirat mit Galla [3] Placidia 414 war der Versuch einer Herrschaftsbildung in Gallien und Spanien zwar zunächst erfolglos, das → *foedus*, das König → Vallia 418 mit Constantius [6] III. abschloß, legte dann aber den Grundstein für das Reich von → Tolosa (h. Toulouse; 5. Jh.). Die W. wurden 419 mit Zustimmung des Rats der sieben südgallischen Prov. in der Prov. → Aquitania II sowie in einigen *civitates* der Prov. Novempopulana und → Narbonensis stationiert.

Unter → Theoderich [1] I. und seinen Söhnen wurden die W. zur bestimmenden Macht nördl. der Alpen: Theoderich I. hatte wesentlichen Anteil am Sieg des Aëtius [2] 451 über die → Hunni auf den → Campi Catalauni; sein Sohn Theoderich [2] II. ließ 455 seinen Lehrer Eparchius → Avitus [1] zum Kaiser im Westreich ausrufen; dessen Bruder Eurich (→ Euricus) kontrollierte schließlich Gallien zw. Loire, Rhône und Atlantik mit Ausnahme der baskischen Gebiete und ab 476 auch die Provence. Mit seiner Gesetzes-Slg., dem *Codex Euricianus*, fungierte erstmals ein Foederatenkönig als Gesetzgeber nach kaiserlichem Vorbild. In Spanien operierten got. Heere unter röm. Kommandeuren bereits in den sechziger Jahren des 5. Jh., aber reguläre Siedlungen legte der Chronik von Zaragoza (→ Caesaraugusta) zufolge erst Alarich II. (→ Alaricus [3]) ab 497 an, der auch mit der *Lex Romana Visigothorum* und dem Konzil von Agde (→ Agatha) im J. 506 entscheidende Schritte zur Einbindung der röm. und katholischen Bevölkerungsmehrheit unternahm.

Mit der Niederlage im Kampf gegen → Franci und → Burgundiones bei Vouillé 507 endete die westgot.

Vorherrschaft in Gallien zugunsten der Franci des Chlodwig (→ Chlodovechus), doch konnte das Eingreifen der Ostgoten Theoderichs [3] d.Gr. die got. Gebietsverluste immerhin in Grenzen halten. Ab 511 beherrschte der Ostgotenkönig bis zu seinem Tod 526 auch die W. Die Periode ostgot. Dominanz im got. Westreich wurde von → Theudis (531–548) fortgesetzt und endete erst mit dem Tod des Theudegisclus 549/550. In der 1. H. des 6. Jh. verschob sich der westgot. Siedlungsschwerpunkt nach Spanien, in Gallien reduzierte sich das Gebiet der W. unter dem Druck der fränkischen Expansion auf die Landschaft Septimania (das Küstengebiet der h. Dép. Gard, Hérault, Aude und Pyrénées-Orientales sowie das Land zw. Garonne, den Pyrenäen, den südl. Cevennen und der Rhône).

551 setzten sich die Byzantiner während der Rebellion des W. Athanagild gegen den W.-König Agila I. (549–555) in der Prov. Carthaginiensis fest und blieben bis 625 in Spanien. Das W.-Reich wurde erst unter → Leowigild (568–586), der 585/6 auch die Suebi unterwarf, und seinem Sohn → Reccared (586–601) wieder konsolidiert. Das 3. Konzil von Toledo (→ Toletum) 589 brachte die Glaubenseinheit zw. W. (maximal 5 % der Bevölkerung) und der romanischen Bevölkerungsmehrheit im katholischen Glauben. Die Kirche gestaltete fortan neben Königtum und Adel die Reichsgeschäfte entscheidend mit. Eine ganze Reihe lit. bedeutender, hochgelehrter Bischöfe repräsentiert die hohe Blüte der spätant. Kultur in Spanien; darunter sind bes. zu nennen: Leander von Sevilla und sein jüngerer Bruder Isidorus [9], Braulio von Zaragoza, Iulianus [21], Ildefons und Eugenius [4] II. von Toledo sowie Iohannes [20] von Biclaro. Die vom W.-König einberufenen Reichssynoden in Toledo behandelten auch polit. Fragen und verdeutlichten die enge Verschränkung von Königsherrschaft und Kirche, die sich evtl. schon bei der Salbung des Königs Liuva II. 601 zeigte. Die Nachfolgeregelung des Königtums blieb trotz der Wahlregelung durch das 4. Konzil von Toledo (IV. Toletanum, Kap. 75) 633 im Spannungsbereich zw. Dynastiebildungsversuchen und dem *morbus Gothorum* (»Krankheit der Goten«), d.h. der gewaltsamen Machtübernahme durch Usurpation.

Während der 654 von Recceswinth (653–672) erlassene *Liber Iudiciorum* bereits ein territoriales Recht vorsah, hatte eine zunehmend antijüdische Gesetzgebung umgekehrt etwa mit den durch Sisebut (612–621) veranlaßten Zwangstauf-Maßnahmen 615 den inneren Zusammenhalt der Ges. im W.-Reich geschwächt. Diese antijüdische Tendenz erreichte ihren Höhepunkt in der Gesetzgebung des W.-Königs Egica (687–702) von 694, der die Versklavung aller Juden des Reichs vorsah. Zur Zeit der arabischen Invasion unter Tariq Abu Zara herrschten zw. dem W.-König → Rodericus und den Angehörigen seines Vorgängers → Witiza Spannungen, die zur Niederlage im Kampf gegen die → Araber am Guadalete (23.6.711) beigetragen haben dürften. Mit der Eroberung von Narbonne durch die

Araber 720 n.Chr. war zwar der letzte westgot. Widerstand beseitigt, doch führte die erfolgreiche Revolte des hispano-got. Adligen Pelagius 722 zur Gründung des Königreichs Asturien und zur Bewahrung der westgot. Trad. in den Reichen der Reconquista.

→ Goti; Gotische Schrift; Ostgoten; Völkerwanderung (mit Karten); Westgotische Schrift

V. BIERBRAUER, Arch. und Gesch. der Goten, in: FMS 28, 1994, 98–134 · D. CLAUDE, Gesch. der W., 1970 · Ders., Adel, Kirche und Königtum im W.-Reich, 1971 · R. COLLINS, Early Medieval Spain, ²1995 · Ders., The Arab Conquest of Spain 710–797, 1989 · A. FERREIRO, The Visigoths in Gaul and Spain. A Bibliography, 1988 · L. GARCÍA MORENO, Historia de España Visigoda, 1989 · R. GARCÍA VILLOSLADA, Historia de la Iglesia en España, 1979 · P. HEATHER, The Goths, 1996, 43–63 · Ders., (Hrsg.), The Visigoths from the Migration Period to the Seventh Century, 1999 · P.D. KING, Law and Society in the Visigothic Kingdom, 1972 · J. ORLANDIS, Historia de España, Bd. 4: Época Visigoda, 1987 · Ders., D. RAMOS LISSÓN, Die Synoden auf der iberischen Halbinsel bis zum Einbruch des Islam, 1981 · L. SCHMIDT, Die Ostgermanen, ²1941, 221–249 · E.A. THOMPSON, The Goths in Spain, 1969 · H. WOLFRAM, Die Goten, ³1990, 65–145.   A. SCH.

Westgotische Schrift. Hauptminuskelschrift der spanischen Halbinsel seit dem späten 7. Jh. n.Chr. (→ Nationalschriften; → Minuskel). Obwohl ihre Buchstabenformen röm., nicht westgotischen Ursprungs sind, läßt sich die mod. Bezeichnung W.S. rechtfertigen: Die Schrift entwickelte sich bereits vor der arabischen Eroberung des Reiches der → Westgoten; deren Nachfahren benutzten sie noch lange danach. Die W.S. wurde seit dem 9. Jh. in Katalonien von der karolingischen Minuskel zurückgedrängt und verschwand im 12. Jh. völlig (anders [1]). Die W.S. gleicht auffällig der Schrift einiger lat. Hss. aus dem Katharinen-Kloster auf dem Berg Sinai (→ Sinai-Schrift), die verm. entweder auf der Sinai-Halbinsel selbst oder in Nordafrika kopiert wurden; man darf daher annehmen, daß die W.S. nicht nur auf der iberischen Halbinsel beheimatet war, sondern auch – und vielleicht sogar früher – unter den Lat. sprechenden Christen Nordafrikas.

Alle Buchstaben der W.S. – mit Ausnahme von *g* und *n* – können von der Halbunziale abgeleitet werden; selbst die bes. charakteristische Unzialform von *g* könnte von deren Varianten abstammen. Die Schrift weist einen starken Einfluß der röm. Kursive (→ Schriftstile II.3.) auf (v.a. bei den → Ligaturen von *e* nach *c*, *m*, *n*, *r*, *s* oder *x* sowie von *t* mit folgendem *e*, *i* oder *r*). Weitere bemerkenswerte Buchstaben sind: offenes *a*, das leicht mit *u* verwechselt werden kann; sowohl unziales als auch halbunziales *d*; aufragendes *i* am Wortbeginn (allerdings nicht, wenn ein anderer langgestreckter Buchstabe folgt) und in der Wortmitte für den Semikonsonanten (z.B. in *eius*); *t*, dessen linke Hälfte seines horizontalen Striches rund zur Grundlinie hinunterläuft und am oberen Ende mit dem Hauptstrich verbunden ist – die rechte Hälfte der Horizontale wird erst zuletzt angefügt; schließlich ein langes, schmales *v*. Seit der Mitte des 10. Jh. wurde (zumindest in den nördlichen, nicht-islamischen Regionen) graphisch zw. den Ligaturen für assibilierte und nicht-assibilierte *ti*-Laute unterschieden, wobei sich das *i* für den assibilierten Laut unter die Grundlinie ausdehnte.

Weitere kursive Varianten der W. S. waren ebenfalls in Gebrauch, v. a. bei Dokumenten, kurzen Texten und Marginalien. Für Titel, Subskriptionen (→ *subscriptio*) und andere Spezialzwecke verwendeten die Schreiber W. S. ältere röm. Schriften, bes. die Capitalis rustica (→ Kapitale), die auch als Grundlage für ein charakteristisch westgotisches Schmuckalphabet diente.

1 A. M. Mundó, La datación de los códices liturgicos visigóticos toledanos, in: Hispania Sacra 18, 1965, 1–25 (mit 16 Taf.).

B. Bischoff, Paläographie des röm. Alt. und des abendländischen MA, ²1986, 130–136 · L. E. Boyle, Paleografia latina medievale. Introduzione bibliografica, 1999, 119–124, 365 · A. Millares Carlo, J. M. Ruiz Asencio, Tratado de paleografía española, 3 Bde., ³1986 · R. P. Robinson, Manuscripts 27 (S. 29) and 107 (S. 129) of the Municipal Library of Autun. A Study of Spanish Half-Uncial and Early Visigothic Minuscule and Cursive Scripts, 1939.   J. J. J. / Ü: K. L.

Wettbewerbe, künstlerische
I. Szenische Wettbewerbe
II. Literarische Wettbewerbe

I. Szenische Wettbewerbe
W., die im griech. Theater unter Einbeziehung der → *skēnḗ* (des Bühnenhauses und des ihm vorgelagerten Podests für Schauspielerauftritte) stattfanden, also dramatische Aufführungen. Ursprünglich lag die *skēnḗ* abseits der *orchḗstra* (→ Theater I.) und diente lediglich dem Kostüm- und Maskenwechsel; sie wurde wohl erst 458 v. Chr. mit der ›Orestie‹ des → Aischylos [1] in das Blickfeld des Publikums gerückt und ins Spiel einbezogen. Dennoch gelten auch die früheren dramatischen W. als szenisch.

A. Griechenland   B. Rom

A. Griechenland
1. Entwicklung in Athen
2. Wettbewerbe ausserhalb Athens

1. Entwicklung in Athen
Seit archa. Zeit prägte agonales Denken (→ *agṓn*, s. Nachträge) das gesellschaftliche und rel. Leben Griechenlands [1]. Wie die gymnischen (→ Olympia IV.; → Sportfeste IV. C.) oder musischen (→ Pythia [2]) waren die szenischen W. in Athen an den Kult gebunden. Als → Thespis zw. 536 und 533 v. Chr. an den Städtischen → Dionysia erstmals eine → Tragödie aufführte, gab es natürlich keinen W., doch schon eine Generation später konnte der für das Fest verantwortliche Beamte

alljährlich drei konkurrierende Tragiker zum W. um den Siegespreis auswählen, und bei dieser Regelung blieb es.

Nachdem am ersten Festtag die zehn attischen → Phylen um den Ruhm des schönsten Kultliedes (→ *dithýrambos*) gekämpft hatten, traten die drei Tragiker, und seit 486 zum Abschluß auch fünf Komödiendichter, gegeneinander an. Der Siegespreis war ein ideeller: für den → *chorēgós* des siegreichen Phylenchores ein Dreifuß (→ *trípus*), der anschließend als Weihgeschenk aufgestellt wurde, und ein Efeukranz für den besten Dichter. Die → *pólis* verwendete die größte Mühe darauf, bei der Organisation und Durchführung der W. gleiche Chancen für alle Teilnehmer zu garantieren. So mußte jeder Tragiker eine → Tetralogie einreichen, jeder Komiker ein Einzelstück, und für die Inszenierung stand ihnen jeweils eine festgelegte Anzahl von Choreuten (→ Chor) und Schauspielern zur Verfügung; die Probezeit war geregelt, der Aufführungsort identisch, die Preisrichter wurden, um Bestechung auszuschließen, erst im letzten Moment gelost. Den Sieg im szenischen W. beeinflußten gleichwohl die Reaktionen des Publikums [2]. Ausschlaggebend waren neben der tragischen Gestaltung des Mythos oder der Originalität des komischen Sujets die Kunst der Darstellung zumal des Hauptdarstellers (→ *prōtagōnistḗs*). Diese verselbständigte sich so weit, daß seit 447 ein eigener Schauspieler-W. unter den tragischen Protagonisten ausgetragen wurde. Das hatte zur Folge, daß die Wahl der Darsteller nicht länger im Belieben der Dichter stand; fortan wurden sie ihnen von den Archonten (→ *árchontes*) zugelost. Als im 4. Jh. das Starwesen in Blüte stand, erhielten die drei trag. Konkurrenten sogar im Wechsel für jedes ihrer Stücke einen anderen Protagonisten [3]. Näheres über den Ablauf der szen. W. unter → Theater (III. A. 2.).

2. Wettbewerbe ausserhalb Athens
Außerhalb Athens büßte das Drama seine ausschließliche Bindung an den Dionysoskult ein. Aufführungen schmückten die unterschiedlichsten Feste, bisweilen ohne engeren rituellen Bezug. Überwiegend spielte man Reprisen bekannter Stücke [4], doch Komödien-Vielschreiber wie → Alexis und → Antiphanes [1] produzierten auch für außerattische Feste. Die Kunst der Darstellung trat immer mehr in den Vordergrund, so daß die szen. W. nun primär unter den Protagonisten ausgefochten wurden (→ Neoptolemos [6], → Lykon [3], → Satyros [5]), z. B. an den von Philippos [4] II. und Alexandros [4] d. Gr. veranstalteten Aufführungen (→ Schauspiele I. A.). Am deutlichsten spiegeln noch die (von [5] mustergültig aufbereiteten) Dokumente der Dionysia auf Delos die Athener Verhältnisse wider; auch an den delphischen → Soteria traten drei Gruppen gegeneinander an [5. 71–74].

Nicht im Rahmen eines W. wurden 475 v. Chr. die ›Aitnai(ai)‹ des Aischylos aufgeführt: ein Festspiel anläßlich der Gründung von → Aitne [2] auf Sizilien durch → Hieron [1] I.; gleiches gilt für die Wiederaufführung der ›Perser‹ ca. 470 in Syrakus zur Feier des Sieges über die Karthager und Etrusker (TrGF 3, testim. 1, Zeile 33 und 68; testim. 56). Ebenso stellte → Euripides [1] im letzten Jahrzehnt des 5. Jh. v. Chr. am maked. Königshof seinen ›Archelaos‹ und evtl. weitere Dramen nicht in einem W. vor.

B. ROM

In Rom gab es keine szen. W. An mehreren Festen wurden zur Unterhaltung des Publikums einzelne Stükke aufgeführt (→ ludi II. C.; III.), die sich neben allerlei circensischen Darbietungen (→ Circus II.) behaupten mußten (→ Theater III. B. 1.). Die geringe Zahl der Dramatiker und der niedere soz. Rang der Schauspieler (→ histrio) schlossen W. von vornherein aus.

1 B. SEIDENSTICKER, Die griech. Trag. als lit. W. (ADAW 2), 1996, 11 f. 2 PICKARD-CAMBRIDGE/GOULD/LEWIS, 97 f.; 274 f. 3 METTE, 91 f. 4 P. E. EASTERLING, From Repertoire to Canon, in: The Cambridge Companion to Greek Tragedy, 1997, 211–227 5 G. M. SIFAKIS, Studies in the History of Hellenistic Drama, 1967. H.-D. B.

II. LITERARISCHE WETTBEWERBE
A. GRIECHENLAND B. ROM

A. GRIECHENLAND

Zu den lit. W. zählen einerseits die (fiktiven) rhet. *agónes*, die einen Bestandteil von → Tragödie und → Komödie darstellen (sowie weitere rhet. *agónes* in verschiedenen lit. Werken vor werkimmanentem Publikum), andererseits die im Rahmen einer festlichen Veranstaltung tatsächlich abgehaltene W., in denen eine Jury die Leistungen begutachtete und Preise verlieh.

1. MUSISCHE UND RHETORISCHE WETTBEWERBE BEI FESTLICHEN VERANSTALTUNGEN
2. RHETORISCHE WETTBEWERBE IN VERSCHIEDENEN LITERATURGATTUNGEN

1. MUSISCHE UND RHETORISCHE WETTBEWERBE BEI FESTLICHEN VERANSTALTUNGEN

Agonales Denken (→ *agón*, s. Nachträge) prägte von Beginn an alle Lebensbereiche des ant. Griechenlands; das Ziel der homerischen Helden, ›immer der Beste zu sein und die anderen zu übertreffen‹ (Hom. Il. 6,208), kann als Motto für W. aller Art betrachtet werden. Das menschliche Leben als ständigen Wettkampf mit den Mitmenschen thematisiert schon → Hesiodos (erg. 21–26), der nach eigener Auskunft (ebd. 656 f.) in einem musischen *agón* in Chalkis mit einem *hýmnos* den Sieg davontrug und damit der älteste bekannte Gewinner eines solchen W. ist. Spätere, möglicherweise auf den Rhetor → Alkidamas zurückgehende Trad. berichten von einem Dichteragon zwischen Homéros [1] und Hesiodos in drei Runden, für dessen Historizität es jedoch keine Anhaltspunkte gibt (→ Wettkampf Homers und Hesiods). Einen Reflex eines solchen Dichter-W. stellt der von Aristophanes [3] konzipierte, fünf Runden umfassende *agón* in den ›Fröschen‹ zw. den Tragikern

Aischylos [1] und Euripides [1] in der Unterwelt um den Rang des größten Tragödiendichters dar (Aristoph. Ran. 830–1471).

Bei den großen → Sportfesten der griech. Welt etablierten sich neben den sportlichen W. auch musische, v. a. in den Disziplinen Solo- und Chorgesang sowie Kithara- und Flötenspiel [1]. Insbesondere bei den Pythischen Spielen (→ Pythia [2]) in Delphoi zu Ehren des Gottes Apollon spielten musische W. eine prominente Rolle. Den Siegern winkte neben einem Lorbeerzweig hohes gesellschaftliches Ansehen. Berühmt war der Flötenspieler → Sakadas, von dem drei Siege bekannt sind, u. a. bei den Pythischen Spielen 586 v. Chr. Für die → Panathenaia 442 v. Chr. organisierte Perikles [1] einen musischen W., bei dem Sänger, Kitharisten und Flötenspieler auftraten (Plut. Perikles 13,9–11).

Musische W. fanden auch bei kleineren Festveranstaltungen statt, während rhet. W. ihren Platz v. a. beim Symposion hatten, wo die Teilnehmer des Gelages in improvisierten Reden über ein vorgegebenes Thema miteinander wetteiferten (→ Gastmahl; → Symposion-Literatur).

2. RHETORISCHE WETTBEWERBE IN VERSCHIEDENEN LITERATURGATTUNGEN

Reflexe rhet. W. finden sich schon in den homerischen Epen, wo die Überzeugungskraft von Rednern unter wettkampfartigen Bedingungen vor einem werkimmanenten Publikum zur Schau gestellt wird. Paradebeispiel ist der in mehrfacher Rede und Gegenrede vorgeführte Redestreit zw. Agamemnon und Achilleus im ersten Gesang der ›Ilias‹ (Hom. Il. 1,121–187; 223–244; 285–303) um den Besitz der Kriegsgefangenen Briseis.

Die Themenvielfalt dieser W. ist groß: So führen Aias und Odysseus einen Rede-Agon um den Besitz der Waffen Achills (ältester Beleg: Hom. Od. 11,543–564); die Göttinnen Hera, Athena und Aphrodite streiten vor dem Schiedsrichter Paris darum, wer die schönste sei (urspr. in den → *Kýpria*; vgl. Eur. Tro. 924–931), die Personifikationen von Tugend und Schlechtigkeit wollen den jungen Herakles auf ihre Seite ziehen (Xen. mem. 2,1,21–33). Themen wie diese finden sich in der röm. Lit. Eingang (vgl. schon Enn. sat. fr. 20 VAHLEN: Wettstreit zw. Tod und Leben) und wurden in großer Zahl zu Übungszwecken in griech. und röm. Rhetorenschulen behandelt [2. 264–294].

In der Historiographie spielen rhet. W. seit Herodotos [1] eine wichtige Rolle; sie wurden von den Autoren häufig an bedeutenden Wendepunkten geschichtlichen Geschehens eingesetzt. Berühmte Beispiele sind die persische Verfassungsdebatte um die Vorzüge und Nachteile der drei Herrschaftsformen Monarchie, Aristokratie und Demokratie bei Herodot (Hdt. 3,80–82), die Diskussion um die Bestrafung abtrünniger Verbündeter Athens bei Thukydides [2] (Thuk. 3,37–48) oder der Dialog zw. Athen und Melos um das Verhältnis von Macht und Moral in der Politik (Thuk. 5,85–113).

In fast allen erh. attischen Komödien und der Mehrzahl der Trag., v. a. bei Euripides (vgl. [3]), erscheinen rhet. W. an entscheidenden Punkten der Handlung. Der Tragödien-Agon ist formal grundsätzlich durch zwei längere, von einigen kommentierenden Chorversen getrennte Streitreden gekennzeichnet, auf die eine Auseinandersetzung der Konkurrenten in Rede und Gegenrede, oft mit Sprecherwechsel nach jedem Vers, folgt (→ Stichomythie). Eine Einigung wird niemals erzielt, vielmehr verhärten sich die Fronten zw. den Streitenden wie etwa in den berühmten *agōnes* zw. Kreon und Antigone bzw. Kreon und Haimon in der ›Antigone‹ des Sophokles (Soph. Ant. 450–525 bzw. 639–765). Nicht selten gibt der → Chor ein wertendes Urteil darüber ab, wessen Argumente überzeugender waren (→ Tragödie).

In der → Komödie ist der rhet. *agṓn* in ein noch strikteres Formschema eingegliedert [4]; im Gegensatz zur Trag. gibt es regelmäßig einen Sieger. Als Beispiel mag der W. zwischen den allegorischen Figuren der Gerechten und Ungerechten Rede in Aristophanes' ›Wolken‹ dienen (Aristoph. Nub. 949–1104).

Das System von Rede und Gegenrede, die zu jedem Thema als prinzipiell immer möglich angesehen wird, wurde in der → Rhetorik der → Sophistik zu höchster Vollendung geführt und fand Eingang in die Gerichtsrhetorik. In seinen drei Tetralogien präsentiert der Redner Antiphon [4] Redenpaare, in denen Kläger und Angeklagter jeweils zweimal zu Wort kommen [5].

Agonale Elemente enthalten auch viele Dialoge Platons [1]; bes. einschlägig sind die drei Wechselreden, die Sokrates [2] im ›Gorgias‹ mit seinen Kontrahenten Gorgias, Polos und Kallikles führt. Mit den sechs Lobreden auf den → Eros im ›Symposion‹ gestaltet Platon einen breit ausgeführten rhet. W. (Plat. symp. 178a–212c), dessen Höhepunkt die von Sokrates vorgetragene Rede der Priesterin → Diotima über das Wesen des Eros darstellt (Plat. symp. 207c–212a).

Aus hell. Zeit ist als neue Form des rhet. W. der bukolische *agṓn* zw. zwei Hirten bemerkenswert, der im Corpus des → Theokritos mehrfach ausgestaltet ist (Theokr. eidyllia 5, 6, 8, 9) und später zum festen Motivbestand der röm. Bukolik zählt. Diese W. finden zum Teil in aggressiver (Theokr. eidyllion 5), zum Teil in freundschaftlicher Atmosphäre statt [6]. In der kaiserzeitlichen Lit. sind bes. die satirischen Redeagone des → Lukianos [1] hervorzuheben [2. 360–381].

1 M. WEGNER, Das Musikleben der Griechen, 1949, 107–109
2 W. J. FROLEYKS, Der ΑΓΩΝ ΛΟΓΩΝ in der ant. Lit., 1973
3 M. DUBISCHAR, Die Agonszenen bei Euripides, 2001
4 TH. GELZER, Der epirrhematische Agon bei Aristophanes, 1960 5 M. FUHRMANN, Die ant. Rhetorik, 1984, 22
6 B. EFFE, G. BINDER, Ant. Hirtendichtung, ²2000, 21 f.; 35; 63–67; 86 f.; 105 f.   TH. P.

B. ROM

1. HELLENISCHE AGONE IN DER RÖMISCHEN REPUBLIK 2. DIE NERONISCHEN SPIELE
3. DIE DOMITIANISCHEN SPIELE
4. SPÄTERE WETTBEWERBE

1. HELLENISCHE AGONE IN DER RÖMISCHEN REPUBLIK

Bei der bekannten Aversion der Römer gegen die griech. Gymnastik und angesichts ihres festen, rel. denotierten Systems von *ludi publici* mit (agonistischen) *ludi circenses* und (nicht agonistischen) *ludi scaenici* (→ Circus II., → *ludi*) blieben in der Republik Versuche ohne Frucht, griech. *agṓnes* (→ *agṓn*, s. Nachträge, → Sportfeste) auf Dauer dem röm. System zu vermitteln [1. 169]. Bei Angaben über frühe, nur punktuelle Auftritte griech. *artifices* (»Künstler«) in Rom findet sich erst bei den 145 v. Chr. durch den Eroberer von Korinth, L. Mummius [I 3], ›mit größter Umsicht veranstalteten Spielen‹ (*ludi curatius editi*) eine Art von szenischem Wettkampf (*theatrales artes ... id genus spectaculi*, ›Schauspielerei ... dieses [d. h. das griech.] Schauspielgenre‹; Tac. ann. 14,21,1) angedeutet; auch bei den Triumphalspielen des Cornelius [I 3] Sulla im J. 82 scheint das ganze Programm von sportlichen und musischen Wettkämpfen dargeboten worden zu sein (App. civ. 1,99), ebenso von Pompeius [I 3] bei der Einweihung des Pompeius-Theaters im J. 55 v. Chr. (Plut. Pompeius 52,4). Umgekehrt beschränkten sich die seit 28 v. Chr. penteterischen (d. h. im Vier-Jahres-Rhythmus stattfindenden) *ludi pro valetudine Augusti* (»Spiele für das Wohlergehen des → Augustus«) auf *circenses*, *agones gymnici* und Gladiatorenspiele [2].

2. DIE NERONISCHEN SPIELE

Daß der Theaternarr → Nero [1] als erster den musischen *agṓn* in Rom heimisch zu machen suchte, kann nicht Wunder nehmen. Er versuchte zunächst die Akzeptanz in seinen privaten → Iuvenalia von 59 bis mindestens 63 (in seinem *theatrum peculiare*, »Privattheater«: Plin. nat. 37,19) auszuloten, ließ dann 60 die öffentlichen Neronia (gefeiert im August im Pompeius-Theater) veranstalten, trat schließlich 64 in Neapel und 64/65 [3] bei den zweiten Neronia in Rom selbst auf [4]. Die Neronia ergänzten die schon unter Augustus gefeierten gymnischen und hippischen Wettkämpfe durch ein vorgeschaltetes *certamen musicum* (»musischer W.«: Suet. Nero 12,3; Tac. ann. 14,20,1), das im einzelnen einen Wettstreit in rhet. Darbietung, poetischer Rezitation und Kitharodie vorsah. In der ersten Kategorie ergab sich 60 kein Sieger (Tac. ann. 14,21,4); in der zweiten siegte der junge → Lucanus [1] mit einem Panegyricus auf Nero, der Sieg in der Kitharodie wurde dem Kaiser selbst kampflos zuerkannt, nachdem man vorsichtshalber zuvor alle Mitbewerber disqualifiziert hatte (Cass. Dio 61,21,2). Bei den zweiten, zunächst vorgezogenen (Suet. Nero 21,1), Neronia von 64 nahm Nero selbst an allen drei Wettbewerben teil (Suet. Nero 21); nachdem er die ihm vorab vom Senat angetragenen Preise in Redekunst wie rezitierter Poesie abgelehnt hatte, nahm er sie von den Konkurrenten selbst dann aber doch dankend an (Tac. ann. 16,4). Nur bei der Kitharodie wollte er sich so nicht abspeisen lassen, trat wie ein professioneller Kitharode auf (Suet. Nero 21,2; Tac. ann. 16,4,3f.), ließ aber die Preisverleihung auf 65 verschieben.

3. DIE DOMITIANISCHEN SPIELE

Wie Nero, wenn auch nicht derart professionell engagiert, ergänzte Domitianus [1] seine privaten, jährlich im März in seiner albanischen Villa abgehaltenen *ludi Albani*, bei denen auch Redner und Dichter wetteiferten (Suet. Dom. 4,4; Cass. Dio 67,1,2; [5. Bd. 2, 232]), durch das 86 eingerichtete öffentliche *certamen Capitolinum* (Suet. Dom. 4,4; → Kapitoleia). Bei jenen traten im J. 90 in der Kategorie »rezitierte Dichtung« sowohl der junge Afrikaner (*puer*) → Florus [1] (Flor. Vergilius oratore an poeta) wie auch der etablierte Dichter → Statius [II 2] mit demselben Thema auf, dem Triumph des Kaisers (im J. 89) über Germanen und Daker [6. 3098f.]. Ob Florus wie Statius (silv. 3,5,28–31; 4,2,65–67; 5,3, 225–227) den Siegespreis, einen goldenen Olivenkranz, davontrug, ist unsicher; jedenfalls blieben seine Verse nach eigener Aussage in Rom berühmt.

Im Unterschied zu den Neronia, die mit dem Tode ihres Stifters hinfällig wurden, hielt sich der Kapitolinische *agṓn* des Domitianus (Cens. 18,15) trotz dessen → *damnatio memoriae* bis in die Spätant., d.h. wohl bis zur generellen Aufhebung der den paganen Göttern gewidmeten Festspiele von 407 (vgl. etwa noch Auson. commemoratio professorum Burdigalensium 5,5–8).

Der Kapitolinische *agṓn* war nach dem Vorbild der Olympischen Spiele eingerichtet; er war Iuppiter/Zeus gewidmet und fand erstmals 86 n.Chr. zur Feier der Wiederherstellung des kapitolinischen Tempels (→ Capitolina), dann alle vier Jahre von Ende April/Anfang Mai bis zum 12. Juni statt. Mit den vier alten griech. Festspielen und den augusteischen → Aktia (in → Nikopolis, ab 27 v.Chr.) sowie den → Sebasteia (Augustalia, 2 n.Chr. in Neapel) nahm er seinen Platz in der Festspieltournee (→ *períodos*) ein, wobei die kapitolinischen Siege seit dem 2. Jh. am Anfang der Reihe erwähnt wurden. Wie bei den griech. → Pythia [2] und den Neronia standen die musischen W., für die mehr als 30 Tage vorgesehen waren, am Anfang; für die hippischen reichten etwa sechs, für die gymnischen zwei Tage [7. 171f.].

Das Programm enthielt die Elemente der Neronia, war aber weiter gespannt: Am Anfang stand (1), wie in Olympia, als notwendige Bedingung des Folgenden ein W. der Trompeter und Herolde [7. 183]; es folgten wohl (nach der Reihenfolge der Neronia), (2) griech. und lat. Panegyriken, (3) griech. und lat. rezitierte Gedichte und (4) Kitharodien; gegenüber den Neronia kamen hinzu: Instrumentalmusik, nämlich (5) Kithara zur Begleitung eines Chors (*chorocitharistae*) sowie ohne jeden Textbezug (*psilocitharistae*, »Kithara solo«), außerdem (6) Flöte solo und zum Gesang eines pythischen

Chores; (7) szenische W., tragische wie komische Einzellieder (*fabula cantata* [4. 154f.]), schließlich später, wohl im ausgehenden 2. Jh. [1. 173; 7. 182f.], (8) auch der → *pantómimos = fabula saltata* [1. 101f.; 173–176]. (2) und (5) tauchen Anf. des 2. Jh. (vgl. Suet. Dom. 4,4: *nunc*) im Programm nicht mehr auf, die grundsätzliche Kontinuität von (2) scheint indes ein Zeugnis der *Hermeneumata* (CGL 3, 656 Nr. 6) zu bekräftigen. (1)–(6) fanden in einem eigens von Domitianus auf dem Marsfeld errichteten → Odeion statt, (7) und (8) doch wohl im → Theater; der Kaiser figurierte als Agonothet (→ *agōnothétēs*) im Kreise weiterer Preisrichter (Suet. Dom. 4,4), wobei sein Votum wie im Falle des Florus (s.u.) natürlich ausschlaggebend war. Bei (2) und (3) wurden Themen aus dem Bereich des Iuppiter-Preises (Quint. inst. 3,7,4) bzw. der auf Zeus bezogenen Mythologie vorgegeben [8. 87f.] und nach einer begrenzten Vorbereitungszeit in einem improvisierten Vortrag dargeboten ([9. 100f.]; vgl. aber [8. 88f.]); bei (3) war die Teilnahme von Schülern (*pueri*) verbreitet ([5. Bd. 2, 200; 9. 101]; vgl. aber [8. 90[17]]). Insgesamt hatten sich mit Q. Sulpicius Maximus (s.u.) *inter Graecos poetas* (ILS 5177) 52 Bewerber angemeldet; entsprechend kurz mußte der einzelne Beitrag (bei Sulpicius 43 Hexameter) ausfallen. Siegespreis war ein Eichenkranz, der ggf. vom Kaiser selbst überreicht wurde.

Zumal aus den ersten Jahrzehnten des Festes sind durch zeitgenössische Schriftsteller (Statius, Martialis [1], Iuvenalis) und Inschr., später nur noch inschriftlich eine ganze Reihe von Siegern bekannt: 86 ein Collinus, wohl als lat. Dichter (Mart. 4,54,1–4), 86–94 Palfurius Sura als *orator Latinus* (Suet. Dom. 13,1), 94 Scaevus Memor im tragischen Gesang (Mart. 11,9; vgl. [10. 156f.]), 106 der dreizehnjährige L. Valerius Pudens *inter poetas Latinos* (ILS 5178). Im J. 90 konnte sich Florus trotz Unterstützung durch das Publikum gegen Domitianus nicht durchsetzen (als *puer*, Flor. Vergilius orator an poeta 1; → Florus [1]). Ehrenvoll gescheitert war auch (im J. 94) der elfjährige Sulpicius in der Kategorie griech. Dichtung – sein Text (vgl. [9]; zu Ovid-Einflüssen [11]) wurde von den Eltern in stolzer Trauer dem Grabmahl beigegeben –, im gleichen Jahr ebenso Statius (silv. 5,3,231f.) in der Kitharodie (ebd. 3,5,31–39; [12. 286]). Ob der griech. Dichter Diodoros, von Alexandreia anreisend, Rom überhaupt erreicht hat (Mart. 9,40), ist unsicher; zum sozialen Status der Sieger vgl. [8].

4. SPÄTERE WETTBEWERBE

Spätere Kaiseragone in Rom oder den griech. Agonen nacheifernde W. in den röm. Provinzen [1. 172f.; 5. 232f.] dürften im Prinzip ähnlich organisiert gewesen sein; zu den griech. Asklepeia und dem *Pythicus agon* in Karthago vgl. [13. 794–798].

1 H. LEPPIN, Histrionen, 1992 2 L. POLVERINI, La prima manifestazione agonistica di carattereperiodico a Roma, in: L. GASPERINI (Hrsg.), Scritti storico-epigrafici in memoria di M. Zambelli, 1978, 325–332 3 M. MALAVOLTA, I Neronia e il lustrum, in: Miscellanea greca e romana 6, 1978, 395–415

4 P. L. Schmidt, Nero und das Theater, in: J. Blänsdorf (Hrsg.), Theater und Ges. im Imperium Romanum, 1990, 149–171 5 Friedländer 2, 150 f., 231 f.; 4, 276–280 6 K. M. Coleman, The Emperor Domitian and Literature, in: ANRW II 32.5, 1986, 3097–3100 7 B. Rieger, Die Capitolia des Kaisers Domitian, in: Nikephoros 12, 1999, 171–203 8 P. White, Latin Poets and the Certamen Capitolinum, in: P. Knox (Hrsg.), Style and Tradition. FS W. Clausen, 1998, 84–95 9 S. Döpp, Das Stegreifgedicht des Q. Sulpicius Maximus, in: ZPE 114, 1996, 99–114 10 I. Lana, I ludi Capitolini di Domiziano, in: RFIC 79, 1951, 145–160 11 H. Bernsdorff, Q. Sulpicius Maximus, Apollonios von Rhodos und Ovid, in: ZPE 118, 1997, 105–112 12 G. Wille, Musica Romana, 1967 13 Robert, OMS 5, 1989.

M. L. Caldelli, L'Agon Capitolinus, 1993 • IGUR 3, 1979, 189–193.   P. L. S.

Wetten A. Griechenland B. Rom

A. Griechenland

In Griechenland sind W. (περίδοσις, *perídosis*) nur an sehr wenigen Stellen belegt; die moderne Forsch. behandelt W. im griech. Bereich nicht. Meistens handelt es sich an den betr. Stellen um Beteuerungsformeln, die den Wahrheitsgehalt der Aussage unterstreichen sollen, z. B. Hom. Od. 23,78: ›ich setze mein Leben zum Pfand‹ (περιδιδόναι/*perididónai*), ›ich wette mein Leben‹; ähnlich bei Aristoph. Ach. 772; 1115; Aristoph. Equ. 791; Aristoph. Nub. 644. Es gibt nur einen Beleg für eine W. beim Sport (Hom. Il. 23,485: ›einen Dreifuß setzen wir ein (*peridídónai*) oder einen Kessel‹. Allerdings bietet Idomeneus [1] Aias [2] an dieser Stelle keine W. auf den Ausgang des Wagenrennens an, sondern darauf, daß zur Zeit Diomedes [1] führt, wie Aias in unverschämtem Ton und unzutreffend behauptet hat. Der Wetteinsatz (Dreifuß oder Becken) ist hoch. Es handelt sich freilich nicht um eine W. nach modernem Verständnis: Neben rein materiellem Gewinn erhofft sich der Wettende von der W. Unterhaltung. W. machen Zuschauer von passiven Rezipienten zu aktiv am Geschehen Beteiligten, die ebenfalls vom Ausgang profitieren; sie erhöhen so die Spannung und steigern den Unterhaltungswert [1]. Kennzeichen moderner W. ist ihr ungewisser Ausgang; dagegen weiß Idomeneus, daß er Recht hat; er will Aias die Folgen seiner unüberlegten Worte spüren lassen, indem er ihm eine W. anbietet, die für diesen einen spürbaren Verlust zur Folge hätte. Angesichts der Sportbegeisterung der Griechen und ihrer leidenschaftlichen Anteilnahme am → Sport (vgl. [2]) liegt zwar die Vermutung nahe, daß es in Griechenland wie bei anderen frühen Kulturvölkern auch W. auf den Ausgang gegeben haben müßte, ein Beleg dafür ist jedoch nicht zu finden. Es scheint, daß für griech. Zuschauer der Kampf um den Sieg allein so spannend war, daß die vorhandene Spannung nicht durch ein zusätzliches Moment gesteigert werden mußte [3] (vgl. → *agón*, s. Nachträge). Auch bei Bestechungsversuchen (z. B. Paus. 5,21,8–17) ging es nie darum, durch mani-

pulierten Ausgang eines Wettbewerbs zuvor hinterlegte Wetteinsätze zu gewinnen, sondern immer nur um den Sieg selbst.

B. Rom

In Rom waren W. (lat. *sponsio*) dagegen sehr beliebt [4]. Es gab W. bei drei Anlässen: → Würfelspielen (Mart. 11,6 [5; 6]), Wagenrennen (Iuv. 11,201 f.; Mart. 11,1,15; Petron. 70,13; Tert. De spectaculis 16,1 f.; → Circus II.) und Gladiatorenkämpfen (Ov. ars 1,168; → *munus, munera* III.). Am beliebtesten waren W. beim Würfelspiel, hier wurden die größten Summen verspielt und von den Moralisten die heftigste Kritik geäußert [7]. Außer an den → Saturnalia waren Würfelspiele um Geld offiziell verboten (Belege für das Verbot der Würfelspiele reichen von Plaut. Mil. 164 f. bis Isid. orig. 18,68). Nicht von solchen Verboten betroffen waren W. auf den Ausgang sportlicher Wettbewerbe, die *virtutis causa*, um des Trainings der körperlichen Leistungsfähigkeit willen, ausgetragen wurden (präzise Ausnahmeregelung nach Senatsbeschluß: Cod. Iust. 3,43,1,4; Dig. 9,5,2). Der Grund für diese Unterscheidung dürfte darin liegen, daß der Ausgang dieser W. weniger vom Glück als vom Können abhing. Obwohl Sport-W. also legal und auch sehr beliebt waren, hat es organisierte W. mit Buchmachern, Totalisatoren usw. in Rom nicht gegeben. Alle Quellen zeigen, daß W. informell und spontan unter den Zuschauern abgeschlossen wurden (Iuv. 11,201: *audax sponsio*; Petron. 70,13: Trimalchios Koch bietet seinem Herrn eine W. auf den Ausgang des Wagenrennens am nächsten Renntag an).

1 A. Guttmann, Sports Spectators, 1986, 179 f. 2 I. Weiler, Zum Verhalten der Zuschauer bei Wettkämpfen in der alten Welt, in: E. Kornexl (Hrsg.), Spektrum der Sportwissenschaften, 1987, 43–59 3 M. B. Poliakoff, Combat Sports in the Ancient World, 1987, 104–112 (dt.: Kampfsport in der Antike, 1989) 4 H. A. Harris, Sport in Greece and Rome, 1972, 223–226 5 K. W. Weeber, Alltag im Alten Rom, ²1995, 412 f. 6 J. Marquardt, Privatleben der Römer, Bd. 2, ²1886 (Ndr. 1990), 847–849 7 J. Väterlein, Roma ludens, 1976, 7–11.   S. MÜ.

Wetter s. Meteorologie

Wettergott. Der Kult des sumerischen Iškur kann in Babylonien seit dem frühen 3. Jt. nachgewiesen werden. Er stand an der Spitze des → Pantheons der mittelbabylonischen Stadt Karkar, blieb aber überregional von untergeordneter Bed. Seinem Wirken schrieb man v. a. die bedrohliche Gewalt des Sturms, aber auch den vegetationsfördernden Regen zu. Wie → Ninurta galt er als Kämpfer gegen die Chaosmacht; umgekehrt trägt Ninurta in diesem Kontext Züge eines Sturmgottes. Iškur wurde schon im 3. Jt. mit dem semitischen W. gleichgesetzt, der in Syrien und Obermesopot. seit alters zu den prominentesten Göttern gehörte (älteste Namensform in Syrien: Hadda, später Haddu/→ Hadad, in Babylonien/Assyrien Adda, Addu, dann meist Adad; in allen Epochen diverse Varianten). Seit der altbabylon.

Zeit (Anfang 2. Jt. v. Chr.) – v. a. gefördert durch die Etablierung amurritischer Dynastien in Babylonien (→ Amurru [1]) – zählte Adad zu den großen Göttern der babylon.-assyrischen Götterwelt (Gattin: Šāla).

Im 16. Jh. v. Chr. etablierte sich entlang des syrisch-palaestinischen Küstenstreifens das urspr. Haddu-Epitheton *Ba'lu*, »Herr«, als Eigenname des W. (vgl. → Baal), während in Nordsyrien und Obermesopot. Haddu mit Teššob, dem W. und Götterkönig der → Hurriter, verschmolz. Die wichtigsten Kultorte des Teššob waren Kumme im kurdischen Bergland und das nordsyr. Ḫalab (→ Aleppo), das seit dem 3. Jt. als Kultort des semit. W. bekannt ist; mythischer Wohnsitz des W. war der Ǧabal al-Aqra' (Ṣapūna/Ḫazzi; griech. → Kasion); als Gattin des Teššob galt die altsyr. Göttin Ḫēbat. Verschiedene Mythen (ugaritischer *Ba'lu*-Zyklus, hurro-hethitischer → Kumarbi-Zyklus u. a.) erzählen vom siegreichen Kampf des W. um die Königsherrschaft – ein Motiv, das im nordsyr. Raum schon im frühen 2. Jt. begegnet. Ein gemeinsames Grundmotiv dieser Texte, die nicht ohne Wirkung auf die griech. Mythologie blieben (→ Theogonie, → Typhoeus), ist die Feindschaft zw. W. und dem Meer. Nur im ugarit. *Ba'lu*-Zyklus schließt die Gefährdung der Herrschaft des W. seine zeitweilige Bannung in die → Unterwelt ein; Tod und Wiederkehr des W. markieren den jahreszeitlichen Wechsel von extremer Dürreperiode und Regenzeit (→ Tammuz).

Die Mythen um den hurrit. Teššob sind allein aus der hethit. Überl. bekannt, die seit dem späten 15. Jh. v. Chr. im Bereich von Kult und Mythologie durch hurrit. Einflüsse geprägt wurde. Der hethit. W. Tarḫun(ta)-, der an der Spitze des Reichspantheons und zahlreicher lokaler Kulte stand, wurde mit Teššob gleichgesetzt. Die hurrit. Mythen wurden in die eigene Trad. integriert; urspr. anatolische W.-Mythen zeigen punktuell nordsyr.-hurrit. Einflüsse. Der hethit. Tarḫun(ta)- hatte schon früh zahlreiche Züge des hattischen Taru übernommen; wie dieser galt er als väterlicher Schutzherr des Königs und Herr des Landes. Auch der Vegetationsgott Telipinu trug Züge eines Gewittergottes. In den späthethit. Fürstentümern (→ Kleinasien III. C.) stand der W. (Tarḫunza-) vielfach an der Spitze der lokalen Panthea.

Im syr.-südanatol. Raum wurde Tarḫunza- mit dem phöniz. Ba'al gleichgesetzt, der in der Trad. des spät-brz. Ba'lu stand, im obermesopot. Raum mit dem aram. Hadad, dessen Name das ältere Haddu unter Einfluß von assyr. Adad fortsetzt.

Als Attribut-Tier des W. galt in Babylonien der Löwendrache, seit dem späten 3. Jt. v. a. der Stier, der in Anatolien, Syrien und Obermesopot. anscheinend seit alters dem W. zugeordnet wurde. Der Gott selbst wurde anthropomorph dargestellt, im syro-anatolischen Raum meist in der Haltung des *smiting god*. Er trägt ein Blitzbündel und in der zum Schlag erhobenen Rechten verschiedene Waffen (Keule, Axt). Theriomorphe Darstellungen als Stiergott begegnen im Anatolien des 2. Jt.

Im äg. NR wurde der Gott → Seth mit dem syr. Ba'al identifiziert. Dies führte dazu, daß Seth auch Züge eines W. annahm.

→ Baal; Kleinasien IV. B. und C.; Religion II.

T. METTINGER, The Riddle of Resurrection. »Dying and Rising Gods« in the Ancient Near East, 2001 · D. SCHWEMER, Die W.-Gestalten Mesopotamiens und Nordsyriens im Zeitalter der Keilschriftkulturen, 2001 (mit Lit.). DA. SCH.

Wetterzeichen (ἐπισημασίαι/*episēmasíai*, διοσημεῖαι/ *diosēmeíai*, auch σημεῖα/*sēmeía*; lat. *signa*). Der mod. Terminus wird auf zweierlei Weise gebraucht: als Vorzeichen für eine bestimmte zu erwartende Witterung oder als Zeichen, das durch das momentan herrschende Wetter konstituiert wird. Die ältesten Wetterprognosen sammelten die Babylonier aufgrund von genauen Beobachtungen (→ Assurbanipal; → Divination; → Meteorologie); sie wurden häufig mit astrologischen Prognosen verbunden [6; 7] (→ Astrologie), teilweise zusammengefaßt in Menologien (Prognosen nach dem Mondstand, → Mond; vgl. → Kalender B.2.).

Doch das systematische Studium der Erscheinungen, die Witterung, Regen, Temperatur-, Wind- und Seeverhältnisse, Trockenheit, Ernteertrag usw. anzeigen, begegnet erst in der griech. Lit. Die W. wurden von Phänomenen des Himmels, der Atmosphäre (zu denen auch die Kometen zählten) und terrestrischen Erscheinungen (Erdbeben, Vulkanismus u. a.) abgeleitet, bes. von Tieren (zumal Vögeln), aber auch von anorganischen Stoffen. So erwähnt Hesiodos in den ›Werken und Tagen‹ Tiere, die den Wechsel der → Jahreszeiten anzeigen. → Meton [2] und → Euktemon bringen die Zeichen mit dem Kalender und einem 19jährigen Zyklus in Verbindung. Bei → Demokritos [1] (fr. B 14 DK) wird bereits die Form des Steckkalenders (→ *parápēgma*; [12]) verwendet. Ähnliche Kalender mit Episemasien wurden für einzelne Städte, jedoch ohne ernsthafte Berücksichtigung der lokalen Wetterverhältnisse, von → Philippos [29] von Opus, → Eudoxos [1] und → Kallippos [5] verfertigt. Spätere Listen stammen von → Dositheos [3], → Clodius [III 4] Tuscus, Varro [2] und Ps.-Geminos. Langsam wandelte sich die Vorstellung dahingehend, daß die morgendliche (heliakische) oder abendliche (akronychische) erste bzw. letzte Sichtbarkeit bestimmter → Fixsterne das Wetter nicht nur »anzeigen« (ἐπισημαίνειν/*episēmaínein*), sondern »bewirken« (ποιεῖν/ *poieín*).

Seit E. des 4. Jh. v. Chr. wurden die Parapegmata durch die Sammelkalender nach dem Muster der ps.-eudoxischen *Oktaetērís* (Prognosen für den Zeitraum von acht Jahren; s. → Eudoxos [1]) ersetzt [8. 213–234], deren letzter wichtiger Ausläufer die *Pháseis* des → Ptolemaios [65] (II. A. 2.) bilden; einschlägig ist auch in dessen *Apotelesmatiká* (2,12) die Fünfteilung der Tierkreiszeichen (→ Tierkreis; [5]). In byz. Zeit entstanden die stereotypen Listen der Keraunologien (Blitzprognosen), Brontologien (Tonitrualia, Donnerprognosen), Seismologien (Erdbebenprognosen) u. ä., auch weiterhin Menologien, gegliedert entweder nach den Monaten bzw. den Tierkreiszeichen, den Mondstationen oder Einzelgraden [4. Bd. 1, 172–177, Bd. 2, 151–159]. Einige Listen hat Iohannes → Lydos [3] in *De ostentis* gesammelt. Die Kataloge lebten – immer wieder mit anderem Inhalt – im griech. wie im lat. MA fort [15]. Erh. sind auch Prognosen für Zyklen von zwölf Jahren nach der Umlaufzeit des Jupiter (Dodekaeteriden, vgl. [14. 275 f.]).

In der peripatetischen Trad. stehen die ps.-theophrastische Schrift *De signis* (Περὶ σημείων/*Perí sēmeíōn*) sowie die anon. Verzeichnisse mit Tiernamen nach dem Alphabet (CCAG, Bd. 8.1, 137–138; Bd. 11.2, 180–183; [1. 1611 f.]). Die Beobachtungen und Klassifizierungen fanden Eingang in die an Hesiodos geschulten Lehrgedichte (Arat. 733–1154 samt Schol.; Verg. georg. 1; Germanicus fr. 3 und 4 LeBoeuffle = *Prognostika* [9]) und die Epik. Die stoisch geprägte röm. Mantik suchte spekulativ nach Übereinstimmungen zw. Zeichen und Bezeichnetem.

1 R. Böker, s. v. W., RE Suppl. 9, 1609–1692 2 F. Boll, Griech. Kalender, Bd. 1–5, 1910–1920 3 Bouché-Leclercq, Bd. 4 4 W. Hübner, Grade und Gradbezirke der Tierkreiszeichen, 1995 5 Ders., Astrométéorologie, in: Ch. Casset (Hrsg.), La météorologie dans l'Antiquité. Entre science et croyance. Actes du Colloque international interdisciplinaire, Toulouse, 2.–4. mai 2002 (im Druck) 6 H. Hunger, Astrologische Wettervorhersagen, in: ZA 66, 1976, 234–260 7 U. Koch-Westenholz, Mesopotamian Astrology. An Introduction to Babylonian and Assyrian Celestial Divination, 1995 8 F. Lasserre (ed.), Die Fragmente des Eudoxos von Knidos, 1966 (mit Komm.) 9 R. Montanari Caldini, L'astrologia nei »Prognostica« di Germanicus, in: SIFC 45, 1973, 137–204 10 E. Pfeiffer, Gestirne und Wetter in griech. Volksglauben und bei den Vorsokratikern, 1915 11 Ders., Stud. zum ant. Sternglauben, 1916 12 A. Rehm, Parapegmastudien, 1941 13 F. Rochberg-Halton, Elements of the Babylonian Contribution to Hellenistic Astrology, in: Journ. of the American Oriental Soc. 108, 1988, 51–62 14 J. Röhr, Beitr. zur ant. Astrometeorologie, in: Philologus 83, 1928, 259–305 15 E. Svenberg, Lunaria et zodiologia latina, 1963.   W. H.

Wettkampf Homers und Hesiods (Ἀγὼν Ὁμήρου καὶ Ἡσιόδου/*Agṓn Homḗru kai Hēsiódu*, lat. *Certamen Homeri et Hesiodi*, = ›W. H. H.‹).

Der in nur einer Hs. (Cod. Laurentianus Graecus 56,1) überlieferte ›W. H. H.‹ gehört zur ant. anekdotisch-biographischen Trad. um berühmte Dichter und Denker (vgl. → Biographie). Das Werk, eine Kompilation aus Prosa und Hexameterversen, wurde (verm. im Zuge der → Zweiten Sophistik) während oder kurz nach der Regierungszeit Kaiser Hadrians (117–138 n. Chr.) verfaßt, da der Autor in Z. 33–43 das Hadrian von der delphischen → Pythia [1] erteilte Orakel bezüglich der wahren Abstammung Homers (→ Homeros [1] II.A.-B.) referiert. Die Trad. eines dichterischen Wettkampfes zw. → Homeros [1] und → Hesiodos selbst aber dürfte viel älter sein. Herakleitos [1] (22 B 56 DK) kennt die Legende vom Tod Homers am Ende des ›W. H. H.‹; Thgn. 425 f. enthält eine Variante von V. 78–79 des ›W. H. H.‹. Aristophanes [3] scheint im Dichterwettstreit zw. Aischylos [1] und Euripides [1] in den ›Fröschen‹ den ›W. H. H.‹ als bekannt vorauszusetzen [10].

Das vom Sophisten → Alkidamas im 4. Jh. v. Chr. verfaßte *Museíon* nennt der Autor des ›W. H. H.‹ als Quelle für seinen Bericht über Hesiods Tod (Z. 239 f.). Zwei um 1900 entdeckte Papyri (Flinders Petrie-Pap. XXV, 3. Jh. v. Chr.; Pap. Michigan 2754, 2./3. Jh. n. Chr.) enthalten längere Ausschnitte eines bis in Einzelheiten mit dem hsl. überl. ›W. H. H.‹ übereinstimmenden Berichts, wobei der zweite Pap. mit den Worten ›aus Alkidamas' Schrift über Homer‹ schließt. Nach [15] enthielten beide Papyri Ausschnitte aus Alkidamas' *Museíon*, welches auch vom Kompilator des überl. ›W. H. H.‹ als Hauptquelle benutzt worden sei. Alkidamas habe aber die Gesch. des ›W. H. H.‹ nicht erfunden; vielmehr sei ein Hauptpunkt der traditionellen Erzählung – daß sich Homer beim Wettkampf mit Hesiod im »Improvisieren« (σχεδιάζειν/*schediázein*) auszeichnete – seinem Anliegen entgegengekommen: den Vorzügen des Improvisierens beim Reden. Gegen [13] siedelt [10] die Idee eines Dichter-Agons zw. Homer und Hesiod am ehesten in von → Rhapsoden-Wettkampf geprägten 6. Jh. v. Chr. an; deren Ausgestaltung, wie sie im ›W. H. H.‹ vorliegt, schreibt er zum Großteil Alkidamas zu. Auf eine Parallelüberl. in Plutarchos' [2] ›Gastmahl der Sieben Weisen‹ sowie in Dion [I 3] von Prusas ›2. Königsrede‹ verweist [6].

Der ›W. H. H.‹ enthält drei Hauptteile: (1) 1–62: Abkunft Homers; (2) 63–214: W. H. H. bei den Leichenspielen für Amphidamas von Chalkis; (3) 215–338: Lebensende beider Dichter. Die urspr. Gesch. des Dichterwettstreits scheint der Aussage Hesiods (Hes. erg. 639 f.) entnommen zu sein, er selbst habe einmal bei den Leichenspielen des Amphidamas in Chalkis den Dichtungspreis mit einem *hýmnos* gewonnen; der überlieferte Wettkampf selbst besteht dagegen aus mehreren Teildisziplinen, wobei Hesiod durchweg Homer herausfordert. Zunächst beantwortet Homer lebensphilos. Fragen in Hexameterversen, dann ergänzt er von Hesiod angefangene Hexameter-Paare; schließlich geben beide Dichter Paradebeispiele ihrer Dichtkunst: Homer aus der *Iliás*, Hesiod aus den *Érga*. Der Preisrichter Panedes entscheidet sich wider Erwarten für die auf Frieden bedachten Dichtungen Hesiods und gegen die kriegerischen Epen Homers. Der ›W. H. H.‹ gehört zur ant. Rezeptionsgeschichte von Homer und Hesiod; biographisch ausgeprägt, nimmt er dennoch kritisch Stellung zum »Wert« beider Dichtungen.

→ Agon (s. Nachträge); Hesiodos; Homeros [1]; Wettbewerbe, künstlerische

1 J. Vahlen, Der Rhetor Alkidamas, in: SAWW philol.-histor. Klasse, Bd. 43, 1863, 491–528.

ED.: **2** T. W. ALLEN, Homeri Opera, Bd. 5, 1969
3 F. NIETZSCHE (ed.), Der Wettkampf zw. Homer und
Hesiod, in: Acta Societatis Philologae Lipsiensis 1871, 1 f.
4 A. RZACH, Hesiodi Carmina. Accedit Homeri et Hesiodi
certamen, 1902, 433–450.
LIT.: **5** B. GRAZIOSI, Competition in Wisdom, in:
F. BUDELMANN, P. MICHELAKIS (Hrsg.), Homer, Tragedy
and Beyond. FS P. E. Easterling, 2001, 57–74
6 K. HELDMANN, Die Niederlage Homers im
Dichterwettstreit mit Hesiod (Hypomnemata 75), 1982
7 K. HESS, Der Agon zw. Homer und Hesiod, Diss. Zürich
1960 **8** Y. KAWASAKI, The Contest of Homer and Hesiod
and Alcidamas, in: Journ. of Classical Studies (Japan) 33,
1985, 19–28 (japanisch mit engl. Resumée). **9** F. NIETZSCHE,
Der Florentinische Tractat über Homer und Hesiod, ihr
Geschlecht und ihren Wettkampf, in: RhM 25, 1870,
528–540; 28, 1873, 211–249 **10** N. J. RICHARDSON, The
Contest of Homer and Hesiod and Alcidamas' *Mouseion*, in:
CQ 31, 1981, 1–10 **11** E. ROHDE, Studien zur Chronologie
der griech. Litteraturgesch., in: RhM 36, 1881, 380–434
(bes. 419 f.) **12** W. SCHADEWALDT, Legende von Homer
dem fahrenden Sänger, 1942, 42–54 **13** M. L. WEST, The
Contest of Homer and Hesiod, in: CQ 17, 1967, 433–450
14 Ders. (ed.), Hesiod, Works And Days, 1978 (mit Komm.)
15 E. VOGT, Die Schrift vom W. H. H., in: RhM 102, 1959,
193–221 **16** U. VON WILAMOWITZ-MOELLENDORFF (ed.),
Vitae Homeri et Hesiodi, 1916, 34–45.   W. D. F.

Widerlegung (ἔλεγχος/*élenchos* = e., vom Verb ἐλέγ-
χειν/*elénchein*, »ins Kreuzverhör nehmen, prüfen, widerlegen«; lat. *refutatio*). Rhet. und philos. Argumen-
tationstechnik (vgl. lat. → *argumentatio*; → ARGUMENTA-
TIONSLEHRE B.). Das Wort *élenchos* ist erstmals in philos.
Kontext bei Parmenides bezeugt (28 B 7,5 DK), wird
aber speziell mit der Methode verbunden, die → Platon
[1] (G.6.) in seinen Frühdialogen → Sokrates [2] anwenden läßt (z. B. Plat. apol. 29e 5; Plat. Charm. 166c 5; Plat.
Prot. 331c 6). Der sokratische e. prüft durch eine Abfolge von Fragen und Antworten, ob der Antwortende
(= A.) auf einem bestimmten Gebiet Wissen beanspruchen kann. Mit dieser »elenktischen« Methode in platonischen Dialogen (z. B. ›Euthyphron‹, ›Laches‹) ent-
lockt der Fragende (= F.) dem Befragten die Behauptung, auf einem Gebiet über Sachkenntnis zu verfügen.
In der Folge widerlegt ersterer diesen Anspruch durch
die richtigen Fragen und erbringt den Nachweis, daß
sein Gegenüber genau die seiner anfänglichen Behauptung widersprechende These vertreten muß. Dies versetzt den Gesprächspartner in den Zustand der ἀπορία
(*aporía*; → Aporie), d. h. in eine Lage, in der er zu der
Frage nichts mehr zu sagen weiß.

Obwohl offensichtlich der F. die Gedankenführung
steuert, ist es für das Gelingen der Methode entscheidend, daß der A. die Fragen wahrheitsgemäß beantwortet (was der F. selbst weiß oder für die Wahrheit
hält, ist hierbei unerheblich). Der F. muß den A. zu
einer Position bringen, die dessen ursprünglicher entgegengesetzt ist. Für den Zweck des e. ist es einerlei, ob
der F. die Prämissen oder aber die Konklusion als wahr
erachtet. Die Methode des Sokrates überprüft nicht die
Überzeugungen der Fragenden, sondern sucht nur die
Unvereinbarkeit der Antworten zu erweisen.

Nach [8] jedoch wird in einigen platonischen Dialogen (z. B. ›Gorgias‹) durch die Methode des Sokrates
nicht nur die Widersprüchlichkeit der Ansichten des A.
bewiesen, sondern auch dargelegt, daß seine Ausgangs-
überzeugung falsch, Sokrates' gegenteiliger Ansatz dagegen wahr ist. Nach [8] hat der sokratische e. deshalb
zwei Voraussetzungen: (1) Sokrates' Überzeugungen
sind alle wahr, weil ihre Widerspruchslosigkeit erschöp-
fend geprüft worden ist; (2) Sokrates ist immer in der
Lage, dem A. wahre, aber diesem nicht bewußte Ansichten zu entlocken, die mit Sokrates' eigenem Urteil
übereinstimmen. Diese These ist problematisch, denn
wenn Sokrates meinte, konsistente und wahre Überzeugungen zu haben, würde er die Aufrichtigkeit seiner
Behauptung, nichts zu wissen, in Frage stellen. Man hat
allerdings vermutet, daß Sokrates mit gutem Recht in
seiner Weise vorgeht, wenn er mit einiger Berechtigung
wahre Überzeugungen hat, wo diese Berechtigung hinter die für Wissen erforderliche zurückfällt. Gegen diese
Ansicht kann allerdings eingewendet werden, daß die
frühen Dialoge nicht derart zw. »Wissen« und »wahrer
Überzeugung« unterscheiden.

In hell. Zeit inspirierten Sokrates' W.-Methode die
akademischen Skeptiker (z. B. Arkesilaos; vgl. Cic. ac.
1,43–46; Diog. Laert. 4,28) in ihrem Vorhaben, den
Verzicht auf ein Urteil zu verfechten (→ Skeptizismus,
s. Nachträge). Der Stoiker → Epiktetos [2] (B.) ander-
seits nützte den e. nicht für rein negative Zwecke, sondern als ein positives Instrument seiner Lehrmethode,
um seine eigenen philos. Ansichten zu stützen. In seinen *Diatribaí* hat der F. daher bei der Anwendung des
e. durchweg wahre Überzeugungen, weil diese auf
der Basis der vorgefaßten Meinungen (προλήψεις/*pro-
lépsis*), die nach Epiktetos' Ansicht angeboren sind, rigoros überprüft werden. Außerdem verfügt derjenige, der
widerlegt werden soll, über dieselben angeborenen
Vorstellungen und kann so durch »elenktisches« Argumentieren zur Einsicht gebracht werden. In einem weiteren Sinn des Wortes bezeichnet W. auch (1) den Beweis des kontradiktorischen Gegenteils einer These, (2)
ein dialektisches oder rht. Argument gegen eine These,
(3) ein sog. »sophistisches« Argument gegen eine These,
d. h. einen Trugschluß (vgl. Aristoteles' [6] ›Sophistische
W.‹).

1 H. BENSON, The Problem of the Elenchus Reconsidered,
in: Ancient Philosophy 7, 1987, 67–85 **2** T. C. BRICKHOUSE,
N. D. SMITH, Vlastos on the Elenchus, in: Oxford Studies in
Ancient Philosophy 2, 1984, 185–195 **3** T. IRWIN, Plato's
Moral Theory, 1977, 37–101 **4** Ders., Plato's Ethics, 1995,
17–30 **5** R. KRAUT, Comments on Gregory Vlastos, The
Socratic Elenchus, in: Oxford Studies in Ancient
Philosophy 1, 1983, 59–70 **6** T. LONG, Epictetus, 2002,
67–96 **7** G. A. SCOTT (Hrsg.), Does Socrates Have a
Method? Rethinking the Elenchus in Plato's Dialogues and
Beyond, 2002 **8** G. VLASTOS, The Socratic Elenchus, in:
Oxford Studies in Ancient Philosophy 1, 1983, 27–58
9 Ders. Afterthoughts on the Socratic Elenchus, in: Oxford
Studies in Ancient Philosophy 1, 1983, 71–74
                                              KA. HI./Ü: G. K.

Widmung I. Griechisch II. Lateinisch

I. Griechisch
A. Definition B. Zur Form
C. Das Verhältnis zum Empfänger
D. Vorgeschichte

A. Definition

Unter der W. eines lit. Werkes versteht man die Nennung einer Person aus dem Umkreis des Autors in der Absicht, mit der Veröffentlichung eine Ehrung oder einen Dank an diese Person zu verbinden (gelegentlich wurde dem Empfänger Unsterblichkeit in Aussicht gestellt [1. 25f.]). Werke, die von der Person selbst handeln (z. B. → *enkómion*), gehören begrifflich nicht hierher. In Werken wie den ›Epinikien‹ des → Pindaros zeigt sich jedoch, daß sich der Autor seiner Rolle als Vermittler von Ruhm bewußt ist. Ein Sonderfall ist der homerische Apollonhymnos (Hom. h. 3), wo die Anrede an den Mädchenchor von Delos gewisse Züge einer W. vorwegnimmt. Als erstes klares Beispiel einer griech. W. gilt die Anrede an einen gewissen Theodoros im Fr. einer Elegie des → Dionysios [30] Chalkus (fr. 1 IEG II 59, Mitte 5. Jh. v. Chr.): Das Gedicht wird wie ein Becher Wein beim προπίνειν (*propínein*, »zutrinken«) dem Freund gereicht. Hier ist die Anknüpfung an Anredeformen der Lyrik deutlich (s. u. D.). → Isokrates (*Ad Nicoclem*) übertrug den Brauch auf Prosaschriften (dann Aristoteles [6]: *Protreptikós* an Themison). Oft wird der Vorgang als Überreichung eines Geschenkes dargestellt [1. 5–10], später auch sakralisiert als »Weihegabe« [2. 10]. Ein W.-Exemplar wird überreicht oder übersandt. Da das Buch gleichzeitig (oder danach) publiziert wird (ἔκδοσις/*ékdosis*; → Ausgabe), ist dies gewissermaßen ein vor der Öffentlichkeit vollzogenes Ritual. Die Situation ist ähnlich wie bei Briefen, die zur Publikation bestimmt sind (→ Epistolographie). V. a. den Lehrbrief kann man als eine Art der W. auffassen. Wie W. und Publikation sich zueinander verhalten, ist nicht eindeutig zu sagen. Manchmal wird die Publikation von der Zustimmung des Empfängers abhängig gemacht [1. 47–54]. Dies knüpft offenbar an eine allg. übliche Praxis an: Ein Autor macht sein Werk vor der Publikation im Freundeskreis bekannt und bittet um Kritik.

B. Zur Form

Grundtypus der griech. W. ist die Anrede am Anfang der Schrift. Der Anrede-Charakter hat zu dem Terminus προσφώνησις/*prosphónēsis* geführt: βιβλίον προσφωνεῖν τινι (*biblíon prosphōneín tini*) heißt, »ein Buch wie eine Anrede an jemand richten«, so bei Hypsikles (bei Eukl. elem. 14, Praef.), öfter bei Cicero, wenn er in Briefen an Atticus über seine lit. Pläne spricht. Sekundär ist die Nennung in anderer Form (z. B. bei → Nikandros oder Meleagros, Anth. Pal. 4,1,3–4). Die Anrede kann zu einem Vorwort erweitert sein, in dem Entstehung und Absicht erläutert werden, in einer Gedichtsammlung entspricht dem ein Gedicht (Meleagros [8]). Noch stärker losgelöst ist der vorangestellte W.-Brief (zuerst belegt bei Archimedes [1], vgl. → Epistolographie D.). In Dialogen kann man eine Person ehren, indem man ihr eine Rolle gibt (häufig bei Cicero und Plutarchos [2]), doch ist dies keine W. im strengen Sinne [2. 33–40].

C. Das Verhältnis zum Empfänger

(1) Der Empfänger ist ein geschätzter Freund oder Kollege; so schon bei Dionysios [30] Chalkus (s. o. I. A.: Theodoros dichtete ebenfalls). Archimedes [1] schickte seine Schriften von Syrakus an den Astronomen → Dositheos [3] in Alexandreia. Aus den Äußerungen in → Ciceros (II. C.) Briefen ergibt sich, daß gegenseitige W. ein wichtiges Mittel des Gruppenkontaktes in lit. Kreisen waren (→ Zirkel, literarische). (2) Der Empfänger wird belehrt, so häufig in paränetischen und wiss. Schriften, im Lehrgedicht. Bei den Römern werden Lehrschriften gerne »an den Sohn« (*ad filium*) verfaßt (→ Weisheitsliteratur III.). (3) Der Empfänger hat eine Frage gestellt oder eine Anregung gegeben; dieses Motiv ist seit röm. Zeit häufig, so bei Cicero, → Galenos, bei christl. Autoren (→ Origenes [2], → Hieronymus, → Augustinus), die gern die Dringlichkeit des Forderns betonen [1. 10–17]: Der Druck überwindet die auktoriale Bescheidenheit. (4) Der Empfänger ist Protektor oder Mäzen des Autors (→ Literaturbetrieb I. B. 1.–2.; II.). Arkesilaos [5] richtete W. an König Eumenes [2] I. wegen dessen Spenden (Diog. Laert. 4,38), Archimedes [1] den »Sandrechner« an Gelon [2] von Syrakus. → Plutarchos [2] widmete viele Schriften seinen röm. Freunden, sicherlich zur Kontaktpflege; durch W. an hochgestellte Persönlichkeiten gewann der Autor auch selbst an Prestige. Ein Wechsel von (1) zu (4): → Apollonios [13] aus Perge widmete von seinen Κωνικά (*Kōniká*, ›Kegelschnitte‹) B. 1–3 dem Freund Eudemos in Pergamon, aber nach dessen Tod die weiteren Bücher König Attalos [4] I., der in Pergamon Interesse dafür gezeigt hatte. (5) Ein Sonderfall ist die Trostschrift, deren Keimzelle der Trostbrief ist (→ Konsolationsliteratur).

D. Vorgeschichte

Der Brauch der W. ging aus lit. Anreden hervor, die in der Mündlichkeit wurzelten und primär nicht die Funktion von Ehrung und Dank hatten [2]. Sie finden sich v. a. in der archa. Paränese: → Hesiodos an Perses, → Theognis an Kyrnos; im → Lehrgedicht (II.): → Empedokles [1] an seinen geliebten Knaben Pausanias. Dazu kommen die Anredeformen in der archa. → Lyrik (I.). Die Symposien-Dichtung (Dionysios [30] Chalkus; → Symposion-Literatur) kann eine Brücke von paränetischer Anrede zur lit. W. gewesen sein. So erklärt sich, daß W. vorwiegend in paränetischen und belehrenden Werken stehen und erst allmählich auf andere Gattungen übergreifen. In röm. Zeit wurde der Gebrauch der W. in griech. und lat. Lit. stark ausgeweitet, so daß W. fast zur Regel wurden.

→ Epistolographie; Lehrgedicht; Literaturbetrieb

1 R. Graefenhain, De more libros dedicandi apud scriptores Graecos et Romanos obvio, Diss. Marburg 1892 2 J. Ruppert, Quaestiones ad historiam dedicationis

librorum pertinentes, Diss. Leipzig 1911 **3** R. J. STARR, The
Circulation of Literary Texts in the Roman World, in: CQ
37, 1987, 213–233 **4** F. STEPHAN, Quomodo poetae
Graecorum Romanorumque carmina dedicaverint, Diss.
Berlin 1910.　　　　　　　　　　　　　　　　H. GÖ.

II. LATEINISCH

Während nach mod. Auffassung die W. (wie Titel,
Buchumschläge, Vorworte) zum Paratext zählen [1],
sind die aus der Ant. erhaltenen griech. und lat. W. Teil
des eigentlichen Werks, v. a. wenn sie wie bei Lucretius
[III 1] oder Vergilius [4] (georg. 1) zu einem kontinuierlichen Gedichtbuch (z. B. Epos, Lehrgedicht) gehören oder wie in Catull. 1 als W.-Gedicht das Corpus des
Gedichtbuches einleiten. Lat. W. können aber auch
Prosaschriften einleiten (z. B. in der – verlorenen, aber
rekonstruierbaren – *praefatio* des Velleius [4] Paterculus)
[2; 3].

Die v. a. im Hell. und der röm. Dichtung häufige
Verwendung von W. [4] hängt zusammen mit der Einbindung der Lit. in das höfische System der hell. Monarchien bzw. in das röm. Klientelwesen (→ *cliens*, → *patronus*) sowie mit der Bed. lit. → Zirkel für die Entstehung und Verbreitung der Werke (→ Verfasser) [5; 6].
Empfänger von W. können Herrscher (Ov. fast. 2,11–
18) bzw. Angehörige des Herrscherhauses (Ov. fast.
1,3–26), polit. Mächtige, bes. Patrone der Dichtung
(Verg. georg. 1,1–5: Maecenas [2]; Tib. 2,1,35: Valerius
[II 16] Messala), oft höhergestellte lit. Freunde (Stat.
silv. 1 praef.: Arruntius [II 12] Stella) und andere Na-
hestehende (Verg. ecl. 6,6–12: Alfenus [4] Varus) sein.
Eine W. im ersten Gedicht eines Buches dehnt die Wirkung auf das ganze Buch aus (Prop. 2,1: Maecenas). Ein
Spezialfall ist das v. a. im → Lehrgedicht auftretende
Phänomen, daß Empfänger der W. und eigentlicher
Adressat auseinandertreten [7], so Maecenas und Au-
gustus in Verg. georg. 1.

Zur konkreten Gestaltung der W. (Vergleich mit einem Geschenk; als Mittel der Unterweisung; um materiellen Gewinn zu erzielen; W.-Formeln etc.) siehe
[8].

→ Literaturbetrieb II.; Verfasser

1 G. GENETTE, Palimpseste. Die Lit. auf zweiter Stufe, 1993,
11 f. **2** T. JANSON, Latin Prose Prefaces, 1964
3 E. HERKOMMER, Die Topoi in den Proömien der röm.
Gesch.-Werke, 1968 **4** M. S. SILK, M. CITRONI, s. v.
Dedications, OCD³, 438–439 **5** B. K. GOLD, Literary and
Artistic Patronage in Ancient Rome, 1982 **6** P. WHITE,
Promised Verse, 1993 **7** E. PÖHLMANN, Charakteristika des
röm. Lehrgedichts, in: ANRW I 3, 1977, 813–907
8 R. GRAEFENHAIN, De more libros dedicandi apud
scriptores Graecos et Romanos obvio, Diss. Marburg 1892.
　　　　　　　　　　　　　　　　　　　U. SCH.

Wiedehopf (ἔποψ/*épops*, nach seinem charakteristischen Ruf lat. *upupa* genannt, Varro ling. 5,75; vgl. Aristoph. Av. 57ff., 227 und 260), der im Mittelmeergebiet
häufige einzige europäische Vertreter der Hopfe (Upu-
pidae). Paus. 10,4,8 und Plin. nat. 10,86 beschreiben sein

Aussehen, v. a. die eindrucksvolle zusammenfaltbare
Federhaube (Ov. met. 6,672–674) und den langen
Schnabel. Ail. nat. 3,26 übertreibt die Unsauberkeit des
Vogels (angeblich Verwendung von Kot zum Nestbau;
vgl. auch Aristot. hist. an. 8(9),15,616a 35 f.). Trotz seiner – in der ant. Lit. nie erwähnten – Schönheit hatte der
W. den Ruf eines stinkenden Vogels wegen seiner oft
dem Tiermist entnommenen Insektennahrung (Plin.
nat. 10,86); er galt als Feind der Bienen [1. 445]. Man
glaubte über ihn Merkwürdiges, nämlich daß er sich in
einen → Habicht verwandle (Aischyl. fr. 304 TGF; Geop. 15,1,22; vgl. Plin. nat. 10,86), daß er eine Wunder-
pflanze (ἀδίαντον/*adíanton*) besitze, die Verschlüsse öffnen könne (Ail. nat. 3,26; vgl. 1,35; Aristoph. Av. 92),
und daß sein häufiges Rufen ein gutes Weinjahr voraussage (Horapollon 2,92). In Äg. wurde er wegen seiner
angeblichen Fürsorge für seine alten Eltern (Ail. nat.
10,16; Horapollon 1,55) verehrt. Die als Krone gedeutete Federhaube ließ den W. als einen verwandelten
König erscheinen (vgl. den Mythos von → Tereus).

1 F. OLCK, s. v. Biene, RE 3, 431–450.

KELLER 2, 60–63 · M. SCHUSTER, s. v. W., RE 8 A,
2108–2112 · D'ARCY W. THOMPSON, A Glossary of Greek
Birds, ²1936 (Ndr. 1966), 95–100.　　　　　　　C. HÜ.

Wiege (λίκνον/*líknon*, σκάφη/*skáphē*; lat. *cunae, cuna-
bula*, N. Pl.). Als W. nutzte man das *líknon*, eigentlich
»Getreideschwinge« (Hom. h. 4,150; 254; 290; 358;
[1. 298, Abb. 285]; vgl. Kall. h. 1,48). Als zweite Form
der W. diente ein wannenähnliches Behältnis (Soph.
TrGF IV, 385; Athen. 13,606f; 607a; → *skáphē*). Einker-
bungen oder kleine Streben an der Rahmung der W.
dienten vielfach zum Befestigen von Stricken. Quer
über die W. konnten Sicherungsgurte gezogen werden.
Mitunter konnten in ihnen zwei Kinder Platz finden
(Plut. Romulus 3,4). Darstellungen von Säuglingen in
skáphai sind seit der Brz. in Terrakotta, Marmor u. a.
bekannt. Daneben sind Reste von hölzernen W. aus den
Vesuvstädten – aus Herculaneum sogar ein Expl. mit
Kinderskelett [2. Abb. S. 82] – erhalten.

→ Kind, Kindheit

1 E. SIMON, Die Götter der Griechen, ²1980 **2** R. ROSS
HOLLOWAY, The Town of Hercules, 1995.

F. VON ZGLINICKI, Die W., 1979 · H. RÜHFEL, Ammen und
Kinderfrauen im klass. Athen, in: Ant. Welt 19.4, 1988,
43–57, bes. 50 mit Abb. 10–12 · ST. T. A. M. MOLS,
Wooden Furniture in Herculaneum, 1999, 43 f., 123 f.,
164 f., Abb. 72–80.　　　　　　　　　　　　　　R. H.

Wiesel (γαλῆ/*galé*, auch γαλέα/*galéa*, lat. *mustela*, der
»Mäusejäger«, bei Isid. orig. 12,3,3 mit falscher Etym. als
»lange Maus« gedeutet; meist das Maus-W. M. nivalis L.,
aber auch andere aus der Familie der Mustelidae = Mar-
derartigen). Manchmal wird *galé* mit ἰκτίς/*iktís* identifiziert (schol. Nik. Ther. 196; Plin. nat. 29,60; vgl.
→ Iltis, → Marder), Aristot. hist. an. 2,1,500b 24 und
8(9),6,612b 10 widerspricht dem jedoch. Das W. reißt

Mäuse, Maulwürfe (Pall. agric. 4,8,4), Schlangen, Eidechsen und Geflügel. Man fing es mit Lebendfallen (γαλεάγρα/*galeágra*), um seine Galle gegen Schlangenbisse (Plin. l.c.) zu verwenden und das Gehirn an junge Hühner und Tauben zu verfüttern, wodurch diese wiederum vor dem W. geschützt werden sollten (Plin. nat. 30,144). Wenn man einem lebenden Tier die Harnblase oder die Hoden amputiere und es dann freilasse, würde man in jener Gegend keine W. mehr finden (Geop. 13,3,2). Ein W.-Schwanz sollte den Träger vor Hundegebell schützen (Plin. nat. 29,99).

Das W. hielt man gezähmt als Mäusevertilger und Schlangenjäger (Plin. nat. 29,60) im Haus (γαλῆ κατοικίδιος/*galé katoikídios*, »Haus-W.«); in der Spätant. übernahm die → Katze diese Rolle. Das W. bringt angeblich seine Jungen jeden Tag an einen anderen Ort (Plaut. Stich. 499–501; Plin. nat. 29,60; Isid. orig. 12,3,3). Daß es durch den Mund empfange und durch das Ohr gebäre (Ps.-Klementinen, Recognitiones 8,25,5 [1]), weist Isidor (l.c.) als falsch zurück. Der Gestank des W. war sprichwörtlich (Aristoph. Ach. 243; Plut. 693 mit schol.). Die Haustiereigenschaften machten die W. zu einem Kosenamen für Mädchen; aber auch faule Mägde (Theokr. 15,28) und räuberische Menschen konnten so benannt werden. Das W. war Ersatzopfertier für ein Ferkel (Aristoph. Eccl. 128). In der Mantik war es von schlechter Bed. (Aristoph. Eccl. 792; Theophr. char. 16). Durch Fressen von → Raute sollte das W. gegen Schlangengift gefeit werden (Isid. orig. 17,11,8). → Galinthias wurde in ein W. verwandelt (Ov. met. 9,306–323), ein W. in einen Menschen (Aisop. 50 PERRY und Babr. 32). Hekate verwandelt einen bösen Menschen in ein W. (Ail. nat. 15,11). Eine Br.-Mz. aus Segesta auf Sizilien zeigt u. a. ein W. [2. Taf. 1,24]. Zu bildlichen Darstellungen: [3. 168 f.].
→ Haustiere (s. Nachträge)

1 B. REHM (ed.), Die Pseudoklementinen, Bd. 2, Rekognitionen, ²1994 2 F. IMHOOF-BLUMER, O. KELLER, Tier- und Pflanzenbilder auf Mz. und Gemmen des klass. Alt., 1889, Ndr. 1972 3 KELLER 1,164–171.

M. SCHUSTER, s. v. W., RE 8 A, 2128–2130.   C. HÜ.

Wille. Griech. βούλησις (βουλή, βούλημα), γνώμη, διάνοια, (ἐ)θέλησις, ἐπιθυμία, ὄρεξις, ὁρμή, προαίρεσις u. a.; lat. *voluntas, arbitrium* u. a.
I. DEFINITION UND HINTERGRUND
II. PLATON UND ARISTOTELES
III. HELLENISTISCHE PHILOSOPHIE   IV. RÖMISCHE PHILOSOPHIE UND LATEINISCHES CHRISTENTUM

I. DEFINITION UND HINTERGRUND
Wie schon die Verschiedenheit der Herkunft der griech. Termini und ihrer Nebenbedeutungen anzeigt, gab es keinen Begriff des W. in dem Sinne, der seit dem MA in allen europäischen Sprachen als Bezeichnung eines eigenständigen psychischen Handlungsvermögens dient (unabhängig von seinem Ursprung aus rationaler

Überlegung oder nicht-rationalem Trieb, Disposition oder Affekt). Daß das Fehlen eines solchen Ausdrucks, dessen Berechtigung im 20. Jh. zudem unter Philosophen Gegenstand heftiger Kontroversen wurde, keine psychologische Lücke bedeutet [8], beruht darauf, daß das voluntative Element in den Bezeichnungen für rationale Überlegung, Entscheidung oder Bereitschaft einerseits und für nicht-rationales Begehren andererseits enthalten ist (vgl. [2; 6; 7]). Ausdrücke für kognitive Vermögen bedeuten je nach Kontext entweder bloße Feststellung oder aber praktische Intention.

II. PLATON UND ARISTOTELES
Auch die Unterscheidung psychischer Vermögen durch die griech. Philosophen der klass. Zeit änderte nichts an der Subsumtion des Voluntativen unter → Rationalität (intellektuelles Bestreben) einerseits und Affektivität (nicht rationales Begehren; → Affekte) andererseits. Die platonische Dreiteilung der Seele (Plat. rep. 4 und 9; vgl. → Seelenlehre) schreibt jedem der drei Seelenteile je eine spezifische Komponente des W. zu: rationales Begehren, tatkräftiges Streben und irrationale Begierden. Aristoteles [6] differenziert zwar ausdrücklich zw. theoretischer und praktischer Vernunft (*sophía* bzw. *epistémē* und *phrónēsis*), übernimmt aber die platonische Unterscheidung zw. rationalem und nicht rationalem Begehren zur Erklärung von Handlungsimpulsen (Aristot. eth. Nic. 1,13; 6,2). Menschliches Handeln wird durch den Entschluß (*prohaíresis*) bestimmt, der als *bouleutiké órexis* (»überlegendes Begehren«) oder *orektikḗ búleusis* (»begehrendes Überlegen«; Aristot. eth. Nic. 3,5; 6,2) Rationales mit Begehren verbindet. Das auf Sokrates [2] zurückgeführte Problem der sog. »W.-Schwäche« (Plat. Prot. 352a–357e: *hétton eínai*; vgl. *akratía*: Plat. Gorg. 525a und regelmäßig in den Spätschriften: Plat. Tim. 86d; leg. 886a) bleibt auch bei Aristoteles eine Frage der Defizienz des Wissens unter dem Einfluß von irrationalem → Begehren (Aristot. eth. Nic. 7,6: *akrasía*). Die Problematik der »W.-Freiheit« diskutiert Aristoteles unter dem Stichwort, in welchem Sinn Handlungen »bei uns« liegen (ἐφ' ἡμῖν/*eph' hēmín*; Aristot. eth. Nic. 3,5; [5]): W.-Freiheit setze einerseits das Fehlen von Zwang (*bía*), andererseits die Kenntnis der Umstände der Handlung voraus.

III. HELLENISTISCHE PHILOSOPHIE
Das *eph' hēmín* steht auch im Zentrum der Debatten zw. den hell. Philosophenschulen über die Vereinbarkeit von Determinismus und menschlicher Verantwortung [3]. Erst in spätant. Zeit entwickelt sich die Konzeption eines W. im Sinne eines eigenständigen psychischen Vermögens. Diese Veränderung ist einerseits der Kontroverse zw. späteren Stoikern (→ Notwendigkeit E.) und Aristotelikern geschuldet [1], andererseits der beginnenden Auseinandersetzung mit dem Judentum und Christentum, das von einem absoluten W. Gottes ausgeht [2; 4]. *Búlēsis* als Bezeichnung einer von Verstand und Begierde unabhängigen Seelenkraft findet sich noch nicht bei Plotinos oder den frühen griech. Kirchenvätern, häufiger dagegen im späteren → Neu-

platonismus (Prokl. Theologia Platonica 1,73,21 und 5,60,18; Nemesios, De natura hominum 32,28; 41,170).

IV. Römische Philosophie und lateinisches Christentum

Anders als im Griech. steht im Lat. mit *voluntas* von früh an ein Ausdruck für ein undifferenziertes psychisches Vermögen des Wollens zur Verfügung. Zwar meidet → Cicero in den philos. Schriften diesen Ausdruck zugunsten einer Wiedergabe von *eph' hēmín* durch *in nobis, in nostra potestate* (Cic. *De fato*) bzw. von *prohaíresis* durch *arbitrium*; → Lucretius [III 1] verwendet aber den Ausdruck *libera voluntas* (»freier W.«) in seiner Verteidigung der epikureischen Position, und → Seneca [2] gebraucht *voluntas* häufig in seiner Diskussion der stoischen Lehre (Sen. epist. 16,1,8; 95,57,1–3). Eine »W.-Lehre« im vollen Sinne findet sich jedoch erst in → Augustinus' Gegenüberstellung des göttlichen und menschlichen W. [2; 4]. Die Frage der → Freiheit (II.) wird freilich nicht mit dem W., sondern wie im Griech. mit der Entscheidung (*prohaíresis*) verknüpft (Augustinus: *De libero arbitrio voluntatis*, »über die freie Entscheidung des W.«). Diese Konzeption wird von späteren Theologen übernommen und findet ihre volle Entfaltung in der *Summa Theologiae* des Thomas von Aquin [4].

→ Epiktetos B.; Ethik; Freiheit; Prädestinationslehre II.; Praktische Philosophie; Schicksal; Seelenlehre

1 S. Bobzien, The Inadvertent Conception and Late Birth of the Free Will Problem, in: Phronesis 1998, 133–175 **2** A. Dihle, The Theory of Will in Antiquity, 1982 **3** B. Inwood, Ethics and Human Action in Early Stoicism, 1985 **4** C. Kahn, Discovering the Will, in: J. M. Dillon, A. A. Long (Hrsg.), The Question of Eclecticism 1988, 234–259 **5** A. Kenny, Aristotle's Theory of the Will, 1979 **6** T. Jahn, Zum Wortfeld Seele-Geist in der Sprache Homers, 1987 **7** A. Wifstrand, Die griech. Verba für wollen, in: Eranos 1942, 16–36 **8** B. Williams, Shame and Necessity, 1993.   D. Fr.

Wilusa. Im 14.–13. Jh. v. Chr. durch die hethitische Überl. bezeugter Staat (hethit. U̯ilusa-/U̯ilussa-) im NW Kleinasiens, der den Hethitern E. des 15. Jh. zunächst unter dem Namen Āssuwa (=Ā.) bekannt wurde. Seine geogr. Lage in der → Troas (vgl. → Ḫattusa II., Karte, sowie v. a. die Karten in [2. 304–307]), die schon 1924 vorgeschlagen wurde [6] und 1997 aufgrund neuer Materiallage bewiesen werden konnte [8; 4], ergibt sich aus der engen Verbindung von W. mit dem Meer [10. 603], aus seiner geogr. Nähe zur Insel Lazba/→ Lesbos sowie aus seiner unmittelbaren Nachbarschaft zu den Ländern → Sēḫa [5. 42–44, 50 f.], Māsa (Ost-Mysien/Bithynien; »Alaksandu-Vertrag« § 6; s. [7. 134]) und Karkisa. Die »Ā.-Liste« der hethit. Annalen Tudḫalijas I. (ca. 1420–1400 v. Chr.) [1. 158 f.] nennt nebeneinander die Länder U̯ilusii̯a- und Tru(u̯)isa-, so daß »Land Wilusija/W.« (und ebenso das nur hier bezeugte »Land Tru(w)isa«) im 15. Jh. als polit.-administrative Untereinheit des Staates Ā. anzusehen ist.

Die Lokalisierung des Staates W. in der Troas hat an sich nichts mit der Gleichsetzung der Namen hethit. U̯ilus(s)a- und griech.-homerisch (F)Ílios/Troíē (→ Troia) zu tun. Sie führt aber in der Frage nach dessen (in hethit. Texten nicht explizit genannter, jedoch sehr wahrscheinlich gleichnamiger) Hauptstadt notwendig zur Identifizierung mit dem Ruinenhügel Hisarlık und seinen hethiterzeitlichen Siedlungsphasen Troia VI und VIIa als dem einzigen hier in Betracht kommenden Fürstensitz und berechtigt daher auch dazu, U̯ilus(s)a- und *Wílios als verschiedenartige Adaptionen einer noch älteren ON-Form zu verstehen. Der oft vorgebrachte Einwand, daß die Gleichung U̯ilus(s)a- = *Wílios »lautgesetzliche« Unstimmigkeiten aufweise, ist hingegen schon im methodischen Ansatz verfehlt, da die Adaption fremdsprachiger ON gerade nicht lautgesetzlich erfolgt, sondern sich vielmehr an ähnlichen ON-Bildungstypen und/oder an volksetym. Deutungen in der adaptierenden Sprache orientiert [8. 448⁴; 7. 110–112]. Der Umstand, daß die urspr. für verschiedene, allerdings benachbarte Länder (und deren Hauptorte) stehenden Namen W. und Tru(w)isa in der griech. Überl. zu einem »doppelten Monumentnamen« geworden sind, kann keinen entscheidenden Einwand bilden.

Die Lokalisierung des Staates W. in der Troas wird entgegen [3. 117–119] auch nicht dadurch erschüttert, daß der äg. Bericht über die Schlacht von → Qadesch auf hethit. Seite an seiner Stelle das Land *D-r-d-n-j* [*Dardanija*] nennt, dessen Name in (homer.) → Dardanoi ([1] und [2]) fortgesetzt sein dürfte.

Für die Frage der Historizität des »Troianischen Krieges« (→ Troia III.), der im 13. Jh., als W. Gliedstaat des hethit. Reiches war, nur ein aḫḫijawisch-hethit. Krieg hätte sein können, geben die hethit. Quellen keinerlei Anhalt.

Schriftlichkeit in W., und zwar in Form der → Keilschrift, ergibt sich zwingend schon aus der Existenz des »Alaksandu-Vertrags«, darüber hinaus aus ebenda § 11, 14, 15, wo explizit von schriftlichem Nachrichtenaustausch zw. W. und Ḫattusa die Rede ist [7. 136 f.]. Dem hieroglyphen-luwisch beschrifteten Troia-Siegel mit Nennung der auf staatliche Administration weisenden Amtsbezeichnung »Schreiber« kommt demgegenüber nur bestätigende Funktion zu.

→ Kleinasien III. C. 1.; Luwisch; Mirā; Troia

1 O. Carruba, Beitr. zur mittelhethit. Gesch. I., in: SMEA 18, 1977, 137–174 **2** Die Hethiter und ihr Reich, Ausstellungs-Kat. Bonn, Berlin 2002, 2002 **3** P. W. Haider, Troia zw. Hethitern, Mykenern und Mysern, in: Grazer Morgenländische Stud. 4, 1997, 97–140 **4** J. D. Hawkins, Tarkasnawa King of Mira, in: AS 48, 1998, 1–31 **5** Ph. Houwink ten Cate, Sidelights on the Ahhiyawa Question, in: Jaarbericht van het Voor-Aziatisch-Egyptisch Genootschaap 28, 1983–84, 33–79 **6** P. Kretschmer, Alakšanduš, König von Viluša, in: Glotta 13, 1924, 205–213 **7** J. Latacz, Troia und Homer, 2001 **8** F. Starke, Troia im Kontext ... Kleinasiens im 2. Jt., in: Studia Troica 7, 1997, 447–487 **9** Ders., Troia im Machtgefüge des 2. Jt. v. Chr.: Die Gesch. des Landes W., in: Troia. Traum und Wirklichkeit (Begleit-Bd. zur Ausstellung Stuttgart usw.), 2001/2, 34–45 **10** Ders., Unt. zur Stammbildung des keilschrift-luwischen Nomens, 1990.   F. S.

Winde

[1] (Werkzeug).

I. Alter Orient

Die W. als mechanische Vorrichtung zum Bewegen und Heben bzw. Herablassen von Objekten ist in Äg. und Vorderasien arch. nicht direkt belegt. Die funktionalen Einzelteile der W. – nämlich Achse mit abgehendem Armkreuz (»Speichen«) für den Ansatz der Muskelkraft-Einwirkung (waagerecht gelagerte Achse = Haspel, senkrechte Achse = Spill), Rolle zur Kraftübertragung bzw. -umlenkung, Seile/Taue sowie Trommel zu deren Auf- oder Abrollen – waren jedoch bereits bekannt. Nach Ausweis äg. (12. Dyn., Anf. 2. Jt. v. Chr.) und neuassyrischer Reliefdarstellungen (Anf. 7. Jh. v. Chr.) wurden schwere Steinfiguren unter Ausnutzung der Gesetze der Mechanik durch den Einsatz von Hebebaum, Schlitten, Bohlen und Gleitrollen, möglicherweise unter Verwendung von Gleitmitteln (z. B. Öl), transportiert.   R. W.

II. Klassische Antike

Die W. (ὄνος/*ónos*, ὀνίσκος/*onískos*; lat. *sucula*) wird erstmals bei Herodotos im Zusammenhang mit dem Bau der persischen Brücke über den Hellespontos erwähnt (480 v. Chr.; Hdt. 7,36,3). Durch die Hebelwirkung der Handspeichen wurde die Wirkung der menschlichen Kraft erhöht. Dieser Sachverhalt wird erstmals im *Corpus Hippocraticum* (→ Hippokrates [6]) reflektiert: Die W. gehört dort neben Keil und Hebel zu den wirkungsvollsten (ἰσχυρότατα/*ischyrótata*) von Menschen erfundenen Instrumenten. An der Hippokratischen Bank dient die W. der Streckung gebrochener Glieder; sie hat gegenüber der direkt ansetzenden menschlichen Kraft neben der größeren Zugkraft den weiteren Vorteil, gut regulierbar zu sein (Hippokr. de fracturis 31; vgl. 13; Hippokr. de articulis 47; 72).

In der aristotelischen ›Mechanik‹ wird der Versuch unternommen, die Wirkung der W. mit der Geometrie der Kreisbewegung zu erklären, indem Welle und Handspeichen als Mittelpunkt und Radien eines Kreises betrachtet werden; Aristoteles [6] greift hier auf die Ergebnisse seiner Analyse der Kreisbewegung zurück (Aristot. mechanica 3,850a-b): Da sich bei Anwendung einer gegebenen Kraft die Radien größerer Kreise schneller bewegen und eine größere Strecke zurücklegen als diejenigen kleinerer Kreise, wird eine Kraft umso effizienter eingesetzt, je weiter vom Zentrum entfernt sie wirkt. Aus diesem Grund werden Handspeichen verwendet und verringern dünne Wellen den erforderlichen Kraftaufwand (ebd. 13,852b). → Heron von Alexandreia bezeichnet im 1. Jh. n. Chr. die W. als eines der fünf einfachen mechanischen Instrumente (neben dem Hebel, dem Flaschenzug, dem Keil und der

→ Schraube) und beschreibt sie als einen in zwei Halterungen befestigten waagerechten Balken mit mittig angebrachter Holzscheibe, die an ihrer Außenseite Löcher für Handspeichen aufweist (Heron, mēchaniká 2,1).

Die W. wurde dort verwendet, wo die Übertragung von Kraft über eine Distanz (wobei die Richtung, in der die Kraft wirkt, durch Rollen verändert werden konnte), der Einsatz großer Kräfte oder deren genaue Dosierung notwendig war: in Verbindung mit → Hebegeräten (Vitr. 10,2,1–10), in der → Schiffahrt, beim Pressen, um den Preßbalken nach unten zu ziehen (Cato agr. 18 f.; → Pressen) oder um ein Gewicht anzuheben, das den Preßbalken herabzog (Heron, mēchaniká 3,13–15), in der Belagerungstechnik (→ Katapulte: Vitr. 10,10–12, bes. 10,11,1; Mauerbohrer: Vitr. 10,13,7), am Geburtsstuhl zur Unterstützung der Entbindung bei Schwergeburten (Soran. 2,3; → Geburt).

Bei einer Verwendung langer Handspeichen zur Erhöhung der Hebelwirkung beim Preßvorgang (2,40–5,40 m lange Hebel bei Cato agr. 19,2) bestand die Gefahr von Unfällen; deswegen empfiehlt Heron die Verwendung von Schraubenpressen (Heron, mēchaniká 3,15). Auf einem Relief aus Avezzano (1. Jh. n. Chr.) ist eine große, senkrechte W. dargestellt, die von zwei Männern bewegt wird [1. Abb. 139]; eine Brunnen-W. ist auf einem Mosaik aus Ravenna belegt (die Samariterin am Brunnen, Sant'Apollinare Nuovo, 6. Jh. n. Chr.).

→ Hebegeräte (mit Abb.); Mechanik

1 Casson, Ships **2** J. G. Landels, Engineering in the Ancient World, 1978.   M. PU.

[2] (meteorologisches Phänomen).
I. Meteorologie   II. Windkult

I. Meteorologie
A. Frühe Vorstellungen   B. Windtheorien
C. Windrosen

A. Frühe Vorstellungen

Das meernahe Griechenland mit seiner Inselwelt war in der Ant. auf die Beobachtung der zu den unterschiedlichen Jahreszeiten wehenden W. (ἄνεμος/*ánemos*, lat. *ventus*) angewiesen, da die → Schiffahrt mit Segelschiffen (außer für die Spartaner) durch die Ägäis und das Mittelmeer nach Äg. und Großgriechenland immer eine große Rolle spielte [1]. Die nach ihrer Herkunftsrichtung und Stärke bezeichneten Haupt-W. erwähnt bereits Homeros [1], nämlich a) den von Thrakien nach Süden wehenden gewaltigen Nord-W. → Boreas (Βορέας; Hom. Il. 9,5); b) den in entgegengesetzte Richtung – oft ebenfalls heftig – wehenden Süd-W. → Notos (Νότος; griech. Name nach Favorinus bei Gell. 2,22,14 von der Feuchtigkeit νοτίς/*notís* abgeleitet [2. 1,324 f.]); c) aus meist sö Richtung den oft mit dem Süd-W. zusammen genannten → Euros (Εὖρος, Hom. Il. 2,145); und d) den ihm entgegengesetzten (Hom. Od. 5,332), d. h. aus W oder NW kommenden West-W. → Zephyros (Ζέφυρος; die Etym. dieses Namens hängt offenbar mit ζόφος/*zóphos*, Hom. Od. 10,190, dem Land der Finsternis im Gegensatz zur Morgenröte zusammen).

B. WINDTHEORIEN

→ Anaximandros (12 A 24 DK) und → Anaximenes [1] (13 A 19 DK) sahen im W. eine Strömung von Luft und Feuchtigkeit, deren Ursache unbekannt war. Im 5. Jh. v. Chr. nahm → Thrasyalkes von Thasos an, daß diese Strömung auf einer Verdunstung von Wasser durch die Sonnenwärme beruhe und daß der Boreas deswegen kalt sei, weil er aus frostkalten Gegenden stamme, und der Notos warm, weil er zwar vom kalten antarktischen Südpol, den → Anaxagoras [2] annahm, ausgehe, aber das heiße Libyen durchquert habe (Hippokr. de victu 2,38 [4]). Aischylos [1] (fr. 193 METTE) kennt diese Theorie bereits. Die → Etesien waren eine wichtige Beobachtung zur Erklärung der überwiegenden Nord- und Süd-W., von denen der Euros und Zephyros infolge der jährlichen Sonnenbewegung auf dem Horizont durch Ablenkung des Boreas zum sommerlichen Sonnenaufgang (NO) bzw. Sonnenuntergang (NW) zustande kommen sollten. Entsprechendes galt für den → Ap(h)eliotes (Ἀπηλιώτης) und den → Argestes (Ἀργέστης), die angeblich von der Anlenkung des Notos zum winterlichen Sonnenaufgang (SO) bzw. Sonnenuntergang (SW) herrührten (Strab. 1,2,21 mit Erwähnung des Thrasyalkes; Theophr. de ventis Kap. 2 und 10).

→ Demokritos (68 A 93a DK) führt die W. auf eine zu große Anhäufung von Atomen im Innern eines zu engen leeren Raumes zurück. → Aristoteles [6] (meteor. 1,13,349a 19–b 25) läßt an einer etwas unklaren Stelle die W. par. zu Flüssen aus kleinen Rinnsalen aus sich vereinigenden Ausdünstungen der Erde entstehen. Theophrastos, der mit *De ventis* eine eigene Schrift über W. verfaßte, modifiziert die Lehre des Thrasyalkes in der Weise, daß die → Sonne den Winden nur durch ihre Wärme die Bewegung mitteilt (Theophr. de ventis 15). Der eigentliche Ursprung der W. seien die lokalen Ausdünstungen (αὖραι/*aúrai*; ebd. 24–26). Nach der Theorie der Stoiker (vgl. Sen. nat. 5,1,1) hat die Luft in ihrem Inneren die Kraft zur Bewegung in Form der W. durch Verdichtung. Sie kann aber ebenso durch Selbstzerstreuung zu Windstille führen.

C. WINDROSEN

Die physikalische Zweiwindtheorie des Thrasyalkes bedeutet noch keine Windrose. Seit dem 5. Jh. v. Chr. unterscheidet die → Geographie die vier Himmelsrichtungen nach den W. (entgegen dem Uhrzeigersinn): in Richtung auf den Boreas, Zephyros, Notos und Euros (= Apeliotes auf der Weltkarte des Ephoros [5]). Bei den Römern entsprachen diesen Namen Aquilo, Favonius, Auster und Eurus. Varros Vorschlag, das griech. Lehnwort Eurus durch Volturnus zu ersetzen (Sen. nat. 5,16,4; Gell. 2,22,10), wurde nicht angenommen. Sieben W. kennt Hippokr. de hebdomadibus 3 [6], nämlich

von Osten ausgehend Apeliotes, Boreas, Arktias, Zephyros, Lips (→ Libs), Notos und Euros. Um zum zugrundeliegenden Achterschema zurückzukommen, mußte nur der Argestes nach dem Arktias eingefügt werden.

Erst Aristoteles [6] schuf im Zusammenhang mit der Kugelgestalt der Erde und den Klimazonen die Voraussetzung für die Einführung einer Windrose (nach ant. Terminologie einer θέσις ἀνέμων/*thésis anémōn* (Aristot. meteor. 2,6,363a 21) bzw. von Einteilungen der W. (*divisiones ventorum*, Vitr. 1,6,7). Die Anordnung der W. geschieht auf einem Rundhorizont von einem beliebigen Standort des Betrachters aus, der das Zentrum bildet; dort treffen je zwei gegenüberliegende W. theoretisch zusammen. Aristoteles (meteor. 2,6,363a 21–b 27; vgl. Plin. nat. 18,333–339) bietet sogar 12 W., nämlich von Osten ausgehend: Apeliotes (O), Kaikias, Meses, Aparktias (= Boreas; N), Thraskias, Argestes, Zephyros (W), Libs, namenloser W. (später: Leukonothos), Notos (S), namenloser W. (später: Phoinikias) und Euros. Die Zeichnung, auf die die griech. Buchstaben in Aristoteles' Text hinweisen, ist verloren.

Ein konkurrierendes System für eine Windkarte ist dasjenige des → Timosthenes [2], das wir von Agathemeros [7] kennen. Fünf der zwölf aristotelischen W. erhielten hier neue Namen: Boreas statt Meses, Iapyx [8] zusätzlich zu Argestes, Libonotos statt des namenlosen W. im Südwesten und Euronotos für den namenlosen W. im Südosten. Der Mittelpunkt war wahrscheinlich die Heimat des Autors, Rhodos, die Karte diejenige des → Dikaiarchos. Ferner soll → Eratosthenes eine regelmäßig achteckige Windrose mit Apeliotes, Boreas, Aparktias, Kauros, Zephyros, Libs, Notos und Euros entworfen haben (Ps.-Galen. Komm. zu Hippokr. de humoribus [9]). Diese weit verbreitete Windrose liegt u. a. dem »Turm der Winde« (s. u. II. B.) des Andronikos Kyrrhestes in Athen (Beschreibung bei Vitr. 1,6,4, vgl. 1,6,9–11) und dem lat. »Bauernkalender« Varros bei Plin. nat. 18,223–320 zugrunde.

→ Energie B.3.; Klima; Pneuma; Schiffahrt; Zone [2]

1 A. STANGE, Versuch einer Darstellung der griech. Windverhältnisse und ihrer Wirkungskreise, 1911 **2** FRISK **3** DIELS/KRANZ **4** W. H. S. JONES (ed.), Hippocrates, Bd. 4: Regimen (= de victu), 1931 (Ndr. 1992) **5** FGrH 70 F 30 **6** W. H. ROSCHER (ed.), Die hippokratische Schrift von der Siebenzahl, 1913 **7** GGM 2, 473,1–17 **8** GGM 2, 504,2 **9** C. G. KÜHN (ed.), Galenos, Opera omnia, 16,403.

G. SCHMIDT, s. v. W., RE 8 A, 2211–2387.   C. HÜ.

II. WINDKULT

A. ALLGEMEIN B. GRIECHENLAND C. ROM
D. RELIGIONSGESCHICHTLICHE PERSPEKTIVEN

A. ALLGEMEIN

Für einen einheitlichen »Windkult« (= Wk.) gibt es in der klass. Ant. nur wenige Belege; dagegen existierten vielfältige regionale rel. Trad. über W. und deren Verehrung, oft auch in Verbindung mit anderen Wetterphänomenen wie z. B. dem Regen (*Ómbroi*: [21]) oder in Zusammenhang mit den großen »Olympischen« Göttern des griech.-röm. → Pantheon [1].

B. GRIECHENLAND

Eine »Priesterin der W.« (*anemo ijereja*) ist in → Linear B [1. 23; 2. Bd. 1, Nr. 1 und 13] als Teil der öffentlichen Rel. bezeugt; auch ein minoischer Wk. erscheint möglich [3. 16–27]. Das *génos* der Anemokoitai (»Windeinschläferer«) in Korinth (Hesych. s. v. ἀνεμοκοῖται) hat seine mögliche Entsprechung in dem athenischen Geschlecht der Heudanemoi [4. 293]; beide Geschlechternamen verweisen vielleicht auf alte lokale Kulte zur Besänftigung der W. Ein altorientalischer Einfluß ist möglich: Auch akkadische Gottheiten wie Ištar und Marduk schicken W. [5. 550].

Akusilaos (FGrH 2 F 15) und Hesiod (theog. 379f.) machen → Zephyros, → Boreas und → Notos zu Kindern der → Eos; diese Triade freundlicher W. steht neben der üblichen Vierergruppe, die zusätzlich → Euros nennt (Hom. Od. 5,295). Andere, zerstörerische W. kommen von → Typhoeus (Hes. theog. 869f.). Die → Orphik kombinierte beide Gruppen (Pherekydes 7 B 5 DK; Aristoph. Av. 695; [6. 441 f.]). Obwohl Homer → Aiolos [2] als W.-Gott bezeichnet (Hom. Od. 10,1 f.) und dieser später auf Lipari (Thuk. 3,88) oder, gemeinsam mit allen anderen W., in Thrakien lokalisiert wurde (schol. Apoll. Rhod. 1,826), wurde er in der Regel nicht mit einem Kult in Verbindung gebracht. Vielmehr traten, entsprechend den Strukturprinzipien des ant. → Polytheismus, die großen Götter als W.-Götter in Erscheinung: In seiner Funktion als Himmels- und Wettergott ist bes. → Zeus eng mit den W., mit Sturm und Regen verbunden (Hom. Il. 12,25; Sol. fr. 13,17 f. WEST; Philostr. Ap. 4,30; Apoll. Rhod. 2,516 f.). Er beruhigt stürmische (Hom. Il. 5,522 f.) und schickt hilfreiche W. (Hom. Od. 5,176; 15,475). Bereits im 5. Jh. v. Chr. ist ein Zeus Urios (Zeus »der glücklichen W.«) in Athen bekannt (Aischyl. Suppl. 594), entsprechende Wk. gab es während der Perserkriege (Hdt. 7,178; 7,189; 7,191). Zeus Urios besaß einen Tempel auf dem Bosporos (Arr. per. p. E. 37; Anth. Pal. 12,53); andere Epitheta des Zeus sind Euanemos (»der gute W. schickt«: Paus. 3,13,8; Theokr. 28,5) und möglicherweise Boreios [7. Bd. 3, 161 f.].

Aber auch andere Gottheiten kontrollieren bereits bei Homer die W.: → Athena (Hom. Od. 2,420; 5,383); → Apollon (Hom. Il. 1,479); → Kalypso (Hom. Od. 5,268); → Kirke (Hom. Od. 11,5 f.). Zwar opfert Achilleus den W. Boreas und Zephyros (Hom. Il. 23,194 f.), doch es ist → Artemis, die einen Wk. in Aulis erhält (Aischyl. Ag. 214 f.). Im Gegensatz zu den Olympischen Göttern treten W. spontan in Erscheinung (Apul. met. 4,35,4), was erklären mag, daß von den homerischen W. nur Boreas (Hdt. l.c.; Paus. 8,27,13; 8,36,6; Hesych. s. v. Βορεάσται) und Zephyros (Paus. 1,37,1: Athen) personalisierte Wk. hatten. Daneben wird von generellen Wk. in Arkadien (Paus. 8,29,2), Korinth (Paus. 2,12,1) und Sparta (Fest. 190 L.) berichtet.

Die rel. Trad. zu den W. breiteten sich im Hell. weiter aus: Städte gaben W. Namen (Aristot. fr. 250 ROSE = Ps.-Aristot. anémōn thésis 973a 1 f.; Cic. Att. 7,2,1; vgl. [8]); mythograph. und kultantiquarische Forsch. (Kall. fr. 404; fr. 615) führen zur dichterischen Elaboration der myth. Vorlagen (Kall. Hekale fr. 321), v. a. bei den traditionellen W. [9. 286 f.]; der achteckige sog. »Turm der W.« in Athen, ein Horologium des Andronikos, das auch der Bestimmung von W. aus acht Himmelsrichtungen diente (2./1. Jh. v. Chr.: Varro rust. 3,5,17; [10. 188 f. Nr. 12; 11. 2 f.]), belegt das technisch-naturwiss. Interesse der Epoche an W. (vgl. oben I.C.). Durch die Zahl von zwölf W. teilte man den Himmel in dreißig Segmente auf [12. 2350 f.], doch wurde diese Zahl nicht kanonisch (Plin. nat. 2,119). Weihungen an die traditionellen Götter in ihrer Funktion als W.-Gottheiten setzten sich ebenso fort (Syll.³ 1126, Delos, ca. 100 v. Chr.: Zeus Urios). Die W. wurden in der vorhell. Kunst nur selten dargestellt; selbst Boreas und Zephyros waren nur selten alleine repräsentiert [10. 186 f.].

C. ROM

In Rom weihte L. → Cornelius [I 65] Scipio 259 v. Chr. den Tempestates (»Sturmwinden«) einen Tempel (ILLRP 310; [13; 14. 58 f.]). W. wurden allg. als göttlich angesehen (Fronto epist. p. 217 VAN DEN HOUT). Weihungen gelten u. a. dem → Iuppiter Sequadanus (= Urios) auf Delos (ILS 9237), *Tempestati Iovis* o. ä. (ILS 3060; 3061) oder nur den Tempestates (ILS 3933; 3935). Zu röm. lit. Spekulationen über W. und deren Namen vgl. [15. 518 f.; 8]. Der Einfluß ital. Trad. ist wahrscheinlich: *anafriss*, »Regen« (so VETTER Nr. 147,9), in oskischen rituellen Texten läßt sich auch als »W.« übersetzen [16. Bd. 1, 455 f.]; beide Konnotationen verweisen erneut auf die enge Verbindung der W. zu anderen Wetterphänomenen.

D. RELIGIONSGESCHICHTLICHE PERSPEKTIVEN

Myth. Trad. wie Aiolos' »Sack der W.« (Hom. Od. 10,19) verbanden sich bereits in der Ant. mit dem menschlichen Anspruch, die W. beherrschen zu können (z. B. Empedokles: Suda s. v. Ἀμύκλαι; Emp. 31 A 1 p. 278,33–35; B 111 DK; Pythagoras: Porph. vita Pythagorae 29; Apollonios von Tyana: Philostr. Ap. 4,13). Der Philosoph Sopater wird unter → Constantinus [1] I. hingerichtet, weil er angeblich die W. beruhigt und so eine Versorgungsflotte am Vorankommen gehindert hatte (Eun. vit. soph. 6,2,9–12). Ansätze zur Beherrschung der W. in den → Zauberpapyri (PGM 4,550 f.; 7,320 f.; vgl. Apul. met. 1,3) sowie die Verwendung schwarzer, in *bóthroi* (Gruben) geopferter Tiere zu solchen Zwecken [17. 633 f.] haben zu der mod. Ansicht geführt, das rituelle Kontrollieren der W. sei → Magie, nicht → Religion [18. Bd. 3, 57 f.; 19. 5 f.; 3]. In diesem Kontext wurde auch der vorgeblich chthonische Ursprung der W. (→ chthonische Götter) diskutiert [20. Bd. 2, 845 f.]. Doch übertragen diese Wertungen jüdisch-christl. Vorstellungen (Mk 4,35 f.) bzw. problematische religionsevolutionistische Theorien auf die Wk. der »heidnischen« Ant.

1 P. Meriggi, Das minoische B nach Ventris' Entzifferung, in: Glotta 34, 1954/5, 12–37 2 J. Chadwick et al. (ed.), Corpus of Mycenaean Inscriptions from Knossos, 1986 3 R. Hampe, Kult der W. in Athen und Kreta, 1967 4 R. Parker, Athenian Rel., 1996 5 M. L. West, The East Face of Helicon, 1997 6 N. Dunbar (ed.), Aristophanes, Birds, 1995 (mit engl. Übers. und Komm.) 7 A. Cook, Zeus, 1940 8 R. Boeker, s. v. Windnamen, RE 8 A, 2288–2325 9 K. Spanoudakis, Philitas, 2002 10 E. Simon, s. v. Venti, LIMC 8.1, 186–192 11 J. v. Freeden, OIKIA ΚΥΡΡΕΣΤΟΥ, 1983 12 R. Boeker, s. v. Windrosen, RE 8 A, 2325–2381 13 A. Ziolkowski, s. v. Tempestates, LTUR 5, 26 f. 14 P. Kruschwitz (ed.), Carmina Saturnia Epigraphica, 2002 (mit Komm.) 15 R. Reitzenstein, Die geogr. Bücher Varros, in: Hermes 20, 1885, 514–552 16 R. von Planta, Grammatik der oskisch-umbrischen Dialekte, 1892 17 P. Stengel, Der Cult der W., in: Hermes 35, 1900, 627–635 18 F. Welcker, Einfluss der Luft und der W. (1832), in: Ders., KS, 1850 19 W. Fiedler, Ant. Wetterzauber, 1931 20 Gruppe 21 L. Robert, Dédicaces de Byzance, in: Hellenica 9, 1950, 56–66.

K. Neuser, Anemoi. Studien zur Darstellung der W. und Windgottheiten in der Ant., 1982.   C. R. P.

Windel (σπάργανον/*spárganon*; lat. *incunabula*). W. in der heutigen Form kannte die Ant. nicht; statt dessen wurde das Kleinkind mit schmalen Wollstreifen vollständig – mit Ausnahme des Kopfes – umhüllt. Die Einhüllung sollte für einen geraden Bau des Körpers und der Gliedmaßen sorgen (Sen. benef. 6,24,1, vgl. Plin. nat. 7,3). In Thessalien hüllte man nur die untere Hälfte des Kindes ein, in Sparta verzichtete man ganz auf W. (Plut. Lykurgos 16,3). Darstellungen von Wickelkindern sind seit der Brz. erh. (z. B. [1. 104 f., Kat.-Nr. 14]), meist in der → Wiege liegend; daneben gibt es aber auch, v. a. aus dem griech. Bereich, nackte Kleinkinder in der Wiege. → Kind, Kindheit

1 V. Karageorghis, Cypriote Antiquities in the Pierides Collection Larnaca Cyprus, 1982.

H. Rühfel, Ammen und Kinderfrauen im klass. Athen, in: Ant. Welt 19.4, 1988, 43–57.   R. H.

Winkel- und Kreisteilung

I. Alter Orient
s. Mathematik I.

II. Klassische Antike
A. Kreisteilung B. Winkeldreiteilung

A. Kreisteilung

Die Kreisteilung, d. h. die Teilung des Kreisumfangs in eine beliebige Anzahl gleichlanger Bögen, hängt unmittelbar mit den regelmäßigen Vielecken (Polygonen) zusammen: Wenn in einen Kreis ein regelmäßiges n-Eck einbeschrieben wird, so wird der Kreisumfang in n Abschnitte geteilt, und der zur Seite des n-Ecks gehörende Mittelpunktswinkel hat den Wert $\frac{360°}{n}$. Schon die Pythagoreer (→ Pythagoras [2]) interessierten sich für die regelmäßigen Vielecke und ihre Eigenschaften.

Sie konnten in einen Kreis das regelmäßige Dreieck, Viereck und Sechseck einbeschreiben, wobei sie beim Sechseck die Tatsache benutzten, daß seine Seite dem Kreisradius gleich ist. Ihnen war auch bekannt, daß die Seite s_5 des regulären Fünfecks die Diagonale d_5 nach dem »goldenen Schnitt« teilt (»stetige Teilung«; Eukl. elem. 6, def. 3: εὐθεῖα ἄκρον καὶ μέσον λόγον τετμῆσθαι λέγεται), d. h., es gilt: $d_5 : s_5 = s_5 : (d_5 - s_5)$. Die Bestimmung der Teilstrecken bei der stetigen Teilung führt, algebraisch gesehen, auf eine quadratische Gleichung.

Die Griechen konnten alle Typen der quadratischen Gleichung – also auch das bei der Fünfeckkonstruktion auftretende Problem der stetigen Teilung – geom. mit Hilfe der sog. »Flächenanlegung« lösen (s. hierzu [5. 60–64]). Auf diese Weise waren sie in der Lage, das in einen Kreis einbeschriebene regelmäßige Fünfeck zu konstruieren, und sie haben verm. bei dieser Gelegenheit entdeckt, daß es irrationale Größen gibt (s. [5. 71–73]). Das pythagoreische Wissen über die regelmäßigen Vielecke ist in B. 4 von → Eukleides' [3] ›Elementen‹ zusammengefaßt; dort wird die Konstruktion der regelmäßigen n-Ecke für $n = 3, 4, 5, 6$ und 15 dargestellt. Eine andere Konstruktion des Fünfecks, die gleichzeitig die Zehneckseite unmittelbar liefert, benutzte → Ptolemaios [65] (Almagest 1,9.)

Die Konstruktion der Seite eines regelmäßigen Siebenecks führt auf eine kubische Gleichung. Eine exakte Lösung dieser Aufgabe wird in einem arabischen Text überl., den Ṯābit ibn Qurra (826–901) aus dem Griech. übersetzte; die Zuschreibung des griech. Originals an → Archimedes [1], die in der Hs. vorgenommen wird, ist nicht völlig sicher [6. 204–213]). In dieser Schrift wird eine Einschiebung (→ *neûsis*) so vorgenommen, daß zwei dadurch entstehende Dreiecke flächengleich werden [7. 429 f.]. Aus dem arabisch-islamischen Bereich gibt es zahlreiche weitere Konstruktionen des regulären Siebenecks [6]. Die Araber beschäftigten sich auch mit der Konstruktion des regelmäßigen Neunecks in einen gegebenen Kreis. Sie fanden Einschiebungsverfahren, mit deren Hilfe die gesuchte Neuneckseite bestimmt werden kann. Die dafür verwendete Figur kann leicht so erweitert werden, daß man die Seite eines beliebigen n-Ecks mit ungerader Eckenzahl ermitteln kann [7. 434–436].

B. Winkeldreiteilung

Im Fall des regelmäßigen Neunecks muß ein Winkel von 40° (bzw. 20°) konstruiert werden. Dies ist mit Zirkel und Lineal allein nicht möglich. Es handelt sich hier um einen speziellen Fall der Winkeldreiteilung (= Wdt.; Trisektion des Winkels). Das Problem der Wdt. führt auf eine kubische Gleichung. Diese Gleichung kann im allgemeinen Fall geom. nicht mit Zirkel und Lineal allein gelöst werden, sondern nur unter Verwendung von Kegelschnitten, höheren Kurven oder Einschiebungen; in dieser Hinsicht ist die Wdt. verwandt mit der → Würfelverdopplung. Die Wdt., Würfelverdopplung und die (sprichwörtlich gewordene) → Kreisquadratur (s. Nachträge) werden als »klass. Probleme der Mathematik« bezeichnet. Griech. Gelehrte haben große Mühe darauf verwandt, diese Aufgaben mit geom. Mitteln zu lösen. Es ist möglich, daß die Frage der Wdt. aktuell wurde, nachdem man das regelmäßige Fünfeck konstruieren konnte und die Konstruktion regulärer Polygone fortsetzen wollte ([3. 235]; zum Problem und den Lösungsmöglichkeiten allg.: [4]).

Zur Trisektion des Winkels erfand → Hippias [5] von Elis eine spezielle Kurve, die »Quadratrix« (τετραγωνίζουσα / tetragōnízusa sc. γραμμή / grammḗ). Diese Kurve entsteht durch die Kombination zweier Bewegungen; sie ermöglicht nicht nur die Teilung eines Winkels in beliebig viele Teile, sondern auch die Rektifikation des Kreisbogens (Pappos, collectio 4: [1. 252f.]; vgl. [5. 95–97]). Eine Lösung durch Einschiebung überliefert → Pappos (collectio 4: [1. 272–276]; vgl. [5. 86f.; 3. 235–237]); er zeigt, daß anstelle der Einschiebung auch ein Kreis und eine Hyperbel verwendet werden können. Die Konchoide, die → Nikomedes [3] (mit Abb.) zur → Würfelverdopplung benutzte, ist auch geeignet, um die Winkeldrittelung durchzuführen (Pappos, collectio 4: [1. 242–244]; vgl. [5. 87; 3. 238–240]). Eine andere Konstruktion zur Dreiteilung eines beliebigen Winkels, die ebenfalls eine Einschiebung verwendet, wird in dem arabisch erh. *Liber assumptorum* überl., der inhaltlich mindestens teilweise auf → Archimedes [1] (B. 11.) zurückgeht ([2. 518]; vgl. [5. 88; 3. 240f.]). Diese Lösung war im arab. Bereich bekannt, z.B. im *Liber trium fratrum* der Banū Mūsā (der drei Söhne des Mūsā ibn Šākir, 9. Jh., Bagdad), und gelangte durch lat. Übersetzungen auch in den Westen.

1 F. HULTSCH (ed.), Pappi Alexandrini Collectionis quae supersunt, Bd. 1, 1876 2 J. L. HEIBERG (ed.), Archimedis opera omnia, Bd. 2, ²1913 3 T. L. HEATH, A History of Greek Mathematics, Bd. 1, 1921, 235–244 4 W. BREIDENBACH, Die Dreiteilung des Winkels, ²1951 5 O. BECKER, Das mathematische Denken der Ant., 1957 6 J. P. HOGENDIJK, Greek and Arabic Constructions of the Regular Heptagon, in: Archive for History of Exact Sciences 30, 1984, 197–330 7 J. TROPFKE, Gesch. der Elementarmathematik, Bd. 1, ⁴1980. M. F.

Wirtschaft I. MESOPOTAMIEN II. ÄGYPTEN III. LEVANTE IV. IRAN V. KLASSISCHE ANTIKE VI. BYZANZ

I. MESOPOTAMIEN

Die W. Mesopotamiens basierte auf → Landwirtschaft mit integrierter → Viehwirtschaft. Die handwerkliche Produktion (→ Handwerk) hatte nur supplementären Charakter und diente zum einen internen Bedürfnissen, zum anderen dem externen Austausch (Herstellung von hochwertigen Textilien für den → Handel). Die Landwirtschaft im südl. Mesopot. (Babylonien) war gänzlich von künstlicher → Bewässerung abhängig, im nördl. Mesopot. (Assyrien) beruhte sie zumeist auf Regenfeldbau.

Die jeweilige Form des landwirtschaftl. Regimes führte zu unterschiedlichen Formen der Bodenbesitzverhältnisse. In Babylonien sind seit dem E. des 4. Jt. v. Chr. große Produktionseinheiten urkundlich belegt. Die vorherrschende Form wirtschaftl. Organisation war die der redistributiven [12. 178f.] → Oikos-Wirtschaft, die zu Beginn des 2. Jt. durch tributäre Formen der W. abgelöst wurde [15]. Privateigentum an der Feldflur war in Gebieten mit künstlicher Bewässerung nur zeitweise (hauptsächlich erst seit dem 19. Jh. v. Chr.) und in begrenztem Umfang vorhanden [13]; seine quantitative Rolle als W.-Faktor läßt sich nicht fassen. Die landwirtschaftl. Produktion erfolgte im wesentlichen auf kleinen Flächen (Versorgungsfelder und Pachtland von → Palast oder → Tempel; vgl. → Pacht I.), die gerade für die Subsistenz einer bäuerlichen Familie ausreichten. In Gebieten mit vorherrschendem Regenfeldbau (u. a. Assyrien) spielte bis in die Mitte des 2. Jt. die Dorfgemeinschaft als Produktionseinheit unter den Bedingungen von Subsistenzproduktion die entscheidende Rolle. Erst von dieser Zeit an führte die zunehmende Verschuldung (→ Schulden) der kleinen Produzenten innerhalb der Dorfgemeinschaft zu einer allmählichen Landkonsolidierung in den Händen weniger Großgrundbesitzer aus dem Kreis der städtischen Beamtenelite der Hauptstadt → Assur. Die bäuerliche Bevölkerung wurde in diese Großgrundbesitztümer (*manors*) als *glebae adscripti* (»an die Scholle Gebundene«) integriert (→ Sozialstruktur I.) [13].

Das landwirtschaftl. Hauptprodukt war Gerste (in Monokultur angebaut; → Getreide), daneben Ölfrüchte (→ Speiseöle I.), Zwiebelgewächse (→ Lauch I.) und in geringerem Umfang andere Gemüsearten. Die Kultivation der Dattelpalme (→ Hortikultur I.) spielte v. a. im südl. Mesopot. eine herausragende Rolle als Lieferant von Süßstoff (Sirup), Dattelwein und den Nebenprodukten Bast (für Seile etc.), Blattrispen (als Baumaterial), Blätter (zum Flechten von Matten, Körben) [4]. Extensiv wurden natürliche Ressourcen wie Schilf oder Lehm sowie Fische und jagdbare Vögel zur → Ernährung ausgeschöpft.

Die handwerkl. Produktion war im südl. Mesopot. eng mit den institutionellen Haushalten (Tempel, Palast) verbunden und weitgehend auf deren Bedürfnisse ausgerichtet [14]. Dem Austausch mit anderen Regionen, aus denen das rohstoffarme Mesopot. wichtige (»strategische«) Güter (v. a. Metalle, Bauholz) und Prestigegüter (wertvolle Steine, Aromatica etc.) bezog, dienten fast ausschließlich hochwertige Textilien, die überwiegend in institutionellen → Ergasterien hergestellt wurden (→ Textilherstellung).

Die Art der Befriedigung materieller Bedürfnisse innerhalb Mesopot.s (Eigenproduktion bzw. Austausch) wurde durch die jeweils vorherrschenden Produktionsverhältnisse bestimmt [9]. Die Oikos-W. war charakterisiert durch ein redistributives System, in dem alle Angehörigen des *oíkos* in der Produktion tätig waren und das Produzierte in Form von → Rationen statusabhängig verteilt wurde. Die auf individualisierter Produktion basierende tributäre Form der W. seit Beginn des 2. Jt. v. Chr. war im wesentlichen Subsistenzproduktion. Nennenswerte Überschüsse, die zum Austausch zur Verfügung gestanden hätten, wurden nicht erzielt (→ Handel; → Markt; [11; 12. 174–176]).

Insbes. die Vorstellungen über die Formen der Bedarfsbefriedigung haben zu unterschiedlichen und kontrovers diskutierten Modellen der Austauschverhältnisse geführt. Dabei stehen die von K. POLANYI inspirierten Ansichten den auf neo-klass. ökonomischer Theorie basierenden gegenüber (→ Geld; → Handel; → Markt; vgl. [8; 12]), die grundsätzliche Differenzen in der Beurteilung vormod. Ges. und deren W. offenbaren [8; 11; 12]. Dabei wird den Vertretern der neo-klass. Theorie vorgeworfen, ein analytisches System, das von der Wirkungsweise eines mod., ausschließlich geld- und marktwirtschaftl. orientierten W.-Systems abgeleitet ist, auf die gänzlich anderen W.-Systeme des Alt. anzuwenden. Diese seien in ganz anderer Weise in gesellschaftliche Strukturen, Prozesse und Motivationen eingebettet und von diesen bestimmt gewesen, als das für mod. marktwirtschaftliche Verhältnisse gilt.

Charakteristisch für die redistributiven (3. Jt. v. Chr.) bzw. tributären (2./1. Jt. v. Chr.) Formen der W. in Mesopot. ist, daß geld- und marktwirtschaftl. Elemente, Strukturen und Prozesse entweder gänzlich oder als wesentliche quantitative Faktoren fehlen. Es gibt keine Hinweise auf → Darlehen für produktive Zwecke; Kredite spielten v. a. bei Handelsgeschäften eine Rolle. Sie wurden in der Regel für eine einzelne Unternehmung in Form von Silber oder Waren gewährt, nach Abschluß der Unternehmung wurde zw. den beiden Partnern abgerechnet [12. 189–203, bes. 198]. Ein weiteres Merkmal der mesopot. W. war das Fehlen von stetigem technologischem Fortschritt als Motor für wirtschaftl. Wachstum. Darüber hinaus stieß gesamtwirtschaftl. Wachstum über einen längeren Zeitraum an die begrenzte Verfügbarkeit des hauptsächlichen Produktionsmittels, der landwirtschaftl. Nutzfläche. In Zusammenhang damit steht die demographische Situation, derzufolge auf einer gegebenen landwirtschaftl. Nutzfläche nur eine begrenzte Anzahl von Menschen ernährt werden kann. Die Garantie für eine stetige und ausreichende Subsistenzproduktion war durch die optimale Ausnutzung der vorhandenen Ressourcen, d. h. v. a. der menschlichen Arbeitskraft (→ Arbeit I.; → Sozialstruktur I.) gegeben. → Sklaverei war in keinem der altorientalischen W.-Systeme ein ausschlaggebender ökonom. Faktor. Die → Verschleppung von Bevölkerungsgruppen in neuassyrischer Zeit (8./7. Jh. v. Chr.) erhöhte das Arbeitskräftepotential nur in begrenztem Maße. Lediglich für die Prestigebauten neuassyr. Herrscher wurde eine begrenzte Zahl spezialisierter Handwerker aus eroberten Gebieten eingesetzt.

Die W. des neuassyr. Staates (9.–7. Jh. v. Chr.) war bestimmt und engstens verbunden mit den Bedürfnissen einer ungezügelten mil. Expansion. Diese erforderte die Erschließung immer neuer und umfangreicherer menschlicher und materieller Ressourcen, als sie das jeweilige Herrschaftsgebiet bereitzustellen in der Lage war, und war insofern gleichzeitig Ursache und Folge der Expansion. Als in der 2. H. des 7. Jh. v. Chr. die Assyrer an die geogr. Grenzen ihrer Expansionsmöglichkeiten gelangt waren, war der plötzliche Kollaps des Reiches (herbeigeführt durch äußere Feinde) unvermeidlich.

→ Arbeit; Banken I.; Bewässerung I.; Geld I.; Getreide I.; Handel I.; Handwerk I.; Landwirtschaft I.; Markt I.; Oikos-Wirtschaft; Pacht I.; Palast II. B.; Staat II.; Steuern I.; Vorratswirtschaft I.

1 A. GODDEERIS, Economy and Society in Northern Babylonia in the Early Old Babylonian Period, 2002 2 J. G. DERCKSEN (Hrsg.), Finance in the Ancient Near East, 1999 3 M. HUDSON, M. VAN DE MIEROOP, Debt and Economic Renewal in the Ancient Near East, 2002 4 B. LANDSBERGER, The Date-Palm and Its By-Products, 1967 5 M. LIVERANI, Prestige and Interest. International Relations in the Near East ca. 1600–1100 B. C., 1990 6 M. VAN DE MIEROOP, Economic History, in: Ders., Cuneiform Texts and the Writing of History, 1999, 106–137 7 J. N. POSTGATE, Early Mesopotamia. Society and Economy at the Dawn of History, 1992 8 J. RENGER, Probleme und Perspektiven einer W.-Gesch. Mesopot.s, in: Saeculum 40, 1989, 166–178 9 Ders., Different Economic Spheres in the Urban Economy of Ancient Mesopotamia – Traditional Solidarity, Redistribution and Market Elements as the Means of Access to the Necessities of Life, in: E. AERTS, H. KLENGEL (Hrsg.), The Town as Regional Economic Centre in the Ancient Near East, 1990, 20–28 10 Ders., W. und Ges., in: B. HROUDA (Hrsg.), Der Alte Orient, 1991, 187–215 11 Ders., Formen des Zugangs zu den lebensnotwendigen Gütern: Die Austauschverhältnisse in der altbabylonischen Zeit, in: Altoriental. Forsch. 20, 1993, 87–114 12 Ders., On Economic Structures in Ancient Mesopotamia, in: Orientalia 63, 1994, 157–208 13 Ders., Institutional, Communal, and Individual Ownership or Possession of Arable Land in Ancient Mesopotamia, in: Chicago-Kent Law Review 71, 1995, 269–319 14 Ders., Handwerk und Handwerker im alten Mesopot., in: Altoriental. Forsch. 23, 1996, 211–231 15 Ders., W.-Gesch. des alten Mesopot. Versuch einer Standortbestimmung, Internationales Colloquium Berlin 2002 (im Druck).

K. POLANYI et al. (Hrsg.), Trade and Market in Early Empires – Economies in History and Theory, 1957 · Ders., The Livelihood of Man, 1977.

II. ÄGYPTEN

Die W. Äg.s basierte ebenso wie die Mesopot.s auf → Landwirtschaft mit integrierter → Viehwirtschaft [1; 2. 204 f.]. Die handwerkl. Produktion (→ Handwerk) trat im Verlauf der äg. Gesch. als wichtiger komplementärer Faktor hinzu [2. 205 f.]. In der äg. Frühzeit (1. Dyn./Anfang 3. Jt. v. Chr.) wurden die sich urspr. selbstversorgenden bäuerlichen Haushalte nach und nach in die königlichen Güter einbezogen. Bereits seit der 4. Dyn. (2570–2450 v. Chr.) wurde aus dem dergestalt akkumulierten Landfundus Land an Beamte – um sich deren Loyalität zu sichern – sowie an Mitglieder des

Herrscherclans vergeben [2. 198]. Dies führte zu individuellem Großgrundbesitz in den Händen einer wesentlich aus Beamten (Funktionären) des Staates bestehenden Oberschicht. Aber auch → Tempel erhielten umfangreiche Zuweisungen und Stiftungen von Land, so daß z. B. der → Amun-Tempel in → Thebai [1] im NR die wichtigste wirtschaftl. Macht in Äg. darstellte [2. 202].

Das Regime der Bodenbesitzverhältnisse wurde dadurch bestimmt, daß die Verfügbarkeit über bebaubares Ackerland – im Gegensatz zu Mesopot. (Organisation der Bewässerung und damit Kontrolle über das Ackerland) – nur bedingt staatlicher Maßnahmen bedurfte; die Fruchtbarkeit des Bodens ohne organisierendes Zutun des Staates war durch die jährliche → Nil-Schwemme grundsätzlich gegeben. Die Rechte des Herrschers gegenüber seinen Untertanen basierten auf anderen Faktoren.

Die zentrale Rolle des → Herrschers im W.-System Äg.s beruhte auf einem hierarchisch auf den Herrscher ausgerichteten Staatswesen [5. 232f.]. Wesentliche Bereiche der W. (außerhalb der direkten landwirtschaftl. Produktion) scheinen in allen Perioden der äg. Gesch. direkt vom Herrscher kontrolliert worden zu sein (Transportwesen, Reglementierung von Löhnen und Preisen [2. 209–212; 5. 250–253], Festsetzung von Arbeitssoll für alle Bereiche der W.). Dem Pharao standen Arbeitsleistungen der Untertanen sowie → Steuern und Abgaben, v.a. auf die Ergebnisse der landwirtschaftl. Produktion, zu. Sie dienten der Bewältigung gesamtstaatlicher Aufgaben (u.a. Errichtung von Prestigebauten, Entlohnung von Arbeitern, Unterhalt eines Beamtenapparates, Militär). V.a. der Einsatz erheblicher wirtschaftl. Ressourcen für prestigeträchtigen Aufwand (Bauten, Hofhaltung, kultische Riten) ist als Charakteristikum der äg. W. beschrieben worden [7].

Zusätzliche Einnahmen, die für die W. Äg.s von Bed. waren, stammten aus mil. Expeditionen (Baumaterial, Gold v.a. aus → Nubien), Beute oder Tributen aus anderen Regionen (u.a. Herdentiere; → Viehwirtschaft). Im Gegensatz zu Mesopot., wo in den Texten der Fernhandel in erheblichem Umfang thematisiert wurde, beschreiben ihn die offiziellen äg. Quellen oft in ideologischer Phraseologie als Geschenkaustausch oder gar als Tribut [6. 240–266]. Auf diese Weise wurden Macht, Status und Prestige des Herrschers zum Ausdruck gebracht. Insofern enthielt die äg. W. – ähnlich wie die W. in Gebieten mit Regenfeldbau, in denen die Fruchtbarkeit des Ackerlandes nicht von staatlich organisierten Maßnahmen abhängig war – Formen eines tributären W.-Systems. Allerdings waren in der äg. W. in erheblichem Maß auch redistributive Elemente enthalten. Sie unterschied sich darin grundlegend vom patrimonialen *oíkos*-System Mesopot.s im 3. Jt. v.Chr.

Über den Charakter der äg. W. als einem reglementierten System besteht weitgehend Einigkeit [1; 2; 3; 4; 5. 231f.; 6.17f.]. Hervorgehoben wird ihr redistributiver Charakter und das Fehlen geld- und marktwirt-

schaftl. Elemente. Einigkeit besteht weiterhin darüber, daß ein redistributives Modell nicht alle Erscheinungsformen der äg. W. erklären kann. Da sich in Äg. Zeiten stärkerer und schwächerer staatlicher Zentralisation ablösten, erforderte dies eine Fähigkeit zur Anpassung an wechselnde ökonom. Bedingungen [5. 259f.]. Dabei spielte in Zeiten einer schwachen Zentralgewalt, die nicht in der Lage war, die Bedürfnisse der Bevölkerung durch Redistribution umfassend zu garantieren, Austausch zw. Individuen eine wichtige Rolle [5. 259], wobei soziale Verpflichtungen die Austauschverhältnisse bestimmen konnten. Offensichtlich war der Grabraub eine wichtige und weitverbreitete Einkommenskomponente für die Angehörigen der Unterschicht in bestimmten Regionen [2. 213f.].
→ Bewässerung I.; Geld I.; Getreide I.; Handel I.; Handwerk I.; Landwirtschaft I.; Markt I.; Pacht I.; Palast III.; Staat III.; Steuern II.

1 M. GUTGESELL, s. v. W., LÄ 6, 1275–1278 2 Ders., W., Landw., Handwerk, in: A. EGGEBRECHT, (Hrsg.), Das Alte Äg., ²1988, 197–225 3 W. HELCK, W.-Gesch. Äg.s, 1975 4 J.J. JANSSEN, Die Struktur der pharaonischen W., in: Göttinger Miszellen 48, 1981, 59–77 5 B.J. KEMP, The Birth of Economic Man, in: Ders., Ancient Egypt, 1989, 231–260 6 M. LIVERANI, Prestige and Interest. International Relations in the Near East ca. 1600–1100 B.C., 1990 7 S. MORENZ, Prestige-W. im alten Äg., 1969.

III. LEVANTE

Die starke landschaftliche Fragmentierung Syriens und der Levante führte zur Bildung zahlreicher kleinerer oder größerer palastorientierter Staaten, die neben der eigentlichen Stadt ein mehr oder weniger großes landwirtschaftl. nutzbares Hinterland umfaßten (u.a. → Alalaḫ, → Byblos, → Ebla, Ḥalab/→ Aleppo, → Sidon, → Tyros, → Ugarit). Die W. der Levante basierte auf Regenfeldbau und Viehwirtschaft. Hauptsächliche Erzeugnisse waren Getreide, Wein, Olivenöl, Früchte und Wolle. Das Muster wirtschaftl. Organisation war durch zwei unterschiedliche ökonomische Sphären gekennzeichnet: Die ländliche Sphäre war charakterisiert durch Dorfgemeinschaften mit individuellen bäuerlichen Haushalten – unabhängig oder in die Palasthaushalte der städtischen Zentren integriert [8; 10]. Diese dörflichen Gemeinschaften hatten einen Teil ihrer Produktion als Abgabe an den Palast abzuliefern, der daraus seinen eigenen Unterhalt bestritt, seine Prestigebedürfnisse befriedigte und damit auch die städtische Elite versorgte. Im Gegensatz zu Mesopot. und Äg. spielten Tempel als wirtschaftl. relevante Institutionen keine nennenswerte Rolle.

Die levantinischen Städte verdankten ihren außerordentlichen Reichtum zwei Faktoren: ihrer Position als Zwischenhandelsstationen am Schnittpunkt wichtiger Handelswege zw. Ost und West bzw. Nord und Süd [4] sowie ihrem eigenen Angebot an begehrten Gütern. Zu diesen gehörten neben Wein und Olivenöl v.a. handwerkl. Erzeugnisse wie Metall- und Elfenbeinarbeiten

(→ Elfenbeinschnitzerei I.) sowie → Purpur-Stoffe [3]. Der Fernhandel der levantin. Städte wurde in der Regel von den Palästen organisiert, deren Ziel der Import von Prestigegütern für ostentativen Verbrauch war.

Fernhandel zu Lande und zu Wasser war risikoreich und somit kostenträchtig. Deshalb versuchte man, die hohen Transaktionskosten [7. 159f.] auf verschiedene Weise zu minimieren: → Staatsverträge, die die Sicherheit der Handelsagenten garantierten, Verträge zw. dem Handelsagenten und seinem stillen Partner, die ersteren von Schadensersatzforderungen im Falle von Schiffbruch freistellten (sog. *bottomry loans*, entwickelt in Ugarit), Einrichtung von Handelsniederlassungen oder Depots in anderen Städten, ein System des Zwischenhandels, bei dem Waren von den eigenen Handelsagenten jeweils nur von Punkt A nach Punkt B transportiert wurden; den weiteren Handel nach Punkt C besorgten die Handelsagenten von Punkt B (z.B. Zinn von Elam nach Mari, Mari nach Karkemiš, Karkemiš nach Anatolien). Phöniz. Händler verbanden sich zeitweilig zu Assoziationen, um eine Flotte auszurüsten und mit Handelsware zu bestücken; unter dem Schutz eines machtvollen Stadtfürsten konnten sie so den Gefahren der Seeräuberei begegnen. Der Handel über Land mag ähnlich organisiert gewesen sein. Transaktionskosten konnten auch durch Spezialisierung oder gar Monopole auf bestimmte Güter begrenzt werden (z.B. → Purpur in Ugarit, Sidon und Tyrus; → Schiffbau in Byblos), die exorbitante Profite (zw. 100% und 200%) garantierten. Diese beruhten auf einer Angebot-Nachfrage-Situation zw. unterschiedlichen Regionen der Ägäis, dem Vorderen Orient, Anatoliens und Äg.s. Die Profite wurden oft in landwirtschaftl. Flächen investiert, die gelegentlich das Ausmaß von Großgrundbesitz erreichten. Das Einkommen aus diesen landwirtschaftl. Unternehmungen erbrachte zusätzliches Einkommen, wodurch die Risiken aus dem Fernhandel weiter begrenzt werden konnten.

→ Handel II.; Phönizier, Punier; Silber

1 J.-P. Grégoire, J. Renger, Die Interdependenz der wirtschaftl. und gesellschaftl.-polit. Strukturen von Ebla, in: H. Hauptmann, H. Waetzoldt (Hrsg.), W. und Ges. von Ebla, 1988, 211–224 2 M. Heltzer, The Economy of Ugarit, in: W. G. E. Watson, G. Wyatt (Hrsg.), Handbook of Ugaritic Studies, 1999, 423–445 3 H. J. Katzenstein, The History of Tyre, 1973 4 H. Klengel, Near Eastern Trade and the Emergence of Interaction with Crete in the Third Millennium, in: SMEA 24, 1984, 7–31 5 M. Liverani, Prestige and Interest: International Relations in the Near East ca. 1600–1100 B.C., 1990 6 J. D. Muhly, Phoenicia and the Phoenicians, in: J. Amitai (Hrsg.), Biblical Archaeology Today, 1985, 177–191 7 J. Renger, On Economic Structures in Ancient Mesopotamia, in: Orientalia 63, 1994, 157–208 8 J. D. Schloen, The House of the Father as Fact and Symbol. Patrimonialism in Ugarit and the Ancient Near East, 2001 9 J.-P. Vita, The Society of Ugarit, in: s. [2], 455–498 10 F. Zeeb, Die Palast-W. in Altsyrien, 2001.

IV. Iran

Für eine kohärente W.-Gesch. → Irans fehlen für große Zeiträume ausreichende schriftliche Quellen. W. im alten Iran beruhte, wie auch in anderen Regionen des Alten Orients, im wesentlichen auf Landwirtschaft, hinzu kam in manchen Teilen ein starkes weidewirtschaftliches Element. Die W.-Systeme im alten Iran nahmen über die Jh. unterschiedliche Formen an – entsprechend den jeweils vorherrschenden polit. und gesellschaftl. Verhältnissen und auch abhängig von den einzelnen Regionen.

Unter den elamischen Dyn. vom 3. bis weit ins 2. Jt. v. Chr. (→ Elam) ist eine dimorphe W. insofern charakteristisch, als in der → Susiana Bewässerungsfeldbau möglich war, in den anderen Gebieten des Reiches dagegen nur Regenfeldbau. Die frühen elamischen Schriftzeugnisse lassen große institutionelle Haushalte erkennen, die der aus dem südl. Mesopot. bekannten → Oikos-Wirtschaft geglichen haben dürften [2]. Auf dem iranischen Plateau ist eher mit einer Situation zu rechnen, in der nomadische Weide-W. und in Dorfgemeinschaften organisierte bäuerliche Produktion nebeneinander und in gegenseitiger Abhängigkeit existierten. Die Dorfgemeinschaften gingen im Verlauf der Gesch. allmählich in Großgrundbesittümern der herrschenden Oberschichten auf. Diese Form der W. war dann bis in die sāsānidische Zeit (3. Jh. v. Chr. – 7. Jh. n. Chr.) und darüber hinaus vorherrschend [5. 255f.]. Das Land wurde von abhängigen Pächtern bebaut, welche Teile des Produzierten an die Eigentümer des Landes abzugeben hatten. Diese wiederum waren dem → Herrscher gegenüber abgabepflichtig – insofern kann man von einer tributären W.-Form sprechen. Seit der polit. Expansion iran. Dynastien über die iran. Kernländer hinaus (6. Jh. v. Chr.) basierte die tributäre W. nicht nur auf dem inner-iran. System von Abgaben aus der landwirtschaftl. Produktion, sondern in erheblichem Maße auf den Tributleistungen der einzelnen Reichsteile. Diese Tribute bestanden nach Hdt. 3,88–117 großteils aus Gold und Silber. Neben den tributären W.-Formen lassen die achäm. Verwaltungsurkunden aus → Persepolis [5. 98–101] Elemente einer redistributiven W.-Form erkennen [5. 109–114].

Als Durchgangsland wichtiger Handelsrouten profitierte die W. Irans immer vom Zwischenhandel mit Rohstoffen und Prestigegütern [5. 116, 161, 185, 195–197]. Bes. seit hell. Zeit wurde Iran in Folge der Alexander-Züge (→ Alexandros [4] d.Gr.) zum wichtigen Zentrum des Handels zw. China und Indien (→ Indienhandel) auf der einen und der Mittelmeerwelt auf der anderen Seite. Bes. auf der → Seidenstraße fanden Seide, seidene Gewänder, Gewürze und Aromatica, Schmuck und andere hochwertige Handwerkserzeugnisse, exotische Tiere und deren Felle sowie Sklaven (Eunuchen) ihren Weg ins röm. Reich [5. 225–265]. Die Oasenstadt → Palmyra diente dabei als → *Port-of-Trade* zw. dem Partherreich (→ Parthia) und dem röm. Reich. Palmyrenische Händler unterhielten Handels-

stützpunkte in mehreren Städten des Partherreiches, in
→ Bahrein und im Indusdelta (→ Indos [1]). Iran selbst
bezog aus dem Osten v. a. Seide, Stahl, Früchte (Apri-
kosen, Pfirsiche) und exportierte u. a. Silbergefäße (im
4.–6. Jh. n. Chr. königliches Monopol), Leinengewän-
der, Granatäpfel, Wein und Weinreben sowie Pferde
(aus → Nisaia [2]).

Iran. Dynastien nutzten ihre strategische Position im
Ost-West-Handel, um Zölle auf die durchlaufenden
Waren zu erheben. Rom und Byzanz versuchten aus
diesem Grund, den Weg durch Iran auf dem Seeweg
vom → Persischen Golf nach Indien zu umgehen
(→ Charax Spasinu).

Relativ frühzeitig wurde im Iran durch Dareios [1] I.
Münzgeld eingeführt. Der → Dareikos spielte v. a. im
Verkehr mit der Mittelmeerwelt eine Rolle. Unter den
→ Seleukiden wurde das attische Münzsystem über-
nommen und unter den Arsakiden (→ Arsakes) und
→ Sāsāniden weiterentwickelt. Soweit erkennbar,
scheint dann auch die Monetarisierung von Steuern und
Abgaben eingesetzt zu haben [5. 253 f.].

1 R. McC. ADAMS, Agriculture and Urban Life in Early
South-Western Iran, in: Science 136, 1962, 109–122
2 E. CARTER, M. W. STOLPER, Elam, Surveys of Political
History and Archaeology, 1984 3 M. A. DANDAMAYEV,
V. G. LUKONIN, The Culture and Social Institutions of
Ancient Iran, 1989 4 I. GERSHEVITCH (Hrsg.), The
Cambridge History of Iran, Bd. 2: The Median and
Achaemenian Periods, 1985 5 J. WIESEHÖFER, Das ant.
Persien, ³1998. J. RE.

V. Klassische Antike
A. Allgemeine Strukturen
B. Wirtschaftliche Entwicklungen in Griechenland und im Imperium Romanum

A. Allgemeine Strukturen

Der Begriff οἰκονομία/oikonomía stammt von → oíkos
(»Haus«) und bedeutet urspr. »Hauswirtschaft«, keineswegs Volkswirtschaft. Bereits dieser Tatbestand macht
deutlich, daß die W. der Ant. nicht mit mod. Verhältnissen verglichen werden kann. Nach den Forsch. von
K. BÜCHER, J. HASEBROEK, K. POLANYI und M. I. FINLEY
müssen Unt. der ant. W. stets berücksichtigen, daß das
mod. W.-System erst im Verlauf der Industrialisierung
entstanden ist und die Strukturen der mod. W. keineswegs auf die Ant. projiziert werden dürfen.

Zunächst ist zu betonen, daß die ant. Gesellschaften
Agrargesellschaften waren, in denen mehr als zwei Drittel der Bevölkerung auf dem Lande arbeiteten, um für
sich selbst und für die städtische Bevölkerung → Nahrungsmittel, aber auch Rohstoffe wie → Wolle zu produzieren. Unter diesen Voraussetzungen ist für die Ant.
mit einer umfassenden → Subsistenzproduktion zu
rechnen. Die bäuerlichen Familien produzierten vornehmlich für den eigenen Bedarf, und auf den großen
Gütern wurden die Arbeitskräfte zunächst mit eigenen
Erzeugnissen versorgt. Dies gilt auch für zusätzliche Ar-

beitskräfte, die bei der Ernte eingesetzt wurden; sie erhielten normalerweise einen Anteil der Ernte. Selbst für
den Haushalt reicher Oberschichtfamilien ist weitgehende Selbstversorgung anzunehmen. Die → Märkte
hatten aufgrund dieser Tatsache eine beschränkte Funktion, denn nicht alle Menschen der ant. Gesellschaften
waren Marktteilnehmer und suchten ihren Bedarf dort
zu decken. Erst in den größeren Städten, deren Einwohner keine direkte Beziehung mehr zur Agrarproduktion besaßen, war die Selbstversorgung nicht mehr
möglich, so daß hier viele Menschen gezwungen waren,
alles Lebensnotwendige zu kaufen. Das städtische
→ Handwerk produzierte primär für den lokalen Bedarf, und viele Erzeugnisse wurden als Auftragsarbeit
hergestellt. Die Produktivität des Handwerks blieb gering, da technische Neuerungen nur in begrenztem
Umfang eingesetzt wurden und die Arbeit mit dem
→ Werkzeug keineswegs verdrängten. Die Besitzer größerer Werkstätten konnten einen gewissen Wohlstand
erreichen, ihr Vermögen ist aber nicht mit dem der
Großgrundbesitzer vergleichbar (→ Großgrundbesitz),
in deren Händen die großen Vermögen lagen (→ Vermögensverteilung).

Der Reichtum der Städte beruhte weitgehend auf
der Agrarproduktion ihres Territoriums, und der Besitz
der sozialen und polit. Führungsschichten bestand v. a.
aus Ländereien – in gewissem Umfang auch aus städtischen Immobilien. Der → Handel diente v. a. der Versorgung der Städte und war somit importorientiert, be-
schaffte darüber hinaus aber auch Luxuswaren von hohem Wert, die nur in bestimmten Regionen produziert
wurden. Ökonomisch scheint dieser Handel eine geringe Bed. besessen zu haben.

Ein wesentliches Merkmal der ant. Gesellschaft und
W. war die → Sklaverei. Obgleich diese keineswegs in
allen Zeiten und Regionen der ant. Welt dominierte, ist
ihre wirtschaftl. Bed. nicht zu unterschätzen; Sklaven
stellten in der klass. Zeit Griechenlands, in der späten
Republik und in der frühen Prinzipatszeit einen großen
Teil der in der → Landwirtschaft und im Handwerk tätigen Arbeitskräfte. Allerdings ist auch zu konstatieren,
daß in den ländlichen Gebieten der hell. Königreiche
und des spätant. Imperium Romanum die Agrarproduktion weitgehend auf der Arbeit halbfreier → Bauern
oder an die Scholle gebundener Pächter (coloni) beruhte
und die Sklavenarbeit im Agrarbereich an Bed. verlor.
Bodenschätze – v. a. Metallvorkommen und Marmor-
brüche – blieben von wenigen Ausnahmen abgesehen
in öffentlichem Besitz. Daher bestand keine Möglichkeit für Grundeigentümer, durch Aktivitäten etwa im
Gold- und Silberbergbau (→ Bergbau) großen Reichtum zu erwerben. Die Bergwerke wurden normalerweise von Kleinpächtern – oder in röm. Zeit von Pacht-
gesellschaften – betrieben, wobei in der Prinzipatszeit
wohl die Tendenz bestand, Bergwerksdistrikte der kaiserlichen Verwaltung zu unterstellen.

Die wirtschaftl. Verhältnisse waren jeweils von bestimmten geogr. Bedingungen abhängig; der Anbau

konzentrierte sich auf die wenigen fruchtbaren Ebenen in den Flußtälern oder auf Gebiete mit Böden vulkanischen Ursprungs; Niederschlagsmengen und die Wintertemperaturen waren wichtige Faktoren, die die Entscheidung, welche Pflanzen angebaut werden sollten, bestimmten. Die → Viehwirtschaft war auf Waldgebiete angewiesen, die sich als Sommerweide eigneten. Da die Metallvorkommen im Mittelmeerraum ungleich verteilt und nur auf wenige Regionen beschränkt sind, waren nur wenige Städte, Gemeinwesen und Königreiche in der Lage, durch Abbau von Edelmetallen und → Münzprägung ihren Reichtum zu vermehren. Jene Städte und Königreiche, die Zugang zu den Edelmetallvorkommen hatten, verfügten damit über ein wirtschaftl. Potential, das zum Ausbau ihrer Machtposition genutzt werden konnte; dies trifft zunächst auf Athen, dann auf Makedonien und schließlich auf Karthago und Rom zu.

B. WIRTSCHAFTLICHE ENTWICKLUNGEN IN GRIECHENLAND UND IM IMPERIUM ROMANUM

Die Darstellung und Analyse wirtschaftl. Strukturen in der Ant. darf die ant. Gesellschaften nicht als statische Ges. betrachten und ihnen eine wirtschaftl. Entwicklung absprechen. Mit Nachdruck hat K. HOPKINS darauf hingewiesen, daß Ges. und W. der homerischen Zeit und der Prinzipatszeit sich manifest unterschieden; dabei war die wirtschaftl. Entwicklung von verschiedenen Faktoren beeinflußt: Zu nennen ist hierbei zuerst das Bevölkerungswachstum, dann ein Anwachsen der Städte, eine soziale Differenzierung, die zu größerem → Reichtum der Oberschichten und damit zu einer steigenden Nachfrage nach Luxusprodukten führte, eine weitreichende Durchsetzung der → Geldwirtschaft, eine Intensivierung der Austauschbeziehungen innerhalb des Mittelmeerraums und eine Zunahme des Handels mit Regionen außerhalb davon.

Zweifellos ging von den größeren Städten, die zugleich polit. und ökonomische Zentren waren, erhebliche wirtschaftl. Dynamik aus. Einerseits konnte die städtische Bevölkerung in den urbanen Zentren nicht mehr mit → Nahrungsmitteln aus dem direkten Umland versorgt werden, und es wurden Handelsbeziehungen notwendig, um die lebenswichtigen Güter beschaffen zu können. Andererseits mußten für den Austausch Güter exportiert oder die Importe mit Edelmetall bezahlt werden. In Athen, das auf umfangreiche Getreideimporte angewiesen war und über die Silbervorkommen im → Laureion verfügte, entwickelte sich unter diesen Bedingungen der Handel und im Zusammenhang mit dem → Seedarlehen auch das Geld- und Bankgeschäft (→ Banken); der → Peiraieus wurde zu einem überregional bedeutenden Handels- und Geschäftszentrum, in dem reiche Metoiken (→ métoikoi) im Bankgeschäft tätig waren und große Werkstätten besaßen.

In hell. Zeit eröffneten sich dem Handel durch die Eroberungen Alexandros' [4] völlig neue Möglichkeiten. Die → Ptolemaier förderten den Handel mit Indien, Alexandreia [1] wurde im östlichen Mittelmeerraum

der wichtigste Hafen. Rhodos, das im 3. Jh. v. Chr. den Peiraieus in der Ägäis als Handelszentrum ablöste, verlor diese Position, als die Römer 166 v. Chr. Delos zum Freihandelshafen machten. Delos wurde damit zu einem Zentrum röm. Geschäftstätigkeit im griech. Osten und v. a. auch des → Sklavenhandels. Der Geldumlauf wurde durch die Prägung der persischen Edelmetallschätze unter Alexandros stimuliert.

Durch Kontakte mit den griech. Städten Unteritaliens und Siziliens sowie den hell. Königreichen im Osten wurde Rom, das bis zur Mitte des 3. Jh. v. Chr. eher agrarisch geprägt war, in den hell. Wirtschaftsraum integriert. Indiz hierfür ist v. a. das Einsetzen der röm. Münzprägung, wobei die röm. Nominale griech. Standards folgten. In der Konsequenz der Siege über Karthago im 1. und 2. → Punischen Krieg annektierten die Römer Provinzen, die ihnen erhebliche Steuereinkünfte einbrachten und insbes. den Zugang zu den Edelmetallvorkommen Spaniens ermöglichten.

Die wirtschaftl. Entwicklung Roms ist ganz wesentlich durch die polit. Kontexte geprägt: Aufgrund der mil. Siege über → Karthago und über die hell. Herrscher im Osten gelangten Edelmetall und Geld in außerordentlich großen Mengen nach Rom, wo die kleine Führungsschicht der Senatoren großen Reichtum erwarb. Gleichzeitig boten sich wohlhabenden röm. Bürgern – unter ihnen auch den → equites Romani – neue Geschäftsfelder in den Prov.; gerade die lukrative Steuerpacht in Sizilien oder in der Provinz Asia eröffneten auch den röm. → negotiatores Möglichkeiten der Bereicherung. Um den finanziellen Anforderungen der Steuerpacht genügen zu können, gründeten die → publicani Gesellschaften (societates publicorum). Das Anwachsen Roms und der Städte Mittelitaliens hatte eine erhebliche Nachfrage nach Agrarerzeugnissen zur Folge und förderte auf diese Weise Entstehung und Durchsetzung einer marktorientierten Gutswirtschaft in Mittelitalien. Ohne Zweifel war die wirtschaftl. Dynamik Roms und It.s eine Folge der polit. Entwicklung, die Rom in der Zeit zw. dem 1. Punischen Krieg und dem Beginn des Bürgerkrieges 49 v. Chr. zur führenden polit. Macht des Mittelmeerraumes werden ließ.

Polit. Gegebenheiten beeinflußten auch in der Prinzipatszeit die wirtschaftl. Entwicklung erheblich. Die Verwaltung der → principes hatte nicht nur die Versorgung der Stadt Rom, sondern auch der Legionen, die an den Grenzen des Imperium Romanum stationiert waren, zu sichern (→ legio). Während die Stadt Rom als → Steuer eingezogenes Getreide aus Africa und aus Äg. erhielt, mußten die Legionen am Rhein und später in Britannien v. a. mit Öl aus dem Mittelmeerraum versorgt werden. Zu diesem Zweck mußte der Transport von Massengütern in großem Umfang bürokratisch organisiert werden. Der freie Handel behielt allerdings seine Funktion, indem er Lebensmittel und Gebrauchsgüter für die Märkte der übrigen Städte lieferte.

Charakteristisch für die W. des Prinzipats ist die Entstehung großer Produktionszentren im Handwerk, etwa in der → Keramikherstellung. So wurde → Terra Sigillata in der späten Republik in Arretium, im frühen Prinzipat in den süd- und mittelgallischen Töpferzentren hergestellt. Ähnliches ist auch für die Glas- und → Textilherstellung festzustellen. Trotz der Konzentration der Produktion auf solche Zentren kam es keineswegs zur Entstehung von Großbetrieben oder gar von Manufakturen; diese Zentren sind eher als Agglomeration vieler kleiner Werkstätten anzusehen, die bei einzelnen Produktionsschritten, etwa beim Brand der Keramik, durchaus kooperierten. Die gallischen Töpfereien stellten eine Qualitätsware her, die in vielen Prov. des Imperium Romanum verkauft wurde. Im Bereich der → Landwirtschaft kam es zu einer deutlichen überregionalen Arbeitsteilung: In den bes. fruchtbaren Gebieten wurden hohe Überschüsse an → Wein und Öl (→ Speiseöle II., s. Nachträge) produziert; so lieferte die Prov. Baetica große Mengen Öl nicht nur an die Legionen der nw Provinzen, sondern auch nach Rom; Wein wurde ebenfalls über große Entfernungen transportiert. Aus Regionen außerhalb des Imperium Romanum wurden in steigendem Umfang Luxusgüter importiert, so etwa → Elfenbein aus Äthiopien und Indien sowie → Gewürze und → Seide aus Indien und China. Neben dem Seeweg durch das Rote Meer nach Indien spielte dabei auch der → Karawanenhandel – etwa über Palmyra – eine große Rolle.

In dieser Zeit wurden auch die Verkehrswege im Imperium Romanum planmäßig ausgebaut; obwohl hierfür auch mil. Gesichtspunkte von Bed. waren, sollte die Wirkung des forcierten → Straßenbaus für Handel und → Verkehr nicht unterschätzt werden. Es wurde ein Straßennetz geschaffen, das auch die großen Binnenräume in den nw Prov. erschloß und It. mit den Prov. nördlich der Alpen und den Donauprovinzen verband (→ Straßen, s. Nachträge). Der Ausbau der Häfen – nicht nur an der Tibermündung – förderte zudem die → Schiffahrt.

Eine wesentliche Bedingung für die Prosperität der Städte im 1. und 2. Jh.n.Chr. war die lange Friedenszeit, die das polit. System des Prinzipats dem Imperium Romanum zu garantieren vermochte. Das Ende der in der klass. Zeit und im Hell. unablässig geführten Kriege mit der permanenten Vernichtung von Gütern, häufigen Zerstörung von Städten und massenhafter Versklavung von Menschen begünstigte die wirtschaftl. Aktivitäten und eine Vermehrung des Wohlstands. Dabei muß betont werden, daß auch in der Prinzipatszeit die Städte Inseln in einer agrarisch geprägten Welt blieben und daß die → Sklaverei in der Landwirtschaft nur langsam durch Formen der Verpachtung partiell verdrängt wurde. Die → Geldwirtschaft fand, wie die Hortfunde zeigen, in den Prov. weite Verbreitung; sie beruhte jedoch auf der Edelmetallförderung in den spanischen Bergwerksgebieten, und als diese Gold- und Silbervorkommen erschöpft waren, kam es zu einer tiefgreifenden Krise des röm. Währungssystems.

Die polit. Krise des 3. Jh.n.Chr., die wesentlich von den Einfällen germanischer Stämme in die röm. Provinzen ausgelöst worden war, führte in vielen Gebieten zu weitreichenden Zerstörungen, zur Unterbrechung der Kommunikationswege und in den nicht betroffenen Gebieten des Imperium Romanum zu wachsender Steuerbelastung. Die Finanzierung des Militärwesens und der → Verwaltung war nur durch Erhöhung und Systematisierung der → Steuern möglich; das Währungssystem konnte unter Constantinus [1] nur für den Bereich der Goldmünze (→ solidus) wieder stabilisiert werden, so daß das Imperium Romanum zunehmend an Stelle der Steuern Sachleistungen forderte. Die Besteuerung des Grundbesitzes hatte eine Bindung der coloni (→ coloniae) an die Scholle zur Folge, und es ist die Tendenz erkennbar, daß durch Edikte auch in den Städten eine Bindung an die Berufe durchgesetzt wurde. Die Leistungen an die Bevölkerung von Rom wurden insofern ausgeweitet, als die Lieferung auch von Wein und Fleisch jetzt von der Verwaltung organisiert wurde; zugleich wurde im 4. Jh.n.Chr. Konstantinopolis in dieses System einbezogen. Das in der Prinzipatszeit entstandene W.-System zerbrach schließlich vollständig, als die germanischen Völker im 5. Jh.n.Chr. die nw Provinzen und Africa eroberten, die Seewege im westl. Mittelmeerraum blockierten und die Stadt Rom von den Lieferungen aus den westl. Prov. abschnitten.

→ WIRTSCHAFT; WIRTSCHAFTSLEHRE

1 J. ANDREAU, Banking and Business in the Roman World, 1999 2 K. BÜCHER, Die Entstehung der Volkswirtschaft, 1893 3 E. E. COHEN, Athenian Economy and Society. A Banking Perspektive, 1992 4 D'ARMS 5 DUNCAN-JONES, Economy 6 D'ARMS/KOPFF 7 FINLEY, Ancient Slavery 8 FINLEY, Property 9 FINLEY, Ancient Economy 10 M. I. FINLEY, The World of Odysseus, 1977 11 ESAR 12 J. M. FRAYN, Subsistence Farming in Roman Italy, 1979 13 P. GARNSEY, Cities, Peasants and Food in Classical Antiquity, 1998 14 GARNSEY 15 P. GARNSEY (Hrsg.), Non-Slave Labour in the Greco-Roman World, 1980 16 GARNSEY/HOPKINS/WHITTAKER 17 W. V. HARRIS (Hrsg.), The Inscribed Economy, 1993 18 HASEBROEK 19 J. HASEBROEK, Staat und Handel im alten Griechenland, 1928 20 F. M. HEICHELHEIM, An Ancient Economic History, 3 Bde., 1964–65 21 R. HODGES, Primitive and Peasant Markets, 1988 22 K. HOPKINS, Economic Growth and Towns in Classical Antiquity, in: P. ABRAMS, E. A. WRIGLEY (Hrsg.), Towns and Society, 1978, 35–77 23 Ders., Taxes and Trade in the Roman Empire (200 B. C.-A. D. 400), in: JRS 70, 1980, 101–125 24 JONES, Economy 25 JONES, LRE 26 D. J. MATTINGLY, J. SALMON (Hrsg.), Economies beyond Agriculture in the Classical World, 2001 27 E. MEYER, Die wirtschaftliche Entwicklung des Alt., in: Ders., KS 1, ²1924, 79–168 28 MILLET 29 K. POLANYI, The Great Transformation, 1944 30 PRÉAUX 31 G. RICKMAN, The Corn Supply of Ancient Rom, 1980 32 ROSTOVTZEFF, Hellenistic World 33 ROSTOVTZEFF, Roman Empire 34 P. VEYNE, Mythe et réalité de l'autarchie à Rome, in: REA 81, 1979, 261–280 35 P. VIDAL-NAQUET, Economic and Social History of Ancient Greece, 1977 6 M. WEBER, Gesammelte Aufsätze zur Sozial- und W.-Geschichte, 1924 37 WHITTAKER

38 H.-J. Drexhage et al., Die W. des röm. Reiches
(1.–3. Jh.), 2002 **39** W. Scheidel, S. v. Reden, The Ancient
Economy, 2002.   J. M. A.-N.

VI. Byzanz

Die Zeit Iustinianus' [1] (527–565) erscheint auf den
ersten Blick als die Periode der letzten kulturellen, ökonomischen, polit. und mil. Blüte der Spätant., und doch
lassen sich schon in dieser Zeit Anzeichen für einen
Niedergang ausmachen, der sich mit aller Gewalt dann
im Verlauf des 7. Jh. durchsetzte. Das 6. Jh. kann somit
als janusköpfig bezeichnet werden: Auf der einen Seite
prosperierten bestimmte Regionen des oström. Reiches, andere befanden sich jedoch bereits in unüberseh-
barem Niedergang.

Ein wesentlicher Wirtschaftsfaktor – auch wenn seine genauen Auswirkungen in der Forsch. umstritten
sind – war der Staat mit seiner zentralen Steuer- und
Finanzpolitik. Etwa seit 500 (zur Zeit des Kaisers Anastasios [1], 491–518) hatte sich die Umwandlung von
Natural- in Geldsteuern (→ adaeratio) weitgehend, jedoch keineswegs vollständig durchgesetzt. Der Bedarf
an Naturalien etwa für das Heer wurde nun zunehmend
durch die coemptio (staatlicher Zwangsaufkauf zu festgesetzten Preisen) gedeckt.

Die landwirtschaftliche Produktion florierte auf dem
umfangreichen kaiserlichen, staatlichen, aristokratischen und kirchlichen → Großgrundbesitz. Insbes. die
umfangreichen Besitzungen der Kirche wurden verpachtet (→ emphýteusis). Daneben gab es in bestimmten
Gebieten des Reiches freie Bauern, etwa in Kleinasien
oder Syrien. Bis zum Verlust an die Perser im J. 617
wurde Konstantinopolis durch die Getreidelieferungen
Äg.s versorgt. Das starke Sinken der Bevölkerungszahl
der byz. Hauptstadt verhinderte allerdings eine Hun-
gerkatastrophe, als diese Lieferungen ausblieben. Das
byz. Handwerk bewahrte bis in die 1. H. des 7. Jh. hohes
technisches Niveau. In den großen Städten (Konstantinopolis, Antiocheia [1], Alexandreia [1], Ephesos)
waren → Handwerk und → Handel in Zünften (→ collegia, συστήματα/systémata) organisiert und staatlicher
Kontrolle unterworfen (→ Berufsvereine). Staatliche
Werkstätten (→ fabricae) für Textilien, darunter auch Luxuswaren wie → Seide, oder für Waffen hatten den
staatlichen Bedarf, bes. für das Militärwesen, zu decken.
Das Städtewesen war bereits im 6. Jh. durch den Verfall
der sozialen Schicht der → curiales [2] gekennzeichnet.
Verschiedene staatliche Reformversuche, die diese Entwicklung aufhalten sollten, blieben erfolglos.

Gravierende Auswirkungen hatte das Auftreten der
Bubonenpest, die 541/2 zum ersten Mal den Mittelmeerraum heimsuchte. Zwar sind die demographischen
Verluste nicht wirklich zu quantifizieren – die Schätzungen des Bevölkerungsverlustes bewegen sich zwischen 25 % und 50 % –, doch steht außer Frage, daß
die Pest weitreichende Folgen hatte (vgl. → Epidemi-
sche Krankheiten IV.). Da bis 746/748 die Seuche immer wieder ausbrach, ist von ständigen Bevölkerungs-

verlusten auszugehen. Unter den Auswirkungen dieser
Katastrophe ist zunächst der enorme Verlust an Steuer-
zahlern zu nennen. Insbes. die Städte scheinen gelitten
zu haben, während ländliche Gebiete – zumindest in
einigen Regionen – weniger tangiert waren.

Bis zum Beginn des 7. Jh. scheinen die traditionellen
Binnen- und Fernhandelsverbindungen weiter bestanden zu haben. Auch die großen Kirchen – für Alexandreia durch die Vita → Iohannes' [32] Eleemon (Patriarch 610–619), verfaßt von → Leontios [8] von Neapolis (Bibliotheca Hagiographica Graeca 886b-c); gut
bezeugt – entwickelten umfangreiche wirtschaftl. Aktivitäten. Wie die mod. Keramikforschung zeigt, kam es
jedoch danach fast zum Erliegen des Fernhandels.

Umfassende Verwerfungen erlebte das oström.
Reich seit dem Beginn des 7. Jh. Die bereits bisher wirkenden Krisenmomente wuchsen sich nun zu einem
weitgehenden Zusammenbruch der spätant. W.- und
Sozialstrukturen aus. Nachdem Phokas [4] (602–610) im
J. 602 → Maurikios gestürzt hatte, begann ein jahrzehn-
telanger Krieg mit den sāsānidischen Persern, der erst
627/8 unter Kaiser Herakleios (610–640) ein Ende fand
(→ Parther- und Perserkriege E.). Zusätzlich zu den
Verwüstungen der Pest zerstörte die persische Kriegführung die Infrastruktur des Städtewesens erheblich. Nur
wenige Jahre später begann die Expansion des → Islam.
Binnen weniger Jahre verlor Byzanz seine wirtschaftl.
wichtigen Prov. in Äg., Syrien, Palaestina und Mesopotamien. Die zeitweise alljährlichen arabischen Einfälle
ins byz. Kleinasien führten zu erheblichen Bevölke-
rungsverlusten und zur Aufgabe vieler Dörfer.

Der fast ein Jh. andauernde Abwehrkampf gegen die
unentwegt angreifenden islamischen → Araber (674–
678 und 716–717 Belagerungen von → Konstantinopolis) verursachten einen grundlegenden Wandel der
Sozial- und W.-Struktur. Im Verlaufe des 7. Jh. verschwand die alte großgrundbesitzende Aristokratie, und
auch die kaiserliche und staatliche → Domänen-W.
mußte schwere Einbußen hinnehmen. Im 9. Jh. verfügten Krone und Staat nur noch über einen Bruchteil der
im 6. Jh. bezeugten Güter. Allein der Kirche gelang es
offenbar, ihren Besitz zu bewahren (→ Kirchenbesitz).
Die notorische Quellenarmut für die Gesch. des 7. und
8. Jh. verbietet weitergehende Aussagen. Feststellbar ist
ein offensichtlich verstärktes Vordringen naturalwirt-
schaftl. Verhältnisse. 668 wurde die Prägung kleinerer
Nominale – die Basis funktionierender Marktbeziehungen – drastisch reduziert. Gleichzeitig wurde die
staatliche Steuer- und Finanzverwaltung grundlegend
umgestaltet. Seit Mitte des 7. Jh. bis ca. 730 wurden
wiederum Naturalsteuern eingezogen und an das Heer
weitergeleitet. Daneben wurden insbes. in relativ prosperierenden Regionen (Umgebung von Konstantinopolis, Unteritalien und Sizilien) weiterhin Geldsteuern
erhoben.

Der Schwerpunkt des Stadt-Land-Verhältnisses verschob sich nun zugunsten des Landes. Konnte Konstantinopolis und die Umgebung der Hauptstadt (Thrakien,

Bithynien) auch in dieser Zeit einen gewissen Stand an handwerklicher und landwirtschaftl. Produktion bewahren, sah die Lage in Kleinasien, das nun zum Kernland des byz. Reiches wurde, anders aus. Der Mangel an Quellen erlaubt keine eindeutigen Aussagen, doch scheinen alle Indizien darauf zu deuten, daß Byzanz nunmehr zu einem Staat mit v. a. stark befestigten *kástra* (Festungsstädten) mutierte, die nicht mehr die urspr. arbeitsteiligen Funktionen einer urbanen Siedlung erfüllen konnten, sondern primär dem mil. Schutz dienten. Daneben gab es verstreute Dörfer mit landwirtschaftl. Produktion, wobei der Weidewirtschaft große Bed. zukam. Nur wenige *civitates/póleis* konnten ihren urbanen Charakter bewahren, neben Konstantinopolis Thessalonike, Ephesos und vielleicht Trapezunt.

Nachdem die äußere Gefahr ab Mitte des 8. Jh. weitgehend gebannt war, kam es zu einem wirtschaftl. Aufschwung, der binnen weniger Jahrzehnte Byzanz wieder zur wirtschaftl. führenden Macht werden ließ, zweitrangig nur gegenüber dem arabischen Kalifat. Es kam zu einer Zunahme der landwirtschaftl. und gewerblichen Produktion und entsprechend intensivierter Marktbeziehungen. Dies erlaubte die allmähliche Wiedereinführung von Geldsteuern, so daß in den folgenden Jh. die → Geldwirtschaft in Byzanz dominierte. Allerdings kam es nie zu einer gänzlichen Aufhebung von Naturalsteuern. Um 800 war die wirtschaftl. Lage so weit gefestigt, daß es nun auch wieder möglich wurde, in umfassender Weise Kataster anzulegen.

→ Domänen; Geld, Geldwirtschaft IV.; Handel VI.; Handwerk VI.; Kirchenbesitz

1 W. BRANDES, Finanzverwaltung in Krisenzeiten, 2002
2 Ders., Die Städte Kleinasiens im 7. und 8. Jh., 1989
3 Ders., J. HALDON, Towns, Tax and Transformation: State, Cities and Their Hinterlands in the East Roman World, ca. 500–800, in: G. P. BROGIOLO et al. (Hrsg.), Towns and Their Territories between Late Antiquity and the Early Middle Ages, 2000, 141–172 4 A. CAMERON et al. (Hrsg.), Late Antiquity. Empire and Successors, A. D. 425–600 (CAH 14), 2000 5 J. DURLIAT, De la ville antique à la ville byzantine, 1990 6 J. F. HALDON, Byzantium in the Seventh Century, ²1997 7 Ders., State, Army and Society in Byzantium, 1995 8 M. HENDY, Studies in the Byzantine Monetary Economy, 1985 9 J. H. LIEBESCHUETZ, Decline and Fall of the Roman City, 2001 10 JONES, LRE 11 A. CH. JOHNSON, L. C. WEST, Byzantine Egypt: Economic Studies, 1949 12 M. KAPLAN, Les hommes et la terre à Byzance, 1992 13 P. LEMERLE, The Agrarian History of Byzantium from the Origins to the Twelfth Century, 1979 14 M. MCCORMICK, Origins of the European Economy. Communications and Commerce, A. D. 300–900, 2001 15 F. MITTHOF, Annona militaris. Die Heeresversorgung im spätant. Äg., 2 Bde., 2001 16 E. PATLAGEAN, Pauvreté économique et pauvreté sociale à Byzance, 1977 17 B. SIRKS, Food for Rome. The Legal Structure of the Transportation and Processing of Supplies for the Imperial Distributions in Rome and Constantinople, 1991 18 E. WIPSZYSKA, Les ressources et les activités économiques des églises en Egypt de IVᵉ au VIIIᵉ siécles, 1972. W. BR.

Wirtschaftsethik I. BEGRIFF II. GRIECHENLAND III. ROM IV. CHRISTENTUM

I. BEGRIFF

Die W. befaßt sich mit denjenigen Aspekten des wirtschaftlichen Handelns, die nach den Kriterien der Ethik beurteilt werden können; es handelt sich um eine mod. theoretische Disziplin, die v. a. jene normativen Vorstellungen und Anschauungen untersucht, die auf die wirtschaftl. Aktivitäten einzelner und sozialer Gruppen sowie auf die → Wirtschaft insgesamt beträchtlichen Einfluß ausüben. Dabei sind solche Vorstellungen keineswegs ausschließlich moralisch motiviert, sie dienen oft der Legitimation des wirtschaftl. Handelns bestimmter sozialer Gruppen. Zu den Themen der W. gehören etwa die Bewertung verschiedener Berufe, insbes. die Bewertung der körperlichen → Arbeit, die Kontrolle der → Preise, die Zinsnahme (→ Zins) sowie die Einschätzung des → Reichtums. In der Ant. gab es keine systematischen Schriften zur W., allerdings erscheinen bes. in philos. Texten isolierte Ausführungen dazu.

II. GRIECHENLAND

Die ant. → Wirtschaft war in die Ges. eingebettet und zunächst durch die Dominanz der Hauswirtschaft charakterisiert, die das wirtschaftl. Handeln und Denken in hohem Ausmaß prägte. Ansätze zu einer W. finden sich bereits in den *Érga* des → Hesiodos, der die Beachtung des Rechts fordert, die bäuerliche Arbeit lobt und Reichtum sowie Ansehen auf Arbeit zurückführt (Hes. erg. 213–281; 298–316). Wirtschaftl. Handeln folgt zudem den Postulaten eines guten Verhältnisses zum → Nachbarn (Hes. erg. 342–358). Die Preisbildung ist Gegenstand der Gerichtsrede des → Lysias [1] gegen die Getreidehändler: Lysias polemisiert an dieser Stelle gegen die Ausnutzung einer Knappheit, um hohe → Preise zu erzielen (Lys. 22,11–22).

In systematischer Form sind Fragen der Wirtschaft und der W. zuerst von → Platon [1] und → Aristoteles [6] im Rahmen der Ethik und der polit. Theorie behandelt worden. So fordert Platon, daß in einer gerechten Stadt die polit. Führungsschicht (die φύλακες/*phýlakes*) keinen eigenen Besitz hat; die Durchsetzung wirtschaftl. Interessen durch eine solche Führungsschicht hat nach Platons Auffassung geradezu zwangsläufig → soziale Konflikte zur Folge (Plat. rep. 415d–417b). In den *Nómoi* thematisiert Platon eine Vielzahl von Fragen der Wirtschaft und der Vermögensverhältnisse (→ Privates Vermögen; → Vermögensverteilung). Er empfiehlt nachdrücklich, daß die Vermögen der Bürger einer Stadt möglichst gleich seien, und kritisiert die Entstehung von Reichtum (Plat. leg. 735a–745a). Die Basis aller wirtschaftl. Tätigkeit der Bürger ist die → Landwirtschaft, während → Handel und → Handwerk in den Händen von Fremden liegen (Plat. leg. 846d–850c). Eine Vielzahl von Regelungen betreffen den → Markt, Verkauf und → Kauf und die → Preise; → Darlehen und Kredit werden generell abgelehnt und → Zinsen nur für den Fall von Zahlungsverzögerungen akzeptiert (Plat. leg. 915d–921d).

Aristoteles stellt in der ›Nikomachischen Ethik‹ die Frage, worin die Gleichheit ausgetauschter Güter bestehe und wie deren Wert festgelegt werden könne; → Geld erscheint in diesem Zusammenhang als Wertmesser, der den Austausch ungleicher Güter überhaupt erst ermöglicht (Aristot. eth. Nic. 1133a–1133b). In der polit. Theorie wird die Frage nach den angemessenen Zielen wirtschaftl. Handelns umfassend erörtert: Da Aristoteles den → oíkos als Bezugspunkt wirtschaftl. Handelns sieht, geht es primär darum, die für den oíkos notwendigen Lebensmittel und Gebrauchsgegenstände zu beschaffen. Angemessen ist demnach ein Handeln, das auf eine angemessene Versorgung der im oíkos lebenden Menschen abzielt (Aristot. pol. 1253b–1256b). Auf der Ebene der → pólis ist ein Austausch notwendig, da keine einzelne Stadt auf ihrem Territorium über alle für sie notwendigen Güter verfügt (Aristot. pol. 1257a–1257b). Mit dieser Auffassung ist ein Kriterium für die Ablehnung eines Gelderwerbs gegeben, der seine Grenze nicht mehr in der Beschaffung notwendiger Güter findet, sondern nach unbegrenzter Bereicherung strebt. Dieser unbegrenzte Erwerb (χρηματιστική/ → chrēmatistikḗ) wird ebenso kritisiert wie der Zins, der deswegen unnatürlich sei, weil dabei Geld wiederum Geld hervorbringe. Der Geldverleih entspricht nicht der ursprünglichen Funktion des Geldes, Tauschmittel zu sein (Aristot. pol. 1257b–1258b).

Xenophon [2] leistete im Oikonomikós ebenfalls einen wichtigen und in vieler Hinsicht für seine Zeit typischen Beitrag zur W.: Er begründet unter Hinweis auf die natürliche Konstitution von Mann und Frau die Arbeitsteilung innerhalb des oíkos, wobei der Mann die Aufgabe hat, außerhalb des Hauses Güter für den oíkos zu beschaffen, während die → Frau für die Vorräte zu sorgen hat (→ Vorratswirtschaft). Die Leistung eines reichen Landbesitzers (→ Großgrundbesitz) ist im wesentlichen darin zu sehen, daß er die Sklaven zu unablässiger und sorgfältiger Arbeit anzuspornen vermag (Xen. oik. 7,15–43). Die Schrift über die öffentlichen Einkünfte der Stadt Athen (Póroi) enthält kaum Bemerkungen zur W., signifikant ist aber, daß Xenophon hier den Versuch unternimmt, den athenischen Bürgern durch eine Steigerung v. a. der Erträge des Silberbergbaus die Existenz zu sichern und damit eine Befreiung vom Zwang zur Arbeit zu erreichen (Xen. vect. 4,33; 4,52; → Bergbau; → Silber).

III. ROM

Als klassischer röm. Text zur W. kann die praefatio von → Catos [1] De agricultura (›Über die Landwirtschaft‹) angesehen werden. Aus diesem Text wird deutlich, daß die Wahl des Gelderwerbs nicht allein von der Gewinnerwartung abhängt, sondern auch von dem sozialen Prestige, das mit einer Tätigkeit verbunden ist. Ein weiteres Kriterium für die Bewertung einer wirtschaftl. Tätigkeit ist das mit ihr verbundene Risiko. Unter diesen Voraussetzungen werden Geldverleih

(→ Darlehen) und → Handel als sozial nicht anerkannt bzw. als zu risikoreich abgelehnt, die → Landwirtschaft wird hingegen als die Tätigkeit gerühmt, die am wenigsten Neid hervorruft (Cato agr. praef.).

Die Bewertung von Berufen blieb ein wichtiges Thema in der Lit. der röm. Republik und der Prinzipatszeit. → Cicero widmete in seinem grundlegenden Werk über die sozialen Normen und Wertvorstellungen der röm. Senatorenschicht ebenfalls den Berufen einen längeren Abschnitt (Cic. off. 1,150f.). Er bewertet die Berufe dem sozialen Ansehen entsprechend, das sie besitzen, wobei ihre wirtschaftl. Bed. keine Rolle spielt: Zuerst werden Zolleinnehmer und Geldverleiher genannt, die aufgrund ihrer Tätigkeit den Haß der Menschen auf sich ziehen, weswegen diese Berufe zu mißbilligen sind. Auch der Gelderwerb der → Tagelöhner wird nicht akzeptiert, da deren → Arbeit, nicht aber berufliche Fähigkeiten (artes) gekauft werden. Kaufleuten, die im Kleinhandel tätig sind, wird nachgesagt, ihr Gewinn beruhe darauf, daß sie lügen. Ein Verdikt wird über die Handwerker insgesamt gefällt, denn eine Werkstatt hat nichts Freies an sich. In besonderem Maße werden solche Zweige des → Handwerks kritisiert, die dem unmittelbaren Genuß dienen, wobei Cicero in Anlehnung an Terentius Fischhändler, Fleischer, Köche, Geflügelhändler und Fischer anführt (cetarii; lanii; coqui; fartores; piscatores: Cic. off. 1,150).

Positiv davon abgesetzt werden drei Berufsgruppen: Einerseits die artes, deren Ausübung auf Klugheit beruht und die einen größeren Nutzen bewirken – Cicero führt als Beispiele hierfür die → Medizin und die → Architektur an –, andererseits der Großhandel und schließlich die → Landwirtschaft, von der gesagt wird, ›nichts sei besser, nichts ergiebiger, nichts angenehmer, nichts eines Freien würdiger‹ (nihil est agri cultura melius, nihil uberius, nihil dulcius, nihil homine, nihil libero dignius: Cic. off. 1,151). Bemerkenswert sind auch Ciceros Ausführungen zu den sozialpolit. Aktivitäten der späten Republik; hier geht er von der Feststellung aus, daß die Gemeinwesen gegründet worden sind, damit jeder sein Eigentum behalten könne (Cic. off. 2,73: hanc enim ob causam maxime, ut sua tenerentur, res publicae civitatesque constitutae sunt). Umverteilungsaktivitäten jeglicher Art lehnt er daher entschieden ab (Cic. off. 2,72–85). Bei Cicero wie bei Cato ist die Landwirtschaft für einen Angehörigen der senatorischen Oberschicht die am höchsten geschätzte Tätigkeit. Hinter dieser Position stehen platonische, aristotelische und stoische Gedanken, die auf traditionelle griech. Vorstellungen zurückgehen, und gleichzeitig die Normen der röm. Aristokratie (→ nobiles).

In der Prinzipatszeit wird die Diskussion über die Berufe von Dion Chrysostomos fortgesetzt (Dion Chrys. 7,105–138). Dion stellt zunächst fest, daß für besitzlose Menschen in den Städten ein wirtschaftl. Zwang besteht, einen Beruf auszuüben, um alle lebensnotwendigen Güter kaufen zu können. Dabei stellt sich die Frage, welche Berufe akzeptiert werden können. In diesem

Zusammenhang äußert sich Dion gerade auch über die → Prostitution negativ, weil zuvor freie Frauen des Gewinns wegen ohne Zuneigung zum Sexualverkehr gezwungen würden.

Die Preisbildung ist Gegenstand kritischer Erwägungen in der Praefatio des Preisedikts des Diocletianus (→ *Edictum* [3] *Diocletiani*); das Steigen der Preise wird nicht auf ökonomische Mechanismen oder den Verfall des Münzwertes, sondern allein auf die *avaritia* (»Habgier«) der Händler zurückgeführt; wirtschaftl. Entwicklungen werden auf diese Weise mit dem Hinweis auf Charakterfehler der am Wirtschaftsprozeß Beteiligten begründet (Edictum Diocletiani praef. 6–19).

IV. CHRISTENTUM

Für die christl. Ethik ist eine positive Bewertung der → Armut und damit gleichzeitig eine kritische Haltung dem Reichtum gegenüber charakteristisch. Allerdings wird in der Phase des Aufstiegs der Kirche dem Reichtum auch in der christl. Ethik eine Funktion zugewiesen: Solange ein Reicher sein Vermögen nutzt, um Almosen zu verteilen, ist er gerechtfertigt (Clem. Al. quis dives salvetur?). In der Spätant. setzt sich in der asketischen Bewegung zunehmend auch eine positive Einstellung der körperlichen Arbeit gegenüber durch, die in den Ordensregeln von allen Mönchen gefordert wird (Aug. de opere monachorum; → Mönchtum).

→ Wirtschaft; WIRTSCHAFT

1 P. A. BRUNT, Aspects of the Social Thought of Dio Chrysostom and of the Stoics, in: Proceedings of the Cambridge Philological Society 199 (N. S. 19), 1973, 9–34 2 M. I. FINLEY, Aristotle and Economic Analysis, in: Ders. (Hrsg.), Studies in Ancient Society, 1974, 26–52 3 FINLEY, Ancient Economy 4 H. GRASSL, Sozialökonomische Vorstellungen in der kaiserzeitlichen griech. Lit., 1.–3. Jh. n. Chr., 1982 5 H. LENK (Hrsg.) Wirtschaft und Ethik, 1998 6 S. MEIKLE, Aristotle's Economic Thought, 1995 7 B. SCHEFOLD, Die griech. Ant.: Eine andere wirtschaftliche Mentalität, in: Ders., Wirtschaftsstile, Bd. 1: Studien zum Verhältnis von Ökonomie und Kultur, 1994, 111–248 8 J. WIELAND (Hrsg.), W. und Theorie der Ges., 1993.
J. M. A.-N.

Wirtshaus I. ALTER ORIENT II. KLASSISCHE ANTIKE

I. ALTER ORIENT

Zeugnisse für W. stammen bisher überwiegend aus Mesopot. Dort war das W. meist auch der Ort, wo – außerhalb institutioneller Haushalte – → Bier gebraut wurde. W. schenkten in der Regel Bier aus, nur einmal wird der Betreiber einer → Wein-Taverne erwähnt (altbabylonische Zeit, 17. Jh. v. Chr.; [3]). Der Betrieb eines W. durch einen Schenken oder eine Schenkin bzw. einer Garküche durch einen Garkoch wurde in altbabylon. Zeit durch königliches Edikt registriert und lizenziert [5. 85]. Beide hatten eine regelmäßige Abgabe in Silber an den Palast zu leisten. Nach § 108 des Rechtsbuches des Ḥammurapi (TUAT 1, 55) war die Schenkin verpflichtet, von ihren Kunden Gerste als Bezahlung für Bier zu akzeptieren. Im Falle des Zuwiderhandelns und bei betrügerischer Manipulation drohte ihr die Todesstrafe. Strafbar war es auch, Leute in einem W. zu verstecken.

Besucht wurde das W. von Männern und Frauen, auch von Ehepaaren gemeinsam. Omina deuten auf ungezügeltes Benehmen (Urinieren, Beischlaf mit eines anderen Mannes Ehefrau) [1]. Dem W. konnte ein Bordell angegliedert sein (Mittelassyr. Rechtsbuch § 14: TUAT 1, 82; [3; 4. 389⁸]; → Prostitution I.). Priesterlichen Frauen war der Besuch einer Schenke bei Todesstrafe verboten (Codex Ḥammurapi § 110: TUAT 1,55). Mit dem Wort *aštammu* (sumerisch éš.dam) für W. oder Taverne (belegt seit der 2. H. 2. Jt. v. Chr) wurden auch Tempel der Göttin → Ištar bezeichnet. Verschiedene Texte sprechen davon, daß im W. miteinander geredet und gespielt wurde. Ein Gang ins W. wird auch als Symbol für den Wiedereintritt in die Ges. in babylon. Reinigungsritualen gefordert [4]. Als ökonomische Institution fungierte das W. auch als dörflicher Darlehensgeber [5. 86].

W. außerhalb Mesopot.s sind bisher nur aus → Alalaḫ bezeugt, das sicher als repräsentativ für andere Orte Syriens gelten kann. Aus Äg. liegen bisher keine entsprechenden Nachrichten vor.

1 Chicago Assyrian Dictionary, Bd. A/2, 1968, 473 f., s. v. *aštammu* 2 Ebd., Bd. K, 1971, 206, s. v. *karānu, bīt karāni* 3 Ebd., Bd. S, 1984, 5–9, s. v. *sābû* 4 S. M. MAUL, Der Kneipenbesuch als Heilverfahren, in: D. CHARPIN, F. JOANNÈS (Hrsg.), La circulation des biens, des personnes et des idées dans le Proche-Orient ancien, 1992, 389–396 5 J. RENGER, Patterns of Non-Institutional Trade and Non-Commercial Exchange in Ancient Mesopotamia at the Beginning of the Second Mill. B. C., in: A. ARCHI (Hrsg.), Circulation of Goods in Non-Palatial Context, 1984, 31–123.
J. RE.

II. KLASSISCHE ANTIKE
A. ENTSTEHUNG B. ÖFFENTLICHE HERBERGEN C. GEWERBLICHE HERBERGEN D. WIRTSHAUS E. BEDIENSTETE

A. ENTSTEHUNG

Aus Sicht der Oberschichten waren W. Stätten, an denen ständig gegen grundlegende gesellschaftliche Normen verstoßen wurde. Die lit. Überl. erwähnt sie daher nur gelegentlich und bewertet sie in der Regel sehr negativ; eine zusammenhängende Darstellung zum Thema existiert nicht. Die soziale Funktion und die Bed. von W. für die Unterschichten lassen sich v. a. aus den arch. Funden – v. a. in → Pompeii, → Herculaneum und → Ostia – erschließen.

Für ärmere Reisende sind aus archa. Zeit nur Winterunterkünfte belegt: Bettler und arme Leute übernachteten in der Schmiede oder in der λέσχη/→ *léschē* – offenbar einer Art öffentlicher Herberge (Hes. erg. 493–494; Hom. Od. 18,329). Angehörige der Oberschicht nutzten auf → Reisen dagegen die private → Gastfreundschaft (ξενία/xenía; lat. *hospitio*), die auf → Verwandtschaft im weitesten Sinne, persönlichen Empfehlungen oder beruflichen Gemeinsamkeiten beruhte. Die Bewirtung durch einen Gastfreund (ξένος/xénos; *hospes*) galt in der Ant. als die beste und für Angehörige der Oberschicht einzig akzeptable Reiseunterkunft. Seit dem 5. Jh. v. Chr. sind in griech. Privathäusern Gästezimmer belegt (Diod. 13,83,1–4), die in röm. Zeit sehr bequem und komfortabel ausgestattet waren. Angehörige der röm. Oberschicht wie Cicero besaßen überdies private Unterkünfte (*deversorium*) auf den häufig benutzten Routen zw. ihren verschiedenen Villen (→ *villa*). Der Besuch von W., die offenbar in Folge der zunehmenden Reisetätigkeit in klass. und v. a. hell. Zeit entstanden, galt dagegen bis in die Spätant. als nicht mit dem Ansehen einer hochgestellten Persönlichkeit vereinbar [1. 449–454, 459–461]. Der Vorwurf, W. zum Vergnügen aufzusuchen, diente seit dem 1. Jh. v. Chr. dazu, Mitglieder der röm. Oberschicht wie M. Antonius [I 9] oder später *principes* wie Nero [1], Commodus, Elagabalus [2] oder Gallienus zu diskreditieren [6. 93 f.; 7. 80 f.]. Privat betriebene Gaststätten und W. blieben v. a. Kaufleuten, Händlern, Seeleuten und Angehörigen der Unterschicht vorbehalten.

B. Öffentliche Herbergen

Bereits im 5. Jh. v. Chr. konnten nicht mehr alle Pilger, Besucher der Agone, Künstler und Gesandte Unterkunft bei Gastfreunden erhalten. Während Gesandte und auswärtige Athleten in die Prytanie (→ *prytaneíon*) eingeladen wurden, wo sie in der Regel eine einzige, sehr einfache Mahlzeit erhielten, übernachteten gewöhnliche Reisende in Zelten. Das Problem der Unterbringung von Reisenden wurde im 4. Jh. v. Chr. thematisiert: Während Platon [1] die Kasernierung und strengste Überwachung der Reisenden im Hafenviertel für notwendig hält (Plat. leg. 952d–953b), empfiehlt Xenophon [2] die Errichtung eines öffentlichen Herbergssystems mit getrennten Unterkünften für Händler und Kaufleute in den Häfen und bei den Märkten, für die übrigen Reisenden an anderen Stellen der Polis (Xen. vect. 3,12). Bis zum 2. Jh. v. Chr. entstanden in zahlreichen griech. Heiligtümern einfache öffentliche Unterkünfte (ἑστιατήριον/hestiatérion; κατάλυμα/katályma; ξενών/xenón); daneben wurden die Portiken zur Übernachtung genutzt. Dieses Beherbergungssystem blieb aber im griech. Kulturkreis rudimentär [1. 454–456]. Der röm. → *cursus publicus* schuf ein Beherbergungssystem für Magistrate, Beamte und Militärs auf Dienstreisen; so ließ Nero in Thrakien Herbergen errichten (CIL III 6123 = ILS 231); dieses System war jedoch zu keiner Zeit flächendeckend, so daß daneben auch private Gastfreundschaft oder öffentliche W. genutzt werden mußten [1. 458 f.].

C. Gewerbliche Herbergen

W., in denen wie in mod. Hotels Getränke, Speisen und Übernachtungsmöglichkeiten angeboten wurden, sind in Athen seit dem 5. Jh. v. Chr. lit. nachweisbar:

Aristophanes [3] schildert eine von zwei Frauen mit ihren beiden Mägden betriebene einfache Herberge (πανδοκεῖον/pandokeíon), in den den Gästen Brot, Wurst, Knoblauch, Pökelfleisch und Käse serviert wurden und Gästezimmer im Obergeschoß zur Verfügung standen (Aristoph. Ran. 549–578). Größere Herbergen wurden offenbar als καταγώγιον/katagógion bezeichnet, während eine κατάλυσις/katálysis auch Platz für Reit- und Zugtiere bot [1. 457].

In röm. Zeit unterschied man zw. der Herberge für Reisende (*cauponae*, wenn die Seriosität betont werden sollte: *hospitium*) und einem W. mit Unterbringungsmöglichkeiten für Reit- und Zugtiere (*stabulum*) [6. 1–28]. Beide Typen sind in Pompeii arch. belegt: Sie befanden sich in der Nähe der Stadttore – v. a. der Porta di Stabia und der Porta di Ercolano – und in der Regio VII östl. des Forums. In der Regel hatten *cauponae* einen Schankraum mit gemauerter Theke, einen Speiseraum und abschließbare Gästezimmer in einem Wohntrakt, der auch einen eigenen Zugang zur Straße hatte; *stabula* verfügten zusätzlich über einen offenen Hof mit Tränke, Stall und eigener Zufahrt. Städtische *cauponae* waren in der Regel wohl Bordellen benachbart, während die *cauponae* im Umland als respektabel galten [6. 31–34; 7. 78–81]; an bedeutenden Straßenverbindungen waren sie häufig [1. 457 f., 465 f.]. Für den Eigenbedarf besaß die *caupona* des Euxinus in Pompeii sogar einen eigenen Weingarten [5. 40–43]. Die Überl. ermöglicht keine generellen Aussagen über die Preise. Die Qualität der *cauponae* war sehr unterschiedlich. Es war möglich – und manchmal empfehlenswert –, Speisen vom eigenen Sklaven zubereiten oder mitgebrachte Lebensmittel vom Wirt kochen zu lassen und im eigenen Bettzeug zu schlafen [6. 98–120].

D. Wirtshaus

Personen, die Lebensmittel vertrieben, führten in Griechenland oft im Nebenberuf W., in denen Speisen und Getränke verkauft wurden (καπηλεῖον/kapēleíon). Erst die röm. Gaststätten (*popina* oder *taberna*, nur bei Plautus: *thermipolium*) sind durch arch. Funde in Pompeii, Herculaneum und Ostia genauer faßbar. Sie waren nachts durch eine Lampe beleuchtet und besaßen einen gemauerten Tresen im Schankraum, Regale für das Geschirr und einen Ofen, um warme Speisen und Getränke zuzubereiten. Sie waren in ant. Städten sehr häufig und hatten wohl keine festen Öffnungszeiten, so daß sie auch nachts lange geöffnet blieben [6. 36–73; 7. 78 f.]. Die Ausgrabungen in Pompeii zeigen eine fast gleichmäßige Verteilung der *popinae* über die ganze Stadt – mit Ausnahme der reichen Wohnviertel: Angehörige der Oberschicht waren es ihrem Ansehen schuldig, im eigenen Haus oder bei einer befreundeten Familie zu speisen. Die räumliche Trennung ermöglichte es, Distanz zu halten und Belästigungen durch die nachts lange geöffneten *popinae* zu vermeiden [7. 81–83]. Für Angehörige der Unterschichten, die in ihren Wohnungen (→ Wohnverhältnisse) oft keine Kochstelle hatten, waren *popinae* dagegen außerordentlich wichtig: Nur hier konnten sie warme Speisen und Getränke zu sich nehmen [6. 54–56]. In der von der Oberschicht geprägten lit. Überl. sind W. dagegen lediglich Aufenthaltsort von Außenseitern: Dort trafen sich Trinker, Spieler, Sklaven, Gladiatoren, Diebe, Totengräber, Henker, Maultiertreiber und Seeleute; Schlägereien und Glücksspiel waren häufig, und die Gäste konnten hier mit Prostituierten (vgl. → Prostitution) Kontakt aufnehmen [1. 457f.; 7. 70].

Neben Wein und warmem Wasser zum Mischen (*calida* oder *calda*) verkauften *popinae* Fleisch und Braten, Geräuchertes, Leber, Eier, Gebäck, Käse, Zwiebeln, Pflaumen, Kastanien, Äpfel, Beeren, Trauben und Gurken. Dieses Speiseangebot wurde von den Kaisern Tiberius, Claudius, Nero und Vespasianus durch Edikte stark eingeschränkt. Der → Wein, der in *popinae* verkauft wurde, stammte wohl vorwiegend aus örtlicher Produktion, in Pompeii sind aber auch importierte Weine aus Griechenland nachgewiesen [6. 99–108].

E. Bedienstete

Angehörige der Oberschichten konnten in Pompeii zwar durchaus Eigentümer von W. sein [6. 80], doch wurden alle, die in W. arbeiteten, verachtet: Wirte galten als Weinpanscher, Betrüger und Quellen für den neuesten Klatsch und wurden auch mit Hehlerei, Raub- und Giftmorden in Verbindung gebracht. Wirtinnen galten entweder als keifende alte Frauen oder als verführerische Kupplerinnen. Das Personal war Prostituierten gleichgestellt, so daß es rechtlich nicht vor → Vergewaltigungen geschützt war. Wirte waren vom Militärdienst ausgeschlossen, besaßen aber seit dem E. des 4. Jh. n.Chr. ein eigenes → *collegium* [1]. Die Vorbehalte und Vorurteile gegenüber Wirten und W. wurden von der christl. Kirche übernommen [1. 456–458; 6. 80–97], die mit dem → *xenodocheíon* ihre eigene Institution für die Beherbergung Reisender schuf.

→ Reisen

1 J.M. André, M.-F. Baslez, Voyager dans l'antiquité, 1993 2 A. Hug, s.v. Καπηλεῖον, RE 10.2, 1888f. 3 Ders., s.v. Καταγώγιον, RE 10.2, 2459–2461 4 Ders., s.v. Πανδοκεῖον, RE 18.3, 520–529 5 W.F. Jashemski, The Caupona of Euxinus at Pompeii, in: Archaeology 20, 1967, 36–44 6 T. Kleberg, Hôtels, restaurants et cabarets dans l'antiquité romaine. Études historiques et philologiques, 1957 7 R. Laurence, Roman Pompeii. Space and Society, 1994 8 A. Mau, s.v. Caupona, RE 3.2, 1806–1808 9 K. Schneider, s.v. Taberna, RE 4 A, 1870f. 10 H. Schroff, s.v. Thermipolium, RE 5 A, 2394f. 11 A. Tchernia, Il vino: produzione e commercio, in: F. Zevi (Hrsg.), Pompei 79. Raccolta di studi per il decimonono centenario dell' eruzione vesuviana, 1984, 87–96. M.DR.

Wisent (βίσων/*bísōn*, βόνασος/*bónasos*; lat. *biso*, *viso* oder *bonasus*). Das in Nordeuropa (Plin. nat. 8,38 und 40; Solin. 20,4), bes. aber in Paionia (→ Paiones), neben dem → Auerochsen (*urus*) in der Ant. häufige Wildrind mit einer pferdeartigen Mähne (Aristot. hist. an. 2,1,498b 31), nach innen gebogenen Hörnern (Aristot.

part. an. 3,2,663a 13) und der Fähigkeit, Feinde durch Ausschleudern von Kot abzuwehren (Aristot. l.c; hist. an. 8(9),45,630a 18–b 17). Paus. 10,13,1–4 schildert die Fangmethode [1]. Für das Vorkommen in Paionien spricht ein von Pausanias [8] für Delphoi erwähnter eherner W.-Kopf, den der Fürst Dropion von Paionien gestiftet hatte. In Rom zeigte man in der Kaiserzeit W. im Zirkus (Mart. 1,104,8; Mart. liber spectaculorum 22,10 Heraeus). Die angeblich indischen W. (Strab. 15,1,69) sind wohl → Büffel. Eine Gemme aus Tanagra scheint einen W. darzustellen [2. Taf. 18,57].

1 W. Richter, in: Philologus 103, 1959, 283 2 F. Imhoof-Blumer, O. Keller, Tier- und Pflanzenbilder auf Mz. und Gemmen des klass. Alt., 1889 (Ndr. 1972).

Keller 1, 341f. C.HÜ.

Wissenschaft I. Mesopotamien II. Ägypten III. Klassische Antike

I. Mesopotamien

Die Rahmenbedingungen für die Ausbildung von W., d.h. einer gesellschaftlich organisierten, systematischen Suche nach Erkenntnissen und deren Übermittlung, waren in Mesopot. bereits im frühen 3. Jt. v.Chr. gegeben: eine gesellschaftliche Differenzierung und die Entwicklung eines Schriftsystems (→ Keilschrift), das bald über administrativ-wirtschaftliche Kontexte hinaus Verwendung fand. Das Potential der Kulturtechniken des Rechnens und Schreibens, getragen durch die Berufsgruppe der → Schreiber, wurde über konkrete praktische Anwendungen hinaus zu einer abstrakten W. weiterentwickelt. Der Anteil mündlicher Formen von Wissensbildung, -erwerb und -tradierung ist für Mesopot. kaum festzustellen, darf jedoch keinesfalls unterschätzt werden.

Erkenntnistechniken wie Reihenbildung, Vergleich, Ordnung, Hierarchisierung, Kategorisierung und Kombination bilden die Grundlage für Abstraktion, Generalisierung und Modellbildung. Auch komplexe Formen wiss. Denkens, wie die Annahme von Gesetzmäßigkeiten, Hypothesenbildung und gedankliche Fiktion sind in der mesopot. Überl. nachweisbar. Diese Methoden lassen sich – mit unterschiedlichen Schwerpunkten – in allen Bereichen des Erkenntnisgewinns nachweisen, so z.B. in → Astronomie, → Divination, Grammatik/Sprach-W. (→ Grammatiker I.), → Mathematik, → Medizin, Recht (→ Keilschriftrechte), Theologie etc. Das komplexe System allg. methodischer Begrifflichkeit wie auch der je besonderen Fachsprache(n) ist erst zu Teilen untersucht (zum Bereich der Linguistik vgl. [4]). Eine eigene W.-Theorie wurde – soweit man sieht – nicht begründet.

Ein komplexes System von Darstellungsformen (stark verkürzende wie die → Liste mit ihren Ableitungen, die Tabelle, die Skizze; daneben auch der argumentative Diskurs wie z.B. in → Mythos oder Streitgespräch, vgl. → Weisheitsliteratur), von Hilfsmitteln

(z. B. Verlagerung von einfachen Rechenoperationen in die sog. Tabellentexte) und Referenzebenen (wie z. B. Kommentaren) wurde im Laufe der Zeit entwickelt. Dies sind die Quellen, die für die Untersuchung des wiss. Denkens auf methodischer wie inhaltlicher Ebene zur Verfügung stehen.

Die gesellschaftliche Institutionalisierung von W. zeigt sich in erster Linie in der Begründung von systematischer Unterweisung bereits im ausgehenden 4. Jt. Zugleich wurden »Schule« und im weiteren Sinne Wissensvermittlung Gegenstand von lit. Kompositionen (vgl. → Weisheitsliteratur). Bereits im ausgehenden 3. Jt. erscheint ein verbindlicher »Kanon« von Wissen, differenziert je nach Grad der Gelehrsamkeit. Der → Herrscher beanspruchte regelmäßig Teilhabe an und Kontrolle von W. Der hohe polit. Einfluß der Wissenschaftler und Gelehrten wird bes. in der Überl. des 1. Jt. sichtbar, aus der umfangreiche Korrespondenzen dieser Männer überl. sind [17].

1 J. BOTTÉRO, Symptômes, signes, écritures, in: J.-P. VERNANT et al. (Hrsg.), Divination et rationalité, 1974, 70–197 2 Ders., Mésopotamie. L'écriture, la raison et les dieux, 1987 3 D. BROWN, Mesopotamian Planetary Astronomy, 2000 4 A. CAVIGNEAUX, Die sumerisch-akkadischen Listen, 1977 5 Ders., L'écriture et la réflexion linguistique en Mésopotamie, in: S. AUROUX (Hrsg.), Histoire des idées linguistiques, Bd. 1: La naissance des métalangues en Orient et en Occident, 1989, 99–118 6 G. DEUTSCHER, Syntactic Change in Akkadian, 2000 7 G. FARBER, Konkret, Kollektiv, Abstrakt, in: Aula Orientalis 9, 1991, 81–90 8 J. GOODY, The Logic of Writing and the Organization of Society, 1986 9 Ders., The Interface between the Written and the Oral, 1987 10 U. JEYES, Divination as a Science in Ancient Mesopotamia, in: Jaarbericht van het Voor-Aziatisch-Egyptisch-Genootschap Ex Oriente Lux 32, 1991–92, 23–41 11 U. KOCH-WESTENHOLZ, Mesopotamian Astrology, 1999 12 G. LANFRANCHI, Scholars and Scholarly Trad. in Neo-Assyrian Times: A Case Study, in: State Archives of Assyria Bull. 3, 1989, 99–114 13 M. T. LARSEN, The Mesopotamian Lukewarm Mind. Reflections on Science, Divination and Literacy, in: F. ROCHBERG-HALTON (Hrsg.), Language, Literature and History, FS E. Reiner, 1987, 203–225 14 S. MAUL, Das Wort im Worte. Orthographie und Etym. als hermeneutische Verfahren babylonischer Gelehrter, in: G. W. MOST (Hrsg.), Commentaries – Kommentare, 1999, 1–18 15 A. L. OPPENHEIM, The Position of the Intellectual in Mesopotamian Society, in: PAPhS 104/2, 1975, 37–46 16 Ders., Man and Nature in Mesopotamian Civilization, in: Dictionary of Scientific Biography 15, 1978, 634–666 17 S. PARPOLA (Hrsg.), Letters from Assyrian and Babylonian Scholars (State Archives of Assyria, Bd. 10), 1993 18 Phoenix 35/2, 1989 19 F. ROCHBERG-HALTON, Between Observation and Theory in Babylonian Astronomical Texts, in: JNES 50, 1991, 107–120 20 G. VISICATO, The Power and the Writing, 2000 21 F. WIGGERMAN, Mythological Foundations of Nature, in: D. J. W. MEIJER, Natural Phenomena, Their Meaning, Depiction and Description in the Ancient Near East, 1992, 279–306.   E. C.-K.

II. ÄGYPTEN

Die mod. Kategorisierung von W. läßt sich nicht ohne weiteres auf den äg. Befund übertragen, wo andere Vorstellungen darüber bestanden, welches Thema der Erforschung und Tradierung würdig sei. Hinzu kommt, daß die heutige W. einerseits vom Konzept des immer neuen Entdeckens und der Falsifizierung alter Ideen dominiert wird, andererseits der Forscher (bzw. die Arbeitsgruppe) als konkretes Individuum auftritt. Dagegen wurden in Äg. Erkenntnisse meist anonym verbreitet bzw. Göttern und Idealgestalten der Vergangenheit (z. B. → Imuthes [2]; → Thot) zugeschrieben. Selten kam es vor, daß ein medizinisches oder magisches Rezept wenigstens auf ein (anonymes) Mitglied einer Gruppe (z. B. »Asiat aus Byblos«: P Ebers 63,8 [11. 623]; »Arzt aus Oxyrhynchos«: P Mag.LL. 18,7 [2. 225]) zurückgeführt wurde. Erst in einem demotischen astrologischen Text der Römerzeit wird ein individueller Autor namentlich genannt. Ebenso ungewöhnlich ist die autobiographische Inschr. des Uhrmachers und Ingenieurs Amenemhet aus Theben aus dem NR (ca. 1500 v. Chr.), in der er über seine Forsch. und Erfindungen berichtet und dabei spezifisch den Zug des Neuen oder Verbesserten betont [2. Bd. 2. 457–462].

Obgleich Empirie (z. B. bei Heilmitteln) durchaus eine Rolle spielte, darf man die Rolle von Symbolismus und Spekulation nicht unterschätzen. Typisch sind hier die sog. »Lautspiele«, durch die eine Handlung oder Äußerung mit tiefergehender Symbolik versehen werden konnte. Neben »richtigen« Etymologien konnten bei dieser Art von Sprach-W. auch inhaltlich gewünschte Verknüpfungen und Ausdeutungen auf nach heutigem Verständnis nicht verwandte Begriffe erzielt werden, z. B. wurde die Frucht *išd* mit *šdj*, »retten« verbunden. Stark von symbolischen Bezügen geprägt waren Ausdeutungen von Beobachtungen bes. in der → Divination, wobei in Äg. v. a. die Traumdeutung (→ Traum) gut belegt ist. Die betreffenden Textkorpora müssen aufgrund ihrer kasuistischen Formulierungen im Rahmen der äg. Kultur als wiss. eingestuft werden.

Eine typische Art der Wissenstradierung war die → Liste, die oft auf Überschriften und Abfolgen thematisch geordneter Begriffe reduziert ist. In jüngeren Expl. (1.–2. Jh. n. Chr.) sind dabei auch Synonymangaben sowie sachliche oder lautliche Glossen belegt. Medizinische Texte (→ Medizin II.) sind meist knapp auf Ingredienzien und Zubereitung beschränkt. Daneben gab es Diagnose-Hdb. sowie einige Lehrtraktate, z. B. über das Gefäßsystem. In der → Mathematik dominierten verbalisierte Übungsaufgaben. Kommentartexte, die speziell in der spätzeitlichen Überl. eines alten kosmographisch-rel. Werkes (→ ›Nut-Buch‹) faßbar sind, sprechen dafür, daß es über die trockenen schriftlichen Zusammenstellungen hinaus eine Trad. oft nur mündlich weitergegebener Deutungen und Erläuterungen gab. Dafür wurden teilweise auch die Angaben verschiedener Referenzwerke, z. B. zur Balsamierung des Apis-Stiers herangezogen und miteinander verglichen.

Ort der Tradierung des Wissens war die Institution des *pr-ʿnḫ*, was meist als »Lebenshaus« übersetzt wird, eventuell aber urspr. »Faszikelhaus« bedeutete – die Ägypter selbst etymologisierten den Begriff in der Spätzeit als »Haus des Lebenden«. Derartige Gebäude mit ihrem Personal waren üblicherweise an den Königspalast oder an wichtige Tempel angeschlossen.

Unsere Vorstellung von Stand und Leistungen äg. W. ist stark von den Zufällen der Erhaltung und Entdeckung geprägt, z. B. klafft in der Dokumentation mathematischer Hss. zw. ca. 1500 v. Chr. und 300 v. Chr. eine Überl.-Lücke. Die äg. W. wurde, insbes. im Bereich der → Astronomie, von den griech.-röm. Autoren sehr hoch eingeschätzt (z. B. Diod. 1,81; Macr. Somn. 1,19,2 und 1,21,11; Strab. 17,1,29; Clem. Al. Strom. 1,16,74,2; Arnob. 2,69). Jedoch entspricht es dem anonymisierten Zustand der Trad., daß abgesehen von Chonouphis und Sechnouphis als angeblichen Lehrern des Platon [1] und → Eudoxos [1] (Plut. de genio Socratis 7; Clem. Al. Strom. 1,15,69,1) kaum individuelle Namen auftauchen.

→ Astronomie; Mathematik; Medizin; Liste; Schreiber

1 M. C. BETRÒ, Erbari nell' antico Egitto, in: Egitto e Vicino Oriente 11, 1988, 71–110 2 H. BETZ, The Greek Magical Papyri in Translation Including the Demotic Spells, 1986 3 M. CLAGGETT, Ancient Egyptian Science, Bd. 1–3, 1989–99 4 PH. DERCHAIN, Le papyrus Salt 825, 1965 5 A. H. GARDINER, Ancient Egyptian Onomastica, 1947 6 F. JUNGE, Zur »Sprachwiss.« der Ägypter, in: Stud. zu Sprache und Rel. Äg.s, FS W. Westendorf, Bd. 1, 1984, 257–272 7 O. NEUGEBAUER, R. A. PARKER (ed.), Egyptian Astronomical Texts, Bd. 1–3, 1960–69 8 J. OSING, Hieratische Papyri aus Tebtunis I (Carlsberg Papyri, Bd. 2), 1998 9 Ders., La science sacerdotale, in: D. VALBELLE (Hrsg.), Le décret de Memphis, 1999 10 R. A. PARKER, Demotic Mathematical Papyri, 1972 11 A. VOLTEN, Demot. Traumdeutung, 1942 12 W. WESTENDORF, Hdb. der Altäg. Medizin, 1999. JO. QU.

III. KLASSISCHE ANTIKE

A. ZEITLICHE UND GEOGRAPHISCHE ASPEKTE B. BEGRIFF UND STRUKTUR C. WESENTLICHE MERKMALE UND EINZELDISZIPLINEN

A. ZEITLICHE UND GEOGRAPHISCHE ASPEKTE

Schon griech. Autoren berichten, daß ihre W. (zur Begrifflichkeit s. unter B.) sehr früh mit den Werken von → Pythagoras und → Thales und deren Zeitgenossen ihren Anfang genommen habe, und daß die Wurzeln dieser W. bis zu den frühen Hochkulturen Ägyptens und Mesopotamiens reichten (vgl. Hdt. 2,109; Aristot. metaph. 981b 23–25). Die mod. Forsch. (gestützt v. a. auf [2]) begegnet dieser Aussage eher mit Skepsis. W. im heutigen Sinne läßt sich einigermaßen zuverlässig erst in der 2. H. des 5. Jh. v. Chr. mit der Entwicklung der Medizin nachweisen. Um 300 v. Chr. (während des Übergangs von der klass. zur hell. Welt) wandelt sich die wiss. Praxis. Die naturwiss. Schriften der klass. Epoche (5./4. Jh. v. Chr.) waren kürzer und

hatten das vorrangige Ziel, argumentativ zu überraschen: vgl. die »Möndchen« des → Hippokrates [5] von Chios (mit Abb.; → Kreisquadratur II.) und die medizinischen Schriften des *Corpus Hippocraticum* (→ Hippokrates [6]) [7]. Im Hell. entstanden insgesamt umfangreichere wiss. Werke, die nicht nur auf einzelne überraschende Beweisführungen zielten, sondern sich um ein gewisses Maß an Strukturierung und Systematisierung bemühten: so z. B. → Herophilos in der Medizin [11] oder Apollonios [13] in der → Mathematik [3]. Diese Entwicklung ist mit der zunehmend genutzten → Schriftlichkeit seit dem Hell. begründet. Das 3. Jh. v. Chr. scheint bes. produktiv gewesen zu sein. Ab etwa 200 v. Chr setzte nach Meinung einiger mod. Forscher (vgl. z. B. [6. 1]) ein Niedergang der W. ein. Unabhängig von solch subjektiven Einschätzungen läßt sich im späteren Hell. und in der Kaiserzeit ein Wesenswandel der W. feststellen: Neben der bisher praktizierten Theoriebildung erhielt das Sammeln und Ordnen des Wissens früherer Forschergenerationen gleichrangigen Stellenwert; → Kommentare, Lexika (→ Lexikographie) und → Etymologien (→ Philologie; → Philosophie) waren daher eine für diese Epoche typische Textsorte. Durch die Überl. des Wissens mittels der Komm. und Kompendien wurde die spätant. W. bruchlos im arabischen, byz. und lat. MA weitergeführt.

Die zwei Epochen der ant. W. lassen sich zwei geogr. Zentren zuordnen: Athen (→ Athenai IV.) mit der Ägäis als Peripherie in der klass. Phase, → Alexandreia [1] mit dem Küstenbereich des östl. Mittelmeers nach etwa 300 v. Chr. Alexandreia entwickelte sich dabei zu einem bedeutenderen Zentrum als Athen. Die meisten griech. Wissenschaftler der Frühzeit nutzten Athen bei kurzen Aufenthalten eher als Bühne, um ihre Forsch. der gesamten griech. Welt darzustellen (so z. B. → Anaxagoras, → Herodotos [1], → Aristoteles [6]). Die hell. Wissenschaftler hingegen lebten offenbar häufig in der Stadt Alexandreia selbst (so z. B. die Mathematiker → Eukleides [3] und Apollonios [13], die Ärzte → Herophilos [1] und → Erasistratos).

Die Zahl derjenigen Personen, die sich mit höherentwickelten Formen der W. beschäftigten, war wohl äußerst beschränkt: Zu keinem Zeitpunkt waren mehr als 100 Personen in irgendeiner Form wiss. tätig; Deren Wirkorte konzentrierten sich hauptsächlich auf den östl. Mittelmeerraum (vgl. [8]). In der röm. Bildungs-Kultur wurde W. nur im Gefolge griech. Einflüsse zu einem integralen Bestandteil. → Cicero und Apuleius (→ Apuleius [III]) zeigen eine gewisse Vertrautheit mit griech. W., die sie jedoch ausdrücklich als Manifestation griech. Kultur verstanden. → Vitruvius [2] z. B. verhehlte nicht, daß er ausschließlich griech. Quellen verwendete. Die Sprache der W. blieb auch im Westen des röm. Reichs das Griechische; Latein wurde als dafür ungeeignet empfunden (vgl. etwa die Schwierigkeiten des → Lucretius [III 1], griech. wiss. Begriffe in seinem Lehrgedicht ›Über die Natur‹ wiederzugeben). Solange ihre Leserschaft auch des Griech. mächtig war, blieben solche nur lat. schreibenden röm. Autoren deshalb auch wiss. Randfiguren. Erst im europäischen MA erlangte die lat. W. durch den Einfluß von z. B. → Boëthius und → Macrobius histor. Bedeutung.

B. BEGRIFF UND STRUKTUR

»W.« ist ein mod. Begriff, dessen Bed. in den verschiedenen europ. Sprachen differiert. Der ant. Begriff für »W.«, ἐπιστήμη (epistếmē, lat. scientia) läßt sich keiner konkreten »naturwiss.« Methode zuordnen und ist eher in der philos. → Erkenntnistheorie (Epistemologie) verwurzelt (vgl. Plat. rep. 477b ff.). Dem mod. Begriff der »exakten W.« entspricht eher der seit → Platon [1] und → Archytas [1] (vielleicht auch Philolaos [2] aus Kroton) belegte Ausdruck τὰ μαθήματα (ta mathếmata, vgl. [5. 197f.]). Die wiss. Praxis wurde u. a. als τέχνη/ → téchnē (lat. ars) bezeichnet (wörtl. »Kunst«; vgl. z. B. die hippokratische Schrift Perí téchnēs, lat. De arte). Die Vermittlung von wiss. Erkenntnissen läßt sich in παιδεία (→ paideía, Aristot. pol. 1338a 30) fassen (im weiteren Sinn »Erziehung, Bildung«); θεωρία (→ theōría, wörtl. »Schau«, vgl. lat. contemplatio) ist die Erkenntnishaltung des Wissenschaftlers (ein philos. Begriff ebenfalls mit weitreichenden ethischen und epistemischen Konnotationen, vgl. Aristot. eth. Nic. 10,7).

Unabhängig von der Begriffsfrage schätzten die Griechen und Römer bestimmte Wissensbereiche und hatten dafür Spezialisten. Die ant. Rangfolge der verschiedenen Wissensbereiche erscheint dabei h. überraschend: gewöhnlich wurde die → Philosophie (speziell die → Naturphilosophie; vgl. → Physik) für wertvoller erachtet (und viel häufiger gelehrt) als jede spezialisierte Natur-W. im heutigen Sinne, ebenso verschiedene Arten der »Geisteswissenschaften« im mod. Sinne. Die → Rhetorik z. B. wird von → Isokrates in einem Streitgespräch mit Platon [1] höher eingestuft als die mathếmata (Isokr. antídosis 261ff.). Die Gesch. (→ Geschichtsschreibung) ist laut → Polybios ein geeignetes intellektuelles Betätigungsfeld für polit. Tätige, da man – neben anderen Hilfs-W. – dafür nur rudimentäre Kenntnisse der mathếmata benötige (Pol. 9,12–20; 12,18). Sogar → Platon [1], einer der engagierten ant. Verfechter der → Mathematik, sah diese in seiner Politeía v. a. als nützliche Vorbereitung für die Philos. Weder in der griech. noch in der röm. W. nahm interessanterweise (anders als in anderen vormodernen Kulturen Mesopotamiens und Indiens) die Grammatik eine wesentliche Stellung ein.

Der einzige spezialisierte Zweig der Natur-W., der in der griech.-röm. Antike durchgängig und zahlenmäßig signifikant vertreten war, war die → Medizin. Andere Spezial-W. wurden von Einzelpersonen betrieben, die gewöhnlich keiner »Schule« zugeordnet werden können. Methodisch wurden diese (nicht-medizinischen) Spezial-W. vom Modell des mathematischen (= math.) Beweises bestimmt. Sie entsprechen nicht unserer Vorstellung von exakter W. Nur Ansätze zu einer theoretischen Physik finden sich z. B. in den Werken des → Archimedes [1] (in der Statik und Hydraulik). Das

Interesse der griech. Mathematiker konzentrierte sich stets auf die reine Geometrie. Bei der angewandten griech. Mathematik nahm die → Musik eine auffallend zentrale Stelle ein (vgl. [1]). Zahlreiche Autoren, von Platon [1] (z. B. im ›Staat‹, ›Timaios‹, ›Phaidon‹) über → Sextos Empeirikos (s. Nachträge), → Ptolemaios [65] (II. D. 1.) bis hin zu → Augustinus (D.) und → Boëthius (D.) widmeten einen beachtlichen Teil ihres Werks der Weiterentwicklung, Kritik und Erklärung der math. Musiktheorie. Eines der wiss. Hauptprojekte des → Peripatos war → Aristoxenos' [1] Musiktheorie, eine Kombination empirischer und math. Ansätze.

Die → Astronomie nahm in der griech.-röm. W. einen weniger zentralen Platz ein als in den meisten anderen vormodernen Kulturen (etwa Mesopotamien, Indien, China, präkolumbianischen Mayakulturen); sie war oft mit der → Astrologie verknüpft (strenge Unterscheidung beider bei → Ptolemaios [65], vgl. Ptol. tetrábiblos 1,1, Mitte 2. Jh. n. Chr.).

C. WESENTLICHE MERKMALE UND EINZELDISZIPLINEN

Im Gegensatz zu den meisten anderen vormodernen W.-Traditionen ist das herausragende Merkmal der griech. und röm. Natur-W. die überragende Bed. der »Überredung« (wobei die Grenze zw. Überredung und Überzeugung, dem Sinn des griech. Wortes πειθώ/peithố gemäß, manchmal schwer zu ziehen ist). Schon frühe medizinische Schriften des Corpus Hippocraticum (am klarsten die Schrift De victu, vgl. → Hippokrates [6]) gehen von ersten, grundsäzlichen → Prinzipien aus, um zu beweisen, daß die Strukturen des menschlichen Körpers bestimmte Behandlungsmethoden schlüssig erzwingen (Kritik daran in der Abh. De vetere medicina, die allerdings ebenfalls ausgehend von bestimmten ersten Prinzipien argumentiert). Nach diesen theoretischen Anfängen wurde die wiss. Medizin durch einige hell. Ärzte (bes. → Herophilos [1]) zu einer W. verfeinert, deren Argumentation nun auf anatomischen und physiologischen Untersuchungen gründete. Die Werke des Arztes und Gelehrten → Galenos präsentieren sich in der Regel als eine Abfolge von Argumenten, die sich auf durch Dissektion und Vivisektion gewonnene Erkenntnisse stützen (den Schlußstein des argumentativen Gedankengebäudes des Galenos bildet seine Abh. De usu partium).

Herausragende Beispiele für die Bed. von Überzeugung für die griech. und röm. W. stellt die → Mathematik. Vor und nach der griech.-röm. Antike wurde Mathematik als eine Serie von Rechenaufgaben mit konkreten numerischen Werten betrieben; der Mathematiker lernte durch langjähriges Rechnen mit Beispielaufgaben, math. Probleme zu lösen [4]. Die griech. Mathematik zielte auf gesicherte Erkenntnisse durch argumentative Darstellung ab; statt Beispiele zu berechnen, entwickelte sie Beweise. Die griech. mathematischen W. mieden die Verwendung von Zahlenwerten meist ganz und waren statt dessen eher geometrisch geprägt: Während in anderen vormodernen Kulturen Details des Kalenders den Hauptgegenstand der math. Astronomie bildeten, beschäftigte sich v. a. die frühe griech. → Astronomie mit der Geometrie der Bewegungen der Himmelskörper (vgl. → Kosmologie D.2.); noch das Werk des → Eudoxos (4. Jh. v. Chr.) ist weitgehend von diesem Schwerpunkt auf der Geometrie geprägt (vgl. [10]). Die griech. Mathematiker lehrten nicht durch konkretes Durchrechnen von Einzelbeispielen, sondern entwickelten eine eigene Diskursform, die eine lückenlos schlüssige Argumentation anstrebte. Dabei trennte man streng zw. Prämisse und Schluß. Darüber hinaus zog man Schlüsse häufig mit Hilfe math. Diagramme − spezieller schematischer Zeichnungen, die mit Buchstaben versehen waren, um die untersuchten Termini eindeutig zu markieren. Der math. Diskurs ist dabei äußerst technisch und verwendet wiederholt dieselbe Terminologie. Die griech. Mathematiker hatten somit die erste wiss. Textgattung erfunden, aufgrund deren Ökonomie und Präzision sie wiss. überprüfbare Texte verfassen konnten, die zweifelsfreie Schlußfolgerungen zuließen. Möglicherweise war damit die deduktive Methode erfunden [9]. Diese Form deduktiven Argumentierens findet sich schon um 300 v. Chr. bei → Autolykos und → Eukleides [3].

Zwar ist der deduktive Diskurs in allen erh. Schriften der griech. Mathematik zu finden, aber er hat nicht überall denselben hohen Rang. In der → Astronomie wurde unausweichlich im Lauf der Zeit das Rechnen mit Zahlenwerten immer wichtiger; so nehmen im ›Almagest‹ des → Ptolemaios [65] Tabellen mit Zahlenwerten entscheidenden Rang ein. → Zahlen spielten auch in der griech. Musiktheorie (→ Musik IV.) eine große Rolle; das Interesse lag dabei auf dem System der → Proportionen, das sich im deduktiven Diskurs beweisen ließ. Wenn sich auch in der Kaiserzeit griech. Autoren direkt mit der Rechenkunst befaßten (eine Form von Algebra ist bei → Diophantos, um 250 n. Chr., belegt), erachtete die griech. Mathematik Argumentation und Beweisführung unbestreitbar für wichtiger als das Rechnen (zur Rechenkunst vgl. → Mathematik IV. A.2.)

Daher dienten die math. W. als Vorbild für die strengste Form der Argumentation. Griech. Autoren wie Platon (z. B. Plat. Menon 82a–85e; Plat. rep. 509d–513e) und Galenos (*De usu partium*) erkannten ihnen einen bes., teilweise sogar paradigmatischen Rang zu. Man begann, Eukleides' [3] ›Elemente‹ als ideale math. Darstellung zu betrachten (vielleicht erst in der Spätant.; vgl. den Komm. des → Proklos zu B. 1 der ›Elemente‹). Die bes. Wertschätzung der Mathematik wurde in der Philos. der platonischen Schule (→ *Akadémeia*) festgeschrieben; dies führte − obwohl tiefere Kenntnisse der hochentwickelten griech. Geometrie kaum verbreitet waren − ab dem 3. Jh. n. Chr. viele Leser Platons zur intensiven Beschäftigung mit der griech. Mathematik. Diese Wertschätzung der Mathematik bestimmte nachhaltig die W. der arab. Welt und dann der frühen Neuzeit in Europa, wo die Gründung der Physik

auf dem Fundament der math. Deduktion die Natur-W. in der heute bekannten Form hervorbrachte (→ NATURWISSENSCHAFTEN).

Die Betonung der Überzeugung hatte also weitreichende histor. Folgen. Deren Ursprünge liegen laut [7] in der hochgradig politisierten Gesellschaft des klass. Griechenlands (→ Polis), deren konstitutive Kommunikationsform die öffentliche Debatte war. Hieraus entstand eine Bereitschaft zur Grundlagendebatte, in der prinzipiell alles hinterfragbar war. Nach dem Verlust der fundamentalen polit. Bed. dieses öffentlichen Diskurses im Hell. stand die Schulung der argumentativen Fertigkeiten anhand der lit. Tradition im Mittelpunkt der Erziehung der Oberschicht (→ Bildung; → Rhetorik). Vor diesem Hintergrund genoß die Fähigkeit zu argumentativer Überzeugung höchste Wertschätzung. Insbes. galt dies für eine Beweisführung, die Unwiderlegbarkeit beanspruchte, so unter anderem die deduktive Mathematik.

→ Artes liberales; Astrologie; Astronomie; Bildung; Biologie (s. Nachträge); Enkyklios Paideia; Fachliteratur; Kosmologie; Mathematik; Medizin; Musik; Natur, Naturphilosophie; Physik; Rhetorik; Techne; MUSIKTHEORIE; NATURWISSENSCHAFTEN

1 A. BARKER, Greek Musical Writings, 1989 2 W. BURKERT, Lore and Science in Ancient Pythagoreanism, 1972 (Original 1962) 3 M. FRIED, S. UNGURU, Apollonius of Perga's Conica: Text, Context, Subtext, 2001 4 J. HØYRUP, Lengths, Widths, Surfaces: A Portrait of Old Babylonian Algebra and Its Kin, 2002 5 C. HUFFMAN, Philolaus of Croton, 1993 6 A. JONES (ed.), Pappus. Book 7 of the Collection, 1986 (mit engl. Übers. und Komm.) 7 G. E. R. LLOYD, Magic, Reason and Experience, 1979 8 R. NETZ, Classical Mathematics in the Classical Mediterranean, in: Mediterranean Historical Review 12, 1998, 1–24 9 Ders., The Shaping of Deduction in Greek Mathematics, 1999 10 O. NEUGEBAUER, A History of Ancient Mathematical Astronomy, 1975 11 H. VON STADEN, Herophilus: The Art of Medicine, 1989 12 M. FUHRMANN, Das systematische Lehrbuch, 1960. R. NE./Ü: D. PR.

Witigis s. Vitigis

Witiza. Der Sohn des Königs der Westgoten Egica wurde 694/5 n. Chr. Mitregent seines altersschwach gewordenen Vaters, der 702 starb. Informationen über seine Alleinherrschaft sind schwer zu erhalten: Die Akten des 18. Konzils von Toledo (etwa 703) sind verloren, die Geschichtsschreibung des MA (beginnend mit dem Chronicon Moissacense, 9. Jh.) schildert v. a. die angeblichen (bes. sittlichen) Verfehlungen des vorletzten Westgotenkönigs. Damit sollte anscheinend der rasche Zusammenbruch des Reiches erklärt werden, der W.s Nachfolger → Rodericus kaum allein anzulasten war. Hierzu paßt, daß bewaffnete muslimische Aufklärungsfahrten über die Straße von Gibraltar hinweg vielleicht schon 709 begonnen hatten und so noch in die Spätzeit des 710 gestorbenen W. fallen würden.
→ Westgoten

D. CLAUDE, Gesch. der Westgoten, 1970 · Enciclopedia Universal Ilustrada Europeo-Americana, s. v. W., Bd. 70, 1930, 358 f. · FRENZEL, 684.   M. SCH.

Witwe (χήρα/*chéra*; lat. *vidua*).
I. GRIECHENLAND   II. ROM

I. GRIECHENLAND

Wiederverheiratungen auch von W. waren in Athen in klass. Zeit häufig und von der öffentlichen Meinung akzeptiert. Zumal dann, wenn eine W. noch in gebärfähigem Alter war, wurde eine Wiederverheiratung geradezu erwartet; in den attischen Gerichtsreden ist eine zweite Heirat von W. mehrmals bezeugt (Isaios 7,7; 8,8; 9,27; 11,8; Lys. 32,8; Demosth. or. 36,8; 45,3 f.). Diese Einstellung kann darauf zurückgeführt werden, daß in der ant. Ges. Frauen in sehr jungen Jahren heirateten und der Altersunterschied der Ehepartner groß war. Das athenische Recht kannte nicht einmal eine obligatorische Trauerzeit. W. hatten bei der Gattenwahl wie Frauen generell nur einen geringen Spielraum. In aller Regel kümmerte sich der Vater bzw. ein Bruder als κύριος/→ *kýrios* um die Rückerstattung der Mitgift (→ *proíx*; → *pherné*). Es lag dann auch in seiner Verantwortung, für die W. einen neuen Ehemann zu suchen, außerdem hatte er die moralische Verpflichtung, sie bei einer Wiederverheiratung mit einer Mitgift mindestens in Höhe der ersten auszustatten (Lys. 32,8).

Entstammten der ersten Ehe Kinder, so zählten diese zur Familie ihres Vaters und kamen in die Obhut eines Vormundes; es gab Fälle, in denen Kinder der Frau aus einer ersten Ehe in der Familie des zweiten Ehemanns großgezogen wurden, der dann auch die Interessen des Kindes gegenüber dem Vormund vertrat (Isaios 7,7 f.). Die Mutter hatte die Möglichkeit, sich zu entscheiden, ob sie bei ihren Kindern bleiben oder in die Herkunftsfamilie zurückkehren wollte. Blieb die Mutter bei ihren Kindern im Haushalt des verstorbenen Mannes, so verblieb auch ihre Mitgift dort und wurde vom Vormund mitverwaltet, bis der Sohn mündig wurde und die Verfügungsgewalt hierüber erlangte. Zu diesem Zeitpunkt fiel diesem dann auch die Verpflichtung zu, für die Mutter zu sorgen (Unterkunft und Ernährung). Zwar verlor diese den Anspruch auf ihre Mitgift, dafür hatte sie aber einen gegen ihre Kinder einklagbaren Unterhaltsanspruch.

Nach athenischem Recht konnte die Ehefrau von ihrem Mann nicht erben (→ Erbrecht II.), außer wenn der Mann seiner Frau testamentarisch die von ihr in die Ehe eingebrachte Mitgift im Hinblick auf eine mögliche Wiederverheiratung aufstockte. Die soziale Lage der meisten W. war unter diesen Voraussetzungen nicht beneidenswert; viele unter ihnen mußten wahrscheinlich einer Erwerbstätigkeit nachgehen.

II. ROM

In Rom galt zwar das Ideal der → *univira*, der Frau, die nur einmal in ihrem Leben verheiratet war, aber Wiederverheiratungen von W. waren häufig und mit keinerlei Stigma behaftet. Seit der augusteischen Ehegesetzgebung wurden geschiedene Frauen oder W. geradezu zur Wiederverheiratung angehalten, um auf diese Weise den Fortbestand von Oberschichtsfamilien zu sichern: Die → *lex Iulia* (18 v. Chr.) gewährte der W. bzw. geschiedenen Frau lediglich einen Zeitraum von einem Jahr bzw. 6 Monaten, um erneut zu heiraten und damit den Sanktionen für Unverheiratete zu entgehen; die *lex Papia* von 9 n. Chr. dehnte die Fristen auf 2 bzw. 1 1/2 Jahre aus. Oft waren aber ökonomische Motive für die Wiederverheiratung von W. oder geschiedenen Frauen ausschlaggebend. Zwar stand diesen nach der Auflösung der ersten Ehe die Mitgift (→ *dos*) zu, aber diese reichte für den Lebensunterhalt nur selten aus. Einen Arbeitsmarkt für freie Frauen gab es kaum, und so war für diese eine Versorgung oft nur in der Ehe gegeben. Im → Erbrecht (III.) war die Stellung der Ehefrau in der *sine manu*-Ehe (→ Ehe III. C.) sehr ungünstig. War kein → Testament errichtet worden, so beerbte sie ihren Ehemann lediglich beim Fehlen jeglicher Blutsverwandter. Die Ehepartner konnten einander allerdings testamentarisch bedenken, Vorrang hatten jedoch die Kinder des Erblassers. Die W. blieben normalerweise auf die Unterstützung ihrer Kinder angewiesen; zumeist wurde ihre Versorgung durch die Aufnahme in den Haushalt eines verheirateten Sohnes sichergestellt.

Die christl. Kirche übernahm und regelte schon früh die Versorgung von W. in den Gemeinden (1 Tim 5,1–16); in Rom sollen 1500 W. und in Antiocheia [1] im 4. Jh. 3000 W. und Jungfrauen von den Gemeinden unterstützt worden sein (Eus. HE 6,43,11; Ioh. Chrys. hom. Mt 66,3). Die Wiederverheiratung von W. war in der Kirche umstritten; entschieden abgelehnt wurde sie von Tertullianus [2] (de exhortatione castitatis; de monogamia).

→ Ehe; Erbrecht; Frau; Geschlechterrollen; Familie; Trauer; Univira; Waisen

1 J. F. GARDNER, Women in Roman Law and Society, 1986 2 L.-M. GÜNTHER, W. in der griech. Ant. – zwischen Oikos und Polis, in: Historia 42, 1993, 308–325 3 V. HUNTER, The Athenian Widow and Her Kin, in: Journal of Family History 14, 1989, 291–311 4 R. JUST, Women in Athenian Law and Life, 1989 5 J.-U. KRAUSE, W. und Waisen im Röm. Reich, 4 Bde., 1994/5 6 W. K. LACEY, The Family in Classical Greece, 1968 7 S. TREGGIARI, Roman Marriage, 1991.   J. K.

Witz (γελοῖον/*geloíon*; lat. *dicacitas*, *facetiae*, *iocus*, *ridiculum*, *sal*, *urbanitas*; zur Terminologie vgl. [1. 754–757]).
A. DER ALLTÄGLICHE WITZ
B. THEORIE DES WITZES

A. DER ALLTÄGLICHE WITZ

W. wurden auch in der Ant. gerne erzählt (zur W.-Kultur der Römer vgl. [2; 3]); zugleich wurden sie *risus gratia* (»zur Unterhaltung«: Quint. inst. 6,3,65) schriftlich fixiert. Die einzige vollständig erh. ant. W.-Sammlung ist ein in griech. Sprache verfaßtes W.-Buch, der

→ *Philógelōs* (4./5. Jh. n. Chr.); daß es solche Slgg. schon lange zuvor gegeben hat und diese keineswegs nur zur privaten Unterhaltung, sondern geradezu professionell genutzt wurden, wird erkennbar bei Plautus (Plaut. Stich. 400f.; 454–457). Sog. *scurrae* (Cic. Quinct. 11) bzw. γελωτοποιοί/*gelōtopoioí* (Athen. 613d) konnten sich als → Unterhaltungskünstler durch das Erzählen von W. ihr Brot verdienen (Plaut. Stich. 218–232; Plaut. Capt. 482f.; Mart. 6,44), wozu ihnen v. a. → Gastmähler (vgl. Athen. 614c; Plut. symp. 629c; Hor. sat. 2,8,21f.; 2,8,80–85; Macr. Sat. 1,1,2), aber auch z. B. Hochzeiten (Catull. 61,126f.) Gelegenheit boten. In der Kaiserzeit kam die Möglichkeit hinzu, sich als Hofnarr zu verdingen [4. 88f.].

Die vom *Philógelōs* überl. W. verspotten v. a. *scholastikoí* (hier im Sinn von »gelehrte Narren«) und die Einwohner bestimmter Städte (Abderiten, Sidonier, Kymäer), doch die thematische Vielfalt ant. W. war wesentlich größer. Neben den zahlreichen Anekdoten, die uns → Buntschriftstellerei und → Biographie überl. (so z. B. Diog. Laert. 6,20–81 über den Kyniker → Diogenes [14]), zeigen v. a. griech. und lat. → Komödie, → Satire und → Epigramm (lit. Dokumente sind bei [5] zusammengestellt), daß alles und jeder zum Gegenstand von W. werden konnte; geradezu sprichwörtlich hieß es *potius amicum quam dictum perdere* (›lieber einen Freund als eine Pointe verlieren‹: Quint. inst. 6,3,28). Über Sklaven (Cic. de orat. 2,248) oder bestimmte Berufsgruppen wie z. B. Ärzte (Anth. Pal. 11,112–126; Mart. 1,30) machte man ebenso W. wie über Persönlichkeiten des polit. und kulturellen Lebens, etwa wenn → Aristophanes [3] in den ›Wolken‹ Sokrates karikiert oder Lucilius in seinen Satiren ›die ganze Stadt durchhechelte‹ (*urbem defricuit*: Hor. sat. 1,10,4). Zum Anlaß nahm man erotische Vorlieben (Hor. sat. 1,2,28–72; Mart. 9,69 u.ö.), Sprachschnitzer (Catull. 84; Suet. gramm. 22,1), Faulheit (Philogelos 211–213 THIERFELDER; Anth. Pal. 11,276f.), überzogene oder mangelnde Körperpflege (Hor. sat. 1,2,27; Anth. Pal. 11,241f.) usw.; man zeigte auch keine Scheu, sich – wie in den → Grylloi bzw. → Karikaturen – über körperliche Anomalien lustig zu machen (Cic. de orat. 2,239; Mart. 1,19); an den → Saturnalia war ein *dominus* vor der Frechheit (*licentia*) seiner Sklaven ebensowenig sicher (Hor. sat. 2,7) wie ein Feldherr bei einem → Triumphzug vor den W. seiner Legionäre (*ioci militares*: Liv. 5,49,7; Vell. 2,67,4; Suet. Iul. 49,4; 51; Mart. 1,4,3f.; 7,8,7f.).

Von vielen Persönlichkeiten gab es Slgg. ihrer witzigen Aussprüche. Über Caesar wird berichtet, daß er mehrere Bände solcher ἀποφθέγματα/*apophthégmata* zusammengestellt und mit sicherem Gespür einen »echten Cicero« von einem »falschen« zu unterscheiden gewußt habe (Cic. fam. 9,16,4). Ciceros *dicta* (Beispiele bei Quint. inst. 6,3,73–77; Cic. de orat. 2,275; Plut. mor. 205; vgl. auch [6]) waren in einer dreibändigen Ausgabe in Umlauf (evtl. besorgt von seinem Sekretär Tiro [1]: Quint. inst. 6,3,5); vergleichbare Slgg. gab es z. B. von → Domitius [III 1] Afer (Quint. inst. 6,3,42).

B. THEORIE DES WITZES

In Philos. und Rhet. unterzog man das *geloíon* bzw. *ridiculum* einer wiss.-nüchternen Betrachtungsweise. Platon [1] definierte es als etwas Ungutes (πονηρία/*ponēría*), das als Mischung aus Freude (ἡδονή/*hēdoné*) und Gram (λύπη/*lýpē*) aufzufassen sei (Plat. Phil. 48a–50b). Von Aristoteles [6] wurde es ausführlich im h. verlorenen Teil der ›Poetik‹ (vgl. Aristot. rhet. 1372a 1f.; 1419b 6f.) behandelt. Er sah in ihm eine Unterart des Häßlichen (αἰσχρόν/*aischrón*, lat. *turpe*: Aristot. poet. 1449a 33f.); es sei die Intention (τέλος/*télos*) der Komödie [vgl. 7. 306f.]. Lachen rührte für ihn aus der Nichterfüllung einer Erwartung her (Aristot. rhet. 1412a); es drücke Überraschung und Täuschung aus (Aristot. probl. 965a). Theophrastos widmete dem Gegenstand sogar ein eigenes (nicht erh.) Buch Περὶ γελοίου/*Perì geloíu* (Diog. Laert. 5,46), und Cicero (Cic. de orat. 2,217) spricht vage von mehreren griech. Traktaten *De ridiculis*.

Anknüpfend an peripatetische Auffassungen (vgl. [7. 309]) entwickelte Cicero im zweiten B. *De oratore* (Cic. de orat. 2,216–289) eine Theorie des *ridiculum*, auf die später Quintilianus [1] Bezug nahm (Quint. inst. 6,3): Auch wenn sich der W. einer tragfähigen Definition ebenso entziehe wie einer brauchbaren Subkategorisierung (Quint. inst. 6,3,7; 6,3,35), müsse ein Redner im Rahmen seiner Ausbildung seinen W. schulen, um Richter und Geschworene im richtigen Augenblick zum Lachen bringen zu können (Cic. de orat. 2,236; vgl. schon Gorg. fr. 82 B 12 DK; Demosth. or. 23,206). Die Möglichkeiten der *ars* seien hier allerdings begrenzt (Quint. inst. 6,3,11).

Die ant. Hauptunterscheidung ist die zw. Wort-W. und Sach-W. (Cic. de orat. 2,248; Quint. inst. 6,3,22; Tractatus Coislinianus 3 = CGF 50–53): Zum Wort-W. gehören z. B. die damals sehr beliebten Spiele mit dem Namen einer Person, z. B. Ciceros *ius verrinum* (»Rechtsprechung des Verres; aber gleichzeitig auch »Schweinebrühe«: Cic. Verr. 2,1,121) oder Trimalchios *Carpe, Carpe!* (Petron. 36,5–8; vgl. auch die bemühte Inszenierung eines Wort-W. in Petron. 41,6–8); zum Sach-W. dagegen zählt z. B. karikierende Nachahmung (Cic. de orat. 2,242).

Auffinden läßt sich Stoff zu W. an denselben *loci*, die die → *inventio* für das Auffinden von Argumenten angibt (Cic. de orat. 2,248–250; Quint. inst. 6,3,65). In der Anwendung von W. muß man die Angemessenheit (*aptum*) berücksichtigen (vgl. Cic. de orat. 2,221; Quint. inst. 6,3,28), um nicht als Possenreißer (*scurra*) dazustehen (Cic. de orat. 2,247), denn *scurrilitas* war vom Redner unbedingt zu meiden (Cic. de orat. 2,244; Cic. orat. 88; Quint. inst. 6,3,29; Tac. dial. 22,5), ja in gebildeten Kreisen war *scurra* geradezu ein Schimpfwort (Cic. Phil. 13,23).

→ Komödie; Satire; Unterhaltungskünstler

1 G. LUCK, s. v. Humor, RAC 16, 1994, 753–773 2 K.-W. WEEBER, s. v. W., in: Ders., Alltag im Alten Rom, 1998, 408–410 3 G. VOGT-SPIRA, Das satirische Lachen der

Römer und die Witzkultur der Oberschicht, in: S. JÄKEL (Hrsg.), Laughter Down the Centuries, Bd. 3, 1997, 117–129 4 FRIEDLÄNDER, Bd. 1, ¹⁰1922 (Ndr. 1964) 5 K.-W. WEEBER, Humor in der Ant., 1991 6 W. G. SCHNEIDER, Vom Salz Ciceros. Zum polit. Witz, Schmäh und Sprachspiel bei Cicero, in: Gymnasium 107, 2000, 497–518 7 G. E. DUCKWORTH, The Nature of Roman Comedy, ³1965.

H. GREINER-MAI (Hrsg.), Der verliebte Zyklop. Humor und Satire in der Ant., 1989 · M.-L. DESCLOS (Hrsg.), Le rire des Grecs. Anthropologie du rire en Grèce ancienne, 2000.   JA. AND. u. R. DA.

Woche. Eine zeitliche Periodizität von typischerweise 4–10 Tagen, die mit besonderen öffentlichen Aktivitäten (rel., polit., wirtschaftlichen) verbunden war, häufig in Form von Markttagen (→ *nundinae*) [1].

I. TYPEN   II. AKTIVITÄTEN

I. TYPEN

In der Ant. tritt die W. in zwei unterschiedlichen Formen auf: (1) Der der mod. W. entsprechende Typus mit einer feststehenden Länge, die die Monatsgrenzen ignoriert, hat sich erst allmählich durchgesetzt, und zwar zunächst in Form der auf dem → Sabbat aufbauenden und verm. seit der Zeit des jüd. Exils (587–539 v. Chr.) regelmäßigen 7-Tage-W. (Hebdomas) und der ebenfalls dem 5. Jh. v. Chr. entstammenden durchlaufenden 8-Tage-W. (Ogdoas) der Römer (*nundinum*), deren Ausbreitung über Mittel-It. hinaus schwer zu beurteilen ist ([2. 170–173]; vgl. [3; 4]). Bereits im 1. Jh. v. Chr. fand die 7tägige Planeten-W. als astrologisches Konzept (→ Planeten II.) große Popularität im Rahmen der → Tagewählerei. In der (immer wieder von den Kirchenvätern kritisierten) Verknüpfung des astrologischen mit dem jüd. Konstrukt breitete sich die christl. 7-Tage-W. aus und verdrängte im 4. Jh. das röm. *nundinum* [2. 453–471]. Der → Chronograph von 354 zeigt beide Systeme nebeneinander.

(2) Die Normalform des ant. W.-Rhythmus wird aber durch die gleichmäßige Strukturierung von Monaten gebildet (→ Kalender B. 2. und 4.), die angesichts der wechselnden Monatslängen der empirischen oder konventionellen Mondmonate »Sprünge« aufweisen kann. In griech. Kalendern dominieren Dekaden (10-Tage-W.), der stadtröm. Kalender weist eine Struktur von drei aufeinanderfolgenden 8–Tage-W. auf, deren erste von den Nonen bis zu den Iden, deren zweite von den Iden bis zu einem nicht benannten, aber regelmäßig durch große Festtage besetzten Tag in der 2. Monatshälfte und deren dritte bis zu den Kalenden reichte; der Zeitraum zw. den Kalenden und den Nonen diente der Angleichung an die Lunationen und war somit ein flexibler Teil des W.-Systems; im regulierten republikanischen Kalender war dieser Abstand abwechselnd auf vier oder sechs Tage fixiert.

II. AKTIVITÄTEN

Die zeitliche Strukturierung von Aktivitäten durch W.-Rhythmen ist neben dem Judentum (→ Sabbat)

v. a. für die stadtröm. W. detaillierter bekannt. Hier läßt sich auch das Nebeneinander verschiedener W.-Rhythmen, das zum Alltag ant. Großstädte gehört haben dürfte, deutlich erkennen. Kalenden, Nonen und Iden boten rel. Routinerituale, die in histor. Zeit von Spezialisten im engsten Kreis ausgeführt wurden: An den Kalenden opferte die *regina sacrorum* (→ *rex sacrorum*) der Iuno ein weibliches Schwein oder Schaf in der → Regia, an den Iden der *flamen Dialis* (→ *flamines*) dem Iuppiter ein männliches Schaf in einem Iuppitertempel, wohl auf dem → Capitolium (Fest. 372,8–12; Macr. Sat. 1,15,19). Versammlungen an den Kalenden und Nonen dienten der Strukturierung und Publikation des monatlichen Kalenders selbst (Varro ling. 6,27; Macr. Sat. 1,15,10). Eine *lex Iulia* bestimmte die Obergrenze für den privaten Aufwand beim Essen (300 Sesterzen) an Kalenden, Nonen und Iden sowie an Festtagen (Gell. 2,24,14); Martial läßt den Mann aus dem Volke die Toga nur an Kalenden und Iden anlegen, ihn also nur an diesen Tagen an größeren Festlichkeiten teilnehmen (Mart. 4,66,3). In datierten Weihinschriften läßt sich ebenfalls eine Bevorzugung dieser Tage erkennen. Die *dies postriduani* (Nachtage von Kalenden, Nonen und Iden) werden als *dies atri* (»schwarze Tage«) bezeichnet. Reisen, Hochzeiten und andere größere Kultakte sollten an diesen Tagen unterbleiben, sie werden auch nie als *dies comitiales* (Tage, an denen Volksversammlungen abgehalten werden durften) notiert (vgl. → Fasti). Für die Mitte des 2. Jh. n. Chr. bezeugt Gellius sogar eine Ausweitung (unbekannten Alters) dieser Beachtung der W.-Struktur für die W.-Mitte: ›Den vierten Tag vor Kalenden, Nonen und Iden meiden viele als einen gleichsam unglückbringenden Tag‹ (Gell. 5,17,3).

Kultisch ausgezeichnet waren von den Tagen der durchlaufenden Nundinalwoche (= 8-Tage-W.) allein die Kopftage, die → *nundinae*. In Analogie zu und Synthese von Kalenden und Iden wurde in der Regia von der *flaminica*, der Frau des *flamen Dialis*, dem Iuppiter ein Widder geopfert (Granius [II 2] Licinianus bei Macr. Sat. 1,16,30). Funktional handelte es sich bei den *nundinae* um Markttage (→ Markt); aus der dadurch sichergestellten Öffentlichkeit ergab sich zugleich der Streit um die polit. Nutzung der Tage, der in dem Kompromiß der *lex Hortensia* des Jahres 287 v. Chr. endete: Reguläre Komitien (→ *comitia*) durften nicht stattfinden – der Tag war ein *dies fastus*, nicht *comitialis* –, doch erhielten die Beschlüsse der von den Volkstribunen geleiteten und legitimen einfachen Versammlungen, die → *plebiscita*, gleiche gesamtstaatliche Geltung [2. 274–283]. Analog zu den Nachtagen der Kalenden etc. wurden auch die Nachtage der Nundinen für den Beginn wichtiger Aktivitäten gemieden (Suet. Aug. 92,2: von Augustus). Was die private Gestaltung der Nundinen angeht, so reichen die Hinweise über den schulfreien Tag zur Körperpflege (Rasur und Waschen des gesamten Körpers, Nägelschneiden) bis zur aufwendigeren Küche, unter Umständen durch einen eigens für diesen Tag angestellten Koch; das Luxusgesetz der *lex Fannia* soll eine höhere Zahl von Gästen an diesem Tag – fünf statt drei – gestattet haben (Varro Men. 279 und 186; Sen. epist. 86,12; Plin. nat. 28,28; Plaut. Aul. 324 f. mit Fest. 176,27–32; Athen. 6,274c). Mit Ausnahme des Nägelschneidens ist allerdings festzuhalten, daß die Zeugnisse die Republik betreffen; spätere Texte befassen sich nur mit der zeitgenössischen Marktfunktion, und das bis in die Spätant. hinein. Eine Erklärung dafür kann man in der Hypothese suchen, daß in der spätrepublikanischen und kaiserzeitlichen Metropole die Versorgungslage einen achttägigen Marktrhythmus völlig obsolet gemacht habe. Gehandelt wurde auf den städtischen Märkten und Großmärkten täglich; eine deutliche Trennung von Stadt und Umland war längst der Einbeziehung der gesamten Rom umgebenden latinischen Ebene in den Konsum- und Produktionsstandort Rom gewichen.

Gegen diese wirtschaftlichen Rhythmen werden primär rel. Rhythmen im röm. Reich schon mit dem Sabbat seit der Zeit Caesars in der Gesetzgebung berücksichtigt (s. etwa Philon, Legatio ad Gaium 158). Mit → Constantinus [1] I. d.Gr. wurde im J. 321 eine Sonntagsgesetzgebung eröffnet, die den Sonntag von Gerichts- und wirtschaftlichen Aktivitäten zunehmend freistellen will (Cod. Theod. 2,8,1); damit wird die christl. Monopolisierung des W.-Rhythmus eingeleitet. → Kalender; Markt II. B.; Sabbat

1 P. Huvelin, Essai historique sur le droit des marchés et des foires, 1897 2 J. Rüpke, Kalender und Öffentlichkeit, 1995 3 J. M. Fryan, Markets and Fairs in Roman Italy, 1993 4 L. de Ligt, Fairs and Markets in the Roman Empire, 1993.

J. R.

Wohnverhältnisse I. Allgemeines II. Materielle Rahmenbedingungen III. Räumliche Trennung von Wohnfunktionen IV. Soziale und rechtliche Rahmenbedingungen

I. Allgemeines

Wohnen, im Gegensatz zum Verweilen ein dauerhafter oder längerer Aufenthalt, umfaßt mit dem Schutz vor Witterung einen Teil der *basic needs* und damit solcher Funktionen, die der biologischen Erhaltung des Individuums dienen. Bei der Unt. der W. der griech.-röm. Ant. wird nach Funktionen und Rahmenbedingungen unterschieden; ein methodisches Problem besteht in der Zufälligkeit der ant. Überl., in der oberschicht- und romzentrierten Quellenlage sowie in der Einseitigkeit der Beschreibung von W. in lit., insbes. satirischen Texten.

II. Materielle Rahmenbedingungen A. Architektur B. Lage und Infrastruktur C. Ausstattung

A. Architektur

Wichtigste Determinante der W. sind die regional, zeitlich und sozial differenzierten Hausformen

(→ Haus): In Griechenland existierten neben dem Einraumhaus das → Pastas-Haus (mit einer Halle vor mehreren Räumen) und das Prostas-Haus (ein schmales Haus mit der Halle vor dem Wohnraum) sowie im Hell. das Peristyl-Haus (mit einer Säulenhalle im Hof); daneben sind weitere lokale Formen (etwa auf Delos) feststellbar. Die Diskussion um Typenhäuser (etwa im Peiraieus, in Priene und Olynth) wird kritisch geführt. Vermietete Obergeschosse können etwa für Delos nachgewiesen werden. In vielen ländlichen Regionen, so in Attika, waren Turmgehöfte verbreitet. Charakteristisch für die W. der röm. Oberschicht war innerhalb der Städte das Atriumhaus (*domus*: vgl. etwa Nep. Att. 13,2), dessen Obergeschoß (→ *cenaculum*) bisweilen auch vermietet wurde. Der → Garten spielte im Gegensatz zur griech. Wohntradition als Innengarten im Peristylium (→ *peristýlion*) eine größere Rolle. Bereits im späten 3. Jh. v. Chr. gab es am Forum Boarium in Rom dreistöckige Mietshäuser (Liv. 21,62,3); oft ist in derartigen Wohnblöcken (→ *insula*) eine soziale Abstufung von den unteren Stockwerken nach oben feststellbar. Die extrem schlechten W. in den Obergeschossen sind in lit. Texten beschrieben, in denen die Enge der Wohnungen und die Gefährdung durch Einsturz und Brand betont werden (Plut. Crassus 2; Tac. ann. 4,64; 6,45; Iuv. 3,190–222; Mart. 7,20; 12,32). Die arme Bevölkerung lebte teilweise in Wohn-Gewerberäumen (*taberna*: Tac. hist. 1,86,2; Ascon. 37 C; Cassiod. 14,1,31; Dig. 50,16,183; *pergula*/Mezzaningeschoß: Petron. 74,14). Auf dem Lande waren die *villae* zeitweilige Refugien der Oberschicht; auch hier gab es oft Ziergärten (Villa von Oplontis); gleichzeitig war die → *villa* normalerweise auch Zentrum landwirtschaftlich genutzter Besitzungen (Varro rust. 1,11; 1,13,6 f.; Colum. 1,4,6–8). Die *villa* war die Lebenswelt der tätigen → Muße (*otium*) des im Gemeinwesen engagierten Bürgers (Villenbeschreibungen: Plin. epist. 2,17; 3,19; 5,6; 9,7; Stat. silv. 1,3; 2,2). Röm. Hausformen sind auch in den Prov. nachweisbar und stellen ein wichtiges Zeugnis der → Romanisierung in Gallien, Germanien, Britannien und Nordafrika dar.

B. Lage und Infrastruktur

In der Stadt Rom gab es bereits von der Oberschicht bevorzugte Wohnlagen, zu denen etwa die Umgebung des → Forum [III 8] Romanum und der → Mons Palatinus gehörten; die Plebs hingegen wohnte in der → Subura (vgl. → Roma III. mit Karte 1. und 2.). Ein Wohnsitzwechsel konnte durchaus polit. interpretiert werden (Plut. C. Gracchus 12). Die Scheidung von armen und reichen Wohnvierteln ist in → Pompeii (mit Karte) nicht möglich; gehobene Häuser orientieren sich am Prestige von Straßenzügen. Lärmbelästigung durch den Verkehr auf den Straßen, durch Nachbarn oder öffentliche Einrichtungen minderte die Wohnqualität (vgl. Sen. epist. 56,1 ff.; Mart. 12,57; Iuv. 3,232–238; → Lärm). Straßen und Plätze erweiterten den Lebensraum und waren Bestandteil der W. (z. B. Hor. sat. 1,9,1 f.; Ov. ars 1,67 ff.), obwohl für die ant. Straßenrandbebauung die Abschließung kennzeichnend war. Die Zugangsmöglichkeit zu verschiedenen Formen der → Wasserversorgung war ebenfalls ein bedeutender Faktor für die Wohnqualität. Fallrohre oder → Latrinen existierten in vielen Häusern, gleichwohl gefährdete eine unsachgemäße Entsorgung Passanten auf der Straße (Dig. 9,3,5 pr. 1; Iuv. 3,268f.). Die Landschaft wurde oft durch die Anlage des Hauses erschlossen (Herculaneum, Casa dei Cervi; Villa dei Papiri; Plin. epist. 2,17,20ff.; 5,6,37ff.).

C. AUSSTATTUNG

Die → Wandmalerei, die schon für das 5. Jh. v. Chr. bezeugt ist (Plut. Alkibiades 16) war spätestens seit dem Hell. weit verbreitet und kein Zeugnis für bes. Wohnluxus. Die sächliche Ausstattung griech. und röm. Wohnungen war zurückhaltend und beschränkte sich auf wenige → Möbel. Statuen waren in reicheren Häusern nach inhaltlichen oder formalen Aspekten zusammengestellt (Herculaneum, Villa dei Papiri; Cic. Att. 1,8,2; 1,10,3; Petron. 29,6; Apul. met. 2,4). Die Ausstattung der Häuser der röm. Oberschicht steigerte sich seit der späten Republik durch kostbare Baumaterialien und repräsentative Bauelemente (Säulen), die zuvor öffentlichen oder sakralen Bauten vorbehalten waren (Plin. nat. 36,47ff.; 36,109ff.), so daß Luxusgesetze diskutiert wurden (Tac. ann. 2,33,1ff.; → luxus); es gab eine soziale Kontrolle der W. (Cic. dom. 100; Vell. 2,14,3). Ausstattungsensembles sind in Delos und den Vesuvstädten erhalten. Das Wohlbefinden in den Wohnungen war stark von der Witterung abhängig, als → Heizung dienten normalerweise tragbare Kohlebecken. Verglaste → Fenster kamen in der Mitte des 1. Jh. v. Chr. auf (Sen. epist. 90,25; Plin. epist. 2,17,21), Funde in frühen Privathäusern sind selten (Settefinestre), seit dem 2. Jh. n. Chr. aber häufiger. Für die → Beleuchtung der Räume verwendete man Öllampen, die oft aus Ton bestanden (→ Lampe).

III. RÄUMLICHE TRENNUNG VON WOHNFUNKTIONEN

Räumliche Trennung der verschiedenen Wohnfunktionen wie Kochen, Heizen, Schlafen, Hygiene, Arbeit, Muße, Gastlichkeit und Repräsentation war in Einraumhäusern, Turmgehöften und in den Etagenwohnungen der großen Miethäuser nur begrenzt möglich. Der zentrale Lebensbereich war im griech. Haus Hof oder → peristýlion, im röm. Haus das → atrium. Der Kontrast zw. den W. der ant. Unterschichten und denen der Oberschichten war extrem groß, wie sich bes. am Gegensatz zw. den *villae* mit ihren großen Wohnflächen und spezialisierten Räumen einerseits und den engen Wohnungen in den *insulae* andererseits zeigt. Nicht alle Raumfunktionen (wie → *ándrōn* [4], *cubiculum*, → *diaeta*, → *triclinium*, *tablinum*, *vestibulum* oder → Herd) waren baulich fixiert, sondern teilweise durch Möblierung austauschbar. Selbst in gehobenen Häusern fand Erwerbstätigkeit statt; v. a. die der Straße zugewandten Kompartimente bzw. die Obergeschosse wurden wirt-

schaftlich genutzt oder vermietet. Belegungsdichten ant. Wohneinheiten sind allerdings kaum bekannt (Val. Max. 4,4,8; Plut. Aemilius Paullus 5,6).

IV. SOZIALE UND RECHTLICHE RAHMENBEDINGUNGEN

Eine räumliche Trennung sozialer Gruppen innerhalb des Hauses war üblich, jedoch gab es nur in griech. Häusern die familiäre Trennung (zur → *gynaikōnítis* vgl. Lys. 1,9). Eine altersgemäße Raumtrennung war in Rom unüblich. Das Haus röm. Oberschichtsangehöriger hatte zugleich privatem Anspruch und öffentlicher Repräsentation zu genügen (z. B. → *salutatio*); es wies abgestufte Zonen öffentlicher Zugänglichkeit auf. Eine dem sozialen Status angemessene Repräsentation wurde erwartet (Cic. off. 1,138ff.; Vitr. 6,5), eine Verweigerung repräsentativen Wohnens galt als unangemessen (Cic. Pis. 67; Apul. met. 1,21). Zur ant. Wohnkultur gehörte auch die rel. Komponente der Hauskulte (→ *imagines maiorum*, → *lararium*: Pol. 6,53; Plin. nat. 35,6–8; Vitr. 6,3,6; Cic. dom. 109).

Für das Wohnen war das Rechtsverhältnis des Eigentums oder der Vermietung möglich (Dig. 9,3,9; → Miete IV.; → *locatio conductio*); für Rom und die Städte des Imperium Romanum ist die Vermietung in den Quellen oft bezeugt; die Mieten waren seit dem 2. Jh. v. Chr. gerade in Rom sehr hoch (Rom: Diod. 31,18,2; Vell. 2,10,1; Plut. Crassus 2; Cic. Cael. 17; Iuv. 3,223–229; Gell. 15,1,2f.; Pompeii: CIL IV 138 = ILS 6035; CIL IV 1136 = ILS 5723; Puteoli: Cic. Att. 14,9,1). Cicero besaß mehrere Häuser in Rom, deren Vermietung 44 v. Chr. 80000 HS im Jahr einbrachte (Cic. Att. 16,1,5; vgl. 12,32,2). Durch gesetzliche Maßnahmen wurde der Versuch unternommen, die W. zu verbessern; so setzte Caesar einen Mieterlaß durch (Cass. Dio 42,51,1; Suet. Iul. 38,2; Kritik Ciceros: Cic. off. 2,83), und Augustus begrenzte die Höhe der Häuser auf 70 Fuß (Strab. 5,3,7; vgl. Suet. Aug. 89,2).

→ Emphyteusis; Garten, Gartenanlagen; Habitatio; Haus (mit Abb.); Hausrat; Insula; Miete; Möbel; Palast; Villa (mit Abb.)

1 H. BLANCK, Einführung in das Privatleben der Griechen und Römer, 1976 2 J.-A. DICKMANN, Domus frequentata, 1999 3 E. J. DWYER, Pompeian Domestic Sculpture, 1982 4 B. W. FRIER, Landlords and Tenants in Imperial Rome, 1980 5 V. GASSNER, Die Kaufläden in Pompeii, 1986 6 W. HOEPFNER (Hrsg.), Gesch. des Wohnens, Bd. 1, 1999 7 M. KREEB, Unt. zur figürlichen Ausstattung delischer Privathäuser, 1988 8 CH. KUNST (Hrsg.), Röm. Wohn- und Lebenswelten, 2000 9 H. MIELSCH, Die röm. Villa, 1987 10 R. NEUDECKER, Die Skulpturenausstattung röm. Villen in It., 1988 11 A. OETTEL, Fundkontexte röm. Vesuvvillen im Gebiet um Pompeji, 1996 12 F. PIRSON, Mietwohnungen in Pompeji und Herkulaneum, 1999 13 M. TRÜMPER, Wohnen in Delos, 1998 14 Z. YAVETZ, The Living Conditions of the Urban Plebs in Republican Rome, in: Latomus 17, 1958, 500–517 15 A. WALLACE-HADRILL, Houses and Society in Pompeii and Herculaneum, 1994 16 P. ZANKER, Pompeji. Stadtbild und Wohngeschmack, 1995.   T. M.

Wolf (ὁ λύκος/*lýkos*, ἡ λύκαινα/*lýkaina*, Diminutiv λυκιδεύς/*lykideús*, gelegentlich σκύλαξ/*skýlax*, »junges Tier«; lat. *lupus*, *lupa* und *lupus femina*, u. a. Enn. ann. 1,68; Etym.: *leo* + *pes*, »Löwenfuß«, bei Isid. orig. 12,3,23). Das große und gefürchtete Landraubtier W. war in der Ant. allen Völkern aus eigener Anschauung bekannt. Nur Opp. kyn. kennt fünf Arten. Plin. nat. 8,84 und 11,202 erwähnt einen gallischen *lupus cervarius* und unterscheidet davon den aithiopischen W., in Wirklichkeit einen Schakal (vgl. θῶες/*thóes* bei Aristot. hist. an. 6,35,580a 26–31). Die *lycaones* (Plin. nat. 8,123; Mela 3,88) hat man als Hyänenhunde identifiziert.

I. BIOLOGISCHES   II. CHARAKTER
III. SCHÄDLICHKEIT   IV. MAGIE UND MEDIZIN
V. RELIGION UND MYTHOLOGIE
VI. REDENSARTEN UND VOLKSKUNDLICHES

I. BIOLOGISCHES

Sein Fell wird schon von Homeros [1] (z. B. Il. 10,334) und Ovidius (met. 7,550) als grau (πολιός/*poliós*) bezeichnet, aber auch als »feurig« (αἴθων/*aíthōn*) bzw. »gelblich« (κνηκός/*knēkós*; Babr. 113,2). Aristoteles [6] liefert eine knappe Beschreibung seiner Fortpflanzung (Aristot. hist. an. 6,35,580a 11–22), der Ernährung (ebd. 7(8),5,594a 26–31), der Anzahl der Halswirbel (part. an. 4,10,686a 21 f.; vgl. Plin. nat. 11,177) und der Zehen (part. an. 4,10,688a 5 f.; vgl. Plin. nat. 11,245), der anfänglichen Blindheit der Jungen (gen. an. 2,6,742a 8 f.; vgl. Plin. nat. 10,176) und ihrer Anzahl (gen. an. 4,4,771a 21 f.). Plinius berichtet Fabulöses (Plin. nat. 8,80–83) und von seinen nachts leuchtenden Augen (11,151; vgl. Ail. nat. 10,26). Der W. hat ein vollständiges Gebiß und nur einen Magen (Aristot. hist. an. 2,17,507b 15–17), der buschige Schwanz (vgl. Plin. nat. 11,265) sollte als Aphrosiakum wirken (Plin. nat. 8,83: *amatorium virus*). Der Natur des W. als Raubtier entspricht es, daß er von rohem Fleisch lebt (Aristot. hist. an. 7(8),5,594a 26; vgl. Ov. met. 15,87) und dabei auch menschliche Leichen nicht verschmäht (Hor. epod. 5,99; Tib. 1,5,53; Ov. met. 7,550). Aristot. hist. an. 594a 29–31 hält jedoch das Fressen menschlichen Fleisches eher für eine Ausnahme. Das Geheul erwähnen v. a. Dichter (z. B. Kall. fr. 725 PFEIFFER; Lucan. 6,688). Kreuzungen von W. und Hund werden behauptet (Aristot. ebd. 607a 2 f.; Diod. 1,88,6). In Gallien kamen sie nach Plin. nat. 8,148 häufig vor.

II. CHARAKTER

Nach Aristot. hist. an. 488a 28 ist der W. edel (γενναῖος/*gennaíos*), wild (ἄγριος/*ágrios*) und hinterlistig (ἐπίβουλος/*epíbulos*; vgl. Pind. P. 2,84), nach Aischylos (Choeph. 421; Sept. 1036) gefräßig und roh. Er ist der Räuber schlechthin, der nicht zu zähmen ist (Aisop. 209, 267 und 366 PERRY), manchmal auch der Dieb (Tib. 1,1,33). Die Raublust macht ihn zum gerissenen (Pind. l.c.; vgl. Plat. soph. 231a) und stärkeren Tieren wie dem Stier überlegenen (Ail. nat. 5,19) Mörder (z. B. Aischyl. fr. 39 ²NAUCK; Eur. Hec. 90; Paus. 6,14,8). Fast

alle Landtiere versetzt sein Erscheinen in Panik (vgl. Ov. ars 1,118; Lukian. asinus 15). Als seine Feinde werden Esel, Stier, Fuchs (Aristot. hist. an. 8(9),1,609b 1), die Löwin (Verg. ecl. 2,63) und Schlangen (Paus. 10,33,9) genannt, nur mit dem Papagei hält er Freundschaft (Opp. kyn. 2,408; Timotheos von Gaza 7,10: [1. 22]). In der → Physiognomik weisen wölfische Züge beim Menschen auf eine entsprechend gefährliche Natur hin (z. B. Nemes. de natura hominis 50; Ps.-Aristot. phgn. 59).

III. SCHÄDLICHKEIT

Wegen seiner Gefräßigkeit war der W. der größte Feind der Bauern und Hirten (vgl. Plat. rep. 415e; Verg. ecl. 3,80), weil er v. a. Schafe und Ziegen riß (Hom. Il. 19,325; vgl. Darstellungen auf Gemmen [2. Taf. 15, 59–64]), manchmal auch Kälber (Lykophr. 102; Stat. Theb. 9,116) und andere größere Haustiere (Varro rust. 2,9,2; vgl. Strab. 4,4,3). Die Hirten mußten sich zur Abwehr von mutigen, schnellen und starken Hunden helfen lassen (Xen. mem. 2,7,14; Xen. hipp. 4,8; Varro rust. 2,9). Man fing den W. auch in Fanggruben und Fallen (Plaut. Poen. 648; Hor. epist. 1,16,50). Nach Plut. Solon 23,3 zahlte man in Athen 1–5 Drachmen als Fangprämie.

IV. MAGIE UND MEDIZIN

Von magischen Abwehrpraktiken mit W.-Blut berichtet Plin. nat. 28,266 f. (vgl. Geop. 18,14). Das Fell wurde nur selten genutzt (z. B. Verg. Aen. 7,688; Opp. kyn. 3,202; Paus. 4,11,3). Leber, Galle und Fett sowie der Kot wurden medizinisch verwendet. Das Fett sollte z. B. alle Verhärtungen des menschlichen Körpers erweichen (Plin. nat. 28,234), Triefäugigkeit beseitigen (ebd. 28,172), die Asche von einem verbrannten W.-Kopf lockere Zähne befestigen (ebd. 28,178), die Galle Verstopfung beenden (ebd. 28,203), die Leber Schmerzen der menschlichen Leber heilen (ebd. 28,197) u. a. m. Das Fell galt als Hilfe beim Zahnen der Kinder (ebd. 28,257). Unheil wehrte man durch Anbringen von W.-Fett an Türpfosten, der W.-Schnauze am Tor des Hofes, des W.-Schwanzes an der Futterkrippe ab (PGM, Index s. v. λύκος/*lýkos*).

Als unheimliches Tier fürchtete man den W. seit ältester Zeit, v. a. seinen behexenden Blick (z. B. Theokr. 14,22; Verg. ecl. 9,54; vgl. Plat. rep. 336d), die todbringende Wirkung seines Trittes (Isid. orig. 12,2,24; Geop. 15,1,6) und die Zauberkraft seines Fells (u. a. Hor. sat. 1,8,42). Sein Erscheinen war den Römern immer ein böses Vorzeichen (z. B. Liv. 3,29,9; 21,46,2; Cass. Dio 39,20,2 und 40,17,1; SHA Maximianus 31,3), ebenso den Juden (Gn 49,27; Ez 22,27).

V. RELIGION UND MYTHOLOGIE

Für die Ägypter war der W. offenbar ein Gott (Hdt. 1,88,6 f.; Diod. 1,83,1 → Wepwawet, → Lykonpolis). Vorgriech. W.-Götter gab es aber wohl doch nicht [3. 1,187]. In der Sage von → Lykaon wird dieser in einen W. verwandelt (Nicolaus Damascenus FGrH 90 F 38). Menschen, die das Fleisch anderer Menschen essen, werden nach alter, von den Skythen stammender Vorstellung (Hdt. 4,105; Mela 2,1,13) in Werwölfe verwandelt (vgl. Paus. 6,8,2; Varro bei Aug. civ. 18,17). Die Römer verwendeten dieses Motiv auch lit. (Verg. ecl. 8,97–99; Petron. 62,6). → Apollon wurde mit dem W. in Verbindung gebracht, was einer Fehldeutung seines Beinamens λυκηγενής/*lykēgenḗs* (»in Lykien geboren«: Hom. Il. 4,101 und 119) entsprang (vgl. Aristot. hist. an. 6,35,580a 16–19). In Argos spendete man im Apollonkult den W. Opfer (Aischyl. Suppl. 760; Paus. 2,19,4). In Delphoi gab es ein W.-Standbild (Paus. 2,19,4; Ail. nat. 12,40). Seit Aischyl. Sept. 145 war Apollon wie → Herakles [1] (Anth. Pal. 9,72) als Hirtengott auch »Wolfstöter« (λυκοκτόνος/*lykoktónos*). Die Bed. des Beinamens Lykaina (Λύκαινα) von → Artemis ist unsicher.

Die Gründungssage Roms mit der Ernährung von → Romulus [1] und Remus durch eine Wölfin ist seit Fabius [I 35] Pictor kanonisch. Das Bildnis des Tieres (Liv. 10,23,12) wurde bereits 296 v.Chr. am Ficus Ruminalis (→ Rumina) aufgestellt. Seine Nachbildung auf dem Kapitol war berühmt und wurde oft auf Mz. [2. Taf. 1,30], Gräbern und Wappen der Stadt abgebildet. Namensverbindungen wie *lupa Martia* (Prop. 4,1,55) und andere (z.B. Hor. carm. 1,17,9; Verg. Aen. 9,566) zeigen die Beziehung des W. zu → Mars. Die Säugung der Zwillinge durch die Wölfin wurde in der Mars-Höhle (*Mavortium antrum*, Verg. Aen. 8,630) bzw. dem Lupercal, dem Ort, an dem später die → Lupercalia stattfanden, lokalisiert. Das Volk der → Hirpini wurde angeblich von einem W. zu ihrem Wohnsitz geführt (Strab. 5,250).

VI. Redensarten und Volkskundliches

Das Verhalten des W. stellte man im Gleichnis, in der Fabel, in Sprich- oder Schimpfwort sowie als Metapher gerne dem menschlichem gegenüber (z.B. Plaut. Capt. 912; Stich. 577; Pseud. 140; Poen. 647 und 776). Manchmal steht W. direkt für einen Menschen (u.a. Plat. rep. 566a; Aischyl. Ag. 1257) oder ganze Völkerschaften (z.B. Vell. 2,27; Hor. carm. 4,4,50; Liv. 3,66,4). Der *lupus in fabula* kennzeichnet das plötzliche Verstummen beim Erscheinen eines Menschen, über den man gerade spricht. Im Goldenen → Zeitalter und in ähnlichen utopischen Schilderungen fehlt der W. oder benimmt sich ganz friedlich (vgl. Verg. ecl. 3,80 und 8,52; Hor. carm. 1,33,7; Tib. 2,1,20; Sen. Phaedr. 572; auch im AT: Jes 11,6 und 65,25). In der Fabel wird der Räuber W. oft von anderen Tieren übertölpelt (Aisop. 134, 157, 160, 187, 258, 261 und 345 PERRY; Phaedr. 1,10). Dem Hund gegenüber zeigt er sich oft feindlich, manchmal aber auch freundschaftlich (Babr. 85,159). Im Epos begegnet er oft in Gleichnissen (z.B. Hom. Il. 16,156–163; Verg. Aen. 2,355–360; 9,59–64 und 565f.; Sil. 7,127 und 717; Stat. Theb. 3,45; 19,43; 11,26 und 12,739). In der christl. Sprache werden Ketzer und falsche Propheten oft als W. bezeichnet (z.B. Mt 7,15; Apg 20,29; Prud. liber peristephanon 11,241), v.a. Photeinos und Areios [3] (Prud. psychomachia 795) oder → Markion (Eus. HE 5,13,4).

1 F.S.BODENHEIMER, A.RABINOWITZ, Timotheus of Gaza on Animals, 1950 2 F.IMHOOF-BLUMER, O.KELLER, Tier- und Pflanzenbilder auf Mz. und Gemmen des klass. Alt., 1889 (Ndr. 1972) 3 O.KERN, Die Rel. der Griechen, ²1963.

KELLER 1,87f. · W.RICHTER, s.v. W., RE Suppl. 15, 960–987.   C.HÜ.

Wolfsmilch s. Tithymal(l)os

Wolle I. Alter Orient II. Klassische Antike

I. Alter Orient

W. (sumerisch si, akkadisch *šīpātu*) von → Schafen war im Vorderen Orient der wesentliche Rohstoff zur → Textilherstellung. Bes. anhand der zahlreichen Verwaltungsurkunden aus der Zeit der 3. Dyn. von Ur (21. Jh. v.Chr.) lassen sich exemplarisch viele Details der W.-Produktion darstellen. Das Rupfen (Raufen) der Schafe, wofür das Sumerische verschiedene t.t. kannte, fand in der Regel im Frühjahr statt. Dabei wurde das Vlies in seiner Gesamtheit (ohne Messer oder ähnliche Werkzeuge) vom Schaf gelöst. Auf dem Boden liegende Decken dienten dazu, das Vlies vor Verunreinigungen zu schützen. Für das Rupfen trieb man die Schafe meist in umfriedete Höfe von Verwaltungs- oder auch Kultgebäuden. Das administrativ zugrunde gelegte Vliesgewicht schwankte je nach Geschlecht und Alter der Tiere zw. ca 1 kg für einen ausgewachsenen Widder und ca. 0,15 kg für ein Lamm (h. rechnet man für ausgewachsene Schafe zw. 10 und 5 kg W. pro Schur).

Die Qualität der W. wurde von den das Raufen durchführenden Arbeitern beurteilt. Ausschlaggebend war die Feinheit der Wollfaser. In der Ur-III-Zeit ging man administrativ von vier, später von fünf W.-Qualitäten aus. Die Qualitätsbeurteilung beruhte u.a. auf der Sauberkeit des Vlieses und der Herkunft von einem bestimmten Vliesteil. Man unterschied verschiedene W.-Farben (weiß, schwarz, gelblich, auch rot). Wollene Stoffe oder Gewänder konnten auch gefärbt werden [2]. Der je nach W.-Qualität unterschiedliche W.-Ertrag pro Schaf wurde festgehalten: So ergaben sich Durchschnittswerte von weniger als 1% für die erstklassige und ca. 66% für die fünftklassige (normale) W.-Qualität. Die sorgfältige Unterscheidung diverser Qualitäten war Voraussetzung für die Herstellung hochwertiger Stoffe für den mesopot. Export. Die Verrechnungswerte im institutionellen Austausch betrugen seit der Ur-III-Zeit (21. Jh. v.Chr.) zw. 4 Šeqel und 6,66 Šeqel Silber pro Talent W. (30,3 kg; zum Vergleich: Die jährliche Getreideration für einen erwachsenen Mann betrug 2,4 gur (ca. 600 kg) Gerste und hatte einen Wert von 2,4 Šeqel, die jährliche W.-Ration 4 Minen (ca. 2 kg). Die jährliche W.-Ration war ein wesentlicher Bestandteil der Versorgung der Arbeiter in den institutionellen Haushalten. So werden in einem Text 1148 Talente W. unterschiedlicher Qualitäten als → Rationen registriert (ausreichend für 17220 Arbeiter) [5. 77].

Schaf-W. war wohl der hauptsächliche textile Rohstoff in Syrien-Palaestina; Zeugnisse sind v. a. Texte aus → Ebla (24. Jh. v. Chr.), → Alalaḫ und → Ugarit [3]. Purpurne Wollstoffe aus Phönizien (→ Purpur) waren im Alt. ein hochbegehrter Exportartikel.

In Äg. spielte W. erst seit der 2. H. des 1. Jt. v. Chr. eine größere Rolle. Wesentlicher textiler Rohstoff war dort Leinen (→ Lein, Flachs). Hinweise auf die Existenz von → Baumwolle in Mesopot. finden sich in Inschr. → Sanheribs [1. 64].

→ Rationen; Schaf; Textilherstellung; Viehwirtschaft

1 Chicago Assyrian Dictionary, Bd. Š/3, 1992, 57–64, s. v. šīpātu l) 2 B. LANDSBERGER, Über Farben im Sumer.-akkadischen, in: JCS 21, 1969, 139–173 3 S. RIBICHINI, P. XELLA, La terminologia dei tessili nei testi di Ugarit, 1985 4 CH. STÖRK, s. v. W., LÄ 6, 1285 f. 5 H. WAETZOLDT, Unt. zur neusumer. Textilindustrie, 1972 6 D. WEISBERG, Wool and Linen Material in Texts from the Time of Nebukadnezzar, in: Eretz Israel 16, 1982, 218–226.   J. RE.

II. KLASSISCHE ANTIKE

Wichtigster Rohstoff für die → Textilherstellung in der griech.-röm. Ant. war die W. (ἔρια/éria n. pl.; lat. lana) der → Schafe, die v. a. wegen der W.-Produktion gehalten wurden, obgleich auch Fleisch und → Milch (für die Käseherstellung) von erheblicher wirtschaftlicher Bed. waren. Die röm. → Agrarschriftsteller gehen in den Ausführungen zur Schafhaltung auch auf die Qualität der W. ein (Varro rust. 2,2,3; 2,2,18 f.; Colum. 7,2,3–6; 7,4; Plin. nat. 8,187–199). Die verschiedenen Schafrassen wurden je nach Qualität der gelieferten W. eingeschätzt; grundsätzlich wurde zw. Schafen mit feiner W. und grober W. unterschieden (Colum. 7,2,6; Plin. nat. 8,189). Ziel der Auswahl der Widder oder der Kreuzung verschiedener Rassen war die Erzeugung hochwertiger W. Dabei waren die Einwirkungen von Klima, Bodenverhältnissen und Wasser auf die Qualität der W. in Grundzügen bekannt. Um weiche und feine W. zu erzeugen, die für die Herstellung von kostbaren Textilien verwendet werden konnte, und um das Schaffell sauber zu halten, pflegte man v. a. in der Umgebung von Tarentum (→ Taras [2]), in Attika sowie in Epeiros Schafe in Decken oder Felle einzuhüllen (ὑποδίφθεροι ποῖμναι/hypodíphtheroi poímnai: Strab. 4,4,3; oves pellitae: Varro rust. 2,2,18; Hor. carm. 2,6,10).

Die Schafe wurden einmal im Jahr – in den spanischen Prov. auch zweimal (normalerweise im Frühling oder Frühsommer) mit einer Bügelschere geschoren; in manchen Gegenden war es noch üblich, die Schafe zu rupfen. Zuvor wurden die Tiere entsprechend ihrer Farbe voneinander getrennt, um die W. verschiedener Farbtöne nicht miteinander zu vermischen. Ob Schafe allgemein vor der Schur gewaschen wurden, um die W. von Schmutz zu befreien, ist unklar. Belegt ist dies nur für die tarentinischen Schafe, deren W. mit der Wurzel des Seifenkrauts gereinigt wurde (Varro rust. 2,11,5–10; Colum. 7,4,7 f.; 11,2,35; Plin. nat. 8,191). Der Vorteil der Schur bestand v. a. darin, daß die W. eines Schafes als

Vlies in einem zusammenhängenden Stück gewonnen wurde.

Nach der Schur begann die eigentliche Wollverarbeitung. Die geschorene, ungewaschene W. – Schweiß- oder Schmutzwolle genannt – wurde zunächst sorgfältig in lauwarmem Wasser mit der Wurzel des Seifenkrauts gewaschen. Nur durch sachkundiges Waschen wurde verhindert, daß die W. verfilzte oder rauh wurde, weil sie nicht zuviel von ihrem natürlichen Fett (Lanolin) verlieren durfte. Damit war gewährleistet, daß die W. ihre guten Eigenschaften behielt und elastisch blieb. Nach diesem Vorgang wurde die W. zuerst getrocknet, dann ausgeklopft, um noch vorhandene Schmutzreste zu entfernen. Die W. wurde durch Zupfen und Krempeln für das Spinnen vorbereitet; die noch verfilzten Fäden der W. wurden voneinander getrennt und mit dem Wollkamm (lat. pecten) bearbeitet. Anschaulich wird die Aufbereitung der W. bei Aristophanes beschrieben (Aristoph. Lys. 575–578). Die auf diese Weise behandelte W. konnte nun gefärbt oder auch naturbelassen zum Spinnen und Weben weiterverarbeitet werden (→ Textilherstellung). W. läßt sich sehr gut färben, ganz im Gegensatz zu pflanzlichen Rohstoffen wie Baumwolle oder Lein (→ Färberei; → Farben). Aber auch die natürlichen Farbtöne der W. wurden sehr geschätzt. Die reinweiße W. galt aber als die wertvollste und war daher bes. gesucht.

Im Preisedikt des Diocletianus werden verschiedene Sorten von W. aufgeführt; die genannten Preise reichen von 25 bis 200 Denare für ein Pfund (→ Edictum [3] Diocletiani 25). Personen, die in der W.-Aufbereitung tätig waren (lanarii), sind epigraphisch belegt (ILS 7556; 7556a; 7557–7559; vgl. 7553). Auf einem Grabstein findet sich die bildliche Darstellung einer Bügelschere für die Schafschur (CIL IX 4024; [5. Nr. 33]); die Inschr. eines lanarius in Rom ist mit der schönen Darstellung eines Schafes versehen (CIL VI 9489; [5. Nr. 34]).

→ Baumwolle; Kleidung; Lein, Flachs; Schaf; Textilherstellung; Walker, Walken

1 BLÜMNER, Techn. 1, 98–120 2 J. M. FRAYN, Sheep-Rearing and the Wool Trade in Italy during the Roman Period, 1984 3 W. O. MOELLER, The Wool Trade of Ancient Pompeii, 1976, 18–27 4 J. P. WILD, Textile Manufacture in the Northern Roman Provinces, 1970, 22–26 5 ZIMMER, Nr. 33; 34.   A. P.-G.

Worfeln s. Getreide

Wortbildung I. ALLGEMEINES II. SPEZIELLES

I. ALLGEMEINES

Der Wortschatz (→ Lexikon) jeder Sprache ist ein offenes Inventar, das durch Übernahme von Elementen aus anderen Sprachen (Fremd-, Lehnwörter) oder durch Schaffung mit den Mitteln der eigenen Sprache ständig erweitert wird bzw. werden kann. In der Aufnahme und Bildung neuer Vokabeln kommt am deutlichsten die sprachliche Kreativität zum Vorschein. Da ein Sprecher inhaltliche (onomasiologische) Gliederungen des Lex. wenig reflektiert, fallen ihm Zusammenhänge innerhalb des Wortschatzes wohl zuerst im formalen Bereich auf, z. B. an der W. (→ Wortfamilie). Unter W. versteht man alle Verfahren, die bereitstehen, um neue Vokabeln zu schaffen.

Die Verfahren selbst sind vom jeweiligen Sprachtyp geprägt. Da die klass. Sprachen (→ Griechisch, → Latein) dem flektierenden Typ angehören und als → indogermanische Sprachen genealogisch derselben Quelle entspringen, ergibt sich eine gemeinsame Darstellung problemlos. Mit unterschiedlicher Gewichtung kennen beide Sprachen sowohl die Vereinigung frei begegnender Stämme in einem neuen Ausdruck (Kompos.) wie auch die Ableitung (Derivation) mittels gebundener Affixe von gegebenen Grundwörtern (Basen) – eventuell in Verbindung mit freien Elementen. Zu den erbten W.-Mitteln zählen auch → Ablaut und Reduplikation. Die genealogischen Gegebenheiten bringen es mit sich, daß meist im Elementarwortschatz ererbte Vokabeln vorhanden sind, die als solche tradiert oder in vorgesch. bzw. aktueller Zeit gebildet wurden. Mit ihrer Deutung und Beschreibung beschäftigen sich Etymologie bzw. Wortgeschichte.

Da auch ererbte Derivationsmorpheme produktiv bleiben können, sind Grenzen zw. Etym. und W.-Lehre fließend. Jedoch kann schnell der im Augenblick der W. bestehende, voll durchsichtige (voll motivierte) Inhalt eines Lexems durch Bedeutungswandel verändert werden. Die Beschreibungsprinzipien der W. berücksichtigen terminologisch einerseits die Wortart der Basis (z. B. Nomen) und des Derivats (z. B. denominal), andererseits die Stellung des verwendeten Bildemittels (Affixes) nach seiner Position im Wortkörper (Präfix, Infix oder Suffix). Gelegentlich begegnen Konflikte bei der Zuweisung an W. oder an → Flexion (s. u. B. (c) Kollektivum, (d) Motion). Die Kenntnis von W.-Regeln stellt ein Hilfsmittel bei der inhaltlichen Aufklärung seltener oder einmal belegter Wörter (→ hápax legómenon, s. Nachträge) dar. Vom Fortleben der W. der klass. Sprachen bis in heutige Zeit zeugen die → INTERNATIONALISMEN.

II. SPEZIELLES

(a) Bei der Bildung eines Deminutivums bleibt die Wortart Nomen erhalten, die Bed. ändert sich unwesentlich; man spricht von Modifikation: nāvis > nāvi-cula »Schiffchen«; (b) so auch bei deverbalen Frequentativa (Intensiva) rogāre »fragen« > rogitāre »oft, eifrig fragen«. (c) Ohne Wechsel zu einer anderen Wortart bildet man auch Kollektiva wie griech. πυλών »Toranlage, Torgebäude« zu πύλη »Torflügel«, Pl. πύλαι, im Lat. auch bloß morphologisch locus »Ort« > loca N. Pl. »Gegend«. (d) Mit dem Begriff Motion charakterisierte man zuerst die morphosyntaktische Eigenschaft bestimmter Adj., zwei Stämme zum Ausdruck der Kongruenz zu haben: vé-o-ς, vé-α, lat. nov-u-s, nov-a »neu«. Danach wird jede W., die bei Subst. den weiblichen Sexus ausdrückt, Motion genannt, bei de-a »Göttin« wie bei rēg-īna »Königin«. (e)

Wechsel der Wortart ohne formale Kennzeichen heißt Konversion, z. B. Substantivierung des n. Adj. bei bonum »Gut«. (f) Ein Spezialfall ist die Rückbildung: Von pugnus »Faust« stammt das denominale Vb. pugnāre; es bedeutete ursprünglich »mit der Faust kämpfen«, dann allgemein »kämpfen«; hieraus pugna »Kampf, Schlacht« in Umkehrung der W.-Regel, die aus cēna »Mahlzeit« das Vb. > cēnāre »speisen« erzeugt hat.

(g) Aus Adj., die Relationen bezeichnen (patr-ius, πάτρ-ιος »väterlich«) werden bestimmte ausgewählt, die als → Ethnika (s. Nachträge) die Zugehörigkeit zu einem Ort resp. zu einer Landschaft meinen: Ἀθηναῖος »athenisch; Athener«. (h) In der → Onomastik drückt ein substantiviertes Adj. die Zugehörigkeit zum (bzw. Abstammung vom) Vater aus (Patronymikon, → Personennamen). (i) Generell durch ein Nomen repräsentiert wird ein ein Phänomen verbalisierendes Abstraktum, wobei ein Adj. oder ein Vb. zugrundeliegen kann: νέος »jung« > νεότης »Jugend«. Infinitive sind grammatikalisierte Verbalabstrakta. (j) Adverbielle Verbindungen können univerbiert und zu Adj. umgestaltet werden (Hypostase), *sē dolō »ohne Arg« > sēdulus, -a, -um (mit Bedeutungswandel) »fleißig«.

(k) Die W. der Komposition, d. h. der Vereinigung zweier Stämme zu einer neuen Vokabel, läßt sich mit synt. Gegebenheiten vergleichen, indem das Verhältnis von VG und HG durch die Beziehung der frei vorkommenden Stämme expliziert wird. In dem »verbalen Rektionskompositum« φερέοικος (Adj.) »häusertragend« ist das HG οἶκος »Haus« als Objekt zum Vb.-Stamm φερε/ο- »tragen« des VG zu verstehen.

→ Lexikon; Wortfamilie; Etymologie; ETYMOLOGIE

P. CHANTRAINE, La formation des noms en grec ancien, 1933 • A. DEBRUNNER, Griech. W.-Lehre, 1917 • LEUMANN, 257–403 • M. LEUMANN, Gruppierung und Funktionen der W.-Suffixe des Lat., in: Ders., KS, 1959, 84–107 • M. MEIER-BRÜGGER, Griech. Sprachwiss., Bd. 2, 1992, 18–39 • E. RISCH, W. der homer. Sprache, ²1974 • SCHWYZER, Gramm. 415–544. D. ST.

Wortfamilie. Innerhalb des → Lexikons einer idg. Sprache bilden Vokabeln, denen ein bedeutungstragendes Kernelement gemeinsam ist, eine W. Zu einer W. vereinigt sind jeweils bes. Vokabeln der Wortarten Vb., Subst., Adj., Adv. (»Inhaltswörter«). Das Kernelement ist häufig der Stamm eines primären Vb., d. h. eine verbale Wz.: ἀγ(-ω), δεικ(-νυμι), φερ(-ω); bzw. ag(-o), dīc(-o), fer(-o). Eine W. wird durch → Wortbildung bereichert, bes. durch Suffigierung (φορ-ά, zugleich mit → Ablaut; ag-men) und Komposition (καρπο-φόρ-ος; frūgi-fer: beide gehören zu je zwei W.). Verschiebungen kommen durch → Volksetymologie zustande: lat. peierāre »falsch schwören« tritt von der W. malus/peior zu der von → iūs über (> perierāre u. ä.) [8]; poplicus (: populus) findet später Anschluß bei pūbēs (> pūblicus) [7. 250]. Verluste ergeben sich auch durch Absterben von Vokabeln (ag-olum »Hirtenstab« nur noch bei Paul. Fest. sowie durch Undurchsichtigwerden; cōgitāre »denken« < *kom-ag-° begründet dann eine neue W. Aus solchen Gründen sollte die Darstellung einer griech. oder lat. W. (vgl. z.B. [5; 9]) diachronisch sein. Keine W. um sich hat z.B. lat. *mālus* »Mastbaum«.

Bisher fehlt ein mod. wiss. WB der griech. und der lat. W.; notdürftigen Ersatz bieten die etym. WB [1; 2; 3; 10] sowie ältere und schulmäßige Werke [4; 6].

1 Chantraine 2 Ernout/Meillet 3 Frisk
4 F. Hartmann, Die W. der lat. Sprache, 1911
5 E. Laroche, Histoire de la racine *nem-* en grec ancien, 1949 6 M.B. Mendes da Costa, Index etymologicus dictionis Homericae, 1905 7 H. Rix, Oskisch *vereiia* à la Mommsen, in: J. Habisreitinger et al. (Hrsg.), FS B. Forssman, 1999, 237–257 8 ThlL 10.1, 985 9 F.M.J. Waanders, The History of τέλος and τελέω in Ancient Greek, 1983 10 Walde/Hofmann.

G. Augst, Das W.-WB, in: F.J. Hausmann et al. (Hrsg.), Wörterbücher, Bd. 2, 1990, 1145–1152 · B. Forssman, Die etym. Erforschung des Lat., in: O. Panagl, Th. Krisch (Hrsg.), Lat. und Idg., 1992, 295–310, bes. 299–302. B.F.

Wortfuge, -grenze s. Sandhi

Wortschatz s. Lexikon (Wortschatz einer Sprache)

Worttrennung. In den archa. griech. Inschriften finden sich eher unregelmäßig und willkürlich gesetzte W.-Zeichen (d.h. Zeichen für die Trennung einzelner Worte voneinander) vermutlich phöniz. Herkunft (z.B. Punkte und kleine Linien). Sie werden in der Folgezeit immer seltener gebraucht und verschwinden in klass. und hell. Zeit schließlich völlig zugunsten der »fortlaufenden Schrift« (*scriptio continua*; vgl. → Lesezeichen I.B.). Diese Entwicklung ist sehr wahrscheinlich u.a. in der zunehmenden Verbreitung der sog. *stoichēdón*-Schrift begründet (→ Schriftrichtung A.), bei der die Buchstaben in Kolumnen untereinander angeordnet wurden. In hell.-röm. Zeit wurden die einzelnen waagerecht geschriebenen Wörter häufig mittels einer *hedera distinguens* (wörtlich »unterscheidendes Efeu«) voneinander abgetrennt, einem bereits zuvor unregelmäßig gebrauchten Pflanzenornament-Motiv.

Bei den ital. Schriften wurden die Wörter ohne festes System durch ein oder mehrere Pünktchen voneinander abgesetzt. In lat. Inschr. werden die Wörter oft getrennt, meist durch Punkte, Linien und (seit der Kaiserzeit) die o.g. *hederae distinguentes* (letztere werden später sogar als Verzierung innerhalb eines Wortes benutzt).

Bei den griech. Buchschriften gibt es äußerst selten W., wenn überhaupt, dann in Form von Punkten oder Punktierungen. Erst bei der → Minuskel des 9./10. Jh. findet sich nicht immer regelmäßige und konstante W. Bei den lat. Schriften bis zur frühen Kaiserzeit erfolgt die W. durch einen Punkt oder Zwischenraum. Die *scriptio continua* bestand seit dem 2. Jh.n. Chr. bis in karolingische Zeit. Das Bedürfnis, die einzelnen Wörter wieder als jeweils sichtbare Einheiten zu kennzeichnen, entstand sehr wahrscheinlich im hohen MA in Irland und im angelsächsischen England; die Praxis verbreitete sich von dort über den ganzen Kontinent und wurde schließlich ab dem 12. Jh. allg. üblich.

→ Lesezeichen; Schrift; Schriftrichtung

S. Corsten, s.v. W., LMA 9, 339. M.P.M./Ü: K.L.

Wrackfunde. Die Unterwasserarchäologie hat in den letzten Jahrzehnten die Auffindung und Unt. von weit über 1200 Schiffswracks aus der Zeit zw. 1500 v.Chr. und 1200 n.Chr. in den Küstenbereichen des Mittelmeeres und der röm. Provinzen ermöglicht. Durch die seit ca. 1990 begonnene Erkundung der Tiefseezonen im Mittelmeer mithilfe spezieller Tauchfahrzeuge erweitert sich derzeit die Zahl der Fundstellen von Schiffswracks nochmals beträchtlich. Nur die in den Küstenzonen in Tiefen bis zu 40 m entdeckten Schiffswracks sind bislang hinreichend erforscht und dokumentiert; die W. gestatten präzise Einblicke in die Bauweise ant. Schiffe (→ Schiffbau), ihre Leistungsfähigkeit und die auf ihnen beförderten Güter und Gegenstände (→ Schiffahrt; → Handel).

Grundsätzlich ist ein ant. Schiffswrack eine unter Schlick und Sand konservierte Momentaufnahme uralter technischer Trad., längst vergessener Schiffahrts- und Handelsrouten und nicht zuletzt des Alltagslebens der Besatzung. Der Nachteil, daß bei fast allen Schiffswracks die Decksaufbauten und Masten verschwunden sind, wird teilweise durch die unter Luftabschluß unversehrt gebliebenen organischen Materialien wie Holz, Textilien und Nahrungsreste kompensiert. Dennoch haben die massenhaft an Bord verstauten Amphoren (→ Transportamphoren), die großen Dolien und andere Keramikbehälter gegenüber den ebenfalls als Transportbehälter verwendeten Körben, Kisten, Fässern und Tonnen naturgemäß in ungleich größerer Zahl und besserer Qualität die Zeit überstanden. Die W. stammen aus verschiedenen Gebieten des Mittelmeeres und aus verschiedenen Zeiten. Hauptfundorte sind – analog zu den Schwerpunkten des Tauchtourismus – die Küsten Südfrankreichs, SW-Kleinasiens, It.s und der Adria. Während nur vereinzelte W. in die myk. und spätmyk. Epoche zu datieren sind, erhöht sich ihre Zahl für die Zeit seit dem 7. Jh.v.Chr. kontinuierlich. Die meisten W. sind der Zeit zw. 200 v. und 200 n.Chr. zuzuordnen. Für die spätere Zeit sinkt ihre Zahl als Folge des sich stetig verringernden Handelsvolumens im Mittelmeerraum stark ab.

Die folgende Auflistung (s. Tab. Sp. 579–590) wichtiger W. zeigt die technischen Details ant. Schiffe und die auf ihnen entdeckten Güter und Artefakte. Die Auswahl umfaßt auch Schiffe aus den nw Prov. (u.a. Flußschiffe auf Rhein und Donau), nicht zuletzt um bauliche Sonderentwicklungen in den Randzonen des Imperium Romanum zu dokumentieren.

→ Schiffbau (mit Abb.); Unterwasserarchäologie

Lit.: 1 J. Adams, Ships and Boats as Archaeological Source Material, in: World Archaeology 32, 2001, 292–310

2 U. BAUMER et al., Neue Forsch. zum ant. Schiffsfund von Mahdia (Tunesien), in: In Poseidons Reich. Arch. unter Wasser, 1995, 72–81 3 A. BOHNE, Das Kirchenwrack von Marzamemi, in: Skyllis 1, 1998, 6–17 4 M. BOUND, Das Giglio-Wrack, in: s. [2], 63–68 5 S. BRUNI (Hrsg.), Le navi antiche de Pisa, 2000 6 E. HADJIDAKI, Ein Schiffswrack aus klass. Zeit vor der Insel Alonnisos, Griechenland, in: s. [2], 69–71 7 G. RUPPRECHT (Hrsg.), Die Mainzer Römerschiffe, ²1982 8 H. SCHAAFF et al., Die Römerschiffe in Oberstimm, Ausgrabung und Bergung, in: Das Arch. Jahr in Bayern 1994, 112–116 9 M. JURISIC, Ancient Shipwrecks of the Adriatic, 2000 10 G. LOLOS et al., Der Schiffsfund von Kap Iria (Golf von Argos) in: s. [2], 59–62 11 A. M. McCANN, J. FREED, Deep Water Archaeology, 1994 12 A. J. PARKER, Ancient Shipwrecks of the Mediterranean & the Roman Provinces, 1992 13 M. RULE, J. MONAGHAN, A Gallo-Roman Trading Vessel from Guernsey, 1993 14 H. WILLIAMS, Commacchio Wreck, in: Encyclopaedia of Underwater and Maritime Archaeology, 1997, 105.

ZSCHR.: Bollettino di Archeologia Suacquea 1/2, 1995/1996 ff. · Deutsche Ges. zur Förderung der Unterwasserarchäologie e. V., Rundschreiben 1, 1991 ff. · Skyllis. Zeitschrift für Unterwasserarchäologie 1, 1998 ff.
INTERNETPUBLIKATION:
http://index.waterland.net/navis/home/frames.htm
H. KON.

Wramschapuh s. Wahram

Würfelspiel(e) (κυβεία/kybeía; lat. alea). Angeblich von den Lydern (Hdt. 1,94,3), von → Palamedes [1] vor Troia (Paus. 2,20,3; 10,31,1) oder dem ägypt. Gott Thot (Plat. Phaidr. 274c-d) erfunden. Im Mythos wird das W. gelegentlich erwähnt (Hdt. 2,122,1); so spielt Eros mit Ganymedes (Apoll. Rhod. 3,114–126), Herakles mit einem Tempelwächter (Plut. Romulus 5,1 f.) oder Patroklos mit Klysonymos (Hom. Il. 23,87 f.). Zum W. brauchte man entweder die vierseitigen Knöchel (→ Astragal [2], lat. auch talus), die mit den Werten eins und sechs sowie drei und vier versehen waren; oder man nahm die sechsseitigen Würfel (κύβοι/kýboi; lat. → tesserae; Knöchel und Würfel wurden bei den Röm. auch aleae genannt), die den heutigen Exemplaren entsprechen und aus Elfenbein, Ton, Brz. und anderen Materialien hergestellt waren. Der Wert der einzelnen Seiten war durch Punkte, Striche oder Wörter markiert. Wie bei den Knöcheln ergaben auch bei den tesserae die Augen zweier Gegenseiten immer die Summe sieben (vgl. Anth. Pal. 14,8).

Man spielte gewöhnlich mit drei, aber auch vier Würfeln, die man vom Handrücken, aus der Handfläche oder einem Würfelbecher (→ fritillus), der die Korrektheit des Wurfes garantieren sollte (Mart. 14,16), auf die → tabula oder den alveus (vgl. → Brettspiele) mit einem erhöhtem Rand warf. Entscheidend war die Summe der erzielten Punkte (diese Art des Spieles hieß πλειστοβολίνδα/pleistobolínda, etwa: »Höchstwurfspiel«, Poll. 9,95), wobei die höchste zu erreichende Punktzahl dreimal die Sechs (vgl. Aischyl. Ag. 32 f.), die niedrigste Punktzahl dreimal die Eins war. Man belegte die Kom-

binationen der Würfelaugen mit verschiedenen Namen (Plaut. Curc. 357 f.; Poll. 7,203–206), wobei man z. B. die dreimalige Sechs als Venus, »Wurf der Aphrodite/Venus«, und den niedrigsten Wert als canis, »Hundswurf«, bezeichnete (beide Begriffe bei Suet. Aug. 71,2; Prop. 4,8,45 f.; canis auch Ov. ars 2,206). Ausführliche Beschreibungen: Ov. ars 3,353–366; Ov. trist. 2,473–482.

Gespielt wurde um Gegenstände (bei Plaut. Curc. 354–356 Mantel und Ring), vornehmlich aber um Geld, wobei die gesetzten Summen oft so immens waren, daß sie den Spieler bei Verlust in den Ruin trieben (Alki. 3,6; Hor. epist. 1,18,21–23, vgl. Suet. Aug. 71,2 f.); daher versuchten die Behörden, das W. zu verbieten (z. B. Plaut. Mil. 164; Hor. carm. 3,24,58; indirekt Suet. Aug. 71,1); nur an den → Saturnalia waren die Verbote aufgehoben. Dem W. frönten die Vertreter aller Stände vom Kaiser bis zum einfachsten Soldaten. Wie → Augustus war auch Claudius [III 1] als leidenschaftlicher Spieler bekannt, der sogar seinen Reisewagen für diesen Zweck umbauen ließ und ein Buch über das W. schrieb (Suet. Claud. 33,2); dagegen war Caligula als Falschspieler gefürchtet (Suet. Cal. 41,2). Bes. eifrig gepflegt wurde das W. in Gasthäusern und Herbergen.

Darstellungen des W. in der Kunst sind zahlreich: Szenen der griech. Vasenmalerei, Wandbilder in den Schenken Pompeiis, Mosaike, spätant. Buchillustrationen u. a. Die Zahl der erh. Würfel ist ebenfalls sehr groß; unter ihnen auch gezinkte Exemplare, die ausgehöhlt und an einer Innenseite z. B. mit Blei beschwert sind. Auch Würfelbecher sind erhalten. Zu Würfeln bei anderen Spielen vgl. → Brettspiele.
→ Fritillus; Spiel; Wetten

J. VÄTERLEIN, Roma ludens. Kinder und Erwachsene beim Spiel im ant. Rom (Heuremata 5), 1976, bes. 7–13; 54 · M. FITTA, Spiele und Spielzeug in der Ant., 1998, 110–122.
R. H.

Würfelverdopplung (κύβου διπλασιασμός/ kýbu diplasiasmós nach Eratosthenes, in [1. 88,16]).

I. ALLGEMEIN   II. URSPRUNG DES PROBLEMS   III. LÖSUNGSVERSUCHE   IV. FORTWIRKEN

I. ALLGEMEIN

Die W. gehört – neben der Winkeldreiteilung (→ Winkel- und Kreisteilung) und der → Kreisquadratur – zu den drei klass. Problemen der griech. → Mathematik. Gefordert ist: Zu einem gegebenen Würfel mit der Seitenlänge a (also dem Volumen a^3) durch ein geom. Verfahren die Seite x eines anderen Würfels zu finden, dessen Volumen doppelt so groß wie der gegebene Würfel ist. Gesucht ist also die Größe x, für die gilt: $x^3 = 2a^3$ (d. h.: $x = a^3\sqrt{2}$). Die Aufgabe läuft demnach auf eine Kubikwurzelberechnung bzw. -konstruktion hinaus. Anders als die Griechen wissen wir h., daß eine allgemeine kubische Gleichung (und damit auch die

Chronologische Tabelle antiker Wracks (2. Jt. v. Chr. – 7. Jh. n. Chr.)

Wrack	Fundort	Datierung/Typ/ Schiffsgröße	Ladung	Bauliche Details/ weitere Funde/Bemerkungen
1. Ulu Burun PARKER Nr. 1193	Türkei (SW-Küste von Asia Minor)	ca. 1350–1300 v. Chr. (?); Fra.; L 15–16m	468 meist flache Kupferbarren aus Zypern (ca. 10t); Zinnbarren (ca. 1t); Terebinthenharz (ca. 1t); 150 kanaanäische Amph.(Füllung: 6,7–26,7l); 170 Glasbarren; Eben- und Zedernholz; Elfenbein und Nilpferdhauer; Artefakte, Schmuck und Waffenteile aus verschiedenen Zonen zw. Sizilien und Babylonien, dem Baltikum und Nubien.	Schalenbau; Anwendung der Feder- und Nut-Technik zur Plankenverbindung (= klass. Schalenbau); Planken und Kiel aus Fichte; Zapfen und Nuten aus Eiche; 24 Steinanker. Vergleichbar mit diesem Sch. ist das mit Kupfer- und Zinnbarren sowie Metallverarbeitungsgerät zw. 1250–1150 v. Chr. gesunkene Sch. von Cape Gelidonya A (vgl. PARKER Nr. 208).
2. Cape Iria [10]	Griechenland Golf von Argos	ca. 1200 v. Chr.; rel. großes zypr.(?) Fra.	Zypr. Ware (Krüge, Pithoi und Kannen, teilweise gefüllt mit Olivenöl und Granatapfelmus); kret. Bügelkannen; dekorierte myk. Vasen.	Zwei Steinanker; Steine als Ballast; umfangreiches Bordzubehör.
3. Giglio A [4]	Italien	ca. 600–590 v. Chr.; Fra.	Etr. und samische Amph.; Kupfer- und Bleibarren; südetr. Keramik.	Schalenbau mit verschnürten Planken; Rumpf und Kiel u. a. aus Pinie, Weißtanne, Eiche und Ulme; viel Bordzubehör.
4. Bon-Porté A PARKER Nr. 106	Süd-Frankreich bei Cap Taillat	ca. 550–525 v. Chr.; Fra.	Etr. Amph. (teilweise mit Graffiti); 12–15 graeco-massiliotische und (mindestens) 2 chiische Amph.	Die Reste des Sch. deuten auf einen Schalenbau mit miteinander verschnürten Plankennähten hin.
5. Gela PARKER Nr. 441	Sizilien	spätes 6./frühes 5. Jh. v. Chr.; Fra.; L ca. 20m	Ionische, korinthische (Typ A und B), attische und punische Amph.; sf. Keramik u. a. Luxusgeschirr; insgesamt ca. 20t.	Plankennähte noch verschnürt.
6. Porticello PARKER Nr. 879	Italien Straße von Messina	ca. 425–400 v. Chr.; Fra.; L ca. 17m	Weinamph. (aus Mende und Bosporuszone, S-Italien, W-Sizilien); 3 lebensgroße Bronzestatuen; 20 Bleibarren; Töpfe; insgesamt ca. 30t.	Klass. Schalenbau; Bleiverkleidung.
7. Alonnisos [6]	Griechenland Ägäis	spätes 5. Jh. v. Chr.; großes Fra.	4000 größtenteils erh. Weinamph. (Herkunft: Mende und Skopelos); darüber war attische Keramik verstaut.	Sch. noch nicht untersucht; Schiffsanker aus Holz mit Bleikern.
8. Kyrenia PARKER Nr. 563	Zypern	ca. 310–300 v. Chr.; sehr altes Fra.; L 13,6m, Br 4,4m	400 Weinamph. (v.a. rhodische, dazu 10 weitere Typen); 9000 Mandeln in Krügen; 29 Steinmörser (plaziert auf einer Kielseite zum Ausgleich der Rumpfasymmetrie); insgesamt ca. 20t.	Rumpf aus Aleppo-Pinie (mit äußerer Bleiverkleidung); klass. Schalenbau; Reparaturspuren; persönliche Gegenstände und Bordzubehör (Töpfe, Geschirr) für 4 Besatzungsmitglieder?
9. Marsalla 1 PARKER Nr. 661	Sizilien Westküste	spätes 3. Jh. v. Chr.; gewaltsam versenktes karthag. Sch. (vielleicht Kriegssch.); L ca. 30m, Br 5m	Keine Ladung; nur größere Anzahl an Ballaststeinen (von der Insel Pantelleria) und einiges Bordzubehör (griech., ital. und punische Amph., ital. Keramik aus dem späten 3. oder frühen 2. Jh. v. Chr.); persönliche Gegenstände.	Aphraktes Rudersch.; Planken (z.T. dachziegelartig angeordnet) aus korsischer Kiefer; sonstige Hölzer z.T. aus N-Afrika; Fälldatum: 235 (±65) v. Chr.; 200 (punische) Markierungen offenbaren geplanten Bauprozeß mit vorgefertigten Teilen; Bleiverkleidung; kein Rammsporn?

10. Marsalla 2 PARKER Nr. 662	Sizilien 70 m südl. von Marsalla	3. Jh. v. Chr.?; karthag. Kriegssch.		Erh. sind nur Bugsteven und dünner, hochgebogener Sporn; Planken (Kiefernholz) und Spanten (Eiche) tragen ebenfalls punische Vermerke.
11. Grand Congloué A PARKER Nr. 472	Süd-Frankreich südl. von Monaco	ca. 210–180 v. Chr.; Fra.	400 graeco-ital. Amph. (Typ Camp. A); 30 rhodische Amph. mit Stempel; Amph. aus Knidos und Chios; schwarzglas. kampanische Keramik (ca. 7000 Teile mit Graffiti).	
12. Pisa hell. Sch. [5. 37f.]	Italien	Anf. 2. Jh. v. Chr.; großes punisches Fra.	Graeco-ital. Weinamph. (Typ Camp. D); teilweise mit Schweineschultern gefüllte pun. Amph.; 1 Löwe; 3 Pferde; Volterra-Keramik; schwarzglas. Lampen; iberische Vasen; 4 pun. Thymiateria; Salbengefäße; 2 Lagynoi.	Sch. nur in geringen Resten erh. (Planken, Hölzer); offenbar mit einer Hafenstruktur kollidiert; unter der von Bord gerutschten Ladung menschliche Knochen.
13. Dramont C PARKER Nr. 373	Süd-Frankreich, SO-Seite der Île d'Or	ca. 110–100 v. Chr.(?); Fra.; L ca. 12–13m	120 Dr. 1B-Amph., Dr. 20–Amph., wenige Lamb. 2–Amph; 50 Eisenstäbe; Blöcke von Kiefernharz; Mühl- und Ballaststeine; Keramik; Metallgegenstände.	Kiel und Spanten aus Eiche; Planken aus Aleppokiefer. Ein mit Steinplatten ausgelegter Arbeitsbereich diente den Händlern an Bord zur Herstellung von Korkstöpseln für Amph.
14. Madhia [2]	Tunesien bei Thapsus	ca. 110–90 v. Chr.; röm. Fra.; L ca. 40m, Br ca. 14m, H ca. 6,5m	70 Marmorsäulen; Marmorbauglieder, Marmor- und Bronzekunstwerke aus Griechenland; Bleibarren und zahlreiche Kleinfunde; Gewicht insgesamt ca. 350t.	Klass. Schalenbau, dicke Innenplanken; darüber mit Bronzenägeln angedübelte dünne Außenplanken (aus Schwarzkiefer); Skelett aus Ulmenholz; Bleiverkleidung; 4 große Ankerstöcke; Bilgenpumpe; Katapultfragmente.
15. Cavaliere PARKER Nr. 282	Süd-Frankreich	100 v. Chr.; kleines Fra.; L 13m, Br 4m	Lamb. 2–, Dr. 1C- und Dr. 1A-Amph. (v.a. gefüllt mit Wein); geräucherte oder eingesalzene Schweineviertel; Gewicht insg. ca. 3 t; ferner ca. 10t Ballast.	Klass. Schalenbau; Bleibeschichtung; Schiff nach den Hölzern wohl im Adriaraum gebaut; Mastschuh für Haupt- und Vordersegel; viel Bordzubehör, Münzen aus Numidien, Massilia und Süd-Spanien.
16. Albenga PARKER Nr. 28	Italien Ligurische Küste	ca. 100–80 v. Chr.; großes Fra.; Tragf. ca. 500–600 t	Nach Schätzungen bis zu 13500 Amph. (in 5 Lagen verpackt). Typen: bes. Dr. 1 B (v.a. mit Rotwein gefüllt), Lamb. 2 (verm. mit Wein gefüllt); viel Keramik (Camp. A-Teller und imitierte kampanische Schüsseln.	Klass. Schalenbau (ohne durchgehendes Deck?); Spanten und Wrangen aus Eiche; Planken aus Weichholz; Mastspant mit Relikt vom Mast; Beifunde: (teilweise schwarzglas.) Geschirr, Krüge; 7 Bronzehelme.
17. Fourmique C PARKER Nr. 425	Süd-Frankreich	80–60 v. Chr.; Fra.	Mind. 100 Amph. v.a. vom Typ Dr. 1 (mit St.); einige Lamb. 2–und Dr. 1 A-Amph.; Luxusmöbel und Kunstgegenstände aus Griechenland.	Zahlreiches Bordzubehör und persönl. Gegenstände; Bilgenpumpe.
18. Dramont A PARKER Nr. 371	Süd-Frankreich bei Île d'Or	ca. 75–25 v. Chr.; Fra.; L ca. 25m, Br 7m	(mehrere Stapel) Dr. 1B-Amph.; viele davon mit St., manche sogar noch mit Amph.-Siegeln (u.a. mit der Inschr. S. Arri. M.f.); ferner einige apulische und Lamb. 3–Amph. sowie einzelne rhodische und punische Amph. (gefüllt mit Oliven).	Bug und Heck asymmetrisch, Schutzgewebe zw. Innen- und Außenplanken; innerer Schutzanstrich, keine Bleibeschichtung, Rest vom Steuerruder erh.; 2 Ankerstöcke haben Vermerk des Schiffseigners Sex. Arr[i...] (der nach den Amph.-Siegeln selbst Ware mitführte).

19.	Madrague de Giens PARKER Nr. 616	Süd-Frankreich nahe Toulon	ca. 70–50 v. Chr.; Fra.; L ca. 40m, Br 9m; Tragf.: 375–400 t	6000–7000 Amph. in 3 Lagen verstaut, unten v. a. Dr. 1B-Amph. aus S-Latium (gefüllt mit Rotwein) mit dem St. *P. Vevei Papi*; darüber Amph. mit dem St. *Q(uintus) Mae(..) Ant(..)*; oben (in Kisten verpackt) hunderte Teile grober und schwarzglas. Keramik; Heck mit Brennholz und vulkanischer Erde (Ballast?) gefüllt.	Klass. Schalenbau; Bugsteven kinnförmig vorragend; Planken aus Weißtanne, Spanten und der an den Enden sorgfältig mit dem Achter- bzw. Vordersteven verlaschte Kiel und Innenkiel aus Eiche, Ulme, Walnuß und Pinie; doppelte Beplankung; Bleiverkleidung; Takelagereste; Sammelbottich für Bilgenwasser; 5 Bleibarren; 2 Bronzehelme.
20.	Mal de Ventre PARKER Nr. 637	Sardinien Westküste	50 v. Chr. (?); Fra.; L 36m, Br 12m	1000 Bleibarren (insg. c. 35 t) mit Markierungen (u. a. *M. C. Pontielienorum M. f.*, *C. Arulius Hispalis*, *C. Arulius Hispalius*.	Bleiankerstöcke.
21.	Planier C PARKER Nr. 826	Süd-Frankreich	ca. 50 v. Chr.; Fra.; L ca. 20m, Br ca. 5m	Dr. 1B-Amph (mit Töpfersignaturen); ferner Panella 2– und Lamb. 2–Amph. (diese mit Besitzer-St.); Keramik und Mineralien (rote Arsenblende, Bleioxid und blaue Glasmasse).	Eine Bordseite gut erh.; Bleiverkleidung; Rest der Steueranlage; im Heckbereich reiches Bordzubehör, 5 Becher und 5 Teller feinwandige Keramik (Indiz für entsprechende Besatzungsstärke?)
22.	Valle Ponti PARKER Nr. 1206	Italien Adriaküste bei Commachio	ca. 25–1 v. Chr.; Fra.; L ca. 25m, Br ca. 5,4m	Mitschiffs Dachziegel und 102 Bleibarren aus Carthago Nova (diese u. a. mit St. *L. Cae. Bat.* und *Agripp.*); vorne und hinten Amph. vom Typ Dr. 6 und Dr. 2–4 (mit *tituli picti*); ferner ostmediterrane Amph.; 17 Lampen; Grobkeramik; Bronzegefäße und -geschirr; 6 Votivtempelchen; Schweine- und Hammelviertel.	Sch. mit flachem Kiel; Spanten sind mit Seilen am Rumpf befestigt; Herdstelle im Heck, Eisenanker; zu den Beifunden gehören auch kleine Kisten, Ledertaschen, Körbe und Säcke; Schuhe, Sandalen, Handwerkszeug und ein Steingewicht (32,7kg) mit den Initialen *M.* und *T. Rufi* = Schiffsbesitzer?)
23.	Tradelière PARKER Nr. 1174	Süd-Frankreich bei Cannes	ca. 20–10 v. Chr.; Fra.	Ca. 300–400 Amph.; v. a. ital. Dr. 2–4–Amph. (3 Sorten, verm. aus der Adriazone); Haselnüsse; Keramik; Glas.	Klass. Schalenbau; Bleiverkleidung; Rest einer Bilgenpumpe; Takelagereste.
24.	Grand Ribaud D PARKER Nr. 477	Süd-Frankreich Insel Grand Ribaud	ca. 10–1 v. Chr.; Fra. aus Minturnae (Latium); L ca. 18m; Tragf. ca. 45–50 t	Mitschiffs 11 große, (gefüllt) ca. 2 t schwere Dolien (sie sind durch Stützbalken stabilisiert und tragen Namen, die in Bezug zu Minturnae in S-Latium stehen); im Bug- und Heckbereich 250 Amph.; u. a. 200 (z.T. gestempelte) Dr. 2–4–Amph. aus dem Umfeld von Neapel, ein weiteres Kontingent dieses Typs stammt aus den adriatischen Regionen Italiens.	Bauhölzer: Eiche (für die Planken), Erle und Weide; das gekenterte Schiff begrub Trennwände, Stützbalken und Decksaufbauten unter sich; Planken und Spanten waren mit Eisennägeln verbunden; keine Bleibeschichtung; Reste einer Bilgenpumpe und der Takelage. Nach den Keramikfunden (z.T. mit Graffiti) waren 6 Menschen an Bord: u. a. *Pap(us)*, *Ma[...]* u./o. *Mar(ius)* und *Sex. R[...]*.
25.	Commachio [14]	Italien (bei Ferrara)	E. 1. Jh. v. Chr.; Fra.; L 21m, Br 5,62m; Tragf. ca. 130 t	102 Bleiklumpen (u. a. mit dem St. *Agrippa*); Amph.; Kirschholzblöcke; nordital. T.S.; 6 Votivtempelchen.	Gedecktes Schiff mit Rahsegel; klass. Schalenbau; Spanten aber mit Esparto am Rumpf verschnürt; Laderaum mit Bodenwegerung; Ziegeldach im Heckbereich; mehrere Ladeluken.

26.	Pisa Wrack B [5. 42f.]	Italien	Spätaugust. Zeit (nach 7 v. Chr.); kampanisches Fra.; L ca. 14m, Br ca. 4,3m	V.a. wiederverwendete Dr. 6A- und Lamb. 2–Amph. zum Transport von Früchten, Nüssen, Oliven und spez. Sand zur Magerung von Töpferton; verm. Bezugsraum: Adriagegend; ferner einige Dr. 9– und Ha 70–Amph.	Rumpf auf 9,4 m L bis zur oberen Bordwand gut erh.; klass. Schalenbau; Ballaststeine aus Vesuvlava; viele Bord-utensilien und private Gegen-stände. Im Umfeld des Sch. Skelettfund eines Mannes und eines Hundes.
27.	Pisa Wrack C [5. 46–48]	Italien	27 v. Chr.-ca. 40 n. Chr.; Hafenboot?; L 11,7m, Br 2,8m		6 durchlaufende Ruderbänke. Der knapp unter der Wasser-linie vorstehende Spitzbug war verm. mit einer Metall-verkleidung versehen.
28.	Ladispoli A PARKER Nr. 233	Italien	1–15 n. Chr.; Fluß-oder Küsten-Fra.; L ca. 20m	In der Schiffsmitte 11 (innen verpichte) Dolien mit einem Volumen von jeweils 3000l. Ein Dolium trägt die St. *Soterichus/ Pirani. fec.* und *[Sote]/ric. f.* Vor und hinter den Dolien lagerten Dr. 2–4–Amph. vom kampanischen Typ (noch verkorkt).	Rumpf von »normaler Konstruktion« und flachbödig; seicht geschwungener Kiel; Bilgenpumpenrest. Im Achterschiff Koch- und Eßgeschirr (u. a. gestempelte T.S., baetische Ha 70–Amph., Lampen), ferner 1 Kiste mit in Säckchen verpacktem Koriander und Kümmel.
29.	Port-Vendres B PARKER Nr. 875	Süd-Frankreich ant. Hafeneingang von Port Vendres	ca. 42–48 n. Chr.; großes Fra.	V.a. Dr. 20–Amph. (aus mind. 11 Töpfereien); ihre *tituli picti* verweisen auf mind. 5 Ölproduk-tionsorte; ferner Ha 70–Amph. (Inhalt: *defrutum*) und einige Dr. 28–Amph; die Aufschriften auf allen 3 Formen erwähnen 11 Spediteure; weitere Ladung: süd-span. Keramik, Metalle (u. a. 18 Zinnbarren mit dem St. *L. Val. Aug. l. a com.*); Glas.	Schiffsrumpf wenig erforscht; einige Spanten und Planken und ein Rest der Rahe blieben erh.; Bleibeschichtung; 3 Eisenanker(?); umfangreiches Bordzubehör (Reste eines Flaschenzugs; südgall. T.S.; Glas, Töpfe, Lampen, Beltrán 2A-Fischsaucenamph. etc.).
30.	Dramont G PARKER Nr. 377	Süd-Frankreich Cap Dramont	ca. 60–70 n. Chr.; lokales Fra.; L ca. 11m	2,5–3,5 t Dachziegel; 40 gestempelte T.S.-Gefäße aus La Graufesenque; Grobkeramik (100–200 Schüsseln, Schalen und Krüge aus Fréjus).	Sch. stark zerstört; Handwerkszeug; Bordzubehör; 1 Eisenanker.
31.	Culip D PARKER Nr. 347	Ost-Spanien bei Empurias	ca. 70–80 n. Chr.; Fra.; L ca. 9–10m, Br ca. 3m; Tragf. ca. 8 t	Mind. 76, z.T. wiederverwendete Dr. 20–Amph. (mit St.); baetische Feinkeramik (1500 Becher und Tassen); 42 Lampen aus Rom mit der Aufschrift *Oppi*; ca. 2750 T.S.-Gefäße aus La Graufesenque mit 54 verschiedenen St. und 30 Einzelnamen.	Rumpf außen geteert; Spanten und Planken aus Pinus silvestris L oder P. nigra Arn.; Stifte aus Olivenholz; Verwendung von Kupfer- und Eisennägeln; Reste einer Schiffspumpe; sehr viel Schiffszubehör und persönliche Besitzgegenstände.
32.	Les Roches d'Aurelle PARKER Nr. 994	Süd-Frankreich bei St. Raphael	ca. 80–100 n. Chr.; Fra.; L ca. 12–15m	60 (leere!) gall. Amph. (v.a. der Typ Laubenheimer G 5); Grobkeramik aus Lorgues und Fréjus (ca. 1000 Schüsseln, Mörser, Krüge und Töpfe); ca. 250 Dachziegel aus dem Raum um Fréjus.	Keine Angaben.
33.	Punta Scario A PARKER Nr. 961	Sizilien Westküste	1. Jh. n. Chr.?; großes Fra.	Großes Ziegelkontingent (*tegulae*, *imbrices* und Bodenplatten) mit zirkularem St.: *Ti. Cl. Felic. ex Officin(a).*	Bisher keine näheren Untersuchungen.

34. Oberstimm Sch. 2 [8]	Deutschland Oberstimm	Anf. 2. Jh. n. Chr.; röm. Flußruder-sch.; L 15,4m, Br 2,65m, H ca. 1,05m		Klass. mediterraner Schalenbau; mind. 9 Ruderbänke; weit vorgelagerter Mast; konkav-konvexe Bugform; Fälldatum der Bauhölzer 102 (±10) n. Chr.
35. Saint Gervais C PARKER Nr. 1002	Süd-Frankreich	149–154 n. Chr.; im ant. Hafen gesunkenes Fra.	Hauptfracht: Dr. 20–Ölamph. (gemäß der *tituli picti* und der St. zw. 149–153 n. Chr. im Bereich von Astigi abgefüllt (es fehlt der Kontrollvermerk *R* als Beleg für den beabsichtigten Import nach Rom); ferner südspan. Beträn2B-Amph. mit der Inschr. *Vin(um) R(ubrum?) Aur(elianum?) Vet(us?)*; gall. Weinamph. vom Typ Laubenheimer G 4.	Robust gestalteter Rumpf (inklusive Kiel und Kielschwein) auf 17 x 6m L erh., konkav zur Schiffsmitte geschwungener Vordersteven, Mastbank für Haupt- und Vormast. Das aus der Baetica kommende Schiff legte in der Narbonensis an, wo Wein dazugeladen wurde, und setzte dann die Fahrt zur Fossa Mariana fort.
36. Zwammer-damm B, D, F PARKER Nr. 1255, 1257, 1259	Niederlande Zwammerdamm	150–225 n. Chr.; Flußprähme; Maße: Wrack B: 22,75 × 2,95m, H 0,95m; Wrack D: 34 × 4,4m, H 1,2m; Wrack F: 20,40 × 3,55m, H 0,90m	In Wrack B (max. Tragf. ca. 30–35 t) und D (max. Tragf. ca. 110 t) fanden sich Reste von Ziegel- und Kieferschutt. Generell dürfte jegliches Nachschubgut für das Kastell auf Fahrzeugen dieser Art befördert worden sein.	Langer, trogartiger Eichenrumpf; Boden kraweelgebaut und flach (ohne Kiel); rechtwinklig angefügte Seitenwände (v.a. aus dachziegelartig überlappenden Planken); weit vorgelagerter Mast; Eisennägel verbinden Wrangen, Spanten und Planken. Prähme dieser Art fanden sich zahlreich im Flußgebiet von Rhein, Maas und Schelde; vgl. z.B. PARKER Nr. 379, 533, 629, 630, 856, 857, 1232.
37. Procchio PARKER Nr. 906	Italien Elba	ca. 160–200 n. Chr.; Fra.; L ca. 18m	Schwefeloxidbarren mit St. *[M]* oder *[i]*; birnenförmige Amph. (aus Gallien); zentraltunesische Amph. vom Typ Africana 1 (Inhalt: Feigen); zahlreiche Glasfragmente.	Klass. Schalenbau; Blei-beschichtung; Außenplanken aus Kiefer?; Innenplanken aus Tanne; Skelett aus Ulme; Indizien für Bordküche; viel Bord- und Schiffszubehör.
38. Torre Squarrata PARKER Nr. 1163	Italien bei Tarent	180–205 n. Chr.; Fra.; L über 30m; Tragf. max. 240 t	18 grob behauene Sarkophage; 23 große Blöcke (Alabaster aus Kleinasien und weißer thasischer Marmor; zw. den Blöcken Marmorinkrustationen; Gewicht ca. 160 t.	Schiff (über 60 Jahre alt?) mehrfach repariert; Bordzubehör (tripolitanische Amph.; Keramik; Ziegel; Steinbearbeitungswerkzeug, Glas etc.).
39. London PARKER Nr. 606	England	um 200 n. Chr.; Fra.; L ca. 15m	Ladung (max. 92 t): Sandstein aus der Medway-Gegend; Mühlstein, Keramik, Werkzeug und Ausrüstungsgegenstände.	Rumpf in Skelettbauweise mit massivem Kiel, gebaut; Plankenanbindung an solide Spanten und Wrangen durch eiserne Nägel.
40. Punta Scifo A PARKER Nr. 965	Italien Kalabrien	frühes 3. Jh. n. Chr.; Fra.; L. ca. 30–35m.	Teilweise über 22 t schwere Marmorsäulen, -basen, -blöcke und -statuen aus Dokimeion und Prokonnesos, insgesamt ca. 150 t; Amph.(?).	Fragmente von Eichenplanken und Fichtenhölzern; reiches Bordzubehör.
41. Mellieha PARKER Nr. 691	Malta	ca. 200–250 n. Chr.; Fra.	Große (syrische?) Reibschalen; Glasgefäße (wohl in Kisten verpackt); viele zweitverwendete Amph., Glasstücke und blaue Glasmasse; Textilfragmente.	Kaum Hinweise auf Rumpf-gestaltung; Schiffszubehör; Dachziegelreste der Bordküche, 2 Bronzegefäße; Knochen; ferner Keramik; Ballaststeine.

42.	Monaco A PARKER Nr. 708	Monaco	ca. 200–250 n. Chr. (?); vielleicht Ruder-Fra.; L 15m, Br 4m	Verm. mauretanische Amph.; Africana–2–Amph. (beide Typen tragen St. und Graffiti); ein Holzst. mit den Initialen *CAF* zw. 2 Palmetten) zur Fertigung von Amph.-St.	Klass. Schalenbau; mittschiffs flachbödig; alternierende Wrangen und Spanten; Innen- und Außenplanken; Rumpf außen mit Pech bestrichen; Keramik (u. a. grobe Ware und Chiara-T.S.).
43.	Capo Granitola A PARKER Nr. 229	West-Sizilien	225–275 n. Chr.; Fra. für Steintransporte	Über 60 Marmorblöcke aus Prokonnesos in 8 Reihen verstaut; Gewicht ca. 350t; Marmor-Frg. zw. den Blöcken verweisen auf frühere Steintransporte.	Eisenanker und großer Ankerstock aus Blei.
44.	Guernsey [13]	England	280–287 n. Chr.; Fra.; Kiel-L: 14,05m	Keramik (Kannen, Schüsseln, Kochtöpfe); Reste von Holz-fässern; Amph.; Pinienharz; Ziegel (wohl von der Decks-unterkunft).	Massiver Skelettbau aus Eichenholz; Kiel, Spanten, Wrangen und Planken verbunden durch Eisennägel; Bilgenpumpenrest.
45.	La Luque B PARKER Nr. 611	Süd-Frankreich	ca. 300–325 n. Chr. (?); Fra.; L ca. 20m, Br 6m	4 verschiedene Formen von Afr.-Amph. und kugelförmige Amph., von denen einige noch Reste von Langusten enthielten; 250 Lampen (afrik. Typ mit St., u. a. *Victor/inus de officina Cecili*)	Sorgsam gebauter Rumpf; nur 3cm dünne Planken; dünner, mit getränktem Tuch beschichteter Eichenkiel; Wrangen durch Eisenbolzen an Bordwand befestigt; Mastschuh; Bilgenpumpe.
46.	Port-Vendres A PARKER Nr. 874	Süd-Frankreich	ca. 400 n. Chr.; Küsten- und Fluß-Fra.; L max. 18–20m, Br 5–6m	Almagro 50– und 51c-Amph. (viele waren noch verkorkt und enthielten Sardinengräten); ferner einige Amph. mit lat. Graffiti; Gewicht insgesamt 70–75 t; Behälter wurden durch hölzerne Rahmen und Stauholz gestützt bzw. verpackt.	Symmetrischer Rumpf; solide Innensteifung durch Stringer und Weger; Wrangen sind z.T. fest am schweren Kiel verbolzt; weitere Ansätze zur Skelettbauweise: Holzdübel und Kupfernägel dienten zur Befestigung der Planken am Kiel.
47.	Mainz Wrack F Sch. Nr. 9 PARKER Nr. 627	Deutschland	Anf. 5. Jh. n. Chr.; eines von 5 spätant. Römersch.; L 21m, Br 2,5m	Keine Ladung.	Flußkriegsschiff aus Eiche; gebaut im Mallenbauverfahren; Eisennägel verbanden Planken und Spanten; Sitzbänke und Dollen für 30 Ruderer; weit vorne plazierter Mastspant; konkav-konvex geformter Bug mit Sporn in Höhe der Wasserlinie.
48.	Marzamemi II [3]	Sizilien	ca. 500–540 n. Chr.; Fra.	Architekturteile aus der Ägäis (Innenausstattung einer Kirche), u. a. 28 Säulenschäfte, Säulen-basen, Kapitele; ein Altarrest; ein Alabasterbaldachin; Schranken-Platten; 10 Pfeiler.	Sch. nicht erh.; gefunden wurden Reste von Amph., Ziegeln, Tongeschirr, Gewichten und einer Schnellwaage, Eisenbeschläge.
49.	Saint Gervais B PARKER Nr. 1001	Süd-Frankreich	ca. 600–625 n. Chr.; Fra.; L 15–18m, Br 6m; Tragf. ca. 41–49 t	Speltweizen aus Italien, Afrika oder Spanien (für die Stadt Arles?); im Achterschiff lagerten wiederverwendete Amph. gefüllt mit Pech (wohl aus SW-Gallien).	Skelettbau; nur noch an den Rumpfenden Einsatz der Nut und Feder-Technik zur Plankenverbindung; Boden-wrangen und einige Halbspanten mit Eisenbolzen am Kiel befestigt; Mastfuß noch vorhanden; Bordzubehör (u. a. nordafrik. Chiara D-T.S., Amph. aus Gaza; ein Faß).

Abkürzungen:

Amph.: Amphore; Dr.: Dressel (Amph.-Typ); Fra.: Frachtschiff; Lamb.: Lamboglia (Amph.-Typ); Sch.: Schiff; St.: Stempel; Tragf.: Tragfähigkeit; T.S.: Terra Sigillata

Ziffern in eckigen Klammern beziehen sich auf die Bibliogr. zu → Wrackfunde.

W.) nicht unter alleiniger Verwendung von Zirkel und Lineal gelöst werden kann; es sind aber geom. Lösungen möglich, wenn man Kegelschnitte, höhere Kurven oder Einschiebungen (→ *neúsis*) verwendet oder wenn man Näherungslösungen zuläßt (zum Problem und den Lösungsmöglichkeiten allg.: [5]).

II. Ursprung des Problems

Die Aufgabe der W. wurde von griech. Autoren in verschiedene mythische Formen gekleidet, die sich teilweise widersprechen [2. 244–246; 3. 262–266]. Nach einer Fassung hängt das Problem der W. mit einer Legende über → Minos zusammen. Nach einer anderen Version, die auf → Eratosthenes [2] zurückgehen dürfte, sollen die Delier zur Zeit Platons [1], als sie unter einer Plage litten, von Apollon die Anweisung erhalten haben, seinen würfelförmigen Altar so zu vergrößern, daß die Form erhalten bleibe, der Inhalt aber verdoppelt werde; angeblich sollen sich die delischen Handwerker in ihrer Unfähigkeit, das Problem zu lösen, an → Platon [1] gewandt haben. Diese histor. weniger glaubwürdige Fassung erlangte dann weite Verbreitung, u. a. durch → Plutarchos [2] und Iohannes → Philoponos, und führte dazu, daß das Problem der W. auch als »Delisches Problem« bezeichnet wird.

III. Lösungsversuche

Unsere Hauptquelle für die Gesch. der W. ist → Eutokios, der in seinem Komm. zu → Archimedes' [1] (B. 4.) ›Über Kugel und Zylinder‹ mehrere ant. Ansätze zur Lösung dieses Problems überliefert [1. 54–106]. → Hippokrates [5] von Chios (um 450 v. Chr.) ist der erste namentlich bekannte Mathematiker, der sich mit der W. befaßte. Eutokios [1. 88,17–23] und → Proklos [2] (Prokl. in Eukl. elem. p. 213,7–9 Friedlein) bezeugen, daß Hippokrates diese Aufgabe in eine andere verwandelte: zw. *a* und *b* zwei mittlere Proportionalen *x* und *y* zu finden, so daß also *a* : *x* = *x* : *y* = *y* : *b* ist [2. 183, 200 f.]. In der Tat gilt *ay* = *x²*, *bx* = *y²*, *xy* = *ab* und folglich *x³* = *a²b*. Setzt man also *b* = 2*a*, so ist *x* eine Lösung des Problems der W. Somit wird die gegebene kubische Gleichung durch zwei quadratische Gleichungen mit zwei Unbekannten ersetzt. Hippokrates' Idee war folgenreich: Alle anschließenden Versuche zur W. gehen von dem dazu äquivalenten Problem aus, zu den gegebenen Größen *a* und *b* = 2*a* zwei mittlere Proportionalen zu finden.

→ Archytas [1] (Anfang 4. Jh. v. Chr.) löste die W. durch eine kühne räumliche Konstruktion, bei der ein Kreiswulst, ein Zylinder und ein Kegel zum Schnitt gelangen ([1. 84–88]; vgl. [2. 246–249; 3. 249–252; 4. 76–78]). → Eudoxos [1] (um 370 v. Chr.), dessen Lösung verloren ist, hat verm. die räumliche Konstruktion des Archytas orthogonal auf eine Ebene projiziert [2. 249–251; 4. 78 f.]. → Menaichmos [3] (um 350 v. Chr.) benutzte für die Lösung die Kegelschnitte: Er gab eine Konstruktion an, die als »geom. Ortslinie« einer Parabel bzw. Hyperbel gilt ([1. 78–84]; vgl. [2. 251–255; 3. 266 f.; 4. 82–84]). Mod. gesprochen, brachte er die Parabel *x²* = *ay* und die Hyperbel *xy* = *ab* zum Schnitt; ihr Schnittpunkt liefert eine Lösung der W.

Mechanische Ansätze, das Problem der W. zu lösen, laufen auf Einschiebungskonstruktionen (→ *neúsis*) hinaus. Eine derartige mechanische Lösung schreibt Eutokios Platon [1] zu ([1. 56–58]; vgl. [2. 255–258; 3. 267–271]; vgl. Abb.): Man trage auf zwei zueinander senkrechten Achsen die gegebenen Größen *a* (= AO) und *b* (= OB) ab. Wenn die Winkel AMN und MNB rechte Winkel sind, so sind OM = *x* und ON = *y* die gesuchten mittleren Proportionalen zw. *a* und *b*. Um M und N zu finden, legt man in A und B einen Winkelhaken mit zwei rechten Winkeln an und dreht ihn um A und B so lange, bis die Scheitel der rechten Winkel gerade auf den Achsen liegen. Die sich dann ergebenden Punkte K und G liefern die gesuchten Positionen M und N auf den Achsen. Da die Lösung mechanische Hilfsmittel benötigt, stammt sie sicher nicht von Platon; verm. hat Eratosthenes [2] sie im Dialog *Platōnikós* dem Platon in den Mund gelegt.

Auch → Eratosthenes [2] (um 230 v. Chr.) benutzte ein mechanisches Gerät: das → *mesolábion* ([1. 94–96]; vgl. [2. 258–260; 3. 384 f.; 5. 18 f.]). Dort gleiten drei

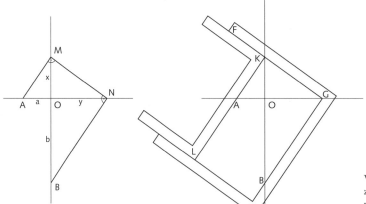

Würfelverdopplung; die Platon zugeschriebene mechanische Lösung mit Hilfe eines Winkelhakens.

kongruente rechtwinklige Dreiecke zw. zwei festen Schienen und werden so lange gegeneinander verschoben, bis die Schnittpunkte der Hypotenusen mit den Senkrechten auf einer Geraden liegen; dadurch ergeben sich die gesuchten mittleren Proportionalen.

Lösungen mit Hilfe höherer Kurven stammen von → Nikomedes [3] (verm. kurz nach Eratosthenes) und → Diokles [8] (um 190–180 v.Chr.). Nikomedes benutzte dabei die Konchoide ([1. 98–100]; vgl. [2. 260–262; 3. 390–395]), Diokles die Kissoide ([1. 66–70]; vgl. [2. 264–266]). Leichte Varianten von Diokles' Lösung, bei denen statt der Kissoide eine Einschiebung (→ neúsis) verwendet wird, werden von → Sporos [1. 76–78] und → Pappos (collectio 3, p. 64–68; 8, p. 1070–1072) überl. [2. 266–268]. Bekannt sind drei weitere Lösungsvorschläge, die ebenfalls mit einer Einschiebung arbeiten und die einander sehr ähnlich sind: von → Apollonios [13] ([1. 64–66]), → Heron [1. 58–60] und → Philon [7] ([1. 60–64]; hierzu vgl. [2. 262–264]). Pappos bringt noch die Näherungslösung eines Autors, den er nicht namentlich nennt (Pappos, collectio 3, p. 30–48; vgl. [2. 268–270]).

IV. FORTWIRKEN

In Kenntnis der ant. Ansätze wurde das Problem der W. auch im arab. Bereich und seit dem 12. Jh. von westlichen Mathematikern behandelt. In der Neuzeit förderte die Beschäftigung mit der W. das Wissen über die höheren Kurven und führte zu interessanten Näherungskonstruktionen. Zu den Autoren, die sich mit der W. beschäftigten, gehören M. STIFEL, J. BUTEO, J. PRAETORIUS, R. DESCARTES, F. SLUSE und A. C. CLAIRAUT. → Mathematik IV. A.

1 J. L. HEIBERG (ed.), Archimedis opera omnia, Bd. 3, ²1915 2 T. L. HEATH, A History of Greek Mathematics, Bd. 1, 1921, 244–270 3 B. L. VAN DER WAERDEN, Erwachende Wissenschaft, 1956, 230–232, 249–252, 262–271, 384f., 393–395 4 O. BECKER, Das mathematische Denken der Ant., 1957, 75–84 5 W. BREIDENBACH, Das Delische Problem (Die Verdoppelung des Würfels), ²1952. M. F.

Würmer. Noch Karl VON LINNÉ faßte im 18. Jh. die verschiedenen Stämme der Plathelminthes (Platt-W.), der Nemertini (Schnur-W.) und der Nemathelminthes (Rund-W.) zum einzigen Stamm der Vermes zusammen. In der Ant. kannte man nur sehr wenige Vertreter, fast nur Parasiten, wobei die Verwechslung von echten W. mit wurmartigen Maden und Larvenformen häufig war. Mit σκώληξ/skólēx, τερηδών/terēdón, εὐλή/eulé, ἴψ/ips und ἡ ἕλμι(ν)ς/hélmi(n)s können deshalb sowohl Insektenlarven bzw. Maden als auch W. gemeint sein.

1. Regen-W. (Lumbricus terrestris), ἔντερα γῆς/éntera gês (Arat. 959: σκώληξ/skólēx; Numenios bei Athen. 7,305a: ἴουλος/íulos), lat. lumbricus oder vermis terrenus. Aristot. hist. an. 6,16,570a 16f. und Lucr. 2,871–873 bzw. 928–930 zufolge entstehen sie ungeschlechtlich aus Schlamm und Erde, v. a. nach Regen, und aus ihnen wiederum → Aale. W. sind augen- und extremitätenlos (Aristot. mot. an. 4,705b 28; vgl. Plin. nat.

11,140) und larvenähnlich (Aristot. gen. an. 3,11,762b 26–28). Wenn sie aus der Erde krochen, war das ein Zeichen für schlechtes Wetter (Theophr. de signis tempestatum 3,5; Arat. 958f.; Plin. nat. 18,364). Man verfütterte sie an Vögel wie die Drossel (turdus: Plaut. Bacch. 792) und an Schweine (Colum. 7,9,7). Sie sollten bei zahlreichen Krankheiten (Plin. nat. 29,92) wie Ohrenschmerzen (Plin. nat. 29,135) helfen.

2. Band-W. (Cestodes spec.), ἕλμινθες πλατεῖαι/hélminthes plateíai, lat. taeniae, die Aristot. hist. an. 5,19, 551a 9f. und Colum. 6,30,9 von anderen Parasiten im Darm unterscheiden. Nach der ersten Erwähnung bei Hippokr. de morbis 4,54 tritt der Band-W. bereits beim Embryo auf und wächst während der Pubertät bis zur Darmlänge heran (nach Plin. nat. 11,113 bis zu 9 m). Die dem Gurkensamen (σικύου σπέρμα/sikýu spérma: Aristot. hist. an. 5,19,551a 11–13) ähnlichen ausgeschiedenen Stücke verkannte Hippokrates in ihrer Bed. für die Vermehrung. Sie waren – ebenso wie Fieber, Herzschmerzen und Erbrechen (Hippokr. epidemiae 2,3 = 5,73 L.) – Symptome für den Befall. Nach Theophr. h. plant. 9,20,5 (= Plin. nat. 27,145) waren angeblich Thrakien und Phrygien frei von ihnen. Man versuchte – wahrscheinlich meistens erfolglos – sie mit vielen Mitteln wie → Iris [2] (Plin. nat. 21,140) und Walnuß (→ iuglans, Plin. nat. 23,148) aus dem Darm auszutreiben.

3. Spul-W. (Ascaris), ἕλμινθες στρογγύλαι/hélminthes strongýlai, lat. (wie 1.) lumbrici genannt (z. B. Colum. 6,25: bei Kälbern). Aristot. hist. an. 5,19,551a 6–10 (vgl. Lucr. 2,870f.) behauptet für diese bei Mensch (Cato agr. 126) und Tier (Colum. 6,30,9f., mit einem Bekämpfungsmittel) vorkommen und von Celsus (4,24) beschriebenen Darmparasiten ihre Entstehung aus Kot. Hippokr. epidemiae 4,55 (= 5,195 L.) und Cels. 2,3 deuten ihre Ausscheidung durch die Kranken als positives Zeichen.

4. Schnur-W. (Nematodes) sind vielleicht die in den Quellen, v. a. Hippokrates (aphorismi 3,26; epidemiae 2,3 = 5,73 L. und 6,11 = 5,272 L.) erwähnten unbestimmbaren Darmschmarotzer ἀσκαρίδες/askarídes (= ascaridae ohne weiteren Text bei Isid. orig. 12,5,14).

5. Blutegel, βδέλλα/bdélla, lat. hirudo, bilden die Ordnung Hirudinea der Ringel-W. (Annelida). Sie waren in mehreren im Süßwasser lebenden Arten als blutsaugende (Theokr. 2,56; Plin. nat. 11,116) Parasiten der Tiere gut bekannt, z. B. des Krokodils (Hdt. 2,68; Apul. apol. 8), des Elefanten (Plin. nat. 8,29: hirudo = sanguisuga) und des Rindes (Colum. 6,18, mit Bekämpfung des im Rachen festsitzenden Parasiten mittels einer Röhre, durch die heißes Öl eingeführt wird bzw. Qualm, der bei Verbrennung einer Wanze entsteht). Plinius (nat. 23,55) empfiehlt dem Menschen, wenn er selbst befallen ist, Essig zu trinken. Die h. noch gelegentlich praktizierte Verwendung zum → Aderlaß erwähnt bereits Plin. nat. 32,123. Als Metapher für habgierige Menschen begegnet der Blutegel u. a. bei Plaut. Epid. 187; Cic. Att. 1,16,11; Hor. ars 476 und in der Bibel Spr 30,15.

KELLER 2, 501–505 · H. GOSSEN, s. v. W., RE 20,
2548–2551. C. HÜ.

Wüste (ἡ ἔρημος/*érēmos*, ἡ ἐρημία/*erēmía*, τὰ ἔρημα/
érēma; lat. *deserta, regio deserta*). Geogr. gehörten die ariden Wüstenzonen zu den Randgebieten der ant. Welt
(Nordafrika; Vorderer Orient mit Syrien, Palästina,
Arabien). Polit. und mehr noch wirtschaftlich bestanden indes enge Beziehungen zum griech.-röm. Kulturkreis. Über die durch die arabische W. führenden Fernstraßen wurde ein großer Teil des Ost-West-Handels
abgewickelt. Wüstenstädte wie Ḥatra [1], Palmyra und
Petra [1] gelangten dadurch zu beträchtlicher, sich auch
polit. auswirkender Prosperität. In Nordafrika war der
Transsahara-Handel von einiger Bed. (Plin. nat. 5,34;
5,38). Die → Oasen von Äg. lieferten → Salz, → Getreide und → Wein, hatten aber auch, wie die durch den
Zug Alexandros' [4] d. Gr. berühmt gewordene Oase
Siwa, kultische Funktionen (→ Ammoneion). In der
Spätant. wurde die W. von Äg. durch den Eremiten
Antonios [5] zum Ausgangspunkt der christl. → Askese
und des → Mönchtums.

→ Kamel; Karawanenhandel; Oase; Steppe;
Weihrauchstraße

H. J. W. DRIJVERS, Hatra, Palmyra und Edessa. Die Städte
der syr.-mesopot. W. in polit., kulturgesch. und rel.-gesch.
Bed., in: ANRW II 8, 1977, 799–906 · L. HEMPEL, Die
Mittelmeerländer – Grenzen in einem geoökologischen
Spannungsfeld zw. Waldland und W., in: E. OLSHAUSEN,
H. SONNABEND (Hrsg.), Stuttgarter Koll. zur Histor. Geogr.
des Alt. 4, 1990 (Geographica Historica 7), 1994, 309–333.
H. SO.

Wulfila s. Ulfila

Wunder, Wundertäter

I. GRIECHISCH-RÖMISCH

Der dt. Begriff W. ist aus dem ahd. *wuntar* (Gegenstand der Verwunderung = »Außerordentliches«) gebildet. In erster Linie aus satirischen Werken des → Lukianos [1] von Samosata (bes. ›Alexandros‹, ›Peregrinus‹,
›Die Lügenfreunde‹) sowie → Philostratos' [5] (B.I.)
›Vita des → Apollonios [14] von Tyana‹ versuchte man,
einen ant. Typus des »Heiligen Mannes« (ἱερὸς ἄνθρω-
πος/*hierós ánthrōpos* und θεῖος ἀνήρ/*theíos anḗr*) oder W.
zu rekonstruieren (zuletzt [1]).

Die von den genannten Autoren zur Bezeichnung
der Wundertäter (= Wt.) und ihrer Taten am häufigsten
gebrauchten Begriffe sind mit τέρας (*téras*; »Omen,
Mißgeburt, Ungeheuer, W.«) zusammengesetzte Formen (z. B. *teratúrgos*, »Wt.«). Vorläufer oder Vorbilder
dieser seit dem 1. Jh. n. Chr. nur in der östl. Hälfte des
Imperium Romanum faßbaren Personen sieht die
Forsch. in (Heil-)Göttern wie v. a. → Apollon und
→ Asklepios sowie histor. Gestalten der archa. Zeit, z. B.
→ Empedokles [1] oder → Pythagoras, die (hier positiv
gefaßte) Formen von → Magie beherrschten, um Hei-
lungs- und Natur.-W. zu verursachen (vgl. Emp. 31 B
11 DK; Iambl. v. P. 36); zugleich wurden die kaiserzeit-

lichen Wt. ihrerseits als Vorläufer und z. T. auch Konkurrenten von → Jesus und seinen Nachfolgern (s. auch
→ Heilige, Heiligenverehrung) angesehen, d. h. als Phänomen betrachtet, das in Auseinandersetzung mit dem
entstehenden → Christentum zu deuten ist [2] (s. u. II.).

Die für Wt. oder »heilige Männer« in den lit. Zeugnissen dargestellten typischen Merkmale sind u. a. asketische Lebensweise (z. B. Lukian. Philopseudes 34;
Philostr. Ap. 1,10–13), Tragen des Philosophenmantels
[1. 34 ff.] und v. a. Erwerb spezieller rel. und/oder ma-
gischer Kenntnisse (deshalb auch häufiger Vorwurf der
»Zauberei«: vgl. Philostr. Ap. 1,2), zumeist durch Jahre
dauernde Reisen (»Wissensimport« bevorzugt aus
Ägypten: Philostr. Ap. 1,2; Iambl. v. P. 4,18; Plut. mor.
410a; Lukian. Philopseudes 33 f.). Diese Spezialkennt-
nisse werden dann von den Wt. durch weitere Reisen
(»Wissensexport« bevorzugt in Metropolen der östl.
Prov. des Imperium Romanum, im westl. Teil fast ausschließlich Rom) einzelnen oder Städten angeboten:
prominent vertreten sind dabei der → Exorzismus von
→ Dämonen, Heilung von Krankheiten, Pestabwehr
(vgl. Übersicht bei [1. 91 ff.]), außerdem dienten Wt. als
Ratgeber für fast alle ethischen und rel. Grundfragen
[1. 102 f.]. Eine Ausnahme (wegen seiner Seßhaftigkeit)
war → Alexandros [27] von Abonuteichos, der durch
die Etablierung einer eigenen Orakelstätte zahlreiche
Besucher aus umliegenden Prov. anzog (Lukian. Alexandros 18; [6. 4 ff.]; → Pilgerschaft).

1 G. ANDERSON, Sage, Saint and Sophist: Holy Men and
Their Associates in the Early Roman Empire, 1994
2 L. BIELER, Theios aner: das Bild des »göttl. Menschen« in
Spät-Ant. und Frühchristentum, ²1967 **3** W. COTTER,
Miracles in Graeco-Roman Antiquity: a Sourcebook, 1999
4 M. EBNER et al., Lukian: Die Lügenfreunde oder der
Ungläubige, 2001 **5** R. REITZENSTEIN, Hell.
Wundererzählungen **6** U. VICTOR, Lukian von Samosata:
Alexandros oder der Lügenprophet, 1997 **7** O. WEINREICH,
Ant. Heilungswunder, 1909. C. F.

II. BIBLISCH-FRÜHKIRCHLICH

Im AT nehmen Erzählungen außergewöhnlicher W.
(zu den hebr. Begriffen [9]) im ganzen nur einen relativ schmalen Raum ein. Sie finden sich gehäuft im Kontext
der Gründungs-Gesch. Israels, bei den Komplexen
Exodus, Rettung am Schilfmeer, Wüstenwanderung,
Landnahme, Elia-Elisa-Überl. sowie im Danielbuch,
wo sie, formuliert als theologische Bewältigung erfahrener Krisensituationen in der Vergangenheit oder Gegenwart, Gottes Handeln an Israel bezeugen und preisen
wollen. Doch versteht das AT als W. grundsätzlich jedes
Ereignis in Natur und Gesch., das Gottes machtvolle
und erhabene Nähe offenbart, gleichgültig, ob dieses
die natürliche Ordnung übersteigt bzw. sprengt oder
nicht.

Im NT berichten die → Evangelien von → Jesus ca.
30 W. (Exorzismen, Krankenheilungen, Totenauferweckungen, Speisungs- und Natur-W.; δύναμις/*dýnamis*, σημεῖον/*sēmeíon*, τέρας/*téras*, θαῦμα/*thaúma*; lat.

miraculum, auch *signum*, »Zeichen«), die als eschatologische Machtbeweise den in Jesu Auftreten sich ereignenden Anbruch der Gottesherrschaft bekunden. Die gleichen W. (zusätzlich Straf-W.) kehren bei Jüngern und Aposteln wieder, die sie kraft des Geistes in Jesu Namen vollbringen. Die → Neutestamentlichen Apokryphen, die, vereinzelt unter gnostischem Einfluß (→ Gnosis), auf volkstümliche oder romanhafte Weise dem Wunsch christl. Kreise nach Unterhaltung, Erbauung und Verherrlichung der Glaubenshelden entgegenkommen wollten, steigerten die W. zu krauser Phantastik, doch wurden solche Wucherungen durch den Prozeß der Kanonbildung (→ Kanon) entschärft.

Im ganzen 2. und 3. Jh. blieb in der Großkirche das Bewußtsein lebendig, daß ›Erweise des Geistes und der Kraft‹ (1 Kor 2,4) – Exorzismen, Krankenheilungen, Prophezeiungen und sogar in den christl. Gemeinden Totenauferweckungen (Iren. 2,31,2; 2,32,4; vgl. auch das Regen-W. im Heer von → Marcus [2] Aurelius (Tert. apol. 5,6; Eus. HE 5,5) – bis in die Gegenwart nicht fehlen. → Origenes [2] gibt (ähnlich → Eusebios [7] u. a. bis hin zum jungen → Augustinus) zu erkennen, daß ihm als die eigentliche Blütezeit der W. die Anfangszeit des Christentums gilt, da W. für die Missionserfolge (→ Mission) von bes. Bedeutung waren, während die Gegenwart nur noch Spuren davon aufzuweisen hat und nun die ›größeren W.‹ (Jo 14,12) in den Bekehrungen geschehen (Orig. contra Celsum 1,2; 1,46; 2,8; 2,48; 3,24; 8,47). Doch macht sich W.-Glaube auch an Eucharistie (Cypr. de lapsis 25 f.) und Liturgie (Eus. HE 6,9) fest; v. a. haben nach gängiger Überzeugung die Martyrien der Glaubenszeugen (→ Märtyrer), in denen Christus selbst kämpft, die Kraft eines W. Die theologische Reflexion findet überwiegend ihren Ausdruck in der Auseinandersetzung mit paganen, jüdischen und häretischen Gegnern (→ Häresie), wobei die W. Jesu im Vordergrund der Kontroversen stehen. Gegen deren Leugnung im Sinne magisch zauberischer Betrügereien und deren doketisch (→ *dokētaí*) spirituelle Verflüchtigungen werden sie in ihrer histor. Faktizität als echte, über die → Dämonen siegreiche und den Menschen heilbringende W. verteidigt, als Erfüllung at. Verheißungen erwiesen und als Offenbarung der Gottheit Jesu gedeutet.

Neue Formen und Ausmaße gewinnt der W.-Glaube etwa ab Mitte des 4. Jh. im Zusammenhang mit der Ausweitung der → Heiligenverehrung auf herausragende Asketen und Bischöfe, die nicht den Märtyrertod erlitten haben. → Athanasios' *Vita Antonii* (das Vorbild aller Heiligenviten, ohne selbst eine solche sein zu wollen; → *Vitae sanctorum*; → Hagiographie, s. Nachträge) gibt aus Antonios' Schülerkreis übermittelte Ber. von dessen W. unter gewissen theologischen Kautelen wieder. Vorbehaltloser sind die zu monastischer Chronik hinüberleitenden Pachomiosviten, während → Hieronymus mit dem W.-Apparat seiner drei Mönchsviten sichtlich Antonios übertreffen will. Im Westen machen die W.-Erzählungen des → Sulpicius [II 14] Severus in

seinem hagiographischen Zyklus über den mehr als Asketen denn als Bischof verehrten → Martinus [1] von Tours den Anfang. Fortan gehören W. in allen Formen, dem Asketen aufgrund seiner Fürbitte vor Gott gewährt und von ihm durch die Intervention seiner ihm verliehenen Gottesmacht bewirkt, zum konstituierenden Bestandteil der zunehmend typisierten Mönchsliteratur (→ Mönchtum). Ein frühes Beispiel der Verehrung eines w.-wirkenden Bischofs sind die über den älteren Traditionsstand hinausgehenden Lobreden des Basileios [1] (de spiritu sancto 74) und des Gregorios [2] von Nyssa (vita Gregorii Thaumaturgi) auf Gregorios [1] Thaumaturgos. Um das griech. Übergewicht zurechtzurücken, sind in den Dialogen des Papstes Gregorius' [3] des Großen die von Amtsträgern und Asketen (vereinzelt auch von Nonnen) zu berichtenden W. auf It. beschränkt.

Ein weiteres Entwicklungselement stellt der Kult am Märtyrergrab bzw. der Komplex der *inventio/translatio* (»Auffindung/Überführung«) von → Reliquien dar (erster Beleg: Babylas in → Antiocheia [1], ca. 354), insofern die Heiligen nun nicht nur zu Lebzeiten, sondern auch durch ihre Gebeine W. tun. Trotz → Athanasios' Einspruch breiteten sich derartige W.-Praktiken aus. Die von → Ambrosius aufgefundenen und im kirchenpolit. Kampf genutzten Gebeine der Märtyrer Gervasius und Protasius erwiesen durch W. ihre Echtheit. W. am Grab des Felix, dem sich → Paulinus [5] bes. verbunden weiß, ließen Nola zum Wallfahrtsort werden. Die an mehreren Orten anzutreffenden Kultstätten der unentgeltlich tätigen Krankenpatrone (wie → Kosmas [1] und Damianos, Kyros und Iohannes), wo Krankenheilungen mittels → Inkubation erfolgen, oder die der im weiteren Sinn Heil wirkenden W.-Helfer (wie Menas, Demetrios, → Thekla) gingen in der Regel auf Translationen zurück. Sie waren stets von Prestigegewinn für das Patriarchat bzw. Bistum begleitet. Im Zusammenhang mit Stephanus-Reliquien, die nach Nordafrika gelangten, entfaltete sich rege W.-Tätigkeit, die hier erstmals in offiziellen, im Gottesdienst verlesenen und archivalisch bewahrten *libelli miraculorum* (›Wunderbüchern‹) festgehalten wurde. Diesen Brauch unterstützte → Augustinus, der grundsätzlich – wie die Alte Kirche überhaupt – keinen Gegensatz zw. Gottes Wirken in der Natur und in den W. kannte; er unterbreitete selbst eine lange Liste von W. der jüngsten Zeit (Aug. civ. 22,8; Aug. serm. 320–324). → Gregorius' [4] von Tours W.-Erzählungen enthalten überwiegend W., die Verstorbene postum in Gallien wirkten. W.-tätige Bilder begegnen erstmals im Umkreis der → Styliten.

→ Acta sanctorum; Exorzismus; Hagiographie (s. Nachträge); Heilige, Heiligenverehrung; Literatur VI.; Märtyrer; Magie; Pilgerschaft; Vitae sanctorum

1 TH. BAUMEISTER, M. VAN UYTFANGHE, s. v. Heiligenverehrung, RAC 14, 96–184 **2** H. DELEHAYE, Les premiers »libelli miraculorum«, in: Analecta Bollandiana 29, 1910, 427–434 **3** Ders., Les recueils antiques de miracles des

Saints, in: Analecta Bollandiana 43, 1925, 5–85 und 305–325 **4** R. M. GRANT, Miracle and Natural Law in Graeco-Roman and Early Christian Thought, 1952 **5** Hagiographie. Cultures et sociétés, IVe-XIIe siècles (Actes du Colloque Nanterre – Paris 1979), 1981 **6** B. KOLLMANN, Jesus und die Christen als Wundertäter, 1998 **7** F. MOSETTO, I miracoli evangelici nel dibattito tra Celso e Origene, 1986 **8** L. SCHWIENHORST-SCHÖNBERGER, J. WEHNERT, s. v. W., M. GÖRG (Hrsg.), Neues Bibel-Lexikon 3, 2001, 1133–1138 **9** F.-E. WILMS, W. im AT, 1979.   D. W.

Wundergeschichten s. Paradoxographoi

Wurtensiedlungen. Wurten entstanden im germanischen Siedlungsgebiet am südl. Nordsee-Küstensaum im 2./1. Jh. v. Chr. in Regressionsphasen der Nordsee zunächst als einzelne Gehöfte in der Marsch zw. Dänemark und den Niederlanden (dort Terpen genannt). Im Verlauf der folgenden Jh. wurden die Plätze wegen des Meeresanstiegs bzw. der zunehmenden Sturmfluten absichtlich zu Wohnhügeln aufgehöht. Es entstanden W. von mehreren Metern Höhe, die bis zu 20 Gehöfte umfassen konnten (z. B. Feddersen Wierde bei Weser-

münde). Die Gehöfte bestanden v. a. aus dreischiffigen Wohnstallhäusern, Speicherbauten und Häusern für handwerkliche Tätigkeiten. Die Anlage und Aufteilung der Gehöfte war geplant, so in Feddersen Wierde zunächst in Reihen und später sternförmig um einen freien Platz mit einem zentralen Gehöft. Die bäuerliche Bevölkerung lebte weitgehend selbstversorgend von Viehzucht und Ackerbau auf den benachbarten Trokkenflächen sowie von verschiedenen Handwerken. Die arch. Bed. der W. ist bes. groß, da sie im Feuchtbodenmilieu sehr gute Erhaltungsbedingungen bieten und viele Objekte des german. bäuerlichen Alltagslebens konserviert haben (Holzgeräte, Textilien, Bauteile, Viehmist, Pflanzenreste usw.).

→ Germanische Archäologie; Landwirtschaft

W. HAARNAGEL, Die Grabungen Feddersen Wierde, 1979 · G. KOSSACK et al., Zehn Jahre Siedlungsforsch. in Archsum auf Sylt, in: BRGK 55, 1974, 261–427 · Probleme der Küstenforsch. im südl. Nordseegebiet 1 ff., 1940 ff. · P. SCHMID, s. v. Feddersen Wierde, RGA 8, 1994, 249–266 · R. UERKVITZ, Norddeutsche Wurten-Siedlungen im arch. Befund, 1997.   V. P.

X

X (sprachwissenschaftlich). Im lat. Alphabet bezeichnet der Buchstabe X kein eigenes Phonem, sondern die Kombination aus /k/ + /s/ [1. 45]. In dieser Form und Geltung ist X aus dem westgriech. Alphabet von Euboia übernommen (ΧΕΝΟΦΑΝΤΟ für Ξενοφάντου [2. Taf. 48,11]; → Italien, Alphabetschriften). Auch im Griech. gibt westgriech. X (ebenso wie der ostgriech. Buchstabe Ξ) stets die Kombination /k/ + /s/ wieder; für einen Großteil der Wörter mit anlautendem ξ ist freilich der etym. Anschluß unbekannt (*ks- etwa in ξύω »schabe« zur uridg. Wz. *kseu̯- »schaben« [3. 341 f.]).

In den ostgriech. Alphabeten hat der Buchstabe X hingegen den Lautwert /kʰ/ (dafür in den westgriech. Alphabeten Ψ). Als aspirierte velare Tenuis wurde der Laut bis in spätant. Zeit gesprochen [4. 22 f.]. In Erbwörtern geht χ zurück auf *gʰ / *ĝʰ sowie auf *gʷʰ neben u (ὀμίχλη »Nebel« ~ litau. miglà < *h₃mighleh₂- zu altind. méghas »Wolke«, ὄχος »Wagen« < *u̯oĝʰo- zu aksl. vozŭ, ἐλαχύς »klein« < *h₁lngʷʰu- zu ἐλαφρός »schnell« < °gʷʰró- [6. 84,86]). Daneben vertritt χ die Folge /ks/ vor Konsonant (ἐχθρός »feindlich« – ursprünglich *»auswärtig« – zu lat. extrā »außerhalb« [5. 326; 6. 78]), in seltenen Fällen auch die uridg. Gruppe -kĝ- (griech. κόγχη ~ altind. śaṅkhá- »Muschel« < *konkĝ- [5. 298]). Zur Vertretung von *gʰi̯ / *ĝʰi̯ durch griech. ττ/σσ vgl. → T (sprachwissenschaftlich). Durch Hauchdissimilation entwickelt sich κ aus χ (κέχυμαι < *kʰe-kʰu- < *ĝʰe-

ĝʰu-) [6. 97]. Im Lat. wird χ seit klass. Zeit durch CH wiedergegeben; zuvor schrieb man C (BACANAL, CIL I² 581: SC de Bacchanalibus).

→ Alphabet (mit Tabelle); Italien, Alphabetschriften

1 W. S. ALLEN, Vox Latina, 1978 **2** LSAG **3** FRISK 2 **4** W. S. ALLEN, Vox Graeca, 1987 **5** SCHWYZER, Gramm. **6** Rix, HGG.   GE. ME.

Xandrames (Ξανδράμης). Indischer König (bei Diod. 17,93,2; lat. *Agrammes* bei Curt. 9,2,3; *Sacram(es)* in der Epitome Mettensis 68), 2. H. 4. Jh. v. Chr. Er wurde dem Alexandros [4] als mächtigster König des Gangestals beschrieben. Damit ist wohl Nandrus, der letzte König der Nanda-Dynastie der ind. Quellen gemeint (→ Nandas). Der Bericht des Iust. 15,4,12–19 vom Sturz des Nandrus Tschandragupta (→ Sandrakottos; → Mauryas) stimmt, obwohl im einzelnen verschieden, im allg. mit den unterschiedlichen ind. Trad. überein. Später wurde er gelegentlich mit Poros [3] verwechselt (Lib. or. 57,52).

K. KARTTUNEN, India and the Hellenistic World, 1997, 36 f. · D. KIENAST, s. v. X., RE 9 A, 1331–1333 · F. F. SCHWARZ, Hommages à M. J. Vermaseren, Bd. 3, 1978, 1116–1142 · O. STEIN, KS, 1985, 189–206.   K. K.

Xanten s. Vetera; Colonia Ulpia Traiana (s. Nachträge); ARCHÄOLOGISCHER PARK

Xantheia (Ξάνθεια). Stadt in Thrakia zw. der Bistonis limne (h. limni Vistonida) und Maroneia [1] an der Nordküste des → Aigaion Pelagos (Strab. 7a,1,44) am Südhang der → Rhodope, nicht genauer zu lokalisieren. In der gleichnamigen byz. Stadt sind keine in die Ant. weisenden Überreste aufgedeckt worden; sie lag an der → Via Egnatia (Nikephoros Gregoras 727,24; 814,19); h. Xanthi.

S. P. KYRIAKIDIS, Περὶ τὴν ἱστορίαν τῆς Θράκης, 1960, 27–32 · P. A. PANTOS, Ἱστορικὴ τοπογραφία τοῦ νομοῦ Ξάνθης, in: Θρακικὰ Χρονικά 32, 1975/76, 1–26; 34, 1978, 1–6 · SOUSTAL, Thrakien, 501 f.   I. v. B.

Xanthios (Ξάνθιος).
[1] Vater des → Leukippos [3] aus dem Geschlecht des → Bellerophontes. Als ihm von dem Verlobten seiner Tochter gemeldet wird, daß diese ein Verhältnis mit einem anderen Mann habe, verwundet er – unwissend, daß es sich bei dem Verführer um seinen eigenen Sohn handelt – bei dem Versuch, den Fremden zu stellen, unabsichtlich seine Tochter, bevor er versehentlich von seinem eigenen Sohn getötet wird (Parthenios, narrationes amatoriae 5,1–5 nach Hermesianax).
[2] Boioterkönig, wird durch eine List von → Melanthos [1] im Zweikampf getötet (schol. Plat. symp. 208d = Hellanikos FGrH 4 F 125). Auch → Xanthos [1] genannt.   SI. A.

Xanthippe (Ξανθίππη).
[1] Tochter des Doros, von Pleuron Mutter des → Agenor [3], der Sterope, Stratonike und Laophonte (Apollod. 1,58).
[2] Frau, die ihren im Gefängnis sitzenden Vater Mykon mit ihrer Milch ernährt (Hyg. fab. 254; dasselbe Motiv mit unterschiedlichen Namen: Val. Max. 5,4, ext. 1; Plin. nat. 7,121; Fest. 228,28–32; Solin. 1,124f.; Nonn. Dion. 26,101–145).   SI. A.
[3] Frau des Philosophen → Sokrates [2]; Herkunft unbekannt. Ob sie die Mutter aller drei Söhne des Sokrates war oder nur die des ältesten, Lamprokles (Xen. mem. 2,2,1), der 399 ein *meirákion*, also 15–20 J. alt war (Plat. apol. 34d), ist ungewiß. Sollte die ant. Trad., derzufolge Sokrates eine zweite Frau namens → Myrto [2] hatte, Glauben verdienen, dann wäre die Mutter der beiden jüngeren Söhne, Sophroniskos und → Menexenos [1], die 399 noch kleine Kinder waren (Plat. apol. 34d.; Plat. Phaid. 116b), wohl eher Myrto (Diog. Laert. 2,26). Die Vorstellungen, die sich die Nachwelt von X. machte, sind geprägt durch eine Bemerkung des → Antisthenes [1] in Xenophons *Sympósion* (2,10): X. sei die unleidlichste (χαλεπωτάτη/*chalepōtátē*) Frau, die es gebe, ja je gegeben habe und geben werde. Die zahlreichen Anekdoten, die in der ant. Lit. von X. erzählt wurden, hat [2] zusammengestellt. Bis in die Gegenwart hat die Gestalt der X. Schriftsteller unterschiedlichster Couleur immer wieder dazu angeregt, sich ihrer in Gedichten, Dramen und Romanen anzunehmen.

1 E. ABMA, Sokrates in der dt. Lit., 1949 2 H. DOERRIE s. v. X. (4), RE 9 A, 1335–1342 3 T. NARDI, Sulle orme di Santippe. Da Platone a Panzini, 1958.   K. D.

Xanthippos (Ξάνθιππος).
[1] Athener aus dem Demos Cholargos, Vater von Ariphron, → Perikles [1] und einer Tochter, geb. um 520 v. Chr., verheiratet mit → Agariste [2], einer Nichte des Alkmeoniden → Kleisthenes [2]. 489 v. Chr. plädierte X. als Ankläger für → Miltiades' [2] Verurteilung. Bei Aristoteles [6] erscheint X. daher nicht nur als führender Demagoge, sondern auch als Gegenspieler des Miltiades ([Aristot.] Ath. pol. 28,2). Im Frühjahr 484 wurde X. durch → ostrakismós aus Athen verbannt, vielleicht als Gegner der Flottenbaupolitik des → Themistokles, kehrte aber aufgrund einer Amnestie vor der Seeschlacht bei Salamis (480; → Perserkriege) nach Athen zurück. Möglicherweise war er 479 mit → Kimon [2] und → Myronides [1] als Gesandter in → Sparta, um die Entsendung des peloponnesischen Heeres nach Boiotien zu erwirken (→ Plataiai). Im selben Jahr operierte X. als *stratēgós* der Athener in der vom Spartanerkönig → Leotychidas [2] geführten Bundesflotte in der Ägäis und hatte entscheidenden Anteil am Sieg gegen die Perser bei → Mykale. Während Leotychidas mit dem peloponnes. Kontingent nach Griechenland zurücksegelte, begab sich X. mit dem athen. Geschwader und mit Verbündeten aus Ionien und vom Hellespont zur Chersones, eroberte im Winter 479/8 → Sestos und ließ dort den berüchtigten Satrapen Artayktes ans Kreuz schlagen. Auf der Athener Akropolis wurde eine Statue des X. aufgestellt (Paus. 1,25,1). TRAILL, PAA 730505.

DAVIES, 455–57 · R. MERKELBACH, Nochmals das X.-Ostrakon, in: ZPE 62, 1986, 57–62 · A. J. PODLECKI, Perikles and His Circle, 1998, 1–10 · K.-W. WELWEI, Das klassische Athen, 1999, 40f., 71–76.

[2] Ältester Sohn des → Perikles [1] aus dessen erster Ehe und Enkel des X. [1]. Seine Mutter, mit Perikles verwandt, war in einer weiteren Ehe mit dem reichen → Hipponikos verheiratet (Plut. Perikles 24,8). Trotz sorgfältiger Erziehung (Plat. Men. 94b) neigte X. nach → Stesimbrotos (bei Plut. Perikles 36,3–6) zu Verschwendung, hierin noch bestärkt durch seine anspruchsvolle Frau, eine Tochter des Teisandros. Sein Verhältnis zum Vater war, wohl im Gegensatz zum jüngeren Bruder Paralos [1], nicht ungetrübt. Noch vor Bruder und Vater starb X. Ende 430 an der »Pest« (Plut. Perikles 36). TRAILL, PAA 730515.

DAVIES, 457f. · A. J. PODLECKI, Perikles and His Circle, 1998, 93; 148.   W. S.

[3] Sohn des Ampharetos aus → Elateia [1], der sich in den → Diadochenkriegen bei der Verteidigung von Phokis 301 v. Chr. gegen → Kassandros und 285 gegen → Antigonos [2] Gonatas hervortat und dafür in Delphoi mit zwei Statuen, einer mit Eloge, geehrt wurde (Syll.³ 361 B,C; SEG 18, 1962, 197).

[4] X. aus Sparta [1. 314], berühmt geworden als Söldnerführer → Karthagos 256/5 v. Chr., dem durch Umgestaltung und striktes Exerzieren des karthagischen Heeres im 1. → Punischen Krieg ein vollständiger Sieg über die röm. Invasionstruppen unter M. → Atilius [I 21] Regulus bei Tunes gelang (Pol. 1,32–36; Diod. 23,14–16) [2. 233–237]. Zur Bezahlung seiner Dienste prägte Karthago spezielle Goldmünzen, die durch ihre großen Nominale (25g, 12g) und die Reinheit des Metalls auffallen [3. 173–175]; diese numismatische Evidenz verstärkt die Zweifel an der tendenziösen Überl. vom Mordkomplott gegen X. und die Übervorteilung seiner Kameraden (App. Lib. 4; Val. Max. 9,6, ext. 1; Zon. 8,13). X. war auch als Militärschriftsteller bis in die Spätantike bekannt (Veg. mil. 3, praef.) [4. 33].

1 A. S. BRADFORD, Prosopography of the Lakedaimonians, 1977 2 HUSS 3 H. R. BALDUS, Zwei Deutungsvorschläge zur punischen Goldprägung im mittleren 3. Jh. v. Chr., in: Chiron 18, 1988, 171–179 4 J. SEIBERT, Hannibal, 1993.

L.-M. G.

[5] Wurde von Ptolemaios [6] III. im Sommer 245 v. Chr. als »Generalstatthalter« [1. 84] der Provinzen *trans Euphraten* zurückgelassen (Porphyrios FGrH 260 F 43), konnte sich aber nach dem Rückzug des Königs nicht lange halten. Kaum mit X. [4] identisch. PP V 14110?; PP VI 15060.

1 BENGTSON 2, 84, 3, 173[1].

B. BEYER-ROTTHOFF, Unt. zur Außenpolitik Ptolemaios' III., 1993, 38; 191.

W. A.

Xanthoi (Ξάνθοι). Thrakisches Volk (Hekat. FGrH 1 F 180), dessen Lokalisierung nicht möglich ist; bei Strab. 13,1,21 in einer Liste von thrakisch-troischen Homonymen in Parallele zum Fluß Xanthos (Hom. Il. 20,74; → Skamandros) in der Troas genannt.

L. v. B.

Xanthos (Ξάνθος).
[1] Name mehrerer männl. Gestalten der griech. Myth.:
1) Sohn des Phainops [2], der von Diomedes [1] vor Troia getötet wird (Hom. Il. 5,152–158). 2) Sohn des Triopas und der Oreasis. X. erhält einen Teil Lykiens; von dort aus besiedelt er die menschenleere Insel Lesbos (Diod. 5,81,2; Hyg. fab. 145). 3) Einer der Söhne des Aigyptos, den die Danaostochter Arkadia tötet (Hyg. fab. 170). 4) Ein Sohn der → Niobe (Pherekydes FGrH 3 F 126). 5) König von Kreta, der nach einer seltenen Überl. → Europe [2] raubt (Aug. civ. 18,12). 6) Nach arkadischer Trad. Sohn des Erymanthos, Enkel des → Arkas und Vater der Psophis (Paus. 8,24,1). 7) Der äg. oder kretische Gründer der gleichnamigen Stadt X. [4] in Lykien (Steph. Byz. s. v. X.). 8) Vater der Lykia, die von Apollon Mutter des Pataros wird (Steph. Byz. s. v. Patara; vgl. → Patara). Nach einer anderen Version Bruder des Pataros; beide ziehen als Räuber umher, siedeln sich aber dann in Lykien an (Eust. in Dion. Per. 129). 9) X. ist auch ein reicher Bürger aus Milet, dessen Frau

Herippe von einem Keltenfürst geraubt wird. X. reist nach Massalia, um seine Frau freizukaufen. Der Keltenfürst zeigt sich sehr edel, indem er X. das Lösegeld erläßt (Parthenios, Erotika pathemata 8). 10) Ferner heißt X. ein boiotischer König. Als sich Athen und Theben um Oinoe streiten, wagt X. einen Zweikampf mit → Melanthos [1]. Diesem gelingt es durch Täuschung, X. zu töten, was als Aition für das Fest der → Apaturia fungiert (Ephor. FGrH 70 F 22; Konon FGrH 26 F 1,39). 11) Schließlich tragen den Namen X. auch Pferde des Achilleus [1] (Hom. Il. 16,149), des Thrakers Diomedes (Hyg. fab. 30,9) und des Kastor (Stesich. 178 PMGF).

J. STE.

[2] Lyriker (μελοποιός/*melopoiós*), vielleicht aus der Magna Graecia; von → Stesichoros [1] (6. Jh. v. Chr.) erwähnt, sonst ist fast nichts über ihn bekannt. Laut Ail. var. 4,26 adaptierte Stesichoros X.' *Orésteia*. X. führte → Elektra [4] in die Handlung der *Orésteia* ein (Änderung des Namens der Laodike: Hom. Il. 9,145), angeblich, um zu unterstreichen, daß Elektra unverheiratet (ἄλεκτρος/*álektros*) war. Laut dem Homergelehrten → Megakleides (Athen. 12,512f–513a) stellte X. Herakles nach der Art Homers dar, was von Stesichoros abgeändert wurde (παραπεποίηκεν/*parapepoíēken*).

PMG 699–700.

E. R./Ü: RE. M.

[3] X. »der Lyder«, wohl um 450 v. Chr., angeblich aus Sardeis, Verf. von *Lydiaká*, die nur in wenigen Fragmenten erh. sind (FGrH 765 F 12–30). Das meiste wird Nikolaos [3] von Damaskos verdankt, der neben → Ktesias v. a. X. für die Gesch. des Vorderen Orients heranzog. Soweit noch erkennbar, muß X. in der Tat die Lyder in die vorderorientalische Geschichte eingebettet haben, und zwar stärker als → Herodotos [1]. Auf X. zurückgeführt werden: Nikolaos FGrH 90 F 15–16; 18; 22 (lydische Frühgesch.), F 44–47 (von den Herakliden zu den Mermaden: Adyattes/Kandaules-Gyges, F 62–65 (Kroisos) und F 66–68 (Aufstieg des Kyros, Ende des Lyderreiches). Die Frühgesch. der Lyder beginnt mit dem Troianischen Krieg, der Einwanderung der Phryger und der Umsiedlung der Myser, die X. aufgrund sprachlicher Indizien für Nachkommen der Lyder hielt (FGrH 765 F 14–15). Die Altanatolistik kommt zu einem ähnlichen Schluß, daß nämlich die Ursprünge der Lyder im propontischen Mysien liegen müssen. Daß sie erst später ihre Königsherrschaft in Xyaris (= Sardeis) begründeten, weiß auch X. In vielem dürfte X. sich als ergiebigere histor. Quelle erweisen als Herodotos (so z. B. für Handel und Gewerbe), vielleicht sogar als authentischer. Letzteres trifft z. B. für den Stellenwert der Königin innerhalb der lyd. Verfassung zu; diese kannte z. B. eine *ekklēsía* (»Versammlung«). Die Niobe-Sage ist bei X. einheimischer Herkunft, ähnliches gilt für die Amazonen oder die Nymphen, welche die Lyder Musen nennen würden. Auffällig ist, daß für X. die Griechen nicht dieselbe Bed. hatten wie für Herodotos. So spielt die sog. »Ionische Kolonisation« für X. keine Rolle, Delphoi wird nicht erwähnt. Ob es eine geistige Ver-

wandtschaft zwischen X. und Herodotos gab, erscheint deshalb fraglich.
→ Lydia

H. Herter, s. v. X., RE 9 A, 1353–1374.   PE. HÖ.

[4] (lyk. Arñna). Dynastensitz und Polis in Lykia (→ Lykioi) im Tal des unteren X. [5], ca. 8 km vom Meer entfernt beim h. Kınık. Myth. Gründung durch den Heros X. [1, Nr. 7] (Steph. Byz. s. v. X.). Älteste arch. Reste um 700 v. Chr. Mitte des 6. Jh. zerstört und mit ganz Lykia in das Perserreich eingegliedert (Hdt. 1,176). Lykische Akropolis und Siedlungsmauer aus dem 2. Viertel des 5. Jh. v. Chr. [1. 101–107]; des weiteren einige Kult- und Repräsentationsbauten auf der Akropolis und im Heiligtum der → Leto, zahlreiche Monumentalgräber: Grabpfeiler, Felsgräber, Sarkophage, ein monumentales Tempelgrab eines Dynasten des 4. Jh. v. Chr. (»Nereidenmonument«).

X. war Sitz einer bed. Dynastie und faktisch polit. Zentrum von Lykia; Kuprlli (ca. 480–440 v. Chr.) beherrschte nahezu ganz Lykia. Verm. war X. Kopf der lyk. Mitglieder des → Attisch-Delischen Seebundes (Λύκιοι καὶ συντελεῖς: ATL 3 I 30; 9 III 34: 452/1 und 446/5 v. Chr.). Ab der 2. H. des 5. Jh. belegt eine reiche Überl. von lyk. Inschr. (TAM I 36–51; N 44 f) und Mz. die unangefochtene Herrschaft von Kuprllis Nachfolgern in X., Kheriga (ca. 440–425; wohl Stifter des Inschriftenpfeilers TAM I 44), Kherêi (ca. 425–400) und Erbbina (ca. 400–385); ihre Erben wurden durch Perikles [3] aus X. verdrängt. Nach Beteiligung am »Großen Satrapenaufstand« erfolgte der Sturz der lyk. Dynasten, starker griech. Einfluß unter der karischen Dynastie der Hekatomnidai, sowie Entwicklung zur Polis griech. Musters [2]. 334/3 von Alexandros [4] erobert (Arr. an. 1,24,4; Plut. Alexandros 17), stand X. danach unter ptolem. und seleukidischer Herrschaft. Im 2. Jh. war X. Gründungsmitglied des → Lykischen Bundes, eine der wichtigsten Poleis mit drei Stimmen in der Bundesversammlung (Strab. 14,3,3 nach Artemidoros; vgl. Strab. 14,3,6), verlor aber allmählich die lyk. Hauptortfunktion an → Patara (vgl. Liv. 37,15,6: Patara als caput gentis, ›Hauptort des Volks‹). 43/42 v. Chr. wurde die Stadt von M. Iunius [I 10] Brutus erobert (App. civ. 4,78 f.). Letzte Münzemissionen im eigenen Namen ca. 20 v. Chr, ab 43 n. Chr. Teil der röm. Prov. Lycia bzw. → Lycia et Pamphylia. Das Siedlungszentrum wurde bei der Errichtung eines Theaters umgestaltet (1./2. Jh. n. Chr.). In den 140er Jahren erhielt X. Spenden von Opramoas von → Rhodiapolis (TAM II 905; XIX B 12 f.; XVII C 2). Spätestens seit dem 4. Jh. war X. Bischofssitz (Hierokles, synekdemos 684,11; Not. episc., passim), florierte bis ins 7. Jh., danach allmähliche Verödung.

1 Th. Marksteiner, Die befestigte Siedlung von Limyra, 1997 2 M. Domingo Gygax, Unters. zu den lyk. Gemeinwesen in klass. und hell. Zeit, 2001.

Fouilles de Xanthos, 1958ff. · E. Hansen, Le temple de Létô au Létôon de X., in: RA 1991, 323–340 · A. Keen, Dynastic Lycia, 1998 · P. Demargne, H. Metzger, s. v. X. (33), RE 9 A, 1375–1408.   W. T.

[5] Fluß in West-Lykia (Hom. Il. 6,172), h. Eşen Çayı; als älterer Name galt Sirbis (Σίρβις, Strab. 14,3,6). Ursprung in den westl. Ausläufern des Tauros [2], Mündung bei → Patara ins Meer.   W. T.

Xeine (ξείνη, »die Fremde«). Nach Hdt. 2,112 Bezeichnung einer Erscheinungsform der → Aphrodite, die einen Tempel in → Memphis hatte. Verm. handelte es sich um einen Kult für die syr. Göttin → Astarte, d. h. »die Fremde«, die dort schon seit der 18. Dyn. verehrt wurde [1. 45]. Unsicher ist, ob der bei Strab. 17,1,31 erwähnte Tempel der Aphrodite oder Selene damit identifiziert werden darf [2. 136].

1 A. B. Lloyd, Herodotus, Book II, Commentary 99–182, 1988 2 J. Yoyotte, P. Charvet, Strabon, Le voyage en Égypte (Übers. mit Komm.), 1997.   JO. QU.

Xenagoras (Ξεναγόρας).
[1] Griech. Historiker und Geograph wohl des 3. Jh. v. Chr (X. FGrH 240), von Dion. Hal. ant. 1,72,5 nach Kallias [10] erwähnt [1. 912f.]; ob er mit X. aus Herakleia [7], dem Vater des Nymphis identisch ist, bleibt offen [1. 913; 2. 1410f.].

Er verfaßte eine Äg. (F 1) und den Westen, bes. Sicilia (F 12; 14; 15; 17; 18), wohl auch Italia, d. h. Rom (wenn F 29 zu der Chronik gehört) einbeziehende Chronik von mindestens 4 B. (Titel: Χρόνοι/Chrónoi, FGrH 240 F 1); sie reichte von der Urzeit mindestens bis zum → Ionischen Aufstand (FGrH 240 F 1 mit Komm.), verm. aber bis zur hell. Zeit [2. 1411]. Das 1. B. der Chronik war Hauptquelle für den mittleren Teil der von Timachidas verf. → Lindischen Tempelchronik; so dürften deshalb in diesem Buch kultische Weihungen eine bes. Rolle [2. 1414f.] gespielt haben; eine gewisse altertümliche Einfachheit des Stils mag von den alten Quellen selbst X. herrühren [2. 1415].

In seiner Schrift ›Über Inseln‹ (Περὶ νήσων/Perí nésōn, wohl nur 1 B. [1. 913; 2. 1413]) dürfte eine periegetische Norm das anordnende Prinzip gewesen sein [2. 1415]; Kypros (F 26a,b; F 27a,b) und die Pithekussai (F 28b) werden genannt.
→ Chronik C.; Periegetes

1 P. Ceccarelli, I Nesiotika, in: ASNP, classe di lettere e filosofia, ser. 3, 19.3, 1989, 903–935 2 F. Gisinger, s. v. X. (1), RE 9 A, 1409–1416 3 K. Wickert, s. v. X. (3), RE 9 A, 1416.

[2] Sohn des Eumelos, Mathematiker und Geograph, maß die Gipfelhöhe des → Olympos [1] von Pythion [2] aus ziemlich zutreffend mit 10 Stadien 96 Fuß (= 1789,06 m). Die darauf bezügliche metr. Inschr. bezeugt P. Cornelius [I 83] Scipio (Plut. Aemilius Paullus 15,10) im Bericht über seinen Umgehungsmarsch vor der Schlacht von Pydna (168 v. Chr.). X. ist deshalb ins 1. Drittel des 2. Jh. v. Chr. oder früher zu datieren.

K. Ziegler, Plutarchstudien, in: RhM 110, 1967, 57–63.   H. A. G.

Xenagoru Nesoi (Ξεναγόρου νῆσοι). Inselgruppe an der Westküste von Lykia: die Felsinseln Sıçan Adası (byz. Ochentres) und Yılan Adası (byz. Dragonēsi) vor der Bucht von Kalkan zw. der Insel Roge (byz. Rhō) und Patara (Stadiasmus maris magni 245 f.). Nach Plin. nat. 5,131 (*Xenagora VIII*) könnten mit X. N. noch weitere Inseln gemeint sein.

A. DELATTE, Les Portulans grecs, 1947, 183, 254 · F. HILD, H. HELLENKEMPER, in: TIB 8 (Lykien und Pamphylien), in Vorbereitung · H. TREIDLER, s. v. X. n., RE 9 A, 1417.

F. H.

Xenagos (ξεναγός). Das Wort x. gehörte zum polit. Vokabular Spartas und bedeutet wörtl. »Führer von Fremden« (ξένοι/*xénoi*); damit sind die griech. Verbündeten Spartas innerhalb der spartanischen Symmachie (→ *symmachía*) gemeint. Urspr. war der x. ein hoher spartan. Offizier, der das Truppenkontingent einer verbündeten Stadt kommandierte (Xen. Ag. 2,10; Xen. hell. 3,5,7; 4,2,19). Die Position des x., die zuerst für die Anfangsphase des → Peloponnesischen Krieges bezeugt ist (429 v. Chr.: Thuk. 2,75,3), wurde wahrscheinlich bald nach den → Perserkriegen oder kurz vor 450 v. Chr. geschaffen. Im 4. Jh. v. Chr. befehligten die *xenagoí* auch fremde → Söldner (Xen. hell. 4,3,15; vgl. Demosth. or. 23,139); im Hell. wurden auch Offiziere außerhalb Spartas als x. bezeichnet [2].

Das Amt des x. diente ferner der Sicherung der Hegemonie Spartas; so entsandten die Spartaner, als Mantineia 385 v. Chr. aufgeteilt wurde, in jedes der neu entstandenen vier Dörfer einen x. (Xen. hell. 5,2,7).

→ Sparta (s. Nachträge)

1 D. KAGAN, The Outbreak of the Peloponnesian War, 1969, 54 f. 2 M. LAUNEY, Recherches sur les armées hellénistiques, 1950 3 L. THOMMEN, Lakedaimonion Politeia, 1996. P. C.

Xenarchos (Ξέναρχος).

[1] Komödiendichter des (wohl späteren) 4. Jh. v. Chr. Erh. sind acht (für diese Zeit recht typische) Stücktitel und 14 fr. (ausschließlich durch Athenaios [3] überliefert). In fr. 1 beklagt ein Sprecher (vielleicht der Sklave, der zugleich der Titelheld, *Butalíōn*, war) in exuberant-dithyrambisierender Sprache, wie kein Mittel der Impotenz seines Herrn abzuhelfen vermag [2. 263]; in fr. 4 (Πένταθλος/*Péntathlos*, ›Der Fünfkämpfer‹) singt ein Hurenwirt ein Loblied auf die Prostituierten und die gefahrlose käufliche Liebe [2. 323 f.]; in fr. 7 (Πορφύρα/*Porphýra*, vielleicht Name einer Hetäre) werden die faulen Tricks der Fischverkäufer beschrieben.

1 PCG VII, 1989, 791–801 2 H.-G. NESSELRATH, Die att. Mittlere Komödie, 1990. H.-G. NE.

[2] Griech. Dichter um 400 v. Chr., erwähnt zusammen mit dem berühmten → Sophron [1] als Mimendichter (→ *mímos* I.) bei Aristot. poet. 1,1447b 10 (sogar als Sohn des Sophron bei Phot. p. 485,21 = Suda ρ 121 s. v. Ῥηγίνους). Er soll auf Betreiben des Dionysios [1] I.

ein Spottgedicht auf die angebliche Feigheit der Einwohner von → Rhegion verfaßt haben (Phot. ebd., vgl. Zenob. vulgata 5,83). Fr. sind nicht überl. Laut Suda σ 871 s. v. Σωτάδης soll X. Ἰωνικοὶ λόγοι (›Ionische Reden‹) in einer dem zeitlich späteren → Sotades [2] vergleichbaren Art (φλύακες καὶ κίναιδοι, »paratragische und obszöne Gedichte«) verfaßt haben; die von Aristoteles [6] erwähnten Mimen waren anscheinend metrische Kompositionen, die eine dramatische *mímēsis* eher lustiger Art enthielten. Bei Plut. Nikias 1,3 wird der Historiker Timaios [2] wenig schmeichelhaft mit X. verglichen.

A. OLIVIERI, Frammenti della commedia greca e del mimo nella Sicilia e nella Magna Grecia, 1947, 143–146 · PCG I, 2001, 254 f. W. D. F.

[3] Achaier aus Aigeira, *stratēgós* des Achaiischen Bundes (→ Achaioi) 175/4 v. Chr., wie sein Bruder → Archon [2] der von → Lykortas betriebenen Politik unbedingter achaiischer Autonomie verpflichtet [1. 206 f.; 2. 144; vgl. 3. 69], wurde als Gesandter in Rom 183 zur Unterzeichnung eines für den Bund ungünstigen Vertrages im Konflikt mit Sparta genötigt (Pol. 23,4,11–15) [1. 179–182, 288; 3. 47]. Eine Korrektur des von → Kallikrates [11] mit zunehmender Dringlichkeit geförderten pro-röm. Kurses, die sich 175/4 bei einer diplomatischen Initiative des → Perseus [2] anbot, konnte X. trotz Unterstützung durch Archon im Bund nicht erreichen (Liv. 41,23,4–24,19) [3. 54–58].

1 R. M. ERRINGTON, Philopoemen, 1969 2 J. DEININGER, Der polit. Widerstand gegen Rom in Griechenland 217–86 v. Chr., 1971 3 H. NOTTMEYER, Polybios und das Ende des Achaierbundes, 1995. L.-M. G.

[4] Peripatetischer Philosoph, 2. H. des 1. Jh. v. Chr.
I. LEBEN II. LEHRE UND NACHWIRKUNG

I. LEBEN
Über X.' Leben ist nur sehr wenig bekannt. Laut Strab. 14,5,4 blieb er nur kurz in seiner Heimat Seleukeia [5] (Kilikien). X. lehrte in Alexandreia [1] und Athen; in Rom wurde er Philosoph am Hof des Augustus; sein Freund und Förderer Areios [2] von Alexandreia (Areios [1] Didymos?) führte X. wohl bei diesem ein (Strab. l.c.).

II. LEHRE UND NACHWIRKUNG
X. war ein aristotelisch geprägter, aber eigenständiger und kreativer Denker. In der verlorenen Schrift Πρὸς τὴν πέμπτην οὐσίαν (*Pros tēn pémptēn usían*, ›Gegen die fünfte Substanz‹) versuchte er, Aristoteles' [6] Argumente für die Existenz eines fünften Elements als Substanz der Gestirnkörper Punkt für Punkt zu widerlegen (erh. Fr. in → Simplikios' Komm. zu De caelo). Nicht erst Simplikios, sondern bereits Alexandros [26] von Aphrodisias verteidigte in seinem verlorenen *De caelo*-Komm. Aristoteles gegen X.' Kritik. X.' Einwände wurden in der Ant. stark rezipiert und als wichtig erachtet. Noch während Simplikios seinen De caelo-

Komm. verfaßte, legte Iohannes → Philoponos neue Argumente gegen die Theorie des fünften Elements vor (in der traditionell *De aeternitate mundi: contra Aristotelem* betitelten Schrift). Laut Simplikios waren die Einwendungen des Philoponos stark von Argumenten des X. beeinflußt (Simpl. in Aristot. De caelo 26,31–33; 42,19f.). X.' Argumente wirkten weit über die Ant. hinaus und wurden in MA und Renaissance ausgiebig genützt. Ein *terminus post quem* für die ma. Kenntnis von X. und seiner Aristoteles-Kritik ist die lat. Übers. von Simplikios' *De caelo*-Komm. durch Wilhelm von Moerbeke 1271.

X. ließ sich durch seine Aristoteles-Exegese nicht an der Entwicklung eigener Theorien hindern, vielmehr arbeitete er Aristoteles' Lehre der naturgemäßen → Bewegung um und machte sie so der spätant. Philos. zugänglich. Die von X. überarbeitete Theorie basiert auf zwei Prinzipien (Simpl. in Aristot. De caelo 21,35–22,17): (1) Ein einfacher Körper bewegt sich immer in gerader Richtung, wenn er nicht an seinem naturgemäßen Ort ist. (2) Ein einfacher Körper bewegt sich immer kreisförmig oder ruht, wenn er an seinem naturgemäßen Ort ist. X.' Theorie naturgemäßer Bewegung ist so angelegt, daß sie mit → Platons [1] Konzeption der sinnlich wahrnehmbaren Welt im ›Timaios‹ übereinstimmt. Proklos' (in Plat. Tim. 2,11,24–31 und 3,114,30f.) und Simplikios' (in Aristot. De caelo 20,10–15) Zuschreibung dieser Theorie an Plotinos und Ptolemaios [65] zeigen den Erfolg und den Einfluß der korrigierenden Überarbeitung des X.

→ Aristoteles [6]; Bewegung; Elementenlehre; Peripatos

1 A. FALCON, Corpi e movimenti. Il De caelo di Aristotele e la sua fortuna nel mondo antico, 2001, 80–84, 158–174 2 P. MORAUX, s. v. X. (5), RE 9 A, 1422–1435 3 MORAUX 1, 197–214 4 S. SAMBURSKY, The Physical World of Late Antiquity, 1962, 125–132. A.FA./Ü: B.ST.

Xenares (Ξενάρης). Spartiat, wohl identisch mit dem im Winter 420/19 v. Chr. als Harmost (→ *harmostaí* [2]) in → Herakleia [1] Trachinia im Kampf gegen Ainianes, Dolopes und andere Wehrgemeinschaften in jenem Gebiet gefallenen Sohn des Knidis (Thuk. 5,51,2). Als Ephor (*éphoros*) 421/20 v. Chr. lehnte X. mit seinem Amtskollegen → Kleobulos [3] das nach dem Nikiasfrieden (→ Nikias [1]) geschlossene Bündnis zwischen → Sparta und Athen ab. Beide erreichten nach inoffiziellen Verhandlungen mit Boiotern und Korinthern den Abschluß eines Sonderbündnisses zwischen Sparta und → Boiotia im März 420 (Thuk. 5,36,1–37,1). Ihr Ziel war die Rückgewinnung von Pylos für Sparta. Sie hatten verm. auch ihre Hand im Spiel, als die Boioter unter Vertragsbruch → Panakton zerstörten, bevor sie das Bollwerk an Athen zurückgaben (Thuk. 5,39) [1. 196].

1 K.-W. WELWEI, Das klassische Athen, 1999. K.-W. WEL.

Xenelasia (ξενηλασία). »Ausweisung von Fremden« (→ *xénoi*), in der Überl. fälschlich als oft wiederholte Maßnahme der Spartaner zum Schutz ihrer inneren Ordnung vor fremden Einflüssen dargestellt (Xen. Lak. pol. 14,4), in der bei Plutarch (Lykurgos 27,7; Agis 9; mor. 238d) vorliegenden Trad. auf → Lykurgos [4] zurückgeführt und in der Forsch. u. a. mit einem angeblichen inneren Wandel → Spartas im 6. Jh. v. Chr. erklärt. Die erste *x.* soll die Ausweisung des → Maiandrios [1] von Samos gewesen sein (Hdt. 3,148), doch handelte es sich damals nicht um ein allg. Aufenthaltsverbot für Fremde, sondern um eine gezielte Aktion gegen einen bestimmten Fremden [1. 145f.]. Auch in der Folgezeit wurde in Sparta keine strikte Unterbindung privater Kontakte mit der Außenwelt intendiert. Athenische Hinweise auf »Fremdenausweisungen« in Sparta erklären sich aus der Situation unmittelbar vor dem → Peloponnesischen Krieg (Thuk. 1,144,2; 2,39,1). Die Anspielung des Aristophanes (Av. 1012) auf eine *x.* bleibt ohne konkreten Bezug. Die Behauptung Platons [1] (Prot. 342c), daß die Spartaner lakonisierende und andere Fremde ausgewiesen hätten, um ungestört mit Sophisten verkehren zu können, ist in dieser pointierten Formulierung kaum zutreffend. Eine angeblich durch Hungersnot bedingte *x.* in Sparta ist nur bei Theopompos FGrH 115 F 178 (schol. Aristoph. Av. 1013) belegt. Ob sie auf die Zeit nach dem Frieden des → Philokrates [2] zu beziehen ist, bleibt ungewiß. Zu der von Aristoteles [6] (pol. 1272b 17) auf Kreta und der von Ailianos (var. 13,16) in Apollonia [1] bezeugten Praxis der *x.* liegen keine weiteren Nachr. vor. Vergleiche mit der Ausweisung von Latinern aus Rom (Liv. 39,3,4–6) [2. 1438] sind irreführend.

→ Fremdenrecht; Sparta II. (s. Nachträge); Xenoi

1 L. THOMMEN, Lakedaimonion Politeia, 1996 2 H. SCHÄFER, s. v. X., RE 9 A, 1436–1438.

S. REBENICH, Fremdenfeindlichkeit in Sparta? Überlegungen zur Trad. der spartanischen Xenelasie, in: Klio 80, 1998, 336–359. K.-W. WEL.

Xenetos (Ξένετος). Vornehmer Bürger aus dem unteritalischen Lokroi [2]. → Dionysios [1] I. von Syrakus heiratete 398 v. Chr. in einer Doppelhochzeit dessen Tochter Doris sowie die Syrakusierin → Aristomache und schenkte beiden Frauen gleichmäßig seine Gunst. Später machte er die Gattin des X. für Aristomaches Unfruchtbarkeit verantwortlich und ließ sie umbringen (Diod. 14,44,6–45,1; Plut. Dion 3,3–6). K.MEI.

Xenia (τὰ ξένια, N. Pl., auch θεοξενία/*theoxenía*, F. Sg.; »(Götter-)Bewirtung«). Zentraler griech. Ritus, an dem man alternativ zur gewöhnlichen Opferpraxis Götter und Heroen aller Art zum öffentlichen oder privaten Opfermahl der Menschen lud. Zahlreiche lit., arch. und inschr. Zeugnisse belegen für die Bewirtung der göttlichen Gäste bereitgestellte Opfertische (*hierá trápeza*) und Klinen mit Decken. Die »heiligen Tische« waren

»geschmückt« mit geringeren Opfergaben (v. a. Back-werk und Obst) und manchmal mit dem rohen oder gekochten Fleisch des Hauptopfers (z. B. LSCG 65,86; bildliche Darstellungen des Mobiliars: [1]; das Vokabu-lar z. B. bei Athen. 137e). Die im Wert einem geringeren Tieropfer vergleichbaren »Tische« finden sich oft zu-sammen mit dem Hauptopfer eines Festes; häufiger noch ehren sie zusätzliche Heroen (→ Heroenkult) oder niedere Götter, ohne damit die Kosten für das Fest er-heblich zu erhöhen (z. B. Attika: LSCG 1,11,20B51-4; SEG 32,147, alle spätes 5. Jh. v. Chr.). An einigen Festen war der X.-Ritus der Höhepunkt des Rituals (z. B. Ma-gnesia [2]: LSAM 32, 196 v. Chr.; Kos: LSCG 177, 4. Jh. v. Chr. oder später, beide mit augenscheinlicher Be-schränkung der Teilnahme am Mahl).

Obwohl im Prinzip alle Gottheiten mit dem X.-Ritus verehrt werden konnten, ist er v. a. belegt für die → Di-oskuroi (Sparta, Peloponnes und Süditalien, Athen und Paros: z. B. Pind. O. 3; Pind. N. 10,49f.; Bakchyl. fr. 21; Paus. 4,27,1-3; Chionides fr. 1,5 CAF; zahlreiche Dar-stellungen ihrer Epiphanie in der Kunst: [2. 107; 390⁸⁴]) und für → Herakles [1] (vgl. [3; 4]). Spezielle Hero-xe(i)nia existierten auf Thasos (LSCG, Suppl. 69, 4. Jh. v. Chr.); vgl. Schol. Pind. N. 7,62 und 68 zu → Delphoi. Für die ikonographisch verm. im Zusammenhang mit dem X.-Ritus stehenden »Heroenmahl«-Reliefs vgl. [5]; für die Theodaisia für → Dionysos vgl. [6].

Feste mit dem Namen *Theoxénia* wurden in Pallene (Paus. 7,24,4; Schol. Pind. O. 7,156c) und auf den Ky-kladen gefeiert (Paros: IG XII 5, 129, 2. Jh. v. Chr.; Te-nos: IG XII 5, 872; Keos: IG XII 5,543, 4./3. Jh. v. Chr.). X. waren auch der zentrale Ritus an den vielfach beleg-ten X. für → Apollon und andere Götter in → Delphoi (vgl. Pind. Paian 6; Philodamos, Paian; Paus. 7,27,7; Athen. 9,372a).

Die X. sind häufiges Motiv aitiologischer Mythen (Hom. Od. 17,485-488; [7]), bes. im Zusammenhang mit Kulten der → Demeter (z. B. Hom. h. 2; Melissos' Töchter auf Paros: POxy. 15,1802) und des Dionysos (→ Pentheus; vgl. Dexithea und Euxantios: Pind. Paian 4; Bakchyl. 1; Kall. Ait. fr. 75,64ff.; [8; 9]).

→ Lectisternium; Opfer; Ritual

1 M. Jameson, Theoxenia, in: R. Hägg (Hrsg.), Ancient Greek Cult Practice from the Epigraphical Evidence, 1994, 35-57 (Lit.) 2 Burkert 3 A. Verbanck-Piérard, Herakles at Feast in Attic Art, in: R. Hägg (Hrsg.), The Iconography of Greek Cult in the Archaic and Classical Periods, 1992, 85-106 4 O. Walter, Der Säulenbau des Herakles, in: MDAI(A) 54, 1937, 41-51 5 J. H. Dentzer, Le motif du banquet couché dans le Proche-Orient et le monde grec du VIIᵉ au IVᵉ siècle avant J.-C., 1982 6 F. Pfister, s. v. Theodaisia, RE 5 A 2, 1711 7 E. Kearns, The Return of Odysseus: A Homeric Theoxeny, in: CQ 32, 1982, 2-8 8 A. P. Burnett, Pentheus and Dionysos: Host and Guest, in: CPh 65, 1970, 15-29 9 I. Rutherford, Pindar's Paeans, 2001, 288f.

L. Bruit, Sacrifice à Delphes, in: RHR 201, 1984, 338-367 · F. Deneken, De theoxeniis, 1891 · D. Flückinger-Guggenheim, Göttliche Gäste, 1984 · D. H. Gill, Greek Cult Tables, 1991 · A. Hollis, Callimachus Hecale, 1990, 341-354.

B. K.

Xeniades (Ξενιάδης).

[1] X. aus Korinthos. Proto-skeptischer Philosoph des 5. Jh. v. Chr. → Sextos [2] Empeirikos (s. Nachträge, die einzige Quelle) führt ihn zusammen mit anderen Phi-losophen, die ein Kriterium des Wahren und Falschen abgelehnt haben (S. Emp. P. H. 2,18; S. Emp. adv. math. 7,48), wiederholt als Musterbeispiel eines archetypi-schen negativen Dogmatikers an; er habe alle Erschei-nungen oder → Meinungen für trügerisch oder falsch gehalten (S. Emp. P. H. 2,76; S. Emp. adv. math. 7,53; 388; 399) und behauptet, daß es nichts Wahres gebe (S. Emp. adv. math. 8,5). X.' Datier. ist anhand der Beleg-stelle möglich (S. Emp. adv. math. 7,53), X. sei von → Demokritos [1] (2. H. 5. Jh. v. Chr.) erwähnt worden (81 DK = 68 B 163 DK; vgl. dazu S. Emp. adv. math. 7,140). Sextus (l.c.) erwähnt auch eine ontologische Aussage des X.: das Entstehende entstehe aus dem Nicht-Seienden, wobei das Vergehende ins Nicht-Sei-ende vergehe. Dies läßt sich als Begründung für X.' Zu-rückweisung menschlichen Glaubens (δόξαι/*dóxai*) auf der Grundlage der eleatischen Erkenntnistheorie deuten [2. 32⁴²]. Demokritos, der eine Erklärung von Werden und Vergehen auf der Grundlage von eleatischen Kri-terien liefern wollte, dürfte wohl seine Seins- und → Erkenntnistheorie mit der des X. verglichen haben.

Fr.: 1 Diels/Kranz 2, 271 2 M. F. Burnyeat, Idealism and Greek Philosophy: What Descartes Saw and Berkeley Missed, in: Philosophical Rev. 91, 1982, 3-40.

I. B./Ü: D. PR.

[2] s. Diogenes [14] von Sinope; Monimos [1]

Xenias (Ξενίας).

[1] Arkader aus Parrhasia, begleitete 405/4 v. Chr. als Söldnerführer → Kyros [3] d. J. zum persischen Königs-hof und führte ihm später in Sardeis eine große Zahl von → Söldnern zu (Xen. an. 1,1,2; 2,1-3), verließ aber des-sen Heer in Syrien zusammen mit → Pasion [1] aus Me-gara, ohne seine Familie mitzunehmen, die ihm Kyros dann nachschickte (Xen. an. 1,4,6-8).

[2] Reicher Eleier (→ Elis [2]), *próxenos* (→ *proxenía*) der Spartaner, Freund des → Agis [2] II. und Haupt einer Gruppe von prospartanischen Oligarchen (→ *oligarchía*), mit denen er 401 v. Chr. das demokratische System in Elis [2] zu beseitigen versuchte. Er floh nach dem Schei-tern des Putsches mit seinen Anhängern zu Agis II., der daraufhin eine spartanische Besatzung in → Epitalion am Alpheios stationierte und den Exilanten dort Asyl gewährte (Xen. hell. 3,2,27-29; Paus. 3,8,4; 7,10,2) [1. 120; 2. 251]. Ob er nach dem Friedensschluß der Spartaner in seine Polis zurückkehrte und mit einem von den Arkadern 364 v. Chr. verurteilten X. identisch ist, bleibt ungewiß.

1 Ch. D. Hamilton, Spartan Bitter Victories, 1979 2 P. Cartledge, Agesilaos and the Crisis of Sparta, 1987.

K.-W. Wel.

Xenias graphe (ξενίας γραφή), wörtl. die »(An)Klage wegen des (Status eines) Fremden«. Popularklage wegen Anmaßung des athen. → Bürgerrechts. Die griech. → Polis war als Personenverband konstituiert, Fremde (→ *xénoi*, vgl. [1. 1442–1447; 4. 18–27]) hatten trotz personenrechtlicher Freiheit grundsätzlich keinen Anteil an Familien- und Bürgerstatus sowie am Rechtsschutz. Die Rechte eines Bürgers (πολίτης/*polítēs*; verm. vom ἀστός/*astós* zu unterscheiden [3. 49–78]) durfte in Athen nur ausüben, wer mit Volljährigkeit in die Listen seines → *dēmos* [2] eingetragen worden war. Lagen die gesetzlichen Voraussetzungen hierfür nicht vor, konnte jeder unbescholtene Bürger (vgl. → *graphē*) gegen den zu Unrecht Eingetragenen die *x. g.* erheben [1. 1473–1475; 6. 178 mit Anm. 98]. Im einzelnen waren dies: (1) Personen, die von ausländischen Eltern abstammten (Lys. 17, 72f.; vgl. IG I³ 102: 410/09 v.Chr.); (2) Personen mit einem ausländischen Elternteil seit einem unter → Perikles [1] im J. 451 v.Chr. erlassenen Gesetz (403/2 v.Chr. nach kriegsbedingter Lockerung erneuert, Aristot. Ath. pol. 26,4; [3. 58–63]); (3) → *nóthoi* (außerhalb gültiger Ehen Geborene) (?); (4) Personen, die von Sklaven abstammten.

Gerichtsmagistrat waren zunächst die → *nautodíkai*, in der Mitte des 5. Jh.v.Chr. eigene → *xenodíkai* [5. Bd. 2, 23f.; 4. 152–155], dann wieder die ersten und schließlich im 4. Jh.v.Chr. die → *thesmothétai* [2. 263]. Der Ankläger konnte beim → *polémarchos* [4] Arrest oder Bürgschaft beantragen. Die Anklage war am letzten Tag des Monats einzubringen. Sanktion war die Todesstrafe (Flucht ins Ausland war möglich; → *phygé*) und Vermögensverfall bzw. Verkauf in die Sklaverei (Demosth. or. 24,131; [5. Bd. 1, 165; 2. 92]. Nach erfolgreicher Klage wegen falschen Zeugnisses (→ *pseudomartyríōn díkē*) war vermutlich Wiederaufnahme der *x. g.* möglich (→ *anadikía*; [2. 271; 6. 178, 180]).

1 E. BERNEKER, s.v. X. g., RE 9 A 2, 1441–1479
2 A. BISCARDI, Diritto greco antico, 1982 3 E. E. COHEN, The Athenian Nation, 2000 4 PH. GAUTHIER, Symbola, 1972 5 A. R. W. HARRISON, The Law of Athens, 2 Bde. 1968–1971 6 A. C. SCAFURO, Witnessing and False Witnessing: Proving Citizenship and Kin Identity in Forth-Century Athens, in: A. L. BOEGEHOLD, A. S. SCAFURO (Hrsg.), Athenian Identity and Civic Ideology, 1994, 156–198.   G.T.

Xenion (Ξενίων). Verf. einer histor. Abhandlung über Kreta, Κρητικά (*Krētiká*) bzw. Περὶ Κρήτης (*Perí Krétēs*). Zu den Fragmenten in FGrH 460 ist wahrscheinlich Pol. 6,45,1 hinzuzufügen, wo anstelle von Xenophon [2] wohl X. als Gewährsmann für die kretische Verfassung zu lesen ist, vgl. [1]. Das ergäbe für X. die Datier. »vor Polybios«, also vor Ende des 3. Jh.v.Chr.

1 K. ZIEGLER, Ein neues Fragment des Historikers X., in: Hermes 82, 1954, 498f.   K.MEI.

Xenios s. Zeus

Xenippa. Einzig bei Curt. 8,2,14 erwähnte fruchtbare und dichtbesiedelte Gegend in Sogdien (→ Sogdiana), ›die an Skythien grenzt‹. Platz und Landschaft werden heute mit Erkurgan und Umgebung nahe Karshi in der Ebene des Kashka-darya in Usbekistan identifiziert. Die Bewohner von X. vertrieben im Winter 329/8 v.Chr. beim Heranrücken Alexandros' [4] d.Gr. die von dem Makedonen abgefallenen und in ihrem Lande Zuflucht suchenden Baktrer (→ Baktria).

1 F. GRENET, Zoroastre au Badakhshân, in: Studia Iranica 31, 2002, 193–214 2 SH. RAKHMANOV, C. RAPIN, Alexandre le Grand aux Portes de Fer. Éléments de géographie sogdienne du nord de l'Oxus (in Vorbereitung).   J.W.

Xenodamos (Ξενόδαμος). Griech. Chorlyriker des 7. Jh.v.Chr. aus → Kythera. Er war in Sparta an verschiedenen musikalischen Reformen in der Generation nach → Terpandros zusammen mit → Thaletas und → Xenokritos [1] von Lokroi beteiligt (Plut. de musica 9,1134b-c). Wie diese war er Komponist von → Paianen (Plut. ebd.), die in der Ant. auch als *hyporchémata* (→ *hypórchēma*) klassifiziert wurden (Plut. l.c.; [1. 82], vgl. [2. 15–17; 3. 99–100; 4. 335]).

1 L. KÄPPEL, Paian, 1992 2 Ders., Bakchylides und das System der chorlyrischen Gattungen im 5. Jh.v.Chr., in: A. BAGORDO, B. ZIMMERMANN (Hrsg.), Bakchylides. 100 Jahre nach seiner Wiederentdeckung, 2000, 11–26
3 I. RUTHERFORD, Pindar's Paeans, 2001 4 M. L. WEST, Ancient Greek Music, 1985.   L.K.

Xenodikai (ξενοδίκαι).

[1] In Athen erstmals als »Fremdenrichter« erwähnt (IG I³ 439,75 und IG I³ 440,126) für die Jahre 444–442 v.Chr., in denen die *x.* größere Summen für den Bau des → Parthenon abzuliefern hatten. Daß sie nur für relativ kurze Zeit nach dem Bürgerrechtsgesetz des → Perikles [1] als Behörde für Prozesse wegen Anmaßung des athenischen Bürgerrechts (→ *xenías graphé*) fungierten [1; 2. 1475], ist diesen Zeugnissen nicht zu entnehmen [3. 661f.]. Sie sind noch in Rechtshilfeverträgen zw. Athen und Troizen (IG II² 46 fr. k, 27) und zw. Athen und Stymphalos auf der Peloponnes (IG II² 144, fr. i, 8 und aA, 8; SEG XV 91; StV II² 279) um 375 bzw. zwischen 368 und 364 v.Chr. bezeugt und fungierten in Verfahren, die Fremde (→ *xénoi*) betrafen (unter Ausschluß der → *métoikoi*, für die der → *polémarchos* [4] zuständig war).

[2] Des weiteren sind *x.* in Oiantheia/Lokris (IG IX² 1,3, Nr. 717,10) und in einem Sympolitievertrag zwischen Medeon und Stiris/Phokis (Syll.³ 647,38) etwa um 175 oder 135 v.Chr. belegt (→ *sympoliteía*). Sie nahmen hier offenbar in Prozessen gegen Fremde, die Schutz brauchten, die Klage entgegen und überwachten die Wahl der »Richter« (vgl. → *dikastés*) [4. 290].

[3] Die Funktionen der *x.* in klass. und hell. Zeit erklären die spätere Verwendung des Begriffs als griech. Äquivalent für lat. → *praetor peregrinus* (Lyd. mag. 1,38).
→ Xenoi

1 A. Körte, Die attischen X., in: Hermes 68, 1933, 238–242
2 E. Berneker, s. v. Xenias Graphe, RE 9 A, 1441–1479
3 Rhodes 4 Ph. Gauthier, Symbola. Les étrangers et la
justice dans les cités grecques, 1972. K.-W. WEL.

Xenodike (Ξενοδίκη).

[1] Eine Tochter des → Minos und der → Pasiphaë oder
der Krete (Apollod. 3,7).
[2] (Auch Xenodoke). Tochter des → Syleus, von
→ Herakles [1] erschlagen (Apollod. 2,132).
[3] Gefangene Troerin auf dem Gemälde des → Polygnotos [1] in der Lesche der Knider in Delphi (Paus.
10,26,1). T. GO.

Xenodikos (Ξενόδικος).

[1] Sohn des → Emmeniden Telemachos und Onkel des
→ Theron von Akragas. Seine Söhne Hippokrates und
Kapys wurden nach einer Empörung gegen Theron 476
v. Chr. von diesem bei Himera besiegt und ließen sich
daraufhin im sikanischen Kamikos nieder (schol. Pind.
P. 6,5a und O. 2,173f-g).

H. Berve, Die Tyrannis bei den Griechen, 1967, 135.

[2] X. (auch Xenodokos) aus Akragas (beide Namensformen finden sich bei Diod. 20,31,4; 32,2; 56,1–2;
62,4–5!). X. wurde während → Agathokles' [2] Afrika-
feldzug von den Akragantinern zum *stratēgós* gewählt,
um Sizilien von der Herrschaft des Agathokles bzw. derjenigen der Karthager zu befreien. Er brachte Gela, En-
na, Herbessos sowie Echetla auf seine Seite (Diod.
20,31,1–32,2) und eroberte zahlreiche feste Plätze von
den Karthagern. 307 wurde er jedoch von → Leptines
[4] und Demophilos, den Feldherren des Agathokles,
besiegt, wodurch sich die Hoffnungen der Akragantiner
auf die Befreiung Siziliens zerschlugen (Diod. 20,56,
1–3). Nach einer neuerlichen Niederlage gegen Leptines kam X. der drohenden Verurteilung seitens der
Akragantiner durch freiwilliges Exil nach Gela zuvor
(Diod. 20,62,2–5).

K. Meister, Agathocles, in: CAH 7.1, ²1984, 401–403.
K. MEI.

Xenodocheion (ξενοδοχεῖον; lat. *xenodochium*).

Das *x.*
war in der Spätant. eine wohltätige kirchliche Einrichtung, die als Herberge und Hospital diente; im *x.* fand
die christl. Trad. der unentgeltlichen Aufnahme reisender Mitchristen ihre institutionalisierte Form. Anders als
die gewerbsmäßig betriebenen → Wirtshäuser boten die
von Bischöfen, Klöstern und einzelnen wohlhabenden
Christen errichteten, oft auch gestifteten *xenodocheía*
bald allgemein Bedürftigen als Pilgerherberge, Krankenhaus, Alters-, Witwen- und Waisenheim oder Ar-
menanstalt kostenfreie Unterkunft. Genauere Kenntnis
besitzen wir über das *x.* in → Kaisareia (Kappadokien),
das von Basileios [1] gegründet worden war (Basil. epist.
94,36–38; Greg. Naz. or. 43,63). Im Westen des röm.
Reiches wurde die Institution bald übernommen und ist
etwa 380 n. Chr. für Ostia und Rom bezeugt (Hier.
epist. 66,11; 77,6); hier entstanden allerdings keine größeren *x.*, und eine Mischform der verschiedenen Funktionen blieb hier vorherrschend; im Osten setzte sich
hingegen im 5./6. Jh. eine funktionale, auch bauliche
Differenzierung weitgehend durch. Die in den *x.* praktizierte christl. *caritas*, für die ein erheblicher Teil der
kirchlichen Einkünfte aufgewendet wurde, wirkte so
attraktiv, daß Kaiser Iulianus [11] nichtchristl. *x.* als
Konkurrenz einzurichten befahl und diese großzügig
alimentierte (Iul. epist. 84a). Die zunehmende Pilgerschaft bedingte gerade an Wallfahrtsorten die Entstehung klösterlicher *x.*; Mönchsregeln trafen entsprechende Vorkehrungen (vgl. Pachomios regula 50–52).
→ Krankenhaus; Pilgerschaft II.

1 D. J. Constantelos, Byzantine Philanthropy and Social
Welfare, 1968 2 E. Kislinger, Kaiser Julian und die (christl.)
Xenodocheia, in: W. Hörander (Hrsg.), Byzantios,
FS H. Hunger, 1984, 171–184 3 B. Kötting, Peregrinatio
religiosa. Wallfahrten in der Ant. und das Pilgerwesen in der
alten Kirche, 1950, 366–386 4 S. Scicolone, Basilio e la sua
organizzazione dell'attività assistenziale a Cesarea, in: Civiltà
classica e cristiana 3, 1982, 353–372 5 Th. Sternberg,
Orientalium more secutus. Räume und Institutionen der
Caritas des 5. bis 7. Jh. in Gallien (JbAC, Erg.-Bd. 16), 1991.
J. H.

Xenoi (ξένοι).

»Fremde«, d. h. nicht zum griech. Bür-
gerverband gehörige Freigeborene, die sich freiwillig an
einem Ort aufhielten und dort gewisse Rechte genossen. Unfreie Fremde (Sklaven, Kriegsgefangene) gehörten nicht zur primär rechtlich definierten Gruppe
der *x.*

I. Klassisches Griechenland
II. Ptolemäisches Ägypten

I. Klassisches Griechenland

Der Begriff *x.* bezeichnet generell Großgruppen von
Freigeborenen, die sich dauernd oder zeitweise in einem bestimmten Gemeinwesen aufhielten, ohne dessen
Bürger zu sein (Thuk. 2,31,1; 2,36,4; 6,30,2; Aristot.
pol. 1300b 31 f.), häufig als Gegensatz zu ἀστοί/*astoí*,
seltener als Gegenbegriff zu πολῖται/*polítai* verwendet
[1. 50–53]. Zu differenzieren ist zwischen Bürgern aus
einem anderen »Staat«, die (eventuell auch als Flüchtlinge) zeit- weise und gegebenenfalls mit bes. Genehmi-
gung (σύμβολον/*sýmbolon*) in einem Gastland lebten
(παρεπιδημοῦντες/*parepidēmúntes*) und *x.*, die sich dauernd in einem fremden Gebiet niedergelassen hatten
(→ *métoikoi* bzw. *sýnoikoi*: vgl. → *synoikismós*, oder *ká-
toikoi*) sowie den sog. βάρβαροι/*bárbaroi* (→ »Barbaren«).

Die in Athen vorübergehend als *parepidēmúntes* lebenden *x.* konnten keinen Grundbesitz in Attika erwerben und keine Athenerin heiraten und hatten eine
Steuer (ξενικόν/*xenikón*) für Marktgeschäfte zu zahlen.
Sie hatten insgesamt weniger Rechte als die *métoikoi*
[2. 11] und mußten den Metoikenstatus beantragen,
wenn sie dauernd in Attika leben wollten. Vortäu-
schung eines nicht bestehenden Bürgerrechtes (→ *poli-*

teía) hatte ein Verfahren aufgrund einer öffentlichen »Schriftklage« (→ *xenías graphḗ*; vgl. → *graphḗ* [1]) zur Folge [3]. Zudem konnte in Athen auch eine allg. Überprüfung (→ *diapsēphismós*) zur Bestätigung oder Ablehnung des Bürgerrechts bestimmter Personengruppen vorgenommen werden. In Milet waren gesetzliche Bestimmungen über *x.* im → »Fremdenrecht« (ξενικὸς νόμος/*xenikós nómos*) zusammengefaßt [8].

Zwischen verschiedenen Gemeinwesen konnten Verträge (συμβολαί/*symbolaí* bzw. σύμβολα/*sýmbola*) über Rechtshilfe zw. dem Gastland und dem Herkunftsland von *x.* bestehen [4]. Bevorzugte *x.* waren die *próxenoi* (vgl. → *proxenía*) [5]. Ein Sonderfall war die Bezeichnung *x.* für Söldner aus anderen Gemeinwesen oder Ländern (Thuk. 1,121,3; 7,13,2; Xen. an. 1,1,10; Xen. Lak. pol. 12,3; IG I³ 1184,89) [6; 7. 79–82]. Als Schutzgott der *x.* galt → *Zeus xénios.*

→ Randgruppen; Xenias graphe

1 E. E. Cohen, The Athenian Nation, 2000 2 Ph. B. Manville, The Origin of Citizenship in Ancient Athens, 1990 3 E. Berneker, s. v. ξενίας γραφή, RE 9 A, 1441–1479 4 Ph. Gauthier, Symbola. Les étrangers et la justice dans les cités grecques, 1972 5 F. Gschnitzer, s. v. Proxenos, RE Suppl. 13, 629–730 6 L. P. Marinovič, Le mercenariat grec au IVᵉ siècle avant notre ère et la crise de la polis, 1988 7 P. McKechnie, Outsiders in the Greek Cities in the Fourth Century BC, 1989 8 A. Rehm, Milet 1,3, 1914, 37 a.
K.-W. WEL.

II. Ptolemäisches Ägypten

Das Wort ξένος/*xénos* (»Fremder«) wurde im hell. Ägypten ganz unscharf verwendet: Es kann → Söldner meinen (mit den entsprechenden Derivaten) oder einen Griechen aus dem Mutterland, jemanden aus dem ländlichen Gebiet (*chṓra*), dem das Bürgerrecht einer Stadt fehlte (also nicht nur Ägypter), einen Ortsfremden (in dieser Form bis in die Spätantike; = ἐπίξενος/*epíxenos*), sogar jemanden, der einfach kein Mitglied in einem → Verein war; wichtig ist immer der Standpunkt des Schreibenden. Aus dem Begriff allein läßt sich also nicht die Zugehörigkeit zu einer sozialen Schicht ableiten, nicht einmal die Unterscheidung von Griechen und Ägyptern.

ξενικὰ δικαστήρια/*xeniká dikastēria* (»Fremdengerichte«) als städtische Institution im ptolem. Alexandreia [1] werden in [1] erwähnt, wo sie neben den Gerichten für Bürger stehen; ihre Existenz ist ein Hinweis auf die hohe Zahl der Fremden in der Stadt und den sparsamen Umgang mit dem alexandrinischen Bürgerrecht: Selbst πεπολιτογραφημένοι/*pepolitographḗmenoi* (Bürger mit eingeschränktem Bürgerrecht) fielen unter ihre Jurisdiktion. Über die Verhandlung eines Falles vor diesen Gerichten mußten sich Kläger und Beklagter einigen.

1 Dikaiomata. Auszüge aus Alexandrinischen Gesetzen und Verordnungen, 1913, 84, 91–95 (Pap. Halensis 1,156–165).

M. F. Baslez, L'étranger dans la Grèce antique, 1984 •
H. Braunert, Die Binnenwanderung, 1964, 385 •
R. Lonis (Hrsg.), L'étranger dans le monde grec, 1988 •
Cl. Préaux, Les étrangers à l'époque hellénistique, in:

L'étranger (Recueils de la société Jean Bodin 9), Bd. 1, 1958, 141–193 • H. J. Wolff, Das Justizwesen der Ptolemäer, 1970, 91 f.
W. A.

Xenoitas (Ξενοίτας) aus Achaia. Wurde als bevollmächtigter *stratēgós* von → Antiochos [5] III. 221 v. Chr. gegen den abtrünnigen → Molon [1] gesandt und unterlag diesem trotz Unterstützung durch die Statthalter der → Susiana und der → Mesene nach vorausgegangenem Sieg infolge einer Kriegslist des Gegners (Pol. 5,45,6; 46,9–48,9).

H. H. Schmitt, Unt. zur Gesch. Antiochos' d. Gr., 1964, 116; 127–131; 178 f.
A. ME.

Xenokleia (Ξενοκλεία). → *Prómantis* des Orakels von Delphoi. Sie will dem durch den Mord an → Iphitos befleckten → Herakles [1] nicht weissagen, tut es nach Raub und Rückgabe des Dreifußes dann aber doch (Paus. 10,13,8; Apollod. 2,130; schol. Pind. O. 9,43, ohne Namensnennung).
T. GO.

Xenokleides (Ξενοκλείδης).

[1] Korinthier. Einer von fünf Befehlshabern der Flotte, die Korinth 433 v. Chr. gegen → Korkyra aussandte (Thuk. 1,46,2). Bei den → Sybota-Inseln errang die Flotte einen Teilsieg (Thuk. 1,47–54; Diod. 12,33,3 f.). Auf der Rückfahrt nahm X. Anaktorion am Golf von Ambrakia ein und besetzte den Ort mit korinth. Siedlern (Thuk. 1,55,1). 426/5 v. Chr. führte X. 300 Hopliten zum Schutz nach Ambrakia (Thuk. 3,114,4).

J. B. Salmon, Wealthy Corinth, 1984, 318 •
K.-W. Welwei, Das klass. Athen, 1999, 144 f.

[2] Athenischer Dichter des 4. Jh. v. Chr., von dem keine Werke erh. sind. Liebhaber der berühmten Hetäre → Neaira [6]. Sein Widerspruch gegen den Antrag des → Kallistratos [2], Athen solle Sparta gegen Theben unterstützen, trug ihm 369 v. Chr. eine Anklage unter dem Vorwand ein, er habe am Kriegszug nicht teilgenommen (*astrateía*). Obwohl er als Pächter der Getreidezölle davon freigestellt war, wurde er verurteilt und für ehrlos erklärt (→ *atimía*). Sein Exil in Makedonien endete durch Ausweisung auf Anordnung des → Philippos [4] II.; 343 kehrte X. nach Athen zurück. Die *atimía* bestand noch z. Z. des Neaira-Prozesses (Demosth. or. 19,331; [Demosth.] or. 59,26 f.). Traill, PAA 731760.

J. Buckler, The Theban Hegemony 371–362 BC, 1980.
W. S.

[3] X. aus Chalkis, mit → Mikythion Führer der pro-röm. Richtung Euboias (Liv. 35,38,1) [1. 130], konnte im Machtkampf mit dem zu den Aitolern vertriebenen Euthymides am Vorabend des Antiochos-Krieges (192–188 v. Chr.) trotz der Unterstützung seiner Gruppe durch T. → Quinctius [I 14] Flamininus und → Eumenes [3] II. nicht den Abfall seiner Stadt zu → Antiochos [5] III. verhindern (Liv. 35,38; 50,8; 51,6 f.) [1. 81–84].

1 J. Deininger, Der polit. Widerstand gegen Rom in Griechenland 217–86 v. Chr., 1971.
L.-M. G.

Xenokles (Ξενοκλῆς).

[1] s. Kleinmeister-Schalen

[2] Attischer Tragiker, Ende des 5. Jh. v. Chr., Sohn des → Karkinos [3] (Stammbaum: TrGF I 21, p. 129), häufig in der Komödie verspottet (TrGF I 33 T 1–7); an den → Dionysia 415 erfolgreich (DID C 14) mit ›Oidipus‹, ›Lykaon‹, ›Bakchen‹ und dem Satyrspiel ›Athamas‹. Als weitere Titel sind ›Likymnios‹ (ein Vers erh., F 2) und eventuell ›Myes‹ (Μύες, ›Mäuse‹) bezeugt (vgl. jedoch TrGF I 21 T 3 d-e). B.Z.

[3] Spartiat, begleitete → Agesilaos [2] II. auf dessen Feldzug in Kleinasien und befehligte die Reiterei im Kampf gegen den Satrapen → Tissaphernes. Er sollte beim Rückzug des Agesilaos nach Griechenland 394 v. Chr. in Larisa [3] Verhandlungen führen, um freien Durchzug durch Thessalien zu erreichen, wurde aber von Thessalern festgenommen und erst nach Intervention des Agesilaos freigelassen (Xen. hell. 3,4,20; Diod. 14,80,2; Plut. Agesilaos 16) [1].

> 1 P. CARTLEDGE, Agesilaos and the Crisis of Sparta, 1987, 154; 157. K.-W. WEL.

[4] Vermögender Athener, Freund des → Lykurgos [9]. X. war 346/5 v. Chr. als *gymnasíarchos* (→ Gymnasiarchie) Sieger bei den großen → Panathenaia, 335/4 *triḗrarchos* (→ Trierarchie), bekleidete anschließend eines der zentralen Finanzämter (ἐπὶ τῷ διοικήσει, *epí tõi dioikései*) und war 321/20 Aufseher über den Mysterienkult der Demeter und Kore. Für einen besseren Zugang zum Heiligtum in Eleusis [1] ließ er eine Brücke errichten. Bei den dramatischen Aufführungen an den Lenaia des J. 307/6 war er Kampfrichter (→ *agonothétēs*). 306/5 brachte X. Subventionen des → Antigonos [1] für den Bau von Schiffen und zur Überwindung der Notsituation nach Athen. TRAILL, PAA 732385.

> DAVIES, 414f.

[5] Athener, der die Tochter eines Pyrrhos geheiratet hatte. Nach dem Tod von Pyrrhos' Adoptivsohn Endios erhob X. als Ehemann einer → *epíklēros* um 350 v. Chr. Anspruch auf das Erbe. Mit einem Bruder des Endios focht X. in zwei Prozessen um das strittige Erbe (Isaios or. 3). TRAILL, PAA 732240. W.S.

[6] Reicher athenischer Rhetor der 2. H. des 4. Jh. v. Chr., wird wegen seines Tafelluxus von → Matron von Pitane im Ἀττικὸν δεῖπνον/*Attikón deípnon* parodiert (Athen. 134d). TRAILL, PAA 732440.

> P. BRANDT (ed.), Parodorum epicorum Graecorum et Archistrati reliquiae, 1888, 57 und 60. J.E.

[7] Achaier aus Sikyon, half, aus einer Haft nach Argos entflohen, 251 v. Chr. dem → Aratos [2] dank seiner Kenntnisse der Schwachstellen in der Stadtmauer von Sikyon beim Sturz des Tyrannen → Nikokles [4] (Plut. Aratos 5,3–5). L.-M.G.

[8] Griech. Rhetor und Politiker des 2. und 1. Jh. v. Chr. Nach Strab. 13,1,66 führte er wohl in den 80er Jahren eine Gesandtschaft zum röm. Senat, mit der sich kleinasiatische Städte gegen den Vorwurf pro-mithridatischer Gesinnung (→ Mithradates [6]) verteidigten. Cicero lernte ihn während seiner Asienreise (78/7 v. Chr.) kennen und scheint zeitweilig in näherem Kontakt mit ihm gestanden zu haben (Strab. 14,2,25; Plut. Cicero 4,5); dieser bezeichnet den der asianischen Stilrichtung (→ Asianismus) angehörenden Rhetor zwar als einen der damals führenden Rhetoren, weiß aber über X. (anders als über dessen Zeitgenossen Menippos [5] und Molon [2]) sonst nichts Positives zu berichten (Cic. Brut. 316). M.W.

[9] Verm. Tragödienschauspieler unbestimmter Zeit (TrGF I 268). B.Z.

Xenokrates (Ξενοκράτης).

[1] Bruder des Tyrannen → Theron von → Akragas. Auf X.' Sieg im Wagenrennen bei den Pythischen Spielen (*Pýthia* [2]) 490 v. Chr. bezieht sich Pind. P. 6, auf seinen Wagensieg bei den Isthmischen Spielen (*Ísthmia*) ca. 470 Pind. I. 2, das erst nach dem Tode des X. verfaßt wurde.

> H. BERVE, Die Tyrannis bei den Griechen, 1967, 133; 135. K. MEI.

[2] X. aus Chalkedon. Akademischer Philosoph (→ *Akadḗmeia*), 4. Jh. v. Chr.
I. LEBEN II. SCHRIFTEN III. PHILOSOPHIE

I. LEBEN

Geb. wohl 396/5 v. Chr., 82jährig (Diog. Laert. 4,14) gest. 314/3. X. schloß sich sehr früh → Platon [1] an (ἐκ νέου/*ek néu*, »in jugendlichem Alter«, Diog. Laert. 4,6), also wohl um 375, und stand stets in einem sehr engen Verhältnis zu seinem Lehrer, den er auf mindestens einer der sizilischen Reisen begleitete. Nach Platons Tod ging er zusammen mit → Aristoteles [6] zu Hermeias nach Assos (Strab. 13,1,57). Als → Speusippos dem Tod nahe war, bat er X., nach Athen zurückzukommen und die Leitung der Akademie zu übernehmen (Diog. Laert. 4,3); es wurde dennoch eine Scholarchenwahl durchgeführt, die X. mit knapper Mehrheit vor Herakleides [16] Pontikos und Menedemos [4] für sich entschied. Laut Diog. Laert. 4,14 bekleidete er das Amt 25 Jahre lang bis zu seinem Tod. Eine Schülerliste für X. bietet Philod. academicorum index 4,7ff.: Der wichtigste hier genannte Schüler ist sein Amtsnachfolger Polemon [1], anderswo werden auch Epikuros (z.B. Diog. Laert. 10,13) und der Stoiker Zenon [2] von Kition (z.B. ebd. 7,1) angeführt. Dem bei Diog. Laert. 4,6–11 reich überl. anekdotischen Material läßt sich entnehmen, daß X. in einer sehr engen Verbindung zu Platon stand (vgl. hierzu auch die legendenhaft ausgestaltete Rolle, die X. beim Abfall des Aristoteles von Platon einnimmt, bei Ail. var. 3,19), ferner zeigt sich in vielen Anekdoten die bes. Besonnenheit und Bescheidenheit sowie seine offenbar abweisend wirkende Ernsthaftigkeit (vgl. Platons Mahnung: ›opfere den Chariten‹; Plut. mor. 141f. u.ö.).

II. Schriften

Ein Schriftenverzeichnis ist bei Diog. Laert. 4,11–14 überl.; nach den Titeln der mehr als 70 Schriften zu urteilen, deckte X. sämtliche Themenbereiche der platonischen Philos. ab. Von X. ist allerdings kein Original-Fr. überl., zur Rekonstruktion seiner Philos. kann man sich einzig auf verschiedene doxographische Referate stützen (→ Doxographie). Den Versuch einer genaueren Bestimmung des Inhalts der bedeutendsten Schriften des X. unternimmt [8. 48–50]. Die maßgeblichen Texte sind jetzt – in größerem Umfang als in der lange Zeit maßgeblichen Ausgabe von [1] – in der kommentierten Ed. von [2] zugänglich. Zu einigen weiteren für X. in Frage kommenden Zeugnissen, die auch bei [2] unberücksichtigt bleiben, vgl. [8. 44 f.].

III. Philosophie

X. verstand sich offenbar in erster Linie als konservativer Sachwalter, Exeget und Kommentator der Philos. seines Lehrers; er wollte keinen eigenen systematischen Ansatz entwickeln, vielmehr den Versuch unternehmen, die in den Schriften Platons angelegte Philos. zu systematisieren. Von X.' Denken gingen so entscheidende Impulse zumal für den → Mittelplatonismus aus.

Die für die hell. Philos. bestimmende Gliederung der Philos. in die drei Disziplinen Physik, Ethik und Logik geht auf X. zurück (fr. 1 HEINZE = fr. 82 ISNARDI PARENTE). Er war damit maßgeblich für die Konzeption der → Ethik als philos. Disziplin; eine systematische Begründung für die bei X. pragmatische Unterteilung gab Aristoteles. Die für X. bezeugten ethischen Schriften weisen auf eine Ähnlichkeit in sachlich-thematischer Orientierung sowie im systematischen Aufriß mit Aristoteles (näher hierzu [8. 63–65]).

Im Bereich der → Dialektik (behandelt vornehmlich in der umfangreichen Schrift Περὶ μαθημάτων τῶν περὶ τὴν λέξιν/›Über Sprachwiss.‹; vgl. fr. 10/11 H. = fr. 88/89 I.P.) gab X. durch die Unterscheidung und Zusammenordnung von Sprachanalyse, Gesprächsdialektik und dialektischer Denktechnik der stoischen → Logik entscheidende Anregungen [8. 50].

Den Aufbau des Seienden (v. a. fr. 26 H. = fr. 100 I.P. in Verbindung mit fr. 5 H. = fr. 83 I.P.) übernahm X. offenbar ohne entscheidende Abweichungen von Platon (→ Ontologie; → Physik) und suchte hier auch die Verknüpfung mit der Prinzipienlehre Platons (so v. a. [7. 21–191; 8. 51]; → Prinzip); demgegenüber versuchten andere, die Position des X. einzig aus den platonischen Dialogen zu erklären [2; 3]. Dabei wird bei X. die besondere Bemühung um die Klärung des Aufbaus der einzelnen Seinsbereiche deutlich: Bei ihm ist nämlich die Generierung der Seinsbereiche konkret durchgeführt; in der Annahme von Spezialmaterien und Minimalgrößen für alle drei Dimensionen ist noch der Einfluß seines Vorgängers Speusippos deutlich spürbar (zur Physik des X. ausführlich [6. 333–362], zusammenfassend [8. 54 f.]). Eine bes. Rolle spielt bei X. der Himmelsbereich, in dem man gleichsam die »Mittelachse« [8. 51] der

Seinsordnung sehen kann. Diese Sonderstellung des Himmelsbereichs ergibt sich auch aus Platons ›Timaios‹. Ob X. mit der These, daß ideale und mathematische Zahlen und Größen zusammenfallen, einen Sonderweg beschritt, muß weiter offen bleiben (anders [8. 52]). Für X. ergibt sich die folgende Seinsabstufung (fr. 34 H. = fr. 103 I. P.): Prinzipien, Ideenzahlen und Mathematisches, Himmelsbereich mit Seele und sublunarisch Wahrnehmbares.

Daneben ist in fr. 15 H. = fr. 213 I.P. eine auf die Drei-Prinzipien-Lehre weisende kosmologische Seinsstufung erkennbar, in der (nicht über die zwei kosmologischen Prinzipien νοῦς/nus, »Intellekt« – μονάς/monás, »Eins«, und kosmische ἀόριστος δυάς/aóristos dyás, »unbestimmte Zweiheit«, hinaus) auf die Universalprinzipien zurückgegangen wird. Strittig ist, ob beide Ansätze als Aspekte einer Seinslehre verstanden werden können [4. 250 f.; 8. 62; 7. 122–124, 390–393]).

Mit der These eines ontologischen Vorrangs der Spezies vor der Gattung, analog dem Verhältnis von Teil und Ganzem, scheint X. (vielleicht unter dem Einfluß des Speusippos) eine Position eingenommen zu haben, wie sie für die Eidos-Lehre des Aristoteles maßgeblich war. Dies geht v. a. aus einem neu für X. erschlossenen, in arab. Überl. vorliegenden doxographischen Bericht des Alexandros [26] von Aphrodisias hervor (jetzt fr. 121 I. P., dt. Übers. bei [5. 188–190]) – zur Einordnung in den Kontext der altakademischen Eidos-Lehre und zu den Beziehungen zu Aristoteles vgl. [5. 130 ff.].

Überl. ist X.' Definition der Seele als selbstbewegter Zahl (fr. 60–65 H. = fr. 165–187, 189–194, 196–198 I.P.), in der er sich von der geometrischen Def. der Seele bei Speusippos absetzt (die Verwandtschaft betont jedoch [9. 47], insofern beide Def. den mathematischen Charakter der Seele hervorheben; dazu auch [3. 57 f.; 8. 56]). Neben der Denkseele nimmt X. auch eine vernunftlose Seele an; im Unterschied zu Aristoteles setzt er auch im vernünftigen Teil ein Begehrungsvermögen an (→ Seelenlehre).

Breiten Raum nahmen bei X. auch kosmologische Erörterungen ein. In diesem Zusammenhang findet sich auch die an Platons ›Timaios‹ und ›Sophistes‹ (Plat. soph. 265c und e) anknüpfende Definition der Idee als ›einer vorbildlichen Ursache der ewig wiederkehrenden Naturgebilde‹ (fr. 30 H. = fr. 94 I.P.: εἶναι τὴν ἰδέαν αἰτίαν παραδειγματικὴν τῶν κατὰ φύσιν ἀεὶ συνεστώτων; → Ideenlehre). Vielleicht geht damit auch die mittelplatonische Konzeption der »Ideen im Geiste Gottes« auf X. zurück [8. 61 f.; 7. 21 ff.].

X.' theologische Position, mit der er wieder vornehmlich an den platonischen ›Timaios‹ anknüpft, ist v. a. durch die Berücksichtigung der rel. Trad. bestimmt (vgl. fr. 15 H. = 213 I. P.), da die Elementarbereiche mit göttlichen Kräften ausgestattet sind, denen er allegorisch die Namen von Göttern zuweist. Hier ist eine popularisierende Tendenz unverkennbar, da der Olympische Götterkreis nicht nur in den Elementarkräften, sondern auch in Gestalt der sublunarischen → Dämonen sowie in den Gestirngöttern und im supramundanen → *dēmi-urgós* gegenwärtig ist. Mit seiner Theorie dämonischer Zwischenwesen, die in der Hierarchie über den Menschen stehen und denen auch die Aufgabe der Vermittlung zw. Göttern und Menschen zukommt, fixierte X. offenbar die Mythen der platonischen Dialoge ›Symposion‹, ›Politikos‹ und ›Nomoi‹. Auch von X.' → Dämonologie (C.1.) gingen entscheidende Impulse für den Mittelplatonismus aus.

→ Akademeia; Aristoteles [6]; Ideenlehre; Platon [1]; Speusippos

ED. MIT KOMM.: **1** R. HEINZE, X. Darstellung der Lehre und Slg. der Fr., 1965 (urspr. 1892) **2** M. ISNARDI PARENTE, Senocrate. Ermodoro: Frammenti, 1982.
LIT.: **3** H. CHERNISS, Die Ältere Akademie, 1966, 42–102 **4** H. HAPP, Hyle, 1971, 241–256 **5** H. J. KRÄMER, Aristoteles und die akademische Eidoslehre, in: AGPh 55, 1973, 119–190 **6** Ders., Platonismus und hell. Philos., 1971, 304–321, 333–362 **7** Ders., Der Ursprung der Geistmetaphysik, 1967 **8** Ders., X., in: GGPh² 3, 44–72 **9** PH. MERLAN, From Platonism to Neoplatonism, 1960.

K.-H.S.

[3] Sonst nicht bekannter griech. Tragiker des 3. Jh. v. Chr. (TrGF I 122). B. Z.

[4] Bildhauer aus Athen. Sowohl sein Vater Ergophilos als auch sein Sohn Themistokles waren Bildhauer. Als Lehrer des X. galt → Teisikrates, nach anderen → Euthykrates [2], die er beide an Fülle des Werkes übertroffen haben soll (Plin. nat. 34,83). Inschr. ist X. als Bildhauer am sog. Großen Siegesmonument der Attaliden in → Pergamon gesichert; er war somit im späteren 3. Jh. v. Chr. tätig. Weitere Signaturen sind aus → Oropos und → Elateia [1] erh. Bedeutend war seine Tätigkeit als Autor griech. kunsttheoretischer Schriften (vgl. die erh. lat. Titel: *De arte sua*, *Toreutice*, *De pictura*), die sich anhand zahlreicher Hinweise bei Plinius und Quintilian in Grundzügen rekonstruieren läßt. Anstelle philos.-abstrakter Begriffe der Literaturkritik (wie → *mímēsis*: »Nachahmung«; *alḗtheia*: »Wahrhaftigkeit«; *kalós*: »schön«; *mégethos*: »Größe«) verwendete X. auf die künstlerische Arbeit bezogene Kriterien wie Rhythmus, Symmetrie, Verkürzung und → Perspektive. Er stellte den Fortschritt in Bildhauerei und Malerei anhand einer Abfolge künstlerischer Erfindungen dar. Die Originalität seiner Theorie ist jedoch aufgrund des Verlustes vergleichbarer ant. kunsttheoretischer Schriften schwer einzuschätzen.

OVERBECK, Nr. 1527, 1528 · LOEWY, Nr. 135a, 135b, 154, 296 · B. SCHWEITZER, Xenokrates von Athen, in: Ders., Zur Kunst der Ant., Bd. 1, 1963, 105–164 · H. JUCKER, Vom Verhältnis der Römer zur bildenden Kunst der Griechen, 1950, 118–146 · P. MORENO, s. v. X., EAA 7, 1234 · Ders., Scultura ellenistica, 1994, 256–263. R. N.

[5] X. von Ephesos (auch »Sohn des Zenon«, *Zenonius*, genannt). Griech. Autor eines Steinbuches (→ *Lithiká*) aus der Zeit des Nero [1] (Mitte 1. Jh. n. Chr.). Plinius [1] d. Ä. zitiert ihn in B. 37 seiner *Naturalis historia* häu-

figer, z. B. 37,25 über die Gewinnung des Bergkristalls in Asien. Die Beschreibung umfaßte jeweils die Natur des Steines und seiner Unterarten, die Herkunftsländer, Farbe, Gestalt, Gewicht und Konsistenz sowie die physikalischen Eigenschaften und magisch-medizinischen Wirkungen. Mehrere spätere Werke zur Steinkunde werden auf ihn zurückgeführt [1]. Von einer arab. Übers. gibt es Fr. [2].

1 K. W. WIRBELAUER, Ant. Lapidarien, Diss. Berlin 1937 **2** M. ULLMANN, Das Steinbuch des X. von Ephesos, in: Medizinhist. Journ. 7, 1972, 49–64.

M. ULLMANN, s. v. X. (7), RE Suppl. 14, 974–977. C. HÜ.

[6] X. von Aphrodisias. Pharmakologe um 70 n. Chr. aus der Generation der Großeltern des → Galenos (Gal. 12,248,11), der zu den Quellen von → Plinius [1] zählt (Plin. nat. 20–30). Als einer der Ärzte, die in der Hs. *Vindobonensis med. gr.* 1 (f. 2ᵛ) diskutiert werden, stand er im 5.–6. Jh. n. Chr. in hohem Ansehen, obwohl er von Galenos stark kritisiert worden war, weil er in der Therapeutik die Verwendung von Heilmitteln menschlichen und tierischen Ursprungs (einschließlich Organen, Urin, Exkrementen und anderen physiologischen Produkten) befürwortete.

X. verfaßte verm. mindestens drei pharmakologische Abh.: (1) über therapeutische Eigenschaften von menschlichen und tierischen Körperteilen und -produkten (daraus könnte der Abschnitt über die diätetischen Eigenschaften von Meerestieren bei → Oreibasios stammen: Oreib. collectiones 2,58: CMG, Bd. 6.1.1, 47–57); (2) über therapeutische Eigenschaften von Pflanzen; (3) über zusammengesetzte Medikamente, die nicht unbedingt aus menschlichen oder tierischen Produkten bestehen; einige der Rezepturen sind bei Galenos überliefert.

C. FABRICIUS, Galens Exzerpte aus älteren Pharmakologen, 1972, 226 · F. KUDLIEN, s. v. X. (8), RE 9 A, 1529–1531.
A. TO./Ü: M. KRA.

Xenokritos (Ξενόκριτος).

[1] Chorlyriker des 7. Jh. v. Chr. aus Lokroi (Unteritalien). Er war in Sparta in der Generation nach → Terpandros an verschiedenen musikalischen Reformen zusammen mit → Thaletas und → Xenodamos beteiligt (Plut. de musica 9,1134b-c). Wie diese war er Komponist von → Paianen (Plut. l.c.), die in der Ant. wegen ihres mythisch-heroischen Stoffes auch als → *dithýrambos* klassifiziert wurden (Plut. de musica 10,1134e; [1. 41], vgl. [2. 15–17]). Pindar widmet eine längere Passage eines Gedichtes dezidiert X. als bedeutendem Paiandichter (Pind. fr. 140b MAEHLER) [3. 382–387]. Insbesondere galt X. als Erfinder der sog. »Lokrischen« Tonart (schol. Pind. O. 10; 17k; 18b DRACHMANN; Kall. fr. 669) [4. 184].

1 L. KÄPPEL, Paian, 1992 **2** Ders., Bakchylides und das System der chorlyrischen Gattungen im 5. Jh. v. Chr., in: A. BAGORDO, B. ZIMMERMANN (Hrsg.), Bakchylides.

100 Jahre nach seiner Wiederentdeckung, 2000, 11–26
3 I. Rutherford, Pindar's Paeans, 2001 **4** M. L. West,
Ancient Greek Music, 1985.   L. K.

[2] Athener. Bei der Gründung der panhellenischen
Kolonie → Thurioi 443 v. Chr. unter Führung Athens
mit → Lampon [2] als → *oikistḗs* wird X. bei Diod. 12,10
diesem als Mitgründer zur Seite gestellt.

D. M. Lewis, The Thirty Year's Peace, in: CAH 5, ²1992,
bes. 141–143.   K. KI.

[3] Griech. Grammatiker aus Kos, laut → Herakleides
[27] von Tarent (bei → Erotianos 4,24 Nachmanson)
Verf. des ersten Glossars zu → Hippokrates [6]. Der
maßgeblichen Interpretation [1] dieser Erotianos-Stelle
zufolge dürfte X. vor dem Herophileer → Kallimachos
[5], also zu Beginn des 3. Jh. v. Chr. gelebt haben.
Aus X.' Glossar ist einzig bei Erotianos (α 5 s. v.
ἀλλοφάσσοντες, 12,7 Nachmanson) die Erklärung des
Wortes ἀλλοφάσσειν in der im ion. Dialekt gebräuchlichen Bed. »delirieren« erhalten.

1 M. Fuhrmann, s. v. X. (4), RE 9 A, 1533 **2** Pfeiffer, KPI,
120 Anm. 26 **3** F. Susemihl, Gesch. der griech. Litt. in der
Alexandrinerzeit, 1891, Bd. 1, 346.   ST. MA.

[4] X. von Rhodos. Verm. zw. dem 3. Jh. v. Chr. und
der 1. H. des 1. Jh. n. Chr. zu datieren. Verf. zweier Epigramme, eines (verm. als Inschr.) für den Kenotaph einer jungen Schiffbrüchigen (Anth. Pal. 7,291), sowie
einer originellen epideiktischen Dichtung auf einer
Herme, die sich für die Aufstellung in einer Palaistra
Arme und Beine wünscht (Anth. Pal. 16,186).

FGE 101–103.   M. G. A./Ü: L. FE.

Xenombrotos (Ξενόμβροτος/Ξενόνβροτος). Nach [1.
Nr. 340] siegte X. 420 v. Chr. in Olympia mit dem Reit-
pferd (als erster seiner Heimatinsel Kos), sein Sohn Xenodikos [1. Nr. 363] 400 v. Chr. im Faustkampf der Ju-
gendklasse. Paus. 6,14,12 beschreibt ein gemeinsames
Denkmal beider, welches man mit IvOl 170 in Beziehung zu setzen versuchte. Wie [2. Nr. 49] gezeigt hat,
bezieht sich diese Inschr. allerdings nur auf den Sieg des
Vaters, dessen Vater ebenfalls den Namen Xenodikos
trug. Aus paläographischen und stilistischen Gründen
wird diese Inschr. in die zweite H. des 4. Jh. v. Chr.
datiert, so daß X. noch ca. drei Generationen nach dem
Anlaß die Ehre der Siegerinschr. widerfahren ist. Das
andere von Paus. (l. c.) erwähnte Denkmal ist arch. nicht
nachweisbar.

1 L. Moretti, Olympionikai, 1957 **2** J. Ebert, Epigramme
auf Sieger an gymnischen und hippischen Agonen, 1972.
      W. D.

Xenomedes (Ξενομήδης) von Keos. Logograph des
5. Jh. v. Chr. (Dion. Hal. de Thucydide 5). Verf. einer
Gesch. seiner Heimatinsel (Titel unbekannt!), woraus
Kallimachos [3] (Aitia 3, fr. 75 Pfeiffer) die berühmte
Erzählung von Akontios und Kydippe [1] entnahm.

Weitere von X. behandelte Themen nennt Kallimachos
(fr. 75,54–77, dazu [1]). X. wurde vielleicht auch von
Aristoteles [6] in seiner *Keíōn politeía* benutzt (fr. 511
Rose, vgl. auch 611,26–29).
→ Logographos

1 G. Huxley, Xenomedes of Keos, in: GRBS 6, 1965,
235–245.

FGrH 442 mit Komm.   K. MEI.

Xenon (Ξένων).
[1] Athenischer Bankier des 4. Jh. v. Chr., Zeuge in einem Prozeß wegen Vermögensschädigung (→ *blábēs díkē*) gegen → Phormion [2] ca. 350/49 (Demosth. or.
36,13 und 37).

PA 11322 • Traill, PAA 734715 • A. R. W. Harrison, The
Law of Athens, Bd. 2, 1971, 116f.   J. E.

[2] Tyrann von → Hermion(e), einer der Tyrannen auf
der Peloponnes, die nach dem Tod des Makedonenkö-
nigs Demetrios [3] 229 v. Chr. unter dem Druck des
Aratos [2] zurücktraten und ihre Stadt dem Achaiischen
Bund zuführten (→ Achaioi [1], mit Karte; Pol. 2,44;
Plut. Aratos 34 f.; Strab. 8,7,3).

H. Berve, Die Tyrannis bei den Griechen, 1967, 400 •
H. H. Schmitt, s. v. X. (3), RE 9 A, 1536f.   J. CO.

[3] *Stratēgós* des → Antiochos [5] III., zog sich 222
v. Chr. vor dem aufständischen → Molon [1] in feste
Städte am Tigris zurück. 190 konnte er als Kommandant
von → Sardeis nach der Niederlage des Antiochos Verhandlungen der ihm unterstellten Truppen und der Einwohner von Sardeis mit den Römern nicht verhindern
(Pol. 5,42,5; 43,7; Liv. 37,44,7).

H. H. Schmitt, Unt. zur Gesch. Antiochos' d. Gr., 1964,
128–130.   A. ME.

[4] Dichter der Neuen Komödie (3. Jh. v. Chr.), einzig
bekannt aufgrund zweier in der Schrift ›Über die Städte
in Griechenland‹ des → Herakleides [18] bewahrter
Verse aus einem unbekannten Stück [1]. Darin werden
die Bewohner von → Oropos als räuberische Zöllner
gebrandmarkt.

1 PCG VII, 1989, 802.   T. HI.

[5] Alexandrinischer Grammatiker (2. Jh. v. Chr.), der
neben → Hellanikos [2] zu den Hauptvertretern der
→ *chorízontes* gezählt wird (Prokl. vita Homeri 73–76
Severyns). Seine große Bed. für diese Richtung der
Homerkritik bis hin zur möglichen Begründung durch
X. (vgl. [1]) läßt sich aus → Aristarchos' [4] Schrift Πρὸς
τὸ Ξένωνος παράδοξον/*Prós to Xénōnos parádoxon* (›Gegen die falsche Lehrmeinung des X.‹, ScholiaII 12,435)
ableiten, die verm. als Widerlegung von X.s Thesen
konzipiert war [2. 119]. X.s eigene Schriften sind nicht
erh., auch in den Homerscholien fehlt ein direkter Bezug auf sein Werk [3. 154].

1 M. Fuhrmann, s. v. X. (15), RE 9 A, 1540
2 F. Montanari, in: SGLG 7, 119–121 3 A. Gudeman, s. v.
Hellanikos (8), RE 8, 153–155. M. B.

[6] Kommandant der maked. Besatzung von Telon in
→ Athamania; er übergab die Stadt 191 v. Chr. dem
→ Amynandros (Liv. 38,1,10 f.).

[7] Achaier aus Patrai, *stratēgós* des Achaiischen Bundes
(→ Achaioi) 174/3 (?) v. Chr. [1. 178¹⁰; 2. 333], verfolgte im 3. → Makedonischen Krieg und dessen Vorfeld
wie → Lykortas einen strikten Neutralitätskurs, suchte
aber 170/69 wie → Archon [2] und Stratios den radikalen Romfreunden keinen Vorwand zur Denunziation
zu geben (Pol. 28,6–7) [1. 178 f.; 3. 67 f.]. Unter den 167
als Kriegsverbrecher nach Rom überstellten ca. 1000
Achaiern (vgl. Pol. 30,13,8–11) befand sich X. infolge
pauschaler Beschuldigungen durch → Kallikrates [11],
die zu widerlegen X. sich in vollem Unschuldsbewußt-
sein selbst erboten hatte (Paus. 7,10,9–10) [1. 198 f.;
3. 97 f.]. In Rom starb X. wohl bald, da er nicht mehr
wie → Polybios [2] und Stratios von X. [8] unter den
zurückerbetenen Landsleuten genannt wurde.

[8] Achaier aus Aigion, bat 159 v. Chr. – und wohl erneut 155 – in Rom den Senat vergeblich um die Freilassung der im J. 167 deportierten Achaier, insbes. des
→ Polybios [2] und Stratios (Pol. 32,3,14–17; 33,1,3–8)
[1. 213; 3. 113].

1 J. Deininger, Der polit. Widerstand gegen Rom in
Griechenland 217–86 v. Chr., 1971 2 F. W. Walbank,
A Historical Commentary on Polybius, Bd. 3, 1979
3 H. Nottmeyer, Polybios und das Ende des Achäerbundes,
1995. L.-M. G.

[9] X. aus Athen, reicher Freund (und Geschäftspart-
ner?) des T. Pomponius [I 5] Atticus, war 51 v. Chr.
Gastgeber für Q. Tullius [I 11] Cicero (Cic. Att. 5,10,5)
und bewog M. Cicero, über den Areopag ein Bauvor-
haben des C. Memmius [I 3] in Epikurs Garten zu ver-
eiteln (ebd. 5,11,6). 45–44 zahlte X. den Unterhalt für
M. Tullius [I 10] aus, nach dem Geschmack der Familie
(ebd. 16,1,5) zu sparsam. Er ist verm. X., Sohn des Dios,
war Münzmagistrat ca. 70/69 (LGPN 2, X. Nr. 33, vgl.
13; [1. 51 f.]) und könnte selber Areopagit gewesen sein.

1 E. Rawson, Cicero and the Areopagus, in: Athenaeum
63, 1980, 44–67.

[10] X. aus Menai (Sizilien), 72 v. Chr. von C. → Verres
in einem – wohl legalen – Prozeß (um kollidierende
hell. und röm. Rechtsnormen: [1]) verurteilt (Cic. Verr.
2,3,55).

1 S. Mazzarino, In margine alle Verrine per un giudizio
storico sull'orazione De frumento, in: Atti del 1. Congresso
internazionale di Studi Ciceroniani, 1961, 2, 99–118.
JÖ. F.

Xenon-Gattung. Sondergruppe der → unteritalischen
Vasenmalerei, benannt nach der Aufschrift eines Gefäßes in Frankfurt mit der Vorbereitung des Wagenlenkers

Xenon zur Ausfahrt [1]. Bei der X.-G. wurde die Dekoration mit rotem Tonschlicker auf das mit dunklem
Glanzton bedeckte Gefäß aufgetragen (→ Gnathiavasen). Die verwendeten → Gefäße sind ausgesprochen
kleinformatig. Die Dekoration beschränkt sich hauptsächlich auf → Ornamente wie Efeu- und Lorbeer-
zweige, Stabornamente, Wellenlinien, Mäander usw.;
Darstellungen von Tieren oder Menschen sind dagegen
ausgesprochen selten. Die Produktion der X.-G. setzte
wohl gegen E. des 5. Jh. v. Chr. ein und endete am E.
des 4. Jh. v. Chr.

Zu den unterital. Vasengattungen mit aufgesetzten
Farben sind ferner die um 350 v. Chr. aufkommenden
fußlosen Schalen oder Teller der *Red-Swan*-Gruppe zu
zählen, benannt nach dem bevorzugten Motiv. Andere
Motive (Schlange, Hund oder andere Tiere, Eros, Gegenstände wie Kantharos oder Amphora) sind selten.
Die Außenseiten der Schalen sind mit floralen Ornamenten versehen.

1 CVA Frankfurt am Main (4) Liebighaus (CVA Deutschland,
Bd. 66), Taf. 65, 4–5.

J. Green, Native Apulian and Xenon, in: M. E. Mayo, K.
Hamma (Hrsg.), The Art of South Italy. Vases from Magna
Graecia, Ausstellung Richmond, 1982, 291 f. • E. D. G.
Robinson, Between Greek and Native: The Xenon Group,
in: J.-P. Descoedres (Hrsg.), Greek Colonists and Native
Populations. Proceedings of the First Australian Congr. of
Classical Archaeology, 1990, 251–265 • K. Schauenburg,
Stud. zur unterit. Vasenmalerei, 2001, 36–39. R. H.

Xenopeithes (Ξενοπείθης).
[1] Athener des späten 5. und frühen 4. Jh. v. Chr., Sohn
des Nausimachos aus dem Demos Paiania; errang ca.
385–366 einen Sieg mit einem Knabenchor an den
→ Thargelia (IG II² 1138,20); evtl. Onkel von X. [2]
(vgl. [1]). Traill, PAA 733255.

1 PA 11263 2 Davies, 415 f.

[2] Athener, Sohn des Nausikrates aus dem Demos Paiania, verklagte mit seinem Bruder Nausimachos ca. 350–
346 v. Chr. die Söhne ihres ca. 363 verstorbenen Vormundes Aristaichmos trotz eines schon mit diesem erzielten Vergleiches erneut auf Herausgabe einer hohen
Geldsumme (Demosth. or. 38) [1]. Traill, PAA 733260.

1 PA 11262 2 Davies, 416–418 3 G. Kleindienst, De causa
orationis in Nausimachum et X. Demosthenicae (XXXVIII),
1913. J. E.

Xenophanes (Ξενοφάνης).
[1] X. aus Kolophon. Griech. Dichter, Ges.- und
Religionskritiker, Naturphilosoph (6./5. Jh. v. Chr.).

I. Leben und Überlieferung II. Philosophie
III. Einflüsse und Rezeption

I. Leben und Überlieferung
X.' Lebenszeit ist (gleicht man einige Widersprüche
in der ant. biographischen Trad. aus) zw. 570 und 467

v. Chr. anzusetzen; er wurde einer autobiographischen Bemerkung zufolge über 90 Jahre alt (21 B 8 DK). Die ant. Doxographie bringt ihn mit Elea (→ Velia) und → Parmenides in Verbindung; daß er die → Eleatische Schule gegründet haben soll, wird heute allg. abgelehnt (s.u.). Ziemlich sicher ist, daß X. von Ionien in den griech. Westen übersiedelte, daß er in Sizilien und vielleicht auch Süditalien tätig war und daß ihn seine Reisen als wandernder Rhapsode durch das ganze »hellenische Land« (21 B 8 DK) führten. X. ist der erste Philosoph der sog. → Vorsokratiker, von dem neben doxographischen Testimonien auch eine größere Anzahl wörtlicher Zitate aus seiner elegischen, hexametrischen und iambischen Dichtung überl. ist. Viele der Fr. stammen verm. aus einem Werk in 5 B. mit dem Titel Σίλλοι (Sílloi, ›Spottgedichte‹). Die ant. Nachr., daß er auch epische Gedichte über die Gründung von Kolophon und die Kolonisierung von Elea geschrieben habe, werden h. überwiegend bezweifelt.

II. Philosophie

X.' Gesellschaftskritik zielt auf einige der größten »Ikonen« griech. Kultur: gegen die Verherrlichung siegreicher → Athleten (21 B 2 DK), gegen → Homeros und → Hesiodos wegen ihrer Thematisierung von Streit und Gewalt (21 B 1,21–23 DK) und ihrer Darstellung unmoralischer Götter (21 B 11; 12 DK). Er kritisiert energisch kulturspezifische rel. Vorurteile (›Die Äthiopier stellen ihre Götter als Schwarze dar, die Thraker als Blauäugige und Rothaarige‹, 21 B 16 DK) und polemisiert gegen den → Anthropomorphismus (21 B 14 DK; ›Wenn Pferde oder Ochsen oder Löwen malen könnten‹, würden sie ihre Götter als die entsprechenden Tiere darstellen: 21 B 15 DK). X. verwirft den Glauben an günstige oder unheilvolle Epiphanien: Der Regenbogen ist nicht die Göttin Iris (21 B 32 DK), die → »Dioskuroi« der Seeleute (Elmsfeuer) sind nicht die göttlichen Zwillinge (21 A 39 DK) – beide Phänomene sind vielmehr spezielle Fälle von Wolkenbildung.

Für jeden der von ihm kritisierten Punkte formuliert X. eine Alternative. Die übermäßigen Ehren für die Athleten sollten besser einem weisen Dichter wie ihm selbst zuteil werden (21 B 2 DK); gegen die schädlichen Einflüsse epischer Dichtung setzt er in der berühmten Symposionselegie (21 B 1 DK) gesittetes Verhalten und erbauliche Dichtung als Programm. In einem für die Griechen ersten Schritt zu philos. → Theologie (und wahrscheinlich in erster Linie zum → Monotheismus) formuliert X. eine neue Gotteskonzeption: Nach dem Kriterium des »Geziemenden« (vgl. ἐπιπρέπει/epiprépei 21 B 26,2 DK) schließt er auf einen ›einzigen Gott, unter Göttern und Menschen der größte, weder an Körper den Sterblichen ähnlich noch an Geist‹ (21 B 23 DK); Gottes Wahrnehmung ist unmittelbar, ganzheitlich und nicht an die Sinnesorgane gebunden (21 B 24 DK); Gott »schüttelt« (κραδαίνει/kradaínei) alle Dinge oder das Ganze (πάντα/pánta), ohne Mühe und ohne physische Eigenbewegung, durch einen bloßen Denkakt (21 B 25, 26 DK). X.' Entmythologisierung der Naturphänomene

wird durch seine → Kosmologie gestützt: Die Erde dehnt sich unbegrenzt in die Tiefe aus (21 B 28 DK), über ihr erstreckt sich – wohl ebenfalls unbegrenzt – der Bereich wäßriger Dünste, der u. a. auch eine Unzahl außergewöhnlicher Wolken enthält, die ›Licht (und Farbe) ausstrahlen, und zwar aufgrund einer gewissen Bewegung‹ (διὰ τὴν ποιὰν κίνησιν παραλάμποντα: 21 A 39 DK). Diese speziellen Wolkenformationen umfassen alle Himmelserscheinungen: von erdnahen Phänomenen (Regenbogen, »Dioskuroi«) bis hin zu Sonne, Mond und Sternen. Auf oder nahe der Erdoberfläche liefern die Erd- und Wassermasse diejenigen Stoffe, die für die Erzeugung der verschiedenen Lebewesen konstitutiv sind (21 B 29; 33 DK). Diese Mischung wird durch einen kosmischen Prozeß von Ebbe und Flut bewirkt, wobei Teile der Erdoberfläche bald über, bald unter Wasser stehen. X. soll diesen Schluß aus der Betrachtung von Meeresfossilien gezogen haben (21 A 33,5–6 DK).

X. bietet als erster griech. Philosoph eine → Erkenntnistheorie. Göttliche Offenbarung spielt dabei keine Rolle: ›Mit der Zeit finden die Sterblichen suchend das Bessere‹ (21 B 18 DK). Primäre Erkenntnisquelle sind offenbar die Sinne (21 B 36 DK), die allerdings von Fall zu Fall durch vergleichende Wahrnehmung kontrolliert werden müssen: ›Wenn Gott nicht den Honig erschaffen hätte, so würde man Feigen viel süßer finden‹; 21 B 38 DK). Über das Nicht-Wahrnehmbare (z. B. die Tiefenerstreckung der Erde, das Wesen des Gottes, vergangene Flutzeiten oder die Natur von Himmelskörpern) können sich die Sterblichen – wie es X. erklärtermaßen tut – mit Extrapolationen oder Vermutungen behelfen (δόκος/dókos, δοξάζειν/doxázein, 21 B 34,5; 21 B 35 DK), die ›angemessen‹ (21 B 26,2 DK) oder ›der Wahrheit ähnlich‹ sind (ἐοικότα τοῖς ἐτύμοισι, 21 B 35 DK).

III. Einflüsse und Rezeption

In vielen mod. Darstellungen der griech. → Philosophie und → Wissenschaft erscheint X. als zweitrangiger Denker, oft wird er aus zwei Gründen ganz übergangen:

(1) Nachteilige Folgen hatte v. a. die »eleatisierende Interpretation« des X. durch Platon [1], der eher scherzhaft bemerkt, daß der eleatische Monismus ›mit X. und sogar früher‹ begonnen habe (Plat. soph. 242d 5). Aristoteles [6] autorisiert diese Vorstellung einer eleatischen »Erbfolge«, wenn er auch einräumt, daß X.' einziger Schritt zum Monismus die Lehre von einem einzigen Gott sei (Aristot. metaph. 1,5,986b 20–25). Seit Aristoteles wird X. regelmäßig in eine Reihe mit den drei Eleaten (Parmenides, Zenon [1] und Melissos) gestellt. So verbindet die ps.-aristotelische Schrift De Melisso, Xenophane et Gorgia, peripatetischer oder skeptischer Herkunft, Elemente der Theologie des X. gewaltsam mit einer quasi-eleatischen Ableitung der Eigenschaften des »Einen«. Diese Eleatisierung reduziert X. zum bloßen Vorläufer des → Parmenides. Sie fördert zudem Mißverständnisse seiner Kosmologie (z. B. wird aus X.' unendlicher Erde eine Kugel) und vernachlässigt seine

Naturphilos., die nach dem Vorbild der parmenideischen *dóxai* als epistemologisch zweifelhaft verstanden wird.

(2) Negativ gewirkt hat auch die Überschätzung vermeintlicher früher Durchbrüche in der griech. Philos. und Wiss. des 6. Jh. v. Chr. Gemessen an scheinbar überlegenen früheren Modellen mußten. X.' Lehre von einer unbegrenzten Erde und seine Wolken-Astrophysik als Rückfälle in primitives Denken erscheinen. Befreit von ungerechtfertigten Vergleichen kann X.' Naturphilos. heute um einiges günstiger beurteilt werden: als ein intelligenter früher Versuch, Empirie und Theorie in einem kohärenten Naturverständnis zu vereinen.

X.' Verbindung zu seinen drei milesischen Vorgängern (vgl. → Milesische Schule) ist recht deutlich erkennbar. Die konstitutive Rolle des Wassers bei X. erinnert an → Thales, das Thema des ἄπειρον (*ápeiron*, sei es als »Unbestimmtes«, »Unbegrenztes« oder »Unendliches« verstanden) an → Anaximandros und → Anaximenes [1] (vgl. → Unendlichkeit). Das Verhältnis zw. Gott und Welt bei X. kommt dem Verhältnis zw. dem alles umgebenden *ápeiron* und der Welt bei Anaximandros sehr nahe. Die Wolkentheorie setzt offenkundig das Verdünnungs-/Verdichtungs-Schema des Anaximenes fort. Wie X. mißt bereits Anaximandros Gegensätzen große Bed. zu.

Auch ohne verzerrende eleatisierende Umdeutung ist X.' Einfluß auf andere beträchtlich. So mag der eleatische *élenchos* (»argumentierende Widerlegung«) tatsächlich einiges dem Geist und der Methode der weitverbreiteten *Sílloi* verdanken. X.' kritische Erkenntnistheorie findet unüberhörbaren Widerhall bei → Parmenides, nicht nur in dessen Kontrastierung der *dóxai* (»irrige Meinungen«) der Sterblichen mit dem eigentlich philos. *noeín* (»erkennenden Denken«), sondern auch in dem für Parmenides zentralen Schluß von Epistemologie auf → Ontologie. Bewußt skeptizistisch gelesen (u. a. von → Timon [3] von Phleius), beeinflußte X.' Epistemologie auch den → Skeptizismus nachhaltig. X.' Herleitung »geziemender« Attribute einer Gottheit hat bekannte Parallelen bei Platon (Plat. rep. 380d-383a), der zudem X.' Auseinandersetzung mit der epischen Dichtung wiederaufleben läßt (rep. 377d-394c). X.' völlig nichtanthropomorpher und unbewegter Gott, der ›alle Dinge schüttelt‹ (21 B 24 DK), ist ein Vorläufer des aristotelischen »unbewegten Bewegers«. Auch X.' These, daß der Philosoph die höchsten Ehren der Polis mehr verdiene als ein Olympiasieger, kehrt in einem berühmten platonischen Text wieder: Sokrates' [2] Verteidigungsrede (Plat. apol. 36d 4-37a 1).

FR.: DIELS/KRANZ I (Nr. 21), 113–139 · GENTILI-PRATO, 144–183 · M. UNTERSTEINER (ed.), Senofane, 1956 (mit it. Übers. und Komm.) · E. HEITSCH (ed.), X., 1983 (mit dt. Übers. und Komm.) · J. H. LESHER (ed.), X. of Colophon, 1992 (mit engl. Übers. und Komm.).
BIBLIOGR.: B. ŠIJAKOVIČ, Bibliographia praesocratica, 2001, 460–467.
LIT.: A. KELESIDOU, Ἡ Φιλοσοφία τοῦ Ξενοφάνη, 1996 ·

J. MANSFELD, De Melisso Xenophane Gorgia: Pyrrhonizing Aristotelianism, in: RhM 131, 1998, 239–276 · A. P. D. MOURELATOS, »X Is Really Y«: Ionian Origins of a Thought Pattern, in: K. J. BOUDOURIS (Hrsg.), Ionian Philosophy, 1989, 280–290 · Ders., La terre et les étoiles dans la cosmologie de Xénophane, in: A. LAKS, C. LOUGUET (Hrsg.), Qu'est-ce que la philos. présocratique?, 2002, 331–350 · P. STEINMETZ, X.studien, in: RhM 109, 1966, 13–73 · T. WIESNER, Ps.-Aristoteles, MXG: der histor. Wert des X.referates, 1974. AL. M./Ü: B. ST.

[2] Athener, Sohn des Kleomachos, im 2. → Punischen Krieg Gesandter des → Philippos [7] V. für den Abschluß des maked.-karthagischen Bündnisses (vgl. Pol. 7,9,1) [1. Nr. 104]. X. wurde auf der Rückreise mit seiner Delegation samt karthagischer Begleitung zur See von den Römern aufgebracht (wobei der Vertrag entdeckt wurde), in Rom verhört und schließlich freigelassen (Liv. 23,34,5–9; App. Mac. 1,2; Iust. 29,4,2f.; Zon. 9,4,2–4) [2. 245]. Ob X. auch bereits bei der Reise nach → Capua gefangengenommen worden, jedoch durch freche Täuschung des Praetors M. → Valerius [I 27] Laevinus freigekommen war und somit zu → Hannibal [4] gelangen konnte (Liv. 23,33,6–9), ist umstritten [2. 241[83]; 3. 272].

1 E. OLSHAUSEN, Prosopographie der hell. Königsgesandten, 1974 2 J. SEIBERT, Hannibal, 1993 3 Ders., Forschungen zu Hannibal, 1993 4 PAA 733550. L.-M. G.

[3] Iambograph, aus Lesbos stammend, Lebenszeit unbekannt, erwähnt von Diog. Laert. 9,20 (= IEG II[2] p. 191). M. D. MA./Ü: T. H.

Xenophilos (Ξενόφιλος).

[1] Komödiendichter des 5. Jh. v. Chr., siegte einmal an den Lenäen [1. test. 2] und einmal vielleicht auch an den Dionysien [1. test. 1]; weder Stücktitel noch Fr. sind erhalten.

1 PCG VII, 1989, 803. B. BÄ.

[2] X. von Chalkidike. Schüler des → Philolaos [2] (Diog. Laert. 8,46) und einer der letzten Pythagoreer (Iambl. v. P. 251; vgl. → Pythagoras [2]). X. erregte in der Ant. v. a. aufgrund seines Alters (105 J.) Aufsehen (Val. Max. 8,13 ext. 3; Plin. nat. 7,168; Lukian. Macrobii 18). Das heutige Interesse an X. ist darin begründet, daß er Lehrer des → Aristoxenos [1] war, der in der pythagoreischen Trad. den Platz eines Abtrünnigen einnimmt, da sich seine musiktheoretische Schule zum Gegenpol des Pythagoreismus entwickelte (vgl. Ptol. harmonika 1,2). RO. HA.

[3] Offizier unter → Alexandros [4] d. Gr., 331 v. Chr. zum Burgkommandanten von → Susa ernannt (Curt. 5,2,16; anderer Name bei Arr. an. 3,16,9, der seine Quelle mißverstanden haben muß: [1. 319]). Er hielt die Burg mit dem dort aufbewahrten Schatz (vgl. Athen. 12,514e-f) für → Eumenes [1] gegen → Seleukos [2] (Diod. 19,17,3; 18,1: 317 v. Chr.). Nach Eumenes' Tod traf er mit Seleukos ein Abkommen und reiste, ohne die Burg auszuliefern, zwecks Verhandlungen zu → Antigonos [1], der ihn mit geheuchelter Freundlichkeit aufnahm, um sich der Burg zu bemächtigen (Diod. 19,48,6). Aus Diodoros darf man schließen, daß er dann getötet wurde.

1 A. B. BOSWORTH, A Historical Commentary on Arrian's History of Alexander, Bd. 1, 1980 2 CH. HABICHT, s. v. X. (3), RE 9 A, 1565 f. E. B.

[4] Griech. Historiker, nach 600 v. Chr. Verf. von Λυδικαὶ ἱστορίαι (*Lydikaí historíai*). Nur ein Fragment hat sich erhalten (FGrH 767): Sadyattes [2], der König von Lydien (ca. 625–600), heiratete seine Schwester Lyde und zeugte mit ihr den Nachfolger → Alyattes, vgl. FGrH 90 Nikolaos F 63. PE. HÖ.

Xenophon (Ξενοφῶν).

[1] Athener. Zunächst Kommandant der → Reiterei (*hippárchēs*; IG I³ 511); nahm dann als → *stratēgós* 441/40 v. Chr. am Feldzug gegen Samos teil (Androtion FGrH 324 F 38), war auch in den folgenden Jahren *stratēgós* und operierte 430/429 als solcher in Thrakien. Wegen der eigenmächtig angenommenen Kapitulation von → Poteidaia wurde er angefeindet (Thuk. 2,70), blieb aber im Amt und fiel als *stratēgós* im Sommer 429 bei Spartolos während eines Feldzugs gegen Chalkidier und Bottier (Thuk. 2,79,1–7; Diod. 12,47,3). Eine Tochter des X. heiratete einen reichen Athener, der als *triḗrarchos* 389 oder 388 fiel. Nach seinem Tod geriet dessen Sohn in Verdacht, konfisziertes Vermögen in Besitz zu haben (Lys. or. 19).

DAVIES, 199 f. · TRAILL, PAA 734360 · D. HAMEL, Athenian Generals, 1998, 43 f.; 142; 205–208. W. S.

[2] X. aus Athen (Ξ. Ἀθηναῖος), aus dem Demos Erchia, etwa 430 bis etwa 354 v. Chr. Griech. Schriftsteller, Gesch.-Schreiber und → Sokratiker (Kurzbiographie bei Diog. Laert. 2,48–59).

I. LEBEN   II. SCHRIFTEN

I. LEBEN

X., Sohn des Gryllos, stammte verm. aus dem wohlhabenden Ritterstand. Kindheit und Jugend fielen in den → Peloponnesischen Krieg, seine Bekanntschaft mit → Sokrates [2] in die Jahre nach 410. 401 nahm X. nach eigener Aussage ohne mil. Funktion am Feldzug des → Kyros [3] d. J. gegen dessen Bruder, den Perserkönig → Artaxerxes [2], teil. Nach dem Tode des Kyros in der Schlacht bei → Kunaxa und der heimtückischen Ermordung der griech. Feldherren führte X. zusammen mit dem Spartaner Cheirisophos [1] die griech. → Söldner durch Anatolien zurück nach Trapezus, trat dann mit diesen in den Dienst des Thrakerkönigs → Seuthes [2] und schloß sich 399 v. Chr. den Spartanern unter Thibron [1] II. an, deren Ziel die Befreiung der ionischen Städte von den Persern war. 396 traf er in Kleinasien mit dem Spartanerkönig Agesilaos [2] zusammen, kehrte mit ihm nach Griechenland zurück und kämpfte 394 auf spartanischer Seite bei → Koroneia gegen die mit Athen verbündeten Boioter (→ Boiotia B.; → Korinthischer Krieg). Ob hierin der Grund für seine Verbannung aus Athen lag oder in der Teilnahme am Feldzug des Kyros (in diesem Zusammenhang erwähnt sie Xen. an. 7,7,57) ist strittig [1]. X. erhielt wohl von Agesilaos ein Landgut in → Skillus (Xen. an. 5,3; Diog. Laert. 2,52; Paus. 5,6,5). Nach der Niederlage → Spartas gegen die Boioter bei Leuktra (371 v. Chr.) und dem Angriff auf Skillus durch Elis ließ sich X. in Korinth nieder. Um 365 hob Athen seine Verbannung auf, doch blieb X. vielleicht in Korinth (Diog. Laert. 2,56). Seine Schrift *Póroi*, verfaßt 355 v. Chr., liefert den *terminus post quem* für seinen Tod. Viele Werke sind wohl in Skillus entstanden, aber ›mit Ausnahme der *Anábasis* sind die großen Werke X.s spät‹ [13. 1902]. Nach dem ant. Schriftenverzeichnis ist sein gesamtes Werk erhalten.

II. SCHRIFTEN

A. HISTORIOGRAPHISCHE SCHRIFTEN
B. POLITISCH-DIDAKTISCHE SCHRIFTEN
C. SOKRATISCHE SCHRIFTEN   D. LEHRSCHRIFTEN
E. STIL UND NACHWIRKUNG   F. UNECHTES

A. HISTORIOGRAPHISCHE SCHRIFTEN

In der histor. Monographie Ἀνάβασις (*Anábasis*) beschreibt X. in 7 B. [3] zunächst den »Zug der Zehntausend«, der griech. Söldner im Dienste des Kyros [3] nach Asien sowie die Rückführung der Truppen nach der Schlacht bei Kunaxa (Xen. an. 1,8) und seine Rolle dabei bis zur Übergabe an Thibron. Das eigene Erleben des verlustreichen Rückmarsches mit ständigen mil. Herausforderungen an Anführer und Soldaten, aber auch die scharfe Beobachtung der Empfindungen der Soldaten, etwa kurz vor dem Anblick des Schwarzen Meeres (ebd. 4,7,21–26: θάλαττα/*thálatta*!), machen die Darstellung anschaulich und spannend. Doch gab sich X. als Autor nicht zu erkennen, sondern veröffentlichte die *Anábasis* unter dem Pseudonym → Themistogenes von Syrakus (Xen. hell. 3,1,2), wohl weil ihm dies eine wirksamere Selbstdarstellung erlaubte (›sonst kein schlechter Mann, aber ein Freund der Soldaten‹: Xen. an. 7,6,4, vgl. auch 4,6,3) und er so – z. T. apologetisch anmutend – die Entscheidungen eines Führers rechtfertigen konnte, der für das Leben der Soldaten verantwortlich war.

Im Geschichtswerk Ἑλληνικά (*Hellēniká*, in 7 B.) führt X. anfangs die von → Thukydides [2] unvollständig (bis 411 v. Chr.) hinterlassene Darstellung des → Peloponnesischen Krieges bis zu dessen Ende 404 fort (Xen. hell. 1,1–2,3,10) und folgt dabei Thukydides in chronologischer Anordnung und Stil. Der Rest von B. 2 behandelt die oligarchische Revolution von 404 (→ *triákonta*) und die Restauration der Demokratie in Athen. In den B. 3–7 (bis zum Jahr 361 v. Chr.) wechselt die Perspektive zu → Sparta: Krieg Spartas gegen die Perser

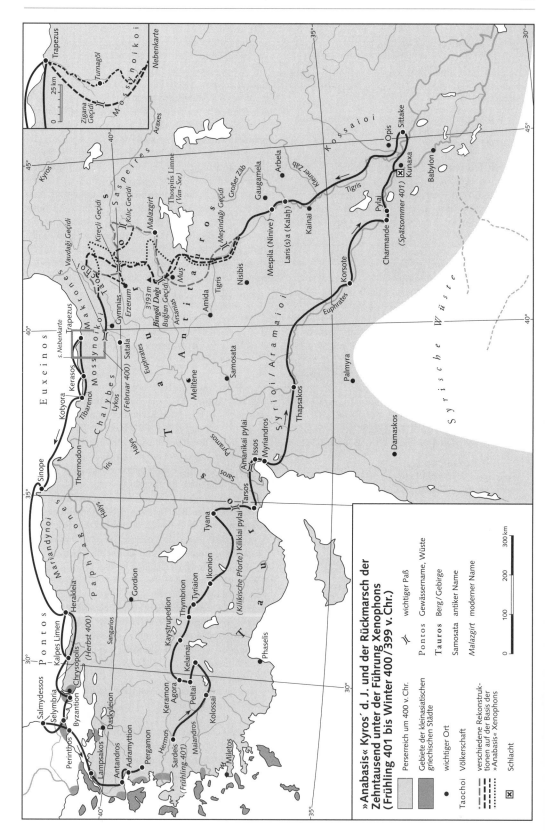

»Anabasis« Kyros´ d. J. und der Rückmarsch der
Zehntausend unter der Führung Xenophons
(Frühling 401 bis Winter 400/399 v.Chr.)

und gleichzeitige Ereignisse in Griechenland von 401 bis 386 (3,1–5,1); Vorherrschaft Spartas und dessen Niedergang während der Hegemonie Thebens (5,2; vgl. → Thebai [2] II. C.). Das Werk endet mit der Schlacht bei → Mantineia (362 v. Chr.). Darin spiegeln sich eigene Erinnerungen an die Zeit mit → Agesilaos [2] wider, erweitert um Berichte wohl hauptsächlich spartanischer Gewährsmänner über Ereignisse, die X. nicht selbst miterlebte. Seine mil. Sachkenntnis schlägt sich in detaillierter Darstellung kriegerischer Aktionen nieder.

Anders als Thukydides sucht X. nicht systematisch Informationen oder will Ursachen analysieren, sondern nutzt histor. Vorgänge paradigmatisch zum Nachweis menschlicher Größe bei Einzelpersonen und verfolgt damit – wie auch sonst (vgl. 5,3,7) – eine moralisierende Tendenz. Dabei zeigt er deutlich Präferenzen, etwa für Agesilaos, vernachlässigt dagegen andere Gestalten (z. B. → Epameinondas) und ignoriert wichtige Ereignisse (wie die Befreiung von → Messana [2] und Gründung von → Megale Polis). Anders als Aristoteles [6] (pol. 1269a 28–1271b 19) kann (oder will) X. strukturelle Schwächen Spartas nicht analysieren und erklärt dessen Niedergang (Xen. hell. 5,4,1) mit dem Zorn der Götter, weil es den griech. Staaten keine Autonomie gewähren wollte. Mit der dramatischen Darstellung von Einzelereignissen (z. B. der Niederlage Athens: ebd. 2,2) nimmt er die auf Effekt abzielende hell. → Geschichtsschreibung vorweg (zu X.s Historiographie insgesamt vgl. [2]).

B. POLITISCH-DIDAKTISCHE SCHRIFTEN

Die Κύρου παιδεία (*Kýru paideía*, ›Kyrupädie‹, d. h. »Erziehung des Kyros«) in 7 (8) B. [4] ist ein fiktives Werk über das Leben des Gründers des Perserreiches, → Kyros [2] (Regierungszeit 559–529). Dessen im Titel genannte Erziehung wird nur in B. 1 behandelt, während in B. 2–8 die Bewährung der Erziehungsgrundsätze in vielfältigen Situationen gezeigt wird (Xen. Kyr. 4,2,45; 5,4,12): hauptsächlich in kriegerischen Verwicklungen, in denen sich Kyros' überlegene analytische Fähigkeit zur Einschätzung mil. Situationen und zu umsichtiger Planung zeigt (7,5,5) und er sein Heer durch persönliche Integrität (5,2,10), Großzügigkeit und Sorge um das Wohl aller zu äußersten Leistungen anspornen (vgl. 3,3,59; 5,1,26) und ein Großreich erobern kann. In Reden oder Zwiegesprächen erweist sich seine Position rational als einzig begründbare, weil letztlich nützliche. Kyros macht nie Fehler. Bei der Verwaltung seines Reiches (ab 7,5,37) präsentiert er sich den Untertanen als moralisches Vorbild (8,1,21). Das Schlußkapitel (8,8) bietet mit der Darstellung von Verbrechen und Luxus in Persien nach Kyros' Tod den *terminus post quem* für das Kapitel und wohl auch für das gesamte Werk, weil es den → Satrapenaufstand von 362/1 voraussetzt. Schon Cicero (ad Q. fr. 1,1,23) sah, daß X. in der *Kýru paideía* nicht histor. Wahrheit anstrebte, sondern das Bild gerechter Herrschaft zeichnen wollte (→ Fürstenspiegel). Es ist bezeichnend, daß X. dafür einen → »Barbaren« als Muster wählte.

Im Ἱέρων (*Hiérōn*; dazu [5]), einem fiktiven Gespräch, tauschen der Tyrann → Hieron [1] von Syrakus und der Dichter → Simonides von Keos ihre Vorstellungen von der → *tyrannís* aus. Der Tyrann hebt (Xen. Hier. 1–7) ausschließlich deren negative Seite hervor (etwa ein Leben in permanenter Angst vor Nachstellungen), der Dichter hält ihm (ebd. 8–11) deren allg. als positiv geltende Züge entgegen, wobei er ihm nahelegt, seine großen finanziellen und polit. Möglichkeiten zum Wohl der Gesamtheit zu nutzen und sich so wirkliche Freundschaft zu erwerben. Das negative Bild zeigt viele Übereinstimmungen mit Platons [1] »Staat« (B. 8 und 9) und Aristoteles (pol. 1320b 1–1323a 15; vgl. → Verfassung).

Die Schrift Ἀγησίλαος (*Agēsílaos*) ist als Lobpreis (ἔπαινος/*épainos*) auf den Spartanerkönig → Agesilaos [2] gedacht (Xen. Ag. 1,1). Sie gehört damit zur lit. Gattung des → *enkōmion*, verrät Einfluß von → Isokrates' *Euagóras*, steht aber der Historiographie näher, da X. im ersten Teil (1–2) die mil. Leistungen des Agesilaos in Anlehnung an die *Hellēniká* (vgl. [6]) schildert. Im zweiten Teil (3–11) wird Agesilaos nicht nur als die Verkörperung des guten Königs, sondern auch als Vorbild für alle nach wahrer Tugend Strebenden dargestellt (10,2); damit verfolgt die Schrift protreptische Absichten. Der *Agēsílaos* wurde nicht lange nach dem Tod des Königs verfaßt und nimmt ihn gegen mögliche Kritik in Schutz (ebd. 2,23).

In der Λακεδαιμονίων πολιτεία (*Lakedaimoníōn politeía*, ›Verfassung der Spartaner‹) führt X. Macht und Ruhm → Spartas auf die vom Gesetzgeber → Lykurgos [4] geschaffenen Einrichtungen zurück: ein Erziehungssystem, das schon früh Männlichkeit, Gehorsam (Xen. lak. pol. 8) und Gemeinschaftssinn (6,1) einübt sowie staatliche Institutionen, die mit diesen Werten verbunden sind, wobei die → *éphoroi* die Werte der Gemeinschaft strengstens überwachen und der Platz in der → *gerusía* den Lohn für ausgezeichnetes Verhalten darstellt (10). Ausführlich legt X. die mil. Organisation Spartas (11–13) dar. Mit der Feststellung im letzten Kap. (14), daß die Führer Spartas seiner Zeit die Gesetze des Lykurgos nicht mehr befolgten, will er wohl zur Besinnung auf die alten Werte anregen, vielleicht auch den Athenern einen Spiegel vorhalten (vgl. Xen. mem. 3,5,16).

Die Abh. Ἱππαρχικός <λόγος> (*Hipparchikós <lógos>*, ›Vom Kavalleriekommando‹) richtet sich an einen Mann, der das Amt des Kavallerieanführers (*hípparchos*; vgl. → *hippeís*; → Reiterei) übernehmen soll, behandelt alle Aspekte der Führung einer Reiterabteilung, u. a. Mittel und Wege, die Loyalität der Reitermannschaft zu gewinnen (Xen. hipp. 6), oder strategische Ratschläge, z. B. wie man dem Gegner eine Reiterabteilung größer erscheinen läßt (5,5).

Die Πόροι (*Póroi*, oft als lat. *Vectigalia* zitiert, ›Einkünfte‹) beinhalten Vorschläge zur Sicherung der Versorgung der Bürger Athens nach dessen Niederlage im → Bundesgenossenkrieg [1] 355 v. Chr., ohne dabei wie bisher ungerechte Maßnahmen gegen die Bundesgenossen zu ergreifen. Die Ansiedlung von → *métoikoi* oder eine Förderung des Handels sollen Athen ökonomisch stärken. In der Hauptsache regt X. hier eine einmalige Sondersteuer zum Kauf von Sklaven durch den Staat an; diese sollen an Pächter der Silberminen in → Laureion vermietet, aus den Mieterträgen sollen jedem Bürger drei Obolen pro Tag bezahlt werden. Diese Maßnahme in der Trad. des Besoldungssystems der attischen Demokratie (→ *dēmokratía*) ist schwer mit den ansonsten eher aristokratischen Vorstellungen X.s zu vereinbaren. Das Schlußkapitel legt deshalb die Deutung nahe, X. habe mit dieser täglichen Zahlung die Besoldung für polit. Tätigkeit (vgl. → *misthós* III.) ersetzen und somit die von Kritikern der Demokratie beklagten negativen Folgeerscheinungen der Bezahlung für polit. Aktivitäten beenden wollen [14. 15–30].

C. Sokratische Schriften

Neben den Werken histor. und polit. Inhalts verfaßte X. auch eine Reihe philos. Schriften, angeregt durch und über die Person des → Sokrates [2] (vgl. → Sokratiker), den er nach mehrfacher Aussage persönlich kennengelernt hatte. Die Ὑπομνημονεύματα Σωκράτους (*Hypomnēmoneúmata Sōkrátus*; lat. *Memorabilia*) enthalten X.s ›Erinnerungen an Sokrates‹ in 4 B.: Zu Beginn (Kap. 1–2) widerlegt X. die Anklagepunkte gegen Sokrates, im folgenden belehrt Sokrates in meist kurzen Gesprächen den Dialogpartner über Aspekte moralischen Handelns, über Freundschaft (Xen. mem. 2,2–10), Politisches (3,1–7), aber auch Haushalt (2,7). B. 4 konzentriert sich auf die Erziehung. Sokrates erscheint als der tugendhafte Athener, der seinen Mitbürgern nützen will und dessen Lebensführung die von seinen Anklägern erhobenen Vorwürfe Lügen straft. Obwohl der junge X. mit Sokrates bekannt war (Xen. an. 3,1,5–7), bieten die *Memorabilia* wohl keine auf eigenem Erleben beruhende Grundlage für die Rekonstruktion des histor. Sokrates, da X. die umfangreiche Sokrates-Lit. benutzte.

Die Ἀπολογία Σωκράτους (*Apología Sōkrátus*, ›Apologie des Sokrates‹), ein kurzes Werk, will nicht die Verteidigungsrede wiedergeben, sondern einige Gesichtspunkte klarstellen: Sokrates' Geringschätzung des Lebens ist nicht großsprecherisch, sondern verständlich, da ihm in seinem Alter nur Beschwerden bevorstanden. Sein *daimónion* ist keine neue Gottheit, sondern in sublimer Form die Stimme des Göttlichen, die man in Athen aus Vogelflug und Opfertieren zu erkennen versucht.

Das Συμπόσιον (*Sympósion*, dazu [7]) zählt zur Gattung der → Symposion-Literatur. Im Hause des Kallias [5] versammeln sich u.a. sein Geliebter Autolykos, dessen Vater Lykon [2], Sokrates und Antisthenes [1]. Akrobatische und pantomimische Darbietungen (Kap. 2; 9) rahmen die Gespräche ein (vgl. → Gastmahl II.). Zunächst beschreibt jeder seine Fähigkeit, etwas Gutes zustande zu bringen (Xen. symp. 3–5). Höhepunkt ist Sokrates' Rede über den → Eros (ebd. 8). Er stellt die »pandemische« Liebe, die körperlichen Genuß sucht,

der himmlischen gegenüber, die zu schönen Taten führt. X. nimmt hier auf Platon [1] Bezug (Plat. symp. 180d–185c; vgl. auch Plat. Phaidr. 239e–241c). Päderastische Liebe wird als schamlos abgelehnt (→ Päderastie) und dies in einer die Versammelten tief bewegenden Pantomime der erotischen Begegnung von Ariadne und Dionysos bekräftigt.

Der Οἰκονομικός <λόγος> (*Oikonomikós <lógos>*) ist eine teils dialogische Abh. zur rechten Haushaltsführung. Sokrates spricht mit Kritobulos über die Verwaltung des Haushalts (→ *oíkos*), d.h. des gesamten Vermögens. Sokratische Themen klingen an (als Besitz gilt nur, was jemand zu seinem Vorteil zu nutzen versteht; Xen. oik. 1,9–12; 6,4). Die Unterhaltung mündet in ein Enkomion der → Landwirtschaft (4–6), die den Menschen physisch und charakterlich prägt. Sokrates nennt den Gutsbesitzer Ischomachos als Beispiel von → *kalokagathía* und referiert dann dessen Bericht über die Einweisung seiner jungen Frau in die Aufgaben der Hausverwaltung (7–10). Im Gegensatz zur philos. und lit. Trad. wird hier eine wichtige Rolle der → Frau (II.) bei der Erhaltung des Vermögens anerkannt [15. 36]. Cicero hat diese Schrift ins Lat. übersetzt (nicht erh.).

D. Lehrschriften

Mit Περὶ ἱππικῆς (*Perí hippikḗs*, ›Über die Reitkunst‹; lat. *De equitandi ratione*) will X. über die Schrift des → Simon [2] hinausgehen. Umfassend werden mit der → Reitkunst zusammenhängende Fragen wie der Kauf eines geeigneten Pferdes, Einreiten und Pflege, aber auch die Psychologie des Reiters (Xen. equ. 6,13) und des Pferdes (9,2; 10,13; 11,6) sowie bes. seine mil. Nutzung behandelt. In equ. 12,14 setzt X. seinen *Hipparchikós* (s.o. II.B.) voraus.

Der Κυνηγητικός <λόγος> (*Kynēgētikós <lógos>*) ist eine Lehrschrift zur Jagd (dazu [8]; Echtheit umstritten: [9]); sie behandelt die → Jagd heimischer Tiere (Hasen, Rehe, Wildschweine), beiläufig auch nicht heimischer (Löwen, Bären u.a.), hauptsächlich mit Hunden und Netzen. Die Schrift enthält feine Beobachtungen etwa über die Anatomie des → Hasen (Xen. kyn. 5,30), ihre Bewegung oder ihr Schlafen mit offenen Augen (5,10f.) und gibt eine teleologische Erklärung (5,26f.), die Aristoteles' [6] Zoologie vorwegnimmt. Dem Jagen wird positive Wirkung auf mil. Leistung (Kap. 12), aber auch auf Denken, Reden und Handeln beigemessen (1,18, vgl. Kap. 12f.; 13,13).

E. Stil und Nachwirkung

In fast allen Schriften X.s kehrt ein Grundstock von Äußerungen zur Lebensführung wieder, die zeitgenössischen Einfluß, hauptsächlich wohl von → Sokratikern, aber sicherlich auch X.s persönliche Erfahrungen als Soldat, Heerführer und Gutsbesitzer verraten: Nur Anstrengung und Selbstbeherrschung können auf lange Sicht zu Glück führen. X.s Stil ist gelegentlich voller Anmut und geistreichem Humor, öfter trocken, sachlich, ohne Umschweife. X. erfreute sich die ganze Ant. hindurch größter Beliebtheit: von Caesar wie von Cicero wird Hochschätzung X.s bezeugt, und die Stilisten und Grammatiker sahen in ihm einen Hauptvertreter des schlichten Stils (ἀφέλεια/ *aphéleia*), auch wenn nachweislich X.s Beschäftigung mit anderer Lit., seine lange Abwesenheit von Athen und sein häufiger Kontakt mit Griechen anderer Dialekte Spuren in seiner Sprache hinterließen. Als Attiker erlebte X. im Attizismus eine eigentliche Renaissance, so daß die Manuskripte seiner Weke die dunklen Jh. überlebten. Bis ins 21. Jh. ist X. beliebter Schulautor und Stilvorbild für attisches Griechisch. Darüber hinaus findet X. h. verstärkte Aufmerksamkeit sowohl als Literat als auch als Quelle für die polit., wirtschaftliche, soziale und mentale Gesch. des 4. Jh. v. Chr. [10].

F. UNECHTES

Unter X.s Namen wurde in der Ant. eine Reihe von Briefen überliefert. Unecht (»Pseudo-X.«) ist auch die Ἀθηναίων πολιτεία (*Athenaíōn politeía*, ›Staat der Athener‹). Deren unbekannter Autor lehnt (wohl zu Beginn des → Peloponnesischen Krieges; [11]) die demokratische Verfassung Athens ab, weil es darin den »Schlechten« (πονηροί/ *ponēroí*) besser gehe als den »Guten« (χρηστοί/ *chrēstoí*), räumt aber ein, daß der → *dêmos* zu Recht herrsche, weil er als Ruderer auf der Flotte Athen zur Seeherrschaft verholfen habe, deren Vorzüge der Autor schätzt. Trotz des Mangels an Bildung wisse der *dêmos* recht gut seine Macht zu erhalten. Gerade die von den Gegnern der Demokratie moralisch und polit. getadelten Aspekte (z. B. rücksichtsloser Umgang mit den Bundesgenossen, keine Übernahme aufwendiger oder riskanter Funktionen) zeigten die Fähigkeit des *dêmos*, seine Herrschaft zu sichern. Die zuweilen ironisch klingende Argumentation erkennt den persönlichen Vorteil als Begründung des Handelns an und weist somit Verwandtschaft mit sophistischem Gedankengut auf [12] (→ Sophistik).

→ Demokratia; Geschichtsschreibung II.; Gryllos [2]; Kyros [3]; Peloponnesischer Krieg; Sokrates [2]; Sokratiker; Sparta E.; GESCHICHTSSCHREIBUNG II.; GESCHICHTSWISSENSCHAFT I.

1 P. J. RAHN, The Date of X.'s Exile, in: G. S. SHRIMPTON, D. J. McCARGAR (Hrsg.), Classical Contributions. FS M. F. McGregor, 1981, 103–119 2 J. DILLERY, X. and the History of His Times, 1995 3 G. B. NUSSBAUM, The Ten Thousand. A Study in Social Organization and Action in X.'s Anabasis, 1967 4 CH. MÜLLER-GOLDINGEN, Unt. zu X.s Kyrupädie, 1995 5 L. STRAUSS, Über Tyrannis, 1963 6 K. BRINGMANN, X.s Hellenika und Agesilaos. Zu ihrer Entstehungsweise und Datierung, in: Gymnasium 78, 1971, 224–241 7 K. VON FRITZ, Antisthenes und Sokrates in X.s Symposion, in: RhM 84, 1935, 19–45 8 V. GRAY, X.'s Cynegeticus, in: Hermes 113, 1985, 156–172 9 L. RADERMACHER, Ueber den Cynegiticus des X., in: RhM 51, 1896, 596–629; 52, 1897, 13–41 10 K. MÜNSCHER, X. in der griech.-röm. Lit. (Philol. Suppl. 13, H. 2), 1920 11 W. G. FORREST, The Date of the Pseudo-Xenophontic Athenaion Politeia, in: Klio 52, 1970, 107–116 12 E. SCHÜTRUMPF, Die Folgen der Atimie für die Athenische Demokratie, Ps.-X. ›Vom Staat der Athener‹ 3, 12 f., in: Philologus 117, 1973, 166–168

13 H. R. BREITENBACH, s. v. X. (6) von Athen, RE 9 A, 1569–2051 (Sonderdruck 1966) 14 E. SCHÜTRUMPF, X.s Poroi (Texte zur Forsch. 38), 1982 15 S. B. POMEROY, X.'s Oeconomicus. A Social and Historical Commentary, 1994.

ED.: Gesamt: E. C. MARCHANT, Xenophontis Opera Omnia, 5 Bde., 1900–1920 • *an.*: P. MASQUERAY, 1949/52 (mit frz. Übers.) • *Ath. pol.*: E. KALINKA, 1913 (mit dt. Übers. und Komm.) • *equ.*: K. WIDDRA, 1964 • *hell.*: K. HUDE, 1930 • J. HATZFELD, 1948/54 (mit frz. Übers.) • *hipp.*: É. DELEBECQUE, 1973 (mit frz. Übers.) • *Kyr.*: W. GEMOLL, 1968 • M. BIZOS, Bd. 1 und 2, 1972/73, É. DELEBECQUE, Bd. 3, 1978 (mit frz. Übers.) • *oik.*: P. CHANTRAINE, 1949 (mit frz. Übers.) • G. PIERLEONI, X. opuscula, 1954 • A. H. R. E. PAAP, The Xenophon Papyri, 1970 (mit Komm.).

LEX., INDEX: F. G. STURZ, Lexicon Xenophonteum, 1801–1804 (Ndr. 1964) • A. R. LÓPEZ, F. M. GARCÍA, Index Xenophontis Opusculorum, 1994.

ÜBERS.: W. MÜRI, B. ZIMMERMANN (Hrsg.), X. an.: Der Zug der Zehntausend, 1990 • G. STRASBURGER, X. hell., ³2000 • R. NICKEL, X. Kyr., 1992 • K. WIDDRA, X. equ. (Schriften und Quellen der Alten Welt 16), 1965 • G. AUDRING, X. Ökonomische Schriften (Schriften und Quellen der Alten Welt 38), 1992 • P. JAERISCH, X. Erinnerungen an Sokrates, ⁴1987.

KOMM.: O. LENDLE, Komm. zu X.s an., 1995 • J. P. STRONK, The Ten Thousand in Thrace. An Archaeological and Historical Commentary on X. an., 1995 • F. OLLIER, La république des Lacédémoniens, 1934 (mit Ed. und frz. Übers.) • K. M. T. CHRIMES-ATKINSON, The Respublica Lacedaemoniorum, 1948 • S. REBENICH, X., Die Verfassung der Spartaner, 1998 (mit griech. Text und dt. Übers.) • PH. GAUTHIER, Un commentaire historique des Poroi de Xénophon (Hautes Études du monde gréco-romain), 1976 • O. GIGON, Komm. zum ersten/zweiten Buch von X.s mem., 1953/56 • G. J. WOLDINGA, X.s Symposion. Prolegomena en Commentaar, Diss. Amsterdam 1938/39 • H. FRISCH, The Constitution of the Athenians, 1942 (mit Ed. und engl. Übers.).

LIT.: TRAILL, PAA 734300 • K. ANDERSON, X., 1974, ²2001 • É. DELEBECQUE, Essay sur la vie de X., 1957 • L. GAUTIER, La langue de X., 1911 • D. R. MORRISON, Bibliography of Editions, Translations, and Commentary on X.'s Socratic Writings, 1600–Present, 1988 • R. NICKEL, X. (Erträge der Forsch. 111), 1979 (Forschungsbericht) • J.-M. GIRAND, X. et l'histoire, 2001.

KARTEN-LIT.: P. HÖGEMANN, Östlicher Mittelmeerraum. Das achämenidische Westreich von Kyros bis Xerxes (547–479/8 v. Chr.), TAVO B IV 23, 1986 • T. MITFORD, Thalatta, Thalatta: X.'s View of the Black Sea, in: AS 50, 2000, 127–132 mit Abb. 2.   E. E. S.

[3] Bei Diog. Laert. 2,59 [1. test. 1] als Angehöriger der Alten → Komödie bezeugter Dichter, von dem nur inschr. ein Lenäensieg belegt ist [1. test. 2]; dort erscheint X. zeitlich unmittelbar vor den Dichtern → Philyllios und → Philonikos, war also um 400 v. Chr. tätig.

1 PCG VII, 1989, 804.   H.-G. NE.

[4] Bildhauer aus Athen. Er schuf mit → Kephisodotos [4] oder [5] die Kultbildgruppe im Zeusheiligtum von Megalopolis (→ Megale Polis; Paus. 8,30,10) und führte am → Akrolithon der Tyche in Thebai [2] die Marmorteile aus (Paus. 9,16,1). Daraus ergibt sich seine ungefähre Schaffenszeit im 4. Jh. v. Chr.; sein Stil bleibt unbekannt.

OVERBECK, Nr. 1140, 1142, 1144 · LIPPOLD, 225, 230 · P. MORENO s. v. X., EAA 7, 1235–1236.   R. N.

[5] Griech. Arzt um 300 v. Chr., Schüler des → Praxagoras, möglicherweise in → Alexandreia [1] tätig. Er schrieb über Tumore und könnte der X. sein, den → Soranos in seinen *Gynaikeía* (3,29) mit einer recht exotischen Behandlungsform der → Hysterie zitiert. X. glaubte, daß der Tag, an dem im Krankheitsverlauf die Krisis erscheint, etwas Göttliches an sich habe (Erotianos, Glossarium, p. 108 NACHMANSON), vergleichbar mit den → Dioskuroi, die Seglern in Not erschienen.

V. N./Ü: L. v. R.-B.

[6] Achaier aus Aigion, romfreundlicher Anhänger des → Aristainos (vgl. [1. 109, 1]), mit dem gemeinsam er 198 v. Chr. an der Seite des T. → Quinctius [I 14] Flamininus gegenüber → Philippos [7] V. die Interessen des Achaierbundes vertrat (→ Achaioi, Karte; Pol. 18,1,4; Liv. 32,32,11); 197 leitete X. während des röm.-maked. Waffenstillstandes die erste achaiische Gesandtschaft an den Senat (Pol. 18,10,11).

1 J. DEININGER, Der polit. Widerstand gegen Rom in Griechenland 217–86 v. Chr., 1971.   L.-M. G.

[7] Stratege Zyperns und *archiereús*, verm. auch *syngenḗs* 168–163 (?) oder nach 124 v. Chr. (?) (SEG 20, 200).

R. BAGNALL, The Administration of the Ptolemaic Possessions outside Egypt, 1976, 257f. · L. MOOREN, The Aulic Titulature in Ptolemaic Egypt, 1975, 197, Nr. 0357.
W. A.

[8] Geograph aus Lampsakos, erwähnt bei Plinius (nat. B. 1; B. 3–6), zeitlich anzusetzen am E. des 2. und Anf. des 1. Jh. v. Chr. einerseits wegen Anspielung (Solin. 56,12) auf die Zerstörung Karthagos, andererseits weil Alexandros [23] Polyhistor ihn benutzte (FGrH 273 F 17 und evtl. F 72). Ob Diog. Laert. 2,59 unter den sieben Xenophontes mit dem fünften, von dem eine ›märchenhafte Wundergeschichte‹ (μυθώδης τερατεία) stammt, X. meint, ist unsicher.

X. verfaßte einen → Periplus (FGrH 273 F 17) und wohl zwei – nur dem Titel nach bekannte – Schriften über Syria (FGrH 273 F 72 und FHG 3, fr. 22). Der Periplus hatte den Westen und Norden des äußeren Meeres zum Thema; hierin berichtete er, wohl im Anschluß an Pytheas [4], von einer großen Insel im Nordmeer (Südskandinavien? → Scadinavia), die bei ihm *Balcia* heißt (Plin. nat. 4,95; Solin. 19,6: Abalcia), und weiter von den *insulae Gorgades* (Plin. nat. 6,199–201; Solin. 56,10–12) im Westen von Afrika; dabei beruft sich X. auf Hanno [1], wobei er dessen geogr. Angaben

entstellt [2. 13 f. Anm. zu § 18]. Auf die Erwähnung eines 600 Jahre alten Königs der Lutmii und seines 800 Jahre alten Sohnes (Plin. nat. 7,155; vgl. Val. Max. 8,13, ext. 7: Latmii) könnte sich mit Recht die Charakterisierung des Diog. Laert. l.c. beziehen.

Eigenständiges ist in der Überl. vom Periplus des X. nicht nachzuweisen. Immerhin zeigt seine Behandlung des Westens und Nordens die Richtung des geogr. Interesses bei seinem Publikum [1. 2055].

1 F. GISINGER, s. v. X. (10), RE 9 A, 2051–2055
2 C. MÜLLER, GGM 1, 1882.   H. A. G.

[9] s. Xerxes [4]

[10] X. von Ephesos (Ξ. ὁ Ἐφεσιακός), Autor des griech. → Romans ›Geschichten von Ephesos‹ (Ἐφεσιακά/*Ephesiaká*) oder ›Habrokomes und Antheia‹ (verm. 2. Jh. n. Chr.). Laut Suda 3,495 ADLER war X. ein »Geschichtsschreiber« (ἱστορικός/*historikós*), Verf. eines Liebesromans über Habrokomes und Antheia in zehn B. und eines (sonst nicht belegten) Werks über die Stadt Ephesos. Diese einzig erh. Angaben zur Biographie sind ungesichert: Die Herkunft aus → Ephesos (von den Hss. nicht bestätigt) könnte wie die Schrift über diese Stadt (deren Beschreibungen im Text ungenau sind) aus der Romanhandlung abgeleitet sein. Im Gegensatz zu der von der Suda genannten Buchzahl ist der überl. Text in fünf B. eingeteilt – in rasch fortschreitender Erzählung, der häufig die rechte Motivation fehlt. Die Annahme [9], daß somit nur eine Kurzfassung (→ Epitome) des urspr. Romantexts vorliegt, wurde von [12] zu einer Hypothese von drei Epitomai aus verschiedenen Epochen erweitert; gegen die These der Epitome: [10]. Die Frage bleibt jedoch offen.

Unsicher ist auch die Datier. des Romans: Die Erwähnung eines ›Eirenarchen‹ (εἰρήναρχος/*eirḗnarchos*) von Kilikien (2,13,3; 3,9,5) wird als *terminus post quem* gesehen, da dieses Amt vor der Regierungszeit des röm. Kaisers Traianus (98–117 n. Chr.) nicht bezeugt ist; andererseits ist ein Datum weit nach der Mitte des 2. Jh. n. Chr. unwahrscheinlich, da der Roman des X. offensichtlich dem des → Achilleus Tatios [1] vorangeht und in die Frühphase dieser lit. Gattung gehört (→ Roman II. A.), in der die sentimentale Unterhaltung vorherrscht (nach [14] ist X. sogar noch vor → Chariton anzusetzen).

Die *Ephesiaká* weisen das typische Schema des griech. Romans in Reinform auf, die Grundstufe des gesamten Corpus, ohne Variationen und nennenswerte Innovationen: Zwei schöne junge Menschen aus bester Familie verlieben sich im berühmten Tempel der Artemis von Ephesos auf den ersten Blick ineinander; die Liebe wird zunächst als Strafe des Gottes → Eros für den narzißtischen Stolz des Protagonisten Habrokomes verhängt. Nach Überwindung einiger Schwierigkeiten heiraten sie. Durch ein übermächtiges Schicksal getrennt, durchlebt das Paar eine lange Reihe paralleler Abenteuer, die in der ganzen damals bekannten Welt angesiedelt und stets durch Anschläge von Rivalen bestimmt sind, um schließlich im typischen Happy End auf der Insel Rhodos (Ort auch der Trennung) wieder zusammenzufinden; diese zirkuläre Struktur schließt mit der Rückkehr in die Heimat. In der langen Reihe der Abenteuer sticht die Manto-Episode (2,3–6) hervor: Manto ist Tochter des Räuberhauptmanns, dessen Sklaven die beiden Protagonisten gerade sind – eine der vielen griech. Varianten des biblischen Motivs von Potiphars Weib (Gn 39,7ff.). Novellistisch ist die eingeschobene Erzählung vom Fischer Aigialeus von Syrakus, der mit dem einbalsamierten Leichnam seiner geliebten Frau zusammenlebt und so das Ideal des griech. Romans von einem *érōs* jenseits der Grenzen von Raum und Zeit umsetzt. Unter den zahlreichen Rivalenfiguren spielt Hippothoos, der »gute Räuber« (vgl. Thyamis bei → Heliodoros [8]), eine zw. dem typischen Antagonisten des Paares und einer Helferfigur oszillierende Rolle; wie das Sklavenpaar Leukon und Rhode nimmt er mit seinem jungen Geliebten am glücklichen Ende teil (der einzige Fall von päderastischer Liebe mit positivem Ausgang im griech. Roman).

Das Weltmodell der *Ephesiaká* wird von einem erdrückenden Schicksal dominiert. Die zu Handlungsträgern reduzierten Figuren erhalten bei X. – anders als im Roman seines Vorgängers Chariton – kaum Charakterisierung. Folglich ist auch der Stil ziemlich einfach, häufig fast formelhaft, und weist nur wenig rhet. Ausschmückung auf. Man kann daher auf ein recht einfaches Publikum schließen, das an der serienhaften Wiederholung der Abenteuer Gefallen fand: Zu Recht ist X.s Buch von allen ant. Romanen der mod. Massenunterhaltung und den *soap operas* am ehesten vergleichbar genannt worden [11].

Die *Ephesiaká* fanden, abgesehen von direktem Einfluß auf den weit komplexeren Roman des → Heliodoros [8], in der Ant. wohl keine weite Verbreitung. In einem *codex unicus* (Cod. Laurentianus conv. soppressi 627) überl., auf den Angelo Poliziano 1480 für seine lat. Übers. der Artemis-Prozession (1,2) zurückgriff (Liber Miscellaneorum LI), traten sie erst 1723 in der it. Übers. von A. M. Salvini wieder in Erscheinung, bald danach 1726 in der *editio princeps* von [2]. Die Wirkung auf die moderne Lit. (von Shakespeares *Romeo und Julia* und *Cymbeline* bis zu Fielding) scheint eher auf eine diffuse Verbreitung von griech. Romanmotiven zurückzugehen als auf direkten Einfluß.
→ Roman II.

Ed., Übers., Komm.: 1 Q. Cataudella, Il romanzo classico. Il romanzo di Senofonte Efesio, 1958 (mit it. Übers.) 2 A. Cocchi, Xenophontis Ephesii Ephesiacorum libri V, London 1726 (ed. princeps mit lat. Übers.) 3 G. Dalmeyda, Xénophonte d'Éphèse. Les Éphésiaques ou le roman d'Habrocomès et d'Anthia, 1926 (mit frz. Übers.) 4 M. Hadas, Three Greek Romances, 1953 (engl. Übers.) 5 B. Kytzler, X. von Ephesos. Die Waffen des Eros oder Anthia und Habrokomes, in: Ders. (Hrsg.), Im Reiche des Eros, 1983, Bd. 1, 101–163 (dt. Übers.) 6 C. Miralles, Xenophont d'Efes. Efesíaques, 1967 (mit katalan. Übers.)

7 A. D. Papanikolaou, Xenophontis Ephesii Ephesiacorum libri V, 1973 8 P. H. Peerlkamp, Xenophontis Ephesii de Anthia et Habrocome Ephesiacorum libri V, 1818 (mit lat. Übers. und Komm.). Lit.: 9 K. Bürger, Zu X. von Ephesos, in: Hermes 27, 1892, 36–67 10 T. Hägg, Die Ephesiaka des X. Ephesios. Original oder Epitome?, in: Classica et Mediaevalia 27, 1966, 118–161 11 N. Holzberg, Der ant. Roman, ²2001, 72–76 12 K. Kerényi, Die griech.-orientalische Romanlit. in rel.gesch. Beleuchtung, 1927 13 B. Kytzler, X. of Ephesus, in: G. Schmeling (Hrsg.), The Novel in the Ancient World, 1996, 336–359 14 J. N. O'Sullivan, X. of Ephesus: His Compositional Technique and the Birth of the Novel, 1995 15 C. Ruiz-Montero, X. von Ephesos: ein Überblick, in: ANRW II 34.2, 1994, 1088–1138. 16 G. Schmeling, X. of Ephesus, 1980. M. FU./Ü: T. H.

Xenophron (Ξενόφρων). Am Hofe in → Pella [1] als einer der → *hetaíroi* des → Philippos [4] II. lebender Athener des 4. Jh. v. Chr., Sohn des Phaidrias (nach Xen. hell. 2,3,2 einer der »Dreißig«, → *triákonta*, von 404/3, doch Demosth. or. 19,196 nennt den Vater Φαίδιμος/*Phaídimos*). X. veranstaltete in Pella 346 für die athenischen Gesandten zur Aushandlung des Philokratesfriedens (→ Philokrates [2]) ein Symposion (Aischin. leg. 157 nennt den Festgeber aber Ξενόδοκος/*Xenódokos*).

PA 11295 · Traill, PAA 733980. J. E.

Xerogypsos (Ξηρόγυψος). Kleiner Fluß nahe → Perinthos in SO-Thrakia (Anna Komnena, Alexias 7, 378,14 Niebuhr; Theophylaktos Simokattes 6,245,2 Bekker), verm. der Çorlusuyu Deresi (Türkei).

Chr. Danov, s. v. X., RE 9 A, 2094. I. v. B.

Xerxene (Ξερξήνη). Landschaft in Großarmenien (vgl. → Armenia A.) am Oberlauf des Euphrates (Strab. 11,14,5; Plin. nat. 5,83: *Derzene*; Steph. Byz. s. v. Καμβυσήνη; s. v. Ξ.) in der Ebene um das h. Tercan.

H. Treidler, s. v. X., RE 9 A, 2094–2096. E. O.

Xerxes (Ξέρξης; altpersisch *Xšayārša*, »herrschend über Helden«).
[1] X. I., achäm. Großkönig (486–465 v. Chr.), Sohn des → Dareios [1] I. und der → Atossa [1], als »purpurgeboren« von seinem Vater zum Nachfolger bestimmt (XPf 31 ff. = [6. 81–85]; Hdt. 7,2f.; → *porphyrogénnētos*). Zu Beginn seiner Regierungszeit schlug er einen Aufstand in Äg. nieder (Hdt. 7,3), später die Rebellionen des Šamaš-erība und des Bēl-šimmanni in Babylonien [3. 361 ff.]. Der Feldzug gegen Griechenland (480/79 v. Chr.) – über den nur Berichte aus griech. Sicht überl. sind [8] – war bereits von seinem Vater geplant worden (→ Perserkriege [1]).

Mit X. – in der griech. Überl. ein → Herrscher, der die göttlich gesetzten Grenzen nicht zu erkennen (Hdt.) bzw. dem väterlichen Vorbild nicht zu folgen vermochte (so in → Aischylos' ›Persern‹), der später sogar als der rel. Frevler und orientalische Despot schlechthin erscheint (griech. Autoren des 4. Jh. sowie die → Alexanderhistoriker) – soll der älteren Forsch. zufolge (Lit.: [7. 260–263]) der unaufhaltsame Niedergang des Achämenidenreiches (→ Achaimenidai) begonnen haben. Die neuere Forsch. [1; 5; 7] betont statt dessen die Leistungen des Königs, etwa seine Baupolitik in → Persepolis, wo die wichtigsten Gebäude ebenso auf seine Pläne zurückgehen wie der ideologische Entwurf einer *pax Achaemenidica*, der in Reliefs [4] und Inschr. [6] Ausdruck findet; auch den Umstand, daß er das reformierte Reich seines Vaters zu konsolidieren, die Reichseinheit zu wahren und die pers. Präsenz in den Prov. zu erweitern verstand. Sie sieht auch in seiner Religionspolitik eine Kontinuität zu seinen Vorgängern, weil sie die Inschr. zu Recht als formelhafte Verlautbarungen begreift (vgl. DB 5 mit XPh [6]), ihn von manchem Vorwurf – etwa dem des Raubs der → Marduk-Statue und der Zerstörung → Babylons (vgl. [3]) – freizusprechen und die Zerstörung von Heiligtümern (etwa in Athen) histor. einzuordnen versteht. X. fiel 465 v. Chr. einem Mordanschlag zum Opfer. In der hebr. Bibel tritt er als ᵓḥašwērōš auf (Est 1–10).

→ Achaimenidai (mit Stemma und Karte); Perserkriege [1] (mit Karte)

1 BRIANT, s. v. X. I. 2 S. GRAZIANI (ed.), I testi mesopotamici datati al regno di Serse (485–465 a.C.), 1986 3 R. ROLLINGER, Überlegungen zu Herodot, X. und dessen angeblicher Zerstörung Babylons, in: Altorientalische Forsch. 25, 1998, 339–373 4 M. C. ROOT, King and Kingship in Achaemenid Art, 1979 5 H. SANCISI-WEERDENBURG, The Personality of Xerxes, King of Kings, in: L. DE MEYER, E. HAERINCK (Hrsg.), Archaeologia Iranica et Orientalis, Bd. 1, FS L. Vanden Berghe, 1989, 549–561 6 R. SCHMITT (ed.), The Old Persian Inscriptions of Naqsh-i Rustam and Persepolis, 2000 7 J. WIESEHÖFER, Ancient Persia, ²2001, s. v. X. I. 8 Ders., »Griechenland wäre unter pers. Herrschaft geraten ...«. Die Perserkriege als Zeitenwende?, in: S. SELLMER, H. BRINKHAUS (Hrsg.), Zeitenwenden, 2001, 209–232.

[2] X. II., Sohn Artaxerxes' [1] I. und Nachfolger seines Vaters (424 v. Chr.), fiel bereits nach wenigen Wochen einem Mordanschlag seines Bruders Sekyndianos/Sogdianos zum Opfer.

1 BRIANT, s. v. X. II.   J. W.

[3] X., wohl ein Sohn des → Abdissares, war König von (West-)Armenien, als er von Antiochos [5] III. Megas 212 v. Chr. in seiner Hauptstadt → Arsamosata belagert wurde. Gegen den Rat seiner Umgebung, die Herrschaft über Armenien an → Mithradates [11] zu übergeben, kam Antiochos mit dem noch jungen X. zu einer Einigung, die eine Teilentrichtung des ausstehenden Tributs und die Heirat des X. mit Antiochos' Schwester → Antiochis [3] (s. Nachträge) vorsah (Pol. 8,25). Etwa 202 ließ Antiochos X. durch Antiochis ermorden (Iohannes von Antiocheia, Fr. 53 = FHG IV, p. 557).

M. SCHOTTKY, Media Atropatene und Groß-Armenien in hell. Zeit, 1989, Index s. v. X.   M. SCH.

[4] Sohn des Mithradates [6] VI., als Kind (*pais*: App. Mithr. 513) im J. 63 v. Chr. nach dessen mißlungenem Versuch, → Phanagoreia zu besetzen, mit Geschwistern in der dortigen Burg von den Bürgern der Stadt belagert und an Rom ausgeliefert (ebd. 510–512); 61 im Triumphzug des Pompeius [I 3] in Rom mitgeführt (ebd. 572).

TH. REINACH, Mithridates Eupator, 1895 (Ndr. 1975), 404f.   W. ED.

Xestes (ξέστης). Seit der Wende vom 3. zum 2. Jh. v. Chr. ist der Begriff *x.* als griech. Bezeichnung des röm. → *sextarius* belegt, der als Hohlmaß für Flüssiges und Trockenes ¹⁄₄₈ der → *amphora* [2], ⅙ des → *congius* bzw. 2 → *heminae*, 4 → *quartarii* und 12 → *cyathi* entspricht (= ca. 0,546 l). Im spätant. Äg. entsprachen 72 *xéstai/sextarii* einer *artábē*, die in 48 *choínikes* unterteilt war. Damit ist ein → *choínix* 1½ *x./sextarii* gleichzusetzen.

→ Sextarius (mit Tab.)

1 H. CHANTRAINE, s. v. X., RE 9 A, 2101–2130 2 R. DUNCAN-JONES, The Choenix, the Artaba and the Modius, in: ZPE 21, 1976, 43–52 3 F. HULTSCH, Griech. und röm. Metrologie, ²1882 4 J. JAHN, Zum Rauminhalt von Artabe und Modius Castrensis, in: ZPE 38, 1980, 223–228.   H.-J. S.

Xilia (Ξιλία). Stadt in Nordafrika (πόλις Λιβύης), nicht lokalisiert. Erwähnt bei Alexandros [23] Polyhistor FGrH 273 F 44 (1. Jh. v. Chr.).

H. TREIDLER, s. v. X., RE 9 A, 2129.   W. HU.

Ximene (Ξιμήνη). Landschaft im Territorium von → Amaseia, die im Süden der Diakopene und der Pimolisene ›bis an den → Halys reicht ... In X. sind Salzgruben, von denen der Halys, wie man vermutet, seinen Namen hat‹ (Strab. 12,3,39). Der Reihenfolge der Nennungen bei Strab. l.c. nach ist die X. also im Bereich zw. Çorum und dem Kızılırmak zu suchen.

OLSHAUSEN/BILLER/WAGNER, 174 (dazu die Karte A 3).
                                                        E. O.

Xiphares (Ξιφάρης). Sohn des Mithradates [6] VI. und der Stratonike [7], der 64 v. Chr. vom Vater aus Rache für den Verrat der Mutter getötet wurde (App. Mithr. 502–505). Stratonike hatte – ohne zu wissen, daß sich X. beim Vater befand – 64 eine ihr von Mithradates im J. 66 nach der verlorenen Schlacht gegen Pompeius [I 3] (→ Mithradatische Kriege C.) anvertraute Burg (Sinoria?) mit allen Schätzen an Pompeius [III 1] ausgeliefert, der dafür versprach, X. zu schonen, falls er in röm. Hände fiele (Plut. Pompeius 36,6; Cass. Dio 37,7,5).

TH. REINACH, Mithridates Eupator, 1895, 398f. · M. GELZER, Pompeius, 1984, 87 Anm. 105 · CH. HABICHT, s. v. X., RE 9 A, 2131f.   W. ED.

Xiphilinos (Ξιφιλῖνος). Byz. Jurist und als Iohannes VIII. → Patriarch von Konstantinopolis (1064–1075) [4. 556 f.; 5. 379–389] und Onkel des gleichnamigen Mönches und Verf. der Epitome aus Cassius Dio. Geb. in Trapezunt zw. 1010 und 1012, studierte X. in Konstantinopolis bei Iohannes → Mauropus und war mit Michael → Psellos befreundet [4. 556]. Während der Reorganisation der Universität (1045) unter Konstantinos IX. Monomachos (→ Constantinus [11]) [4. 557] wurde X. Leiter der juristischen Schule (→ nomophýlakes) in Konstantinopolis [7]. Aus polit. Gründen war X. gezwungen, Mönch auf dem Olympos [13] (Uludağ) in Bithynien zu werden (ca. 1050–1064) [1. 65, 69, 151]. Sein juristisches Werk umfaßt Scholien zu den → Basiliken (s. Nachträge), den *Tractatus de peculiis*, den *Tractatus de creditis* und die *Meditatio de nudis pactis* [6. 29–32, 40–45, 51; 8]. Seine Beschäftigung mit dem → Aristotelismus und die Auseinandersetzung mit Psellos' Platonismus wird im Epitaphios des Psellos auf X. angedeutet [2. 421–462] und in Psellos' berühmtem Brief (ἐμὸς ὁ Πλάτων) dargestellt [3]. Seine philos. Traktate sind verschollen [4. 557]. Aus seinem hagiographischen Werk ist ein Martyrium des Eugenios aus Trapezunt und ein Bericht über die Wunder desselben Märtyrers erh. [4. 557].

1 É. RENAULD (ed.), Michel Psellos, Chronographie, Bd. 2, 1967 2 C. N. SATHAS (ed.), Bibliotheca Graeca Medii Aevi, Bd. 4, 1874 3 U. CRISCUOLO, Michele Psello Epistola a Giovanni Xifilino, 1973 4 H.-G. BECK, Kirche und theologische Lit. im byz. Reich, 1959 5 V. GRUMEL, Les regestes des actes du patriarcat de Constantinople, Bd. 1, 2–3, 1989 (Jahre 715–1206) 6 A. SCHMINCK, Studien zu mittelbyz. Rechtsbüchern, 1986 7 W. WOLSKA-CONUS, Les écoles de Psellos et de Xiphilin sous Constantin IX Monomaque, in: Travaux et Mémoires 6, 1976, 223–243 8 Dies., L'école de droit et l'enseignement du droit à Byzance au XIᵉ siècle: Xiphilin et Psellos, in: Travaux et Mémoires 7, 1979, 1–107.　　F. KO.

Xiphonia (Ξιφωνία). Hafenort (Skyl. 13) und Vorgebirge (Strab. 6,2,2) an der Ostküste von Sicilia auf der schwertähnlich (vgl. ξίφος/*xíphos*, »Schwert«) langgestreckten Halbinsel im Osten von Megara [3], auf der Friedrich II. im 13. Jh. die Stadt Augusta gründete. X. spielte im Zusammenhang mit Seemanövern des Hannibal [2] 263 v. Chr. eine Rolle (Diod. 23,4,1).

E. MANNI, Geografia fisica e politica della Sicilia antica, 1981, 62, 241 f.　　G. U./Ü: H. D.

Xisuthros (Ξίσουθρος: [1. 19 f.] oder Σίσουθρος: Abydenos FGrH 685 F 2). Im Zusammenhang der Wiedergabe der Sintflutgeschichte gräzisierte Form des sumerischen Namens Zi.u₄.sud.ra (»Leben ferner Tage«), akkadisch Utanapištī (»Ich habe mein Leben gefunden«), des myth. sumer./akkad. Überlebenden der »Großen Flut« (→ Sintflutsage).

→ Atraḫasīs; Gilgamesch-Epos

1 S. M. BURSTEIN, The Babyloniaca of Berossus, 1978.　　J. RE.

Xoana (Ξόανα). Stadt in Vorderindien links des → Indos [1]-Unterlaufs (Ptol. 7,1,61), nö von → Patala, wohl beim h. Haiderabad/Pakistan.

H. TREIDLER, s. v. X. (1), RE 9 A, 2138–2140.　　E. O.

Xoanon (ξόανον). Ab dem 6. Jh. v. Chr. bezeugter griech. Begriff für Götterbilder (abgeleitet von ξεῖν/*xeín*, »glätten«) aus Holz, Elfenbein und Stein, unabhängig von Größe oder Kunstepoche. Der mod. arch. Sprachgebrauch hingegen beschränkt X. häufig auf alte Holzkultbilder, was auf einseitige Verwendung des Begriffs bei Pausanias zurückgeht, der die meisten Nachrichten über Xoana überliefert.

Die berühmtesten hölzernen Xoana entstanden im 8.–7. Jh. v. Chr. Die Bildhauer wurden in der ant. Lit. der »dädalischen Schule« (→ Daidalos [1]) zugeordnet (→ Theokles, → Angelion), das Holz stammte von Zedern (Paus. 9,10,2), Zypressen (Xen. an. 5,3,12) oder Eiben (Paus. 8,53,11) und war oft wertvolles Importgut. Wie Elfenbein und Gold diente es auch zur Schatzbildung in den Heiligtümern (→ Thesauros [1]). Neben vergoldeten X. (Paus. 2,2,6) gab es v. a. vor der Mitte des 6. Jh. v. Chr. → Sphyrelata. Götterbilder in akrolither (→ Akrolithon) und → Goldelfenbeintechnik aus klass. und hell. Zeit galten in der ant. Lit. ebenfalls als X. (z. B. Paus. 1,18,5). Die kunstgesch. Forsch. sieht hölzerne X. eng mit der Entstehung der griech. Großplastik in dädalischer Zeit (7. Jh. v. Chr.) verbunden. Holzfunde aus Samos lassen neuerdings auch Rekonstruktionen früher X. weit über Statuettengröße zu.
→ Kultbild

E. PARIBENI, s. v. X., EAA 7, 1966, 1236 f. · H. V. HERRMANN, Zum Problem der Entstehung der griech. Großplastik, in: Wandlungen. FS E. Homann-Wedeking, 1975, 35–48 · J. PAPADOPOULOS, Xoana e sphyrelata: Testimonianza delle fonti scritte, 1980 · FUCHS/FLOREN, 357 · A. A. DONOHUE, Xoana and the Origins of Greek Sculpture, 1988 · S. DE ANGELI, Agalma, sphyrelaton e xoanon. Considerazioni sulla statua di divinità arcaica, in: N. BAŞGELEN (Hrsg.), FS J. Inan, 1989, 397–418 · J. BOUZEK, X., in: Oxford Journ. of Archaeology 19, 2000, 109–115.　　R. N.

Xodrake (Ξοδράκη). Stadt in Vorderindien im Bereich links des → Indos [1]-Unterlaufs (Ptol. 7,1,60), an der SO-Grenze des h. Pakistan zu Indien; nicht näher lokalisierbar.

H. TREIDLER, s. v. X., RE 9 A, 2149–2152.　　E. O.

Xois (Ξόις). Äg. Stadt im nw Nildelta, äg. (*pr*-)Ḫ3sww, Hauptstadt des 6. unteräg. Gaues. Teile der alten Siedlung liegen unter dem h. Saḫā, der Rest ist nicht erh. Aus dem 3. und 2. Jt. v. Chr. gibt es keine arch. Relikte und wenig textliche Erwähnungen; die meisten Funde stammen aus hell. und röm. Zeit. Nach einer zweifelhaften Angabe bei → Manethon [1] (FGrH 609 F 2,10) soll die 14. Dyn. (um 1650 v. Chr.) aus X. stammen. In den Wirren am Ende der 19. Dyn. (um 1200 v. Chr.) wurde die Gegend von X. durch libysche Invasoren verheert (pHarris I, 77,2; [1]). Kultisch verehrt wurden in X. v.a. der Sonnengott (u.a. als → Amun-Re) und → Osiris. Im MA spielten die Bischöfe von X. eine nicht unbedeutende Rolle in der koptischen Kirche.

1 P. GRANDET, Le Pap. Harris I, 1994 2 P. VERNUS, s. v. X., LÄ 6, 1302–1305 3 ST. TIMM, Das christl.-koptische Äg. in arabischer Zeit, Bd. 5, 1991, 2231–2237, s. v. Saḥā.

K.J.-W.

Xuchis (Ξοῦχις). Nordafrikanische Stadt (πόλις Λιβύης), von Artemidoros [3] von Ephesos (fr. 16 = GGM 1,576; 1. Jh. v. Chr.) bezeugt. Wenn X. mit Ζοῦχις/ Zuchis (Strab. 17,3,18; Steph. Byz. s. v. Ζοῦχις) und Χουζίς/Chuzis (Ptol. 4,3,41) identifiziert werden darf, ist der Ort zw. den beiden Syrten (→ Syrtis) gelegen, etwas landeinwärts an einem See, der ebenfalls den Namen X. (h. wahrscheinlich Bahiret el-Biban) trug.

M. LEGLAY, s. v. Zuchis, RE 10 A, 856f. · H. TREIDLER, s. v. X., RE 9 A, 2155f.

W.HU.

Xuthia (Ξουθία). Gebiet (*chốra*) bei → Leontinoi, Reich des mythischen Herrschers Xuthos [2], so noch z.Z. des Diodoros [18] (5,8,2) genannt (bei Steph. Byz. s. v. Ξ. irrtümlich als Stadt aufgeführt). Möglicherweise ist der Name Sortino, 16 km südl. vom h. Lentini, bezeugt seit dem 13. Jh., auf X. zurückzuführen.

E. MANNI, Geografia fisica e politica della Sicilia antica, 1981, 92, 242.

G.U./Ü: H.D.

Xuthos (Ξοῦθος).
[1] Sohn des → Hellen und der Orseis/Othreis, Bruder des → Doros und des → Aiolos [1] (Hes. cat. 9; Hellanikos FGrH 4 F 125; Apollod. 1,49); X. ist myth. Ahnherr des Stammes der Ionier (→ Iones). Mit → Kreusa [2], der Tochter des athen. Königs → Erechtheus, zeugt er → Ion [1], → Achaios [1] und Diomede (Hes. cat. 10a,20–24; Hdt. 7,94; 8,44; Apollod. 1,50). X. wird von seinem Vater aus Thessalien fortgeschickt und gelangt nach Attika. Dort gründet er die → Tetrapolis (Oinoe, Marathon, Probalinthos und Trikorynthos) und erhält Kreusa zur Frau (Konon FGrH 26 F 1,27; Strab. 8,7,1). Einer anderen Version zufolge wird X. nach dem Tode Hellens von seinen Brüdern vertrieben, weil er einen Teil des Erbes unterschlagen haben soll. In Athen wird er, nachdem Erechtheus gestorben ist, Schiedsrichter über die Herrschaftsnachfolge und erkennt sie → Kekrops zu. Die anderen Söhne des Erechtheus verjagen X. nach Aigialos, wo er stirbt (Paus. 7,1,2f.). In Euripides' [1] *Íōn* ist X. eine der Hauptfiguren. Euripides macht Ion zum Sohn des Apollon, während X. nur ahnungsloser Ziehvater ist. Außerdem bringt er die Brüder in eine Generationenfolge: X. wird Sohn des Aiolos und Vater des Doros (Eur. Ion 292; 1589f.). Zudem herrscht X. hier als Nachfolger des Erechtheus über Athen.
[2] Sohn des Aiolos [2] und Herrscher über die Landschaft Xuthia bei Leontinoi (Diod. 5,8).
[3] Vater zweier Oikisten (→ *oikistếs*) auf Euboia (Plut. mor. 296d).

F. PRINZ, Gründungsmythen und Sagenchronologie, 1979, 359–376 · A. W. SAXONHOUSE, Myths and the Origins of Cities, in: J. P. EUBEN (Hrsg.), Greek Tragedy and Political Theory, 1986, 252–273 · M. L. WEST, The Hesiodic Catalogue of Women, 1985, 57–59.

J.STE.

Xylikkeis (Ξυλικκεῖς). Ein – vielleicht negroider – Volksstamm, der wohl nördl. des Ahaggar-Massivs (Sahara) lebte (Ptol. 4,6,23: Ξ. Αἰθίοπες).

J. DESANGES, Catalogue des tribus africaines, 1962, 241 · H. TREIDLER, s. v. Ξ., RE 9 A, 2161–2163.

W.HU.

Xyline (Ξυλίνη).
[1] Küstenort in Kolchis zw. den Mündungen des Archabis (h. Arhavi) und der Kissa (h. Kise; Ptol. 5,6,6), nicht genauer lokalisierbar.

H. TREIDLER, s. v. X., in: RE 9 A, 2163f.

I.v.B.

[2] Siedlung in → Pisidia nördl. von Termessos [1], südl. von Kormasa (nicht sicher lokalisiert: [1. 67]); genaue Lage unklar. Hier machte im J. 189 v. Chr. Cn. Manlius [I 24] Vulso Station (Liv. 38,15,7).

1 N. P. MILNER, An Epigraphical Survey in the Kibyra-Olbasa Region, 1998.

H.B.

Xylinepolis. Siedlung Alexandros' [4] d.Gr. (Plin. nat. 6,26,96; vielleicht nach Onesikritos), wo seine Flotte unter → Nearchos [2] zur Küstenfahrt nach Westen aufbrach; nach [2] identisch mit Ἀλεξάνδρου λιμήν/*Alexándru limến* (»Alexanders Hafen«) bei Arr. Ind. 21,10 am Arabischen Meer am westl. Mündungsarm des Indos [1. 127].

1 J. ANDRÉ, J. FILLIOZAT (ed.), Pline l'ancien, Histoire naturelle. Livre VI, 2ᵉ partie, 1980 (mit frz. Übers. und Komm.) 2 H. TREIDLER, s. v. X., RE 9 A, 2164–2172. K.K.

Xylophoria (n. Pl., ἡ τῶν ξυλοφορίων ἑορτή). Das jüdische »(Fest des) Holztragens«. An ihm wurde, vielleicht schon seit E. des 5. Jh. v. Chr. (Neh 10,35; 13,31) und wohl bis Anf. des 2. Jh. n. Chr. (Taʿan. 4,4: Simʿon ben ʿAzzai, um 110 n. Chr.), einmal im Jahr (Mitte August/Anf. September) die Darbringung des Holzes hervorgehoben, das zur dauernden Erhaltung des für das morgendliche und abendliche Brandopfer brennenden Feuers nötig war bzw. – nach Zerstörung des → Tempels (III.) – gewesen wäre (Ios. bell. Iud. 2,17,6). C.C.

Xylopolis (Ξυλόπολις). Siedlung in der maked. → Mygdonia [1] (Plin. nat. 4,35; Ptol. 3,13,36), nicht lokalisiert.

MA.ER.

Xyniai (Ξυνίαι). Stadt der Achaia → Phthiotis in der westl. → Othrys, ca. 4 km südwestl. vom h. X. (ehemals Dauklí). X. lag 74 m über dem SO-Ufer des Sees → Xynias und beherrschte den Paß der Straße von Lamia [2] nach → Thaumakoi. Ab Mitte des 3. Jh. v. Chr. aitolisch (aus dieser Zeit Grenzregelung mit der Nachbarstadt → Melitaia: IG IX 2, p. XI, Nr. 3), war X. Ende des 3. Jh. maked. und wurde 198 von den → Aitoloi nach einem Massaker an den Einwohnern geplündert (Liv. 32,13,13 f.). Ab 186/5 v. Chr. wurde ihr Gebiet thessalisch (Liv. 36,26). In der röm. Kaiserzeit existierte der Ort noch, ab dem 9. Jh. war er Festung mit dem slavischen Namen Ezeros.

E. MEYER, s. v. X., RE 9 A, 2174–2177 · F. STÄHLIN, Das hellenische Thessalien, 1924, 159–161 · KELNHOFER, 158.
HE. KR.

Xynias (Ξυνιάς). See in einem Einbruchsbecken der → Othrys (ca. 5×7 km Fläche, bis 5 m T), nach der an seinem SO-Ufer gelegenen Stadt → Xyniai benannt, entwässerte nach Norden, hieß im MA Ezeros und liegt h. trocken.

F. STÄHLIN, Das hellenische Thessalien, 1924, 159 f.
HE. KR.

Xypete (Ξυπέτη). Att. → Asty-Demos der Phyle → Kekropis, von 307/6 bis 201 v. Chr. der Demetrias [2], sieben *buleutaí*; bildete mit Peiraieus, Phaleron und Thymaitadai den Kultverband der *tetrákōmoi* mit gemeinsamem Herakleion im Peiraieus. Seine Lage zw. diesem und Phaleron beim h. Kallithea-Moschato ist gesichert.

E. MEYER, s. v. X., RE 9 A, 2178–2182 · TRAILL, Attica, 11, 50, 67, 112 Nr. 142, Tab. 7, 12 · J. S. TRAILL, Demos and Trittys, 1986, 5, 13, 14, 24, 115, 134 · WHITEHEAD, Index s. v. X.
H. LO.

Xystis (Ξυστίς). Stadt in der nordwestl. Karia (→ Kares; Steph. Byz. s. v. Ξ.), wie Orthosia [1], Euhippe (beim h. Dalama), Koskinos oder Koskina (beim h. Arı Tepesi nahe Dalama) und andere Orte (Plin. nat. 5,109) zw. den linken Nebenflüssen des Maiandros [2], Harpasos [1] und Marsyas [4], gelegen, h. Körteke. Arch. eine Bergfeste, verm. der → Leleges (vgl. Strab. 7,7,2; 13,1,59), mit vorklass. und ma. Mauerwerk.

R. J. A. TALBERT, Barrington Atlas of the Greek and Roman World, 2000, 61 G 3 · E. FABRICIUS, F. ECKSTEIN (Hrsg.), Körteke Kalesi in Karien, in: MDAI(Ist) 30, 1980, 321–328 · L. ROBERT, BE Nr. 362, in: REG 95, 1982, 388 · H. TREIDLER, s. v. X., RE 9 A, 2182.
H. KA.

Xystos

[1] (ξυστός; lat. *xystus*). In der röm. Ant. ein Spazierweg (*ambulatio*) oder eine Terrasse, meist Bestandteil des *hortus* (→ Garten) und somit einer → Villa zugehörig. Nach Vitr. 5,11,4 bestand ein solcher X. aus einem nicht überdachten, platanengesäumten Weg. Beim griech. → Gymnasion, dem urspr. Kontext des X. (dort seit dem 5. Jh. v. Chr. bezeugt), war demgegenüber eine gedeckte Laufbahn gemeint.

Über eine präzise Definition des X. in der röm. Architektur herrscht Dissens; bisweilen (Varro Men. 162; Cic. Att. 1,4,2) wird auch nur der Verlauf eines spezifisch ausgestatteten Spazierweges als X. bezeichnet. Ein X. wurde im Rahmen des seit dem 1. Jh. v. Chr. übli-

chen Bauluxus zu einem gängigen Element der *otium*-Villa – lit. vielfach bezeugt, arch. aufgrund seiner wenig architektonischen und damit wenig dauerhaften Ausgestaltung jedoch selten nachgewiesen (Villa von Torre Annunziata; → Garten, Gartenanlagen mit Abb.). Typologische Überlegungen bleiben im Ergebnis zweifelhaft.

R. FÖRTSCH, Arch. Komm. zu den Villenbriefen des jüngeren Plinius, 1993, 73–75 · A. GIERÉ, Hippodromus und Xystus. Unt. zu röm. Gartenformen, 1986. C. HÖ.

[2] (Ξύστος). Iren. adversus haereses 3,3 erwähnt in seiner Liste der Gewährsleute der apostolischen Überlieferung (*traditio apostolica*) in Rom an sechster Stelle (als Nachfolger eines Alexanders) einen X., der folglich als wichtiges Mitglied der christl. Gemeinde in Rom in der 1. H. des 2. Jh. gelten darf. Später wurde diese Liste als Bischofsliste verstanden und X. als Sixtus I. mit einer Amtszeit von 117–125 angesetzt.
→ Petrus [1] D.

E. CASPAR, Gesch. des Papsttums, Bd. 1, 1930, 8–21, 48 · E. KETTENHOFEN, s. v. Sixtus I., in: Biographisch-Bibliogr. Kirchenlex. 10, 1995, 575–578 (Lit.).

[3] (Ξύστος, lat. Xystus = Sixtus). Sixtus II., röm. Bischof (30?.8.257–6.8.258), enthauptet während der Christenverfolgung unter Kaiser → Valerianus [2] (Cypr. epist. 80,1,4), beigesetzt in der Calixtus-Katakombe (Damasus, epigramma 25). X. beendete den sog. → Ketzertaufstreit (s. Nachträge) und stellte die kirchliche Einheit mit den nordafrikanischen und orientalischen Bischöfen wieder her. Gemeinsam mit seinem am 10.6.258 hingerichteten Diakon Laurentius wurde X. zum Kristallisationspunkt einer reichen Legendenbildung.
→ Heilige, Heiligenverehrung; Märtyrer; Märtyrerliteratur

M. BORGOLTE, Petrusnachfolge und Kaiserimitation, 1989, 22, 345 · E. CASPAR, Gesch. des Papsttums, Bd. 1, 1930, 71 f., 91 f., 628 (Reg.) · ST. HEID, s. v. Sixtus II., LThK[3] 9, 643 f. · E. KETTENHOFEN, s. v. Sixtus II., in: Biographisch-Bibliogr. Kirchenlex. 10, 1995, 578–582 (Lit.).

[4] (Ξύστος, lat. Xystus = Sixtus). Sixtus III., röm. Bischof (31.7.432–19.8.440). Bereits als Presbyter hatte X. unter seinen Vorgängern → Zosimos [4] → Bonifatius [2] I. und Coelestin mit → Augustinus über das Thema Gnadenlehre korrespondiert (→ Pelagios [4]; Aug. epist. 191; 194); als röm. Bischof bezog er gegen den Augustinusgegner → Iulianus [16] Stellung. 433 vermittelte X. mit Erfolg zw. den Patriarchen → Kyrillos [2] und → Iohannes [13] (→ Nestorius, → Synodos [2]) und verteidigte die Zugehörigkeit Illyriens zu Thessalonike (und damit zur Gerichtsbarkeit Roms) gegen Konstantinopolis [1. 53, 58]. Selbstbewußt formulierte Inschr. dokumentieren seine Bautätigkeit im → Baptisterium (C.) beim Lateran sowie in der ersten Marienkirche in Rom (S. Maria Maggiore); deren komplexes Bildprogramm illustriert die Vorstellungen des X. und seines (am Bau beteiligten?) Nachfolgers → Leo [3] I. von der Vormachtstellung der röm. Kirche (→ Petrus [1] D.). Umstritten ist, in welchem Umfang den mit X. verbundenen Texten der → Symmachianischen Documenta Informationen aus der Zeit des X. zugrundeliegen ([2. 84–89]; Texte und Übers.: [2. 262–283]).

1 W. ULLMANN, Gelasius I., 1981 2 E. WIRBELAUER, Zwei Päpste in Rom, 1993.

REGESTEN, ÜBERBLICKE: JAFFÉ [–KALTENBRUNNER], 57 f. mit Nr. 391–397 · H. J. FREDE, Kirchenschriftsteller. Verzeichnis und Sigel, ⁴1995, 757.
LIT.: M. BORGOLTE, Petrusnachfolge und Kaiserimitation, 1989, 46, 346 · B. BRENK, Die frühchristl. Mosaiken in S. Maria Maggiore in Rom, 1975 · E. CASPAR, Gesch. des Papsttums, Bd. 1, 1930, 416–422, 628 (Reg.) · H. FELD, s. v. Sixtus III., Biographisch-Bibliogr. Kirchenlex. 10, 1995, 583 f. · G. SCHWAIGER, s. v. Sixtus III., LThK³ 9, 644.
E. W.

Y

Y (sprachwissenschaftlich). Im Griech. bezeichnete der Buchstabe Y (Ypsilon) zuerst die Vokalfarbe [u], dann [ü]; die erstere hielt sich in griech. Diphthongen (ναῦς = [naus]; Ζεύς = [zeus]) und im alten lat. Buchstaben V (RVFVS; AVT). Das später nochmals ins lat. Alphabet übernommene Y gab v. a. das griech. [ü] wieder (LYRA, LYDVS), dazu eine ähnlich klingende Lautvariante in lat. Eigenwörtern (inschr. FYDES) [1. 9, 51 f.].

→ V (sprachwissenschaftlich)

1 LEUMANN. B. F.

Yamunā. Der größte Nebenfluß des → Ganges; *Iomanes* bei Arr. Ind. 8,5 (Ἰωμάνης, Var. Ἰωβάρης/ *Iōbárēs*) und Plin. nat. 6,21,63; 6,22,69; 6,23,73; Διαμούνας/ *Diamúnas* bei Ptol. 7,1,29 (wohl von mittelindisch *Jamunā*), vielleicht identisch mit dem Οἰδάνης/ *Oidánēs* des Artemidoros (bei Strab. 15,1,72). Der Fluß entspringt im westl. Himalaya und fließt mit dem Ganges bei Allahabad zusammen. Zw. Yamunā im Westen und Ganges im Osten liegt der Doab, das alte Kernland des arischen Indiens. K. K.

Yatrib (Koran 33,13; Ἰάθριππα/ *Iáthrippa* bei Steph. Byz. 321,13; entstellt Λαθρίππα/ *Lathríppa* bei Ptol. 6,7,31), das h. Medina.

I. VORISLAMISCHE ZEIT

Alte Oasensiedlung von wirtschaftlicher Bed. im westl. Zentralarabien an der → Weihrauchstraße. Um 550 v. Chr. unternahm der babylonische König → Nabonid von → Teima aus Feldzüge, auf denen er auch Y. eroberte. In Namenslisten in der mināischen Hauptstadt Qarnāwu (→ Minaioi) aus dem 3. Jh. v. Chr. wird Y. genannt. Seit dem 1. Jh. n. Chr. gab es in Y. bis zum Auftreten des Islams starke jüdisch-arabische Stämme. W. W. M.

II. ISLAMISCHE ZEIT

Nach der Auswanderung (Hiǧra/→ Hedschra, 622) → Mohammeds von → Mekka nach Y. in einer Zeit innerer Streitigkeiten wurde Y. in al-Madīna (aus aram. »die Stadt«; Medina) umbenannt und entwickelte sich zum Zentrum des frühen → Islam, bis sich der vierte → Kalif → Ali 656 nach → Kufa umorientierte. Der Besuch des Prophetengrabes in Y. ist fakultativer Bestandteil der muslimischen → Pilgerschaft (III.).

W. M. WATT et al., s. v. Madīna, EI 5, 994a–1007b.
H. SCHÖ.

Yavana (altindisch; frühmittelind. *yona, yonaka*; später auch *jona*). Der ind. Name für die Griechen (höchstwahrscheinlich von altpersisch *yauna*) bezeichnete urspr. die → Iones. Die frühesten Belege stammen etwa aus dem 4. und 3. Jh. v. Chr. (beim Grammatiker Pāṇini und König → Aśoka), im *Mahābhārata* wurden damit vielleicht die → Indogriechen bezeichnet. Später erhielt der Name eine allgemeinere Bed. als Bezeichnung der ferneren Nachbarn, und etwa seit dem 7. Jh. n. Chr. wurde Y. als Name für Araber und Muslime gebraucht. In der südind. Tamil-Lit. findet man *Yavanar* als Bezeichnung für Seehändler und Söldner, die wahrscheinlich aus dem röm. Ägypten kamen.

K. KARTTUNEN, India and the Hellenistic World, 1997, 316–320. K. K.

Yaz Tepe (Jaz Depe). Siedlungsrest am Oberlauf des Murgab (SO-Turkmenistan); 34 km nnw von Bajram Ali; eisenzeitliche Schichtenabfolge von Yaz (Jaz) I bis III mit charakteristischer, z. T. (Yaz I) bemalter Keramik, Gebäude mit Speichern, Zitadelle [1]. Nach einem neueren Radiocarbondatum [2] datieren Yaz I und analoge Funde im übrigen Südzentralasien auf 1512–1309 v. Chr.; Abgrenzung und kulturelle Zuordnungen der Abschnitte Yaz II und III bleiben unklar, beide gelten aber als vor-hellenistisch [3].

1 V. MASSON, Drevnezemledel'českaja kul'tura Margiany (Materialy i issledovanija po archeologii SSSR 73), 1959, Kap. 2 2 F. HIEBERT, Chronology of Margiana and Radiocarbon Dates, in: Information Bull. International

Association for the Study of the Cultures of Central Asia 19, 1993, 144 **3** A. Cattenat, J.-C. Gardin, Diffusion comparée de quelques genres de poterie, in: J. Deshayes (Hrsg.), Le plateau iranien et l'Asie centrale dès origines à la conquête islamique, 1977, 230–232.   TH. G.

Yazdgird (Isdigerdes).

[1] Y. I., persischer Großkönig 399–420/1. Seine Herrschaft stellte einen Höhepunkt guter Beziehungen zu Ostrom dar (anders Claud. in Eutropium 2,475 f.). Dies äußerte sich zum einen in der Bitte des sterbenden → Arcadius an Y., die Vormundschaft für seinen unmündigen Sohn Theodosius [3] II. zu übernehmen (Prok. BP 1,2,7–10; Theophanes a. 5900; Zweifel bei Agathias 4,26,3–7); v. a. aber zeigte er sich den Christen gegenüber derart tolerant, daß ihm westliche Berichte sogar die Absicht zuschrieben, selbst zu konvertieren (Sokr. 7,8; Theophanes a. 5906). Als jedoch einige Christen nach Gewaltakten gegen Feuerheiligtümer bestraft wurden, wurde das als Wiederaufnahme der pers. Christenverfolgungen gedeutet (Theod. hist. eccl. 5,39). Die einheimische Trad. nennt den König, der die pers. Staatsreligion nicht militant genug propagierte, »Y. den Sünder«. PLRE 2, 627.
→ Parther- und Perserkriege; Sāsāniden

J. Bardill, G. Greatrex, Antiochus the Praepositus, in: Dumbarton Oaks Papers 50, 1996, 171–197 · G. Greatrex, S. N. C. Lieu (Hrsg.), The Roman Eastern Frontier and the Persian Wars, Part II, 2002, Index s. v. Y.

[2] Y. II., Sohn → Wahrams [5] V., pers. Großkönig 438/9–457. Der Enkel Y.s I. hielt nach einer kurzen mil. Offensive (440 n. Chr.) Frieden mit Ostrom. Im achten Jahr seiner Herrschaft begann Y. eine Christenverfolgung, die in der Provinz Karka viele Opfer forderte [1. 179–187]. Der Versuch, auch das christl. Persarmenien zu zoroastrisieren (→ Zoroastrismus), war trotz des Sieges bei Awarayr (451) wenig erfolgreich [2. 430]. Von angeblichen Plänen → Attilas, in sein Reich einzufallen (Priskos Fr. 11,2 Blockley), hatte Y. wohl keine Kenntnis. PLRE 2, 627 f.

1 O. Braun, Ausgewählte Akten pers. Märtyrer, 1915 (Übers. aus dem Syrischen) **2** M.-L. Chaumont, s. v. Armenia and Iran II, EncIr 2, 418–438 **3** G. Greatrex, S. N. C. Lieu (Hrsg.), The Roman Eastern Frontier and the Persian Wars, Part II, 2002, Index s. v. Y.

[3] Y. III., Enkel des → Chosroes [6] II., pers. Großkönig. Der kaum erwachsene Y. kam 633 auf den Thron und stand zunächst unter dem Einfluß → Rustams. Nach dessen Untergang bei al-Qâdisîya gegen die → Araber räumte Y. Ktesiphon [2] und floh erst nach Hulwan, dann nach → Rhagai. Hier sammelte er noch einmal ein größeres Heer, das sich 642 bei → Nihawand den Muslimen zur Schlacht stellte, aber völlig besiegt wurde. Y. hielt sich danach in der Persis, in Karmanien und in Sakastan auf. Zum Schluß zog er sich nach Chorasan zurück, wo er Westtürken und Chinesen als Ver-

bündete gewinnen wollte. Als die Araber auch dorthin vordrangen, wurde Y. von seinen Anhängern verlassen, seiner Geldmittel beraubt und 651/2 bei → Merw von einem Müller ermordet. PLRE 3 A, 721 f.

B. Spuler, Iran in früh-islamischer Zeit, 1952, 8–21.
                                                    M. SCH.

Yazılıkaya. Hethitisches Felsheiligtum (datiert um 1260 v. Chr.), ca. 2 km nö der Hauptstadt → Hattusa. In einer Kalksteinbank liegen – durch einen Spalt von außen zugänglich – zwei natürlich geformte Haupt- und zwei Nebenkammern, deren senkrechte Felswände von Reliefs bedeckt sind. Vor dem Eingang befanden sich mehrere Gebäude, die als Eingangsbereich für das eigentliche Heiligtum in den oben offenen Felskammern dienten. Im Zentrum der Darstellung der Nordwand von Kammer A begegnen sich die hurritischen Hauptgottheiten Teššob (→ Wettergott) und Ḫēbat (→ Hurriter), die jeweils lange Züge von niederen männlichen und weiblichen Gottheiten anführen, die sich auf der West- und Ostseite fortsetzen. Die Götter stehen auf ihnen zugeordneten Tieren. Die Reliefs werden den Herrschern Hattusili II., Tudḫalija III. und Suppiluliuma II. zugewiesen.
→ Hattusa (mit Herrscherliste)

K. Bittel, Das hethit. Felsheiligtum Yazılıkaya, 1975 · K. Kohlmeyer, Anatolian Architectural Decorations, Statuary, and Stelae, in: J. M. Sasson (Hrsg.), Civilizations of the Ancient Near East, 1995, 2649–2651.   H. J. N.

Yüe-chi (Yuezhi). Chinesischer Name eines »Nomadenvolkes« mit einem urspr. Siedlungsgebiet zw. den Qilian-Gebirgszügen und Dunhuang, dem Ausgangspunkt der → Seidenstraße in NW-China. Auf Befehl des Maodun, des Khans der Xiongnu, zw. 176/174 und 161 v. Chr. von dort vertrieben, wandten sich die Y. nach Westen und unterwarfen dabei ihrerseits die Stämme der Sai (→ Sakai). Wenig später von den Wusun, einem Untertanenvolk der Hiung-nu (Xiongnu), aus den Weidegründen der Sai im Ili-Becken und am Issyk-kul verjagt, folgten die Y. den Sai westwärts nach, überschritten schließlich den → Iaxartes und setzten sich in der → Sogdiana und Ferghana fest. Zw. 141 und 129 bereiteten sie dann dem graeco-baktrischen Reich nördl. des Hindukusch ein Ende. Zu den Y. gehörten, wie → Apollodoros [18] von Artemita (s. Nachträge) berichtet (Strab. 11,8,2; Iust. Prol. 41), die Stämme der Asianoi, Pasianoi, → Tocharoi (die eigentlichen Y.) und die → Sakarauken (d. h. die Saiweng, die von den Y. unterworfenen und inkorporierten Sai). Ein Clan der Y. sind die → Kuschan(a).
→ Graeco-Baktrien (mit Karte); Seidenstraße

1 W. Posch, Baktrien zw. Griechen und Kuschan, 1995 **2** J. Wiesehöfer, Griechen, Iraner und Chinesen an der Seidenstraße, in: U. Hübner et al. (Hrsg.), Die Seidenstraße, 2001, 17–33.   J. W.

Z

Z (sprachwissenschaftlich). Im Griech. bezeichnet der Buchstabe Z ursprünglich eine stimmhafte dentale Affrikata /dᶻ/ [1. 56–59]. Hierfür spricht die Entstehung von griech. ζ in Erbwörtern aus uridg. *dį̯ gi̯ gᵘi̯* (griech. Ζεύς < *dį̯ēu̯s, πεζός »Fußgänger« < *pedi̯o-, ion. dor. μέζω < *meĝ-i̯os-a »größer« zu μέγα, νίζω *nigᵘ-i̯e/o- [2. 330; 3. 91]; im Äol. auch sekundäres *dį̯*, vgl. äol. ζά ~ διά). Früh muß sich jedoch eine Aussprache /zd/ entwickelt haben; auf ihr beruhen Schreibungen wie griech. ὄζος »Zweig« (äol. ὄσδος) < *o-sd-o- (got. *asts* »Ast«), ἵζω »setze« < *si-sd-ō, θύραζε »zur Tür hinaus« < *θύρασ-δε (vgl. -δε in οἰκόν-δε) [1. 56f.; 2. 329f.; 3. 77]. Seit dem 4. Jh. v. Chr. erscheint ζ als stimmhafte Spirans /z/ (mit phonetischen Schreibungen wie ἀναβαζμούς [2. 217]).

Anlautendes ζ vertritt auch uridg. *i̯- (daneben *i̯- > h-), wobei die Frage, bei welcher Alternative noch zusätzlich die Einwirkung eines Laryngals anzunehmen ist, kontrovers beurteilt wird (griech. ζυγόν »Joch« < *i̯ugóm [3. 70] / < *i̯ugóm [4. Bd. 2, 412f.], ὅς »welcher« < *i̯ó-s [3. 186] / *i̯ó-s [4. Bd. 2, 390]). Ins etr. Alphabet gelangte ζ mit dem Lautwert /tᶻ/, vgl. etr. *ciz/ citz* »dreimal«. In dieser Geltung muß es auch in das frühlat. Alphabet übernommen worden sein, wurde jedoch im Zuge der Schriftreform des 3. Jh. v. Chr. durch den Buchstaben G ersetzt (→ Italien, Alphabetschriften). Zur Wiedergabe von ζ in griech. Fremdwörtern ist Z zur Zeit Ciceros und Varros mit dem Lautwert /z/ [5. 46] wieder in das Alphabet eingeführt worden [6. 326f.]. Zuvor schrieb man hier S, vgl. *sonam* (Plaut. Merc. 925; hsl. Überlieferung z. T. *z-*) für griech. ζώνη/ *zṓnē*.

→ Alphabet (mit Tabelle); Italien, Alphabetschriften

1 W. S. ALLEN, Vox Graeca, 1987 2 SCHWYZER, Gramm. 3 RIX, HGG 4 M. MAYRHOFER, Etym. WB des Altindoarischen, 1986ff. 5 W. S. ALLEN, Vox Latina, 1978 6 WACHTER. GE. ME.

Zaa (Ζαά). Volk in Äthiopien, genannt durch einen König von → Axum in einer in → Adulis gefundenen Inschr. (CIG III 5127 B 10), zusammen mit den Lasinai und Gabala (h. Galla) bei heißen Quellen in schneereichem Gebirge, also wohl im Bereich des h. Addis Abeba.

H. TREIDLER, s. v. Z., RE 9 A, 2193f. W. HE.

Zaabram (Ζααβράμ, auch Ζαβάμ/ *Zabám*, Ζααράμ/ *Zaarám*, Ζάμβρα/ *Zámbra*). Stadt am westl. Küstenstreifen der arabischen Halbinsel. Laut Ptol. 6,7,5 Herrschaft (βασίλειον/ *basíleion*) der Kinaidokolpiten (vgl. auch Steph. Byz. 293,16, dort Ζαδράμη/ *Zadrámē*). Z. war wohl Herrschaftssitz eines abhängigen Fürsten (sonst bei Ptol. μητρόπολις/ *mētrópolis*) und befand sich laut [1. 65] in Marsā Ibrāhīm (portugies. *Massabraim*), dem Hafen

der Oase al-Līt südl. von Ǧidda (s. [5]); andere [2; 3; 4] lokalisieren Z. näher bei Mekka im Wādī Zahrān. Zu den Kinaidokolpiten vgl. Ptol. 6,7,23; Steph. Byz. 293,18; 372,14; Kosmas Indikopleustes, Topographia Christiana 2,62,6; 2,64,4. Ihr Gebiet entsprach ungefähr dem heutigen Hiǧāz und ʿAsīr (vgl. [1. 64: Karte]). Laut [1. 65f.] ging die äthiopische Besetzung Südarabiens vom Land der Kinaidokolpiten aus (vgl. das *Monumentum Adulitanum*, OGIS 24). Dazu paßt, daß Rabbi → ʿAqība 130 n. Chr. laut talmudischem Bericht verm. in Z. einen äthiopischen Fürsten antraf [6].

1 H. VON WISSMANN, Zur Gesch. und Landeskunde Altsüdarabiens (Sitzungsber. der Öst. Akad. der Wiss. 246), 1964 2 GGM I, 527 3 A. SPRENGER, Die Alte Geogr. Arabiens, 1875, 39 4 E. GLASER, Skizze der Gesch. und Geogr. Arabiens, Bd. 2, 1890, 235 5 A. GROHMANN, Arabien (HdbA 3.1.3.3.4; Karte: H. VON WISSMANN, Das vorislamische Arabien) 6 C. CONTI ROSSINI, Expéditions et possessions des habešāt en Arabie, in: Journal Asiatique, 11. sér., 18, 1921, 17f. I. T.-N.

Zaba (Ζάβα). Eine Insel, die Ptol. 7,4,13 im Zuge der Aufzählung von Inseln, die → Taprobane vorgelagert sind (Ptol. 7,4,11), lediglich dem Namen nach erwähnt. Gemäß der geogr. Breite und Länge des *Bóreion ákron* Taprobanes (Ptol. 7,4,2) muß Z. im Osten Sri Lankas lokalisiert werden, so daß die Nikobaren dafür am ehesten in Betracht kommen.

H. TREIDLER, s. v. Zaba, RE 9 A, 2195–2197. FR. SCH.

Zabdicena (Amm. 25,7,9; syrisch Beth Zabde). Südarmenische Region am Austritt des → Tigris aus dem Taurusgebirge. Z. wurde 298 n. Chr. östlichste Prov. des röm. Reiches (Petros Patrikios Fr. 14 FHG 4, 189: Ζαβδικηνή/ *Zabdikēnḗ*) und 363 – u. a. zusammen mit → Nisibis und vier weiteren *regiones Transtigritanae/* »Regionen jenseits des Tigris« (Arzanena, Moxuena, Rehimena und Corduena; → Limes VI. mit Karte) – an die → Sāsāniden zurückgegeben (Amm. a.O.). Z. war danach Verwaltungseinheit (*Rōstāg*) des sāsānidischen Distrikts → Nisibis in Arbāyestān/arab. Diyār Rabīʿa sowie Kirchenprov. Verwaltungs- und Bischofssitz war die Hauptstadt Bezabde (Amm. 20,7,1; 20,11,16; Ζαβδάῖον/ *Zabdaíon*, Soz. 2,13,7), die traditionell mit dem h. Cizre (arab. Ǧazīrat Ibn ʿUmar) identifiziert wird [3], evtl. aber 13 km nördl. in Eski Hendek lag [1. 249–252]. Obwohl die Regionen »jenseits des Tigris« dem Namen nach auf dem linken Tigrisufer gelegen haben müßten [4. 147–158], lag das Bistum Beth Zabde wohl v. a. auf dem rechten Ufer [2].

→ Parther- und Perserkriege

1 G. ALGAZE, A New Frontier, in: JNES 48, 1989, 241–281 2 J. M. FIEY, Nisibe metropole syriaque orientale, 1977 3 C. S. LIGHTFOOT, The Site of Roman Bezabde, in:

S. MITCHELL (Hrsg.), Armies and Frontiers in Roman and Byzantine Anatolia, 1983, 189–204 **4** E. WINTER, B. DIGNAS, Rom und das Perserreich, 2001.　　　S. HA.

Zabe (Ζάβη). Maurisches Gebiet (*chōra*), als byz. Prov. *Mauritanía hē prṓtē* (»Erste Mauretania«), jenseits des Aurès-Gebirges, wahrscheinlich die Gegend des Schott el-Hodna (Algerien): Prok. BV 2,20,30. Sitifis war die → *mētrópolis* [2] dieses Gebiets. Nicht identisch mit der Stadt → Zabi (Itin. Anton. 30,3).

C. COURTOIS, Les Vandales et l'Afrique, 1955 · H. TREIDLER, s. v. Z., RE 9 A, 2203 f.　　　W. HU.

Zaberganes (Ζαβεργάνης). Dem persischen Diplomaten Z. gelang 531 die Vernichtung seines Rivalen Mebodes (Prok. BP 1,23,25 f.). 540 war er an der Eroberung von Antiocheia [1] beteiligt (Prok. BP 2,8,30–32), bald darauf erhielt er einen Brief der Kaiserin → Theodora [2] mit der Bitte um Friedensvermittlung (Prok. HA 2,32–35). 544 führte er Verhandlungen mit Bürgern aus dem belagerten Edessa [2] (Prok. BP 2,26,16–19). PLRE 3B, 1410.

→ Sāsāniden　　　M. SCH.

Zabergas (Ζαβεργάς). Der Khan der hunnischen Kotriguren führte seine Krieger im Winter 558/9 n. Chr. über die gefrorene Donau und drang bis in die Nähe von Konstantinopolis vor. Hier wurde der 551 aus dem aktiven Dienst ausgeschiedene → Belisarios reaktiviert und mit einem zusammengewürfelten Heer den Kotriguren entgegengestellt. Z. verlor ein Gefecht und gab bald darauf sein Lager bei → Melantias auf. Da Iustinianus [1] Belisarios nach dem ersten Erfolg gleich wieder abberief, konnte Z. einige Monate lang unbehelligt die Diözese Thracia plündern. Im Sommer 559 schloß er einen Vertrag mit dem Kaiser, der die Räumung des Reichsgebiets durch Z.' Scharen vorsah (Agathias 5,11–23; Theophanes a. 6051, ohne namentliche Erwähnung des Z.). PLRE 3B, 1410.

A. LIPPOLD, s. v. Zabergan (2), RE 9 A, 2204–2206.
　　　M. SCH.

Zabi. Stadt der Mauretania Sitifensis zw. → Sitifis und → Auzia, h. Henchir Bechilga (Algerien). Im 3. Jh. n. Chr. verlief in der Nähe der Stadt der mauretanische → Limes (VIII. C.). In Not. dign. occ. 25,26 ist ein *praepositus limitis Zabensis* erwähnt. Von den Vandali zerstört, wurde Z. von Iustinianus [1] I. wieder aufgebaut (Itin. Anton. 30,3; Iulius Honorius, Cosmographia A 48. Inschr.: CIL VIII 2, 8805 f.; Suppl. 3, 20565).

AAAlg, Bl. 25, Nr. 85 · C. COURTOIS, Les Vandales et l'Afrique, 1955 · M. LEGLAY, s. v. Z. (1), RE 9 A, 2206 f.
　　　W. HU.

Zabida (Ζάβιδα). Dorfsiedlung im Zentrum einer großen Oase im Landesinneren der Arabia Felix (→ Arabia), am Wādī Zabīd nö des h. Zabīd (Yemen), erwähnt von → Uranios [3] im 3. Buch seiner *Arabiká* (bei Steph.

Byz. s. v. Z.). Z. mit eigenem Hafen an der → Erythra thalatta [1] war der Ausgangspunkt einer wichtigen Handelsstraße ins Hochgebirge über Achoma (h. Aḥum), Adana (h. al-ʿUdain) nach Tarphara (h. Ẓafār), dem Hauptort der Homeritai, der → Ḥimyar (s. Nachträge) der arabischen Lit.

A. DIETRICH, s. v. Z., RE 9 A, 2207 · H. VON WISSMANN, s. v. Z., RE Suppl. 11, 1312–1322 (1315 f.: Kartenskizze) · Ders., s. v. Uranios (4), RE Suppl. 11, 1278–1292, hier 1278.
　　　E. O.

Zabioi (Ζάβιοι). Indischer Volksstamm nach Nonn. Dion. 26,65 (der auf die *Bassariká* des Dionysios [32] zurückgeht). Ihr Gebiet lag wohl in NW-Indien, in der Nachbarschaft der → Dardai (vgl. Steph. Byz. s. v. Δάρδαι), ist aber nicht identifizierbar [1]. Versuche, die Angaben des Nonnos (und Dionysios) mit ind. Verhältnissen zu vergleichen, bleiben dürftig (so bereits [2], dann z. B. [3], [4]; s. auch [5]). Eher handelt es sich um eine griech. lit. Reflexion eines myth. Indien, die nur zufällig mit dem Indien der Geogr. und Gesch. zusammentrifft.

1 H. TREIDLER, s. v. Z., RE 9 A, 2208 f. **2** H. H. WILSON, Remarks on the Portion of the Dionysiacs of Nonnus Relating to the Indians, in: Asiatic Researches 17, 1832, 607–620 **3** R. DOSTÁLOVÁ, Das Bild Indiens in den Dionysiaka des Nonnos von Panopolis, in: Acta Antiqua 15, 1967, 437–450 **4** J.-F. Schulze, Das Bild des Inders in den Dionysiaka des Nonnos von Panopolis, in: Wiss. Zschr. der Univ. Halle 22/5, 1973, 103–112 **5** P. CHUVIN, Mythologie et geographie dionysiaques. Recherches sur l'œuvre de Nonnos de Panopolis, 1991.　　　K. K.

Zacharias (Ζαχαρίας, gräzisierte Form des hebr. Sacharja, »Jahwe gedenkt«).
[1] Nach 2 Chr 24,17–22 wird Sacharja bar Jojada auf Befehl des Königs Joas (840–801 v. Chr.) im → Tempel gesteinigt, weil er dem Volk vorgeworfen habe, Götzendienst getrieben und damit seinen Gott verlassen zu haben. Die jüdische → Haggada gestaltet diese Erzählung aus: Das Blut des Ermordeten wallt auf dem Fußboden des Tempels und kommt nicht zur Ruhe (schließlich soll diese Freveltat sogar zur Zerstörung → Jerusalems und des Tempels geführt haben). Vermutlich spielt auch Mt 23,35 auf diese haggadische Trad. an; allerdings wird hier als Vatername Barachias (hebr. Berechja; vgl. Sach 1,1) genannt.

S. H. BLANK, The Death of Zechariah in Rabbinic Literature, in: Hebrew Union College Annual 12–13, 1937/38, 327–346. · J.-D. DUBOIS, Études sur l'Apocryphe des Zacharie et sur les traditions concernant la mort de Zecharie, Diss. Oxford 1978 · H. L. STRACK, P. BILLERBECK, Komm. zum Neuen Testament aus Talmud und Midrasch, Bd. 1, ⁹1986, S. 940 f.

[2] Der alttestamentliche Prophet Sacharja, der 520–518 v. Chr. auftrat.
[3] Vater → Iohannes [39] des Täufers (s. Nachträge) aus der priesterlichen Dienstgruppe Abija (1 Chr 24,10),

eine der insgesamt 24 Gruppen, die je zweimal im Jahr in Jerusalem für eine Woche den Tempeldienst versahen (vgl. 1 Chr 9,25; 2 Chr 23,4 und 8). Dem Z. erscheint beim Opfer vor dem Räucheraltar Gabriel als Engel des Herrn und kündigt die Geburt eines Sohnes an. Da Z. diese Ankündigung aufgrund seines hohen Alters und der Unfruchtbarkeit seiner Frau nicht glaubt, wird er mit Taubstummheit bestraft; diese wird dann bei der Beschneidung des verheißenen Sohnes wieder aufgehoben (Lk 1,5–67).

[4] Ein Z., Sohn des Bareis, wurde laut Ios. bell. Iud. 4,335–343 von Zeloten 67 n. Chr. im Jerusalemer Tempel getötet. B.E.

[5] Z. Rhetor (Z. Ῥήτωρ, auch Z. Scholastikos/Z. Σχολαστικός, gelegentlich Z. von Mytilene). Rechtsbeistand (*scholastikós*) und Historiker (*465/6 in Maiuma bei Gaza, † nach 536 n. Chr.). Z. erhielt eine gründliche lit. und juristische Ausbildung in Gaza, Alexandreia [1] – beim Rhetor Sopatros d. J. und dem Philosophen Ammonios [12] – sowie in → Berytos beim bekannten Juristen → Leontios [5]. Nach kurzem Aufenthalt (ab 491) in Maiuma wirkte er als Rechtsanwalt in Konstantinopolis. Z. verfügte über gute Kontakte zum kaiserlichen Hof und trug dessen wechselhafte Rel.-Politik, insbes. das → *Henotikón*, trotz seiner früheren Neigung zum → Monophysitismus, vorbehaltlos mit. 536 nahm er als Bischof von Mytilene (auf Lesbos) an einer Synode in Konstantinopolis teil. Z. hat ein umfangreiches, meist syr. überliefertes Werk hinterlassen (Übersicht mit Ed. und Übers.: [4. 305 f.]). Seine von Euagrios [3] Scholastikos benutzte ›Kirchengesch.‹ (CPG 6995) liegt verkürzt als Teil (B. 3–6) einer späteren syr. Kompilation (»Ps.-Z.«) vor [1; 2] und ist eine wertvolle Quelle für die Jahre 451–491. Ihm persönlich bekannte Monophysiten des Ostens beschrieb Z. in Biographien (Vita Petrus' des Iberers: CPG 7001; Vita des Mönches Isaias d. J.: CPG 7000; Vita des Patriarchen Severus von Antiocheia: CPG 6999). Des weiteren verfaßte er verschiedene dogmatisch-polemische Schriften, darunter den gegen Ammonios [12] gerichteten Dialog *Ammṓnios* (CPG 6996). → Rechtsschulen

ED.: 1 E. W. BROOKS, Historia ecclesiastica, 1919; 1921; 1924 (CSCO 83 f.: syr. Text; CSCO 87 f.: lat. Übers.) 2 K. AHRENS, G. KRÜGER, Die sog. KG des Z. Rhetor, 1899 (dt. Übers. und Komm.). LIT.: 3 E. HONIGMANN, Z. of Mytilene, in: Ders., Patristic Studies, 1953, 194–204 4 J. RIST, s. v. Z. Scholastikos, Biogr.-Bibliogr. Kirchenlex. 14, 303–307 (Lit.) 5 Ders., Die sog. KG des Z. Rhetor, in: M. TAMCKE (Hrsg.), Syriaca, 2002, 77–99. J. RI.

Zadokiden (hebr. *bᵉnē Ṣādōq* – »Söhne Zadoks«) bezeichnet die Nachkommen Zadoks (Enkel → Aarons), eines der Hohenpriester im Jerusalemer Tempel zu Zeiten → Davids [1] (2. Sam 15,24–37), die in vorexilischer Zeit (bis 586 v. Chr.) den Alleinanspruch auf das Hohepriesteramt besaßen (1 Kg 2,26 f.) und sich in nachexilischer Zeit (ab 538 v. Chr.) erneut für das Priester-

und Hohepriesteramt durchsetzen konnten (Ez 44,6–16; → Priester III.). Die Priester, denen allein der Opferdienst vorbehalten war, waren in nachexilischer Zeit deutlich unterschieden von den → Leviten, die niedere Dienste im Tempel verrichten mußten (Num 3,5–13; 18,1–7). 175/4 v. Chr. erfolgte im Rahmen polit. Auseinandersetzungen zw. den pro-hellenischen und konservativen Religionsparteien in Iudaea (→ Hasmonäer) die Absetzung des letzten legitimen zadokid. Hohenpriesters → Onias III. (2 Makk 4,27–38). Auf das Priestergeschlecht der Z. gingen die bei Iosephos [4] als eine der vier jüd. Rel.-Parteien beschriebenen → Sadduzäer (hebr. *ṣᵉdūqīm*, abgeleitet von *Ṣādōq*) zurück. Gegen die → Hasmonäer, die ab 143/2 v. Chr. die polit. und priesterliche Herrschaft vereinten, konstruierte die rel. Gemeinschaft von → Qumran möglicherweise einen eigenen Anspruch auf legitime zadokidische Trad. und Nachfolge. Die Frage, wie eng zadokidisches Priestertum und die Siedlung Qumran bzw. die Schriften vom Toten Meer verbunden waren, ist in der Forsch. umstritten [1; 4].

1 PH. R. DAVIES, s. v. Zadok, Sons of, Encyclopedia of the Dead Sea Scrolls, 2000, 1005–1007 2 J. SCHAPER, Priester und Leviten im achäm. Juda, 2000 3 SCHÜRER 2, 237–256 4 C. WERMAN, The Sons of Zadok, in: L. H. SCHIFFMAN et al. (Hrsg.), The Dead Sea Scrolls, 2000, 623–630. I. WA.

Zadrakarta (τὰ Ζαδρακάρτα; Arr. an. 3,23,6; 25,1). Größte Stadt und befestigte achäm. Residenz in → Hyrkania, deren genaue Lage nicht feststeht (Sārī?, Qalʿe Ḥandān?). Durch Z. zog Alexandros [4] d. Gr. 331 v. Chr. bei seiner Verfolgung des → Bessos. J.W.

Zagazaena. Ort an der Großen Syrte (Tab. Peut. 8,1; Ptol. 4,3,14: Σακάμαζα bzw. Σακάζαμα κώμη; Geogr. Rav. 37,33: *Zacassama*; 89,33: *Zacasama*; Guido, geographica 133,25: *Zacasama*). Vielleicht ist Z. auf dem Ruinenfeld des Ras Bergavad westl. von Ad Turrem (h. Lubrik) zu lokalisieren.

H. TREIDLER, s. v. Z., RE 9 A, 2219 f. W. HU.

Zageira (Ζάγειρα). Dorf in → Paphlagonia, dessen Lage unbestimmt ist. Gegen die Gleichsetzung mit einem Küstenplatz → Zakoria, Zagora, Zagoron östl. von → Sinope (vgl. [1]) spricht, daß Ptol. 5,4,5 es unter den im Landesinnern gelegenen Orten (*mesógeioi*) auflistet.

H. TREIDLER, s. v. Z., RE 9 A, 2220 f. C. MA.

Zagora. Früheisenzeitliche Siedlung (9.–8. Jh. v. Chr.) an der Westküste der Insel → Andros, auf einem steil aus dem Meer herausragenden Kalksteinmassiv gelegen, von drei Seiten durch Klippen geschützt; einzig der Sattel im NW, der das Hochplateau mit der Insel verbindet, mußte durch einen starken Wall und eine Mauer (spätgeom./8. Jh. v. Chr.) befestigt werden. Der Siedlungsort wurde wahrscheinlich aus strategischen Gründen gewählt, denn das Plateau ist starken Nordwinden ausgesetzt und besitzt keine natürlichen Wasserquellen.

Teile der Siedlung, Tempel und Befestigungswall sind erforscht; dichte Besiedlung (Siedlungsgröße LG = Late Geometric: ca. 7,5 ha) ist anzunehmen; die Häuser weisen einen bes. guten Erhaltungszustand auf, da sie aus Stein gebaut waren und keine spätere Überbauung feststellbar ist. In LG I waren die Häuser meist einräumig und schematisch aneinander gebaut, mit aus Stein gemauerten Herdstellen in der Mitte und Steinbänken entlang der Wände für Pithoi (→ Pithos [2]) und Vorräte; sie hatten flache, von Pfosten getragene Dächer, Eingänge meist nach Süden oder Osten, häufig davor eine Veranda oder Vorhalle, abgerundete Hausecken. In LG II kam es zur Teilung vieler Räume und häufig zum Anbau von Wohnräumen im Westen, die durch Höfe mit dem Wirtschaftsteil verbunden waren; in späterer Phase Zusammenschluß der Bauten zu Wohnkomplexen; ein bes. großes Gebäude, in zentraler Lage zum Heiligtum ausgerichtet, wird als Herrschersitz gedeutet; die an die Wehrmauer angebauten Häuser bildeten wohl ein Handwerkerviertel; bisher sind keine Straßen innerhalb der Befestigung nachweisbar. Um 700 kam es zu einem abrupten Ende der Besiedlung. Im Zentrum existierte ein Heiligtum aus geom. Zeit mit → Altar unter freiem Himmel (Votive), nach Aufgabe der Siedlung im 6. Jh. Tempelbau mit geschlossener → Cella [1] und nicht zentriertem Altar; eine Benutzung des Heiligtums ist bis ins 5. Jh. nachweisbar.

→ Dunkle Jahrhunderte [1] E.; Haus II. A.; Polis I.

A. Cambitoglou, Z., Andros. A Settlement of the Geometric Period, in: Archaeology 23, 1970, 303–309 • Ders. u. a., Archaeological Museum of Andros, 1981 • Ders. u. a., Z., Excavation of a Geometric Town on the Island of Andros, Greece, Bd. 2: Excavation Season 1969. Study Season 1969–70, 1988 • M. Deoudi, Heroenkulte in homerischer Zeit, in: British Archaeological Reports, International Series 806, 1999, 65–67 • J. R. Green, Z. Population Increase and Society in the Later Eighth Century B. C., in: J.-P. Descoeudres (Hrsg.), Eumusia. FS A. Cambitoglou, 1990, 41–46 • W. Held, Der Tempel in Z. auf Andros, in: AA 1998, 361–363 • M. C. V. Vink, Urbanization in Late and Sub-Geometric Greece. Abstract Considerations and Concrete Case Studies of Eretria and Z. c. 700 B. C., in: Acta Hyperborea 7, 1997, 111–141.   K. JA.

Zagreus (Ζαγρεύς). Der Name Z. (oder »Dionysos Z.«) wird als nützliche, wenn auch problematische Bezeichnung für → Dionysos, den Zeus-Sohn (und die Zeus-Tochter → Persephone) verwendet, der laut der orphischen → Anthropogonie (→ Orphik) als Kleinkind von den → Titanen ermordet und verspeist worden war. Die ant. Lexika zitieren Kallimachos' Aítia (fr. 43,177) als einzige Quelle für die Epiklese Dionysos Z.; diese wird aber erst im 6. Jh. n. Chr. (bei Ps.-Nonnos, Commentaria in Greg. Naz. serm. 5,30 Nimmo Smith) im Kontext des Z.-Mythos verwendet. Der Name, der in den erh. orphischen Texten nicht vorkommt, wurde offenbar auch von dem wichtigsten späteren orphisch-theogonischen Text, den ›Rhapsodien‹ (→ Orphik II.A.2.; 1./2. Jh. n. Chr.), ignoriert. Allerdings zitiert Plutarchos

im Kontext von Götterzerstückelung Z. als anderen Namen für Dionysos in dessen Verbindung zur delphischen Theologie (Plut. de E 9,389a).

Über den urspr. Charakter des Z. kann, wie schon in der Ant., nur spekuliert werden. Die Lexika deuten den Namen als »großen Jäger«; das griech. Wort ζάγρη/zágrē bedeutet »Fallgrube«. Möglich ist, daß Z. ein lokaler → Herr der Tiere war, der mit → Hades/→ Pluton gleichgesetzt wurde: Sowohl die → Alkmaiōnís (fr. 3 Bernabé, ca. 600 v. Chr.) als auch Aischylos (fr. 5 und 228 Radt) porträtieren Z. als Unterweltgottheit. Euripides assoziierte ein Ritual des Z. Nuktipólos, »Nachtschwärmer«, das mit dem Verzehr von rohem Fleisch zusammenhing, mit dem ekstatischen Kult des Idäischen Zeus (Eur. Kretes TGF 472 Z. 9 = Porph. de abstinentia 4,19 Patillon-Segonds; [1]).

Der orphische Z.-Mythos ist als eine neuplatonische bzw. sogar neuzeitliche Erfindung gedeutet worden [2]. Auch wenn er eher als »Mythos des ermordeten Dionysos-Kindes« bezeichnet werden sollte, besteht für eine derart pyrrhonische Schlußfolgerung kein Anlaß [3].

→ Dionysos; Kureten; Orphik

1 G. Casadio, I Cretesi di Euripide e l'ascesi orfica, in: V. F. Cicerone (Hrsg.), Didattica del classico, 1990, 278–310 2 R. Edmonds, Tearing Apart the Zagreus Myth, in: Classical Antiquity 18, 1999, 35–73 3 A. Bernabé, La toile de Pénélope, in: RHR 219, 2002.

W. Fauth, s. v. Z., RE 9 A 2, 2221–2283 • T. Gantz, Early Greek Myth, 1993, 118f. • H. Jeanmaire, Dionysos, 1951, 272f.   R. Gor.

Zagros (Ζάγρος). Gebirgssystem, das unter diesem Namen h. das in NW-SO-Richtung streichende alpidische Kettengebirge im SW des Iran vom Armenischen Hochland bis zum Kūh-e Fūrğūn am Golf von Oman mit einer Fläche von ca. 1200 × 200 km umfaßt. In der ant. Lit. begegnet der Z. erstmals im Zusammenhang mit dem Aufstand des → Molon [1] gegen Antiochos [5] III., und zwar als Gebirge, ›das sich bald in einzelne Ketten teilt, bald wieder zu einer einzigen zusammenwächst und durch Schluchten und Täler unterbrochen ist‹ (Pol. 5,44,7: τὸ Ζάγρον ὄρος zum J. 222 v. Chr.; vgl. zum J. 220 v. Chr. Pol. 5,54,8; 5,55,6f.) und das → Media von → Mesopotamien trennt. Damit stimmt auch Isidoros [2] aus Charax überein, wenn er (Stathmoi Parthenikoi § 3) den Z. als Scheide zw. Media und der Chalonitis, der Landschaft am linken Ufer des → Tigris um → Ktesiphon [2] (vgl. Plin. nat. 6,122; 6,131), bezeichnet. Diese Lokalisierung findet sich später auch bei Strabon (11,12,4: τὸ Ζάγριον ὄρος; vgl. Strab. 11,13,3; 11,13,6; 11,13,8; 16,1,1; 16,1,8; 16,1,17f.; Plin. nat. 6,122; Ptol. 6,2,4; 6,2,6f.). Bei Plin. nat. 6,131 ist schließlich auch die NW-SO-Erstreckung des Z. festgehalten: sie reicht von → Armenia bis nach Ktesiphon. Infolgedessen entspricht die ant. Z. dem westl. Teil des h. Z. vom Armenischen Hochland bis zum Tal des Diyālā (ant. Diabas: Amm. 23,6,21), der nur wenig oberhalb von Kte-

siphon in den Tigris mündet und einen natürlichen Einschnitt in die südwärts weiterziehende Gebirgskette bildet (→ Pylai [4]).

Westermann-Lex. der Geogr. 4, ²1973, 1047, s. v.
Z.-Gebirge · H. TREIDLER, s. v. Z., RE 9 A, 2283–2285.

E. O.

Zahl   I. MESOPOTAMIEN   II. ÄGYPTEN
III. KLASSISCHE ANTIKE

I. MESOPOTAMIEN
A. ZAHLENSYSTEME   B. ZAHLENMYSTIK

A. ZAHLENSYSTEME

Bevor Systeme zur Darstellung von Z. im Rahmen
der Schrift (weiter)entwickelt wurden, dienten Zählsteine, sog. Calculi, als arithmetisches (Hilfs-)Mittel. Als
Repräsentationen erster Ordnung ermöglichten sie
Operationen wie Vermehren, Vermindern, Vereinigen,
Abtrennen, Verteilen. Ihre Beziehung zu den in den
ältesten »Texten« (ca. 3300 v. Chr.; → Uruk) belegten
numerischen Notationen wird noch diskutiert [2]. Die
Z.-Zeichen dieser Texte repräsentieren nicht absolute
Zahlen, sondern kontextgebundene Zähl- oder Meß-
einheiten. Sie sind in festen Größenbeziehungen (se-
xagesimal, bisexagesimal) in linear strukturierte Z.-Zei-
chensysteme eingebunden. Bislang wurden sechs
Grundsysteme sowie zahlreiche Varianten identifiziert
(Uruk, Ǧamdat Naṣr, Anfang 3. Jt.). Einige der Zeichen
sind semantisch mehrdeutig, ihre numerischen Werte
variieren je nach (metrologischem) Kontext.

Eine Z.-Notation bestand in Mesopot. aus einer Folge von Einzelzeichen, deren Anordnung festen Regeln
folgte. Die Repräsentation des Vielfachen einer Grund-
menge wurde durch Iteration von Grundzeichen dargestellt (𒁹 = 1; 𒐀 = 2 etc.). Höherwertige Zeichen ersetzten, festen Bündelungsregeln folgend, Gruppen von
Einzelzeichen (z. B. 𒌋 = 10). Seit dem 2. Jt. v. Chr. wird
häufig die apokopierte Form 𒈨 (mē, von meʾat, »hundert«) zusammen mit den gewöhnlichen Ziffern von 1
bis 9 zum Ausdruck von Hunderten gebraucht. Das Zeichen für 1000 (𒌋𒈨) ist eine Ligatur aus den Zahlzeichen
für 10 und 100, also 10×100 = 1000. Hunderttausender
werden durch Schreibungen wie »2 Hundert (und das
Zeichen für) Tausend« ausgedrückt. Über die Quantität
hinaus enthalten die Z.-Zeichen Informationen zur
Sachgruppe bzw. zum metrologischen System (z. B. unterschiedliche Maßzahlen für Flächen- und Hohlmaße).

Im ausgehenden 3. Jt. wurde in Mesopot. ein sexa-
gesimales Stellenwertsystem entwickelt, das auf den
Grundzeichen für 1 und 10 basiert (𒁹 = 1; 𒁹 = 60; 𒁹𒌋 =
60×10 = 600). Das nunmehr abstrakte Konstrukt der Z.
ging mit zahlreichen Neuerungen im Bereich der Re-
chentechnik einher; auch entstand eine »theoretische«
→ Mathematik. Der Erkenntniszusammenhang von
Z.-Darstellung und Z.-Konzept wird hier deutlich.
Problematisch bleibt die fehlende Kennzeichnung einer
unbesetzten Stelle (erst seleukidisch). In der admini-

strativen Praxis wurden die an metrologische Systeme
gebundenen Z.-Darstellungen weitestgehend beibehalten.

1 P. DAMEROW, R. K. ENGLUND, in: M. W. GREEN,
H. NISSEN (Hrsg.), Zeichenliste der archa. Texte aus Uruk
(Archa. Texte aus Uruk, Bd. 2), 1987, 117–166 2 J. FRIBERG,
Preliterate Counting and Accounting in the Middle East, in:
OLZ 89, 1994, 477–502 3 M. A. POWELL, The Antecedents
of Old Babylonian Place Notation and the Early History of
Babylonian Mathematics in: Historia Mathematica 3, 1976,
414–439.

B. ZAHLENMYSTIK

Der ontologische Status der Z. wurde in den altorientalischen Kulturen nicht diskutiert, allerdings waren Z. ebenso wie Schriftzeichen (→ Keilschrift) und
Worte Gegenstand gelehrter Spekulation. Die zugrundeliegende Systematik, Fundierung und der Geltungs-
anspruch entsprechender Überlegungen entziehen sich
weitgehend unserer Kenntnis. Mesopot. Syllabare aus
dem 1. Jt. v. Chr. bieten gelegentlich kryptographische
Schreibungen mit Hilfe von Zahlen. Wichtigen Gottheiten des mesopot. → Pantheons sind numerische
Werte zugeordnet (z. B. Anu = 60, → Enlil = 50, Ea =
40, → Mondgott = 30, → Ištar = 15 etc.), dabei diver-
gieren teilweise die Trad. des nördl. und südl. Mesopot.
(vgl. z. B. → Wettergott mit 10 bzw. 6 [1]). Das System,
Götter mit Zahlen zu bezeichnen, trat etwa um die
Mitte des 2. Jt. mehr oder weniger voll entwickelt in
Erscheinung. »Götterzahlen« finden sich überwiegend
in der gelehrten Lit. ([2. 30ff.], v. a. in → Liste und
→ Kolophon [2]). In Assyrien sind sie seit der 2. H. des
2. Jt. auch bei der Schreibung von PN in administrativen
Texte häufig. Ob dies allein pragmatische Gründe hat
(»Kurzschrift« wie später z. B. in den sog. astronomi-
schen ›Tagebüchern‹) ist fraglich.

Kontrovers diskutiert wird die von [3] entwickelte
Hypothese einer Organisation des assyrischen Staates
nach Kriterien der Zahlenmystik, und einer zahlenmy-
stischen Deutung des → Lebensbaumes als Sinnbild kos-
mischer Harmonie.
→ Mathematik I.

1 W. RÖLLIG, s. v. Götterzahlen, RLA 3, 499f.
2 A. LIVINGSTONE, Mystical and Mythological Explanatory
Works of Assyrian and Babylonian Scholars, 1986
3 S. PARPOLA, The Assyrian Tree of Life, in: JNES 52, 1993,
161–208 · Ders., Monotheism in Ancient Assyria, in:
B. NEVLING PORTER (Hrsg.), One God or Many? Concepts
of Divinity in the Ancient World, 2000, 165–209, bes.
182–188. E. C.-K.

II. ÄGYPTEN
Erste Z.-Darstellungen erscheinen in Äg. zugleich
mit den ersten Belegen für → Schrift um 3200 v. Chr.
Diese sind – bedingt durch ihre Entstehungs-Gesch. aus
administrativen Bedürfnissen – Teil mehrerer metrolo-
gischer Systeme (z. B. Flächen- oder Hohlmaße). Das
Konzept eines abstrakten Z.-Systems ist jedoch späte-

stens in den mathematischen Texten um 1800 n. Chr. nachweisbar. Die hieroglyphische Schreibung (vgl. → Hieroglyphen) der äg. Z. basiert auf den sieben Zeichen, welche die Z. 1, 10, 100, 1000, 10000, 100000 und 1000000 wiedergeben. Zur Darstellung einer konkreten Z. wurden diese Z.-Zeichen (beim höchsten Wert beginnend) additiv aneinandergereiht, wobei jedes Zeichen so oft wie der Koeffizient der entsprechenden Zehnerpotenz geschrieben wurde (z. B. 4 × das Zeichen 10 für 400). Für große Z. existierte ab dem MR neben der additiven eine multiplikative Schreibweise (z. B. 600000 als 100000 × 6, wobei die 6 über das Zahlzeichen für 100000 geschrieben wurde).

Diese hieroglyph. Z.-Schreibung findet sich nur auf Steindenkmälern. Im → Hieratischen wurde eine vereinfachte Schreibung benutzt, die den Ursprung aus hieroglyph. Z. noch mehr oder weniger gut erkennen läßt. Das äg. Z.-System kannte keine Null. Einige Funktionen der Null wurden durch andere Zeichen »übernommen«, so z. B. das Aufgehen einer Bilanz durch den Vermerk eines »nichtexistierenden« Restes. → Mathematik II.

1 J. RITTER, Metrology and the Prehistory of Fractions, in: P. BENOIT, K. CHEMLA, J. RITTER (Hrsg.), Histoire de fractions, fractions d'histoire, 1992, 3–34 **2** K. SETHE, Von Z. und Z.-Worten bei den alten Ägyptern, 1916.   I. A.

III. KLASSISCHE ANTIKE
A. ZAHLBEGRIFF UND QUELLEN   B. ZAHLZEICHEN UND ZAHLENSYSTEME   C. DIE ZAHL IN DER PHILOSOPHIE   D. ZAHLENMYSTIK

A. ZAHLBEGRIFF UND QUELLEN

Die Begriffe ἀριθμός/*arithmós* und lat. *numerus* bezeichnen immer ein natürliches Ganzes, insbes. eine konkrete Menge, eine bestimmte Anzahl von Gegenständen einer bestimmten Sorte. Die Wörter für die Kardinalzahlen (δύο/*dýo*, τρία/*tría*; lat. *duo, tria* etc.) sind Adj. (vollständiger Ausdruck: »zwei Menschen«, »drei Tage«). In der wiss. Mathematik verstanden die Griechen unter »Z.« nur die natürlichen Zahlen, wobei die Eins nicht zu den Z. gezählt wurde. Die Z. wird als aus Elementen einer bes. Art gebildet beschrieben, aus den »Einheiten« (μονάδες/*monádes*), einfachen Entitäten ohne physische Eigenschaften und einander völlig ähnlich, nur distinkt voneinander: Grundlegend ist die auf die Pythagoreer (→ Pythagoras [2]) zurückgehende Definition (Eukl. elem. 7, Def. 2): ›Z. ist die aus Einheiten zusammengesetzte Menge‹ (πλῆθος/*pléthos*; vgl. Plat. rep. 7,526a; Aristot. phys. 3,7,207a 7; Aristot. metaph. 10,1,1053a 30; 13,9,1085b 22). Die anderen bei Nikomachos [9] von Gerasa überl. Definitionen (Introductio arithmetica 1,7) sind lediglich Varianten. Neben derartig definierten Zahlen kannte die Ant. auch die heutigen rationalen Zahlen oder Brüche; diese werden jedoch in der allgemeineren Form eines rationalen Verhältnisses (λόγος/*lógos*) zw. zwei Größen gedacht, welche Zahlen sein können, aber nicht müssen. Beim praktischen Rechnen wurde die Einheit (μονάς/*monás*) in kleinere Teile unterteilt, so daß man zum Bruchrechnen kam. Anders in der theoretischen → Mathematik: Hier war der Begriff der Einheit mit dem Begriff der Unteilbarkeit verbunden, und man arbeitete nicht mit Brüchen, sondern mit Verhältnissen (Proportionen) von (natürlichen) Z. Die älteste – letztlich pythagoreische – Proportionenlehre ist in B. 7 von → Eukleides' [3] ›Elementen‹ niedergelegt, eine spätere, von → Eudoxos [1] stammende in B. 5. Die letztere ist auch auf Größen anwendbar, die kein gemeinsames Maß haben, und kann dazu dienen, die irrationalen Z. zu begründen [4. 20–44].

Die griech. Arithmetik (d. h. »wiss. Theorie der Z.«; → Mathematik IV. A. 1.) beschränkt sich nicht auf die Praxis des Rechnens, sondern betrachtet auch die spezifische Natur (im Sinne von kennzeichnenden Eigenschaften) bestimmter Z., v. a. ihre multiplikativen Eigenschaften (ein charakteristisches Beispiel ist die vollkommene Z., d. h. eine Z., die gleich der Summe ihrer Teiler ist; z. B. 6 = 1 + 2 + 3). Die beiden klass. Darstellungen der ant. Arithmetik sind zum einen die B. 7–9 von → Eukleides' [3] ›Elementen‹, die sich auf die demonstrierbaren und konstruierbaren Eigenschaften beschränken (Primzahlen, Quadratzahlen, Proportionen und proportionale Folgen), zum anderen → Nikomachos' [9] ›Einführung in die Arithmetik‹, die zugleich als Propädeutik zur Philos. gedacht ist. Der Traktat präsentiert ebenfalls demonstrierbare und konstruierbare Resultate, insbes. solche, die sich für die Anwendung in der Harmonik (→ Musik IV. F.) eignen, doch enthält er auch symbolische, »mystische« Betrachtungen (s. u. II. D.). Er bietet (2,6–13) die vollständigste Darstellung der »figurierten« Z., d. h. solchen Z., die man durch eine Anzahl von Punkten definiert, die nach bestimmten Regeln zu verschiedenen geom. (ebenen und räumlichen) Figuren angeordnet sind. Diese Praxis, schon durch Aristoteles [6] bezeugt, ermöglicht es, bemerkenswerte Zahlenfolgen zu untersuchen, die durch additive oder multiplikative Eigenschaften definiert sind (die einfachste ist die Folge der Dreieckszahlen in der Form 1+2+3+ … + n). Der Traktat des Nikomachos wurde von → Iamblichos [2] kommentiert und (von Domninos von Larisa, → Martianus Capella und → Boëthius) mehrfach imitiert. Neben diesen beiden klass. Abh. sind noch die *Arithmētiká* des Diophantos [4] von Alexandreia zu nennen, eine Slg. math. Probleme ohne ausdrücklichen theoretischen Anspruch.   M. F. u. M. CR.

B. ZAHLZEICHEN UND ZAHLENSYSTEME
1. GRIECHENLAND   2. ROM

1. GRIECHENLAND
Die Griechen kannten zwei verschiedene Z.-Systeme. Bei beiden ergab sich die jeweilige Z. als Summe der Werte, die den geschriebenen Z.-Zeichen entsprachen.

	Römische Zahlzeichen	Griechische Zahlzeichen	Ägyptische Zahlzeichen	Mesopotamische Zahlzeichen
1	I	A oder α	⌑	𒁹
2	II	B oder β	⌑⌑	𒈫
3	III	Γ γ	⌑⌑⌑	𒐈
4	IIII	Δ δ	⌑⌑⌑⌑	𒐉
5	V	E ε	⌑⌑⌑⌑⌑	𒐊
6	VI	F ς	⌑⌑⌑	𒐋
7	VII	Z ζ	⌑⌑⌑⌑	𒐌
8	VIII	H η	⌑⌑⌑⌑	𒐍 oder ⟨𒁹𒌋 (10–2)
9	VIIII	Θ θ	⌑⌑⌑	𒐎 oder ⟨𒁹𒌋 (10–1)
10	X	I ι	∩	𒌋
11	XI	IA ια	∩⌑	𒌋𒁹
12	XII	IB ιβ	∩⌑⌑	𒌋𒈫
13	XIII	IΓ ιγ	∩⌑⌑⌑	𒌋𒐈
14	XIIII	IΔ ιδ	∩⌑⌑⌑⌑	𒌋𒐉
15	XV	IE ιε	∩⌑⌑⌑⌑⌑	𒌋𒐊
16	XVI	IF ις	∩⌑⌑⌑	𒌋𒐋
17	XVII	IZ ιζ	∩⌑⌑⌑⌑	𒌋𒐌 oder ⟨⟨𒁹𒌋 (20–3)
18	XVIII	IH ιη	∩⌑⌑⌑⌑	𒌋𒐍 oder ⟨⟨𒁹𒌋 (20–2)
19	XVIIII	IΘ ιθ	∩⌑⌑⌑	𒌋𒐎 oder ⟨⟨𒁹𒌋 (20–1)
20	XX	K κ	∩∩	𒎙
21	XXI	KA κα	∩∩⌑	𒎙𒁹
30	XXX	Λ λ	∩∩∩	𒌍
40	XXXX	M μ	∩∩∩∩	𒐏
50	L	N ν	∩∩∩∩∩	𒐐
60	LX	Ξ ξ	∩∩∩∩∩∩	𒁹
70	LXX	O ο	∩∩∩∩∩∩∩	𒁹𒌋 (60 + 10)
80	LXXX	Π π	∩∩∩∩∩∩∩∩	𒁹𒎙
90	LXXXX	Q ϙ	∩∩∩∩∩∩∩∩∩	𒁹𒌍
100	C	P ρ	𓍢	𒁹𒐏
101	CI	PA ρα bzw. AP αρ	𓍢⌑	𒁹𒐏𒁹
110	CX	PI ρι bzw. IP ιρ	𓍢∩	𒁹𒐏𒌋
120	CXX	PK ρκ	𓍢∩∩	𒈫 (60 + 60)
180	CLXXX	PΠ ρπ	𓍢∩∩∩∩	𒐈
200	CC	Σ σ	𓍢𓍢	
240				𒐉

300	CCC	T τ	ϟϟϟ	𒌍	
360				𒐏𒐏	
400	CCCC	Y υ	ϟϟϟϟ		
420				𒌍𒌍	
480				𒐏𒐏𒐏	
500	D	Φ φ	ϟϟϟ		
540				𒐏𒐏𒐏𒐏	
600	DC	X χ	ϟϟϟ	𒐕𒌍	(60 × 10)
660				𒐕𒌍𒐕	((60 × 10) + 60)
700	DCC	Ψ ψ	ϟϟϟϟ	𒐕𒌍𒐖	
800	DCCC	Ω ω	ϟϟϟϟ	𒐕𒐏𒐖𒌋𒌋	
900	DCCCC	ϡ	ϟϟϟ		
1000	ↁ	,A ,α	𒐕	𒐕𒌋𒐏𒌍𒐖	
1200				𒐕𒌋𒐕𒌋	
2000	ↁↁ	,B ,β	𒐖𒐖		
3000	ↁↁↁ	,Γ ,γ	𒐗𒐗𒐗	𒐏𒐏𒐏	
3600				𒐕	
4000	ↁↁↁↁ	,Δ ,δ	𒐘𒐘𒐘𒐘		
5000	ↇ	,E ,ε	𒐙𒐙𒐙𒐙𒐙		
6000	ↇↁ	,F ,ϛ	𒐙𒐙𒐙𒐙𒐙𒐙		
7000	ↇↁↁ	,Z ,ζ	𒐛𒐛𒐛𒐛𒐛𒐛𒐛		
8000	ↇↁↁↁ	,H ,η	𒐜𒐜𒐜𒐜𒐜𒐜𒐜𒐜		
9000	ↇↁↁↁↁ	,Θ ,θ	𒐝𒐝𒐝𒐝𒐝𒐝𒐝𒐝𒐝		
10000	⊂ↂ⊃	M oder ᾱ	𒌋		
36000				𒐕	(3600 × 10)
100000	((ↈ))	Ϻ oder ϊ	𒌋		
216000				𒐕 𒌋	(»großes 3600« = 3600 × 60)
1000000	⊠	Ϻ oder ϱ̈	𒌋𒐕		
2160000				𒐕 𒌋	(»großes 36000« = 36000 × 60)

Beispiele des römischen und griechischen Systems

111	CXI	PIA ρια oder AIP αιρ	
157	CLVII	PNZ ρνζ oder ZNP ζνρ	
293	CCLXXXXIII	ΣϞΓ σϟγ	
754	DCCLIIII	ΨNΔ ψνδ	
1111	ↁCXI	,APIA ,αρια	
7864	ↇↁↁDCCCLXIIII	,ZΩΞΔ ,ζωξδ	

a) Bei dem sog. »Herodianischen System« (benannt nach dem Grammatiker → Herodianos [1], der dieses System beschreibt) gab es für die Zehnerpotenzen unterschiedliche Z.-Zeichen, die man aneinanderreihte. Man benutzte den senkrechten Strich für 1 und die Initialen der Z.-Wörter für 10 (Δ = δέκα/*déka*), 100 (H = ἑκατόν/*hekatón*), 1000 (X = χίλιοι/*chílioi*), 10000 (M = μύριοι/*mýrioi*); dazu kamen als Zwischenstufen die 5 (Γ = πέντε/*pénte*) und die Fünffachen der Zehnerpotenzen (Γ = 5×10 bis Γ = 5×10⁴; z.B. 61256 = ΓMXHHΓI). Dieses System ist auf attischen Inschr. seit dem 5. Jh. v. Chr. und auch auf der Salaminischen Rechentafel (→ Abacus; Abb. s. Nachträge) belegt [2. 374f.; 3. 73–76; 5. 32].

b) In den erh. griech. Papyri und Hss. mathematischen Inhalts wird üblicherweise das alphabetische Z.-System verwendet, das auf die → Phönizier zurückgehen dürfte und möglicherweise in Miletos [2] entstanden ist (→ Alphabet). Hierbei wurde jeder der neun Einer, neun Zehner und neun Hunderter durch einen Buchstaben repräsentiert. Da das griech. Alphabet nur 24 Buchstaben besaß, ergänzte man es durch drei semitische Buchstaben für 6 (Vau oder Stigma, ς), 90 (Koppa, ϙ) und 900 (Sampi, ϡ). Auf diese Weise konnte jede Z. bis 999 durch höchstens drei Zeichen dargestellt werden (→ Mathematik IV. 2.). Zur Bezeichnung der Tausender von 1000 bis 9000 wiederholte man die Einer mit einem vorgesetzten Strich (z.B. ͵ε = 5000; ͵αωνϛ = 1856). Für Zahlen über 10000 wurden die Myriaden (»Zehntausender«) als neue Einheiten wie Einer gezählt und durch M gekennzeichnet; die Zahl der betreffenden Myriaden konnte als Index über dem M geschrieben werden, oder man setzte zur Bezeichnung der Myriaden zwei Punkte über den Zahlbuchstaben (z.B. 30000 = M̈ oder γ̈) [2. 375f.; 3. 67–71, 76–80; 5. 32f.].

Zur Bewältigung noch größerer Z. schuf → Archimedes [1] (B. 9.) in der »Sandrechnung« ein Oktadensystem: Zahlen der 1. Ordnung sind die von 1 bis 10⁸, der 2. Ordnung die folgenden bis (10⁸)² usw. bis zur 10⁸ten Ordnung. Alle diese Zahlen bilden die 1. Periode, auf die weitere Perioden bis zur 10⁸ten Periode folgen. Die größte auf diese Weise darstellbare Z. ist eine 1 mit 80000 Billionen Nullen [2. 376]. Dieses System wurde, abgesehen von Archimedes in der »Sandrechnung«, nicht verwendet.

Man kann Z. auch mit Hilfe der Finger darstellen. Finger-Z. waren in der Ant. bekannt; allerdings sind keine ausführlichen Darstellungen erhalten. Spätere Beschreibungen stammen von → Hieronymus, → Beda und aus → Byzantion. Die Z. von 1 bis 10000 wurden durch verschiedene Stellungen und Beugungen der Finger angezeigt, wobei die Einer und Zehner im allg. in der linken, die nächsten beiden Stufen in der rechten Hand gebildet wurden [1. 5–7; 3. 3–15]. Dieses System war jedoch auf die Situation direkter (mündlicher und gestischer) Kommunikation beschränkt.

Die sprachliche und symbolische Wiedergabe der Brüche bei den Griechen entspricht vielfach dem Verfahren der Ägypter [5. 101–103]. Stammbrüche wurden durch einen einfachen Akzent als diakritisches Zeichen angegeben, z.B. $\frac{1}{3}$ = γ'. Sonderzeichen gab es u.a. für $\frac{1}{2}$ und $\frac{2}{3}$ [2. 412–416]. Allgemeine Brüche wurden zunächst in Worten bezeichnet (z.B. τρία πέμπτα/*tría pémpta* = $\frac{3}{5}$). Später gab es abgekürzte Schreibweisen (z.B. ν̄ κγ^ον = $\frac{50}{23}$). Recht verbreitet war es, den Nenner über den Zähler zu setzen (z.B. $\overset{\nu}{\kappa\gamma}$ = $\frac{50}{23}$); diese Anordnung findet man u.a. in einem Pap. aus dem 1. Jh. v. Chr. und bei → Diophantos [4] ([2. 416–425; 5. 102f.]). V.a. für astronomische Rechnungen verwendeten die Griechen die Sexagesimalbrüche, die sie verm. von den Babyloniern übernahmen (→ Astronomie C.). Dabei wurden die Grade (μοῖραι/*moírai*) in 60 Minuten (ἑξηκοστά/*hexēkostá* oder λεπτά/*leptá*), diese in 60 Sekunden (δεύτερα ἑξηκοστά/*deútera hexēkostá*) usw. unterteilt. Oft wurden die Minuten und Sekunden, gemäß der Bezeichnungsweise für allgemeine Brüche, mit einem bzw. zwei Akzenten versehen. Als Leerstelle wird bei Sexagesimalbrüchen ein überstrichenes Omikron gewählt, das wohl als Abkürzung von οὐδέν/*udén* (»nichts«) aufzufassen ist [2. 425f.; 5. 33].

2. ROM

Die Römer verwendeten als Z.-Zeichen – ähnlich dem »Herodianischen System« (s.o. II.B. 1.a) – Individualzeichen für die Zehnerpotenzen (I, X, C) und für die Zwischenstufen 5, 50, 500 (V, L, D). Für 1000 wurde zunächst Φ, (|) oder ∞ gebraucht; die Schreibweise M wurde erst im MA üblich. Weitere Symbole existierten für höhere Einheiten: Ⓧ = 10000, (Ⓧ) = 100000, ⊠ = 1000000. Die Z.-Zeichen für die Zehnerpotenzen konnten bis zu viermal nebeneinandergestellt werden; die subtraktive Schreibweise (IV = 4, XIX = 19 usw.) kam nur vereinzelt vor und setzte sich erst im MA allmählich durch. Auch die Bezeichnung des Tausendfachen einer Z. durch einen Strich über dem betreffenden Z.-Zeichen wurde erst im MA gebräuchlich [3. 47–52; 5. 34]. Die Römer gaben bei Maß- und Wertangaben die Brüche in Unzen an, d.h. in Zwölfteln des als Eins verstandenen *as*. Es gab Z.-Wörter und Z.-Zeichen für die verschiedenen Zwölftel des → *as* und für Teile der → *uncia* bis hin zum → *scripulum* (= $\frac{1}{24}$ *uncia* oder $\frac{1}{288}$ *as*) [1. 34–46; 5. 104f.].

Die röm. Z.- und Bruchzeichen wurden während des MA auch im Westen benutzt, auch noch im 12. Jh., als das Rechnen mit den indisch-arabischen Ziffern bekannt geworden war [3. 86–92].

→ Mathematik IV.; Zahlwort; MATHEMATIK

1 G. FRIEDLEIN, Die Z.-Zeichen und das elementare Rechnen der Griechen und Römer und des christl. Abendlandes vom 7. bis 13. Jh., 1869 2 K. VOGEL, Beitr. zur griech. Logistik. Erster Teil, 1936 3 K. MENNINGER, Z.-Wort und Ziffer. Eine Kulturgesch. der Z., Bd. 2, ²1958 4 H. GERICKE, Gesch. des Z.-Begriffs, 1970 5 J. TROPFKE, Gesch. der Elementarmathematik, Bd. 1, ⁴1980. M.F.

C. Die Zahl in der Philosophie

Im Zusammenhang mit der Frage nach dem ontologischen Status der Z. steht die nach ihrem Wert als
Instrument zur Erkenntnis der Wirklichkeit. → Platon
[1] macht die Z. zum Vorbild des Erkenntnisgegenstands
(Plat. rep. 7,525a-b) und zum bevorzugten wiss. Er-
kenntnismittel (Plat. Phil. 55e; Plat. Tim. 53c). Schon
früh hatten die griech. Denker in der empirischen Welt
exakte Z.-Verhältnisse entdeckt (z. B. musikalische; vgl.
→ Proportion III.). → Empedokles [1] (31 B 96 DK)
meinte, daß die aus gleichen Teilen bestehenden Stoffe
durch eine Mischung der Elemente nach bestimmten
Proportionen bestimmt seien (→ Elementenlehre). Laut
→ Aristoteles [6] (metaph. 1,5; 1,8,989b 29; 14,3,1090a
30) setzte die → Pythagoreische Schule die Z. als Wirklichkeit und als erste Ursache für bestimmte physische,
ethische und polit. Tatsachen an. Aristoteles merkt jedoch an, daß die Z., wenn man aus ihnen Körper hervorgehen lassen will, sich »im Himmel« (d. h. in der physischen Welt) befinden müssen, und die Einheiten, aus
denen sie zusammengesetzt sind, materieller Natur sein
müssen (metaph. 13,6,1080b 16).

Platon hingegen definiert die Z. klar als ideale Wesenheit (ἰδέα/idéa, εἶδος/eídos, εἰδητικὸς ἀριθμός/eidē-
tikós arithmós), die er ausdrücklich von den Mengen
sinnlich wahrnehmbarer Gegenstände unterscheidet
(Plat. Tht. 196a; Plat. Phil. 56d); im ›Timaios‹ entwickelt
jedoch auch er den Aufbau der Welt ausgehend von
Z.-Verhältnissen (die Struktur der Weltseele, Plat. Tim.
35b; die Struktur der Elementardreiecke, aus denen die
fünf einfachen Körper gebildet sind, ebd. 53c; → Platon
[1] G.4.). Andererseits kam er (laut Aristot. metaph. 1,6,
987b 14; 12,6 etc.) dazu, zw. der »idealen« Zahl als Modell und letzter Erklärung der Dinge und den »intermediären« Zahlen des Mathematikers zu unterscheiden,
die zu einem intermediären (metaxý) Bereich der Wirklichkeit gehören. Auch diese sind aus reinen Einheiten
zusammengesetzt, jedoch vielfach und durch die arith-
metischen Operationen einer Art von Veränderung unterworfen. Auch in Platons Prinzipienlehre, wie sie
durch Aristoteles überl. ist, spielen Z. eine entscheidende Rolle. Die geom. Figuren und Körper werden aus
einfachen und universellen Strukturen gebildet (vgl.
z. B. Aristot. metaph. 2,5).

Umgekehrt postuliert Platons Lehre eine Herkunft
aus noch ursprünglicheren Prinzipien, ausgehend von
zwei Prinzipien, genannt »das Eine« und »die unbestimmte Zweiheit« (δυάς/dyás). Dieses Prinzipienpaar
geht möglicherweise auf den älteren Pythagoreismus
zurück (→ Pythagoras [2]). Auch die beiden Grundformen der Zahl, gerade und ungerade Zahlen, sind mit
diesem Gegensatzpaar verknüpft in der berühmten Tafel der Gegensätze (συστοιχία/systoichía, Aristot. metaph. 1,5,986a 23). Diese Lehre findet sich dann durchgängig im → Neupythagoreismus der röm. Zeit und in
bestimmten neuplatonischen Traditionen.

Bei Aristoteles klingen die Debatten der Älteren
Akademie (→ Akadémeia II.) über das Wesen der Einheiten nach, aus denen sich die verschiedenen Z.-Ty-
pen konstituieren (metaph. 13,6–7): Laut Platon seien
die Einheiten, aus denen eine bestimmte Idealzahl gebildet sei, unvergleichbar (ἀσύμβλητοι/asýmblētoi) mit
den Einheiten irgend einer anderen Z. – im Unterschied
zu dem, was für die math. Z. gilt. Es gibt keinen Grund
anzunehmen, daß die ideale Z. keine Ansammlung von
Einheiten ist. Während Platon (wie die Pythagoreer) in
den Zahlen die Ursachen der empirischen Tatsachen
finden wollte, habe → Speusippos die mathematischen
Gegenstände vollständig von der sinnlichen Welt abgetrennt (die Wahrheit der Idealzahlen bestehe ausschließlich in der Art und Weise, wie sie sich der Seele ein-
präge, Aristot. metaph. 14,3,1090a 35). Aristoteles (ebd.
13,7) selbst wirft der Akademie vor, ihre verschiedenen Theorien seien unvereinbar mit den operativen
Erfordernissen der Arithmetik, da die Idealzahlen keine
eigentlichen Z. seien. Für ihn ist die Z. (wie die Gegenstände der Mathematik generell) ein Aspekt der Dinge
oder genauer der Mengen von Dingen: Sie ist die Voraussetzung dafür, daß bestimmte Mengen zählbar sind.
Diese Konzeption impliziert, daß die zu zählende Einheit vereinbar ist mit der auf sie angewendeten Zäh-
lungseinheit (wenn ich ein Pferd, einen Menschen und
einen Gott zusammenzähle, zähle ich Lebewesen: Aristot. metaph. 14,1,1087b 33). Die Z. ist somit, wie später
bei F. L. G. Frege (1848–1925), mit den Gegenständen
durch ein bestimmtes Konzept vermittelt. Eine der be-
merkenswertesten Anwendungen dieser Z.-Theorie ist
die Definition der Zeit als die ›Z. der → Bewegung im
Hinblick auf vorher und nachher‹ (Aristot. phys. 4,11;
→ Zeitkonzeptionen II. B.).

Die aristotelische Konzeption der Z. fand in der
Ant. wenig Resonanz. Eine Ausnahme ist → Eukleides
[3], dessen Definition der Einheit (Eukl. elem. 7, def.
1) sie aufnimmt, indem er die Einheit als Prädikat und
nicht als Substanz bestimmt. → Plotinos (Plot. enn. 6,6)
verteidigt im 3. Jh. n. Chr. die These einer absoluten
Existenz der Zahl gegen Einwände teilweise aristotelischer Herkunft (vgl. auch die Verteidigung des → Syrianos in seinem Komm. zu Aristot. metaph. B. 13–14).
Die spätant. Philos. der Z. bleibt im Rahmen der platonischen und neupythagoreischen Trad. und weist
keine größeren Neuerungen auf. → Augustinus allerdings nimmt in christl. Kontext sehr wirkungsmächtig
einige der urspr. platonischen Einsichten auf. Die Idealzahl ist eine Wesenheit, die die sinnliche Erfahrung
überschreitet (Aug. conf. 10,12). Die Zahlengesetze
sind ewige und notwendige Wahrheiten. Augustinus
setzt sie schlicht und einfach mit der göttlichen Weisheit gleich (Aug. de libero arbitrio 2,20–24; 2,31f.), in
Anklang an die biblische Weisheitsliteratur (Weish 8,1;
11,21; Prd 7,26). Die menschliche Seele entdeckt diese
Wahrheiten in sich selbst, in einem Akt des Denkens,
der zugleich Erfahrung der Einheit mit der göttlichen
Weisheit ist. Weil diese Weisheit auch schöpferisch ist,
sind die Zahlen Ursprung der Schönheit, die in der
Welt wie auch in den Werken der Kunst zu finden ist

(Aug. de libero arbitrio 2,42; Aug. de musica 6,35–36).
→ Ideenlehre; Mathematik IV.; Proportion;
Pythagoreische Schule F.

M. CAVEING, La constitution du type mathématique de
l'idéalité dans la penseée grecque, Bd. 2: La figure et le
nombre, 1997 · J. COOK WILSON, On the Platonist
Doctrine of the asumbletoi arithmoi, in: CR 8, 1904,
247–260 · J. KLEIN, Die griech. Logistik und die Entstehung
der Algebra (Quellen und Studien zur Gesch. der
Mathematik, Astronomie und Physik 3), 1934 ·
J. MUELLER, On Some Academic Theories of Mathematical
Objects, in: JHS 106, 1986, 111–120 · L. ROBIN, La théorie
platonicienne des idées et des nombres d'après Aristote,
1908 (Ndr. 1963) · J. STENZEL, Z. und Gestalt bei Platon
und Aristoteles, 1924, ³1959.   M. CR./Ü: B. v. R.

D. ZAHLENMYSTIK

Z.-Mystik, auch Z.-Symbolik oder Numerologie
genannt, spielt in Mythos, Ritus und Magie der Ant.
(wie überhaupt der meisten Kulturen) seit jeher eine
wichtige Rolle (vgl. zur Drei [1], zu Sieben und Neun
[2], zu Fünfzig [3] etc.; allg. [4. 466–476]). Eine neue
Qualität erhielt die traditionelle Z.-Mystik im Umfeld
des → Pythagoras [2]: Wohl ausgehend von den Beobachtungen, daß sich die konsonanten Intervalle (Okta-
ve, Quinte und Quarte) in einfachen Z.-Verhältnissen
ausdrücken lassen, daß ferner auch Gestirnsbewegun-
gen numerisch zu erfassen sind und überhaupt alles
Wahrnehmbare auf Z.-Konfigurationen zurückgeführt
werden kann, vertraten die Pythagoreer laut Aristot.
metaph. 1,5 nicht allein die Ähnlichkeit, sondern die
substantielle Identität aller Dinge mit Z. (→ Pythagoreische Schule B.). Zum Teil unter Zuhilfenahme figürlich angeordneter Zählsteine (vgl. → Eurytos [2],
→ Philolaos [2]) ordneten sie den körperlichen Dingen
bestimmte Z. zu.

Auch abstrakte Konzepte und – nach babylon. Vorbild? (vgl. [5. 323–325; 4. 470]) – selbst Gottheiten wurden aufgrund struktureller Analogien mit Z. gleichgesetzt (vgl. Aristot. perí tōn Pythagoreíōn fr. 13 ROSS =
162 GIGON; Aristot. metaph. 1,5985b 29–31 und 990a
22–24; [4. 466f.]): Die aus den Elementen Gerade und
Ungerade zusammengesetzte Z. Eins, aus der die übrigen Z. hervorgehen, ist für die Pythagoreer mit der
»Einsicht« (νοῦς/nus) und dem »Wesen« (οὐσία/usía)
identisch. Zwei ist »Meinung«, Drei die Z. des »Ganzen«, da diese Anfang, Mitte und Ende in sich begreift
(Aristot. cael. 268a 10–13). Vier steht, da aus »gleich-
mal-gleich« entstanden, für »Gerechtigkeit«. Die tetrak-
týs (= Reihe der ersten vier Z.) wird überdies als ver-
borgener Schlüssel zur Welt geradezu mystisch verehrt
und in einem altertümlichen Ausspruch sowohl mit
dem »Orakel von Delphi« wie mit der (sphärischen?)
»Harmonie der Sirenen« gleichgesetzt (Iambl. v. P. 82;
die Z. Eins bis Vier zeichnen sich u. a. dadurch aus, daß
sie die wichtigsten Konsonanzen in sich enthalten; vgl.
→ Pythagoras [2] D.2.; → Musik IV. F.; → Sphärenhar-
monie; [6]).

Als erste Kombination einer ungeraden (für die Pythagoreer = männlichen) und einer geraden (= weiblichen) Z. wird Fünf als »Hochzeit« gedeutet. Sieben ist
die »rechte Zeit« (kairós), da natürliche Prozesse nach
pythagoreischer Auffassung in Hebdomaden ablaufen
(die → Sonne als Ursache dieser Prozesse erhält entsprechend den – vom Himmelsrand gezählt – siebten
Platz: vgl. → Philolaos [2]). Als Prim-Z., die selbst keine
der ersten zehn Z. hervorbringt und auch von keiner
anderen durch Selbstaddition oder -multiplikation hervorgebracht wird, ist Sieben außerdem die Z. der »jung-
fräulichen« und »mutterlosen« Göttin Athena. Die die
erste Dezimalreihe beschließende Z. Zehn gilt, da sie
›die ganze Natur der Z. umfaßt‹, als ›vollkommen‹
(τέλειον/téleion, Aristot. metaph. 1,5,986a 8–10; vgl.
Aristot. probl. 910b 31–911a 1; Philolaos [2] 44 B 11 DK
– ein Fr., welches trotz [7. 349f.] im Kern authentisch
sein könnte). Vor dem Hintergrund astrologischer Praktiken ist die Zuweisung bestimmter geometrischer Figuren an einzelne Götter bei Philolaos 44 A 14 DK zu
sehen (vgl. [4. 349f.]; gegen die Echtheit von 44 A 14
DK freilich [7. 385–391]).

→ Platon [1], dessen Z.-Spekulationen in den Dialogen von den Pythagoreern inspiriert sein dürften (vgl.
zu Plat. rep. 546b-c [8; 9], zu Plat. Tim. 35a–36d [10]),
folgt (nach Auskunft von Aristoteles [6]) in seiner (un-
geschriebenen) Prinzipien- und Z.-Lehre, die u. a. die
Reihe Eins = »Einsicht«, Zwei = »Verstehen«, Drei =
»Meinung«, Vier = »Sinneswahrnehmung« enthält (Aristot. an. 404b 16–27), weitgehend den Pythagoreern (im
Unterschied zu diesen weist er den Z. allerdings eine
eigene Existenz neben den körperlichen Dingen zu:
Aristot. metaph. 1,5,987b 14–18 und 27–29; [11]). Im
Anschluß an Platon und die alte Akademie (neben
→ Speusippos – vgl. fr. 28 TARÁN – bes. wichtig → Xe-
nokrates, der die Monade »Zeus« nennt und die Dyade
als »Mutter der Götter« bezeichnet: fr. 15 HEINZE = 213
ISNARDI; dazu allg. [12]) erlebt die Z.-Mystik, z. T. wohl
durch → Poseidonios [3] vermittelt [13], im → Neupy-
thagoreismus und im kaiserzeitlichen Platonismus
(→ Mittelplatonismus; → Neuplatonismus) eine neue
Blüte (u. a. bei → Varro [1], → Censorinus [4] und
→ Macrobius [1], im Griech. bes. → Moderatos von
Gades, → Nikomachos [9] von Gerasa, Anatolios (vgl.
[14]), → Iamblichos [2]; ferner Ps.-Pythagoras hier. log.
Dor. p. 164–166 THESLEFF etc.). Auch in der jüdisch-
hell. (Aristobulos und → Philon [12] von Alexandreia:
[15]) und der frühchristl. Lit. hat die pythagoreisch-
platonische Z.-Mystik deutliche Spuren hinterlassen
(vgl. [16]).

Eine (von oriental. Beispielen angeregte) Sonderform der Z.-Mystik, die im Zusammenhang mit esoterischen Praktiken (→ Magie, Mantik/→ Divination,
→ Traumdeutungen, → Astrologie) vorkommt, ferner
in jüdisch-hell. und frühchristl. Namensspekulationen
wichtig ist, aber auch als gelehrtes lit. Spiel betrieben
wurde (isopsephische Epigramme: vgl. [17. 96f.]), arbeitet mit dem Z.-Wert von Wörtern und ganzen Phra-

sen, welcher aus den zugleich für die Zählung verwendeten griech. Buchstaben ermittelt wird (vgl. → Leonides [4] von Alexandreia; [17; 18; 5. 335–351]).

→ Astrologie; Pythagoras [2]; Pythagoreische Schule

1 R. MEHRLEIN, s. v. Drei, RAC 4, 269–310
2 W. H. ROSCHER, Die Sieben- und Neunzahl im Kultus und Mythus der Griechen, 1904 3 Ders., Die Z. 50 in Mythus, Kultus, Epos und Taktik der Hellenen und anderer Völker, bes. der Semiten, 1917 4 W. BURKERT, Lore and Science in Ancient Pythagoreanism, 1972 5 G. IFRAH, Universalgesch. der Zahlen, 1986 6 L. BREGLIA PULCI DORIA, Le Sirene di Pitagora, in: A. C. CASSIO, P. POCCETTI (Hrsg.), Forme di religiosità e tradizioni sapienziali in Magna Grecia, 1994, 55–77 7 C. A. HUFFMAN (ed.), Philolaus of Croton, 1993 (mit Komm.) 8 J. ADAM (ed.), The Republic of Plato, Bd. 2, ²1963, 267–312 (mit Komm.)
9 N. BLÖSSNER, Musenrede und »geometrische Z.«, 1999 10 GUTHRIE 5, 294 f. 11 K. GAISER, Platons ungeschriebene Lehre, 1963, 41–66 und 296–298 12 M. BALTES, Zur Theologie des Xenokrates, in: R. VAN DEN BROEK et al. (Hrsg.), Knowledge of God in the Graeco-Roman World, 1988, 43–68 13 V. DE FALCO, Sui trattati aritmologici di Nicomaco ed Anatolio, in: Rivista Indo-Greca-Italica di filologia, lingua antichità 6, 1922, 51–60 14 D. J. O'MEARA, Pythagoras Revived, 1989, 23–25 15 A. YARBRO COLLINS, Numerical Symbolism in Jewish and Early Christian Apocalyptic Literature, in: ANRW II 21.2, 1984, 1253–1257 16 V. F. HOPPER, Medieval Number Symbolism, 1938, 69–88 17 F. DORNSEIFF, Das Alphabet in Mystik und Magie, ²1925 18 W. KROLL, s. v. Onomatomanteia, RE 18, 517–520
C. RI.

Zahlentheorie s. Mathematik IV. A. 1.

Zahlungsmittel s. Geld, Geldwirtschaft

Zahlwort. Die Grundlage des Systems der Zahlwörter (Numeralia) bilden in den idg. Sprachen die Cardinalia (»Grundzahlwörter«, z. B. lat. *septem*), denen Ordinalia (»Ordnungszahlwörter«, z. B. *septimus*) sowie Multiplikativa (»Zahladverbien«, z. B. *septiēs*) als abgeleitete Bildungen gegenüberstehen. Als elementare Bestandteile des Grundwortschatzes sind die niedrigen Kardinalzahlen in besonderem Maße resistent gegen Ersatz durch Entlehnung oder Neubildung und somit zum Nachweis von → Sprachverwandtschaft geeignet. Von den idg. Kardinalzahlen waren ursprünglich die ersten vier flektierbar, wobei in ihrer Formenbildung zahlreiche Besonderheiten auftraten. So reflektiert lat. *duo, duae* (als alleiniger lat. Zeuge neben *ambō*, »beide«) ein idg. → Dual-Paradigma (< *$d_u\bar{o}$ < *duo-h, bzw. *$d_u$uai < *dueh,-ih,, vgl. altind. *d_uvā́, $d_u$vé*; aus *duo-h, auch griech. δύω [über *d_uuō], aber auch δύο [über *$d_u$uo] und δω- [über *$d_u\bar{o}$, im mehrsilbigen δω-δεκα, »zwölf« = »zweizehn«]. Die in griech. τέσσαρες etc. erhaltene Flexion (<< *k^uetuór-es, ~ altind. Mask. *catvárah*) erscheint in lat. *quattuor* aufgegeben (wohl ursprünglich Ntr. *k^utuór-h, ~ altind. *catvā́ri*). Zum Ausdruck von »eins« standen verschiedene Etyma zur Verfügung, die z. B. in lat. *ūnus* (~ dt. *ein-*, < *Hoi-no-s*; griech. nur in οἴνη »Eins auf dem

Würfel«) und griech. εἷς, μία, ἕν < *sem-s, *sm-ih₂, *sem (lat. z. B. im Multiplikativum *sem-el*, vgl. griech. ἅ-παξ < *sm̥-) vorliegen.

In der Bildeweise der Ordinalia stimmen die altidg. Sprachen nur teilweise überein; vgl. z. B. griech. τέταρτος/τέτρατος ~ altind. *caturthá- < *k^uetur-tó-* (lat. *quārtus* unsicher), aber griech. τρίτος < *tri-tó-* (mit regulärer Akzentzurückziehung) vs. lat. *tertius < *tri-tio-*, altind. *tr̥tīyá- < *tr̥-tii̯ó-*. (Ob in dem altind. Götternamen *tritá- āptyá-* eine dem griech. τρίτος entsprechende Bildung vorliegt, bleibt unsicher.) Die Ordinalzahlen für den »ersten« und »zweiten« sind vielfach durch sekundäre Bildungen vertreten (z. B. griech. πρῶτος, altind. *pūrvá-*, lat. *prīmus*, alle zu dem in πρό, *prae, prō* etc. vorliegenden Stamm; lat. *secundus* zu *sequī*, »folgen«; lat. *alter* als der »andere von beiden« zu *al-ius*; griech. δεύτερος unklar). Vielfach treten gegenseitige Beeinflussungen auf, sowohl unter den Cardinalia (lat. *novem* für *noven* < *h₁néu̯n̥* nach *septem < *séptm̥*), vgl. *nōnus* mit erh. -n- gegenüber *septimus* als auch zw. Cardinalia und Ordinalia (lat. *quīnque* für *quinque < *pénk^{u}e* nach *quīntus < *quinχtus < *pénk^{u}tos?*).

Unter den Multiplikativa sind sicher ererbt griech. δίς »zweimal« = lat. *bis*, altind. *dvíh < *du̯i-s*; griech. τρίς, lat. *ter*, altind. *tríh* »dreimal« < *tri-s*; lat. *quater* »viermal« ~ altind. *catúh << *k^utur-s*.

→ Flexion; Zahl

SCHWYZER, Gramm., 586–599 · RIX, HGG, 171–173 · SOMMER, 464–477 · G. MEISER, Historische Laut- und Formenlehre der lat. Sprache, 1998, 170–177 · M. MEIER-BRÜGGER, Idg. Sprachwissenschaft, 2000, 214–220 · H. EICHNER, Studien zu den idg. Numeralia (2–5), (unpubl.) Habilschrift Regensburg 1982 · J. GVOZDANOVIĆ (Hrsg.), Indo-European Numerals, 1992.
J. G.

Zahnheilkunde
I. ALTER ORIENT   II. KLASSISCHE ANTIKE

I. ALTER ORIENT
A. QUELLEN
B. ZAHNKRANKHEITEN UND BEHANDLUNG

A. QUELLEN
Hauptquelle der mesopot. Z. sind zwei Kap. des medizinischen Hdb. ›Wenn der Oberkopf eines Menschen fieberheiß ist‹ (1. Jt. v. Chr.; vgl. → Medizin I.), dazu kommen vereinzelte Rezepttexte. Ältester Textzeuge ist eine Keilschrifttafel aus altbabylonischer Zeit (ca. 18.–16. Jh. v. Chr.). Der überwiegende Teil der Texte ist nur in Keilschriftautographie zugänglich; für Teilübersetzungen vgl. [1].

B. ZAHNKRANKHEITEN UND BEHANDLUNG
Bekannt waren diverse Formen von Zahnbetterkrankungen, Karies sowie Zähneknirschen [2]. Wakkelnde Zähne und blutendes Zahnfleisch galten als Begleiterscheinungen von bisher mit Diphtherie und Hautflechte identifizierten Krankheiten.

Folgende Behandlungsarten sind belegt: 1. Medizinisch-therapeutisch: Auflegen von Puder oder Benutzung von Kataplasmen; in schweren Fällen auch Zahnneziehen. Zur Zahnreinigung diente ein Wildkraut. 2. Magisch-medizinisch: Amulettsteinketten oder Lederbeutel; Rezitation von Beschwörungen [2]. Einzigartig als Beispiel sympathetischer Magie ist eine Vorschrift zur Herstellung eines Kiefermodells, in welchem der schmerzende Zahn durch ein schwarzes Gerstenkorn angezeigt und am Modell behandelt wird [3].

In der Regel behandelte man mit pflanzlichen Wirkstoffen (zum Problem der Identifikation vgl. → Pharmakologie I.); zur Reinigung des Mundes wurden Alkali und Alaun verwendet.

1 Chicago Assyrian Dictionary, Bd. Š/3, 1992, 48b, s. v. *šinnu* A 2 B. Böck, Babylon. Divination und Magie als Ausdruck der Denkstrukturen des altmesopot. Menschen, in: J. Renger (Hrsg.), 2. Internationales Colloquium der Deutschen Orient-Ges., 1999, 409–425 3 F. Köcher, Babylon.-assyr. Medizin in Texten und Unt. Bd. 6, 1980, xix.

R. D. Biggs, s. v. Medizin, RLA 7, 627, § 3.6 (kurze Übersicht über die Texte) · R. C. Thompson, Assyrian Medical Texts II, in: Proceedings of the Royal Society of Medicine 19/3, 1926, 58–69 (veraltete Teilübers.).

BA. BÖ.

II. KLASSISCHE ANTIKE

Seit 2600 v. Chr. sind zahnheilkundliche Spezialisten in Äg. bezeugt – wenn auch selten mit dem Schriftzeichen für Arzt bezeichnet. In der Ant. war die Z. häufig ein Teil der Chirurgie. Paläopathologische Befunde zeigen erheblichen Zahnverfall ebenso wie Zahnabschliff, der auf den Verzehr von Brot zurückzuführen ist, das mit sehr grobem Mehl gebacken wurde. Auch Zahnkaries war verbreitet. Des weiteren sprechen äg., babylonische und griech. Texte von den Martern des Zahnens. Als Heilmittel diente u. a. das Einreiben des Zahnfleisches mit Salben auf Myrrhebasis oder mit warmem Öl.

Die Löcher in kariösen Zähnen, die in Babylonien und Griechenland oft als Machwerk von → Würmern galten, wurden mit einem Metallschaber gereinigt, bevor man sie mit einem Puder aus → Terebinthos und Malachit stopfte. Unerträglich schmerzende Zähne konnten manuell oder mit einer Spezialzange (vgl. → Medizinische Instrumente, Abb. Nr. 4) entfernt werden, wie Cornelius → Celsus [7] in *De medicina* 7,12 ausführt. In bes. schwierigen Fällen wurde auch Trepanation mit Hilfe eines Bohrers empfohlen. Die hippokratische Schrift *De articulis* sowie die Illustrationen in dem entsprechenden Komm. des → Apollonios [16] zeigen, daß um 400 v. Chr. die Prinzipien der Reposition eines ausgerenkten Kiefergelenks bestens bekannt waren.

Ausgefallene Zähne konnten durch künstliche Zähne aus Knochen oder sogar Gold ersetzt und durch Verschlüsse fixiert werden, die um den künstlichen Zahn

gelegt und an benachbarten, stabileren Zähnen befestigt wurden. Gut erh. Beispiele für solchen Zahnersatz stammen aus Palaestina, Etrurien und Griechenland, möglicherweise auch aus Äg., auch wenn man bisher keine Mumie mit einer solchen Zahnprothese entdeckt hat.

Bei zahlreichen Rezepten aus dem Bereich der Z. geht es eher um die Beseitigung von Mundgeruch als um den Erhalt der Zähne oder des Zahnfleischs. Zahnpasten, die oft Putzkörper wie Ruß enthielten, wurden ebenfalls empfohlen, um die Zähne weiß zu halten; Messalina [2] benutzte ein solches Mittel, das auf der Basis von verbranntem Hirschhorn, Mastixharz aus Chios und Ammonsalz angerührt war (Scribonius Largus, Compositiones 60).

W. Hoffmann-Axtelt, Die Gesch. der Z., ²1985 · H. E. Lässig, R. A. Müller, Die Z. in Kunst- und Kulturgesch., 1985 · C. Proskauer, F. H. Witt, Bildgesch. der Z., 1962.   V. N./Ü: L. v. R.-B.

Zahnpflege s. Körperpflege; Mastix; Zahnheilkunde

Zahnrad (*tympanum dentatum*: Vitr. 10,5,2). Der Begriff Z. bezeichnet ein mechanisches Instrument, das dem direkten Krafttransfer dient. Z. übertragen im Zusammenwirken mit anderen Z. Drehbewegungen durch nacheinander eingreifende Zähne von einer Welle auf eine andere.

Der früheste Gebrauch des Z. in der griech.-röm. Welt ist für das 3. Jh. v. Chr. belegt: → Ktesibios [1] konstruierte nach Vitruvius [2] in Alexandreia [1] eine mit Z. und Zahnstange versehene Wasseruhr (Vitr. 9,8,5–6; → Uhr B.). Ein weiteres eindrucksvolles Zeugnis für die Verwendung von Z. bietet der Antikythera-Mechanismus, ein zu Beginn des 20. Jh. aus dem Mittelmeer geborgenes Instrument mit zahlreichen brn. Z., das wahrscheinlich für astronomische Berechnungen benutzt wurde. Z. wurden für die Konstruktion eines Taxameters sowie eines Entfernungsmessers für Schiffe und überdies – in außerordentlich kreativer Weise – beim Bau von → Automaten verwendet (vgl. etwa Vitr. 10,9; Heron, pneumatiká 2,32; Heron, perí automatopoiētikḗs 24,5). Wirtschaftl. Bed. erlangte das Z., weil es eine Kraftübertragung von einem Antriebsrad auf die Kreisbewegung eines Geräteteils ermöglichte. So besteht der Transmissionsmechanismus der Wassermühle aus zwei Z. (Vitr. 10,5,2); auch die von einem Ochsen angetriebenen Wasserschöpfwerke (Sāqiya) in Äg. (vgl. Sulp. Sev. dialogi 1,13) wiesen Z. auf. Eine präzise mathematisch-technische Darstellung der Möglichkeiten einer Kraftübertragung durch Z. findet sich bei Heron von Alexandreia (1. Jh. n. Chr.: Heron, mēchaniká 1,1–2; vgl. 1,3–7; 1,15; 1,19).
→ Mechanik

1 B. Cotterell, J. Kamminga, Mechanics of Pre-Industrial Technology, 1990, 96f. 2 D. De Solla Price, Clockwork Before the Clock and Timekeepers Before Timekeeping, in: J. T. Fraser, N. Lawrence (Hrsg.), The Study of Time,

Bd. 2, 1975, 374–379 **3** Ders., Gears from the Greeks, The Antikythera Mechanism, 1974 **4** A. G. DRACHMANN, The Mechanical Technology of Greek and Roman Antiquity, 1963 **5** C. MATSCHOSS, Gesch. des Z., 1940, 6–9.   MA. RO.

Zakoria. Station an der pontischen Küstenstraße (Arr. per. p. E. 21: Ζάγωρα/ *Zágōra*; Tab. Peut. 10,1; Geogr. Rav. 2,17: Agoria; 5,10: Z.; Guido, Geographica 101) von → Sinope nach → Trapezus zw. Gurzubathon (h. Kurzuvet) und → Zaliches (beim h. Alaçam), verm. beim h. Çayağzı an der Mündung des Aksu Çayı.   E. O.

Zakros. An der Ostküste der Insel → Kreta gelegen, erstreckte sich das minoische Siedlungsgebiet von Z. zw. dem Gebäude von Ano Z. im westl. Hügelland und der Hafenbucht mit dem → Palast von Kato Z. Es war bereits im Endneolithikum und in der Vorpalastzeit (ca. 2600–2000 v. Chr., niedrige Chronologie) besiedelt, wie z. B. die Funde auf dem Steilfelsen von Kato Kastellas oberhalb der Schlucht von Z. und die frühminoischen Bestattungen in den Höhlen der sog. »Schlucht der Toten« zeigen.

In der Altpalastzeit (ca. 2000–1700 v. Chr.) gab es zwar Gebäude und Höfe in Kato Z., aber wohl noch keinen Palast. Dieser wurde erst in der Neupalastzeit (ca. 1700–1450 v. Chr.) inmitten einer Stadt angelegt (s. Lageplan) und ist kleiner als die Paläste von → Knosos, → Phaistos [4], → Mal(l)ia und auch als der neuentdeckte Palast von Galatas in Zentralkreta bei Voni, jedoch größer als jener von Petras bei Sitia. Entsprechend dem üblichen minoischen Schema gruppieren sich seine Räume in vier Flügeln um einen etwa Nord-Süd-orientierten Zentralhof (s. Lageplan). Im Nordflügel befanden sich Küchen- und Speiseräume, im Westflügel Magazine, die sog. Schatzkammer sowie weite Hallenfluchten für Repräsentation und Kult, im Südtrakt Werkstätten. Im schlechter erh. Ostflügel werden Residenzräume vermutet; dieser Teil des Palastes beherbergt neben einem weiteren Hallensystem verschiedene Brunnen und Wasserbassins. Eine Reihe von Räumen des Palastes, aber nur sehr wenige der Stadt, waren mit Fresken oder farbigem Fußbodendekor ausgestattet (→ Wandmalerei II.).

Bemerkenswert viele z. T. kunstvoll reliefierte Steingefäße, daneben Br.-Geschirr sowie ganze Sätze von Br.-Werkzeugen und einige wenige → Waffen fanden sich im Palast, z. T. im Schutt des herabgestürzten oberen Stockwerks. Bes. bedeutsam sind sechs Kupferbarren und drei Elefantenstoßzähne sowie → Straußeneier als Belege für den ostmediterranen Fernhandel. Zeugnisse der Verwaltung, v. a. Tonplomben mit Siegelabdrücken und → Linear A-Tafeln, fanden sich im Palast und in der Stadt von Kato Z.

Palast und Siedlung waren über ein weit verzweigtes Straßen- und Wegenetz mit massiv gebauten Wachstationen (z. B. Karumes, Chiromandres, Kokkino Frudi) mit dem Gipfelheiligtum von Traostalos, der Stadt von Palaikastro und vielen anderen Orten verbunden.

Der Palast wurde wohl im Verlauf polit. und sozialer Kämpfe ähnlich wie die Paläste von Phaistos und Mal(l)ia und zahlreiche Verwaltungsbauten Kretas am Ende von spätminoisch IB (1490/70 nach der hohen bzw. 1425 v. Chr. nach der niedrigen Chronologie) endgültig zerstört, aber anscheinend nur partiell geplündert. Typisch für die nachpalastzeitliche Besiedlung der Region von Z. sind Befestigungsanlagen auf schroffen Felsrücken (Kato Kastellas, Voukoliades, Koufotos). → Ägäische Koine (mit Karten); Linear A; Minoische Kultur und Archäologie

CMS 2,7 · J. DRIESSEN, C. F. MACDONALD, The Troubled Island. Minoan Crete Before and After the Santorini Eruption (Aegaeum 17), 1997 · D. G. HOGARTH, Excavations at Zakro, Crete, in: ABSA 7, 1900–1901, 121–149 · L. PLATON, New Evidence for the Occupation at Z. Before the LM I Palace, in: P. P. BETANCOURT et al. (Hrsg.), Meletemata. FS M. H. Wiener (Aegaeum 20), 1999, 671–681 · N. PLATON, Z. The Discovery of a Lost Palace of Ancient Crete, 1971 · Y. TZEDAKIS et al., Les routes minoennes..., in: BCH 113, 1989, 43–75 · Y. TZEDAKIS, ST. CHRYSOULAKI, L. VOKOTOPOULOS, Το ερευνητικό πρόγραμμα »Μινωικοί Δρόμοι«, in: Kretike Hestia 5, 1994–96, 359–366 · L. VOKOTOPOULOS, Κάτω Κάστελλας, Λενικά, in: Kretike Hestia 6, 1997–98, 237–270.   R. J.

Zakynthos (ἡ Ζάκυνθος). Die südlichste der Ionischen Inseln (401 km²; etwa 37 km L, 19 km Br); das SO-Ufer ist 16 km vom Festland (Elis [1] auf der Peloponnesos) entfernt. Drei Zonen durchziehen Z. von NW nach SO: im Westen ein breites, nahezu unbewohntes Kalkgebirge (Vrachionas, bis 756 m H) mit hafenloser Steilküste, eine Ebene in der Mitte und eine wenig über 200 m hohe Hügelzone längs der Ostküste mit einem breiten Ausläufer mit dem Skopos (483 m H) im SO. Damit bildet der Süden der Insel eine breite, offene, aber hafenlose Bucht.

Die ant. Stadt Z. lag auf einer Anhöhe 1 km von der Ostküste entfernt oberhalb des h. Z. Der ON ist vorgriech. [1. 61]. Myk. Siedlungsreste finden sich an der Ostküste in Vasiliko-Kalogeros und Akrotiri-Alikarnas, die SH Tholosgräber (→ Tholos) u. a. bei Keri, Planos und Akrotiri zeigen Einflüsse der westl. Peloponnesos (Messenia, Elis) [2]. Die bei Hom. Od. 1,246; 16,123; 19,131 erwähnte waldreiche Insel Z. ist mit der heutigen identisch; im Schiffskatalog gehörte Z. zum Reich des Odysseus (Hom. Il. 2,634) [3. 579–584; 594]. Die griech. Siedler stammten nach Thuk. 2,66 aus Achaia (→ Achaioi); weil die Akropolis von Z. den Namen → Psophis trug, rekonstruierte man die Abkunft aus dem gleichnamigen Ort in Achaia (Paus. 8,24,3; weitere Gründungslegenden bei Hdt. 3,59 und Dion. Hal. ant. 1,50). Spuren einer Siedlung mit einem Heiligtum aus dem 8./7. Jh. v. Chr. bei Vasiliko deuten auf eine Zwischenstation für Kolonisationsfahrten in den Westen. Z. wurde verm. 455 v. Chr., damals zu → Kephallenia gehörig, durch den athenischen Strategen → Tolmides zum Anschluß an Athen gebracht (Diod. 11,84,7) und diente daher auch im → Peloponnesischen Krieg als

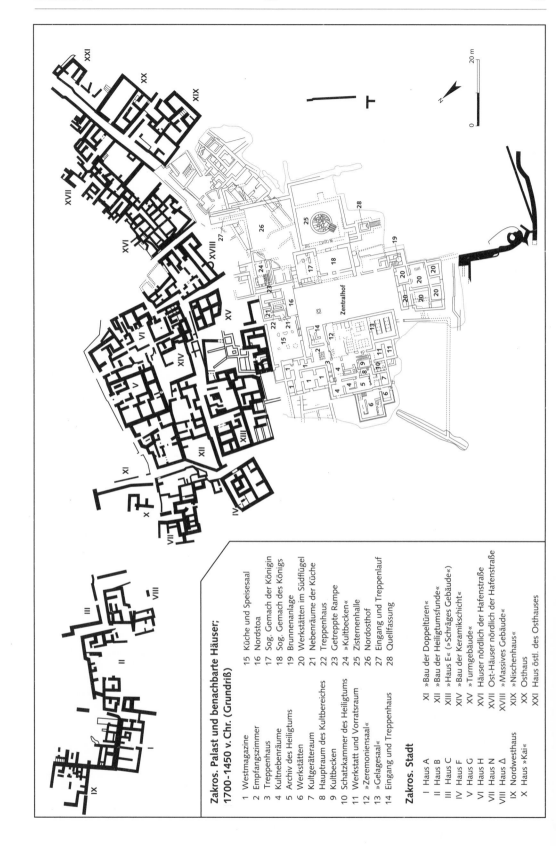

Zakros. Palast und benachbarte Häuser,
1700–1450 v. Chr. (Grundriß)

1 Westmagazine
2 Empfangszimmer
3 Treppenhaus
4 Kultnebenräume
5 Archiv des Heiligtums
6 Werkstätten
7 Kultgeräteraum
8 Hauptraum des Kultbereiches
9 Kultbecken
10 Schatzkammer des Heiligtums
11 Werkstatt und Vorratsraum
12 »Zeremoniensaal«
13 »Gelagesaal«
14 Eingang und Treppenhaus

15 Küche und Speisesaal
16 Nordstoa
17 Sog. Gemach der Königin
18 Sog. Gemach des Königs
19 Brunnenanlage
20 Werkstätten im Südflügel
21 Nebenräume der Küche
22 Treppenhaus
23 Getreppte Rampe
24 »Kultbecken«
25 Zisternenhalle
26 Nordosthof
27 Eingang und Treppenlauf
28 Quellfassung

Zakros. Stadt

I Haus A
II Haus B
III Haus C
IV Haus F
V Haus G
VI Haus H
VII Haus N
VIII Haus Δ
IX Nordwesthaus
X Haus »Kai«

XI »Bau der Doppeltüren«
XII »Bau der Heiligtumsfunde«
XIII »Haus E« (»Schräges Gebäude«)
XIV »Bau der Keramikschicht«
XV »Turmgebäude«
XVI Häuser nördlich der Hafenstraße
XVII Ost-Häuser nördlich der Hafenstraße
XVIII »Massives Gebäude«
XIX »Nischenhaus«
XX Osthaus
XXI Haus östl. des Osthauses

Flottenstützpunkt für den → Attisch-Delischen Seebund. Nach Kriegsende 404 v. Chr. bildete sich eine
spartafreundliche oligarchische Regierung. Die Rückführung demokratischer Verbannter durch den athenischen Strategen Timotheos [4] 375 v. Chr. verursachte
die vorübergehende Spaltung der Stadt: Die Demokraten wurden als Sondergemeinde (ὁ δῆμος ὁ ἐν τῷ
Νήλλῳ, Lokalisierung auf Z. unsicher [4]) in den → Attischen Seebund aufgenommen (IG II² 43 B 35). Z. war
Mitglied des → Korinthischen Bundes von Philippos [4]
II. 338/7 v. Chr. (IG II² 236 b 12). 217 v. Chr. brachte
Philippos [7] V. Z. in seine Gewalt (Pol. 5,102,10).

Die Insel wurde 211 v. Chr. im 1. Maked. Krieg
(→ Makedonische Kriege A.) von Rom erobert und
später zur *civitas libera* (→ *civitas* A.) erklärt (Plin. nat.
4,54). In den J. 39–32 verwaltete C. Sosius [I 2] die Insel
für Antonius [I 9] [5. 1290–1293]. Z. galt in röm. Zeit als
fruchtbar (Strab. 10,2,18) und wohlhabend (Expositio
totius mundi 64). 467 n. Chr. verschleppten → Vandali
unter → Geisericus 500 Angehörige der Oberschicht
(Prok. BG 3,22,15–18). Z. wird in spätant. Itineraren
(Hierokles, synekdemos 648,7; Itin. Anton. 524,2) und
Bischofslisten häufiger erwähnt, seit 707 ist die Insel als
Bistum belegt [6. 278–280].

Reste der ant. Stadt und der byz. Festung auf dem
Tafelberg sind wegen der venezianischen Überbauung
und aufgrund mitunter heftiger Erdbeben (zuletzt 1953)
spärlich erhalten. Eine frühchristl. Basilika und ein ant.
Steinbruch finden sich beim h. Melinado [6. 191 f.; 7].
Inschr. [8. 1730–1750]; Mz. [8. 333 f.; 9].

1 SCHWYZER, Gramm. 2 CH. SOUYOUDZOUGLOU-
HAYWOOD, The Ionian Islands in the Bronze-Age and Early
Iron Age, 1999, 121–127 3 E. VISSER, Homers Katalog der
Schiffe, 1997 4 F. W. MITCHELL, The Nellos, in: Chiron 11,
1981, 73–77 5 RPC 6 SOUSTAL, Nikopolis 7 D. STRAUCH,
Aus der Arbeit am Inschr.-Corpus der Ionischen Inseln: IG
IX I², 4, in: Chiron 27, 1997, 244–246 8 IG IX I², 4 9 BMC,
Gr (Peloponnes), 94–104.

H. KALETSCH, s. v. Z., in: LAUFFER, Griechenland, 716–718 ·
W. M. MURRAY, s. v. Z., ODB, 2219 f. D.S.

Zaldapa (Ζάλδαπα). Spätröm.-frühbyz. Siedlung und
Kastell (Iohannes Antiochenus FHG 4,32; Prok. aed.
4,11,20; ON wohl thrakisch) in Moesia Inferior (Scythia
Minor). Ehemals mit Abrit(t)os identifiziert, wird Z.
heute mit dem h. Abtaat im SW von Tropaeum Traiani
(h. → Adamclisi) gleichgesetzt. Straßenverbindung bestanden mit Tropaeum Traiani, Scopis, Durostorum und
Tomis. Z. war Geburtsort des → Vitalianus, eines Usur-
pators gegen Anastasios [1] I. Zu E. des 6. Jh. wurde die
Siedlung von Avaren und Slaven zerstört.

A. SUCEVEANU, A. BARNEA, La Dobrudja romaine, 1991,
199, 291, 296 f. · P. SCHREINER, Städte und Wegenetz in
Moesien, Dakien und Thrakien nach dem Zeugnis des
Theophylaktos Simokates, in: R. PILLINGER (Hrsg.),
Spätant. und frühbyz. Kultur Bulgariens, 1986, 25–35 ·
V. VELKOV, Cities in Thrace and Dacia in Late Antiquity,
1977, 109. J. BU.

Zaleukos (Ζάλευκος). Legendärer Gesetzgeber aus dem
unteritalischen → Lokroi [2] des 7./6. Jh. v. Chr., häufig
mit → Lykurgos [4], → Solon [1] und → Charondas verglichen (Aristot. pol. 1274a 23–31). Trotz »exakter« Datier. bei Eusebios [7] (Eus. chronikon, armenische Fassung zu Ol. 29,2 = 663/2 v. Chr.) war seine Historizität
schon in der Ant. strittig (Timaios FGrH 566 F 130;
[1. 2298–2300]).

Z. soll zahlreiche Sittengesetze (z. B. Ehebruch, Verhalten von Frauen in der Öffentlichkeit, Trunkenheit)
erlassen, Eigentumsübergang, Vertragsrecht und das
Verfahren zur Auslegung und Änderung von Gesetzen
geregelt, v. a. aber feste Strafmaße bestimmt haben ([2];
[3]); als Merkmal galt übermäßige archa. Strenge, aber
auch erzieherische Absicht unter angeblich pythagorei-
schem Einfluß (→ Pythagoras [2]).

Die einzelnen Maßnahmen sind unterschiedlichen
Zeitstufen zuzuordnen und machen daher eine allg.
Urheberschaft des Z. fraglich. Sicher ist ihm kein geschlossenes Gesetzgebungswerk (→ Rechtskodifikation) oder eine institutionelle Satzung zuzuschreiben
(anders: Ephoros FGrH 70 F 139; Diod. 12,20,1 f.). Die
wenig konkrete Überl. zu Person und Werk steht in
Kontrast zur Prominenz des Z. [2. 187–189]; verm. sollte die als stabil und vorbildlich geltende Ordnung von
Lokroi in griech. Manier durch den Bezug auf einen
»Erfinder« (→ *prôtos heuretḗs*) bes. Würde erhalten.

1 K. VON FRITZ, s. v. Z., RE 9 A, 2298–2301 2 K.-J.
HÖLKESKAMP, Schiedsrichter, Gesetzgeber und
Gesetzgebung im archa. Griechenland, 1999, 187–198
3 M. MÜHL, Die Gesetze des Z. und Charondas, in: Klio 22,
1929, 105–124; 432–463. R. WO.

Zaliches (Ζαλίχης). Küstenstadt am gleichnamigen
Küstenfluß (→ Markianos, epit. peripl. Menipp. 10:
Ζάληκος; peripl. m. Eux. 24; Ptol. 5,4,3: Ζαλίσκος πο-
ταμός) in Pontos, in spätant. Zeit eine der sieben Städte
der konsularischen Prov. Helenopontos: Σάλτος (→ *saltus*) Ζαλίχης (Hierokles, Synekdemos 701,6 – eine kaiserliche Domäne?) mit Suffraganbistum von Amaseia,
jetzt auch Leontupolis benannt (evtl. seit der Herrschaft
des Kaisers Leon [4] I., 457–474; Not. episcopatuum 1,
240: Z. ἤτοι Λεοντούπολις; 3,177; 8,292; 9,201; 10,296;
13,155: Σαλίχης; Nov. 28 praef.), verm. bei Alaçam am
Alaçam Suyu.

A. BRYER, D. WINFIELD, The Byzantine Monuments and
Topography of the Pontos, Bd. 1, 1985, 89 f. E. O.

Zalissa (Ζάλισσα). Nur bei Ptol. 5,10,2 genannter Ort
in → Iberia [1], identifiziert mit Dzalisa im Muxranital,
ca. 45 km nw von Tbilisi/Georgien gelegen. Im nw
Bereich befindet sich eine Zitadelle, in der Ebene die
Stadtanlage (ca. 70 ha) vom 2. Jh. v. Chr. bis 8. Jh.
n. Chr., u. a. sind dort Reste eines Palastes mit Dio-
nysosmosaik (3. Jh. n. Chr.; [1]) und dreigliedriger
Therme (Reihentyp), einer weiteren Therme mit *na-
tatio* (→ *piscina* [2]), Straßen, Wasserleitungen, Kanalisation erh.

1 M. ODIÖELI, Spätant. und frühchristl. Mosaike in Georgien, 1995, 11–26.

O. LORDKIPANIDSE, Archäologie in Georgien, 1991, 170–172 • D. BRAUND, Georgia in Antiquity, 1994, 256–258. A.P.-L.

Zalmoxis (Ζάλμοξις). Gott der → Getai; der Name des getischen Königs Zalmodegikos (SEG 18,288) zeigt, daß die Schreibweisen Zalmoxis und Salmoxis (Σάλμοξις) Varianten sind [1]. Epitheton des Z. war wahrscheinlich Beléïzis (Hdt. 4,94,1: so neuere Ausgaben im Gegensatz zu der früheren Lesung Gebeléïzis). Hauptquelle ist Hdt. 4,94–97, ihm folgt weitgehend, wenn auch nicht ausschließlich, Hellanikos FGrH 4 F 73 [2. 156 Anm. 202], der berichtet, daß Z. unter den Geten als ein Gott galt, der rel. Riten lehre. Dies deutet auf einen Initiationskult der Aristokratie hin [3]. Bereits Herodot erwähnt, daß Z. die führenden Persönlichkeiten eingeladen habe; sein sog. »unterirdisches Haus« weist in dieselbe Richtung. Dieses »Milieu« wird von euhemerisierenden Berichten bestätigt, die Z. zum Ratgeber des thrakischen Königs Dekainos (Strab. 7,3,5) oder zum Gesetzgeber unter den Thrakern (→ Thrakes) machen (Diod. 1,94,2).

Die etym. Verbindung mit thrak. *zalmos*, »Bärenfell«, (Porph. vita Pythagorica 14) spielt auf in Bärenhaut gekleidete ekstatische Krieger an [3. 91]. Die Deutung des Namens »Salmoxis« als »Tanz« und »Lied« durch Hesychios (s.v. Salmoxis) könnte auch auf → Mysterien schließen lassen. Das häufige Schwanken zw. Z. als Gott und Z. als Sterblichem (Hdt. 4,96; Plat. Charm. 156d; [4; 5]) bleibt ungeklärt. Herodot (l.c.) assoziiert Z. mit der Macht, Unsterblichkeit zu bewirken, die Hellanikos bereits pythagoreisierend als → Seelenwanderung interpretiert. Dadurch brachte man Z. auch mit → Pythagoras [2] in Zusammenhang. Herodots Bericht zeigt auch das griech. Überlegenheitsgefühl: Ein Gott unter den Thrakern ist nur ein Sklave des Pythagoras [2; 3].

1 K. VON FRITZ, I. RUSSU, s.v. Z., RE 9 A, 2301–2305
2 W. BURKERT, Lore and Science in Ancient Pythagoreanism, 1972 3 F. GRAF, Orpheus: A Poet among Men, in: J. BREMMER (Hrsg.), Interpretations of Greek Mythology, ²1988, 80–106 4 L. BRISSON, L'incantation de Z. dans le Charmide (156d–157c), in: TH. ROBINSON, L. BRISSON (Hrsg.), Plato, Euthydemus, Lysis, Charmides. Proc. of the V Symposium Platonicum, 2000, 278–286 5 D. J. MURPHY, Doctors of Z. and Immortality in the Charmides, in: ebd., 287–295.

M. ELIADE, Z., the Vanishing God, 1972, 2–75 (²2001; engl. 1988) • F. HARTOG, Le miroir d'Hérodote, 1980, 102–126. J.B./Ü: S. ZU.

Zama
[1] Z. Regia. Stadt der Africa Proconsularis, h. wohl Seba Biar [1. 416 f.; 2. 321–326; 3. 325 f.; 4; 5. 251 f.; 6. 42 f.]. In der Nähe von Z. – bei Naraggara – wurde 202 v. Chr. die Entscheidungsschlacht zw. → Hannibal [4] und P. Cornelius [I 71] Scipio geschlagen [1. 417–420] (→ Punische Kriege II.). Im Krieg gegen → Iugur-

tha (111–105 v. Chr.) wurde Z. von Q. Caecilius [I 30] Metellus angegriffen (Sall. Iug. 56 f.). Spätestens zur Zeit Iubas [1] war Z. eine der numidischen Residenzstädte (daher »Regia«; Bell. Afr. 91; Strab. 17,3,9; 17,3,12). In röm. Zeit war Z. zunächst *oppidum liberum* (Plin. nat. 5,30), dann *colonia* (CIL VIII, Suppl. 1, 12018) bzw. *colonia Aelia Hadriana Augusta* (CIL VI 1, 1686; vgl. Bell. Afr. 92,4; 97,1; Ptol. 4,3,33: Ζαμαμιζῶν bzw. Ζάμα Μείζων; Tab. Peut. 5,3: *Zamareigia*. Inschr.: CIL VI 1, 1686: *Zama Regia*; CIL VIII, Suppl. 1, 12017–12025 aus Sidi Abd el-Djedidi; [7. 571–579], bei Ksar Toual Zouameul gefunden).

→ Afrika [3]

1 HUSS (mit Lit.) 2 J. DESANGES (ed.), Pline l'Ancien, Histoire Naturelle. Livre V, 1–46, 1980 (mit frz. Übers. und Komm.) 3 C. LEPELLEY, Les cités de l'Afrique romaine, Bd. 2, 1981 4 C. BOURGEOIS, Des eaux de Jama aux eaux de Z., in: Bull. archéologique du comité des travaux historiques N.F. 15/16 B (1979–1980), 1984, 1–5 5 A. M'CHAREK, Inscriptions découvertes …, in: A. MASTINO (Hrsg.), L'Africa romana. Atti del 9 convegno di studio, Bd. 1, 1992, 251–264 6 A. BESCHAOUCH, Z., in: Bull. de la Soc. nationale des Antiquaires de France, 1995, 42 f. (mit anderen Lokalisierungen) 7 A. MERLIN, Inscriptions latines de la Tunisie, 1944.

S. LANCEL, E. LIPIŃSKI, s.v. Z., DCPP, 500 • M. LEGLAY, s.v. Z. (2), RE 9 A, 2305 f. • C. LEPELLEY, Les cités de l'Afrique romaine, Bd. 2, 1981, 325–329 • A. M'CHAREK, Z. Regia, cité de la Proconsulaire, in: P. TROUSSET (Hrsg.), L'Afrique du Nord antique et médiévale, 1995, 381–394. W. HU.

[2] (Ζάμα). Straßenstation in der NW-kappadokischen Strategie Chamanene (→ Kappadokia; Ptol. 5,6,12), ca. 56 km nordwestl. von Aquae Saravenae (h. Kırşehir; vgl. Tab. Peut. 10,1; [1. 147]).

1 D. H. FRENCH, A Study of Roman Roads in Anatolia, in: AS 24, 1974, 143–149. K. ST.

[3] Stadt zw. dem Oberlauf von Euphrates [2] und Tigris (Ptol. 5,18,12), nicht lokalisiert.

H. TREIDLER, s.v. Z. (3), RE 9 A, 2307. E.O.

Zamareni. Laut Plin. nat. 6,158 ein Volk im Inneren Südarabiens, dessen Identifizierung bisher nicht gelungen ist. Möglicherweise vom Namen der h. Stadt Ḍamār, südöstl. von Ṣanʿāʾ, abzuleiten. Ihnen werden bei Plinius die beiden (ebenfalls nicht lokalisierten) Städte Sagiatta und Canthace zugeordnet. Der Kontext legt nahe, daß die Z. im Gebiet der → Homeritai (Nachträge) bei Sapphar (Ẓafār) lebten.

E. GLASER, Skizze der Gesch. und Geogr. Arabiens, Bd. 2, 1890 (Ndr. 1976), 136, 142 f. • J. PIRENNE, Le Royaume Sud Arabe de Qataban et sa Datation (Bibliothèque du Muséon 47, Leuven), 1961, 143, 155 f. I.T.-N.

Zamasphes (Ζαμάσφης). Perserkönig, Sohn des → Peroz [1] I. Seine Regierung unterbrach 496–499 die seines Bruders → Cavades [1] I., der wegen seiner Unterstützung → Mazdaks im Zuge einer Verschwörung von Hochadel und zarathustrischem Klerus gestürzt worden war. Als der aus dem »Schloß der Vergessenheit« entflohene Cavades an der Spitze eines Heeres von → Hephthalitai zurückkehrte, räumte Z. kampflos den Thron (Agathias 4,28). Sein weiteres Schicksal ist unklar. PLRE 2, 1195.

→ Sāsāniden

A. LIPPOLD, s. v. Z., RE 9 A, 2308 f. · K. SCHIPPMANN, Grundzüge der Gesch. des sasanidischen Reiches, 1990, 49 f.
M. SCH.

Zamazioi (Ζαμάζιοι). Volksstamm, der zusammen mit den Salathoi und Daphnitai sowie den Arokkai, Ketianoi und Nigritai (→ Nigritae) zw. dem Mandron-Gebirge und dem Sagapola-Gebirge im Inneren von Libye siedelte (Ptol. 4,6,18), vielleicht in den Tälern des Mittleren Atlas.

J. DESANGES, Catalogue des tribus africaines, 1962, 241 · H. TREIDLER, s. v. Z., RE 9 A, 2309.   W. HU.

Zames (Ζάμης, auch Ζάμητος/ *Zámētos*). Laut Ptol. 6,7,20 ein langes Gebirge in Zentralarabien. Dieses ist verm. nicht die sich quer durch die Arabische Halbinsel hinziehende Jura-Schichtstufe des Ǧabal Ṭuwaiq (so [1. 213 f., 279], dazu auch [2]), da letzteres eher dem bei Ptol. l.c. genannten Μάρειθα/ *Máreitha* entspricht, sondern mit [3. Nr. 315] und [4. 192] eher das viel weiter nördlich gelegene Šammargebirge [5]. Vgl. auch [6] (mit Karte Vorislam. Arabien).

1 E. GLASER, Skizze der Gesch. und Geographie Arabiens, Bd. 2, 1890, 213 f., 279   2 TAVO, Karte III 6.1 (Schichtstufenlandschaft Ǧabal Ṭuwaiq/Saudi-Arabien), 1984   3 A. SPRENGER, Die alte Geogr. Arabiens, 1875 4 H. VON WISSMANN, Zur Gesch. und Landeskunde von Alt-Südarabien, SAWW, philos.-histor. Kl. Bd. 246, 1964   5 M. AL-RASHEED, s. v. Shammar, EI², CD-ROM 1999 6 A. GROHMANN, Arabien (HdbA 3.1.3.3.4; Karte: H. VON WISSMANN, Das vorislamische Arabien), 1963.   I. T.-N.

Zamirai (Ζαμῖραι, vielleicht besser Γαμῆραι/ *Gamérai*). Ein von Ptol. 7,2,16 als kannibalisch bezeichneter Volksstamm in India extra Gangem, jenseits der Kirrhadia, etwa im h. Burma (Ἀργυρᾶ χώρα bei Ptol. 7,2,17). Es ist nahezu unmöglich, die einzelnen bei Ptol. genannten Völker und Ortschaften SO-Asiens zu identifizieren (Versuch bei [1] und [2]), weil die meisten anderen Quellen aus wesentlich späterer Zeit stammen.

1 A. BERTHELOT, L'Asie ancienne centrale et sud-orientale d'après Ptolémée, 1930   2 A. HERRMANN, Das Land der Seide und Tibet im Lichte der Ant., 1938.

H. TREIDLER, s. v. Ζαμῖραι, RE 9 A, 2310–2312.   K. K.

Zamnes. Nach Plin. nat. 6,180 Ort am mittleren → Nil auf dem Westufer zwischen Pagoartes im Norden und → Meroe im Süden; vielleicht h. az-Zūma sw von

→ Napata im Südbogen des Nillaufes. Dort soll nach Plin. das Verbreitungsgebiet der Elefanten beginnen.

H. TREIDLER, s. v. Z., RE 9 A, 2312 f.   W. HE.

Zangenae. Das tropische Ostafrika südl. des Kaps Guardafui (Plin. nat. 6,176), auch Ἀζανία/ *Azania* (peripl. m.r. 15 f.; 18; 31; 61; Ptol. 1,7,6; 1,17,6; 4,7,28; 4,7,35) und Ζίγγιον/ *Zíngion* (Kosmas [2] Indikopleustes 2,29; 2,30; 2,50); die Araber haben aufgrund dieser Namen ihr Wort zanǧ (»Schwarzer«) gebildet (vgl. »Sansibar« und »Tansania«). Z. reichte vom Handelsplatz Opone (h. Ras Hafun) bis nach Rhapton (h. wohl Daressalam) bzw. seit Traianus bis zum Kap Prason (h. wahrscheinlich das Kap Delgado [1. 39–43]. Der Fund einer Tetradrachme Ptolemaios' [15] IX. bei Daressalam weist vielleicht auf das Alter des auch von den Arabern besuchten Handelsplatzes Rhapton hin. Die röm. Kaufleute suchten in den Handelsstützpunkten von Z. wohl v. a. die teuren Güter Edelsteine, Gewürze und Elfenbein.

1 J. DESANGES, Rom und das Innere Afrikas, in: H. DUCHHARDT u. a. (Hrsg.), Afrika, 1989, 31–50.

H. VON WISSMANN, s. v. Z., RE Suppl. 11, 1337–1348.
W. HU.

Zankle s. Messana, Messene [1]

Zaradros (Ζάραδρος, hsl. auch Ζάδαδρος). Indischer Fluß bei Ptol. 7,1,27 und 42; *Sydrus* bei Plin. nat. 6,21,63; altind. *Śutudrī* (im Veda), *Śatadru* (episch), h. Sutlej, der östlichste Nebenfluß des → Indos [1] im Pandschab. Der Fluß entspringt im West-Himalaya, fließt durch die Landschaft Kylindrene und dann in den Indos. Als östlichster seiner Nebenflüsse wurde er von Alexandros [4] d. Gr. nicht bemerkt und deshalb nicht in der Alexander-Lit. genannt.

H. TREIDLER, s. v. Z., RE 9 A, 2314 f.   K. K.

Zarai. Stadt in Numidia nahe der mauretanischen Grenze, h. Zraia (nordwestl. von Batna, Algerien; Itin. Anton. 35,7; Tab. Peut. 2,3: Zaras). In hadrianischer Zeit war in Z. eine *cohors* stationiert (CIL VIII 1, 2532 = Suppl. 2, 18042). Der in Z. entdeckte Zolltarif des J. 202 n. Chr. (CIL VIII 1, 4508 = Suppl. 2, 18643) gibt wichtige Aufschlüsse in wirtschaftsrechtlichen und wirtschaftsgeschichtlichen Fragen [1. 7–23]. Inschr.: CIL VIII 1, 2532; 4508–4574; 2, 10765; Suppl. 2, 18042; 18643–18645.

1 J. P. DARMON, Note sur le Tarif de Zaraï, in: Les Cahiers de Tunisie 12, 1964, 7–23.

AAAlg, Bl. 26, Nr. 69 · M. LEGLAY, Saturne africain: monuments, Bd. 2, 1966, 66 f. · Ders., s. v. Z., RE 9 A, 2315 f.   W. HU.

Zarama (Ζαράμα). Allein bei Ptol. 6,2,16 erwähnte und nicht genau zu lokalisierende Ortschaft in der inneren → Media, verm. sw von Europos (→ Rhagai).
J. W.

Zaranis (Ζαρανίς/Ζανιρίς). Allein bei Ptol. 6,2,13 erwähnte und nicht genau zu lokalisierende Ortschaft in der inneren → Media (vgl. *Zonbis* in Amm. 23,6,39).

M. G. Schmidt, Die Nebenüberl. des 6. Buchs der »Geogr.« des Ptolemaios, 1999, 25 f.   J. W.

Zaraspadum. Stadt im h. Afghanistan, dem Zusammenhang bei Plin. nat. 6,94 zufolge in der Gegend des → Etymandros gelegen, nicht näher lokalisiert.

H. Treidler, s. v. Zaraspad(r)um, RE 9 A, 2317 f.   E. O.

Zarathustra s. Zoroastres; Zoroastrismus

Zarax (Ζάραξ).
[1] Stadt lakonischer → *períoikoi* an einer Bucht (h. Limin Ierakas, Kastri oder Ieraka) an der Ostküste des → Parnon, h. Ierax. Reste von ant. Stadtmauern an der Nordseite der Hafeneinfahrt. Bei äußerst vorteilhafter maritimer Lage (Naturhafen) fehlten Z. gute Landverbindungen zur lakonischen Binnenebene sowie Trinkwasser. Paus. 3,24,1 bezeichnet die 272 v. Chr. vom Spartanerkönig Kleonymos [3] entvölkerte und zerstörte Stadt als kümmerlichste aller Städte der → Eleutherolakones und erwähnt lediglich einen Apollon-Tempel mit Kultstatue des eine Kithara haltenden Gottes. Z., wohl zu Ende des → Chremonideïschen Krieges in den Besitz von → Argos [II] gelangt, wurde 219 v. Chr. vergeblich vom Spartanerkönig Lykurgos [11] belagert (Pol. 4,36,4) und wohl unter Augustus den Städten der Eleutherolakones zugeschlagen. Inschr. bezeugt sind Grenzstreitigkeiten zw. Z. und der südwestl. gelegenen benachbarten Stadt Epidauros Limera (IG V 1, 931; SEG 11, 894b). Im MA scheint Z. Porto Bottas genannt worden zu sein.
→ Lakonike

S. Grunauer von Hoerschelmann, s. v. Z., in: Lauffer, Griechenland, 719 • P. Charneux, Inscriptions d'Argos, in: BCH 82, 1958, 1–15, bes. 7–12 • A. J. B. Wace, F. W. Hasluck, Laconia. Topography, in: ABSA 15, 1908/09, 158–176, bes. 167–173 • E. Meyer, s. v. Z. (1), RE 9 A, 2319–2322.   SA. T.

[2] Berg und Dorf in Süd-Euboia [1], größter *démos* [2] von Eretria [1] (Lykophr. 373 mit Schol.; IG XII 9, 72–77) beim h. Zarakes (Zarka). Das Dorf befindet sich wohl an der Stelle des 348 v. Chr. von → Phokion eroberten Kastells Zaretra (Ζάρητρα, Plut. Phokion 13,4). Wenige ant. Reste.

W. Wallace, The Demos of Eretria, in: Hesperia 16, 1947, 115–117, 138 (Karte) • E. Meyer, s. v. Z. (2), RE 9 A, 2322 f.   A. KÜ.

Zarbienos (Ζαρβιηνός). Der König von Gordyene (→ Gordyaia) verhandelte 71/70 v. Chr. mit Appius Claudius [I 24] Pulcher über ein Bündnis mit Licinius [I 26] Lucullus, wurde an seinen Oberherrn → Tigranes [2] II. v. Armenien verraten und von diesem beseitigt. Lucullus ließ ihn 69 prächtig bestatten und zog seine Schätze ein (Plut. Lucullus 21; 29).   M. SCH.

Zariadres (Ζαριάδρης). Bei Chares [2] von Mytilene (FGrH 125, F 5 = Athen. 13,575) ist die Liebesgeschichte zwischen Z., dem Bruder eines Hystaspes von Medien, und der Tochter eines Sarmatenfürsten überliefert. Sie zeigt starke Ähnlichkeiten mit einer in der iranischen Lit. behandelten Episode. Dort erscheinen die Brüder Guštâsp und Zarêr, wobei es Guštâsp selbst ist, der (unter vergleichbaren Umständen wie die Z. des Chares) die Tochter des Herrschers von Rûm gewinnt.

M. Boyce, Z. and Zarêr, in: BSO(A)S 17, 1955, 463–477 • E. Yarshater, Iranian National History, in: Cambridge History of Iran 3 (1), 1983, 359–477, bes. 467 f. • K. Ziegler, W. Hinz, s. v. Z., RE 9 A, 2324 f.   M. SCH.

Zariadris (Ζαρίαδρις). Zusammen mit → Artaxias [1] Statthalter des → Antiochos [5] III. in Armenia. Beide fielen nach dessen Niederlage gegen die Römer 189 v. Chr. ab und nahmen den Königstitel an, Z. im westlichen Teil von → Armenia (bes. → Sophene, Akilisene, Odomantis; Hauptstadt wohl Karkathiokerta). Nachfahren könnten bis um 93 v. Chr. geherrscht haben (Strab. 11,14,2; 5; 15).

Will 2, 55.   A. ME.

Zariaspa (Ζαρίασπα: Arr. an. 4,1,5; 4,7,1; Pol. 10,49; Strab. 11,11,2; bei Plin. nat. 6,48 *Zariastes* genannt). Älterer Name des Hauptortes von → Baktria, der später als Baktra (→ Balch) bekannt wurde.   J. W.

Zarina (Ζαρίνα). Herrscherin der Saken (→ Sakai), die Krieg gegen die Meder (um 600 v. Chr.) geführt haben soll (Ktesias F 7–8 FGrH 688; Nikolaos F 5 FGrH 90).   PE. HÖ.

Zarkaion oros (Ζαρκαῖον ὄρος). Zerklüftetes Gebirge zwischen Chauon (h. Ḫōy/Iran) und Ekbatana (Diod. 2,13,5), also ein nördl. Zug des Zagros in Media.

H. Treidler, s. v. Z.o., RE 9 A, 2328.   E. O.

Zarotis. Nur von Plin. nat. 6,99 erwähnter Fluß, der in den → Persischen Golf mündete. Verm. identisch mit dem bei Plin. nat. 6,111; 136 als Grenzfluß zw. → Persis und → Elymais genannten Or(o)atis (vgl. Ptol. 6,3,1; 6,4,1 f.: *Oroátis*; Amm. 23,6,26: *Oroates*; h. Šūr Āb) oder dem von Arr. Ind. 39,9 als Grenze zw. Persern und Susiern bezeichneten Arosis (h. Zohre/Hendīǧān).

1 M. G. Schmidt, Die Nebenüberl. des 6. Buchs der »Geogr.« des Ptolemaios, 1999, 25 f.   J. W.

Zarzas (libysch *zrbts*? [1. 264⁹⁰]). Vornehmer Libyer, neben → Mathos und → Autaritos (gleichberechtigter?) Führer im → Söldnerkrieg [2. 108 f.; 112 f.; 3. 31–33], u. a. in der Schlacht am Bagradas und mit → Spendios bei der Verfolgung Hamilkars [3]; [1. 269⁶⁴; 264].

1 Huss **2** L. Loreto, La grande insurrezione libica contro Cartagine del 241–237 a.C., 1995. **3** W. Huss, Die Libyer Mathos und Zarzas und der Kelte Autaritos als Prägeherren, in: SM 38, 1988, 30–33.   L.-M. G.

Zattara. Stadt der Africa Proconsularis zw. Calama und Thubursicum [2] Numidarum, h. Kef Bezioun. Neupunische Inschr. bezeugen die vorröm. Vergangenheit der Stadt [1]. In hadrianischer Zeit hatte Z. einen *ordo decurionum* (ILAlg I 533). In einer Inschr. des 4. Jh. wird Z. als *municipium* bezeichnet (ILAlg I 534; vgl. auch CIL VIII 1, 5177–5193; 2, 10833–10836; Suppl. 1, 17266–17276; ILAlg I 533–559.

1 J.-B. Chabot, Punica, in: Journ. Asiatique, Ser. 11, 7, 1916, 443–445 (444 = KAI 171).

AAAlg, Bl. 18, Nr. 233 • M. Leglay, s. v. Z., RE 9 A, 2331 • C. Lepelley, Les cités de l'Afrique romaine, Bd. 2, 247 f.
W. HU.

Zauber s. Magie; Wunder; Wundertäter; Zauberpapyri; Zauberpuppe; Zauberworte

Zauberformel s. Logos [2]; Zauberworte

Zauberkünstler s. Unterhaltungskünstler G.

Zauberpapyri I. Allgemeines II. Gattungen III. Autorschaft IV. Rhetorik

I. Allgemeines

Loser Begriff für das stets zunehmende Corpus der griech.-ägypt. magischen Texte (Standard-Ed.: [1; 2], seitdem neu hrsg. Texte in [3]). Der wichtigste Unterschied besteht zw. den auf → Papyrus geschriebenen Rezeptbüchern (bisher über 80 publizierte Expl.), die die Vorlagen für magische Handlungen enthalten, und direkt verwendeten Texten (mindestens 115 publizierte Exemplare) auf Pap., Metall (Bleitafeln), Tonscherben, Holz usw., die nur ausnahmsweise den erh. Vorlagen entsprechen, aber mit deren Inhalt durchaus vergleichbar sind. Eine scharfe Trennungslinie zw. den Prozeduren in diesen Texten und den griech.-ägypt. Zaubertafeln (vgl. → *defixio*), und Phylakterien bzw. magischen Amuletten (→ *phylaktḗrion*) läßt sich nicht ausmachen [3].

Die inhaltlichen Ansprüche der Z. sind sehr unterschiedlich. Mit Ausnahme des Papyrus ›Mimaut‹ (PGM III), waren die ersten in Europa bekannten Rezeptbücher (alle von ausgesprochener Gelehrsamkeit geprägt) im äg. Theben zw. 1816 und 1857 von einem armenischen Kaufmann und Antiquitätenhändler, der sich Giovanni Anastasi bzw. Jean d'Anastasy nannte, gesammelt (teilweise im Auftrag des engl. Konsuls Henry Salt, 1815–1827) und an Museen bzw. Privatsammler weiterverkauft worden [4]. Obwohl Herkunft und Fundumstände meist unbekannt sind, wurde eine wichtige Gruppe der von D'Anastasy erworbenen Papyri (PGM IV, V, Va, XII, XIII), der demot. Pap. aus London und Leiden (PLondinensis 10070 + PLeidensis J 383) und zwei alchemistische Rezeptbücher) Berichten zufolge in einem Grab gefunden [5]. Das einzige seit 1857 bekannte vollständige Rezeptbuch (POsloensis 1 = PGM

XXXVI), das vorwiegend Rezepte für praktische Liebesmagie enthält, wurde 1920 in der Oase → Fajûm erworben. Alle anderen bisher veröffentlichten Rezeptbücher (bzw. -blätter) mit offenbar weniger anspruchsvollem Inhalt sind nur fragmentarisch erh. und wurden – wie andere gebrauchte Bücher auch – in der Ant. sorglos auf Müllhalden geworfen. Solche Unterschiede weisen auf einen entsprechend differenzierten Erwartungshorizont der jeweiligen Autoren bzw. Besitzer hin [6]. Trotz einer Fülle von Einzelausgaben und -studien [7. 3506–3576] fehlt eine umfassende Monographie immer noch.

II. Gattungen

Die Z. sind synkretistische Spätprodukte der magischen Trad. des ägypt. *pr-ʿnḫ*, »Haus des Lebens« (Tempel). Deren Gattungen, die wenig Gemeinsamkeit mit denen der alt-ägypt. Zauberpraktiken zeigen [8], nahmen schon während der Spätzeit (535–332 v. Chr.) bzw. in der Ptolemäerzeit neue Inhalte auf, z. B. durch die Einbeziehung und Adaption der babylonischen Lekanomantie-Praxis (Schüsseldivination). Auch wenn Mischformen vorkommen, weisen die Z. eine implizite Werthierarchie auf: (1) divinatorische Formulare, die ca. 25 % aller Rezepte ausmachen, von denen der *ph-nṯr* (demot.), die authentische Selbstoffenbarung einer Gottheit (griech. *aútoptos* oder *sýstasis*), die anspruchsvollste Form darstellt [9], gefolgt von Visionen der Götter, die sich im Laufe einer Lekanomantie meistens von einem als Medium fungierenden Knaben erblicken ließen [10] und schließlich Traumerscheinungen; (2) Rezepte für die Anforderung eines → *páredros* (dämonischen Faktotums) [11]; (3) nekromantische *práxeis* (Handlungen) [12]; (4) Schadenszauber, v. a. Trennungs-, Schlaflosigkeits- und Zornminderungszauber; (5) Beziehungs- und Anziehungszauber [13]; (6) Anweisungen zur Vorbereitung von Amuletten bzw. (exorzistischen) Phylakterien; (7) iatromagische Rezepte v. a. gegen Fieber; (8) Kleinwunder, z. B. sich unsichtbar machen, verriegelte Türe öffnen, beim Glücksspiel gewinnen.

Auch wenn die vollständigen Rezeptbücher alle diese Gattungen ohne erkennbare Ordnungsprinzipien einschließen, enthalten sie, in Einklang mit ihrer gehobenen Sprache und ihrem theologischen Wissen, vorwiegend Rezepte für schwierigere *práxis* [7. 3494–3506]. Die direkt verwendeten Texte behandeln nur die Kategorien (4)–(7).

III. Autorschaft

Die enge Verbindung zw. den Autoren der Z. und dem »Haus des Lebens« läßt sich durch die wiederholte Behauptung, ein bestimmtes Rezept sei von einer Musterkopie in einem Tempel abgeschrieben worden (z. B. PGM VII 862–865; vgl. PGM IV 3125–3130), am klarsten beweisen. Dagegen setzen die Rezepte der Z. oft die Durchführung der *práxis* in einem Privatraum voraus [14]. Schon in dynastischer Zeit lange vor dem 4. Jh. v. Chr. waren Zauberhandlungen kein Exklusivgut der Tempelpriester, sondern teilweise einem breiteren Kreis von »Magiern« (*ḥkȝy*) und »Schützern« (*sȝw*) zugänglich. Unter den zunehmend schwierigen sozial- und religionspolit. Bedingungen des griech.-röm. Zeitalters wurden viele Priester (die der Sprach- und Schreib-Trad. des Tempels immer weniger mächtig waren) dazu gezwungen, sich als freiberufliche »Zauberdienstleister« in eine Situation zu begeben, bei der allein der Preis die Qualität der gewünschten magischen Handlung bestimmte [15]. Die Entdeckung kompetent verfaßter Zaubertafeln in Nordafrika, Kleinasien, Athen, Zypern, Rhodos, Rom usw. (vgl. → *defixio*) verweist auf die Bereitschaft solcher Dienstleister, sich auch ins Ausland zu begeben. Die gleiche Trad. setzt sich in der christl.-koptischen Zauberpraxis fort [16]. Andererseits gab es offenbar noch im 3.–4. Jh. n. Chr. einige begüterte Priester, die sich der höheren Magie, v. a. dem Herbeirufen einer Gottheit und verm. auch theurgischen Aufstiegspraktiken (→ Theurgie; → Iamblichos [2] z. B. war Tempelpriester), in Äg. widmen konnten.

IV. RHETORIK

Diese Situation veranlaßte die Zauberdienstleister, »interessante« fremde Trad. heranzuziehen und dadurch die Eigenschaften der synkretistischen Z. als *scribal magic* zu entwickeln [17]. Einer der ältesten erh. Z. (spätes 1. Jh. v. Chr.) [3. Nr. 72] weist auf die frühe Aufnahme griech. Zauberpraktiken bzw. -sprüche in die Trad. der äg. Tempelmagie [18]. Die »magischen Hymnen« [1. Bd. 2, 237–264] sind ebenfalls griech. Kompositionen, die – in ihrer Textgestalt nicht fest – in verschiedene äg. Kontexte eingearbeitet wurden [19]. Spätestens seit dem 2. Jh. n. Chr. bemühte man sich, sowohl viele fremde (v. a. jüdische) Götter- bzw. Engelnamen in die Invokationspraxis einzubeziehen [20] als auch alt-ägypt. Techniken (z. B. → Zauberworte und -bilder) in neuem Umfang zu verwenden bzw. weiterzuentwickeln.

Auch wenn die magische Praxis mancher billigerer Zauberdienstleister einen eher unbeholfenen Eindruck erweckt, enthalten Rezeptbücher des D'ANASTASY (s. o. I.; v. a. die demot.) viele hervorragende Expl. der Invokationskunst aus der höheren Zauberpraktik. Eine rhet. erfolgreiche Invokation setzt jahrelange Übung voraus [21]; Hauptanforderung dafür ist die Fähigkeit, eine lange, variationsreiche, hochgelehrte Liste der → Epiklesen und Beinamen der ausgewählten Gottheit(en) aufzustellen [22], geeignete silbenreiche *lógoi* (→ *lógos* [2]) und Zauberworte punktuell einzufügen, die Bitte einfallsreich und eindrucksvoll zu formulieren. → Exorzismus; Logos [2]; Magie III.; Paredros B.; Theurgie

1 PGM (Standardausgabe) 2 H.-D. BETZ (Hrsg.), The Greek Magical Papyri in Translation, 1986, ²1993 (engl. Übers. von [1]) 3 R. W. DANIEL, F. MALTOMINI, Supplementum Magicum (Pap. Colon. 16. 1–2), 2 Bde., 1990–1992 4 W. DAWSON, E. UPHILL, Who Was Who in Egyptology, 1972, s. v. Anastasy, G. 5 K. PREISENDANZ, Pap.funde und Pap.forsch., 1933, 90–95 6 Ders., Zur synkretistischen Magie im röm. Ägypten, in: H. GERSTINGER (Hrsg.), Akten des VIII. Kongr. für Papyrologie, 1956, 111–125

7 W. BRASHEAR, The Greek Magical Papyri, in: ANRW II 18.5, 1995, 3380–3684 8 Y. KOENIG, Magie et magiciens dans l'Égypte ancienne, 1994 9 T. HOPFNER, Griech.-ägypt. Offenbarungszauber, Bd. 2.1, 1924, ²1983, § 120–211 10 S. I. JOHNSTON, Charming Children, in: Arethusa 34, 2001, 97–117 11 L. J. CIRAOLO, Supernatural Assistants, in: M. MEYER, P. MIRECKI (Hrsg.), Ancient Magic and Ritual Power, 1995, 279–295 12 D. OGDEN, Greek and Roman Necròmancy, 2001, 191–216 13 C. A. FARAONE, Ancient Greek Love Magic, 1999 14 J. Z. SMITH, Trading Places, in: s. [10], 13–27 15 D. FRANKFURTER, Rel. in Roman Egypt, 1998, 198–264 16 M. MEYER, R. SMITH (Hrsg.), Ancient Christian Magic, 1994 17 M. D. SWARTZ, Scribal Magic and Its Rhetoric, in: Harvard Theological Review 83, 1990, 163–180 18 C. A. FARAONE, Handbooks and Anthologies, in: Archiv für Religionsgesch. 2, 2000, 195–214 19 J. CALVO MARTÍNEZ, El tratamiento del material hímnico, in: MHNH 2, 2002, 71–95 20 N. JANOWITZ, Icons of Power, 2001 21 F. GRAF, The Magician's Initiation, in: Helios 21, 1994, 161–177 22 W. FAUTH, Helios Megistos, 1995, 34–120.

W. BRASHEAR, Magical Papyri: Magic in Book-Form, in: P. GANZ (Hrsg.), Das Buch als magisches und als Repräsentationsobjekt, 1992, 35–57.   R. GOR.

Zauberpuppe. Loser Begriff für eine anthropomorphe Statuette, die aus unterschiedlichen Materialien für spezifische rituelle Zwecke hergestellt wurde. Die konzeptuelle Voraussetzung solcher Statuetten, die als Zeichen bzw. Abbilder einer physisch-sozialen Existenz funktionierten, ist die kontextbedingte Aufhebung der Differenz zw. lebenden Geschöpfen und zur Selbstbestimmung unfähigen Gegenständen [1]. Solche Statuetten wurden in den altorientalischen Reichen für heilbringende wie auch für schädliche Zwecke, in Mesopotamien und Äg. hauptsächlich als Schutz- bzw. Abwehrzauber verwendet. Man hat versucht, dieses Muster auch auf frühgriech. Z. anzuwenden [2].

Die Griechen haben Z. in archa. Zeit wohl über Anatolien rezipiert. Abgesehen von Kyrene [3. 67–72] sind sie nur im Kontext der privaten → Magie belegt. Über Handhabung und Deutung herrschte keine Einigkeit: Die Glieder mancher (Metall-)Figuren sind verstümmelt; in dem frühesten lit. Beleg (Soph. fr. 536 SNELL) läßt → Medeia eine Puppe verbrennen; bei Platon (leg. 933b) stellt man sie als äußerliches Zeichen einer Verwünschung auf. In Rom wurden wollene Abbilder während der → Compitalia als neutrale Stellvertreter verstorbener Familienmitglieder hergestellt (Fest. 108,27 L.) und daher auch im Schadenzauber verwendet (Hor. sat. 1,8,30–33). Zur gleichen Zeit sind stumme »Unterwerfungsdramen« (ebd.) und das Durchstechen einer Puppe (Ov. am. 3,7,30) erstmals in der Liebesmagie belegt. Im röm. Ägypten hat man den Typus der traditionellen Abwehrpuppen für weibliche Liebespuppen übernommen [4]. Zudem lehnen sich Anweisungen für die Herstellung einer ganz anderen Puppenart, die magischen Dienergestalten, an altägypt. Zauberergeschichten an (vgl. → *páredros* B.). Das früheste lit. Beispiel solcher Diener ist Hor. epod. 17,76f.; vgl. Lukian. Philopseudes 14.

→ Compitalia C.; Defixio; Magie B. 2.; Phylakterion; Puppe

1 A. GELL, Art and Agency, 1998, 96–154 2 C. FARAONE, Binding and Burying the Forces of Evil, in: Classical Antiquity 10, 1991, 165–205 3 W. BURKERT, Die orientalisierende Epoche, 1984 4 P. DU BOURGUET, Une ancêtre des figurines d'envoûtement percées d'aiguilles, in: Mélanges de l'Inst. français d'archéologie oriental du Caire 104, 1980, 225–238.

T. ABUSCH, Mesopotamian Witchcraft, 2002, 113–162 · F. GRAF, Gottesnähe und Schadenzauber, 1996, 122–133 · Y. KOENIG, Magie et magiciens dans l'Egypte ancienne, 1994, 131–185 · D. OGDEN, Binding Spells: Curse Tablets and Voodoo Dolls, in: V. FLINT u. a., Witchcraft and Magic in Europe: Ancient Greece and Rome, 1999, 1–90 · M.-C. TRÉMOUILLE, Les rituels magiques hittites, in: A. MOREAU, J.-C. TURPIN (Hrsg.), La Magie, 2000, Bd. 1, 77–94.   R. GOR.

Zauberworte (ὀνόματα βάρβαρα / *onómata bárbara*, lat. *nomina barbarica*).

I. ALLGEMEINES   II. KATEGORIEN
III. ENTSTEHUNG   IV. VOLKSMEDIZIN

I. ALLGEMEINES

Loser Begriff für Namen, Worte und Laute, die in der ant. Inkantationspraxis sowohl der Ritualmagie wie auch der Volksmedizin verwendet wurden. Ihre Obskurität bzw. Undeutlichkeit wurde von den ant. Beobachtern oft als Synekdoche für das Anderssein der → Magie, v.a. in poetischen Schilderungen vermeintlicher Hexenrituale verstanden (z.B. Lucan. 6,685–693; Lukian. Dialogi Meretricii 4,5). Aus der Perspektive des Magiers untermauerten solche Äußerungen seine Autorität gegenüber den göttlich-dämonischen Kräften; wenn sie als authentische Götternamen betrachtet wurden, enthielten sie eine vermeintlich zwingende Macht (PGM I 36f., XII 136f., XIII 621–627; SEG 41, 1597, Z. 11f.). Vom Standpunkt der Sprechakttheorie aus kennzeichnen solche Worte den Sonderstatus der expliziten bzw. impliziten Direktiven der Beschwörung [1]. Vom Standpunkt der Theorie der rituellen Handlung aus tragen sie dazu bei, die Konturen der ideellen Situation, die ein magisches Ritual (als Sonderform von rel. Handlung) hervorruft, näher zu definieren. Im Gegensatz zu normalen Kommunikationssituationen mag also in der magischen Praxis kontextbedingte Unverständlichkeit vorteilhaft sein.

II. KATEGORIEN

Den in der magischen Praxis weltweit begegnenden Z. wird unterschiedliche Bedeutung beigemessen: In der babylonischen Beschwörungs-Slg. *Maqlû* sind sie unbekannt, in äg. Texten der dynastischen Zeit selten. In der griech.-röm. Amulettpraxis (→ *phylaktérion*) und Volksmedizin dagegen sind sie häufig vertreten, v.a. aber in der griech.-äg. rituellen Magie der Kaiserzeit

und verwandten Texten (z.B. im → *Corpus Hermeticum* und im → Nag Hammadi-Corpus; vgl. [2]), wie auch in jüdischen, koptischen, syrischen und arabischen magischen Texten.

Auch bei hochentwickelten Trad. wie derjenigen der griech.-äg. magischen Papyri (→ Zauberpapyri) lassen sich kategoriale Trennungen kaum feststellen. Heuristisch aber darf man zw. semantischer und phonetischer Ebene unterscheiden. Zur ersten Kategorie (wo das Z. vorrangig eine kult. bzw. mythische Gestalt invoziert) zählen: anerkannte Götter- und Dämonennamen bzw. Epitheta (z.B. Harpokrates, Iaō Sabaōth Adonai, Meliuchos; Damnameneus, Tabium; Nepheriēri, Pakerbēth); spezialisierte Götter wie die äg. Dekane und Stundengötter (z.B. Erō, Oumesthōth); Engelsnamen (z.B. Araga, v. a. aber Namen auf *-ēl* und *-ōth*: z.B. Raphaēl, Thuriēl, Ab(r)aōth, Kentabaōth); über 70 mehr oder weniger konstante Invokationsformeln (→ *lógos* [2] B.), z.B. der *Bōrphōrphorba*-Logos (PGM IV 1256–1262) oder der *Armiuth Lailam Chōouch Arsenophrē*-Logos (PGM VII 361f.), die vorwiegend als komplexe Beinamen oder Epiklese angesehen worden sind (z.B. PGM VII 1023–1025); sowie → Palindrome, v. a. die fünf bekanntesten, die in der ant. Inkantationspraxis oft als Götter angesprochen wurden (z.B. PGM VII 581–585; LIX 5–10).

Zur phonetischen Kategorie zählen die oft komplizierten, rein invokatorischen Vokalreihen (z.B. PGM IV 1222–1225; VII 307–309) und die nur spärlich vorgeschriebenen, sinnentleerten Laute bzw. Geräusche – das Brüllen, Heulen, Klatschen, Schnalzen, Pfeifen, auch Äußerungen in Vogel- und Hundskopfaffensprache (PGM XIII 79–89, 941–946) –, die darauf zielen, die Unbegrenztheit expressiver Möglichkeiten als bildlichen Ausdruck des Wirkungsvermögens ritueller Handlungen zu verdeutlichen [3. 104f.]. Weitere, schriftliche Pendants dieser phonetischen Z., die Charakteres, wie auch geometrische Gruppierungen (sog. Schrägen, Herzen, Flügel) wurden im Laufe des 2. Jh. n. Chr. entwickelt. An der Schnittstelle der beiden Kategorien finden sich die eigentlichen Z., die weder als Namen noch als reine Laute, sondern als individuelle sinnentleerte Worte klassifiziert werden können, manche durch einen Lehrmeister tradiert, die meisten aber im rituellen Kontext spontan und für den einmaligen Gebrauch geprägt. In der griech.-äg. Amulettpraxis wird Worten aller dieser Kategorien eine unabhängige Schutzmacht zugeschrieben.

III. ENTSTEHUNG

Die Entstehung solcher Z. ist uneinheitlich. Der Grundstock der Zaubernamen und *lógoi* besteht zweifellos aus äg. Begriffen (z.B. *ba*, *shai*), Götter(bei)namen und → Epiklesen sowie passenden Wörtern, die oft schwer zu erkennen sind, z.T. wegen ihrer Obskurität, aber auch wegen der verschiedenen, wohl dialektabhängigen Transkriptionsgewohnheiten (z.B. wird das mitteläg. Wort *kkw*/»Finsternis« als χακε/*chake*, καχε/*kache*, χωουχ/*chōuch* oder χωωχ/*chōōch* übertragen; [4]).

Im Laufe der Zeit und mit nachlassender Sprachkenntnis kamen trotz des Bemühens um exakte Memorierung diverse Entstellungen zustande. Im Kontext der griech. verfaßten Ritualtexte verwandelte sich dadurch ein hoch spezialisiertes Sprachgut in eine zunehmend unverständliche Zitatpraxis, deren wahre Funktion darin bestand, das Selbstverständnis der Akteure in Anlehnung an die grenzenlose Macht der Magier der Pharaonenzeit zu untermauern. Ein Teil der Priesterlehre bestand offenbar in der Weitergabe der Fähigkeit, auf Anhieb Vokalreihen und eigentliche Z. zusammenzusetzen. Es ist auch vorstellbar, daß die Produktion solcher Äußerungen wie bei Glossolalie einen tranceähnlichen Zustand voraussetzte.

Neben den griech. Göttern der »Hymnen« war die jüd. *merkabā*-Trad., die nicht nur viele neue Namen (v. a. Iaō, Adonai Sabaōth) bzw. Engelnamen (Funktion + -*ēl*), sondern auch Techniken wie Notarikon und Temurah für die Erzeugung neuer mystischer Namen Gottes entwickelte, die wichtigste Quelle nicht-äg. Namen. Die babylonisch-syrische Trad. ist dagegen kaum vertreten (v.a. Baʿal, Baʿalšamīn, Ereškigal).

Verm. erst unter platonischem Einfluß entwickelten sich sowohl in Äg. als auch in Palästina Rationalisierungen der Z. Nach einer dieser Theorien ließen sich solche Z. gar nicht übersetzen, weil ihre Wirkung allein mit der originären Phonetik verbunden war (Orig. contra Celsum 1,24; 4,43). Andere dagegen verstanden Z. als göttliche Äußerungen mit der doppelten Funktion, den Menschen sowohl einen kurzen Einblick in die Götterwelt zu gewähren als auch eine spirituelle Vereinigung zu ermöglichen (Iambl. de myst. 7,4f.; [5]).

IV. VOLKSMEDIZIN

Die wenigen überl. volksmedizinischen Sprüche enthalten verhältnismäßig schlichte, anspruchslose Z., deren invokatorische, kennzeichnende bzw. schützende Funktionen ähnlich ambivalent zu beurteilen sind wie die der Ritualmagie. Manche Z. (z. B. die → *Ephésia grámmata*) waren offenbar ursprüngliche Dämonennamen, andere, wie vielleicht die der catonischen Luxationsformeln (Cato agr. 160), waren verstellte Phrasen irgendeiner Fremdsprache bzw. vorröm. Sprache (z. B. [6. Nr. 39; 7]); die meisten aber (z. B. *crissi crasi concrasi* [6. Nr. 191]) spontane sinnleere Prägungen. Es ist wahrscheinlich, daß solche unverständlichen Formeln infolge der steigenden Alphabetisierung eine zunehmend wichtige Rolle in der Volksmedizin spielten, gerade weil sie sich authentisch anhörten [8].

→ Magie; Medizin; Phylakterion; Ritual; Zauberpapyri

1 T. TODOROV, Le discours de la magie, in: Ders., Les genres du discours, 1978, 246–282 2 P. C. MILLER, In Praise of Nonsense, in: A. H. ARMSTRONG (Hrsg.), Classical Mediterranean Spirituality, 1986, 481–505 3 S. CRIPPA, Entre vocalité et écriture, in: C. BATSCH u. a. (Hrsg.), Zwischen Krise und Alltag, 1999, 95–110 4 H.-J. THISSEN, Ägyptologische Beitr. zu den griech. magischen Papyri, in: U. VERHOEVEN, E. GRAEFE (Hrsg.), Rel. und Philos. im alten Äg., 1991, 293–302 5 J. DILLON, The Magical Power of Names in Origen and Later Platonism, in: R. P. C. RICHARD (Hrsg.), Origeniana tertia, 1985, 203–216 6 R. HEIM, Incantamenta magica Graeca Latina, in: Jb. für Class. Philol. Suppl. 19, 1892, 465–575 7 L. FLEURIOT, Deux formules de Marcellus de Bordeaux, in: Études celtiques 14, 1974, 57–66 8 H. S. VERSNEL, Die Poetik der Zaubersprüche, in: T. SCHABERT, R. BRAGUE (Hrsg.), Die Macht des Wortes, 1996, 233–297.

W. BRASHEAR, The Greek Magic Papyri, in: ANRW II 18.5, 1995, 3576–3603.   R. GOR.

Zaunkönig. Der kleinste europäische Vertreter der Singvögel (Troglodytes troglodytes) begegnet verm. als τροχίλος/ *trochílos* bei Aristot. hist. an. 7(8),3,593b 11 f.; 8(9),6,612a 20–24 (= Plin. nat. 8,90; hier ist mit dem *trochilos = rex avium* aber der sog. Krokodilswächter, Pluvianus aegyptius, gemeint [1. 241]. Die angebliche Feindschaft des Z. mit dem Adler (Aristot. hist. an. 8(9),11,615a 17–20 = Plin. nat. 10,203) bezieht sich auf das Attribut »König«.

1 LEITNER.

KELLER 2,82–84 · D'ARCY W. THOMPSON, A Glossary of Greek Birds, 1936, Ndr. 1966, 287–289.   C. HÜ.

Zea s. Athenai; Hafen, Hafenanlagen B.; Peiraieus I.

Zebeke (Ζεβέκη). Iosephos [4] Flavios nennt Z. als Ort des in Ri 1,1–7 erwähnten Kampfes der Stämme Juda und Simeon gegen Kanaanäer unter Führung von Adoni-Zebek (Ios. ant. Iud. 5,121: Ἀδωνιζέβεκος). Der hebr. Text in Ri 1,4f. hat die Namensformen Bāzaq bzw. ʾAdonī-Bāzaq (in Hss. der Iosephos-Überl. ist z. T. zu Βεζέκη/*Bezéke* korrigiert). Der Text von Ri 1 erschließt den ON aus dem PN ʾAdonī-Bāzaq und sucht ihn in der Nähe von Jerusalem (vgl. Ri 1,7). Bāzaq ist nach 1 Sam 11,8 Ort der Musterung von Sauls Heerbann und ist mit Hirbat Ibziq nö von Tūbās zu identifizieren (vgl. Eus. On. 54,5).

P. WELTEN, Bezeq, in: ZPalV 81, 1965, 138–165.   R. L.

Zebra (Equus zebra, E. quagga, E. grevyi). Für das Z. als ehemals auch in Nordafrika beheimateter Wild-Equide sowie für dessen Kreuzungsprodukte (Zebroide) liegen aus den prähistor. und ant. Kulturen nur spärliche osteologische, ikonographische und textile Belege vor. Aus dem nordafrikanischen Raum, v. a. aus Algerien und Äg., gibt es paläolithische und neolithische Knochenfunde von Z., wohingegen die Species im Motivrepertoire der Felsbilder dieser Großregion offensichtlich fehlt. In der Folgezeit war das Z. aufgrund des generellen Artenrückgangs in Nordafrika verm. dort nicht mehr existent. Im pharaonischen Äg. fehlt es in allen Bild- und Schriftquellen, auch in der Überl. zu den aus dem Süden importierten bzw. von dort bekannten exotischen Tieren, was auf eine Tabuisierung des Z. als Tier des → Seth analog zum (Wild-)Esel hindeutet.

Beschrieben wurde das schnelle Steppentier Afrikas mit seiner charakteristischen Streifung erst von Cassius [III 1] Dio unter dem treffenden Namen ἵππος τιγροειδής/*híppos tigroeidḗs* (»getigertes Pferd«) (75,14,3) und als ἱππότιγρις/*hippótigris* (»Tigerpferd«; 77,6,2). Timotheos [14] von Gaza (10) [1. 25] hielt das Z. für einen wilden Esel und kannte es aus dem Circus als seltenes Zugtier, auch vor dem Wagen einer kaiserlichen Prinzessin (vielleicht der Fulvia [3] Plautilla).

Die Mehrzahl der Bildzeugnisse, darunter auch ein Zebroid, findet sich auf spätant. bzw. frühchristl. polychromen Mosaik-Pavimenten v. a. im syro-palaestinensischen Raum (s. [2. 215, 217–221]).

1 F. S. BODENHEIMER, A. RABINOWITZ, Timotheus of Gaza on animals, 1949 (mit Komm. und engl. Übers.)
2 K. HORNIG, Das Z. in den prähistor. und ant. Kulturen des Mittelmeerraums, in: D. BÜCHNER (Hrsg.), Stud. in memoriam W. Schüle, 2001, 207–224.

KELLER 1, 274 · W. RICHTER, s. v. Z., RE Suppl. 15, 991–994. K. HO. u. C. HÜ.

Zecken. Aus der Familie Ixodides, der augenlosen parasitären Milben, hauptsächlich der Hausbock Ixodes rhicinus, ὁ κροτών/*krotṓn* (bzw. κρότων) bei Hom. Od. 17,300, bei Aristot. hist. an. 5,31,557a 17f. κυνορραιστής/*kynorrhaistḗs*, lat. *ricinus*, nach Plin. nat. 30,82 das ›häßlichste Tier‹ (*foedissimum animalium*). Das Weibchen sticht sich in die Haut der befallenen Säugetiere wie Hunde, Schafe und Ziegen (Cato agr. 96,2; Geop. 18,16), Rinder (Colum. 6,2,6) und Schweine (Plin. nat. 30,84), aber auch des Menschen (vgl. Hom. Od. 17,300; Colum. 7,13,1; Plin. nat. 11,116) ein und saugt sich voll Blut (vgl. ebd. 30,82), worauf es abfällt und später seine Jungen gebärt. Der Esel sei aber frei von Z. (Aristot. hist. an. 5,31,557a 14f.). Aristoteles (ebd. 5,19,552a 15) behauptet ohne jeden Beweis die Entstehung aus der Quecke (ἄγρωστις/*ágrōstis*). Man bekämpfte Z. (Geop. 18,16) durch Bestreichen der befallenen Tiere mit einem Absud von z. B. Ahorn- und Zypressenwurzeln oder durch Übergießen mit Salzwasser (Cato l. c.). Magische Verwendung erwähnt Plin. nat. 28,256 und 30,83 f. An Redensarten sind bekannt: ›gesünder als eine Z.‹ (ὑγιέστερος κρότωνος, Men. fr. 263 KÖRTE) und ›bei andern siehst du eine Laus, bei dir keine Zecke‹ (*in alio peduclum vides, in te ricinum non vides*, Petron. 57). In der Fabel begegnet sie nur bei Aisopos (427 PERRY = Aristot. rhet. 2,20,1393b 23–28).

KELLER 2, 398 f. · W. RICHTER, s. v. Z., RE Suppl. 14, 981–984. C. HÜ.

Zeder s. Cedrus; Citrus; Holz D.

Zeeritai (Ζεερῖται, Ζειρῖται bzw. Εἰρῖται). Ein bei Ptol. 6,7,24 erwähntes, bisher nicht einwandfrei lokalisiertes Volk in Arabien. [1] lokalisiert ihr Gebiet im Wādī al ʿIrḍ (h. Wādī Banī Ḥanīfa bei ar-Riyāḍ), also Zentralarabien; [2] im Gebiet von Oman bis zum Wādī d-Dawāsr, also über die ganze Wüste ar-Rubʿ al-Ḥālī zerstreut.

1 A. SPRENGER, Die alte Geogr. Arabiens, 1875 (Ndr. 1966), Nr. 395 2 E. GLASER, Skizze der Gesch. und Geogr. Arabiens, Bd. 2, 1890 (Ndr. 1976), 292 f. I. T.-N.

Zehnmänner s. Decemviri; Deka

Zeichensprache s. Gebärden

Zeichentheorie s. Sprachtheorie (Nachträge)

Zeira (ζειρά). Ein weiter, bis auf die Füße reichender und in der Mitte gegürteter bunter Mantel der Araber (Hdt. 7,69) und Thraker (Hdt. 7,75), der gegen Kälte schützte und im Unterschied zur → *chlamýs* lang genug war, um beim Reiten die Füße warmzuhalten (Xen. an. 7,4,4). Auf den Thrakerdarstellungen der att. Vasenmalerei hat man ihn aufgrund seiner Länge und der ornamentalen Verzierungen identifiziert.

W. RAECK, Zum Barbarenbild in der Kunst Athens, 1981, 69–72 · I. MADER, Thrakische Reiter auf dem Fries des Parthenon?, in: F. BLAKOLMER (Hrsg.), FS J. Borchhardt, Bd. 2, 1996, 60–62. R. H.

Zeitalter I. GRUNDSÄTZLICHES
II. VON HESIOD BIS ZUM HELLENISMUS
III. RÖMISCHE REPUBLIK UND AUGUSTEISCHE ZEIT
IV. KAISERZEIT NACH AUGUSTUS

I. GRUNDSÄTZLICHES
Den ant. Texten über die Abfolge verschiedener Z. oder Weltalter ist das Interesse an einer weiträumigen → Periodisierung gemeinsam, wobei ein Gegenwartsbezug unter aitiologischem, eschatologischem oder teleologischem Aspekt hergestellt werden kann. In der komplexen Motivgeschichte sind mehrere Stränge miteinander verknüpft: eine Sequenz nach Metallen benannter Generationen (γένη/*génē*) oder Z. (*aetates, saecula*), die Vorstellung von einer paradiesischen Urzeit unter → Kronos/→ Saturnus und ihrer Ablösung durch ein von → Zeus/→ Iuppiter regiertes Z., daneben Elemente von ant. → Kulturentstehungstheorien. Davon abzugrenzen sind naturphilos. Theorien über kosmische Periodizität (dazu [15. 840–847]).

II. VON HESIOD BIS ZUM HELLENISMUS
Bei → Hesiodos (erg. 106–201) liegt das deszendente Metallschema (Goldenes, Silbernes, Ehernes und Eisernes Geschlecht), eine im Kern wohl auf einen mesopot. Mythos zurückgehende Vorstellung, in einer um das an vorletzter Stelle eingefügte Heroengeschlecht erweiterten Form vor [5. 1–27; 19. 172–177]. Die physischen, intellektuellen, kulturellen und moralischen Unterschiede zw. den einzelnen Geschlechtern lassen anthropologische Grunddaten hervortreten; im Zentrum der Lehrabsicht steht die existentielle Bedeutung, die vorausschauender Arbeit und der Respektierung ethischer und rechtlicher Normen zukommt [13].

Das Metallschema fand Eingang in die Z.-Lehre der → Orphik [5. 52 f.; 2. 54–69]. → Platon [1] rekurriert gelegentlich auf Z.-Vorstellungen: Der *Politikós*-Mythos vom periodischen Wechsel der Weltumläufe (Plat. polit. 268d–274d) bedient sich der Antithese von Kronos-Z. und Zeus-Z.; in den *Nómoi* werden Merkmale des Kronos-Z. als vorbildhaft gekennzeichnet (Plat. leg. 713a–714a). In Platons *Kratýlos* interpretiert Sokrates [2] den Begriff δαίμων/*daímon* unter Rückgriff auf Hesiods Goldenes Geschlecht (Plat. Krat. 397e–398c); in der *Politeía* wird das Metallschema auf die Rangfolge der Stände im Idealstaat übertragen (Plat. rep. 415a-c; 468e; 546e–547b) [5. 54–58; 10. 29–42]. Bes. im Peripatos, weniger im Kynismus, Epikureismus und Stoizismus [10. 43–86] wurde die Topik des Goldenen Z. bzw. Geschlechts (χρυσοῦν γένος/*chrysún génos*) in → Kulturentstehungstheorien integriert: → Theophrastos (fr. 584A,1–64 FORTENBAUGH) idealisiert eine mittlere Phase der Kulturentwicklung, → Dikaiarchos (fr. 49 WEHRLI [18]) entmythologisiert das Goldene Z. unter explizitem Bezug auf Hesiod.

Eine wichtige Umgestaltung erfuhr das Hesiodeische Schema durch → Aratos [4], der in seinem Lehrgedicht *Phainómena* eine Folge dreier Z. (Goldenes, Silbernes und Ehernes Z.) mit dem *katasterismós* (»Verstirnung«) der Dike enden läßt (Arat. 96–136); Heroen- und Eisernes Z. sind nur impliziert [15. 795–799]. Anders als bei Hesiod ist hier das Goldene Z. von Landwirtschaft geprägt und mit Motiven aus Hesiods idealisierender Schilderung eines vom Rechtsprinzip bestimmten Gemeinwesens (Hes. erg. 225–237) charakterisiert [5. 58–63; 10. 87–90]: reicher Ertrag der Arbeit, kein Krieg, keine Schiffahrt.

III. RÖMISCHE REPUBLIK UND
AUGUSTEISCHE ZEIT

→ Catullus' Peleus-Epyllion (Catull. 64) nimmt den Übergang vom Heroen- zum Eisernen Z. in den Blick und betont die bereits bei Hesiod angelegte Ambivalenz des Heroen-Z. [16]. Größte Bed. erlangte das Z.-Motiv mit dem Übergang zur augusteischen Epoche. Die Idee des Goldenen Z. diente dem Ausdruck des Wunsches nach Frieden und Restauration; die Extreme des Spektrums – pessimistische Utopie und optimistische Prophetie – sind durch Hor. epod. 16 und Verg. ecl. 4 markiert: → Horatius [7] ruft dazu auf, zu den Inseln der Seligen auszuwandern, wo allein noch Zustände wie im Goldenen Z. herrschen; → Vergilius [4] verkündete die Wiederkehr des Goldenen/Saturnischen Z. und erweiterte damit das zuvor nicht als zyklisch gedachte Z.-Schema.

Von diesem paradiesischen Goldenen Z., das landwirtschaftliche Arbeit überflüssig macht (Hor. epod. 16,41–52; Verg. ecl. 4,37–45), sind andere Vorstellungen abzusetzen: In Verg. georg. 1,121–146 dient der Übergang von einem vor-agrarischen Saturnus-Z. zum Iuppiter-Z. als Aitiologie für die Notwendigkeit der Arbeit und für Kulturtechniken, zugleich als Theodizee-Argument. Bei Verg. georg. 2,536–540 heißt es, der »goldende Saturn« habe vor Beginn des Iuppiter-Z. auf Erden das Leben eines Bauern geführt; bei den Land-

leuten habe die sich zurückziehende *Iustitia* (»Gerechtigkeit«) ihre letzten Spuren hinterlassen (Verg. georg. 2,473 f.; die Vorstellung von einem agrarischen Goldenen Z. auch bei Varro rust. 3,1,4 f.).

In Vergils *Aeneis* wird das Goldene Z. für ein teleologisches Geschichtskonzept beansprucht: Ein vorkulturelles Z. wird unter der Herrschaft des Saturnus in Latium durch ein Goldenes Z. abgelöst (Verg. Aen. 8,314–325); auf dieses folgt ein von Krieg und Habgier bestimmtes (Eisernes) Z. (ebd. 8,326 f.); schließlich wird das Goldene Z. unter dem Weltherrscher Augustus erneuert (ebd. 6,791–805) [1. 76–111; 10. 119–125]. Der Erwartung eines neuen Goldenen Z. korrespondierten polit. Akte, bes. die Saecularfeier (→ *saeculum* III.) im J. 17 v.Chr. [8. 223–225] (entsprechende Topik: Hor. carm. saec. 57–60 [10. 152–154]) und die bildliche Propagierung von Fruchtbarkeit, Fülle und Frieden des neuen Z. (z.B. an der → *Ara Pacis Augustae*), die in den Bereich der privaten Kunst hineinwirkte [20. 171–196; 4. 106–121].

Anderen Dichtern der Zeit blieben solche Ideen fremd. Die lat. erotische Elegie klagt über Charakteristika des Eisernen Z.: Krieg, Untreue, Habgier (Tib. 1,3; 2,3; Prop. 2,32; 3,13; Ov. am. 3,8; Ov. ars 2,273–280) [10. 155–212]; vgl. auch → Antipatros [9] Anth. Pal. 5,31. → Ovidius, der sich auch in *Fasti* ([10. 213–224] zu Ov. fast. 1,185–254) und *Metamorphoses* gegenüber der Z.-Ideologie reserviert zeigt, verbindet Motive aus Hesiod und Arat mit Topoi der Kulturentstehungstheorien (Ov. met. 1,89–150) [5. 70–76; 10. 225–246].

IV. KAISERZEIT NACH AUGUSTUS

Die Idee eines neuen (Goldenen) Z. blieb bis in die Spätant. Motiv der Herrscherpanegyrik [5. 135–143; 7. 156–170] (häufig in neronischer Zeit: Calp. ecl. 1,33–73; Carmen Einsidlense 2,21–38; Sen. apocol. 4,1; [12]). Daneben traten unterschiedliche Funktionalisierungen: Von Hesiod beeinflußt ist die Schilderung von zehn Z. in or. Sib. 1 f. [11; 5. 79–83], deren ältere Schicht wohl aus iulisch-claudischer Zeit stammt [3. 441–446]. Anschluß an Ov. met. sucht (ohne die Metall-Terminologie) Ps.-Seneca, Octavia 385–435 [5. 77–79]. → Iuvenalis 6,1–24 kombiniert eine groteske Schilderung des primitiven Saturnus-Z. mit einem (an Arat orientierten [15. 808 f.]) Z.-Schema; Iuv. 13,28–30 beklagt, daß die Unmoral der Gegenwart die des Eisernen Z. übertreffe.

Bei christl. Autoren gewannen andere Vorstellungen an Bed. [14], bes. das aus Dan 2,31–45 (dort auch die Metallsymbolik) bekannte Schema der Sukzession von vier → Weltreichen bei Hieronymus (comm. in Dan. 2,31–35) [17. 102–110] und Orosius (hist. 2,1,3–6; 7,2,4–6) [6. 71–79] sowie eine Periodisierung der Weltgeschichte in Analogie zu den menschlichen Lebensaltersstufen bei → Augustinus (vgl. [9]).

→ Kulturentstehungstheorien; Periodisierung; Theogonie; Welt; Weltschöpfung; Zeitkonzeptionen

1 G. BINDER, Aeneas und Augustus, 1971 2 L. BRISSON, Proclus et l'Orphisme, in: J. PÉPIN, H.D. SAFFREY (Hrsg.),

Proclus, 1987, 43–104 **3** J.J. COLLINS, The Development of the Sibylline Tradition, in: ANRW II 20.1, 1987, 421–459 **4** K. GALINSKY, Augustan Culture, 1996 **5** B. GATZ, Weltalter, goldene Zeit und sinnverwandte Vorstellungen, 1967 **6** H.-W. GOETZ, Die Geschichtstheologie des Orosius, 1980 **7** R. GÜNTHER, R. MÜLLER, Das Goldene Z., 1988 **8** D. KIENAST, Augustus, ³1999 **9** B. KÖTTING, W. GEERLINGS, s. v. Aetas, in: C. MAYER (Hrsg.), Augustinus-Lex. I, 1986–1994, 150–158 **10** K. KUBUSCH, Aurea Saecula, 1986 **11** A. KURFESS, Homer und Hesiod im 1. Buch der Oracula Sibyllina, in: Philologus 100, 1956, 147–153 **12** B. MERFELD, Panegyrik – Paränese – Parodie?, 1999 **13** G. W. MOST, Hesiod's Myth of the Five (or Three or Four) Races, in: PCPhS 43, 1998, 104–127 **14** R. SCHMIDT, Aetates mundi, in: ZKG 67, 1955/56, 288–317 **15** H. SCHWABL, s. v. Weltalter, RE Suppl. 15, 783–850 **16** M. STOEVESANDT, Catull 64 und die Ilias, in: WJA 20, 1994/95, 167–205 **17** K. SUGANO, Das Rombild des Hieronymus, 1983 **18** WEHRLI, Schule, Bd. 1 **19** M. L. WEST, Hesiod, Works & Days, 1978 (Komm.) **20** P. ZANKER, Augustus und die Macht der Bilder, ³1997. H. H.

Zeitkonzeptionen

I. ALTER ORIENT   II. KLASSISCHE ANTIKE

I. ALTER ORIENT

Den Z. der Keilschriftkulturen eignen zyklische und lineare Rhythmen, Vorstellungen von Anfang und Ende, Vorher und Nachher, Wiederholung und Veränderung, Fortschritt, Vergangenheit, Gegenwart, Zukunft und »Ewigkeit«/Dauerhaftigkeit. All diese Aspekte lassen sich in den überl. Quellen sowohl begrifflich wie auch konzeptionell fassen, sie sind allerdings nicht Gegenstand eines systematischen, theoretischen Diskurses. Die Sprachen der Keilschriftkulturen verfügen über verschiedene Mittel, um Ereignisse, Zustände und Sachverhalte mit Blick auf unterschiedliche Zeitebenen zu beschreiben. Die zentrale Funktion der Zeit als gesellschaftliche Kategorie prägt jegliche Z. Einzelne Zeitsegmente sind aufgrund astronomischer (z. B. Mondphasen) bzw. sonstiger natürlicher (z. B. Landwirtschaft) oder kult.-gesellschaftlicher Ereignisse (z. B. Thronbesteigung) – einmalig und wiederkehrend – bes. qualifiziert; sie finden sowohl im Bereich der kultischen Praxis (vgl. → Fest, → Ritual) als auch im Bereich der → Magie der und → Divination bes. Beachtung [2]. In Epen, Mythen, Streitgesprächen (z. B. *Enūma eliš*; Fabel von Sommer und Winter) werden kulturell und gesellschaftlich relevante Phänomene wie z. B. die natürlichen Rhythmen, die Existenz von Sommer und Winter, das Problem der Unsterblichkeit und des Überdauerns diskutiert. Eine physikalisch-naturwiss. Z. läßt sich nicht nachweisen.

Ob bei den Phöniziern »Zeit« in Gestalt einer Ur-Gottheit im Rahmen kosmogonischer Vorstellungen eine Rolle spielte, wie dies einige klass. Autoren (Pherekydes [1], Damaskios) überliefern, ist bei der derzeitigen Quellenlage nicht zu verifizieren [1].
→ Geschichtsschreibung; Gilgamesch; Zeitrechnung

1 K. KOCH, Wind und Zeit als Konstituenten des Kosmos in phönikischer Myth. und spät-at. Texten, in: M. DIETRICH, O. LORETZ (Hrsg.), Mesopotamica – Ugaritica – Biblica. FS K. Bergerhof, 1993, 58–91 **2** A. LIVINGSTONE, The Magic of Time, in: T. ABUSCH, K. VAN DER TOORN (Hrsg.), Mesopotamian Magic. Textual, Historical and Interpretative Perspectives, 1999, 131–137. E. C.-K.

II. KLASSISCHE ANTIKE

A. VORSOKRATIK   B. PLATON   C. ARISTOTELES
D. STOA   E. PYRRHONISCHE SKEPSIS   F. PLOTINOS
G. SIMPLIKIOS   H. AUGUSTINUS   J. BOËTHIUS

A. VORSOKRATIK

Bei den → Vorsokratikern finden sich keine ausgearbeiteten Z., wohl aber zahlreiche Anregungen, die von späteren antiken Theorien aufgenommen wurden. In Vorblick auf → Platon [1] und → Plotinos ist bemerkenswert, daß → Anaximandros und → Empedokles die Zeit im Hinblick auf die Ewigkeit begreifen, wenn sie das Unbegrenzte (ἄπειρον/*ápeiron*; → Unendlichkeit) bzw. das Eine mit dem kontrastieren, was aus ihm hervorgeht und – obgleich im Ewigen gründend – selbst der Vergänglichkeit unterworfen ist (12 B 1 DK; 12 A 9 DK; 31 B 16 DK). Allerdings wird die Ewigkeit in der Vorsokratik als unbegrenzte Zeitdauer und nicht – wie von Platon und Plotinos – als Zeitlosigkeit begriffen (Herakl. 22 B 30 DK). Auf Aristoteles [6] weisen verschiedene Aspekte voraus, so die Unterscheidung zw. χρόνος (*chrónos*) als Zeit*dauer* und καιρός (*kairós*) als günstigem Zeit*punkt*. → Zenons [1] Bewegungsparadoxien setzen implizit die Unteilbarkeit und Ausdehnungslosigkeit des Jetztpunktes sowie den Kontinuumscharakter der Zeitdauer voraus. In den pythagoreischen → Kosmogonien wird die Zählbarkeit der Zeit angenommen. Die Theogonie des → Pherekydes [1] aus Syros zählt die personifizierte Zeit zu den drei ersten → Prinzipien (πρῶται ἀρχαί/*prôtai archaí*) und spricht ihr ein Immersein (ἀεὶ εἶναι/*aeì eínai*) zu.

Den Vorsokratikern eigen ist dagegen, daß sie die temporalen Verhältnisse vorrangig als Rechtsverhältnisse deuten. Laut Anaximandros (12 B 1; A 9 DK) empfängt all das, was aus dem Unbegrenzten hervorgeht und durch sein eigenes Entstehen an der Verdrängung seines Gegenteils schuldig wird, seine Strafe gemäß der ›Ordnung der Zeit‹ (τοῦ χρόνου τάξις/*tu chrónu táxis*). Diese verbürge, daß alles Zeitliche mit Notwendigkeit vergeht, und sorge so für → Gerechtigkeit (*díkē*). → Solon [1] (fr. 24,1–7 DIEHL) spricht gar von einem »Richterstuhl der Zeit« (χρόνου δίκη/*chrónu díkē*): Nicht als ein das Geschehen bloß zulassender, sondern als selbst agierender Sachwalter des Rechts vermittelt die Zeit (*chrónos*) die Gewißheit, daß kein Unrecht je vergessen wird und ungestraft bleibt. Fungiert die Zeit (deren auf die Zukunft ausgerichtete, gleichermaßen Wahrheit und Vernichtung bringende göttliche Macht auch in der Lyrik des → Pindaros und des → Simonides [2] betont wird, z. B. Pind. O. 6.97; 8,28; 10,7f.; Pind. N. 7,67f.; Sim. epigr. 75) bei Solon als Garant für die Unausweichlichkeit der Vergeltung und die stete Wiederherstellung des Rechts, so wird zugleich deutlich, daß auch das Recht nie von Dauer ist.

B. PLATON

Die Kosmogonie des platonischen Dialogs ›Timaios‹ deutet die Zeit (*chrónos*) von der Ewigkeit (αἰών/*aiōn*) her, die Platon [1] entgegen der Trad. als Negation zeitlicher Sukzession, d. h. als permanente Gegenwart begreift: Ein göttlicher → *dēmiurgós* [3] gestaltet den *kósmos* (→ Welt) als vernünftiges und unsterbliches Lebewesen; Vorbild dafür ist das eine, vollkommene und ewige Lebewesen (vgl. Plat. Tim. 33a-b). Um den *kósmos* seinem Urbild möglichst ähnlich zu machen, erzeugt der *dēmiurgós* die Zeit als ein der Zahl nach voranschreitendes Abbild der in bloßer Einheit verharrenden Ewigkeit (Plat. Tim. 37c–39e). Die Zeit stellt also diejenige Eigenschaft des *kósmos* dar, die ihm seinem Urbild anzunähern vermag, nicht jedoch die vorherrschende Differenz und Defizienz ausgleichen kann. Gemäß der Urbild-Abbild-Relation (→ Ideenlehre) unterscheidet sich die Zeit durch ihr stetes Voranschreiten von der Ewigkeit; beide verfügen über einen alles Leben umfassenden Ganzheits- und Einheitscharakter. Diesen betont Platon, wenn er die Zeit sowohl von (a) den als »Teilen« (μόροι/*móroi*) der Zeit bezeichneten Einheiten der Zeitdauer als auch von (b) den beiden sog. »Formen« (τὰ εἴδη/*ta eídē*) der Zeit, nämlich den Zeitmodi Vergangenheit und Zukunft, abgrenzt. Die Messung der Zeit wird durch die Kontinuität und Periodizität der vom *dēmiurgós* zugleich mit der Erzeugung der Zeit angeordneten Planetenbahnen ermöglicht (→ Planeten I. B.). Diese Planeten bzw. ihre Bahnen werden als ›Werkzeuge der Zeit‹ (Plat. Tim. 41e 5; 42d 5) tituliert und sind nicht mit der Zeit selbst zu identifizieren. Die Zeit kommt aufgrund der Unvergänglichkeit des *kósmos* ebenfalls an kein Ende und wird daher von Platon konsequenterweise als ewig (αἰώνιος/*aiónios*, d. h. von unbegrenzter Zeitdauer) bezeichnet. Somit kann die Zeit als ständige und immerwährende Veränderung des *kósmos* verstanden und von der zeitlosen Ewigkeit des Urbilds unterschieden werden.

Dem Problem, wie sich die Zeit begrifflich fassen läßt, begegnet Platon im ›Timaios‹, indem er ihren Abbildcharakter im Modus einer gleichfalls bildhaften Rede (εἰκὼς λόγος/*eikós lógos*) thematisiert (Plat. Tim. 28b 3–d 3). Angesichts des Problems, wie der Umschlag (μεταβολή/*metabolē*) eines Zustands in einen gegenteiligen zu erklären ist, da in einer bestimmten Zeit nur entweder der eine oder aber der andere bestehen kann, faßt Platon im ›Parmenides‹ (Plat. Parm. 155e 4–157b 5) den Augenblick (ἐξαίφνης/*exaíphnes*) als signifikant zeitlosen Moment, zu dem sich ein Umschlag allein vollziehen kann. Mit der Ewigkeit verbindet das *exaíphnes* die Negation zeitlicher Sukzession, doch unterscheidet es sich von ihr dadurch, daß es nicht jenseits der Zeit liegt, sondern als Zeitloses in der Zeit wirksam ist und als Veränderung ermöglichendes Prinzip gerade das Movens der Zeit ausmacht.

C. ARISTOTELES

Aristoteles [6] geht in der ›Physik‹ (Aristot. phys. 4,10–14) von der Frage aus, ob die Zeit (*chrónos*) Ursache von Veränderung (κίνησις/*kínesis*; → Bewegung) ist. Da Zeit und Veränderung nur zugleich wahrnehmbar sind, ist die Zeit ›etwas an der Veränderung‹ (τῆς κινήσεώς τι, *tēs kinéseōs ti*, Aristot. phys. 4,11,219a 8–10). Häufig als zirkulär kritisiert wurde Aristoteles' Definition der Zeit: ›Denn eben das ist Zeit: die Zahl der Veränderung hinsichtlich des Davor und Danach‹ (Aristot. phys. 4,11,219b 1 f.). Da mit → »Zahl« hier nicht dasjenige gemeint ist, womit wir zählen, sondern das Gezählte oder Zählbare, läßt sich die Zeit als eine bestimmte Menge von Veränderungsabschnitten begreifen (insofern diese Menge gezählt oder gemessen wird). Damit werden nicht nur die Veränderung, sondern auch die Seele (in ihrer Funktion als Zählvermögen) als nicht hinreichende, aber notwendige Bedingungen der Zeit vorausgesetzt: Ohne Seele gäbe es keine Zeit, sondern allenfalls ihr Substrat, die Veränderung (→ Seelenlehre). Aristoteles eine subjektive Zeitauffassung zuzuschreiben, wäre gleichwohl verfehlt, denn die Zeit ist zwar nicht ohne Seele, aber nicht *aufgrund* oder gar *in* der Seele. Mit seiner Lösung der Zeitkonstitution wendet sich Aristoteles nicht nur gegen die → Antiphon [4] zugeschriebene These, wonach die Zeit bloßer Gedankeninhalt und Maßstab sei (νόημα/*nóēma* bzw. μέτρον/*métron*), sondern auch gegen eine von ihm referierte skeptische Position, welche die Existenz der Zeit mit dem Argument bestreitet, der eine Teil der Zeit sei vergangen und nicht mehr, während der andere bevorstehe und noch nicht sei (Aristot. phys. 4,10,217b 33–218a 3).

Zentral für die aristotelische Z. ist das Verhältnis von Zeitdauer (*chrónos*) und Zeitpunkt (*ta nyn*), die in ihrer Erkennbarkeit wie in ihrer Wirklichkeit voneinander abhängen: Jede Zeitdauer wird eingegrenzt von einem Anfangs- und einem Endpunkt. Diese »Jetztpunkte« (τὰ νῦν/*ta nyn*) sind als atomar und nicht als Teile der Zeit zu verstehen. Im Unterschied zum *kairós* (dem handlungstheoretisch bedeutsamen Begriff des günstigen Augenblicks, der für eine inhaltlich qualifizierbare Gelegenheit steht) ist der formale Begriff des *nyn* rein funktional bestimmt: Das *nyn* (»Jetztpunkt«) dient zur Eingrenzung einer bestimmten Zeitdauer und vermittelt in sich zw. Vergangenem und Zukünftigem, so daß es als Unterteilungs- wie als Kontinuitätsprinzip der erstmals in ihrem Kontinuumscharakter betonten Zeit fungiert. Vor dem Hintergrund dieser Doppelfunktion des *nyn* legt Aristoteles auch als erster die Betonung auf den Kontinuumscharakter der Zeit, den er von dem analogen Kontinuumscharakter der Veränderung und diesen wiederum von demjenigen der Größe herleitet. Das Kontinuum wird dabei (in einer wiederum als zirkulär angreifbaren Definition) als etwas Ausgedehntes und in sich Zusammenhängendes bestimmt, das sich immer weiter zerlegen läßt – und zwar nicht in Unteilbares, sondern in Teile, die selbst wiederum in Teilbares, also in Kontinua, teilbar sind.

Aristoteles schreibt (wie Platon) der Zeit ein Immersein zu. Dies ist zum einen durch die Medialität des *nyn* begründet, das nicht nur am Ende einer vergangenen, sondern stets auch am Anfang einer künftigen Zeitdauer steht, zum anderen durch die Unmöglichkeit des Entstehens oder Vergehens der Veränderung: Ohne Zeit gäbe es kein »Früher« oder »Später«, so daß sich weder ein »vor der Zeit« noch ein »nach der Zeit« denken läßt (Aristot. metaph. 12,6,1071b 6–10). Den letzten Garanten für das Immersein der Zeit findet Aristoteles (vermittelt über die unaufhörliche Kreisbewegung des Himmels) in Gott, der als selbst unveränderliche Ursache aller Veränderung (τὸ πρῶτον κινοῦν ἀκίνητον, Aristot. metaph. 1012b 31) der Zeit ihr Substrat sichert. Zwar betrachtet Aristoteles die Zeit nicht wie Platon als Abbild der Ewigkeit, doch sieht er sie gleichfalls in einer Instanz gegründet, die selbst nicht zeitlich ist. Neben dem Immersein hebt Aristoteles auch Einheit und Ubiquität der Zeit hervor, die alle Veränderungen, Orte und Gegenstände umfaßt und als eine und dieselbe überall ist. Das von der Zeit umfaßte und mit ihrer Hilfe zu messende Veränderbare bezeichnet Aristoteles als das, was »in der Zeit« ist, und grenzt es ab von dem, was »nicht in der Zeit« (*eínai en chrónōi*, ebd. 4,12, 221b 3–7), d. h. ewig und zeitlich nicht zu messen ist. Gegenüber der tradierten Vorstellung, die Zeit sei handlungsmächtig und Ursache des Vergehens, stellt er fest, daß nicht die Zeit, sondern die sie begleitende Veränderung den Zerfall dessen bewirke, was »in der Zeit ist«.

Bemerkt Platon im ›Timaios‹ lediglich, daß die Zeitmessung die Kontinuität und Periodizität einer Meßgeschwindigkeit voraussetzt, so konstatiert Aristoteles, daß sich nicht nur die Zeit mittels der Veränderung, sondern auch Veränderung und Stillstand mittels der Zeit messen lassen. Damit wird das systematische Grundproblem der Zeitmessung ersichtlich: Für eine verläßliche Messung muß die Gleichförmigkeit einer Veränderung, eine als Leitgröße dienende Standardbewegung, vorausgesetzt werden. Doch nur mittels einer verläßlichen Meßapparatur kann man die Frage, ob eine bestimmte Form der Veränderung gleichförmig ist, klären. Geeignet zur Zeitmessung ist laut Aristoteles die sich kontinuierlich vollziehende Kreisbewegung des Himmels (vgl. → Elementenlehre; → Planeten I.B.) – eine Annahme, die letztlich auf den Gottesbegriff rekurriert. Während zur Messung der Zeit also nur eine einzige Form der Veränderung, nämlich die verläßliche sphärische Kreisbewegung taugt, lassen sich umgekehrt mittels der Zeit alle Formen der Veränderung messen (→ Zeitrechnung).

D. Stoa

Zwar bildet Aristoteles den Ausgangspunkt für die Z. des → Stoizismus, doch definieren Zenon [2] von Kition und → Chrysippos [2] die Zeit nicht als Zahl, sondern als das Intervall (διάστημα/ *diástēma*) der Veränderung *kínēsis*), das kein seelisches Zählvermögen, sondern allein die Veränderung des immerwährenden *kósmos* voraussetze (fr. 51 A-H LONG-SEDLEY). Mit Blick auf

ihren ontologischen Status rechnet der Stoizismus die Zeit dem Unkörperlichen und Nicht-Substanzhaften zu und gesteht allein der Gegenwart, nicht aber der Vergangenheit und Zukunft, reale Existenz zu. Begreifen die Stoiker die Zeit wie Aristoteles als Kontinuum und den unteilbaren Jetztpunkt in seiner entsprechenden Unterteilungs- und Vermittlungsfunktion, so lassen sie doch auch eine laxere, für den Alltag brauchbare Redeweise zu, nach der die Gegenwart nicht atomar sei, sondern andauere und sich aus Vergangenheit und Zukunft zusammensetze.

In der neueren Stoa artikuliert → Seneca [2] eine Reihe von Fragen, denen insofern eine Scharnierfunktion zukommt, als sie einerseits auf die Z. der griech. Vorläufer zurückverweisen und andererseits von → Augustinus' Z. aufgenommen werden (Sen. epist. 88,33): Existiert die Zeit (lat. *tempus*) und, falls ja, existiert sie als etwas Selbständiges oder nur »als etwas an der Veränderung« (*motus*)? Existierte vor der Zeit etwas ohne Zeit? Nahm die Zeit zugleich mit dem Weltall ihren Anfang oder gab es eine Zeit vor der Weltzeit?

E. Pyrrhonische Skepsis

Der pyrrhonische → Skeptizismus (s. Nachträge; vgl. S. Emp. P.H. 3,19,136–150) greift das von Aristoteles [6] referierte Grundargument gegen die Existenz der Zeit auf und entfaltet es in zahlreichen Variationen. Diese stellen zwar den grundsätzlichen Zweifel voran – über die Zeit lasse sich ohnehin nichts Sicheres sagen –, unterstellen aber in der eigenen Beweisführung, daß die Zeit – sollte sie existieren – aus drei »Teilen« (Vergangenheit, Gegenwart und Zukunft) zusammengesetzt sein und mit der Veränderung (*kínēsis*) zusammenhängen müsse. Vor diesem Hintergrund operieren die Einzelargumentationen mit dem Mittel der vollständigen Disjunktion, um im Detail darzulegen, daß man – gleichgültig, ob man der Zeit Attribute wie Körperlichkeit, Begrenztheit, Teilbarkeit und Vergänglichkeit zu- oder abspreche – in jedem Fall in unlösbare Aporien gerate, was für die Nichtexistenz der Zeit spreche. Auch wenn wir die Zeit als »Phänomen« wahrnehmen, so führt doch jedes begriffliche Nachdenken über die Zeit in Widersprüche.

F. Plotinos

In der Nachfolge Platons betont → Plotinos (Plot. enn. 3,7), daß sich die Zeit nur von der Ewigkeit (αἰών, *aiṓn*) her, nämlich als deren Abbild (εἰκών, *eikṓn*) begreifen lasse. Plotinos folgt Platon weiter, wenn er die Ewigkeit als zeitlose Gegenwart konzipiert, doch faßt er sie dann im spezifischen Kontext seiner eigenen Hypostasenlehre (→ *hypóstasis*) als die im Einen (τὸ ἕν/ *to hen*) gründende Seins- und Lebensweise des sich denkend bewegenden und dabei ganz bei sich selbst bleibenden → Intellekts (νοῦς/*nus*). Da der als ausdehnungslose Einheit gedachte *nus* ohne zeitliche Dimension lebt und dem *hen* weder Ewigkeit noch Zeit zuzusprechen ist, besitzt allein das Leben der aus dem *nus* hervorgehenden Weltseele (ψυχή τοῦ παντός, *psychḗ tu pantós*) zeitliche Extension. Als Resultat der Verzeitlichung der *psyché* ist die Zeit der Ewigkeit insofern ähnlich, als beide Existenz- und Lebensformen darstellen, und insofern unähnlich, als sie je unterschiedliche Existenz- und Lebensformen ausmachen: Wie die *psyché* Abbild des *nus* ist, so ist die Zeit als Leben der *psyché* das Abbild der Ewigkeit als des Lebens des *nus*. Entsteht die Zeit – in einem zeitlos ontologischen Akt – zugleich mit der *psyché* und dem *kósmos*, so steht sie zu beiden doch in unterschiedlichen Abhängigkeitsverhältnissen.

Der zentrale Unterschied der plotinischen gegenüber der aristotelischen Z. liegt darin, daß die Zeit als unabhängig von jeder Veränderung gedacht wird: Selbst ein Stillstand der sphärischen Kreisbewegung würde die Zeit nicht aufheben. Damit verliert die Zeit die kosmologische (und letztlich theologische) Fundierung, die sie bei Aristoteles hatte, um stattdessen mit dem Leben der *psyché* identifiziert und damit »psychologisch« in der Weltseele fundiert zu werden. Die Zeit setzt also nicht den *kósmos*, wohl aber die *psyché* als eine zugleich notwendige und hinreichende Bedingung voraus: Wie die Zeit dadurch entsteht, daß sich die *psyché* durch ihren Ausgang aus dem *nus* selbst verzeitlicht, so würde in dem Fall, daß die *psyché* wieder in den Ursprung zurückkehren und ihre Verzeitlichung aufheben würde, auch die Zeit an ihr Ende gelangen. Da Plotinos die Zeit jedoch nicht als Vorstellung in der Seele auffaßt und die *psyché* nicht als menschliche Einzelseele, sondern als Weltseele konzipiert, sollte man ihm ebensowenig eine subjektive Zeitauffassung zuschreiben wie Aristoteles.

G. SIMPLIKIOS

Im *Corollarium de tempore* (›Über die Zeit‹) geht → Simplikios von der aristotelischen Definition der Zeit aus, die er allerdings als Maß des Physischen interpretiert, um sie im Kontext seiner Hypostasenlehre weiter auszulegen: Demnach setzt die als Maß des Physischen dienende, mit dessen Veränderung aber zugleich selbst mitfortfließende Zeit eine »erste Zeit« (πρῶτος χρόνος, *prótos chrónos*) voraus, die unveränderlich bleibt und – wie in der Z. des Plotinos – auf die *psyché*, das Veränderungsprinzip des Physischen, bezogen ist. Nur aufgrund dieser unzeitlichen, zw. dem Veränderlichen und Unveränderlichen situierten Zeit des Psychischen kann die sukzessiv voranschreitende Zeit des Physischen diesem Einheit, Zusammenhalt und Ordnung vermitteln.

H. AUGUSTINUS

Wie die pyrrhonische Skepsis die Zeit als gut bekanntes Phänomen beschreibt, das als Thema begrifflicher Reflexion unweigerlich in Widersprüche führt, so stellt auch → Augustinus im B. 11 der *Confessiones* der alltäglichen Vertrautheit mit der Zeit das Unwissen gegenüber, in das man gerät, wenn man zu explizieren hat, was (*quid*) die Zeit ist. Wie die Zeit für das Denken zum Problem wird, zeigt Augustinus v. a. mit Blick auf die Praxis der Zeitmessung und deren theoretische Voraussetzungen: Im Anschluß an Aristoteles unterscheidet er zw. der *messenden* Zeit, die als Maß der sich in ihr vollziehenden Veränderung (*motus*) fungiert und mit dieser keineswegs gleichzusetzen ist, und der (durch die Veränderung) *gemessenen* Zeit. Damit man Zeit aber überhaupt messen kann, muß sie als etwas Ausgedehntes und Gegenwärtiges existieren. Die für die Zeitmessung notwendige Vorannahme einer aktualen Zeitdauer bzw. eines gegenwärtigen Zeitraums läßt sich aber mit Hilfe jenes skeptischen Arguments problematisieren, wonach die Vergangenheit nicht mehr, die Zukunft noch nicht und die Gegenwart nur ein ausdehnungsloser Jetztpunkt ist.

Vor diesem Problemhintergrund konstatiert Augustinus, daß wir die Zeit in der Seele messen und der für die Zeitmessung benötigte Zeitraum allein innerhalb der menschlichen Seele zu finden ist. Dieser Zeitraum verdankt sich den spezifischen Leistungen der Seele (*anima, animus*), die sich durch die Akte der Erinnerung (*memoria*), der Wahrnehmung (*contuitus, intuitus*) und der Erwartung (*expectatio*) Vergangenes, Gegenwärtiges und Zukünftiges zugleich vergegenwärtigt und so die Zeit als etwas Ausgedehntes und Gegenwärtiges konstituiert. Indem Augustinus die Zeit als Ausdehnung (*distentio*) der den Zeitraum aufspannenden Seele konzipiert, begreift er sie nicht nur als Produkt psychischer Aktivität, sondern lokalisiert ihren »ontologischen Ort« auch allein in der sie konstituierenden Seele. Außerhalb dieser existiert keine zeitliche Dauer, sondern nur die atomare Gegenwart der stets vorübergehenden Dinge (*praetereuntia*).

J. BOËTHIUS

→ Boëthius thematisiert das Verhältnis von Ewigkeit (*aeternitas*) und Zeitlichkeit (*tempus*) angesichts der Frage, ob Gottes notwendiges Vorherwissen (*praescientia*) künftiger Ereignisse nicht die menschliche → Freiheit unmöglich mache. Zur Lösung dieses Problems ist die Ewigkeit Gottes nicht als Omnitemporalität, sondern als Atemporalität zu begreifen und von der Dauerhaftigkeit der Welt sowie der Zeitlichkeit des menschlichen Erkenntnisvermögens abzugrenzen (Boeth. consolatio philosophiae 5): Während der menschliche Geist die Vergangenheit nicht mehr und die Zukunft noch nicht besitzt, ruht der göttliche Geist in sich selbst und hat die unendliche Dauerhaftigkeit der sukzessive ablaufenden Zeit als reine Gegenwart vor sich. Damit ist für ihn bereits auch das gegenwärtig, was sich in der Zeit noch ereignen und für den menschlichen Geist erst später zugänglich sein wird. Da Gott selbst keinen Ort in der Zeit hat und ihm alles Zeitliche zugleich präsent ist, verfügt er über umfassendes Wissen, jedoch nicht über das für die menschliche Freiheit problematische »Vorauswissen« (→ Prädestinationslehre).

→ Bewegung; Kosmologie; Naturphilosophie; Neuplatonismus; Philosophie; Physik; Planeten I.B.; Raum; Stoizismus; Unendlichkeit; Zeitrechnung

W. BEIERWALTES, Plotin. Über Ewigkeit und Zeit (Enneade III 7), ⁴1995 · G. BÖHME, Idee und Kosmos. Platons Zeitlehre. Eine Einführung in seine theoretische Philos., 1996 · R. BRAGUE, Du temps chez Platon et Aristote, 1982 · P. F. CONEN, Die Zeittheorie des Aristoteles, 1964 · R. FERBER, Zenons Paradoxien der Bewegung und die

Struktur von Raum und Zeit, ²1995 · K. FLASCH, Was ist
Zeit? Augustinus von Hippo. Das XI. Buch der
Confessiones. Histor.-philos. Studie, 1993 · K. GLOY,
Studien zur Platonischen Naturphilos. im Timaios, 1986 ·
Dies., Die Struktur der Zeit in Plotins Zeitanalyse, in: AGPh
71, 1989, 303–326 · E. P. MEIJERING, Augustin über
Schöpfung, Ewigkeit und Zeit. Das XI. Buch der
Bekenntnisse, 1979 · E. RUDOLPH, Zeit und Gott bei Ari-
stoteles, 1986 · Ders. (Hrsg.), Zeit, Bewegung, Handlung.
Studien zur Zeitabhandlung des Aristoteles, 1988 ·
E. A. SCHMIDT, Zeit und Gesch. bei Augustin, 1985 ·
E. SONDEREGGER, Simplikios: Über die Zeit. Ein Komm.
zum Corollarium de tempore, 1982 · R. SORABJI, Time,
Creation and the Continuum. Theories in Antiquity and the
Early Middle Ages, 1983 · H. WESTERMANN, s. v. Zeit II. B.,
HWdPH 12 (in Vorbereitung).   H. WE.

Zeitmessung s. Kalender; Uhr; Zeitrechnung

Zeitrechnung   I. ALLGEMEIN
II. MESOPOTAMIEN   III. ÄGYPTEN   IV. JUDENTUM
V. KLASSISCHE ANTIKE   VI. ISLAM

I. ALLGEMEIN
A. VORSTELLUNGEN VON ZEITMESSUNG
B. HISTORIOGRAPHISCHE KONZEPTE UND ÄREN
C. KALENDER UND UHR   D. REZEPTION

A. VORSTELLUNGEN VON ZEITMESSUNG

Die meisten Kulturen verfügen über Methoden der
Zeitmessung, die häufig auf periodischen Veränderungen der Natur oder der Gestirne beruhen. Die älteste
stellt die *pars-pro-toto*-Methode dar, nach der nicht die
zeitliche Einheit als Ganzes gezählt wird, sondern ein
regelmäßig, innerhalb einer Zeiteinheit wiederkehrendes Phänomen [1. 9f.] (z.B. Mondphasen). Die Metaphern der Z. wie Zeitmessung spielen in der Ant. keine
große Rolle, nimmt man den Bereich der → Metrik aus.
In der Regel steht nicht die präzise Messung, sondern das
Ausschöpfen konventioneller Zeiteinheiten wie Generationen oder Regierungslängen im Vordergrund. Angaben von Zeitlängen werden häufig gerundet – wie bei
der Erklärung, drei Generationen entsprächen 100 Jahren (Hdt. 2,142) – oder Zeitpunkte als relative Zeitabstände in Rundzahlen zur eigenen Gegenwart angegeben (Hdt. 2,145); Altersangaben auf Grabsteinen sind
häufig gerundet (vgl. auch Varro rust. 1,40,3: eine Rechnung in Tagen). Ohne einen Ausgangspunkt in der Vergangenheit zu bestimmen, der eine Ära (→ Ären) begründen würde, können diese Zeitabstände auch präzise
in Jahren von einem Datum der Gegenwart gezählt (z. B.
→ *Marmor Parium*) oder in relativen Zeitabständen angegeben werden (Eratosthenes FGrH 241 F 1a). Z. muß
nicht numerisches Rechnen implizieren: Gemäß dem
Brauch, Jahre nach wichtigen Ereignissen (Babylonien,
s.u. II.), Beamten oder Priestern (Griechenland, röm.
Republik, s.u. V.) oder der Regierungszeit des Kaisers
(Rom) zu benennen, galt auch dies als »zählen« (Sen. dial.
5,31,2).

B. HISTORIOGRAPHISCHE KONZEPTE UND ÄREN

Ant. Z. ist durch ein Nebeneinander unterschiedlichster Systeme ganz unterschiedlicher Reichweite gekennzeichnet (s.u.). Sie sind zumeist nur von lokaler
Geltung und eng in je andere pragmatische Zusammenhänge eingebunden und von diesen bestimmt. Das gilt
bes. für die → Eponyme Datierung und die → Ären-
Rechnung, die polit. Verantwortlichkeiten bzw. dynastische Kontinuität zum Ausdruck bringen. In noch höherem Maße gilt es für weiterreichende »Rechnungen«
in Vielfachen von Jahren: Die in ant. Quellen zu fin-
denden höchst unterschiedlichen Generationenlängen
zw. 23 und 40 J. und die daraus resultierenden runden
Zahlen oder Periodizitäten sind in der Gesch.-Schrei-
bung wichtiger als der empirische Gehalt des verwendeten Wertes der Generationendauer (vgl. → Genealogie); Genealogien selbst bilden im übrigen nicht das einzige frühe chronographische Element; vielfach dienen
sie nicht einmal primär der Chronographie.

Präzise Zahlen gewinnen v. a. dort an Interesse, wo
mit ihrer Hilfe der eigenen Gegenwart ein besonderer
Wert zugewiesen werden kann. Diese Form der Sinnstiftung läßt sich ebenso in der Säkularrechnung (→ *sae-*
culum) der frühen röm. Kaiserzeit wie in den jüdisch-
christlichen → Apokalypsen finden: Der weltgesch.
Umschlag steht jeweils unmittelbar bevor oder wird realisiert. Dabei bleibt für das europäische Zeitbewußtsein
bis weit in das 19. Jh. n. Chr. hinein im Vergleich etwa
zu indischen Zeitvorstellungen eine relativ kurze weltgesch. Chronologie (der Begriff ist nachant.) charakteristisch, die vielleicht dem eingeschränkten universal-
gesch. Legitimationsbedarf von Stadtstaaten entspricht;
nach äg. Rechnungen wird erst mit der christl. Z. des
→ Sextus [2] Iulius Africanus die Größenordnung von –
nur – 6000 J. für die Weltgeschichte fest etabliert.

Mit der christl. Apologetik (→ Apologien) kommt es
zu neuen Entwicklungen der Z., da der Wert des Christentums durch das höhere Alter der eigenen gegenüber
anderen Trad. betont werden sollte. → Eusebios [7] von
Kaisareia entwarf um 300 n. Chr. mit seiner Chronik
eine bis in die frühe Neuzeit hinein gültige Chronologie, die im MA in der lat. Übers. des → Hieronymus
bekannt war. Die frühneuzeitliche Weltchronologie Joseph J. SCALIGERS (1540–1609) [2], die die gesamte Vorgesch. wie Zukunft in der absoluten Anzahl von Tagen
auszudrücken vermag, findet in der Ant. keine Parallele.
Zwar stammen die h. geläufigen europäischen Ären aus
der Ant. bzw. Spätant. (s.u. IV. zu Judentum und VI. zu
Islam): Die christl. Ära wurde von → Dionysios [55]
Exiguus in der 1. H. des 6. Jh. n. Chr. begründet und
von → Beda Venerabilis (um 673–735) angewendet [3].
Diese europ. Ären haben sich aber alle erst in nachant.
Zeit durchgesetzt, was für die Dionysius PETAVIUS
(1627) zugeschriebene Rechnung *ante/post Christum na-*
tum ebenso wie für die jüd. Weltära gilt (s.u.).

C. KALENDER UND UHR

Kalendarische Daten spielen innerhalb der Gesch.-
Schreibung kaum eine Rolle, außer unter Konzepten

der → Tagewählerei oder zur Erzielung von Synchronismen (z. B. Hdt. 7,166; 8,15; 9,100 f.) oder bedeutungsträchtigen Periodizitäten (z. B. Tac. ann. 15,41: histor. Stadtbrände). Im Alltag ant. Gesellschaften besaßen kalendarische Fragen jenseits der Etablierung von Alltagsrhythmen (etwa für Feste oder als Markt- und Gerichtstage, s. → Fasti; → Nundinae) v. a. dort Bed., wo durch die empirische Festlegung von Monatslängen oder die Abgleichung von Mondphasen und Sonnenjahr Schaltprobleme auftraten (→ Kalender) oder Kollisionen unterschiedlicher Zeitqualifikationen (→ Tagewählerei; → Astrologie) stattfanden. Die Fülle von Datierungen in administrativen Texten und Dokumenten zeigt im Alten Orient ebenso wie im vorröm. It. oder hell. Äg. das Interesse an zeitlich präziser Koordination und Dokumentation. Uhrzeiten spielen zwar in der lit. Überl. eine geringe Rolle, aber brauchbare Sonnen- und Wasseruhren (→ Uhr) wurden in Äg. und der griech.-röm. Welt entwickelt: So zeigt der griech. Papyrus P Hib. I 110ᵛ, der tägliche Eintragungen einer Poststation mit Angabe der Stunde des Tages verzeichnet, die Anwendungen von Uhrzeiten in der Verwaltung auch jenseits des Prozeß- und Beratungswesens. Dazu paßt die Nachricht Suetons, Augustus habe Schriftstücke mit der Tageszeit versehen (Suet. Aug. 50).

D. REZEPTION

Für die spätere europäische Z. spielen die christl. Chronographie (→ Geschichtsschreibung IV.) und der christl. modifizierte röm. Kalender die entscheidende Rolle; beide hatten ihrerseits technisches Wissen der äg. und babylonischen Kultur verarbeitet. Daß dieser Kalender und die Chronographie nun als spezifisch christl. wahrgenommen wurden, bestimmte in der Folgezeit Erfolg wie Grenzen der Rezeption entscheidend mit (Islam, frz. Revolutionskalender).

→ Ären; Astrologie; Genealogie; Geschichtsschreibung; Kalender; Uhr; Zeitkonzeptionen; ZEITRECHNUNG

1 M. P. NILSSON, Primitive Time-Reckoning, 1920
2 A. GRAFTON, Joseph Scaliger: A Study in the History of Classical Scholarship, 2 Bde., 1983/1993 3 F. WALLIS (ed.), Bede, The Reckoning of Time, 1999 (Beda Venerabilis; mit engl. Übers. und Komm.).

F. K. GINZEL, Hdb. der mathematischen und technischen Chronologie: Das Z.-Wesen der Völker, 3 Bde., 1906–1914 · O. LEUZE, Röm. Jahrzählung, 1909 · V. GRUMEL, La chronologie, 1958 (byz. Zeit) · A. E. SAMUEL, Greek and Roman Chronology, 1972 · R. WENDORFF, Zeit und Kultur, 1980 · H. LIETZMANN, Z. der röm. Kaiserzeit, des MA und der Neuzeit für die J. 1–2000 n. Chr., ⁴1984 · H. ZEMANEK, Kalender und Chronologie, ⁵1990 · A. BORST, Computus. Zeit und Zahl in der Gesch. Europas, 1990. J. R. u. A. MÖ.

II. MESOPOTAMIEN

Der näherungsweisen Beschreibung größerer Zeiträume diente die Zählung nach Generationen (→ Familie). Diese »anthropomorphe« Z. findet Ausdruck u. a. in mündlich wie schriftlich tradierten → Genealogien. Angaben zur typischen Länge einer Generation sind nicht überl. Konstruierte Genealogien erschließen unklare oder übergroße Zeiträume.

Natürliche Phänomene waren als regelhafte und allgemein wahrnehmbare Größen grundlegend für die Z. Mesopot.s: Anhand der Rhythmen der Gestirne (Tag/ Nacht, Mondphasen, Solstitien, Äquinoktien), der → Jahreszeiten mit ihren saisonal gebundenen Tätigkeiten (→ Landwirtschaft) bzw. Naturerscheinungen und entsprechender → Feste (z. B. → Neujahrsfest) wurden nahe Distanzen strukturiert und kalkuliert.

Mit der linearen Zählung nach Jahren wurde der natürliche Rhythmus in eine anthropogen standardisierte Z. überführt. Das zugrundegelegte Jahr umfaßte regelmäßig zwölf (Mond-)Monate zu 29 bzw. 30 Tagen, hinzu kamen nach Bedarf (lunisolare) Ausgleichsmonate (→ Kalender). Der Monat selbst wurde nach den Mondphasen gegliedert, Gruppen von 10 bzw. 5 Tagen bildeten eine administrative Einheit. Der Jahresbeginn (Neujahr) wurde bis zur Mitte des 2. Jt. v. Chr. regional unterschiedlich mit dem Herbst- bzw. Frühjahrsäquinoktium verbunden. Bereits die ältesten Texte (Ende 4. Jt., → Uruk) belegen die Nutzung eines Normjahres von 360 Tagen für verwaltungstechnische Zwecke. Das 360-Tage-Jahr bildete auch die Grundlage der astronomischen Theorie und Kalkulation des 2. und 1. Jt. v. Chr. (→ Astronomie). Über die Gleichsetzung von kalendarischem, kultischem und Amtsjahr besteht noch wenig Klarheit.

Zur Differenzierung der einzelnen Jahre verwendete man Jahresnamen, die in Nordsyrien (→ Ebla) bereits um die Mitte des 3. Jt., in Mesopot. seit ca. 2300 belegt sind. Sie nehmen auf zentrale polit. oder kultische Ereignisse des Vorjahres Bezug (z. B. ›Jahr, in dem die Stadt ON zerstört wurde‹). Folgejahre (z. B. ›Jahr, nachdem die Stadt ON zerstört wurde‹) bzw. Namengebung erst im Laufe eines Jahres sind ebenfalls bezeugt. Um die Mitte des 2. Jt. gewann die Z. nach Regentschaftsjahren und damit die chronologische Distanzangabe zunehmend an Bed. In Babylonien wurde die Formel ›Jahr n des Königs KN‹ jetzt offizielle Datierungspraxis. Die fortlaufende Zählung begann mit jedem Herrscherwechsel von neuem. In Assyrien behielt man die seit altassyrischer Zeit übliche Jahreszählung nach Eponymen (→ eponyme Datierung) bis zum Ende des assyr. Staates bei; im 15. Jh. wurde ein Königseponymat eingeführt. Die Zählung nach Regierungsjahren fand hier nur in annalistischen Texten (Herrscherinschriften) Verwendung.

Zeitordnung war königliche Prärogative; so werden machtpolit. Veränderungen in Mesopot. an Veränderungen in der Z., an Doppeldatierungen und Mischformen in den Datumsformaten sichtbar. Im 3. und frühen 2. Jt. existierten zahlreiche lokale bzw. regionale Jahresdatensysteme nebeneinander. Das jeweils gültige Z.-System wurde durch den polit. Machthaber bestimmt. Dies gilt auch für die sich anschließende Phase der großen Territorialstaaten Assyrien und Babylonien.

Im Dienste der Z. stand die → Liste als wichtiges Organisationsmittel: Listen der Jahresnamen bzw. Eponymen sowie → Königslisten mit Herrschernamen und Dauer der Regentschaft. Z. und Ereignis-Gesch. verbinden sich ferner in den sog. → Chroniken, die im Grunde eine Erweiterung der alten Jahresnamen darstellen.

Die Entwicklung einer auch über längere Perioden kalkulierbaren Z. war in erster Linie ein Erfordernis einer zunehmend komplexen Wirtschaftsverwaltung. Hier, wie auch im Rechtswesen (→ Keilschriftrechte), hatten exakte Datierungen eine wichtige Funktion. Z. nach Regentschaftsjahren verbindet Ereignis und Distanzangabe im Jahresnamen. Die organisatorische Komplexität der Z. wird deutlich in der Notwendigkeit, Datenlisten als Referenzmittel kontinuierlich fortzuschreiben. Eine »absolute«, d. h. von Personen oder Institutionen unabhängige, auf einen verbindlichen Punkt bezogene Z. wurde nicht entwickelt. Ansätze unter → Nabonassar(os) sind strittig. Die Sintflut (→ Sintflutsage) fungierte nur als Fixpunkt einer myth.-histor. Z. (»vor/nach der Flut«).

Die Z. des Zweistromlandes kann v. a. durch Synchronismen mit der hell. Z. zumindest bis zur Mitte des 2. Jt. in eine absolute Chronologie überführt werden. Die Z. der älteren histor. Perioden liegt bislang nur als relative Chronologie vor.

Ab 311 v. Chr. wurden keilschriftliche Urkunden in Mesopot. sowie aram. Dokumente in Hatra nach der Seleukiden-Ära datiert, unter der Herrschaft der Parther nach der 247 v. Chr. beginnenden Arsakiden-Ära (gelegentlich Doppeldatierung nach Seleukiden- und Arsakiden-Ära auf einer Urkunde [2]; → Ären).

→ Astronomie; Geschichtsschreibung; Kalender; Monatsnamen

1 R. K. ENGLUND, Administrative Timekeeping in Ancient Mesopotamia, in: Journ. of the Economic and Social History of the Orient 31, 1988, 121–185 2 J. RENGER, Vorstellungen von Zeit und Zeitmessung … in der Überl. des alten Mesopot., in: H. FALK (Hrsg.), Vom Herrscher zur Dynastie (im Druck, 2002).   E. C.-K.

III. ÄGYPTEN

In Äg. war seit dem Einsetzen der schriftlichen Überl. das Sonnenjahr Basis der Z., während der Mondkalender nur auf kultischem Gebiet von Bed. war. Dabei wurde mit einem Jahr von 365 Tagen, aber ohne Schaltjahre gerechnet. Den äg. Naturgegebenheiten entsprechend gab es drei Jahreszeiten zu je vier Monaten, nämlich »Überschwemmung«, »Herauskommen (der Saat)« und »Ernte«. Jeder Monat hatte 30 Tage, die in Einheiten von je 10 Tagen untergliedert wurden. Außerhalb des normalen Zeitablaufs standen fünf zusätzliche »Epagomenentage« am Jahresende, die mit den Geburtstagen der Götter → Osiris, → Isis, → Horus, → Seth und → Nephthys verbunden wurden.

Die Zählung der Jahre begann jeweils mit dem Regierungsantritt eines neuen → Herrschers von vorne. In den meisten Epochen der äg. Gesch. wurde das erste Jahr des Herrschers von der Thronbesteigung bis zum nächsten Neujahrstag gezählt, so daß Naturjahr und Herrschaftsjahr in Einklang blieben. Dagegen wurden während des NR die Herrscherjahre unabhängig vom Neujahrstermin immer bis zum nächsten Datum der Thronbesteigung gezählt. Es gab schon in der Frühzeit (ab ca. 1300 v. Chr.) eine Annalistik, in der jährlich die herausragendsten Taten des Herrschers notiert wurden. Solche Angaben für längere Epochen wurden auch in Stein graviert veröffentlicht (z. B. der »Palermo-Stein«, [1]). Auf entsprechenden Aufzeichnungen basiert das Werk des griech. schreibende äg. Priesters → Manethon [1], dessen → Königsliste in Frg. und Epitomen erh. ist. Das ungeschaltete äg. Jahr wurde vom griech. Mathematiker Klaudios → Ptolemaios [65] und in seiner Folge auch später bis in die frühe Neuzeit von Astronomen für Berechnungen genutzt, da es bes. leicht zu handhaben war. → Caesar ließ sich bei seiner Kalenderreform stark vom äg. Jahr beeinflussen, das dadurch zu einer Wurzel der heutigen Zeitrechnung geworden ist.
→ Kalender

1 J. F. QUACK, Zw. Sonne und Mond. Z. im Alten Äg., in: H. FALK (Hrsg.), Vom Herrscher zur Dynastie (im Druck, 2002) 2 K. SETHE, Die Z. der alten Ägypter im Verhältnis zu der der anderen Völker, in: Nachr. der königlichen Ges. der Wiss. Göttingen, Philos.-histor. Klasse 1919, 287–320; 1920, 28–55 und 97–141.   JO. QU.

IV. JUDENTUM

Für die zeitliche Einordnung von Ereignissen (biblisch, histor., zeitgenössisch), denen eine heilsgeschichtliche Bed. zugewiesen wird, wurden im rabbinischen Judentum Generationen gezählt bzw. auf → Ären von 1000 Jahren (vgl. Ps 90,4) verwiesen, von denen jede einen Tag der Weltzeitwoche bildet. Die biblisch vorgegebene Einheit von 49 Jahren (Jobel), die noch in Qumran (→ Totes Meer) und einigen Apokryphen (→ Apokryphe Literatur A.) verwendet wurden (›Henoch‹, → Liber Iubilaeorum/›Jubiläenbuch‹), wurde später abgelöst durch Zyklen von 19 Jahren, die im Lunisolarjahr begründet sind. Traditionell wird diese Z. Hillel II. (365 n. Chr.) zugeschrieben, sie ist allerdings erst bei Hai Gaon (gest. 1038 n. Chr.) angedeutet und bei Abraham ben Chijja (1122 n. Chr.) eindeutig belegt. Ein solcher Zyklus enthält 7 Schaltjahre (3., 6., 8., 11., 14., 17., 19.), in denen je ein Monat (Adar 1, 30 Tage) eingeschaltet wird. Das Jahr enthält 12 (bzw. 13) Monate à 29 oder 30 Tagen, die vom Neumond aus gezählt werden. Festtage sind an Mondphasen gebunden. Neujahr ist im Herbst, obwohl der liturgische Kalender im Frühjahr beginnt.

Wichtigste Einheit der jüdischen Z. ist die Woche von 7 Tagen. Der Tag beginnt und endet abends, als Erkennungszeichen gelten drei sichtbare Sterne. Zeitangaben für Gebotserfüllungen werden an Sonnenaufgang, Sonnenuntergang, Sichtbarkeit von Sternen etc. gebunden, um Gebotserfüllung unabhängig von einer autorisierten Z. zu machen.

Während in Bibel und Apokryphen häufig eine Z. nach Herrschaftsjahren der jeweiligen Könige verwendet wird, die auch in der → rabbinischen Literatur als Maßstab für biblische Chronologie galt, richtete sich das Judentum in Ant. und MA in Rechtsdokumenten nach der seleukidischen Z. (ab 312 v. Chr.; vgl. → Ären C.1.). Daneben wird seit der Ant. für rel. Zwecke auch eine Z. verwendet, die mit der Erschaffung der Welt beginnt (240 n. Chr. = 4000 nach der Schöpfung); seit dem 9./10. Jh. n. Chr. löste sie die seleukidische Z. auch im Alltag ab. In eschatologischem Kontext werden seit der Spätant. auch die 19-Jahres-Zyklen zur Z. genutzt, wobei die Zahlen als Worte gelesen werden. Zahlen, die – in Buchstaben geschrieben – Wörter mit positiver Bed. ergeben (z.B. 255 = *rināh*), indizieren demnach heilsbringende Zyklen.

E. MAHLER, Hdb. der jüd. Chronologie, 1916 (Ndr. 1967).

E. H.

V. KLASSISCHE ANTIKE

Für die griech.-röm. Ant. ist der Prozeß bezeichnend, durch welchen sich (zumal in hell. Zeit) par. zum wachsenden Interesse, Griechenland und dann die hell. Mittelmeerwelt als Einheit aufzufassen, eine Universal- → Geschichtsschreibung herausbildete und die Notwendigkeit entstand, die lokal bedeutsamen Jahres-»Zählungen« vergleichbar zu machen. Zur zeitlichen Lokalisierung von Ereignissen und Personen bedurfte es aber nicht nur synchroner Daten, sondern eines Koordinatensystems synchroner und diachroner Daten [1. Bd. 2.2, 446 f.]. Da mündlich tradierte Ereignisse ohne chronologische Identifikation überl. wurden, mußten diese auch von den ant. Gelehrten erst einmal chronographisch fixiert werden [2; 3. 84 f.]. E. des 5. Jh. v. Chr. machte → Hellanikos [1] aus Mytilene die Herapriesterinnen von Argos zur chronographischen Grundlage seiner Universal-Gesch. Nachdem Thukydides (2,2) den Beginn des → Peloponnesischen Krieges durch Synchronisierung verschiedener lokaler Datier. bestimmt hatte, erweiterte → Timaios [2] von Tauromenion, dessen Hauptwerk den griech. Westen (einschließlich Rom) behandelt, um 300 v. Chr. das synchronistische Gerüst der griech. Chronographie um die Olympiasieger (FGrH 566 T 10).

Wenig später verwendete → Eratosthenes [2] aus Kyrene den Beginn der Olympischen Spiele als Periodisierungsgrenze (FGrH 241 F 1a), wodurch sich die 1. Olympiade auf das Jahr 776 v. Chr. zurückführen ließ (vgl. → Olympia IV.). Die Annahme, die histor. Zeit begänne mit der ersten Olympiade, ist allerdings erst bei → Censorinus [4] (Cens. 21), der sich auf M. Terentius → Varro [2] beruft, belegt. Die Olympiadenzählung wurde zur Referenzrechnung der gesamten Historiographie, setzte sich aber nie im öffentlichen Urkundenwesen durch; sie ist das erste Mal in der sog. Olympischen Chronik (IG II/III² 2326: wohl 276 v. Chr.; [4]) und bei Q. → Fabius [I 35] Pictor zu beobachten, der die Olympiadenära für die Phase der Gründung Roms gebrauchte [6. 1 F 8, Komm.], für die Zeit-Gesch. jedoch die Eponymendatierung nach Consuln verwendete.

Für administrative Datierungen in Inschr. wurden lokale eponyme Beamte (wie in Athen die → *árchontes*) oder in der reich dokumentierten Kaiserzeit lokale Ären oder die *tribunicia* → *potestas* des Kaisers verwendet, die seiner Regierungszeit als Augustus entsprach. Im hell. Osten wurden lokale Eponyme häufig in → Listen verzeichnet und so die Trad. der Institution und damit der → Polis eindrucksvoll demonstriert (z.B. [5. Nr. 122–128]), ohne daß diese Ansätze der Z. in der Historiographie Verwendung fanden. Unter den Bedingungen unterschiedlichen Lebensbereichen angehörender Datierungen steigerten Synchronismen nicht die Präzision der Datier., sondern stifteten als Verknüpfung unterschiedlicher Handlungsfelder und Trad. einen kontextspezifischen Sinn (z.B. in Synchronismen christl. Märtyrerakten wie Martyrium Pioni 23). Im hell. Äg. wurde Korrespondenz nach Regierungsjahren und Monaten des maked. und/oder äg. Kalenders datiert. Problematisch für die Übertragung der hell.-äg. Kalenderdaten auf den Gregorianischen Kalender ist dabei der unterschiedliche Jahresbeginn: Das Regierungsjahr variierte je nach Regierungsantritt, das Finanzjahr begann mit dem äg. Monat Mecheir und das äg. Jahr, das zudem ohne Schalttage arbeitete (s.o. III.), am 1. Tag des Monats Thoth.

→ Ären; Chronik; Eponyme Datierung; Fasti; Kalender; Zeitkonzeptionen; KALENDER; ZEITRECHNUNG

1 S. MAZZARINO, Il pensiero storico classico, Bd. 1–2, 1965–66 2 D. HENIGE, The Chronology of Oral Tradition, 1974 3 A. A. MOSSHAMMER, The Chronicle of Eusebius and Greek Chronographic Tradition, 1979 4 J. EBERT, Die »Olympische Chronik« IG II/III² 2326, in: Ders., Agonismata, 1997, 237–252 5 TH. WIEGAND et al., Milet Bd. 1.3, 1914 6 H. BECK, U. WALTER (ed.), Die frühen röm. Historiker, 2001.

J. R. u. A. MÖ.

VI. ISLAM

Der islamische Kalender, der bis heute im gesamten islam. Raum im rel. und offiziellen Kontext gebräuchlich ist, ist ein zwölfmonatiger reiner Mondkalender. Die Monatsnamen sind vorwiegend altarabischer Herkunft: 1. Muḥarram, 2. Ṣafar, 3. Rabīʿal-Awwal, 4. Rabīʿ al-Āḫir, 5. Ǧumādā al-Ūlā, 6. Ǧumādā al-Āḫira, 7. Raǧab, 8. Šaʿbān, 9. Ramaḍān, 10. Šawwāl 11. Dū-l-Qaʿda 12. Dū-l-Ḥiǧǧa. Auf nahöstl. Trad. geht die empirische Berechnung des Monatbeginns anhand der abendlichen ersten Beobachtung der zunehmenden Mondsichel zurück; trotz der wetterbedingten gelegentlichen Ungenauigkeit konnte sich die astronomische Kalkulation, obwohl bekannt, nicht allg. durchsetzen.

Die islam. Z. beginnt mit der Hiǧra (Flucht → Mohammeds nach Medina/→ Yaṯrib, Juli 622 n. Chr.), diese → Ära wurde angeblich von dem Kalifen ʿUmar 638 (= 17 Hiǧra) eingeführt. Da das muslimische Mondjahr nur 354 Tage umfaßt und nicht mit den Jahreszeiten korreliert, wurde in der Praxis auch der Sonnenkalender benutzt. Als Orientierung diente die Z. der Ostchristen, die auf dem Julianischen → Kalender beruhte; im Nahen Osten galten dabei die alten babylonischen, in Nordafrika und Spanien Varianten der röm. → Monatsnamen. Gebräuchlich waren teils die Seleukidenära (auch fälschlich Alexanderära genannt, ab 312 v. Chr.; → Ären C.1.), teils die byz. Ära, teils der byz. Indiktionszyklus (v. a. in Äg. und Nordafrika; → *indictio*), im ma. Spanien findet sich noch die spanische Ära (ab 1. Jan. 38 v. Chr.). Im Iran ist bis heute unter Muslimen das Sonnenjahr (ähnlich dem ägypt. Jahr, mit iran. Monatsnamen), ab der Hiǧra berechnet, auch offizielle Z.

F. C. DE BLOIS, s. v. Taʾrīḫ, EI², CD-ROM 1999 ·
F. WÜSTENFELD et al., Vergleichungstabellen der
muslimischen und christl. Z., ³1961.   I. T.-N.

Zeittheorien s. Zeitkonzeptionen

Zeitung. Z. im mod. Sinn kannte die Ant. nicht. Die Verbreitung von Nachrichten polit. und amtlichen Inhalts erfolgte in der griech.-röm. Welt mündlich durch Ausrufer, schriftlich durch »Aushang« auf geweißten Holztafeln (→ *album* [2]; → Nachrichtenwesen; → *tabula*) oder auf Gebäudewänden, die für eine Beschriftung vorgesehen waren [1], wie dies die aufgemalten Wand-Inschr. aus → Pompeii, z. B. mit Wahlprogrammen und -aufrufen, Ankündigungen von Spielen und Markttagen, Familiennachrichten oder Anzeigen aller Art, zeigen ([2]; Beispiele leicht zugänglich bei [3]). Nach röm. Recht war der öffentliche Aushang amtlicher Verlautbarungen wie von Vorschriften und Gesetzen an einem gut zugänglichen Ort mit klar erkennbaren Buchstaben anzubringen (Dig. 14,3,11,3). Auch die seit 59 v. Chr. bestehende sog. Staats- oder besser Stadtzeitung Roms, *populi diurna* → *acta* (etwa »Tagesanzeiger«: Suet. Iul. 20,1; vgl. Tac. ann. 3,3,2; 16,22,3), scheint ebenfalls in der Hauptstadt durch Aushang bekannt gemacht worden zu sein. Ursprünglich publizierte man sie zusammen mit den Senatsprotokollen, deren Veröffentlichung jedoch von → Augustus untersagt wurde (Suet. Aug. 36). Die kaiserzeitlichen *acta urbis* (etwa: »Stadtanzeiger«) enthielten Familiennachrichten aus dem Kaiserhaus oder der stadtröm. Oberschicht, ferner Klatschgeschichten, aber auch Berichte offizieller Aktivitäten der Kaiser und Auszüge aus Senatsbeschlüssen (→ *acta*). Die von kaiserlichen Prokuratoren (→ *procurator*) geleitete, regelmäßige Veröffentlichung war verm. nach Tagen gegliedert. Laut Tac. ann. 16,22,3 wurden die *acta urbis* auch in den Prov. gelesen, jedoch ist daraus nicht zwingend auf ihre offizielle Verbreitung im gesamten Imperium zu schließen, vielmehr scheint diese wie schon während der Republik allein auf privater Initiative beruht zu haben. So beschäftigte z. B. Ciceros Briefpartner Caelius [I 4] im J. 51 v. Chr. für die Sammlung und Niederschrift von Informationen über das öffentliche Leben in Rom spezielle Beauftragte, deren Berichte er dann Cicero zukommen ließ (Cic. fam. 8,1,1).

→ Acta; Album; Nachrichtenwesen; Tabula

1 L. WENGER, Die Quellen des röm. Rechts, 1953, 55–59
2 I. CALABI LIMENTANI, Epigrafia Latina, 1991⁴, 399–404
3 K.-W. WEEBER, Decius war hier, 1996, 95–100; 115–128; 153.

W. RIEPL, Das Nachrichtenwesen des Alt., 1913, 380–429 ·
B. BALDWIN, The Acta Diurna, in: Chiron 9, 1979,
189–203 · P. WHITE, Julius Caesar and the Publication of
Acta in Late Republican Rome, in: Chiron 27, 1997,
73–84 · A. KOLB, Übermittlung polit. Inhalte im Alltag
Roms, in: G. WEBER, M. ZIMMERMANN (Hrsg.), Propaganda
– Selbstdarstellung – Repräsentation im röm. Kaiserreich
des 1. Jh. n. Chr., 2002.   A. K.

Zela (Ζῆλα). Stadt in Pontos [2] (Strab. 11,8,4; Plin. nat. 6,8; Ptol. 5,6,10; Steph. Byz. s. v. Z.) am Hotan Deresi, einem linken Zufluß des Iris [3], h. Zile. Urspr. war Z. eine assyrische Handelsstation des 19. Jh. v. Chr. (*kārum*; assyrisch Durchamit, hethitisch Durmitta; vgl. Strab. 12,3,37), dann Priesterstaat der → Anaïtis und ihrer persischen Kultbegleiter Omanos und Anadates, Verwaltungszentrum der königlichen → *eparchía* Zelonitis unter den → Achaimenidai [2] (Strab. 12,3,31; 37; 39), den Mithradatidai (→ Mithradates [1–6]) und den Polemonidai (→ Pontos [2]). Z. wurde in die röm. Prov. → Galatia unter Nero 64 n. Chr. eingegliedert. Seit Mitte des 4. Jh. n. Chr. war Z. Suffraganbistum von Amaseia (Not. episc. 3,178) der konsularischen Prov. Helenopontos (ebd. 1,241; Hierokles, Synekdemos 701,5). In der seldschukischen Burgruine finden sich wenige ant. Substruktionen; keine arch. Grabungen.

In der Ebene zw. Z. und dem etwa 4,5 km nordöstlich gelegenen Skotios (h. Namhisarkale) fanden die Schlachten statt, in denen im Frühjahr 67 v. Chr. Mithradates [6] VI. den röm. Legaten C. Valerius [I 52] Triarius (Bell. Alex. 72,2; Plin. nat. 6,10, hier irrtümlich *Ziëla*) bzw. dann Caesar am 2. August 47 Pharnakes [2] (Bell. Alex. 72,1–3; Plut. Caesar 50,2–4; Cass. Dio 42,47,1: Ζέλα) besiegte.

K. ABEL, s. v. Z. (1), RE Suppl. 14, 984–986 ·
E. OLSHAUSEN, Stadt und Land, Griechen und Iranier,
Könige und Priester, in: Die Alte Stadt 16, 1989, 287–293 ·
DERS., Der König und die Priester, in: DERS., H. SONNABEND
(Hrsg.), Stuttgarter Kolloquium zur Histor. Geogr. des Alt.
1, 1980 (Geographica Historica 4), 1987, 187–205 ·
C. MAREK, Stadt, Ära und Territorium in Pontus-Bithynia
und Nord-Galatia (IstForsch 39), 1993 · OLSHAUSEN/
BILLER/WAGNER, Karte 2 B · D. R. WILSON, The Historical
Geography of Bithynia, Paphlagonia, and Pontus,
D. B. Thesis Oxford 1960, 212–217 (maschr.).   E. O.

Zeleia (Ζέλεια). Stadt im Tal des → Aisepos (Hom. Il. 2,824 f.; 4,91; 4,103; 4,121; Strab. 12,4,6; 12,8,11) auf dem Territorium von → Kyzikos in Mysia beim h. Sarıköy. Homer (l. c.) bezeichnet Z. als Heimatstadt des Pandaros [1] und zählt diesen zu den Lykioi, weshalb schon ant. Kommentatoren (vgl. schol. Hom. Il. 2,826 f.) zwei Landschaften des Namens Lykia annahmen – die eine im SW von Kleinasien (→ Lykioi, Lykia), die andere im Norden der Troas (zu dieser Diskussion vgl. → Pandaros [1]). Der Mythograph → Palaiphatos kennt Amazones in Z. (FGrH 44 F 4).

F. W. Hasluck, Cyzicus, 1909, 101. E. O.

Zelos (Ζῆλος). → Personifikation des eifrigen Strebens, Sohn des Pallas und der → Styx. Zusammen mit seinen Geschwistern → Nike, Kratos und → Bia ständiger Begleiter des → Zeus (Hes. theog. 383–388) und Helfer im Kampf gegen die → Titanen (Apollod. 1,9). Später gleichgesetzt mit Zelotypia (»Eifersucht«: Orph. fr. 127; Meleagros Anth. Gr. 5,190; Hyg. fab. praef. 17: Invidia; vgl. schon Hes. erg. 195f.). SI. A.

Zeloten (ζηλωταί/*zēlōtaí*, »Eiferer«, von griech. ζηλοῦν/*zēlún*, »eifern«). Polit.-rel. Gruppe von Juden, die sich im 1. Jh. n. Chr. und v. a. im ersten Jüd.-röm. Krieg (→ Jüdische Kriege, s. Nachträge) gegen die röm. Herrschaft in Palaestina erhoben. Der Begriff »Z.« findet sich bei → Iosephos [4] Flavius (bell. Iud. 4,160f.; 7,268–270), dessen *Bellum Iudaicum* (B. 4–7) und *Antiquitates* die wichtigsten histor. Quellen für die Bewegung und Ideologie der Z. darstellen. Der Begriff ist eine Übers. der hebr. Bezeichnung *qannāˀîm* (*qannāˀ*, »eifernd«, sc.: für Gott, u. a. im babylonischen Talmud, Traktat Sanhedrin 82a), und ist als Eigenbezeichnung der Z. auf das biblische Vorbild des Hohenpriesters Pinchas des Eiferers (Num 25,6–13) zurückzuführen [2. 178–181].

Die Z. setzten sich für die Alleinherrschaft Gottes und für Freiheit ein; ihre Anführer hatten messianische Ambitionen, die polit. Ziele waren rel. motiviert. Dies zeigen z. B. die von den Z. nach der röm. Eroberung Jerusalems 70 n. Chr. geprägten Mz. wie ›Freiheit Zions‹ und ›für die Erlösung Zions‹. Die rabbinischen Quellen bieten keine objektive histor. Darstellung, sondern reflektieren lediglich eine negative Bewertung der Z., wie sie sich im Jh. nach den jüd. Niederlagen in den Aufständen gegen Rom und den enttäuschten messianischen Erwartungen durchsetzte [2. 21f.]. Auch Iosephos, dessen Bericht über die Z. – wie die Darstellung des Jüd.-Röm. Krieges überhaupt – tendenziös und prorömisch ist, verwendet statt »Z.« öfter pejorative Bezeichnungen: Als »Räuber« (ληισταί/*lēistaí*) bezeichnet Iosephos alle, die sich mit Waffengewalt gegen die röm. Besatzung erhoben, als »Dolchträger« (σικάριοι/*sikárioi*, von lat. *sica*, »Krummdolch«) die zuletzt in der Bergfestung → Masada bis 73 n. Chr. dem röm. Heer widerstehende Gruppe von Aufständischen um → Menaḥem ben Yehuda und → Eleazaros [12] ben Yair.

Die Anfänge der Z.-Bewegung liegen verm. im Widerstand des Judas Galilaios (des Sohnes des unter Herodes [4] Antipas hingerichteten Räuberhauptmannes Hesekias) und seiner Anhänger gegen die röm. Besetzung bzw. die Verwaltung → Palaestinas als röm. Prov. Iudaea und die damit einhergehenden polit.-ökonomischen Verschlechterungen für die jüd. Bevölkerung ab 6 n. Chr. (Ios. bell. Iud. 2,8,1; Ios. ant. Iud. 18,1,1 und 6). Als Begründer der Z. wird bei Ios. bell.

Iud. 2,118 neben Judas Galilaios der (histor. nicht greifbare) Pharisäer Zadoq (griech. *Sáddōkos*) genannt. Die aufständischen bzw. kriegführenden jüd. Parteien der Z. und Sikarier (die nicht klar voneinander zu trennen sind) verbinden demnach priesterliche und sozialrevolutionäre Tendenzen. Iosephos rückt die Z.-Bewegung in enge Nähe zu den Pharisäern (→ Pharisaioi; Ios. ant. Iud. 18,1,6) so daß sie als linker Flügel der Pharisäerbewegung bezeichnet werden können [2. 341]. Judas Galilaios starb einen gewaltsamen Tod (Apg 5,37); zwei seiner Söhne wurden während des Prokurats des Tiberius → Alexandros [18] als Aufständische hingerichtet (Ios. ant. Iud. 20,5,2). Sein dritter Sohn Menahem ben Yehuda sowie sein Enkelsohn → Eleazaros ben Yair waren neben → Simon [9] bar Giora und → Iohannes [2] von Gischala die bedeutendsten zelotischen Anführer im ersten Jüd.-Röm. Krieg.

Inwieweit → Iohannes [39] der Täufer (s. Nachträge) und → Jesus sowie das frühe Christentum als Teil der zelot. Bewegung gedeutet werden können, ist umstritten [2. 306f.; 4]. Zeugnisse für die zelotische Bewegung gibt es in den Evangelien (der Apostel Simon wird als *zēlōtḗs* bezeichnet, u. a. Lk 6,15), der ›Apostelgeschichte‹ (u. a. Apg 1,13) und in den Paulusbriefen (u. a. Gal 1,14), bei Eusebios [7] in der ›Kirchengeschichte‹ und Hippolytos [2].

→ Juda und Israel; Jüdische Kriege (s. Nachträge); Palaestina

1 T. L. Donaldson, Rural Bandits, City Mobs and the Zealots, in: Journ. for the Study of Judaism 21, 1990, 19–40 2 M. Hengel, Die Z., 1961 3 R. Horsley, J. S. Hanson, Bandits, Prophets and Messiahs. Popular Movements at the Time of Jesus, 1985 4 R. Horsley, Jesus and the Spiral of Violence: Popular Roman Resistance in Jewish Palestine, 1987 5 L. Kadman, The Coins of the Jewish War of 60–73 C. E., 1960 6 Schürer 1, 484–513 7 M. Smallwood, The Jews under Roman Rule, 1976, 153–155, 312–369 8 Y. Yadin, Masada, 1969. I. WA.

Zelotos (Ζηλωτός). Griech. Epigrammdichter, vielleicht 1. H. des 1. Jh. n. Chr. Planudes schreibt ihm das anon. Gedicht Anth. Pal. 9,31 zu: ein Boot, aus einer von den Winden entwurzelten Kiefer gehauen, sagt Seestürme voraus. Einem Träger des äußerst seltenen Namens Z. wird vom Cod. Palatinus – als Alternative zu → Bassos – eine monostichische Ausführung zum gleichen Thema zugeschrieben (Ant. Pal. 9,30).

FGE, 103 · M. Lausberg, Das Einzeldistichon, 1982, 364.
M. G. A./Ü: L. FE.

Zemarchos (Ζήμαρχος). *Magister militum per Orientem* unter Kaiser Iustinus [4] II., der Herkunft nach Kilikier, leitete eine Gesandtschaft zu dem Türkenkhan Sizabulus (552–576 n. Chr.) in die zentralasiatische Landschaft → Sogdiana eher in den Jahren 569–571/2 als 568/9. Er nahm an dessen Feldzug gegen die Perser teil, schloß einen Vertrag mit den Türken und gelangte auf einer abenteuerlichen Reise über die Wolga wieder zurück.

Der Bericht über diese Gesandtschaft ist für die Kenntnis der → Türken im 6. Jh. sehr wichtig (Menandros Protektor fr. 19–22 und 43 FHG 4, 227–230; 244–247; Excerpta de legationibus 452–454 DE BOOR).
→ Sogdiana

A. KAZHDAN, W. E. KAEGI, s. v. Z., ODB 3, 2222 · PLRE 3, 1416f.; vgl. 1163f. · STEIN, Spätröm. R. 2, 773.   K.P.J.

Zenas (Ζηνᾶς). Bildhauername auf zwei Porträtbüsten des frühen 2. Jh. n. Chr. aus Rom. Aufgrund des Vaternamens Alexandros bei der einen (IG XIV 1241) und des Zusatzes β bei der anderen Signatur (IG XIV 1242) ist auf zwei verschiedene Bildhauer zu schließen. Der Name weist auf eine Verbindung mit Bildhauern aus Aphrodisias hin (→ Aphrodisias [1], Bildhauerschule).

LOEWY, Nr. 383 a-b · P. MORENO, s. v. Z., EAA 7, 1247f.   R.N.

Zeniketes (Ζηνικέτης). Lykisch-isaurischer Piraten-»Häuptling«, den P. → Servilius [I 27] Vatia Isauricus bei seinem Feldzug 77 v. Chr. besiegte, wobei Z. in seinem eigenen Haus in → Olympos [11] umkam (Strab. 14,5,7) [1. 216f.; 2. 259–263, 226].
→ Seeraub

1 H. A. ORMEROD, Piracy in the Ancient World, 1924
2 H. POHL, Die röm. Politik und die Piraterie im östlichen Mittelmeergebiet vom 3. bis zum 1. Jh. v. Chr., 1993.   L.-M.G.

Zenis (Ζῆνις).
[1] Z. aus Dardanos [4], Untersatrap des Pharnabazos [2] in der → Troas (bei Xen. hell. 3,1,10: Aiolis); nach seinem Tod übernahm seine Frau → Mania [3] mit Zustimmung des Pharnabazos die Herrschaft und führte sie erfolgreich bis zu ihrer Ermordung kurz vor der Ankunft des → Derkylidas 411 v. Chr. (Xen. hell. 3,1,14; 3,1,16).   W.ED.
[2] (auch Zeneus/Ζηνεύς). Schriftsteller aus Chios, evtl. 4. Jh. v. Chr.; er verfaßte eine Schrift über sein Vaterland (περὶ τῆς πατρίδος; FGrH 393 mit Komm.).

K. ZIEGLER, s. v. Z. (2), RE 9 A, 2502.   H.A.G.

Zeno von Verona. Wohl 8. Bischof von → Verona, um 370 n. Chr. In seinen Traktaten (Predigten und kurze Predigtentwürfe) äußert er sich zu → Trinität und Mariologie (→ Maria [II 1] jungfräulich auch bei und nach der Geburt des → Jesus: 2,12, CCL 22 = 2,9 BKV 2,10). In 1,38 (CCL 22 = 2,43 BKV 2,10) legt er den → Tierkreis allegorisch auf das christl. Heilsgeschehen aus. → Gregorius [3] der Große (dial. 3,19; vgl. auch → Paulus Diaconus, Historia Langobardorum 3,23) begründete seinen Ruhm als Schutzpatron gegen die Gefahren des Wassers (Wunder bei Überschwemmung der Etsch im J. 589).

B. DÜMLER, s. v. Z., in: S. DÖPP, W. GEERLINGS (Hrsg.), Lexikon der ant. christl. Lit., ²1999, 636 (Lit.).   M.HE.

Zenobia (Ζηνοβία).
[1] Die Gemahlin des armenischen Königs → Radamistus ist die Heldin einer Episode bei Tacitus (ann. 12,51): Als ihr Gatte um 54 n. Chr. nach Iberia fliehen mußte, zeigte sie sich, da bereits schwanger, den Strapazen der Reise nicht gewachsen und bat angeblich selbst darum, getötet zu werden. Die von ihrem Gemahl verwundete und in den Araxes geworfene Z. wurde gerettet und zu Radamistus' Rivalen → Tiridates [5] I. gebracht, der sie ehrenvoll behandelte. Diese Vorgänge werden im Kern durch eine griech. Inschr. bestätigt: Tiridates gewährte später dem Sohn eines Rhodomistos (= Radamistus) eine Landschenkung. Hierbei kann es sich nur um das Kind der Z. gehandelt haben, das am Hof des Tiridates zur Welt kam [1. 223–225]. Überlegungen, ob Tacitus die Z.-Gesch. erfunden hat [2. 298], sind demnach hinfällig.

1 M. SCHOTTKY, Dunkle Punkte in der armenischen Königsliste, in: AMI 27, 1994, 223–235 2 N. EHRHARDT, Parther und parthische Gesch. bei Tacitus, in: J. WIESEHÖFER (Hrsg.), Das Partherreich und seine Zeugnisse, 1998, 295–307.

[2] Die um 240 n. Chr. geborene Palmyrenerin Septimia Z., palmyrenisch Bat-Zabbai, Tochter eines Antiochos (CIS II 3971), wurde Mitte der 250er Jahre die Frau des → Odaenathus [2]. Als Kinder aus dieser Ehe werden in der Überl. neben nicht näher spezifizierten Töchtern (Zon. 12,27) bes. die Söhne → Herennianus und Timolaos [5] namhaft gemacht (SHA Gall. 13,2; SHA trig. tyr. 15,2; 17,2; 24,4; 27f.; 30,2; SHA Aurelian. 38,1). In den Primärquellen erscheint allein der lit. weniger bezeugte → Vaballathus (Pol. Silv. Chron. min. 1 p. 521 MOMMSEN; SHA Aurelian. 38,1).
Odaenathus erlag im Herbst 267 zusammen mit einem Sohn aus erster Ehe einem anscheinend von → Gallienus verantworteten Komplott (Iohannes von Antiocheia, fr. 152,2 = FHG 4, 599; vgl. Cass. Dio (Cont. Dionis) Bd. 3, 744 BOISSEVAIN), Berichte über eine Beteiligung der Z. (SHA trig. tyr. 17,2; Eutr. 9,13,2) sind unglaubwürdig. Odaenathus' Witwe Z. trat als Regentin für den jugendlichen Vaballathus in die Machtstellung ihres Mannes ein (Zos. 1,39,2; SHA Aurelian. 38,1, zur histor. Geogr. siehe [1]). Dabei diente die Gründung einer befestigten Stadt Z. [3] (Ḥalībīya) am rechten Euphratufer (Prok. aed. 2,8,8f.; Prok. BP 2,5,4) der Sicherung des vorhandenen Herrschaftsgebietes, während die Besetzung Arabiens wohl im Frühjahr 270 (Ioh. Mal. 12, p. 299; AE 1947, 165) bereits die Eroberung Äg.s vorbereiten sollte, die (nach einigen Rückschlägen) im gleichen Jahr vollendet wurde (Zos. 1,44; Synk. p. 721 Corpus Scriptorum Historiae Byzantinae). Der etwa 271 unternommene Versuch der Z., ihre Oberhoheit auch auf Westkleinasien auszudehnen, scheiterte dagegen (Zos. 1,50,1).
Die Annahme der vollständigen kaiserlichen Titulatur durch Mutter und Sohn (ILS 8924; IGR III 1065) fällt erst ins Frühjahr 272 und ist damit eine Reaktion auf

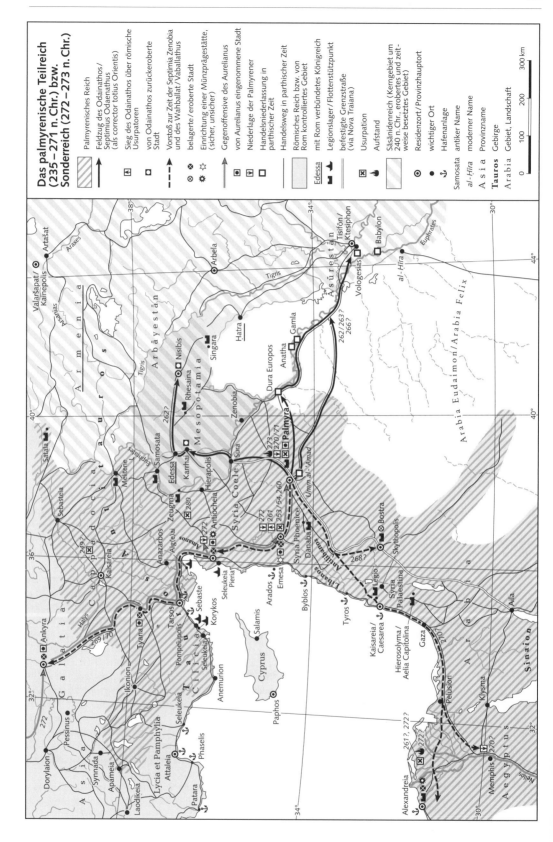

Das palmyrenische Teilreich (235–271 n.Chr.) bzw. Sonderreich (272–273 n.Chr.)

Palmyrenisches Reich

Feldzug des Odainathos / Septimius Odaenathus (als corrector totius Orientis)

Sieg des Odainathos über römische Usurpatoren

von Odainathos zurückeroberte Stadt

Vorstoß zur Zeit der Septimia Zenobia und des Wahballat / Vaballathus

belagerte / eroberte Stadt

Einrichtung einer Münzprägestätte, (sicher, unsicher)

Gegenoffensive des Aurelianus

von Aurelianus eingenommene Stadt

Niederlage der Palmyrener

Handelsniederlassung in parthischer Zeit

Handelsweg in parthischer Zeit

Römisches Reich bzw. von Rom kontrolliertes Gebiet

Edessa   mit Rom verbündetes Königreich

Legionslager / Flottenstützpunkt

befestigte Grenzstraße (via Nova Traiana)

Usurpation

Aufstand

Sāsānidenreich (Kerngebiet um 240 n.Chr., erobertes und zeitweise besetztes Gebiet)

Samosata   antiker Name
al-Hīra   moderner Name
Asia   Provinzname
Tauros   Gebirge
Arabia   Gebiet, Landschaft

Residenzort / Provinzhauptort

wichtiger Ort

Hafenanlage

0   100   200   300 km

den Feldzug des → Aurelianus [3] zur Beseitigung der palmyren. Reichsbildung – nicht sein Auslöser. Z. erwartete den legitimen Kaiser mit ihrer von Zabdas befehligten Armee in Antiocheia (Zos. 1,50,2). Wohl im Mai 272 kam es bei dem östl. der Stadt gelegenen Ort Immai (Synk. l.c.) zur Schlacht, die Aurelianus gewann. Zabdas, der Z. mit sich führte, zog sich mit dem geschlagenen Heer nach → Emesa zurück (Zos. 1,50f.). Hier stellten sich die palmyren. Streitkräfte im Juni oder Juli noch einmal zur Schlacht, die Aurelianus ebenfalls für sich entscheiden konnte. Zabdas und Z. retteten sich mit den Resten ihrer Armee zunächst hinter die Mauern der Stadt, entschlossen sich aber angesichts der feindseligen Stimmung in Emesa zur Flucht nach Palmyra, die so überstürzt verlief, daß sogar die Kriegskasse zurückgelassen wurde (Zos. 1,52,3–54,2). Die lit. Quellen schildern nun den Marsch des Aurelianus auf Palmyra und die Belagerung der Stadt (Zos. 1,54,2–55,1; SHA Aurelian. 26–28).

Dem widerspricht der arch. Befund, nach dem die damaligen palmyren. Befestigungen nur eine Zollmauer umfaßten, die dem Ansturm der röm. Armee nicht standgehalten hätte [2. 377–381, Taf. II]. Histor. ist allein der Bericht über die Kapitulation der Palmyrener und deren gnädige Annahme durch den Kaiser (Zos. 1,56,1–2). Z. war schon vorher bei dem Versuch, sich über den Euphrat abzusetzen, festgenommen worden (Zos. 1,55). Sie wurde nach Emesa gebracht und vor Gericht gestellt. Z. gelang es, die Schuld an den Ereignissen auf ihre Berater abzuwälzen, deren wichtigster, der Philosoph Cassius Longinus (→ Longinos [1]), zum Tode verurteilt und hingerichtet wurde (Zos. 1,56,2f.). Als Grund für die Milde des Aurelianus gegenüber der besiegten Gegnerin wird u. a. angegeben, er habe sie den Römern im Triumph präsentieren wollen (SHA Aurelian. 30,2). Ob es dazu kam, erscheint angesichts der widersprüchlichen Quellenberichte fraglich. Wertlos ist ein Zeugnis, nach dem Z. nach dem Triumph in Rom geköpft worden sei (Ioh. Mal. 12, p. 300). Beachtenswert scheint dagegen eine in der Forsch. weniger akzeptierte Notiz (vgl. immerhin [3. 314; 4. 310; 5. 242]), nach der Z. auf der Reise nach Europa an einer Krankheit oder aufgrund von Nahrungsverweigerung verstarb (Zos. 1,59; danach Zon. 12,27). In den Breviarien, den Chroniken und der Historia Augusta wird die Teilnahme der lebenden Z. am Triumph behauptet sowie über ihr späteres Schicksal und das ihrer Angehörigen berichtet (Fest. 24; Eutr. 9,13,2; Hier. chron. a. 274; Iord. Rom. 291; Synk. p. 721 Corpus Scriptorum Historiae Byzantinae; Zon. 12,27; SHA trig. tyr. 30,24–27; SHA Aurelian. 33,2–34,3).

Dieser historisch kaum brauchbare Überlieferungsstrang erwies sich als rezeptionsgeschichtlich wirkungsvoll. Lit. wurde das Leben der Z. in Westeuropa seit der 2. H. des 14. Jh. behandelt. Am Anfang steht BOCCACCIO, der die Palmyrenerin in den beiden Sammlungen De casibus virorum illustrium (VIII 6) und De mulieribus claris (C) thematisiert. Dem letztgenanntem Werk hat

CHAUCER nahezu wörtlich seinen Z.-Bericht in der Erzählung des Mönchs der Canterbury Tales entnommen, doch beruft sich der Engländer nicht auf BOCCACCIO, den er nie namentlich nennt, sondern auf PETRARCA, der Z. in seinem Trionfo della Fama (II 108 ff.) kurz erwähnt. In die folgenden Jh. fallen mancherlei Bearbeitungen des Z.-Stoffes im Rahmen von philos. Traktaten, Schauspielen, Balladen und histor. Romanen. Dabei bleibt von Fall zu Fall zu prüfen, ob tatsächlich die Palmyrenerin und nicht Z. [1] gemeint ist. Zu den bekannteren Schöpfungen gehören das Barockdrama La gran Zenobia, ein Frühwerk CALDERÓNS, und die auf einem Libretto Felice ROMANIS beruhende, 1813 uraufgeführte Oper Aureliano in Palmira ROSSINIS. Das wichtigste Werk der bildenden Kunst ist ein dreiteiliger Zyklus von Leinwandgemälden TIEPOLOS mit den Einzelstücken ›Die Königin Z. spricht zu ihren Soldaten‹ (s/w Abb. bei [6. Taf. 26]), ›Zenobia vor Aurelian‹ und ›Triumph Aurelians‹.

1 E. KETTENHOFEN, Östl. Mittelmeerraum und Mesopot. Die Zeit der Reichskrise (TAVO B V 12), 1983 2 U. HARTMANN, Das palmyrenische Teilreich, 2001 (dazu Rez. M. SCHOTTKY, in: Plekos Online 3, 2001) 3 A. VON DOMASZEWSKI, Gesch. der röm. Kaiser, Bd. 2, ³1923 4 E. KORNEMANN, Grosse Frauen des Alt., 1942, Ndr. 1998 5 KIENAST, 241f. 6 R. STONEMAN, Palmyra and Its Empire. Zenobia's Revolt against Rome, 1992.

PLRE 1, 990f.   M.SCH.

[3] Stadt am rechten Ufer des mittleren Euphrates [2] zw. Kirkesion (h. al-Busaira) und Kallinikos (h. Raqqa; Prok. aed. 2,8,8–25; Prok. BP 2,5,4–7), h. Ḥalībīya (Syrien). An der Stelle einer bereits 877 v. Chr. von dem neuassyrischen Herrscher Assurnasirpal II. (→ Mesopotamien III. D.) angelegten Siedlung gründete Z. [2], die Herrscherin von Palmyra (266–271 n. Chr.), eine Festung; diese war im 6. Jh. n. Chr. verödet und fast ganz entvölkert. Iustinianus [1] I. ließ Z. durch Isidoros [13] von Milet und Iohannes von Byzantion vergrößern, ausbauen (Kirchen, Kasernen, Bäder) und befestigen. Eine starke Garnison sicherte die Festung, die 610 n. Chr. von dem Sāsāniden Chosroes [6] II. erobert und zerstört wurde.

K. ABEL, s. v. Z. (3), RE 10 A, 8–10 · J. LAUFFRAY, Halabiyya-Z., Bd. 1 (Bibliothèque Archéologique et Historique 119), 1983.   E. O.

Zenobios (Ζηνόβιος).

[1] Feldherr des Mithradates [6] VI. im Ersten → Mithradatischen Krieg (89–85 v. Chr.). Er besetzte 86 → Chios und ordnete, trotz der Bezahlung der geforderten Strafsumme von 2000 Talenten, die Deportation der gesamten Bevölkerung ans Schwarze Meer an (App. Mithr. 180–187; → Kolchis: Athen. 6,266), um andere Städte vor einem Abfall zu warnen (vgl. Syll.³ 785, Z. 13–15). Bei dem anschließenden Aufenthalt in Ephesos wurde er jedoch (noch 86: [1. 172f.]) von den Bürgern dieser Stadt, die ein ähnliches Schicksal befürchteten,

getötet; dies hatte den Abfall von Ephesos und weiterer kleinasiatischer Städte von Mithradates zur Folge (App. Mithr. 187–189; Syll.³ 742 zum J. 85 v. Chr.).

1 F. DE CALLATAY, L'histoire des guerres Mithridatiques vue par les monnaies, 1977 2 TH. REINACH, Mithridates Eupator, 1895 (Ndr. 1975), 174–177 3 J. G. F. HIND, Mithradates, in: CAH 9, ²1994, 159.   W. ED.

[2] Z. Grammatikos

(Z. Γραμματικός). Griech. Gelehrter in Rom zur Zeit Hadrians (117–138 n. Chr.), Verf. u. a. einer Bearbeitung der Sprichwörter-Slgg. des Didymos [1] und → Lukillos von Tarrha (Ἐπιτομὴ τῶν παροιμιῶν Διδύμου καὶ Ταρραίου, in 3 B.), einer griech. → Übersetzung der Geschichtswerke des → Sallustius [II 4], einer Geburtstagsrede (genethliakós lógos; → genethliakón) auf Hadrian (Suda ζ 73 ADLER). Ein zweifelhafter, einem Z. Grammatikos zugeschriebenes Epigramm auf einen Rhetor Victor überl. Anth. Pal. 9,711.

Von Z.' Prosawerken ist nur die → Sprichwörter-Slg., ein Werk, das in den Geist der → Zweiten Sophistik gehört und griech. Gelehrsamkeit mit röm. Bildung verbindet, in zwei Traditionssträngen überl. [5. Bd. 1, 33–37]: (1) die sog. Vulgata, die auf den Codex Parisinus 3070 zurückgeht, enthält ein alphabetisches Sprichwörter-Kompendium, geordnet nach dem ersten oder den zwei ersten Buchstaben; (2) die sog. (recensio) Athoa, benannt nach einer auf dem Athos entdeckten Hs. (Cod. Parisinus suppl. 1164) [2]; diese scheint mit ihrer Gliederung in 3 B. eine ursprünglichere Form der Slg. zu bieten. Zu den 3 B. kommt in einer von (2) abhängigen Hs. (Cod. Monacensis 525) ein 4. B. dazu. Die Vulgata besteht aus einer alphabetischen Neuordnung dieser urspr. in Bücher gegliederten Sprichwörter. Auch die Athoa dürfte vom urspr. Werk des Z. erheblich abweichen, da sie ohne Vorwort und mit deutlichen Verderbnissen überl. ist [5. Bd. 1, 34–35].

Z. hat sein Werk wohl als fortlaufende Erklärung inhaltlich zusammenhängender Sprichwörter angeordnet [5. Bd. 1, 35; 3. 95]. Zuerst wird das Sprichwort selbst zitiert; es folgt eine Erklärung seines Sinns oder Ursprungs. Beispiel: das Sprichwort ›ein Schaf <findet> das Messer‹ (οἷς τὴν μάχαιραν, Nr. 2.30 BÜHLER) soll auf → Medeias Kindermord zurückgehen. Die Korinther opferten jährlich den ermordeten Kindern; dabei soll das Opferschaf das (begrabene) Opfermesser selbst ausgescharrt haben. Das Sprichwort gilt für die, die ›sich selbst Schaden zufügen‹.

→ Paroimia; Paroimiographoi; Sprichwort

1 E. L. VON LEUTSCH, F. G. SCHNEIDEWIN (ed.), Corpus Paroemiographorum Graecorum, Bd. 1, 1839 (Ndr. 1958) 2 E. MILLER (ed.), Mélanges de littérature grecque, 1868 (Ndr. 1965), 341–384 3 O. CRUSIUS, Analecta critica ad paroemiographos Graecos, 1883 4 K. RUPPRECHT, s. v. Paroimiographoi, RE 18.4, 1735–1778 5 W. BÜHLER (ed.), Zenobii Athoi Proverbia, Bd. 1, 1987; Bd. 4, 1982; Bd. 5, 1999.   W. D. F.

[3] Griech. Rhetor

aus → Elusa in Palaestina, 4. Jh. n. Chr., nur durch seinen Schüler (Lib. or. 1,96) → Libanios bekannt; städtischer Sophist in Antiocheia [1] (Lib. or. 36,11) als Nachfolger des → Aidesios [1] (Lib. or. 4,9). Trotz seiner Aufforderung an Libanios (Lib. or. 1,100; Lib. epist. 101,4; epist. 420), seine Nachfolge anzutreten (um 354 n. Chr.), entschloß sich Z. doch gegen den Ruhestand (Lib. or. 1,100, vgl. [1. 173]), und Übergabe des Lehrstuhls, und das obwohl Libanios in einer Rede Constantius [5] Gallus zur Begnadigung des Z. nach den Aufständen in Antiocheia (354 n. Chr.) bewegen konnte (Lib. or. 1,96f.). Nach Z.' Tod (355) verfaßte Libanios eine bewegende Trauerrede und später ein Enkomion (Lib. or. 1,105; Lib. epist. 405,9). Z. war verwandt mit den Boethoi (Lib. epist. 118; 119; 420; 532) und Z., dem eirēnophýlax von Elusa (Lib. epist. 101). Seine Schüler waren Kalliopios (Lib. epist. 18; 625) und Hieronymos (Lib. epist. 334; vgl. auch epist. 727, sowie die an Z. gerichtete epist. 15 aus dem Jahr 352 oder 354 n. Chr.).

1 A. F. NORMAN, Libanius' Autobiography, 1965 2 PLRE 1, 1971, 991 3 O. SEECK, Die Briefe des Libanios, 1906 (Ndr. 1966), 315 f.   E. BO./Ü: RE. M.

Zenodoros (Ζηνόδωρος).

[1] Griech. Mathematiker,

wohl am Anf. des 2. Jh. v. Chr. [5; 6. 604 f.]. Er verfaßte eine Schrift ›Über isoperimetrische Figuren‹ (Περὶ ἰσοπεριμέτρων σχημάτων, Perí isoperimétrōn schēmátōn), in der er bewies, daß der Kreis von allen Figuren gleichen Umfangs den größten Flächeninhalt hat, und den Satz formulierte, daß von allen Körpern mit gleicher Oberfläche die Kugel das größte Volumen besitzt [3; 4; 7]. Wesentliche Teile der Schrift sind an drei Stellen überl. (zum Zusammenhang zw. ihnen: [8. 689–751]): von → Theon [8] im Komm. zu Ptolemaios' [65] ›Almagest‹, B. 1, Kap. 3 (p. 354–379 ROME; lat. Übers. in [1. 1189–1211]; dt. Übers. in [3]) – er nennt als einziger Z. als Autor; von → Pappos (collectio 5, 3–19; ed. in [1. 308–334]) und in einer anon. Einl. zum ›Almagest‹, dessen Verf. → Eutokios oder Arkadios sein könnte (ed. in [1. 1138–1165]; zur Autorschaft: [8. 155–177]). Der anon. Text wurde um 1160 direkt aus dem Griech. ins Lat. übers. und in der Folge u. a. von Jordanus Nemorarius, Roger Bacon, Thomas Bradwardine und Albert von Sachsen benutzt; Nikolaus von Kues übernahm den isoperimetrischen Ansatz, um mit seiner Hilfe Kreisumfang und -inhalt zu bestimmen.

1 F. HULTSCH (ed.), Pappi Alexandrini Collectionis quae supersunt …, 3 Bde., 1876–78 2 T. L. HEATH, A History of Greek Mathematics, Bd. 2, 1921, 206–213 3 W. MÜLLER, Das isoperimetrische Problem im Alt., in: Sudhoffs Archiv 37, 1953, 39–71 4 B. L. VAN DER WAERDEN, Erwachende Wissenschaft, 1966, 444 f. 5 G. J. TOOMER, The Mathematician Z., in: GRBS 13, 1972, 177–192 6 I. BULMER-THOMAS, s. v. Zenodorus, in: GILLISPIE 14, 603–605 7 H. GERICKE, Zur Gesch. des isoperimetrischen Problems, in: Mathematische Semesterberichte 29, 1982, 160–187 8 W. KNORR, Textual Studies in Ancient and Medieval Geometry, 1989.   M. F.

[2] Griech. Grammatiker aus hell., nicht näher zu bestimmender Zeit. Unter Z.' Namen ist im Schol. Hom. Σ 356b ein aus 10 B. bestehendes Werk Περὶ τῆς Ὁμήρου συνηθείας (›Über die Lebensgewohnheiten in der Welt Homers‹) zitiert (Suda ζ 75 s. v. Ζηνόδοτος irrtümlicherweise dem → Zenodotos [4] aus Alexandreia zugeschrieben), in dem Z. typische Homerszenen mit Blick auf ihre Struktur, Lexik und Echtheit behandelte (Fr. in [2. 135–137]). Ein sich als Epitome dieser Schrift angebender Traktat [1] ist unecht.

> ED.: E. MILLER, Mélanges de littérature grecque, 1868, 407–412 = Ders., in: K. LATTE, H. ERBSE (ed.), Lexica Graeca minora, 1965, 253–258 · H. PUSCH, Quaestiones Zenodoteae, Diss. Halle 1890.
> LIT.: K. NICKAU, s. v. Zenodotos [2] von Alexandreia, RE 10 A, 21 · H. PUSCH (s. [2]), 135–148.   ST. MA.

[3] Sohn oder Verwandter des im J. 36 v. Chr. von Antonius hingerichteten ituräischen (→ Ituraea) Dynasten Lysanias (so nach CIG 4523 = IGLS 2851). Seine Herrschaft erstreckte sich auf das Gebiet zw. → Galilaea und den Jordanquellen (um Ulatha und Panias). Nach Ausweis der Münzen führte er den Titel → tetrárchēs (III.) und Hoherpriester. Wohl von Kleopatra [II 12] VII. pachtete er die Güter des Lysanias in der Trachonitis und begünstigte dort aus Gewinnsucht die Räuberbanden, die dem Transithandel von → Damaskos schweren Schaden zufügten. Augustus ließ 23 v. Chr. eine Befriedungsaktion durchführen und übertrug → Herodes [1] d. Gr. die Kontrolle des Landes. Z. erhob Einspruch und wehrte sich, verkaufte die Auranitis an den nabatäischen Herrscher, woraus weitere Konflikte erwuchsen. Nach Z.' Tod im J. 20 v. Chr. unterstellte Augustus dessen Herrschaft dem Reich des Herodes. Quellen: Ios. bell. Iud. 1,398–400; (ergänzend und modifizierend) ant. Iud. 15,344–364.

> P. RICHARDSON, Herod, 1996 · SCHÜRER 1, 291; 319; 337; 565f.   K. BR.

[4] Bronzebildner und Toreut der frühen Kaiserzeit (1. Jh. n. Chr.). Gerühmt wurde seine Kopie zweier Gefäße des → Kalamis (Plin. nat. 34,45–47). Z. schuf in Gallien eine kolossale Br.-Statue des Mercurius, so daß er von → Nero den Auftrag für die ca. 40 m hohe Br.-Statue des Sol-Nero (→ Colossus Neronis) erhielt. Diese Kolossalstatue (→ Kolossos) wurde von Hadrian zum flavischen Amphitheater (→ Kolosseum) versetzt.

> OVERBECK, Nr. 2185, 2273, 2276 · P. MORENO, s. v. Z., EAA 7, 1249f. · J. FREL, Zénodore et la sculpture en Gaule, in: Rev. archéologique de l'Est et du Centre-Est 38, 1987, 301–314 · M. BERGMANN, Der Koloss Neros, die Domus Aurea und der Mentalitätswandel im Rom der frühen Kaiserzeit, in: Trierer Winckelmannsprogramm 13, 1993, 1–34.   R. N.

Zenodotion (Ζηνοδότιον). Stadt in der → Osroene nahe → Nikephorion (Arr. FGrH 156 F 33; Plut. Crassus 17,6: Ζηνοδοτία/*Zēnodotía*; Cass. Dio 40,13,2), nicht genauer zu lokalisieren. Als der Proconsul M. Licinius [I 11] Crassus im Herbst 54 v. Chr. gegen die → Parther über den Euphrates [2] zog, sah er sich gezwungen, die Stadt, die unter der Tyrannis eines Griechen namens Apollonios stand, gewaltsam einzunehmen, wofür ihn das Heer zum *imperator* ausrief.

> H. TREIDLER, S. V. Z., RE 10 A, 19.   E. O.

Zenodotos (Ζηνόδοτος).

[1] Alexandrinischer Philologe aus Ephesos (ca. 325–260 v. Chr.; Suda s. v. Z. Ἐφέσιος).
I. LEBEN
II. PHILOLOGISCHE METHODE   III. WERKE

I. LEBEN

Z. war als Prinzenerzieher am Hof der Ptolemäer tätig, ehe er im Jahr 285/4 zum ersten Vorsteher [1. 147–148] der → Bibliothek (II.B.2.a.) von → Alexandreia [1] ernannt wurde. Neben der Klassifizierung griech. Dichtung (v. a. epischer und lyrischer Werke) entwickelte Z. in seinen philol. Arbeiten eine eigene textkritische Methode, die den Beginn der systematischen → Philologie (II. C.) markiert. Er war Schüler des Philitas [1] aus Kos und Lehrer des Ptolemaios [60] Epithetes; ein Lehrer-Schüler Verhältnis zu Aristophanes [4] von Byzanz [7. 214] ist hingegen aus chronologischen Gründen unwahrscheinlich [1. 166–167]. Z.' nur fragmentarisch erh. Schriften umfaßten neben Edd. von Homeros [1], Hesiodos [1], Anakreon [1] und Pindaros zwei lexikographische Werke zur Dialektsprache sowie eine Abh. zur Tageberechnung in der ›Ilias‹. Eigene dichterische Tätigkeit ist nicht bezeugt, die Zuschreibung einer allg. Studie über Homer und seine Dichtung (Περὶ τῆς Ὁμήρου ποιήσεως γένους) gilt als unsicher [8. 202–203; 6. 38].

II. PHILOLOGISCHE METHODE

Z.' Bed. für die Philol. im allg. und für die Homer-Philol. im bes. geht auf seine Sichtung und Kommentierung der schriftlichen Homer-Überl. zurück, die er als διορθωτής (*diorthōtḗs*, »kritischer Herausgeber«; Suda s. v. Z.; Tzetz. Prolegomena 25,10–13 CGF) zum Zweck einer verbesserten, von Fehlern und späteren Einschüben gereinigten → Ausgabe der homerischen Epen unternahm. Ob Z. dabei eine eigene Ed. besorgte, oder seine aus dem Vergleich zahlreicher »vulgärer« Hss. (κοιναὶ ἐκδόσεις/*koinaí ekdóseis*) gewonnenen Beobachtungen [7. 139–141] in eine ihm zuverlässig erscheinende Ausgabe übertrug, ist umstritten [7. 137–147; 9. 13–14; 4. 119–152]. In jedem Fall erfand er als Kennzeichnung für zweifelhafte Verse den → óbelos [1. 166], mit dem er seine Leser zur weiteren Prüfung und Diskussion ihrer Authentizität einlud [7. 147] (vgl. → Kritische Zeichen). Wie hoch sein Eigenanteil an diesen Athetesen war [5. 48–57] kann dabei jedoch ebenso wenig bestimmt werden wie die Gründe für seine Textentscheidungen, da von Z. selbst kein zusammenhängender Komm. mit entsprechenden Erläuterungen veröffentlicht wurde [5. 14] und die Quellen nur vorsichtig formulierte Vermutungen späterer Bearbeiter enthalten [7. 138–139]. Es scheint daher wahrscheinlich, daß die Begründungen für die Athetesen mündlich gegeben und von Z.' Schülern notiert und weitergetragen wurden [5. 15–17]; auch ein Rand-Komm. nach Art der → Scholien ist nicht auszuschließen [11. 4–7; 12. 15], in dem Z. *variae lectiones* (abweichende Lesungen) [10] notierte. Weitere Systematisierung von Z.' textkritischer Methode und Verfeinerung des Zeichensystems erfolgte trotz Kritik an vielen seiner Lesarten (vgl. etwa → Apollonios [2] Rhodios' Schrift Πρὸς Ζηνόδοτον, ›Gegen Z.‹) durch spätere alexandrinische Philologen (v. a. Aristophanes [4] von Byzanz und Aristarchos [4] von Samothrake).

III. WERKE

Z.' Hauptwerk, seine Homer-Ed., dürfte in den 70er Jahren des 3. Jh. v. Chr. entstanden sein [9. 12–13]. Spuren haben sich in den → Scholien sowohl zur ›Ilias‹ als auch zur ›Odyssee‹ erhalten, wobei überlieferungsbedingt [5. 1–6] mehr Material zur ›Ilias‹ vorliegt. Insgesamt scheint Z. ca. 490 Iliasverse athetiert zu haben, für die ›Odyssee‹ sind 44 Athetesen bezeugt [5. 20–21]. Z.' häufige Streichung von wiederholten Versen darf dabei nicht als pauschales Prinzip aus einer Abneigung gegen Doppelungen verstanden werden, wie Aristonikos [5] in Anlehnung an Aristarchos [4] vermutete (ScholiaII 1,26–31). Vielmehr will Z. mögliche Wechselwirkungen der Wiederholungen ausschließen und das Aufrufen von Kontexten, die mit den Versen an anderer Stelle verbunden sind, verhindern [5. 62–82]. Zum Einfluß der Homerausgabe auf Apollonios [2] Rhodios und Kallimachos [3] vgl. [9. 49–87]; Z.' mögliche Urheberschaft der Einteilung beider Epen in jeweils 24 B. ist umstritten [7. 147–149].

Drei weitere, wohl nach dem Muster der Homer-Ausgabe erstellte Editionen (διορθώσεις/ *diorthṓseis*) zu Pindar, Anakreon und Hesiod sind gesichert, wenn auch nur schwach bezeugt [6. 38–39]. Schwierig bleibt die Zuordnung einzelner Fr.: Möglicherweise der Hesiodausgabe, wahrscheinlicher aber seinen Γλῶσσαι (*Glṓssai*), einem alphabethisch geordneten Lexikon zur Deutung epischer (v. a. homerischer) und lyrischer Glossen (→ Glossographie) entstammt seine Deutung von Hesiods Chaos-Konzept aus dem Prooimion der ›Theogonie‹ (Schol. Hes. theog. 116) [7. 149]. Die Authentizität eines weiteren lexikographischen Werkes zu den ›Dialektglossen‹ (Ἐθνικαὶ λέξεις/ *Ethnikaí léxeis*) ist umstritten (das Werk könnte eine Unterabteilung der *Glṓssai* gewesen sein) [6. 40–43]. Auf eine gesonderte Abh. zur ›Ilias‹, die eine Tageberechnung der Ereignisse enthielt, scheint die Inschr. einer → *Tabula Iliaca* zu deuten (IG XIV 1290). Die Schrift selbst ist verloren, Spuren ihrer Nachwirkung finden sich bei Aristarchos [4] von Samothrake [3. 31] und bei späteren Homerexegeten [2. 195–198].

→ Glossographie; Homeros [1] (VI.); Kritische Zeichen; Lexikographie (I. A.); Philologie (I.B.-C.)

1 R. BLUM, Kallimachos und die Lit.verzeichnung bei den Griechen, 1977 2 H. DÜNTZER, De Zenodoti studiis Homericis, 1848 3 K. LACHMANN, Über Zenodots Tagberechnung der Ilias, in: Ber. über die Verhandlungen der Akademie der Wiss. Berlin, 1846 4 G. NAGY, Poetry as Performance, 1996 5 K. NICKAU, Unt. zur textkritischen Methode des Z. von Ephesos, 1977 6 Ders., Z. von Ephesos, RE 10 A, 23–45 7 PFEIFFER KPI, 135–155 8 H. PUSCH, Quaestiones Zenodoteae, Diss. Halle 1890 9 A. RENGAKOS, Der Homertext und die hell. Dichter, 1993 10 M. SCHMIDT, Variae lectiones oder Parallelstellen: Was notierten Zenodot und Aristarch zu Homer?, in: ZPE 115, 1997, 1–12 11 H. VAN THIEL, Zenodot, Aristarch und andere, in: ZPE 90, 1992, 4–14 12 Ders., Der Homertext in Alexandrien, in: ZPE 115, 1997, 13–36. M. B.

[2] Z. aus Troizen, griech. Historiker aus hell. Zeit (3./2. Jh. v. Chr.). Ein Werk über röm. Geschichte seit der Frühzeit ist in Fragmenten (FGrH 821) faßbar bei Dion. Hal. ant. 2,49,1 und Plut. Romulus 14,8 (jeweils Raub der Sabinerinnen) sowie Solinus (Collectanea 2,9 zu Praeneste). W. ED.

[3] Z. »der Stoiker« (ὁ Στωικός). Schüler des → Diogenes [15] von Babylon und Verf. eines geistreichen Preisepigramms (bei Diog. Laert. 7,30 = anon. Anth. Pal. 7,117) auf → Zenon [2] von Kition, den Begründer des Stoizismus. Die Identifizierung mit Z. [5] von Mallos ist hypothetisch [2], unwahrscheinlich [1] die mit dem Verf. einer Grabinschrift auf den Menschenfeind Timon [1] (Anth. Pal. 7,315) und eines scherzhaften Einzeldistichon [3] auf Eros (Anth. Pal. 16,14).

1 GA I.1, 198f.; 2, 557–559 2 K. NICKAU, s. v. Z. (6), RE 10 A, 49 3 M. LAUSBERG, Das Einzeldistichon, 1982, 214f. M. G. A./Ü: L. FE.

[4] Z. aus Alexandreia. Griech. Grammatiker des 2. oder 1. Jh. v. Chr. [4. 21], zur Unterscheidung von Z. [1] aus Ephesos Ἀλεξανδρεύς (»Alexandriner«) bzw. ὁ ἐν ἄστει (»der in der Stadt ansässige«) genannt. Aus den im Titelverzeichnis Suda ζ 75 s. v. Ζηνόδοτος erwähnten Werken sind Z. folgende sicher zuzuweisen: 1) Λύσεις Ὁμηρικῶν ἀπορημάτων (›Lösungen homer. Aporien‹); 2) Πρὸς Πλάτωνα περὶ θεῶν (›Gegen Platons Ansicht über Homers Götterbild‹); 3) Εἰς τὴν Ἡσιόδου Θεογονίαν (›Zu Hesiods Theogonie‹). Erh. sind ferner Spuren zweier myth.-histor. Werke des Z. ([1], vgl. [4. 22f.]).

ED.: 1 FGrH 19 2 H. PUSCH, Quaestiones Zenodoteae (Dissertationes philologicae Halenses 11), Diss. Halle 1890, 161–163.
LIT.: 3 F. JACOBY, Komm. zu FGrH 19, p. 497 4 K. NICKAU, s. v. Z. (2), RE 10 A, 20–23 5 H. PUSCH (s. [2]), 140–148, 161–174 6 F. SUSEMIHL, Gesch. der griech. Litt. in der Alexandrinerzeit, 1892, Bd. 2, 193, 711.

[5] Z. aus Mallos. Griech. Philologe aus dem 2. oder 1. Jh. v. Chr., der Schule des → Krates [5] aus Mallos angehörig, offenbar mit dem Z. identisch, der ὁ Κρατήτειος (»der Krates-Schüler«) genannt wird [1. fr. 5]. Die Schrift Πρὸς τὰ ὑπ' Ἀριστάρχου ἀθετούμενα τοῦ ποιητοῦ

›Gegen Aristarchs Homerathetesen‹; in Suda ζ 75 s. v. Z. fälschlicherweise Z. [4] aus Alexandreia zugeschrieben) ist Z.' am besten erschlossenes Werk (Fr. in [1]). Das für Z. in Anspruch genommene Werk Ἐθνικαὶ λέξεις (›Dialektglossen‹) ist Z. [1]) aus Ephesos zuzuweisen. Ungewiß bleibt auch Z.' Gleichsetzung mit Z. [3] dem Stoiker.

FR.: **1** H. PUSCH, Quaestiones Zenodoteae, Diss. Halle 1890, 149–150.
LIT.: **2** K. NICKAU, s. v. Z. (4), RE 10 A, 45–47 **3** H. PUSCH (s. [1]), 127–134 und 149–160.   ST. MA.

[6] Bildhauer aus → Knidos, Sohn eines Menippos. Mit Theon schuf Z. um 150 v. Chr. in Knidos einen reliefgeschmückten Altar. Nur Basis-Inschr. sind von zwei Porträtstatuen in Knidos erhalten. Zur selben Bildhauerfamilie gehören Z. und Menippos aus Chios, die im späten 3. Jh. v. Chr. auf einer Statuenbasis signierten.

LOEWY, Nr. 160–162 · P. MORENO, s. v. Z. (1–2), EAA 7, 1250 · B. S. RIDGWAY, Hellenistic Sculpture, Bd. 2, 2000, 87–89.   R. N.

[7] Z. Aitolos (*Aetolus*). In den Schol. zum *Aratus Latinus* und zu den *Aratea* des Germanicus (48,17–49,5 MARTIN) erwähnter Kommentator, der für eine doppelte, d. h. sowohl myth. wie naturphilos. Auslegung der Zeusfigur im Prooimion von Aratos' [4] *Phainómena* eintrat [1]. Von seinen Schriften ist nichts erh., die Datier. ist unsicher.

1 K. NICKAU, s. v. Z. (1), RE 10 A, 20.   M. B.

[8] Z. Philetairos (Φιλέταιρος, »der Begleiter«). Die Angabe Ζηνοδότου Φιλεταίρου (›Des Zenodotos, des Begleiters‹; einmal auch Ζηνοδότου Φιλέταιρος; ›Des Zenodotos' Begleiter‹) ist in fünf von mehr als 50 Hss. eines verm. aus der Kaiserzeit stammenden Glossars eines unbekannten Verf. zu Menschen-, Tierlauten sowie zu Geräuschen von Gegenständen als Überschrift angegeben: Das Werk, auch als *Tractatus de vocibus animalium* (Περὶ διαφορᾶς φωνῶν ζῴων) bekannt, leitet in onomatopoetischer Manier aus den verschiedenen Lauten die entsprechenden Verben ab und weist sie deren Ursprüngen zu.

ED.: **1** F. BANCALARI, Sul trattato greco de vocibus animalium, in: SIFC 1, 1893, 75–96.
LIT.: **2** N. FESTA, Voces animalium, in: SIFC 1, 1893, 384 **3** Ders., Ancora *Voces animalium*, in: SIFC 3, 1895, 496 **4** K. NICKAU, s. v. Z. (5), RE 10 A, 47–49 **5** H. PUSCH, Quaestiones Zenodoteae, Diss. Halle 1890, 180–187 **6** G. STUDEMUND, Anecdota varia Graeca musica metrica grammatica, 1886, 101–105 und 284–290.   ST. MA.

[9] Neuplatonischer Philosoph, E. 5. Jh. n. Chr., nur aus einer kurzen Passage bei Photios (bibl. cod. 181,126b 40–127a 14) bekannt als Philos.-Lehrer des → Damaskios in Athen. Z. war ab 485 zusammen mit → Marinos Nachfolger des → Proklos [2]. Daß Z.' Nachfolger des Isidoros [7] als Schulleiter in Athen war, ist nicht belegbar.

PH. HOFFMANN, in: Goulet 2, 547.   T. D./Ü: J. DE.

[10] Sonst nicht bekannter, bei Stob. 3,2,10 zitierter griech. Tragiker unbestimmter Zeit (TrGF I 215).   B. Z.

Zenon (Ζήνων.)

[1] Z. aus Elea (Sohn des Teleutagoras). Eleatischer Philosoph des 5. Jh. v. Chr., Schüler und enger Vertrauter des → Parmenides; er wurde berühmt für seine Paradoxe. Z. verfaßte laut Suda (29 A 2 DK) mehrere Bücher, doch gehörten seine Λόγοι (*Lógoi*, ›Argumente‹, 40 laut Proklos, 29 A 15 DK) wohl zu einem einzigen Buch – jenem, das er in engem Kreise in Athen vorlas (vgl. Plat. Parm. 127c-d). Aristoteles [6] erklärt Z. in dem verlorenen Dialog ›Sophistes‹ zum »Erfinder« (→ *prõtos heuretḗs*) der → Dialektik (29 A 10 und A 1 DK, vgl. 29 A 2 DK). Dieses Urteil ist insofern verständlich, als Z. mit der Schrift das Ziel verfolgte – dies aber darin nicht aussprach, wie der junge Sokrates [2] im ›Parmenides‹ (Plat. Parm. 128a-b) bemerkt –, Parmenides' Philos. durch eine Widerlegung des Pluralismus zu verteidigen und zu zeigen, daß die Annahme einer Vielheit (τὰ πόλλα, *ta pólla*) verschiedener Entitäten Antinomien enthalte [1]. Man konnte bezeichnenderweise meinen, daß Z.s Argumente nicht nur den Pluralismus, sondern ebenso den eleatischen Monismus aufheben (Eudemos fr. 37a WEHRLI = 29 A 16 und 29 A 21 DK; → Eleatische Schule).

Die Argumente gegen den Pluralismus weisen ein gemeinsames Schema auf: Wenn es Vielheit gibt bzw. wenn die vielen Dinge existieren, so müssen diese ähnlich und unähnlich sein (Plat. Parm. 127d, vgl. auch Plat. Phaidr. 261d = 29 A 13 DK), sie müssen bis zur Ausdehnungslosigkeit klein und unendlich groß sein (29 B 1 und B 2 DK), sie müssen genau so viele sein, wie sie sind, und zugleich unendlich viele, da es zwischen zwei Entitäten jeweils noch eine dritte geben muß, die die beiden voneinander abtrennt (das Vielheitsparadox, 29 B 3 DK). Das dem Ausdehnungsparadox ähnliche Hirsekorn-Beispiel (29 A 29 DK) soll zeigen, daß die Annahme der Teilbarkeit wahrnehmbarer Qualitäten Absurdes zur Folge hat: das Geräusch eines ganzen Scheffels fallender Hirsekörner wird die Summe vieler Nicht-Geräusche sein, da das Fallen eines einzigen Hirsekorns geräuschlos ist.

Aristoteles [6] bezeugt für Z. vier Bewegungsaporien (→ Aporie), deren Struktur nicht mit der der vorhergehenden Paradoxe identisch sein muß. Sie gehen von der Existenz der → Bewegung (nicht nur der Vielheit) aus und folgern aus dieser Annahme unmögliche Konsequenzen. Die beiden ersten Aporien (*aporíai*) unterscheiden sich von den Argumenten gegen die Vielheit darin, daß sie auf einen einzigen absurden Folgesatz, nicht auf zwei einander widersprechende Sätze schließen. Das »Dichotomie«-Argument (Aristot. phys. 239b 11–13) lautet, daß man zum Durchlaufen einer Strecke zunächst die Hälfte dieser Strecke zurücklegen muß, dann die Hälfte der Hälfte, und so *ad infinitum* – ohne also je anzukommen. In dem berühmten paradoxen Beispiel von Achilleus und der Schildkröte (Aristot. phys. 239b 14ff.) spielt es keine Rolle, um wieviel schneller Achilleus als irgendein anderes Lebewesen ist, etwa eine Schildkröte. Um sie einzuholen, muß er zunächst den Punkt erreichen, von dem sie ausgegangen ist, währenddessen sie sich bereits ein kleines Stück vorwärts bewegt hat, woran sich auch hier unendlich viele Teilschritte anschließen.

Die dritte Aporie vom fliegenden Pfeil (ebd. 239b 5–7) besteht darin, daß jede Zeiterstreckung eines bewegten Gegenstandes eine Serie von Momenten ist, in denen dieser einen Platz genau seiner Größe einnimmt, also ruht, und daß die Momente zusammen nichts anderes als die Zeiterstreckung eines unbewegten Gegenstandes ergeben.

Die vierte Aporie von den sich bewegenden Reihen (ebd. 239b 33–240a 18) zeigt, daß dieselben Raum- und Zeitstrecken als doppelt und halb gemessen werden können, wenn man Bewegungen in Relation zueinander zuläßt [2]. Z.s Ortsparadox (29 A 24 DK) besagt, daß ein Ort entweder nirgends ist, dann aber nicht existiert, oder irgendwo ist, dann aber ein infiniter Regreß mit einem Ort des Ortes usw. folgt.

Nicht nur die Argumentationsweise späterer Dialektiker wurde durchgehend von Z. beeinflußt, auch die Debatte um die Struktur der körperlichen, zeitlichen und räumlichen Ausdehnung wurde durch seine Paradoxe geprägt. Diese Paradoxe waren gegen die Unterscheidung verschiedener Teile gerichtet, ein zentrales Thema im → Atomismus, der die unendliche Teilbarkeit der grundlegenden körperlichen Entitäten leugnet, und bei → Anaxagoras, der die völlige Teilbarkeit aller Materiestücke annimmt. In beiden Fällen ist es eher wahrscheinlich, daß sie sich als nach-parmenideische Philosophen an Z. hielten: So gibt Aristoteles ein quasizenonisches Teilbarkeitsargument wieder (Aristot. gen. corr. 1,2 und 1,8), mit dem die Atomisten ihre Lehre von fundamentalen unteilbaren Einheiten der Körper gestützt hätten [3], während Anaxagoras' Thesen, daß große und kleine Entitäten ebensoviele Teile enthielten und daß sie groß oder klein im Verhältnis zueinander seien (59 B 3 und 59 B 6 DK), belegen, daß er Z.s paradoxale Analyse der Ausdehnung übernommen hat.
→ Aporie; Eleatische Schule; Parmenides; Vorsokratiker; Zeit

1 K. von Fritz, Zeno of Elea in Plato's Parmenides (= Ders., Schriften zur griech. Logik, Bd. 1, 1978, 99–109) 2 P. Feyerabend, Some Observations on Aristotle's Theory of Mathematics and of the Continuum, in: Midwest Studies in Philosophy 8, 1983, 86–87 (bes. Fig. 12) 3 St. Makin, The Indivisibility of the Atom, in: AGPh 71, 1989, 125–149.

Fr.: Diels/Kranz, Bd. 1, 247–258 • H. D. P. Lee, Zeno of Elea, 1936 (mit engl. Übers. und Komm.) • M. Untersteiner, Zenone: Testimonianze e frammenti, 1963 (mit it. Übers. und Komm.).

Lit.: M. Caveing, Zénon d'Élée, 1982 • K. von Fritz, s. v. Z. (1), RE 10 A, 53–83 (= Ders., Schriften zur griech. Logik, Bd. 1, 71–98) • R. Ferber, Z.s Paradoxien der Bewegung und die Struktur von Raum und Zeit, 1981 • R. McKirahan, La dichotomie de Zénon chez Aristote, in: A. Laks, C. Louguet (Hrsg), Qu'est-ce que la philos. présocratique?, 2002, 465–496 • W. R. Knorr, Zeno's Paradoxes Still in Motion, in: Ancient Philosophy 3, 1983, 55–66 • St. Makin, Zeno on Plurality, in: Phronesis 27, 1982, 223–238 • G. E. L. Owen, Zeno and the Mathematicians, in: Ders., Logic, Science and Dialectic, 1986, 45–61. I. B./Ü: B. St.

[2] Z. von Kition. Stoischer Philosoph, ca. 334–262/1 v. Chr., Begründer der stoischen Schule (→ Stoizismus).

I. Leben   II. Einflüsse und Wirkung
III. Werke   IV. Lehre

I. Leben

Biographische Hauptquellen sind Z.s Vita bei Diog. Laert. 7,1–38 und Philodemos [1. col. 1–12]. Geb. in → Kition auf Zypern, einer phöniz. Stadt. mit gemischter phöniz.-griech. Bevölkerung als Sohn des Mnaseas, studierte Z. Philos. in Athen, wo er seine Schule gründete und verm. 262/1 v. Chr. [2. 780f.] starb. Die Datier. seiner Geburt und Ankunft in Athen ist unsicher. Nach Angaben seines Schülers → Persaios [2] von Kition (bei Diog. Laert. 7,28) starb Z. 72jährig und gelangte mit 22 J. nach Athen; demnach wäre er um 334 geboren und 312/11 nach Athen gekommen (nach anderer Überl., Diog. Laert. 7,2, war Z. bei der Ankunft in Athen bereits 30 J. alt). Weniger glaubhaft ist die Nachr., daß er 98jährig starb (Diog. Laert. 7,28). Umstritten ist auch die Vermutung seiner phöniz. Herkunft, die sich wohl an seinen Geburtsort knüpft (Diog. Laert. 7,15; 7,25).

Nach anekdotischen Berichten (Diog. Laert. 7,2; 5; 13) kam er in Seehandelsgeschäften nach Athen und wandte sich dort der Philos. zu, nachdem er eine Lesung aus Xenophons [2] *Memorabilia* (B.2) über → Sokrates [2] gehört hatte. Einer anderen Überl. zufolge (Diog. Laert. 7,31–32) wurde Z.s philos. Interesse durch sokratische Dialoge nicht namentlich benannter Autoren (vgl. → Sokratiker) geweckt, die der Vater von seinen Handelsreisen nach Hause brachte. Zuerst zog es ihn zu dem Kyniker → Krates [4] von Theben (Diog. Laert. 7,2–4; 7,12). Unter dessen Einfluß schrieb er den ›Staat‹ (Πολιτεία/*Politeía*), eine kritische Utopie, die ihn berühmt machte (s.u. III.). Eine Zeit lang hörte er dann auch andere Philosophen (namentlich Polemon [1], Stilpon, Diodoros [4] Kronos, Philon [4], vielleicht auch Xenokrates [2]).

Schließlich begann er in der *Stoá poikílē* (→ Stoa [1]) in der Nähe der Agora (→ Athenai [1] II.4.) mit eigener Lehrtätigkeit; er wählte dieses Lokal aus Scheu vor Menschenansammlungen und weil es seiner Neigung, beim Dozieren hin- und herzugehen, entgegenkam (Diog. Laert. 7,5; 7,14). Seine Anhänger wurden zuerst

»Zenonier« (Ζηνώνειοι/ *Zēnṓneioi*), dann (nach dem Schulort) »Stoiker« (Στωικοί/ *Stōikoí*) genannt. Z. war bekannt für seine auffällige Erscheinung, seine Anspruchslosigkeit (er hielt sich von Tischgesellschaften fern) und seine Vorliebe für grüne Feigen und Sonnenbäder, für seine Bescheidenheit und Aufrichtigkeit. Er stand in der Gunst des Antigonos [2] Gonatas; als dieser ihn an seinen Hof ziehen wollte, lehnte Z. ab und schickte an seiner statt die Schüler Persaios und Philonides von Theben. Auf Antigonos' Betreiben beschlossen die Athener für ihn einen Goldkranz und ein Staatsgrab auf dem → Kerameikos (Diog. Laert. 7,10–12 gibt den Wortlaut des Ehrendekrets). Sein Tod wird bei Diog. Laert. 7,28 geschildert: Als er sich in hohem Alter bei einem Sturz einen Finger (oder Zeh) brach, nahm er dies als Zeichen, daß seine Zeit gekommen sei, und beendete sein Leben auf der Stelle durch »Anhalten des Atems« (*apopníxas heautón*).

II. Einflüsse und Wirkung

Z.s Schule bestand mehr als 500 J. fort und prägte die Philosophiegesch. entscheidend. Schon zu Lebzeiten war sein Einfluß beträchtlich. Z. nahm seinerseits ein breites Spektrum früherer Traditionen auf. Darauf deutet der Bericht von seiner Orakelbefragung (Diog. Laert. 7,2): Als er den Gott konsultierte, wie er aus seinem Leben das Beste machen könne, erhielt er den Bescheid, er solle mit »der Gesichtsfarbe der Toten in Berührung kommen«. Er verstand dies als Aufforderung, die Schriften der alten Philosophen zu lesen, und formte ihre Lehren zu einem System, das seinen persönlichen Anschauungen entsprach. Seine Lehre zeigt Einflüsse des Platonismus (durch → Xenokrates [2], → Polemon [1] und → Krantor; → *Akademéia* II.), der Diskussion mit dem akademischen Skeptiker → Arkesilaos, den → Megarikern und der zeitgenössischen Dialektik (→ Philon [4]). Strittig ist, ob er auch peripatetisches Gedankengut aufnahm [11].

Zu Z.s Schülern gehörten → Ariston [7] von Chios, → Herillos von Karthago, → Dionysios [8] von Herakleia, → Persaios, → Zenon [3] von Sidon, → Kleanthes [2] von Assos (der ihm in der Schulleitung folgte), → Sphairos von Borysthenes und vielleicht auch → Chrysippos [2] (Diog. Laert. 7, 179). Von diesen standen den Ariston und Herillos im Schatten des Kleanthes; Dionysios wechselte zur → epikureischen Schule; Persaios [2] betrieb neben der Philos. auch promakedonische Politik; Sphairos widmete sich vornehmlich der Philos., war aber auch als Ratgeber des Kleomenes [5] II. von Sparta tätig. Während Kleanthes' Stoizismus Treue zu Z.s Werk beanspruchte, behauptete Chrysippos, dem Geist des Gründers näher zu stehen.

III. Werke

Der (unvollständige) Werkkatalog bei Diog. Laert. 7,4 nennt folgende Titel: ›Der Staat‹ (Πολιτεία/ *Politeía*); ›Über das naturgemäße Leben‹ (Περὶ τοῦ κατὰ φύσιν βίου/ *Perí tu katá phýsin bíu*); ›Über den Trieb‹ (Περὶ ὁρμῆς/ *Perí hormḗs*) oder ›Über die menschliche Natur‹ (Περὶ ἀνθρώπου φύσεως/ *Perí anthrṓpu phýseōs*); ›Über die

Affekte‹ (Περὶ παθῶν/ *Perí pathṓn*); ›Vom rechten Handeln‹ (Περὶ τοῦ καθήκοντος/ *Perí tu kathḗkontos*); ›Über das Gesetz‹ (Περὶ νόμου/ *Perí nómu*); ›Über griech. Bildung‹ (Περὶ τῆς Ἑλληνικῆς παιδείας/ *Perí tēs Hellēnikḗs paideías*); ›Über den Gesichtssinn‹ (Περὶ ὄψεως/ *Perí ópseōs*); ›Über das Weltganze‹ (Περὶ τοῦ ὅλου/ *Perí tu hólu*); ›Über Zeichen‹ (Περὶ σημείων/ *Perí sēmeíōn*); ›Pythagoreische Untersuchungen‹ (Πυθαγορικά/ *Pythagoriká*); ›Allg. Untersuchungen‹/›Über Universalien‹ (Καθολικά/ *Katholiká*); ›Über Stilarten‹ (Περὶ λέξεων/ *Perí léxeōn*); ›Homerische Probleme‹ (Προβλήματα ὁμηρικά/ *Problḗmata homēriká*, 5 B.); ›Über Dichterrezitation‹ (Περὶ ποιητικῆς ἀκροάσεως/ *Perí poiētikḗs akroáseōs*); ›Lehrbuch‹ (Τέχνη/ *Téchnē*: evtl. eine Rhet., wahrscheinlicher aber die bei Diog. Laert. 7,34 erwähnte ›Liebeskunst‹, Ἐρωτικὴ τέχνη/ *Erōtikḗ téchnē*); ›Auflösungen und Widerlegungen‹ (Λύσεις καὶ ἔλεγχοι/ *Lýseis kai élenchoi*; in 2 B.; der Titel ›Auflösungen‹ könnte aber auch ein gesondertes Werk bezeichnen); ›Erinnerungen an Krates‹ (Ἀπομνημονεύματα Κράτητος/ *Apomnēmoneúmata Krátetos*); ›Ethik‹ (Ἠθικά/ *Ēthiká*).

Die ›Unterhaltungen‹ (Διατριβαί/ *Diatribaí*) enthielten auch »anstößige« sexualethische Lehren (S. Emp. P.H. 3,245; Diog. Laert. 7,34), und in den ›Sprüchen‹ (Χρεῖαι/ *Chreíai*) befanden sich Anekdoten über Krates (Diog. Laert. 6,91; vgl. → Chrie). Diog. Laert. 7,34 berichtet von den Bemühungen späterer Stoiker, Z.s provokanteste kynische Äußerungen zu tilgen (vgl. → Kynismus). Sein Werk Περὶ λόγου (*Perí lógu*, ›Über den rationalen Diskurs‹) handelte von den Teilgebieten der Philos. (Diog. Laert. 7,39–40); Z. übernahm hier die von Xenokrates [2] vorgeschlagene Dreigliederung der Philosophie. In einer Schrift über Hesiods ›Theogonie‹ interpretierte er diese als allegorische Physik oder Kosmologie; er schrieb auch über Homer. Ferner verfaßte er Schriften ›Über Substanz‹ (Περὶ οὐσίας/ *Perí usías*; Diog. Laert. 7,134) und ›Über die Natur‹ (Περὶ φύσεως/ *Perí phýseōs*) worin er u. a. über die Vorsehung handelte (Aet. 1,27,5 = p. 322 Diels, DG).

IV. Lehre

Die Mehrzahl von Z.s Schriften fällt in die Gebiete von → Logik, → Physik und → Ethik (die nach seiner Auffassung in dieser Reihenfolge zu lehren sind). Sein bes. Interesse galt der → Dialektik (v. a. schwierigen dialekt. Problemen), doch erst Chrysippos [2] vollendete die stoische Logik zu einem System. Z.s → Erkenntnistheorie (mit Abb.) war im wesentlichen empiristisch. Grundlegendes Kriterium für → Wahrheit sind die Sinnesdaten, die sich als Eindrücke im wörtl. Sinn (*typóseis* = *phantasíai*), d. h. als physische Gebilde in den Seelenstoff (eine Art feuriges → *pneúma*) einprägen (→ Phantasie). Solche Eindrücke bilden die Grundlage aller menschlichen Begriffe und Urteile und sind der Zustimmung (*synkatáthesis*) oder Ablehnung durch den menschlichen Verstand unterworfen. Mit Arkesilaos diskutierte Z. über die Existenz einer Art von selbstevidenten Vorstellungen (*katalēptikaí phantasíai*). Ungewissen Vorstellungen gibt der Weise nach Z. niemals seine Zustimmung, denn dies hieße, sich mit bloßer Meinung (*dóxa*) anstatt mit Wissen (*epistḗmē*), welches unerschütterlich und unwiderruflich feststehen muß, zufriedenzugeben. Eine → *téchnē* bestimmte er als ein komplexes System von nicht-trivialen, zweckgerichteten Erkenntnissen (*katalḗpseis*). Er erkannte den Wert der Rhet. an, betrachtete sie aber gegenüber der Dialektik als ein schwächeres Überzeugungsmittel.

In der → Physik war Z. ein Materialist (→ Materialismus) und subsumierte alle Substanz (→ Materie) unter die beiden Prinzipien des Aktiven (τὸ ποιοῦν/*to poiún*) und des Passiven (τὸ πάσχον/*to páschon*). Die passive, qualitätslose Materie liegt allen realen Dingen zugrunde; auch Eigenschaften sind materielle Gebilde. Nur materielle Dinge »existieren« und besitzen Wirkkraft, obgleich auch unkörperliche Entitäten (Leere, → Raum, → Zeit, Aussagen) notwendig sind zur Beschreibung der Wirklichkeit. Z. trug wesentlich zur Entwicklung des Konzepts der Ursache bei (→ Kausalität).

Z. lehrte entschieden die Einzigkeit und Einheit des Kosmos; diesen betrachtete er als ein lebendiges Wesen, das von einer göttlichen Kraft (Natur oder Zeus) durchdrungen und geleitet wird. Der Kosmos besteht aus vier Grundelementen (Erde, Luft, → Feuer, Wasser; vgl. → Elementenlehre; → Welt). Im Anfangsstadium ist er eine Wassermasse, die in sich die feurigen Keime eines vernünftigen Weltplans enthält. Diese steuern die Entwicklung des Kosmos bis zu seiner Zerstörung im Weltbrand (*ekpýrōsis*); der Kreislauf von Erzeugung und Zerstörung wiederholt sich unendlich oft nach einem rationalen Schema. In diesem geschlossenen, von der Vorsehung (*prónoia*) zum Wohl aller vernünftigen Wesen (Götter und Menschen) regierten System sind auch die menschlichen Geschehnisse kausal bestimmt (vgl. → Prädestinationslehre; → Schicksal); Z.s Entwurf einer Schicksalslehre wurde von Chrysippos [2] zu einem durchgängig deterministischen System ausgebaut.

Tiere sind Verbindungen aus Körper und feinstofflicher Seele, in denen beide Bestandteile vollständig miteinander verschmolzen sind. Im Unterschied zur tierischen ist die menschliche Seele vernünftig, doch ist die ihr innewohnende Vernunft nicht, wie in der platonischen Theorie, von den Affekten getrennt. Die Seele besteht aus acht »Teilen«: den fünf Sinnen, der Stimme, der Fortpflanzungskraft und dem Geist (*hēgemonikón*; → Seelenlehre).

Z.s Porträt einer utopischen Gesellschaft von Weisen in seinem ›Staat‹ (s. [12]; → Utopie) stellte einen Angriff auf viele griech. polit. und kulturelle Normen dar. In dieser idealen Stadt der Weisen legte Z. sein Hauptaugenmerk auf die gesellschaftsverändernde Kraft von → Weisheit und moralischer Vollkommenheit und stellte sie den Tabus (Inzest, Kannibalismus) seiner Kultur gegenüber. Unklar ist, ob er an die polit. Realisierbarkeit seines ›Staates‹ glaubte.

In der → Ethik stellte Z. die grundlegenden stoischen Lehrsätze auf. Ausgehend von einer sokratischen und eudaimonistischen Trad. betrachtete er als das *télos*

(»Ziel«; → Teleologie, Nachträge) ein mit sich selbst und mit der Natur übereinstimmendes, d. h. tugendhaftes Leben. Zur Erlangung der Glückseligkeit (→ Glück) genügt dabei nach seiner Lehre allein die → Tugend, die somit das einzige echte »Gut« ist (wie entsprechend das Laster das einzige Übel). Alles Übrige ist »gleichgültig« (ἀδιάφορον/*adiáphoron*); für die weniger bedeutenden positiven und negativen Werte prägte er die Termini »bevorzugt« (προηγμένον/*proēgménon*) und »zurückgesetzt« (ἀποπροηγμένον/*apoproēgménon*). Z. behauptete die Einheit aller Tugenden aufgrund ihres gemeinsamen Fundaments in der → Weisheit (I.) und errichtete auf diesem Grundsatz ein idealisiertes Bild des Weisen (σοφός/*sophós*). Ihm wird auch die Begriffsprägung und die Lehre von den stoischen καθήκοντα (*kathḗkonta*, »angemessenen Handlungen«) zugewiesen, die das der Menschennatur gemäße Verhalten umschreiben. Durch das Konzept der → *oikeíōsis* stellte Z. eine Verbindung her zw. den natürlichen Bedürfnissen der Neugeborenen und der ebenso »natürlichen« Tugend des moralisch gereiften Erwachsenen und stützte so seine These von der geselligen Natur des Menschen.

→ Erkenntnistheorie (mit schematischer Abb.); Ethik; Natur (I.A.); Sokrates [2]; Stoizismus; Tugend; Weisheit

1 T. DORANDI (ed.), Filodemo, Storia dei filosofi: La stoà da Zenone a Panezio (mit it. Übers. und Komm.), 1994 2 R. GOULET, in: M.-O. GOULET-CAZÉ et al., Diogène Laërce, 1999 (B. 7; frz. Übers. mit Komm.).

FR.: 3 H. VON ARNIM, SVF I, 3–72 (griech. und dt.) 4 K. HÜLSER, Die Fr. zur Dialektik der Stoiker, 1987–1988 (griech. mit dt. Übers. und Komm.) 5 A. A. LONG, D. N. SEDLEY, The Hellenistic Philosophers, 1987, Bd. 1, 158–437; Bd. 2, 163–431 (griech. und engl.; dt.: Die hell. Philosophen, 2000) 6 A. C. PEARSON, The Fragments of Zeno and Cleanthes, 1891 (Ndr. 1973; mit engl. Übers. und Komm.).

LIT.: 7 A. ERSKINE, The Hellenistic Stoa, 1990 8 K. VON FRITZ, s. v. Z. (2), RE 10 A, 83–121 9 A. A. LONG, Hellenistic Philosophy, 1974, 107–209 10 M. POHLENZ, Die Stoa, 1948 11 F. H. SANDBACH, Aristotle and the Stoics, 1985 12 M. SCHOFIELD, The Stoic Idea of the City, 1991.

[3] Z. von Sidon. Stoischer Philosoph um 300 v. Chr. Schüler des Z. [2] von Kition, mit dem er gemeinsam bei Diodoros [4] Kronos studiert haben soll (Diog. Laert. 7,16 und 38 mit [1] zur Stelle); erwähnt von Philod. col. 11 [2]. Die Suda schreibt ihm eine ›Apologie des Sokrates‹ (*Apología Sokrátūs*) und ›Sidonische Gesch.‹ (*Sidōniaká*) zu. [3. 168–170] bezweifelt seine Existenz.

1 R. GOULET, in: M.-O. GOULET-CAZÉ et al., Diogène Laërce, 1999 (B. 7, frz. Übers. und Komm.) 2 T. DORANDI (ed.), Filodemo, Storia dei filosofi: La stoà da Zenone a Panezio, 1994 (mit it. Übers. und Komm.) 3 M. GIGANTE, Diogene Laerzio: Vite dei filosofi, 1962. B. I./Ü: TH. ZI.

[4] Kommandant ptolem. Kriegsschiffe (ἄφρακτοι/*áphraktoi*) in der Ägäis, Untergebener und Stellvertreter des Nesiarchen → Bakchon (288/286 v. Chr.; vgl. → Nesiotai [2]). Z. sorgte für einen Getreidetransport

nach Athen (IG II² 650) und befreite von Piraten verschleppte Einwohner von Ios, weshalb man ihn dort
zum → *próxenos* machte (OGIS 773). PP VI 15043.

W. A.

[5] Verwalter im ptolem. Ägypten, 3. Jh. v. Chr., bekannt aus dem Archiv der sog. Zenon-Papyri.

I. Zur Person   II. Zenon-Papyri

I. Zur Person

Sohn des → Agreophon, urspr. aus Kaunos [2] in
Karien. Er ist uns durch zahlreiche Pap. nur aus seiner
Tätigkeit in Ägypten bekannt, behielt aber die Verbindung zu seiner Heimatstadt zeitlebens bei; seine Brüder Apollonios und Epharmostos (gest. Ende Okt. 243
v. Chr.) befanden sich in seiner Umgebung; ein Kleon
nennt ihn »Vater« (P CZ III 59457; PSI V 528).

Z. stand in Diensten des ptolem. → *dioikētḗs* → Apollonios [1] in Alexandreia [1] und erledigte private wie
öffentliche Geschäfte für seinen Herrn. Er brach am
23.11.260 v. Chr. von dort nach Palaestina auf, war in
Koile-Syrien unterwegs (Stratonos Pyrgos, Idumaea, Jerusalem, Jericho, Jordanien: Amman, Hauran, Phönizien); als er im Sommer 258 wieder nach Alexandreia
zurückkehrte, begleitete er Apollonios als dessen Sekretär auf Reisen in Äg. (258/6 vornehmlich im Delta)
und war seit 256 der Verwalter (*oikonómos*) der → *dōreá*
(s. Nachträge) des Apollonios, auf der die ökonomischen Vorstellungen Ptolemaios' [3] II. und seines *dioikētḗs* durchgesetzt wurden.

Während seiner Zeit als Verwalter war Z. auch
προεστηκὼς τῆς πόλεως/*proestēkṓs tēs póleōs* (»Stadtdirek-
tor«) in → Philadelpheia [4] (PSI IV 341; P CZ V 59832).
Er nutzte seine Stellung zu lukrativen Privatgeschäften:
Neben den zu erwartenden Einkünften aus der Tätigkeit für Apollonios betrieb er (v. a. nach 248) Landwirtschaft auf eigene Rechnung. Z. pachtete Kleruchenland
(→ *klērúchoi* II.), das er bearbeiten ließ – er besaß nie selbst
Land, jedoch Schiffe zum Transport von Getreide (PP V
14080) –, und ließ Handwerker für sich arbeiten. Um
248 wurde Z. entlassen und durch → Eukles ersetzt; er
lebte danach in Philadelpheia, wo er als *parepídēmos*
(»Beisasse, Gastbürger«) geführt wurde. Sein Besitz von
griech. Büchern ist bezeugt; lit. Interesse dokumentiert
auch das Gedicht, das er für seinen Jagdhund Tauron
schreiben ließ (P CZ IV 59532). 240 übergab Z. seine
Papiere an seinen Bruder Apollonios; er wird zuletzt am
14.2.229 erwähnt (P LugdBat 20 Suppl. E: Steuerschulden aus dem Jahr 231). PP I/VI 80.

II. Zenon-Papyri

Z. ist nicht als Person wichtig, obwohl wir aus
den Pap. viele Details seines Lebens kennen, sondern
weil er ein »Archiv« hinterlassen hat, das über alle großen Papyrus-Slgg. verstreut ist (die wichtigsten Bände:
s. u. Ed.).

Das Zenon-Archiv wurde um 1910 von Bauern in
den Ruinen des ant. Philadelpheia [4] gefunden; es besteht aus ca. 1750 Dokumenten auf → Papyrus, von de-

nen die meisten bislang unpubliziert sind. Fast alle dieser
Pap. aus der Zeit zw. 270 und 230 v. Chr. sind in griech.,
nur wenige in demotischer Sprache verfaßt (→ Demo-
tisch), einige sind bilingual. Einzelne Gruppen von Pap.
beleuchten verschiedene Phasen von Z.s Leben: seine
Zeit in Syrien (260–258), in Alexandreia [1] (261–256);
Dokumente, die seinen Vorgänger auf der → *dōreá* (s.
Nachträge) des Apollonios betreffen (257/6); Pap. aus
Z.s eigener Zeit auf der *dōreá* (256/248); Texte, die seinen Nachfolger (247–243) und Z.s Stellung in Philadelpheia angehen (256–229).

Etwa ein Sechstel der Z.-Pap. (v. a. Texte aus der Zeit
nach 260 v. Chr.), betreffen die Aktivitäten des Apollonios als *dioikētḗs* und seine Geschäfte in Alexandreia, so
z. B. ein Brief aus dem J. 258 v. Chr. über die Entscheidung des Königs, alle auswärtigen Goldmünzen, die
nach Alexandreia kamen, einzuschmelzen und neue
Mz. zu prägen (P CZ I 59021). Der Pap. mit den Bestimmungen zur königlichen Kontrolle der gesamten Öl-
produktion aus dem J. 259 v. Chr. (P Revenue Laws)
stammt nicht aus dem Zenon-Archiv (SB Beih. 1). Andere Texte bieten Informationen über mil. und polit.
Ereignisse wie den 2. → Syrischen Krieg oder die postumen Ehrungen für → Arsinoë [II 3], die Schwester und
Frau des Ptolemaios [3] II.

Die Verwaltung der Ländereien (10000 Aruren =
2750 ha), die Apollonios 259 v. Chr. von Ptolemaios II.
zusätzlich zu früheren *dōreaí* erhalten hatte, ist Gegenstand von mehr als der Hälfte der Pap. im Zenon-Archiv. Die Dokumente, die Z. von seinem Vorgänger
Panakestor (der ebenfalls aus Kaunos stammte) übernommen hatte, zeigen den ungeheuren Umfang der
Arbeiten, die notwendig waren, um das Land überhaupt
landwirtschaftlich nutzen zu können, z. B. die Anlage
von Entwässerungs- und Bewässerungskanälen (SB XX
14624: ein Vorschlag, 15000 Arbeitskräfte für zwei Monate einzusetzen). Ein schematischer Plan der *dōreá* von
259 v. Chr. zeigt die Einteilung in rechteckige Land-
stücke und gibt damit die Lage der Deiche und Kanäle
an, die gebaut werden sollten (P Lille I 1, nicht aus dem
Zenon-Archiv). Seit 256 v. Chr. war es Z.s Aufgabe, die
agrarische Nutzung dieser Ländereien zu verbessern.
Dazu bietet das Archiv viel Information, u. a. einen königlichen Befehl, Weizen ein zweites Mal auszusäen
(256 v. Chr., P CZ II 59155), den Anbau von Wein, Oliven und Mohn (zur Ölerzeugung) sowie den Import
milesischer Schafe. Die meist ägypt. Arbeitskräfte
(Pächter und Tagelöhner) leisteten gegen solche Neuerungen Widerstand. Insgesamt spiegeln die Pap. die
Agrarentwicklung im → Fajum und im übrigen Äg.
wider; so wurde Emmer als wichtigstes → Getreide
durch Weizen ersetzt; die Wirtschaft ländlicher Räume
wurde teilweise der → Geldwirtschaft erschlossen.

Aufgrund seiner Position war Z. eine führende Figur
im neu-gegr. Philadelpheia, einer Stadt, die nach griech.
Vorbildern mit einem rechtwinkligen Straßennetz angelegt war und mindestens zehn Tempel für griech. und
ägypt. Gottheiten, eine Stoa, ein Theater und ein Gym-

nasium besaß. Er vermittelte im Streit zw. griech. Siedlern und der ägypt. Bevölkerung, die aus anderen Distrikten Äg.s umgesiedelt war. Z. hatte eigene ständige finanzielle Interessen; etwa ein Viertel der Pap. des Archivs behandelt seine eigene geschäftliche Tätigkeit. Er verpachtete an Soldaten vergebenes Land, zog die Steuern ein, leitete Badehäuser, züchtete Schafe und Ziegen, jagte, unterstützte das Gymnasium und war Patron junger Athleten. Weil das Archiv sowohl öffentliche als auch private Dokumente enthält, ist es die wichtigste Quelle zur königlichen Wirtschaft im ptolem. Äg. und zu den Beziehungen zw. griech. Siedlern und einheimischer Bevölkerung im 3. Jh. v. Chr.

ED.: P CZ I-V · W. L. WESTERMANN et al., Z.-Papyri, 2 Bde. 1934/40 · P Lond VII · P MichZen · PSI IV-VI · G. MESSERI SAVORELLI, R. PINTAUDI, I papiri del archivio di Zenon a Firenze, 1993 · W. SPIEGELBERG, Die demotischen Urkunden des Z.-Archivs, 1977 · Papyrologica Lugduno-Batava 20–21, 1980/81.
LIT.: W. CLARYSSE, K. VANDORPE, Z., 1995 · X. DURAND, Des grecs en Palestine au IIIe siècle av. J. C., 1997 (dazu: T. REEKMANS, in: CE 73, 1998, 144–158) · G. FRANKO, Sitometria in the Z. Archive, in: Bull. of the American Society of Papyrologists 25, 1988, 13–98 · Cl. ORRIEUX, Les papyrus de Zénon, 1983 · Ders., Zénon de Caunos, 1984 · P. W. PESTMAN et al., A Guide to the Zenon Archive (Pap. Lugd.-Bat. 21), 2 Bde., 1981 · S. B. POMEROY, Families in Classical and Hellenistic Greece, 1997, 210–219 · Cl. PRÉAUX, Les grecs en Égypte d'après les archives de Zénon, 1947 · T. REEKMANS, La sitométrie dans les archives de Zénon, 1966 · Ders., La consommation dans les archives de Zénon, 1996 · M. ROSTOVTZEFF, A Large Estate in Egypt, 1922 · R. SCHOLL, Sklaverei in den Z.-Pap., 1983.
W. A. u. D. R.

[6] Z. aus Rhodos, Politiker und Historiker des 3./2. Jh. v. Chr., älterer Zeitgenosse des → Polybios [2]. Verf. einer Lokalgeschichte von → Rhodos mit dem Titel χρονικὴ σύνταξις / Chroniké sýntaxis (vgl. F 2) in 15 B. (?), die von den Anfängen vielleicht bis zum J. 164/3 v. Chr. reichten; Fr. bei Diod. 5,55–59 (= Arch. von Rhodos) und Pol. 16,14,1–19,11 (mehrere Ereignisse des J. 201 v. Chr.). Die Frühgesch. wurde nur kurz behandelt, da in B. 2 bereits von → Pyrrhos [3] die Rede war. Neben der Gesch. von Rhodos berücksichtigte Z. auch Ereignisse auf anderen Schauplätzen und gab allerlei kulturgesch. Nachrichten. Die Darstellung erhob nach Pol. (16,17,9) hohe lit. Ansprüche. Pol. 16,20,5–9 kritisierte – nicht immer zu Recht! – top. Ungenauigkeiten und den rhodischen Lokalpatriotismus des Z., mit dem er deswegen auch einen Briefwechsel führte.

FGrH 523 · K. MEISTER, Historische Kritik bei Polybios, 1975, 173–178.

[7] Griech. Historiker ungewisser Herkunft und Datier. (nach JACOBY 2. Drittel 3. Jh. v. Chr.). Nach Diog. Laert. 7,35 Verf. eines Werkes über die Feldzüge des → Pyrrhos [3] in It. und Sizilien sowie einer Epitome der Punischen Kriege. Fortwirken, z. B. bei Polybios [2], ist nicht nachweisbar.

FGrH 158 mit Komm. (JACOBY).
K. MEI.

[8] Z. von Tarsos. Stoischer Philosoph, Hauptschaffenszeit spätes 3. bis frühes 2. Jh. v. Chr.; Sohn des Dioskorides, Schüler und Nachfolger des → Chrysippos [2]. Nach Diog. Laert. 7,35 hinterließ er wenig Schriftliches, aber viele Schüler (davon einige aufgezählt von Philod. col. 48 [2. 98]). Bemerkenswert ist seine angebliche Skepsis gegenüber der *ekpýrōsis*-Lehre (vgl. Z. [2] IV.; Areios Didymos fr. 36 DIELS).

1 SVF III, p. 209 2 T. DORANDI (ed.), Filodemo, Storia dei filosofi: La stoà da Zenone a Panezio, 1994 (mit it. Übers. und Komm.). B. I./Ü: TH. ZI.

[9] Griech. Arzt, Schüler des → Herophilos [1], wirkte in der ersten H. des 2. Jh. v. Chr. und schrieb über Pulslehre (→ Puls, s. Nachträge) und hippokratische Philologie. Mit seiner Deutung von Abkürzungszeichen in einigen alexandrinischen Abschriften der ›Epidemien‹ des → Hippokrates [6] hob eine Kontroverse an, die ein ganzes Jh. lang währte. Obwohl Z. auch über pharmakologische Themen schrieb, ist seine Identifizierung mit einem Pharmakologen Z. [13] von Laodikeia [4] keineswegs gesichert. V. N./Ü: L. v. R.-B.

[10] Z. aus Sidon. Epikureischer Philosoph (spätes 2./ frühes 1. Jh. v. Chr.), Schüler und Nachfolger (110 v. Chr.) des Apollodoros [10] Kepotyrannos (Diog. Laert. 10,25), in Athen Hörer und Bewunderer des 129 v. Chr. gestorbenen Akademikers Karneades [1] (Cic. ac. 1,12,46 = T 7 ANGELI-COLAIZZO), demnach geb. um 150 v. Chr. [1]; er soll 87 v. Chr. die Einnahme Athens durch L. Cornelius [I 90] Sulla begrüßt haben und wurde von Aristion [1] für kurze Zeit ins Exil geschickt (fr. 3 A.-C.; [2]). Z. war 79/8 v. Chr. Lehrer → Ciceros in Athen (Cic. ac. 1,46; fin. 1,16; Tusc. 3,38); gest. wohl um 75 v. Chr. Z. war getreuer Interpret der Lehre des → Epikuros, auch wenn Akzentverschiebungen (in der Mathematik, Bewertung der Rhet.) infolge neuer Fragestellungen, Auseinandersetzungen mit dem → Stoizismus und Anpassungen an kulturelle Gegebenheiten zu beobachten sind (Logik, Rhet., Dichtung). Sein Werk umfaßte Erkenntnistheorie, Logik (bes. Frage des Indizienschlusses), Physik, Ethik und die Einzelwiss. Grammatik, Gesch., Biographie, Rhet., Geometrie. Bemerkenswert sind seine philol. Interessen, die u. a. dem Werk des Epikuros (Echtheitsfragen, Interpretation) zugute kamen (fr. 4; 13; 14 A.-C.). In der → Mathematik setzt Z. sich mit Eukleides [3] auseinander, reagiert dabei vielleicht auf → Poseidonios [3] (vgl. fr. 27 A.-C.). Er möchte offenbar Epikuros' Vorwurf der Sinnlosigkeit gegen die Geometrie stützen. Möglicherweise gibt es bei Z. Ansätze für eine nicht-euklidische Geometrie [3].

1 T. DORANDI, Ricerche sulla cronologia dei filosofi ellenistici, 1991, 52 2 Ders., s. v. Aristion, GOULET 1, 369 f. 3 K. v. FRITZ, s. v. Z. (5), RE 10 A, 122–138.

A. ANGELI, M. COLAIZZO (ed.), I frammenti di Zenone Sidonio, in: CE 9, 1979, 47–133 · P. und E. DE LACY et al. (ed.), Philodemus, On Methods of Inference, ²1978 ·

M. ERLER, Epikur-Die Schule Epikurs-Lukrez, in: GGPh²
4.1, 1994, 268–272 · J.-L. FERRARY, Philhellénisme et
impérialisme: aspects idéologiques de la conquête romaine
du monde hellénistique, 1988 (bes. 445–447, 479–482).

M. ER.

[11] Mehrfach auftretender Bildhauername. Aus dem
2.–1. Jh. v. Chr. stammen Basis-Inschr. verlorener Porträtstatuen in → Rhodos und → Lindos von einem Z.
aus → Amisos sowie einem Z. aus → Soloi [2], welcher
gemeinsam mit einem Sosipatros arbeitete.

Ab dem frühen 2. Jh. n. Chr. erscheint in Rom
mehrmals der Bildhauername mit der Herkunftsangabe Aphrodisias: Auf einem Hermenschaft ohne Kopf
(Rom, VM; → Hermen) rühmt sich ein Z., er habe noch
in hohem Alter Stele und Bildnis für seine verstorbene
Frau und seinen Sohn gemeißelt; verschollen ist h. eine
signierte weibliche Gewandstatue, die sich noch im
18. Jh. in Syrakus befand. Nicht auszuschließen ist die
Identität jenes oder jener genannten Bildhauer mit einem der drei folgenden, die gleichfalls aus Aphrodisias
[1] stammen: Z., Sohn des Attinas, signierte eine ohne
Kopf erh. Sitzstatue in Rom, die aufgrund von Repliken auf ein Porträt des Moschion [1] (wohl 2. H. 4. Jh.
v. Chr.) zurückzuführen ist (Rom, TM); von Z., Sohn
des Alexandros, war noch im 19. Jh. in Lyktos (Kreta)
eine h. verschollene männliche Sitzstatue ohne Kopf
erh., die Zeus oder einen Kaiser im Zeus-Typus darstellte. Flavius Z. aus Aphrodisias signierte mindestens
drei Statuen (IG 14, 1269–1271) – darunter Satyr und
Herakles – eines gemeinsam mit weiteren Bildhauern
aus Aphrodisias gearbeiteten Ensembles von myth. und
Götterstatuen aus Rom (h. Kopenhagen, NCG); zwei
gleichlautende Inschr. wurden an anderen Stellen Roms
notiert (IG 14, 1268; CIG 3, 5899). Auf allen Inschr. sind
Priesteramt und Ehrentitel des Z. vermerkt.

Durch zwei weitere Inschr. aus Aphrodisias, auf denen Z. zugleich als Weihender erscheint, wird seine
Schaffenszeit in das 4. Jh. n. Chr. datiert. Das für eine
Bildhauersignatur ungewöhnlich ausführliche Inschr.-
Formular läßt den Schluß zu, daß Z. Inhaber einer jener
exportorientierten Bildhauerwerkstätten war, die noch
im 4. Jh. n. Chr. die Trad. der sog. »Schule von Aphrodisias« (→ Aphrodisias [1], Bildhauerschule) fortführten.
Für das Statuenensemble aus Rom, das bislang dennoch
in das 2. Jh. n. Chr. datiert wurde, konnte jüngst auch
stilistisch die spätant. Entstehung begründet werden
[4; 5; 6].

1 LOEWY, Nr. 190; 364–367; 549   2 P. MORENO, s. v. Z. und
Z., Flavius, EAA 7, 1966, 1250 f.   3 C. ROUECHÉ, K. ERIM,
Sculptors from Aphrodisias. Some New Inscriptions, in:
PBSR 50, 1982, 102–115   4 B. KIILERICH, H. TORP,
Mythological Sculpture in the Fourth Century A. D. The
Esquiline Group and the Silahtaraga Statues, in: MDAI(Ist)
44, 1994, 307–316   5 M. BERGMANN, Chiragan, Aphrodisias,
Konstantinopel. Zur myth. Skulptur der Spätant., 1999,
14–17   6 M. MOLTESEN, The Esquiline Group. Aphrodisian
Statues in the Ny Carlsberg Glyptotek, in: AntPl 27, 2000,
111–129.

R. N.

[12] Griech. Rhetor und Politiker des 1. Jh. v. Chr. aus
Laodikeia [4] am Lykos, Vater des als röm. Klientelfürst
(und seit 14 v. Chr. als König des Bosporanischen Reiches) bekannten → Polemon [4]. Strab. 12,8,16 zählt X.
zusammen mit seinem Sohn zu den großen Wohltätern
von Laodikeia; die beiden sorgten 40 v. Chr. dafür, daß
sich ihre Heimatstadt dem Angriff der Parther unter
Pakoros [1] und Q. Labienus [2] widersetzte und stand-
hielt (Strab. 14,2,24).

M. W.

[13] Z. aus Laodikeia [4]. Arzt und Pharmakologe im
1. Jh. v. Chr. Seine Medikamente gegen Tollwut, Kolik
und den Biß giftiger Tiere werden von ant. Autoren oft
zitiert (Gal. 14,171 K.; Caelius Aurelianus, De morbis
chronicis 4,99; Philumenos, De venenatis animalibus
10,6–9). → Galenos (14,163) beschreibt die Zubereitung eines Theriaks des Z.

V. N.

[14] Z. von Myndos. Griech. Grammatiker (Steph.
Byz. s. v. Μύνδος = 462,3–5 MEINEKE) der frühen Kaiserzeit, teilweise am Hof des → Tiberius [1] lebend,
Zeitgenosse des → Seleukos [13] Homerikos. Neben
der bei Diog. Laert. 7,35 genannten Epigrammdichtung
des Z. ist in den Scholia Tzetz. chil. 1,19b (= Anecdota
Oxoniensia Graeca CRAMER 3, 350,14 ff.) ein Werk mit
dem Titel Εὔθυναι (Eúthynai, ›Richtigstellungen‹; mindestens 4 B.) bezeugt. Z. scheint sich mit sprachlich-
etym. und sachlicher Exegese griech. Autoren der klass.
Zeit befaßt zu haben.

1 H. GÄRTNER, s. v. Z. (11), RE 10 A, 143–144
2 M. MUELLER, De Seleuco Homerico, Diss. Göttingen
1881, 26–27 und 49–50.   ST. MA.

[15] Griech. Rhetor des 2. Jh. n. Chr., etwas älter als
Hermogenes [7]. Laut Suda stammte er aus Kition und
verfaßte rhet. Fachschriften (zur Beweis- und Figuren-
lehre) sowie Komm. zu Xenophon [2], Lysias [1] und
Demosthenes [2]; letzterer wird in den erh. Demo-
sthenes-Scholien viermal zitiert, stets mit eigenwilligen
Positionen zu formalen Fragen. Z.s ebenfalls in der Suda
genannte Schrift zur Stasislehre wurde von → Sulpicius
[II 17] Victor als Hauptquelle benutzt und ist deshalb gut
kenntlich: Z. unterschied wie Hermogenes 13 *stáseis*
(→ *status* [1]), aber mit anderer Reihenfolge und Unterteilung. Philostr. soph. 2,24,1 nennt einen Z. aus
Athen als Lehrer des Sophisten Antipatros [12]. Es dürfte
sich um dieselbe Person handeln: Entweder schreibt die
Suda diesem Z. fälschlich denselben Geburtsort zu wie
dem berühmten gleichnamigen Stoiker Z. [2], oder Philostratos nennt irrtümlich die Stadt, in der Z. lebte und
lehrte, als Geburtsort.

M. W.

[16] Sohn eines Theodoros, Architekt (um 140–170
n. Chr.), schuf in → Aspendos das Theater und andere
Bauten.

D. DE BERNARDI FERRERO, Teatri classici in Asia Minore,
Bd. 3, 1970, 161–174.   W. H. GR.

[17] Z. von Kypros, griech. Arzt in Alexandreia [1] um
360 n. Chr. Kaiser Iulianus [11] (epist. 45) lobte ihn, und
Eunapios (vit. soph. 497–499) pries sein herausragendes

Können als Lehrer und praktischer Arzt. Zu seinen Schülern zählten → Magnus [5] von Nisibis, der Enzyklopädist → Oreibasios und → Ionicus.

V. N./Ü: L. v. R. -B.

[18] Flavius Z. Oström. Kaiser (Nov. 474 – Jan. 475; Aug. 476 – 9.4.491 n. Chr.). Geb. 425 oder 430 als Isaurier (→ Isauria) mit dem Namen Tarasis, Sohn des Kodisas (daher auch »Tarasikodissa«/Ταρασικοδίσσα [1]), nahm Z. ca. 466 in Erinnerung an einen früheren isaurischen → *magister militum* Z. (PLRE 2, 1199f., Nr. 6) den Namen Z. an. Seit 467 mit Ariadne, der Tochter Kaiser → Leo(n)s [4] I., verheiratet, wurde er 469 *magister militum per Orientem* und stand Leon gegen den mächtigen alanischen *magister militum* Aspar (→ Ardabur [2]) bei, an dessen Ermordung 471 er wohl maßgeblich beteiligt war. Als Leon I. am 18.1.474 starb, folgte ihm der am 17.11.473 zum Augustus erhobene Sohn (geb. 467) des Z. und der Ariadne als → Leo(n) [5] II. auf dem Thron, aber Z. ließ sich schon am 9.2.474 selbst von seinem Sohn zum Augustus ausrufen, regierte mit ihm gemeinsam und wurde nach dessen frühem Tod im Nov. 474 alleiniger Kaiser im Osten. Doch zwang ihn im Jan. 475 die Revolte des → Basiliskos zur Flucht nach Isaurien. Erst Ende Aug. 476 konnte er mit Hilfe des Generals → Illos und des Ostgotenkönigs → Theoderich [3] (des Großen) den Usurpator stürzen und auf den Thron zurückkehren. Kurz darauf wurde die Kaiserherrschaft im Westteil des Röm. Reiches durch den Truppenkönig → Odoacer abgelöst, und Z. regierte fortan als einziger Kaiser des Reiches.

482 versuchte er im Einvernehmen mit Patriarch Akakios [4], durch den Erlaß des sog. *Henōtikón* (Ἑνωτικόν) [4] die Anhänger der chalkedonischen und der monophysitischen Christologie miteinander zu versöhnen – vergebens (→ Monophysitismus; → Trinität); die Formel wurde von Papst Felix III. 484 verurteilt, und es kam zwischen den Kirchen Roms und Konstantinopels zu einem ersten, dem sog. Akakianischen → Schisma (bis 519).

484 unterstützte Illos gegen Z. und im Bund mit der Kaiserin → Verina, der Witwe Leons I., den Usurpator → Leontios [3], der, in Tarsos gekrönt, sich nicht lange halten konnte und 488 hingerichtet wurde. 488/9 veranlaßte Z. Theoderich [3], aus dem Illyricum nach Italien abzuziehen, wo dieser 493 Odoacer ermorden ließ und selbst die Herrschaft übernahm.

Die meist ungünstige Darstellung des Z. in der zeitgenössischen und späteren Geschichtsschreibung ist v. a. durch seine isaurische Herkunft und seine Religionspolitik zu erklären [6].

1 R. M. Harrison, The Emperor Z.'s Real Name, in: ByzZ 74, 1981, 27f. 2 PLRE 2, 1200–1202, Nr. 7 3 T. E. Gregory, s. v. Z., ODB 3, 2223 4 Ders., s. v. Henotikon, ODB 2, 913 5 Stein, Spätröm. R., Bd. 1, 529–539 (358–364 der frz. Übers.); 2 (frz.), 7–39; 58–76 6 A. Laniado, Some Problems in the Sources for the Reign of the Emperor Z., in: Byz. and Modern Greek Studies 15, 1991, 147–173.
F. T.

Zenon-Papyri s. Zenon [5]

Zenonis (Ζηνωνίς). Aelia Z. Augusta, Gemahlin des oström. Gegenkaisers → Basiliskos (Januar 475 bis August 476 n. Chr.), den sie im Sinne einer monophysitenfreundlichen Kirchenpolitik beeinflußt haben soll. Ihr Sohn Marcus wurde Mitregent, ihr angeblicher Liebhaber Armatus Heermeister und Consul 476 n. Chr. Nach dem Sturz ihres Gatten wurden sie und der Sohn mit ihm verbannt und getötet (Malchus fr. 8 = Suda α 3968, 3970 Adler; Candidus fr. 1 = FHG 4,136; Theophanes, Chronographia 1,121,124f. de Boor = 187, 192 Mango-Scott).

→ Basiliskos; Monophysitismus

T. E. Gregory, s. v. Basiliskos, ODB 1, 267 • PLRE 2, 1203; 1313; vgl. 2, 212–214 Nr. 2; 2, 720 Nr. 4; 2, 148f. • Stein, Spätröm. R. 1, 363f.
K. P. J.

Zenoposeidon (Ζηνοποσειδῶν). Ζηνο-/*Zēno*- ist dor. Flexion von Zeus, Z. die interpretierende griech. Übers. des in der karischen Stadt → Mylasa verehrten → Zeus Osogo(a) [2. Nr. 319–327, 361–376; 4. 109–117], der nach Mz.-Darstellungen [3. Bd. 2, 576–582] Attribute und Züge von Zeus (Adler, Doppelaxt) und → Poseidon (Seekrebs, Dreizack) aufwies [4. 117–126], was sich im (scherzhaft bei Machon fr. 8 GA = Athen. 8,337c anekdotisierten) Doppelnamen dokumentiert. Das nahe vor (Athen. l.c.) oder in der Stadt (Strab. 14,2,23) zu lokalisierende Heiligtum (zu Fundresten: [1. 41; 2. 127; 4. 105f.] besaß als weiteren Bezug auf Poseidon eine Salzquelle (wie Mantineia und das Erechtheion: Paus. 8,10,4), was Theophrast (fr. 159 Wimmer = Athen. 2,42a) mit häufigen Blitzeinschlägen erklärte. Schwache Reflexe noch bei Eust. 763,51 ff. zu Hom. Il. 9,457.

1 G. E. Bean, Kleinasien, Bd. 3, 1974 2 W. Blümel, Die Inschr. von Mylasa, Bd. 1, 1987 3 A. B. Cook, Zeus, 1925 4 A. Laumonier, Les cults indigènes en Carie, 1958. Jo. S.

Zenothemis (Ζηνόθεμις).
Elegischer Dichter, verm. spätes 4. oder frühes 3. Jh. v. Chr. Nur ein elegisches Distichon aus einem → *Períplus* ist erh., das die → Issedones und die → Arismaspoi als Nachbarn bezeichnet (SH 855, zitiert von Tzetz. 7,765f.); hieraus stammen wohl auch die Erwähnungen von Hyperboreern (ebd. 7, 642–671 = SH 856), Amazonen in Aithiopien (schol. Apoll. Rhod. 2,963–965c = SH 857), und Fischen in einem paionischen See, die lebend an Rinder verfüttert werden (Ail. nat. 17,30 = SH 858). Möglicherweise sind Z. auch vier Zitate über ungewöhnliche Steine (Plin. nat. 37,34 = SH 859; 37,86 = SH 860; 37,90 = SH 861; 37,134 = SH 862) zuzuweisen. Falls der Scholiast SH 857 aus → Dionysios [13] Skytobrachion entnommen hat (den er in der Folge zitiert, = FGrH 32 F 4), lebte Z. vor 250 v. Chr. ([1], vgl. [2]). Das Werk war möglicherweise eine Gelehrsamkeit und Phantasie verbindende (quasi-?)didaktische geogr. → Elegie, vielleicht unter dem Einfluß des → Antima-

chos und im Wettstreit mit → Phanokles und → Hermesianax. Der Name Z. ist ionisch (Delos, Samos, Attika, vgl. [3]) und nicht vor dem späten 4. Jh. v. Chr. bezeugt.

ED.: SH 855–862.

1 B. GRENFELD et al., The Hibeh Papyri, Bd. 2, 1955, 186
2 J. S. RUSTEN, Dionysios Scytobrachion, 1982 3 LGPN 1, 194; 2, 193.
E. BO./Ü: RE. M.

Zensur I. DEFINITION II. JUDENTUM III. GRIECHENLAND IV. ROM V. MITTELALTER UND FRÜHE NEUZEIT

I. DEFINITION

Z. – von lat. *censura* (»Prüfung«, mittellat. »Aufsicht, Tadel«) – ist die Überwachung (Präventiv- bzw. Vor-Z.) und/oder Unterdrückung (Nach- bzw. Repressiv-Z.) schriftlicher, bes. lit. Aufzeichnungen. Als feste Einrichtung wie im Zeitalter des Absolutismus oder, wenngleich verdeckt, in totalitären Systemen der Moderne war Z. in der Antike unbekannt, punktuell wurde sie jedoch aus polit. und/oder rel. Gründen ausgeübt. Mit Z. verbunden waren unterschiedlich harte Maßnahmen gegen Autoren (Verbote, Verbannung, Hinrichtung) und Schriften (Entfernung aus Bibliotheken, Vernichtung).

II. JUDENTUM

Vereinzelte Nachrichten über die Sicherung polit. und rel. Texte gegen textliche Veränderung (z. T. unter Hinzufügung von Fluchformeln) weisen auf die Furcht vor Entstellung oder Vernichtung solchen Schrifttums hin (berühmtes Beispiel: Moses' Ermahnung, Dt 4,2 und 13,1). Die Fälle von Z. und Büchervernichtung im Judentum hell. Zeit bewegen sich im Rahmen der Kanonbildung des AT und des Kampfes gegen häretische Strömungen; für die Zeit nach 70 n. Chr. sind z. T. starke Ähnlichkeiten mit entsprechenden Auseinandersetzungen in der Alten Kirche erkennbar (ausführlich [11. 112–119]; → Häresie).

III. GRIECHENLAND

Die Alte → Komödie hatte einen gewissen Freiraum für polit. Kritik und Polemik, doch fehlte es nicht an Versuchen, diesen einzuschränken [11. 46f.]. Eine Form der Z. im klass. Griechenland zeigt sich in den Asebieprozessen (→ *asébeia*) gegen → Protagoras [1] (wohl kurz vor 420 v. Chr.) und → Sokrates [2] (399); im Fall des Protagoras ist die öffentliche Verbrennung seiner Schriften überl. (Cic. nat. deor. 1,63). Maßnahmen gegen Philosophen (bes. Epikureer) und andere kritische Geister sind auch aus hell. Zeit bekannt [11. 48–50]; wie später in Rom löste man das Problem häufig durch Ausweisungen (vgl. S. Emp. adv. math. 2,25: einzelne Philosophenschulen; Athen. 4,184c: mehrere Berufsgruppen; Athen. 12,547a-b: Epikureer; Athen. 13,610e: alle Philosophen). Kritik gegen hell. → Herrscher konnte im Extremfall mit dem Tod bestraft werden; so wurde der »Protestdichter« → Sotades [2] in der 1. H. des 3. Jh.

v. Chr. wegen eines Angriffs auf Ptolemaios [3] II. angeblich ertränkt; ob auch bei dem Grammatiker → Daphitas Herrscherkritik im Spiel war, ist unsicher. Eine andere Form der Z. stellt die durch → Platon [1] in den ›Gesetzen‹ vertretene Dichterkritik dar: Ein Kontrollgremium sollte poetische Werke auf Gesetzesübertretungen hin zensieren (Tragödien, aber auch die Epen Homers: z. B. Plat. rep. 386c–387e; 607a; Plat. leg. 801c-d; 817b-d, griech. Begriffe: ἐξαιρέω/*exhairéō* u. a.).

IV. ROM

A. REPUBLIK B. VON AUGUSTUS BIS ENDE DES 3. JH. N. CHR. C. 4. JH. BIS ENDE DER ANTIKE

A. REPUBLIK

An den *ludi Romani* (→ *ludi* III. G.) 240 v. Chr. wurde in Rom erstmals ein griech. Drama in lat. Sprache aufgeführt: Der Autor → Livius [III 1] Andronicus war bei der künftigen Wahl seiner Stoffe verm. von den ausrichtenden Aedilen abhängig, die auf national-röm. gegenüber konflikthaltigen griech. Stoffen Wert legten [9]. Die röm. Komödie (→ Plautus, → Terentius [III 1]) war unpolitisch; eine Ausnahme bildete wohl der zeitlich frühere → Naevius, der in Auseinandersetzungen mit der – offenbar Z. ausübenden – Nobilität (→ *nobiles*) geriet. Einen Freiraum, vergleichbar der Alten (attischen) Komödie, besaß im 2. Jh. der Satiriker → Lucilius [6], dessen auch auf lebende Zeitgenossen zielende Polemik keine Nachfolge fand (→ Horatius [7]; → Iuvenalis). Aus der Zeit der Republik und des frühen Prinzipats wird von gelegentlicher Konfiszierung und Vernichtung (etwa *conquirere* und *comburere*) von prophetisch-rituellen Schriften berichtet [8. 160f.; 268–270; 11. 51f.]; belegt sind ferner Ausweisungen von Philosophen (Suet. gramm. 25; Athen. 12,547a; Plut. Cato maior 22) und Chaldäern (*mathematici*, »Astrologen«: 139 v. Chr., verm. mit Büchervernichtung; [3. 58 und generell 233–248]); ferner die Z. lat. Rhetoriklehrer (Suet. gramm. 25; → Plotius [I 1] Gallus).

B. VON AUGUSTUS BIS ENDE DES 3. JH. N. CHR.

Schon aus den Jahren 33 und 28 v. Chr. sowie aus der Zeit des Tiberius [1] (14 – 37 n. Chr.) sind weitere Ausweisungen von Chaldäern und Zauberern bekannt (→ Magie III. C. 5.; [11. 54f.; 64]); über das Mißtrauen gegen Philosophen im 1. Jh. vgl. [4. 253–255]. Regelrechte Landesverweisungen veranlaßten → Vespasianus (Cass. Dio 65,13,2: wohl 74 n. Chr.) und → Domitianus [1] (Tac. Agr. 2,2; Plin. epist. 3,11,2f. in Verbindung mit der Hinrichtung des → Arulenus [2] Rusticus: 93 n. Chr.). Auf lit. Gebiet kam es seit der Spätzeit der Herrschaft des → Augustus wiederholt zu Z.-Maßnahmen. Die Verbannung des → Ovidius Naso beruht zumindest nach dessen Selbstzeugnis teilweise auf Z., de facto wohl mehr auf einem Skandal am Kaiserhof (angeblich erfolgte die Entfernung aller seiner Werke aus den öffentlichen Bibliotheken: Ov. trist. 3,1). Bes. unnachsichtig traf die Z. Historiker, Biographen und Redner, die republikanischer Gesinnung oder der Verbindung zu oppositionellen Kreisen verdächtigt wurden: noch in augusteischer Zeit T. → Labienus [4] (Suizid nach Bücherverbot bzw. -vernichtung) und Cassius [III 8] (Schriftenverbot, Relegation, unter Tiberius Deportation; → *relegatio*; *deportatio*), in tiberianischer Zeit → Cremutius Cordus (Konfiszierung und Verbrennung des Geschichtswerks, Selbsttötung durch Nahrungsverweigerung [12; 2]), → Aemilius [II 14] Scaurus Mamercus (Verbrennung der Reden, Suizid), in domitianischer Zeit → Arulenus [2] Rusticus und → Herennius [II 11] Senecio (Hinrichtung und Bücherverbrennung in beiden Fällen: Tac. Agr. 2,1), ferner ein sonst nicht bekannter Hermogenes von Tarsos (Suet. Dom. 10,1). Weiteres Material aus dem 1. Jh. n. Chr.: [11. 65–74].

Wie sehr sich gegenüber der späten Republik die Verhältnisse gewandelt hatten, zeigt der Umstand, daß die Invektiven und Spottepigramme des Catullus [1] und Licinius [I 31] Macer Calvus gegen Caesar und Pompeius [I 3] seinerzeit folgenlos geblieben waren, während Aelius Saturninus und Sextius [II 8] Paconianus (35 n. Chr.) für ähnliche Poesie mit dem Tod bestraft wurden (Cass. Dio 57,22,5; Tac. ann. 6,39,1).

Während sich im 1. Jh. n. Chr. die Z. willkürlich des Vorwands der *laesa* → *maiestas* bediente, war das 2. Jh. toleranter, Autoren und Philosophen genossen erstaunliche Meinungsfreiheit. Eine neue Stoßrichtung der Z. kündigte sich – in Erweiterung des weiterhin geübten Verbots von Zauberbüchern – in der Vernichtung von Schriften anderer Religionen an (z. B. Tora-Rollen [11. 74]). Edikte des → Diocletianus hatten die Verfolgung der Manichäer (→ Mani) und Christen und die Verbrennung der heiligen Bücher dieser Gemeinschaften zur Folge [11. 76–79].

C. 4. JH. BIS ZUM ENDE DER ANTIKE
Letzteres wiederholte sich während der Restauration nichtchristlicher Kulte unter Kaiser → Iulianus [11]. Seit der Anerkennung des Christentums durch Kaiser → Constantinus [1] (313 n. Chr.) wandte die neue Allianz von Staat und Kirche die bis dahin geübten Methoden gegen diejenigen, die nun »Heiden« (*gentes*) hießen, ebenso an wie gegen die »Häretiker« (*haeretici*) in den eigenen Reihen. Innerkirchliche Kritik war selten: Z. legitimierte sich als Kampf gegen Irrlehre. Bedroht waren nicht nur pagane rel. Texte, Zauberbücher, moralisch anstößige Lit., dramatische Texte, sondern auch und v. a. störende Schriften der Anhänger des → Novatianus, → Markion, → Donatus [1], des → Montanismus und der Manichäer (→ Mani), um nur einige zu nennen, sowie später der Anhänger des → Pelagius [4], des → Semipelagianismus, → Nestorianismus und → Monophysitismus ([1. 163–197; 11. 142–157]; materialreich: [6]).

V. MITTELALTER UND FRÜHE NEUZEIT
Als berühmtes Beispiel für Z., Autorenbestrafung und Büchervernichtung im frühen 12. Jh. kann Petrus Abaelard genannt werden, der zunächst wegen seines Verhältnisses zu Heloise gefoltert und entmannt, später wegen seines Werks *De unitate et trinitate* der Ketzerei

bezichtigt und mit ewigem Schweigen belegt wurde. Im 13. bis 15. Jh. kann von einem regelrechten Feldzug gegen den → Talmud gesprochen werden, an dem sich auch hervorragende Gelehrte wie Albertus Magnus beteiligten [10. 31–34]. In den ersten Jahren des 15. Jh. breitete sich über England die national und antipäpstlich begründete Reformbewegung der Wyclifiten aus, die am Ort ihrer Entstehung unterdrückt wurde, aber bald auf das europäische Festland ausgriff: Vorkämpfer in Prag wurde JOHANNES HUS, über den 1410 Bann und Predigtverbot verhängt wurden; seine Bücher wurden verbrannt; trotz der Zusicherung freien Geleits wurde HUS während des Konzils von Konstanz 1415 zum Feuertod verurteilt [7. 307–487]. Der päpstliche Nuntius ALEANDER ließ 1520 die drei sog. reformatorischen Hauptschriften LUTHERS in Leuven öffentlich verbrennen; LUTHER antwortete im Dezember des Jahres mit der Verbrennung der Bannandrohungsbulle. Die Gegenreformation schuf auf dem Konzil von Trient (1564) den *Index librorum prohibitorum* (»Index der verbotenen Bücher«), mit dem sich die Inquisition eine kirchliche Rechtsgrundlage verschaffte, durch die von der Duldung bis zur Verfolgung des Autors bzw. Vernichtung des Werkes alle Varianten der Z. gedeckt waren (Aufhebung erst nach dem 2. Vatikanischen Konzil). Eine mit den antiken Zeugnissen einer Büchervernichtung vergleichbare Schilderung gibt Goethe in »Dichtung und Wahrheit« (Teil I, Buch IV).

→ Häresie; Literaturbetrieb; Maiestas; Polemik; Propaganda; Suizid; Todesstrafe; Toleranz; Verbannung; Verfasser; ZENSUR

1 W. BAUER, Rechtgläubigkeit und Ketzerei im älteren Christentum, ²1964 2 H. CANCIK, Z. und Gedächtnis. Zu Tacitus Annales IV 32–36, in: AU 29, 1986, H. 4, 16–35 3 F. H. CRAMER, Astrology in Roman Law and Politics, 1954 4 FRIEDLÄNDER, Bd. 3 5 L. GIL, Censura en el mundo antiguo, 1961 6 A. HILGENFELD, Die Ketzergeschichte des Urchristentums, 1884 (Ndr. 1963) 7 M. D. LAMBERT, Ketzerei im MA. Häresien von Bogumil bis Hus, 1981 8 LATTE 9 E. LEFÈVRE, Die polit.-aitiologische Ideologie der Tragödien des Livius Andronicus, in: Quaderni di Cultura e di Tradizione Classica 8, 1990, 9–20 10 H. J. SCHÜTZ, Verbotene Bücher, 1990 11 W. SPEYER, Büchervernichtung und Z. des Geistes bei Heiden, Juden und Christen, 1981 12 W. SUERBAUM, Der Historiker und die Freiheit des Wortes, in: G. RADKE (Hrsg.), Politik und lit. Kunst im Werk des Tacitus, 1971, 61–99. G. Bl. u. H. H.

Zentralbau. Unter Z. versteht man einen alleinstehenden oder in einen architektonischen Verbund integrierten Baukörper mit gleich oder annähernd gleich langen Hauptachsen, so daß keine Richtung vorherrscht. Grundkörper des Z. sind Kreis, Quadrat und regelmäßige Polygone, die um einen den Zugang betonenden Vorbau ergänzt sein können. Gemäß dieser Definition ist die griech. → Tholos ebenso ein Z. wie verschiedene kreisrunde → Grabbauten (→ Tumulus; v. a. die die spätere Grabarchitektur prägenden Mausoleen des Augustus und Hadrian in Rom: → Mausoleum Augusti; → Mau-

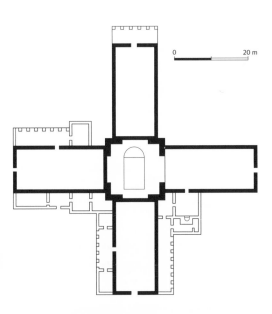

Antiocheia [1] am Orontes. St. Babylas,
379/380 n.Chr. (Grundriß).

soleum Hadriani). Der Z. steht – als eine bes. in der röm.
und frühchristl. Architektur weit verbreitete Erscheinung – typologisch im Gegensatz zum Richtungs-
bau (Longitudinalbau), dessen prominenteste Vertreter
→ Tempel, → Stoa [1]/Säulenhalle und → Basilika sind.
Ebenfalls als Z. bezeichnet man die in ein imaginäres
Quadrat eingefügte kreuzförmige Verschränkung zweier Basilika-Strukturen mit einem herausgehobenen, im
christl. Kirchenbau oftmals überkuppelten Zentrum
(Kreuzkuppelkirche, z. B. Babylas-Kirche in Antiocheia
[1], spätes 4. Jh.; s. Abb.).
   Die wesentliche Charakteristik des Z. besteht in seiner Richtungslosigkeit, die dem Benutzer ein zielge-
richtetes Durchschreiten verunmöglicht. Das macht
den Z. zu einer herausgehobenen Bauform, gewissermaßen zum »Endpunkt« eines Weges. In diesem funktionalen bzw. nutzungstechnischen Sinne sind Rundtempel sowie die früh- und mittelkaiserzeitlichen, ganz
überwiegend unzugänglichen Grabanlagen in Rund-
form aus der Betrachtung auszugliedern, da hier die Betonung auf der optischen Erscheinung der Außenan-
sicht, nicht aber in der Ausformung eines Raum-
eindrucks liegt. Hinsichtlich des Erscheinungsbildes ist
sodann der monumentale, alleinstehende von dem in einen größeren Architekturkontext eingebundenen Z. zu
trennen. Letzterer ist in der röm. Architektur seit dem
1. Jh.n.Chr. zunehmend häufig in verschiedenen repräsentativen Bauzusammenhängen zu finden: in der
Thermenarchitektur (als aus heizungstechnischer Sicht
sinnvoller Mittelpunkt im Raumgefüge der → Thermen) ebenso wie bei → Palästen und → Villen (Piazza
d'Oro der Hadriansvilla bei → Tibur/Tivoli; »Garten-
saal« des Licinius in Rom), dort als Repräsentations-

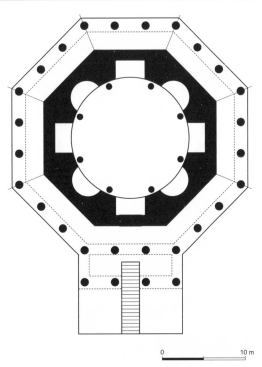

Spalatum (Split). Mausoleum des Diocletianus;
Anfang des 4.Jh.n.Chr. (Grundriß).

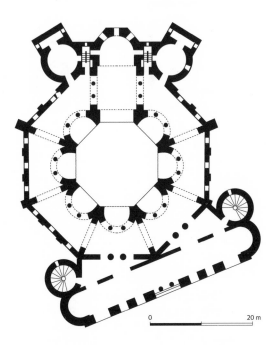

Ravenna. San Vitale, geweiht 547 n.Chr. (Grundriß).

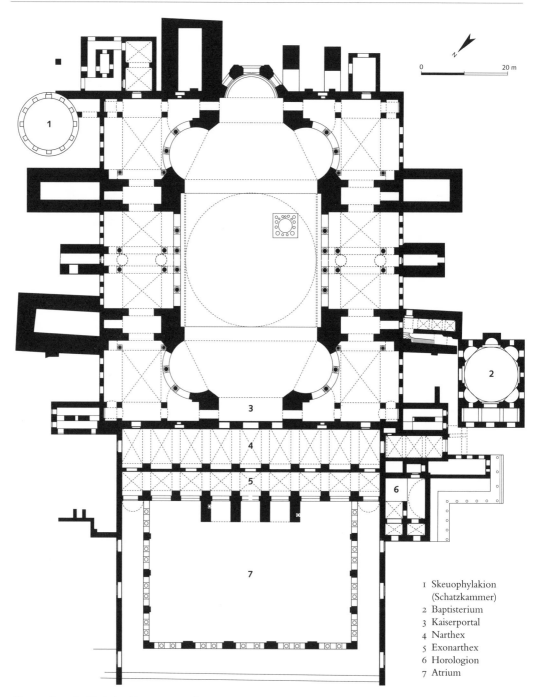

Konstantinopolis. Hagia Sophia; 532-537 und 558-563 n.Chr. (Grundriß).

1 Skeuophylakion
   (Schatzkammer)
2 Baptisterium
3 Kaiserportal
4 Narthex
5 Exonarthex
6 Horologion
7 Atrium

räume. Frühe Beispiele sind die Kuppelbauten von Baiae (→ Kuppel) und der Z. in der → *domus aurea* des Nero in Rom, wobei all diesen Z. eine herausgehobene Bed. im urspr. Nutzungskonzept zukam.

Der solitäre Z. ist im → Pantheon [2] in Rom paradigmatisch realisiert. Seit dem 3. Jh. n. Chr. wurden

Herrschermausoleen − u. a. die Galerius-Rotunde in → Thessalonike [1], das Mausoleum des Diocletianus innerhalb der Palastvilla in → Spalatum/Split (vgl. Abb. oben; → Palast mit Abb.), das Mausoleum des Constantinus [1] in Konstantinopolis usw. − als Z. auch mit Blick auf Raumwirkung ausgestaltet; die Mausoleen wurden

nicht selten später in Kirchen umgewandelt und sind deshalb in unmittelbarem Zusammenhang mit dem Z. als solitärer Kirche zu sehen (vgl. hier S. Stefano Rotondo in Rom; S. Vitale in → Ravenna, s. Abb. oben). Diese Baukonzepte konnten um verschiedene, den Z. einrahmende, bisweilen nahezu gänzlich verschleiernde Baugruppen ergänzt werden (→ Atrium; Seitenkapellen und weitere Räume; vgl. z.B. die → Hagia Sophia in Konstantinopolis, s. Abb. oben). Der runde, oktogonale oder regelmäßig-polygonale Grundriß konnte mittels mehrerer Umgänge, Konchen (»Kleeblattform«), Nischen etc. ausdifferenziert werden und war – im Gegensatz zu den Kegeldächern der Rundtempel – meist überkuppelt (→ Kuppel, Kuppelbau; → Überdachung). Üblich wurde beim kirchlichen Z. seit dem späten 4. Jh. eine dem Grundkonzept an sich zuwiderlaufende axiale Ausrichtung durch Eingang, Altar und → Apsis. Ebenfalls in christl. Kontext war der Z. (als Solitär wie auch als Teil eines größeren Architekturkomplexes) zudem als → Baptisterium weit verbreitet, v.a. im Westen. Auch der → Islam kennt den in rel. Kontext stehenden Z. (→ Moschee).
→ Kirche I.

D. BONIVER, Der Zentralraum, 1937 · F. W. DEICHMANN, Einführung in die christl. Arch., 1983, 82–84, 249f., 261 · F. FINK, Die Kuppel über dem Viereck, 1958 · R. KRAUTHEIMER, Early Christian and Byzantine Architecture, ⁴1986 · F. RAKOB, Die Rotunde in Palestrina, in: JDAI(R) 1990, 61–92 · Ders., Le cupole di Baia, in: M. GIGANTE (Hrsg.), Civiltà dei Campi Flegrei, Kongr. Neapel, 1992, 229–258 · G. STANZL, Längsbau und Z. als Grundthemen der frühchristl. Architektur, 1979 · M. UNTERMANN, Der Z. im MA, 1989, 7–13.   C.HÖ.

Zenturiation s. Centuria; Feldmesser

Zenturie s. Centuria B.

Zephyrinus. Bischof von Rom 198(9)–217, Begründer der unterirdischen Coemeterien (heute San Callisto), die auf seinem Grundstück an der Via Appia lagen. Z. war den Streitigkeiten um den → Monarchianismus in Rom hilflos ausgeliefert, ließ ein B. gegen die Häretiker schreiben und verfaßte selbst eine kurze christologische Formel gegen die aufkommende Logos-Christologie (zitiert von Hippolytos [2]). Er wurde in einer oberirdischen Memorie (über San Callisto) bestattet.
→ Katakomben; Logos (I.G.)

E. SCHWARTZ, Zwei Predigten Hippolyts, SBAW, philos.-histor. Klasse, 1936, Heft 3.   S.L.-B.

Zephyrion (Ζεφύριον). Bes. im östl. Mittelmeergebiet verbreitete Bezeichnung von Vorgebirgen und diesen nahegelegenen Orten in einer westl. Winden (→ Zephyros) ausgesetzten Lage.   H.KA.
[1] Kap an der NO-Küste von → Kreta (Ptol. 3,17,5), wahrscheinlich das h. Kap Agios Ioannis am NW-Ende des Golfs von Mirabello.   H.SO.

[2] (auch Ζεφυρία/ Zephyría). Kap an der SW-Küste von → Kypros, nach Ptol. 5,14,1 und Strab. 14,6,3 zw. Alt- und Neu-→ Paphos gelegen, h. Kap Zephyros.

E. MEYER, s. v. Z. (II 2), RE 10 A, 229.   R.SE.

[3] Vorgebirge an der Ostküste des alten Italia (Dion. Hal. ant. 19,4; Dion. Per. 364; → Italia I. A.) nördl. des Promonturium Heracleum (h. Capo Spartivento; vgl. Pind. fr. 140b SCHROEDER; Skymn. 278f.; Ptol. 3,1,10; Steph. Byz. s. v. Z.; Plin. nat. 3,74; Avien. 511–514), h. Capo Bruzzano. Hier ließen sich im 7. Jh. v. Chr. erst dorische, dann lokrische Siedler an dem vor den Westwinden (→ Zephyros) sicheren Hafen nieder, bevor sie nördl. davon Lokroi [2] Epizephyrioi gründeten (Strab. 6,1,7).

1 D. MUSTI, Problemi della storia di Locri Epizefirii, in: A. STAZIO (Hrsg.), Atti del XVI. Convegno di Studi sulla Magna Grecia, 1977, 20–145.

BTCGI 4, 403f.   M.L.

[4] (Z. in Karia). Von den Vorgebirgen im Gebiet von → Myndos ist das nach → Termera benannte Termerion, gegenüber der Stadt Kos gelegen, das h. Koca Burun (Strab. 14,2,18). Das die Hafenbucht von (Neu-)Myndos (Gümüşlük) gegen Westen schirmende Vorgebirge hieß im Alt. Aithusa (h. Dönmez Burnu) und soll als Insel einst landfest geworden sein (Plin. nat. 2,204). Astypalaia weist dem Namen nach auf Alt-Myndos und wird daher mit Kızıl Burun identifiziert. Das zusammen mit Astypalaia der Stadt Myndos südl. benachbarte Z. (Strab. 14,2,20) dürfte daher ein markanter Höhenzug auf oder nahe diesem Vorgebirge gewesen sein.

R.J.A. TALBERT, Barrington Atlas of the Greek and Roman World, 2000, 61 E 3 · G. E. BEAN, J. M. COOK, The Halicarnassus Peninsula, in: ABSA 50, 1955, 85–171, bes. 161f. · L. BÜRCHNER, s. v. Astypalaia (6), RE 2, 1875f. · D. MÜLLER, Bildkomm. zu den Historien Herodots: Kleinasien, 1997, 346 · W. RUGE, s. v. Myndos, RE 18, 1078 · H. TREIDLER s. v. Z. (I.1), RE 10 A, 227.   H.KA.

[5] Kap (ἄκρα) an der Mündung des Kalykadnos, östl. vom Kap Sarpedon [3] (Strab. 14,5,4; Ptol. 5,8,3) in der Kilikia Tracheia (→ Kilikes); genaue Lage unbekannt. Zu unterscheiden von dem ebenfalls in der Kilikia Tracheia gelegenen Kap Z. südl. von Aphrodisias [2] (Stadiasmus maris magni 185; h. Ovacık Adası).

H. TREIDLER, s. v. Z. (I 2a), RE 10 A, 227.

[6] Stadt (Skyl. 102; Strab. 14,2,20; Ptol. 5,8,4; Stadiasmus maris magni 169: χωρίον/chōríon = Dorf) in der Kilikia Pedias, h. Mersin. 260 n. Chr. von den Sāsāniden erobert (Res gestae divi Saporis 28). Bistum in der Kilikia I (Metropolis Tarsos).

H. TREIDLER, s. v. Z. (I 2b), RE 10 A, 227f. · HILD/HELLENKEMPER, s. v. Z. · E. LEVANTE, The Coinage of Z. in Cilicia, in: NC 148, 1988, 134–141.   F.H.

[7] Ankerplatz an der paphlagonischen Schwarzmeer-
küste (Ptol. 5,4,2; Arr. per. p. E. 20; peripl. m. Eux. 19).
Nach den Entfernungsangaben der Periploi recht genau
lokalisierbar östl. des Kap → Karambis und westl. von
→ Abonuteichos.

G. RADTKE, s. v. Z. (3a), RE 10 A, 228.   C. MA.

[8] Befestigter Hafenort an der Südküste des → Pontos
Euxeinos westl. von → Trapezus (Ptol. 5,6,11; Skyl. 86:
Ζεφύριος λιμήν; Arr. per. p.E. 24: Ζεφύριος, ὅρμος ναυσίν; Anon. per. p.E. 36: Z. χωρίον, ὅρμος ναυσίν), beim
h. Zefre, südöstl. vom h. Çam Burnu.

H. TREIDLER, s. v. Z. (3b), RE 10 A, 228 · A. BRYER,
D. WINFIELD, The Byzantine Monuments and Topography
of the Pontos, 1985, 135–137.   E. O.

[9] Küstenstadt im Osten der Chersonesos [2] im Regnum Bosporanum im Süden des h. Kerč', bei Plin. nat.
4,86 in einer Städteliste zw. Cytae (beim h. Takil Burun
und Acrae (h. Zavetnoye) aufgeführt.

V. F. GAJDUKEVIČ, Das Bosporanische Reich, 1976, 193.
        I. v. B.

Zephyritis (Ζεφυρίτις). Als weibliche Form des Deri-
vativs der geogr. Bezeichnung Zephyrion Beiname der
als → Aphrodite Z. verehrten → Arsinoë [II 3] II., der
Schwestergattin des Ptolemaios [3] II. Philadelphos. Ihr
Heiligtum, vom Flottenadmiral Kallikrates [9] gestiftet
(Poseidippos, Epigrammata 12 GA I. 3110–3119), lag auf
dem Kap Zephyrion unweit von Alexandreia [1] (Strab.
17,1,16; Poseidippos, epigrammata 13 GA I, 3120–3125)
bei Athen. 7,318d; Steph. Byz. s. v. Ζεφύριον), wo sie
vielleicht schon zu Lebzeiten verehrt wurde (GA II,
491). Ausgefallene Weihgeschenke an Z. wurden in
hell. Manier Gegenstand epigrammatischer Dichtung
(eine Nautilos-Schale: Kall. epigr. 14 GA I, 1109–1120
bei Athen. 7,318d = epigr. 5 PF.; ein Rhyton in Form
des tanzenden ägypt. Gottes Bes, welches → Ktesibios so
konstruiert hatte, daß es einen Ton von sich gab, wenn
aus ihm gegossen wurde, GA II, 492: Hedylos, epigrammata 4 GA I, 1843–1852 bei Athen. 11,497d). Nicht geklärt ist die Herkunft der Kultübertragung auf Arsinoë
[1. 232]. Das naheliegende aitiologisch-etym. Spiel mit
dem Namen des Westwindes → Zephyros integrierte
→ Kallimachos [3] in die Erzählung von der Verstirnung
der Locke der Berenike in seinem 4. ›Aitien‹-Buch
(Kall. fr. 110, V. 51–58; vgl. Catull. 66,51–58; [1. 234]).

1 K. ABEL, s. v. Z., RE 10 A, 230–234.   JO. S.

Zephyros (Ζέφυρος). → Personifikation des Westwindes. Nach Hesiod als Sohn des → Astraios und der
→ Eos einer der drei nützlichen Winde, wie auch
→ Boreas und → Notos (Hes. theog. 378–380; 869–
871). Zeugt mit der Harpyie → Podarge die Rosse des
→ Achilleus [1] (Hom. Il. 16,150). Als eifersüchtiger
Liebhaber des → Hyakinthos [1] lenkt er den Diskos-
wurf Apollons so ab, daß er diesen tötet (Ps.-Palaiphatos
47 WESTERMANN; Lukian. de saltatione 45; Lukian. dia-

logi deorum 16 MACLOUD). Z. heiratet die Nymphe
→ Chloris [1]-Flora und schenkt ihr das Reich der Blumen (Ov. fast. 5,195–212). Z. gilt als zeugungsfähig
(Slg. der Belege bei [1. 2323f.]), Alkaios (fr. 8 D.) nennt
ihn als Vater des → Eros [1]. In Athen gab es einen Altar
des Z. (Paus. 1,37,2).

1 R. BÖKER, s. v. Winde, RE 8 A, 2211–2387.   SV. RA.

Zerbis. So nennt Plin. nat. 6,118 einen linken Nebenfluß des Tigris in der → Adiabene. Fraglich bleibt, ob er
damit den Lykos [14] (h. az-Zāb al-Kabīr, »Großer
Zab«) oder den Kapros [2] (h. az-Zāb aṣ-Ṣaġīr, »Kleiner
Zab«) meint.   E. O.

Zerdehnung s. Homerische Sprache C.

Zeremoniell I. MESOPOTAMIEN II. ÄGYPTEN
III. IRAN IV. KLASSISCHE ANTIKE V. BYZANZ

I. MESOPOTAMIEN

Im Gegensatz zu kultischen → Ritualen ist das profane Z. Mesopot.s bisher kaum Gegenstand der Forsch.
Generell ist davon auszugehen, daß das Leben und das
Miteinander in der altorientalischen Ges. im allg. und
das des → Herrschers im bes. von zahlreichen Regeln
bestimmt war, die sich in mehr oder weniger deutlich
standardisierten Verhaltensmustern niederschlugen. Zur
Rekonstruktion solcher nichtkultischer Z. ist man v. a.
auf sekundäre Hinweise, v. a. in Briefen sowie myth.
und epischen Erzählungen, angewiesen; bildliche
Zeugnisse finden sich auf Rollsiegeln (→ Siegel) und
neuassyrischen Palast-→ Reliefs.

So war es z. B. üblich, daß der königliche Emissär zu
stehen hatte, wenn er die Botschaft des Herrschers übermittelte. Mythen erwähnen das Verhalten gegenüber
dem Gast: Ihm durfte ein Wunsch nicht abgeschlagen
werden (TUAT 3, 764, Z. 95–102). Beim Zugang zum
Herrscher war in der Regel die → Proskynesis zu vollziehen. Königliche Gastmahle waren offensichtlich
strikt reguliert: Einkleiden der Gäste in würdige Gewänder, Austausch von Geschenken, Einreiben mit
wohlriechenden Ölen, Sitzordnung usw. Siegelabrol-
lungen aus der Zeit der 3. Dyn. von Ur (21. Jh. v. Chr.)
lassen aus der Art, wie sich ein Petent der Gottheit nä-
hert, Rückschlüsse auf das entsprechende Hof-Z. zu.

Im Rechtsverkehr gab es zahlreiche symbolische und
zeremonielle Akte, die ein Rechtsgeschäft begleiteten
bzw. zu dessen Wirksamwerden unerläßlich waren. Das
Zusammenleben der Menschen war in vielen Bereichen
von den Regeln der → Reziprozität bestimmt, die sich
in zeremoniell bestimmten Verhaltensweisen äußerte.
→ Herrscher I.; Hoftitel A.

K. F. MÜLLER, Das assyr. Ritual, 1937.   E. C.-K. u. J. RE.

II. ÄGYPTEN

Über das Z. in Äg. ist vergleichsweise wenig bekannt. Prinzipiell ist davon auszugehen, daß für das Verhalten am Königshof genaue Vorschriften bestanden.

Indirekt sind diese dadurch bezeugt, daß nach den Angaben des ›Buches vom Tempel‹ der Oberlehrer den Kindern der → Priester auch alle Regeln des Benehmens im Königshaus beibrachte [4]. Einzelne autobiographische Phrasen (wie ›der in den Palast eintritt, während alle Großen draußen bleiben‹, PKrall 8,23–10,1) zeigen, daß nur wenige Beamte das Recht zur Privataudienz beim König hatten. Eine Liste von Hofrängen gibt an, ob die betreffenden Titelträger zur Rechten oder Linken des Herrschers in der Audienzhalle standen [2. T. XIII]. Dem entsprechen demotische Erzählungen, die standardmäßig Hofsitzungen beschreiben, bei denen der König auf dem Thron sitzt und die Höflinge links und rechts vor ihm stehen und jeweils zum Sprechen in die Mitte treten. In der ›Dienstanweisung für den Wesir‹ [1] wurden Kleidung und Sitzordnung genau festgelegt. Die Lehre des Ptahhotep (→ Weisheitsliteratur II.) thematisiert das Verhalten im Vorzimmer eines Beamten [5. 146f.]. Von den griech. Autoren überliefert v. a. Diod. 1,70–72, wie das Leben des äg. Königs ihm nicht freigestellt, sondern durch strenge Vorschriften reglementiert ist [3]. Dagegen zeigt Hdt. 2,173 König → Amasis [2] eher trinkfreudig und wenig förmlich.

1 G. P. F. den Boorn, The Duties of the Vizier, 1988 2 F. Ll. Griffith, H. M. F. Petrie, Two Hieroglyphic Papyri from Tanis, 1889 3 O. Murray, Hecataeus of Abdera and Pharaonic Kingship, in: JEA 56, 1970, 141–171 4 J. F. Quack, Die Dienstanweisung des Oberlehrers aus dem Buch vom Tempel, in: H. Beinlich (Hrsg.), 5. ägyptologische Tempeltagung Würzburg, 2002, 159–171 5 P. Vernus, Le discours politique de l'enseignement de Ptahhotep, in: J. Assman, E. Blumenthal (Hrsg.), Lit. und Politik im pharaonischen und ptolem. Äg., 1999, 139–152.

JO. QU.

III. Iran

A. Achämeniden   B. Arsakiden   C. Sāsāniden

A. Achämeniden

Informationen über das achäm. Hof-Z. (→ Achaimenidai) verdanken wir fast ausschließlich der griech. Überl. (nicht zuletzt den → Alexanderhistorikern); sie sind deshalb nicht frei von fremder Deutung und Bewertung und von topischen Zügen. V. a. zwei Bereiche königlichen Lebens kommen durch sie in den Blick: a) der Tod eines Herrschers und die Thronbesteigung seines Nachfolgers sowie b) die Hofetikette bei der Begegnung oder beim Mahl mit dem → Großkönig. Hof- und Gebets-Z. sind auch Themen der achäm. Reliefs in den Palästen (→ Persepolis) und an den Grabfassaden sowie in der achäm. Kleinkunst (Steinschneidekunst). Das großkönigliche Hof-Z. beeinflußte auch dasjenige an den Höfen von → Satrapen und Dynasten.

1. Tod eines Königs und Inthronisation seines Nachfolgers

Beim Tod eines → Herrschers wurden die heiligen Feuer gelöscht (Diod. 17,114,4f.) und allg. Trauer angeordnet (Arr. an. 8,14,9; Curt. 10,5,18). Dem Kronprinzen oblag es dann, für die Beisetzung seines Vor-

gängers zu sorgen; verm. gab es seit → Kambyses [2] II. regelmäßige Opfer für die verstorbenen Könige (Ktesias FGrH 688 F 13). In einer elaborierten Zeremonie in und beim Heiligtum der → Anāhitā in → Pasargadai wurde bald darauf (in kleinem Kreise) die Investitur des neuen Großkönigs vollzogen (Hinweise bei Plut. Artaxerxes 3,1–3); verschiedene symbolische Akte bzw. Riten betonten den sakralen (Investitur durch die Götter) und den dyn. Charakter des achäm. Königtums (Anwesenheit von Priestern/»Magiern« – verm. identisch mit den Prinzenerziehern; Anrufung → Ahura Mazdās; Anlegen der Kleidung Kyros' [2] d.Gr.). Eine Art *rite de passage* liegt mit dem vorübergehenden Rückgriff auf einfache Speisen (Feigenkuchen, Terebinthen, saure Milch) vor. In einer weiteren Phase der Investitur (über die Plut. angibt, nichts mehr zu wissen) erhielt der Herrscher verm. die Insignien seiner Macht (bestimmte Gewänder, aufrechte Tiara, Szepter, Lotusblüte, Lanze und Bogen), zeigte sich den Untertanen und bestätigte Privilegien und Positionen (Diod. 11,71,2; Ios. ant. Iud. 11,185) [5].

2. Begegnung mit den Untertanen

Das achäm. »Reisekönigtum« brachte den → Herrscher bei zahlreichen Gelegenheiten in Kontakt mit seinen Untertanen. Auch wenn von der Vorstellung der Feier eines → »Neujahrsfestes« in Persepolis Abstand genommen werden muß, so gab es dort, in den anderen Residenzen und beim Zug des Königs über Land in Dörfern und Städten doch Empfänge, die – nach landesüblicher Trad. – zeremoniell ausgestaltet waren (vgl. etwa den Einzug Alexandros' [4] d.Gr. in → Babylon, der auch achäm. Brauch entsprochen haben dürfte: Curt. 5,1,17–23; vgl. Arr. an. 3,16,3). Griech. Zeugnisse beschreiben auch die → Reziprozität des Geschenkaustausches (Ail. var. 1,31.33; Plut. Artaxerxes 4,5) und der persönlichen Begegnung zw. Herrscher und Untertanen sowie Persern gleichen oder unterschiedlichen Standes [4; 7; 6. 196–207; 14. 29–41, 257–260].

3. Hofzeremoniell

Formen der Begegnung und des königl. Auftretens (Tracht, Insignien etc.) bei Hofe (etwa bei Audienzen) überliefern die griech. Zeugnisse und die achäm. Reliefs (etwa zur → Proskynesis und Prostration [15]); welche der zahlreichen, allein dem König verantwortlichen und von seiner Gunst abhängigen Amtsinhaber bzw. Würdenträger (vgl. Aristot. mund. 398a) welche Aufgaben versahen (bzw. auf den Reliefs abgebildet sind), ist nicht mit letzter Sicherheit zu sagen [6. 269–273]. Auch die zahlreichen und aufwendigen Bankette waren zeremoniell gestaltet, um die außergewöhnliche Stellung des Herrschers zu betonen, den Zugang zum Mahl zu regeln und den Großkönig vor Anschlägen zu schützen [6. 274–279, 297–309; 11].

4. Gebete und Kultvollzug des Königs

Reliefs, Inschr., Siegeldarstellungen und griech. Zeugnisse geben eine Fülle von Informationen über den König beim Kultvollzug. Durch bestimmte, z. T. rituelle Gebete, Gebetshaltungen und Kult- bzw. Opferhandlungen unterstrich der Großkönig in Krieg und Frieden die Abhängigkeit seiner Herrschaft und seines »Heils« (*farnah*) von der Gunst der Götter [6. 252–265].

B. Arsakiden

Deutlich weniger Informationen besitzen wir über das Hof-Z. der → Parther. Sie, die als hell.-seleukidisches Erbe die Vorstellung von der »Göttlichkeit« des Herrschers übernommen hatten [15], kannten die → Proskynesis [15] ebenso wie das hell. Hoftitelsystem (OGIS 430). Auch bei ihnen gab es einen spezifischen Herrscherornat und bes. Herrschaftsinsignien [13]. Beim arsakidischen Krönungs-Z. spielte die parth. Aristokratie gegenüber achäm. Verhältnissen eine deutlich stärkere Rolle (Bestätigungsrecht des Synhedrions: Iust. 42,4,1; Krönungsrecht des Oberhauptes des Suren-Clans: Plut. Crassus 21; Tac. ann. 6,42). Am Königs- und an den Adelshöfen war der – auch musikalische – Vortrag von Mythen- und Sagenstoffen anläßlich von Festen und Banketten üblich und beliebt [2].

C. Sāsāniden

Unter den Zeugnissen zum sāsānidischen Königtum und Hof-Z. (Zusammenstellung ohne Bestimmung des Quellenwertes bei [1]; vgl. [14]) ragen die Inschr. des Königs Narseh (→ Narses [1]) aus → Paikuli (NPi; 293 n. Chr., s.u. [9]) und die spätsāsānid.-mittelpers. Werke der Weisheits- (*andarz*) und Hof-Lit. [8. 171–205] heraus. Während erstere die vor der Thronbesteigung des Narseh zw. ihm und den Vornehmen und Würdenträgern des Reiches gewechselten Briefe und die bei seiner Acklamation gehaltenen Reden verbatim überl., um keine Zweifel an der Rechtmäßigkeit der Nachfolge aufkommen zu lassen (NPi §§ 68; 73; 75, s. [9]), unterrichten uns letztere – wie etwa das Werk *Husraw ud Rēdak* (›Chosroes und sein Page‹) – über höfische Tugenden und Erziehungsziele, aber auch über die raffinierte Hofhaltung jener Zeit [8. 178–181]. Andere Texte, etwa der sog. ›Ardaxšīr-Roman‹ ([8. 192–200]; → Ardaschir [1]), werden als Beschreibungen auch der Lebenshaltung am Hof der letzten → Sāsāniden (ca. 6./7. Jh. n. Chr.) angesehen; die Gattung der ›Königstestamente‹ [8. 189f.] übermittelt ideale Thronreden. Daneben ist auch Sängerpoesie überl. [8. 200–202].

Obgleich das Herrscher- und Untertanenideal in den Lebensgeschichten von Königen, Helden und »Weisen« im sog. ›Herrenbuch‹ (*Xvadāy-nāmag*) im Mittelpunkt steht, enthält auch dieses erst in nachsāsānid. Bearbeitungen vorliegende Werk zahlreiche Informationen zum Hof-Z. [1]. Inwiefern allerdings die bekanntesten dieser Bearbeitungen, Firdausīs *Šāhnameh* und die Texte der arabo-persischen Historiographie, als Quellen auch für die spätsāsānid. Hofhaltung dienen können, ist im einzelnen noch zu untersuchen. Dagegen erlauben der Tatenbericht Šābuhrs I. (→ Sapor [1] I.) [10] und die manichäische Überl. mit ihren Hinweisen auf die zahlreichen Ämter und Würden bei Hofe den Schluß, daß das sāsānid. Hof-Z. bereits im 3. Jh. ausgesprochen elaboriert war. Die Herrscherdarstellungen auf den Reliefs, Silberschalen, Siegeln, Bullen und Mz. veranschaulichen in bes. Weise das äußere Erscheinungsbild des Königs (Tracht, Kopfbedeckung, Waffen, Thron etc.), Zeichen und Gesten der Ehrerbietung und königl. Lebenskreise (Investitur, Jagd etc.) [1]. Sāsānid. Herrschertitulatur und Formen diplomatischen Kontaktes, aber auch Informationen zum Verhalten des »Königs im Kriege« hält die röm.-byz. Lit. bereit [12]. Die inschr. überl. Stiftungen von Feuertempeln sowie Stiftungen bzw. Opfer für das Seelenheil von Lebenden und Verstorbenen lassen diesbezügliche Riten und Zeremonien sowie Gebete zu den zoroastrischen Göttern (→ Zoroastrismus) ebenso vermuten wie der neupers. »Tansar-Brief« [3; 8. 189f.] ein festgelegtes Procedere bei der Investitur und Krönung eines sāsānid. Herrschers. → Religion V.

1 M. Abka'i-Khavari, Das Bild des Königs in der Sāsānidenzeit, 2000 2 M. Boyce, The Parthian *gōsān* and the Iranian Minstrel Trad., in: Journ. of the Royal Asiatic Society 1957, 10–45 3 Dies., The Letter of Tansar, 1968 4 P. Briant, Hérodote et la société perse, in: G. Nenci, O. Reverdin (Hrsg.), Hérodote et les peuples non grecs, 1990, 69–104 5 Ders., Le roi est mort: vive le roi! Remarques sur les rites et rituels de succession chez les Achéménides, in: J. Kellens (Hrsg.), La Religion iranienne à l'époque achéménide, 1991, 1–11 6 Ders., Histoire de l'empire perse, 1996 7 P. Calmeyer, Zur Darstellung von Standesunterschieden in Persepolis, in: AMI N. F. 24, 1991, 35–51 8 C. G. Cereti, La letteratura pahlavi, 2001 9 H. Humbach, P. O. Skjærvø, The Sassanian Inscription of Paikuli, 1978–1983 10 Ph. Huyse, Die dreisprachige Inschr. Šābuhrs I. an der Ka'ba-i Zardušt (ŠKZ), 1999 11 H. Sancisi-Weerdenburg, Persian Food. Stereotypes and Political Identity, in: J. Witkin et al. (Hrsg.), Food in Antiquity, 1995, 286–302 12 M. Whitby, The Persian King at War, in: E. Dabrowa (Hrsg.), The Roman and Byzantine Army in the East, 1994, 227–263 13 J. Wiesehöfer, »King of Kings« and »Philhellên«: Kingship in Arsacid Iran, in: P. Bilde et al. (Hrsg.), Aspects of Hellenistic Kingship, 1996, 55–66 14 Ders., Ancient Persia, ²2001 15 Ders., »Denn ihr huldigt nicht einem Menschen als eurem Herrscher, sondern nur den Göttern«. Bemerkungen zur Proskynese in Iran, in: M. Maggi et al. (Hrsg.), Religious Themes and Texts of Pre-Islamic Iran and Central Asia, FS Gh. Gnoli, (im Druck).   J. W.

IV. Klassische Antike

A. Allgemein B. Hellenismus C. Rom

A. Allgemein

Z. als eine Form symbolischer Kommunikation, die den Handlungen der Beteiligten festgelegte Bedeutungen zuweist und dadurch gesellschaftliche, polit. und kulturelle Ordnungen zeichenhaft zum Ausdruck bringt, ist in der Altertumswiss. v. a. im Zusammenhang von → Hof und Monarchie (→ *monarchía*) im Hell. und in der röm. Kaiserzeit untersucht worden. [2. 31f.; 12. 43–46; 1; 5. 38–46]. Die Analyse zeremonieller (= zer.) Manifestationen polit.-sozialer Ungleichheit zur Zeit der klassischen griech. Polis und der röm. Republik im städtischen Bereich (Ehrerbietung gegenüber Amtsträgern, Sitzordnungen im Theater) und im häuslichen (Morgenempfang, Plazierung von Besuchern beim abendlichen Gastmahl) hat erst ansatzweise das Interesse der Forsch. gefunden [6. Bd. 2, 59–81].

B. HELLENISMUS

Die sehr spärlichen Quellen zum hell. Hof-Z. lassen Verhaltens- und Interaktionsregeln bei königlichen Audienzen und öffentlichen Auftritten des Hofes erkennen. Der Versuch des Alexandros [4] d. Gr., durch die Einführung der → *proskýnēsis* den persönlichen Kontakt mit dem König zu einem Medium zer. Rangdarstellung zu machen, fand in Bezug auf die griech.-maked. »Freunde« (*phíloi* → Hoftitel) der späteren hell. Könige keine Nachahmung. Auf einen Wandel deutet erst die Einführung differenzierter Systeme von Hoftiteln seit Beginn des 2. Jh. v. Chr. Sie banden die Aristokratien der hell. Reiche in Rangordnungen ein, die nach Nähe zu den Königen gestuft waren und auf eine Inszenierung der gesellschaftlichen Hierarchie im höfischen Z. schließen lassen.

C. ROM
1. PRINZIPAT   2. SPÄTANTIKE   3. WERTUNG

1. PRINZIPAT

Am röm. Kaiserhof der ersten beiden Jh. n. Chr. folgte die aristokratische Interaktion bei → *salutatio* und → *Gastmahl* den traditionell vorgegebenen Formen; die zer. Statusmanifestation entsprach weiterhin der polit.-sozialen Rangordnung der Oberschicht nach *ordines* und senatorischen Amtsklassen. Die Versuche der Kaiser → Caligula, → Nero, → Domitianus und → Commodus, die *proskýnēsis* oder ihre Anrede als *dominus et deus* (»Herr und Gott«) durchzusetzen, sind als gezielte Entehrungen der Aristokratie zu deuten und blieben temporär. Auf Dauer überwogen Kommunikationsformen, die durch gegenseitige Ehrerweisungen (z. B. Umarmung und → Kuß bei der *salutatio*) Gleichheit zw. den Kaisern und ihren senatorischen Standesgenossen symbolisierten und die in den Quellen als »bürgerliches« Verhalten (*civilitas*) der Kaiser lobend erwähnt werden [11. 33]. Neue zer. Formen etablierten sich v. a. außerhalb des Palastes im städtischen Kontext, so beim → *adventus*-Z. anläßlich der Besuche des → Kaisers in provinzialen Städten oder seiner Rückkehr nach Rom. Dabei zog ihm die nach Rängen geordnete Stadtbevölkerung eine festgelegte Wegstrecke entgegen, begrüßte ihn und geleitete ihn feierlich in die Stadt.

2. SPÄTANTIKE

Nach der im Laufe des 3. Jh. n. Chr. erfolgten Distanzierung des Kaisertums von Rom und dem dortigen Senat (→ Soldatenkaiser) wurden durch → Diocletianus Regelungen des Z. getroffen, in denen die Hierarchie der Oberschicht in formalisierter Interaktion mit dem Kaiser am Hof zum Ausdruck gebracht wurde. Im Zentrum stand die nach Rängen geordnete Zulassung (→ *admissio*) zur → *adoratio*, der mit Fußfall und Kuß des Purpurgewandes verbundenen Verehrung des Kaisers. In ähnlicher Weise wurde der kaiserliche Rat, das → *consistorium*, durch die räumlich gestaffelte Aufstellung der Teilnehmer zu einem Medium geregelter Rangdarstellung.

3. WERTUNG

Das antike Hof-Z. ist vom 4. Jh. v. Chr. bis in die Spätant. von Zeitgenossen als Zeichen »barbarischer«, v. a. persischer Knechtschaft kritisiert worden (z. B. Xen. an. 3,2,13; Sen. benef. 2,12,2; Eutr. 9,26). Die mod., lange Zeit ideengesch. geprägte Forsch. [1; 10] hat seine Entwicklung meist aus dem Wirken orientalischer Vorbilder zu erklären versucht, nicht aber gefragt, warum es sich trotz Hof, monarchischer Herrschaft und bereitliegender Vorbilder jeweils erst mit erheblicher zeitlicher Verzögerung durchsetzte. Der Grund dürfte im Fortwirken einer spezifisch polit. Integration der ant. Gesellschaften der klassischen griech. und röm. Zeit liegen, in der engen Verknüpfung von gesellschaftlicher Rangmanifestation mit der Ausübung polit. Funktionen im Kontext städtischer Gemeinwesen, die auch unter den Bedingungen der Monarchie noch fortbestand und einer hierarchischen Integration der Oberschicht im Hof-Z. zuwiderlief [13.105 f.].

→ Adel; Herrscher; Hof; Hoftitel; Kaiserkult; Ritual

1 A. ALFÖLDI, Die monarchische Repräsentation im röm. Kaiserreiche, 1970 2 E. BIKERMAN, Institutions des Séleucides, 1938 3 D. CANNADINE, S. PRICE (Hrsg.), Rituals of Royalty, 1987 4 H. GABELMANN, Ant. Audienz- und Tribunalszenen, 1984 5 F. KOLB, Herrscherideologie in der Spätant., 2001 6 W. KROLL, Die Kultur der ciceronischen Zeit, 2 Bde., 1933 7 J. LEHNEN, Adventus principis, 1997 8 H. LÖHKEN, Ordines dignitatum, 1982 9 J. PROCOPÉ, s. v. Höflichkeit, RAC 15, 1991, 930–986 10 TREITINGER 11 A. WALLACE-HADILL, Civilis princeps, in: JRS 72, 1982, 32–48 12 G. WEBER, Der Königshof im Hell., in: A. WINTERLING (Hrsg.), Ant. Höfe im Vergleich, 1997, 27–71 13 A. WINTERLING, Hof ohne »Staat«, in: Ders. (Hrsg.), Ant. Höfe im Vergleich, 1997, 91–112 14 Ders., Aula Caesaris, 1999 15 Ders. (Hrsg.), Comitatus, 1998.   A. WI.

V. BYZANZ
A. ALLGEMEIN   B. QUELLEN
C. FORSCHUNGSSTAND

A. ALLGEMEIN

Das Z. am byz. Kaiserhof ist dank einer günstigen Quellenlage in seinen Grundzügen und teilweise auch in Einzelheiten erfaßbar. V. a. das im 10. Jh. n. Chr. in Konstantinopolis kompilierte »Zeremonienbuch« (s. [1]), das von Kaiser Konstantinos VII. Porphyrogennetos (→ Constantinus [9]) in Auftrag gegeben, aber erst nach dessen Tod auf Betreiben des Oberkämmerers Basileios abschließend redigiert wurde, liefert wertvolles Material. Wie die Texte des Zeremonienbuches, so stammen jedoch auch die übrigen einschlägigen Quellen aus verschiedenen Zeiten und wurden zu ganz unterschiedlichen Zwecken verfaßt. Zweifellos unterlag das Z. von der Spätantike bis in die spätbyz. Zeit (4.–15. Jh.) einem erheblichen Wandel [9. 1–3], der nicht mehr durchgehend rekonstruierbar, aber für einige Sektoren, wie am Beispiel der Triumphe siegreicher Kaiser [10] oder der Empfänge für auswärtige Gesandte [15] gezeigt wurde, bis zu einem gewissen Grade aufweisbar ist.

B. QUELLEN

Die schriftlichen Quellen zum byz. Z. lassen sich in deskriptive (Berichte und Protokolle) und präskriptive (meist eingeleitet mit der Formel: »Was zu beachten ist, wenn ...«) gliedern [9. 3–8]. Die Grenze zw. beiden ist allerdings fließend, weil auch eine präskriptive Quelle in der Regel aus der protokollierenden Beschreibung eines zeremoniellen (= zer.) Ablaufes abzuleiten ist. Von einer alle byz. Epochen und Aspekte des Z. umfassenden Quellenbasis kann jedenfalls keine Rede sein. Viele Details werden als bekannt vorausgesetzt und daher in keiner Quelle mitgeteilt, während manches andere bis zur Ermüdung wiederholt wird. Von den Bilddarstellungen sind die narrativen für die Frage nach dem Ablauf von Z. mit Vorsicht, die rein symbolischen überhaupt nicht verwendbar, vermitteln aber z. T. eine Vorstellung vom Aussehen der Insignien [11].

Für die spätant./frühbyz. Zeit (4.–6. Jh.) ist das Z. der Kaiserkrönung [12; 13. 10–30] am besten belegt, und zwar durch Texte des Zeremonienbuches [1] (B. 1, Kap. 84–95, von Petros Patrikios, 6. Jh.) und durch eine dichterische Beschreibung (Corippus) der Ablösung Kaiser → Iustinianus' [1] I. durch → Iustinus [4] II. [5; 6].

Die meisten Z.-Texte des Zeremonienbuches ([1]; Inhaltsübersicht: [8]) beziehen sich auf die mittelbyz. Zeit (7.–10. Jh.). Der größte Teil von Buch 1 ist in zwei längere Abschnitte mit präskriptivem Material gegliedert: religiöses Z. im Lauf des Kirchenjahres (Kap. 1–37 REISKE; [19. 1–12]) und weltliches Z. (Kap. 38–83; hier Kap. 52–53: das sog. → Klētorológion, ein Hdb. für die Organisation kaiserlicher Bankette, verf. von Philotheos 899; [3]). Es folgen die spätantiken Krönungsprotokolle (Kap. 84–95 REISKE) und Kap. 96 f. mit Zusätzen aus dem J. 963, darauf in der Ed. [1] ein Appendix über das kaiserliche Reisezeremoniell (jetzt: [4]). Buch 2 enthält bunt gemischtes Material ohne erkennbare Ordnung.

Pseudo-Kodinos (s. [7]), verfaßt um 1350, ist v. a. der Ämter- und Titelhierarchie am Kaiserhof gewidmet, enthält aber auch Material zum spätbyz. Z. (Z. im Kirchenjahr, Kaiserkrönung, Verleihung von Hofwürden, Erhebung zum → Patriarchen, Empfang einer Braut aus dem Ausland) und zur Z.-Kleidung [18; 19. 39–52].

C. FORSCHUNGSSTAND

Ein dringendes Desiderat ist eine kritische Neuedition des ganzen Z.-Buches. Ein neuer Kommentar, der aber noch auf der alten Ed. von REISKE basiert, ist in Vorbereitung. Erst nach dem Erscheinen dieser beiden Vorarbeiten wäre eine analytische Gesamtdarstellung des byz. Z. sinnvoll, welche auch Einzelinformationen zum Z. in der Gesch.-Schreibung, der Dichtung und

anderen Quellen zu berücksichtigen hätte. Sie sollte, soweit möglich, dem Wandel des Z. in den Epochen der byz. Gesch. Rechnung tragen und grundsätzlich fünf Dimensionen des Z. berücksichtigen [9. 10–19]: die zeitliche (im Tageslauf und im Jahreslauf regelmäßig wiederkehrendes [16. 135–139] sowie unregelmäßig zu bestimmten Gelegenheiten stattfindendes Z.); die räumliche (Zusammenhang zw. Ort und Bed. eines Zeremonialvorganges); die soziale (Rolle der gesellschaftlichen Schichten im Z.; [19. 167–198]); die institutionelle (höfisches Personal im Dienst des Z.); die rituelle (symbolische Handlungen; Objekte, z. B. Purpurkleidung und Porphyrstein [14; 17], die Orgel [20] oder Insignien [11]).

→ Hof; Hoftitel (D.); Kaiser (II.); Verwaltung (IX.)

ED.: 1 I. I. REISKE, Das sog. »Zeremonienbuch«: Constantini Porphyrogeniti De c(a)erimoniis aulae Byzantinae, 2. Bde., 1829/30 (Text und Komm.) 2 A. VOGT, Constantin VII Porphyrogennète, Le livre des cérémonies 2 Bde., 1935/40 (Teiled. mit frz. Übers. und Komm.) 3 N. OIKONOMIDÈS, Les listes de préséance byzantines, 1972, 65–235 (Teiled. mit frz. Übers. und Komm.) 4 J. HALDON, Constantine Porphyrogenitus, Three Treatises on Imperial Military Expeditions, 1990 (Teiled. mit engl. Übers.) 5 A. CAMERON, Corippus, In laudem Iustini imperatoris, 1976 6 U. J. STACHE, Corippus, In laudem Iustini Augusti minoris, 1976 (Komm.) 7 J. VERPEAUX, Pseudo-Kodinos, Traité des offices, 1966.

LIT.: 8 M. MCCORMICK, s. v. De Ceremoniis, ODB 1, 595–597 9 Ders., Analysing Imperial Ceremonies, in: Jb. der öst. Byzantinistik 35, 1985, 1–20 10 M. DERS., Eternal Victory, 1986 11 K. WESSEL u. a., s. v. Insignien, Reallex. der byz. Kunst 3, 369–408 12 R.-J. LILIE, s. v. Krönung, Reallex. d. byz. Kunst 5, 439–454 13 R.-J. LILIE, Byzanz – Kaiser und Reich, 1994 14 G. STEIGERWALD, Das kaiserliche Purpurprivileg, in: JbAC 33, 1990, 209–239 15 F. TINNEFELD, Ceremonies for Foreign Ambassadors, in: ByzF 19, 1993, 193–213 16 Ders., Saisonales Z. und Brauchtum in Byzanz, in: P. DILG et al. (Hrsg.), Rhythmus und Saisonalität, 1995, 135–141 17 G. DAGRON, Nés dans la pourpre, in: Travaux et Mémoires 12, 1994, 105–142 18 E. PILTZ, Le costume officiel des dignitaires byzantins à l'époque Paléologue, 1994 19 H. MAGUIRE (Hrsg.), Byzantine Court Culture, 1997 20 N. MALIARAS, Die Orgel im byz. Hofzeremoniell des 9. und 10. Jh., 1991. F. T.

Zerynthos (Ζήρυνθος, Ζηρυνθία/ Zērynthía). Stadt mit Grotte (Steph. Byz. s. v. Ζήρυνθος) im Westen der Mündung des → Hebros (h. Marica; Liv. 41,38,4; Nikandros, Theriaka 461 f.) an der Küste (Ov. trist. 1,10,19: Zerynthia litora) der thrakischen → Peraia von Samothrake; auch auf Samothrake gab es ein Grottenheiligtum Z. (schol. Aristoph. Pax 277b α 3 f.). Der mit den beiden Z. verbundene Kult galt der Göttin Zerynthia (Lykophron, Alexandra 958: Μήτηρ Ζηρυνθία/Métēr Zērynthía), wohl einer thrakischen chthonischen Gottheit mit lokaler → Epiklese, die als Hekate (schol. Aristoph. Pax 277 f.; Lykophron, Alexandra 77), Aphrodite (Etym. m. s. v. Ζηρυνθία), Hera (schol. Nikandros, Theriaka 461 f.), Rhea (schol. Lykophron, Alexandra 77) angesprochen wurde. Man brachte ihr Hundeopfer dar (Lykophron, Alexandra 77; Steph. Byz. s. v. Z.; Suda s. v. Ζηρυνθία).

In der Stadt Z. gab es einen Tempel der Hera und des Apollon Zerynthios (Liv. 38,41,4; schol. Nikandros, Theriaka 460d).

K. LEHMANN (Hrsg.), Samothrake, Bd. 1, 1958 • N. LEWIS, The Ancient Literary Sources, 1958, Nr. 53, 69, 151–156, 202, 226a • H. EHRHARDT, Samothrake 1985, 38–42 • TIR K 35,1 Philippi, 1993, 60.   I. v. B.

Zesutera. Pferdewechselstation (*mutatio*) an der → Via Egnatia an der Grenze zw. den spätant. Prov. Europa im Osten und Rhodope im Westen, 12 Meilen westl. von Apros (Itin. Burdig. 602,1); nicht lokalisiert.   I. v. B.

Zeta. Stadt der Africa Byzacena (→ Byzacium), unterschiedlich lokalisiert (Sidi Nejah, südwestl. von Aggar: [1]; Henchir Zeiat bzw. Zaiet, südl. von Sousse: [2]). Im Afrikanischen Krieg wurde sie von caesarischen Truppen erobert. Caesar ließ in Z. eine Garnison zurück (Bell. Afr. 68; vgl. 74,1).

1 S. GSELL, Histoire ancienne de l'Afrique du Nord, Bd. 8, 1928, 112–115 **2** AATun 050, Bl. 51, Nr. 9–11.

M. LEGLAY, s. v. Z., RE 10 A, 238.   W. HU.

Zetema (ζήτημα), Pl. *zētḗmata* (ζητήματα), »Suche, Untersuchung, Forschungsfragen«.

I. DEFINITION   II. PHILOSOPHIE
III. EXEGESE UND RHETORIK

I. DEFINITION

Weitverbreiteter griech. Begriff für eine philos.-exegetische Fragemethode und den Unt.-Gegenstand sowie für damit befaßte Textsorten. Das Verb ζητεῖν (*zēteín*, allg. »suchen«) und seine Ableitungen ζήτησις (*zḗtesis*, »Suche«) und *z.* richten sich entweder auf eine Sache (Eur. Bacch. 1218–1221: Kadmos bringt den von Agaue zerrissenen Körper des Pentheus, ›nachdem er ihn mit unendlichem Suchen (ζητήμασιν) . . . gefunden hatte . . .‹, oder sie zielen auf einen Sachverhalt (Soph. Oid. T. 110/11: Kreon bezeichnet das durch Apollons Orakel geforderte Auffinden von Laios' Mörder als ›das Gesuchte‹, τὸ ζητούμενον/*to zētúmenon*; der Chor nennt es ›das *z.* des Phoibos‹, ebd. 278). Der Anstoß zum »Suchen« kann durch eine → Aporie (*aporía*) oder ein πρόβλημα (*próblēma*, »zu lösende Aufgabe«) [8] gegeben sein. Als Ziel ist dem *próblēma* als geometrische Aufgabe bei → Eukleides [3] die ἀπόδειξις (*apódeixis*, lat. *demonstratio*, »Beweis«) zugeordnet (schol. Eukl. elem. 1, p. 114/5, 16 und 22); der Arbeitsvorgang wird mit *zēteín* bezeichnet (ebd. 20). Allg. wird aber bei *aporía* und *próblēma* das Ziel λύσις (*lýsis*, »Lösung«) genannt (Aristot. an. 422b 28; Pol. 30,19,5), während dem allgemeineren *zēteín* und seinen Ableitungen zunächst das »Finden« (εὕρεσις/*heúresis*) zugeordnet ist (vgl. Plat. Tht. 202d; Plat. apol. 24b; so auch

noch Clem. Al. strom. 6,14, p. 801: ›Das Finden/*heúresis* ist das Ende und das Aufhören der Suche/*zḗtesis*‹). Aristot. eth. Nic. 1146b 7 f. bietet die Kombination der Ziele: ›Denn die Lösung (*lýsis*) der Aporie ist das Finden (*heúresis*)‹ (vgl. Aristot. top. 163b 1).

II. PHILOSOPHIE

In der philos. Fachsprache (so Aristoteles [6] laufend in den *Topiká*) wird das zu Klärende im allg. *próblēma* genannt [10. 278–280], doch kann das Gebiet der Unt. gelegentlich mit *z.* bezeichnet werden. Aristot. top. 104b 1–17 definiert *próblēma* als ein *theórēma*, »wiss. Unt.«; der Kommentator → Alexandros [26] ad locum setzt wiederum *theórēma* mit *z.* gleich (vgl. Aristot. ebd. 17 zusammenfassend: ›Solche Fragen dürfte man untersuchen‹, ζητήσειεν ἄν τις; vgl. auch Plat. leg. 630e 7 f. und Aristot. an. 402a 12; top. 161b 34 f.) [1. 2]. Wegen dieser funktionalen Nähe von *próblēma* und *z.* werden die Lösungen (*lýseis*) auch zum Ziel der *zētḗmata* (so findet sich bei → Metrodoros [3], col. 13, die Junktur ζητημάτων λύ[σεις]/*zētēmátōn lýseis*).

III. EXEGESE UND RHETORIK

In hell. Zeit verwischen sich die Bedeutungsgrenzen; *z.* wird synonym mit *próblēma* und *apórēma* verwendet [1. 1–4]. *Z.* bezeichnet v. a. die Unt. exegetischer Einzelprobleme in maßgeblichen philos. Texten – auch die Philos. wurde in Einzel-Interpretationen solcher Texte gelehrt; so in Plutarchos' [2] *Platōniká zētḗmata* (Plut. mor. 999c–1011e) und in → Porphyrios' *Symmiktá zētḗmata* [1] (vgl. → Philosophische Literaturformen, → Philosophischer Unterricht). In dieser Funktion wird der Begriff als t. t. für Forsch.-Fragen verwendet, die der Lösungen (*lýseis*) bedürfen (so auch Orig. in Joh 2,31,191, p. 89,5–6 [6. 69]). Diese *zētḗmata* können auch in der → Symposion-Literatur erscheinen; Plutarchos bezeichnet in seiner Schrift *Symposiaká* (›Themen zum Wein‹) *problḗmata* auch [9. 167–184] als *zētḗmata* (im Kontext von Plut. mor. 736c; vgl. Athen. 5,3 und 14; Gell. 18,2). Zu *z.* allg. gehört das spöttische Diminutiv ζητημάτιον (*zētēmátion*, »Problemchen«; Arr. Epicteti dissertationes 2,16,20).

In den → Scholien werden mit *zétema, zétesis* oder Formen von *zēteín*) philol. Detailfragen bezeichnet [4. Bd. 6, 359–360; Bd. 7, 163; 2. Bd. 2, 821; 3. Bd. 3, 385]; sie gehen in Brechungen auf die Fragestellungen der Alexandrinischen Philologen (→ Philologie C.–D.) zurück. Auch hier kann *próblēma z.* vertreten (ScholiaII 10,372a und 20,269–272); ein *z.* wird »gelöst« (ScholiaII 2,612–614).

In der Rhet. versteht man unter *z.* den Streitgegenstand (Hermog. Perí stáseōn 1,2; Apsines, Perí tōn eschematisménōn problemátōn 1, p. 347 Sp.). Daneben kann *z.* auch den Gegenstand richterlicher Unt. bezeichnen (POxy. 97,14; vgl. lat. → *quaestio*).

In der lat. Lit. erscheinen die *zētḗmata* bzw. *problḗmata* (Forsch.-Fragen) als *quaestiones* (Gell. 18,2–4) und gehen in dieser Form in die ma. theologisch-philos. Trad. ein [7].

→ Exegese; Philologie I.;
Philosophische Literaturformen B.

1 H. Dörrie (ed.), Porphyrios' Symmikta Z., 1959
2 W. Dindorf (ed.), Scholia in Homeri Odysseam, 2 Bde.,
1855 3 A. B. Drachmann (ed.), Scholia vetera in Pindari
carmina, 3 Bde., 1913–1927 (Ndr. 1977) 4 ScholiaIl
5 S. Föllinger, Mündlichkeit in der Schriftlichkeit ... bei
Aristoteles, in: W. Kullmann et al. (Hrsg.), Vermittlung
und Tradierung von Wissen in der griech. Kultur
(ScriptOralia 61), 1993, 262–280 6 H. Görgemanns,
Theologischer Wissensdurst: Origenes, in: A. und
J. Assmann (Hrsg.), Schleier und Schwelle, Bd. 3:
Geheimnis und Neugierde (Arch. der lit. Kommunikation
5.3), 1999, 67–76 7 P. Hadot, La préhistoire des genres
littéraires philosophiques médiévaux dans l'antiquité, in: Les
genres littéraires dans les sources théologiques et
philosophiques médiévales (Publications de l'Institut
d'Études Médiévales, Louvain 2.5), 1982, 1–9
8 H. Holzhey, s. v. Problem, HWPh 7, 1397–1408
9 J. Martin, Symposion, 1931 10 P. Moraux, La joute
dialectique, in: G. E. L. Owen (Hrsg.), Aristoteles On
Dialectic, 1968, 277–311. H. A. G.

Zetes s. Kalais

Zetetai (ζητηταί, wörtl. »Sucher, Nachforscher«) wurden in Athen ad hoc eingesetzt, um Gesetzesverletzungen zu untersuchen; die Lexikographen (z. B. Harpokration [2], s. v. Z.) schreiben ihnen ein »Amt« (arché) zu,
das in Athen zeitweilig eingerichtet wurde. Z. sind in
drei Fällen bezeugt: 415 v. Chr. wurden z. zur Untersuchung des → Hermokopidenfrevels und damit verbundener rel. Vergehen eingesetzt (And. 1,40; vgl. 1,14;
1,36). Drei Mitglieder der Kommission sind bekannt
(Diognetos, Peisandros [7], Charikles [1]); Peisandros
war 415/4 auch Mitglied des Rats der Fünfhundert
(And. 1,43), was jedoch nicht besagen muß, daß alle z.
auch Ratsmitglieder waren (vgl. → bulé). Bei zwei anderen Gelegenheiten wurden z. eingesetzt, um den gegen einzelne Bürger gerichteten Vorwurf zu untersuchen, sie hätten gesetzwidrig öffentliches Eigentum in
Besitz: in einem Fall kurz nach 403/2, als die Unt. zum
Verfahren gegen den Sprecher einer von Lysias verfaßten Rede führte (Lys. 21,16), im andern Fall, als eine
Gesandtschaft, mit → Androtion als Mitglied, ein feindliches Schiff gekapert hatte (Demosth. or. 24,11).

J. H. Lipsius, Das att. Recht und Rechtsverfahren,
1905–1915, 117; 209. P. J. R.

Zethos (Ζῆθος).

[1] (Pind. fr. 52k,44: Ζέαθος/ Zéathos). Sohn des → Zeus
und der → Antiope [1]. Z. und sein Zwillingsbruder
→ Amphion [1] werden bisweilen mit Kastor und Polydeukes (→ Dioskuroi) parallelisiert (Pherekydes FGrH
3 F 124; Eur. Herc. 29). Gemeinsam mit Zeus gilt auch
Epopeus als Vater (Asios fr. 1 EpGF). Nach der Geburt
ausgesetzt, werden die Zwillinge von Hirten aufgezogen (→ Aussetzungsmythen). Als es Antiope gelingt, aus
ihrer Gefangenschaft bei → Dirke [1] zu ihren Söhnen
zu fliehen, wird sie von Z. zunächst abgewiesen. Später
jedoch rächen die Söhne die Leiden ihrer Mutter
und töten Dirke (schol. Apoll. Rhod. 4,1090; Prop.

3,15,29–42; Hyg. fab. 8). Beide Brüder nehmen am Argonautenzug (→ Argonautai) teil; sie erbauen gemeinsam die Mauern von Theben (→ Thebai [2] III.; Hom.
Od. 11,260–265; Hes. fr. 182 M.-W.; Apoll. Rhod.
1,735–741; Apollod. 3,42–45). Ganz deutlich zeigt sich
hier ihre grundverschiedene Wesensart: Nach Apollonios Rhodios bewegt der robuste Rinderhirte Z. die
Steine mit Muskelkraft, dem Leierspiel des musischen
Amphion folgen diese dagegen von selbst. In der Lit.
werden die Zwillinge oft zur Illustration des Gegensatzes von praktischer und philos. Lebensweise angeführt
(Plat. Gorg. 485e; 506b; Rhet. Her. 2,43; Cic. de orat.
2,155; → Praktische Philosophie C.; → Rationalität D.).
Beide werden Herrscher in Theben. Z. heiratet → Aëdon (nach Apollod. 3,45: Thebe), mit der er Itylos und
Neis zeugt. Nach der irrtümlichen Ermordung des Itylos durch seine Mutter stirbt Z. vor Kummer und wird
in Theben begraben (Hom. Od. 19,518–523 mit schol.;
Paus. 9,5,9; Eur. Phoen. 145).

H. von Geisau, s. v. Z., RE 10 A, 245–247 · F. Heger, s. v.
Amphion, LIMC 1.1, 718–723; 1.2, 571–574. NI.JO.

[2] *Kitharistḗs* (Kitharaspieler, vgl. → Musikinstrumente
V. A. 1., mit Abb.), Ziel eines Scherzes des Zuhörers
→ Stratonikos (4. Jh. v. Chr.): Nach dem amusischen Z.
[1] anstatt nach dessen Zwillingsbruder Amphion [1]
genannt zu sein, disqualifiziere Z., über die Musik zu
reden (Athen. 8,351b). RO.HA.

Zeuge s. Martyria; Testimonium;
Testimonium falsum

Zeugitai (ζευγῖται, wörtl. »Joch-Leute«, von ζεῦγος/
zeúgos = »Joch, Gespann«) bilden in Athen die dritte der
vier Zensusklassen → Solons [1] ([Aristot.] Ath. pol.
7,3 f.). Der Name deutet auf Männer, die reich genug
waren, um entweder im Heer als → hoplítai zu dienen,
»zusammengespannt« in der → phálanx [2. 135–140; 5],
oder (weniger wahrscheinlich) um sich ein Ochsengespann halten zu können [1. 822 f.]. Diese Leute verfügten nach der Ath. pol. (l. c.) über Land mit einem Ertrag
zw. 200 und 300 *médimnoi* (»Scheffel«), wobei dies am
ehesten als Gerste oder als gleichwertiger Ertrag an anderen Feldfrüchten zu interpretieren ist [3. 141–143].
Da jedoch Menschen in dieser Position nicht als mittelgroße, sondern eindeutig als reiche → Bauern anzusehen sind, könnten die in der Ath. pol. genannten Zahlen
für die niedrigeren Klassen bloße (in Analogie zur
höchsten Klasse, den → pentakosiomédimnoi, gewonnene) Vermutung sein [4. 4 und 130 f.].

Die z. waren seit Solon offensichtlich zu kleineren
Ämtern zugelassen, seit 457/6 v. Chr. auch zum Archontat ([Aristot.] Ath. pol. 26,2). Unter den Athenern
mit Hoplitenstatus, die im Jahr 411/10 die beschränkte
Gruppe von Vollbürgern bilden sollten, hat man wohl
die z. und die Klassen darüber zu verstehen (Thuk.
8,65,3; 8,97,1; [Aristot.] Ath. pol. 29,5; 33). Im 4. Jh.
v. Chr. wurde die Bindung polit. Rechte an Zensus-

klassen zwar nicht formal abgeschafft, aber nicht mehr geltend gemacht.

→ Solon [1]

1 Busolt/Swoboda, Bd. 2 2 C. Cichorius, in: Griech. Studien H. Lipsius dargebracht, 1894 3 G. E. M. de Ste Croix, in: Rhodes 4 L. G. Mitchell, P. J. Rhodes (Hrsg.), The Development of the Polis in Archaic Greece, 1997, daraus: P. J. Rhodes, Introduction, 1–8; L. Foxhall, A View from the Top, 113–136 5 D. Whitehead, The Archaic Athenian ζευγῖται, in: CQ 31, 1981, 282–286.
P. J. R.

Zeugma

[1] (ζεῦγμα/ *zeúgma*, »Verbindung«; gemeint ist hier eine »unpassende Verbindung«). Den → Figuren zuzurechnende rhetorisch-stilistische Erscheinung der Worteinsparung, Sonderform der → Ellipse: Wenigstens zwei syntaktisch koordinierte Subst. werden als Objekte bzw. Subjekte mit einem Vb. verbunden, das von seiner Verwendungsweise her im Grunde nur zu einem von ihnen genau paßt (vgl. Quint. inst. 9,3,62 *est per detractionem figura . . ., quae dicitur* ἐπεζευγμένον/ *epezeugménon, in qua unum ad verbum plures sententiae referuntur, quarum unaquaeque desideraret illud, si sola poneretur*). Beispiele: ἔδουσί τε πίονα μῆλα οἶνόν τ' ἔξαιτον μελιηδέα (Hom. Il. 12,319f.); *pacem an bellum gerens* (Sall. Iug. 46,8). Zu ἔδουσι, »sie essen«, paßt nur μῆλα, »Schafe«, zu *gerens*, »führend«, nur *bellum*, »Krieg«, als Objekt (nicht aber *pacem*, »Frieden«). Die verknüpften Elemente können in der betreffenden Wendung aber auch verschiedenen Sinnbereichen entstammen, so daß das Vb. in eigentlichem und in übertragenem Gebrauch vorliegt: vgl. *et in urbe et in eadem mente permanent* (Cic. Cat. 2,11).

→ Stil, Stilfiguren

Kühner/Gerth 2, 570f. · Schwyzer/Debrunner, 710 · Kühner/Stegmann 2, 565f. · Hofmann/Szantyr, 831–834.
R. P.

[2] Die um 300 v. Chr. von Seleukos [2] I. am Übergang über den Euphrates [2] gegr. Stadt Seleukeia [7] (h. Belkis) kannten die Römer als Z. (»Verbindung«, »Brücke«, s. o. [1]), seitdem 53 v. Chr. Licinius [I 11] Crassus hier über eine Brücke in die Katastrophe von Karrhai (→ Harran) gezogen war; früheste Erwähnung bei Cic. ad Q. fr. 2,10,2 (Februar 54 v. Chr.). Schon im 1. Jh. n. Chr. kennt Plinius die Identität von Z. mit Seleukeia am Euphrates nicht mehr (vgl. Plin. nat. 5,86; 6,119).

C. Iulius [II 32] Caesar traf sich 1 v. Chr. mit dem Partherkönig Phraates [5] V. auf einer Insel im Euphrates bei Z. zu Verhandlungen. Vielleicht schon 18 n. Chr. wurde die *legio X Fretensis* von Kyrrhos nach Z. verlegt und 66 n. Chr. von der *legio IV Scythica* abgelöst. Deren Stationierung belegen zwei Grabstelen und gestempelte Ziegel aus dem Stadtgebiet sowie Inschr. im 15 km nördl. gelegenen Steinbruch von Arulis (vgl. [1. 132–146]).

Kultstatuen von Athena und Tyche, Mosaiken und gut 200 Grabstelen bezeugen eine von Traianus bis in severische Zeit reichende Blüte. Im J. 253 n. Chr. wurde

Z. durch Sapor [1] I. zerstört, Diocletianus verlegte die *legio IV Scythica* nach Oriza an den syr. Steppenlimes (→ Limes VI. D.). Spätant. Quellen nennen Z. als Bischofssitz – zuletzt für das J. 1048, als sich der Übergang über den Euphrates bereits 12 km weiter südl. nach Birecik verlagert hatte.

Im Herbst 2000 ist die Unterstadt von Z. im Birecik-Stausee versunken. Internationale Rettungsgrabungen führten kurz vor der Flutung zu sensationellen Entdeckungen: ein Archiv mit gut 65 000 Tonsiegeln und kaiserzeitliche Villen mit so großartigen Fresken und Mosaiken, daß Z. als Pompeii des Ostens bezeichnet werden kann.

→ Kommagene

1 J. Wagner, Seleukeia am Euphrat/Z. (TAVO Beih. B 10), 1976.

D. L. Kennedy (Hrsg.), The Twin Cities of Z. on the Euphrates, 1998 · R. Ergeç u. a., Seleukeia am Euphrat/Z., in: J. Wagner (Hrsg.), Gottkönige am Euphrat, 2000, 105–113.
J. WA.

Zeus (Ζεύς, Gen. Διός).

I. Name und Identität
II. Epiklesen und Wirkungsbereiche
III. Zeus in Mythos und Literatur
IV. Riten, Kulte, Feste V. Ikonographie

I. Name und Identität

Als oberster griech. Himmelsgott, patriarchalischer ›Vater der Götter und Menschen‹ (Hom. Il. 1,544) und Inbegriff von Herrschaft, Gerechtigkeit und Allmacht steht Z. an der Spitze der Olympischen Götterfamilie (→ Zwölfgötter). Zu seinen Symbolen gehören Adler, Blitzbündel bzw. Donnerkeil und Szepter [32. 30–32]. Als »höchster« Gott sowohl seinem Wohnsitz als auch seiner Stellung nach trägt er in der Lit. und im Kult die Beinamen *Hýpatos* [7. 202f.] und → *Hýpsistos* [4. Bd. 2, 875–890; 21. Bd. 1, 416–430; 31. 1477–1480].

Als einziger olympischer Gott ist Z. nachweislich indoeuropäischer Herkunft. Sein Name ist etym. transparent und abgeleitet von idg. **dieu-*, »leuchten« (vgl. εὐδία/ *eudía*, »strahlender Himmel« und lat. *dies*, »Tageshelle«; [30. 999f.]). Die homerische → Epiklese »Vater Zeus« (Ζεῦ πάτερ/ *Zeu páter*) hat ebenfalls indeur. Wurzeln (ai. *Dyàus pitár*, lat. *Iuppiter, Diespiter*). Als *diwo* (Διός/ *Diós*) bzw. *diwe* (Διί/ *Dií*) ist der Name des Z. in → Linear B-Texten aus → Knosos, → Pylos [2] und Chania im Zeitraum von 1450 bis 1200 v. Chr. erstmals greifbar [30. 1001ff.]. Seinem weiten Verbreitungsgebiet entspricht die Vielfalt der für ihn dialektal bezeugten Namensformen, u. a. Nom. Δίς, Δεύς, Ζήν, Δάν, Ζάς; Akk. Δία, Ζῆν(α), Ζάντα, Ζεύν [30. 1000f.]. Im elischen Dialekt von → Olympia war pl. Ζᾶνες/ *Zánes* die Bezeichnung für Zeusstatuen, die aus den Bußgeldern bestrafter → Athleten hergestellt wurden (Paus. 5,21,2). Die Griechen deuteten die beiden Alternativformen Διϝ- bzw. Ζην sinnvoll, wenn auch etym. unrichtig, als

Hinweis auf Zeus als Urheber ($\Delta\iota F$ < διά/*diá*, »durch«) bzw. Lebensquelle (Ζην < ζῆν/*zēn*, »leben«) von allem (Hes. erg. 2–8; Plat. Krat. 396a 2–9; der Stoiker → Chrysippos [2] bei Philod. de pietate 9905–9912 Obbink = SVF 1076, vgl. 1021; 1062; [30. 1352–1358]).

Der Etym. seines Namens nach verkörperte Z. bereits in vorgriech. Zeit den hellen, leuchtenden Himmel. Davon abgeleitet ist seine im Mittelmeerraum weit verbreitete Funktion als Wettergott, dessen Wirkungsmacht sich in Blitz, Donner, Regen und Schnee manifestiert [30. 1014–1022] und der auf Bergeshöhen verehrt wird. Bergkulte des Z. sind für zahlreiche Landschaften bezeugt [4. Bd. 2, 868–987]. Als Götterberg par excellence avancierte der thessalische Olympos [1] zum Beinamen des Z. (Z. *Olýmpios*) und gleichsam zum Familiennamen seiner Mitgötter, der Olympier [4. Bd. 1, 100–117; 31. 1466–1468]. In einem Heiligtum auf einem der Gipfel des thessal. Olymposgebirges wurden drei Weihinschriften gefunden, von denen eine dem Z. und zwei dem Z. *Olýmpios* gewidmet sind [29. 342]. In Attika gab es mehrere Bergkulte des Z. [23. 29–33]. So wurde auf den Höhen des → Hymettos Z. *Sḗmios*, der »Z. der Wetterzeichen« (σήματα/*sḗmata* [4. Bd. 2, 4–10]), seit ca. 700 v. Chr. kultisch verehrt, wie frühe Graffiti zeigen [14]. Eng verwandt ist Z. *Sēmáleos*, dessen Kult auf dem benachbarten → Parnes beheimatet war (Paus. 1,32,2). Die Rolle des Z. als Wettergott spiegelt sich in zahlreichen vom Blitz und Regen abgeleiteten Beinamen wie *Hyétios* (»Z. des Regens«), *Ómbrios* (»Regenmacher«), → *Kataibátēs* (»der im Blitz Niederfahrende«) oder *Keraúnios* (»Blitzender«) [4. Bd. 2, 11–36, Bd. 3, 525–570; 7. 22–24; 20. Bd. 1, 34–36; 29; 31]. Seit → Homeros [1] gilt Z. als der Gott, ›der sich am Blitz erfreut‹ (Hom. Il. 1,419; Hes. erg. 52 u.ö.). Im Mythos ist der Blitz die Waffe, mit der Z. seine Gegner vernichtet (Hes. theog. 687–710; 839–868). Selbst → Semele, die Geliebte des Z. und Mutter des → Dionysos, wurde durch → Heras Machenschaften ein Opfer des Blitzstrahls, in dem sich Z. ihr offenbarte (Eur. Bacch. 6–9). Wie alle vom Blitzschlag getroffenen Personen bzw. Orte war die Stelle, an der Semele starb, tabuisiert (→ *ábaton*; [4. Bd. 2, 21–29]).

II. EPIKLESEN UND WIRKUNGSBEREICHE

Z. unterscheidet sich von allen anderen griech. Göttern durch die Mannigfaltigkeit der Naturphänomene, Gemeininteressen und Polisinstitutionen, für die er zuständig ist. Seine wichtigsten Funktionen lassen sich an seinen Beinamen bzw. → Epiklesen ablesen, von denen mehr als 1000 inschr. und lit. überliefert sind ([29; 31]; vgl. Indizes zu SEG). Die Mehrzahl davon läßt sich unschwer zentralen Wirkungsbereichen des Gottes zuordnen [25. 142–153; 30. 1044–1058]. So wird Z. oft als Beschützer des häuslichen Herdes (Z. *Ephéstios*), des umzäunten Hofes (Z. *Herkeíos*) und des Familienbesitzes (Z. *Ktḗsios*) angerufen [4. Bd. 2, 1054–1068; 27. 38–40; 29]. Als Z. *Patrṓ(i)os* (»Zeus der Väter«) und Z. *Phrátrios* (»Z. des Geschlechterverbands«, s.u.) wachte er über Familien und Verwandtschaftsgruppen [27. 36–43; 29].

Als Z. *Xénios* (»Z. des Gastrechts«), Z. *Hikésios* (»Z. der Schutzflehenden«) und Z. *Phílios* (»Z. der Freundschaft«) fungierte er als Garant zwischenmenschlicher Beziehungen [4. Bd. 2, 1160–1210; 29]. Als Z. *Polieús* (»Z. des Stadtstaats«) verkörperte er die → Polis als geordnetes Gemeinwesen [29. 354]. Als Z. *Agoraíos* (»Z. des Versammlungsplatzes«) und Z. *Bulaíos* (»Z. der Ratsversammlung«) förderte er die öffentliche Meinungsbildung [7. 176, 197–199; 27. 51–54; 29. 257f., 291]. Als Z. *Hórkios* bestrafte er die Eidbrecher [29. 345]. In Krisensituationen wie → Naturkatastrophen, polit. Wirren und Krieg erwies er sich als *Alexíkakos* (»Übelabwehrer«), *Apotrópaios* (»Abwender«) und omnipräsenter *sōtḗr* (»Retter«) aus der Not [7. 199f.; 8. 1638; 25. 145, 151f.; 29; 31]. Dem Z. → *Sōtḗr* galt auch die letzte der drei obligatorischen Libationen (→ Trankopfer) beim Symposion, nach Z. *Olýmpios* und den Heroen [4. Bd. 2, 1123–1125; 20. Bd. 1, 428–442].

Die genannten Epiklesen hatten panhellenische Geltung, wie ihr Vorkommen in Epos und Drama zeigt. Sie sind jedoch auch inschr. auf regionaler Ebene bezeugt; daran erweist sich ihre kultische Relevanz. So wurde Z. *Polieús* u. a. auf → Amorgos, → Delos, → Kos, → Rhodos und → Thera sowie in → Akragas, → Delphoi, Ilion (→ Troia), → Sardeis und → Smyrna als Stadtgott verehrt [4. Bd. 3, 570ff.; 29. 354]. Im Falle des Z. *Eleuthérios*, des »Befreiers« von Tyrannei und Aggression, lassen sich panhellenische und regionale Interessen kaum noch scheiden. Die Kultgründung erfolgte verm. erst 479 v. Chr. nach dem panhellenischen Sieg über die Perser bei → Plataiai; von dort wurde der Kult u. a. nach Athen und → Samos übertragen, wo er mit lokalen Z.-Kulten verschmolz [7. 201; 23. 157, 239; 26; 28. 125–134; 30. 1066–1071, 1103–1105].

Daneben treten die zahlreichen Ortsepiklesen, die von griech. bzw. kleinasiatischen, häufig anatolischen Kultstätten abgeleitet sind, wie z.B. der nach einem Berg in Böotien benannte Z. *Laphýstios* von → Koroneia [28. 104–108]. Zu den wichtigsten Zeuskulten auf kleinasiatischem Boden zählt Z. *La(m)braúndos* bzw. *Labrandeús* von → Labra(u)nda bei → Mylasa in Karien, der auch den transparenteren Namen Z. *Strátios* (»der Heerführer Z.«) trug [15. 45–101; 29. 328f.]. Ihm waren in Milet mehrere Altäre geweiht [18. Bd. 2, 344⁵]; seit 299/8 wurde er von einem karischen → *thíasos* im attischen → Peiraieus verehrt (IG II² 1271; [17. 147, 151–153]). Dagegen blieb der 1886 wiederentdeckte und nur inschr. bekannte Kult des Z. *Panámaros*, des »karischen Z.« (Z. *Kários*, [29. 319f.]), auf seinen Heimatort Panamara bei Stratonikeia [2] in Karien und auf das karische Hinterland beschränkt [15. 221–343; 19. 27–31]. Anatolisch ist verm. auch der in seiner Deutung umstrittene Z. *Bagaíos*, ein »phrygischer Zeus« (Hesych. β 22 LATTE; [29. 285]).

Rituelles klingt in einigen wenigen Epiklesen an. So bezieht sich *Aigophágos* (»Ziegenesser«, [31. 1442]) auf den Opferkult, *Epḗkoos* (»ganz Ohr«, [31. 1455]) auf die Erhörung beim Gebet und *Ikmaíos* (»Z. der Feuchtigkeit«, [31. 1458]) auf Regenzauber. Als *Z. Mórios* wachte Z. über die der → Athena heiligen Ölbäume (→ Moriai) in Attika (Soph. Oid. K. 705 mit schol.). Verbreitete Kulttitel wie *Chthónios* (»Unterirdischer«, Hes. erg. 465; Aischyl. fr. 273a 9 RADT; Soph. Oid. K. 1606, wo *Z. Chthónios* donnert), *Meilíchios* (»rituell Besänftigter«, [4. Bd. 2, 1091–1160; 12. 81–103]), *Euménēs* (»Wohlgesinnter«, [12. 77–81]) und *Elástēros* (»Vertreiber«), dem ein Altar auf → Paros gewidmet war (SEG 48, 1136; [12. 116–120]), ordnen den Himmelsgott Z. paradoxerweise dem chthonischen Bereich zu (vgl. → Chthonische Götter). In einem Ritualtext aus Selinus werden Tieropfer an *Z. Meilíchios* und *Z. Euménēs* als Teil von chthonischen Sühneriten beschrieben (SEG 43, 630; [12]). In der Doppelnatur des Z. als Gott des Himmels und der Erdentiefe manifestiert sich die für den griech. Polytheismus typische Neigung zur Polarisierung, möglicherweise auch die Einbindung einer erdbezogenen Religion in den Z.-Kult. In seinen chthonischen Aspekten wurde Z. als Schlange dargestellt und verehrt [20. Bd. 1, 25–34, Bd. 2, 719–723].

III. ZEUS IN MYTHOS UND LITERATUR

Mythen, die sich um Z. rankten, gab es bereits in myk. Zeit. Auf einem Linear-B-Täfelchen aus Pylos (Tn 316) werden nämlich Weihgeschenke für Z., Hera und »Drimios, den Sohn des Z.« (Διὸς υἱεῖ) aufgeführt. Außer der Kultgemeinschaft von Z. und Hera wird hier eine genealogische Verbindung vorausgesetzt, die auf einem entsprechenden theogonischen Mythos basierte [3. 2f.]. Dabei bleibt die Identität der Mutter des Drimios jedoch offen; die einseitige Betonung der Vaterschaft des Z. macht es eher unwahrscheinlich, daß es Hera war [3. 3]. Die nachmyk. Mythologie kennt denn auch keinen Z.-Sohn dieses Namens. Daran bestätigt sich die notorische ›Diskontinuität im Göttermythos‹ [3. 3], welche die Mythologie Homers und die des → Hesiodos von der Brz. trennt.

Seit Homer (Hom. Il. 18,184) und Hesiod (Hes. theog. 328) gilt → Hera, Tochter von → Kronos und → Rhea, als unumstrittene (wenn auch eigenwillige) göttliche Gattin des Z. Die beiden werden oft als ideales Götterpaar präsentiert, vereint durch einen → Hieros Gamos [4. Bd. 3, 1025–1065; 13], trotz der Geschwisterehe, die zwar das Inzesttabu verletzt, aber gerade dadurch die Sonderstellung Heras hervorhebt [1. 209]. Die Götter, die aus dieser Ehe hervorgingen, sind bloße Randfiguren: der thrakische → Ares, die kretische → Eileithyia und die griech. → Hebe (Hes. theog. 921–923; [24. 110–125]). Dasselbe gilt für den lahmen Schmiedegott → Hephaistos, der im homerischen Epos zwar Sohn von Z. und Hera ist (Hom. Il. 1,578), bei Hesiod jedoch vaterlos bleibt (Hes. theog. 927f.).

Hera war nicht die einzige Göttin, die Z. zum Gatten hatte. Laut Hes. theog. 886–906 hatte sie zwei Vorgängerinnen, Metis (»Klugheit«) und → Themis (»Ordnung, Norm«). Aus der Verbindung mit Themis gingen außer den Moiren (→ Moira) die drei → Horai → Eunomia (»Wohlgesetzlichkeit«), → Dike [1] (»Recht«)

und → Eirene [1] (»Friede«) hervor. Als → Personifikation von Recht und Ordnung sitzt Dike an der Seite des Z. (Hes. erg. 259; Aischyl. fr. 281a 10 RADT; Soph. Oid. K. 1381 f.), der höchsten göttlichen Rechtsinstanz. Hier zeichnet sich erstmals die Vorstellung von Z. als dem Garanten der von ihm repräsentierten Rechtsordnung ab, die → Aischylos [1] zum Grundkonzept seiner ›Orestie‹ machte [16; 20. Bd. 3, 303–321]. Zwiespältiger ist Z.' Verhältnis zum Schicksal. Als *Moiragétēs* (»Führer der Moiren«, inschr. und lit. [7. 24–31]) ist er zwar auch für die Schicksalsgöttinnen Autoritätsperson, aber im konkreten Fall kann bzw. will selbst Z. die von den Moiren getroffenen Entscheidungen, soweit sie z.B. die Lebensspanne eines individuellen Menschen betreffen, nicht rückgängig machen [9]. In → Dodona hieß die Gemahlin des Z. *Náïos* nicht Hera, sondern → Dione [22. 69f.; 25. 125²], vom Namen her das weibliche Gegenstück zu Z. (vgl. die myk. Göttin *diwija* bzw. Δῖα/ *Día*; [11. 301]). Bei Homer erscheint die marginale Dione einmal als Mutter der → Aphrodite (Hom. Il. 5,370; [3. 84]), die an anderen Stellen ohne Nennung der Mutter betont als »Tochter des Z.« bezeichnet wird (ebd. 3,374 u.ö.).

Unter den Olympischen Göttern stammen weder → Apollon und → Artemis, die als Götter ihrem Vater Z. ebenbürtig sind, noch → Hermes oder → Persephone von Hera ab. Die Musen sind Töchter des Z. und der → Mnemosyne (Hes. theog. 52–67; 915–917). Dionysos und Athena genossen aufgrund ihrer bizarren Geburt einen genealogischen Sonderstatus (Hes. theog. 886–900; 924–926; Eur. Bacch. 88–100). Dubioser ist der Stammbaum des → Herakles [1]. Als sein Vater galt sowohl Z. als auch → Amphitryon; denn → Alkmene schlief mit beiden in derselben Nacht (Hes. scut. 30–56). Die tragikomische Thematik der geteilten Liebesnacht, der doppelten Vaterschaft und des damit gegebenen ambivalenten Status des Herakles ist in der griech. und lat. Lit. und weit darüber hinaus immer wieder aufgegriffen worden (z.B. bei → Euripides [1], → Plautus, H. v. KLEIST und P. HACKS). Z. war mit wenigen Ausnahmen (→ Chrysippos [1], → Ganymedes [1]) heterosexuell, aber nicht monogam. Seine zahlreichen Liebesaffären mit sterblichen Frauen waren ein beliebtes Thema der genealogischen Katalogdichtung (Hom. Il. 14,315–328; Hes. cat. [30. 1225–1246]). Die Seitensprünge des Z. stießen zwar wiederholt auf moralphilos. Kritik (→ Xenophanes [1], → Platon [1], → Epikureische Schule, bes. Philod. de pietate), aber das hielt die Dichter nicht davon ab, den Liebschaften des Z. immer wieder neue Aspekte abzugewinnen (Ov. met.). Als bes. zugkräftig erwiesen sich die → Metamorphosen, v. a. in Tiergestalt (→ Danae, → Europe [2], → Io, → Kallisto, → Leda, → Nemesis), mit deren Hilfe Z. sein jeweiliges Ziel zu erreichen suchte. Die Kinder, die aus diesen Verbindungen hervorgingen, galten als Kulturheroen, Stadtgründer und Stammväter der ältesten Geschlechter Griechenlands [30. 1247–1258].

Bei Hesiod und in den orphischen Theogonien (→ Orphik) ist Z. ein relativ junger Gott, der sich seine Vorrangstellung hart erkämpfen mußte (→ Gigantomachie, → Titanomachie). Wie Z. zuerst an die Macht gelangte, schildert der hesiodische Sukzessionsmythos mit der Abfolge → Uranos, → Kronos, Z. (Hes. theog. 154–206; 459–491), der auf hurritisch-hethitischen Vorläufern basiert (→ Kumarbi-Mythos [36. 276–283]) und den Aischylos [1] an den Anfang seines ›Z.-Hymnos‹ (Aischyl. Ag. 160–183) stellte (wie ja überhaupt die aischyleische Z.-Theologie in der Nachfolge Hesiods steht). Als Götterkönig muß sich Z. die Welt mit seinen Brüdern teilen: → Hades erlost die Unterwelt, → Poseidon das Meer und Z. den Himmel (Hom. Il. 15, 187–193). Diese Mythen problematisieren den absoluten Machtanspruch des Z., indem sie den Blick auf die Vorgeschichte seiner Herrschaft lenken. Auch die irdischen Könige ›stammen von Zeus‹ (Hes. theog. 96), auf den sich dann in hell. Zeit Königsideologie und Herrscherkult berufen (Kall. h. 1).

Abgesehen von → Ares ist Z. der einzige Olympische Gott, der in den erh. Tragödien niemals auf der Bühne erscheint. Ob in der verlorenen ›Psychostasia‹ des Aischylos der Seelenwäger Z. als Bühnengott auftrat, bleibt zweifelhaft [34. 431 f.]. Von anthropomorphen → Epiphanien des Z. ist so gut wie nie die Rede. Z. ist kein Gott der Nähe wie Dionysos. Seine Überlegenheit schafft Distanz, die tiefere Gründe hat und Z. wohl ansteht.

IV. RITEN, KULTE, FESTE

Von der Brz. (s.o. III.) bis in die Spätant. wurde Z. in der gesamten griech. Welt mit Tempelkult (bes. Athen, Akragas, Olympia, dort auch sein berühmtestes Götterbild, vgl. → Pheidias), → Opfer-Riten und → Gebet verehrt, urspr. unter freiem Himmel; seine Tempel (seit dem 6. Jh. v. Chr.) sind jünger als die der anderen Gottheiten [32. 16, 21]. Sein Name ist untrennbar mit dem ersten Tieropfer und dem Betrug des → Prometheus bei der Verteilung des Opferfleisches verknüpft (Hes. theog. 535–569). Seine paradigmatische Rolle als Opferempfänger beweist der monumentale, aus den Überresten der verbrannten Opfertiere aufgeschichtete Altar in der Altis von → Olympia, wo Z. gemeinsam mit → Pelops [1] im Mittelpunkt des Fest- und Opferzyklus einschließlich der Olympischen Spiele stand [2. 93–103]. Panhellenisch wie in Olympia war auch sein Kult in Nemea [2], wo vergleichbare Wettspiele für Z. und → Opheltes stattfanden.

Z. genoß Kultgemeinschaft mit Heroen wie Pelops sowie mit der Mehrzahl der Olympischen Götter. Auf → Lesbos wurde er bereits in früharcha. Zeit als Z. Antíaos (»Z. der Begegnung«, d. h. der → Hikesie) zusammen mit der äolischen Hera und Dionysos Ōmēstḗs in gemeinsamem Tempelkult verehrt (Sappho fr. 17; Alk. fr. 129 LOBEL/PAGE). In Athen trat er als Z. Polieús und Z. Phrátrios mit Altären auf der Akropolis und in der Agora ergänzend neben Athena Poliás und Athena Phratría [30. 1072 f.]. Zum attischen Fest des Z. Olýmpios

gehörten Reiteragon und Festzug, an dem verm. auch das → Palladion der Athena beteiligt war [27. 134–143].

Im Gegensatz zu den panhellenischen Spielen in Olympia und Nemea waren die lokalen Z.-Feste durchweg unbedeutend, bewahrten aber z. T. rituelles Sondergut [19. 1–35; 5. 155–178]: In den beim Z.-Altar auf dem Gipfel des → Lykaion-Berges in Arkadien begangenen Opferriten zu Ehren von Z. Lykaíos verbinden sich kannibalistische Vorstellungen mit Werwolfsgeschichten [2. 84–93]. Hinter den Mythen von der Geburt des Z. auf Kreta, den Waffentänzen der → Kureten und seinem kretischen Grab (Kall. h. 1) verbergen sich euhemeristisch umgedeutete Initiationsriten, die in lit.-kultischer Brechung noch im Z.-Hymnos von Palaikastro zu fassen sind [35]. In dessen Mittelpunkt steht der junge Z. als »größter Kuros«, der Herden, Felder, Schiffe, Städte und Jungbürger »bespringt« [6. Bd. 1, 64–76, Bd. 2, 1–20].

Der attische Festkalender kennt drei Z.-Feste, deren Namen alle mit Z. (Di-) beginnen. Als altmodisch galten bereits in klass. Zeit die Z. Polieús gewidmeten → Dipolíeia (s. Nachträge). In deren Mittelpunkt stand ein vom gewöhnlichen Opferritus abweichendes Stieropfer, an dessen Ende dem Opfermesser der Prozeß gemacht wurde (vgl. → Buphonia; [4. Bd. 3, 570–605; 5. 158–174; 2. 136–143]). Bei den zu Ehren von Z. Meilíchios (s.o. II.) in Agrai als »düsteres« Volksfest veranstalteten Diásia wurden neben normalen Tieropfern auch »lokale Opfergaben« (Thuk. 1,126,10), d. h. sowohl weinlose als auch unblutige Opfer dargebracht [5. 155–157; 23. 77 f.]. Tieropfer und Prozession bestimmten den Ablauf der Diisōtḗria im Peiraieus, die Z. Sōtḗr und Athena Sṓteira galten und für die hell. Zeit bezeugt sind [5. 174 f.; 23. 239 f.].

Wie Apollon war Z. auch Orakelgott mit Sitz in Dodona, Olympia und dem → Ammoneion in der libyschen Wüste ([22]; → Orakel). Auch Orakel des Z. Kários sind inschr. erhalten. Als ältestes Z.-Orakel gibt gerade → Dodona manche Rätsel auf. So stehen die altertümlichen Selloi-Priester, die ›mit ungewaschenen Füßen auf der Erde schlafen‹ (Hom. Il. 16,234 f.) neben den als »Tauben« bekannten Priesterinnen (Hdt. 2,53–57), und gegenüber der weissagenden Eiche des Z. Náios (Hom. Od. 14,327 f. = 19,296 f.), deren Rauschen spurlos verklungen ist, verblassen die banalen Orakelfragen von Privatpersonen, die auf Bleitäfelchen erh. sind ([22. 263–273]; SEG 43, 318–341).

Der röm. → Iuppiter hatte mit Z. den Suprematüber die übrigen Götter des → Pantheons [1] und die wichtigsten Grundfunktionen (Himmels-, Wetter- und Kultgott) gemeinsam. Als Stadtgott von Rom und Staatsgott der röm. Republik war Iuppiter jedoch in weit höherem Grade als Z. polit. Gott. Z. war zwar vielerorts Polisgott (Polieús), aber im Gegensatz zu Athena oder Apollon fungierte er als Schutzgott keiner einzigen griech. Stadt. Auch die Mehrzahl seiner Kultepiklesen weist über lokale Belange hinaus. In den Augen seiner Verehrer ging Z. immer aufs Ganze, sei es als panhellenischster aller griech. Götter, als Universalgott, ja selbst als Allgott (→ Kleanthes [2]; [37. Bd. 2, 171 f., 406; 1. 207]). Dennoch hat sich der → Monotheismus, den F. G. WELCKER (1784–1868) im Anfangsstadium der griech. Z.-Religion zu erkennen glaubte, als eine Illusion erwiesen [10. 203 f.].

→ Kult III.; Mythos V.; Religion VII.–VIII.

1 BURKERT, bes. 200–207 2 Ders., Homo Necans: The Anthropology of Ancient Greek Sacrificial Ritual and Myth, 1983 3 Ders., KS 1: Homerica, 2001 4 A. B. COOK, Z.: A Study in Ancient Religion, 3 Bde., 1914–1940 5 F. DEUBNER, Attische Feste, 1932 6 W. D. FURLEY, J. M. BREMER, Greek Hymns, 2 Bde., 2001 7 GRAF 8 Ders., s. v. Z., OCD³, 1636–1638 9 W. C. GREENE, Moira: Fate, God, and Evil in Greek Thought, 1944 10 A. HENRICHS, Welckers Götterlehre, in: W. M. CALDER III et al. (Hrsg.), F. G. Welcker: Werk und Wirkung, 1986, 179–229 11 S. HILLER, O. PANAGL, Die frühgriech. Texte aus myk. Zeit, ²1986 12 M. H. JAMESON et al., A Lex Sacra from Selinous, in: GRBS Suppl. 11, 1993 13 K. KERÉNYI, Z. und Hera: Urbild des Vaters, des Gatten und der Frau, 1972 14 M. K. LANGDON, A Sanctuary of Z. on Mount Hymettos (Hesperia Suppl. 16), 1976 15 A. LAUMONIER, Les cultes indigènes en Carie, 1958 16 H. LLOYD-JONES, The Justice of Z., ²1983 17 J. D. MIKALSON, Religion in Hellenistic Athens, 1998 18 NILSSON, GGR 19 NILSSON, Feste 20 Ders., Opuscula selecta, 3 Bde., 1951–1960 21 A. D. NOCK, Essays on Religion and the Ancient World, 2 Bde., 1986 22 H. W. PARKE, The Oracles of Z.: Dodona, Olympia, Ammon, 1967 23 R. PARKER, Athenian Religion: A History, 1996 24 W. PÖTSCHER, Hera: eine Strukturanalyse im Vergleich mit Athena, 1987 25 PRELLER/ROBERT 1 26 K. RAAFLAUB, Z. Eleutherios, Dionysos the Liberator, and the Athenian Tyrannicides, in: P. FLENSTEDT-JENSEN et al. (Hrsg.), Polis and Politics: Studies in Ancient Greek History, 2000, 249–275 27 N. ROBERTSON, Festivals and Legends: The Formation of Greek Cities in the Light of Public Ritual, 1992 28 A. SCHACHTER, Cults of Boeotia, Bd. 3: Potnia to Zeus, 1994 29 H. SCHWABL, s. v. Z. (I, Epiklesen), RE 20.1, 253–376 30 Ders. et al., s. v. Z. (II, Sprachgeschichte; myk. Belege), RE Suppl. 15, 994–1411 31 Ders., s. v. Z. (II, Nachträge), RE Suppl. 15, 1441–1481 32 SIMON, GG, 14–34 33 Dies., Z. (III, Arch. Zeugnisse), RE Suppl. 15, 1411–1441 34 O. TAPLIN, The Stagecraft of Aeschylus, 1977 35 H. VERBRUGGEN, Le Z. Crétois, 1981 36 M. L. WEST, The East Face of Helicon, 1997 37 WILAMOWITZ.

H. SCHWABL, A. B. COOK, Z.: A Study in Ancient Religion (1914/1925/1940): Nachdenkliches über Plan und Aussage des Werkes, in: W. M. CALDER III (Hrsg.), The Cambridge Ritualists Reconsidered (Illinois Class. Stud. Suppl. 2), 1991, 227–249.   AL. H.

V. IKONOGRAPHIE

Z. ist einer der vielgestaltigsten und wandlungsfähigsten griech. Götter [10. 14], daher seine ubiquitäre Präsenz in myth. Szenen. Darstellungen auf minoisch-myk. Monumenten sind unsicher ([12. 315], dagegen aber [10. 26]); gesichert sind sie erst ab 700 v. Chr. (manchmal auch – wie später unüblich – unbärtig [10. 30]). Spezifische Züge (langes Haar, Bart) bilden sich seit dem

6. Jh. v. Chr. aus, wo die beiden wesentlichen Typen entstehen: stehend, oft als Blitzschleuderer (*Keraúnios* [10. 28 f.]), oder thronend, letzteres meistens in myth. Szenen; diese Szenen sowie die → Gigantomachie sind bis E. des 6. Jh. der einzige Kontext, in dem Z. regelmäßig erscheint; ansonsten ist er in der archa. Ikonographie erstaunlich selten dargestellt [9].

Im 5. Jh. v. Chr. ist die Darstellung des nackten, blitzschleudernden Z. beliebt (»Gott aus dem Meer«, Athen, NM; [13]). Um 455 entstand der Z. des → Ageladas in Ithome [1] (s. [5. 16]); der samische Z. des → Myron [3] (um 440) wurde vielfach kaiserzeitlich umgeformt [4]. In der Vasenmalerei des 5. Jh. sind auch die Liebesabenteuer des Z. beliebt. Die schon in der Ant. als endgültig empfundene Gestaltung erhielt der thronende Gott um 430 v. Chr. in der über 12 m hohen Gold-Elfenbein-Statue des → Pheidias in Olympia [3] (→ Goldelfenbeintechnik; → Weltwunder).

Zahlreiche Statuen aus dem 4. Jh. sind bei → Pausanias [8] oder auf Mz. überl. [12. 337]. Der kolossale Z. des → Lysippos [2] in Tarent/Taras wurde bei der Einnahme der Stadt 209 v. Chr. nach Rom gebracht und war noch im MA bekannt [6]. Der Z. *Brontaíos* des → Leochares (evtl. aus dem Heiligtum des Z. *Sōtér* in → Megale Polis, so [5]), der im kapitolinischen Tempel des → Iuppiter Tonans in Rom aufgestellt wurde, wurde auf Münzen und in kaiserzeitlichen Kopien und Bronzestatuetten vielfach nachgebildet. Die »Vermenschlichung« des Gottes bewirkte im 4. Jh. oft ikonographische Nähe zu → Asklepios [11. 15–17]. Väterlich-strengen Charakter bewahrt der Z. von Otricoli, der wohl zu einem Sitzbild gehörte [11. 15; 12. 345].

In Hell. und röm. Kaiserzeit erscheint Z. seltener allein, ist aber einer der am häufigsten dargestellten griech. Götter in Kleinasien, wo seine Ikonographie auf klass. und hell. Trad. basiert und nur an Beischriften erkennbar ist, in welcher Funktion Z. verehrt wurde [12. 355, 384; 8]. Röm. Z.-Darstellungen sind oft nicht auf ein bestimmtes griech. Original zurückzuführen, stehen aber ganz in den Trad. der griech. Formensprache [7].

In der Spätant. gelangte das Sitzbild des olympischen Z. nach Konstantinopolis, wo es das Bild des Christos Pantokrator prägte; der von Byzanz kommende bärtige Christustypus verdrängte den in den ersten nachchristl. Jh. im Westen vorherrschenden bartlosen, jugendlichen, lockigen Typus [3. 237 f.].
→ Iuppiter II.

1 D. AEBLI, Klassischer Z. Ikonologische Probleme der Darstellung von Mythen im 5. Jh. v. Chr., 1971 2 K. W. ARAFAT, Classical Z. A Study in Art and Lit., 1990 3 B. BÄBLER, Der Z. von Olympia, in: H. J. KLAUCK (ed.), Dion von Prusa, Olympische Rede, 2000, 217–238 (mit Lit.) 4 E. BERGER, Zum samischen Z. des Myron in Rom, in: MDAI(R) 76, 1969, 66–92 5 J. CHARBONNEAUX, Le Z. de Léocharès, in: Fondation Eugène Piot: Monuments et mémoires 53, 1963, 9–17 6 J. DÖRIG, Lysipps Z.-Koloß von Tarent, in: JDAI 79, 1964, 257–278 7 CH. LANDWEHR, Die

Sitzstatue eines bärtigen Gottes in Cherchel, in: B. ANDREAE (Hrsg.), Phyromachos-Probleme, 1990, 101–122 **8** L. ROBERT, Les tribus d'Hiérapolis, in: BCH 107, 1983, 515–548 **9** H. A. SHAPIRO, Art and Cult under the Tyrants in Athens, 1989, 112–117 **10** SIMON, GG **11** E. THIEMANN, Hell. Vatergottheiten, 1959 **12** M. TIVERIOS et al., s. v. Z., LIMC 8, 310–399 **13** R. WÜNSCHE, Der Gott aus dem Meer, in: JDAI 94, 1979, 77–111.   B. BÄ.

Zeuxiades (Ζευξιάδης). Bronzebildner, Schüler des → Silanion (Plin. nat. 34,51). Eine im 19. Jh. bezeugte und verschollene Basis aus Rom bezeugt, daß Z. ein Bildnis des Redners → Hypereides geschaffen hatte, das aus histor. Gründen nach 307 v. Chr. zu datieren ist. Die geläufige Identifizierung des Porträts mit einem in Kopien überl. Typus ist abzulehnen.

OVERBECK, 1350 · LOEWY, Nr. 483 · LIPPOLD, 303 · P. MORENO, s. v. Z., EAA 7, 1267 f. · RICHTER, Portraits 2, 210 f.   R. N.

Zeuxidamos (Ζευξίδαμος).
[1] Galt als spartanischer König aus dem Haus der → Eurypontidai und Sohn des Archidamos, soll gegen Ende des 8. Jh. v. Chr. Nachfolger seines Großvaters → Theopompos [1] gewesen sein, wird aber nicht von Hdt. 8,131 genannt, sondern erscheint nur in der Liste spartanischer Könige des Pausanias (3,7,6; 4,15,3), in die er wohl erst im 4. Jh. v. Chr. eingefügt wurde [1. 97; 2. 344 f.].
[2] Eurypontide, Sohn des spartanischen Königs → Leotychidas [2] II. (vgl. Hdt. 6,71,1; Paus. 3,7,10) und Vater des Königs → Archidamos [1] II. (Thuk. 2,47,2; Plut. Kimon 16,4; Plut. Agesilaos 1,1). Z. wurde aber selbst nicht König, da er vor der Verbannung seines Vaters starb.
→ Sparta

1 F. KIECHLE, Sparta und Messenien, 1959 2 P. CARTLEDGE, Sparta and Lakonia, 1979.   K.-W. WEL.

Zeuxippe (Ζευξίππη). Name diverser myth. Frauengestalten.
[1] Tochter des Flußgottes → Eridanos [2] und Gattin des Teleon (Hyg. fab. 14,9) oder des attischen Herrschers → Pandion [1] (Apollod. 3,193), des Sohnes ihrer Schwester → Praxithea [1] und des → Erichthonios [1] (Apollod. 3,190). Ihre Kinder sind → Prokne, Philomele, → Butes [2] und → Erechtheus.
[2] Gattin des Troianerkönigs → Laomedon [1] und Mutter des → Priamos (Alkm. fr. 113 B).
[3] Tochter des Königs Lamedon und der Pheno; Gattin des Sikyon, des Eponyms der gleichnamigen Stadt; Mutter der Chthonophyle (Paus. 2,6,5).
[4] Tochter des → Hippokoon [1] (Diod. 4,68,5).
[5] Eine Geliebte Apollons (Arnob. 4,26).   HE. B.

Zeuxippos (Ζεύξιππος).
[1] Vater des Kyklops und Vorfahr des attischen Helden Myrmex [1].

[2] Ein anderer Z., Sohn des Apollon und der Nymphe Syllis, Nachfolger des ausgewanderten Königs Phaistos [1] von Sikyon (Paus. 7,6,7).   HE. B.
[3] Legendärer, zeitlich nicht fixierbarer König, der seit Iohannes → Lydos [3] (um 500 n. Chr.) als Gründer von Byzantion ausgegeben wird [1. 261] und auch in apokalyptischen Texten der mittelbyz. Zeit auftritt.

1 R. GUILLAND, Les Thermes de Zeuxippe, in: Jb. der Öst. Byzantinistik 15, 1966, 261–271.   AL. B.

[4] Wohl aus Thebai [2], führte 197 v. Chr. das boiotisch-röm. Bündnis herbei (Liv. 33,27,9) [1. 56[11], 130] und organisierte als Vertrauensmann des T. → Quinctius [I 14] Flamininus 197/6 die Ermordung seines populären Gegners → Brachylles, dessen promaked. Politik im Bündnis erneut die Oberhand zu gewinnen drohte (Pol. 18,43,5–12; Liv. 33,28,2–15). Infolge der heftigen Reaktion der Boioter, bei deren »Guerilla«-Attacken 500 (?) röm. Soldaten umkamen (Liv. 33,29,1–12), zog sich Z. ins Exil nach Tanagra und Anthedon zurück. Er wurde von den Boiotern offiziell wegen des Mordanschlags sowie wegen Tempelraubs zum Tode verurteilt; noch 188 blieben die röm. Interventionen zu seinen Gunsten, die er selbst beim Senat erbeten hatte, erfolglos (Pol. 22,4,4–9) [1. 53–58].
→ Makedonische Kriege

1 J. DEININGER, Der polit. Widerstand gegen Rom in Griechenland 217–86 v. Chr., 1971.   L.-M. G.

[5] Name einer großen Thermenanlage (→ Thermen II. F.) in Byzantion/→ Konstantinopolis (mit Karte) in unmittelbarer Nähe zu Hippodrom und Kaiserpalast. Angeblich von Septimius [II 7] Severus, tatsächlich wohl durch Constantinus [1] I. d. Gr. eingerichtet, war das Bad v. a. durch eine in einem Hof (*gymnásion*) aufgestellte Slg. von Standbildern berühmt, die durch → Christodoros von Koptos beschrieben wurde (*Anthologia Graeca*, B. 2). Beim → Nika-Aufstand 532 n. Chr. wurde der Z. durch Brand zerstört und danach wieder aufgebaut; seit dem frühen 7. Jh. war die Anlage nicht mehr in Betrieb, doch werden die Gebäude noch bis ins 10. Jh. erwähnt. Reste wurden 1927/28 freigelegt.

1 R. GUILLAND, Les Thermes de Zeuxippe, in: Jb. der Öst. Byzantinistik 15, 1966, 261–271 2 R. STUPPERICH, Das Statuenprogramm in den Z.-Thermen, in: MDAI(Ist) 32, 1982, 210–235.   AL. B.

Zeuxis (Ζεῦξις).
[1] Griech. Maler und Tonbildner, wirkte etwa zw. 435/25 und 390 v. Chr. Er war einer der Wegbereiter der großen griech. → Malerei, die mehr als ein Jh. ihr hohes Niveau bewahren sollte. Die bei Plin. nat. 35,61 erwähnte Herkunft aus Herakleia paßt eher auf das sizilische Herakleia [9] Minoa ([1. 382]; anders [2]: Herakleia [7] am Pontos?) als auf Herakleia [10] in Lukanien [3. 60], da Z. Schüler eines ansonsten unbekannten Meisters namens Demophilos aus → Himera war und

einige seiner berühmtesten Werke für die → Magna Graecia und Sizilien schuf. Seine Universalität belegen jedoch Arbeiten für das griech. Mutterland sowie ein Auftrag des maked. Königs Archelaos [1] zur malerischen Ausgestaltung der Residenz in → Pella [1] (Plin. nat. 35,61). Einige seiner Hauptwerke kamen später als Kunstbeute nach Rom.

Z. galt im Urteil ant. und späterer Kunstkritiker als wohl berühmtester Maler der Ant. neben → Apelles [4] und → Polygnotos [1], was durch ca. 60 überl., teilweise anekdotenhaft gefärbte Schriftquellen zu Leben und Werk belegt wird [3. 10–13, 58 mit Anm. 99, 61; 8. s. v. Z.]. Die auch materiell hohe Wertschätzung der Kunst des Z. äußerte sich in seinem selbstbewußten Auftreten und luxuriösen Lebensstil [4. 154–158; 5. 200f.]. Seit der Renaissance lebte die Legendenbildung um seine Person wieder auf; sie beförderte etliche bildliche Umsetzungen zu seiner Biographie und Adaptionen seiner Bildthemen bis ins 19. Jh. [6; 3. 13, 61].

Kein Original hat sich jedoch erh.; für das breite Themenspektrum und den individuellen Stil sind wir auf schriftliche ant. Nachrichten angewiesen. Plin. nat. 35,63 f. erwähnt neun Werke, darunter bekannte myth. Frauengestalten, den schlangenwürgenden kleinen Herakles, wenige Götterbilder, eine bes. Vorliebe für die wesensgenaue Wiedergabe myth. Fabel- und Mischwesen, Porträts alter und junger Frauen sowie eines Athleten, dazu → Monochromata [7. 241–243]. Mehrfach [8. 195–198] überl. ist der Auswahlmodus der fünf Modelle aus Kroton (anders Plin. nat. 35,64: Agrigentum) für das berühmte Helenabild im Tempel der Hera Lakinia, wobei vortreffliche Einzelteile zu einem quasi übernatürlichen Idealbild weiblicher → Nacktheit kombiniert wurden. Die Anekdote ironisiert u. a. die für Z. und andere Künstlerkollegen charakteristische *diligentia* (Plin. nat. 35,64), d. h. die detailgenaue Umsetzung bestimmter malerischer Verfahren nach einer lange bewährten meisterlichen Lehr-Trad. [7. 164]. Z. verfeinerte darüber hinaus die bereits von → Apollodoros [15] entwickelten illusionistischen Techniken der farbigen Schattierung (Lukian. Zeuxis 3–8; Plin. nat. 35,66; [7. 155–160, 180]; → Schattenmalerei). Meisterhaft angewandt wurden diese Farbabstufungen auf der durch eine ausführliche Beschreibung (Lukian. Zeuxis 3–8) gerühmten idyllischen Schilderung einer → Kentauren-Familie, die auch wegen der neuartigen Bildidee gefiel. Diese wie andere Sujets wurden in der Neuzeit häufig wiederaufgegriffen (z. B. von REMBRANDT, A. DE GELDER, A. KAUFMANN, J. G. HILTENSPERGER). → Malerei I.

1 M. TORELLI, Macedonia, Epiro e Magna Grecia, in: 24. Convegno Studi sulla Magna Grecia (1984), 1985, 379–397 2 W. AMELING, Die Herkunft des Malers Z., in: Epigraphica Anatolica 9, 1987, 76 3 I. SCHEIBLER, Griech. Malerei der Ant., 1994 4 J. TANNER, Culture, Social Structure and the Status of Visual Artists in Classical Greece, in: PCPhS 45, 1999, 136–175 5 I. WEILER, Olympia – jenseits der Agonistik (Nikephoros 10), 1997 6 A. M. LECOQ, Götter, Helden und Künstler, in: E. MAI, K. WETTENGL (Hrsg.), Wettstreit der Künste, Ausst.-Kat. München, 2002, 52–69 7 N. J. KOCH, Techne und Erfindung in der klass. Malerei, 2000 8 J. REINACH, Recueil Milliet: Textes grecs et latins relatifs à l'histoire de la peinture ancienne, 1921.

I. BALDASSARE, A. ROUVERET, Une histoire plurielle de la peinture Grecque, in: M.-CH. VILLANUEVA PUIG (Hrsg.), Céramique et peinture grecques: modes d'emploi (Actes du colloque international), 1999, 219–233 · A. BLANKERT, Rembrandt, Z. and Ideal Beauty, in: J. BRUYN et al. (Hrsg.), Album Amicorum, FS J. G. von Gelder, 1973, 32–39 · K. GSCHWANTLER, Z. und Parrhasios, 1975 · R. F. SUTTON, Vase Painting and the Female Nude, in: AJA 95, 1991, 318; AJA 101, 1997, 360.   N. H.

[2] Von 222 bis 189 v. Chr. im mil., administrativen und diplomatischen Dienst des → Antiochos [5] III. nachgewiesen. Sein Rat führte 220 zur erfolgreichen Schlacht des Antiochos [5] III. gegen den aufständischen → Molon [1] (Pol. 5,51–54). 219, zu Beginn des 4. Syrischen Krieges, war er an der Rückeroberung der seit dem 3. Syrischen Krieg ptolemäischen Stadt → Seleukeia [2] Pieria führend beteiligt (→ Syrische Kriege). Später war er Generalstatthalter für Kleinasien und »Reichskanzler« (ὁ ἐπὶ τῶν πραγμάτων/*ho epí tōn pragmátōn*). In leitender Position nahm er am Feldzug gegen die Römer teil: In der Schlacht von → Magnesia [3] am Sipylos 190 v. Chr. führte er zusammen mit → Minnion die vordersten Truppenverbände von Antigonos' Heer. Nach der Niederlage ging er als Gesandter zusammen mit → Antipatros [7] zum röm. Befehlshaber, dem Consul L. → Cornelius [I 72] Scipio, und etwas später nach Rom (Pol. 21,16f.; 21,24; Liv. 37,45,5–21; 37,55f.). Über sein Mitwirken am Friedensschluß 188 ist nichts bekannt.

BENGTSON 2, 109–115 · L. ROBERT, Appendix on Inscriptions of 213 B. C., in: G. M. A. HANFMANN (Hrsg.), Sardis, 1983, 111f. · J. und L. ROBERT, Fouilles d'Amyzon en Carie 1, 1983, 176–180 · H. H. SCHMITT, Unt. zur Gesch. Antiochos' d. Gr., 1964, · WILL 2, passim.   A. ME.

[3] Griech. Arzt des 2. Jh. v. Chr. [1]. Über sein Leben und Wirken ist nichts bekannt außer seiner philos. Zugehörigkeit (einer der älteren Vertreter der → Empiriker) und seinen Komm. zu Schriften des → Hippokrates [6]. Nach → Galenos (V, 10,2.2, p. 131, 401, 451; V, 9.2, p. 73 CMG) war Z. einer der ersten alexandrinischen Empiriker. Er kommentierte alle hippokratischen Abh., die er für authentisch hielt: *Aphorismi*; *Epidemiarum* II, III und IV; *De humoribus* (?); *De locis in homine*; *De officina medici*; *Prorrheticon*. Z. verwendete frühere Komm., die er einer kritischen Prüfung unterzog. Seine eigenen Komm. waren wohl mindestens bis zur Zeit des Galenos in Umlauf und wurden wahrscheinlich von diesem verwendet.

1 F. KUDLIEN, s. v. Z. (7), RE 10 A, 386f.

K. DEICHGRÄBER, Die griech. Empirikerschule, 1965, 209 · S. IHM, Clavis Commentariorum der ant. medizinischen Texte, 2002, 219–222 · W. SMITH, The Hippocratic Trad., 1979, 199–211.

[4] Arzt, der von ca. 85/75 bis ca. 10 v.Chr. gelebt haben soll; Herkunft unbekannt. Z. leitete eine medizinische Schule in Men Karou bei → Laodikeia [4], die er vielleicht zw. 45 und 30 v.Chr. selbst gegründet hatte. Er unterrichtete dort nach der Lehre des → Herophilos [1] und förderte so deren kontinuierliche Verbreitung. In Verbindung mit einem Tempel der Mondgottheit → Men bestand diese Schule bis zur Mitte des 1. Jh. n.Chr. Z. könnte die auf zwei Mz. aus Laodikeia genannte und auf der einen mit dem Titel *philalḗthēs* bezeichnete Person sein − ein Titel, der auch seinen Nachfolgern als Schuloberhaupt, → Alexandros [31] und → Demosthenes [4], verliehen wurde. Über seine Tätigkeit, seinen Beitrag zu oder seine Auffassung von der Medizin ist nichts bekannt (ob ihm die von Gal. 12,834,1−4 überl. Anweisung gegen Flechten zuzuschreiben ist, ist nicht klärbar).

F. KUDLIEN, s.v. Z. (8), RE 10 A, 387 · H. VON STADEN (ed.), Herophilus, 1989, 459−460, 529−531 (mit engl. Übers. und Aufsätzen).　　　　A. TO./Ü: M. KRA.

Ziaëlas (Ζιαήλας). Der Sohn aus der ersten Ehe des → Nikomedes [2] I. wurde von diesem von der bithynischen Thronfolge ausgeschlossen. Z. floh daher etwa 255 v.Chr. zu einem nicht namentlich genannten armenischen König (→ Samos [1]). Nach dem Tod des Vaters gelang es ihm mit Hilfe der galatischen → Tolistobogioi in bis etwa 250 dauernden Kämpfen, den Hauptteil Bithyniens zu gewinnen (Memnon FGrH 434 F 14). In einem zw. 246 und 242 nach Kos gesandten Schreiben (Syll.³ 456 = WELLES 25) erkannte Z. die Asylie (→ *ásylon*) des dortigen Asklepiostempels an. Der Brief belegt außerdem ein Bündnis mit Ptolemaios [6] III. während des Laodikekrieges und zeigt den König, der sich βασιλεὺς Βιθυνῶν Ζιαήλας/*basileús Bithynṓn Ziaélas* nennt, als Philhellenen. Spätere kriegerische Aktivitäten (vgl. Arr. FGrH 156 F 89b und die Darstellung eines → *trópaion* auf seinen Münzen) führten zu Landerwerbungen im Osten, die durch die Anlage von Städten gesichert wurden (Steph. Byz. s.v. Κρῆσσα und Ζῆλα).

Z. scheint weder am Laodikekrieg noch am darauf folgenden seleukidischen Bruderkrieg aktiv teilgenommen zu haben, gab jedoch → Antiochos [26] Hierax (s. Nachträge) seine Tochter zur Frau (Porph. FGrH 260 F 32,8). Hieraus ist zu erschließen, daß es Z. war, der den Kontakt zw. seinem Schwiegersohn und dem armenischen Hof herstellte, an den sich Hierax um 227 zurückzog (→ Arsames [4]). Z. selbst hatte vorher (um 230) sein Ende gefunden: Er wurde von Galatern erschlagen, die an der Seite seines Schwiegersohnes gegen Pergamon gekämpft hatten und von Attalos [4] I. besiegt worden waren (Phylarchos FGrH 81 F 50; Pomp. Trog. prol. 27). → Bithynia

CH. HABICHT, s.v. Z., RE 10 A, 387−397 · M. SCHOTTKY, Media Atropatene und Gross-Armenien in hell. Zeit, 1989, 98−104 · E. UND W. SZAIVERT, D. R. SEAR, Griech. Münzkatalog, Bd. 2, 1983, Nr. 7023.　　　M. SCH.

Ziege (αἴξ/*aix*; τράγος/*trágos*: Ziegenbock; lat. *caper, capra, hircus*).
I. ALTER ORIENT UND ÄGYPTEN
II. GRIECHENLAND　III. ROM

I. ALTER ORIENT UND ÄGYPTEN

Z. (sumerisch ùz, weibliche Ziege; akkadisch *enzu*, das sowohl die weibl. Ziege als auch Ziegen als Gattung (dann meist pl. *enzāte*) bezeichnen konnte; sumer. máš, akkad. *urīṣu* Z.-Bock) sind in Mesopot. seit Beginn des 3. Jt. v.Chr. inschr. bezeugt. Die Texte unterscheiden begrifflich nach Rasse, Alter, Geschlecht und auch Verwendungszweck (Opfer-Z., Woll-Z.). Z. wurden als »schwarz« bezeichnet, bildliche Darstellungen zeigen auch gescheckte Tiere (weiß/dunkelbraun) [5. Bd. 14. Taf. XXX]. Z. wurden in der Regel in gemischten Herden zusammen mit → Schafen gehalten und dann gewöhnlich unter der Sammelbezeichnung »Kleinvieh« (akkad. ṣēnu) geführt. Der Anteil der Z. an einer solchen Herde war gering (üblicherweise weniger als 25 %). Wegen ihrer gegenüber den Schafen höheren Intelligenz dienten Z.-Böcke oft als Leittiere (sumer. en.zi). Die Tiere von Tempelherden wurden in neubabylonischer Zeit mit einem Brandzeichen versehen. Z. lieferten (durch Schur) Haar, das u.a. zur Herstellung von Zeltstoffen, Filz sowie zum Füllen von Matratzen diente. Im frühen 3. Jt. scheinen Z.-Böcke zur Eingeweideschau benutzt worden zu sein (später Schafe). Bildliche Darstellungen zeigen ein für Z. typisches Verhalten: Sie stehen aufgerichtet auf den Hinterbeinen an einem Baum, dessen grüne Blätter sie fressen [3. Taf. 47b; 4. Taf. 86a].

In Äg. waren Z. in der Regel zahlreicher als Schafe, mit denen sie gemeinsam gehütet wurden. Z. dienten als Milchlieferanten, als Schlachttiere waren sie v.a. für die einfache Bevölkerung von Bed.
→ Viehwirtschaft

1 Chicago Assyrian Dictionary, Bd. E, 1958, 180−182, s.v. *enzu* **2** B. HROUDA, Der Alte Orient, 1991 **3** F. VON LUSCHAN, Sendschirli, Bd. 5, 1945 **4** A. MOORTGAT, Tell Halaf, Bd. 3, 1955 **5** PropKg **6** P. STEINKELLER, Sheep and Goat Terminology in Ur III Sources from Drehem, in: Bull. on Sumerian Agriculture 8, 1995, 49−70 **7** L. STÖRK, s.v. Z., LÄ 6, 1400f.　　J. RE.

II. GRIECHENLAND

Z. wurden ebenso wie → Schafe während des Neolithikums in den Ägäisraum und in Griechenland eingeführt. Da die Knochen von Z. und Schafen schwer zu unterscheiden sind, ist der Beitrag der Paläozoologie für die Gesch. der Z. in der Ant. begrenzt. Viele Informationen beruhen daher wesentlich auf der Kenntnis der Lebensweise dieser Tiere und auf der Z.-Haltung späterer Zeiten. Z. benötigen weit weniger Wasser als Schafe, und ihre Beweglichkeit sowie Fähigkeit, verschiedenste Pflanzen zu fressen, ermöglicht es, sie auf marginalen Böden der mediterranen Landschaft − auf höhergelegenen Berghängen oder auf verlassenen In-

seln – zu halten. Vor 1936, als mit dem Aufforstungs-
programm begonnen wurde, gab es mehr als dreimal so
viel Z. wie Schafe in Griechenland.

Die Eigenschaften der Z. werden in den zoologischen Schriften des → Aristoteles [6] ausführlich beschrieben, wobei auch ältere Irrtümer korrigiert werden
(Atmung durch die Ohren: Aristot. hist. an. 492a);
der Fortpflanzung gilt bes. Interesse; nach Aristoteles
erreichten Z. ein Alter von acht J. (Aristot. hist. an.
573b–574a). Die → Milch wird als wirtschaftlich wichtiges Produkt ebenso wie das geeignete Futter thematisiert (ebd. 521b–523a; 569a-b). Anschaulich charakterisiert → Eupolis in seiner Komödie *Aíges* (›Die Ziegen‹) das Freßverhalten der Tiere.

In der späten Brz. erscheinen auf den → Linear B-
Taf. neben Schafen, die ohne Zweifel überwogen, auch
Z., so etwa in → Knos(s)os. Die Haltung von Z. ist auch
für die homerische Zeit belegt: Odysseus besaß zahlreiche Z.-Herden auf Ithaka (Hom. Od. 14,103 f. und
17,212–225); wilde Z. wurden gejagt (Hom. Od. 9,152–
162). Im 5. und 4. Jh. v. Chr. wurden Z. in Attika ebenfalls in großen Herden gehalten; zu dem 414 v. Chr.
konfiszierten Besitz des Panaitios [3] gehörten neben 84
Schafen auch 68 Z., und → Philoktemon verkaufte eine
Z.-Herde mit dem Hirten für 1300 Drachmen (ML 79B,
71 ff.; Isaios 6,33; vgl. auch 11,41: Besitz des Theophon,
60 Schafe und 100 Z.; Demosth. or. 47,52: Herde von
50 Schafen mit einem Hirten; Xenophon in Skillus:
Xen. an. 5,3,11).

Zusätzlich zu Fleisch und Milch, die langfristig nahr-
hafter ist als die von Schafen und meist als → Käse verzehrt wurde (Fleisch: Hom. Il. 9,207; Hom. Od. 2,56;
17,213 f.; Milch und Käse: Aristot. hist. an. 521b–523a;
vgl. Hom. Od. 9,216–251; Hes. erg. 585–590), waren
Z.-Haare und Z.-Häute für das ländliche Griechenland
immer von Bed. Es gab Weinschläuche aus Z.-Leder
(→ Leder; Hom. Il. 3,247; Hom. Od. 6,78), und Beutel
aus Z.-Haar wurden benutzt, um Oliven zu pressen;
Kleidung aus Z.-Häuten war in der Ant. charakteristisch
für Sklaven und für Arme in ländlichen Regionen
(Hom. Od. 14,530; Theokr. 7,15 ff.); Z.-Felle dienten in
der Nacht zur Bedeckung (Hom. Od. 14,519).

Z. hatten in der klass. Zeit Bed. als Opfertiere, sie
werden häufig im Zusammenhang mit → Opfern für
→ Aphrodite, → Artemis und → Dionysos erwähnt. Im
Kult des → Apollon waren Z. häufig Opfertiere, aber es
war untersagt, sie im großen Asklepieion von Epidauros
zu opfern (Paus. 2,26,9; vgl. 10,32,12 zum Tempel des
Asklepios bei Tithorea), vielleicht wegen ihres ungezügelten Verhaltens und ihres schlechten Geruchs
(Plut. qu. R. 111). Ein roter oder schwarzer Bock wurde für Dionysos in Thorikos in Attika (SEG 33, 147,33 f.)
und eine weiße Z. in einer Versöhnungszeremonie mit
einer benachbarten Polis im sizilischen Nakone (SEG 30,
1119,27 f.) geopfert. Bemerkenswert ist die Häufung
von Hörnern geopferter Z.; diese Hörner bildeten teilweise ein Deposit oder sogar einen Altar – in einem
Gebäudekomplex in Dreros und in Halieis, unter freiem

Himmel in Ephesos und epigraphisch bezeugt. Als Symbol sind Z. bes. mit Aphrodite, Artemis und Dionysos
verbunden, den Gottheiten, denen sie meist geopfert
wurden. Aphrodite wird manchmal auf einer Z. reitend
dargestellt (Br.-Skulptur des Skopas [1] in Elis: Paus.
6,25,1), und sie teilt mit dem Tier das gefährliche, un-
kontrollierbare Verlangen (ἀφροδισιαστικός/ *aphrodisia-
stikós*: Gal. de temperamentis 1,624,10).

Auf Kriegszügen führten spartan. Heere für das Opfer stets eine Herde von Schafen mit sich, an deren Spitze Z. gingen (Paus. 9,13,4). Bevor das spartan. Heer eine
Schlacht begann, wurden der → Artemis Agrotera, der
Göttin der Wildnis, Z. geopfert (Xen. hell. 4,2,20; Xen.
Lak. pol. 13,8; Plut. Lykurgos 22,4). Als Dank für den
Sieg bei → Marathon (490 v. Chr.) opferten die Athener
der Artemis Agrotera ebenfalls jährlich 500 Z. (Xen. an.
3,2,11–12).

Mit Dionysos wiederum verbanden sich die asozialen,
gefährlichen Eigenschaften der Z. Das Bild der myth.
Begleiter des Gottes, der → Satyrn, ist abgeleitet von dem
widerspenstigen, wollüstigen Z.-Bock; → Pan, ein Gott
mit Bocksfüßen und Z.-Hörnern, soll den Z.-Hirten in
den Bergen Arkadiens beigestanden haben. Wie Dionysos war Pan für die urbanen Athener eine Figur der
exotischen Wildnis. In diesem Zusammenhang ist das
bekannte Problem der Bed. des Wortes »Tragödie«
(»Bocksgesang«, vgl. → Tragödie I. A.) zu sehen, denn die
Trag. wurden an den → Dionysia aufgeführt.

Der Z.-Hirt (αἰπόλος/ *aipólos*), oft ein Sklave, besaß
in Griechenland nur geringes soziales Ansehen; gerade
der Z.-Hirt, mit den wohl schwierigsten Aufgaben unter allen Hirten, da die Z. sicherlich das am wenigsten
gezähmte Haustier war, hatte die niedrigste soziale Position. Es ist daher kein Zufall, daß Melanthios [1], der
Z.-Hirt in der ›Odyssee‹, als bösartige Figur erscheint,
die am Ende des Epos furchtbar bestraft wird (Hom.
Od. 17,212–238; 17,369–373; 22,474–479).

1 A. Burford, Land and Labour in the Greek World, 1993,
144–156 2 H. Grassl, Zur Gesch. des Viehhandels im klass.
Griechenland, in: MBAH 4, 1985, 77–88 3 P. Halstead,
Pastoralism or Household Herding? Problems of Scale and
Specialization in Early Greek Animal Husbandry, in: World
Archaeology 28, 1996, 20–42 4 S. Hodkinson, Animal
Husbandry in the Greek Polis, in: Whittaker, 35–74
5 Isager/Skysgaard, 91–93; 96–107 6 M. H. Jameson,
Sacrifice and Animal Husbandry in Classical Greece, in:
Whittaker, 87–119 7 Ders., C. N. Runnels, Tj. Van
Andel, A Greek Countryside: The Southern Argolid from
Prehistory to the Present Day, 1994, 290–301
8 D. Mackenzie, Goat Husbandry, ³1970 9 Osborne,
189–192 10 W. Richter, Die Landwirtschaft im
homerischen Zeitalter (ArchHom 2 H), 1968, 44–53.
MI. JA.

III. ROM

Die Z. war für die bäuerliche Wirtschaft von Bed.
und bildete außerdem einen Bestandteil der Kleinvieh-
haltung in der röm. Gutswirtschaft. Varro und Columella widmen der Haltung von Z. längere Abschnitte
(Varro rust. 2,3; Colum. 7,6–8; vgl. außerdem Verg. ge-

org. 3,300–326; Plin. nat. 8,199–204). Die Z. galt als anspruchsloser als das → Schaf, da sie nicht auf offenes Weideland angewiesen war, sondern auch in waldigen Regionen und auf Flächen, die mit Dornengewächsen bestanden waren, gehalten werden konnte; ferner wurden Eicheln zugefüttert (Varro rust. 2,3,6–7; Colum. 7,6,1; 7,6,5). Als geeignete Zeit für die Fortpflanzung wurde der Herbst bis spätestens Dezember empfohlen, da die Kitze dann im Frühling gesetzt wurden, mithin also junge Blätter von Büschen und Bäumen zur Verfügung standen (Varro rust. 2,3,8; Colum. 7,6,6; Pall. agric. 12,13,7). Die Kitze sollten, solange sie Muttermilch bekamen, Ulmensamen, Schneckenklee, Efeu, Mastixtriebe oder anderes junges Laub als Zufütterung erhalten (Colum. 7,6,7). Wegen ihrer Freßlust wurden Ziegenkitze als Gefahr für junge Pflanzen auf bestellten Flächen angesehen, weswegen nach Varro Pächtern untersagt werden sollte, sie dort weiden zu lassen (Varro rust. 2,3,7).

Großgrundbesitzer in It. hielten jeweils 50–100 Tiere unter einem Hirten; es gab Herden, die ausschließlich aus Z. bestanden; dabei kamen auf einen Bock etwa 10 bis 20 Z. (Varro rust. 2,3,10; Colum. 7,6,5). Für das röm. Äg. belegen Kleinviehdeklarationen und Pachtverträge neben Herden von Z. und Schafen ebenfalls die Existenz reiner Z.-Herden. Der Z.-Hirt (*caprarius*: Varro rust. 2,3,10; *magister pecoris*: Colum. 7,6,9) sollte körperlich stark belastbar und unempfindlich gegenüber Anstrengungen sein.

Die Haltung von Z. diente primär dem Zweck, aus der → Milch → Käse herzustellen. Nach mod. Angaben liefert die Z. in Relation zu ihrem Körpergewicht den vierfachen Milchertrag des Schafes und den dreifachen der Kuh (→ Rind). Das Fleisch der Kitze, die in Rom einen → *denarius* gekostet haben sollen, war ein begehrtes Nahrungsmittel (Varro rust. 2,3,10; Edictum [3] Diocletiani 4,3; 4,48); Händler von Z.-Fleisch sind epigraphisch bezeugt (*caprinarii*: CIL VI 9231; X 7185). Die langhaarigen Z. (Colum. 1 pr. 26) wurden wie Schafe geschoren (Verg. georg. 3,311–313; Colum. 7,6,2); ihr Haar wurde zur Herstellung von Filz, Schiffstauen, Seilen für Katapulte und von Teppichen verwendet (Varro rust. 2,11,11 f.); Felle und Häute von Z. fanden nicht nur als → Kleidung der Armen (Verg. moretum 22; Varro rust. 2,11,11), sondern auch als Unterlage beim Sitzen und Liegen (Sen. epist. 95,72) sowie für die Herstellung von Weinschläuchen (Plin. nat. 28,240) Verwendung. Ferner benötigte das röm. Heer große Mengen von Z.-Leder; für die Zelte einer Legion brauchte man die Häute von über 70000 Z. Die Tatsache, daß Z. in zahlreichen Kulten geopfert wurden, förderte ebenfalls Haltung und Verkauf von Z.

→ Ernährung; Fleischkonsum; Käse; Kleidung; Landwirtschaft; Leder; Milch; Opfer; Schaf; Stallviehhaltung; Viehwirtschaft

1 L. CHIOFFI, Caro: il mercato della carne nell'occidente romano, 1999 2 H.-J. DREXHAGE, Preise, Mieten/Pachten, Kosten und Löhne im röm. Äg. bis zum Regierungsantritt Diokletians, 1991, 302–305 3 W. HABERMANN, Die Deklarationen von Kleinvieh (Schafe und Z.) im röm. Äg. Quantitative Aspekte, in: P. HERZ, G. WALDHERR (Hrsg.), Landwirtschaft im Imperium Romanum, 2000, 77–100 4 P. HERZ, Der Aufstand des Iulius Sacrovir (21 n. Chr.), in: Laverna 3, 1992, 42–93, bes. 66 f. 5 J. PETERS, Röm. Tierhaltung und Tierzucht, 1998, 71–76; 83–93; 101–107 6 M. SCHNEBEL, Die Landwirtschaft im hell. Äg., 1925, 327–328 7 WHITE, Farming, 313–316.   K. RU.

Ziegel, Ziegelstempel   I. ALTER ORIENT   II. KLASSISCHE ANTIKE

I. ALTER ORIENT

Die Gesch. des Z. und seiner Vorstufe, des Lehmpatzens, reicht in Äg. und Vorderasien bis in das 8./7. Jt. v. Chr. zurück. Rohstoff war meist eine lokale Mischung aus Ton/Lehm und Sand/Kies, in Äg. der Nilschlamm. Gemagert mit vegetabilen (Stroh, Häcksel, Spreu) und mineralischen Zuschlägen (zerstoßenen Steinen bzw. Keramikscherben) bzw. Abfällen (Tierdung) wurden Z. in hölzernen Rahmen geformt. Nach Trocknung an der Sonne wurden sie in Lehmmörtel verlegt. In der jeweiligen Zeit standardisiert, variierten Z. über die Jt. erheblich in Form und Größe. Gebrannte Z. (Backsteine; selten wegen des hohen Brennstoffverbrauchs) wurden bei Festungsarchitektur, Monumentalbauten wie Tempeln und Palästen und bei der Verkleidung von Mauern aus ungebrannten Ziegeln verwendet. Als Pflaster und im Kontext mit Wassernutzung wurden sie meist mit Bitumen (→ Pech) verlegt. Seit dem 3. Jt. wurden Z. in Vorderasien und Äg. vor dem Brand mit Königs-Inschr. (handgeschrieben oder gestempelt), seltener mit Zeichen und Symbolen versehen. Varianten in der Verlegetechnik ermöglichten eine reiche Fassadengestaltung durch horizontale und vertikale Gliederung. Seit Mitte des 2. Jt. v. Chr. wurden Relief-Z. für figürlichen Wandschmuck verwendet (Karaindaš-Tempel/Uruk). Farbige Glasur auf gebrannten Z. ist aus schriftlichen Quellen seit Mitte des 2. Jt. v. Chr. bekannt, arch. belegt seit neuassyrischer Zeit. Berühmt sind v. a. die farbig glasierten Z.-Reliefs in Babylon (→ Ištar-Tor: Anf. 6. Jh. v. Chr.). Die achäm. Entsprechungen (→ Susa) bestehen aus Quarzkeramik.

P. R. S. MOOREY, Ancient Mesopotamian Materials and Industries, 1994, 302–322 • P. T. NICHOLSON, I. SHAW (Hrsg.), Ancient Egyptian Materials and Technology, 2000, 78–84 • M. SAUVAGE, La brique et sa mise en oeuvre en Mésopotamie. Des origines à l'époque Achéménide, 1998.   R. W.

II. KLASSISCHE ANTIKE

Lehm und Ton waren auch in der klass. Ant. universell verwendete Grundwerkstoffe; sie sind als Baumaterial – unter Beimischung von Häcksel zur Erhöhung der Bruchfestigkeit – in der griech. Ant. bereits in myk. Zeit (→ Tiryns) belegt und fanden schnell ein großes Anwendungs- und dementsprechend variantenreiches Ausformungsspektrum. Die Vorteile dieses Baustoffs waren neben seiner guten Verfügbarkeit und der einfachen Massenherstellung mittels Formen bzw. Modeln seine leichte Formbarkeit und nicht zuletzt die Möglichkeit, deutlich billiger und technisch unaufwendiger zu bauen als bei der Verwendung massiver Steinkonstruktionen. Genereller Nachteil luftgetrockneter Z. war indessen deren lange Austrocknungszeit (Lagerung in speziellen Trockenscheunen). Neben luftgetrockneten Z. (gebrannte Z. sind im griech.-röm. Kulturkreis, anders als im Vorderen Orient, erst seit dem späten 4. Jh. v. Chr. bezeugt) sind auch verschiedene Arten von Terrakotta-Baumaterial zu nennen: Tonröhren für die → Wasserversorgung ebenso wie reich dekorierte Gebälkverkleidungen. Großflächige Dachziegel (→ Überdachung) waren auf einem hölzernen Dachstuhl fixiert und mit regional unterschiedlich geformten Kalyptern an den Nahtstellen verbunden; ein lakonisches System der Überdachung läßt sich von einem korinthischen unterscheiden.

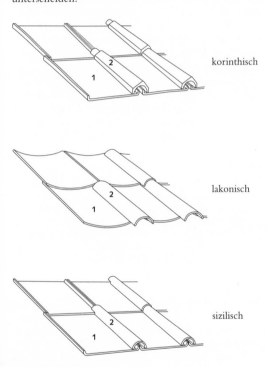

korinthisch

lakonisch

sizilisch

1 Ziegel   2 Kalypter

Formen der Dachdeckung mit Ziegeln

Z. (πλίνθος/*plínthos* fem.; κέρανος/*kéranos*, κερανίς/*keranís*) wurden in der griech. Architektur sowohl im Profan- als auch im Sakralbau verwendet (Cellawände des Heraion [1] von → Olympia; Tempel von Kombothekra und Kalapodi/→ Hyampolis); bes. dort, wo große Bauvolumina innerhalb kurzer Zeit zu errichten waren, kamen Z. zum Einsatz (Stadtmauern, z. B. die Themistokleische Mauer von Athen; vgl. → Themistokles; → Athenai II.7.). Als Substruktionen und Schutz vor

Staunässe dienten massive Steinsockel. Bis in den Hell. hinein ist dieses Verfahren auch bei repräsentativen öffentlichen Bauten anzutreffen (Pompeion in Athen; Palaistra in Olympia; »Marktbau« in → Kassope; sogar im hell. Palastbau: Anlage von → Aigai [1]/Vergina). Erh. gebrannte Z. aus griech. Zeit (Olympia; Kassope; Lykosura) sind zw. 30 und 50 cm lang und 5 bis 10 cm stark. Die Maße variierten innerhalb eines Bauwerks beträchtlich, woraus sich schließen läßt, daß der Massenherstellung der Z. keine einheitlichen Formen zugrunde lagen; durch den Einsatz von Bindern konnten solche Maßunterschiede im Bauwerk jedoch problemlos ausgeglichen werden.

Gebrannte Z. (lat. *later*, *laterculus*; Dachziegel = *tegula*) waren in der röm. Ant. ein weitverbreitetes Baumaterial, das von Vitruv (2,8,9–10) ausdrücklich gerühmt wird, dem jedoch seit dem späten 1. Jh. v. Chr. im Zuge des aufkommenden Bauluxus (zumindest im öffentlichen Bereich) der Ruf der Ärmlichkeit anhaftete – paradigmatisch formuliert bei Sueton (Suet. Aug. 28), der → Augustus die Leistung zumaß, Rom von einer Stadt aus Ziegeln in eine Stadt aus → Marmor verwandelt zu haben. Der bis ins 3. Jh. n. Chr. hinein als unansehnlich empfundene Z.-Kern eines Bauwerks wurde deshalb – ähnlich einer Baustruktur aus → *opus caementicium* – üblicherweise verkleidet: mit Marmor- bzw. Travertinplatten (→ Inkrustation), aber auch mit aufgemauerten Tuffsteinen; erst in der Spätant. und dem byz. Früh-MA wurde dem Z.-Bau eine eigenständige ästhetische Qualität zugemessen. Der Z.-Bau hatte im röm. Bauwesen generell den gleichen Vorteil wie der Gußzement: eine beinahe gleichrangige Formbarkeit der Baustruktur (Bögen, Gewölbe, Kuppeln, Apsiden) aufgrund der Kleinteiligkeit des Materials bei entsprechend »industrieller« Herstellung (in z. T. hochorganisierten, arbeitsteilig strukturierten Ziegeleien) und Verarbeitung (Erzeugung umfangreicher Bauvolumina in großer Geschwindigkeit durch massenhaften Einsatz von Hilfskräften).

Die im Vergleich zu h. flachen und großformatigen röm. Z. wurden in spezialisierten → Ziegeleien in großen Brennöfen hergestellt und als Handelsgut zumindest in regionalem Umfang, bisweilen auch überregional vertrieben. Hersteller und Herstellungsort sind des öfteren durch Text- oder Ornament-Stempel angegeben. Insbesondere die im Kontext des röm. Militärs tätigen Ziegeleien stempelten Z. (mit der Bezeichnung der zugehörigen Legion), was h. weitreichende Rückschlüsse auf Datierungen und das soziale bzw. ökonomische Umfeld eines Bauwerks zuläßt (und darüber hinaus auch die wichtige Rolle des Militärs im zivilen Leben dokumentiert). Die stadtröm. Z.-Stempel nennen neben dem Hersteller häufig einen Consular-Namen; sie entstammen überwiegend dem 2. Jh. n. Chr. Seltener dienten Z.-Stempel auch als Versatzmarken (bei Spezial-Z. wie z. B. am Rundbau des Asklepieion in → Pergamon).

Eine spezifische Verwendung von Z. in der röm. Ant. findet sich schließlich im Zusammenhang mit der Konstruktion von → Heizungs-Anlagen: Stütz-Z. für Hypokausten; Hohl-Z. (*tubuli*) mit knapp 3 cm starker Wandung für Wandheizungen.

→ Bautechnik; Bauwesen; Heizung; Mauerwerk; Terrakotten; Ziegelei

G. ALFÖLDY, Die Verbreitung von Militär-Z. im röm. Dalmatien, in: Epigraphische Stud. 4, 1967, 44–51 · J. C. ANDERSEN JR., The Thomas Ashby Collection of Roman Brick Stamps in the American Academy in Rome, 1991 · H. BLOCH, I bolli laterizi e la storia edilizia romana, 1968 · G. BRODRIBB, Roman Brick and Tile, 1987 · T. DARWILL, A. MCWHIRR, Brick and Tile Production in Roman Britain. Models of Economic Organisation, in: World Archaeology 15, 1983/84, 239–261 · H. DRERUP, Zum Ausstattungsluxus in der röm. Architektur, ²1981 · T. HELEN, Organization of Roman Brick Production in the 1st and 2nd Centuries A.D., 1975 · H.-J. KANN, Einführung in röm. Z.-Stempel, 1985 · W. MÜLLER-WIENER, Griech. Bauwesen in der Ant., 1988, 218 (Index s. v. Z.) · A. K. ORLANDOS, Les matériaux de construction et la technique architecturale des anciens grecs, Bd. 1, 1966 · A. PLUMRIDGE, W. MEULENKAMP, Brickwork. Architecture and Design, 1993 · A. MCWHIRR (Hrsg.), Roman Brick and Tile. Stud. in Manufacture, Distribution and Use in the Western Empire, Kongr. Oxford (= British Archaeological Reports, International Series 68), 1979 · M. STEINBY, s. v. Ziegelstempel, stadtröm., RE Suppl. 15, 1489–1531 (grundlegend) · Dies., L'industria laterizia di Roma nel tardo impero, in: A. GIARDINA (Hrsg.), Società romana e impero tardoantico, Bd. 2, 1986, 99–159 · C. ZACCARIA (Hrsg.), I laterizi di età romana nell'area nordadriatica (Kongr. Udine 1987), 1993.   C. HÖ.

Ziegelei (*figlina*).

Ziegelsteine (= Zi.) und Dachziegel wurden in der Nähe der Tonvorkommen in Z. hergestellt und dann zu den Baustellen transportiert. Wegen ihres hohen Gewichts versuchte man lange Transportwege zu vermeiden; die Zi.-Herstellung war aus diesem Grund nicht in Produktionszentren konzentriert, sondern über ganz It. verteilt. Immerhin belieferten küstennahe Z., deren Zi. mit dem Schiff transportiert werden konnten, ganze Küstenregionen; Zi. der *figlina* des Vibius Pansa bei Ariminum finden sich im gesamten nördl. Adriaraum (ILS 8648a-h).

Bedingt durch den Wandel der röm. → Architektur wurden seit dem Prinzipat des Claudius [III 1] und v. a. seit dem Brand Roms unter Nero [1] 64 n. Chr. als Material für die Mauerkonstruktion sowohl von Wohnhäusern und Nutzbauten als auch von repräsentativen Monumentalbauten anstelle von Naturstein zunehmend → *opus caementicium* und Zi. verwendet; dies hatte einen stark steigenden Bedarf an Zi. als dem nun wichtigsten Baumaterial zur Folge. Gerade das Beispiel der → Thermen des Caracalla zeigt, welche Mengen an Material für die Großbauten benötigt wurden.

Senatorische Familien, die große Ländereien besaßen, nutzten selbst die Tonvorkommen auf ihren Gütern durch Errichtung von Z. (vgl. dazu Varro rust.

1,2,22 f.). Unter den Besitzern von Z. ist der Senator Cn. Domitius [III 1] Afer erwähnenswert, der unter Tiberius [1] als Ankläger seine polit. Karriere begann; durch Erbschaft gelangte sein Vermögen, darunter Z. bei Rom und Pompeii, an Domitia [8] Lucilla, die Mutter von Marcus [2] Aurelius; im familiären Umfeld der Principes zw. Traianus [1] und Marcus Aurelius erscheinen mehrere Besitzer bzw. Besitzerinnen von Z. – so etwa Annius [II 15] Verus, *cos. III* 126 n. Chr., und die jüngere Matidia [2], die Großnichte des Traianus und Schwägerin des Hadrianus. Wie die Ziegelstempel der Caracalla-Thermen zeigen, kam eine große Zahl von Zi. für diesen Bau aus Z. des Princeps.

Die *figlinae* wurden von *officinatores* geleitet, deren Name auf Ziegelstempeln oft neben dem Namen des *dominus*, des Besitzers der Tonvorkommen, erscheint; der *officinator* beaufsichtigte eine Reihe von Sklaven; dabei ist unwahrscheinlich, daß die Zi.-Herstellung als Großbetrieb mit Massenproduktion organisiert war. Wie aus Inschr. aus Siscia hervorgeht, lag die Tagesproduktion eines Mannes bei 220 Zi., der gesamten Z. bei 880 Zi. (ILS 8675a-c). Die Jahresproduktion der großen Z. in der Umgebung von Rom wird jeweils auf mehr als 1 Mio Zi. geschätzt.

Das Stadtrecht der *colonia Genitiva Iulia* untersagte den Privatbesitz von Z. mit einer höheren Produktion als 300 Zi. pro Tag; derartige Z. sollten als Eigentum der *colonia* eingezogen werden (ILS 6087, 76). Die röm. Ziegelstempel sind ediert in CIL XV (vgl. auch ILS 8646–8676).

→ Ziegel, Ziegelstempel

1 J.-P. ADAM, La construction romaine, 1984 2 J. DELAINE, The Baths of Caracalla, 1997, 89–91; 114–118 3 ESAR 5, 207–209 4 T. HELEN, Organization of Roman Brick Production in the First and Second Centuries A.D., 1975 5 S. MRATSCHEK-HALFMANN, Divites et praepotentes, 1993, 73 ff.; 103 ff. 6 P. SETÄLÄ, Private Domini in Roman Brick Stamps of the Empire, 1977 7 J. B. WARD-PERKINS, Architektur der Römer, 1975.   H. SCHN.

Ziegenmelker

(Caprimulgus europaeus L.). Der merkwürdige erdfarbene Vogel hat seinen Namen αἰγοθήλας/ *aigothélas* (lat. *caprimulgus*) von der bei Aristot. hist. an. 8(9),30,618b 2–9 (= Plin. nat. 10,115; Ail. nat. 3,39) angeführten Behauptung, er sauge nachts am Euter der Ziegen [1. 72], lasse deren Milch versiegen und die Tiere erblinden. Tatsächlich fängt dieser Vogel nachts im Fluge mit seinem recht breiten Schnabel Insekten.

1 LEITNER.

KELLER 2, 68 f. · D'ARCY W. THOMPSON, A Glossary of Greek Birds, 1936 (Ndr. 1966), 24 f.   C. HÜ.

Zierstil.

Nach [1] griech. Buchschriften, bei denen die unteren und/oder oberen Buchstabenenden mit (z. T. zusätzlichen) horizontalen oder vertikalen Strichen verziert sind (engl. *finials* oder *serifs*; frz. *patins, empattements, apices*; it. *apici ornamentali*). Diese »Zierstriche« (= Zs.)

führt man auf Einflüsse der Epigraphik, der lat. Schrift oder auch der Verbindungsstriche in der griech. Kursivschrift zurück; jedoch scheint v. a. der typisch hell. Hang zum Ornament zugrundezuliegen. Zs. finden sich in zahlreichen unterschiedlichen → Schriftstilen: zunächst sporadisch in Papyri des 3. Jh. v. Chr., häufiger im 2. Jh. v. Chr. – mit Betonung des Zwei-Linien-Systems der Schriften. Im ersten vor- und nachchristl. Jh. erscheinen Zs. sowohl in nicht näher spezifizierbaren kalligraphischen Schriften als auch in kanonisierten → Schriftstilen (z. B. Epsilon-Theta-Stil). Meistverbreitet sind die Zs. im 1. und 2. Jh. n. Chr. – bei Schriften mit variablen Buchstabenformen (z. B. im sog. Mittleren Stil), aber auch in quadratischen Schriftstilen; aus einem solchen entwickelte sich die Rundmajuskel (die sog. röm. → Unziale) mit ihren kanonisierten Zs. Parallel zu diesen Schmuckschriften entstanden die Schriften des sog. → »Strengen Stils«, die in der Regel gänzlich ohne Verzierungen auskamen.

Die Mode der Zs. verschwand abrupt im 3. Jh. n. Chr., als sich mit der Bibelmajuskel eine andere kanonisierte Schrift durchsetzte (→ Unziale). Erst als diese wiederum außer Gebrauch geriet, traten sog. Krönungspünktchen an den Enden der Haarstriche auf, die nach der Mitte des 5. Jh. n. Chr. markanter werden und als kleine Quadrate und schließlich sogar Dreiecke erscheinen; dieses Stilelement der späten Bibelmajuskel wurde dann auch in die Spitzbogenmajuskel (→ Unziale) übernommen.

→ Schriftstile; Strenger Stil; Unziale

1 W. Schubart, Griech. Paläographie, 1925, 112–116.

G. Cavallo, La scrittura greca libraria tra i secoli I a.C. – I d.C., in: D. Harlfinger, G. Prato (Hrsg.), Paleografia e codicologia greca, 1991, 11–29 • G. Menci, Scritture greche librarie con apici ornamentali (III a.C. – II d.C.), in: Scrittura e civiltà 3, 1979, 23–53.   G. M.

Zigua. Stadt der Africa Proconsularis am Fuß des Djebel Zaghouan. Etwa 30 neupunische Stelen bezeugen den Kult des Saturnus/Baal Hamon (→ Baal). Eine dieser Stelen trägt eine neupun. Inschrift (Répertoire d'épigraphie sémitique II, 598). Auch neupun. Gräber weisen auf die pun. Vergangenheit der Stadt hin. Eine Brunnenanlage versorgte in röm. Zeit den großen Aquaedukt von Karthago (vgl. CIL VIII 1, 895–905; 2, 10523 f.; Suppl. 1, 12424–12431; AE 1984, 739?).

AATun 050, Bl. 35, Nr. 104 • M. Leglay, Saturne africain: monuments, Bd. 1, 1961, 106–108 • Ders., s. v. Z., RE 10 A, 446 f.   W. HU.

Zikade (Cicada plebeia). Dieses Insekt, die Baumgrille (griech. ὁ τέττιξ/téttix, Gen. -ιγος oder -ικος; lat. cicada), war und ist eines der bekanntesten und charakteristischsten der Mittelmeerwelt. Ihr stereotyper Gesang bzw. ihr Lärmen (ἠχεῖν/ēcheín, Hes. erg. 583; Sappho fr. 89 D.; Anth. Pal. 7,196 und 201), das durch Reiben der Flügel an der sog. Schrilleiste (vgl. Aristot. hist. an. 4,9,535b 7–9) erzeugt wird, ist oft das einzige Geräusch

an einem heißen Sommertag; denn alle anderen Tiere schweigen dann (z. B. Hes. scut. 396; Aristoph. Av. 1095; Theokr. 5,110 und 7,139; Verg. ecl. 2,13; georg. 3,328). Dieses Geräusch galt manchmal als angenehm, manchmal als lästig (Mart. 10,58,3: inhumanae cicadae) und geschwätzig (vgl. Hom. Il. 3,151 f.; Plat. Phaidr. 258e). Die Z. sind Attribut der Musen (Plat. Phaidr. 262d; Anth. Pal. 10,16); bei Kallimachos (Aitia fr. 1,30 Pfeiffer) wird das Zirpen zum Symbol für die höhere Dichtung und die Z. selbst für den Dichter (Anth. Pal. 12,98), für die Muse als Helferin des Dichters (Timon FGrH 566 F 43) oder für dessen Gegenstand (Anakr. 32 B.).

Zoologisch wurde die Z. stark beachtet: Sie ist als Insekt bei Aristoteles beschrieben (hist. an. 4,7,532b 10–17: zwei Arten, nur das Männchen der größeren singe; part. an. 4,5,682a 18–26: Ernährung), das an trokken-warmen Stellen v. a. auf Olivenbäumen lebt und sich durch Paarung vermehrt (Aristot. ebd. 5,30,556a 14–b 20, Aristot. gen. an. 1,16,721a 2–4; vgl. Plin. nat. 11,92–95). Ihre Färbung ist schwarz bzw. dunkel (Theokr. 7,138), sie hat große, netzartige Flügel. Man glaubte, diese Pflanzensaftsauger lebten nur von Tau (Hes. scut. 393; Anth. Pal. 9,92; Verg. ecl. 5,77), weshalb sie angeblich keinen Kot ausscheiden. Massenauftreten war ein Anzeichen für ein ungesundes Jahr (Theophr. de signis tempestatum 54).

Als bekanntes Tier wurde die Z. oft abgebildet, z. B. auf einer Lanze der Athena (Anth. Pal. 6,120), auf Mz. [1. Taf. 7,32–36] und Gemmen [1. Taf. 23,38]. Der Bildhauer → Myron [5] soll, so Plin. nat. 34,57, eine Br.-Plastik einer Z. und einer → Heuschrecke gestaltet haben. Nach Hellanikos (FGrH 4 F 140) verwandelte sich → Tithonos in eine Z.

1 F. Imhoof-Blumer, O. Keller, Tier- und Pflanzenbilder auf Mz. und Gemmen des klass. Alt., 1889 (Ndr. 1972).

Keller 2, 401–406.   C. HÜ.

Zilath (auch zilat, zilach, zilac). Name eines Amtes in etr. Städten, bekannt aus inschr. Zeugnissen seit dem 4. Jh. v. Chr.; die meisten Belege stammen aus dem Gebiet von → Tarquinii, weitere aus Vulci, Volsinii, Volaterra und Clusium [1. 246 f.]. Der z. scheint (z. T. mit anderen als z. bezeichneten, aber mit unterschiedlichen Aufgaben versehenen Amtsträgern) an der Spitze der städtischen Verwaltung gestanden zu haben, die sich nach der Auflösung des Königtums bzw. dem Niedergang aristokratischer Macht in Etrurien (→ Etrusci) herausgebildet hatte. Z. erscheint auch in der Verbindung mit mechl rasnal (nur in Tarquinii und Volsinii: Thesaurus Linguae Etruscae 87, 137 und 233). Da sich (nach Dion. Hal. ant. 1,30,3) die Etrusker selbst als Rasenna bezeichneten, liegt die Identifikation mit dem praetor Etruriae bzw. praetor populorum (mechl »Volk«) Etruriae nahe [2. 294 f.]. Art und Umfang dieses die etr. Städte (→ Zwölfstädtebund) übergreifenden Amtes sind unklar; es dürfte sich um eine rel. Kompetenz in der Art eines → *rex sacrorum* gehandelt haben (vgl. Serv. Aen. 8,475; Liv. 1,8,2; 5,1).

→ Etrusci, Etruria

1 M. TORELLI, Die Etrusker, 1988 2 M. PALLOTINO, Etruskologie, ⁷1988 3 R. LAMRECHTS, Essai sur les magistratures des répliques étrusques, 1959 4 B. LIOU, Praetores Etruriae XV populorum, 1969. W. ED.

Zimmermann s. Materiatio

Zimt (κιννάμωμον/*kinnámōmon*, κασσία/*kassía*; lat. *cinnamomum, -a, cinnamum, cas(s)ia*). Die aromatische Rinde der verschiedenen Arten des Z.-Strauchs (v. a. C. zeylanicum Br., C. cassis Br., C. Burmanni Bl.) wurde in der Ant. ebenso wie h. getrocknet und in Röhrenform verkauft. Die → Phönizier vermittelten (Hdt. 3,111) den Griechen die Kenntnis, ohne daß seine tatsächliche Herkunft aus Süd- und SO-Asien (→ India II.) bekannt wurde. Man glaubte daher, Z. wachse auf der sw Arabischen Halbinsel und dem gegenüberliegenden Ostafrika (→ *kinnamōmophóros chṓra*). Statt authentischer Angaben über das Aussehen des Strauches findet sich Fabulöses (Hdt. 3,110f.; Plin. nat. 12,89–94; Arr. an. 7,20, sogar bei Theophr. h. plant. 9,5,1 f.). Dazu trug auch der auf verschiedene Pflanzen zielende Name *cas(s)ia* bei. Erst Dioskurides (1,13 WELLMANN = 1,12 BERENDES) konnte acht Sorten der Kassia-Rinde eingehend beschreiben. Man benutzte den Z. zur Aromatisierung bei Brand- und Rauchopfern (Ov. fast. 3,731), als Zusatz von Parfümen und Salben, hauptsächlich aber als adstringierende und abführende Medizin. Dazu verwendete man Rinde, Blätter und Früchte in vielen zusammengesetzten Arzneimitteln für Mensch und Tier. Außer Wein (Theophr. de odoribus 32; Plin. nat. 14, 107) wurden in der Ant. keine Lebensmittel mit Z. gewürzt.

→ Gewürze

F. OLCK, s. v. Z., RE 3, 1638–1650. C. HÜ.

Zincirli s. Kleinasien III. C.

Zink ist ein Metall, das in der Natur nicht gediegen vorkommt. Aus seinen Erzen läßt es sich nicht durch einen Verhüttungsprozeß, sondern nur durch Destillation gewinnen.

Die frühesten z.-haltigen Objekte aus Kupferlegierungen entstanden durch die Verwendung von zufällig Z.-Erze enthaltenden Rohstoffen. Aus dem Alten Orient sind vereinzelt z.-haltige Objekte (mit 6–12% Z.) aus Kupferlegierungen bekannt. Hier handelt es sich offensichtlich um zufällige Beimengungen durch die Verwendung z.-haltiger Erze. Auf der Agora von Athen wurden ein Z.-Blech und eine Z.-Statuette gefunden (4.–3. Jh. v. Chr.). Die erste bewußte Verarbeitung z.-haltiger Erze ist für Amisos/Bithynien im 1. Jh. v. Chr. belegt; hier wurden die frühesten Messing-Mz. hergestellt.

In Rom war die z.-haltige Kupferlegierung → Messing ein weit verbreiteter Stoff zur → Münzherstellung, für Fibeln und Zierteile. Metallisches Z. konnte noch nicht hergestellt werden, so daß nur wenige röm. Z.-Objekte bekannt geworden sind, die wahrscheinlich als Nebenprodukt der Z.-Erzverarbeitung hergestellt wurden. Bei diesen röm. Z.-Objekten handelt es sich um ein 1876 in → Pompeii gefundenes Giebelstück, eine bei Castelvenere bei Triest gefundene Glocke und eine 1994 in der Nähe von Bern gefundene, mit einer Inschr. versehene Z.-Tafel aus dem gallo-röm. Bereich.

Die großen Z.-Erzvorkommen im Bereich von Aachen wurden in röm. Zeit entdeckt; sie versorgten das Imperium Romanum mit dem zur Messingherstellung begehrten Rohstoff. Bei der Messingherstellung durch Verschmelzen von → Kupfer mit Galmei verdampft Z. und schlägt sich an kühleren Teilen der Schmelzeinrichtung in metallischer Form nieder. Es ist denkbar, daß so entstandenes Z. als Material zur Herstellung von Blechen und kleinen Objekten verwendet wurde.

1 P. T. CRADDOCK (Hrsg.), 2000 Years of Zinc and Brass (British Museum Occasional Papers 50), 1990
2 J. RIEDERER, Korrosionsschäden an Z.-Skulpturen (Berliner Beitr. zur Archäometrie 14), 1987, 5–210. JO. R.

Zinn I. DEFINITION II. ZINNLAGERSTÄTTEN III. GEWINNUNG UND VERWENDUNG VON ZINN IV. ALTER ORIENT UND ÄGYPTEN V. GRIECHENLAND UND ROM

I. DEFINITION

Z. ist ein Metall, das in der Ant. zum Metallguß, zur Herstellung von Blechen, zum Verzinnen anderer Werkstoffe, zur Herstellung von Legierungen, v. a. mit → Kupfer zu → Bronzen oder mit → Blei zu Blei-Z.-Loten verwendet wurde. Ausgangsmaterial war Cassiterit oder Z.-Stein, das einzige Z.-Mineral, das in einer für metallurgische Verarbeitung ausreichenden Menge in der Natur vorkommt. Der Z.-Stein, ein Z.-Oxid (SnO_2), hat eine dunkelbraune bis schwarze Farbe, hohes spezifisches Gewicht (6,8–7,1 g/cm³) und große Härte (6–7), also Eigenschaften, die bei der Suche nach Erzen sofort auffallen mußten; er ist der Verwitterung gegenüber sehr widerstandsfähig. Neben den primären Lagerstätten gibt es so auch Cassiteritseifen als Flußablagerungen, die ein sehr reines Erz liefern.

In Griechenland wurde Z. κασσίτερος/*kassíteros* genannt; röm. Autoren hingegen unterschieden nicht klar zwischen Blei und Z., vielmehr wurden beide als verschiedene Arten eines einzigen Metalls aufgefaßt und als *plumbum nigrum* (»schwarzes Blei«) und *plumbum candidum* (»weißes Blei« = Z.) bezeichnet (Plin. nat. 34,156; vgl. Caes. Gall. 5,12,5).

II. ZINNLAGERSTÄTTEN

Da die → Phönizier, die das Z. in den Mittelmeerraum brachten, darauf achteten, daß der Seeweg zu den

Lagerstätten von Z. nicht bekannt wurde, war die Herkunft des Metalls in der griech.-röm. Ant. zunächst unklar (Strab. 3,5,11; vgl. Plin. nat. 7,197). Nach Herodotos [1] stammte das Z. von den im Nordmeer gelegenen *Kassterídes* (Κασσιτερίδες, »Z.-Inseln«, → *Kattiterídes*), deren genaue Lage ihm allerdings unbekannt war (Hdt. 3,115). Strabon und auch Diodoros [18] nahmen an, daß sie im Meer weit entfernt vor der Küste Spaniens lagen (Strab. 3,5,11; vgl. 2,5,15; 3,2,9; Diod. 5,38,4; Plin. nat. 4,119; 34,156). Bereits Polybios [2] wußte, daß Z. aus Britannien stammte (Pol. 3,57,3); die Gewinnung von Z. in Britannien und den Transport des Metalls durch Gallien nach Massalia und Narbo beschreibt ausführlich Diodoros (5,22; 5,38,5; vgl. auch Strab. 3,2,9; Caes. Gall. 5,12,5); ferner werden Z.-Vorkommen auf der iberischen Halbinsel erwähnt (Strab. 3,2,9; Diod. 5,38,4; Plin. nat. 4,112; 34,156).

Über die Lage der ant. Z.-Lagerstätten haben neuere montan-gesch. Ausgrabungen und archäometallurgische Unt. weitgehende Klarheit geschaffen. Z.-Erzvorkommen gibt es in Asien und Europa in großer Zahl. Bei den Z.-Lagerstätten, die am frühesten abgebaut wurden, handelte es sich um kleinere und rasch erschöpfte Vorkommen von Z.-Seifen und primären Erzen im Vorderen und Mittleren Orient, v.a. in Kleinasien, Syrien, im Kaukasus, im Altai und in Tien-Schan. V. a. die Z.-Vorkommen im Westen, in England, Frankreich, Spanien und Portugal versorgten bereits um die Mitte des 2. Jt. v. Chr. den Mittelmeerraum mit Z. Kleinere Vorkommen, die in der Ant. abgebaut wurden, gab es auf Korsika, Sardinien, Elba und in der Toskana.

III. GEWINNUNG UND VERWENDUNG VON ZINN
A. DIE GEWINNUNG VON ZINN

Ehe metallisches Z. gewonnen wurde, verwendete man Cassiterit direkt zur Herstellung von Bronzen durch Verschmelzen des Kupfers mit dem Z.-Erz. Seit dem 3. Jt. v. Chr. werden die z.-reichen Bronzen häufiger, von denen anzunehmen ist, daß sie bewußt als Legierung hergestellt wurden. Die früheste Verwendung von metallischem Z. zur Br.-Herstellung wird für das 2. Jt. v. Chr. angenommen.

Metallisches Z. erhielt man bei der Verhüttung von Cassiterit durch eine Reduktion der Erze mit Holzkohle. Das metallische Z. wurde in Barren gegossen und von den Lagerstätten zu den Verbrauchszentren transportiert (Diod. 5,22). Dort wurde Z. entweder zu Z.-Gegenständen verarbeitet oder zur Herstellung anderer Werkstoffe genutzt. Da Z. einen relativ niedrigen Schmelzpunkt hat, eignete es sich gut als Gußwerkstoff. Metallisches Z. läßt sich auch gut zu Blechen aushämmern, die oft zur Verzierung von Keramik- oder Holzgegenständen durch ein- oder aufgelegte Folien verwendet wurden (→ Sphyrelaton).

B. DIE TECHNIK DES VERZINNENS

Der niedrige Schmelzpunkt (232 °C) des Z. ermöglichte ein Verzinnen von Metallobjekten, etwa durch Eintauchen in geschmolzenes Z. oder durch Auftragen von geschmolzenem Z. auf andere Oberflächen. Die Technik des Verzinnens ist seit dem 2. Jt. v. Chr. bekannt und durch Funde aus dem Vorderen Orient sowie aus Süd- und Mitteleuropa belegt. Durch Verzinnen von Br.-Scheiben wurden auch → Spiegel hergestellt. Ausführlich wird diese Technik bei Plinius [1] beschrieben (Plin. nat. 34,160–163).

C. ZINNLEGIERUNGEN

Die Hauptmenge des gewonnenen Z. wurde aber zu Legierungen verwendet, wobei die Br. sicher an erster Stelle stand, da durch die Zugabe unterschiedlicher Mengen von Z. zum Kupfer Werkstoffe mit bes. Eigenschaften, etwa gut gießbare oder gut kalt bearbeitbare Bronzen mit niederen Z.-Gehalten oder harte, polierbare, zur Herstellung von Spiegeln geeignete Bronzen mit hohen Z.-Gehalten gewonnen werden konnten. Eine wichtige Legierungsgruppe stellten die Z.-Blei-Lote dar, die sich durch Schmelzpunkte um 250 °C für Verbindungs- und Reparaturarbeiten eigneten.

JO. R.

IV. ALTER ORIENT UND ÄGYPTEN

In Mesopot. findet sich echte Z.-Bronze seit der 1. H. des 3. Jt. v. Chr., in Äg. seit dem MR (frühes 2. Jt. v. Chr.), häufiger erst seit der Ramessidenzeit (13./12. Jh. v. Chr.). Die Frage der Herkunft ist noch in der Diskussion: Für Mesopot. wird sowohl der Iran genannt als auch → Dilmun als Zwischenhändler. Andere Belege sprechen für Afghanistan, für Tauros/Kilikien oder Ost-Anatolien als Quelle. Unklar ist, ob vor der Eisenzeit Z. aus dem westl. Mittelmeergebiet oder aus England nach Vorderasien gelangte. R. W.

V. GRIECHENLAND UND ROM

Aus Griechenland sind nur wenige frühe Funde aus reinem Z. erhalten. Für einen Armreif aus Lesbos wird eine Datier. von ca. 3000 v. Chr. angegeben. Im → Wrack von Ulu Burun, das um 1300 v. Chr. sank, befanden sich Z.-Barren unterschiedlicher Form mit einem Gewicht von etwa einer Tonne. Einzelne Keramikgefäße aus myk. Zeit sind mit Z.-Folie belegt oder durch eingelegte Z.-Streifen verziert. Wie einzelne Erwähnungen von Z. in der ›Ilias‹ zeigen, war das Metall in homerischer Zeit bekannt und wurde für Einlegearbeiten zur Verzierung von Waffen (Hom. Il. 11,25; 11,34; vgl. 18,613; 21,592) und Gegenständen verwendet (z. B. ein Wagen, Hom. Il. 23,503).

Über die Vorkommen und die Verwendung von Z. in röm. Zeit gibt es in der Lit. ausführliche Hinweise (Diod. 5,22; Plin. nat. 34,156–163). Der Leidener Pap. X aus dem 3. Jh. n. Chr. informiert mit über 100 Rezepten zur Metallverarbeitung detailliert über die Verwendung von Z. Aus röm. Zeit sind zahlreiche Funde von Gegenständen aus Z., etwa Gefäße und einfache Schmuckstücke, erhalten. Ferner wurden aus Wracks Z.-Barren in großer Zahl geborgen.

→ Kattiterides; Metallurgie

1 BLÜMNER, Techn. 3, 81–88; 180–191; 376–378
2 P. T. CRADDOCK, Early Metal Mining and Production,
1995 3 J. F. HEALY, Mining and Metallurgy in the Greek and
Roman World, 1978 4 P. R. S. MOOREY, Ancient
Mesopotamian Materials and Industries. The
Archaeological Evidence, 1994, 297–301 5 J. D. MUHLY,
Copper and Tin, 1973 6 E. RIEDEL, Bibliographie zu
Material und Technologie kulturgesch. Objekte aus Blei
und Z., in: Berliner Beitr. zur Archäometrie 9, 1984,
191–195 7 J. RIEDERER, Arch. und Chemie, 1987, 139–141
8 R. C. A. ROTTLÄNDER (Hrsg.), Plinius Secundus d. Ä.
über Glas und Metalle, 2000, 70–126 9 R. F. TYLECOTE,
A History of Metallurgy, 1976 10 Ders., The Early History
of Metallurgy in Europe, 1987.   JO. R.

Zinninseln s. Kattiterides; Zinn

Zinnober (κιννάβαρι/*kinnábari*, lat. *minium*) ist ein ro-
tes bis braun-rotes Mineral (Quecksilbersulfid, HgS),
das sich meist in Sedimentgesteinen in der Nähe vul-
kanischer Aktivität findet. → Theophrastos, der Z. ausführlich beschreibt, unterscheidet zw. natürlichem und
hergestelltem Z. und gibt als Herkunftsgebiete Spanien
und Kolchis an (Theophr. de lapidibus 58–60 EICH-
HOLZ).

Nach → Plinius [1], der sich auf Theophrastos beruft,
soll Z. gegen E. des 5. Jh. v. Chr. von Kallias [5] im
→ Laureion-Gebiet entdeckt worden sein; Plinius erwähnt daneben auch Vorkommen von Z. in Spanien,
Kolchis und Ephesos (Plin. nat. 33,113 f.). Die Römer
verlegten die Werkstätten von Ephesos nach Rom, wo
auch Z. aus Spanien verarbeitet wurde. In Rom soll sich
die Werkstatt, die Z. verarbeitete, bei dem Tempeln der
Flora und des Quirinus befunden haben (Vitr. 7,9,4). In
einem Jahr wurden etwa 2000 röm. Pfund (ca. 655 kg)
bei Sisapo (vgl. Strab. 3,2,3) in der Baetica gewonnen
und dann nach Rom gebracht. Der Preis war auf 70 HS
pro Pfund festgelegt; die Gewinnung von Z. lag in den
Händen einer *societas*, der Plinius vorwirft, Z. durch
Beimischungen zu verfälschen, um höhere Gewinne zu
erzielen (Plin. nat. 33,118–120).

In Griechenland wurde Z. als Farbe für weißgrundige Lekythoi (→ *lékythos* [1]) verwendet, im frühen
Rom, um an Festtagen die Statue des Iuppiter zu be-
malen und um das Gesicht eines Feldherrn beim
→ Triumph zu bestreichen; Plinius vergleicht diese al-
tertümlich wirkenden Bräuche mit den Sitten der Völker Äthiopiens (Plin. nat. 33,111–112). Bei der Bemalung von Wänden war es notwendig (→ Wandmalerei),
Z. durch eine Wachsschicht zu schützen, um zu verhindern, daß der Anstrich seine Farbe änderte (Vitr.
7,9,2 f.).

→ Bergbau; Metallurgie

1 F. BENTLEY, Poisons, Pigments and Metallurgy, in:
Antiquity 45, 1971, 138–140 2 BLÜMNER, Techn. 4, 488–495
3 C. DOMERGUE, Les mines de la péninsule ibérique dans
l'antiquité romaine, 1990 4 J. F. HEALY, Mining and
Metallurgy in the Greek and Roman World, 1978, 190–192.
                                                      J. M. A.-N.

Zins I. ALTER ORIENT UND ÄGYPTEN
II. KLASSISCHE ANTIKE

I. ALTER ORIENT UND ÄGYPTEN

Die frühen mesopot. Dokumente (24.–21. Jh.
v. Chr.), die sich auf → Darlehen und Vorschüsse seitens
institutioneller Haushalte an Individuen beziehen, lassen vermuten, daß Z. berechnet wurde, ohne daß aber
Aussagen über die Z.-Sätze möglich sind. Öfter wurde
der Schuldner anstelle von Z. zu landwirtschaftlichen
Arbeiten für den Gläubiger verpflichtet [10. 117]. In
altbabylonischer Zeit (19.–17. Jh. v. Chr.) wurde strikt
zw. Z. auf Getreide- (33⅓%) und auf Silberdarlehen
(20%) geschieden. Dies ergibt sich aus Darlehensurkunden und den Rechtsbüchern (Codex Ešnunna bzw.
Codex Ḥammurapi: TUAT 1, 34 f. §§ 18, 20 f. bzw. 53,
§ 70) [8. 98–144]. Briefe altassyrischer Händler (20. Jh.
v. Chr.) sprechen von Zinseszins, desgleichen enthalten
mathematische Problemtexte (→ Mathematik) Lösungen zum Errechnen von Zinseszins. Z.-Sätze für Ge-
treidedarlehen sind neubabylon. urkundlich nicht bezeugt. Der übliche Zinssatz für Silberdarlehen betrug
weiterhin 20%. Allerdings finden sich in neubabylon.
Darlehensurkunden vereinzelt auch davon abweichende Zinssätze: 5%, 10%, 12,5%, 13⅓%, 16⅔% auf der
einen und 25%, 30%, 40%, 60% auf der anderen Seite
[6. 20⁴³ᵃ; 11. 234 f.]. Welche speziellen Umstände vom
generellen 20%igen Z.-Satz abweichende Z.-Sätze bedingten, lassen die Urkunden nicht erkennen. Lediglich
ein Brief aus → Ugarit begründet die Zinslosigkeit eines
Darlehens damit, daß Gläubiger und Schuldner der gleichen (gehobenen) sozialen Schicht angehören [5. 19 RS
15.11, Z. 23]. Ähnlich wird im AT argumentiert, wenn
es heißt, dem Fremden dürfe man Z. abverlangen, nicht
aber dem Bruder (d. h. dem anderen Israeliten; Lv
25,36 f.; Dt 23,20). Die oft diskutierte Frage, inwieweit
Z.-Sätze von 20% bzw. 33⅓% als »Wucher« zu bezeichnen sind, läßt sich mit dem Verweis auf ethnographische
Daten beantworten, die zeigen, daß Z.-Sätze selbst unter nachbarlichen reziproken Bedingungen bis zu 50%
betragen können [7. 190 f., 195].

Für Äg. steht eine äußerst geringe Zahl von dar-
lehensrelevanten Textzeugnissen − meist aus der Hand-
werkersiedlung Dair al-Madīna − zur Verfügung. Deren
Bewohner regelten ihre wirtschaftlichen Transaktionen
untereinander auf der Basis von → Reziprozität. Ob
oder inwieweit dadurch Z. im Sinne einer Augmentie-
rung des Darlehens − wie aus ethnologischen Parallelen
gut bezeugt [7. 191 f., 195] − zu zahlen war, bleibt un-
erwähnt. Soweit aber die Dokumentation erkennen
läßt, wurde im NR − von Ausnahmen abgesehen − kein
Z. für Darlehen verlangt.

→ Darlehen; Wirtschaft

1 E. BLEIBERG, Loans, Credit and Interest in Ancient Egypt,
in: M. HUDSON, M. VAN DE MIEROOP (Hrsg.), Debt and
Economic Renewal in the Ancient Near East, 2002,
257–276 2 Chicago Assyrian Dictionary, Bd. Ḫ, 1956, s. v.
ḫubullu A2. 3 Ebd., Bd. Ṣ, 1962, 158–163 s. v. ṣibtu A

4 M. van de Mieroop, A History of Near Eastern Debt, in: s. [1], 59–94 **5** J. Nougayrol, Mission de Ras Shamra, Bd. 6, 1970 **6** H. Petschow, Neubabylon. Pfandrecht, 1956 **7** J. Renger, On Economic Structures in Ancient Mesopotamia, in: Orientalia 63, 1994, 157–208, bes. 194f. **8** A. Skaist, The Oldbabylonian Loan Contract, 1994 **9** P. Steinkeller, The Renting of Fields in Early Mesopotamia and the Development of the Concept of »Interest« in Sumerian, in: Journ. of the Economic and Social History of the Orient 24, 1981, 133–145 **10** Ders., Money Lending Practices in Ur III Babylonia, in: s. [1], 109–137 **11** C. Wunsch, Debt, Interest, Pledge and Forfeiture in the Neo-Babylonian and Early Achaemenid Period: The Evidence from Private Archives, in: s. [1], 221–255.   J. RE.

II. Klassische Antike
A. Griechenland   B. Rom
C. Spätantike und Christentum

A. Griechenland

Für die Beurteilung der Geldgeschäfte und der ökonomischen Funktion des → Geldes im klass. Griechenland ist zunächst die Frage von Bed., wie viele → Darlehen gegen Z. (τόκος/*tókos*) und zinslos vergeben wurden. Insbesondere für Athen ist die Häufigkeit zinsloser Darlehen betont worden; solche Darlehen entsprachen der Trad. der → Reziprozität, sie wurden v. a. unter Verwandten, Freunden und → Nachbarn vergeben und dienten der Festigung sozialer Beziehungen. Die meisten der bei den attischen Rednern erwähnten Darlehen waren nicht mit einer Z.-Nahme verbunden [9], allerdings ist das verzinsliche Darlehen ebenfalls häufig belegt. In verschiedenen Vermögensaufstellungen werden größere gegen Z. verliehene Geldbeträge aufgeführt (Lys. 32,15; Isaios 11,42; Demosth. or. 27,9). Man unterschied zwei Kategorien von Z., nämlich den Z. auf → Seedarlehen und den Z. auf übliche Darlehen für Geschäfte zu Lande (vgl. Demosth. or. 33,3: οὔτε ναυτικοῦ οὔτ' ἐγγείου/*úte nautikú ut' engeíu*; vgl. → *nautikón dáneion*). Im 4. Jh. v. Chr. bewegte sich der Z.-Satz etwa um 15 %, während der Z.-Satz für Seedarlehen wesentlich höher war. So wurde in einem von Demosthenes wiedergegebenen Seedarlehensvertrag ein Z.-Satz von 22,5 % vereinbart (Demosth. or. 35,10). Unklar bleibt, ob die professionellen Bankiers (→ Banken) für deponierte Gelder Z. zahlten; viele Bankdepots scheinen nicht verzinst worden zu sein; in bestimmten Fällen war ein Z. in Höhe von 10 % vorgesehen [5].

Die Griechen rechneten bei der Z.-Nahme in Drachmen (→ *drachmḗ* [1]) oder Obolen (→ *obolós*) pro Mine (→ *mina*; 100 Drachmen) und pro Monat. Demnach entsprach eine Drachme einem Z.-Satz von 1 % pro Monat (vgl. etwa Isaios 11,42: 9 Obolen = 1,5 %; Demosth. or. 27,9: 1 Drachme; vgl. → *dáneion*). Der Z. wurde als eine Einnahme angesehen, die vom Geld selbst hervorgebracht wurde; Aristoteles [6] lehnte aus diesem Grund den Verleih von Geld gegen Z. als naturwidrig (παρὰ φύσιν/*pará phýsin*) ab (Aristot. pol. 1258b).

Wie im Vorderen Orient verliehen auch in der griech. Welt Tempel und Heiligtümer Geld gegen Z. (→ Tempelwirtschaft). Im 5. und 4. Jh. v. Chr. forderten sie Z. in Höhe von 6–10 %, ein Z.-Satz, der niedriger war als der von den → Banken geforderte (12–18 % pro Jahr). Zw. dem 5. und 2. Jh. v. Chr. sank der Z.-Satz für Darlehen zw. Privatleuten auf 8–12 %, dann auf 6–10 %. Im ptolem. Äg. lag der Z.-Satz hingegen bei 24 %, und erst in röm. Zeit sank er in Äg. auf 12 % (vgl. oben I.).

B. Rom

Die Höhe der Z. (*faenus/fenus*; *usura*) war in der röm. Gesch. wiederholt Thema der Politik und Gegenstand der Gesetzgebung. Auf die Bestimmungen zum Z. aus der Zeit der Republik geht Tacitus [1] in seiner Darstellung der Schuldenkrise des J. 33 n. Chr. ein (Tac. ann. 6,16): Das Zwölftafelrecht (→ *tabulae duodecim*) untersagte es, einen höheren Z. als das *faenus unciarium* zu fordern; es handelte sich dabei nach neueren Forschungen [11] wahrscheinlich um einen Z.-Satz von 100 % (ein Zwölftel pro Monat). Während der Schuldenkrise zw. 350 und 340 v. Chr. wurde zunächst ein *faenus semiunciarium* durchgesetzt, also ein Z.-Satz von 50 % pro Jahr; schließlich wurde die Z.-Nahme durch die *lex Genucia* 342 v. Chr. vollständig verboten (Liv. 7,42,1). Zu Beginn des 2. Jh. v. Chr. war das verzinsliche Darlehen jedoch wiederum legal. Seit dieser Zeit berechneten die Römer den Z. in Anlehnung an das griech. Vorbild monatlich, wobei der Z.-Satz in Prozenten ausgedrückt wurde; ein Z.-Satz von 12 % wurde als *centesimae usurae* bezeichnet (also als Z. in Höhe von 1 % pro Monat).

Der Senat begrenzte 51 v. Chr. den Z.-Satz auf 12 % pro Jahr (Cic. Att. 5,21,13). In der späten Republik erwiesen sich v. a. die hohen Z. bei Darlehen an die Prov. und an Provinzialen als problematisch. Insbes. durch Forderung eines Zinses-Z. konnten sich die → Schulden erheblich erhöhen; dies traf gerade auf die Prov. Asia zu, deren Schuldenlast sich nach 80 v. Chr. innerhalb weniger Jahre mehr als verdoppelt hatte. Licinius [I 26] Lucullus erleichterte die finanzielle Lage der verschuldeten Städte, indem er die Zahlung der Z. reduzierte (Plut. Lucullus 20,3). Der Volkstribun C. Cornelius [I 2] (67 v. Chr.), der diesen Mißstand zu beseitigen suchte, äußerte kritisch, die Prov. würden durch Wucherzinsen erschöpft (*exhauriri provincias usuris*, Ascon. 57f. C; vgl. → *publicani*). Die Verhältnisse werden durch den Fall des M. Iunius [I 10] Brutus grell beleuchtet, der nach 58 v. Chr. Geld an die Stadt Salamis auf Zypern gegen einen Zins von 48 % verliehen hatte (Cic. Att. 5,21,10–12; 6,1,5–8; 6,2,7–9; 6,3,5).

Es ist unklar, ob die Begrenzung des Z.-Satzes auf 12 % von Augustus bestätigt wurde und im Prinzipat die Höhe des Z. überhaupt begrenzt wurde. Das verzinsliche → Darlehen war im Imperium Romanum nicht verboten, aber der Z.-Satz war in einigen Prov. wie etwa Äg. auf 12 % pro Jahr begrenzt. Im röm. Recht war der ἀνατοκισμός/*anatokismós* (Zinses-Z.) verboten (vgl.

→ Anatocismus). Normalerweise konnten die Z.-Sätze legal zw. 4 und 12 % schwanken; in der *Historia Augusta* wird ein Z.-Satz von 4 % als *minimae usurae* bezeichnet (SHA Antoninus Pius 2,8). Außer in Fällen von Wucher wurde der Z.-Satz von 12 % fast nie überschritten.

Es sind durchaus regionale Unterschiede in den Z.-Sätzen feststellbar. Für die Prov. konnte der Z.-Satz durch Edikt festgesetzt werden (Ulp. Dig. 17,1,10,3; 26,7,7,10). Es gab ferner regionale konjunkturelle Schwankungen: Nach Auffassung des röm. Juristen Gaius [2] hing der Z.-Satz vom jeweiligen Angebot an Geld ab (Gai. Dig. 13,4,3). Der Z.-Satz konnte in einer Region allerdings auch aufgrund lokaler Traditionen durchaus stabil sein und war dann weniger von konjunkturellen Schwankungen abhängig (Scaevola Dig. 33,1,21 pr.).

Für die späte Republik und die Zeit der Bürgerkriege sind gravierende Schwankungen des Z.-Satzes in It. belegt, die aber weniger auf ökonomische Ursachen als vielmehr auf polit. und mil. Entwicklungen zurückgeführt werden müssen: So sank der Z.-Satz von 12 auf 4 %, als nach der Schlacht von Actium/Aktion [1] der äg. Königsschatz nach Rom und dort eine große Geldmenge in den Umlauf gebracht wurde (Cass. Dio 51, 21,5; Suet. Aug. 41,1). Im Gegensatz zur Republik waren die Schwankungen des Z.-Satzes in It. während der Prinzipatszeit nicht ausgeprägt, und die erwähnten Z.-Sätze sind allgemein niedrig (5 bis 6 % pro Jahr). So geht Columella in seiner Berechnung der Erträge des Weinbaus (→ Wein) von einem Z.-Satz von 6 % bei der Darlehensvergabe aus, und auch Plinius setzt den Ertrag einer → Stiftung auf 6 % an (Colum. 3,3,9; Plin. epist. 7,18).

Oft ist die These vertreten worden, daß in der Prinzipatszeit die Z. im westlichen Mittelmeerraum eher niedrig (4–6 %), im griech. Osten höher (8–9 %) und in Äg. extrem hoch (12 %) waren. Die Quellenlage für Äg. ist hinreichend gut. Die Unterschiede zw. Osten und Westen scheinen bei genauer Unt. nicht so deutlich ausgeprägt gewesen zu sein. In Africa sahen vier Stiftungen einen Z.-Satz von 5–6 % vor, eine fünfte Stiftung aber einen Z.-Satz von 12 %.

C. Spätantike und Christentum

Gegen E. des 4. Jh. war der zulässige Z.-Satz auf 1 % pro Monat (*usurae centesimae*), also 12 % pro Jahr, festgelegt; gegen die Überschreitung dieses Z.-Satzes wurde eingeschritten (Cod. Theod. 2,33,2; 386 n. Chr.). Für die Senatoren galten bes. Bestimmungen: Seit Severus [2] Alexander durften sie nicht mehr als 6 % im Jahr (0,5 % im Monat) verlangen (SHA Alex. 26,3); im J. 405 wurde der höchste Z.-Satz, den Senatoren fordern konnten, wiederum auf 6 % festgelegt (Cod. Theod. 2,33,4).

Für die Entwicklung in der Spätant. war die christl. Position zum Z. von entscheidender Bed. Bereits einzelne Passagen des AT untersagen es, von Armen Z. zu nehmen, gleichgültig, ob es sich um Geld oder um Le-

bensmittel handelte (Ex 22,25; Lv 25,37). Daneben verbieten andere Passagen die Darlehensvergabe an alle Angehörigen des eigenen Volkes (Dt 23,19–20). In den Evangelien findet sich nur eine ausdrückliche Erwähnung des Z., nämlich im Gleichnis über die anvertrauten Pfunde (Lk 19,23; Mt 25,27); der Z. wird an dieser Stelle jedoch keineswegs verurteilt. In der Zeit um 250 kritisierte Cyprianus [2], daß sich vor der Verfolgung unter Decius [II 1] Bischöfe durch Z.-Nahme bereichert hätten (Cypr. de lapsis 6). Sowohl Basileios [1] als auch Gregorios [2] von Nyssa kritisierten die Wucherer; Ambrosius widmete der Problematik des Z. eine Schrift (Basil. homilia in psalmum 14,5; Greg. Nyss. contra usurarios; Ambr. de Tobia).

Mehrere Konzilien untersagten Klerikern grundsätzlich, Z. zu nehmen, und drohten dafür die Exkommunikation an, so das Konzil von Elvira (zw. 295 und 306), von Arles (314), von Nikaia (325) wie auch die Konzilien von Karthago (zw. 345 und 348 sowie 397); dennoch untersagte die Kirche insgesamt im 4. Jh. die Z.-Nahme Laien nicht.

→ Banken; Daneion; Darlehen; Fenus nauticum; Geld, Geldwirtschaft; Schulden

1 J. Andreau, Banking and Business in the Roman World, 1999 2 Ders., La vie financière dans le monde romain, 1987 3 Ch. T. Barlow, Bankers, Moneylenders and Interest Rates in the Roman Republic, 1978 4 G. Billeter, Gesch. des Zinsfusses im griech.-röm. Alt. bis auf Justinian, 1898 5 R. Bogaert, Banques et Banquiers dans les cités grecques, 1968 6 Ders., Les origines antiques de la banque de dépôt, 1966 7 E. E. Cohen, Athenian Economy and Society. A Banking Perspective, 1992 8 A. Gara, Aspetti di economia monetaria dell'Egitto romano, in: ANRW II 10.1, 1988, 912–951 9 Millett 10 S. Mrozek, Faenus. Studien zu Z.-Problemen zur Zeit des Prinzipats, 2001 11 H. Zehnacker, Unciarium fenus (Tacite, Annales 6,16), in: Mélanges de littérature et d'épigraphie latines, d'histoire ancienne et d'archéologie. FS P. Wuilleumier, 1980, 353–362. J. A.

Zion (Ζιών oder Σιών, fem.; lat. *Zion*, mask., fem. oder ntr.). Der hebr. Eigenname Z. bezeichnete urspr. die Zitadelle der von → David [1] eroberten Jebusiterstadt → Jerusalem, die auf dem karstigen Süd-Ost-Hügel oberhalb der Gihonquelle lag. Der hebr. Text erklärt die Wendung »Festung Z.« (*m'ṣudat ṣijjōn*) durch »Davids Stadt« (2 Sam 5,7; vgl. 1 Kg 8,1; zur Unterscheidung von der übrigen Stadt vgl. 2 Sam 6,10; 6,12; 6,16). Nach der Ausdehnung Jerusalems unter → Salomo konnte der Name auch für den Tempelberg (Ps 2,6; Jes 2,2 f.) bzw. das gesamte Stadtgebiet auf dem Südosthügel (Jes 4,3; 30,19; 52,2) verwendet werden. Der Name Z. kommt auffälligerweise hauptsächlich in Texten vor, die von kultischer Sprache geprägt sind; damit wird Jerusalem als Stadt → Jahwes gekennzeichnet, deren Tempel als Wohn- und Thronsitz dieser Gottheit fungiert (Jes 8,18; Ps 9,12; 74,2; 76,3; 132,13). Der Z. ist eine Gründung Gottes (Jes 14,32), der heilige Berg (Ps 2,6), der wegen seiner Schönheit gepriesen wird (Ps 48,3) und von dem aus die göttlichen Segenskräfte in die Welt fließen (Ps 14,7). In der prophetischen Verkündigung wird der Z. zu einem Ort der Heilshoffnung Israels (u.a. Jes 1,27; 2,3; 4,5; 28,16; 59,20; 62,11; Jer 31,6; Zeph 3,14–20; Sach 2,14; 9,9). Nach der Zerstörung des Tempels im Jahre 70 n. Chr. wurde der Name Z. auf den Südwesthügel der Stadt übertragen (vgl. als frühesten Beleg den Bericht des Pilgers von Bordeaux, Itinerarium Burdigalense 16 [1] aus dem Jahre 333 n. Chr.).

→ Jerusalem (mit Karte)

1 H. DONNER, Pilgerfahrt ins Heilige Land. Die ältesten Berichte christl. Palästinapilger, 1979.

E. OTTO, s.v. Z., in: ThWAT 6, 994–1028 · G. FOHRER, E. LOHSE, s.v. Ζιών, in: ThWB 7, 291–338.　　　B.E.

Ziphene (Ζιφηνή). Mit Z. bezeichnet Iosephos [4] Flavios (Ios. ant. Iud. 6,275; 277) die Steppe von Zīf (1 Sam 23,14f.; 26,2). In jener Gegend, die nahe der at. Stadt Zīf (Jos 15,55, h. Tall Zīf, 6 km südl. von → Hebron) lag, versteckte sich → David [1] auf der Flucht vor Saul (1 Sam 23,24–28, vgl. Ps 54,2), dessen Leben er bei einer nächtlichen Aktion nach einer legendären Erzählung (1 Sam 26,1–25) aus Respekt vor dem Königsamt (»Gesalbter«) unangetastet ließ.　　　R.L.

Zipoites (Ζιποίτης).
[1] Der 356 v. Chr. geb. Sohn des bithynischen Fürsten → Bas (s. Nachträge) trat 328 dessen Nachfolge an. Ein erster Versuch, sein Reich durch die Eroberung von → Kalchedon und → Astakos [1] zu erweitern, scheiterte 315 (Diod. 19,60,3). In der Zeit nach der Schlacht bei → Ipsos (301) besiegte Z. zwei Strategen des Lysimachos [2] (Memnon FGrH 434 F 6,3). In diesen Zusammenhang gehören wohl neue Kämpfe gegen Kalchedon (Plut. mor. 302e) und die Eroberung von Astakos (Strab. 12,4,2; Paus. 5,12,7). Jene Erfolge scheinen den Anlaß zu seiner Annahme des Königstitels und zum Beginn einer bithynischen Ära im Herbst 297 gebildet zu haben. 281 war Z. am Sieg bei → Kurupedion beteiligt (Memnon FGrH 434 F 12,5). Er nutzte die instabile Lage nach dem Tod des Lysimachos zu einem Angriff auf Herakleia [7] (Memnon FGrH 434 F 6,3), in dessen Verlauf er die Städte Kieros und Tios sowie die Landschaft Thynis gewann. Einen Feldherrn Antiochos' [2] I., der Herakleia zu Hilfe kam, konnte Z. 280 vernichten (Memnon FGrH 434 F 9,1f.); er selbst starb im gleichen Jahr.
[2] Sohn des Z. [1], jüngerer Bruder von dessen Nachfolger → Nikomedes [2] I. Als dieser ein Bündnis mit Herakleia [7] eingehen und dafür u.a. die von Z. [1] eroberte Thynis zurückgeben wollte, setzte sich Z., der Statthalter dieser Region, zur Wehr. Er siegte zunächst über Herakleia, wurde aber 277 durch keltische Söldner im Dienst seines Bruders geschlagen und hingerichtet (Memnon FGrH 434 F 9,5; 12,6; Liv. 38,16,8f.).
[3] (Τιβοίτης/ Tiboítes: Pol. 4,50–52). Sohn des → Nikomedes [2] I., Enkel von Z. [1]. Z. gehörte zu den

Söhnen aus der zweiten Ehe seines Vaters, denen dieser die Thronfolge zugedacht hatte. Da sich der enterbte → Ziaëlas jedoch durchsetzte, wurde der Thronanspruch des im maked. Exil lebenden Z. erst 220 wieder aktuell, als ihn die im Krieg mit → Prusias [1] I. liegenden Byzantier als Bundesgenossen gewannen. Z. starb plötzlich, ohne etwas auszurichten.

CH. HABICHT, s.v. Z. (1–3), RE 10 A, 448–460 · W. ORTH, Die Diadochenreiche, TAVO B V 2, 1992 · Ders., Die Diadochenzeit im Spiegel der histor. Geogr., TAVO Beih. B 80, 1993 · K. STROBEL, Die Galater, Bd. 1, 1996.
　　　M.SCH.

Ziqqurrat (akkad. *ziqqurratu*, »Tempelturm«, zu *zaqāru*, »hoch bauen«). Turm aus übereinanderliegenden, nach oben kleiner werdenden quaderförmigen Stufen, der als Sockel für einen Tempel diente. Letzteres ist durch Beschreibungen eindeutig gesichert, doch sind in keinem Fall Reste des oberen Abschlusses einer Z. erh. Bisweilen wird Z. in der mod. Forsch.-Terminologie auch lose für die Bauform »Tempel auf Terrasse« gebraucht.

Kennzeichnendes Merkmal ist außer der Mehrstufigkeit die Art des Zugangs über eine freistehende, mittig auf eine Seite zuführende und zwei seitlich an dieselbe Seite angelehnte Treppen, die sich in Höhe der ersten Stufe auf einer kleinen Plattform trafen. Der weitere Aufgang erfolgte über von außen nicht sichtbare Treppen. Diese feststehende Bauform geht mit größter Sicherheit auf → Urnamma, den Begründer der 2. Dyn. von → Ur (2112–2095 v. Chr.) zurück, der auf diese Weise die zentralen Heiligtümer der meisten Städte seines Reiches umgestaltete. Die Form blieb für eineinhalb Jt. im Prinzip unverändert, nur die Dimensionen vergrößerten sich gewaltig: Statt der Grundfläche von 65 × 43 m der Urnamma-Z. in Ur steht die Z. des → Nebukadnezar [2] (604–562 v. Chr.) in → Babylon (»Turm zu Babel«; vgl. → BABYLON D.I.) auf einem Quadrat mit einer Seitenlänge von 91,5 m. War die Z. des Urnamma von Ur zweistufig und hatte eine verm. Gesamthöhe von 16,5 m bis zur Unterkante des Tempels, so besaß die Z. von Babylon (s. Abb.) sechs Stufen, und die Unterkante des Tempels lag nach der genauen Baubeschreibung des Anu-bēlšunu (verfaßt 229 v. Chr.) [1. 25–46] verm. bei 93,5 m. Für die Rekonstruktion der völlig verschwundenen Z. von Babylon ist auch ihre Beschreibung bei Herodot (Hdt. 1,181f.) von Bed. Urspr. auf Babylonien beschränkt, wurde die Bauform der Z. später auch in Assyrien (→ Assur, Dūr-Šarrukīn, Kār-Tukultī-Ninurta) und → Elam (z.B. in Dūr-Untaš/ Čoġā Zanbīl) übernommen.

→ Esagil (mit Plan)

1 H. SCHMID, Der Tempelturm Etemenanki in Babylon, 1995 2 M. VAN ESS, Uruk, Architektur, Bd. 2,1: Das Eanna-Heiligtum zur Ur III und altbabylon. Zeit, 2001.
　　　H.J.N.

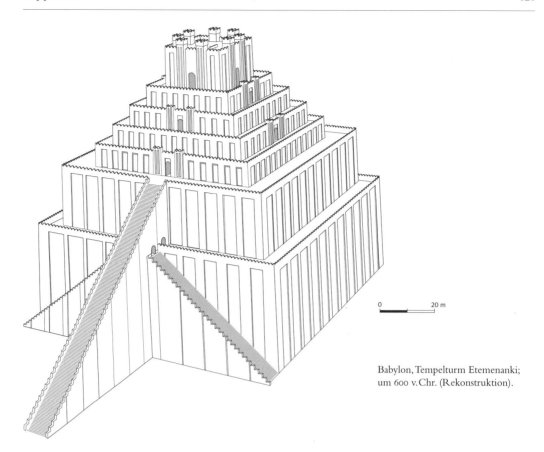

Babylon, Tempelturm Etemenanki;
um 600 v.Chr. (Rekonstruktion).

Zirkel, literarische. Auf die Ant. bezogen ist mit dem mod. Begriff »Z.« die mäzenatische Förderung zeitgenössischer Lit. und Ermutigung junger Dichter gemeint; Generalisierungen und Übertreibungen (etwa im Sinne bürgerlicher Lesezirkel des 19. Jh.) sind jedenfalls fernzuhalten (vgl. allg. → Literaturbetrieb II.). Zunächst dokumentiert sich darin ein Akkulturationsschub seit der Eroberung Griechenlands im frühen 2. Jh. v. Chr. → *Nobiles* wie M. → Fulvius [I 15] Nobilior [1. 536f.] und L. → Aemilius [I 32] Paullus [1. 480–483] zeigten ihr Interesse an (griech.) Kultur, wenn sie sich in der Tradition hell. → Herrscher mit der Begleitung von Dichtern (→ Ennius [1]) oder der Überführung geraubten Kunstgutes oder ganzer → Bibliotheken schmückten bzw. an ihren Leichenspielen (→ Totenkult) panegyrische → *praetextae* erwarten durften (z.B. Ennius' *Ambracia* für Fulvius, Pacuvius' *Paulus* für Aemilius; an den Leichenspielen des letzteren wurden auch erneut die *Hecyra* und die *Adelphoi* von Terentius [III 1] aufgeführt). Von einem »Kreis« spricht die mod. Forsch. (zw. Idealisierung und Skeptizismus vermittelnd [1. 87f., 483–487]), angeregt von der (anachronistisch gezeichneten) Gruppe der Dialogpartner in Ciceros *De re publica*, im Falle des jüngeren → Cornelius [I 70] Scipio (sog. → Scipionenkreis). Hier allerdings ist Bildung in und Interesse an griech. Philosophie und Historiographie im Spiele, nicht speziell an der Dichtung. Terentius gehört (s.o.) in die Generation von Scipios Vater; gänzlich unglaubwürdig ist der anti-optimatische Klatsch in der Terenzbiographie des Suetonius [2] (vgl. [1. 490]).

Eine grundsätzliche Wende bedeutete es demgegenüber, wenn röm. *nobiles* wie Q. → Lutatius [3] Catulus [1. 447–453] sowohl mit griech. wie lat. Poeten freundschaftlich verkehrten sowie selbst poetisch tätig wurden. Bei Catulus mag man also mit Recht von einem »Kreis« sprechen (gegen Übertreibungen [1. 451–453]). Neben diesen privaten Z. steht in der Republik noch das (wohl seit 179 v. Chr.) im *Templum Herculis Musarum* in Rom tagende → *collegium* [2] *poetarum*, in dem das dichterische Selbstbewußtsein sowohl in der Aufstellung einer monumentalen Statue (des Accius) wie in der Auswahl von Dramen für die → *ludi* wie schließlich in »freien« Dichterwettkämpfen (Hor. epist. 2,2,92–105) einen (auch öffentlichen) Ausdruck finden konnte bzw. seine Prüfung zu bestehen hatte (→ Wettbewerbe, künstlerische II.B.).

Die von Horatius [7] mehrfach erwähnte Aktivität der Dichterzunft (z.B. Hor. sat. 1,4,23–25 und 71–76; Hor. epist. 1,19,37f.) ist symptomatisch für das kulturelle Hoch der augusteischen Epoche, in welcher der Wettstreit mit der griech. Lit. zu einem neuen poetologischen wie poetischen Selbstbewußtsein führte. So versammelte sich etwa ein weiteres Publikum anläßlich der → Rezitationen von Gedichten und des Geschichtswerks des → Asinius [I 4] Pollio (Sen. contr. 4, pr. 2). In der Entourage des M. → Valerius [II 16] Messalla Corvinus tauchen Dichter wie seine Nichte → Sulpicia [2], → Tibullus und → Ovidius, → Valgius [2] Rufus und → Aemilius [II 10] Macer, schließlich die Verfasser von → *Catalepton* 9 und des → *Panegyricus Messallae* (vgl. [2. 1677–1680]) auf. Spürbar ist das Interesse der Zentralfigur an persönlicher, an Liebesdichtung; dies erinnert an Lutatius Catulus. Valgius figuriert auch in der Liste (Hor. sat. 1,10,81–84, abgesetzt von Pollio und Messalla) des Maecenaskreises (vgl. → Maecenas [2] C.; [3. 70–83]), wo im übrigen Poeten der hohen Dichtung (→ Varius [I 2] Rufus, → Vergilius [4], → Horatius [7]) überwiegen, unverkennbar als potentieller Verf. eines Augustus-Epos. Im übrigen vermittelt Horaz von diesem Kreis als Lebensgemeinschaft von Freunden unterschiedlichen Ranges sowie als Wiege der augusteischen Lit. ein facettenreiches Bild.

In der Kaiserzeit schließlich war durch das Interesse der Kaiser an der polit. Bed. der → *ludi* (z. B. der Kapitolinische Agon des → Domitianus [1]) oder an der Selbstdarstellung (im Wortsinn; z. B. die → Neronia) die Neigung zu individueller Förderung im kleinen Kreise gering (vgl. → Wettbewerbe, künstlerische II. B.). Als Ausnahme darf Kaiser Hadrianus gelten, dessen breite kulturelle Interessen zwar zunächst Philosophen und Grammatikern gewidmet waren, aber die Dichtung nicht ausschlossen (SHA Hadr. 16). Auch im Falle des jüngeren → Plinius [2] ist nicht zu Unrecht von einem ›cercle littéraire‹ gesprochen worden [4. 1–66], der sich in seinen Briefen zeigt, indes sich sicher auch in den Villen traf, wie es sich z. B. aus den Szenarien der *Noctes Atticae* des Gellius [6] ergibt (z. B. Gell. 1,2,1; 19,5).

→ Literaturbetrieb; Wettbewerbe, künstlerische II. B.

1 W. SUERBAUM, Q. Lutatius Catulus, in: HLL 1, 2002, 447–553 2 A. VALVO, Messalla Corvino negli studi più recenti, in: ANRW II 30.3, 1983, 1663–1680 3 E. FANTHAM, Lit. Leben im ant. Rom: Sozialgesch. der röm. Lit. von Cicero bis Apuleius, 1998 (engl. 1996) 4 A.-M. GUILLEMIN, Pline et la vie littéraire de son temps, 1929.

J.-L. FERRARY, Philhellénisme et impérialisme, 1988 · B. K. GOLD (Hrsg.), Literary and Artistic Patronage in Ancient Rome, 1982 · K. QUINN, The Poet and His Audience in the Augustan Age, in: ANRW II 30.1, 1982, 75–180.   P.L.S.

Zirkus s. Circus; Factiones

Zirkusparteien

(lat. *factiones*; griech. μέρη/*mérē* oder, weniger prägnant, δῆμοι/*démoi*; siehe → *démos* [2] C.). Heute vorwiegend gebräuchlich Bezeichnung für Vereine oder Clubs, die seit der röm. Kaiserzeit, zunächst in Rom selbst, später auch in anderen Städten des Reiches, die Wagenrennen in den Hippodromen (→ *hippódromos* [1]) organisierten. Sie gruppierten sich –

durch die Farben weiß, rot, blau und grün voneinander unterschieden – um erfolgreiche Wagenlenker und zeigten in der Spätantike, v. a. im Osten des Röm. Reiches, gelegentlich auch eine deutliche polit. Ausrichtung (→ Nika-Aufstand; → *factiones* II.). So waren im 6. Jh. n. Chr. die »Blauen« Anhänger des oström. Kaisers → Iustinianus [1] I., während die »Grünen« in der Regel zu seinen Gegnern zählten. Z. sind im Osten außer in Konstantinopolis v. a. inschr. in Alexandreia [1] (vgl. [4]) und in Aphrodisias [1] (vgl. [5]) belegt.

→ Circus F.; Factiones

1 M. MCCORMICK, s. v. Factions, ODB 2, 773 f.
2 F. TINNEFELD, Die frühbyz. Ges., 1977, 181–204
3 K.-P. MATSCHKE, Überlegungen zum Parteienproblem in Byzanz, in: F. WINKELMANN (Hrsg.), Volk und Herrschaft im frühen Byzanz, 1991, 70–84 4 Z. BORKOWSKI, Inscriptions des factions à Alexandrie, 1981
5 CH. ROUECHÉ, Performers and Partisans at Aphrodisias in the Roman and Late Roman Periods, 1993, 218–228.
                                                        F.T.

Zisterne I. ALLGEMEINES II. ALTER ORIENT III. PHÖNIZISCH-PUNISCHER BEREICH IV. KLASSISCHE ANTIKE

I. ALLGEMEINES

Zisternen als Speicher für Regenwasser oder als Vorratsreservoire für Quell- und Brunnenwasser waren insbes. in den für eine geregelte und ausreichende → Wasserversorgung klimatisch ungünstigen Regionen des südl. und östl. Mittelmeerraumes sowohl als Kleinanlagen für einzelne Häuser und Gehöfte wie auch als Gemeinschaftsanlagen für Siedlungen üblich und notwendig.   C.HÖ.

II. ALTER ORIENT

s. → Wasserversorgung I. D.

III. PHÖNIZISCH-PUNISCHER BEREICH

Anlagen zur Sicherung der Wasserversorgung durch Sammeln von Regenwasser in Z. gehörten insbes. für städtische Gemeinwesen in den ariden und semiariden Zonen des östl. Mittelmeerraums und am Rande des Zweistromlandes zu den lebenswichtigen Bauaufgaben; sie blieben zunächst auf die Nutzung natürlicher Höhlen (die auch flaschen- oder kesselförmig vertieft wurden) im undurchlässigen Fels beschränkt. Die durch Mauerkranz erhöhte Fels-Z. in der brz. Bergfeste von Fuente Alamo (Prov. Almería, SO-Spanien; El Argar-Kultur, frühes 2. Jt. v. Chr.) faßte bereits ca. 90 m³ [1]. Die Erfindung (bereits 2. Jt. v. Chr.) und Entwicklung von hydraulischem Mörtel (mit Zuschlag von Vulkan-Asche bzw. Pozzuolan-Erde) ermöglichte die Errichtung von gemauerten Z. im weichen Erdreich. Karthagische Ingenieure waren in dieser Technologie seit dem 5. Jh. offenbar führend, im 4./3. Jh. besaß nahezu jedes Haus in der dicht bevölkerten Großstadt mindestens eine unterirdische Z. mit überwiegend schlauchförmigem Grundriß, zumeist im Hof. Die bisher älteste dieser Privat-Z., um 400 v. Chr. angelegt, faßte 11,5 m³ [2].

1 H. SCHUBART, in: TH. ULBERT (Hrsg.), Hispania antiqua. Denkmäler der Frühzeit, 2001, 550, Taf. 91
2 H. G. NIEMEYER u. a., Die Grabung unter dem Decumanus Maximus von Karthago, in: MDAI(R) 102, 1995, 475–490.

V. FRITZ, Die Stadt im alten Israel, 1990, 124–131 · W. MÜLLER-WIENER, Griech. Bauwesen in der Ant., 1988, 174 · A. WILSON, Water Supply in Ancient Carthage, in: Carthage Papers (Journ. of Roman Archaeology, Suppl. 28), 1998, 65–68.   H. G. N.

IV. KLASSISCHE ANTIKE
s. → Wasserversorgung II. D.

Zita. Stadt der Africa Tripolitana auf der Halbinsel Zarris, h. Ziane (Ptol. 4,3,12: Ζεῖθα ἄκρα; Itin. Anton. 60,2: Ponte Zita; Tab. Peut. 6,5: Ziza; Geogr. Rav. 37,41: Z.; CIL VIII Suppl. 1, 11002–11016; 4, 22690 = [1. 12]). Gelegentlich wird der Name der Stadt vom phönizischen Wort zt (»Olive«) abgeleitet.

1 A. MERLIN u. a. (ed.), Inscriptions latines d'Afrique, 1923.

M. LEGLAY, s. v. Z., RE 10 A, 460f.   W. HU.

Zitiergesetz. Das in der mod. Lit. sogenannte Z. ist eine Anordnung des röm. Kaisers darüber, welche Juristen früherer Jh. bei der Rechtsfindung herangezogen und zitiert werden durften. Mit der Krise des röm. Reiches in der Mitte des 3. Jh. n. Chr. verlor auch die röm. Rechtswissenschaft (→ iuris prudentia) die polit., sozialen und wirtschaftlichen Bedingungen für eine produktive Fortsetzung. Die Rechts-Lit. seit dem 1. Jh. v. Chr., dem Beginn ihrer »klass.« Periode, wurde damit aus einem Fundus für den ideellen Diskurs über bestimmte Rechtsfragen zu einem »Steinbruch« für – mehr oder weniger verstandene – Zitate zu beinahe jeder vertretbaren Rechtsauffassung. Daher erschien es ein Gebot der Rechtssicherheit, für den »Normaljuristen« der Spätant. kraft kaiserlicher Autorität festzulegen, welche Rechtsmeinungen gültig sein sollten. In einem ersten Schritt bestimmte daher → Constantinus [1] 321 n. Chr. in einem »Kassiergesetz«, daß die Notae (›Anmerkungen‹) des Iulius [IV 16] Paulus und des Ulpianus zu → Papinianus unverbindlich seien (Cod. Theod. 1,4,1). Wenig später erklärte er durch ein weiteres Gesetz die Autorität der eigenen Werke des Paulus einschließlich der (unechten) Pauli sententiae für zweifelsfrei (Cod. Theod. 1,4,2). 426 n. Chr. bestimmte sodann das Z. der Kaiser → Theodosius [3] II. und → Valentinianus [4] III. (Cod. Theod. 1,4,3) nach Art eines »Totentribunals« oder »geistigen Kollegiums« [1. 533] die Juristen → Papinianus, → Iulius [IV 16] Paulus, → Ulpianus, → Modestinus und → Gaius [2] zu Juristen »mit Gesetzeskraft«. Bei unterschiedlichen Meinungen sollte die »Stimmenmehrheit«, bei Stimmengleichheit die Meinung des Pa-

pinianus gelten. Daneben blieben freilich die älteren Juristen zitierfähig, wenn ihre Meinung aus nachweislich echten Hss. belegt werden konnte. → Iustinianus [1] hob das Z. 533 n. Chr. auf (Const. Deo auctore § 6).

1 WENGER 2 F. WIEACKER, Textstufen klassischer Juristen, 1960, 156–160.   G. S.

Zitrone s. Citrus

Zitterrochen. Von Aristoteles wird dieser elektrische Meeresfisch (Torpedo spec.), ein Vertreter der ihm gut bekannten flachen Knorpelfische, als νάρκη/nárkē unter Berufung auf Augenzeugen genügend deutlich beschrieben (Aristot. hist. an. 8(9),37,620b 19–23; vgl. Plin. nat. 9,143: torpedo; Ail. nat. 9,14 und Plut. mor. 878b–d; [1. 238f.]). Plinius (l.c.) rühmt die Zartheit seiner Leber.

1 LEITNER.   C. HÜ.

Ziwiye. Ort in NW-Iran mit Resten der Eisen-III-Zeit (7. Jh. v. Chr.). Die unter der Herkunftsangabe Z. publizierten, z. T. prunkvollen Gegenstände aus Gold, Silber, Br., Elfenbein und Keramik in zahlreichen Museen und Slgg. stammen allerdings alle aus Raubgrabungen mit unbekannter Lokalisierung: Z. ist eine von Antikenhändlern kreierte und von den meisten Archäologen nicht hinterfragte Angabe.

O. W. MUSCARELLA, »Ziwiye« and Ziwiye: The Forgery of a Provenience, in: Journ. of Field Archaeology 4, 1977, 197–219 · Ders., Art and Archaeology in Western Iran, Prehistory, in: J. M. SASSON (Hrsg.), Civilizations of the Ancient Near East, Bd. 2, 1995, 996.   H. J. N.

Zodiakos s. Tierkreis

Zoë (Ζωή). Regierende Kaiserin von Byzanz 21.4.–12.6.1042 n. Chr. (geb. 978), entstammte als Tochter des → Constantinus [10] VIII. (1025–1028) der → Makedonischen Dynastie und legitimierte aufgrund dieser Herkunft auch das Kaisertum ihrer drei Ehegatten [2; 4]. Sie war verm. die für Otto III. bestimmte Braut aus Byzanz, die erst kurz nach dessen am 24.1.1002 erfolgtem Tod in It. eintraf. Ihren ersten Gatten → Romanos [4] III. Argyros, den ihr sterbender Vater ihr 1028 zudachte, ließ sie 1034 ermorden, um ihren Liebhaber, den Paphlagonier → Michael [6] IV. (1034–1041) zu heiraten, den sie selbst zum Kaiser krönte [3]. Nach kurzer Regierung ihres Adoptivsohnes → Michael [7] V. ehelichte sie → Constantinus [11] IX. Monomachos (1042–1055), dem sie 1050 im Tod vorausging. Alle drei Ehen der Z. waren kirchenrechtlich problematisch [5]. → Herrscherinnen (s. Nachträge)

1 CH. M. BRAND, A. CUTLER, s. v. Z., ODB 3, 2228
2 E. GAMILLSCHEG, Z. und Theodora, in: A. VAN EUW, P. SCHREINER (Hrsg.), Kaiserin Theophanu, Bd. 2, 1991, 397–401 3 M. ANASTOS, The Coronation of Emperor Michael IV, in: J. LANGDON et al. (Hrsg.), To Hellenikon, 1993, Bd. 1, 23–43 4 B. HILL et al., Z., in: P. MAGDALINO

(Hrsg.), New Constantines, 1994, 215–229
5 I. KALAVREZOU, Irregular Marriages in the Eleventh Century and the Zoe and Constantine Mosaic in Hagia Sophia, in: A. LAIOU, D. SIMON (Hrsg.), Law and Society in Byzantium, 1994, 241–259.   F. T.

Zoelae. Volk der Astures Augustani (→ Asturia) am Südhang des Asturisch-Cantabrischen Gebirges im Gebiet zw. Trás-os-Montes und der Tierra de Aliste. Die Z. werden von Plin. nat. 3,28 als eines der 22 asturischen Völker erwähnt; andererseits rechnet er, sicherlich ungenau, die Z. (Plin. nat. 19,10) zur Gallaecia nahe dem → Okeanos (II.). Ihr Hauptort lag beim h. Castro de Avelâs (Bragança, Portugal) [1. 111; 2. 209]; nicht lokalisiert ist Curunda, eine weitere Stadt der Z. (ILS 6101,13; [1. 50] – oder identisch mit Castro de Avelâs?). Die *gens* der Z. (ILS 6101,4) zerfiel in *gentilitates* (»Sippen«; ILS 6101,4f.), ihre *civitas* (Plin. nat. 19,10) wurde von einem *ordo* (CIL II 2606) unter einem oder mehreren *magistratus* (ILS 6101,12) bzw. *duoviri* (CIL II 2606) geleitet. Die Z. erzeugten Flachs (Plin. nat. 19,10: [*linum*] *Zoelicum*), der – bes. gut für die Herstellung von Jagdnetzen geeignet – nach It. exportiert wurde. Bei den Z. wurde der *deus Aernus* verehrt (CIL II 2606f.).

TOVAR 3, 112.

1 TIR K–29 Porto, 1991 **2** J. DE ALARCÃO, Las ciudades romanas de Portugal, in: M. BENDALA GALÁN (Hrsg.), La Ciudad Hispanorromana, 1993, 206–223.   J. J. F. M. u. E. O.

Zoilos (Ζωίλος).

[1] Griech. Sophist aus Amphipolis, 4. Jh. v. Chr.; tätig im Bereich der Historiographie [1], der Rhet. [3] und der Philol.; Schüler des → Polykrates [3], Lehrer des → Anaximenes [2] aus Lampsakos und des → Demosthenes [2]. Bekannt blieb Z. jedoch durch seine Kritik an → Homeros [1] in der Schrift Κατὰ τῆς Ὁμήρου ποιήσεως (›Gegen die homerische Dichtung‹; 9 B.; Fr. in [2]), die ihm den Beinamen Ὁμηρομάστιξ (*Homēromástix*, »Homergeißel«) anheftete. Von kynischer Haltung motiviert, bemühte sich Z. darin, Irrtümer und Widersprüche in den homerischen Epen aufzuzeigen, um komische Wirkung auf Kosten des Dichters zu erzielen.

ED.: **1** FGrH 71 **2** U. FRIEDLAENDER, De Zoilo aliisque Homeri obtrectatoribus, Diss. Königsberg 1895 **3** L. RADERMACHER, Artium scriptores, B XXXV. Zoilus, 1951, 198–200.
LIT.: **4** BLASS 2, 373–378 **5** FGrH 71 (F. JACOBY, Komm. zu 71), p. 103–104 **6** P. M. FRASER, Aristophanes of Byzantion and Zoilus Homeromastix in Vitruvius, in: Eranos 68, 1970, 115–122 **7** K. LEHRS, De Aristarchi studiis Homericis, ³1882, 200–204 **8** PFEIFFER, KP I, 96 **9** G. SPINDLER, De Zoilo Homeromastige qui vocatur, Progr. Ritter-Akademie Brandenburg, 1888.   ST. MA.

[2] Name mehrerer durch Inschr.-Basen dokumentierter Bildhauer des 2.–1. Jh. v. Chr. In Delos schufen Z., Sohn des Z., eine brn. Porträtstatue des Dionysios [6], Würdenträger bei Ptolemaios [9] VI., sowie Z., Sohn

des Demostratos, eine unbekannte Statue. In Tenos ist inschr. eine Porträtstatue eines Z. aus Argos bezeugt.

LIPPOLD, 352 · J. MARCADÉ, Recueil des signatures de sculpteurs grecs, Bd. 2, 1957, 135–138 · P. MORENO, s. v. Z. (1–3), EAA 7, 1966, 1286f.   R. N.

[3] Sohn des Heistiaios/Histiaios (?), aus Alexandreia [1], ging 185/4 v. Chr. als Gesandter Ptolemaios' [8] V. nach Griechenland, wo er → *próxenos* von Delphoi und Thermos wurde (Syll.³ 585, Nr. 83; IG IX² 1,32). Ein Z. wurde auch 184 in Athen geehrt (IG II² 897), doch vermutet [1] hier die Identität mit Z., Sohn des Andron, dem eponymen Alexanderpriester des J. 196/5 v. Chr. ([1. 149]; PP III/IX 5132). PP VI 14919.

1 C. HABICHT, Athen in hell. Zeit, 1994.

E. OLSHAUSEN, Prosopographie der hell. Königsgesandten 1, 1974, 64f., Nr. 43.

[4] Einer der Dynasten, die sich bei der Auflösung des Seleukidenreiches in Syrien und Palaestina etablierten, Tyrann von Stratonos Pyrgos (später: Caesarea [2] Maritima) und Dora. Als Alexandros [16] Iannaios Ptolemais [8] belagerte, unterstützte Z. die Stadt, die Ptolemaios [15] IX. zur Hilfe rief. Ptolemaios ließ aber Z. auf Betreiben des Alexandros beseitigen, der eine größere Zahl dieser Staaten unter seine Herrschaft brachte (Ios. ant. Iud. 13,324–335).

L. I. LEVINE, The Hasmonean Conquest of Strato's Tower, in: IEJ 24, 1974, 62–69.   W. A.

[5] Z. Dikaios (mittelind. *Jhoïla*). Indogriech. König in → Arachosia und Paropamisadai (→ Paropamisos) am Ende des 2. Jh. v. Chr.; nur durch Mz. bekannt.
[6] Z. Soter (mittelind. *Jhoïla*). Indogriech. König im → Pandschab im 1. Jh. v. Chr.; nur durch Mz. bekannt.

BOPEARACHCHI 90f., 248–250 (Z. I); 138, 363–367 (Z. II).   K. K.

[7] Griech. Arzt und Okulist, Lebensdaten ungewiß, doch wird er E. des 1. Jh. n. Chr. von dem Pharmakologen → Andromachos [5] zitiert. Z. war berühmt für sein Collyrium Nardinum und andere Augensalben. → Galenos (Gal. 12,632; 14,678) nennt auch Präparate gegen Ohrenkrankheiten und Skorpionbisse.
→ Augenheilkunde   V. N./Ü: L. v. R.-B.
[8] Griech. Grammatiker, aus dem tyrisch-galilaeischen Kedasa stammend, worauf das einzige unter seinem Namen erh. Fr. in Etym. gen. s. v. Ἄθιος (= Etym. m. s. v. Ἄθιος 117, 33 ff. = FGrH 758 fr. 7) – eine Erklärung zur Genealogie des → Adonis – schließen läßt. Z.' Lebenszeit ist unbekannt. Aufschluß darüber ließe sich durch → Athenaios [3] (Ende des 2. Jh. n. Chr.) gewinnen, der einen Z. zu seinen Gesprächspartnern zählt (1,1c-d; 7,277c-e; 9,366c–367d); Sicherheit ist jedoch daraus nicht zu erzielen.

H. GÄRTNER, s. v. Z. (13), RE 10 A 714–715.   ST. MA.

Zoïppos (Ζώιππος) aus Syrakus. Gemahl der Herakleia, der Tochter → Hierons [2] II. Auf dessen Initiative hin wurde er zusammen mit → Adranodoros und anderen zum Vormund des jungen Königs → Hieronymos [3] bestellt (Liv. 24,4–5). Durch die Hinwendung zu Karthago veranlaßte er eine Umorientierung der bislang romfreundlichen syrakusanischen Politik (Pol. 7,2,1). Auf diplomatischer Mission in Alexandreia [1] bei → Ptolemaios [7] IV. Philopator befindlich, kehrte er auf die Nachricht vom Tode des Hieronymos 214 v. Chr. nicht mehr nach Syrakus zurück (Liv. 24,26,1).

G. de Sensi Sestito, Gerone II. Un monarca ellenistico in Sicilia, 1977, 127 Anm. 68 und 70; 133; 173; 176.   K. Mei.

Zoiteion (Ζοίτειον). Stadt in Arkadia (→ Arkades) am Nordrand der Ebene von → Megale Polis bei Trikolonoi (Paus. 8,27,3: *Zoítion*; 8,35,6f.: *Zoitía*; Steph. Byz. s. v. Z.) mit Tempeln der Artemis und der Demeter, wohl beim h. Palamari oder Zoni.

N. D. Papachatzis, Παυσανίου Ἑλλάδος Περιήγησις 4, 1980, 325 · A. Petronotes, He Megale Polis tes Arkadias (Ancient Greek Cities 23), 1973, Karte 4.   Kl. T.

Zoll I. Terminologie II. Ägypten und alter Orient III. Griechische Welt IV. Rom

I. Terminologie

Z. ist eine Abgabe auf Waren, die in einen Herrschaftsbereich eingeführt oder von dort ausgeführt werden. Die ant. Begriffe τὰ τέλη/*télē* (Pl.) und *portorium* können darüber hinaus auch Binnen-Z., Hafen-Z., Straßen-Z., Brückenmauten und Torgelder bezeichnen, wobei unter *télē* noch weitere → Steuern verstanden wurden. Ebenso beschränkt sich der Gebrauch des lat. Begriffes *vectigal* nicht auf Z., sondern bezieht sich auch auf zahlreiche Steuern und sogar Einkünfte im allgemeinen. Bei den ἐλλιμένια/*elliménia* handelt es sich einerseits um Gebühren für die Nutzung von Häfen, andererseits können damit aber auch die Gesamtheit der Einkünfte aus dem → Hafen einschließlich der Z. oder vielleicht nur ein bestimmter Wert-Z. gemeint sein (vgl. Xen. vect. 4,40; Aristot. oec. 2,22; Pol. 31,7; Poll. 9,29).

II. Ägypten und alter Orient

Der Gedanke, den von auswärts kommenden Händler zu Abgaben zu zwingen, ist verm. ebenso alt wie der → Handel selbst. Gegen eine Abgabe gewährte man dem sonst rechtlosen Fremden Schutz für seine Geschäfte. Die altassyr. Texte aus → Kaneš zeugen von einem komplexen und vielfältigen System von Abgaben (Z.), mit denen die altassyr. Händler zu rechnen hatten und die wesentlich zu deren Transaktionskosten beitrugen. Texte aus dem Archiv von → Mari zeigen bereits für das frühe 2. Jt. v. Chr. eine rege Tätigkeit von Zöllnern am Euphrat. Nach dem Turiner Königspapyrus aus der Zeit Ramses' [2] II. (ca. 1279–1213 v. Chr.) hatten die Angestellten des Hafens in → Memphis für jedes gelandete Schiff eine Abgabe von 1 *dbn* (ca. 90 g) Silber zu zahlen, die sie verm. vorher als Z. eingenommen hatten.

III. Griechische Welt

In der histor. Überl. der klassischen Ant. sind die → Bakchiadai in Korinthos (8./7. Jh. v. Chr.) die ersten Griechen, die Gütertausch und Export mit Abgaben belegten (Strab. 8,6,20). Da in den griech. Poleis kaum direkte Steuern erhoben wurden, entwickelten sich die Z. zu einer wichtigen Einnahmequelle für die öffentlichen Finanzen. Xenophon [2] empfiehlt daher, möglichst viele Händler in das athenische → *empórion* zu ziehen (Xen. vect. 3,1–5; vgl. auch Xen. hell. 5,2,16; Isokr. or. 8,21). Im → Peloponnesischen Krieg ersetzten die Athener 413 v. Chr. die Tribute durch einen 5%igen Ein- und Ausfuhr-Z. (εἰκοστή/→ *eikosté*) in allen *empória* im Gebiet ihrer Symmachie (Thuk. 7,28). Im J. 410 v. Chr. errichteten sie zusätzlich in Chrysopolis am Bosporus eine Z.-Station, bei der ein 10%iger Durchfahrts-Z. (δεκάτη/→ *dekáté*) zu entrichten war. Thrasybulos [3] verpachtete nach dem Wiedererstarken Athens diesen Z. 390/389 v. Chr. an Byzantion (Xen. hell. 1,1,22; Pol. 4,44; Diod. 13,64,2; Aristot. oec. 2,3). Der wichtigste Z. war in vielen griech. Städten die → *pentékosté*, eine 2%ige Abgabe auf den Wert aller importierten und exportierten Waren. In Athen wurde der Pachtvertrag für die *pentékosté* 400/399 v. Chr. für 30 Talente und im folgenden Jahr für 36 Talente versteigert (And. 1,133).

Im hell. Äg. dienten hohe Z. auch dem Schutz der einheimischen Produktion bestimmter Güter: So wurde auf Öl unter Ptolemaios [3] II. Philadelphos die Hälfte des Warenwertes als Z. verlangt (P CZ 59012, → Zenon-Papyri). Bei Transporten innerhalb Äg.s fielen zahlreiche einträgliche Binnen-Z. an. Auch im Reich der → Seleukiden füllten Einkünfte aus den *empória* die Kassen der Herrscher (Aristot. oec. 2,1). Große Bed. hatten Z.-Fragen für das hell. → Rhodos, das 220 v. Chr. sogar einen Krieg gegen Byzantion begann, als die Stadt am Bosporus versuchte, erneut einen Durchfahrts-Z. einzuführen (Pol. 4,38–47). Nachdem 166 v. Chr. auf röm. Druck hin → Delos zum Freihafen erklärt worden war, beklagte eine rhodische Gesandtschaft in Rom, daß die Einnahmen aus dem Hafen von Rhodos (*elliménia*) deswegen von 1 Mio auf nur 150000 Drachmen zurückgegangen seien (Pol. 31,7).

IV. Rom

Nach der röm. Konstruktion der Frühgeschichte der Tibermetropole sollen die Plebeier schon in den Anfangsjahren der Republik von *portoria* befreit worden sein (Liv. 2,9,6; Plut. Publicola 11). Das Ideal der Z.-Freiheit wurde 60 v. Chr. in It. durch einer *lex Caecilia* verwirklicht, als die enorme → Kriegsbeute die öffentlichen Kassen gut gefüllt hatte (Cass. Dio 37,51; Cic. Att. 2,16,1). Obwohl Caesar wieder Import-Z. für It. einführte, genoß es in der Prinzipatszeit sicherlich in Z.-Fragen eine privilegierte Stellung (Suet. Iul. 43).

In den Prov. orientierte sich Rom häufig an dem lokalen Herkommen, so daß sich kein einheitliches röm. Z.-Wesen entwickelte. In Äg. blieb in augusteischer Zeit die ptolem. Z.-Station Schedia (heute Kaum al-Giza) bei Alexandreia [1] für Binnen-Z. ebenso bestehen wie die gleichnamige Station am westlichen Nil-ufer an der Nordgrenze der Thebais (P Hib. I 110,24f.; Strab. 17,1,41). Quittungen für verschiedene Bin-nen-Z. aus dem röm. Äg. gewähren vielfältige Einblik-ke in das Wirtschaftsleben der Provinz.

Die bis in die Spätant. fortbestehende → *quadragesi-ma*, ein Z. von 2,5 % *ad valorem* (»auf den Wert«) beim Überschreiten einer Z.-Bezirksgrenze, ist belegt für die Z.-Bezirke Gallia, Hispania (nur unter Caracalla nach-gewiesen), Asia sowie den Bezirk Bithynia, Pontus und Paphlagonia (CIL XIV 4708; ILS 1330; AE 1924, 80 = IK 17, 3045; Symm. epist. 65). Der gallische Bezirk umfaß-te schließlich neben den gallischen Prov. auch Germa-nien, die Alpengebiete und seit dem 3. Jh. möglicher-weise Raetia (AE 1930,29; ILS 1561–1566.), der hispa-nische wohl die ganze iberische Halbinsel. Einen Z. vergleichbarer Höhe zahlte man verm. an den Grenzen des illyrischen Z.-Bezirks, der aus Raetien (bis zum 3. Jh.), Noricum, Pannonia, Illyricum, Dacia, Moesia und Thracia (seit der Mitte des 2. Jh.) bestand (App. Ill. 6; ILS 1855). Für Exporte aus Syrakusai war zur Zeit Ciceros ein Z. von 5 % zu bezahlen (Cic. Verr. 2,2,185). Unklar ist, welche Abgaben beim Z.-Bezirk in Africa (III *publica Africae*) zu entrichten waren (ILS 1549f.).

Einblick in die Organisation der Z.-Erhebung er-laubt das Z.-Gesetz der Prov. Asia von 75 v.Chr., das mit späteren Ergänzungen epigraphisch überl. ist (*Monumentum Ephesenum* aus dem J. 62 n.Chr., [6]). Dem-nach mußte jede Person beim Überschreiten der Grenze des Z.-Bezirks Asia die nächste Z.-Station aufsuchen und alle mitgeführten Waren beim Zöllner deklarieren, wobei insbes. deren Wert anzugeben war (§ 10; 17; 18; vgl. auch Philostr. Ap. 1,20). Nicht oder falsch de-klarierte Ware konnte vom Zöllner sofort konfisziert werden (§ 8; 18; 21f.; vgl. auch Quint. decl. 359). Z.-frei blieben alle Güter des eigenen Bedarfs, Wasser und Schürfproben. Generell entgingen der Verzollung Transporte im öffentlichen Interesse und solche aus Furcht vor feindlichen Kriegshandlungen (§ 25–27; vgl. Dig. 39,4,4,1; Paul. Dig. 39,4,9,7; zur Z.-Freiheit von Soldaten: Tac. ann. 13,51). Neben den Bestimmungen zur Z.-Erhebung finden sich in den Zusätzen eine Rei-he von präzisen Vorschriften über die Verpachtung die-ser Z. und über entsprechende Bürgschaftsleistungen (§ 45–62).

Neben den von Rom festgesetzten Z. konnten auch lokale Autoritäten Z. verlangen. Der Rat der Stadt → Palmyra erließ 137 n.Chr. ein umfassendes Steuer-gesetz, das einige feste Z. für den lokalen Handel ent-hielt: Eine Eselladung Olivenöl war dort beispielsweise mit 7 *denarii* zu verzollen (OGIS 629). Bei der Festlegung der Z. fanden auch wirtschaftl. Interessen der Händler Beachtung. In Zarai in Numidien erlaubte man 202 n.Chr. die z.-freie Einfuhr von Vieh, das auf dem Wo-chenmarkt angeboten werden sollte (CIL VIII 4508; 18643). Zur Kennzeichnung, ob eine Ware bereits ver-zollt war oder nicht, verwendeten die Zöllner verm. Bleiplomben (Warenplomben).

An den östlichen Außengrenzen des röm. Rei-ches galt in der Prinzipatszeit ein Z.-Tarif von 25 % (τετάρτη/*tetártē*; peripl. m.r. 19; SB 18/13167; AE 1947, 180; vgl. auch Dig. 39,4,16,7). In der Spätant. (wahr-scheinlich bereits seit Alexander Severus [2]) betrug der Z. (*octava*) an den Außengrenzen nur noch 12,5 % (Cod. Theod. 4,13,6; Cod. Iust. 4,65,7).

Das Recht, Steuern und Z. einzuziehen, wurde in republikanischer Zeit meistbietend versteigert; in der Regel erhielten große, von → *publicani* geführte → *so-cietates* den Zuschlag. Diese organisierten die Erhebung der Z. mit eigenem Personal. In der Prinzipatszeit ver-loren sie an Bed., da im Zuge des Ausbaus der öffent-lichen Finanzverwaltung deren Amtsträger (v.a. → *pro-curatores* [1]) zunehmend Abgaben selbst einzogen und die Kontrolle der Pächter intensivierten (ILS 1856). Ver-steigerungen von Z. an Pächter wurden jedoch auch in der Spätant. noch vorgenommen (Cod. Theod. 4,13,1; 321 n.Chr.).

→ Handel; Phoroi; Publicani; Steuern; Telonai

1 K. BRODERSEN, Das Steuergesetz von Palmyra, in: E. RUPRECHTSBERGER (Hrsg.), Palmyra, 1987, 153–161 2 M. DREHER, Das Monumentum Ephesenum und das röm. Z.-Wesen, in: MBAH 16.2, 1997, 79–95 3 H.-J. DREXHAGE, Beitrag zum Binnenhandel im röm. Äg. aufgrund der Torzollquittungen und Zollhausabrechnungen des Faijum, in: MBAH 1.1, 1982, 61–84 4 Ders., Einflüsse des Z.-Wesens auf den Warenverkehr im röm. Reich – handelshemmend oder handelsfördernd?, in: MBAH 13.2, 1994, 1–15 5 Ders. et al., Die Wirtschaft des röm. Reiches (1.–3. Jh.), 2002, 145–148, 268f. 6 H. ENGELMANN, D. KNIBBE, Das Z.-Gesetz der Prov. Asia, in: EA 14, 1989, 1–206 7 J. FRANCE, Quadragesima Galliarum, 2001 8 W. HABERMANN, Statistische Datenanalyse an den Z.-Dokumenten des Arsinoites II, in: MBAH 9.1, 1990, 50–94 9 J. HASEBROEK, Staat und Handel im alten Griechenland, 1928 (Ndr. 1966), 171–181 10 W. HELCK, s.v. Z., LÄ 6, 1420 11 JONES, LRE, 429f. 12 P. KARAYANNOPULOS, Das Finanzwesen des frühbyz. Staates, 1958 13 H. KLENGEL, Handel und Händler im alten Orient, 1979, 82–84 14 F. KUDLIEN, Ant. Bezeichnungen für »Schmuggel«, in: MBAH 19.2, 2000, 100–108 15 S. DE LAET, Portorium, 1949 16 H.J. LEUKEL, Röm. Bleiplomben aus Trierer Funden, 1995 17 U. MALMENDIER, Societas publicanorum, 2002 18 J. F. MATTHEWS, The Tax Law of Palmyra, in: JRS 74, 1984, 157–180 19 P. OERSTED, Quattuor publica Africae – Customs Duties or Landtax?, in: A. MASTINO (Hrsg.), L'Africa Romana 9, 1992, 813–829 20 N. OIKONOMIDES, s.v. Customs, ODB 1, 566 21 J. N. POSTGATE, Early Mesopotamia. Society and Economy at the Dawn of History, 1992, 214 22 PRÉAUX 23 A. RUBEL, Hellespontophylakes – Zöllner am Bosporos? Überlegungen zur Fiskalpolitik des attischen Seebunds (IG I³ 61), in: Klio 83, 2001, 39–51 24 C. SCHÄFER, Funktionäre in den societates publicanorum, in: MBAH 20.2, 2001, 72–80 25 P. J. SIJPESTEIJN, Customs Duties in Graeco-Roman Egypt, 1987 26 M. C. STILL, Opening up Imperial Lead Sealings, in: Journal of Roman Archaeology 6, 1993, 403–408 27 J. VÉLISSAROPOULOS, Les nauclères grecs, 1980, 205–234 28 F. VITTINGHOFF, s.v. portorium, RE 22, 346–399 29 R. P. WRIGHT, Official Tile Stamps from

London, in: Britannia 16, 1985, 193–196 **30** G. K. YOUNG,
Rome's Eastern Trade, 2001 **31** M. T. LARSEN, The Old
Assyrian City State and Its Colonies, 1976, 194–198;
242–245; 263–268 **32** K. VEENHOLF, Aspects of Old Assyrian
Trade, 1972, Kap. 12 f.   BJ. O.

Zonarae Lexicon. Umfangreiches byz. Lexikon (ca.
19 000 Lemmata), fälschlich dem Ioannes → Zonaras
zugeschrieben ([1], nach dem Hrsg. auch *Lexicon Titt-
mannianum* genannt), zw. 1204 und 1253 in Konstantinopolis entstanden [2. 736 f.], das am weitesten verbreitete byz. Lex. überhaupt. Die ca. 130 Hss. [4. 22–35]
fallen in zwei Gruppen: eine ursprüngliche, vollständige
Fassung (Titel meistens Συλλογὴ λέξεων/ *Syllogḗ léxeōn*,
›Wörtersammlung‹ usw.) und eine sekundär verkürzte
mit anderer Glossenfolge (Titel meistens Ἔρανος λέ-
ξεων/ *Éranos léxeōn*, ›Wörterbeitrag‹ usw.; [2. 732–734;
4. 11–21, 36–42]; unrichtig [3]). Das Z. L. wird gewöhnlich anon. überl.; gelegentliche hsl. Verf.-Anga-
ben sind ohne Belang [2. 737 f.] (möglicherweise hieß
der Verf. Nikephoros; zu einer »Sphragis« s. [2. 738],
vgl. [4. 11³]). Die Ordnung der Glossen ist zunächst al-
phabetisch (nach den ersten zwei Buchstaben), dann
nach grammatischen Kategorien (Mask., Fem., Ntr.,
Verben, Adverbien). Quellen des Z. L. [2. 739–757]
waren v. a. byz. Lexika, wie die → Suda, → Etymolo-
gika (IV.) (*Etymologicum Genuinum*; *Etymologicum Symeo-
nis*), das Lex. des Kyrillos [6] und vieles andere, aber
auch eine Rarität wie das attizistische Lex. des → Oros
[1], ferner z. B. ein lexikographisches Gedicht des Michael → Psellos. Charakteristisch für das Z. L. sind z. T.
lange Exzerpte aus theologischen Prosawerken (*Hod-
ēgós*/›Wegweiser‹ des Anastasios [2] Sinaites [2. 754 f.])
und kanonistischen Schriften (Komm. des Ioannes Zonaras [2. 751 f.]; vgl. [5]; die Vermutung, Zonaras sei der
Verf. des Z. L., ist verfehlt, s. o.). Das Z. L. diente als
Quelle für mehrere spätere Lexika (Lex. Vindobonense,
Lex. Cantabrigense, Varinus Phavorinus Camers; → Lexikographie I. C.) und Scholiensammlungen [2. 757–
763; 4. 42–47].
→ Lexikographie

1 I. A. H. TITTMANN (ed.), Iohannis Z. et Photii lexica, 2
Bde., 1808 **2** K. ALPERS, s. v. Zonaras (B.), RE 10 A, 732–763
3 M. NAOUMIDES, in: J. L. HELLER (Hrsg.), Serta Turyniana.
FS A. Turyn, 1975, 436–488 **4** K. ALPERS, Das attizistische
Lex. des Oros (SGLG 4), 1981, 11–42 **5** I. GREGORIADES,
Tracing the Hand of Zonaras in the Lexicon Tittmanianum,
in: Hellenika 46, 1996, 27–50.   K. ALP.

Zonaras, Ioannes (Ἰωάννης ὁ Ζωναρᾶς). Byz. Historiker und Kirchenrechtler, Kanzleichef (→ *prōtasēkrḗtis*)
und hoher Richter (*drungários tēs bíglas*) unter Kaiser
Alexios I. Komnenos (1081–1118), nach dessen Tod
Mönch, gest. nach 1159 (?). Ein Hauptwerk des Z. ist
seine Chronik (Ἐπιτομὴ ἱστοριῶν/ *Epitomḗ historiṓn*), deren Bucheinteilung in 18 B. nicht auf den Autor zurückgeht. Sie reicht von der Erschaffung der Welt bis zum J.
1118. Ihre Quellen sind weitgehend bekannt. Für die

griech.-röm. Antike bis in frühbyz. Zeit dienen das AT,
→ Iosephos [4] Flavios, → Eusebios [7] aus Kaisareia und
→ Theodoretos [1], aber auch → Xenophon [2] (mit
einem längeren zusammenhängenden Exzerpt aus der
›Kyrupädie‹), → Herodotos, → Plutarchos [2] und
→ Arrianos [2] als Vorlage. Die Gesch. der röm. Kaiserzeit beruht v. a. auf → Cassius [III 1] Dio, von dem einige Passagen nur hier erh. sind. Die früh- und mittelbyz. Zeit wird im Anschluß an → Iohannes [18] Malalas,
→ Prokopios [2] von Kaisareia, → Georgios [5] Mon-
achos und → Theophanes [2] geschildert, für die Zeit
nach 811 v. a. nach Ioannes → Skylitzes und → Psellos.
Die Zeit des Alexios Komnenos ist von Z. selbständig
und wohl teilweise nach eigenen Erlebnissen ausgearbeitet. Die Chronik steht wegen der großen Ausführ-
lichkeit, der selbständigen, lange wörtliche Zitate einschließenden Verwendung ant. Quellen und durch das
gehobene Sprachniveau im Charakter zw. Chronistik
und Historiographie. Das Werk ist in zahlreichen Hss.
überliefert, wurde von zeitgenössischen und späteren
byz. Autoren ausgiebig verwendet und bereits im 14. Jh.
ins Slavische übersetzt (→ Übersetzungen, Nachträge).

Zweites Hauptwerk des Z. ist sein umfassender und
wichtiger Komm. zu den Kanones (Bestimmungen des
Kirchenrechts; → *Collectiones Canonum*) der Synoden
(→ *sýnodos* [2]) und → Kirchenväter. Z. verfaßte außerdem Gedichte und rel. Schriften; das ihm bisweilen zugeschriebene Lex. (→ Zonarae Lexicon) ist dagegen sicher nicht sein Werk.
→ BYZANZ II.

CHRONIK:
ED. UND ÜBERS.: **1** M. PINDER (ed.), Ioannis Zonarae
Annales, 1841–1844 (ant. Teil) **2** L. DINDORF (ed.), Ioannis
Zonarae Epitome historiarum, 1865–1871 **3** TH.
BÜTTNER-WOBST (ed.), Ioannis Zonarae Annales, 1897 (byz.
Teil) **4** E. TRAPP, Militärs und Höflinge im Ringen um das
Kaisertum. Byz. Gesch. von 969 bis 1118, nach der Chronik
des Johannes Z., 1986 (dt. Übers.).
LIT.: **5** A. JACOBS, Z.-Zonara. Die byz. Gesch. bei Joannes
Z. in slavischer Übers., 1970 **6** HUNGER, Literatur 1,
416–418.
KANONES-KOMM.:
ED.: **7** K. RHALLES, M. POTLES (ed.), Σύνταγμα τῶν θείων
καὶ ἱερῶν κανόνων, Bde. 2–4, 1854–1859.
LIT.: **8** P. PIELER, Johannes Z. als Kanonist, in:
N. OIKONOMIDES (Hrsg.), Byzantium in the 12th Century,
1991, 601–620.   AL. B.

Zone (ζώνη/ *zṓnē*, »Gürtel«).
[1] s. Gürtel II.
[2] Metapher der Astronomie und mathemathischen
Geogr., erstmals belegt bei → Autolykos [3] von Pitane
um 310 v. Chr., eine lat. Übers. des Begriffs hat sich
trotz mehrfacher Versuche (*cingulum, fascia, plaga* u. a.)
nicht durchgesetzt.

Der Begriff kann auf der Himmelshohlkugel zwar
auch den schrägen → Tierkreis bezeichnen, doch im
gängigen Sinn meint Z. die durch die parallel zum
Äquator verlaufenden Himmelskreise (→ *kýkloi*) be-

grenzten Gürtelstreifen bzw. Polkalotten sowie die ihnen in Zentralprojektion zugeordneten Streifen der Erdoberfläche. Als Grenzen dienten die beiden konstanten Wendekreise und die von der geogr. Breite abhängigen Polarkreise (in Griechenland bezogen auf 36°/37° nördl. Breite). Zonen des Himmels unterschied schon die babylonische Kosmologie (Ea, Anu, Enlil; → Astronomie B.), die wichtigsten Voraussetzungen der griech. Z.-Lehre (Himmels- und Erdkugel, → Ekliptik) wurden im 6. und 5. Jh. v. Chr. von → Anaximandros, → Parmenides und → Oinopides geschaffen. Nach Poseidonios war Parmenides (28 A 44a DK) der Schöpfer der Z.-Lehre.

Der erste sichere Vertreter der Kugel-Geogr., Platon [1] (*Phaidon, Timaios*), bietet noch keine Spuren einer Z.-Teilung, voll ausgebildet erscheint sie bei Aristoteles [6] (*Meteorologica*), der sie sehr wahrscheinlich → Eudoxos [1] von Knidos verdankt; Aristoteles unterscheidet fünf Z.: die »verbrannte« (διακεκαυμένη/*diakekauméne*), von den beiden Wendekreisen begrenzte und durch den Erdäquator halbierte, sowie beiderseits zw. den Wende- und Polarkreisen (bei ca. 90° − 36° = 54°) je eine gemäßigte Z. (εὔκρατος/*eúkratos*) und je eine kalte Polkalotte. Nach der aristotelischen → *mesótes*-Lehre (der ausgewogenen Mitte zw. den Extremen) galten zunächst nur die beiden gemäßigten Z. als bewohnbar, während die beiden kalten und die verbrannte Z. wegen der extremen Temperatur Leben, bes. menschliches Leben, angeblich nicht zuließen.

Dank der einflußreichen Dichtungen des → Aratos [4] und des → Eratosthenes [2] (*Hermes*) sowie der stoischen Kosmologie fand die Lehre im Hell. und in der röm. Kaiserzeit weiteste Verbreitung. Infolge der Erweiterung der Kenntnisse (Züge Alexandros' [4] d.Gr., Pytheas' [4] Nordlandfahrt, Erschließung Aithiopias/ → Nubiens) sah sich die empirische Geogr. aber zu einer Berichtigung dieser Vorstellungen genötigt. Die Besiedlungsgrenze wurde im Norden zum Polarkreis verlegt (Eratosthenes, wahrscheinlich Hipparchos [6], Strabon), im Süden bis zur → *Kinnamomophóros chóra*, dem »Zimtland« (Eratosthenes, Hipparchos, Strabon). Umstritten war die Bewohnbarkeit der mittleren (äquatorialen) Z.; Eratosthenes scheint hier seine Meinung geändert zu haben [4. 123 f.]; der Streit wurde durch die Expedition des → Marinos [1] von Tyros positiv entschieden (→ Agisymba, Kap → Prason).

Eratosthenes bestimmte den Abstand zw. den beiden Wendekreisen gegenüber dem gröberen Wert von zweimal 24° (= 360° : 15) auf ¹¹/₈₃ des Erdumfangs, den er auf 252000 Stadien berechnete (= 47°42′40′′). Nach [6. 24–30] (gegen [9]) ersetzte er zu erstmalig den Z.-durch den → Klima-Begriff. Poseidonios versuchte eine Wiederbelebung des Z.-Begriffs durch Scheidung eines mathematischen, an der Gnomonik (→ Groma) orientierten Erd-Z.-Begriffs (ἀμφίσκιοι/*amphískioi*, ἑτερόσκιοι/*heteróskioi*, περίσκιοι/*perískioi*) und eines klimatischen: sieben Z., davon zwei schmale Wüsten-Z. unter den Wendekreisen, eine breite beiderseits der des Äqua-

tors; doch hatte er damit wenig Erfolg. Bei Marinos von Tyros und Ptolemaios [65] ist die Bed. der geogr. Z. gering, doch übernimmt Ptolemaios den astrologischen Begriff, der in einer Drehung von 90° die sieben Z. samt dem *mesótes*-Schema und der zentralen Sonne auf die vertikale Stufenleiter der sieben Planetensphären (ἑπτάζωνος/*heptázonos*) überträgt, was sich auch in der Architektur widerspiegelt [5], während der Astrologe → Achilleus Tatios [2] die fünf Erd-Z. spekulativ auf die fünf echten → Planeten verteilt [8. 22 f.].

→ Klima

1 K. ABEL, s. v. Z., RE Suppl. 14, 989–1188   2 G. AUJAC, Poseidonios et les zones terrestres, in: Bull. de l'Association G. Budé 1976, 74–78   3 H. BERGER, Gesch. der wiss. Erdkunde der Griechen, ²1903   4 K. GEUS, Eratosthenes, 2002   5 W. H. GROSS, s. v. Septizodium, KlP 5, 127 f.   6 E. HONIGMANN, Die sieben Klimata und die ΠΟΛΕΙΣ ΕΠΙΣΗΜΟΙ, 1929   7 W. HÜBNER (Hrsg.), Geogr. und verwandte Wissenschaften, 2000   8 Ders., Geogr. und astrologischer Z.-Begriff in der Ant., in: Ber. zur Wissenschaftsgesch. 24, 2001, 13–28   9 K. REINHARDT, Kosmos und Sympathie, 1926.   W. H.

Zoologie s. Tier- und Pflanzenkunde

Zopyrion (Ζωπυρίων).

[1] Makedone unbekannter Herkunft, der als Statthalter Thrakiens um 325 v. Chr. mit angeblich 30000 Mann einen Feldzug über die Donau hinaus unternahm, bis zum Borysthenes (h. Dnjepr) vordrang, Olbia [1] belagerte, dann aber mitsamt seinem durch Unwetter stark mitgenommenen Heer von den → Skythen geschlagen wurde und fiel (Curt. 10,1,43–45; Iust. 2,3,4; 12,1,4; 12,2,16 f. mit falscher Datierung; 37,3,2; Macr. Sat. 1,11,33).

BERVE, Bd. 2, Nr. 340 · A. B. BOSWORTH, Conquest and Empire. The Reign of Alexander the Great, 1988, 166.   M. Z.

[2] Griech. Grammatiker (um 100 n. Chr.) und Bearbeiter eines Teils (A-Δ) der Glossensammlung des → Pamphilos [6] (Suda δ 1140 s. v. Διογενειανός und π 142 s. v. Πάμφιλος). Möglicherweise identisch mit der gleichnamigen Person in Plutarchos' [2] *Quaestiones convivales*, die dort als γραμματιστής/*grammatistes* (»Schulmeister«) vorgestellt (Plut. symp. 9,3,3) [1. 764] und zu Homer befragt wird (ebd. 9,4,1). Zu epikureischen Zügen dieser Gestalt vgl. [2].

1 K. ZIEGLER, s. v. Z. (2), RE 10 A 764–765   2 S.-T. TEODORSSON, A Commentary on Plutarch's Table Talks, Bd. 3, 1996, 320.   M. B.

Zopyros (Ζώπυρος).

[1] Vornehmer Perser, Sohn des → Megabyzos [1], der nach Hdt. 3,153 ff. durch eine List (Selbstverstümmelung und Vorgabe, Opfer des Großkönigs zu sein) → Dareios [1] I. die Tore des aufständischen → Babylon geöffnet haben soll. Für dieses Täuschungsmanöver (Polyain. 7,13; bezogen auf König Kyros: Frontin. strat.

3,3,4) soll Z. von Dareios die Satrapie Babylonien auf Lebenszeit und abgabenfrei erhalten haben, aber bei einem späteren Aufstand der Babylonier erschlagen worden sein. Dies wird von Ktesias (FGrH 688 F 13,26) bestätigt, der List und Lohn jedoch auf Z.' Sohn Megabyzos [2] bezieht (vgl. Diod. 10,19,2: ›Megabyzos, auch genannt Z.‹; Iust. 1,10,15 ff.: Zopyrus). Versuche, die Geschichte von Z.' → Aristie (s. Nachträge) mit histor. Aufständen gegen Dareios [1] I. oder Xerxes [1] I. zu verbinden, können nicht überzeugen [4. 348 f.³⁴].

[2] Enkel von [1], Sohn des → Megabyzos [2] (Thuk. 1,109) und der Xerxestochter Amytis (Ktesias FGrH 688 F 14,45). Z. unterstützte die Revolte seines Vaters gegen → Artaxerxes [1] I. im J. 448 v. Chr. und trat einige Jahre später in athenische Dienste (Hdt. 3,160; Ktesias l.c.). Auf einem Feldzug nach Karien (wohl ca. 429; zur Datierung: [2. 24]) fand er den Tod (Ktesias l.c.). Häufig wird angenommen, dieser jüngere Z. sei Gewährsmann des → Herodotos in persischen Angelegenheiten gewesen (vgl. Hdt. 1,95,1; [1. 102]), doch ist dies nicht unwidersprochen geblieben [3. 105 f.].

1 B. BÄBLER, Fleißige Thrakerinnen und wehrhafte Skythen, 1998 2 M. C. MILLER, Athens and Persia in the Fifth Century B. C., 1997 3 D. M. LEWIS, Persians in Herodotos, in: M. H. JAMESON (Hrsg.), The Greek Historians: Literature and History, FS A. E. Raubitschek, 1985, 101–118 4 R. ROLLINGER, Überlegungen zu Herodot, Xerxes und dessen angeblicher Zerstörung Babylons, in: Altorientalische Forsch. 25, 1998, 339–373. J. W.

[3] Verm. aus Syrien stammender Magier (Diog. Laert. 2.45) und Physiognom (Cic. fat. 10), der zur Zeit des Sokrates [2] (E. 5. Jh. v. Chr.) in Athen wirkte. Eigene Schriften sind nicht erh., wohl aber mehrere Anekdoten, wonach er Sokrates aufgrund seines Aussehens verspottet und seinen gewaltsamen Todes prophezeit haben soll [1. vii–xiii; 2. 183–188]. → Phaidon machte die Auseinandersetzung zw. Z. und Sokrates zum Thema seines verlorenen Dialogs Z. [3. 239–240].
→ Physiognomik

1 R. FÖRSTER (ed.), Scriptores Physiognomonici, Bd. 1, 1893 2 L. ROSSETTI, Ricerche sui ›Dialoghi Socratici‹ di Fedone e di Euclide, in: Hermes 108, 1980, 183–200 3 K. DÖRING, s. v. Phaidon aus Elis, GGPh² 2.1, 238–241. M. B.

[4] Z. aus Herakleia (kaum jünger als 4. Jh. v. Chr.) werden drei orphische Gedichte (→ Orphik) zugeschrieben: ein ›Mischkrug‹ (Κρατήρ/*Kratḗr*, auch dem → Orpheus oder → Musaios zugeordnet), sowie ein ›Mantel‹ (Πέπλος/*Péplos*) und ein ›Netz‹ (Δίκτυον/*Díktyon*), welche auch Brontinos zugewiesen werden. Auf dem Anklang der Titelmetaphern an pythagoreisches Gedankengut beruht die hypothetische Gleichsetzung mit dem Iambl. v. P. 267 erwähnten Z. aus Tarent (Herkunft daher evtl. aus dem südital. Herakleia [10]). Die Nachr. von der Beteiligung des Z. an einer verbesserten Homerausgabe unter Peisistratos [4] (neben Or-

pheus aus Kroton, → Onomakritos und einer unkenntlichen vierten Person) geht auf eine fragwürdige Theorie pergamenischer Grammatiker zurück.
→ Orphik

OF T 179, 189, 222–223 · M. L. WEST, The Orphic Poems, 1983, 10–13, 249–251. T. H.

[5] Griech. Rhetor, datierbar ins 3. Jh. v. Chr. durch die Angabe, daß Timon [2] von Phleius ihm aus seinen Gedichten vorgelesen habe (Diog. Laert. 9,114). Aus Quint. inst. 3,6,3 geht hervor, daß Z. aus Klazomenai stammte und von einigen für den Urheber des rhet. Terminus *stásis* (→ status [1]) gehalten wurde; andere nannten in diesem Zusammenhang jedoch Hermagoras [1] bzw. Naukrates [1], und Quintilianus [1] verweist darauf, daß bereits in der 3. Rede des Aischines dieser Terminus vorkomme. M. W.

[6] ὁ Μάγνης/*ho Mágnēs* (»Der Magnete«), griech. Historiker, wohl 4./3. Jh. v. Chr.; verfaßte eine Μιλήτου κτίσις (*Milḗtu ktísis*, ›Gründung Milets‹) in mindestens 4 B. Nur ein wörtliches Fr. in den Schol. B (T) zu Hom. Il. K 274 erhalten. Vielleicht ist er mit dem Z. identisch, der den Vortrag der homerischen Gedichte in aiolischem Dialekt forderte (vgl. Fr. 3).

FGrH 495 mit dem Komm. JACOBYS. K. MEI.

[7] Griech. Geograph, Verf. einer Schrift über Flüsse in mindestens 2 B. (Harpokr. s. v. Ἕρμος); falls er mit dem von Alexandros [23] Polyhistor zitierten Historiker Z. (FGrH 273 F 29) identisch sein sollte, wäre er spätestens Anf. des 1. Jh. v. Chr. anzusetzen. Kritische (gegenüber [1. 4, 531 f.]) Übersicht über neun Autoren namens Z. bei [2. 336] mit Komm. und Anm.; Diskussion möglicher Identifizierungen bei [3; 4].

1 C. MÜLLER, FHG 2 F. JACOBY, FGrH 3 F. GISINGER, s. v. Z. (10), RE 10 A, 769 f. 4 F. SUSEMIHL, Gesch. der griech. Lit. in der Alexandrinerzeit Bd. 2, 1892, 467–469. H. A. G.

[8] Griech. Arzt in Alexandreia [1], wirkte um 100 v. Chr.; chirurgischer Lehrmeister von → Apollonios [16] von Kition. Als Vertreter der Schule der → Empiriker erwarb er sich bleibenden Ruhm mit seinem Werk als Pharmakologe. Ein Gegengift wie auch eine Pflanze sind nach ihm benannt (Plin. nat. 24,15,87). Er korrespondierte mit → Mithradates [6] VI. von Pontos über Gegengifte (Gal. 14,150). Eine ganze Reihe seiner Rezepte, die er in einer Schrift ›Über einfache Heilmittel‹ niederlegte, hat sich bei → Oreibasios erhalten.
V. N./Ü: L. v. R. -B.

[9] Toreut. Laut Plinius (Plin. nat. 33,156) stellte Z. zur Zeit des Pompeius [I 3] (1. Jh. v. Chr.) Szenen der Orestie (→ Orestes [1]) auf zwei Bechern dar, die auf 1 200 000 HS geschätzt wurden. Eine Identifizierung mit dem sog. Becher Corsini (Rom, Palazzo Corsini) ist unbewiesen, kann aber eine Vorstellung von Z.' Werk vermitteln.

OVERBECK, Nr. 2167 · P. MORENO, s. v. Z., EAA 7, 1287 · H. FRONING, Die ikonographische Trad. der kaiserzeitlichen myth. Sarkophagreliefs, in: JDAI 95, 1980, 331–334.　　R. N.

[10] Sonst unbekannter, bei Stob. 4,20 zitierter griech. Tragiker unbestimmter Zeit (TrGF I 216).　　B. Z.

Zoroastres (Ζωροάστρης, avestisch *Zaraθuštra*, mittelpers. *Zardu(x)št*, neupers. *Zartošt* oder *Zardošt*). Die erstmals von Xanthos [5] dem Lyder bezeugte, später meistverbreitete (und zugleich astrologisch inspirierte) griech. Namensform des altiranischen Männernamens Zaraθuštra, dessen Etym. unklar ist. Eindeutig läßt sich allein das Hinterglied °*uštra-* (»Kamel«) bestimmen. Zaraθuštras Familie bzw. Klan soll das Epitheton *spitāma-* getragen haben, dessen genaue Bed. ebenfalls unklar ist.

Lebenszeit und Wirkungsstätte Zaraθuštras sind notorisch umstritten (wenn er überhaupt als histor. Individuum zu betrachten ist). Der derzeitige Konsens lokalisiert ihn in Zentralasien/Ostiran um 1000 v. Chr. Während eine einflußreiche Theorie ihn wesentlich früher datiert (1200 v. Chr. aufwärts) [1], wurde jüngst der Versuch unternommen, die ant. (griech., christl., jüd., manichäischen, islamischen) Traditionen zu rehabilitieren, die Z. ins 7. oder 6. Jh. v. Chr. datieren (z. B. 618–541 v. Chr.) [2]. Mit der Datierungs- und Lokalisierungsfrage sind explizit oder implizit viele weitere rivalisierende historiographische und ideologische Interpretationen verbunden.

Z. wird in der Regel als »Religionsstifter«, »Prophet«, »Dichter-Prophet« oder »Priester-Prophet«, mitunter auch als »spekulativer Mystiker«, »Ekstatiker« oder als »Schamane« verstanden. Diese Kategorien stehen in Zusammenhang mit der Interpretation von fünf altiranischen bzw. avest. Hymnen, den *Gāθā*, die ganz oder teilweise auf Z. zurückgehen sollen. In diesen begegnet Z. als jemand, der in direkter Kommunikation mit → Ahura Mazdā (avest.; mittelpers. *Ohrmazd*; s. → Zoroastrismus) und den anderen Göttern steht, über die wirksamen Ritualsprüche (*maθra-*) verfügt und auf diese Weise eine Art rituelles Sprachrohr der sich bedroht fühlenden »*Gāθā*-Gruppe« darstellt [6. 22–26]. In anderen, verm. später entstandenen avest. Ritualtexten begegnet Z. in stärker schematisierten Formen: Er ist der erste Protagonist alles Guten, der Inbegriff ritueller Kompetenz, der exemplarische Götter- und Göttinnenverehrer und Dämonenbekämpfer; auch führt er Interviews mit Ahura Mazdā, der auf Z.' Fragen antwortet [6. 31–40].

Mehrere mittel- und neupersische Texte konstruieren eine Z.-Vita [5; 6. 40–47]. Kernpunkte sind seine wundersame Kindheit, seine Reise nach Iran im Alter von 30 Jahren mit anschließenden Epiphanien und die erfolgreiche Vermittlung seiner Religion an »König« Wištāsp (avest. Vīštāspa; → Hystaspes [1]). Eckdaten der Biographie werden auch h. noch in Festen präsent gehalten [6. 55 f.]. Z.' Biographie wird zugleich eine kosmische Dimension zuteil: Z. steht in der Mitte zw. dem androgynen Urmenschen Gayōmart und den direkt von Z. abstammenden, aus seinem Sperma jeweils von einer jungen Frau geborenen endzeitlichen »Herrlichmachern« [6. 62–68]. Vgl. weiter → Zoroastrismus.

→ Avestaschrift; Iranische Sprachen; Mani, Manichäer; Religion V.; Zoroastrismus; ZOROASTRES

1 M. BOYCE, Zoroastrianism. Its Antiquity and Constant Vigour, 1992 2 GH. GNOLI, Z. in History, 2000 3 H. HUMBACH (ed.), The Gāthās of Zarathushtra and the Other Old Avestan Texts, 2 Bde., 1991 (mit engl. Übers. und Komm.) 4 J. KELLENS, E. PIRART (ed.), Les textes vieil-avestiques, 3 Bde. 1988–1991 (mit frz. Übers. und Komm.) 5 M. MOLÉ, La legende de Zoroastre selon les textes pehlevi, ²1993 6 M. STAUSBERG, Die Rel. Zarathuštras, Bd. 1, 2002.　　MI. STA.

Zoroastrismus. Antike, bis heute verbreitete iranische Religion.

I. SELBST- UND FREMDBEZEICHNUNGEN
II. DUALISMUS, MONOTHEISMUS, POLYTHEISMUS
III. KALENDER　IV. DAS ENDE VON ZEIT UND
LEBEN　V. ETHIK UND VERHALTEN
VI. FRAUEN, PRIESTER, RITUALE
VII. NACHANTIKE GESCHICHTE

I. SELBST- UND FREMDBEZEICHNUNGEN

Die Bez. »Z.« leitet sich von dem Namen → Zoroastres her (zu Datier. und Namensformen s. dort), der als »Stifter«, »Prophet« oder »Apostel« dieser Rel. gilt. Seit der britischen Kolonialzeit wird der Begriff Z. von Angehörigen dieser Rel. auch als Selbstbezeichnung geführt. Die in älteren (avestischen = av., mittelpers. = mp., und neupers. = np.) Quellen verwendeten Selbstbezeichnungen stellen demgegenüber die Verehrung des Gottes → Ahura Mazdā (av.; mp. *Ohrmazd*) ins Zentrum: die »gute mazdaverehrende Rel.«, die »Rel. der Mazdaverehrer« oder einfach die »gute Rel.«. Für ant., griech. schreibende Autoren spielen in der Außensicht eher ethnische Kriterien eine Rolle: Sie sprechen z. B. von den »Sitten der Perser« (Hdt. 1,131; Strab. 15,3,13; [7]). Eine ethnische Qualifikation begegnet auch in mp. Texten, in denen die anderen (d. h. Nicht-Zoroastrier) als »Sünder« und »Nicht-Iraner«, ihre Rel. als »Nicht-Iranertum« bezeichnet werden. Die ethnische Qualifikation entspricht der Tatsache, daß diese Rel. in der Ant. kaum außerhalb iranischer bzw. (zeitweilig) zum Perserreich gehöriger Territorien verbreitet war (vgl. → Iran). Christl. und islamische Ausgrenzungsdiskurse stellen demgegenüber die (in ihren Augen illegitime) Verehrung des Feuers in den Mittelpunkt, wenn sie die Zarathuštrier bzw. Mazdaverehrer als »Feueranbeter« bezeichnen [7. 343 ff.]. Im islamischen Iran hat sich schließlich der Terminus *gabr* (o. ä.) für die Anhänger des Z. durchgesetzt.

II. DUALISMUS, MONOTHEISMUS, POLYTHEISMUS

Die Frage nach der richtigen Bezeichnung der zoroastrischen (= zor.) Rel. verweist auf rel. Binnenperspektiven. Die av. Texte grenzen die »Mazdaverehrer« von den »Dämonenverehrern« ab. Das ist zugleich eine moralische oder ritualistische Bewertung: Ein falsch ausgeführtes Ritual kommt eben nicht Ahura Mazdā zugute, sondern den → Dämonen (IV.), ist also »Dämonenverehrung«. Die Abwehr der Dämonen ist dabei bereits für den vermutlich ältesten iranischen Text kennzeichnend: die oft auf Zaraθuštra selbst zurückgeführte Ritualpoesie der Gāθā. Auf Grund der Verwandtschaft des av. Terminus für Dämon (daēuua) mit der vedischen (und indeur.) Gottesbezeichnung devá- ging man lange davon aus, daß Zaraθuštra die alten »heidnischen« Götter zugunsten eines neuen Mazdaismus bzw. → Monotheismus verworfen habe. Das ist jedoch eine problematische Rekonstruktion. Ahura Mazdā ist zwar der dominante Gott der Gāθā, es gibt aber auch andere Protagonisten des Göttlich-Guten und weitere Exponenten des Anderen (Bösen, Negativen), deren Relationen (noch) nicht zu einem theologischen System ausgestaltet sind. Zentral ist jedoch der Gegensatz zw. Aša (Ntr.: »Wahrheit«, »Ordnung«) und der weiblichen Druj (»Lüge«, »Chaos«).

Nicht alle altiran. (av.) Texte sind allerdings dualistisch strukturiert – der alte, gelegentlich Zaraθuštra zugeschriebene Yasna Haptaŋhāiti etwa verehrt nur das Gute –, und die dualistischen Konfigurationen verändern sich im Laufe der Zeit. So verliert Aša an Bed., und der in der griech. Lit. oft mit → Zeus identifizierte Ahura Mazdā wird in einer Variante zum direkten Gegenspieler des Bösen Geistes (av. Angra Mainiiu). Diese Konstellation wird von Plut. de Iside 46 bezeugt, sie wird in den Inschr. eines wichtigen zor. Priesters, Kerdīr, aus dem 3. Jh. n. Chr. verwendet und findet sich in den mp. Traktaten der 9. und 10. Jh. n. Chr., der sog. Pahlavi-Lit. [3]. In einer oft als »Häresie« beschriebenen Variante wird den beiden Gegenspielern Ohrmazd (= mp. für Ahura Mazdā) und → Ahriman (= mp. für Angra Mainiiu) noch der Zeit bzw. die Zeitgottheit Zurwān (→ Zurvan) übergeordnet, aus der die beiden Opponenten hervorgegangen seien (»Zurwānismus«).

Neben Ahura Mazdā (bzw. Ohrmazd) kennen die zor. Texte noch eine Vielzahl göttlicher Wesenheiten, Prinzipien und Elemente. Diese sind teilweise in eine systematische Ordnung gebracht: Die sechs (bzw. unter Einschluß von Ahura Mazdā sieben) wohltätigen Unsterblichen (av. aməša spənta; mp. Amahrspandān; np. Amešāsfandān) bilden ein Gefüge, das kosmologische, anthropologische, rituelle und ethische Komponenten vereinigt. Neben den wohltätigen Unsterblichen gibt es eine offene Gruppe von Verehrungswürdigen (av. yazata), zu der auch Göttinnen wie → Anāhitā oder Götter wie Mithra (mp. Mihr; np. Mehr; vgl. → Mithras) gerechnet werden können, die über ein eigenständiges Profil verfügten und regional auch individuell verehrt wurden.

III. KALENDER

In aller Deutlichkeit kommen die theologischen Systematisierungsprozesse im zor. Kalender zum Ausdruck: Die zwölf Monate des Jahres und dreißig Tage des Monats sind nominell bestimmten Gottheiten bzw. göttlichen Wesenheiten, Faktoren, Elementen zugeordnet. Die fünf Epigomena (Zusatztage) sind nach den fünf Gāθā (s.o. II.) benannt. Die jahreszeitliche Zuordnung des Kalenders hat sich offenbar mehrfach verändert, und das in der Praxis schwer umsetzbare Prinzip, nicht einen Tag, sondern (alle 120 Jahre) einen ganzen Monat einzuschalten, hat zusätzliche Probleme geschaffen.

Neben den 12 × 30 + 5 Tagen war das Jahr durch sechs bzw. sieben jahreszeitliche Feste (mp. Gāhānbār) strukturiert, die mit jeweils einem wohltätigen Unsterblichen und den Phasen der → Weltschöpfung in Verbindung gebracht wurden. Darüber hinaus gab es lokale Feste und einen weiteren Festzyklus, dessen Achse die beiden Hauptfeste Nouruz (→ Neujahrsfest II.) und das nach Mithra (→ Mithras I.) benannte Mihragān (*Miθrakāna) bildeten. Dieses Fest entspricht zudem einem weiteren Konstruktionsprinzip der rel. Qualifikation von Zeit: Die Tage, deren Name mit dem Namen des jeweiligen Monats zusammenfällt (Mihragān am Mihr gewidmeten Tag im Mihr gewidmeten Monat; Tirgān am Tir gewidmeten Tag des Tir gewidmeten Monats), gelten als rel. Festtage.

IV. DAS ENDE VON ZEIT UND LEBEN

Der Z. kennt auch das Konzept eines Weltjahres. Weltzeit kann dabei als eine Abfolge von Millennien gedacht werden, die von der dualistischen Urkonfiguration (Ohrmazd/Ahriman; Licht/Finsternis; Wissen/Unwissenheit; oben/unten) über die Schöpfung und Ausgestaltung der zunächst meta-empirischen Welt, die später in empirische Form überführt wird, bis zur endzeitlichen »Herrlichmachung« der Welt führt, bei der Ahriman, die Dämonen und alle Exponenten des Bösen endgültig vernichtet werden. Zu diesem Prozeß sollen die Menschen einen Beitrag leisten, indem sie sich auf die Seite Ohrmazds und der Götter schlagen und die Dämonen schwächen, z.B. durch das Eindämmen der Oberdämonen Wut, Gier und Geiz in ihrer praktischen Lebensführung.

Entscheidend für den Vollzug der »Herrlichmachung« (mp. frašgird) ist darüber hinaus das Auftreten eschatologischer Helden am Ende der Zeit (bzw. am Ende der letzten drei Millennien). Der »Herrlichmachung« geht ein Entscheidungskampf der Götter gegen die Dämonen voran. Im Rahmen der endzeitlichen Herrlichmachung kommt es zur Auferstehung der Toten und zum Letzten Gericht.

Diese Motivkomplexe stehen in einer gewissen Spannung zur individuellen Eschatologie. Diese ist das Resultat einer Jenseitsreise, die die Seele – eine von mehreren anthropologischen Komponenten – nach ihrer Trennung vom Körper (bzw. dem Tod) unternimmt. Ihr weiteres Schicksal, das sie entweder in die Hölle oder den Himmel führt, entscheidet sich an der Jenseitsbrücke, der Seelenwaage bzw. der großen Abrechnung, wobei die Seele ihrem eschatologischen

Double (in Gestalt eines jungen Mädchens oder einer alten Hexe) begegnet. Das Zuordnungsverfahren funktioniert rein quantitativ-mechanisch, wobei die Zahl der Verdienste gegen die der Sünden aufgerechnet wird, es kann aber durch Sündenbekenntnisse und postume Rituale beeinflußt werden.

V. ETHIK UND VERHALTEN

Verdienste erwirbt man sich durch ethische Lebensführung im Sinne der zor. Ideale – Wahrheit, Gerechtigkeit, (Blutsverwandten-)Ehe und Erzeugung von Nachkommenschaft, die Pflege des Viehs und der Erde, Erwerb von Wohlstand und Unterstützung der Armen, Frühaufstehen, Schuhe tragen usw. – sowie durch die Ausführung der vorgeschriebenen Rituale bzw. rituellen Verhaltensweisen – z. B. schweigend essen und »ahrimanische« Untiere (u. a. Schlangen) töten –, die Teilnahme an den zor. Festen und die Beachtung von Reinheit bzw. der zahlreichen Reinheitsvorschriften [6]. Diese betreffen die Reinhaltung der Elemente, insbes. von Feuer und Wasser – diese beiden Elemente dürfen auf keinen Fall miteinander in Berührung kommen! –, die Kontrolle des Ausflusses von Körperflüssigkeiten (Speichel, Blut, Sperma) und die Entsorgung »toter« Körpersubstanzen (abgeschnittene Haare und Nägel sowie Leichen), die ebenfalls von Feuer und Wasser fernzuhalten sind. Neben der Bestattung von Leichen werden dabei Sexualität, Menstruation und Geburt mit besonderen Vorschriften versehen.

VI. FRAUEN, PRIESTER, RITUALE

Frauen sind daher in bes. Weise dem Bereich der Unreinheit ausgesetzt. Zwar begegnet in zor. Quellen keine dezidierte Misogynie, wohl aber die Tendenz, den Frauen eine stärkere Anfälligkeit für das Böse nachzusagen [4]. Dementsprechend mußten die Frauen sozial kontrolliert werden; Zurückhaltung und Gehorsam galten somit – bis in die Neuzeit – als wichtige weibliche Tugenden.

Das Ideal der Reinheit verkörpert der (männliche) Priester. Der griech.-lat. Lit. kann man zahlreiche Nachr. über iranische Priester, die *mágoi*, entnehmen, wobei ihnen eine Vielzahl sozialer Funktionen (Politikberater, Hoffunktionäre, Divinationsexperten) zugesprochen wird. In sāsānidischer Zeit (3.–7. Jh. n. Chr.) entwickelte sich eine regelrechte Hierarchie des Klerus, wobei Priester aber u. a. auch im Rechtswesen tätig waren.

Die Rezitation der lange Zeit mündlich tradierten av. Texte – oft in der Präsenz eines (Sakral-)Feuers – bildet eine zentrale Komponente zor. Rituale. Arch. Zeugnisse lassen darauf schließen, daß das (im Rahmen der Yasna-Liturgie vollzogene) Pressen von Haoma, dessen botanische Identität nicht abschließend geklärt ist (Harmel?), spätestens seit achäm. Zeit praktiziert wurde. Schon aus der Ant. sind auch Libationsrituale überliefert. Trotz der ihnen inhärenten theologischen Probleme – Töten gilt als eine Aktivität Ahrimans – bildeten blutige Tieropfer (→ Opfer) bis ins 19. Jh. eine gängige rituelle Praxis.

VII. NACHANTIKE GESCHICHTE

Mit der arabischen Eroberung des Iran wurde ein – regional recht unterschiedlich verlaufener – Prozeß der Islamisierung des Landes in Gang gesetzt, der sich über mehrere Jh. hinzog [5] und in dessen Verlauf der iranische Islam eine spezifische Gestalt annahm. Die Zoroastrier konnten sich in einigen Regionen noch recht lange als Mehrheits-Rel. behaupten, spätestens im 13. Jh. n. Chr. waren sie aber überall eine Minderheit, die immer wieder starkem soziokulturellen, rel. und polit. Druck ausgesetzt war. Im 20. Jh. profitierten die Zoroastrier vom Projekt gesellschaftlicher Modernisierung; in der Islamischen Republik Iran sind sie eine anerkannte rel. Minderheit (ca. 25 000 Personen).

Wohl in Anknüpfung an seit langem etablierte Handelsverbindungen bildeten sich in islamischer Zeit an der indischen Westküste stabile zor. Gemeinden mit einer eigenen Organisationsstruktur heraus. Diese sog. Parsi (oder Parsen) konnten sich auch unter islam. Herrschaft in Indien gut behaupten und avancierten unter der brit. Kolonialherrschaft zu einer der reichsten Gruppen des Landes.

Im Rahmen der kolonialen Weltgesellschaft ließen sich Zoroastrier in Asien, Afrika und Europa nieder. Die Migration verstärkte sich nach der Indischen Unabhängigkeit und später auch der Islamischen Revolution, wobei viele Migranten seit den 1960er Jahren nach Nordamerika (sowie jüngst Australien und Neuseeland) zogen. Heutzutage leben weltweit ca. 125 000 Zoroastrier, davon etwa 75 000 in Indien, 25 000 in Iran und weit über 10 000 in Nordamerika.

→ Dämonen IV.; Iran; Religion V.;
ZOROASTRES/ZOROASTRISMUS

1 M. BOYCE, A History of Zoroastrianism, Bd. 1, 1975 (³1996); Bd. 2, 1982; Bd. 3 (mit FR. GRENET), 1991 2 Dies., Zoroastrianism, 1992 3 C. G. CERETI, La letteratura pahlavi, 2001 4 J. K. CHOKSY, Evil, Good, and Gender, 2002 5 Ders., Conflict and Cooperation, 1997 6 Ders., Purity and Pollution in Zoroastrianism, 1989 7 A. DE JONG, Traditions of the Magi, 1997 8 PH. KREYENBROEK, Sraoša in the Zoroastrian Trad., 1985 9 M. MOLÉ, Culte, mythe et cosmologie dans l'Iran ancien, 1963 10 SH. SHAKED, Dualism in Transformation, 1994 11 M. STAUSBERG, Die Rel. Zarathushtras, 3 Bde., 2002 12 G. WIDENGREN, Die Rel. Irans, 1965 13 R. C. ZAEHNER, Zurvan, 1955.

MI. STA.

Zosimos (Ζώσιμος).

[1] Z. von Thasos. Griech. Epigrammdichter, dessen Werke wohl zw. 150 v. Chr. und 50 n. Chr. zu datieren sind: drei (Anth. Pal 6,183–185; auch 6,15 wird ihm zugeschrieben, alternativ dem Antipatros [8] von Sidon) sind Variationen zum Thema »Weihung an Pan« von seiten eines Jägers, eines Vogelfängers und eines Fischers (vgl. → Satyrios). Ein weiteres behandelt das ungewöhnliche Thema eines als rettendes Floß benutzten Schildes (Anth. Pal. 9,40, vgl. → Diokles [10]).

FGE 104–107.   M. G. A./Ü: L. FE.

[2] Marcus Canuleius Zosimus. Toreut. Seine Grab-Inschr., die in das 1. Jh. n. Chr. datiert wird, preist Z. als überragenden Meister in der *caelatura Clodiana*. Zwar erwähnt auch Plinius (Plin. nat. 33,139) Silbergefäße, die man *Furniana, Clodiana* oder *Gratiana* nenne, eine Erklärung des bes. Charakters dieser toreutischen Werke gibt er jedoch nicht. Die Bezeichnung geht wohl darauf zurück, daß → Toreutik häufig in aristokratischen Häusern durch die eigenen Sklaven produziert wurde, wie etwa bei den Clodiern (→ Clodius).

P. E. ARIAS, s. v. Canuleius Zosimus, EAA 2, 318. R. N.

[3] Enger Vertrauter und ärztlicher Berater des Ailios → Aristeides [3], der ihn in den Ἱεροὶ λόγοι (*Hieroí lógoi*, ›Heiligen Berichten‹) als seinen Erzieher (τροφεύς/*tropheús*) vorstellt (vgl. [1]) und mehrfach seine Verdienste in den Jahren 146–148 n. Chr. betont [2. 1155]. Z.' Tod im Jahr 148 [2. 1188] wird von Aristeides als schmerzlicher, von mehreren Visionen begleiteter Lebenseinschnitt dargestellt (Aristeid. or. 49,47).

1 F. ZUCKER, s. v. Z. (4), RE 10 A, 787–790 2 C. H. BEHR, Studies on the Biography of Aelius Aristides, in: ANRW II 34.2, 1994, 1140–1233. M. B.

[4] Stadtröm. Bischof (18.3.417–26.12.418) griech. Herkunft, verfolgte eine autoritäre Interventionspolitik in Gallien zugunsten von → Patroclus von Arles. Als er → Pelagius [4] und Caelestius im Sept. 417 freisprach, brüskierte er damit die afrikan. Bischöfe. Trotz der Kehrtwendung im März 418 und der anschließenden Verurteilung von Pelagius und Caelestius in der *epistula tractoria* auf Druck des Kaiserhofes von Ravenna und des afrikan. Episkopats im Sommer 418 blieb das Verhältnis zur afrikan. Kirche angespannt, als er, wie sein Vorgänger → Innocentius I., im Streit um Apiarius von Sicca Veneria Rom als Appellationsinstanz durchsetzen wollte. Kurz vor seinem Tod formierte sich Widerstand gegen ihn im eigenen Klerus.

QUELLEN: L. DUCHESNE (ed.), Liber Pontificalis, Bd. 1, 1955 (Ndr. 1981), 225 f. • PL 20, 642–686.
LIT.: C. FRAISSE-COUÉ, s. v. Zosime, in: P. LEVILLAIN (Hrsg.), Dictionnaire Historique de la Papauté, 1994, 1743–1745 (Lit.) • S. HEID, s. v. Zosimus, LThK³ 10, 2001, 1492 (Lit.) • W. LÜTKENHAUS, Constantius III., 1998, 121–139 • J. LÖSSL, Julian von Aeclanum, 2001, 262–286.
O. WER.

[5] Spätantiker Historiker. Der gebildete Nichtchrist Z. stammte wahrscheinlich aus dem syrisch-palaestinischen Raum. Er wird von Photios [2] (cod. 98) als → *comes* und ehemaliger → *advocatus fisci* eingeführt, was auf eine juristische Ausbildung schließen läßt. Z. verfaßte zw. 498 und 518 n. Chr. eine ›Neue Gesch.‹ (Ἱστορία νέα/*Historía néa*, eigentlich: »Gesch. der neueren Zeit«), die nach einigen Eckdaten zur griech. Gesch. einen Abriß der Kaiserzeit bis → Diocletianus gibt (B. 1), dann ausführlicher das 4. und 5. Jh. schildert und in B. 6 kurz vor der Eroberung Roms durch Alaricus [2] (410) plötzlich

abbricht. Dies und zahlreiche Indizien für das Fehlen einer Endredaktion deuten darauf hin, daß das Werk unvollendet blieb. Für den Zeitraum 270–404 folgte Z. bes. → Eunapios (s. Nachträge), ab 5,26 dann → Olympiodoros [3]. Da diese Autoren nur fr. erhalten sind, ist Z.' Werk trotz mancher chronologischer und sachlicher Irrtümer v. a. für die J. ab 378, daneben z. T. auch für das 3. Jh. wichtige Quelle (vgl. [6]).

In bewußtem Gegensatz zu → Polybios [2], der den Aufstieg Roms zur Weltmacht von 220 bis 167 v. Chr. (Pol. 1,4 f.: »in knapp 53 Jahren«) beschrieb, will Z. den Untergang des Reiches schildern (Zos. 1,1; 1,57,1). Entscheidender Faktor ist für ihn dabei die Christianisierung. Seine Darstellung ist von tiefem Pessimismus, Verzweiflung über die herrschenden Zustände und fatalistischer Resignation geprägt. Anders als Eunapios verzichtet er aber weitgehend auf polemische Attacken gegen das → Christentum (vgl. aber auch [7]), da er die Zeiten offener Diskussionen für vergangen hält; stattdessen appelliert er an rel. → Toleranz, sieht sich dabei aber von den Christen enttäuscht. So endet etwa B. 4 mit der Feststellung, daß die rel. Intoleranz Theodosius' I. zur schrittweisen Verkleinerung und Barbarisierung des Reichsgebiets geführt habe (4,59,3), und das E. von B. 5 zeigt die röm. Elite lieber dem christl. Kaiser als den Göttern ergeben, was Z. als Indiz dafür wertet, daß nun sogar die göttliche Vorsehung diese Elite verlassen habe (Zos. 5,51). Dabei seien die Götter den Menschen – trotz aller Rückschläge – weiterhin wohlgesonnen, doch diese nähmen die Angebote nicht an; Ergebnis sei der Untergang des Reiches (5,6; 5,24,7 f.; 5,38; 5,41, 1–3; 5,41,7).

Auch wenn der Pessimismus des Z. in der Trad. röm. Geschichtsteleologie verankert ist (vgl. [11]), geht er über diese doch weit hinaus. Denn Z. deutet die Geschehnisse bereits *ex eventu*, d. h. für ihn ist der Untergang des gesamten Reiches ein histor. Faktum (1,57,1; 2,7,2). Hier liegt eine eigene Konzeption zugrunde (vgl. [4. bes. 429 ff.]), die sich nicht auf Eunapios und Olympiodoros zurückführen läßt (deren Einfluß auf Z. wird in der Forsch. meist überbewertet, zuletzt von [15. 124, 131–135]; dagegen vgl. aber auch [14]). Der radikale Standpunkt des Z. resultiert aus seiner Parallelisierung des Schicksals der alten Kulte mit dem des Reiches. Dementsprechend verdichten sich im Werkverlauf Hinweise auf das Ende paganer Kulte und verbinden sich bes. im 5. B. zunehmend mit aktueller Politik. Rel. und polit. Niedergang sind für Z. also zwei Aspekte derselben verhängnisvollen Entwicklung. Diese begann mit der Herrschaft des Constantinus [1] I. (dessen Verzicht auf die Säkularspiele – langer Exkurs: 2,1–7 – den Niedergang eingeleitet habe: 2,7,1), wurde unter Iulianus [11] nur kurz verzögert (vgl. 3,32), manifestierte sich deutlich im schändlichen Einschmelzen der Statue der → Virtus (5,41,7) und sollte vielleicht in der Gleichzeitigkeit des endgültigen Triumphes des Christentums und des Untergangs Westroms gipfeln. Z. kennt keine metaphysische Romidee mehr; für ihn ist Rom histor.

Vergangenheit. Als letztes Rückzugsgebiet paganer Traditionen rückt er Athen ins Zentrum, das wegen seines Festhaltens an den alten Kulten vor Erdbeben und Plünderungen verschont bleibe (4,18; 5,6).

Z., der in der göttlichen Vorsehung die alles leitende Kraft sieht (→ Prädestination), richtete sich wahrscheinlich an ein kleines Publikum paganer Intellektueller, die an einem Gegenentwurf zu christl. Geschichtskonzeptionen (→ Eusebios [7], → Orosius, → Sokrates [9], → Sozomenos, → Theodoretos [1]) interessiert waren [9. 100–183; 5. 132ff.]. Er vermeidet strikt Berührungen mit christl. Historiographie (keine Erwähnung der Vision des Constantinus anläßlich der Schlacht an der Milvischen Brücke: 2,16) und bietet Deutungen histor. Ereignisse, die in paganen Zirkeln diskutiert wurden, z.B. die Begründung der Konversion des Constantinus mit der Möglichkeit, als Christ sogar für die gräßlichsten Taten Verzeihung zu erhalten (Zos. 2,29; vgl. Soz. 1,5 [9. 24–62; 10]). Z.' Wirkung blieb bescheiden, allerdings wurde er noch im späten 6. Jh. von Euagrios [3] (Euagr. 3,40; 5,24) und im 9. Jh. von Photios gelesen. → Geschichtsschreibung II.D.

Ed. und Übers.: F. Paschoud, Zosime, Histoire Nouvelle, 5 Bde., Paris 1971–1989 (mit frz. Übers. und Komm.) • R. T. Ridley, Zosimus, New History, 1982, Ndr. 1984 (engl. Übers. und Komm.) • O. Veh, St. Rebenich, Z., Neue Geschichte, 1990 (dt. Übers. und Komm.).

1 A. E. Baker, Eunapius and Zosimus, 1987
2 H. Cichocka, Zosimus' Account of Christianity, in: Siculorum Gymnasium 43, 1990, 171–183 3 T. Damsholt, Das Zeitalter des Z., in: Analecta Romana Instituti Danici 8, 1977, 89–102 4 W. Goffart, Zosimus, The First Historian of Rome's Fall, in: American Historical Review 76, 1971, 412–441 5 T. M. Green, Zosimus, Orosius and Their Traditions, Diss. New York 1974 6 E. Kettenhofen, Beobachtungen zum 1. Buch der Néa Historía des Z., in: Byzantion 63, 1993, 404–415 7 K.-H. Leven, Zur Polemik des Z., in: M. Wissemann (Hrsg.), Roma Renascens, 1988, 177–197 8 F. Paschoud, s. v. Z. (8), RE 10 A, 795–841, 9 Ders., Cinq Études sur Zosime, 1975 10 Ders., Zosime et Constantin, in: MH 54, 1997, 9–28 11 F. Petre, La pensée historique de Zosime, in: Studii Clasice 7, 1965, 263–272 12 R. T. Ridley, Zosimus the Historian, in: ByzZ 65, 1972, 277–302 13 D. C. Scavone, Zosimus and His Historical Models, in: GRBS 11, 1970, 57–67 14 P. Speck, Wie dumm darf Z. sein? Vorschläge zu seiner Neubewertung, in: Byzantinoslavica 52, 1991, 1–14 15 F. Winkelmann, Heiden und Christen in den Werken der oström. Historiker des 5. Jh., in: J. van Oort, D. Wyrwa (Hrsg.), Heiden und Christen im 5. Jh., 1998, 123–159. M. Mei.

[6] Z. aus Askalon. Griech. Grammatiker, verm. während der Regierungszeit des Kaisers → Anastasios [1] (491–518 n. Chr.) als Lehrer in → Gaza tätig; Mitschüler des → Damaskios beim alexandrinischen Rhetor Theon. Im Titelverzeichnis der Suda (ζ 169 s. v. Z.) ist unter Z.' Namen ein ›Nach Buchstaben geordnetes rhet. Lex.‹ (Λέξις ῥητορικὴ κατὰ στοιχεῖον) sowie ein ›Komm. zu → Lysias [1]‹ (Ὑπόμνημα εἰς Λυσίαν) angeführt; von diesen Werken sind keine Fr. erhalten. Spuren eines in der Suda bezeugten ›Komm. zu Demosthenes [2]‹ (Ὑπόμνημα εἰς τὸν Δημοσθένην) findet man dagegen in dem unter Z.' Namen überl. Βίος Δημοσθένους (›Demosthenes-Vita‹; ed. [3]). Eine anon. überlieferte Isokrates-Vita (Neu-Ed. [2]; vgl. [1; 3]) sowie die Inhaltsangaben zu dessen einzelnen Reden lassen auch auf einen Komm. des Z. zu → Isokrates [2] schließen. Ferner scheint Z. sich mit P. Ailios → Aristeides [3] befaßt zu haben, wenn auch nicht unbedingt als Verf. eines selbständigen Komm. [4. 793–794]. In den Scholiencorpora zu den attischen Rednern wird Z. mehrfach zitiert; daß er auch der Redaktor dieser Corpora ist, läßt sich jedoch nicht beweisen [4. 792–793]. Ebensowenig gesichert ist auch Z.' Mitwirkung an der unter dem Namen des → Markellinos [2] überl. Thukydides-Vita samt Kommentar.
→ Lexikographie (B.-C.)

Ed.: 1 I. G. Baiterus, H. Sauppius (Hrsg.), Oratores Attici, Bd. 2, 1850, 3–6 2 G. Mathieu, E. Brémond (Hrsg.), Isocrate. Discours, Bd. 1, ²1956, XXXIII–XXXVIII 3 A. Westermann (Hrsg.), Βιογράφοι. Vitarum scriptores Graeci minores, 1845, 253–259 und 297–302.
Lit.: 4 H. Gärtner, s. v. Z. (7), RE 10 A, 790–795 5 A. Gudeman, Rez. zu [7], in: Philol. Wochenschr. 47, 1927, 609–620 6 R. A. Kaster, Guardians of Language, 1988, 438–439 (Nr. 276) 7 G. Oomen, De Zosimo Ascalonita atque Marcellino, Diss. Münster 1926. St. Ma.

Zoskales (Ζωσκάλης). In → Axum regierender, hell. beeinflußter König, der vom Gebiet der Moschophagoi (westl. von Ptolemaïs [6] Theron) bis zum Gebiet der → Barbaria herrschte: peripl. m.r. 5; der Verf. dieser Schrift des 1. Jh. n. Chr. [1. 6f.] bezeichnet Z. als Zeitgenossen.

1 L. Casson, The Periplus Maris Erythraei, 1989.

F. Gisinger, s. v. Z., RE 10 A, 844–848. W. Hu.

Zoster s. Attika (mit Karte); Hymettos

Zostrianos (Ζωστριανός). Titel der längsten Schrift des → Nag Hammadi-Corpus (NHCod VIII,1, 1–132). Porphyrios bezeugt seine Benutzung bei den röm. Gnostikern (Porph. vita Plotini 16). Z. ist Namensvariante für Zarathustra (→ Zoroastres); die Lehren beider werden identifiziert. Geschildert wird im Z. die Himmelsreise des Z., die über die »Luft-Erde«, die *Antítypoi* der Äonen bis zum höchsten, dreifach mächtigen Geist führt. Dabei spielen vielfache, geistige Taufen eine Rolle. Die Schrift dürfte in der 1. H. des 3. Jh. entstanden sein und gehört zum → Sethianismus. Die Aufnahme von mittel- und neuplatonischem Gedankengut wird durch eine Parallele bei → Marius [II 21] Victorinus (Mar. Victorin. adv. Arium 1,49f.) evident.

J. H. Sieber (ed.), Nag Hammadi Codex VIII, 1991 (mit engl. Übers.) • M. Tardieu, Recherches sur la formation de l'Apocalypse de Zostrien et les sources de Marius Victorinus, 1996. J. Ho.

Zotion (Ζωτίων) aus Ephesos. Nur der Name des griech. Tragikers aus der Mitte des 2. Jh. v. Chr. ist überl. (TrGF I 133). B. Z.

Zucchabar. Stadt der Mauretania Caesariensis (Plin. nat. 5,21: *Succhabar*; Ptol. 4,2,25: Ζουχάββαρι/ *Zuchábbari*; Amm. 29,5,20: *municipium Sugabarritanum*; vgl. CIL VIII 2, 9607–9641; Suppl. 3, 21481–21493) im Tal des Oued Chéliff, h. Miliana (Algerien). Pun. Namen in Inschr. (CIL VIII 2, 9618; VIII Suppl. 3, 21484) weisen auf pun. Einfluß hin. Augustus gründete dort die *colonia Iulia Augusta Z.* (AE 1940, 20). Z. schützte die Verbindung zw. Caesarea [1] und dem Inneren von Mauretania. Katholische Bischöfe sind seit 411 n. Chr. bezeugt (PL 11, 1312: *episcopus plebis Sugabbaritanae*; 1326: *episcopus Zugabbaritanus*).

AAAlg, Bl. 13, Nr. 70 · M. LEGLAY, s. v. Z., RE 10 A, 855 f.
W. HU.

Zucker s. Sakcharon

Zufall (αὐτόματον/ *autómaton*, τύχη/ *týchē*; lat. *fors, fatum*).
I. ALLGEMEIN   II. PHILOSOPHIE

I. ALLGEMEIN
In der griech. und röm. Ant. meint die Rede vom Z. Ereignisse, die unabhängig von menschlicher Absicht und Planung oder unter außergewöhnlichen Umständen aufgrund des Zusammenwirkens voneinander unabhängiger Kausalverläufe eintreten. Z. nach mod. Verständnis, im Sinne eines Ereignisses, das sich in keiner Hinsicht als Folge gesetzmäßiger Abläufe bzw. absichtsvoller Planung erklären läßt, kennt die Ant. nicht.

In der griech. Dichtung begegnet der Z. als göttliche Macht, personifiziert in der → Tyche (z. B. Pind. N. 6,24). In der Neuen → Komödie (I.) ist der Z. dann geradezu dramaturgisches Prinzip [3. 184–191]: Er bewirkt (oft glückliche) Ereignisse, die ebenso Ergebnis planvollen menschlichen Handelns hätten sein können, und verwirklicht so auf unerwartete Weise menschliche Handlungsziele (z. B. Men. Kōneiazómenai 13–20; Men. Sam. 55 f.; Aristot. poet. 9,1452a 6–10).

II. PHILOSOPHIE
Platon [1] hebt hervor, daß die »schönsten und größten Dinge« und die Einrichtung der → Welt insgesamt nicht auf Z. (*týchē*) oder → Natur (*phýsis*), sondern auf eine gestaltende Vernunft (*nus*) zurückzuführen sind (Plat. leg. 10,889a). Natur und Z. bilden so in kosmologischer Hinsicht den Gegensatz zu Planung und Herstellung (Plat. leg. 10,889b-d). Eine Theorie zufälliger Ereignisse entwickelt Aristoteles [6] im Rahmen seiner Ursachenlehre. Danach gilt für jedes Ereignis, daß es Wirkung einer Ursache ist, und daß es mit Notwendigkeit eintritt, wenn die Ursache vorliegt (Kausalprinzip; → Kausalität). Zufällig sind nun diejenigen Ereignisse, die nicht immer (d. h. nicht mit → Notwendigkeit) oder zumindest in den überwiegenden Fällen, sondern vergleichsweise selten eintreten. Auch solche Ereignisse haben aber eine Ursache: Sie sind in akzidenteller Weise verursacht, durch Fügung (*týchē*) oder Z. (*autómaton*). Beides sind akzidentelle Ursachen für Ausnahmefälle im Bereich zielgerichteten Geschehens (Aristot. phys. 2,5,197a 32 ff.). Dabei bedeutet *týchē* in einem engeren Sinne den Bereich der durch Entscheidung (*prohaíresis*) definierten Handlungen, während sich *autómaton* auch auf alle anderen Fälle bezieht. Das Zufällige ist Spezialfall des Akzidentellen, d. h. desjenigen, das ›keine genau bestimmte Ursache‹ hat, sondern dessen Ursache ›unbestimmt‹ ist (Aristot. metaph. 5,30,1025a 24 f.). Entsprechend unterscheidet Aristoteles Ereignisse, die im eigentlichen Sinne verursacht sind (z. B. Hausbau durch die darauf gerichtete Fähigkeit des Baumeisters) von solchen, die »nebenbei«, d. h. akzidentell (κατὰ συμβεβηκός/ *katá symbebēkós*) verursacht sind, deren Ursache also vergleichsweise »unbestimmt« ist (Aristot. phys. 2,5,196b 24–29). Das ist der Fall, wenn ein Ereignis zwar in einer speziellen Situation unabsichtlich (zufällig) herbeigeführt, gleichwohl aber das *mögliche* Resultat *zielgerichteten* Geschehens ist: Wenn z. B. eine Person, die einer anderen Geld geliehen hat, sich auf den Marktplatz begibt, und zwar nicht aus einem bestimmten, sondern einem vergleichsweise unbestimmten Grund, dort aber durch einen glücklichen Z. ihren Schuldner trifft, der soeben Geld eingenommen hat, daß sie dann von diesem das Geliehene zurückfordern kann. Die Person hatte zwar nicht ausdrücklich das Ziel, das geliehene Geld einzufordern, hätte es aber haben *können* (Aristot. phys. 2,4,196b 33 ff.).

Im Anschluß an die aristotelische Z.-Lehre unterscheidet der Kommentator Philoponos zudem verschiedene Grade akzidenteller Ursächlichkeit (Philoponos CAG XVI 278,12–19); → Simplikios will ausdrücklich zw. glücklichen und unglücklichen Z. unterschieden wissen (Simpl. CAG IV 337,27–32).

Während → Epikuros zufolge Ereignisse teils mit → Notwendigkeit, teils durch Z. (*týchē*), teils aufgrund menschlicher → Freiheit (II.) geschehen (Diog. Laert. 10,133), ist der Z. (*týchē, autómaton*) im Sinne eines kausal nicht determinierten Ereignisses für den → Stoizismus aufgrund dessen Schicksalslehre ausgeschlossen (→ Prädestinationslehre). Auch das scheinbar Zufällige hat eine Ursache, die jedoch dem menschlichen Nachdenken verborgen sein kann (SVF II 945, 965–973). Natürliches und menschliches Geschehen bilden einen lückenlosen Kausalzusammenhang (SVF I 175), bestimmt durch göttliche Vorsehung (πρόνοια/ *prónoia*, lat. *providentia*) und → Schicksal (εἱμαρμένη/ *heimarméné*, lat. *fatum*). Danach sind alle Ereignisse durch vorherige verursacht und in dem Sinne auch vorherbestimmt (Determinismus). Thematisch verwandt mit der Erörterung des Z. im Sinne akzidenteller Ursächlichkeit sind die in der lat. Spätant. bedeutsamen Diskussionen über das → *fatum*. Dieses wurde zum einen mit Blick auf die Frage nach der Vereinbarkeit des Determinismus mit der Annahme der menschlichen Willensfreiheit (z. B. Cic.

fat. 9,20; Alex. Aphr. de fato 187ff.; → Wille), zum anderen (im Zusammenhang mit dem Verhältnis zw. → Notwendigkeit und *Zufälligkeit* im Sinne von *Möglichkeit*, mit Blick auf die Bedingungen für die Wahrheit von Aussagen über kontingent-zufällige Ereignisse erörtert. Epikuros und Chrysippos [2] halten eine zukunftsbezogene Aussage nur dann für wahr oder falsch, wenn das Eintreffen oder Ausbleiben des vorhergesagten Ereignisses schon durch gegenwärtig vorliegende Ursachen garantiert ist (Cic. fat. 14,20f.; 11,26), weshalb Epikuros das Bivalenzprinzip (jede Aussage ist wahr oder falsch) aufgibt. Für Cicero dagegen ist nicht eine ›Ursache von Ewigkeit her‹ (Cic. fat. 14,32), sondern lediglich das tatsächliche Eintreffen des vorhergesagten Ereignisses Voraussetzung für die Wahrheit einer zukunftsbezogenen Aussage (Cic. fat. 14,27–32).
→ Fortuna; Moira A.; Natur, Naturphilosophie; Schicksal; Tyche; Wille

1 M. Forschner, Die stoische Ethik, 1995 2 H. Strohm, Tyche. Zur Schicksalsauffassung bei Pindar und den frühgriech. Dichtern, 1944 3 G. Vogt-Spira, Dramaturgie des Z.s: Tyche und Handeln in der Komödie Menanders, 1992 4 W. Wieland, Die aristotelische Physik, 1992.
                                             JÖ. HA.

Zulil (pun. *ʾšljt*). Stadt der → Mauretania Tingitana südwestlich von → Tingis (h. Tanger), h. Asilah bzw. Dchar Djedid. Z. war eine phöniz. oder pun. Gründung. In der Zeit der maurischen Könige prägte Z. Mz. mit pun. Legenden [1. 188f.] und stand in regem Austausch mit der Iberischen Halbinsel. Augustus siedelte die Bewohner von Z. nach Spanien um, um Platz für seine → Veteranen zu schaffen (Mela 2,96). Nach Plin. nat. 5,2 war Z. dem *proconsul Baeticae* unterstellt (Strab. 3,1,8; 17,3,6: Ζῆλις/ *Zélis*; Ptol. 4,1,13: Ζιλία/ *Zilía*; Itin. Anton. 8,2: Zili; Geogr. Rav. 42,46: Zili; 88,4: Zichi; Guido, Geographica 132,13: Zichim; AE 1987, 1128; 1130).

1 J. Mazard, Corpus nummorum Numidiae Mauretaniaeque, 1955.

M. Leglay, s.v. Z., RE 10 A, 857f. · Ders., s.v. Dchar Djedid, DCPP, 127.   W. HU.

Zurvan. Der iranische Zeitgott (avestisch: *zruuan*; pehlavī: *zamān*). Z. hatte zwei Formen: Als die ewige Zeit des göttlichen Daseins ist er *zruuan akarana-* (avestisch), »die grenzenlose Zeit«, als die Periode der Konfrontation zw. Gutem und Bösem *zruuan darengō.xᵛadāta*, »die Zeit der langen Herrschaft«. Früher ging man davon aus, daß der »Zurvanismus« innerhalb der zoroastrischen Rel. (→ Zoroastrismus) eine medische Sonderform, eine Degeneration oder eine Häresie darstelle. Jetzt wird der Mythos, bei dem Z. als kosmogonische Gottheit sowohl die zeitbegrenzte Herrschaft des Bösen (→ Ahriman) wie auch den endgültigen Sieg des Guten (Ohrmazd; → Ahurā Mazdā) ermöglicht, als eine Flexionsform des Dualismus wahrgenommen, die in sāsānidi-

scher Zeit (→ Sāsāniden) als Orthodoxie verbreitet war [1. 14–22]. Ähnliche, aber nicht identische mündlich tradierte kosmogonische Z.-Mythen sind schon von → Eudemos [3] von Rhodos belegt [2. 1368f.]. Versuche, iranischen Einfluß auf den griech. Aion (Αἰών) zu beweisen, sind mit Skepsis zu betrachten.
→ Zeitkonzeptionen; Zoroastres; Zoroastrismus

1 S. Shaked, Dualism in Transformation, 1994
2 G. Casadio, Eudemo di Rodi, in: S. Graziani (Hrsg.), Studi sul Vicino Oriente antico, 2000, 1355–1375.
L. Brisson, La figure de Chronos dans la théogonie orphique, in: D. Tiffeneau (Hrsg.), Mythes et représentations de temps, 1985, 37–55 · A. de Jong, Traditions of the Magi, 1997, 330–338 · S. Shaked, The Myth of Z., in: I. Gruenewald u.a. (Hrsg.), Messiah and Christos, 1992, 219–240.   R. GOR.

Zweck (τέλος/ *télos*) s. Glück; Lust; Teleologie

Zweckverfügung. Begriff der mod. Wiss. vom ant. griech. Recht. H. J. Wolff (1902–1983; Nachruf [4]) entdeckte im Vertragsrecht der griech. Poleis und des Hell. einen tragenden dogmatischen Grundgedanken; er weicht von den h., vom röm. Recht geprägten Vorstellungen wesentlich ab: Nicht die Willenseinigung zw. den Vertragspartnern (→ *consensus*) habe das Forderungsrecht des »Gläubigers« bzw. die Leistungspflicht des »Schuldners« erzeugt, sondern indirekt das Delikt der Schädigung (βλάβη/ *blábē*) des Gläubigervermögens durch das abredewidrige Verhalten des Schuldners. Als Grundlage für diese Vorstellung habe es einer Verfügung – normalerweise des Gläubigers – zu einem bestimmten Zweck bedurft. Dessen Vereitelung durch den Schuldner sei die Schädigung gewesen ([6. 2526], vgl. auch [10. 120]; → *blábēs díkē*, → Attisches Recht G.). Der haftungsbegründende reale Akt sei bisweilen lediglich (fiktiv) beurkundet worden [8. 142f.]. Wolff verteidigte die Z. gegen Vertreter der »Konsenstheorie«, v.a. gegen [2. 13–16], in [9] und präzisierte sie gegenüber dem ›Prinzip der notwendigen Entgeltlichkeit‹ E. Seidls [7]. Weiterentwickelt wurde die Lehre von der Z. v.a. für Bodenpacht [1. 15–28] und Werkvertrag [5. 512–514], vertieft als »Verfügungsermächtigung unter Auflagen« [3].

1 D. Behrend, Attische Pachturkunden, 1970
2 A. Biscardi, Diritto greco e scienza del diritto, in: Ders. (Hrsg.), Symposion 1974, 1979, 1–31 3 J. Herrmann, Verfügungsermächtigungen als Gestaltungselemente verschiedener griech. Geschäftstypen, in: H. J. Wolff (Hrsg.), Symposion 1971, 1975, 321–332 (= Ders., KS zur Rechtsgesch. (Hrsg. G. Schiemann), 1990, 59–70)
4 G. Thür, Hans Julius Wolff zu Gedenken, in: ZRG 101, 1984, 476–492 5 Ders., Bemerkungen zum altgriech. Werkvertrag, in: FS A. Biscardi, Bd. 5, 1984, 471–514
6 Ders., s.v. Recht I, LAW 3, 2516–2530 7 Ders., Zum Prinzip der notwendigen Entgeltlichkeit, in: H. Hübner u.a. (Hrsg.), FS E. Seidl, 1975, 231–241 8 Ders., Das Recht der griech. Papyri Ägyptens, Bd. 2, 1978 9 Ders., Zum Problem der dogmatischen Erfassung des altgriech. Rechts, in:

P. Dimakis (Hrsg.), Symposion 1979, 1983, 9–20 **10** Ders., Vorlesungen über Juristische Papyruskunde (hrsg. von J. G. Wolf), 1998. G. T.

Zweiheit s. Dyas

Zweisprachigkeit
s. Bilingue; Mehrsprachigkeit III. A.; Weltsprachen

Zweite Sophistik. I. Begriff
II. Sophistische Tätigkeiten
III. Überlieferungslage IV. Sprache und Stil
V. Politische Aktivitäten VI. Unterricht
VII. Literarische Tätigkeiten VIII. Sophistik im lateinischen Westen IX. Bewertung

I. Begriff

In der mod. Forsch. häufig verwendeter Begriff bes. für die griech. Kultur (v. a. die lit. Kultur) im Imperium Romanum zw. 60 und 230 n. Chr., als die »sophistische Deklamation« (μελέτη/*melétē*) eine der angesehensten kulturellen Tätigkeiten in der griech. Welt war. Philostratos, der den Begriff »Z. S.« verm. prägte (Philostr. soph. 1 pr. 481, vgl. 1,18,507), bezeichnet damit die (angeblich von → Aischines erfundenen) deklamatorischen Konventionen seiner Zeit (d. h. z. B. die Annahme von Musterrollen wie Oligarchen, Tyrannen oder histor. Gestalten; vgl. → *declamationes*) im Gegensatz zur »philosophischen« Beredsamkeit der → Sophistik des 5. Jh. v. Chr. Obwohl weitgehend alle seine »Sophisten« diesen Konventionen folgen, meint Philostratos mit »Z. S.« (ἡ δευτέρα σοφιστική/*hē deutéra sophistikḗ*). also nicht die rhet. Bewegung (die er mit → Niketes [2] von Smyrna unter Nero beginnen läßt: 1,19; [1, 41–45]). Rohde wandte den Begriff als erster auf eine Epoche an [2]; er beschreibt als »Z. S.« die Erneuerung der asianischen → Rhetorik (IV. A.4.), die seiner Ansicht nach dem (Mitte des 2. Jh. n. Chr. vorherrschenden) → Attizismus vorausging. Wilamowitz dagegen bestritt die Existenz einer Z. S. [3], weil er der Deklamation dieser Zeit keine größere Bed. als in früheren Epochen beimaß ([3]; These erweitert von [4]). Der Begriff »Z. S.« wird in der Forsch. weithin verwendet (vgl. [1] und den Titel von [5]): zur Erfassung der lit. Kultur des 1. bis 3. Jh. n. Chr., in der die rhet. Ausbildung der griech. Elite und ihre Bewunderung für wirkungsvolle öffentliche Deklamation die meisten lit. Gattungen prägte [6], und zur Bezeichnung der Rückwendung dieser Kultur auf die als klass. verstandene Vergangenheit [7; 8].

Das Substantiv σοφιστής (*sophistḗs*) und das Verb σοφιστεύειν (*sophisteúein*) wurden anscheinend nur auf Männer angewandt, die zugleich Rhet. lehrten und eine öffentliche Laufbahn als Deklamatoren einschlugen (vgl. [9. 12–14; 10. 39; 11. 97–100]), doch ist der Gebrauch selbst in der Rechts-Lit. unscharf (vgl. einen Brief des Antoninus [1] Pius Cod. Iust. 27,1,6,2). Dionysios [40] von Milet (Philostr. soph. 1,22) wird zwar auf einer Statue als ›Redner und Sophist‹ (ῥήτωρ καὶ

σοφιστής/*rhḗtōr kai sophistḗs*) geehrt (IK 17 = IEph 7, 3047), auf seinem Sarkophag in Ephesos dagegen einfach als *rhḗtōr* bezeichnet (IK 12 = IEph 2, 426).

Wie auch immer man den Begriff Z. S. faßt, die lit. (v. a. Aristeides [3] und Philostratos [5–8]) und epigraphischen Quellen belegen, daß die Deklamation von Niketes [2] (unter Nero) bis mindestens in die 230er Jahre nicht als bloße rhet. Übung, sondern als höhere und eigenständige Kunstform galt (vgl. bes. [12]). Philostratos [5] zufolge (vgl. aber [23. 87]) florierte sie bes. in Athen und den großen Städten des westl. Kleinasien (v. a. in Pergamon, Smyrna und Ephesos); die von ihm porträtierten Sophisten kommen aber auch aus anderen Regionen des griech. Mutterlandes (z. B. Thessalien, Perinthos, Byzantion), aus Kleinasien (z. B. Miletos, Laodikeia, Perge, Tarsos, Aigeai, auch Kappadokien), Phönizien und Ägypten (Naukratis), einige auch aus dem lat. Westen (Arelate, Ravenna, Praeneste). Aufgrund von Inschr. ließe sich die Liste erweitern.

II. Sophistische Tätigkeiten

Ortsansässige Rhet.-Lehrer unterrichteten junge Männer und deklamierten – ebenso wie die Sophisten unterschiedlichen Bekanntheitsgrades auf Vortragsreisen – vor größerem Publikum in Privatvillen oder kaiserlichen Palästen, im Lesesaal der Bibliotheken, in Räumen des städtischen Rates, im Odeion oder sogar in großen Theatern. Nach einem formal weniger festgelegten Vortrag (*diálexis* oder *laliá*) als Vorspiel (*prolaliá*) folgte die formelle Rede (*melétē*, lat. *declamatio*) mit üblicherweise beratendem Charakter (lat. → *suasoria*); sie thematisierte ein histor. Ereignis, das ausnahmslos der Zeit vor 323 v. Chr. angehörte (Artabanos [1] drängt → Xerxes [1] dazu, nicht in Griechenland einzufallen, Hermog. Perí Ideōn 396, Philostr. soph. 2,5,575 nach Hdt. 7,10), zuweilen aber auch völlig unhistor. war (Aristogeiton [2] beansprucht das Recht, Demosthenes [2] wegen perserfreundlicher und Aischines [2] wegen philippfreundlicher Gesinnung anzuklagen, Philostr. soph. 2,8,580). Seltener wurden Gerichtsthemen behandelt (lat. → *controversiae*), so z. B. Ehebruch (ebd. 1,25,542) oder die Frage: ›Soll ein Mann, der den Bürgerkrieg sowohl angezettelt als auch beendet hat, belohnt oder bestraft werden?‹ (ebd. 1,26,545); dabei spielten oft Tyrannen, Piraten oder Entführungen eine Rolle. Die rhet. geschulten Hörer konnten lärmend Ablehnung oder Zustimmung äußern [12; 13].

Die Sophisten trugen auch epideiktische Reden vor (→ *epídeixis*): z. B. Leichenreden (→ Herodes [16] Atticus für seinen Lehrer Secundus, ebd. 1,26,544; Ailios → Aristeides [3], or. 32 Keil, für Alexandros [32] von Kotiaeion; → Hadrianos [1] für Herodes, Philostr. soph. 2,10,586), Geburtstagsreden (Aristeid. or. 30 Keil für Apellas), Reden zu Gebäudeeinweihungen (z. B. Polemon [6]: Einweihung des Olympieion in Athen 131/2 n. Chr., Philostr. soph. 1,25,533; Aristeid. or. 27 Keil zur erneuten Weihung des Hadrianeums in Kyzikos 166 n. Chr., vorgetragen in der Ratsversammlung und beim Festakt, vgl. Aristeid. 51,16 Keil), Reden zum Lob der

Stadt bei Festen (vgl. Aristeid. or. 1 LENZ-BEHR: ein wohl im August 155 n. Chr. bei den Panathenaia vorgetragener *Panathēnaikós*, als Meisterwerk bewundert von Menandros [12] Rhetor; or. 26 KEIL: ein Lob Roms) und bei sonstigen bes. Anlässen, vgl. z. B. or. 18 KEIL: Aristeides' Klage (*monōidía*) über das vom Erdbeben zerstörte Smyrna. Aristeides [3] schrieb sich auch die Erneuerung von Götterhymnen in Prosa zu (vgl. bes. [14]).

III. ÜBERLIEFERUNGSLAGE

→ Aristeides [3] ist der einzige Sophist bei Philostratos, von dem ein beträchtliches Corpus überl. ist: Mehr als 40 Reden (deren längste: 230 Seiten in mod. Ausgaben) zeigen die Spannweite der sophistischen Redekunst. Nur wenige sind Deklamationen (*melétai*): or. 5 und 6 K. (Diskussion über die Verstärkung athenischer Truppen in Sizilien, 413 v. Chr.), or. 7 und 8 (Aufforderung Athens zum Friedensschluß mit Sparta: 425 v. Chr., bzw. die Bitte Spartas um Gnade für Athen: 405 v. Chr), or. 9 und 10 (Athens Ansuchen um eine Allianz mit Theben: 338 v. Chr.), or. 11–15 (Darstellung des Zustands verschiedener Städte nach der Schlacht bei Leuktra 371 v. Chr.); or. 16 (er selbst spricht als Gesandter zu Achilleus, vgl. Hom. Il., B. 9). Sonst ist aus dieser Zeit nur wenig überl.: zwei Deklamationen des → Polemon [6], in denen die Väter von Kallimachos und Kynegeiros für den Anspruch ihrer Söhne auf einen Preis für die beste Leistung (*aristeía*) in der Schlacht von Marathon (490 v. Chr.) eintreten; vier Deklamationen des Lukianos (or. 1 und 2 über Phalaris, einen Tyrannen des 6. Jh. v. Chr., zwei weitere sind anon. *controversiae*: in or. 53 wird die Belohnung eines Tyrannenmords gefordert, in or. 54 streitet ein Arzt gegen Enterbung, nachdem er die Heilung seiner Stiefmutter verweigert hatte); schließlich zwei weitere Deklamationen, deren Zuschreibung an Herodes [16] und Hadrianos [1] von Tyros umstritten ist.

Viele der über 70 erh. Werke des → Dion [I 3] von Prusa tragen sophistische Züge, z. B. or. 11, die (urspr. vor einem troianischen Publikum?) zu begründen sucht, warum Troia niemals erobert worden sei, oder or. 12, die mit einem Preis von → Pheidias' Zeus-Statue in Olympia beginnt (wo die Rede offenbar erstmals vorgetragen wurde). Andere epideiktische Werke des Dion sind bezeugt (Lob des Haares, Lob des Papageis, Philostr. soph. 1,7,487), aber keines von ihnen ist Deklamation.

IV. SPRACHE UND STIL

Alle Sophisten verfolgten das Ziel, klass. → Griechisch zu verfassen, das sich von dem zeitgenössischen, das man verm. vor Gericht, in Versammlungen oder bei Ratssitzungen sprach, und mehr noch von der Umgangssprache (→ *koinḗ*) unterschied. Bereits im 1. Jh. v. Chr. gab es Debatten, inwieweit man sich die attischen Redner des 4. Jh. v. Chr. sprachlich-stilistisch zum Vorbild nehmen solle. Laut Dionysios [18] von Halikarnassos trug zu seiner Zeit (ca. 30 v. Chr.) der → Attizismus den Sieg davon [3], doch hielten sich gor-

gianische Stilmerkmale (→ Gorgias [2]), die von den Gegnern als → »Asianismus« gebrandmarkt wurden, in der Deklamation bis mindestens ins 4. Jh. n. Chr. Die rigorose Befolgung attischer Normen in Vokabular und Syntax ist am stärksten für das 2. und das frühe 3. Jh. n. Chr. belegt [15], von einflußreichen Männern wie Herodes [16] Atticus befürwortet und von Lexikographen wie → Moiris, → Phrynichos [4] und → Iulius [IV 17] Pollux befördert, deren Werke die Bed. des (sprachlichen) Archaismus belegen.

V. POLITISCHE AKTIVITÄTEN

Dieses Festhalten an klass. Normen ist teils im Rahmen des Versuchs zu sehen, die damalige griech. Welt (ein Teil des Imperium Romanum) im Lichte ihrer ruhmreichen Vergangenheit zu erneuern [7], teils – wie die Praxis öffentlicher Deklamation selbst zeigt – eine neue Bühne für die stets wettstreitenden Eliten der griech. Städte zu schaffen, um sich dort vor den Konkurrenten auszuzeichnen [15]. In einer Welt, die auf öffentliches Image und Showaspekte großen Wert legte, gestalteten sich die virtuosen Redeauftritte der Sophisten – neben Gesandtschaften, Debatten im städtischen Rat und kultischen Zeremonien – zu Inszenierungen der rivalisierenden Selbstdarstellung. Nahezu alle bei Philostratos beschriebenen Sophisten (und andere bei ihm nicht genannte) gehörten der Oberschicht an; viele von ihnen bekleideten hohe städtische Ämter und waren »Wohltäter« (→ *euergétēs*; → Euergetismus) der Polis. Diese Männer nahmen oft an Gesandtschaften teil, um einem Kaiser zum Amtsantritt zu gratulieren oder der Stadt (zuweilen auch sich selbst) Vorteile und Privilegien zu verschaffen bzw. zu erhalten (vgl. [10]). Dion [I 3], Polemon [6] und Aristeides [3] nutzten ihre rhet. Fähigkeiten nicht nur zur Einflußnahme innerhalb ihrer Poleis (wie viele andere bei Philostratos genannte Sophisten), sondern auch in ihren Prov. und darüber hinaus. Im Rahmen der eigenen Polis war eine solche Tätigkeit (wie sie z. B. für Dion [I 3] in or. 40–51, für Polemon [6] bei Philostr. soph. 1,5,31 dokumentiert ist) typisch für Mitglieder lokaler Eliten. Eher außergewöhnlich ist wohl Dions Intervention im Konflikt zw. den Städten Nikaia [5] und Nikomedeia (or. 38) oder bei inneren Auseinandersetzungen in Nikaia (or. 39), sowie Aristeides' Appelle an die (klein-)asiatischen Städte, ihre Rivalitäten zu zügeln (or. 23 KEIL), bzw. an die Rhodier, ihre internen Parteikonflikte zu beenden (or. 24 K.).

VI. UNTERRICHT

Viele Sophisten engagierten sich wohl mehr in der Lehre als in der Deklamation. Zur Förderung des Unterrichts befreite Kaiser Vespasianus Rhet.-Lehrer – ähnlich wie *grammatici* (→ *grammaticus*) und Ärzte – von Verwaltungs-, Richter- und Priesterämtern auf munizipaler und provinzialer Ebene (→ *munus, munera*). Dieses Privileg wurde von Kaiser Nerva oder Traianus auf Philosophen erweitert und von Hadrianus bestätigt. Antoninus [1] Pius (Cod. Iust. 27,1,6,2) beschränkte die Zahl dieser Privilegierten (wovon er die Philosophen ausschloß) auf drei bis fünf Personen pro Stadt (je nach deren Größe); er befreite aber »überragende Kenner« (*ágan epistémones*) außerplanmäßig von Ämtern, selbst wenn sie außerhalb der Stadt lehrten [17; 18]. Sogar bezahlte Rhet.-Lehrstühle wurden von Kaisern eingerichtet: von Vespasianus in Rom für lat. und griech. Rhet., von Antoninus [1] Pius angeblich im ganzen Reich (SHA Pius 11,3). Zu ihnen mag auch der »öffentliche Lehrstuhl« (*démósios thrónos*) für griech. Rhet. gehört haben, der ein Gehalt von 6000 Drachmen einbrachte (Philostr. soph. 2,20,600) und den als erster → Lollianos [2] innehatte.

In den 70er Jahren des 2. Jh. n. Chr. kam durch Marcus [2] Aurelius ein mit 10000 Drachmen dotierter kaiserlicher Lehrstuhl hinzu, den → Hadrianos [1] von Tyros ab 176 einnahm [19]. Das equestrische Amt *ab* → *epistulis Graecis* bekleidete spätestens seit Kaiser Hadrianus (117–138 n. Chr.) oft ein prominenter Redner; daran schlossen sich zuweilen eine Prokuratorenlaufbahn (→ *procurator* [1]) und weitere Vergütungen an [10]. Solche Ämter der Sophisten, ihr gelegentlicher Aufstieg in den röm. Senat und ihr hohes Ansehen in ihrer Heimatstadt beruhten jedoch nicht soviel auf ihrer geschickten Manipulation des Publikums als eher auf ihrer hohen sozialen Herkunft.

Die Konkurrenz um solche Auszeichnungen förderte professionelle Streitigkeiten in einer ohnehin wettbewerbsorientierten Branche. Rivalitäten würzten die Auftritte der Sophisten und veranlaßten ihre Anhänger, die jeweiligen Gegner bloßzustellen – so vereitelten z. B. Herodes' Schüler einen angeblichen Stegreifauftritt des → Philagros, indem sie seine angekündigte Rede von einem bereits publizierten Exemplar ablasen (Philostr. soph. 2,8,579).

VII. LITERARISCHE TÄTIGKEITEN

Viele Rhetoren betätigten sich auch auf intellektuellen Feldern jenseits der Deklamation: Einige widmeten sich der Dichtung (Epos, Tragödie) oder kleineren Formen, bei denen man die Improvisation ebenso schätzte wie in der Rhet. selbst. Andere (bei Philostr. soph. 1,1–8 eigens genannte) Sophisten lasen oder schrieben über philos. Themen, entweder zeitlebens wie → Favorinus von Arelate oder nach einer »Bekehrung« von der Sophistik, wie sie dessen Lehrer Dion [I 3] von sich behauptete [20; 21]. Andere hielten jedoch Sophistik und Philos. für grundsätzlich entgegengesetzt [22]. Herodes [16] Atticus war, abgesehen von seiner Lehr- und Deklamationstätigkeit, nicht nur außerordentlich reich und mächtig (was seiner athenischen und röm. Senatorenlaufbahn sehr zugute kam: *cos. ord.* 143 n. Chr.), sondern diskutierte auch kenntnisreich mit Philosophen und Philologen im Kreis des Aulus → Gellius [6]. Andere Sophisten wie Antiochos von Aigeai (Philostr. soph. 2,4,570) verfaßten Geschichtswerke. Rhet. Techniken und Tendenzen prägten die Lit. der Zeit weithin [23; 24]. Die durch rhet. Hdb. angeleitete Übung der → *ékphrasis* brachte mit den Beschreibungen imaginärer Gemälde (beispielhaft die *Imagines* der zwei

Philostratoi, vgl. → Philostratos [5] B.5.) ein eigenes Genre hervor und beeinflußte Ailianos' [2] *Varia historia*, seine *Natura animalium* und seine fiktiven *Epistulae* (›Briefe‹). Die *ékphrasis* nimmt auch bei den Romanschriftstellern (von denen → Achilleus Tatios [1] und → Longos in den Mss. als »Sophisten« bezeichnet werden) sowie in Philostratos' [5] *Hēróikós* und *Vita Apollonii* prominenten Rang ein. → Lukianos verwendet die Technik der *ékphrasis* nicht nur in einigen *prolalíai*, sondern entwickelt aus der *diálexis* eine humoristische Kunstform: Ihr Einsatz für leichtere Unterhaltung ist bereits bei Dion [I 3] erkennbar, doch nur von Lukianos (der nach eigener Auskunft als Redner begann) ist eine Fülle unterhaltender Werke überl.; ob solche vor Hörern vorgetragen wurden oder als Briefe bzw. Flugschriften in Umlauf waren (oder beides), ist kaum zu klären.

VIII. SOPHISTIK IM LATEINISCHEN WESTEN

Im lat. Westen genossen junge Leute die gleiche rhet. Ausbildung wie im griech. Osten (→ Rhetorik III.C.). In Rom gab es Lehrstühle für griech. und lat. Rhet.; doch scheint die lat. Deklamation (vgl. → *declamationes*) als eine Kunstform für Erwachsene weder bedeutend noch weitverbreitet gewesen zu sein: Daß sie unter den städtischen Eliten zur Mode geworden wäre, läßt sich nicht nachweisen (sie besaßen andere Mittel, um ihre Identität zu festigen) und sie ist nur für die Laufbahn des Apuleius von Madaura (→ Ap(p)uleius [III]) in Afrika gut bezeugt [24].

IX. BEWERTUNG

Die Bed. der deklamatorischen Rhetorik beschränkte sich freilich nicht auf die von Philostratos bevorzugt beschriebene Epoche. Sie blieb bis ins 4. und 5. Jh. n. Chr. ein wichtiges kulturelles Phänomen (aus dieser Zeit sind mehr sophistische Texte überl. als aus der Zeit zw. 60 und 230 n. Chr.). Andererseits ist bereits für das späte 1. Jh. v. Chr. das Engagement von Rhet.-Lehrern in der Politik griech. Städte feststellbar. Griech. Deklamatoren im augusteischen oder tiberianischen Rom sind beim älteren Seneca [1] in den *Controversiae* und *Suasoriae* dokumentiert. Der Wandel, der sich um die Zeit Neros vollzog, betraf wohl weniger die Rolle von Sophisten und Rednern als ihre Bühne: In dieser Zeit erholte sich die griech. Welt von der röm. Expansion und den Bürgerkriegen; Neros kurzzeitiges Geschenk der »Freiheit« für Achaia stärkte das Selbstbewußtsein der Griechen; die Epoche der Z.S. des Philostratos erlebte einen ökonomischen, kulturellen und sogar – wenngleich nicht dauerhaften – polit. Aufschwung, der zu Recht als Renaissance bezeichnet worden ist. Die Redner sprachen und handelten selbstbewußter als zuvor; sie selbst waren prominenter Bestandteil der griech. Kultur, die in Rom so hohes Ansehen erlangte.

→ Declamationes; Exercitatio; Griechisch;
Griechische Literatursprache; Literatur (III. D.-G.,
V. G.); Rhetorik (IV. A.4.)

1 T. WHITMARSH, Greek Literature and the Roman Empire, 2001 2 E. ROHDE, Die griech. Sophistik der Kaiserzeit, in: Ders., Der griech. Roman, 1876, 288–360 (³1914), 310–387 3 U. VON WILAMOWITZ-MOELLENDORF, Asianismus und Atticismus, in: Hermes 35, 1900, 1–52 4 P. A. BRUNT, The Bubble of the Second Sophistic, in: BICS 39, 1994, 25–52 5 G. ANDERSON, The Second Sophistic: a Cultural Phenomenon in the Roman Empire, 1993 6 E. L. BOWIE, Literature and Sophistic, in: CAH ²11, 2000, 898–921 7 Ders., Greeks and Their Past in the Second Sophistic, in: Past and Present 46, 1970, 3–41 8 B. P. REARDON, Courants littéraires grecs des IIe et IIIe siècles après J-C., 1971 9 G. W. BOWERSOCK, Greek sophists in the Roman Empire, 1969 10 E. L. BOWIE, The Importance of Sophists, in: YClS 27, 1982, 29–59 11 S. SWAIN, Hellenism and Empire. Language, Classicism and Power in the Greek World AD 50–250, 1986 12 D. A. RUSSELL, Greek Declamation, 1983 13 M. KORENJAK, Publikum und Redner: ihre Interaktion in der sophistischen Rhetorik der Kaiserzeit, 2000 14 D. A. RUSSELL, Aristides and the Prose Hymn, in: Ders. (Hrsg.), Antonine Literature, 1990, 199–219 15 W. SCHMID, Der Atticismus in seinen Hauptvertretern von Dionysius von Halikarnassus bis auf den zweiten Philostratus, 4 Bde, 1887–1896, Index 1987 16 T. SCHMITZ, Bildung und Macht: zur sozialen und polit. Funktion der Z. S. in der griech. Welt der Kaiserzeit, 1997 17 V. NUTTON, Two Notes on Immunities, in: JRS 61, 1971, 52–63 18 M. GRIFFIN, Rez. zu [9], in: JRS 61, 1971, 278–280 19 I. AVOTINS, The Holders of the Chairs of Rhetoric at Athens, in: HSPh 79, 1975, 313–324 20 P. DESIDERI, Dione di Prusa: un intellettuale greco nell' impero romano, 1978 21 A. BRANCACCI, Rhetorike philosophousa: Dione Crisostomo nella cultura antica e bizantina, 1986 22 A. MICHEL, Rhétorique et philos. en second siècle après J.-C., in: ANRW II 34.1, 1993, 3–78 23 G. ANDERSON, The Pepaideumenos in Action: Sophists and Their Outlook in the Early Empire, in: ANRW II 33.1, 1990, 79–208 24 J. L. LIGHTFOOT, Romanized Greeks and Hellenized Romans, in: O. TAPLIN (Hrsg.), Literature in the Greek World, 2001, 239–266 25 S. J. HARRISON, Apuleius: a Latin Sophist, 2000. E. BO./Ü: B. ST.

Zwerg (griech. νᾶν[υ]ος/*nán[n]os*; lat. *pumilio, pumilus*). Die ägypt. Kunst überliefert ein reiches und vielseitiges Bild des Z.: Im ägypt. Volksglauben waren Zwerggötter wie Ptah-Pataikos (→ *pátaikoi*) und der Kinder- und Frauenfreund → Bes (s. Nachträge; vgl. → Mischwesen I.) als helfende Mächte vertreten und in Form von → Amuletten allgegenwärtig. Im menschlichen Alltag übernahm der Z. die Aufgaben eines Handwerkers und war bei der Betreuung von Kindern und der Körperpflege behilflich. Die meisten Darstellungen zeigen Z., die ebenso wie Krüppel zur Belustigung ihrer Herrschaften dienen.

Im Griech. ist das Bild einseitiger und weniger positiv. Mythische Z. wie die → Pygmäen und → Kerkopen sind unfromm und bösartig. Im menschlichen Bereich wurde der Z. als Luxus- und Prestigeobjekt gesehen. Er fungierte als Diener und → Unterhaltungskünstler beim Trinkgelage. Auch im röm. Kulturkreis waren Z. professionelle Spaßmacher. Die neue Vielfalt der Freizeitarchitektur erlaubte Auftritte im → Theater, Amphitheater (→ *amphitheatrum*) und in den → Thermen.

→ Behinderung (s. Nachträge); Randgruppen

N. HIMMELMANN, Rez. zu V. DASEN, Dwarfs in Ancient Egypt and Greece (1993), in: Klio 77, 1995, 448 f. AL. SCH.

Zwiebel s. Lauch

Zwillinge (griech. δίδυμοι/*dídymoi*; lat. *gemini*).
I. RELIGIONSWISSENSCHAFTLICH II. MEDIZIN
III. KULTURWISSENSCHAFTLICH

I. RELIGIONSWISSENSCHAFTLICH

Mehrlingsgeburten galten in der griech.-röm. Ant. als etwas Numinoses. Noch Plinius d. Ä. (1. Jh. n. Chr.) sah eine Geburt, bei der mehr als drei Kinder gleichzeitig auf die Welt kamen, als ein → *prodigium* an (Plin. nat. 7,33; vgl. Dig. 34,5,7). In den griech. Mythen wird die Geburt von Z. auf den Einfluß einer göttlichen Macht zurückgeführt. Man hielt einen Gott für ihren Vater oder ging von einer doppelten Befruchtung durch einen Gott und einen Menschen aus. Die → Dioskuroi Kastor und Polydeukes galten einerseits als Söhne des Zeus (Hom. Il. 3,237f.), andererseits als die des Zeus und → Tyndareos (Kypria fr. 5 KINKEL). Amphion [1] und Zethos [1] hielt man für Söhne des Zeus (Hom. Od. 11,260–265), daneben aber auch für Kinder des Zeus gemeinsam mit Epopeus, dem König von Sikyon (Paus. 2,6,4; → Antiope). Aufgrund dieser bes. Vorstellungen über ihre Zeugung galten Z. und ihre Mutter als tabu. Der Umgang mit ihnen war nach ant. Anschauung nicht ohne Gefahr für die Gemeinschaft, was das immer wiederkehrende myth. Motiv der Aussetzung von Z. und der verfolgten Z.-Mutter erklärt (vgl. → Antiope, → Tyro, → Melanippe [1]; → Aussetzungsmythen). Bei der Aussetzung von → Romulus [1] und Remus verweist Strabon ausdrücklich darauf, daß sie nach altem Brauch erfolgte (κατά τι πάτριον, *katá ti pátrion*: Strab. 5,3,2). Vergleichbare Vorstellungen zur Vaterschaft und ähnliche Verhaltensweisen gegenüber Z. finden sich auch bei Naturvölkern. In Verbindung mit der Vorstellung ihrer göttlichen Abstammung steht die Verehrung göttlicher Z.-Paare (z. B. Dioskuren, Amphion und Zethos). Magische Kräfte, die man ihnen zuschrieb, ließen sie zu Nothelfern und Stadtgründern werden. [1. 1122–1132; 2. 37–48; 3. 5–41].

II. MEDIZIN

Die Geburt von Z. wurde im ant. medizinischen Schrifttum einerseits auf außergewöhnliche Fruchtbarkeit der Eltern, v. a. der Mutter, andererseits auf exzessives Sexualverhalten mütterlicherseits zurückgeführt [2. 4–37]. Nach Hippokrates [6] entstehen Z. bei einem einzigen Koitus infolge von übermäßigem Samenausstoß (Hippokr. de natura pueri 31). Ist die Keimzelle beider Elternteile männlich, werden zwei Knaben geboren; ist sie weiblich, zwei Mädchen; ist sie jedoch männlich und weiblich, so kommen Z. unterschiedlichen Geschlechts zur Welt (Hippokr. de victu 30). Aristoteles [6] fügte diesem Modell die Theorie der Superfetation hinzu (Aristot. gen. an. 772b). Gemäß dieser Vorstellung hat eine Z.-Mutter kurz hintereinander Geschlechtsverkehr mit zwei verschiedenen Männern. Als Paradebeispiel führt er die Zeugung von → Herakles [1] und → Iphikles an, ferner verweist er auf eine Ehebrecherin, die Z. gebar, von denen ein Kind dem Mann, das andere aber dem Ehebrecher ähnlich sah. Sollten ungleichgeschlechtliche Z. geboren werden, so ist seiner Meinung nach immer Superfetation vorauszusetzen. (Aristot. hist. an. 584b–585a). Beide Erklärungsmodelle galten das ganze Altertum hindurch, bis christl. Autoren wohl aus moralischen Überlegungen die Superfetationstheorie ablehnten [3. 53–67].

Prädestiniert für Z. und Mehrlingsgeburten war nach ant. Ansicht Ägypten, da der Nil die Fruchtbarkeit steigere [2. 49–52; 3. 67–69].

In der ant. Überlieferung haben sich auch Nachrichten von siamesischen Z. erhalten. Bei Hesiodos (fr. 17–18 M.-W.) erscheinen die → Aktorione als siamesische Z., und Augustinus berichtet ebenfalls von solch einem Z.-Paar [3. 85–88].

Die Sterblichkeitsrate von Z. und ihrer Mutter, die in der ant. Lit. öfter thematisiert wird, muß bei schlechten sanitären und hygienischen Verhältnissen sowie Mangelernährung die normale Sterblichkeitsrate noch übertroffen haben [3. 80–85] (→ Geburt; → Sterblichkeit).

III. KULTURWISSENSCHAFTLICH

Der bes. Reiz, der von Z. ausging, war nach ant. Ansicht ihre verblüffende äußere Ähnlichkeit. Nach Hippokrates ist sie durch gleiche Geburtsumstände sowie das Aufwachsen in der gleichen Umwelt und dem gleichen sozialen Umfeld bedingt (Hippokr. de victu 30; Aug. civ. 5,2). Mit der Ähnlichkeit von Z. ist das häufig anzutreffende lit. Motiv ihrer Verwechslung verbunden (vgl. z.B. die Komödie *Menaechmi* des → Plautus, in deren Mittelpunkt Z. stehen). Allerdings sei die Gefahr, Z. zu verwechseln, nur für Außenstehende gegeben, wer ständig mit Z. Umgang pflege, könne sie sehr wohl unterscheiden lernen (Cic. ac. 2, 54–57). Ihre nahezu identische äußere Erscheinung erklärt ferner, warum man bereit war, ungeheure Summen für Z.-Sklaven zu zahlen [2. 56–80, 110–115; 3. 69–74, 111–115].

Ein weiteres Motiv in der ant. Lit. ist die Eintracht und Unzertrennlichkeit von Z. (zwei Beispiele von Z.-Paaren, die ihr ganzes Leben miteinander verbrachten: Anth. Gr. 7,551; 7,733). Diese Einträchtigkeit äußert sich im Mythos auch auf dem Gebiet der Liebe, wo Z. häufig mit (Z.)-Schwestern verbunden werden. Ferner ließ man Z. dieselbe Erziehung und Ausbildung zuteil werden [2. 65–80, 101; 3. 89–91, 105–109]. Neben dem Motiv der Eintracht werden aber auch erbitterte Streitigkeiten unter Z. thematisiert. Die Z. → Akrisios und → Proitos sowie Esau und → Jakob [1] sollen sogar schon im Mutterleib in Streit gelegen sein (Apollod. 2,2,1; Gn 25,22) [2. 194–197; 3. 93–99].

Die Frage der Erstgeburt dürfte bei Herrscherhäusern eine Rolle gespielt haben. Nach Herodotos [1] entstand das spartanische Doppelkönigtum, weil man nicht wußte, welcher von den Z. Eurysthenes [1] und Prokles [1] der ältere war (Hdt. 6,52) [3. 101–105].

Zumindest bei Sklavenkindern gab es Bestrebungen, gleichklingende Namen oder Namen mythologischer Z. zu geben [2. 130–192; 3. 109–111].

Zum Sternbild Z. vgl. → Sternbilder.

1 W. KRAUS, s. v. Dioskuren, RAC 3, 1122–1138 2 F. MENCACCI, I fratelli amici. La rappresentazione dei gemelli nella cultura romana, 1996 3 R. RATHMAYR, Z. in der griech.-röm. Antike, 2000.   R. RA.

Zwölfgötter (Δωδεκάθεοι/ *Dōdekátheoi*, lat. *Di Consentes*).

I. ALLGEMEINES II. GRIECHENLAND III. ROM

I. ALLGEMEINES

Z.-Gruppen sind ein bereits in der hell. Lit. behandeltes Thema, ihre Zusammensetzung ist die ganze Ant. hindurch Gegenstand der antiquarischen Spekulation. Dennoch stellten sie keine »monotheistische Dodekade« dar. Ihre Verehrung als feststehende Göttergruppe war, entsprechend den Strukturprinzipien des ant. → Polytheismus, nicht verpflichtend, ihre Zusammensetzung von Region zu Region verschieden [1. 360f.].

II. GRIECHENLAND

Z.-Gruppen erscheinen weder in Linear B noch in den homerischen Epen. Bereits [2. Bd. 1, 323] schloß aus der Bed. der Z. in Athen auf einen ionischen Ursprung. Zumindest für die griech. Entwicklung des Konzeptes der Z. kommt → Ionia durch seine Kontakte zu den altorientalischen Kulturen [1. 144–152] wohl eine wichtige Stellung zu; ein Interesse an der → Zahl Zwölf ist für diese Region belegt (Hdt. 1,143; vgl. zum Alten Orient [3. 15, 174f.]). Der früheste Befund ist der Altar der Z. auf der athen. Agora von ca. 522/1 v.Chr. (Thuk. 6,54; Hdt. 6,108); möglicherweise existierte aber bereits im frühen 6. Jh. ein Kult der Z. in → Olympia [1. 154f.]. Die → Atthidographen verlegten die Ursprünge des athen. Kultes der Z. in die mythische Frühzeit, Hellanikos (FGrH 4 F 6) etwa in die Zeit des → Deukalion. Im Drama, im Epos und in der darstellenden Kunst des 5. Jh. v.Chr. tauchen die Z. selten auf, vgl. aber bereits den → Parthenon-Fries mit den »Z.« Zeus, Hera, Poseidon, Athene, Ares, Aphrodite, Apollon, Artemis, Hephaistos, Dionysos, Hermes, Demeter. Eine derartige Z.-Gruppe wird allerdings erst Mitte des 4. Jh. kanonisch: Von nun an erscheinen Z.-Gruppen häufiger in der Lit. (z.B. Amphis fr. 9 KOCK) und darstellenden Kunst (Val. Max. 8,11,5). Mit der Entstehung der hell. Territorialreiche verbreitete sich der Kult der Z., aber auch ihre Erwähnung in der Lit. und Kunst über die gesamte Mittelmeerwelt [1. 187f.].

III. ROM

Eine röm. Z.-Gruppe ist durch das → *lectisternium* von 217 v.Chr. zuerst belegt: Iuppiter, Iuno, Neptunus,

Minerva, Mars, Venus, Apollo, Diana, Volcanus, Vesta, Mercurius, Ceres (Liv. 22,10,9; zum *lectisternium* von 399 v.Chr. als möglichem Vorläufer vgl. Liv. 5,13,6); die Z. erscheinen in dieser Zusammensetzung lit. zuerst bei Ennius (ann. 240f.). Sie heißen auch Di → Consentes (Varro antiquitates rerum divinarum fr. 208 CARDAUNS; Varro rust. 1,1,4). Ein angeblich originärer etr. Befund ist zwar spätere Konstruktion (Sen. nat. 2,41), könnte aber vielleicht etr. Rezeption rel. Vorstellungen aus Griechenland widerspiegeln. Die Z. treten in der lat. Lit. nur sporadisch auf (Plaut. Epid. 610f.; Ov. am. 3,2,43f.; Petron. 39,5), häufiger dagegen in der griech. Lit. der → Zweiten Sophistik (Lukian. deorum concilium 15). In der theologischen Spekulation der Kaiserzeit (Apul. de deo Socratis 2; Salustios, Perí theõn kai kósmu 6) werden sie ebenso zitiert wie in magischen Texten (PGM 2 Nr. 7, 862f.). In der Astronomie sind sie mit dem Zodiacus (→ Tierkreis) verbunden (Manil. 2,433f.; InscrIt 13,2,284f. Nr. 47). Häufig sind kaiserzeitliche Z.-Weihungen und Darstellungen in der Kunst [1. 257f.]. Ihre Ausbreitung in Hell. und Kaiserzeit läßt sich vielleicht mit der zeitgenössischen Tendenz zur Universalisierung rel. Vorstellungen verbinden.
→ Polytheismus; Theoi Pantes; Zahl

1 C. LONG, The Twelve Gods of Greece and Rome, 1987 (grundlegend) 2 WILAMOWITZ 3 M.L.WEST, The East Face of Helicon, 1997.

O. WEINREICH, s.v. Z., ROSCHER 6, 764–848.   C.R.P.

Zwölfstädtebund. Der Zusammenschluß von 12 Städten oder Stämmen zu einem Bund war eine alte und verbreitete Erscheinung im Mittelmeerraum und weit darüber hinaus (vgl. die 12 Stämme Israels). Die Zahl 12, die symbolische Bed. hatte, betonte die innere Geschlossenheit und zugleich die Abgrenzung nach außen. Polit./mil. Ziele im Sinne einer Wehrgemeinschaft oder einer Föderation zur Absprache gemeinsamer Politik sind bei keinem der ant. Z. zu erkennen, aber für die schlecht erschließbare frühe Phase der Z. in Kolonisationsgebieten (v.a. Ionische Wanderung, → Kolonisation II.; vgl. Hdt. 1,170) und in polit. Krisenzeiten (Hdt. 1,151; 1,170; 6,7) nicht auszuschließen. Z. scheinen vielmehr – ähnlich einer → amphiktyonía – kultische Vereinigungen gewesen zu sein, deren festliche Zusammenkünfte an einem rel. Zentrum und teilweise unter Leitung eines gemeinsamen Priesters die ethnische oder genealogische Einheit symbolisch verstärken sollten.

Z. sind v.a. in Etrurien und Kleinasien bekannt. Der etr. Z. hatte sein Zentrum im *fanum Voltumnae* in → Volsinii (Liv. 1,8,1–3; 4,35,5; 5,1,5; 10,16,3; Dion. Hal. ant. 6,75), wo sich die *principes Etruriae* jährlich trafen und auch ein gemeinsamer Priester (*sacerdos*) des Z. gewählt wurde. Der etr. Z. wurde wohl erst im 5. Jh. gegründet und erlosch spätestens 264 v.Chr. mit der Zerstörung Volsiniis. Von diesem Z. soll ein weiterer etr. Z. nördl. des Appennins in der Po-Ebene mit dem Hauptort Mantua begründet worden sein (Diod.

14,113,1f.; Liv. 5,33,7–10, vgl. Plin. nat. 3,19,130), der um 400 v.Chr. durch das Eindringen der Kelten aufgelöst wurde. Ein dritter etr. Z. in Campanien mit dem Hauptort Capua wurde 424 v.Chr. von den Samniten zerstört (→ Kolonisation V.).

In Kleinasien ist der bekannteste Z. der Bund der ionischen Städte um das → Panionion auf der Mykale (Hdt. 1,142f.; 1,148). Nördl. davon bestand der Z. der Aioler (ohne bekanntes Zentrum), der nach dem Übertritt Smyrnas in den ionischen Bund nur noch 11 Städte umfaßte (Hdt. 1,149). Der Zusammenschluß von sechs dorischen Städten im SW Kleinasiens um das Heiligtum von → Triopion legt die Vermutung eines urspr. dorischen Z. auf dem kleinasiatischen Festland und den dorisch besiedelten Inseln in der südl. Ägäis nahe.

In It. sind ähnliche Bünde bei den Samniten und den südital. Stämmen zu vermuten, aber nicht explizit belegt; auch der → Latinische Bund (mit Karte) wird in den Quellen nicht als Z. bezeichnet, obgleich der Fund von 13 Altären in → Lavinium diesen Schluß zuließe (falls der 13. Altar als Symbol der Einheit zu interpretieren ist). Im griech. Mutterland ist neben der aus 12 Mitgliedern bestehenden *amphiktyonía* um → Delphoi nur ein Bund von 12 »Teilen« (*mérē*) der Achaioi bekannt (Hdt. 1,145).   W.ED.

Zwölftafelgesetze, Zwölftafelrecht
s. Tabulae Duodecim

Zygaktes (Ζυγάκτης). Küstenfluß östl. von → Philippoi (App. civ. 4,105; 4,128); nicht identifiziert.   I.v.B.

Zygantis (Ζυγαντίς). Stadt in Libya (Hekat. FGrH 1 F 337: πόλις Λιβύης). Vielleicht sind die Ζύγαντες (*Zýgantes*) bei Steph. Byz. s.v. Ζυγαντίς mit den Γύζαντες (*Gýzantes*) bei Hdt. 4,194 identisch, da von beiden dieselbe Geschichte der Honiggewinnung erzählt wird. Evtl. lebten die Zygantes – zusammen mit anderen Volksstämmen – auf dem tunesischen Festland gegenüber der Insel Cercina.

J. DESANGES, Catalogue des tribus africaines, 1962, 97f. ·
K. ZIEGLER, s.v. Z., RE 10 A, 859f.   W.HU.

Zygioi (Ζύγιοι). Volksstamm an der Ostküste des Schwarzen Meeres (→ Pontos Euxeinos), der zw. den Achaioi [2] und den Heniochoi siedelte (Strab. 2,5,31; 11,2,1; 11,2,13f.: Ζυγοί; Dion. Per. 687 mit Eust. ad locum; Avien. descriptio orbis terrae 871) und seinen Lebensunterhalt mit Duldung des → Regnum Bosporanum durch Piraterie an den Küsten des Pontos Euxeinos bestritt (Strab. 11,2,12).

V.F. GAJDUKEVIČ, Das Bosporanische Reich, 1976, 311, 343.   I.v.B.

Zygritai (Ζυγρῖται). Libyscher Volksstamm westl. von → Katabathmos und östl. der Chattanoi (Ptol. 4,5,22), etwa in der Gegend von Sidi Barrani (h. Libyen).

J. DESANGES, Catalogue des tribus africaines, 1962, 174 ·
M. LEGLAY, s.v. Z., RE 10 A, 857.   W.HU.

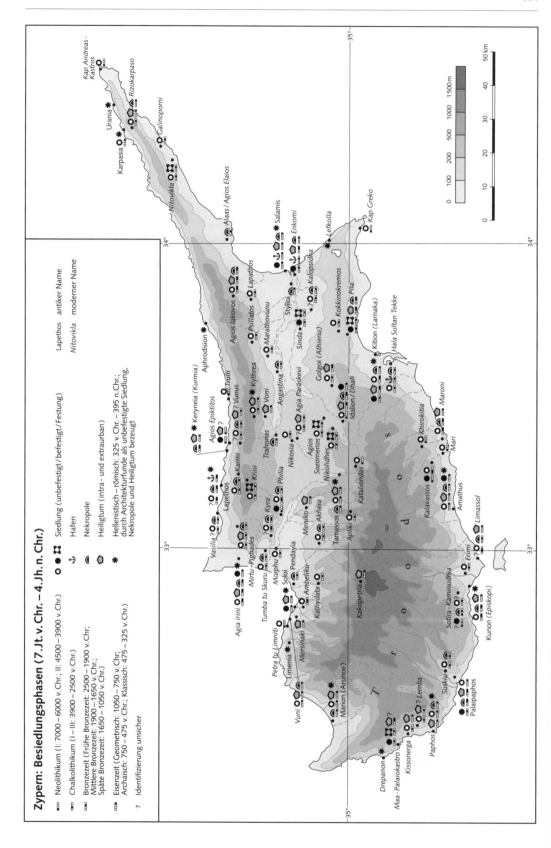

Zypern: Besiedlungsphasen (7.Jt. v. Chr. – 4.Jh. n. Chr.)

Neolithikum (I: 7000 – 6000 v. Chr.; II: 4500 – 3900 v. Chr.)

Chalkolithikum (I – III: 3900 – 2500 v. Chr.)

Bronzezeit (Frühe Bronzezeit: 2500 – 1900 v. Chr;
Mittlere Bronzezeit: 1900 – 1650 v. Chr.;
Späte Bronzezeit: 1650 – 1050 v. Chr.)

Eisenzeit (Geometrisch: 1050 – 750 v. Chr;
Archaisch: 750 – 475 v. Chr.; Klassisch: 475 – 325 v. Chr.)

? Identifizierung unsicher

○ ● ● Siedlung (unbefestigt / befestigt / Festung)

⚓ Hafen

◖ Nekropole

⬠ Heiligtum (intra- und extraurban)

✳ Hellenistisch – römisch: 325 v. Chr. – 395 n. Chr.;
durch Architekturfunde als unbefestigte Siedlung,
Nekropole und Heiligtum bezeugt

Lapethos   antiker Name

Nitovikla   moderner Name

Zypern   I. Neolithikum I und II
II. Chalkolithikum   III. Bronzezeit
IV. Früheisenzeit

I. Neolithikum I (Khirokitia-Kultur, ca. 7000–6000 v. Chr.) und II (Sotira-Kultur, 4500–3900 v. Chr.)

Die Besiedlung Z.s (zur Gesch. vgl. auch → Kypros II.) begann verhältnismäßig spät und unterschied sich wesentlich von der der benachbarten Regionen Anatoliens, Syriens und Palaestinas. Während dort kleine Gruppen von Jägern und Sammlern etwa in der Zeit um 9000/8000 v. Chr. allmählich zu seßhaften Bauern wurden, waren die frühesten Bewohner der Insel Z. von Anfang an Bauern, Viehzüchter, Jäger und Fischer, die etwa mit dem Beginn des vorkeramischen Neolithikums I (ca. 7000–6000 v. Chr.) verm. aus dem Vorderen Orient einwanderten. Zu den größten und bedeutendsten Siedlungen der frühen Bewohner zählen Khirokitia, Kalavassos-Tenta und Kap Andreas-Kastros im Süden; namengebend für das Neolithikum II ist Sotira-Teppes, daneben Agios Epiktitos-Vrysi, Philia-Drakos und Kalavassos-Tenta. Die Siedlungen bestanden aus dicht gedrängten, kleinen, runden oder elliptischen Hütten mit Steinfundamenten und aufgehendem Mauerwerk aus getrockneten und anschließend verputzten Lehmziegeln; figürliche → Wandmalerei ist überl. (Kalavassos-Tenta). Ein bis zwei zentrale Pfosten dienten als Stützen für das verm. kuppelförmige Dach aus Rohr und Lehm. Neben den üblichen Gebäuden (Philia-Drakos, Sotira-Teppes) sind auch in den Fels eingetiefte, rechteckige Grubenhäuser (Agios Epiktitos-Vrysi, Kalavassos-Tenta) mit Lehmwänden nachgewiesen, deren Inneres mit Holz ausgebaut und in kleinere Räume unterteilt war. Südpalaestinische Einflüsse (»Beersheba-Kultur«) wurden in den unterirdischen Grubenhäusern von Kalavassos A erkannt.

Die Toten wurden einzeln in einfachen Grubengräbern bestattet – innerhalb des Wohnhauses, später auch in unmittelbarer Nähe oder außerhalb der Siedlung. Bescheidene Beigaben waren Halsketten oder andere Gegenstände aus Stein oder Muscheln. Zu den herausragenden Artefakten des frühen vorkeramischen Neolithikums I zählen elegante, dünnwandige, polierte, rillen- oder reliefverzierte Schalen mit Ausguß (Khirokitia), schematisiert menschengestaltige, violinförmige Idole aus vulkanischem Andesit und die Darstellung eines Menschenkopfes (beide Khirokitia). Erste Töpfereiversuche wurden beobachtet (Khirokitia), die Flintindustrie war bescheiden, Metallarbeiten waren noch nicht bekannt. Die Keramik des Neolithikums II (Khirokitia, Agios Epiktitos-Vrysi, Sotira-Teppes, Dhali-Agridhi, Philia-Drakos) ist durch die *Red-on-White Ware* (rote Bemalung mit flächigen geom. und abstrakten Motiven auf weißem Grund) gekennzeichnet, daneben finden sich auch die seltene *Combed Ware* (Kammstrichverzierung) und die *Dark-Faced Burnished Ware*.

II. Chalkolithikum (ca. 3900–2500 v. Chr.)

Das Chalkolithikum in Z. war trotz einschneidender Zerstörungen durch Naturkatastrophen und deutlicher kultureller Veränderungen eine Phase der Kontinuität. Die Zahl der Siedlungen nahm rasch zu, die neolithischen Bauformen wurden in ihren wesentlichen Zügen fortgeführt (Erimi-Bambula, Lemba-Lakkus). Anfängliche massive Befestigungsanlagen (Khirokitia, Kalavassos, Agios Epiktitos-Vrysi, Philia-Drakos) erwiesen sich offenbar bald als überflüssig. Gräber und → Nekropolen sind nun häufiger belegt: erstmalig Schachtgräber ohne (*bottle-shaped pits*, Suskiu-Vathyrkakas), später mit kleinem → Dromos, s. Nachträge (Agios Paraskevi, Philia-Vasiliko, Sotira-Kaminudhia) und ein Kammergrab (Philia-Drakos). Als Grabbeigaben sind Halsketten, kleine Figürchen und Keramik belegt. Figürliche, schematisierte, kreuzförmige menschliche Idole beiderlei Geschlechts (mit angedeuteten Gliedmaßen und Gesichtszügen) sowie Tierdarstellungen wurden aus leicht zu bearbeitendem Steatit geschnitten, größerformatige Kalksteinstatuetten stellen nackte weibliche Figuren in hockender Position dar (Lemba-Lakkus) und sind erste Hinweise auf die zypr. Rel. (→ Kypros IV.). Im Chalkolithikum kam es zu einem enormen Fortschritt der Keramikindustrie; neben die neolith. *Red Lustrous Ware* trat die chalkolithische *Red-on-White Ware* (einfarbig rote Bemalung mit vielfältigen und geom. Motiven auf weißem Untergrund; Erimi-Bambula, Kissonerga-Myluthkia, Kissonerga-Mosphilia, Lemba-Lakkus). Erste bescheidene Kupferwerkzeuge und Geräte sind belegt (Meißel, Haken, spiralförmiges Ornament; Erimi-Bambula, Kissonerga-Myluthkia, Lemba-Lakkus, Suskiu-Vathyrkakas).

III. Bronzezeit
A. Frühe Bronzezeit   B. Mittlere Bronzezeit
C. Spätbronzezeit

A. Frühe Bronzezeit (ca. 2500–1900 v. Chr.)

Die Kenntnisse über die Frühe Brz. Z.s gründen nahezu ausschließlich auf den reich ausgestatteten Gräbern dieser Periode. Die überwiegend in Z. hergestellten, in manchen Fällen auch importierten Metallbeigaben dokumentieren einen wachsenden Wohlstand, der mit der zunehmenden Entwicklung des Metallhandwerks (→ Metallurgie II. A.) einherging. Hinweise auf die Herkunft des → Kupfers und dessen Verarbeitungsstätten sind jedoch nicht vor der Mittleren Brz. belegt (Ambeliku). Erste bescheidene Felskammergräber mit kurzem Dromos (Vunus) und reichen Bestattungen sind bekannt. Zu den frühesten Keramikerzeugnissen zählt die einfache *Philia Ware*, später wurde die handgemachte *Red Polished Ware* mit beträchtlicher Variationsbreite an Formen und Dekoration entwickelt. Daneben findet sich auch die *Black Polished Ware* (tiefe Linienverzierung), *Black-Slip-and-Combed Ware* und *Black Slip Painted Ware* (rote und weiße Bänder).

Wichtige Zeugnisse des rel. Lebens sind Tonmodelle von Heiligtümern mit Darstellungen von Opferszenen vor einer göttlichen Trias mit Stiermasken und Schlangen (Vunus, Kotchati, Kalopsida) oder der Bereitung des Totenmahls, ritzverzierte sog. *plank-shaped-idols* als Nachbildungen hölzerner Kultstatuetten von Frauen mit Kindern sowie die Verwendung rel. Symbole (Stierköpfe, Schlangen) auf Keramik.

B. Mittlere Bronzezeit (ca. 1900–1650 v. Chr.)

Für die Mittlere Brz. sind wieder Siedlungen auf Z. nachgewiesen: großzügige, mehrräumige, rechteckige Wohnstrukturen mit Findlingsfundamentierung, aufgehendem Lehmziegelmauerwerk und Flachdach, teils einen offenen Innenhof umgebend, teils zweistöckig, teils mit angrenzender Straße (Episkopi-Phaneromeni, Alambra-Mutes, Kalopsida). Reste von Werkstätten und reiche Werkzeugfunde (Flintartefakte; Mahlsteine) deuten auf beträchtliche handwerkliche Aktivitäten. Im Norden der Insel entstanden Festungsanlagen, die vornehmlich von lokalen Auseinandersetzungen zeugen (Dhikomo, Nitovikla, Agios Sozomenos, Krini).

Die Bestattungssitten blieben zumeist unverändert; neben Felskammergräbern mit engem Dromos finden sich neu → Tumulus-Gräber sowie der erste Nachweis eines Grabreliefs (Karmi-Palaealona). In der Keramik dominierte die *White Painted Ware*; regionale Unterschiede der mit dicker, glänzend roter Farbe aufgetragenen linearen (Kalopsida) und geom. (Lapithos) Verzierungsmotive sind ebenso kennzeichnend wie Experimente mit figürlichen menschlichen (Ohren, Augen, Mund, Brüste, Arme) und tierförmigen Appliken; daneben gab es Keramik wie *Red-on-Red*, *Red-on-Black* (Karpas-Halbinsel), *Red Polished*, *Black Slip* und *Red Slip* Waren. Im Süden von Z. ist noch immer eine ungebrochene Trad. der handwerklich hochentwickelten monochromen, strich- und reliefverzierten Keramik vom E. des Chalkolithikums zu erkennen, die erst während der Spät-Brz. von bemalter Ware abgelöst wurde. Figurengruppen mit Szenen des täglichen Lebens und die brettförmigen, nun allmählich realistischeren, mit Armen und Beinen versehenen Idole sind weiterhin Beispiele der handwerklichen Produktion; Schiffsmodelle sind vielleicht als Sinnbilder für die Vitalität der zypr. Exporthäfen zu verstehen.

Gleichzeitig wurden die Kupferrohstoffe des Landes in zunehmendem Maße ausgebeutet und in den Vorderen Orient exportiert. Für eine wachsende Verbindung mit den östl. Nachbarn und dem ägäischen Raum stehen Importfunde der *White Painted Ware* an der Levanteküste (→ Megiddo, → Ugarit) und in Kilikien bzw. vereinzelte Grabfunde mit Importen minoischer Keramik.

C. Spätbronzezeit (ca. 1650–1050 v. Chr.)

Nach anfänglich unruhigen Zeiten, die sich im Wiederaufbau und der Neuerrichtung von Festungsanlagen (→ Engomi, → Kition, Nikolidhes, Nitovikla) und entsprechenden Zerstörungshorizonten manifestieren, erlebte Z. in der frühen Spät-Brz. (ca. 1500 v. Chr.) eine wirtschaftliche Blüte, die nicht zuletzt auch von den friedlichen Verbindungen mit den kleineren und größeren Mächten im östl. Mittelmeerraum profitierte. Der reichliche Gebrauch von Stempel- und Rollsiegeln (→ Siegel) und der → kyprominoischen Schrift(en) auf Tontafeln und Tonzylindern, aber auch ein königlicher Briefwechsel mit → Amarna und → Ugarit (→ Amarna-Briefe) belegen die wirtschaftl. und diplomatischen Beziehungen Z.s. Um 1600 v. Chr. gegründete Küstenstädte wie Engomi, Maroni, Kition, Hala Sultan Tekke, Morphu und Agia Irini sind die Metropolen, die wichtige Einblicke in die fortifikatorischen Baumaßnahmen dieser Zeit geben; Beispiele für die Sakralarchitektur sind die Heiligtümer von Agios Iakovos, Mirtu-Pighades, Kition; die Wohnarchitektur mit Häusern, Bädern und sanitären Anlagen, Wasserentsorgung sowie großzügig angelegte Werkstätten für Töpferei und Kupferverarbeitung sind in Engomi, Kition, Apliki und Tumba tu Skuru belegt. Grabanlagen bestanden aus Felskammergräbern mit Dromos und Stomion (»Eingangsraum« zw. Dromos und Grabkammer), daneben finden sich kleine → Tholos- und größere Tumulusgräber (Engomi); Schachtgräber (Angastina, Akhera) oder aus Sandsteinquadern gebaute Gräber (Engomi), deren Vorbilder im ägäischen bzw. levantinischen (Megiddo) Raum zu suchen sind.

Die spät-brz. Keramikproduktion entwickelte zwei neue bedeutende, noch immer handgemachte Waren, die hart gebrannte *White Slip Ware* mit glatter Oberfläche, dickem weißen Überzug und bräunlichoranger oder bichromer geom. Bemalung sowie die metallisch aussehende, dünnwandige *Base Ring Ware* mit glänzender Oberfläche und plastischen Auflagen. Regionale Keramikstile (*White Painted Ware*) wurden im NW Z.s entwickelt (Morphu, Pendayia, Mirtu). Erste östl. Einflüsse zeigen z. B. die mit Vögeln und Menschen figürlich bemalten Kannen der *Bichrome Wheelmade Ware*, die importierte *Tell el-Yahudiya Ware* und die Flaschen der *Red Lustrous Wheelmade Ware*. Exporte der *Base Ring Ware* an die Levanteküste und nach Äg. sowie zahlreiche Funde (Engomi, Pila, Hala Sultan Tekke, Maroni, Kurion) von in großem Stil auch von Griechen lokal gefertigter myk. Keramik des 14.–13. Jh. v. Chr. (z. B. Zeus-Krater mit Szene aus der Ilias) spiegeln die intensiven wirtschaftl. und kulturellen Beziehungen Z.s wider (→ Mykenische Kultur und Archäologie C.3.).

Reich mit Beigaben ausgestattete Gräber (Engomi, Kition, Agios Iakovos, Maroni) bargen teils importierte, teils in Z. selbst gefertigte exotische Luxusobjekte aus Gold und Silber, geschnittenen Steinen und Elfenbein, → Fayence und Alabaster. Den florierenden zypr. Kupferexport in den Westen belegen Schiffswracks (vgl. → Schiffbau; → Wrackfunde) mit Barrenladungen dieses wichtigen Rohstoffs auf der Seefahrtsroute entlang der türkischen Küste.

Z. entging nicht den Unruhen im östl. Mittelmeerraum während des späten 13. und frühen 12. Jh. v. Chr.

(→ Seevölkerwanderung; Zerstörungshorizonte in Kition, Engomi und andernorts auf der Insel), erholte sich aber rasch und erlebte eine Zeit der Blüte und des Reichtums. Die bedeutendsten urbanen Zentren Kition, Engomi, Palaipaphos, Hala Sultan Tekke und Maa-Paleokastron wurden umfassend renoviert und mit der Übernahme der Quaderbauweise (→ Mauerwerk B.3.) in der Profan- und Sakralarchitektur grundlegend neugestaltet. Alte Heiligtümer und Tempelanlagen (Kition, Engomi) wurden erweitert und neue errichtet (Palaipaphos, Mirtu-Pighades, Golgoi). Kultstatuetten des »Gehörnten Gottes« und des »Barrengottes« als Protektoren, aber auch die enge räumliche Verbindung von Kultstätte und Handwerksviertel in den Heiligtümern (Kition) unterstreichen die in Z. florierende Kupferproduktion. Metallhandwerk, Elfenbeinschnitz- und Goldschmiedekunst erreichten einen bis dahin ungekannt hohen Standard (Kition, Palaipaphos). Die zypr. Keramikindustrie wurde von importierten und lokalgefertigten myk. Waren fraglos in den Schatten gestellt, doch keinesfalls verdrängt.

IV. FRÜHEISENZEIT (CA. 1050–750 V. CHR.)

Etwa um die Mitte des 11. Jh. v. Chr. wurden die großen spät-brz. Städte Engomi, Kition und Hala Sultan Tekke wohl infolge einer Naturkatastrophe zerstört und aufgegeben. Die Hafenstadt → Salamis [2] wurde neu gegründet und nahm Engomis Rolle ein, Kition wurde teils wiederaufgebaut, teils näher zur Küste verlagert, Kurion, Lapithos und Palaipaphos-Skales gewannen an Bedeutung.

Die nachfolgende kypro-geom. Periode (ca. 1025–750 v. Chr.) war eine Zeit des Wachstums und der friedlichen Beziehungen Z.s zum Orient, dem zentralen und dem westl. Mittelmeerraum, wie zypr. und orientalische Importe eindrucksvoll illustrieren. Die mit vielfältigen geom. Motiven bemalte kypr.-geom. Keramik war typisch für diese Zeit; ihr Einfluß auf die geom. Keramik des Westens war prägend. Qualitätvolle Metallfunde zeugen von florierendem Handwerk, und die Kenntnis der Dolch- und Schwertschmiedekunst mag tatsächlich von Z. aus nach Griechenland gelangt sein.

Um die Mitte des 9. Jh. v. Chr. manifestierte sich phöniz. Einfluß in Z. (→ Phönizier, Punier III. A.). Aber von wenigen einschlägigen (Agia Irini, Lapethos, Salamis, Amathus, Palaipaphos-Skales), teilweise auch schriftlich überl. (Kition) Orten abgesehen, sind es eher die materielle Hinterlassenschaft und der Einfluß auf das zypr. Handwerk (Keramik, Elfenbein), die von einer Präsenz der Levantiner zeugen; von einer phöniz. Besiedlung kann nicht gesprochen werden. In Kition entstand ein phöniz. → Astarte-Tempel über den Resten des spät-brz. Heiligtums.

→ Ägäische Koine; Amarna-Briefe; Kyprisch; Kypros; Metallurgie II. A.; Mykenische Kultur und Archäologie; Phönizier, Punier (mit Karte); Schiffahrt; Schrift (mit Karte); Tongefäße; Wrackfunde; ZYPERN

1 H. G. BUCHHOLZ, V. KARAGEORGHIS, Altägäis und Altkypros, 1971 2 H. W. CATLING, Cyprus in the Neolithic and Chalcolithic Periods, in: CAH 1,1, 539–556 3 Ders., Cyprus in the Middle Bronze Age, in: CAH 2,1, 165–175 4 E. GJERSTAD u. a., The Swedish Cyprus Expedition. Finds and Results of the Excavations in Cyprus 1927–1931, Bd. 1–3, 1934–1937 5 Ders., The Cypro-Geometric, Cypro-Archaic and Cypro-Classical Periods (The Swedish Cyprus Expedition, Bd. 4.2), 1948 6 V. KARAGEORGHIS, Cyprus. From the Stone Age to the Romans, 1982 7 E. LIPIŃSKI, s. v. Chypre, DCPP, 108–112 8 F. PRAYON, Kleinasien vom 12. bis 6. Jh. v. Chr. Siedlungen, Heiligtümer, Funde (TAVO B IV 9), 1991 9 A. T. REYES, Archaic Cyprus, 1994. CH. B.

Zypresse. Von der Coniferengattung lat. *cupressus* (seit Enn. ann. 262 (223) und 490 (511); spätlat. *cyparissus*, Isid. orig. 17,7,34; κυπάρισσος/*kypárissos*, wohl aus dem Voridg., schon bei Hom. Od. 5,64) mit 14 Arten kam nur die Wildform C. sempervirens L. mit der Variante C. horizontalis (*C. mas* bei Plin. nat. 16,141) in SO-Europa vor. Häufiger wurde jedoch die alte, auf Zypern und Kreta (der angeblichen Heimat: Theophr. h. plant. 3,1,6; Plin. nat. 16,141) verbreitete bekannte Kulturform [1. 34 ff.] der Variante c. pyramidalis (*C. femina*: Plin. nat. 16,141; auch schon Cato säte sie aus: Cato agr. 48,1; 151), die (vielleicht wegen ihrer Flammenform) dem → Apollon heilige Pflanze, bes. um sakrale Stätten wie Gräber angepflanzt. Abgeschnittene Zweige galten als Trauersymbol. Nach Ovid (met. 10,106–142) wurde der von Apollon geliebte Jüngling → Kyparissos wegen seiner Trauer über die ungewollte Erlegung eines heiligen Hirsches in eine Z. verwandelt [2. 35]. Dieser Nadelbaum war außerdem dem → Asklepios und dem → Hades (Pluto), den Göttinnen (in ihren chthonischen Aspekten) → Kybele, → Artemis, → Eurynome, → Persephone und der schwarzen → Aphrodite (in Korinth), der → Hera und → Athena sowie auf Zypern dem phönizischen Beroth geweiht. Er galt deshalb als allg. Symbol für eine weibliche Gottheit in ihrer Doppelbeziehung zu Zeugung und Tod.

Das haltbare und duftende Holz wurde zu Götterbildern, Palasttüren (z. B. denen des Odysseus, Hom. Od. 17,340) und Tempeltoren (wie beim Artemistempel in → Ephesos, Theophr. h. plant. 5,4,2; Plin. nat. 16,215), zum Hausbau (Theophr. h. plant. 5,7,4) sowie u. a. zu Schmuckkästchen (Hor. ars 332) verarbeitet, von den Phöniziern auch zu Schiffen. V. a. die Zapfen wurden wie auch die Blätter der Z. als adstringierendes und kühlendes Mittel (Dioskurides 1,74 WELLMANN = 1,102 BERENDES) sowie tiermedizinisch (vgl. Pall. agric. 14,4,1; 14,7,2; 14,34,3) verwendet.

1 K. KOCH, Die Bäume und Sträucher des alten Griechenlands, ²1884 2 H. BAUMANN, Die griech. Pflanzenwelt, 1982. C. HÜ.

Zypriotische Schrift. Sammelbegriff für griech. Schriften seit der 2. H. des 11. Jh. n. Chr., v. a. auf der Insel Zypern, z. T. aber auch in Palaestina, die erst ab der

Mitte des 12. Jh. bis zum 14. Jh. ihre charakteristischen Züge vollständig entwickelten. Zu ihnen zählt bes. der sog. »Epsilon-Stil«, ein senkrechter, kalligraphischer Stil mit von unten ausgeführten Pseudo- → Ligaturen, in zwei Ausprägungen: einer rechteckigen sowie einer kleinen runden. Letztere ist häufig vertreten in der sog. »Familie 2400« der (oft Miniatur-)Hss. des NT. In der 2. H. des 13. Jh. verliert dieser Stil seine charakteristischen Eigenheiten. Im 14. Jh. finden sich sowohl eine quadratische, eher archaisierend anmutende Schrift als auch eine *bouclée*-Schrift, die nach rechts geneigt ist und deren Buchstaben und Ligaturen mit ösenförmigen Strichen versehen sind. Beide Schrifttypen begegnen in der Regel auf Hss. mit orientalischem Papier mit schwarzer Tinte. Im 15. Jh. erscheint hauptsächlich nur noch der herkömmliche Stil, die Quadratschrift des vorangegangenen Jh.

P. CANART, Les écritures livresques chypriotes du XIᵉ au XVIᵉ siècle, in: Πρῶτο Διεθνὲς Συμπόσιο Μεσαιωνικῆς Κυπριακῆς Παλαιογραπηίας/First International Symposium on Mediaeval Cypriot Palaeography, 1989, 27–53.   P. E.

Zythos s. Bier II.

Nachträge

zu den Bänden 1–12/1

Hinweise zur Benutzung der Nachträge

Die Nachträge umfassen neu aufgenommene Artikel und ergänzte Textabschnitte sowie Abbildungen zu bereits gedruckten Artikeln (jedoch keine Corrigenda, dazu siehe Spalte 1183).

1. Zählung: Homonymennummern von römischen und griechischen Eigennamen, die gemäß den Sortierungskriterien (vgl. Vorwort zu Bd. 3) hinter den bereits gedruckten Nummern einzuordnen sind, werden weitergezählt: Auf den bisher letzten *Mithradates [21]* folgen jetzt *Mithradates [22]* und *[23]*. Sind die neuen Homonymennummern systematisch zwischen bereits gedruckte Artikel einzufügen, erhalten sie eine Nummer zwischen den bereits gedruckten Zahlen (in Einzelfällen noch vor dem ersten Eintrag): *Antipatros [7a]* wird zwischen *Antipatros [7]* und *Antipatros [8]* eingefügt; *Cosconius [II 0] Celsus* wird vor *Cosconius [II 1] Gentianus* einsortiert.

2. Neue Artikelabschnitte: Wenn neue Unterkapitel zu einem bereits gedruckten Artikel nachzutragen sind, werden sinngemäß die Überschriftenzahlen weitergezählt: Auf den bisher letzten Abschnitt von *Fides II. Recht* folgt jetzt *Fides III. Christlich*. Sind solche Kapitel systematisch zwischen bereits gedruckte Abschnitte einzufügen, erhalten sie eine Nummer zwischen den bereits gedruckten Zahlen: Bei den Gliederungsüberschriften wird *Frau I.* Minoisch-mykenisch* nach *Frau I. Alter Orient, Ägypten und Iran* und vor *Frau II. Griechenland und Rom* einsortiert.

A

Abacus

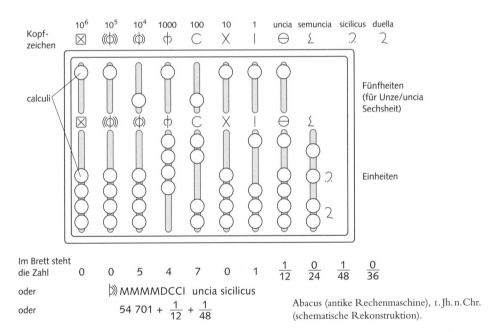

Im Brett steht die Zahl 0   0   5   4   7   0   1 $\frac{1}{12}$ $\frac{0}{24}$ $\frac{1}{48}$ $\frac{0}{36}$

oder)) MMMMDCCI uncia sicilicus

oder 54 701 + $\frac{1}{12}$ + $\frac{1}{48}$

Abacus (antike Rechenmaschine), 1. Jh. n. Chr. (schematische Rekonstruktion).

Accenna. [M.?] A. Verus. Suffektconsul 125 n. Chr. zusammen mit P. Lucius Cosconianus [1; 2]. Er stammte wie die anderen senatorischen Accennae aus der Baetica; vgl. [3. 27 ff.].

1 W. Eck et al., Neue Militärdiplome mit neuen Konsulndaten, in: Chiron 32, 2002 (im Druck) 2 W. Eck, P. Weiss, Hadrianische Suffektkonsuln: Neue Zeugnisse aus Militärdiplomen, in: ebd. (im Druck) 3 Caballos, Bd. 1.

W. E.

Acilius

[II 12] A. Strabo. Nach den *Fasti Septempedani* (AE 1988, 419) Suffektconsul 80 n. Chr., möglicherweise Sohn von L. A. [II 11] Strabo. In diesem Fall fällt die Statthalterschaft in Niedergermanien, wenn sie aus ILS 3456 entnommen werden darf, erst in domitianische Zeit.

[II 13] P. A. Theodorus. *Vir perfectissimus, praeses* der Prov. Alpes Graiae, wohl 3. Jh. n. Chr. (AE 1998, 872).

W. E.

Actium s. Aktion

Adria s. Ionios Kolpos

Ägäis s. Aigaion Pelagos

Aelius

[II 0] Ae. Aemilianus. *Praefectus classis Misenensis*, am 28. Dezember 247 n. Chr. bezeugt (CIL XVI 152); 248 oder 249 wurde er zum *praefectus vigilum* befördert (unpubliziertes Dokument), vielleicht als Nachfolger von Faltonius Restitutianus.

[II 5a] P. Ae. Brutt[ianus] Lucianus. Proconsul der Provinz Lycia(-Pamphylia), kaum vor E. des 2. Jh. n. Chr. (IGR III 776); der bisher vermutete Name Brutt[ius] ist zu Brutt[ianus] zu verändern. Er dürfte aus der Prov. Cilicia stammen. Ein Verwandter war verm. ein P. Aelius Bruttianus, ὁ κράτιστος [1].

> 1 W. ECK, Eine Senatorenfrau aus Elaiussa Sebaste, in: EA 33, 2001, 105–110.

[II 13a] Ae. Iulianus. Finanzprocurator von Syria Palaestina, nicht vor der Zeit des Severus Alexander (222–235 n. Chr.; AE 1985,830b = [1]).

> 1 C. M. LEHMANN, K. G. HOLUM, The Greek and Latin Inscriptions of Caesarea Maritima, 2000, 46f.

[II 17a] L. Ae. Oculatus. Suffektconsul mit Q. Gavius Atticus, am 30. Mai 85 n. Chr. bezeugt (CIL XVI 18 und ein unpubliziertes Diplom); nach den *Fasti Ostienses* (FO² 44) dauerte der Konsulat wohl vom 1. Mai bis 30. Juni.

[II 17b] P. Ae. Panopeus. Kaiserlicher Freigelassener und Procurator in Ägypten unter Marcus [2] Aurelius und Lucius Verus.

> S. DEMOUGIN, J.-Y. EMPEREUR, Inscriptions d'Alexandrie I: Un nouveau procurateur Alexandrin, in: J.-Y. EMPEREUR (Hrsg.), Alexandrina 2 (Études Alexandrines 6), 2001, 149ff. (Verbesserung von AE 1998,1480).   W.E.

Aemilius

[II 15] C. Ae. Severus Cantabrinus. Senator, *cos. suff.* mit einem L. Iulius Messala Rutilianus unter Commodus, am 11. Aug. wohl des J. 192 n. Chr. bezeugt (CIL XVI 132).

> B. PFERDEHIRT, Ein neues Militärdiplom für Pannonia inferior vom 11.8.193 n. Chr., in: Arch. Korrespondenzblatt 32, 2002, 247ff.

[II 16] L. Ae. Sullectinus. *Praefectus classis Ravennatis* 202 n. Chr. [1]. Auch in CIL XIII 1770 ist er bezeugt; vgl. [2; 3. 261ff.].

> 1 B. PFERDEHIRT, Vier neue Militärdiplome im Besitz des Röm.-Germ. Zentralmuseums, in: Arch. Korrespondenzblatt 31, 2001, 261–280 **2** W. ECK, Prosopographische Bemerkungen, in: ZPE 139, 2002, 208–210 **3** F. VON SALDERN, Bemerkungen zu einem Militärdiplom von 202, in: Arch. Korrespondenzblatt 32, 2002.   W.E.

Aeneas s. Aineias

Aerarium militare. Da der röm. Senat in der Zeit der Republik nicht bereit war, die Soldaten nach ihrer Entlassung aus dem Heer durch Landzuteilung oder Geldzahlungen zu versorgen, übernahmen dies einzelne Feldherrn in eigener Verantwortung. Damit entstand eine Loyalität der Soldaten gegenüber ihren Feldherrn, die seit der Diktatur Cornelius [I 90] Sullas entscheidend zur polit. Destabilisierung der Republik beitrug. Als der jüngere Caesar (C. Octavius) sich 31 v. Chr. in den Bürgerkriegen gegen seine Gegner durchgesetzt hatte, verdankte er seine Macht wesentlich den Legionen; er akzeptierte jedoch die polit. Trad. Roms und suchte die Kooperation mit den Senatoren. Unter diesen Umständen war es für ihn notwendig, die Versorgung der → Veteranen neu zu regeln. → Augustus rühmte sich im Tatenbericht, er habe 860 Mio HS aus eigenen Mitteln aufgewandt, um Land für die zw. 30 und 14 v. Chr. entlassenen Soldaten aufzukaufen, und danach 400 Mio HS für Geldzahlungen an die Soldaten (R. Gest. div. Aug. 16). Angesichts der Höhe der *praemia* – 12 000 HS für einen Soldaten und 20 000 HS für einen Praetorianer – war die Versorgung der Veteranen eine schwere finanzielle Belastung, und die lange Dienstzeit der Soldaten, die ein Grund für die Meutereien des J. 14 n. Chr. war (Tac. ann. 1,17,2), belegt die Schwierigkeit des Princeps, diese *praemia* zu zahlen. Aus diesem Grund schuf Augustus 6 n. Chr. das *a. m.*, das den Soldaten die *praemia* auszahlen sollte (R. Gest. div. Aug. 17,2; Cass. Dio 55,24,9–25,6; Suet. Aug. 49,2; Tac. ann. 1,78). Dio nahm fälschlich an, daß das *a. m.* für die Zahlung des → Soldes zuständig war. Diese Maßnahme war polit. stark umstritten, und Augustus konnte sie nur durchsetzen, indem er vom Senat einen Alternativvorschlag forderte.

Die Ausgaben des *a. m.* wurden durch eine fünfprozentige Erbschaftssteuer (→ *vicesima*) finanziert, von der nur nahe Verwandte und sehr arme Bürger befreit waren, außerdem durch eine einprozentige Steuer auf Auktionen. Augustus selbst zahlte aus seinem Vermögen 170 Mio HS an das *a. m.* und versprach weitere jährliche Beiträge; außerdem nahm er auch für diesen Zweck Schenkungen von Königen und Städten an. Es handelte sich um die ersten direkten → Steuern für die röm. Bürger seit 167 v. Chr., und angesichts der fortdauernden Ablehnung dieser Steuern schlug Augustus 13 n. Chr. eine Steuer auf Landbesitz vor, die aber noch weniger akzeptiert wurde; deswegen wurde das bestehende System beibehalten (Cass. Dio 56,28,4–6).

Das *a. m.* wurde von drei → *praefecti* [2], Senatoren im praetorischen Rang, verwaltet; sie wurden durch Los bestimmt, nahmen diese Aufgabe für drei Jahre wahr und hatten jeweils zwei Lictoren. Im späten 2. Jh. wurden sie direkt vom Princeps bestimmt und hatten keine Lictoren mehr. Plinius [2] d. J. ist der bekannteste der Praefekten des *a. m.* (ILS 2927; wahrscheinlich 94–96 n. Chr.), aber er berichtet nichts über seine Amtstätigkeit. Wichtigste Zeugnisse zu den Praefekten des *a. m.* sind die Inschr. Die Praefekten nahmen die Geldzahlungen vor und führten die Bücher, wobei sie dafür verantwortlich waren, daß die Gelder für die voraussichtliche Zahl der Entlassungen auch ausreichten; wahrscheinlich hatten sie zu ihrer Unterstützung Hilfspersonal. Die Praefektur des *a. m.* bedeutete keineswegs die Aussicht auf den Konsulat. Polit. erfolgreich waren v. a. die Senatoren, die wie Plinius auch die Praefektur des *aerarium Saturni*, die wohl angesehener war, innegehabt hatten. Die Praefektur des *a. m.* bestand wenigstens bis zur Mitte des 3. Jh. n. Chr.

→ Aerarium

1 M. CORBIER, L'Aerarium Saturni et l'Aerarium Militare, 1974.   J. CA.

Aes grave

Name	Zeichen	Gewicht
As	I	1 Pfund (12 Unciae)
Semis	S	½ Pfund (6 Unciae)
Triens	····	4 Unciae
Quadrans	···	3 Unciae
Sextans	··	2 Unciae
Uncia	·	1 Uncia
Semuncia	₤	½ Uncia

Gewichtseinheiten des Aes grave   A. M.

Äsop, Aesopus s. Aisopos; Aisop-Roman

Aetna s. Aitne [1]

Ager Romanus ist – in Abgrenzung zum *ager peregrinus*, dem »fremden Territorium« – das zu Rom gehörige und von röm. Bürgern bewohnte Staatsgebiet Roms (einschließlich der Stadt). Es bestand aus Grundstücken in privatem Eigentum (*ager privatus*) und Land in öffentlichem Besitz (→ *ager publicus*). Teile des *ager publicus* konnten durch Ansiedlung röm. Bürger (*assignatio viritim*, »Mann für Mann«; oder in geschlossenen Bürgerkolonien, vgl. → *coloniae* C.) zu *ager privatus* werden, aber auch wieder ganz aus dem *a. r.* ausscheiden und zu *ager peregrinus* werden, wenn darauf Kolonien → latinischen Rechts (→ *coloniae* D.) mit eigenem Staatsgebiet gegründet wurden.

Die Fläche des *a. r.* betrug nach Schätzungen von [1. 619–621] und [3. 26–43] zu Beginn der röm. Republik (um 500 v. Chr.) 822 km², verdoppelte sich fast mit der Eroberung von → Veii (396 v. Chr.; 1510 km²), vergrößerte sich bis zur Eingliederung Latiums (→ Latinerkriege, s. Nachträge) auf 5289 km² (338 v. Chr.) und erreichte 264 v. Chr. nach Abschluß der Eroberung Italiens (→ Italia) das 30fache der urspr. Größe (24 000 km²), während sich die röm. Bevölkerung kaum verdreifachte (Censuszahlen: 503 v. Chr. = 120 000; 265 v. Chr. = ca. 290 000). Nach dem Hannibalkrieg (→ Punische Kriege II.) wurde der *a. r.* durch Konfiskationen

in Campania und in Süditalien erheblich erweitert (um ca. 10 000 km² nach Schätzung von [2. 73]). Nach dem → Bundesgenossenkrieg [3] und der Verleihung des Bürgerrechts an alle Italiker und deren Zulassung zu den röm. → *tribus* (87 v. Chr.) war der *a. r.* identisch mit Italien südl. des Po und wurde zuletzt durch Caesar (49 v. Chr.) auf das Gebiet zw. Po und Alpen ausgedehnt.

1 BELOCH, RG 2 Ders., Der Italische Bund unter Roms Hegemonie, 1880, 43–77 3 BRUNT 4 M. KASER, Die Typen des röm. Bodenrechts, in: ZRG 62, 1942, 1–81.   W. ED.

Agon (ἀγών).

I. BEGRIFF   II. BILDHAFTE VERWENDUNG
III. GRIECHISCHE UND RÖMISCHE AGONE
IV. »AGONALES PRINZIP«

I. BEGRIFF

Seit den homerischen Epen steht *a.* für »Versammlung(splatz)« und »(Wett-)Kampf(platz)«. *A.* als Kampf ist nicht auf sportliche und künstlerische → Wettbewerbe beschränkt, sondern kann auch Rechtsstreit (Demosth. or. 15,30), schwere Herausforderung (Soph. Trach. 159), angestrengtes Bemühen (Hdt. 7,209) oder riskante Bewährungsprobe (Xen. Kyr. 3,3,44) bezeichnen. Entsprechend finden die zugehörigen Begriffe Verwendung: ἀγωνίζεσθαι (*agōnízesthai*, »wettkämpfen, wetteifern«), ἀγωνιστής (*agōnistés*, »Kämpfer, Streiter«), ἀγώνισμα (*agónisma*, »Kampf, Gegenstand des Wettstreits, Kampfpreis«) etc.; auch ἀγωνία (*agōnía*, mit der Konnotation »Anspannung vor der Entscheidung«, sodann »Angst«, schließlich »Todesangst, -kampf«). In der lat. Lit. wird die griech. Terminologie des *a.* meist beibehalten; Ersatz bietet *certamen* (und Verwandtes).

II. BILDHAFTE VERWENDUNG

In nachklassischer Zeit wird *a.* häufig bildhaft gebraucht [10. 189–206]: in philos. Schriften im Sinne der Übung in der ἀρετή (*areté*, → »Tugend«), generell des Lebenskampfes, in jüdisch-theologischer Lit. im Sinne des Leidens und Todeskampfes der Märtyrer ([1. 135 f.] mit Beispielen); im apokryphen *Testamentum Iob* (4,10; vgl. 27,3–5) wird der standhafte Hiob mit einem Boxer verglichen, der den Siegeskranz erringt. Beide Trad. bestimmen auch die Verwendung von *a.* im NT, dort nahezu beschränkt auf die (deutero-)paulinischen Briefe (zentral: Phil 1,27–30; 1 Kor 9,24–27): Ringen um den vollkommenen Menschen (Kol 1,28 f.), um den unvergänglichen Siegeskranz (2 Tim 4,6–8); Kampf gegen Widerstände und Gefahren (1 Thess 2,2); Leidenskampf und Martyrium (1 Tim 6,11 f.); Kampf um das eigene Heil und das der Vielen (Lk 13,24; Kol 2,1 f.; 4,12 f.) [1. 136–139]. Die bildhafte Verwendung des *a.* ist im NT meist deutlich von der für ähnliche Sachverhalte stehenden mil. Metaphorik geschieden (dazu [2]). In frühchristl. Lit. und bei den Kirchenvätern bleiben die genannten agonalen Bilder erh.; der Schwerpunkt liegt – neben dem spirituellen Kampf des Menschen gegen das Böse (vgl. Augustins Bekehrung, Aug. conf. 8,9–11, und seine Schrift *De agone Christiano*, PL 40,289–310) –

auf der Vorstellung vom Lebenskampf, dessen Entscheidung im Martyrium fällt, des Sieges um der eigenen Seligkeit willen (als asketisches Ziel) bzw. des generellen Triumphes der Kirche: 2 Clemens 7 über den unvergänglichen *a.* des Christen; Acta Thomae 39: Christus als vorbildhafter Kämpfer im *a.* (hier z. B. Vermischung agonaler und mil. Terminologie, vgl. Cypr. epist. 10,4f. vom Jahr 250); Greg. Nyss. de beatitudinibus orat. 8 (1301 M; opera 7.2, 170): Christus zugleich Kampfrichter im *a.* der Christen und ihr Siegespreis (vgl. auch [3] s. v. ἀγωνιστής); Basil. homilia 13 in sanctum baptisma (PG 31,440): Beispielhaftigkeit des *a.* für das Ringen des »als Starter registrierten Athleten der Frömmigkeit«; Aug. civ. 14,9: Paulus, der Athlet Christi, der siegreich den großen *a.* bestreitet. Zu weiteren Belegen s. [3]. Tertullianus bedient sich (neben mil.) umfassend des griech. *a.*-Vokabulars (Tert. ad martyras 3).

III. GRIECHISCHE UND RÖMISCHE AGONE

Die Herkunft des griech. *a.* aus dem Totenkult hat [4] in einer eindrucksvollen Studie zu zeigen versucht (vgl. [5]): Seine Theorie, daß dem *a.* ein ritueller Kampf zugrunde liege (der Unterlegene sühnt den Tod eines Verstorbenen; → Menschenopfer), ist umstritten (vgl. z. B. [6. 204f.]), desgleichen, ob von diesem bewaffneten Kampf eine Verbindung zu den in der Ant. vielfach bezeugten Leichenspielen [7; 8] herzustellen ist, die ihrerseits Vorbilder für sportliche *agṓnes* werden konnten (ausführlich [6. 202–213]). Zwar darf man in Totenkult und Totenbräuchen eine wichtige Wurzel für griech. Sportfeste sehen (→ Sportfeste IV.), ihre alleinige Herleitung über diese Linie, wie sie auch die ant. Quellen nahelegen, scheint aber ausgeschlossen [9. 78–109]. Der *a.* wurde auch Thema der Dichtung, bes. ausgeprägt im Drama (→ Wettbewerbe, künstlerische II.A.; zu Euripides vgl. [20]).

Für die Entstehung der röm. Gladiatorenspiele dürfte ein kultisch-rel. Ursprung hingegen sicher sein (→ *munus, munera* III.; [10. 229–243]); auch für eine ursprüngliche Form des sog. Troia-Spiels (→ *Troiae lusus*), das Vergil in die Beschreibung der Leichenspiele für → Anchises integriert hat (Verg. Aen. 5,545–603: ohne Entsprechung bei den homerischen für Patroklos, Hom. Il. 23) wird man diesen vermuten können [11].

Zu einzelnen Agonen s. → Isthmia; → Kapitoleia; → Nemea [3]; → Olympia IV.; → Pythia [2]; → Sportfeste IV. und VI.; → Wettbewerbe, künstlerische.

IV. »AGONALES PRINZIP«

Im späten 19. Jh. prägte Jacob BURCKHARDT in seiner postum erschienenen ›Griech. Kulturgeschichte‹ den Begriff des »Agonalen« als Bezeichnung für eine den Griechen innewohnende Triebkraft ([12. 59–159: Kap. III]; vgl. [13]); seither sprach man vom »agonalen Volk der Griechen«, dessen → Sport und darüber hinaus dessen gesellschaftliches, polit., kulturelles Leben generell vom Gedanken des (fairen) Wettbewerbs gekennzeichnet sei, während anderen Völkern des Alt. dieses Charakteristikum gefehlt habe. Die These wurde in dem

Sinne generalisiert, daß das »agonale Prinzip« ›eine oder die Wurzel der griech. Kultur schlechthin sei‹ (Zitat: [9. 3]); die h. überwiegend akzeptierte Gegenposition dazu formuliert [8] (vgl. [16], zusammenfassend [14. 94–102] und [10. 38–40]; kritisch zu [9; 16] äußern sich [6. 237f.⁴⁹; 15. 6–11]). BURCKHARDTS Vorstellung erscheint als später Nachhall der idealisierenden Sicht des Griechentums im dt. Klassizismus und hält sich v. a. im außerwiss. Diskurs. Der »agonale Sport«, weitergehend definiert als eine der »indogermanischen Großleistungen«, konnte in die rassisch geprägte Forschungsplanung der Nationalsozialisten einbezogen werden [17. 147f.].

Neuere Forsch. hat einerseits auch für das Entstehen und die Ausprägung der griech. Agonistik den mil. Hintergrund hervorgehoben (z. B. [18. 93–105; 19. 23ff.]), andererseits ein »agonales« Wettkampfdenken und -verhalten auch in den Kulturen des Alten Orients, bei Ägyptern, Etruskern und Römern nachgewiesen (zusammenfassend [9. 69f., 217f., 233–238] mit Lit.).

1 E. STAUFFER, s. v. ἀγών, ThWB 1, 134–140 2 A. VON HARNACK, Militia Christi, 1938 (Ndr. 1963) 3 G. W. H. LAMPE, A Patristic Greek Lexicon, 1961 4 K. MEULI, Der griech. Agon, 1968 5 Ders., Der Ursprung der Olympischen Spiele, in: Ders., Gesammelte Schriften, Bd. 2, 1975, 881–906 6 M. B. POLIAKOFF, Kampfsport in der Ant., 1989 (Combat Sports in the Ancient World, 1987) 7 L. MALTEN, s. v. Leichenagon, RE 12, 1859–1861 8 I. WEILER, Der A. im Mythos. Zur Einstellung der Griechen zum Wettkampf, 1974 9 Ders., Der Sport bei den Völkern der alten Welt, ²1988 10 S. MÜLLER, Das Volk der Athleten, 1995 11 G. BINDER, Lusus Troiae. L'Énéide de Virgile comme source archéologique, in: Bull. de l'Association Budé 1985, 349–356 12 J. BURCKHARDT, Griech. Kulturgesch., Bd. 4, 1898–1902 (Neuausgabe 1930–1931 = Ndr. 1977) 13 H. BERVE, Vom agonalen Geist der Griechen, in: Ders., Gestaltende Kräfte der Ant., ²1966, 1–20 14 K.-W. WEEBER, Die unheiligen Spiele, 1991 15 S. LASER, Sport und Spiel (ArchHom T), 1988 16 I. WEILER, AIEN APICTEYEIN, Ideologiekritische Bemerkungen zu einem vielzitierten Homerwort, in: Stadion 1, 1975, 199–227 17 V. LOSEMANN, Nationalsozialismus und Ant., 1977 18 W. DECKER, Sport in der griech. Ant., 1995 19 M. GOLDEN, Sport and Society in Ancient Greece, 1998 20 M. DUBISCHAR, Die A.-Szenen bei Euripides, 2001. G. BI.

Agrippa

[6] **A. I.** s. Herodes [8] Iulius Agrippa

[7] **A. II.** s. M. Iulius [II 5] Agrippa II.

Ahron (arabisch Ahrun ibn Aʿyan al-Qass (Ibn an-Nadīm, Fihrist 297,3–5); griech. Ἄρρων (?) [2]), christl. Arzt und Presbyter in Alexandreia. A. verfaßte im 6. oder Anf. des 7. Jh. n. Chr. im Umfeld der bereits von islamischen Truppen eroberten Schule von Alexandreia [1] (→ Alexandrinische Schule) ein griech. Medizin-Hdb. in 30 Abschnitten (*Pandectae medicae*, griech. Titel möglicherweise Σύνταγμα/*Sýntagma* [5. 88]), das in griech.-byz. Quellen offenbar keinen Widerhall mehr fand und verloren ging. Ein gewisser Gōsiōs fertigte zunächst eine syr. Übers. an (Barhebraeus, Chronica 8,57 [vgl. 3]). Der Jude Māsarǧawayh, der verm. in Baṣra gelebt hat, soll bereits z.Z. des omajjadischen Kalifen Marwān (683–685) zwei weitere B. angefügt und diese Version unter dem Titel *Kunnāš* (›Lehrbuch‹) ins Arabische übertragen haben. Trotz der berechtigten Zweifel an dieser Datier. [2; 3. 88] gehört A. zu den frühesten im Rahmen des graeco-orientalischen Wissenschaftstransfers rezipierten medizinischen Autoren und galt den Arabern als wichtige Quelle [1; 4]. Eine zweite, bessere Übers. fertigte Ḥunain ibn Isḥāq (ca. 808–873, v. a. in Bagdad tätiger Übersetzer) an (Maǧūsī, Malakī 1,4,5). Zahlreiche arab. Zitate sind in ar-Rāzīs *Ḥāwī* erh. geblieben [4].

A. beschrieb Ätiologie, Symptomatik und Therapie der Krankheiten, kannte u. a. die Blattern und behandelte oft mit chemischen Präparaten wie Natron, Borax oder Salmiak [4].

1 A. BAUMSTARK, Gesch. der syrischen Lit., 1922, 189
2 A. DIETRICH, s. v. A., EI², Suppl. 1–2, 52 **3** M. MEYERHOF, in: Islam 6, 1916, 220f., 258 **4** SEZGIN, 166–168
5 ULLMANN, 23, 87–89. CH. S.

Aigosages (Αἰγοσάγες). Kelt. Stamm, der von Attalos [4] I. 218 v. Chr. für den Kampf gegen Achaios [5] in Thrakia (→ Thrakes) angeworben und nach Kleinasien gebracht wurde (Pol. 5,77f.; 5,111,1–7; [1. 233, 243]). Attalos I. operierte in Aiolia (→ Aioleis [2]) und → Mysia erfolgreich mit den A., die jedoch am → Makestos wegen einer Mondfinsternis meuterten. Attalos siedelte die A. seinen Zusagen entsprechend am → Hellespontos an, wo sie in der Folge Plünderungszüge gegen die umliegenden Städte unternahmen und schließlich → Ilion belagerten. Von dem Aufgebot der Stadt Alexandreia [2] aus der Troas vertrieben, setzten sie sich in Arisbe im Gebiet von Abydos [1] fest, wo sie 216 v. Chr. von Prusias [1] I. angegriffen und mitsamt ihren Frauen und Kindern vernichtet wurden. Dies ließ Prusias I. als großen Galatersieg und Befreiung Asiens von der Barbarengefahr feiern (→ Kelten III. A. und B.) und zog so im ideologischen Anspruch mit Attalos I. gleich.

1 K. STROBEL, Die Galater, Bd. 1, 1996. K. ST.

Aiax s. Aias

Aitiologie

II. RÖMISCHE LITERATUR

Die Erklärung kultureller Institutionen und Artefakte aus ihrer Entstehung (genetische Erklärung) stellt eine Form der Distanz zur eigenen Kultur dar, die sich in verschiedensten Erzähl- und Lit.-Traditionen findet (schon in den ältesten Schichten des AT; vgl. → Bibel B.). Sie setzt ein Geschichtsbewußtsein voraus, das von einer grundsätzlichen Differenz, aber zugleich von einer implizierten Kontinuität von Gegenwart und Vergangenheit ausgeht; typischerweise sind die gründenden Vorgänge in einer besonderen, fernen und in bestimmter Weise abgeschlossenen Vergangenheit angesiedelt

(etwa im → Zeitalter der Heroen); Alternativen dazu bilden etwa → Genealogien oder weisheitliche »Listenwissenschaft« (→ Liste; → Weisheitsliteratur). Gerade für die stadtgesch. orientierte Trad. Roms sind aber eine eher kurze Chronologie (→ Zeitrechnung) mit Blick auf die Zeit der archa. (→ Rex) oder frührepublikanischen Anfänge Roms und der gründende und normative Charakter der gesamten Trad. charakteristisch; Mythologie (die häufig aitiologisch orientiert ist, vgl. → Mythos), antiquarische Schriftstellerei und → Geschichtsschreibung sind nicht nach Epochen zu trennen [1]. Kosmologische Mythologie und historisierende A. lassen sich aber nicht als zwei grundsätzlich verschiedene – griech. vs. röm. – Diskurse gegeneinander aufrechnen.

Causae (»Gründe«) finden sich schon früh in argumentierender oder illustrierender Funktion. Der *Euhemerus* des → Ennius [1] führt aitiologisches Argumentieren in der röm. Lit. des beginnenden 2. Jh. v. Chr. vor, allerdings in einer utopischen, gerade nicht auf den eigenen Ort bezogenen Variante. Einen konkreten Bezug auf die zeitgenössischen Verhältnisse konstruiert dagegen als Diskursangebot die röm. *Praetexta* (→ Tragödie). Über das bloße Sammeln und Verschriftlichen von kulturellen Institutionen hinaus erreicht die lat. Historiographie mit der → Annalistik des letzten Drittels des 2. Jh. v. Chr. (→ Gellius [2]) und der antiquarischen Lit. (→ Accius) eine breite Verwendung aitiologischen Argumentierens. Aus der stoischen → Sprachtheorie heraus verbindet sich dies vielfach mit der etym. Methode; → Philologie und Antiquarisches gehen seit dem 1. Jh. v. Chr. (→ Aelius [II 20] Stilo, bes. M. Terentius → Varro [2], → Verrius [1] Flaccus) Hand in Hand. Dabei steht über die Lösung des Einzelproblems hinaus die Systematisierbarkeit des eigenen kulturellen Erbes im Vordergrund. Sprachsystematische oder sachliche Kriterien bestimmen die Strukturen der Darstellungen und ihre philol. und antiquarische Rezeption.

In den lit. Formen poetischer Produktion verbinden sich diese Form der Annäherung an Gesch. und gegenwärtige eigene Kultur mit den Gattungen der hell. Lit. Das gilt zum einen für das histor. oder quasi-histor. Epos (→ historisches Epos) und seine Verbindung mit aitiolog. Gegenwartserklärung und -deutung bei → Vergil (*Aeneis*) [3] wie schon bei seinen republikanischen Vorgängern, zum anderen für die elegische Dichtung seit → Propertius' [1] 4. Buch, das die Rezeption der aitiolog. Dichtung des → Kallimachos [3] einleitet. Diese Rezeption führt → Ovidius fort – in noch stärkerer Anlehnung an die antiquarische röm. Trad. (Varro [2], Verrius [1] Flaccus) und in konkurrierender und überbietender Imitatio von Propertius und Kallimachos [2]. Bezeichnenderweise konzentrieren sich diese lit. Projekte viel enger auf spezifische stadtröm. Institutionen (Feste und Orte Roms bei Propertius, den röm. Kalender, die → *Fasti*, und röm. Gesch. in Ovids *Libri fastorum* und *Metamorphoses*) als dies bei Kallimachos der Fall ist, dessen geogr. Horizont viel weiter gespannt ist (vgl. im

Griech. die Beschränkung der athenzentrierten Atthidographie, → Atthis).

Ein charakteristisches Merkmal der A., die sich aus der histor. Forschung gelöst hat, sind Mehrfacherklärungen (dazu [4]). Gerade sie leisten in der röm. Lit. die Konstruktion ironischer Distanz und reklamieren die Vielschichtigkeit der Traditionen gegen einheitliche Deutungen, wie sie in offizieller → Propaganda und Architektur- oder Bildprogrammen (etwa des Forum [III 1] Augustum) monumentalisiert werden.

Spätestens jetzt werden auch in Rom A. zum Gegenstand von → Unterhaltungsliteratur, ebenso in der Form von → Buntschriftstellerei wie in der Form von *Quaestiones* (→ Plutarchos [2], → Symposium-Literatur). Neben der lexikographischen (bes. → Verrius [1] Flaccus) und der antiquarischen Trad. (bes. → Suetonius [2]) sind es solche Werke, die in der spätant. Kommentarliteratur (→ Kommentare) und in der → Glossographie (II.) zur Beschreibung einer vergehenden Kultur Bausteine liefern, die diese Kultur selbst als Konstrukte ihrer eigenen Vergangenheit hervorgebracht hat.
→ Antiquare; Etymologie (s. Nachträge)

1 G. DUMÉZIL, Camillus, 1980 2 D. PORTE, L'Étiologie religieuse dans les Fastes d'Ovide, 1985 3 G. BINDER, Aitiologische Erzählung und augusteisches Programm in Vergils »Aeneis«, in: Ders. (Hrsg.), Saeculum Augustum, Bd. 2, 1988, 255–287 4 J. LOEHR, Ovids Mehrfacherklärungen in der Trad. aitiologischen Dichtens, 1996. J. R. u. A. BEN.

III. PHILOSOPHIE
s. Kausalität; Prinzip

Akkadisches Recht s. Keilschriftrechte

Akko s. Ptolemaïs [8]

Akropolis (ἀκρόπολις, »Hochstadt«), hochgelegener (*ákros* = »an der Spitze befindlich«) Teil einer griech. Siedlung; in Griechenland und der Ägäis häufig, in sizilischen und unterital. Kolonien selten mit eigenen Mauern (→ Befestigungswesen). Die urspr. Bezeichnung dieser Höhensiedlungen als *pólis* (zu den myk. Wurzeln des Wortes s. → Polis I.) lebte in der Bezeichnung der A. von Athen als *pólis* bis in das 5. Jh. v. Chr. weiter (Thuk. 2,15,6; vgl. Aristoph. Nub. 69; Paus. 1,26,6). Mit der Erweiterung der Siedlungen an den Berghängen seit dem 8. Jh. und der Anlage von zentralen Plätzen (→ *agorá*) am Fuße der Hügel (Hom. Il. 18,490–497; Hom. Od. 6,262–267; 7,43–45) wurde die alte Siedlung – in Abgrenzung zur sich entwickelnden Polis in der Ebene – als A. bezeichnet ([1. 54f.]; zur Verbreitung s. [2]). Sie konnte als befestigter »Burgberg« (z. B. Xen. an. 1,2,1) seit archa. Zeit als Fluchtburg dienen.

Mit fortschreitender Ummauerung der Städte im 6./5. Jh. v. Chr. wurde die A. in der Regel in den Mauerring einbezogen, verlor ihre Siedlungsfunktion und

wurde zur Tempelanlage umgestaltet (vgl. Paus. 2,24, 1–3; 8,13,2; 8,38; 8,39,5). In den westl. Kolonien gab es unterschiedliche Entwicklungen. Während die Gestaltung der A. von Selinus [4] (mit Heiligtümern auf dem zuerst besiedelten Hügel) ähnlich wie im Mutterland verlief, wurde in Akragas das Emsemble bedeutender Tempel nicht auf der alten A. (dem h. Domberg) angeordnet, sondern auf einem Vorhügel direkt hinter der Stadtmauer [1. 53]. Im flachen Poseidonia/Paestum wurden die wichtigsten Tempel im Süden der Stadt in einem abgesonderten Areal erbaut, das wohl auch als A. bezeichnet wurde (h. Flurname: Agropoli), vergleichbar mit der in röm. Zeit gebräuchlichen Verwendung von → Capitolium (II., s. Nachträge) für den Tempel der Hauptgottheit einer Stadt ungeachtet seiner Höhenlage. In der mod. Forsch. dient der griech. Begriff A. auch zur Bezeichnung hochgelegener, burgartiger Areale in Siedlungen außerhalb des griech. Raumes, etwa in Etrurien (vgl. [3]).

1 E. KIRSTEN, Die griech. Polis als histor.-geogr. Problem des Mittelmeerraumes, 1956, 43–55 2 DS, Bd. 1, 36–39, s. v. Acropolis 3 M. CRISTOFANI, L'acropoli di Volterra, 1981. W. ED.

Alexander Severus s. Severus [2] Alexander

Alexandros
[34] Bruder des → Molon [1], zu Beginn der Herrschaft → Antiochos' [5] III. Gouverneur der → Persis; rebellierte an der Seite seines Bruders 222–220 v. Chr. gegen den König und beging nach dem Sieg der königlichen Truppen Selbstmord (Pol. 5,40,7–5,41,1; 5,43,6; 5,54,5).

J. D. GRAINGER, A Seleukid Prosopography and Gazetteer, 1997, 75 s. v. A. (2) · H. H. SCHMITT, Unt. zur Gesch. Antiochos' d. Gr. und seiner Zeit, 1964, 116–147. JÖ. GE.

Alfius
[4a] P. A. Avitus. Statthalter von Pontus-Bithynia zw. 223 und 225 n. Chr. (AE 1996,1413 = SEG 45, 1995, 1696). W. E.

Alinda (Ἄλινδα). Stadt in Nord-Karia (→ Kares; Ptol. 5,2,20). Mitte des 5. Jh. v. Chr. im → Attisch-Delischen Seebund (ATL 1, 467f.); 341/40 einzige der → Ada verbliebene Festung, die die Fürstin 334 an Alexandros [4] d. Gr. übergab, wobei sie diesen adoptierte und A. zurückerhielt (Arr. an. 1,23,8; Diod. 17,24,2). A. war danach kurzzeitig umbenannt in Alexandreia am Latmos [1]; die Stadt soll eine Aphroditestatue des → Praxiteles besessen haben (Steph. Byz. s. v. Ἀλεξάνδρεια). Ihre Blütezeit hatte die Stadt im 3.–2. Jh. v. Chr.: A. wurde von → Olympichos als Residenz ausgebaut. Mz.-Prägung ist im 2. Jh. v. Chr., in der Kaiserzeit bis ins 3. Jh. belegt ([1]; HN 607f.). A. war Mitglied des Chrysaorischen Bundes der → Kares (Strab. 14,2,25; → Stratonikeia [2], → Idrias), gehörte zum *conventus iuridicus* von → Alabanda (Plin. nat. 5,109) und war in byz. Zeit Suffraganbistum von Stauropolis (→ Aphrodisias [1]; Hierokles, Synekdemos 688).

Beim h. Dorf Karpuzlu befinden sich die Ruinen der Doppelstadt mit jeweils eigenem Mauerring: Der höhergelegene Stadtteil war evtl. einst Palastquartier, der niedrigere – über einen Sattel verbunden und hangabwärts gestaffelt – das Stadtzentrum; erh. sind dort der mächtige Bau einer dreigeschossigen Markthalle an einer Agora, oberhalb ein hell.-röm. Theater und Stadtmauer mit Turm. Röm. Aquaedukt; ausgedehnte Nekropole mit Sarkophagen und karischen Felsgräbern; ein Grabhaus im h. Dorf.

1 BMC, Gr (Caria), 10–12.

G. HIRSCHFELD, s. v. A., RE I, 1489 · G. E. BEAN, Kleinasien, Bd. 3, 1974, 200–208 · W. KOENIGS, Westtürkei, 1991, 157 f. · ROBERT, Villes, 363 f. · H. H. SCHMITT, Unt. zur Gesch. Antiochos' d. Gr., 1964, 244 f. · S. DORUK, Antik Alinda kentindeki pazar yapısı (Die Markthalle der ant. Stadt A.), in: Belleten 51, 1987, 1117–1137.　H. KA.

Alkmeon, Alkmeoniden s. Alkmaion, Alkmaionidai

Alkoholkonsum I. ALLGEMEIN
II. ALTER ORIENT III. GRIECHENLAND UND ROM

I. ALLGEMEIN

· Äthanol (C_2H_5OH, Trinkalkohol) war als Reinstoff der Antike unbekannt, so daß kein griech. oder lat. Wort für »Alkohol« existiert. Der Begriff leitet sich aus dem Arab. ab (al-kuhl, etym. zurückverfolgbar bis akkadisch guḫlu [1. 272]) und bezeichnet urspr. eine schwarze, feine Substanz von Antimonglanz zum Färben der Augenbrauen. Erst PARACELSUS (1493/4–1541) bezog den Terminus auf den flüchtigen Bestandteil des Weins (Alco(h)ol vini). Alkoholhaltige Getränke der Ant. waren → Met (griech. ὑδρόμελι/hydrómeli, lat. mulsum) und ähnliche, nicht nur aus Honig und Wasser zusammengesetzte Gebräue (vgl. Colum. 12,12; Plin. nat. 14,113 f.; [13]), → Bier (griech. ζῦθος/zýthos, lat. cer(e)visia: aus unterschiedlichem Gärgut wie Gerste, Weizen, Hirse, Obst oder Brot) und → Wein (griech. οἶνος/oínos, aus Ϝοῖνος/woínos = lat. vinum; im engeren Sinne der aus der Weinrebe, lat. vitis vinifera, gekelterte Wein, aber auch Frucht- und Tresterweine). Vergorene Milchprodukte hatten im griech.-röm. Raum allenfalls lokale Bedeutung. Hochprozentige Alkoholika gab es mangels geeigneter Destillationsverfahren bis ins 12. Jh. nicht [4. 416; 5. 735]. Die in der Ant. nur durch natürliche Gärung erreichbare Obergrenze lag bei etwa 17,5 vol.%, da Hefepilze, die den Alkohol (= Alk.) beim anaeroben Zuckerabbau produzieren und ausscheiden, jenseits dieser Konzentration durch das eigene Stoffwechselprodukt vergiftet werden. Die Mitteilung bei Plin. nat. 14,8,62, bestimmte Falerner-Weinsorten seien entflammbar, kann nur so erklärt werden, daß durch die porösen Wände tönerner Amphoren im Laufe der Lagerungszeit so viel Wasser verdunstete, daß der aufgrund seiner größeren Moleküle verbliebene Alk. eine hinreichend hohe Konzentration erreicht hatte [2. 219].

II. ALTER ORIENT

Das seit spätestens Ende des 4. Jt. v. Chr. meist mit Gerstenmalz, später auch auf Dattelbasis gebraute Bier (sumerisch kaš, akkadisch šikāru, hethitisch šiešša r) war das verbreitetste alkoholische (= alk.) Getränk des Alten Orients. Es hatte den Rang eines Grundnahrungsmittels. Wein, teurer als Bier, blieb der Oberschicht vorbehalten. Alk. wurde zu verschiedenen Gelegenheiten konsumiert: im privaten Haushalt (Alltagsdroge), als Arbeitsentlohnung [12. 10], in Wirtshäusern, bei Festen bzw. kultischen Veranstaltungen (z. B. »Trunkenheitsfest« der ägypt. Göttin Hathor [3. 8]) und in der Medizin (wobei unsicher bleibt, ob das Bier speziell der berauschenden Wirkung wegen verabreicht wurde [1. 290]). Zudem verwendete man Bier als Opfergabe und gab es als Naturalie mit ins Grab. Gezielter A. im Zusammenhang mit Prophetie oder rel. Ekstase ist nicht sicher nachweisbar.

Wie stark die alk.-haltigen Getränke des Alten Orients wirkten, ist schwer abzuschätzen. Der Alk.-Gehalt des ohne Hopfen gebrauten und dadurch schnell verderbenden, fast täglich neu zu produzierenden Bieres dürfte nicht allzu hoch gewesen sein, doch sind die relativ hohen Konsummengen (2–3 l/Tag für einen erwachsenen Arbeiter [12. 10]) und das die Wirkung verstärkende heiße Klima in Rechnung zu stellen. Die in altmesopot. Keilschrifttexten erwähnten Rauschzustände und die nur selten angedeutete Trunksucht werden tendenziell negativ beurteilt oder fallen unter das »Regulativ der relativen Nichtbeachtung« [1. 289]. Die kommunikationsfördernde, euphorisierende Wirkung maßvollen Alk.-Genusses gilt dagegen durchweg als positiv; abgesehen von wenigen Individualregelungen lassen sich kaum normierende gesellschaftliche Einschränkungen hinsichtlich Alter, Geschlecht oder Stellung des Konsumenten nachweisen.

III. GRIECHENLAND UND ROM

Alk. wurde hier seit myk. Zeit hauptsächlich in Form von Wein konsumiert; Bier, obgleich seit ca. 700 v. Chr. bekannt, setzte sich in Italien und Griechenland nicht oder nur in den unteren Schichten wegen seines geringeren Preises durch.

Trotz des im Vergleich zu Bier teils relativ hohen Alk.-Gehalts einzelner Weinsorten hatte der Weinkonsum in Griechenland und Rom meist nicht den primären Zweck der starken Berauschung. Der geschätzte Pro-Kopf-Verbrauch eines männlichen Stadtrömers lag bei ca. 0,8–1 l Wein/Tag [18. 91]; Wein ist als Grundnahrungsmittel anzusehen. In der Regel wurde er verdünnt (lat. vinum dilutum); häufige Mischungsverhältnisse von Wein und Wasser waren 2:5 oder 1:3 (Gegensatz merum, »unvermischt«). Der dagegen primär auf die Alk.-Wirkung abzielende Weinkonsum findet sich v. a. bei Gelagen (Petron. 34,6–8; 52,8 u.ö.), im (Mysterien-)Kult (v. a. → Dionysos, → Bacchus [10. 306]), als Trost (z. B. Hor. carm. 1,7,31; vgl. auch Λυαῖος/Lyaíos, »Sorgenlöser« als Beiname des Dionysos) und in der Medizin (z. B. beim Theriak in Kombination mit Opium: Celsus, De medicina 5,23,3). Wein war ein fast universales Arznei- und Lösungsmittel (vgl. Hippokr. de affectionibus 48; Celsus, De medicina 3,6,17; Plin. nat. 14,100; Dioskurides 5,11 WELLMANN), so daß zuweilen auch Kranke nicht unerhebliche Mengen an Alk. konsumierten. Als Narkotikum vor chirurgischen Eingriffen wurde er hingegen seltener verwendet, wohl deshalb, weil analgesierend-hohe Alk.-Dosen mit einer Vergiftung einhergehen.

Fälle übermäßigen Alk.-Genusses finden sich in vielen Literaturgattungen beschrieben, so in der Tragödie (Eur. Alc. 747–804), im Roman (Heliodoros 1,1,4; 5,32,1 f.: eine Wirtshausschlägerei mit Toten; überhaupt begegnet in der griech.-röm. Lit. die Kombination von übermäßigem Weinkonsum und Aggression häufig, vgl. z.B. Curt. 8,1,41–52) oder in der Fachschriftstellerei, die auch die ruinösen psychischen und sozialen Folgeerscheinungen thematisiert: Plin. nat. 14,137 z.B. (vgl. 14,142) erwähnt Verwirrung, Neigung zur Kriminalität (vgl. auch Iuv. 3,278–285 über die Pöbeleien Betrunkener auf nächtlichen Straßen) und die alleinige Werte-Konzentration auf den Wein. → Galenos kennt Fälle, bei denen krankhafter A. bis zur φρενῖτις (phrenítis, etwa »Wahnsinn«) führt (Gal. de comate secundum Hippocratem 4 = 7, 663 f. KÜHN), Cassius [III 4] Felix 62 (154 ROSE) nennt als Symptome gerötetes Gesicht, unruhige Augenbewegungen, Schlaflosigkeit, schwachen Puls, geistige Verwirrtheit und den krokydismós, d.h. das Abpflücken von Wollflocken am Bettzeug [7].

Die geschilderten körperlichen, psychischen und sozialen Folgeerscheinungen erlauben die retrospektive Diagnose, daß es, v.a. in der röm. Oberschicht [18. 14], Fälle von Alkoholismus gab, und daß diese, zumindest von medizinisch-fachlicher Seite, auch als krankhaft angesehen wurden. Trunksucht und gewohnheitsmäßiges Trinken (lat. ebriositas, vgl. Cic. Tusc. 4,27) galten im Gegensatz zum gelegentlichen Rausch (lat. ebrietas, etwa »zeitweises Betrunkensein«) als negativ. Eine prinzipielle Rauschfeindlichkeit findet sich im Vergleich mit dem immer wieder begegnenden Preis des Weingenusses nur selten, z.B. bei Sen. epist. 83,18, der den Rausch als »freiwilliges Verrücktsein« (voluntaria insania) ablehnt. → Bier; Getränke; Gifte; Met; Rauschmittel; Wein

1 W. FARBER, Drogen im alten Mesopotamien – Sumerer und Akkader, in: G. VÖGLER (Hrsg.), Rausch und Realität. Drogen im Kulturvergleich, 1981, Bd. 1, 270–290 2 G. HAGENOW, Vom alten Falerner, in: RhM N.F. 132, 1989, 214–220 3 E. HASLAUER, Sitzen am Ufer der Trunkenheit – Bier im Alten Ägypten, in: E.M. RUPRECHTSBERGER (Hrsg.), Bier im Alt., 1992, 5–8 4 G. JÜTTNER, s.v. Alkohol, LMA 1, 416 f. 5 Ders., s.v. Destillation, -sverfahren, LMA 3, 735 f. 6 A. LEGNARO, Ansätze zu einer Sozialgeschichte des Rausches, in: s. [1], 52–63, bes. 58 f. 7 J.O. LEIBOWITZ, Studies in the History of Alcoholism I. Acute Alcoholism in Ancient Greek and Roman Medicin, in: British Journal of Addiction to Alcohol and Other Drugs 1967, 62–86 8 L. MILANO (Hrsg.), Drinking in Ancient Societies, 1994 9 G. PREISER, Wein im Urteil der griech. Ant., in: s. [1], 296–303 10 Ders., Wein im Urteil der Römer, in: s. [1], 304–308 11 W. RÖLLIG, Das Bier im Alten Mesopotamien, 1970 12 Ders., Die Anfänge der Braukunst im Zweistromland, in: s. [3], 9–14 13 M. SCHUSTER, s.v. Met, RE 15, 1297–1310 14 C. SELTMAN, Wine in the Ancient World, 1957 15 W. VON SODEN, Trunkenheit im Babylonisch-Assyrischen Schrifttum, in: A. BORGMANN (Hrsg.), Al-bahit. FS J. Henninger, 1976, 317–324 16 A. TCHERNIA, Le vin d'Italie romaine, 1986 17 K.-W. WEEBER, Alkoholismus, in: Ders., Alltag im Alten Rom, 1995, 14 f. 18 Ders., Die Weinkultur der Römer, 1993. CH.S.

Al(l)ekto (Ἀλ(λ)ηκτώ, »die niemals Rastende«). Zusammen mit → Megaira und → Teisiphone [1] eine der → Erinyen, deren Namen erst spät genannt werden (Apollod. 1,3). Von Vergil als bes. furchtbar beschrieben (Verg. Aen. 7,324–329), versetzt sie im Auftrag → Iunos → Amata in wütende Raserei gegen die Aeneaden, stachelt → Turnus [1] zum Krieg gegen → Latinus [1] an und entfacht durch eine List den ersten Kampf zw. den Aeneaden und den Latinern (ebd. 7,341–571). T.GO.

Allgott s. Pantheon

Altis s. Olympia II.A.

Ammonides (Ἀμμωνίδης). Nicht datierbarer Verf. eines kurzen griech. Spottepigramms auf eine unbekannte Antipatra (Anth. Pal. 11,201): ›Wenn man Antipatra den Parthern nackt gezeigt hätte, wären sie über die Säulen des Herakles hinaus geflohen.‹ Man weiß über den Dichter so wenig wie über die Angesprochene. Der Versuch von BRUNCK, das Lemma Ἀμμωνίδου (-ου: Planudes) in Ἀμμωνίου zu berichtigen, um das Distichon dem gleichfalls unbekannten Verf. des Epigramms Anth. Pal. 9,827, → Ammonios [10], zuzuweisen, entbehrt jeder Grundlage.

1 R.F.PH. BRUNCK, Analecta veterum poetarum Graecorum, Bd. 2, 1785, 448 2 M. LAUSBERG, Das Einzeldistichon, 1982, 416, 597. E.D./Ü: T.H.

Amorges (Ἀμόργης). Perser, unehelicher Sohn (nóthos: Thuk. 8,5,5) des Satrapen von Sardeis → Pissuthnes; er nahm den vor 413 v.Chr. gescheiterten Aufstand des Vaters gegen den Perserkönig Dareios [2] II. von Karien aus wieder auf. Spätestens 412 v.Chr. bemühte sich Athen um eine Kooperation mit A. (Thuk. 8,19,2), und zwar unter Bruch eines Vertrags mit Dareios [2] II. (Andok. or. 3,29; vgl. → Epilykos), falls Zahlungen an einen athenischen General in Ephesos im J. 414 [1. Nr. 77, Z. 79] schon zur Hilfe für A. bestimmt waren (so [1. 236; 2. 326]; dagegen [3. 29–31]). Die zögernde Haltung des athenischen Admirals Phrynichos [2] erlaubte es noch 412 einer spartanischen Flotte, den Stützpunkt des A. in Iasos [5] zu erobern und A. an den persischen Satrapen → Tissaphernes auszuliefern (Thuk. 8,28; vgl. 8,54,3).

1 ML 2 H.D. WESTLAKE, Athens and Amorges, in: Phoenix 81, 1977, 319–329 3 D. KAGAN, The Fall of the Athenian Empire, 1987. W.ED.

Amphinomos

[2] Sohn des Nisos aus Dulichion, einer der Freier der → Penelope, der bei ihr aufgrund seiner guten Gesinnung am meisten Gefallen findet (Hom. Od. 16,394–398 u.ö.; Strab. 7,7,11; Apollod. fr. Sabbaitica, in: [1. 179]), wird von → Telemachos getötet (Hom. Od. 22,89–96).

1 A. Papadopulos-Kerameus, Apollodori bibliothecae fragmenta Sabbaïtica, in: RhM 46, 1891, 161–192.   SI.A.

Amyzon

(Ἀμυζών). Stadt in Karia (→ Kares; vgl. Strab. 14,2,22; Ptol. 5,2,19), am Nordhang des Latmos [1] 15 km nordwestl. von → Alinda (s. Nachträge). Die um ein Bergheiligtum des 6. Jh. v. Chr. entstandene Siedlung – evtl. gehörte sie Mitte des 5. Jh. dem → Attisch-Delischen Seebund (ATL 1, 521) an – wurde unter → Idrieus (351–344 v. Chr.) zu einer griech. geprägten Stadt ausgebaut. Ihre Blütezeit war im 3. Jh. A. wurde kurzzeitig in Alexandreia umbenannt, war sodann zeitweilig ptolem., wurde im Frühjahr 203 von den Truppen des Antiochos [5] III. eingenommen, der der Bevölkerung Schutz und Beachtung des Tempel-Asyls zusicherte [1. 38–40]; 188–167 rhodisch. Im 2. Jh. bestand u. a. ein Vertrag mit Herakleia [5] (IPriene 51). In röm. Zeit gehörte A. zu → Alabanda (περιπόλιος: Strab. 14, 2,22), wo sich auch der zuständige *conventus* (Plin. nat. 5,109) befand; jedoch späthell. und kaiserzeitliche lokale Mz.-Prägung (HN 608). In frühbyz. Zeit Bischofssitz (Hierokles, Synekdemos 688).

Auf der Anhöhe Mazin kalesi finden sich die Ruinen (meist 4.–3. Jh. v. Chr.): Stadtmauer, auf einer Terrasse (in byz. Zeit Festung) der (dorische) Artemis-Apollon-Tempel (Stifterinschr. des Idrieus: OGIS 235); auf einen Vorgängerbau weisen archa. Terrakotten und Friesfrg.; ein (ionisches) Propylon; auf einer weiteren Terrasse Kolonnaden, ein kleines Theater, Substruktionen von Marktgebäuden.

1 Welles.

J. und L. Robert, Fouilles d' A., 1983 · F. Pontani, I. Amyzon 27 C-D: Teil eines milesischen Isopolitievertrags, in: EA 28, 1997, 5–8 · G. E. Bean, Kleinasien, Bd. 3, 1974, 208–210 · R. T. Marchese, The Historical Archaeology of Northern Caria, 1989, 52, 63 f. · H. H. Schmitt, Unt. zur Gesch. Antiochos' d.Gr., 1964, 228 f., 246, 281 · Zgusta, § 61–1.   H.KA.

Anaia

(Ἀναία). Küstenort in → Ionia nördl. der → Mykale in und bei der h. Kadıkale genannten byz. Festung (12./13. Jh. n. Chr.; [3. 65–74]), wo [2] Keramik des 10.–3. Jh. v. Chr. fand. Als die Athener 365 v. Chr. Samos eroberten, diente A. als Teil der → Peraia von → Samos [3] den Samioi als Zufluchtsort [1. 44 f.].

1 Ch. Habicht, Athen, 1995 2 Z. Mercangöz, Kuşadası, Kadıkalesi Kazısı, in: 24. Kazı, Araştırma ve Arkeometri Sempozyumu, 2002, (im Druck) 3 W. Müller-Wiener, Ma. Befestigungen im südl. Ionien, in: MDAI(Ist) 11, 1961, 5–122.   H.LO.

Androsthenes

[4] Trierarch aus → Thasos. Er erkundete im Auftrag Alexandros' [4] d.Gr. in der Flotte des Nearchos [2] die Ostküste des Persischen Golfs von der Mündung des Indos [1] bis zur Mündung des Euphrates [2] und von dort allein mit seinem Dreißigruderer die Westküste (= Ostküste von Arabia) bis zur Insel → Dilmun (h. Bahrain) [1. 2 Nr. 80; 2. Bd. 1, 85 f., Bd. 2, 125–153]. Verf. eines ›Paraplus von India‹, aus dem Angaben über Perlenfischerei und botanische Besonderheiten wie das Verhältnis von Salzwasser zu Pflanzen erh. sind (FGrH 711).

1 Berve 2 D. T. Potts, The Arabian Gulf in Antiquity, 2 Bde., 1990.   H.A.G.

Angelsächsische Schrift.

Bezeichnung für englische Schriften, die aus Irland meist im 7. Jh. n. Chr. eingeführt wurden; wegen ihrer Verbreitung über die gesamten britischen Inseln oft auch »insulare Schriften« genannt. Nach Deutschland gelangte die A. S. über angelsächsische Missionare. Die beiden Haupttypen sind (1) eine Halbunziale (auch → Majuskel genannt) und (2) eine Minuskelschrift, jeweils mit gewissen Varietäten und Veränderungen einzelner Buchstabenformen.

(1) Den halbunzialen Typus (der sich bisweilen der Minuskel annähert) zeigen bes. gut die *Lindisfarne Gospels* (London, BL Cotton Nero D.IV, um 700): eine runde und breite Schrift, die (anders als die kanonische röm. Halbunziale) alternativ auch den Gebrauch von unzialem *a, r* und *s* sowie des Minuskel-*n* gestattet. Auf- und Abstriche sind kurz mit dreieckigen Verzierungen an den Spitzen senkrechter Striche. Das *a* ähnelt der Buchstabenkombination *oc*; *l* und der senkrechte Strich des *b* haben die Form einer flachen, umgekehrten *s*-Kurve. → Ligaturen finden sich kaum. Die Halbunziale wurde bereits im 9. Jh. selten, einige Beispiele stammen noch aus dem 10. Jh.

(2) Der Minuskel-Typus ist dagegen an den Seiten zusammengedrückt und eckig, mit längeren Auf- und (oft zugespitzten) Abstrichen. Charakteristisch ist die eckige, gedrückte Form des *a* (die neben einer offenen, *cc*-ähnlichen Form verwendet wird); Ligaturen sind zahlreich. In vulgärsprachlichen Texten wurden auch die → Runen-Zeichen *thorn* und *wynn* eingesetzt. Man unterscheidet für Typ (2) vier Minuskel-Arten [1. 201–202]: gewöhnlich, kursiv, formell und hybrid (letztere mit Anleihen aus der Halbunziale) und diverse von [2] als Majuskel klassifizierte Schriften. Ein quadratischer Minuskeltyp verbreitete sich in Südhumbrien im 10. Jh. [3]. Die Angelsächsische Minuskel starb in Deutschland in der Mitte des 9. Jh. aus, in England wurde sie für lat. Texte noch im 10. und 11. Jh., für vulgärsprachliche Texte bis zum 13. Jh. verwendet.

1 J. Bately et al. (Hrsg.), A Palaeographer's View. The Selected Writings of Julian Brown, 1993 2 E. A. Lowe, Codices Latini Antiquiores, 13 Bde., 1934–1972
3 D. Dumville, English Square Minuscule Script, in: Anglo-Saxon England 16, 1987, 147–179.

B. BISCHOFF, Paläographie des röm. Alt. und des abendländischen MA, [2]1986, 122–129 · L. E. BOYLE, Paleografia latina medievale. Introduzione bibliografica, 1999, 109–119 · M. P. BROWN, A Guide to Western Historical Scripts from Antiquity to 1600, 1990, 48–65.

J.J.J./Ü: K. L.

Annia

[2a] A. Fundania Faustina. Tochter von M. Annius [II 9] Libo, verheiratet mit T. Pomponius Proculus Vitrasius [4] Pollio; unter Commodus (180–192 n. Chr.) hingerichtet (HA Comm. 7,7). PIR[2] A 713.

RAEPSAET-CHARLIER, Nr. 60. W. E.

[5] A. Regilla Atilia Caucidia Tertulla, Appia. Tochter des Ap. Annius [II 6] Gallus und Gattin des Herodes [16] Atticus, den sie zw. 140 und 142 n. Chr. heiratete. Aus der Ehe gingen mindestens sechs Kinder hervor. In Athen wurde A. Priesterin der → Tyche [1] (Syll.[3] 856), in Olympia weihte sie als Priesterin der Demeter das Nymphaion (IvOl 610). A. starb kurz vor 160. Ihr Bruder Ap. → Annius [II 2] Atilius Bradua klagte 160 Herodes des Mordes an A. an, scheiterte aber. Der Witwer bekundete seine Trauer ostentativ mit einer Vielzahl von Monumenten (Paus. 7,20,6; SEG 23,121; IG XIV 1389–1392).

W. AMELING, Herodes Atticus, 1983 · J. TOBIN, Herodes Attikos and the City of Athens, 1997. J. BA.

Annius

[II 3a] L. A. Fabianus. Suffektconsul 141 n. Chr.

W. ECK, P. WEISS, Tusidius Campester, cos. suff. unter Antoninus Pius, und die Fasti Ostienses der Jahre 141/142 n. Chr., in: ZPE 134, 2001, 251–260. W. E.

Anonymus Ravennas s. Geographus Ravennas

Antiochis

[3] Schwester → Antiochos' [5] III., der sie 212 v. Chr. mit → Xerxes [3], dem König von Armenien, verheiratete, nachdem er diesen mit mil. Mitteln zu Unterordnung und Tributzahlung verpflichtet hatte (Pol. 8,23,5). A. soll später in die Beseitigung des Xerxes verwickelt gewesen sein (Iohannes Antiochenis, FHG IV 557).

J. D. GRAINGER, A Seleukid Prosopography and Gazetteer, 1997, 8, s. v. A. (2) · H. H. SCHMITT, Unt. zur Gesch. Antiochos' d. Gr. und seiner Zeit, 1964, 37 f. · WILL 2, 54 f.

[4] Tochter → Antiochos' [5] III., verheiratet mit Ariarathes [4] IV. von Kappadokien (ca. 220–163 v. Chr.), Mutter des späteren Königs → Ariarathes [5] V. (s. Nachträge). Beim Tode ihres Bruders → Antiochos [6] IV. 164 v. Chr. hielt sie sich im syrischen → Antiocheia [1] auf und wurde auf Betreiben des mächtigen Reichsverwesers → Lysias [6] aus unbekannten Gründen ermordet (App. Syr. 5; Diod. 31,19,7; Pol. 31,17,2).

J. D. GRAINGER, A Seleukid Prosopography and Gazetteer, 1997, 8, s. v. A. (1) · L.-M. GÜNTHER, Kappadokien, die seleukidische Heiratspolitik und die Rolle der Antiochis,

Tochter Antiochos' III., in: Asia Minor Studien 16, 1995, 47–61.

[5] Konkubine → Antiochos' [6] IV., erhielt von ihm die kilikischen Städte → Tarsos und → Mallos mitsamt ihren fiskalischen Einkünften zum Geschenk (→ *dōreá*, s. Nachträge), woraufhin beide Städte revoltierten (2 Makk 4,30).

J. D. GRAINGER, A Seleukid Prosopography and Gazetteer, 1997, 77, s. v. A. JÖ. GE.

Antiochos

[3a] A. Hierax (Ἱέραξ, »der Falke«). Sohn → Antiochos' [3] II. und der → Laodike [II 3], jüngerer Bruder → Seleukos' [4] II., der ihn um 241 v. Chr. als Mitregenten in Kleinasien anerkannte, um sich auf die Beendigung des 3. → Syrischen Krieges gegen → Ptolemaios [3] II. konzentrieren zu können. Nach dem Friedensschluß mit dem Ptolemaier gerieten die Brüder in Konflikt, wobei ihre Mutter Laodike den jüngeren unterstützte. A. gelang es, u. a. gestützt auf galatische Söldner und seinen Schwager → Mithradates [2] II. von Pontos, seinen Bruder 240 oder 239 zu besiegen und aus Kleinasien hinauszudrängen. Allerdings sah er sich kurz darauf mit den meuternden Galatern konfrontiert und verlor trotz seiner Heirat mit der Tochter des bithynischen Königs → Ziaëlas bis 227 v. Chr. den größeren Teil Kleinasiens an → Attalos [4] I. von Pergamon (genaue Chronologie unklar). Er versuchte, in Mesopotamien einzufallen, wurde aber von den Kommandeuren seines Bruders geschlagen. Auf der Flucht gelangte er über Kappadokien und Äg. nach Thrakien, wo er wohl 226 v. Chr. ermordet wurde.

J. D. GRAINGER, A Seleukid Prosopography and Gazetteer, 1997, 35 f. s. v. A. (1) · WILL 1, 294–301.

[12a] A. XI. Epiphanes Philadelphos. Sohn → Antiochos' [10] VIII. und der Kleopatra [II 8] V. Selene, einer der letzten → Seleukiden. Nach dem gewaltsamen Tod seines älteren Bruders → Seleukos [8] VI. proklamierte er sich zusammen mit seinem Bruder → Philippos [24] I. 95 v. Chr. in Kilikien zum König. Beim Angriff auf den Thronrivalen → Antiochos [12] X. in Syrien verlor er jedoch bereits im folgenden Jahr sein Leben. Die beiden Brüder ließen eine Münzserie prägen, auf der sie gemeinsam abgebildet sind.

A. R. BELLINGER, The End of the Seleucids, in: Transactions of the Connecticut Acad. 38, 1949, 51–102 · J. D. GRAINGER, A Seleukid Prosopography and Gazetteer, 1997, 34, s. v. A. (1) · A. HOUGHTON, The Double Portrait Coins of Antiochus XI and Philip I, in: SNR 66, 1987, 79–85 · WILL 2, 445–448. JÖ. GE.

Antipatros

[7a] Finanzprocurator der Prov. Syria Palaestina; wohl spätes 2. oder Anf. 3. Jh. n. Chr. (unpublizierte Inschr. aus Caesarea Maritima). W. E.

Antonius

[II 5a] Q. A. Cassianus. Suffektconsul nicht im J. 142 n. Chr.; wenn er in den *Fasti Ostienses* erwähnt war, müßte er bereits 141 amtiert haben.

W. Eck, P. Weiss, Tusidius Campester, cos. suff. unter Antoninus Pius, und die Fasti Ostienses der J. 141/142 n. Chr., in: ZPE 134, 2001, 251–260.

[II 8a] Q. A. Granius Erasinus. *Procurator* in den Prov. Baetica und Lusitania (unpublizierte Inschr. aus Corduba; Mitteilung von A. U. Stylow). W. E.

Aperlai

(Ἄπέρλαι). Siedlung an der Südküste von Lykia (→ Lykioi, Lykia; Plin. nat. 5,100), im NO-Winkel einer sich nach Westen öffnenden Bucht, h. Sıcak İskelesi. Im 5. Jh. v. Chr. lyk. Stadt-Mz., im 1. Jh. v. Chr. lyk. Bundesprägung, nochmals um 240 n. Chr. (HN 694). In röm. Zeit war A. Hauptort einer drei Nachbargemeinden einschließenden → Sympoliteia im → Lykischen Bund (IGR 3, 692 f.): Apollonia (h. Kılınçlı), Isinda [1] (beim h. Belenli) und Simena (h. Kale) mit vorgelagerter Insel Dolichiste (h. Kekova). Nach der Erdbebenkatastrophe von 141/42 n. Chr. war A. unter den von Opramoas aus → Rhodiapolis mit reichen Spenden bedachten lyk. Städten (TAM 2, 905, XIX C). Von der Bucht hangaufwärts ziehen sich kaiserzeitliche Ruinen: Stadtmauern mit Türmen zum Schutz der Kaianlagen, zwei frühbyz. Kirchen; »lyk.« Sarkophage. Bischofssitz (Hierokles, Synekdemos 684).

BMC, Gr Lycia 10; 43 · SNG v. Aulock, Nr. 4109 f.; Nr. 4270 f. · G. E. Bean, Kleinasien 4, 1978, 100–103 · M. D. Gygax, Unt. zu den lyk. Gemeinwesen in klass. und hell. Zeit, 2001, 79–81 · Sh. Jameson, s. v. A., RE Suppl. 14, 51 f. · Jones, Cities, 44 · Magie, 1378, 1391 · M. Zimmermann, Unt. zur histor. Landeskunde Zentrallykiens, 1992, 129–132, 138–140, 199–211. H. Ka.

Apollo s. Apollon

Apollodoros

[8a] Griech. Historiker aus Artemita (östl. des → Tigris), beschrieb wohl um die Mitte des 1. Jh. v. Chr. [2] in seinen *Parthiká* von mindestens 4 B. den Beginn der Herrschaft der Parther [1] (→ Arsakes [1]) im graeco-parthischen Osten, ausgreifend auf Zentralasien, Skythia, Iran, Armenia und India; wurde von Strabon und Pompeius [III 3] Trogus intensiv benutzt [1]; die wenigen Fr. (FGrH 779) enthalten auch geogr. und botanische Angaben.

1 J.-M. Alonso-Núñez, Un historien entre deux cultures: A. d'Artémita, in: M.-M. Mactoux, É. Geny (Hrsg.), Mélanges P. Lévêque, Bd. 2, 1989, 1–6
2 V. P. Nikonorov, A. of Artemita and the Date of His Parthica Revisited, in: E. Dabrowa (Hrsg.), Ancient Iran and the Mediterranean World, 1998, 107–122. H. A. G.

Aposiopese.

Rhet. Figur, die das bewußte Verschweigen eines Sachverhalts (Quint. inst. 9,2,54 f.) bezeichnet; Cicero nennt die A. *reticentia* (Quint. inst. 9,2,57; vgl. Cic. de orat. 3,205). Das Weglassen eines einzigen Wortes gilt nicht als A. (Quint. inst. 9,3,60). H. Schn.

Apotheose s. Kaiserkult; Totenkult; Vergöttlichung; Verstirnungssage

Apuleius s. Ap(p)uleius (bes. [III])

Arabia

II. Römische Provinz
A. Territorium der Provinz B. Römische
Verwaltung C. Geschichte vor Diocletianus
D. Geschichte nach Diocletianus
E. Christentum

A. Territorium der Provinz

Nach dem Tod Rabilos' II. wurde wohl nach dem 22. März 106 n. Chr. das Königreich der → Nabataioi als Kern einer neuen Prov. A. durch den Statthalter von Syria, A. Cornelius [II 38] Palma Frontonianus, annektiert (Cass. Dio 68,14,5; Amm. 14,8,13). Zur neuen Prov. kamen außerdem mit Adraha (h. Darʿā), → Gerasa (h. Ğaraš), Philadelpheia (→ Rabbath Ammon, h. ʿAmmān), evtl. Dion (nahe Pella [2], nicht lokalisiert) Teile der → Dekapolis sowie mit Esbus (h. Ḥisbān) und → Medaba [10. 17–54] Teile der Peraia (des jenseits des Iordanes [2] gelegenen Gebiets von → Palaestina).

B. Römische Verwaltung

Erster bekannter Statthalter der Prov. A. ist C. Claudius [II 61] Severus (seit 111 auf Meilensteinen der Via Nova Traiana genannt – z. B. ILS 5834 –, aber schon seit 107 dort tätig: P Mich. 466, dazu [4; 9. 611]). Vieles deutet darauf hin, daß die Prov. A. mit einem bes. engmaschigen Geflecht von röm. Rechtsregeln überzogen wurde. Eingeführt wurde ein *conventus*-System (→ *provincia* C.) mit den Zentren → Bostra, Petra [1], Rabbath Moab/Areopolis, evtl. auch Gerasa und Philadelpheia [5. 242 f., 558 f.]. Statthalter der Prov. war normalerweise ein Senator im praetorischen Rang. Sein Amtssitz befand sich wohl zunächst in Petra, wahrscheinlich seit den letzten Jahren der Regierungszeit des Hadrianus († 138 n. Chr.) in Bostra ([5. 238–242, 366], anders [9. 612]). Der Procurator residierte in Gerasa ([3. 55; 5. 244, 371], anders [9. 613]); dort war nämlich im späten 1. Jh. der Amtssitz eines mit der Verwaltung der Dekapolis betrauten, dem Legaten von Syria unterstellten ritterlichen Procurators gewesen [5. 244]. Die Garnison bestand im 2. und 3. Jh. aus einer Legion (meist der *legio III Cyrenaica* [4]) und zahlreichen *auxilia* ([7; 9. 621]; zu den Stationierungsorten s. → Limes VII.).

C. Geschichte vor Diocletianus

Von der eigentlichen Gesch. der Prov. ist mangels lit. Quellen wenig bekannt: Wichtig war der Bau der Via Nova Traiana von den Grenzen zu Syria bis zur → Erythra thalatta [1] (ILS 5834; vgl. → Straßen V. G., s. Nachträge). Möglicherweise kam es im Zusammenhang mit dem Aufstand unter → Bar Kochba auch unter den Nabataioi zu Unruhen [1]; jedenfalls war das Heer der Prov. A. an seiner Niederschlagung beteiligt [2. 84–86]. Die Dokumente (Papyrus Yadin [17] und Papyrus Hever [18]) der damals aus der Prov. geflohenen Juden stellen die wichtigste Quelle für deren Frühzeit dar. Um 200, jedenfalls vor 225, wurde die Grenze der Prov. A. zur Syria Phoenice nach Norden verlegt, so daß die ganze Trachonitis (h. al-Laǧāh), der Norden der → Batanaia und der Auranitis (Gebiet um das h. Ǧabal ad-Durūz) zur Prov. A. kamen ([9. 616f.], Karte: [9. 1013]). Nur von einzelnen Städten (vgl. [9. 643f.]) ist einiges bekannt: Petra [1] erhielt unter Traianus den Titel *mētrópolis*, unter Elagabal [2] *colonia*. Bostra wurde *colonia* unter Severus [2] Alexander und *mētrópolis* unter Philippus [2] Arabs (Belege bei: [5. 242]). Unter dem Angriff der → Zenobia [2] im J. 270 hatte Bostra zu leiden (IGLS XIII 9107). Šahbā (nachmals Philippopolis), die Heimat des Philippus [2] Arabs, erfuhr unter diesem Kaiser besondere Förderung [9. 980]. Die Territorien zumindest einiger Städte scheinen in administrative Bezirke untergliedert gewesen zu sein [19]. Für Gerasa gibt es mehrere nicht datierbare Hinweise auf heftige innere Spannungen ([9. 652f.]; AE 1996, 1600).

D. Geschichte nach Diocletianus

Die Regierung des → Diocletianus bedeutete für das Territorium der Prov. A. einen wesentlichen Einschnitt. Zw. 295 und 297, vielleicht im Zusammenhang mit der Verlegung der *legio X Fretensis* nach Aila (→ ʿAqaba), wurde der ganze Süden der Prov. A. – also die Gebiete südl. des Wādī l-Ḥasā im Süden des Toten Meeres – der Prov. Palaestina angegliedert und ca. 358 zur Prov. Palaestina III umgewandelt. Damit gehörten wesentliche Teile des ehemaligen Reichs der Nabataioi – einschließlich Petra – nicht mehr zur Prov. A. Zw. 451 und 535 wurde diese Grenze noch einmal nach Norden verlegt; jetzt bildete der Fluß Arnon (h. Wādī l-Mūǧib) die Südgrenze der Prov. A. [10. 64–75; 16. 16–18].

Seit 262 sind durchwegs ritterliche Statthalter bezeugt. Ein → *vir clarissimus* in dieser Position ist erst wieder 349/350 belegt (SEG 7, 1062 = AE 1933, 171). 348/9 [25. 224] und 351/2 [26. 2194] ist auch der erste *dux* – und damit die Trennung von mil. und zivilem Oberbefehl – zu fassen. Gerade diese für die diokletianischen Reformen typische Regelung wurde in A. nicht durchgehend beachtet. Immer wieder wurden beide Funktionen von demselben Amtsinhaber übernommen, der im späten 4. und frühen 5. Jh. den Titel → *comes* und → *dux* führte, unter Iustinianus [1] I. den Titel *dux* und *árchōn* [10. 100–120].

Von zentraler Bed. für den Schutz der Prov. wurden seit dem späten 3. Jh. die Führer verschiedener Verbände zunehmend nomadisierender arab. Stämme [6. 235–249; 10. 121–203; 12; 13; 14; 15; 20. 138–147]. Bezeugt sind Kontakte dieser Fürsten zu Orten der Prov. A.: Grabinschr. eines Höflings des Gadimathos = Ǧadīma, Königs der Thanuenoi = Tanūḫ, in Umm al-Ǧimāl

[8. 433f.]; Grabinschr. des Imruʾ al Qais, ›Königs aller (?) Araber‹, in Namārā [8. 434f.]; der wohl im Privatbesitz einer Ġassāniden-Dyn. des späten 6. Jh. befindliche Kirchenkomplex in Nitil [11].

E. Christentum

Kirchenorganisatorisch gehörte die Prov. zum Patriarchat von Antiocheia [1]. Der Versuch des Bischofs Iuvenalis (422–458), sie dem von ihm gegr. Patriarchat von → Jerusalem (II.B.) anzuschließen, scheiterte auf dem Konzil von Chalkedon (451) [21. 61f.]. Die 18 in Chalkedon genannten Bischöfe von A. dürften annähernd der Gesamtzahl der in der Spätant. entstandenen Bistümer [21. 214] und der damals bestehenden urbanistischen Zentren (vgl. [22. 215–218]) entsprechen. Die für die Spätant. typische, bisher v. a. im Kirchenbau nachweisbare [23; 24] Blüte der Prov. wurde erst im 20. Jh. wieder erreicht. Früheste Kirchen sind im 4. Jh. nachweisbar ([26. 2252, 2293 a] = [25. 736, 670]), die letzten im 8. Jh.

→ Arabisch-Islamisches Kulturgebiet

1 H. Cotton, The Bar Kokhba Revolt and the Documents from the Judaean Desert, in: P. Schaefer (Hrsg.), Akten des Coll. The Bar Kokhba Wars Reconsidered (Princeton 2001; im Druck) 2 W. Eck, The Bar Kokhba Revolt, in: JRS 89, 1999, 76–89 3 P.-L. Gatier, Gouverneurs et procurateurs à Gerasa, in: Syria 73, 1996, 47–56 4 Ders., La Legio III Cyrenaica et l'Arabie, in: Y. Le Bohec (Hrsg.), Les légions de Rome sous le Haut-empire, 2000, 341–349 5 R. Haensch, Capita provinciarum, 1997 6 B. Isaac, The Limits of Empire, ²1992 7 D. Kennedy, The Roman Army in Jordan, 2000 8 F. Millar, The Roman Near East, 1993 9 M. Sartre, D'Alexandre à Zenobie, 2001 10 Ders., Trois études sur l'Arabie romaine et byzantine, 1982 11 I. Sahid, The Newly Discovered Sixth Century Church Complex at Nitil, Jordan, in: Pré-Actes du XXe congrès International des Etudes Byzantines, 2001, Bd. 3, 314 12 Ders., Rome and the Arabs, 1984 13 Ders., Byzantium and the Arabs in the Fourth Century, 1985 14 Ders., Byzantium and the Arabs in the Fifth Century, 1989 15 Ders., Byzantium and the Arabs in the Sixth Century, 1995 16 TIR/IP 17 N. Lewis, The Documents from the Bar Kokhba Period in the Cave of Letters, 1989 18 H. M. Cotton, A. Yardeni, Aramaic, Hebrew and Greek Documentary Texts from Nahal Hever and Other Sites, 1997 19 H. Cotton, Administrative Divisions in Arabia, in: W. Eck (Hrsg.), Lokale Autonomie und röm. Ordnungsmacht, 1999, 71–73 20 G. W. Bowersock, Roman Arabia, 1983 21 R. Devreesse, Le Patriarchat d'Antioche, 1945 22 M. Sartre, Les Metrokomiai de Syrie du Sud, in: Syria 76, 1999, 197–222 23 M. Piccirillo et al., The Mosaics of Jordan, 1993 24 H.-P. Kuhnen, Palästina in griech.-röm. Zeit, 1990 25 E. Littmann et al. (Hrsg.), Publications of the Princeton University Archaeological Expeditions to Syria, Bd. 3A, Greek and Latin Inscriptions: Southern Syria, 1921 26 W. H. Waddington (ed.), Inscriptions Grecques et Latins de la Syrie, 1870. R. HAE.

Archaismus

II. Archäologie

Definition und Anwendung des von der mod. Forsch. aus der hell. Literaturkritik (ἀρχαισμός/ *archais-*

mós, ἀρχαίζειν/*archaízein* = »altertümeln«) auf die bildende Kunst übertragenen Begriffes sind umstritten. A. liegt vor, wenn an Bildwerken ab klass. Zeit (ca. 480 v. Chr.) absichtsvoll Merkmale der Spätarchaik (2. H. des 6. Jh. v. Chr.) übernommen werden. Solche erscheinen v. a. an Haar- und Barttracht, an Gewändern (Zickzackfalten) und an Bewegungsmotiven (gespreizte Finger, Standmotiv). Oft überzeichnen diese Motive archa. Formen oder erfinden sie neu. A. tritt an → Reliefs, seltener an → Statuen und in der Glyptik (→ Steinschneidekunst) auf. Auf Mz. und in der Vasenmalerei ist A. selten, jedoch werden Götterstatuen häufig als alte Idole und daher archaistisch dargestellt.

Eine chronologische Behandlung des A. wird durch die problematische Datier. vieler Werke erschwert. Ab 480 v. Chr. traten in Attika Einzelschöpfungen mit archa. Zügen auf (sog. »Schweineopferrelief«, Athen, AM). Um 450 v. Chr. schuf → Alkamenes [2] in Athen den *Hermes Propylaios* (Mus. Izmir), um 430 v. Chr. die *Hekate Epipyrgidia* (Athen, British School), beide mit archaistischer Haar- und Gewandwiedergabe. Für das 4. Jh. v. Chr. ist eine Zunahme archaistischer Plastik festzustellen, trotz der umstrittenen Zuweisung fast jedes Werkes. Überzeugend sind eine Viergötter-Basis aus Athen (Athen, AM) auf 380–370 v. Chr. und ein Relief mit Tänzerinnen aus Samothrake (Mus. Samothrake) um 340 v. Chr. datiert. Ab der Mitte des 4. Jh. begegnen auf Urkunden- und Weihreliefs des dionysischen Kreises mit Nymphen, Chariten und Horen archaistische Figuren von preziöser Zierlichkeit sowie in der Rundplastik Artemis-Hekate-Statuen und Perirrhanteria-Trägerinnen mit den Zügen spätarchaischer Koren.

Im Hell. entstanden v. a. ab dem 2. Jh. v. Chr. neue Werkstätten mit archaistischer Produktion: Wenige Gottheiten wie → Tyche [1], → Athena, → Isis, → Dionysos wurden in Statuenform dargestellt; aus Rhodos und Kos stammen Artemis-Hekate-Statuen, aus Pergamon sog. »Tänzerinnen«. Ab dem späten 2. Jh. v. Chr. wurden archaistische Idole als Statuenstützen verwendet. Kennzeichnend für den hell. A. ist die Beschränkung auf sehr wenige Details. Im Späthell. (ab 100 v. Chr.) setzte im Rahmen des Klassizismus der sog. neuattischen Werkstätten eine Zunahme des A. auch an Reliefs ein, die um neue Gattungen wie Schmuckreliefs und Kandelaberbasen erweitert wurden. Archaistische Vorbilder aus dem 4.–2. Jh. wurden von nun an unermüdlich wiederholt und eklektisch zusammengestellt.

In der röm. Kaiserzeit mit der zahlenmäßig stärksten Produktion an Werken des A. wurden diese Vorlagen auch in anderen Reliefgattungen (Campana-Reliefs, Tabulae Iliacae) bis E. des 2. Jh. n. Chr. weiter verwendet. Seltener und auf eine kleine Gruppe beschränkt blieb in der Kaiserzeit A. an Statuen. Mit → Spes entstand aus einer Kore eine röm. archaistische Schöpfung. Für alle diese Statuen ist das unterlebensgroße Format kennzeichnend.

Der ant. A. ist nicht als Stil, sondern als Darstellungsmodus zu bezeichnen. Er ist Ausdruck einer rückwärts-gewandten Geisteshaltung und an ausgewählte rel. Inhalte gebunden: A. vermittelt sakrale Aura und Altehrwürdigkeit. In Rom spielte A. eine Rolle für die rel. Erneuerungsbestrebungen der augusteischen Zeit. Daneben wurde verfeinerte klassizistische und archaistische Formensprache immer dann gerne verwendet, wenn es galt, ästhetische Höchstform auszudrücken.

E. SCHMIDT, Archaistische Kunst in Griechenland und Rom, 1922 · W. FUCHS, Die Vorbilder der neuattischen Reliefs, 1959, 44–59 · E. B. HARRISON, Archaic and Archaistic Sculpture (Agora 11), 1965 · D. WILLERS, Zu den Anfängen der archaistischen Plastik in Griechenland, 1975 · B. RIDGWAY, The Archaic Style in Greek Sculpture, 1977, 303–322 · C. M. HAVELOCK, Archaistic Reliefs of the Hellenistic Period, in: AJA 88, 1984, 43–58 · J. J. POLLITT, Art in the Hellenistic Age, 1986, 175–184 · M. D. FULLERTON, Archaistic Statuary of the Hellenistic Period, in: MDAI(A) 102, 1987, 259–278 · P. ZANKER, Augustus und die Macht der Bilder, 1987, 244–247 · M. A. ZAGDOUN, La sculpture archaïsante dans l'art romain du Haut-Empire, 1989 · M. D. FULLERTON, The Archaistic Style in Roman Statuary, 1990 · T. BRAHMS, Archaismus. Unt. zu Funktion und Bed. archaistischer Kunst in der Klassik und im Hell., 1994 · N. HACKLÄNDER, Der archaistische Dionysos. Eine arch. Unt. zur Bed. archaistischer Kunst in hell. und röm. Zeit, 1996. R. N.

Aretalogien. Bezeichnung der mod. Forsch. für eine Gruppe ant. rel. Texte. Diese Bezeichnung ist (in Anschluß an [10]) angelehnt an griech. ἀρεταλογία/*aretalogía*, »Lobpreis (der Taten und Eigenschaften eines Gottes)« (von *areté*, hier »Wunder(-tat), Macht(-bereich)«, und *légein*, »reden«). Belege: LXX Sirach 36,19, um 180 v. Chr.; vgl. Strab. 17,1,17 (evtl. verderbt); pejorativ bei → Manethon [2], Apotelesmatiká 4,447; vgl. lat. *virtutes narrare*: Ter. Ad. 535 f. Als Name einer Textgattung ist der Begriff »A.« in der Ant. nicht belegt; keine der unten aufgeführten Quellen bezeichnet sich selbst als A. oder steht explizit in Zusammenhang mit der Tätigkeit der → *aretalógoi*.

Die moderne Definition des Begriffes und der damit benannten Textgruppe variiert (zur Forsch.-Gesch.: [12. 3f.]): Einer enger umrissenen Definition zufolge ist der narrative Bericht über eine konkrete, oft durch Zeugen bestätigte Wundertat einer Gottheit gemeint [7; 8. 113⁴]. Das → Wunder ist dann häufig eine Heilung; die Gottheiten sind solche mit Heilfunktionen wie etwa → Asklepios. Als früher Beleg für diese Form der A. wurde eine Votiv-Inschr. an Athena von der Athener Akropolis gedeutet (IG II² 4326, um 350 v. Chr.; weitere Quellen: [7]).

Einer weiter gefaßten Definition zufolge umfaßt A. auch die Götterrepräsentation, die nicht-narrative Darstellung einer Gottheit in Form einer katalogartigen Aufzählung ihrer charakteristischen Eigenschaften und Taten ([1; 2; 6]). Sie enthält Aussagen zur myth. Genealogie, zu Kultorten und -namen sowie zu Funktions- bereichen und »Erfindungen« (→ *prótos heuretés*, → Kulturentstehungstheorien) und kann entweder als

→ Hymnos in der 2. oder 3. P. Sg. abgefaßt sein (z. B. [5; 6]) oder als Epiphanierede der Gottheit in der 1. P. Sg. (so im Traum des Lucilius bei Apul. met. 11,5; → Epiphanie). In dieser Bed. wird A. bes. mit Bezug auf die sog. äg. Gottheiten verwendet (v. a. → Isis, auch → Serapis, Osiris, Harpokrates, Anubis). Je weiter die Definition gefaßt ist und je mehr Texte in die Gruppe eingeschlossen werden, desto unschärfer wird die Abgrenzung gegen andere Formen der ant. Hymnik (vgl. → Hymnos).

A. an die äg. Gottheiten sind – metrisch oder (meist) in Prosa abgefaßt – zw. ca. 100 v. und ca. 300 n. Chr. inschriftlich in Heiligtümern der äg. Gottheiten bes. in Griechenland und Kleinasien belegt (Liste der Isis-A. und verwandter Texte: [6. 8–11]). Auszüge sind bei Diodoros [18] Siculus (Diod. 1,27; 1. Jh. v. Chr.) und Apuleius (Apul. met. 11,5; 2. Jh. n. Chr.) lit. verarbeitet. Am ausführlichsten ist die Isis-A. von Kyme überl. (1./2. Jh. n. Chr.). Der gemeinsame Archetyp der Diodoros-Passage und der A. von Andros, Kyme, Ios und Thessalonike wurde in das 3./2. Jh. v. Chr. datiert (vgl. [9. 12]).

In griech. Sprache verfaßt und zumeist außerhalb Äg.s gefunden, verweisen die A. an die äg. Gottheiten auf griech. und äg. Mytheme ([3; 9]; vgl. → Isis, Tab. »Epitheta der Isis«); einige der A. (z. B. Kyme, Andros) führen sich selbst auf einen (arch. nicht nachgewiesenen) Stelentext aus Memphis zurück. Die Ich-Form hat Parallelen in der altäg. Lit. (Beispiele: [1. 427]). Die durch diesen Befund ausgelöste Forsch.-Kontroverse darüber, ob die A. in der lit. und rel. Trad. Griechenlands oder aber Äg.s zu verorten seien, blieb ungelöst (Zusammenfassung der Diskussion: [6. 12–14; 13. 42–44]); fruchtbarer erscheint eine Interpretation der Inschr. in ihrem jeweiligen Handlungskontext.

→ Isis; Hymnos

1 J. ASSMANN, s. v. A., LÄ 1, 1975, 425–434
2 R. BAUMGARTEN, Hl. Wort und Hl. Schrift bei den Griechen, 1998, 196–218 3 J. BERGMAN, Ich bin Isis, 1968 (Lit.) 4 F. DUNAND, Isis: Mère des Dieux, 2000, 78 f.
5 H. ENGELMANN, The Delian Aretalogy of Sarapis, 1975
6 Y. GRANDJEAN, Une nouvelle arétalogie d'Isis à Maronée, 1975 (Lit.) 7 V. LONGO, Aretalogie nel mondo greco, 1969 8 R. MERKELBACH, Isis Regina – Zeus Sarapis, 1995, 113–119 9 D. MÜLLER, Äg. und die griech. Isis-A., 1961 10 S. REINACH, Les arétalogues dans l'antiquité, in: BCH 9, 1885, 257–265 11 B. ROSSIGNOLI, Le aretalogie, in: Patavium 9, 1997, 65–92 12 M. SMITH, Prolegomena to a Discussion of Aretalogies, in: Ders., Studies in the Cult of Yahweh, Bd. 2, 1996, 3–27 13 H. VERSNEL, Ter unus, 1990, 39–52 (Lit.). M. HAA.

Ariarathes (Ἀριαράθης). Herrschername in → Kappadokia.

[1] A. I. Der 405/4 v. Chr. geborene A. I. wurde unter Artaxerxes [3] III. Satrap von Nord-Kappadokia und behielt diese Position unter dessen Nachfolgern und während der maked. Eroberung (s. → Alexandros [4] d. Gr.). 322 unterlag er → Perdikkas [4], der ihn hinrichten ließ.

[2] A. II. Sohn des → Orophernes [1], Neffe und Adoptivsohn von A. [1], siegte um 280 v. Chr. [1. 93 f.] mit Hilfe des → Orontes [4] III. von Armenien über den seleukidischen Strategen Amyntas und begründete damit die Herrschaft seines Hauses in Süd-Kappadokia.

1 M. SCHOTTKY, Media Atropatene und Gross-Armenien in hell. Zeit, 1989.

[3] A. III. Enkel von A. [2] II., wurde um 255 v. Chr. von seinem Vater Ariaramnes zum Mitregenten gemacht und trug als erster seiner Linie den Königstitel. Seine Heirat mit Stratonike [5] stellte gute Kontakte zu den Seleukiden her. A. starb etwa 220.

[4] A. IV. Eusebes. Sohn von A. [3] III., kappadokischer König. ca. 220–163 v. Chr., war mit → Antiochis [4] (s. Nachträge), der Tochter des → Antiochos [5] III. Megas, verheiratet. Der seleukidische Machtverfall nach Magnesia [1] 190 ließ A. auf die röm.-pergamenische Seite überschwenken: Seine Tochter → Stratonike [6] war nacheinander mit zwei regierenden Attaliden verheiratet. Diese Verbindung bewährte sich im Pontischen Krieg (182–179), als A. mit seinem Schwiegersohn Eumenes [3] II. gegen Pharnakes [1] I. kämpfte. A.' Familienverhältnisse erregten Aufsehen: Die älteren Söhne A. [5] und → Orophernes [2] galten später als von der Königin untergeschoben.

[5] A. V. Eusebes Philopator (urspr. Name Mithradates), Sohn des A. [4] IV. und der Antiochis [4]. Kurz nach der Regierungsübernahme (um 163 v. Chr.) lehnte er den Vorschlag des → Artaxias [1] I. ab, Sophene zw. Armenia und Kappadokia aufzuteilen, und machte dort den in seiner Obhut befindlichen → Mithrobuzanes zum König. In seine Zeit fällt auch der erfolglose Versuch des → Ptolemaios [56] von Kommagene, die kappadokische Stadt Melitene zu erwerben. Die Bindung an Rom veranlaßte A., die Heirat mit einer Schwester des Seleukiden Demetrios [7] I. abzulehnen. Demetrios wandte seine Gunst daraufhin dessen Bruder (?) → Orophernes [2] zu, der dann seit 157/6 auch mit röm. Billigung als Teilkönig in Kappadokia herrschte, aber bald vertrieben werden konnte. A. blieb ein treuer röm. Bundesgenosse, der sich 150 am Sturz des Demetrios beteiligte und 130 auf röm. Seite im Krieg gegen Aristonikos [4] fiel. Zum Dank erhielt A.' Nachfolger aus der attalidischen Erbschaft Lykaonia.

[6] A. VI. Epiphanes Philopator. Sohn des A. [5] V. Spannungen mit Pontos konnten zunächst durch eine Heirat des A. mit → Laodike [II 16], der Schwester des Mithradates [6] VI., beigelegt werden. 111 (116?) v. Chr. ließ Mithradates A. durch seinen Parteigänger, den Kappadokier → Gordios [2], ermorden.

[7] A. VII. Philometor. Sohn des A. [6] VI. und der → Laodike [II 16], unter deren Vormundschaft er zunächst stand. Als die Königin-Witwe → Nikomedes [5] III. von Bithynia heiratete, griff ihr Bruder Mithradates [6] VI. ein, vertrieb die bithynischen Truppen und verschaffte seinem Neffen die tatsächliche Herrschaft. A. verweigerte jedoch die Rückkehr des → Gordios [2]

und suchte einem deswegen drohenden Angriff des
Onkels mil. zu begegnen. Mithradates lud A. daher zu
einer Besprechung, bei der er ihn um 100 v. Chr. eigen-
händig umbrachte.

[8] A. VIII. Sohn des A. [6] VI., jüngerer Bruder des A.
[7] VII. Durch einen Aufstand in seinem Namen versuchte der kappadokische Adel, der pontischen Herrschaft zu entgehen. Die Erhebung scheiterte um 96
v. Chr., A. starb im Exil.

[9] A. (IX.) Eusebes Philopator. Ein Sohn des Mithradates [6] VI., den dieser zw. etwa 100 und 88 v. Chr.
mehrfach zum kappadokischen König zu machen versuchte, aber jeweils damit scheiterte. A. diente seinem
Vater als Heerführer und starb um 86 während eines
Feldzuges in Thessalien.

[10] A. IX. (X.) Eusebes Philadelphos. Sohn des
→ Ariobarzanes [4] II., Bruder des → Ariobarzanes [5]
III. Er spielte 51 v. Chr. während Ciceros kilikischer
Statthalterschaft sowie 47 und 45 unter Caesar eine un-
durchsichtige Rolle als kappadokischer Thronanwärter.
Die Vernichtung seines Bruders durch Cassius verschaffte A. 42 die Nachfolge. Seit 41 hatte er sich aber
der Ansprüche des von Antonius [I 9] protegierten
→ Archelaos [7] Sisines zu erwehren – ein Konflikt, den
der Triumvir erst 36 durch Vertreibung (und wohl Beseitigung) des A. löste.

B. NIESE, s.v. A. (1–10), RE 2, 815–821 • H.H. SCHMITT,
s.v. Kappadokien, KWdH, ²1993, 329–332 •
R.D. SULLIVAN, The Dynasty of Cappadocia, in: ANRW II
7.2, 1980, 1125–1168, bes. 1127–1136; 1147–1149 •
M. WEISKOPF, s.v. Cappadocia, EncIr 4, 780–786, bes. 782f.
　　　　　　　　　　　　　　　　　　　　　　M. SCH.

Aristie (ἀριστεία/ *aristeía* von ἀριστεύειν/ *aristeúein*, »der
Beste sein, sich auszeichnen, sich hervortun«). Lit. Verherrlichung der überragenden kämpferischen Leistung
eines Helden im griech. Epos; als typische Szene eine
Hauptform homerischer Erzählkunst (→ Homeros [1]).
Typische Erzählphasen: Auf eine Rüstungsszene des
Helden folgt sein erster Erfolg in der Schlacht. Im weiteren Vorrücken gefährdet er sich selbst, wird aber
durch göttliches Eingreifen gerettet. Wenn der Held
den Kampf schließlich nicht aufgrund einer Verwundung abbrechen muß (→ Agamemnon: Hom. Il. 11,1–
283), gipfelt die A. in dessen Tod (→ Patroklos [1]: ebd.
16,130–867) oder in einem Zweikampf (→ Diomedes
[1]: B. 5; → Achilleus [1]: 19,368–424; 20,75–22,372;
→ Hektor: 11,284–16,863; → Aias [1]: 7,206–312).
Nachhomerische Beispiele: → Herakles [1] (Hes. scut.
122–425), → Nisos [2] und → Euryalos [4] (Verg. Aen.
9,176–458).

1 T. KRISCHER, Formale Konventionen der homerischen
Epik (Zetemata 56), 1971, 13–89 **2** M. MÜLLER, Athene als
göttliche Helferin in der Odyssee: Unt. zur Form der
epischen A., 1966 **3** R. SCHRÖTER, Die A. als Grundform
homerischer Dichtung und der Freiermord in der Odyssee,
1950.　　　　　　　　　　　　　　　　　　　S. MO.

Aristo s. Titius [II 2] Aristo

Arkandisziplin s. Disciplina arcani

[?Arr]enus Sabinus. Senator aus Interamna Praetut-
tiorum. Er kam unter Augustus in den Senat, wurde
Quaestor, Volkstribun, Praetor, Proconsul einer nicht
genannten Prov. und schließlich Legat des Augustus
wohl in der Prov. Galatia.

M. BUONOCORE, W. ECK, Teramo tra storia ed Epigrafia, in:
Atti della Pontificia Accademia Romana di Archeologia,
Ser. 3. Rendiconti, 72, 1999/2000, 221 ff.　　　　W. E.

Arrius
[II 3a] Cn. A. Augur. *Cos. ord.* 121 n. Chr., Enkel des
cos. suff. Cn. A. [II 1] (das Praenomen lautet Cn., nicht
P.: AE 1993,461) Antoninus, verwandt mit dem späteren
Kaiser Antoninus [1] Pius.

G. CAMODECA, Nuovi dati dalla riedizione delle tabulae
ceratae della Campania, in: S. PANCIERA (Hrsg.), XI Congr.
Internazionale di Epigrafia Greca e Latina. Atti I, 1999, 524.
　　　　　　　　　　　　　　　　　　　　　　W. E.

Arvad, Arwad s. Arados [1]

Asandros (Ἄσανδρος).
[3] Wurde vom bosporanischen König Pharnakes [2]
zum Statthalter eingesetzt, als dieser sich 48 v. Chr. an-
schickte, das Reich seines Vaters Mithradates [6] VI. zu
erobern. Noch während der Anfangsphase von Pharnakes' Feldzug erhob sich A. gegen ihn in der Hoffnung
auf röm. Unterstützung (Cass. Dio 42,46,4). Als der von
Caesar geschlagene Pharnakes über Sinope in sein Land,
das → Regnum Bosporanum, floh, wurde er von A.
vernichtet (App. Mithr. 120; Cass. Dio 42,47,5). Ebenso
setzte sich dieser gegen den von Caesar zum bosporanischen König bestimmten Mithradates [8] aus Pergamon durch (Cass. Dio 42,48,4; Strab. 13,4,3). Er legitimierte seine Herrschaft durch die Heirat mit Pharnakes' Tochter → Dynamis (Cass. Dio 54,24,4) und
herrschte wie sein Vorgänger bis zum Tanais (Strab.
11,2,11). Von Augustus anerkannt, erlag A. um 18
v. Chr. hochbetagt dem Usurpator Scribonius [II 1]
(Ps.-Lukian. makrobioi 17).　　　　　　　　　M. SCH.

Ascanius, Askanios s. Iulus

Aspurgos (Ἀσποῦργος). Die Herrschaft des den lit.
Quellen unbekannten bosporanischen Königs läßt sich
für 10/11–38/9 n. Chr. nachweisen. A. war damit der
(direkte?) Nachfolger seiner bis 7/8 n. Chr. regierenden
Mutter → Dynamis. Der Name seines Vaters ist inschr.
als Ἀσάνδροχος/ *Asándrochos* angegeben (IOSPE II 36),
zweifellos eine Variante von → Asandros [3] (s. Nachträge). Die röm. Anerkennung erreichte A. erst durch
sein persönliches Erscheinen in Rom [1. 337 mit Anm.
8]. A. war der Vater des späteren bosporanischen Königs
Kotys [II 1] (IOSPE II 32 und 37) und damit auch von

dessen Bruder → Mithradates [9] VIII. Nach A.' Tod versuchten die Römer mit der Einsetzung des Polemon [5] II. (Cass. Dio 59,12,2) noch einmal, die Etablierung einer auf Mithradates [6] VI. (den Großvater der Dynamis) zurückgehenden Dynastie am Bosporos zu verhindern.

1 V. F. GAJDUKEVIČ, Das Bosporanische Reich, 1971, 336–340.　　　　　　　　　　　　　　　　　M. SCH.

Assyrisches Recht s. Keilschriftrechte

Atargatis (Ἀταργάτις: Isidoros [2] aus Charax GGM 1,249; Ἀτταγάθη: [9. 109]; Ἀταράτη: Simpl. in Aristot. phys. 641,33 f.; Ἀταργάτη [6 59 f.]. Die Göttin A. ist ab dem 4. Jh. v. Chr. in Nordsyrien belegt. Ihr Name wird in der Forsch.-Lit. erklärt als Kombination der Namen → Astarte und → Anat (aram. ʿatarʿat(t)ā). A. weist Züge einer kriegerischen und erotischen Göttin, der »Herrin der Tiere« (→ Pótnia thērōn), der Göttermutter (→ Muttergottheiten), einer »Herrin der See«, → Tyche und Fruchtbarkeitsgöttin auf. Ikonographisch wurde sie auf einem Löwenthron sitzend und mit einer Mauerkrone ausgestattet dargestellt; Ähren weisen auf ihren Fruchtbarkeitsaspekt hin. Ihr Hauptkultort und Wallfahrtsort war das nordsyr. Hierapolis/→ Bambyke (h. Manbiǧ). Hier wurde sie zusammen mit Hadad und einer Kultstandarte verehrt. Aus ihrem Kult sind Speisevorschriften, Tötungsverbote und Entmannungsrituale überl. Von Hierapolis aus wurde A. als → Syria Dea in Nordmesopotamien (Edessa [2], Ḥarran, Ḥatra [1]), in Syrien (Damaskos, Palmyra, Dura-Europos, Ḥaurān, al-Biqāʿ), in der Nabatene (Ḥirbat Tannūra), in Kleinasien, Griechenland, Äg., It. und in den Prov. des röm. Imperiums bekannt.

→ Syria Dea

1 P.-L. VAN BERG, Corpus cultus Deae Syriae, 1972
2 L. DIRVEN, The Author of De Dea Syria and His Cultural Heritage, in: Numen 44, 1997, 153–179 3 H. J. W. DRIJVERS, Cults and Beliefs at Edessa, 1980, 76–121 4 Ders., s. v. Dea Syria, LIMC 3.1, 355–358; 3.2, 263–266 5 Ders., s. v. Hierapolis (Mabbog), RAC 15, 27–41 6 CH. FOSSEY, Inscriptions de Syrie, in: BCH 21, 1897, 39–65 7 M. HÖRIG, Dea Syria, 1979 8 Dies., Dea Syria – A., in: ANRW II 17.3, 1984, 1536–1581 9 TH. NÖLDEKE, Beitr. zur Kenntnis der aram. Dialecte, in: ZDMG 24, 1870, 95–109 10 R. A. ODEN, Stud. in Lucian's De Syria Dea, 1977.　　　　　H. NI.

Atilius

[II 13a] C. A. Serranus. Suffektconsul zusammen mit Carminius Gallus 120 n. Chr.

W. ECK, P. WEISS, Hadrianische Suffektkonsuln: Neue Zeugnisse aus Militärdiplomen, in: Chiron 32, 2002 (im Druck) · PIR² A 1308.　　　　　　　　　　　W. E.

Atlantis s. Okeanos; Utopie; ATLANTIS

Aufidius

[II 0] A. Bassus. Röm. Historiker (1. Jh. n. Chr.), der wohl nicht senatorischen Standes war. Da er in nero-

nischer Zeit als alter Mann starb, dürfte er etwa in mittelaugusteischer Zeit geboren sein (Sen. epist. 30). Philosoph. gebildet, hing er dem Epikureismus an. Quintilianus [1] (10,1,102 f.) rühmt seinen Stil und setzt ihn über den Historiker Servilius Nonianus. A. schrieb ein Bellum Germanicum (augusteische bis tiberische Zeit), wohl erst danach ein annalistisches Werk, das verm. vor 43 v. Chr. begann, da er verm. darin Ciceros Tod schilderte (Sen. suas. 6,18; 6,23). Mit welchem Zeitpunkt es endete, bleibt unklar. Plinius d. Ä. begann seine eigenen Annalen a fine Aufidi Bassi (»vom Tod des A. an«: Plin. epist. 3,5,6). Außer bei Sen. suas. 6,18; 6,23 und Plin. nat. 6,27 ist kein inhaltlicher Hinweis erh. (HRR II, 127 ff.). Ob A. von Tacitus [1] benutzt wurde, muß offen bleiben.

SYME, Tacitus, Bd. 1, 274–276. 288; Bd. 2, 697 ff.

[II 5a] A. Priscus. Vir perfectissimus, praeses provinciae Palaestinae zw. 303 und 305 n. Chr.; er ließ in Caesarea Maritima zwei Statuengruppen der Tetrarchen errichten (AE 1993,1621; 1624 = [1]; ferner eine unpublizierte Inschr.); in Costia (h. Yotvata) wurde unter seiner Leitung ein Alenkastell errichtet [2; 3].

1 C. M. LEHMANN, G. HOLUM, The Greek and Latin Inscriptions of Caesarea Maritima, 2001, Nr. 14; 17
2 I. ROLL, A Latin Imperial Inscription from the Time of Diocletian Found in Yotvata, in: IEJ 39, 1989, 239–260 3 W. ECK, Alam Costia constituerunt. Zum Verständnis einer Militärinschrift aus dem südlichen Negev, in: Klio 74, 1992, 395–400.　　W. E.

Augusta (Αὐγούστα, Αὐγοῦστα).

[0] Den Namen A. (»die Erhabene«) erhielt erstmals → Livia [2] durch testamentarische Verfügung ihres Gatten → Augustus (Tac. ann. 1,8,1; Vell. 2,75,3; Suet. Aug. 101,2), der sie zugleich in die Familie der Iulier adoptierte (seither: Iulia Augusta). Hell. Einfluß ist umstritten (dafür [1], dagegen [2. 140–145]); der wörtl. gleichbedeutende Name Σεβαστή/Sebasté wurde röm. Kaisergattinnen im griech.-sprachigen Raum unabhängig von einer Verleihung des A.-Namens in Rom beigelegt und hatte stärker kultischen Charakter. Mit der Weitergabe des Ehrennamens A. wurde dieser praktisch zu einem Titel, ohne aber – ebensowenig wie der Augustus-Titel – eine rechtlich fundierte Handlungsgrundlage zu bieten; er korrespondierte aber mit dem → pater-patriae-Titel, weil damit die Trägerin als mater principis (»Mutter des Princeps«) ausgewiesen wurde, der A.-Name also zur Legitimation dynastischer Herrschaft diente. Wie die recusatio (»Zurückweisung«) des pater-patriae-Titels bis → Pertinax (192/3) praktiziert wurde, so lehnten auch → Plotina und → Marciana, die Frau und die Schwester des → Traianus [1], den A.-Titel zunächst ab (Plin. paneg. 84,6; [3. 25]). Die formalen Gründe zur Erhebung zur A. durch ein SC blieben bis ins 3. Jh. n. Chr. der Amtsantritt des Princeps (→ Faustina [2]; Herennia Etruscilla, s. → Decius [II 1]), die

Eheschließung (→ Lucilla; → Iulia [11] Cornelia Paula) oder die Geburt eines Kindes (→ Poppaea [2], → Faustina [3]). Unter den → Soldatenkaisern im 3. Jh. n. Chr. ging die Erhebung zur A. aufgrund der veränderten Legitimationsbasis häufig mit der Benennung *mater castrorum* (»Mutter des Heerlagers«) anläßlich eines Sieges einher (schon im 2. Jh. bei Faustina [3]: Cass. Dio 71,10,5; Otacilia Severa, Frau des Philippus [2] Arabs: ILS 513; → Magnia Urbica: ILS 610; Galeria Valeria [6]: ILS 8932), seit der Tetrarchie (→ *tetrárchēs* IV.) wurde wieder die Rolle der *mater principis* betont [4. 70].

→ Augustus [2] (s. Nachträge); Herrscherinnen (s. Nachträge); Kaiserfrauen

1 H. W. RITTER, Livias Erhebung zur A., in: Chiron 2, 1972, 313–328 2 C. M. PERKOUNIG, Livia Drusilla – Iulia Augusta, 1995 3 H. TEMPORINI, Die Frauen am Hofe Trajans, 1979 4 A. PABST, Divisio Regni, 1986. ME.STR.

[9] A. Suess(i)onum. *Civitas*-Hauptort der → Suessiones an einer Schleife des Aisne auf einer Terrasse bei der Einmündung der Crise, h. Soissons (Dép. Aisne). Röm. Neugründung in Nachfolge von Noviodunum [1] und des *oppidum* beim h. Villeneuve-St. Germain an der Verkehrsachse → Durocortorum (h. Reims) – → Samarobriva (h. Amiens; Ptol. 2,9,8–11; Itin. Anton. 362; 379f.; Tab. Peut. 2,4). Orthogonaler Stadtplan; mehrere Bauphasen: um 50 n. Chr. Steinbauten; röm. Theater auf der Colline St. Jean (2. H. 1. Jh. n. Chr.). In der Spätant. (Notitia Galliarum 6,3) im Zentrum der h. Stadt ein *castrum* (E. 3. Jh.), Waffenproduktion (Not. dign. occ. 9,35). → Syagrius [3] wurde hier 486 n. Chr. von → Chlodovechus geschlagen (Greg. Tur. Franc. 2,27; 4,19; 4,21; 8,29; Fredegar-Chronik 3,16; 3,18; 3,55). Anf. des Christentums E. 3. Jh.: Märtyrer Crispinus und Crispinianus (vor 305); Grablege der fränkischen Könige Chlothar I. und Sigibert.

B. ANCIEN, M. TUFFREAU-LIBRE, Soissons gallo-romain, 1980 · D. DEFENTE, Soissons romain, in: Rev. archéologique de Picardie 3/4, 1984, 205–222. F. SCH.

[10] A. Viromanduorum. Metropole der *civitas* der → Viromandui, h. Saint Quentin (Dép. Aisne), auf der rechten Seite des → Samara (h. Somme) an der Mündung des Baches Grosnard, gegr. wohl in augusteischer Zeit. Das alte Stammeszentrum im 12 km entfernten h. Vermand hatte v. a. aufgrund der veränderten verkehrsgeogr. Situation seine Stellung verloren. Durch A. V., an einer günstigen Übergangsstelle des Samara entwickelt, führten strategisch bedeutende Nord-Süd-Verbindungen (Tab. Peut. 2,3; Itin. Anton. 379,4; Ptol. 2,9,11). Von Süden her kam die Route aus Andematun(n)um – Durocortorum und die von Augusta [9] Suessionum; sie führten weiter nach Norden nach Camaracum (h. Cambrai) einerseits und Nemetacum andererseits, von wo aus der Fährhafen Gesoriacum (h. Boulogne-sur-mer) erreichbar war. Im Westen liefen von A. V. Straßen nach Vermand über Samarobriva und nach Caesaromagus (h. Beauvais), im Osten bestand

eine Verbindung in Richtung Colonia Agrippinensis (h. Köln).

In der Stadt, die wohl orthogonal angelegt war, sind arch. nur zwei Mosaike erh., inschr. belegt sind der Name der Stadt (ILS 2096) und der *civitas* (ILS 7054), ein nicht näher definierter *pagus* (CIL XIII 3529) sowie einige Viromandui außerhalb ihrer Heimat (CIL XIII 1465; 1688; 8341f.). Ein gewaltiger Münzhortfund (mehrere tausend Expl.), das Fehlen spätant. Befestigung und der Abbruch von Siedlungsspuren z. Z. des Gallienus und Postumus zeigen, daß der Ort im letzten Viertel des 3. Jh. n. Chr. wenn nicht vollständig aufgegeben, so doch stark reduziert und wohl im Rahmen der Reformen des Diocletianus von Vermand als Verwaltungszentrum abgelöst wurde. Dank der Verehrung der Reliquien des hl. Quintinus, der in A. V. unter Diocletianus durch den Praefekten Rictiovarus das Martyrium erlitten haben soll, gewann die Stadt im 4. Jh. wieder an Bed. Im 8. Jh. wurde der alte ON durch den des *vicus Sancti Quintini*, der um die Kirche des Heiligen entstanden war, verdrängt und lebte nur noch in dem Stadtviertel Aouste weiter. Die bedeutendste Nekropole befindet sich im Norden der Stadt.

R. BEDON, Atlas des villes, bourgs, villages de France au passé romain, 2001, 289 · J.-L. COLLART, Le déplacement du chef-lieu du Viromandui au Bas-Empire à Vermand, in: Rev. archéologique de Picardie 3/4, 1984, 245–258. F. SCH.

Augustus

[2] (Αὔγουστος, Σεβαστός / *Sebastós*). Der A.-Titel (»der Erhabene«) ist seit seiner ersten Verleihung am 16. Jan. 27 v. Chr. (*Feriale Cumanum*, R. Gest. div. Aug. 34) als Ehrenname an → Octavianus und seiner testamentarisch verfügten Weitergabe an → Tiberius [1] zum festen titularen Bestandteil des offiziellen Kaisernamens geworden, ohne jedoch rechtliche Kompetenzen zu verleihen. Die Erhebung zum A. durch den Senat, im 3. Jh. oft durch das Heer (→ Soldatenkaiser), bildete den offiziellen Amtsantritt (*dies imperii*) des röm. Herrschers, als mal. Pendant zum *nomen* A. wurde der Titulatur das *praenomen Imperatoris* hinzugefügt [3. 167]. Mit Marcus [2] Aurelius, der auch seinen Adoptivbruder L. → Verus zum A. erheben ließ, gab es erstmals zwei Augusti nebeneinander, in der Tetrarchie (→ *tetrárchēs* IV.) wurde die Herrschaft noch auf zwei Kaiser ausgedehnt, die den Titel → Caesar (s. Nachträge) trugen. → Diocletianus behielt sich als *senior* A. die Legislative vor, erst Valentinianus [1] machte 364 seinen Bruder Valens [2] zum A. *pari iure* (»A. ohne Beschränkung«) und leitete damit die Reichsteilung ein [1. 25; 2. 63]. Das unter Diocletianus und Constantinus [1] I. belegte *semper* A. zeigt die Formalisierung des Namens, noch mehr die Übers. ins Griech. Αὔγουστος / *Aúgustos* statt Σεβαστός / *Sebastós* seit Constantinus [3. 70]. In seinen ›Novellen‹ des J. 629 führte → Herakleios [7] I. den bislang wegen der starken röm. Ablehnung des Königtums vermiedenen Titel Βασιλεύς / *Basileús* (»König«) ein, wodurch der A.-Titel zurückgedrängt wurde. Während des gesamten MA war jedoch A. Bestandteil des Kaisertitels, im Heiligen Röm. Reich Deutscher Nation in der Übers. »Mehrer« bis 1806.

→ Caesar (s. Nachträge); Imperator; Kaiser

1 Kienast 2 A. Pabst, Divisio regni, 1986 3 Dies., Comitia imperii, 1997 4 W. Hartke, Röm. Kinderkaiser, 1951 5 G. Rösch, Onoma Basileias, 1978 6 Mommsen, Staatsrecht 2, 748–750. ME.STR.

Aurelius

[II 5a] Imperator Caesar M. Aurelius Antonius s. Marcus [2] Aurelius

[II 5b] T. A. Calpurnianus Apollonides, ritterlicher Procurator zunächst für den *census* der Gallia Aquitania, anschließend Finanzprocurator in Moesia inferior, bezeugt im J. 174 n. Chr. (SEG 45, 1995, 985); sodann *procurator Thraciae, procurator ducenarius Dalmatiae (et Histriae), procurator ducenarius* für den → *Ídios lógos*; mit 55 J. gestorben. Verheiratet mit einer Aurelia Paulina (SEG 45, 1995, 985: Ehrendekret der Stadt Chersonesos für die Eheleute). PIR² A 1471.

Pflaum 2, 715 ff.; dazu die Rez. F. Millar, in: JRS 53, 1963, 198.

[II 32a] A. Victor. Ritterlicher *procurator ad Mercurium* in Alexandreia [1] 199 n. Chr. (BGU I 106). W.E.

[II 33] S. A. Victor s. Victor [7]

Aurunci. Lat. Stammesname, durch Rhotazismus abgeleitet aus dem üblicheren Ethnikon → Ausones. → Suessa Aurunca G. U./Ü: H. D.

Auspicium s. Augures; Vogelschau

Avesta s. Zoroastrismus

Avidius

[1a] Cn. A. Celer. Praetorischer Legat des → Vespasianus 72 n. Chr. in der Prov. *Pamphylia et [– – –]*, die damals möglicherweise noch mit Galatien verbunden war (unpublizierte Inschr., Mitteilung durch A. R. Birley). Sein vollständiger Name enthält nach TAM II 1188 noch die Elemente *Fiscillinus Firmus*, nach dem neuen Text noch *Rutilius [– – –]s Fiscillius Firmus*.

W. Eck, Die Legaten von Lykien und Pamphylien unter Vespasian, in: ZPE 6, 1970, 65–75. W.E.

B

Baebius

[II 11a] Q. B. Modestus. Ritter, der 211 n. Chr. von Caracalla und Geta unter die *consiliarii* aufgenommen (*adlectus inter amicos consiliarios*) und zum *procurator* und *praefectus* der Prov. Sardinia ernannt wurde (AE 1998, 671). W.E.

Bär. Der Braunbär (Ursus arctos; ἄρκτος/*árktos*, lat. *ursus*) war bis in die röm. Kaiserzeit in Süd- und Mitteleuropa allg. verbreitet. Aristoteles [6] kennt ihn recht gut: Paarung im Dezember, Geburt der meist 1–2 Jungen während der – aufgrund des Reservefettes möglichen – Winterruhe (bis März; Aristot. hist. an. 6,30,579a 18–28); der B. frißt alles (gerne sogar Honig), v. a. aber Fleisch, etwa von erbeuteten Hirschen, Wildschweinen und Rindern (ebd. 7(8),5,594b 5–17). Das Verhalten in der Winterruhe beschreibt Aristoteles auch hist. an. 7(8),17,600a 27–b 13. Die Monographie des Sostratos [3] (1. Jh. v. Chr., vgl. schol. Theokr. 1,115) über B. ist leider verloren. Plin. nat. 8,126–131 bietet ähnliches, darunter (als Mißverständnis von Aristot. hist. an. 6,30,579a 24 f.) die im MA populäre Behauptung, die Weibchen würden erst durch Lecken den unförmig geborenen Jungen ihre Gestalt verleihen (= Ail. nat. 2,19; vgl. Ov. met. 15,379–381). Dies deutet auf eine ungenaue Beobachtung des Verzehrs der Embryonalhäute und der Nachgeburt hin. Plinius (nat. 8,129) erwähnt (wie Ail. nat. 6,3) nicht nur Einzelheiten über die Winterruhe, sondern auch die Weitung des Darms nach dem langen Fasten durch Verzehr von → Aron.

Aus Germanien (offenbar seit 169 v. Chr. nach Liv. 44,18,8), Libyen bzw. Numidien (Atlasbär bei Plin. nat. 8,131), aber auch aus Asien (Syrien) importierte man B. in großer Zahl nach Rom für Tierhetzen (→ *venatio*) [1. Bd. 2, 78–92], aus Asien wurden sie nach Symm. epist. 5,62 mit einem Zoll (außer für Senatoren) belegt. Gelegentlich wurden B. auch gezähmt; z. B. soll Pythagoras [2] ein solches Tier besessen haben (Porph. vita Pythagorae 60). Als gefährliches Raubtier (Belege bei [2. 83–90]) schmückt der B. bei Hom. Od. 11,611 die Waffen des Herakles [1] und wird gerne auf spätant. Mosaiken, etwa in Nord-Afrika [2. Abb. 34] oder in → Piazza Armerina (III.), sowie auf verschiedenen Bronzen [2. Abb. 38 f.] dargestellt. Das Fleisch wurde verzehrt, das Fell verarbeitet, der Speck (Plin. nat. 21,125; 22,34 u. ö.) sowie Galle, Blut und Hoden volksmedizinisch verwendet. Im Traum bedeutete der B. Unglück. Kultische Bed. ist nicht sehr häufig, doch stand er in Beziehung zu Zeus [3. Bd. 1, 112, Bd. 2, 227 f.]. Als ἄρκτοι/*árktoi* waren kleine Mädchen u. a. im Kult der → Artemis (I. C. 2.) von → Brauron und in Munichia (→ Peiraieus) tätig (Aristoph. Lys. 645; [4]).

1 Friedländer 2 Toynbee, Tierwelt 3 A. B. Cook, Zeus. A Study in Ancient Religion, 1914 4 E. Bevan, The Goddess Artemis and the Dedication of Bears in Sanctuaries, in: ABSA 82, 1987, 17–21. C.HÜ.

Baetica s. Hispania; Hispania Baetica

Balasch s. Vologaises [10]

Bas (Βᾶς). Der bithynische Dynast war der Sohn des Boteiras und zweiter Nachfolger des → Doidalses (s. Nachträge). Memnon (FGrH 434 F 12,4) gibt ihm 71 Lebensjahre, von denen er 50 (377/6–328 v. Chr.)

herrschte. In seine Spätphase (zw. 333 und 328) fällt der Sieg über den von Alexandros [4] d. Gr. mit der Eroberung von → Bithynia beauftragten Satrapen Kalas. Hierdurch wurde die Entstehung eines unabhängigen bithynischen »Reiches« begründet, dessen erster König B.' Sohn → Zipoites [1] war.   M. SCH.

Basilika

[2] Die ›Basiliken‹, nach dem griech. Ausdruck basiliká (N. Pl.; »die kaiserlichen«, sc. Rechtsbücher), sind eine griech. Zusammenstellung der wichtigsten Teile des → Corpus iuris (→ Digesta und → Codex (II.) Iustinianus, dazu Auszüge aus → Institutiones und → Novellae C.) aus der Zeit des byz. Kaisers Leo(n) [9] VI. (886–912). Die B. sicherten für fünfeinhalb Jh. die Fortgeltung des röm. Rechts in → Byzanz (I. B. 3). Sie sind zugleich eine unschätzbare Sekundärquelle für die Überl. des Corpus iuris, v. a. der → Digesten (A. 3). Auf den B. beruht auch die byz. Komm.- und Lehrbuch-Lit., beginnend mit den B.-Scholien und endend Mitte des 14. Jh. mit einem Hdb. in 6 B. (daher: Hexábiblos) des Richters Harmenopulos.

H. J. Scheltema et al. (ed.), Basilicorum libri LX. Series A (Text), Series B (Scholia), 1953–1985.   G. S.

Baṣra (Τερηδών/ Terēdón, Ptol. 5,19,5; Ἰρίδωτις/ Irídōtis oder Διρίδωτις/ Dirídōtis, Arr. Ind. 41,6). Arabische Stadt im unteren Mesopotamien, 420 km südöstl. von Bagdad am Šaṭṭ al-ʿArab (gemeinsamer Flußlauf von Euphrates [2] und Tigris kurz vor der Mündung) gelegen. B. liegt zwar an der Stelle der persischen Siedlung Vahištābād Ardašēr (Vorgänger vielleicht das ant. Diridotis/Iridotis bzw. Teredon), ist aber im wesentlichen eine Neugründung aus der arab. Eroberungszeit (635 n. Chr.) und ähnlich wie → Kūfa aus einem Militärlager erwachsen. B. wurde als Ausgangspunkt für Expeditionen östl. des Euphrat und des Tigris gegründet; außerdem war die Stadt Knotenpunkt für Handelsrouten aus dem Irak und Iran. Rasch entwickelte sich B., dessen Bevölkerung sich aus seßhaft gewordenen Beduinen, zum Islam konvertierten Iranern, Indern und vielen nestorianischen Christen (vgl. → Nestorios D.) zusammensetzte, zu einer pulsierenden Handelsmetropole und bis zum Aufblühen Bagdads Anf. des 9. Jh. zum kulturellen Epizentrum des jungen islamischen Staates. In B. wurden den Arabern durch die Rezeption und Übers. indischer und persischer Werke wie Kalīla wa Dimna und des persischen Königsbuchs (→ Sāsāniden) ins Arabische östl. → Weisheitsliteratur und persischer Gesch. bekannt; speziell auf indische Einflüsse geht auch die Entstehung der klass. arab. Grammatik in B. zurück. In Auseinandersetzung mit der hochentwickelten aristotelischen Theologie der Nestorianer entwickelte sich in B. die klass. islam. Theologie (der Kalām). Auf christl. Vorbilder aus B. geht verm. auch die Entstehung islam. Mystik und Askese zurück (Ḥasan al-Baṣrī).

J. van Ess, Theologie und Ges. im 2. und 3. Jh. Hidschra, in: Ders., Basra, Bd. 2, 1992, 1–429 • M. Morony, Iraq after

the Muslim Conquest, 1984 • Ch. Pellat, Le milieu basrien et la formation de Ǧāḥiẓ, 1953 • Ch. Pellat, s. v. Baṣra, EI², CD-ROM 1999.   I. T.-N.

Bassai s. Phigaleia

Bastet (äg. Bȝst.t). Hauptgöttin von → Bubastis, als Katze oder katzenköpfige Frau dargestellt. B. steht in enger synkretistischer Verbindung mit → Sachmet, → Hathor (s. Nachträge), → Isis und vergleichbaren Göttinnen [1. 11–69]. In der → Interpretatio [2] Graeca gilt sie als → Artemis (z. B. Hdt. 2,137), selten auch → Aphrodite (z. B. Pistis Sophia 139–140, [5]). B. kann als gütiger Aspekt der Sachmet verstanden werden, jedoch auch selbst als Herrin einer bestimmten Dämonenklasse gelten. In dieser Eigenschaft wird ihr als Sohn der Löwengott Maihesa (Mȝj-ḥs; griech. Miysis) zugeordnet, z. B. in den Orakeldekreten [3]. Von überregionaler Bed. war das bei Hdt. 2,60 beschriebene alljährlich gefeierte Fest der Trunkenheit für Artemis/B. in Bubastis, zu dem orgiastische Riten gehörten. Äg. Quellen bestätigen und erweitern das bei Hdt. gezeichnete Bild [2. 95].

1 J. Bergman, Isis-Seele und Osiris-Ei, 1970 2 M. Depauw, A Companion to Demotic Studies, 1997 3 I. E. S. Edwards, Oracular Amuletic Decrees of the Late New Kingdom (Hieratic Papyri in the British Museum 4th Ser.), 1960 4 J. Quaegebeur, Le culte de Boubastis-B. en Égypte gréco-romaine, in: L. Delvaux, E. Warmenbol (Hrsg.), Les divins chats d'Égypte, 1991, 117–127 5 C. Schmidt, W. Till, Koptisch-Gnostische Schriften, Bd. 1, ³1962.   A. v. L.

Behinderung. B. im Sinne einer dauerhaften funktionellen Schädigung körperlicher oder mentaler Art (erworben durch Geburtsfehler, Krankheit, Unfall, Alter oder im Krieg) wurde in Griechenland und Rom als eine Abweichung von der üblichen Norm aufgefaßt. Der Begriff B. wird in den Quellen vage umschrieben (z. B. griech. ἀσθένεια/asthéneia, lat. debilitas, wörtlich »Schwäche«). Menschen mit B. heißen etwa ἀδύνατοι/ adýnatoi (»Unvermögende«) oder lat. debiles (»Schwäche«; [8]; vgl. Cic. leg. 1,55; Sen. contr. exc. 3,1; Plin. nat. 7,104f.). Die Gebrechen werden jeweils konkret benannt (z. B. Lys. 24; Plaut. Merc. 630; AE 1971, 88, col. II, Z. 6f.). Miß- oder Fehlbildungen werden u. a. mit ἀμορφία/amorphía oder πηρός/pērós bzw. lat. deformitas, deformis oder mancus bezeichnet ([8]; z. B. Cic. leg. 3,8,19; Lucil. 332f.). Ein Geisteskranker heißt μαινόμενος/mainómenos bzw. lat. furiosus [6].

Das herrschende Schönheitsideal und die von der ant. Ges. geforderte Leistungsfähigkeit bestimmten die Zugehörigkeit zur Gemeinschaft. Die Reaktionen auf Menschen, die diese Wertkategorien nicht oder nur bedingt erfüllten, waren in Griechenland wie Rom vielfältig und uneinheitlich: Sie reichten von Spott und Abscheu über Angst und Mitleid bis hin zu Achtung und Ehrfurcht. B. konnte als Strafe der Götter angesehen, das körperliche Erscheinungsbild als Abbild eines schlechten Charakters gewertet werden (z. B. → Thersites; s. [4]). Die soziale Stellung des Behinderten, der Einfluß seiner Familie sowie Art und Ausmaß seiner B. entschieden über den Grad der Ausgrenzung bzw. der Integration des Betroffenen. Statusgleichheit verhinderte auch unter Aristokraten Diskriminierung nicht [10; 13]. Körperbehinderte suchten ihre Defizite auszugleichen durch bes. Leistungen und Fähigkeiten, etwa im musisch-künstlerischen Fach. Sie suchten ihre B. zu verleugnen bzw. zu verbergen, bemühten sich, den Erwartungen der Ges. zu entsprechen, ihre Leistungsfähigkeit selbst im mil. Bereich zu beweisen oder durch Selbstspott soziale Ausgrenzung zu überwinden [4; 10; 13]. Aber auch Resignation, Rückzug aus dem sozialen Leben und → Suizid sind bei spät erworbener B. – wie etwa Blindheit – in den ant. Quellen faßbar (z. B. [10]).

Menschen mit B. waren auf die materielle Unterstützung ihrer → Familie angewiesen. Staatliche Behindertenfürsorge, die urspr. nur auf Kriegsinvalide angewandt wurde, existierte erkennbar nur im klass. Athen (vgl. → Kriegsfolgen). Geistig Debile waren hiervon allerdings ausgeschlossen (Lys. 24; Aristot. Ath. pol. 49,4; Plut. Solon 31). Die → Kindesaussetzung von behinderten Neugeborenen kam ebenso vor wie ihre Großziehung [15]. Ohne soziale Absicherung oder Ausbildung fristeten Behinderte als → Bettler ihr Dasein oder dienten als Possenreißer bei Feierlichkeiten, wo sie ihre körperlichen Anomalien zur Schau stellten (vgl. → Unterhaltungskünstler). Der Unterhaltungswert körperlich Deformierter spiegelt sich auch in der Kunst wider [16]. Τέρατα/térata bzw. lat. monstra (wörtl. »Ungeheuer«) wurden als göttliche Zeichen gewertet. Im republikanischen Rom wurden sie im Rahmen von Sühnemaßnahmen getötet (→ prodigium). In der röm. Kaiserzeit dagegen scheinen sie auf Märkten vorgeführt worden zu sein und konnten röm. Kaisern zum Amüsement dienen [1; 3; 14].

Die Möglichkeit eines Berufslebens blieb Menschen mit physischer B. nicht verschlossen: In der Überl. finden sich lahme Handwerker und Soldaten, blinde Dichter (z. B. Homeros [1]) und Rechtsgelehrte, stumme Maler, armamputierte oder sprachbehinderte Magistrate, deformierte Könige und Kaiser. Menschen mit B. konnten, wenn auch gegen rel. Bedenken, mitunter Priester werden [5; 8; 10; 13]. Frauen mit B. werden in den ant. Zeugnissen selten erwähnt; das Interesse an ihnen richtete sich v. a. auf ihre Gebärfähigkeit (→ Labda) [8]. Während Körperbehinderte durchaus am polit. und sozialen Leben teilhaben konnten, wurden Geisteskranke von ihrer Familie möglichst weggesperrt. Rechte wurden ihnen kaum zuerkannt, sie waren stärker als Körperbehinderte Übergriffen auf der Straße ausgesetzt [6]. Als Mobilitätshilfen dienten Menschen mit B. Stock, Prothesen, Wagen, Sänfte, Trage, Pferd oder Maulesel. Blindenhund und Rollstuhl waren in der Antike nicht bekannt [8; 10].

→ Randgruppen

1 R. GARLAND, The Eye of the Beholder, 1995 2 N. VLAHOGIANNIS, Disabling Bodies, in: D. MONSERRAT (Hrsg.), Changing Bodies, Changing Meanings, 1998, 13–36 3 I. WEILER, Körperbehinderte aus der Sicht des Althistorikers, in: G. FETKA-EINSIELDER, G. FÖRSTER (Hrsg.), Diskriminiert?, 1994, 7–23 4 H. GRASSL, Behinderte in der Ant., in: Tyche 1, 1986, 118–126 5 Ders., B. und Arbeit, in: Eirene 26, 1989, 49–57 6 Ders., Zur sozialen Position geistig Behinderter im Altertum, in: I. WEILER (Hrsg.), Soziale Randgruppen und Außenseiter im Alt., 1988, 107–116 7 A. ESSER, Das Antlitz der Blindheit in der Ant., ²1961 8 M. L. EDWARDS, Physical Disability in the Ancient Greek World, 1995 9 A. MEHL, Behinderte in der ant. griech. Ges., in: M. LIEDTKE (Hrsg.), B. als pädagogische und polit. Herausforderung, 1996, 119–135 10 L. DE LIBERO, Dem Schicksal trotzen. Behinderte Aristokraten in Rom, in: The Ancient History Bulletin 16, 2002 11 A. RÖSGER, Der Umgang mit Behinderten im röm. Reich, in: (s. [9]), 137–150 12 A. KÜSTER, Blinde und Taubstumme im röm. Recht, 1991 13 L. DE LIBERO, Mit eiserner Hand ins Amt?, in: J. SPIELVOGEL (Hrsg.), Res publica reperta. FS J. Bleicken, 2002, 172–191 14 I. WEILER, Hic audax subit ordo pumilorum, in: Grazer Beitr. 21, 1995, 121–145 15 M. SCHMIDT, Hephaistos lebt, in: Hephaistos 5/6, 1983/84, 133–161 16 L. GIULIANI, Die seligen Krüppel, in: AA 1987, 701–721.   L. d. L.

Berenike

[7b] Iulia B., jüdische Prinzessin, geb. ca. 28 n. Chr., älteste Tochter des → Herodes [8] Iulius Agrippa I., Schwester des → Iulius [II 5] Agrippa II., der → Drusilla und Mariamme. In erster Ehe mit ihrem Onkel → Herodes [7] von Chalkis verheiratet, in zweiter Ehe mit → Polemon [5] von Pontus. Beim Sieg des → Titus [3] über Jerusalem soll sie eine wichtige Rolle gespielt haben [1. 122]. 75 n. Chr. folgte die polit. ambitionierte B. [2; 3. 95] Titus als seine Geliebte nach Rom. Direkt nach dem Tod des Vespasianus zum Kaiser erhoben, entließ Titus B. im J. 79 aufgrund des Protestes von Senat und Volk (Cass. Dio 66,15,4; [Aur.Vict.] epit. Caes. 10,7) gegen seinen Willen (Suet. Tit. 7,1 f.; [3. 94]). Als B. wenig später nach Rom zurückkehrte, schickte er sie erneut fort.

1 D. BRAUND, Berenice in Rome, in: Historia 33, 1984, 120–123 2 J. A. CROOK, Titus and Berenice, in: AJPh 72, 1951, 162–175 3 P. M. ROGERS, Titus, Berenice and Mucianus, in: Historia 29, 1980, 84–95 4 R. JORDAN, Berenice, 1974 5 E. MIREAUX, La Reine Bérénice, 1951.   ME. STR.

Bes (äg. Bs, griech. Βησᾶς: Suda, s. v., lat. Besa(s): Amm. 19,12,3). Zwergengestaltiger äg. Gott mit Fratzengesicht, oft mit Löwenfell bekleidet. Sein typischer Kopfschmuck ist eine Krone aus Federn oder Pflanzen, weitere Attribute sind Messer, Schlangen und Musikinstrumente (v. a. Rahmentrommel, Harfe, Laute). B. ist nur schwer von ähnlichen Gottheiten wie Aha (ꜥhꜣ, »der Kämpfer«) zu unterscheiden. Er besitzt apotropäische Funktion im kosmischen wie privaten Bereich. Durch Musik besänftigt er Sachmet bzw. → Tefnut und wird daher mit Schu gleichgesetzt. In der Spätzeit (6. Jh.

v. Chr. – 3. Jh. n. Chr.) konnte der höchste »transzendente Gott« (ein »Übergott« über den anderen Göttern) als »pantheistischer B.« mit zahllosen Köpfen und Gliedern dargestellt werden [6]. Weibliches Pendant ist Beset (*Bs.t*) [7]. B. besaß ein Orakel in → Abydos [2], das bis ins 4. Jh. n. Chr. florierte. Kultkammern aus dem 2. Jh. v. Chr. wurden in → Saqqara entdeckt. B. wurde auch nach Zypern und Phönizien übernommen [3].

1 F. BALLOD, Prolegomena zur Gesch. der zwerghaften Götter in Äg., 1913 2 V. DASEN, Dwarfs in Ancient Egypt and Greece, 1993, 55–83 3 A. HERMARY, s. v. Bes (Zypern/Phönizien), LIMC 3.1, 108–112 4 M. MALAISE, B. et les croyances solaires, in: S. ISRAELIT-GROLL (Hrsg.), Stud. in Egyptology, FS M. Lichtheim, Bd. 2, 1990, 680–729 5 J. F. ROMANO, The B.-Image in Pharaonic Egypt, 1989 6 S. SAUNERON, Le papyrus magique illustré de Brooklyn, 1970 7 T. TAM TINH, s. v. Besit, LIMC 3.1, 112–114.

A. v. L.

Beschneidung s. Circumcisio

Billienus, C. Der röm. Proconsul B. wurde um 100 v. Chr. auf → Delos von privater Seite durch eine marmorne Panzerstatue mit einer Stütze in Form eines Schiffsbugs geehrt (H ca. 235 cm), die vor der Ostwand der Stoa des → Antigonos [2] Gonatas aufgestellt und bei den frz. Ausgrabungen 1909 bis auf die fehlenden Arme, den Kopf und den linken Unterschenkel *in situ* gefunden wurde. Mit dem Namen B. verbindet man h. die erste sicher benennbare Panzerstatue überhaupt.

J. MARCADÉ, Au Musée de Délos, 1969, 134, 329–333, Taf. 75 · K. TUCHELT, Frühe Denkmäler Roms in Kleinasien (MDAI(Ist) 23. Beih.) 1979, bes. 88, 96–98.   R. H.

Biologie I. ALLGEMEIN   II. GESCHICHTE

I. ALLGEMEIN

Ein Begriff für B. existierte weder im Griech. noch im Lat. Vielmehr gehörte die B., wenn auch als eigenständiges Wissensgebiet, traditionell zur → Philosophie als Teil der φιλοσοφία φυσική/*philosophía physikḗ*, der Naturphilosophie (→ Natur). Sie umfaßte Zoologie und Botanik (→ Tier- und Pflanzenkunde), wobei die Zoologie auch den Menschen zum Thema hatte und sich auf diese Weise mit der → Medizin berührte. Die lit. Genera, in denen sich das biologische Wissen niederschlug, waren vielfältiger Art. Als reine Sach-Lit. fand sich B. nur am Beginn ihrer Gesch., später wurde sie Inhalt unterschiedlichster Gattungen mit vorwiegend moralischer und unterhaltsamer Intention.

II. GESCHICHTE
A. VORARISTOTELISCHE BIOLOGIE
B. ARISTOTELES UND THEOPHRASTOS
C. HELLENISMUS D. KAISERZEIT UND SPÄTANTIKE

A. VORARISTOTELISCHE BIOLOGIE
Die B. vor → Aristoteles [6] war in Form biologischer Fragestellungen in Philos., Medizin und prakti-

schen Bereichen wie der → Landwirtschaft präsent. Bei den → Vorsokratikern finden sich Ansätze zu einer wiss. Erklärung der Phänomene durch einheitliche Prinzipien, deren wichtigste die vier Qualitäten Kalt, Warm, Feucht und Trocken waren (vgl. → Elementenlehre). Beispielsweise erschloß → Alkmaion [4] aus Kroton (um 500 v. Chr.) durch Spekulation, daß das Gehirn der Sitz des Verstandes sei (24 A 5 DK). Zoologische Fakten sammelte → Demokritos [1] von Abdera (2. H. 5. Jh. v. Chr.), wie Aristoteles bezeugt (Aristot. hist. an. 9,39,623a).

B. ARISTOTELES UND THEOPHRASTOS
Aristoteles [6] betrachtete es als Ziel biolog. Forsch., nicht nur umfangreiches empirisches Material zu sammeln, sondern auch die Existenz der Phänomene durch Kausalzusammenhänge zu erklären. Mit dieser Verbindung von induktiver und deduktiver Methode begründete er die B. als theoretische Wiss. Dabei galt sein Interesse v. a. der Zoologie. Aristoteles betont die relativ gute Erkennbarkeit der Objekte der B. (Aristot. part. an. 1,5,644b); dies zeigt, daß die systematische wiss. Beschäftigung mit der belebten Natur – gegen die platonische Anschauung von der Priorität von → Metaphysik und → Mathematik, möglicherweise aber auch gegen eine in der athenischen Oberschicht herrschende Verachtung naturkundlicher Forsch. – der Legitimation bedurfte. Basis seiner theoretischen Erfassung des empirischen Materials waren seine naturphilos. Grundanschauungen. Hierzu gehören v. a. die Lehre von den vier Qualitäten – Warm, Kalt, Trocken, Feucht –, die Vier-Ursachen-Lehre, sowie die Bewegungslehre (→ Kausalität; → Bewegung). Die aus Autopsie, aus Informationen von Fischern, Hirten, Jägern, Viehzüchtern und aus der Lit. stammenden empirischen Fakten sind vorwiegend in der *Historia animalium* niedergelegt, während *De partibus animalium* und *De generatione animalium* der Aitiologie gewidmet sind. Diese Aufteilung entspricht seinem Wiss.-Programm, demzufolge die Sammlung von Fakten der Aitiologie vorausgehen muß. Mitunter betont Aristoteles die Revisionsbedürftigkeit aufgestellter Kausalzusammenhänge für den Fall neuer Faktenkenntnisse, wie etwa im Rahmen seiner Theorie zur Geschlechtsentstehung der Bienen (Aristot. gen. an. 3,10,759aff.). Hier ist ein exzellentes Beispiel dafür gegeben, wie Aristoteles aus einer Fülle von Material (Aristot. hist. an. 5,21,553a; 9,40,624b) eine kohärente Theorie bildete.

Für die Klassifikation der Tiere bevorzugte Aristoteles, ausgehend von einer Kritik am platonischen Dichotomie-Prinzip, eine Definition der einzelnen Art durch viele gleichrangige Merkmale. Er unterschied die zwei Hauptgruppen der »blutführenden« und der »blutlosen« Tiere, die er weiter in größte Gattungen, Gattungen und Arten differenzierte. Aber sein Interesse galt weniger einer systematischen taxonomischen Ordnung des gesamten Tierreichs als einer vergleichenden Morphologie von Lebewesen, womit er zum Begründer der vergleichenden → Anatomie und Physiologie – hier

v. a. im Bereich der Zeugungs- und Vererbungslehre – wurde.

Verglichen mit moderner Auffassung vertrat Aristoteles eine stärkere Gemeinsamkeit zwischen Tier und Mensch. Eine differenzierte Analyse der Gemeinsamkeiten und Unterschiede der Lebewesen bildet das Stufenmodell der sog. *scala naturae* (Aristot. hist. an. 8,1,588bff.): Die unterste Stufe bilden die Pflanzen, die nur die Fähigkeit zur Nahrungsaufnahme und Reproduktion besitzen. Den Tieren ist darüberhinaus die Wahrnehmungs- und Bewegungsfähigkeit zu eigen. Beim Menschen kommt die Vernunft hinzu. Mit der *scala naturae* verband Aristoteles, entgegen einem weitverbreiteten mod. Irrglauben, keine kosmische Teleologie, sondern eine rein interne Finalität, die der mod. Anschauung einer Teleonomie entspricht (→ Zweck). Auch ist die *scala naturae* nicht mit einem Evolutionsgedanken verknüpft, da Aristoteles von der Ewigkeit der Arten ausgeht.

Aristoteles' [6] Schüler → Theophrastos (371–287 v. Chr.) widmete sich der Botanik und verband dabei nach dem Vorbild seines Lehrers induktive und deduktive Methode. Indem er die ca. 550 von ihm beschriebenen Pflanzen nach dem in der aristotelischen Zoologie angewandten Verfahren auswertete, begründete er die botanische Morphologie und Physiologie. Entspricht Theophrasts Schrift *Historia plantarum* mit der Präsentation des Faktenmaterials Aristoteles' *Historia animalium*, so ist sein Werk *De causis plantarum*, das sich mit Fortpflanzung und Entwicklung der Pflanzen beschäftigt, mit *De generatione animalium* zu parallelisieren, wohingegen eine mit *De partibus animalium* zu vergleichende Schrift fehlt, da sich nach der aristotelischen Anschauung die Funktionen der Pflanzen in Wachstum und Reproduktion erschöpfen. Ebenso wie in der aristotelischen Zoologie fehlt eine systematische Klassifikation.

C. HELLENISMUS

Nach Aristoteles und Theophrastos gab es im Bereich der B. so gut wie keine eigenständige naturwiss., auf neue empirische Erkenntnisse ausgerichtete und um Theoriebildung bemühte Forsch. mehr. Der Grund dafür mag in einer Skepsis gegenüber der Realisierbarkeit des aristotelischen Wiss.-Programms liegen, eher aber in der anthropozentrischen Ausrichtung der v. a. durch → Stoizismus und Epikureismus (→ Epikuros) vertretenen hell. Philos., zu der die B. als ein Teil der φυσική (*physikē*, → Physik) gehörte. Dies erklärt auch die Tatsache, daß nun die Frage nach dem Verhältnis zw. Tier und Mensch und ein Interesse an außergewöhnlichem und kuriosem Tierverhalten in den Vordergrund traten. Dies gilt selbst für den → Peripatos, die Schule von Aristoteles' Nachfolgern. Es fand nun insofern eine Literarisierung der B. statt, als sie Bestandteil von Schriften mit sachferner Intention wurde, wie etwa der vorwiegend auf Ästhetisierung eines abgelegenen Stoffes ausgerichteten Lehrgedichte des → Nikandros [4] aus Kolophon (3. Jh. v. Chr.) und der paradoxographischen

Lit. (→ Antigonos [9] aus Karystos, 3. Jh. v. Chr.; → *Paradoxográphoi*), die u. a. einem gesteigerten Unterhaltungsbedürfnis entgegengekommen sein dürfte.

D. KAISERZEIT UND SPÄTANTIKE

In der Prinzipatszeit blieb die B. eine Buch-Wiss.; eine Ausnahme bildete die eigenständige Forsch. des Arztes → Galenos von Pergamon (129–ca. 216 n. Chr.). Damit wurde die B. Bestandteil eines die Oberschicht kennzeichnenden Allgemeinwissens und damit auch Thema verschiedener lit. Gattungen, die sowohl im weitesten Sinne moralisieren als auch unterhalten wollten, was die Vermischung wiss. Materials mit solchem paradoxographischer Natur erklärt. Dies gilt sowohl für die enzyklopädische *Naturalis historia* des → Plinius [2] (23/4–79 n. Chr.) als auch für die Schrift *De natura animalium* des → Ailianos [2] (3. Jh. n. Chr.), die wohl ein Stück stoischer Erbauungs-Lit. darstellt.

In der Spätant. wurde das tradierte biolog. Wissen ein Element genuin christl. Literaturgenera. Zu diesen gehören die Anthropologien des → Gregorios [2] von Nyssa (ca. 335–394 n. Chr.) und des → Nemesios von Emesa (4./5. Jh. n. Chr.), v. a. aber die Hexaemeron-Lit., also Predigtkommentare zu der am Beginn des at. Buches Genesis stehenden Erzählung von der → Weltschöpfung Gottes, wie sie von → Basileios [1] aus Kaisareia (ca. 329/30–379 n. Chr.), Ambrosius (340–397 n. Chr.) und → Augustinus (354–430 n. Chr.) verfaßt wurden. Die sowohl aus wiss. als auch aus paradoxographischen Quellen übernommenen zoologischen und botanischen Fakten werden in diesen Schriften als Exempla im Dienste christl. Paränese verwandt, da an ihnen entweder Gottes Fürsorge bei der Erschaffung der Welt demonstriert oder durch sie zu einem moralisch richtigen Verhalten aufgerufen werden soll. V. a. bei Basileios aber scheint ein tieferes biolog. Interesse durchzuschimmern, wie etwa seine Anspielung auf die aristotelische Klassifizierung der Arten zeigt (Basil. 8,3 = PG 29,169C–172A).

→ Heilpflanzen; Medizin; Natur, Naturphilosophie; Physik; Tier- und Pflanzenkunde; Wissenschaft; NATURWISSENSCHAFTEN

1 J. ALTHOFF, B. im Hell., in: G. WÖHRLE (Hrsg.), B., 1999, 155–180 2 J. ALTHOFF, Warm, kalt, flüssig und fest bei Aristoteles, 1992 3 U. DIERAUER, Tier und Mensch im Denken der Ant., 1977 4 S. FÖLLINGER, Die aristotelische Forsch. zur Fortpflanzung und Geschlechtsbestimmung der Bienen, in: W. KULLMANN, S. FÖLLINGER (Hrsg.), Aristotelische B., 1997, 375–385 5 Dies., d. In d. Spätant., in: s. [1], 253–281 6 Dies., Die ant. B. zw. Sachtext und christl. Predigt: Autoren, Rezipienten und die Frage nach dem lit. Genus, in: M. HORSTER, CH. REITZ (Hrsg.), Ant. Fachschriftsteller: Lit. Diskurs und Sozialer Kontext, 2003, 83–99 7 B. HERZHOFF, Das Erwachen des biologischen Denkens bei den Griechen, in: s. [1], 13–49 8 W. KULLMANN, Wiss. und Methode. Interpretationen zur aristotelischen Theorie der Naturwiss., 1974 9 Ders., Aristoteles und die mod. Wiss., 1998 10 Ders., Aristoteles' wiss. Methode in seinen zoologischen Schriften, in: s. [1], 103–123 11 Ders., Zoologische Sammelwerke in der Ant., in: s. [1], 181–198

12 J. G. Lennox, The Disappearance of Aristotle's Biology: A Hellenistic Mystery, in: T. D. Barnes (Hrsg.), The Sciences in Greco-Roman Society (Apeiron 27,4), 1994, 7–24 13 G. Wöhrle, Theophrasts Methode in seinen botanischen Schriften, 1985. S. FÖ.

Blaundos

Blaundos (Βλαῦνδος). Stadt in der östl. → Lydia an der Grenze zu Phrygia, daher auch zu dieser gerechnet (Ptol. 5,2,25: Βλέανδρος), südl. von Inay (vgl. → Klannudda, s. Nachträge) beim h. Sülümenli (auch Sülünlü) auf schmalem Bergsporn zw. zwei Bachschluchten, die zum Hippurios (h. Köprülü Çay), einem nördl. Zufluß des oberen Maiandros [2], entwässern. Einheimische ON-Form noch im 2. Jh. v. Chr. *Mlaundos* (auf Mz.). Mit der offiziellen Bezeichnung *Blaundeís Makedónes* (Mz., Inschr. IGR 4, 717, 3. Jh. n. Chr.) kann B., wie mehrere lydische Städte, sich als ehemalige seleukidische *katoikía* (→ *kátoikos*) erweisen, vielleicht aber auch nur, wie mehrfach Städte der benachbarten Phrygia, Anspruch auf Abstammung von einstigen Veteranen erhoben haben, ohne jemals wirklich Militärkolonie gewesen zu sein. Kaiserzeitl. Mz. von Claudius [III 1] bis Mitte des 3. Jh. n. Chr. Die Ruinen – inschr. belegt ein Tempel, Stoa u. a. – waren schon im 19. Jh. zunehmendem Steinraub ausgesetzt. Inschr.: IGR 4, 714–720.

BMC, Gr, Lydia, 42–57 · SNG Copenhagen, Lydia 87–90; 94–100 · G. Le Rider, Un groupe de Cistophores de l'époque attalide, in: BCH 114, 1990, 683–701 · K. Buresch, Aus Lydien, 1898, 119–121, 203 f. · G. M. Cohen, Katoikiai, Katoikoi, and Macedonians in Asia Minor, in: AncSoc 22, 1991, 41–50, bes. 48–50 · Jones, Cities, 44 · Magie, 786, 972, 1001 · W. Ruge, s. v. B., RE 3, 560 · Zgusta, § 818–1. H. KA.

Boii

II. Die Boii nördlich der Alpen

Kelt. Volk, das im 5. Jh. v. Chr. teils nach Norditalien (→ Boii I.), teils nach Süddeutschland, Böhmen und in die Slowakei (Tac. Germ. 28) wanderte. Letztere werden mit den um 400 v. Chr. in diesem Gebiet auftretenden Flachgräberfeldern (Latène B) in Zusammenhang gebracht. Diese Gräber finden sich zeitgleich auch in Schlesien (vgl. die Einwanderung der Kelten unter → Segovesus bei Liv. 5,34), wo sie im 2. Jh. v. Chr. der zum Teil german. Przeworsk-Kultur weichen. Ob auch diese Gräber in Schlesien den B. zuzuschreiben sind, ist unsicher. Nach Poseidonios (bei Strab. 7,2,2) wehrten die B. die → Cimbri ab; Teile des Volkes wanderten nach Noricum und Pannonia (Caes. Gall. 1,5; Strab. 4,4,8). Viele B. schlossen sich den Helvetii an und zogen nach Gallia (Caes. Gall. 1,25; 1,28 f.). Arch. und numismatische Quellen deuten auf ein E. der kelt. *oppida* in Böhmen Mitte 1. Jh. v. Chr., was mit der Unterwerfung der B. durch → Burebista(s) um 40 v. Chr. (Strab. 7,3,11) zu erklären ist. → Boiohaemum

J. Filip, s. v. Böhmen und Mähren, RGA 3, 1978, 142–145 · H. Callies, s. v. Boier, RGA 3, 1978, 206 f. · M. Szabo, Die Wanderung der Kelten in Ost- und Südosteuropa, in: T. Bader (Hrsg.), Die Welt der Kelten, 1997, 147–150 · G. Dobesch, s. v. Helvetiereinöde, RGA 14, 1999, 351 f. KL. T.

Bolos

Bolos (Βῶλος) von Mendes (im Nildelta). Griech. Autor um 200 v. Chr. Sein wesentliches Thema waren okkulte Kräfte, Sympathie und Antipathie zw. Menschen, Tieren, Pflanzen, Steinen und Metallen (Fr.: 68 B 300 und 78 DK). Für die Verbreitung der Sympathielehre gab er wichtige Anstöße [1], später auch für die Entstehung der → Alchemie [5].

Manche Schriften des B. liefen unter dem Namen des Demokritos [1] um, und es wird diskutiert, ob man die umfangreiche ps.-demokriteische Lit. [6], die ähnliche Tendenzen verfolgte, weitgehend B. zuschreiben darf [3; 4]. Diese Lit. ist v. a. durch [8; 9] erschlossen worden. B. nahm verm. äg. [2] und persische Trad. auf (→ Ostanes [2]).

1 A. J. Festugière, La révélation d'Hermès Trismégiste, Bd. 1, 1950, 196–200, 222–238 2 P. Kingsley, From Pythagoras to the Turba Philosophorum, in: Journ. of the Warburg and Courtauld Institutes 57, 1994, 1–13 3 W. Kroll, B. und Demokritos, in: Hermes 69, 1934, 228–232 4 J. Letrouit, s. v. B. de Mendès, in: Goulet 2, 1994, 133 f. 5 E. Romano, I colori artificiali e le origini della chimica, in: G. Argoud, J.-Y. Guillaumin (Hrsg.), Sciences exactes et sciences appliquées à Alexandrie, 1998, 115–126 6 J. Salem, La légende de Démocrite, 1996 7 J. H. Waszink, s. v. B. (demokriteische Lit.), RAC 2, 1954, 502–508 8 M. Wellmann, Die Georgica des Demokritos (ADAW 1921, Heft 4), 1921, 4 9 Ders., Die Φυσικά des B. Demokritos und der Magier Anaxilaos aus Larissa. Abh. der Preuß. Akademie der Wiss., 1928, H. 7. H. GÖ.

Bononia [3] s. Gesoriacum

Brandbekämpfung s. Feuerwehr (Nachträge); Vigiles

Briareos s. Hekatoncheires

Britannisches Sonderreich

Britannisches Sonderreich. Sonderreich innerhalb des röm. Kaiserreichs in Britannien (286–296 n. Chr.) und im nordwestgallischen Küstengebiet (286–293). Der wegen angeblicher Unterschlagung von Beute von der Hinrichtung bedrohte *praefectus classis Britannicae* → Carausius ließ sich zum Kaiser ausrufen, setzte sich mit der Flotte nach Britannien ab und errichtete dort und an der gallischen Kanalküste (→ Gesoriacum) das B. S. Herrschaft und Verwaltung folgten röm. Vorbild; Konsolidierung der Herrschaft und Förderung der Wirtschaft waren die Hauptmerkmale der Politik des Carausius, der 289 einen Flottenangriff des → Maximianus [1] Daia erfolgreich abwehrte. Dies führte zur zeitweisen Anerkennung des Reiches und zur breiten Akzeptanz des Carausius. 290 übernahm er das imperiale Münzsystem (Prägestätten: Londinium, Clausentum und wahrscheinlich Rutupiae, auf dem Kontinent Gesoriacum). 293 konnte Constantius [1] Chlorus Gesoriacum einnehmen. Dies führte zum Sturz des Carausius durch seinen Rechnungsführer → Allectus. Geringe mil. Erfahrung des Allectus und fehlender Rückhalt in der Bevölkerung führten 296 zur Niederlage gegen Constantius Chlorus, der in Britannien eingedrungen war, zu Allectus' Tod und zum Ende des B. S.

P. J. CASEY, Carausius and Allectus, 1994 · KIENAST, 278 f.
ME. STR.

Brumalia (τὰ βρουμάλια). Röm. und byz. Fest, zuerst belegt bei Tert. de idololatria 10,3; 14,6. Das Bankett anläßlich der bevorstehenden Wintersonnenwende (*bruma*) wurde zunächst am 24.11. gefeiert und war mit Spielen und Geschenken verbunden. Später wurde es auf die ganze Zeit vor dem Wintersolstitium ausgedehnt und übernahm in Byzanz Elemente der röm. → Saturnalia sowie der Feiern anläßlich der Weinkelter zu Ehren des → Dionysos. Iustinianus [1] I. veranstaltete B., zu denen → Chorikios eine Festrede hielt (or. 13). In Äg. sind sie auf Papyri des 6. Jh. n. Chr. bezeugt (Belege: [1]).

1 F. PERPILLOU-THOMAS, Les Brumalia d'Apion II, in: Tyche 8, 1993, 107–109.

W. PAX, s. v. B., RAC 2, 646–649 · F. R. TROMBLEY, s. v. B., ODB 1, 327 f.
M. SE.

Bürgerkrieg (griech. seit Hdt. schon ἔμφυλος στάσις/ *émphylos stásis*; πόλεμος/*pólemos*; lat. *bellum civile*). Kämpfe zw. bewaffneten Bürgern eines Staates auf dessen Territorium, ist in der griech.-röm. Ant. bes. Schärfe annehmen konnten, weil angesichts der Identität von »Bürger« und »Soldat« jeweils kampferprobte Gruppen aufeinandertrafen. Die Ursachen liegen in sozialen Konflikten, polit. Differenzen oder im Machtanspruch einzelner. Da Beginn und Ende der B. formlos sind, ist die Abgrenzung von »Revolte« oder »Aufruhr« schwierig.

I. GRIECHENLAND II. ROM

I. GRIECHENLAND
Die Kleinräumigkeit der griech. → Polis, geringe Ertragssteigerung der agrarischen Produktion sowie Bevölkerungszunahme und die Konkurrenz zw. den führenden Familien, die häufig Gefolgschaften (→ *hetairíai* [2]) um sich sammelten, machten innere Unruhen zu einem weitverbreiteten Phänomen seit der archa. Zeit. Der dafür in Abgrenzung von *pólemos* (»zwischenstaatlicher Krieg«) verwendete Begriff *stásis* (wörtl.: »Standpunkt«, im Sinne eines gegen die Gemeinschaft oder andere Gruppen gerichteten »Eigensinns«) ist unscharf und reicht in seiner Bed. von »Streit« und »Unruhen« ([Aristot.] Ath. Pol. 5,2) bis zu »B.« mit dem Ziel der physischen Vernichtung des Gegners (Thuk. 3,82,1). In archa. Zeit lagen die Ursachen häufig in sozialen Konflikten, die durch die → Kolonisation (IV.) kaum gemindert wurden und wegen der Unversöhnlichkeit der »Standpunkte« häufig zum Einsatz von Schlichtern (→ *aisymnétēs*; → Gesetzgebung, s. Nachträge) oder auch zu einer → Tyrannis führten.

Mit der Erweiterung der an der Politik beteiligten Schichten trat zu den sozialen Konflikten seit klass. Zeit auch der polit. Dissens über die Gestaltung der → Verfassung, der durch den Dualismus zw. → Sparta (»oligarchisch«) und Athen (»demokratisch«; → Athenai) verstärkt wurde (vgl. → Peloponnesischer Krieg; → Pentekontaëtie), weil die Konfliktparteien nun Hilfe von außen erwarten konnten. Diese Vermischung von innerstaatlichem Dissens mit Einflußnahme von außen setzte sich im Hell. mit der Unterstützung einzelner Personen oder Gruppen durch die konkurrierenden hell. Könige (→ Hellenistische Staatenwelt) und dann auch durch Rom fort (vgl. → Soziale Konflikte II.).

II. ROM
Anders als Griechenland blieb Rom wegen der inneren Kohärenz seiner Führungsschicht (→ *patricii*; → *nobiles*), starker vertikaler Bindungen zw. Oberschicht und Volk (→ *cliens*) und der Möglichkeit, soziale Konflikte durch Landverteilung von eroberten Gebieten zu mindern, bis zum Ende des 2. Jh. v. Chr. vor gewalttätig ausgetragenen inneren Konflikten verschont; auch der → Ständekampf (5.–3. Jh. v. Chr.) wurde nicht als mil. Auseinandersetzung ausgetragen. Erst mit dem Zerfall des Konsenses in der Oberschicht, zunehmender Belastung der bäuerlichen Bevölkerung durch die Expansionskriege im 3. und 2. Jh. v. Chr. und der Umstrukturierung des Heeres (die zu einer engeren Bindung zwischen Heer und Feldherrn führte) entstanden Voraussetzungen zu schweren inneren Konflikten, die von 133 v. Chr. (Tib. → Sempronius [I 16] Gracchus) bis zur Eroberung Äg.s durch Octavianus (30 v. Chr.) die späte Republik durchzogen: die »Zeitalter der Bürgerkriege«, benannt nach der zeitlichen Eingrenzung bei App. civ. = ἐμφύλια/*emphýlia* (»Kriege zw. Stammverwandten«). Dabei unterscheidet Appianos nicht zw. tumultuarischem Aufruhr mit z. T. zahlreichen Todesopfern (etwa bei Gesetzgebung und Wahlen, meist im Zusammenhang mit Anträgen von Volkstribunen; → *tribunus* [7] *plebis*; → *populares*), der bei lat. Autoren als → *seditio* bezeichnet wird (z. B. Cic. har. resp. 41; 43) und B. (*bella civilia*) im engeren Sinne, die – in deutlichem Unterschied zu den B. in Griechenland – von regulären Einheiten des Bürgerheeres gegen die röm. Zivilbevölkerung bzw. gegeneinander ausgefochten wurden. Im Begriff → *seditio* ist jedoch der mil. Aspekt schwächer; er betont (ähnlich wie das griech. *stásis*) das aktive Abweichen einer Gruppe (*seditiosi*) von der polit. Eintracht (*concordia*).

Als B. im engeren Sinn gelten der Marsch des L. Cornelius [I 90] Sulla auf Rom (88 v. Chr.), die anschließenden (87/6) Kämpfe des Marius und L. Cornelius [I 18] Cinna um die Macht in Rom und der Krieg in Italien nach der Rückkehr Sullas aus Asien (83/2).

Ebenfalls als B. zu werten sind der Aufstand des Aemilius [I 11] Lepidus (77), der Krieg gegen → Sertorius (76–73) und die Schlußphase des Aufstands des → Catilina (63/62).

Die bekanntesten B. sind die Kriege zw. → Caesar und Pompeius [I 3] bzw. dessen Anhängern (49–46 v. Chr.) und die Kämpfe nach dem Tod Caesars, an denen seit 44 Truppen des → Octavianus, Antonius [I 9], Aemilius [I 12] Lepidus (→ tresviri [3]), der regulären Consuln und der Caesarmörder Brutus und Cassius teilnahmen. Auch nach dem Sieg über die Caesarmörder bei Philippoi (42) kam es zu Kämpfen zw. röm. Truppen, bis mit dem Sieg Octavians über Sextus Pompeius [I 5] im J. 36 v. Chr. der B. offiziell für beendet erklärt wurde (App. civ. 5,13, 128; 130; 132); doch zählt auch der Entscheidungskampf zw. Antonius und Octavianus (31/30 v. Chr.) noch zu den B., obwohl der Krieg offiziell gegen Kleopatra [II 12] und damit als auswärtiger Krieg geführt wurde.

Wieweit die in Prinzipat und Spätantike geführten Kriege um den Kaiserthron als B. zu bezeichnen sind, ist fraglich. Während nämlich die B. der späten Republik das Engagement und Interesse aller Bürger essentiell berührten (weil die beteiligten Parteien wenigstens vorgeblich um die Gestaltung der → res publica rangen, also auch immer Kämpfe um die Verfassung führten), trat dieser Aspekt seit dem Prinzipat völlig in den Hintergrund. Am ehesten sind die Kriege nach dem Tode Neros (68/9 n. Chr.; → Vierkaiserjahr) und nach dem Tod des Commodus (192; → Severische Dynastie, s. Nachträge) noch als B. zu werten, da die entscheidenden Schlachten überwiegend von Bürgersoldaten und auf traditionellem Bürgergebiet, nämlich in Italien ausgetragen wurden. Die zahlreichen Kriege zw. Kaisern und Usurpatoren bzw. zwischen Usurpatoren im 3. Jh. n. Chr. (→ Soldatenkaiser) und zw. den Heeren der Spätantike, die großenteils auch nicht mehr aus »Bürgern« bestanden, sind eher als »Prätendentenkriege« zu fassen.

→ Soziale Konflikte

P. Tasler, P. Kehne, s. v. B., in: H. Sonnabend (Hrsg.), Mensch und Landschaft in der Ant., 1999, 76–82 (mit Lit.).   W. ED.

C

Caecilius

[II 15a] **C. Maximus.** Praetorischer Statthalter von Arabia unter Severus [2] Alexander (AE 1998, 1444); vielleicht identisch mit dem vir clarissimus L. C. Maximus im Album von Canusium (CIL IX 338).

S. Augusta-Boularet et al., Un »nouveau« gouverneur d'Arabie, in: MEFRA 1998, 243–260.   W. E.

Caelius

[II 6a] **P. C. Optatus.** Praetorischer Legat der legio III Augusta in Africa 166 n. Chr.; cos. suff. wohl unmittelbar danach, 167 oder 168.

Thomasson, Fasti Africani, 156 · P. Weiss, Neue Flottendiplome für Thraker aus Antoninus Pius' späten Jahren, in: ZPE 139, 2002, 219–226.   W. E.

Caesar (Καῖσαρ/Kaísar).
Zuerst → cognomen in der gens Iulia, nach der Adoption des Octavianus (→ Augustus) durch → Caesar als Gentilnomen fester – seit Claudius [III 1] (aus der gens Claudia) nicht ererbter – Namensbestandteil aller röm. Herrscher mit Ausnahme des Vitellius [II 2] (recusatio, »Zurückweisung«, des C.-Namens: Tac. hist. 1,62,2; 2,62,2; 3,58,3; Suet. Vit. 8). Durch die Benennung als C. wurde der so Bezeichnete, meist Sohn oder Adoptivsohn, zum Nachfolger bestimmt [1. 24]. In der Tetrarchie (→ tetrárchēs IV.) regierten neben zwei Augusti zwei ihnen nachgeordnete Caesares. Die Inferiorität des Caesariats führte zu Konflikten, so daß mit dem Ende der constantinischen Dyn. 360 n. Chr. das Caesariat erlosch [2. 51–56]. Seit dem frühen MA wurden einzelne Herrscher unter Bezug auf die Person Caesar als C. bezeichnet oder sahen sich selbst in dessen Nachfolge, woraus die heutige Bezeichnung »Kaiser« herrührt.

→ Augustus [2] (s. Nachträge); Herrscher IV. B.; Kaiser; Nobilissimus; Tetrarches IV.

1 Kienast 2 A. Pabst, Divisio regni, 1986, 46–56.

Dies., Comitia imperii, 1997.   ME. STR.

Caesarodunum (Καισαρόδουνον).
Hauptort der keltischen → Turoni (Ptol. 2,8,14; Tab. Peut. 2,3; Notitia Galliarum 3), wohl seit Augustus der civitas Turonorum auf einer Anhöhe am linken Ufer des → Liger (h. Loire), in den der Cares (h. Cher) etwa 16 km weiter abwärts einmündet; h. Tours (Dép. Indre-et-Loire). Die kelt. Siedlung befand sich direkt am rechten Flußufer, sie wurde im 1. Jh. n. Chr. auf die hochwasserfreie Ebene zw. den Flüssen verlegt. Hier entwickelte sich C. zu einem florierenden Handelsplatz, verkehrsgünstig gelegen am Schnittpunkt der Straßen von Condevincum (h. Nantes) im Westen, → Burdigala im Süden, → Cabillon(n)um bzw. → Cenabum im Osten und Noviodunum [4] im Norden. 275 n. Chr. von german. Truppen zerstört, E. des 3. Jh. in reduziertem Umfang im östl. Hügelgelände wiederaufgebaut und fortifikatorisch gesichert (dünn besiedeltes castrum). Seit 374 Hauptstadt der Prov. Lugdunensis Tertia. Bistum; erster nachgewiesener Bischof Litorius, 337–371; sein Nachfolger war Martinus [1].

Erh. ist eines der größten Amphitheater im röm. Reich, errichtet unter Hadrianus (jetzt überbaut), Reste der (unter Zuhilfenahme von Spolien) im 3. Jh. n. Chr. erbauten Stadtmauer und eines Rundtempels.

M. Provost, Carte archéologique de la Gaule 37, 1988, 150 · C. Lelong, s. v. C., PE 182 f.   E. O.

Calpurnius

[II 26a] C. Quintianus. Finanzprocurator von Syria Palaestina, im J. 152 n. Chr. bezeugt.

W. Eck, Ein Prokuratorenpaar von Syria Palaestina in P. Berol. 21652, in: ZPE 123, 1998, 249–256.

[II 28a] L. C. Sabinus. Ritterlicher *praefectus classis* in Germania inferior 98 n. Chr.

J. K. Haalebos, W. H. J. Willems, Traian und die Hilfstruppen am Niederrhein. Ein Militärdiplom des Jahres 98 n. Chr. aus Elst in der Over-Betuwe, in: Saalburg Jb. 50, 2000, 31–72. W. E.

Capitolium

II. Allgemein

Name der Tempelanlage für die Götter-Trias → Iuppiter, → Iuno und → Minerva in den Städten Italiens und den (v. a. westl.) Provinzen des röm. Reiches in Anlehnung an das stadtröm. *C.*, das damit zum *C. vetus* wurde (Varro ling. 5,158). *Capitolia* wurden urspr. wohl nur in den nach röm. Vorbild angelegten röm. Kolonien errichtet (→ *coloniae* B.; vgl. Suet. Tib. 40,1: Capua; Vitr. 3,2: Pompeii), dann auch in Städten, die ihre Zugehörigkeit zum Reich bes. betonen wollten oder sollten (z. B. Gründung der Colonia Aelia Capitolina durch → Hadrianus in → Jerusalem mit einem Tempel des kapitolinischen Iuppiter auf dem jüdischen Tempelberg). Der Standort des *c.* war regelmäßig am → *forum*, möglichst wie das stadtröm. Kapitol in erhöhter Lage (Vitr. 1,7,1: *in excelsissimo loco*; z. B. in Brixia) oder, falls sich dies top. nicht anbot, herausgehoben durch eine weitere Erhöhung des beim röm. Tempel üblichen Podiums (→ Tempel C.1.; z. B. in Ostia) und/oder die Anordnung des *c.* an der Schmalseite des Forums (Pompeii, Vienna, Nemausus, Sufetula u. ö.), um einen Großteil der Stadt überblicken zu können (»Tempelforum«; → *forum* C.). In der Spätantike wurde jeder Haupttempel einer Stadt, ungeachtet der jeweiligen Gottheit, als *c.* bezeichnet (Prud. contra Symmachum 1,632). Der Begriff *c.* lebt in der Benennung christl. Kirchen weiter, die an der Stelle röm. *c.* gebaut wurden (Maria im Kapitol, Köln; Sta. Maria in Campidoglio, Florenz).

DS 2, 905 f., s. v. Capitolium · R. Cagnat, V. Chapot, Manuel d'Archéologie Romaine, 1917, 157–160. W. ED.

Caprotina s. Capratinae (Nonae)

Carminius

[1a] C. C. Gallus. Suffectconsul 120 n. Chr. [1]. Wohl identisch mit dem gleichnamigen prokonsularen Legaten. PIR² A 1065.

1 W. Eck, P. Weiss, Hadrianische Suffectconsuln: Neue Zeugnisse aus Militärdiplomen, in: Chiron 32, 2002 (im Druck). W. E.

Carrhae (Karrhai) s. Harran

Cassius

[II 19a] C. C. Regalianus. Suffektconsul im Dez. 202 n. Chr. [1. 266 ff.]. Sein Enkel dürfte der Usurpator P. C(assius) Regalianus sein [2. 208 f.].

1 B. Pferdehirt, Vier neue Militärdiplome im Besitz des Röm.-Germ. Zentralmuseums, in: Arch. Korrespondenzbl. 31, 2001, 261–280 2 W. Eck, Prosopographische Bemerkungen zum Militärdiplom vom 20.12.202 n. Chr., in: ZPE 139, 2002, 208–210. W. E.

Catuvolcus s. Ambiorix

Chalcedonense. Glaubensdefinition des Konzils von → Kalchedon (451 n. Chr.; → *sýnodos* II. D.): Christus ist vollständiger Gott und Mensch, wesenseins mit Gott dem Vater (→ Nicaenum) und den Menschen. Beide Naturen vereinen sich bei Christi Menschwerdung zu einer unteilbaren Person (πρόσωπον/*prósōpon*, ὑπόστασις/*hypóstasis*; gegen → Nestorios), bleiben aber unvermischt in ihrer Zweiheit erhalten (gegen → Kyrillos [2]). Die Zwei-Naturen-Lehre des Ch., vom → Monophysitismus verworfen, war in der griech. Kirche bis 518 umkämpft (→ Henotikon). Die Konzile von 553 und 680/1 legten die künftige Auslegung des Ch. fest.
→ Eutyches [3]; Hypostase [2]; Leo [3]; Synodos II.; Theodoretos [1]; Trinität

Ed.: E. Schwartz, Acta conciliorum oecumenicorum II,1,2, 129 f.
Lit.: K. Beyschlag, Grundriß der Dogmengeschichte II.1, 1991 · A. Grillmeier, H. Bacht (Hrsg.), Das Konzil von Chalkedon 1–3, 1951–1954. S. GE.

Chora s. Territorium

Chorlyrik s. Lyrik

Christologie s. Trinität

Christos Paschon (Χριστὸς Πάσχων; lat. *Christus Patiens*). Christl. Drama über die Passionsgesch. in Form eines → Cento. Zu *Ch. P.* verkürzt A. Bladus (Ed. princeps, Rom 1542) den Titel eines Theaterstücks von 2632 Versen, der in der Mehrzahl der Hss. (Mitte 13. bis Anf. 16. Jh.) lautet: ›Unseres Heiligen Vaters Gregor des Theologen dramatische Darstellung (→ *hypóthesis*) nach Euripides, welche die Fleischwerdung unseres Heilands Jesus Christus um unsretwillen und sein welterlösendes Leiden umfaßt‹. Die mehr Handlungsbericht als Handlung bietende Paraphrase stellt Leiden (1–847), Tod (848–1133), Grablegung (1134–1905) und Wiederauferstehung Christi (1906–2531) nach kanonischen und apokryphen Vorlagen dar, samt Prolog aus dem Munde des Dichters (*1–*30) und Gebet an Christus und Maria (2532–2602). Augenfälligste Merkmale poetischer Gestaltung sind Abfassung in zwölfsilbigen iambischen Trimetern (1461–1463: anapästische Dimeter!) und Einarbeitung von Versen des in christl. Trad. geschätzten

→ Euripides [3] sowie des → Aischylos und des → Lykophron [4]. Die in den Hss. einhellig vermerkte Verfasserschaft des → Gregorios [3] von Nazianz wird aufgrund von Prosodie, Metrik, Lexik und theologischen Problemen seit der Renaissance bestritten, von [4; 12; 13] aber gegen Spätdatierungen bis ins 12. Jh. (zuletzt etwa [10]) verteidigt (Romanos Melodos als *terminus ante quem*: [11]).

In Abweichung von geläufiger → Cento-Technik wie in den *Homerokentra* der → Eudokia [1] u. a. [1; 2] (homer. Vers- und Wortgut auch im *Ch. P*) ist der Text lediglich zu etwa einem Drittel »geflickt« und weist gattungstypologische szenische und motivische Bezüge zu den Referenztexten auf. In diesen Bezügen realisiert sich die Ankündigung des *Ch. P.* im Prolog (*1–*3) als hermeneutisches Modell für die christl. Rezeption einer präfigurativ verstandenen ant. (trag.) Dichtung, sowie als Beispiel einer christl. Poetik. In beiderlei Hinsicht wirkt das Drama v. a. in Renaissance und Barock nach ([9]; Übers. durch einen Schüler des Pietro VETTORI: [6]; H. GROTIUS, *Tragoedia Christus patiens*, 1608; D. HEINSIUS, *De Tragoediae constitutione*, [2]1643, 1611, cap. XVII; J. MILTON, *Preface to Samson Agonistes*, 1671), im byz. Theater dagegen offenbar kaum.

1 M. D. USHER (ed.), Eudociae Homerocentones, 1999 2 A.-L. REY (ed.), Patricius, Eudocie, Optimus, Côme de Jérusalem, Centons Homériques, 1998 3 H. FUNKE, Euripides, in: JbAC 8/9, 1965/6, 233–279.

ED. UND ÜBERS.: 4 A. TUILIER, Grégoire de Nazianze, La Passion du Christ. Tragédie, 1969 (Ed. und frz. Übers.) 5 F. TRISOGLIO, Gregorio Nazianzeno, La Passione di Cristo, 1979 (it. Übers.) 6 L. CACIOLLI (ed.), Giovanni da Falgano, Ippolito, Ecuba, Christus patiens, 1995 (it. Übers.). LIT.: 7 E. FOLLIERI, Ancora una nota sul Ch. P., in: ByzZ 84, 1991, 343–346 8 A. P. KAZHDAN, s. v. Ch. P., ODB 1, 442 f. 9 J. A. PARENTE JR., The Development of Religious Tragedy: The Humanist Reception of the Ch. P. in the Renaissance, in: The Sixteenth Century Journal 16, 1985, 351–368 10 K. POLLMANN, Jesus Christus und Dionysos. Überlegungen zu dem Euripides-Cento Christus patiens, in: Jb. der Öst. Byzantinistik 47, 1987, 87–106 11 G. SWART, The Ch. P. and Romanos the Melodist, in: Acta Classica 33, 1990, 53–64 12 F. TRISOGLIO, San Gregorio di Nazianzo e il Ch. P., 1996 13 A. TUILIER, Grégoire de Nazianze et le Ch. P., in: REG 110, 1997, 632–647.　　　　　　　　　　　　　　T. H.

Christus Patiens s. Christos Paschon

Chronologie s. Ären; Zeitrechnung

Claudius
[II 2a] C. Agrippinus, *procurator Asiae* unter Hadrianus.

J. REYNOLDS, New Letters of Hadrian to Aphrodisias, in: Journal of Roman Archaeology 13, 2000, 5–20.

[II 3a] Ti. C. Antoninus. Sohn eines Tiberius, aus der *tribus Sergia*. Praefekt der *cohors II Galatarum* (= *Gallorum?*), Tribun der *cohors I Hispanorum milliaria*, Praefekt

der *ala Tauriana*, Procurator der *vicesima hereditatium* in den gallisch-germanischen Prov., Procurator in Macedonia unter Hadrianus, Procurator von Britannien (unpublizierte Inschr. aus Apollonia Mygdonia in Macedonia: DEVIJVER V C 118 bis).

[II 20a] C. Cornel(ius/ianus) Latro Apellianus. Senator; *quaestor pro praetore* der Prov. Lycia-Pamphylia im 3. Jh. n. Chr.

S. ŞAHIN (ed.), Inschr. von Perge, Bd. 2, 290 (im Druck).

[II 33a] Ti. C. Heraclas. Procurator mit ducenarem Rang; Vater von Ti. → C. [II 51a] Plotinus (s. Nachträge).

S. ŞAHIN (ed.), Inschr. von Perge, Bd. 2, 293 (im Druck).

[II 35a] Ti. C. Isidorus. Sohn eines gleichnamigen Vaters, der in Alexandreia [1] *gymnasiárchēs* und *hypomnēmatographeús* war; röm. *tribunus militum* und *epistratēgós* der Thebais [1. 125 ff.] nach [1. 125 ff.] Sohn des bei Phil. in Flaccum 20 ff. erwähnten → Isidorus [3].

1 A. LUKASZEWICZ, Tiberius Claudius Isidorus: Alexandrian Gymnasiarch and Epistrategus of Thebaid, in: T. GAGOS (Hrsg.), Essays and Texts in Honor of J. D. Thomas, 2001.

[II 41a] C. Lucilianus. Nicht *praefectus Aegypti*, wie früher wegen Papyri Basel II angenommen, sondern nur *praefectus montis Berenicidis et alae Herculianae* 190 n. Chr.

H. CUVIGNY, Claudius Lucilianus, Préfet d'Aile et de Bérénice, in: T. GAGOS (Hrsg.), Essays and Texts in Honor of J. D. Thomas, 2001, 171–174.

[II 50a] C. Nysius. Praetorischer kaiserlicher Statthalter von Cilicia entweder unter Caracalla oder unter Elagabal [2] (der Name des Kaisers ist eradiert).

M. H. SAYAR (ed.), Inschr. von Anazarbos, 2000, 11.

[II 51a] Ti. C. Plotinus. Ritter, Sohn von → Claudius [II 33a] Heraclas (s. Nachträge). Von Caracalla erhielt er die *militiae equestres*; *procurator* der Narbonensis und von Liguria maritima; *procurator Africae dioeceseos Lepcitanae*; *procurator* von Lycia-Pamphylia; designierter *procurator* von Cilicia.

S. ŞAHIN (ed.), Inschr. von Perge, Bd. 2, 293 (im Druck).
　　　　　　　　　　　　　　　　　　　　W. E.

Colonia Ulpia Traiana. Röm. Kolonie am linken Niederrhein, h. Xanten, auf einer Niederterrasse zw. zwei Rheinarmen in einem nur bedingt für Ackerbau geeigneten Gebiet. Während frühe Siedlungsspuren des 4. oder 3. Jh. v. Chr. keine Kontinuität bis in röm. Zeit anzeigen, entstand hier bereits um die Zeitenwende ein durch das unmittelbar benachbarte Legionslager → Vetera begünstigter Zentralort der → Cugerni (s. Nachträge). Nach Tac. hist. 4,22,1 war dieser Ort in den 60er J. des 1. Jh. n. Chr. ›nach Art eines → *municipium*‹ errichtet. Nach Zerstörung im → Bataveraufstand (Brandschicht 69/70 n. Chr.) wurde der → *vicus* wieder zügig aufgebaut. Von Traianus [1] wurde die Siedlung zw. 98

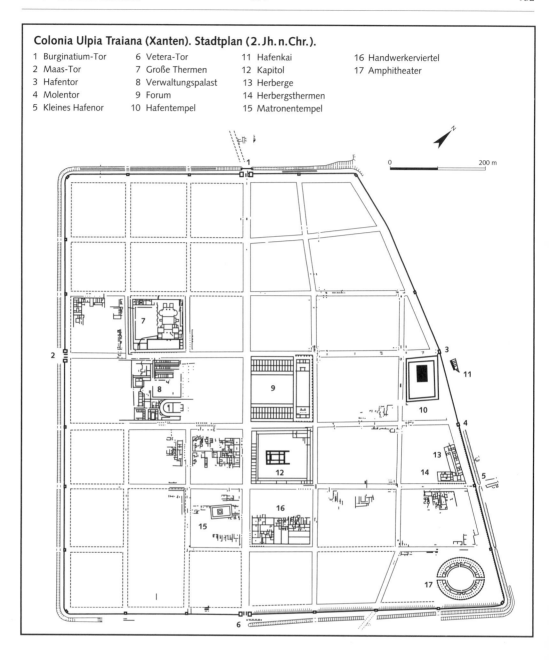

Colonia Ulpia Traiana (Xanten). Stadtplan (2. Jh. n. Chr.).

1 Burginatium-Tor
2 Maas-Tor
3 Hafentor
4 Molentor
5 Kleines Hafenor

6 Vetera-Tor
7 Große Thermen
8 Verwaltungspalast
9 Forum
10 Hafentempel

11 Hafenkai
12 Kapitol
13 Herberge
14 Herbergsthermen
15 Matronentempel

16 Handwerkerviertel
17 Amphitheater

und 107 n. Chr. in den Rang einer → *colonia* erhoben und in der Folgezeit monumental ausgebaut. Mit 73 ha war die C. U. T. nach der → Colonia Agrippinensis (h. Köln) die zweitgrößte der Prov. Germania Inferior (→ Germani [1] II. C.).

Eine 3,4 km lange Mauer mit Türmen und Toren diente repräsentativen Zwecken und umschloß eine Siedlung mit rechtwinkligem Straßennetz. Unter den Bauten sind neben einem Amphitheater (mit steinernem Ausbau gegen E. des 2. Jh.) für ca. 10 000 Zuschauer bemerkenswert der Kapitolstempel (einer der

größten Sakralbauten der Prov.), das merkantile Forum mit Basilika und eine große Thermenanlage, jeweils in hadrianischer Zeit begonnen; ferner der »Hafentempel« in mediterraner Architektur und ein galloröm. Umgangstempel für die Matronae Aufaniae (→ Matres). Wirtschaftlich profitierte die Stadt bes. vom nahegelegenen Militärlager und vom Durchgangshandel nach Britannia. Das zur C. U. T. gehörende Territorium scheint umfangreich gewesen zu sein. In den Zügen der → Franci nach 270 n. Chr. ging die Stadt zugrunde, wurde aber um 300 n. Chr. noch einmal in verkleinertem Umfang wiederaufgebaut und stark befestigt. Ab dem 1. Viertel des 5. Jh. verfiel die Stadt und wurde Opfer des Steinraubes.

→ ARCHÄOLOGISCHER PARK

H. HINZ, Xanten zur Römerzeit, ⁴1977 • Ders., C. U. T., in: ANRW II 4, 1975, 825–869 • U. HEIMBERG, A. RIECHE, C. U. T., 1986 • C. B. RÜGER, Xanten, in: H. G. HORN (Hrsg.), Die Römer in Nordrhein-Westfalen, 1987, 629–644 • G. PRECHT, H.-J. SCHALLES, Spurenlese – Beitr. zur Gesch. des Xantener Raumes, 1989 • H.-J. SCHALLES, Städte im Rheinland: Das Beispiel Xanten, in: L. WAMSER (Hrsg.), Die Römer zw. Alpen und Nordmeer, 2000, 104–107 • H.-J. SCHALLES, Die Wirtschaftskraft städtischer Siedlungen am Niederrhein, in: T. GRÜNEWALD (Hrsg.), Germania inferior, 2001, 431–463.   R. A. WI.

Conventus (Pl. -ūs; wörtl. »Zusammenkunft«; griech. διοίκησις/*dioíkēsis*, ἀγορά/*agorá*, σύνοδος/*sýnodos*). *C. civium Romanorum* bezeichnete in den röm. Prov. sowohl Gerichtsbezirke mit einem jeweiligen Hauptort als auch die Gerichtsversammlungen, die mindestens einmal im Jahr an festgesetzten Tagen unter dem Vorsitz des Statthalters dort abgehalten wurden ([1. 470; 12. 222²⁷]; zu *c.* allgemein vgl. Strab. 13,628; zur *c.*-Ordnung in augusteischer Zeit Plin. nat. 5,105–126; zum Ablauf eines *c.* in Apameia [2] Dion Chrys. 35,15; IGR 4,1287, vgl. [2. 101]; zur Archivierung der Entscheidungen, die zur Kontinuität der → Provinzverwaltung (II., s. Nachträge) beitrug, vgl. [3. 103]). Die Einrichtung von *c.* diente administrativen Zwecken und der rechtlichen Organisation der Provinzen.

Ca. 200 v. Chr. finden sich die ersten Konventsorte in Sizilien; absichtlich wurden hier ethnische Einheiten aufgebrochen [3. 237]. Die erste planmäßige Einteilung von territorialen *c.*, die zw. 129 und 90 v. Chr. in der Prov. → Asia vorgenommen wurde und noch von Cicero bestätigt wurde (Cic. fam. 3,8,4; 13,53,2; Cic. Att. 6,2,4; 5,15,3; [11. 206]), läßt sich anhand eines Briefes eines namentlich nicht genannten Proconsuls an die Milesier zw. 56 und 50 v. Chr. nachweisen (IPriene 106; [4]). Caesar berichtet über seine jährliche Gerichtsreise durch die Konventsorte des Illyricum und der Gallia cisalpina (Caes. Gall. 1,54,3; 5,1,5; 5,2,1; 6,44,3; 7,1,1; Suet. Iul. 30,1; 56,5). Aus der Prov. Hispania sind sieben *c.* mit ihren Hauptorten bekannt (Plin. nat. 3,18), die schon unter Augustus eingerichtet wurden ([5; 6. 57f.]; nicht erst unter Vespasianus, so [7]), deren wichtigste Tarraco (Plin. nat. 3,23; [5]), Corduba (Plin. nat. 3,10; [8]) und Astigi waren (Plin. nat. 3,12; [9]; [10]).

In der Kaiserzeit wurden die *c.* im Osten zunehmend durch die *koiná* (→ koinón), im Westen durch die *concilia* (→ concilium) abgelöst, da diese Versammlungen mit sakralen Aufgaben betraut waren (vgl. → Kaiserkult) und die einheimische Oberschicht stärker einbanden.

→ Verwaltung VIII.

1 KASER, RZ, ²1996 2 G. P. BURTON, Proconsuls, Assizes and Administration of Justice under the Empire, in: JRS 65, 1975, 92–106 3 A. J. MARSHALL, Governors on the Move, in: Phoenix 20, 1966, 231–246 4 SHERK Nr. 52, p. 272–276

5 G. ALFÖLDY, in: CIL II 14, ²1995, p. XIIIf.
6 L. A. CURCHIN, Roman Spain, 1991 7 P. LE ROUX, in: AE 1984, 553 8 A. STYLOW, in: CIL II 7, ²1995, p. XVIII-XX 9 A. STYLOW, in: CIL II 5, ²1998, p. XVIII-XX 10 S. J. KEAY, The C. Tarraconensis in the Third Century A.D.: Crisis or Change?, in: A. KING, M. HENIG (Hrsg.), The Roman West in the Third Century, 1981, 451–486 11 L. ROBERT, Hellenica, Bd. 7, 1949 12 W. DAHLHEIM, Gewalt und Herrschaft, 1977.   ME. STR.

Cornelius Nepos s. Nepos [2]

Corrector (Italiae). Zu Beginn des 3. Jh. n. Chr. ist der Senator C. Octavius Appius → Suetrius Sabinus als *c. I.* bezeugt, während gleichzeitig noch → *iuridici* amtierten: CIL X 5178 und 5398 = ILS 1159 (unter Caracalla); möglicherweise war auch T. Pomponius [II 5] Bassus *c. I.*: CIL VI 3836 = 31747 = 41237 (wohl 268/9). [3. 221 ff.]. Sie waren also nicht an die Stelle der *iuridici* getreten, wie es seit dem späten 3. Jh. geschah. Diese *correctores* waren Sonderbeauftragte, wie die Beschreibung in CIL X 5398 = ILS 1159 für Octavius Appius Suetrius Sabinus (doch vgl. dazu [3. 223 Anm. 9]) zeigt: *elect(us) ad corrig(endum) statum Ita[l(iae)]*, d. h., sie übernahmen ähnliche Aufgaben wie die → *correctores* in den Prov. des 2. und 3. Jh. Ob C. Ceionius Rufius Volusianus, CIL X 1655 (unter Carus), noch zu ihnen zu zählen ist, bleibt unklar. Die meisten der *correctores* in PLRE 1, 1092 dürften bereits auf einen Teil It.s (meist wohl eine Region) beschränkt, also mehr oder weniger bereits Statthalter gewesen sein, deren Titel jedoch die Gleichstellung It.s mit den Prov. nicht zeigen sollte.

1 W. ECK, L'Italia nell'Impero Romano, 1999, 274 f.
2 G. A. CECCONI, Governo imperiale e élites dirigenti nell'Italia tardoantica, 1994, passim 3 M. CHRISTOL, Essai sur l'évolution des carrières sénatoriales, 1986.   W. E.

Cosconius

[II 0] C. Celsus. Praesidialprocurator in Raetia bis zum J. 139 n. Chr., in dem er von Sempronius Liberalis abgelöst wurde [1]; sein Name ist wohl auch in RMD II 94 = AE 1984,706 zu ergänzen.

1 K. DIETZ, Ein neues Militärdiplom aus Alteglofsheim, Lkr. Regensburg, in: Beiträge zur Arch. in der Oberpfalz 3, 1999, 225–256.   W. E.

Cossonius. L. C. Gallus Vecilius Crispinus Mansuanius Marcellinus Numisius Sabinus. Senator, dessen Laufbahn durch eine Inschr. aus Antiocheia [5] in Pisidia bekannt ist (CIL III 6813 = ILS 1038). Quaestor in der Prov. Pontus-Bithynia, Volkstribun, Praetor, *curator viarum Clodiae, Cassiae, Ciminiae, Traianae novae, praef. frumenti dandi, legatus legionum I Italicae et II Traianae, proconsul Sardiniae* (ca. 111 n. Chr.), praetorischer kaiserlicher Legat von Galatia, Pisidia ca. 113–115 n. Chr.; Suffektconsul wohl 116 [1. 9–35] oder auch erst 117, *VIIvir epulonum*; erster bekannter consularer Statthalter der Prov. Iudaea ca. 118–120 [2].

1 H. Wolff, Neue Militärdiplome aus Künzing (Ldkr. Deggendorf) und der Stadt Straubing, Niederbayern, in: Ostbairische Grenzmarken 41, 1999, 9–35
2 H. M. Cotton, W. Eck, Governors and Their Personnel on Latin Inscriptions from Caesarea Maritima, in: The Israel Academy of Sciences and Humanities, Proc. 7.7, 2001, 215–240.
W. E.

Cuballum. Festung in → Galatia (*C. Gallograeciae castellum*: Liv. 38,18,5), zu identifizieren mit dem beim h. Ortakişla (nördl. von Sülüklü) in einer Talschleife gelegenen geräumigen Plateau, mit steil abfallenden, teilweise offenbar fortifikatorisch verstärkten Rändern und dem Versturz eines mächtigen Abschnittswalles zur Absperrung gegen die rückwärtigen Höhen; sonst keine erkennbaren Baureste [1. 31]. C. beherrschte die West-Ost-Verbindung durch den → Axylos vom oberen → Sangarios zur → Tatta Limne und nach → Lykaonia. Hier wurde Cn. Manlius [I 24] Vulso 189 v. Chr. auf dem Marsch nach Osten erfolgreich von der Reiterei der Galatai (→ Kelten III.B.) angegriffen und zum Rückzug hinter den Sangarios genötigt (beschönigt bei Liv. 38,18,5–8).

1 K. Strobel, State Formation by the Galatians of Asia Minor, in: Anatolica 28, 2002, 1–46.
K. ST.

Cugerni (Cuberni). Verm. Teilstamm, sicher eine der Nachfolgegruppen der → Sugambri, die 8 v. Chr. von den Römern auf die linke Rheinseite umgesiedelt wurden (zu den Motiven [1]). Nach Plinius (nat. 4,106: *Cuberni*) wohnten sie zw. → Ubii im Süden und → Batavi im Norden und bildeten wohl bereits im 1. Jh. n. Chr. eine → *civitas* peregrinen Rechts. Aufgrund einer frg. erh. Inschrift (AE 1981, 690 = AE 1984, 650) aus dem J. 68 n. Chr. wird Cib[ernodurum] nahe der späteren → Colonia Ulpia Traiana (s. Nachträge) als Hauptort erschlossen [2]. Am Aufstand des Iulius [II 43] Civilis waren die C. beteiligt (Tac. hist. 4,26,3; 5,16,1; 5,18,2). Das britannische Militärdiplom CIL XVI 48 (103 n. Chr.) nennt eine *cohors I Cugernorum* (vgl. auch [4. 1524, 2313]), die laut CIL XVI 69 und 70 aus den J. 122 bzw. 124 n. Chr. (vgl. noch AE 1974, 535 und AE 1980, 603) *cohors I Ulp(ia) Traiana Cuger(norum) c(ivium) R(omanorum)* heißt (vgl. hierzu [3]). Ein cugernischer Reiter: *domo Cugernus* (CIL III 2712, Dalmatia, aus der Mitte des 1. Jh. n. Chr.). Seit dem 2. Jh. n. Chr. wurde die Bezeichnung C. durch Traianenses verdrängt.

1 J. Heinrichs, Röm. Perfidie und german. Edelmut?, in: T. Grünewald (Hrsg.), Germania inferior, 2001, 54–92
2 J. Bogaers, Zum Namen des »oppidum Cugernorum«, in: Naamkunde 16, 1984, 33–39 3 R. W. Davies, Cohors I Cugernorum, in: Chiron 7, 1977, 385–392
4 R. G. Collingwood, R. P. Wright, The Roman Inscriptions of Britain, 1965.

C. B. Rüger, Germania inferior, 1968, 96–101 · Ders., Colonia Ulpia Traiana, in: H. G. Horn (Hrsg.), Die Römer in Nordrhein-Westfalen, 1987, 626–629 · G. Neumann, s. v. C., RGA 5, 103 f. · M. Gechter, Small Towns of the Ubii and C./Baetasii civitates (Lower Germany), in:

A. E. Brown (Hrsg.), Roman Small Towns in Eastern England and Beyond, 1995, 193–203 · L. Wierschowski, Cugerner, Baetasier, Traianenser im überregionalen Handel der Kaiserzeit, in: s. [1], 409–430.
R. A. WI.

Curia

[2] C. (Pl. *curiae*) hieß der Versammlungsort des städtischen Rats in Rom (→ *senatus*; Fest. p. 42) wie auch in vielen → *coloniae* und → *municipia* Italiens und der röm. Provinzen (vgl. → *curiales*). Im Unterschied zum → *comitium*, dem Versammlungsort des Volkes unter freiem Himmel, ist die *c.* stets ein Gebäude auf einem der Gemeinde oder einem Gott gehörigen Grundstück, meist am → *forum* der Stadt oder in seiner Nähe. Ratslokale nichtröm. Städte können ebenfalls als *c.* bezeichnet werden (Liv. 24,24,5 und 9: Syrakus; Ov. met. 13,197: Troia).

In Rom sind die frühesten *c.* die Versammlungslokale der → *curiae* (vgl. Tac. ann. 12,24; Fest. p. 180); der Bau der ersten *c.* für den Senat (der als Gremium ebenfalls als *c.* bezeichnet wurde: Liv. 2,23,14; Suet. Caes. 76,3) wird dem König Hostilius [4] zugeschrieben (*C. Hostilia*). Im Grunde konnte jedes öffentliche Gebäude als *c.* dienen, sofern von dort aus die Auspizien eingeholt werden konnten (→ *augures*), also auch Tempel innerhalb des → *pomerium* und einer Meile davor: auf dem Marsfeld etwa die Tempel des Apollo und der Bellona oder ein Raum in der Theateranlage des Pompeius [I 3], wo → Caesar ermordet wurde [1. 926–936].

Bei Neugründungen in Italien und in den Prov. war regelmäßig ein Ort auf dem Hauptforum als Standort der *c.* vorgesehen (vgl. Vitr. 5,1–2; [2. 25–61; 77 f.]), im Idealfall den Dienstgebäuden der Magistrate (→ *duoviri*) benachbart und gegenüber dem Haupttempel der Stadt (→ Capitolium II., s. Nachträge; vgl. den Plan von → Pompeii, Nr. 31 und 38).

→ Versammlung; Versammlungsbauten

1 Mommsen, Staatsrecht 3 2 J. E. Wymer, Marktplatz-Anlagen der Griechen und Römer, 1916 3 LTUR 1, 329–337.
W. ED.

Curiatius

[1] C. **Maternus.** Röm. Redner und Tragödiendichter, der allein aus → Tacitus' *Dialogus* bekannt ist, in dem er als Gastgeber am Tag nach der Rezitation seiner Trag. *Cato* auftritt. Weiterhin werden ihm von Tacitus (dial. 2 f.; 9–11) die Trag. *Thyestes, Medea, Domitius* (3,4) sowie wohl ein *Agamemnon* (9,2) zugerechnet. Während Tacitus (etwa 76 n. Chr.) den Gegensatz von Dichtung über große Männer und eingeschränkter öffentlicher Rede in C. als Dichter personalisiert, berichtet Cass. Dio 67,12,5 über die Hinrichtung eines Rhetors Maternus wegen Tyrannenkritik. Eine Identität ist erwägenswert; C. dürfte ein enger Verwandter des M. → Cornelius [II 36] Nigrinus C. Maternus oder gar mit diesem identisch gewesen sein.

PIR ²C 1605/²M 360 · W. Eck, Jahres- und Provinzialfasten der senatorischen Statthalter von 69/70 bis 138/139, in: Chiron 12, 1982, 281–362, bes. 324, Anm. 172.
J. R.

Curtius

[II 2a] A. C. Crispinus. Suffektconsul 159 n. Chr. (CIL VI 32321 = [1]). Die Familie dürfte aus Aspendos in Pamphylien stammen; seine Söhne könnten A. Curtius Crispinus Arruntianus und A. Curtius Auspicatus Titinnianus sein (IGR III 803; CIL XIV 2695; 3030 = ILS 7788).

1 P. WEISS, Ein Konsulnpaar vom 21. Juni 159 n. Chr., in: Chiron 29, 1999, 160–167.

[II 9a] Cn.C. Severus, *praefectus alae* [1]; auch bei Tac. ann. 12,55,1 f. genannt. Er ehrte Ummidius [2] Quadratus mit einem Monument in einer Exedra in Apameia.

1 J.-CH. BALTY, in: CRAI 2000, 465 f.   W. E.

Cytheris s. Kytheris

D

Dacia s. Dakoi, Dakia

Damon

[3] D. (Δάμων mit kurzem α: Plut. Perikles 4,153) von Athen, bedeutender Sophist (→ Sophistik) und Musiktheoretiker des 5./4. Jh. v. Chr. Ihm wurden im Alt. Erkenntnisse über die Musik und – in Zusammenhang damit (Plat. Prot. 316e) – polit. Beratungstätigkeit bei → Perikles [1] zugeschrieben. Untrennbar von D. in der Forsch. des 19. und 20. Jh. ist Damonides (Δαμωνίδης: Plut. Perikles 9,307) vom attischen Demos Oe, sei es dessen Vater (dafür spricht das ΔΑΜΟΝ ΔΑΜΟΝΙΔΟ der Ostrakonfunde) oder identisch mit D. (dagegen sprechen die Vokalqualitäten). Zu den Aussagen von und über D. tritt eine Vielfalt von mod. Hypothesen über seine Lehren, seine Schriften und seine Ostrakisierung (Übersichtsdarstellung: [4]).

Je nach Beantwortung der Identitätsfrage sind weit auseinanderliegende Datier.-Ansätze innerhalb des 5./4. Jh. v. Chr. möglich. Als Schüler des Pythagoreers Pythokleides in der 3. Generation (schol. Plat. Alk. 1, 118c) wurde D. in der Ant. häufig für einen Pythagoreer gehalten und mit den Sophisten (Isokr. or. 15,235), bes. mit → Prodikos (Plat. Lach. 197d), in Verbindung gebracht. Es gibt Hinweise auf eine eigene Schule des D. (Porph. Komm. in Ptol. harmonika 3,5). D. oder seiner Schule zugeschriebene Aussagen handeln von dem Charakter, der Wirkung und der sprachlichen Erfassung von Rhythmen und Tonarten. Platon läßt den D.-Schüler Sokrates [2] (Diog. Laert. 5,2,19) über D.s Auffassung von Rhythmus berichten (Plat. rep. 3,400b) und ihn zitieren: ›Stile der Musik werden niemals erschüttert ohne <die Erschütterung der> größten polit. Bräuche‹ (ebd. 3,424c, vgl. 424d–425a) – ein Hinweis auf die ethische Macht der Musik. Laut der D.-Schule ›entstehen Gesänge und Tänze, wenn die Seele bewegt ist: Freimütige, schöne Lieder formen die Seele ent-

sprechend, entgegengesetzte Lieder bewirken das Gegenteil‹ (Athen. 14,628c). Die pädagogische Funktion der Musik wird somit zum ersten Mal erkannt und beschrieben. Die D.-Schule zeigte, daß ›Töne den Charakter (→ *éthos*) in Jungen und Alten bilden‹ (Arist. Quint. 2,14). D. selbst sagte, ein ›singendes, Kitharaspielendes Kind ... solle Tapferkeit, Besonnenheit und Gerechtigkeit offenbaren‹ (Philod. de musica 7 und 55 KEMKE).

Als Schriften D.s sind ein Dialog und eine Liste von Tonarten vermutet worden [4. 39f., 43 f.]. Gemäß Philodemos (de musica 104 f. KEMKE) hat D. eine Rede über die ethische Macht der Musik gehalten, möglicherweise vor den Areopagiten. Fragen zu Inhalt und Nachwirkung dieser Rede führten zum Bestreben, sie mit Hilfe der D.-Fr. sowie ihrer textlichen Umgebung zu rekonstruieren [2].

Laut Aristoteles [6] stand Damonides (Damon?) hinter den meisten Maßnahmen des Perikles, mit dem D. durch Heirat verwandt war (And. 1,16), und wurde wegen Einführung des Richtersoldes ostrakisiert (Aristot. Ath. pol. 27,4). Plutarch nennt D. größenwahnsinnig mit Neigung zur Tyrannei und sieht in ihm den als Musiklehrer getarnten, in der Alten → Komödie verspotteten polit. Trainer und Aufpeitscher des Perikles (Plut. Perikles 4,153–154). So wurde D. im 19. Jh. als Triebkraft des Perikleischen Zeitalters gesehen [1. 177–186]. Jedoch wurden im 20. Jh. Aristoteles' und Plutarchs Quellen als parteiisch angezweifelt [3. 34 f.].

Jeder Versuch, die Zeugnisse von D. miteinander in Übereinstimmung zu bringen, basiert auf Ausklammerung mindestens einer Quelle, auf Annahme von Fehlern eines Autors oder fehlerhafter Überl. usw. und kann bestenfalls eine gewisse Plausibilität aufweisen. Die Vorsicht der Forsch. nimmt zu: Während D. in CAH¹ viermal erwähnt wurde (Bd. 5, 1927) und LESKY² (1963) ihm ein Kap. widmete (336–337), fehlt er in CAH² (1992) bzw. sein Kap. in LESKY³ (1971).
→ Musik IV. E.; Sophistik

1 M. DUNCKER, Die Gesch. des Alt., Bd. 9, 1886
2 F. LASSERRE (ed.), Plutarque, De la musique, 1954, 53–87 (mit frz. Übers. und Komm.) 3 K. MEISTER, D., der polit. Berater des Perikles, in: Riv. Storica dell' Antichità 3, 1973, 29–45 4 R. WALLACE, Damone di Oa, in: Quaderni Urbinati 5, 1991, 30–53
(zu den Fragment-Editionen: 32).   R.O.HA.

Danuvius (Donau) s. Istros [2]

Dea Roma s. Roma IV.

Dea Syria s. Syria Dea

Deductio

[1] *Coloniam* bzw. *colonos deducere* (»eine Kolonie bzw. Kolonisten (sc. aus Rom) hinausführen«) bezeichnet in der lat. Fachsprache im eigentlichen Sinn den mil. geordneten Auszug der Kolonisten unter Führung des verantwortlichen Beamtenkollegiums (in der Regel der → *tresviri* [2] *coloniae deducendae*) als Teil des Rechtsaktes einer röm. Koloniegründung (→ *coloniae*), im weiteren Sinn allg. den Vorgang der Koloniegründung (etwa [1]; Cic. leg. agr. 1,16–18; weitere Belege bei [2]). **[2]** *D. in forum* (»Hinabführen auf das Forum«) bezeichnet die öffentliche Präsentation eines jungen röm. Aristokraten in der stadtröm. Ges. zu Beginn seiner polit. Ausbildung (Suet. Aug. 26,2; Suet. Nero 7,1; → *tirocinium fori*).

> 1 M. H. CRAWFORD (ed.), Roman Statutes, 1996, Nr. 2, Z. 22–24; 61 2 ThlL 5.1, 273. K.-L. E.

Demetrios

[4a] D. von Pharos. Illyrischer Fürst von → Pharos [2] (h.: Hvar), 230/29 v. Chr. Statthalter der → Teuta auf Kerkyra. Er ging im 1. → Illyrischen Krieg (s. Nachträge) auf die Seite der Römer über, denen er seine folgende Machtstellung verdankte (Pol. 2,10,8–2,11,17) [1. 43; 53 f.; 89]. Als Gatte der Triteuta wurde er Vormund von → Agrons [3] Sohn Pinnes [1. 70; 2]. Gemeinsam mit → Skerdilaidas verletzte er wiederholt die Schiffahrtsgrenze bei Lis(s)os und dehnte (um 220) seine Seeräuberei (→ Seeraub) bis zu den Kykladen aus; der röm. Strafexpedition unter L. → Aemilius [I 31] Paullus (im 2. Illyrischen Krieg) unterlegen, floh D. 219 zum Makedonenkönig → Philippos [7] V. (Pol. 3,16,2; 18–19,8) [1. 70–77], an dessen Seite und im Bündnis mit den Achaiern er gegen die Aitoler und Skerdilaidas operierte (Pol. 4,16,6–7; 4,19,7). Im maked. Kronrat wirkte D. auf eine aktive Illyrien- bzw. Adriapolitik hin und befürwortete energisch den Vertrag mit → Hannibal [4], der im J. 215 die Rückführung des D. in seine 219 verlorenen Positionen vorsah (Pol. 5,101,7; 5,108; 7,9,13 f.) [1. 145; 154]. Polybios [2] betont den negativen Einfluß des D. auf den jungen Makedonenkönig Philippos [7] V. (5,12,5; 7,12,2; 7,13,4; 9,23,9). Bei den Kämpfen um → Messana [2] kam D. im J. 211 (?) ums Leben [1. 78].

> 1 D. VOLLMER, Symploke, 1990. L.-M. G.

Demotikon. Mod. Wortbildung zur Bezeichnung eines Namensbestandteils eines griech. Vollbürgers; das D. diente neben dem Eigennamen (z. B. Δημοσθένης/ *Dēmosthénēs*) und dem Namen des Vaters (im Gen., z. B. Δημοσθένους/*Dēmosthénus*) zur Herkunftsbezeichnung aus einem → *dêmos* [2], einer lokalen Untereinheit einer → *pólis* (z. B. Paianieús, »aus dem Demos Paiania«), und wird vornehmlich in epigraphischen, also für die Öffentlichkeit bestimmten Zeugnissen gebraucht. In Attika ist das D. nach der polit. Aufwertung der *dêmoi* durch → Kleisthenes [2] gebräuchlich und wird nach der Reorganisation der Demokratie 403 v. Chr. obligatorisch (vgl. Aristot. Ath. pol. 21,4) [1. 69–78; 223 f.; 2. 171 f.; 176 f.]. Das D. unterschied den vollberechtigten Bürger (*polítēs*) vom *métoikos*, der keinen Namenszusatz, und vom fremden Nichtbürger, der anstelle des D. das → Ethnikon (s. Nachträge) führte. Bei den Rhodiern z. B. wies das D. den Bürger in inkorporierten

Gemeinden des weitläufigen Staatsgebietes im Unterschied zum Bewohner einer unterworfenen Gemeinde aus ([3. 53,2]; vgl. [4]).

> 1 D. WHITEHEAD, The Demes of Attica 508/7 – ca. 250 B.C., 1986 2 M. H. HANSEN, City-Ethnics as Evidence for Polis Identity, in: Ders., K. RAAFLAUB (Hrsg.), More Studies in the Ancient Greek Polis, 1996, 169–196 3 P. M. FRASER, G. E. BEAN, The Rhodian Peraea and Islands, 1954 4 I. C. PAPACHRISTODOULOU, Archaioi Rhodiakoi Demoi, 1989. L.-M. G.

Diakonos (διάκονος, wörtl. »Diener, -in«). Das Wortfeld διακονεῖν/*diakonein*, d., διακονία/*diakonía* – »dienen« (v. a. bei Tisch), »Diener, -in«, »Dienst« – betont eher das Dienen zugunsten von jemandem, während δουλεύειν/*duleúein* etc. mehr das Abhängigkeitsverhältnis des Dienens gewichtet. Im NT bezeichnet daher *diakonía* generell einen »Dienst« nach dem Vorbild der Nächstenliebe Jesu, dessen Erlösungswerk als »Dienen« an den Menschen verstanden wird (Mk 10,45). *D.* als Bezeichnung für ein kirchliches Amt begegnet im NT nur ansatzweise (Phil 1,1; Röm 16,1; 1 Tim 3,8–13) und hat Par. im griech. Vereinswesen (dazu [1. 92]), wo die in Inschr. nach den Köchen genannten *diákonoi* wohl die Speisen aufzutragen hatten, so IG IV 774 (Troizen, 3. Jh. v. Chr.) und IG IX 1,486 (Akarnia, 2./1. Jh. v. Chr.; vgl. auch CIG II 1800: τὸ κοινὸν τῶν διακόνων, »Kellnerverein«, [1. 92]). Erst im 2. und 3. Jh. wird der (wohl regional sehr unterschiedliche) konkrete kirchliche Aufgabenbereich faßbar: Die *diákonoi* waren dem Bischof (→ *epískopos* [2]) direkt zugeordnete Mitarbeiter mit urspr. sehr weiten (Verkündigung, selbständige Tauffeiern, Vermögensverwaltung), später immer beschränkteren Kompetenzen (Assistenz bei Taufe, Herbeibringen und Austeilen der Gaben bei der Eucharistie). Diakoninnen (urspr. *d.*: Röm 16,1, später διακόνισσα/*diakoníssa*) waren in Sozialfürsorge, Frauenseelsorge und bei der Salbung weiblicher Täuflinge tätig.

Im Zuge der Ausbildung einer dreistufigen Ämterhierarchie *d.*-Priester-Bischof wurde der *d.* bis gegen 1000 zu einem bloßen Weihegrad auf der Karriereleiter zum → Priester (VI.); der Diakonat von Frauen verschwand im Osten weitgehend, im Westen entwickelte sich »Diakonisse« zu einer Bezeichnung für Klosterfrauen.

→ Episkopos [2]; Priester VI.

> 1 H. W. BEYER, s. v. διακονέω etc., ThWB 2, 1935, 81–93 2 A. WEISER, s. v. διακονέω, in: H. BALZ, G. SCHNEIDER (Hrsg.), Exegetisches WB zum NT 1, ²1992, 726–732 3 C. OSIEK u. a., s. v. Diakon/Diakonisse/Diakonat, in: RGG⁴ 2, 1999, 783–792. M. HE.

Diakria (Διακρία), auch Hyperakria und Epakria. Bezeichnung für den bergigen NO von Attika [2], ferner wohl auch die att. Ostküste bis Brauron, dem Stammsitz der → Peisistratidai (Plat. Hipparch. 228b; Plut. Solon 10,3; [4. 224]). Gestützt auf die Gruppe der Hyperakrioi

(Hdt. 1,59) bzw. Diakrioi (Aristot. Ath. Pol. 13,4; [1; 2; 3. 184–188]), errichtete Peisistratos [4] 561 v. Chr. in Athenai die Tyrannis.

1 K. H. KINZL, Regionalism in Classical Athens?, in: Ancient History Bull. 3, 1989, 5–9 2 R. J. HOPPER, 'Plain', 'Shore' and 'Hill' in Early Athens, in: ABSA 56, 1961, 189–219 3 RHODES 4 K.-W. WELWEI, Athen, 1992.

H. LO.

Dichterweihe s. Musenanruf; Verfasser

Diebstahl s. Raub; (griech.:) s. Hierosylia; Klope; (röm.:) s. Furtum; Peculatus

Dies imperii. Tag der Herrschaftsübernahme, also in der Regel die offizielle Anerkennung des Herrschers durch den Senat (Ausnahme ist → Vespasianus: *d.i.* war der 1. Juli 69 n. Chr., die Senatsanerkennung am 21. Dez. 69) bzw. das Heer (→ Soldatenkaiser). Der *d.i.* ist z. B. für Caligula in den Arvalakten bezeugt (*quod Imperator appellatus est*, Acta Arvalium, CIL VI 32347, 9c 10, dazu [1]). Wie im hell. Vorbild war die jährlich iterierte öffentliche Feier des *d.i.* die wichtigste nach der für den *dies natalis* (→ Geburtstag B.) des → Princeps [2. 1137–1145]. Der *d.i.* ist häufig indirekt durch das Datum von Weihungen und Stiftungen zu Ehren des Herrschers zu erschließen [3. 11]. Die *tribunicia potestas* des Herrschers wurde am *d.i.* erneuert; der tribunizische Jahresbeginn wurde mit dem *d.i.* in Einklang gebracht, indem man den die *tribunicia potestas* verleihenden Akt auf den *d.i.* zurückdatierte. Noch in der Tetrarchie (→ *tetrárchēs* IV.) wurden die Regierungsjahre nach der *tribunicia potestas* und den imperatorischen Akklamationen gezählt, deren Wechsel ebenfalls jährlich am *d.i.* erfolgte. → Constantinus [1] I. zählte seine imperatorischen Akklamationen ab dem *dies Augusti*, was zwar einen Wechsel in der Terminologie, nicht aber in der Sache bedeutete.

1 J. SCHEID (ed.), Commentarii Fratrum Arvalium, 1998, 29; 34 2 P. HERZ, Kaiserfeste der Prinzipatszeit, in: ANRW II 16.2, 1978, 1135–1200 3 KIENAST (²1996). ME. STR.

Diktys von Kreta s. Dictys Cretensis

Dimini. Neolithische Hügelsiedlung ca. 5 km östl. von Volos/→ Iolkos (Thessalien), auf halbem Wege nach → Sesklo, dessen Zentralrang in der Region sie im Spätneolithikum (1. H. 5. Jt.) übernahm.

Die Ausgrabung von V. STAIS 1901 entsprach den Erwartungen der Zeit: eine von mehreren Mauerringen umschlossene Burg mit einem → Megaron in der Mitte. Mit der Publikation der Grabung durch Ch. TSOUNTAS [4] war ein Paradigma geschaffen, das Burg und Megaron zeitlich vor → Troia setzte – mit entsprechenden Konsequenzen in der Sekundärlit. In den 70er Jahren des 20. Jh. wurde D. durch G. Ch. CHOURMOUZIADIS [1] erneut untersucht. Er erkannte vier Sektoren um den zentralen Hof, die durch radiale Straßen und die Mau-

erringe voneinander getrennt sind. Alle Einheiten sind gleichermaßen mit Hof, Feuerstellen, Arbeits- und Lagerräumen ausgestattet. Da auch das Fundmaterial kaum divergiert (polychrom bemalte sowie unbemalte Keramik mit Ritz- und Kerbverzierungen), schließt er auf eine territoriale Abgrenzung einzelner sozialer Gruppen, ohne diese jedoch genauer definieren zu können.

Sicher ist, daß die sechs bisher festgestellten Mauerringe für Verteidigungsmauern zu instabil gebaut waren. Das sog. Megaron ist ein Umbau aus der chalkolithischen Endphase der Siedlung. Erst in spätmyk. Zeit (ca. 12.–11. Jh. v. Chr.) wurde der Platz wieder besiedelt. Reste eines größeren Korridorhauses auf der flacheren Nordflanke und ein Kuppelgrab inmitten der neolithischen Hausruinen bezeugen eine hervorgehobene Stellung des Ortes. Nach D. ist die neolithische Kulturgruppe Thessaliens benannt, die der Sesklokultur zeitlich nachfolgte.

1 G. CH. CHOURMOUZIADIS, Το νεολιθικό Διμήνι, 1979 2 K. KOTSAKIS, in: G. A. PAPATHANASSOPOULOS, Neolithic Culture in Greece, 1996 3 D. THEOCHARIS, Neolithic Greece, 1973 4 CH. TSOUNTAS, Αἱ προιστορικαῖ ἀκροπόλεις Διμηνίου καὶ Σέσκλου, 1908 (dazu Rez. E. PFUHL, in: GGA 1910, 827–854). G. H.

Diodoros

[5a] D. Pasparos aus Pergamon (politisch aktiv: 1. H. 1. Jh. v. Chr.). In einer Reihe von Inschr., die im Großen Gymnasion in → Pergamon (mit Lageplänen) gefunden wurden, tritt D. als Paradebeispiel des späthell. → *euergétēs* hervor (z. B. IPerg 256; IGR 4, 292–294). Er war in Pergamon *archiereús* (städtischer Oberpriester) und → Priester des Zeus Megistos. Nach 85 erreichte D. in Rom für Pergamon die Erleichterung von L. Cornelius [I 90] Sullas Strafen und Schutz gegen Übergriffe der → *publicani.* 69 oder wenig später finanzierte er als Gymnasiarch (→ Gymnasiarchie) u. a. Renovierungen im Großen Gymnasion und die Feier mehrerer Feste. Seine Mitbürger dankten es ihm u. a. mit der Einrichtung eines Kultes für D. in einem eigenen → *témenos* (das Heroon der Stadtgrabung?) und in einer → *exédra* im Großen Gymnasion (Raum B auf der oberen Terrasse).

C. P. JONES, D. Pasparos Revisited, in: Chiron 30, 2000, 1–14 · W. RADT, Pergamon, 1999. J. BA.

Diodotos

[3] D. Tryphon s. Tryphon

Diolkos, Diholkos (Δίολκος). Gepflasterte Geleisestraße für den Transport von Gütern und Schiffen zw. dem saronischen (→ Saronikos Kolpos) und dem → Korinthischen Golf über den → Isthmos von Korinthos an seiner schmalsten Stelle. Der D. beschreibt zw. den Anlegestellen an seinen Enden eine leichte Südkurve. Seine Länge beträgt ca. 8 km, die Steigung max. 6%, die Spurweite 1,5 m. Indem er die Häfen Kenchreai [2] und → Lechaion verband, stärkte er die Infrastruktur von Korinthos; doch beleuchten die ant. Quellen seine öko-

nomische Bed. nicht. Obwohl Diog. Laert. 1,99 Peri-
andros lediglich den Versuch zuschrieb, den Isthmos zu
durchstechen, wird der D. auf Grund von Steinmetzzeichen meist in archa. Zeit datiert, doch verwandte
man ähnliche Steinmetzzeichen noch im 5. Jh. v. Chr.
Thuk. 3,15,1, der zum J. 428 v. Chr. die Herrichtung
von *holkoí* (Schleppwegen) durch die Spartaner für den
Transport der Flotte über den Isthmos berichtet, erwähnt den Begriff »D.« nicht, der erstmals bei Strab.
8,2,1 erscheint. Für 220 und 217 v. Chr. ist der Transport einer größeren Zahl von Schiffen über den Isthmos
bezeugt (Pol. 4,19,7–9; 5,101,4). Nach der Schlacht von
→ Aktion benutzte der nachmalige Augustus den D. auf
dem Weg nach Asia (Cass. Dio 51,5,2). Der D. war bis in
byz. Zeit in Gebrauch (Georgios Sphrantzes 1,33: [1]).
Ausgrabungen legten am Westende des D. bedeutende
Reste frei. – Quellen: Thuk. 3,15,1; 8,7; 8,8,3; Aristoph.
Thesm. 647f.; Pol. 4,19,7–9; 5,101,4; Strab. 8,2,1;
8,6,22; 8,6,4; Plin. nat. 4,10; 18,18; Cass. Dio 51,5,2;
Hesych. s. v. D.

1 I. Bekker (ed.), Corpus Scriptorum Historiae Byzantinae
31, 1838, 96.

J. W. Drijvers, Strabo VIII 2,1 (C 335). Porthmeia and the
D., in: Mnemosyne 45, 1992, 75–78 · K. Freitag, Der Golf
von Korinth, 1997, 195–202 · B. R. MacDonald, The D.,
in: JHS 106, 1986, 191–195 · G. Raepsaet, M. Tolley,
Le D. de l'Isthme à Corinthe, in: BCH 117, 1993, 233–261 ·
N. M. Verdelis, Der D. am Isthmus von Korinth, in:
MDAI(A) 71, 1956, 51–59 · Ders., Die Ausgrabung des D.
während der J. 1957–1959, in: MDAI(A) 73, 1958, 140–145 ·
W. Werner, Der D. Die Schiffsschleppbahn am Isthmus
von Korinth, in: Nürnberger Blätter zur Arch. 10, 1993/4,
103–118 · Ders., The Largest Ship Trackway in Ancient
Times, in: International Journ. of Nautical Archaeology 26,
1997, 98–117.   H. LO.

Dipolieia (τὰ Διπολίεια sc. ἱερά, auch Dipolia/
Διπόλια), ein att. Fest für → Zeus Polieus, in dessen
Mittelpunkt das Stieropfer stand (Fluchtritual der
→ Buphonia). Aitiologische Erklärung dafür lieferte
den Griechen der Mythos vom Zeuspriester → Diomos.
Die D. wurden im Hochsommer am 14. Skirophorion
gefeiert; sie kamen in hell. Zeit außer Gebrauch.
→ Poplifugia; Regifugium

W. Burkert, Homo necans (engl. Ausgabe), 1983,
136–143 · Deubner, 158–174 · H. W. Parke, Festivals of
the Athenians, ³1994, 162–167 · R. Parker, Athenian Rel.,
1996, 270.   M. SE.

Dodekapolis (Δωδεκάπολις, »Zwölfstadt«). Name mehrerer, nicht immer histor. verifizierbarer griech. Städte-
bünde.

1. Als Mitglieder der achaischen D., die die Achaioi
von den vertriebenen Iones übernommen haben sollen,
nennt Hdt. 1,145: → Aigai [2], → Aigeira, → Aigion,
→ Bura, → Dyme, → Helike [1], → Olenos, → Patrai,
→ Pharaia und → Tritaia [2].

2. Zur aiolischen D. vgl. Aioleis [2].

3. Die ionische D. bestand nach Hdt. 1,142 im 6. Jh.
v. Chr. aus → Chios, → Ephesos, → Erythrai, → Klazomenai, → Kolophon, → Lebedos, → Miletos, → Myus, → Phokaia, → Priene, → Samos und → Teos, die als
Amphiktyonia den Kult des Poseidon Helikonios im
→ Panionion auf der Mykale pflegten [1; 3. 55–57, 70–
74, 90–95]. Typisch für die ion. D. sind Kollegien von
→ *molpoí*. Die Abgeordneten der Mitgliedspoleis hießen
basileís.

4. Die attische D. des Urkönigs → Kekrops (Philochoros FGrH 328 F 94) entspringt weitgehend ant.
historiograph. Spekulation. Zu den l. c. genannten
elf Orten → Aphidna, → Brauron, → Dekeleia, → Eleusis, → Epakria, Kekropia, → Kephisia, → Kytheros,
→ Sphettos, → Tetrapolis, → Thorikos ist als zwölfter
entweder → Phaleron, Tetrakomoi oder → Athenai
selbst zu ergänzen.

1 G. Ragone, La guerra meliaca e la struttura originaria della
lega ionica in Vitruvio 4,1,3–6, in: RFIC 114, 1986, 173–205
2 A. D. Rizakis, La politeia dans les cités de la confédération
achéenne, in: Tyche 5, 1990, 109–134 3 K. Tausend,
Amphiktyonie und Symmachie, 1992.   H. LO.

Doidalses (Δοιδάλσης). Der bithynische Machthaber
steht am Anfang einer bei Memnon [5] von Herakleia
überl. Herrscherliste. Er war Zeitgenosse der Neuko-
lonisierung von Astakos [1] durch Athen 435/4 v. Chr.
(Memnon FGrH 434 F 12,3). Die Nachricht bei Strabon
(12,4,2), D. selbst habe später eine Neugründung der
Stadt unternommen, ist wohl ein Mißverständnis. D.'
Nachfolger war Boteiras, der 377/6 im Alter von 76 J.
starb (Memnon FGrH 434 F 12,4). Ob D. der Vater des
Boteiras und damit der Großvater von dessen Sohn
→ Bas (s. Nachträge) war, ist unbekannt.   M. SCH.

Dokimeion (Δοκίμειον). Stadt in Großphrygien (Steph.
Byz. s. v. Δ.; Strab. 12,8,14: Δοκιμία κώμη; Ptol. 5,2,24:
Δοκίμαιον; Hierokles [8], Synekdemos 677: Δοκίμιον;
→ Kleinasien III. E.) an der Straße von Apameia [2] nach
Amorion (h. Hisar Köyü) beim h. İscehisar. Zu dem bei
D. gebrochenen Marmor vgl. → Syn(n)ada.
→ Marmor (mit Karte)

Belke/Mersich, 237f.   E. O.

Doliche

[2] (Δολίχη). Stadt in der Kommagene (h. Dülük),
10 km nördlich von Gaziantep auf dem Keber Tepe
(1210 m H), dessen Höhlen schon prähistor. Besiedlung
bezeugen. Bekannt wurde D. durch den Kult des Iuppiter → Dolichenus, der von hier seinen Siegeszug
durch das röm. Reich antrat. D. wurde 253 n. Chr. von
dem Perserkönig Sapor [1] I. zerstört.

Das Heiligtum des Iuppiter Dolichenus befand sich
auf dem südl. von Dülük in Sichtweite gelegenen Dülük
Baba Tepesi, schon von [1. 173–302] dort vermutet,
jetzt bezeugt durch eine Priesternekropole und einen
Altar (57/58 n. Chr.) mit dem Relief eines Dolichenus-
Priesters. Das sonst für solche Kultstätten typische Kult-

bild – der Gott mit Blitzbündel und Doppelaxt auf einem Stier – ist dort noch nicht entdeckt worden, doch sind aus der engeren Umgebung mehrere Reliefs dieser Art bekannt.

In den letzten Jahren hat D. auch für die Mithras-Forschung Bed. gewonnen, seit am Fuße des Keber Tepe zwei miteinander verbundene Höhlen mit je einem Mithrasrelief entdeckt wurden, welche die Diskussion über den Weg des Mithras aus Persien ins röm. Reich neu entfacht haben.

1 F. CUMONT, Études syriennes, 1917.

R. ERGEÇ, J. WAGNER, D. und Iupiter Dolichenus, in: J. WAGNER (Hrsg.), Gottkönige am Euphrat, 2000, 85–91 · A. SCHÜTTE-MAISCHATZ, E. WINTER, Kultstätten der Mithrasmysterien in D., in: ebd., 93–99.   J. WA.

Domitius

[II 19a] s. Paris [3] (s. Nachträge)

[II 20a] D. Peregrinus. *Procurator ad Mercurium* in Alexandreia [1] 161 n. Chr. (POxy. 4060, 40–42), abgelöst durch Manius Severus.

[II 24a] M. D. Tertius. Ritterlicher Amtsträger; nach mil. Dienststellungen, u. a. als *tribunus* und *praepositus* wurde er *procurator* von Cyrenae (Patrimonialprocurator, nicht Praesidialprocurator), *procurator* von Moesia superior, *procurator et praefectus provinciae Sardiniae*, wohl 208/9 n. Chr. (CIL X 7517; 8025; ILSard. I 15; [1] = AE 1928, 117; 1971, 123 = 1974, 359).

1 A. TARAMELLI, in: Notizie degli Scavi 1927, 257–261.

R. ZUCCA, Un nuovo procurator provinciae Cyrenarum, in: E. CATANI, S. M. MARENGO (Hrsg.), La Cirenaica in età antica, 1998, 623 ff.   W. E.

Dorea (δωρεά, »Gabe, Geschenk«). Als technischer Begriff ist das Wort bislang nur aus dem ptolem. Ägypten bezeugt (→ Ptolemaier), die dahinter stehende Praxis der Landvergabe ist aber aus allen hell. Monarchien bekannt (→ Hellenistische Staatenwelt). In Äg. sind die *dōreaí* als eigenständige Kategorie des Landbesitzes gut belegt. Die Institution läßt sich zugleich aus orientalischen und aus maked. Wurzeln herleiten. Es handelt sich dabei um die Übertragung von Landbesitz und/oder daraus bezogenen Einkünften durch die Könige an einzelne ihrer Gefolgsleute, hohe Funktionäre und Familienmitglieder. Dabei konnte es sich um einzelne Grundstücke, größere Güter, ganze Dörfer oder sogar Städte handeln (für letzteres ein Beispiel aus dem ptolem. kontrollierten Teil Lykiens in [1]). Die Vergabe scheint in den meisten Fällen bis auf Widerruf, also prekär, gewesen zu sein; der dauerhafte Besitz war demnach von der Gunst des Königs abhängig. Allerdings sind bes. für das Seleukidenreich (→ Seleukiden) auch als unwiderruflich gedachte Landschenkungen bezeugt.

1 M. WÖRRLE, Epigraphische Forsch. zur Gesch. Lykiens II, in: Chiron 8, 1978, 201–246.

R. A. BILLOWS, Kings and Colonists. Aspects of Macedonian Imperialism, 1995, 111–145 · H. KREISSIG, Wirtschaft und Ges. im Seleukidenreich, 1978, 40–46; 96–109.   JÖ. GE.

Dreros (Δρῆρος). Stadt im NO Kretas in bergiger Lage, mit doppelter Akropolis, von der man auf den Golf von Mirabello blickt, h. Hagios Antonios bei Neapolis. Bereits in minoischer Zeit besiedelt, erlebte D. seine Blüte zw. dem 8. und 6. Jh. v. Chr. Ein Dokument für archa. kretische Religiosität ist der minoische und dorische Elemente kombinierende Tempel des Apollon Delphinios aus der Mitte des 8. Jh. v. Chr. (mit Kultbildern von Apollon, Leto und Artemis) [1]. Wichtigste Quelle für D. in hell. Zeit ist der inschr. erh. Eid der 180 Epheben (2. H. des 3. Jh. v. Chr.; Syll. I³ 527) mit Angaben über ein Bündnis mit → Knosos und die Gegnerschaft zu Lyttos (→ Lyktos) [2]. Später scheint D. in Abhängigkeit von Lyttos geraten zu sein. Aus röm. Zeit gibt es keine aufschlußreichen Siedlungsspuren mehr. Arch. bemerkenswert sind neben dem Apollon-Tempel die Reste der hell. Zisterne auf der Agora.

→ Kreta (mit Karte)

1 I. BEYER, Die Tempel von D., 1976 2 A. CHANIOTIS, Die Verträge zw. kret. Poleis in der hell. Zeit, 1996, 195, Nr. 7.

H. BEISTER, s. v. D., in: LAUFFER, Griechenland, 202 · H. VAN EFFENTERRE, s. v. D., in: J. W. MYERS u. a., Aerial Atlas of Ancient Crete, 1992, 86–90 · I. F. SANDERS, Roman Crete, 1982, 141.   H. SO.

Dromos (δρόμος). Das griech. Wort *d.* bedeutet »Lauf« (auch Lauf der Gestirne), daher Rennen, Wettlauf (z. B. der griech. Helden bei Hom. Il. 23,758), aber auch Lauf- und Rennbahn. In der arch. Terminologie bezeichnet D. einen Gang, der zu einem Raum führt, vornehmlich bei Grabanlagen. Der Begriff D. wurde zuerst für die Eingangswege zu den Grabanlagen der → ägäischen Koine verwendet, wozu außer den kretischen → Tholos-Gräbern mit ihren kurzen Dromoi v. a. die myk. Kuppel- und Kammergräber gehören. Die ungedeckten D. der Kuppelgräber waren oft in den anstehenden Fels oder Hügel eingeschnitten, die Seitenwände teilweise mit behauenen Quadern verkleidet (sog. Schatzhaus des → Atreus bei Mykene). Sowohl die Eingangswege zu → Grabbauten anderer Kulturen als auch die alleenartigen Zugänge der äg. Tempel werden h. ebenfalls D. genannt.

→ Tumulus

1 P. BRUNEAU, Le Dromos et le Temple C du Sarapieion C de Délos, in: BCH 104, 1980, 161–188 2 O. PELON, Tholoi, tumuli et cercles funéraires (Bibliothèque des Écoles Françaises d'Athènes et de Rome 229), 1976, 277–297.   K. H.

Drusus maior (Drusus d. Ä.) s. Claudius [II 24]

Ducenius

[2a] P. D. Verres. Suffektconsul 124 n. Chr. (CIL VI 2081; [1]). Sohn von Ducenius [3]. Das Cognomen Verres (statt Verus wie offensichtlich beim Vater) ist überraschend.

1 W. Eck, P. Weiss, Hadrianische Suffektkonsuln: Neue Zeugnisse aus Militärdiplomen, in: Chiron 32, 2002 (im Druck).   W. E.

Duris (Δοῦρις).

[3] D. von Samos, ca. 340–270 v. Chr. Schüler des → Theophrastos (Athen. 4,128a) und seit ca. 300 Tyrann seiner Heimatinsel (FGrH 76 T 2). Vielseitiger Schriftsteller, Verf. folgender (verlorengegangener) Werke: ›Homerprobleme‹, ›Über die Tragödie‹, ›Über Sophokles und Euripides‹, ›Über Malerei‹, ›Über Reliefkunst‹, ›Über Gesetze‹, ›Über Wettkämpfe‹. Histor. Schriften (Fr. erhalten): ›Jahrbücher der Samier‹ (Σαμίων ὅροι/ Samíōn hóroi, eine samische Lokalchronik: F 22–26; 60–71); ›Gesch. des Agathokles‹ (τὰ περὶ Ἀγαθοκλέα/ Ta perí Agathokléa in 4 B.: F 16–20; 56–71), von Diodoros [18] (B. 19–21) benützt, aber nicht als Haupt – (so [1]), sondern als Nebenquelle (so [2]). Hauptwerk: ›Makedonische Geschichte‹ (Μακεδονικά/ Makedoniká) in mindestens 23 B., vom Tod des → Amyntas [3] III. 370/69 bis zum Tod des Lysimachos [2] 281 v. Chr. (F 1–15; 35–55), mit makedonenfeindlicher Tendenz.

Im Prooimion (F 1) polemisierte D. gegen → Ephoros und → Theopompos [3]: Sie hätten sich nur um das γράφειν (gráphein, »den Stil«) gekümmert, dagegen μίμησις καὶ ἡδονή (mímēsis kai hēdonē), d. h. eine lebenswirkliche Darstellung und (das daraus entspringende) Vergnügen (sc. des Lesers) völlig vernachlässigt. Begriff und Herkunft dieser von [3] als »tragisch« bzw. »peripatetisch« bezeichneten Historiographie sind noch immer umstritten, doch sollte man besser von »mimetischer« Geschichtsschreibung sprechen [4]. Zur Glaubwürdigkeit des D., die in der Forsch. vielfach überschätzt wird (z. B. von [5], [6], [7] und [8]), vgl. bes. [4] und [9]. Ausgezeichnete Kommentierung aller Fr. sowie umfassender Lit.-Überblick bei [10].

Antipode des D. war → Hieronymos [6] von Kardia mit seiner Diadochen-Gesch., die auf nüchterner Fakten- und Ursachenforschung beruhte.

→ Geschichtsschreibung II. C.; Samos

1 T. Orlandi, Duride in Diodoro XIX–XXI, in: PdP 19, 1964, 216–226 2 K. Meister, Die sizilische Gesch. bei Diodor, Diss. München 1967, 131–165 3 E. Schwartz, s. v. D. (3), RE 5, 1853–1856 = Ders., Griech. Geschichtsschreiber, 1957, 27–31 4 K. Meister, Die griech. Geschichtsschreibung, 1990, 96–101 5 H. Strasburger, Die Wesensbestimmung der Gesch. durch die griech. Geschichtsschreibung, ³1975, 78–85 6 R. B. Kebric, In the Shadow of Macedon. D. of Samos, 1977 7 P. Pédech, Trois historiens méconnus. Théopompe, D., Phylarque, 1989, 257–389 8 O. Lendle, Einführung in die griech. Geschichtsschreibung, 1992, 181–189 9 K. Meister, Historische Kritik bei Polybios, 1975, 109–126 10 F. Landucci Gattinoni, Duride di Samio, 1997.

Ed.: FGrH 76 mit Komm. (Jacoby).   K. Mei.

Dusares. Die nabatäische Götterwelt wurde vom Gott Dusares (so bei Tert. apol. 24,8; nabat. Dušarā/ dw-šrʾ; griech. inschr. Δουσαρης) angeführt (Répertoire d'Épigraphie Sémitique (=RES) 1401; CIS II 350,3–4). Sein Name, »der vom Šarā(-Gebirge)«, weist ihn als lokalen Berg- oder → Wettergott der Region von → Petra [1] aus. Der älteste Beleg für den Gottesnamen liegt um 96/95 v. Chr. in einer Inschr. aus dem Triclinium des Aṣlaḥ in Petra (RES 1432) vor.

Aufschluß über den Charakter des Gottes geben die Bilinguen, in denen der Gottesname vorkommt, sowie die Übersetzungen und Angleichungen: So tritt D. als → Zeus, d. h. als höchster Gott, und als Helios (→ Sol) und → Dionysos auf [3. 97–107]. Als Epitheta des D. begegnen: »der Gott unseres Herrn« (sc. des Königs; CIS II 201; 208; 209; 211; 350 u. ö.); »der Gott von Gaia«, d. h. der nabat. Kernsiedlung im Wādī Mūsā [3. 89–91], »der Gott von Madrasa« (CIS II 443), d. h. einer Opferhöhe südl. vom Eingang des Sīq, und als »Herr des Tempels« (RES 1088; 1436). D. wurde urspr. als Betyl (→ baitýlia) verehrt; unter dem Einfluß hell.-röm. Götterdarstellungen wurde er auch anthropomorph repräsentiert. Dazu trat seine theriomorphe Darstellung als Adler. Als sein Haupttempel in Petra ist der sog. Qaṣr al-Bint zu betrachten. Kultstätten des D. sind von der Nabatene über Milet und Delos bis nach Puteoli belegt [1].

→ Nabataioi; Petra [1]

1 H. J. W. Drijvers, s. v. D., LIMC 3.1, 670–672; 3.2, 532 2 M. Gawlikowski, Les dieux des Nabatéens, in: ANRW II 18.4, 2659–2677, bes. 2662–2665 3 J. Healey, The Religion of the Nabataeans, 2001, 80–106.   H. Ni.

E

Ehe

V. CHRISTLICH

Im AT war die Ehe ein privatrechtlicher Akt zw. den Eheleuten bzw. deren Familien. Der Mann hatte einen Alleinanspruch auf seine Frau, nicht aber umgekehrt. Dennoch war Polygynie (1 Kg 11,3; Gn 29,15–30,24) eher selten, oft etwa bei Kinderlosigkeit (Gn 16,1–6). Auch das NT und das Christentum setzten die (streng monogame) Ehe als Institution mit den Sitten und rechtlichen Grundlagen der jeweiligen Gebiete voraus.

A. ASKESE, EHE, SCHEIDUNG

Jesus stellte die Nachfolge und die Gottesherrschaft höher als die Ehe (Lk 14,26; vgl. auch Mk 12,18–27), würdigte diese aber dennoch als gottgegebene Schöpfungsordnung und daher als unauflöslich (Mk 10,1–12). Nach → Paulus [2] durfte Sexualität nur in der Ehe gelebt werden. Der gegenseitigen Ehepflicht durften sich die Eheleute nur auf Zeit entziehen (1 Kor 7,1–6). Paulus selbst bevorzugte aber die frei gewählte Ehelosigkeit (7,7). Gegenüber extremeren asketischen Strömungen (→ Gnosis; → Markion) oder auch libertinistischen Bewegungen (z. B. → Karpokratianer) hielt das Christentum stets an der E. fest (1 Tim 4,3; 3,2; 12) und achtete gleichzeitig asketische Lebensformen hoch. Dennoch gewann die → Askese immer mehr Gewicht (Zölibat als bessere Lebensform). Folgenschwer war dabei v. a. → Augustinus (conf. 8,12,29: Bekehrung exemplifiziert als Befreiung von sexueller Begierde).

Die als unauflöslich geltende Ehe (s.o.) durfte nur im Fall von Ehebruch (Mt 5,32; Herm. mand. 4,1,29; Iust. Mart. 2 apol. 2,4) oder Rel.-Verschiedenheit (1 Kor 7,12–16), allenfalls bei Eintritt in ein Kloster aufgelöst werden. Kontrovers diskutiert wurde die Wiederheirat, etwa bei Verwitwung (Tert. de monogamia).

B. Trauung und Stellung der Ehepartner
Die jüd. Trad. der Segnung der Brautleute durch den Brautvater wurde auf Kleriker übertragen. Seit dem 2. Jh. sind Ansätze einer kirchlichen Segnung der Eheleute sichtbar (Ignatios an Polykarpos 5,2; Tert. ad uxorem 2,8,6); seit dem 4. Jh. konnte diese in einer Brautmesse (*missa pro sponsis*) stattfinden. Eine eigentliche kirchliche E.-Schließung wurde im Abendland erst im 11. Jh. durchgehende Norm.

Paulus betont die Gleichheit von Stellung und Pflicht innerhalb der E. (1 Kor 7,3 f.). Eph 5,21–33 jedoch unterstreicht die Überordnung des Mannes und deutet die E. als Abbild der Gemeinschaft von Christus und Kirche (vgl. auch Kol 3,18 f.). Einen Einblick in die Herzensgemeinschaft eines christl. Ehepaars geben → Tertullianus' ›Zwei Bücher an seine Frau‹.
→ Frau IV.; Univira; Witwe

H. Baltensweiler, Die E. im NT, 1967 · C. Munier, E. und Ehelosigkeit in der Alten Kirche, 1987 · A. Nehring u. a., s. v. E., in: RGG⁴ 2, 1999, 1069–1090 (Lit.).   M. He.

Ekklesia (ἐκκλησία).
II. Christlich
Die ersten Christen nannten sich u. a. die *e.* Gottes, d. h. die von Gott durch Christus gesammelte Gemeinde (= G.) der Endzeit. Das Wort kommt aus der Sprache der jüd. Apokalyptik und der LXX (für hebr. *qāhāl* – »Versammlung«, »Kult-G.«) und wurde zum festen Begriff für die → Kirche, auch im Lat. (*ecclesia*). Im NT kommt *e.* außerhalb der Apg und der Paulusbriefe (→ Paulus [2]) selten vor; die einzigen Belege in den → Evangelien (Mt 16,18; 18,17) werden dem historischen → Jesus meist abgesprochen.

Die weltweite *e.* Gottes ist als ganze auch in jeder Haus-G., Orts-G. und christl. Versammlung gegenwärtig, daher heißt jede von diesen auch für sich *e.* (1 Kor 1,2; 11,18; 16,19; Apk 1,20). In → Hermas' Visionen (um 140) tritt die *e.* bereits personifiziert als Greisin und Jungfrau auf.
→ Kirche

O. Linton, s. v. E., RAC 4, 1959, 905–921 · J. Roloff, Die Kirche im NT, 1993 · K. L. Schmidt, s. v. ἐκκλησία, ThWB 3, 1938, 502–539.   S. Ge.

Ekkobriga. Zentralort der nordwestl. Tetrarchie der → Trokmoi, befestigte Siedlung der Trokmoi und gemeinsame Straßenstation der Straßenrouten Ankyra – Tavium (Tab. Peut. 9,5: *Eccobriga*; Itin. Anton. 203,6: *Ecobrogis*, h. Kaleçışla östl. von Sulakyurt [1. 148–151; 2. 28]. E. bestand aus einem steil abfallenden Burgberg und einer ausgedehnten ummauerten Unterstadt; die Besiedung reichte nach den Streufunden bis in byz. Zeit. Der Name der offensichtlich kelt. Neugründung ist von *briga* (»befestigte Höhe«) und sehr wahrscheinlich von dem weitverbreiteten gallisch-donauländischen, verm. auf die »Schärfe der Schwertklinge« zurückzuführenden Namensstamm *Ecc-/Ekk-* abzuleiten (vgl. [3]).

1 K. Strobel, Galatica I: Beitr. zur histor. Geogr. Ostgalatiens, in: Orbis Terrarum 3, 1997, 131–153 2 Ders., State Formation by the Galatians of Asia Minor, in: Anatolica 28, 2002, 1–46 3 Holder 1, 529, 533, 1404 f.
   K. St.

Elision s. Prosodie

Emar. Zentralort des Königreichs Aštata am Euphratknie bei Maskana in NW-Syrien, ca. 100 km östl. von → Aleppo; das byz. Barbalissos und islamische Bālis. Die bereits aus den Palastarchiven von → Ebla und → Mari bekannte Handelsstadt wurde 1972–76 von einem franz. Team arch. erforscht, das mehrere Tempel und Wohnhäuser aus der Spät-Brz. freilegte sowie ca. 900 Tontafeln – überwiegend in akkad. Sprache – entdeckte [2]. Seit 1996 gräbt dort eine dt.-syr. Mission, die außerdem mittel- und früh-brz. Schichten erfassen konnte [8].

Im Gegensatz zu seiner handelsgeogr. Bed. als Kontaktzone zw. Mesopot., Anatolien und der Mittelmeerküste besaß E. kein überregionales polit. Gewicht und lag im Einfluß- bzw. Herrschaftsbereich von größeren Mächten wie Ebla, Jamhad (→ Aleppo) und dem Hethiterreich (→ Ḫattusa). Das Keilschriftmaterial umfaßt vorwiegend private Rechtsurkunden, die Auskunft über lokale Institutionen und Bräuche geben und zugleich die Auswirkungen der hethit. Eroberung auf Ges. und Schreibsystem belegen. Überdies wurden – neben einer Reihe von Ritualen lokalen Ursprungs – lexikalische → Listen, Omen- und Beschwörungstexte (vgl. → Divination) sowie lit. Kompositionen aus der sumero-babylonischen Schreibertrad. gefunden.

1 A. Archi, Imâr au IIIᵉᵐᵉ millénnaire d'après les archives d'Ebla, in: Mari 6, 1990, 21–38 2 D. Arnaud, Emar: Recherches au pays d'Aštata, 4 Bde., 1985–1987 3 Ders., Textes syriens de l'âge du bronze récent, 1991 4 D. Beyer, E. IV: Les sceaux, 2001 5 Ders. (Hrsg.), Meskéné-E.: Dix ans de travaux 1972–1982, 1982 6 M. W. Chavalas (Hrsg.), E.: The History, Rel., and Culture of a Syrian Town in the Late Bronze Age, 1996 7 J.-M. Durand, La cité-état d'Imâr à l'époque des rois de Mari, in: Mari 6, 1990, 39–92 8 U. Finkbeiner, E. & Bālis 1996–1998, in: Berytus 44, 1999–2000, 5–34.   B. Fa.

Empfängnisverhütung
s. Familienplanung; Kontrazeption

Engel (von griech. ἄγγελος/*ángelos*, »Bote«, äquivalent dem hebräischen *malʾāk*; lat. *angelus*). E. als Botschafter zw. himmlischer und irdischer Sphäre sind vielen Rel. bekannt (vgl. z. B. → Zoroastrismus; → Hermes). Im AT tritt der (menschengestaltige) E. Jahwes auf als Helfer Israels (Ex 14,19; 32,34) und Gottesbote, von → Jahwe selbst oft kaum unterschieden (Ri 2,1–4). Geflügelte Mischwesen (→ Kerub, → Seraf) zählt das AT nicht als E. Im → Judentum gewinnt der E.-Glaube unter babylonischem und persischem Einfluß an Gewicht: Den in die Transzendenz entrückten Gott umgibt ein Hofstaat von E., an ihrer Spitze die (nun namentlich bekannten) Erz-E. (→ Gabriel [1], → Michael [1], → Rafael, → Uriel). Es gibt auch persönliche Schutz-E., E. der Völker, E., die Visionen deuten (sog. Deute-E.: Sach 1–6; Dan 7–12; 4 Esr 4–10, → Apokalypsen), von Gott abgefallene böse E. (→ Satan) usw.

Das NT übernimmt (wie auch später der → Islam) die jüdische E.-Lehre. E. treten bei Jesu Geburt und Auferstehung auf, sie helfen den Aposteln (Apg 12,7–11) und werden die Ereignisse der Endzeit begleiten (Mt 25,31; 1 Thess 4,16; Apk 8–16). E.-Spekulationen der → Gnosis werden abgelehnt. Die christl. Verehrung der E. nimmt seit 300 zu: Zu den E. wird gebetet, den Erz-E. werden, bes. in Äg., Kirchen gebaut. Der E.-Lehre des MA weisen → Augustinus und → (Ps.)-Dionysios [54] Areopagites den Weg. Obwohl sie allg. als Geistwesen gelten, werden E. seit dem 3. Jh. als (junge) Männer in Tunica abgebildet, seit etwa 400 auch geflügelt.

→ Dämonen; Satan

U. MANN u. a., s. v. E., TRE 9, 580–609 • J. MICHL, T. KLAUSER, s. v. E., RAC 5, 53–322 • K. M. WOSCHITZ u. a., s. v. E., RGG⁴ 2, 1999, 1279–1290.   S. GE.

Enthusiasmus. Der E. (ἐνθουσιασμός/*enthusiasmós*) bezeichnet in der griech. Rel. das Erfaßtwerden durch eine höhere Macht, meist personifiziert durch Götter (vgl. θειασμός/*theiasmós*, »Inspiration«; ἔνθεος/*éntheos*, »von Gott besessen«). Der Mensch tritt aus einem gewöhnlichen Zustand heraus in einen fremdbestimmten und befremdlichen und ist nicht mehr »bei sich« (ἔκστασις/*ékstasis*; vgl. → Ekstase). Was der Mensch in diesem als paranormal erfahrenen Zustand vollbringt, ist daher gottgegeben (vgl. Herakleitos [1] fr. 22 B 92; B 93 DK; → Pythia [1]). Wie sich im einzelnen diese Besitz-(*katokōchḗ*, Plat. Phaidr. 245a) oder Einflußnahme vollzieht – ob durch den Hauch (→ *pneúma*, Hes. Theog. 31), durch Schlag (auch als Wirkung eines Affektes: *katáplēxis*, *ékplēxis*, vgl. Aischyl. Prom. 878 f.) oder andere Mittel (Wein: Eur. fr. 265, vgl. → Dionysos; → Rauschmittel IV.; Rauchwerk: Dion. Hal. Demosthenes 22; Musik: Hom. Od. 12,44; Tanz: Strab. 10,3,7) –, variiert [5; 8].

Die ekstatische Wirkung der Dichtung auf den Rezipienten wird früh poetologisch reflektiert (Gorg. fr. B 11 DK, § 9; 11; 16–17). Inwieweit der E. im alten → Epos bereits formelhaft wird, ist kaum entscheidbar; jedenfalls scheint das göttliche *pneúma* kognitive oder dichterische Leistungen des Menschen nicht auszuschließen [4]. Demokr. fr. B 18; B 21 DK (frühester Beleg von E.) macht hohe dichterische Produktion von einer enthusiastisch affizierbaren Seele (*psychḗ theázusa*) abhängig (aufgrund besonderer materieller Seelenstruktur? vgl. [2. 56, Anm. 4]). Platon [1] (Phaidr. 244a–245a) unterscheidet vier Formen der enthusiastischen μανία/*manía* (»Raserei«): Mantik (→ Apollon; → *mántis*), Telestik (Gottesdienst, Mysteriendienst; vgl. → Dionysos I. C.8.), dichterische *manía* (→ Musen; vgl. → Musenanruf), erotische *manía* (→ Eros, → Aphrodite; vgl. → Erotik). Er diskutiert im ›Ion‹ (533d–535a 2) die Frage, ob der → Rhapsode – mangels anderweitiger Kompetenz – sein Wissen aus dem E. bezieht (vgl. auch [1]); es wird das Bild einer »magnetischen« Kette von Gott – Dichter – Performant – Rezipient entworfen.

Aristoteles [6] führt den E. als besondere Begabung (vgl. Plat. Men. 99c-d) auf die → Melancholie zurück und gibt ihr so eine physiologische Erklärung (Aristot. probl. 30,1), andererseits charakterisiert E. für ihn auch die Wirkung der Dichtung und Rede (Aristot. rhet. 3,7) auf die Zuhörer als heftigen Affekt: Dichter und Redner treten so an die ursprüngliche Stelle des Gottes [6]. → Ps.-Longinos differenziert diesen pathetischen E. wirkungs- und produktionsästhetisch aus, indem er *ékplēxis* (s. o.) zum Kriterium des anzustrebenden Erhabenen (*hýpsos*) macht (1,4) und die → *mímēsis* als Inspirationsquelle empfiehlt (13).

Im röm. Kulturkreis ist E. zunächst ein griech. Import (→ Divination VII.), den Cicero mit den Verben *in-*/*adflare*, *inspirare* wiedergibt (Cic. div. 1, 12 und 38; Cic. nat. deor. 2,167). Erst die augusteischen Dichter statten den → *vates* als inspirierten Künder mit höherer gesellschaftlicher Autorität aus.

1 S. BÜTTNER, Die Lit.-Theorie bei Platon und ihre anthropologische Begründung, 2000 2 H. FLASHAR, Der Dialog Ion als Zeugnis Platonischer Philos., 1958 3 A. GELLHAUS, E. und Kalkül, 1995 4 P. MURRAY, Poetic Inspiration in Early Greece, in: JHS 101, 1981, 87–100 5 F. PFISTERER, s. v. Ekstasis, RAC 4, 1959, 944–987 6 TH. SCHIRREN, Persuasiver E. in Rhetorik 3, 7 und bei Ps.-Longin, in: J. KNAPE, TH. SCHIRREN (Hrsg.), Aristotelische Rhet.-Trad. (erscheint 2003) 7 W. H. SCHRÖDER, s. v. E., Ästhetische Grundbegriffe (hrsg. von K. BARCK), Bd. 2, 2001, 223–240 8 K. THRAEDE, s. v. Inspiration, RAC 18, 1998, 329–365.   TH. SCH.

Epakria s. Diakria

Eparchos (ἔπαρχος). Vorsteher einer → *eparchía*, einer territorialen Verwaltungseinheit in hell. Staaten, v. a. im Reich der → Seleukiden. Umstritten ist, ob *e.* jemals als offizieller Titel für den Inhaber ziviler und mil. Macht in Untergliederungen einer Satrapie (→ Satrap) gedient hat, da er in diesem Zusammenhang inschr. nicht belegt ist. Das erstmalige Erscheinen der Bezeichnung *e.* für einen Statthalter im seleukidischen Herrschaftsgebiet bei Polybios [2] (5,46,7) läßt die Vermutung zu, daß *e.* analog zum Begriff *eparchía* (der griech. Bezeichnung für eine röm. Prov.) gebildet wurde und die Funktion eines → *stratēgós* beschreibt [1. 150–158; 275f.; 396]. In röm. Zeit ist *e.* die griech. Bezeichnung für den röm. → *praefectus*, und zwar ebenso für den → *praefectus urbi* in Rom (ἐ. τῆς πόλεως/*e. tēs póleōs*) wie für den → *praefectus Aegypti* und andere Funktionsträger in den röm. Prov. (umfassende Slg. bei [2. 45]).

1 BENGTSON, Bd. 2 2 H. J. MASON, Greek Terms for Roman Institutions, 1974, 45; 138–140.   W. ED.

Epidamnos s. Dyrrhachion

Epigenes (Ἐπιγένης).

[0] E. aus → Sikyon. Laut Suda s. v. → Thespis (θ 282 = TrGF I 1 T 1) der erste Tragiker (6. Jh. v. Chr.). Das Publikum soll auf den mangelnden dionysischen Inhalt seiner Stücke mit dem sprichwörtlichen οὐδὲν πρὸς τὸν Διόνυσον (*udén pros ton Diónyson*, ›Das hat doch nichts mit → Dionysos zu tun!‹) reagiert haben (TrGF I 1 T 18,3). Vielleicht kann man E.’ Tätigkeit im Zusammenhang mit den von Hdt. 5,67 für Sikyon bezeugten τραγικοὶ χοροί (*tragikoí choroí*, »tragischen Chören«) sehen [2. 21–23].
→ Tragödie I.

1 J. LEONHARDT, Phalloslied und Dithyrambos, 1991 (Testimonien) 2 B. ZIMMERMANN, Europa und die griech. Trag., 2000.   B. Z.

Epilykos

[2] Sohn des Teisandros, Neffe des Andokides [1], aus dem Geschlecht der → Philaïdai [1] (vgl. [1. 296–298]), vielleicht Sekretär (*grammateús*) des Rats 424/3 v. Chr. E. war als athenischer Gesandter an einem Vertrag unbestimmten Inhalts und Datums mit dem persischen Großkönig beteiligt (And. or. 3,29). Sehr wahrscheinlich handelt es sich um einen Vertrag mit Dareios [2] II., der kurz nach dessen Thronbesteigung (424) unter Vermittlung des Herakleides [1] zustande kam ([2. 207–211]; [3. 422 Anm. 132]). E. starb in Sizilien (And. or. 1, 117), wohl auf dem Feldzug der Athener (→ Peloponnesischer Krieg) zw. 415 und 413 v. Chr. [4].

1 DAVIES 2 H. T. WADE-GERY, Essays in Greek History, 1958 3 D. M. LEWIS, The Archidamian War, in: CAH 5, ²1992 4 TRAILL, PAA 395845.   W. ED.

Epirus s. Epeiros

Epopeus s. Antiope [1]

Eteobutadai (Ἐτεοβουτάδαι, »alte/echte Butadai«).
Att. *génos*, das sich auf den Heros Butes [1] zurückführte und verm. als Kultgenossenschaft im Gebiet von → Butadai entstanden ist. Da die E. bereits für archa. Zeit

bezeugt sind, können sich ihre Mitglieder – anders als es der Name vermuten läßt – nicht erst nach der Konstituierung des kleisthenischen Demos Butadai als E. bezeichnet haben. Sie stellten die Priesterin der → Athena Polias (Aischin. leg. 147) und die Priester des Poseidon Erechtheus (Plut. Lykurgos 47f.). Lykurgos [9] gehörte dem *génos* der E. an.
→ Genos (s. Nachträge); Ismenias [5]; Lykurgos [7]

F. BOURRIOT, Recherches sur la nature du genos, 2, 1976, 1304–1347, 1362 • R. C. SMITH, The Clans of Athens and the Historiography of the Archaic Period, in: Echos du Monde Classique 29, 1985, 51–61 • K.-W. WELWEI, Athen, 1992, 94, 224, 240.   H. LO.

Ethnikon (Mod. Begriff, von ἐθνικός/*ethnikós*, »zu einem *éthnos* gehörig.«).
Wiss. epigraphischer t. t. für die Herkunftsbezeichnung eines Mannes, der außerhalb seiner Heimatpolis oder -region genannt ist. Das E. (vgl. Strab. 14,2,18) bezeichnet die Zugehörigkeit zu den Bewohnern einer bestimmten Polis (z. B. *Korínthios*) oder einer bestimmten Region (z. B. *Boiōtós*, *Sikeliōtēs*). Das Phänomen ist vielfältig bezeugt: Das E. findet auch für Frauen Verwendung; Bürger aus zerstörten und nicht mehr existenten Poleis behalten ihr E. bei, gelegentlich bezeichnet es eine Stadt ohne Polisstatus (z. B. *Naukratítēs* vor der Alexanderzeit). Daraus ergibt sich, daß das Orts-E., noch mehr das Stammes-E. (wie schließlich auch *Thrax*, *Galátēs*) nicht prinzipiell die polit. Zugehörigkeit im bürgerrechtlichen Sinn definierte, sondern die Herkunft im geo- bzw. topographischen Sinne.
→ Ethnos (s. Nachträge)

M. H. HANSEN, City-Ethnics as Evidence for Polis Identity, in: Ders., K. RAAFLAUB (Hrsg.), More Studies in the Ancient Greek Polis, 1996, 169–196 • E. RISCH, Zur Gesch. der griech. Ethnika, in: MH 14, 1957, 63–74.   L.-M. G.

Ethnographie s. Anthropologie

Ethnos (ἔθνος, Pl. ἔθνη/*éthnē*)
ist als Begriff im Griech. mehrdeutig und wird auf unterschiedliche Gruppen bezogen, z. B. auf Kriegerverbände (Hom. Il. 3,32) oder große Völkerschaften (Hdt. 1,101). Seit klass. Zeit wird *e.* häufig dem Begriff → *pólis* gegenübergestellt (vgl. Hdt. 5,2; 8,108; zu Aristoteles’ [6] Behandlung der *éthne*: [1; 2]). In der Forsch. wurde lange Zeit die Polis (»Stadtstaat«) als höchstentwickelte Stufe von Staatlichkeit in Hellas betrachtet, während *e.* (»Stamm«) die ursprünglichere und primitivere Form dargestellt habe [3]. Die heutige Sicht ist zeitlich wie strukturell differenzierter, indem sie auch parallele Entwicklungen und unterschiedliche Lebensbedingungen in Betracht zieht [4]. Dabei zeichnet sich ab, daß geogr. weit verstreute intrahellenische (Groß-)*éthne* wie Achaioi, Iones, Dorieis niemals primordiale Stämme im Sinne von Abstammungsgemeinschaften waren, deren Anfänge in der Zeit vor einer Einwanderung nach Hellas zu suchen wären; vielmehr wird ihre Genese nun in das 8./7. Jh.

v. Chr. datiert [5; 6]. Doch werden Fragen nach der Entwicklung des Zugehörigkeitsgefühls und der Gemeinsamkeiten in Kult, Kalendersystem, Institutionen usw. weiterhin kontrovers diskutiert (→ Dorieis; → Iones).

Neben den Groß-*éthne* finden sich in Hellas eine Vielzahl von kleineren *éthne* wie Aitoloi, Boiotoi, Thessaloi usw., die z. T. schon bei Homer erwähnt werden. Wie die *póleis* standen auch diese *éthne* seit archa. Zeit in einem Prozeß der polit. Ausdifferenzierung, wobei sich nach Größe, Zuschnitt und Struktur unterschiedliche »Segmente« im *e.* herausbildeten. Während diese Untereinheiten weitgehend autonom blieben, entwickelten sich auf der Föderalstaatebene Organisationsformen wie Bundesversammlung, -rat, -beamte usw. und Bundesgesetze, die das gemeinsame Handeln v. a. im Rahmen des Militärwesens und der Außenpolitik ermöglichten. Dieser Prozeß läßt sich jedoch nicht in allen *éthne* synchron und in gleicher Intensität nachweisen. In einem Bundesstaat verfügten die Bürger über doppeltes Bürgerrecht auf Gliedstaat- und Bundesebene (→ *sympoliteía*). Vielen *koiná* (→ *koinón*) gelang es, nicht zum *e.* gehörige Gebiete zu integrieren (vgl. die Einverleibung von Kalydon in den Achaiischen Bund vor 389 v. Chr., s. → Achaioi [1] B.3., Xen. hell. 4,6,1; [7]). Manches *e.* läßt sich bis in die röm. Kaiserzeit nachweisen, auch wenn Zuschnitt und Aufgabenbereich sich im Rahmen einer röm. Provinz jeweils gewandelt hatten.

1 P. FUNKE, Die Bed. der griech. Bundesstaaten in der polit. Theorie und Praxis des 5. und 4. Jh. v. Chr., in: W. SCHULLER (Hrsg.), Polit. Theorie und Praxis im Altertum, 1998, 60–71 2 G. A. LEHMANN, Ansätze zu einer Theorie des Bundesstaates bei Aristoteles und Polybios, 2001 3 V. EHRENBERG, Der Staat der Griechen, ²1965 4 P. FUNKE, Stamm und Polis. Überlegungen zur Entstehung der griech. Staatenwelt in den Dunklen Jahrhunderten, in: J. BLEICKEN (Hrsg.), Colloquium aus Anlaß des 80. Geburtstages von A. Heuss, 1993, 29–48 5 C. ULF, Griech. Ethnogenese versus Wanderungen von Stämmen und Stammstaaten, in: Ders. (Hrsg.), Wege zur Genese griech. Identität, 1996, 240–280 6 J. HALL, Ethnic Identity in Greek Antiquity, 1997 7 H. BECK, Polis und Koinon, 1997, 59 f.

H.-J. GEHRKE, Ethnos, Phyle, Polis, in: P. FLENSTED-JENSEN et al. (Hrsg.), Polis and Politics. Studies in Ancient Greek History, 2000, 159–176 • F. GSCHNITZER, Stammes- und Ortsgemeinden im alten Griechenland, in: Ders. (Hrsg.), Zur griech. Staatskunde, 1969, 271–297 • J. HALL, Hellenicity. Between Ethnicity and Culture, 2001 • J. A. O. LARSEN, Greek Federal States, 1968 • I. MALKIN (Hrsg.), Ethnicity and the Construction of Ancient Greek Identity, 2001 • R. PARKER, Cleomenes on the Acropolis, 1998 • C. TANCK, Arche – Ethnos – Polis, 1997.   K. F.

Ethopoeia (ἠθοποιία/*ēthopoiía*; lat. *ethopoeia, notatio*). Unter *e.* versteht man die Darstellung des Charakters (→ *éthos*) eines Redners oder anderer Personen durch (nachahmende) Rede (→ *mímēsis*), die als dialoglose Rede, → Dialog oder Selbstgespräch (→ Monolog, s. Nachträge) realisiert werden kann. In der ant. rhet.

Theorie zählt die *e.* seit Aristoteles als herstellbare Qualität zu den technischen Überzeugungsmitteln, durch die sich der Redner als einsichtiger, tugendhafter und wohlwollender Mensch vorstellt. Die röm. Rhet. differenziert weiter: Der Gerichtsredner müsse nicht (nur) sein eigenes *éthos*, sondern in gemäßigter Stillage dasjenige des Klienten vermitteln (Rhet. Her. 4,63–65; Cic. de orat. 2,184). Die möglichen Kombinationen von *éthos* und → *páthos* werden mit den → *genera dicendi* korreliert; die *e.* als milde Affekterregung entspricht dem mittleren Stil. In den Rhet.-Schulen wurde die *e.* durch Rollenspiele eingeübt, bei denen man sich in histor. oder fiktive Personen hineindachte. Je nach Mischungsverhältnis von *éthos* und *páthos* unterschied man zw. ethisch-ruhiger, pathetisch-bewegter und »gemischter« *e.* In wechselnder Definition wird die *e.* den Wort- (Rutilius [II 6] bei Quint. inst. 9,3,99) oder den Gedankenfiguren (ebd. 9,2,58; → Figuren) zugerechnet. Die Abgrenzung der *e.* zu → Personifikation (I. A.) und *sermocinatio* (fiktiver Dialog) ist unscharf, ihre offensichtliche Nähe zu den Fiktionalisierungstechniken der Lit. wurde auch schon in der Ant. vermerkt (ebd. 3,8,49–54).

→ Progymnasmata; Rede II.; Rhetorik VI. A.2.

LAUSBERG, §§ 820–825 • G. NASCHERT, s. v. Ethopoeia, HWdR, 1512–1516.   C. W.

Etymologie (ἐτυμολογία, wörtl. »Lehre vom eigentlichen Wortsinn«; lat. *etymologia*). Die mod. Linguistik ([1]; vgl. [2]) versteht unter E. die Unt. der Wortbildungsvorgänge [3] sowie die Laut- und Bed.-Veränderungen in der Vorgesch. von Wörtern und strebt dabei Erkenntnisse über Wort- und Sprachverwandtschaft an. Im Gegensatz dazu zielt die ant. E. auf die interpretatorische Ermittlung des »eigentlichen« Wortsinnes (ἔτυμον/*étymon*) eines (Eigen-)Namens oder beliebigen Wortes, was die richtige Analyse eines Kompos. oder Derivatums nicht ausschloß. Als gramm. Disziplin wurde die E. erst von → Philoxenos [8] aus Alexandreia – ohne dauernden Erfolg – eingeführt, als philos. Methode spätestens seit → Chrysippos [2], praktisch aber (ohne Bezeichnung als »E.«) schon seit den homerischen Epen von Dichtern [4] und Sophisten betrieben.

I. VON HOMER ZUR SOPHISTIK
II. PLATON UND ARISTOTELES   III. HELLENISMUS
IV. LATEINISCHE ETYMOLOGIE

I. VON HOMER ZUR SOPHISTIK

Selbstinterpretation von Eigen- (bes. Götter-)Namen, u. a. durch Apposition oder Relativsatz, kennt schon Homer (vgl. [5]), z. B. *Odysseús* zu *odýresthai* (»klagen«) bzw. *odýssesthai* (»grollen«; vgl. Hom. Od. 1, 55 und 62), poetisch ausgestaltet wurde sie von den Tragikern (*Zeus*, Gen. *Zēnós* von *zēn*, »leben«, Aischyl. Suppl. 584). Die Homer und Hesiod erklärenden → Rhapsoden wie → Theagenes [2] aus Rhegion bauen dies allegorisch aus, die Sophisten begannen im Interesse einer kritischen ὀρθοέπεια/*orthoépeia* (»Sprachrichtig-keit«) die Dichtungsexegese zu systematisieren (z. B. *phlégma* müsse Entzündung, nicht Schleim bedeuten, da von *phlégein*, »brennen«; Prodikos fr. 84 B 4 DK) – ein ernsthafter Ansatz für die Semantik (vgl. → Sprachtheorie).

II. PLATON UND ARISTOTELES

Die von einem »natürlichen« Namen der Dinge aus-gehende Sprachlehre des Heraklit-Schülers → Kratylos nutzte Platon [1] im gleichnamigen Dialog als Basis für eine mit der Dialektik *phýsei* – *thései* (Plat. Krat. 390d 7–e3: »von Natur – durch Namengebung«) operieren-den → Sprachphilosophie [6]. Wenn jedes Ding seine spezifische Natur in einem autonomen Wortfeld ma-nifestiere, der Name (ὄνομα/*ónoma*) durch ein zusätzli-ches Aussageelement (ῥῆμα/*rhéma*) nur menschliches, durch den Gebrauch verändertes Verständigungsin-strument sei, müßte es möglich sein, den von einem fachkundigen Namengeber gesetzten Urnamen (πρώτη φωνή/*próte phoné*) und mit ihm den urspr. Wortsinn, d. h. das Wesen des Benannten, zu erschließen. Aller-dings seien lautlich verschiedene, aber semantisch gleichwertige Zugriffe (Sprachverschiedenheiten!) möglich; so sage Astyanax, »Stadtherrscher«, dasselbe aus wie Hektor, »(Stadt)erhalter«.

Leitgedanke dieser Operationen ist nicht die Wort-verwandtschaft, sondern der gesuchte Sinn: *phrónēsis* (»Denken«) wird nicht, wie evident, zu *phroneín* »den-ken« gestellt (Plat. Krat. 411d 4–6), sondern zu *phorás nóēsis* oder *phorás ónēsis* (»Begreifen/Förderung eines Vorgangs«); *ónoma* (»Name«) zu *on* (»Seiendes«). Endun-gen, Präfixe und Suffixe gelten als autonome *rhémata*, Komposita werden nicht von Derivata unterschieden. Statt mit regelhaften Lautgesetzen werden Wortverän-derungen durch willkürliche »Verschönerungen« des Sprachgebrauchs erklärt, so daß im Einzelfall die Kon-gruenz zwischen Ding und Namen unvollkommen, ja unerkennbar werden konnte. Ein Zufallstreffer ist z. B. *zygón* zu *dyogón* (»Zweierlenkung« = »Gespann«: Plat. Krat. 418d 8). → Aristoteles [6], den Dion [I 3] von Pru-sa (or. 53,1) zwar als Erfinder von Grammatik und Text-kritik nennt, führte Platons Ansatz (Sache-Name-Mo-dell) nur wenig weiter, nahm aber trotz seines mehr teleologischen als rückwärtsgewandten Denkens zahl-reiche etym. Interpretamente in seine Poetik, Rhetorik und Hermeneutik auf.

III. HELLENISMUS

Von → Chrysippos [2] sind Buchtitel *Perí tōn etymo-logiōn* bezeugt (SVF 2 p. 9, 13 f.), doch ob darin nur die stoische Lehre durch Homerinterpretationen bestätigt werden sollte, bleibt Vermutung. Auch die etym. For-schung des → Krates [5] aus Mallos scheint mit ihrem allegorischen Vorstoß in die Naturphilosophie (z. B. kosmologische Deutung der homerischen Schildbe-schreibung) weniger bahnbrechend gewesen zu sein als man glaubte [7]. Das belegte Material dient meist ebenso der → Textkritik und Homererklärung wie die Arbei-ten der Alexandriner → Aristophanes [4] aus Byzanz,

→ Eratosthenes [2] aus Kyrene und → Aristarchos [4] aus Samothrake. Bei den alexandrinischen Grammati-kern war die lexikalische Erfassung des etym. Bestandes bedeutsam, bes. im *Rhēmatikón* des → Philoxenos [8], aus dem die Trad. der (später stark semantisch erweiter-ten) → Etymologica stammt.

IV. LATEINISCHE ETYMOLOGIE

→ Krates [5]' Vortrag von 168 v. Chr. in Rom mag die Sprachforschung des L. Aelius [II 20] Stilo Praeco-ninus und → Aurelius Opilius angeregt haben, die sich dann bei → Cicero (z. B. Cic. top. 2,35) und → Varro [2] niederschlug (*De lingua Latina* ist unsere Hauptquelle auch für die hell. E.) [8; 9]. Um bei der histor.-antiqua-rischen Etymologisierung freie Hand zu haben, ging Varro von einer z. T. tiefen Veränderung der Wörter aus, bedingt durch Alter (*vetustas*), Fehlbenennung (*falsa impositio*) – z. B. die berüchtigten *etymologiae e contrario* (»vom Gegenteil her«) wie *canis quod non canit*, etwa: »Hund« (*canis*), weil er nicht »singt« (*canit*) – und Buch-stabenmanipulation (*interpolatio*: »Zusatz«/*additio*, »Weg-fall«/*demptio*, »Vertauschung«/*traiectio* und »Ersez-zung«/*commutatio*; hinzu kommen »Vokalkürzung und -längung«/*correptio* und *productio*). Damit knüpfte Varro zwar an Platons *Kratýlos* und an Chrysippos an, ver-eitelte aber auch evidente vernünftige Ableitungen. Daraus ergab sich die Antithetik von der (etym.) *anoma-lía* (»Unregelmäßigkeit«) metastatisch im traditionel-len Sprachgebrauch verfestigter Formen und (systema-tisch-gramm.) *analogía* (»Regelhaftigkeit«) der Flexion und Wortbildung. Ebenso nachteilig wirkte sich die (stoische) Partition der Wortgruppen nach Ort-Sache-Zeit-Bewegung aus.

Bedeutsam ist aber Varros Unterscheidung von vier Stufen der E. nach dem Grad der Evidenz: (1) für je-dermann leicht erklärbare Komposita; (2) nur geschul-ten → Grammatikern zugängliche Erklärbarkeit; (3) schwierige, nur Philosophen erschließbare Dichterwor-te; (4) das »Heiligtum und die Königsweihen« (*adyton et initia regis*) der vom onomatothétes (lat. *impositor verborum*, etwa: »der urzeitliche Wortgebungsmeister«) gegebenen »Urnamen« [10]. Leider fehlt die Konsequenz der Aus-führung.

So setzte sich trotz der Warnungen Ciceros (nat. deor. 3,62), des → Quintilianus [1] (inst. 1,6,32–38) und → Gellius [6] (11,15,8) nun doch der *lusus originationis* (»Worterklärungsspiel«) bei den Späteren durch, v. a. bei → Donatus [3], → Servius [2], → Macrobius [1], dem Mythographus Vaticanus (→ Mythographi Vaticani), aber weitgehend auch in den Lexika des → Verrius [1] Flaccus (bei Festus [6]) und → Nonius [III 1], weniger bei den *Grammatici Latini* (→ Grammatiker), von denen nur Diomedes [4] (GL 1,322,25), Pompeius [III 1] (GL 5,95,5 u.ö.), Donatianus (GL 6,275,14), → Cassiodorus (GL 7,215,31) und → Martianus Capella die *etymologia* als Disziplin erwähnten (aber nicht ausführten). Erst → Isidorus [9] von Sevilla versuchte am Ende der Spät-antike, das gesamte Realwissen der Römer als *Etymo-logiae* [11] sachlich rubriziert zu sammeln und zu definieren: Es wurde ein enzyklopädisches, nicht linguistisches Werk (→ Enzyklopädie).

→ Etymologica; Grammatiker; Philosophie; Sprachphilosophie; Stoizismus; ETYMOLOGIE; ONOMASTIK E.

1 M.JOB, s.v. E., DNP 13, 1057f. 2 R.THURNEYSEN, E., eine akad. Rede (1905), in: R. Schmitt (Hrsg.), E., 1977, 50–73 3 E.WÖLFFLIN, Die Etymologien der lat. Grammatiker, in: ALLG 8, 1893, 430 4 E.RISCH, Namensdeutungen und Worterklärungen bei den ältesten griech. Dichtern, in: Eumusia. FS E. Howald, 1949, 72–91 (= Ders., KS, 1981, 294–313) 5 PFEIFFER, KPI, Kap. 2 6 K.BARWICK, Probleme der stoischen Sprachlehre und Rhetorik (Abh. der sächsischen Akad. der Wiss., Philol.-Histor. Klasse 49.3, 1957), 70–79 7 H.J.METTE, Parateresis, 1952, 2–48 8 S.ROESCH, Le rapport de res et verbum dans le De lingua Latina de Varron, in: M.BARATIN et al. (Hrsg.), Conceptions latines du sens et de la signification, 1999, 65–80 9 R.SCHRÖTER, Studien zur varronischen E., 1. Teil (AAWM 12, 1959), 1960 10 W.PFAFFEL, Quartus gradus etymologiae, 1981 11 C.CODOÑER, ¿»Origines« o »Etymologiae«?, in: Helmantica 45, 1994, 511–527. KL.SA.

Eunapios (Εὐνάπιος). Griech. Sophist und Historiker aus Sardeis (ca. 347–414 n.Chr.) [8. 2–4], der neben einer umfassenden philos. und rhet. Ausbildung durch → Chrysanthios und → Prohairesios auch ausgezeichnete medizinische Kenntnisse besaß und in der Gunst des → Oreibasios stand. In seinen Schriften erweist E. sich als entschiedener Gegner des Christentums, dem er als Anhänger des → Iulianus [11] Apostata (fr. 1,95–101 BLOCKLEY) restaurativ das Konzept der griech. → paideía entgegenstellt.

Von den ›Historien‹ (Ἱστορικὰ ὑπομνήματα/Historiká hypomnḗmata, 14 B.), die er auf Anregung des Oreibasios verfaßte (fr. 15,16–18 BLOCKLEY), sind nur Fr. erh.; weiteren Einblick geben die Werke späterer Benutzer wie → Zosimos [5], der laut Photios E. nur umgeschrieben haben soll (Phot. bibl. cod. 98) [4. 2; 2. 19–74, 119–178]. E.' ›Historien‹ sind als Fortsetzung von Herennios → Dexippos' [2] Geschichtswerk konzipiert (fr. 1,90–95) und behandeln die Ereignisse von 270 bis 404 n.Chr. (Phot. bibl. cod. 77), wobei fr. 72 BLOCKLEY auf eine Erweiterung bis zum Jahr 414 n.Chr. deutet [6. 165], das damit als *terminus post quem* für E.' Todesjahr angenommen werden muß. Die ›Historien‹ sind möglicherweise in fortlaufenden Faszikeln erschienen [7. 157] und wurden zweimal ediert (Phot. bibl. cod. 77), wobei die νέα ἔκδοσις/néa ékdosis (»Neuauflage«), verm. von E. selbst besorgt ([4. 2–3] dagegen [1]), weniger christenfeindliches Material enthält [6]. Eine genaue Datier. der beiden Edd. ist jedoch nicht möglich [8. 10–11]. Das Werk wurde außer von Zosimos [5] v.a. von Kirchenhistorikern wie → Philostorgios und → Sozomenos (dagegen [5]) als Quelle benutzt; der Bezug zu → Ammianus Marcellinus' Geschichtswerk ist umstritten [4. 24–25].

Wohl nach der Fertigstellung des ersten Teils der ›Historien‹ verfaßte E. im Jahr 396 bzw. 399 [8. 9; 3] die ›Sophistenviten‹ (βίοι σοφιστῶν/Bíoi sophistṓn). Das vollständig erh. Werk ist nach dem gleichnamigen Modell des → Philostratos [5] (B.2.) gestaltet und enthält 24 unterschiedlich lange Lebensbeschreibungen von Neuplatonikern, Sophisten und Ärzten v.a. des 4. Jh. n.Chr. Die Slg. dieser Porträts, für die E. vielfach auf mündliche Quellen und eigene Erfahrung zurückgreift [8. 23–32], ist einerseits als programmatischer Versuch zu lesen, den christl. Heiligen Idealbilder paganer Intellektueller gegenüberzustellen, dient andererseits aber auch der Selbststilisierung des Autors, der als Philosoph, Sophist und Arzt die Qualitäten dieser drei Gruppen in sich vereint und so zum Vorbild des neuen Gelehrten wird.

ED.: ›Historien‹: FHG 4, 7–56 · R.C.BLOCKLEY, The Fragmentary Classicising Historians of the Later Roman Empire, Bd. 2, 1983, 1–150 (mit engl. Übers. und Komm.). ›Sophistenviten‹: G. GIANGRANDE, Eunapii Vitae Sophistarum, 1956 · W.C.WRIGHT, Philostratus and Eunapius: The Lives of the Sophists, 1921 (Ndr. 1998; mit engl. Übers.).
LIT.: 1 A.BAKER, Eunapius' Νέα Ἔκδοσις and Photius, in: GRBS 29, 1988, 389–402 2 A.BALDINI, Ricerche sulla storia di Eunapio di Sardi, 1984 3 T.M.BANCHICH, The Date of Eunapius' *Vitae Sophistarum*, in: GRBS 25, 1984, 183–192 4 R.C.BLOCKLEY, The Fragmentary Classicising Historians of the Later Roman Empire, Bd. 1, 1981 5 D.F.BUCK, Did Sozomen Use Eunapius' *Histories*?, in: MH 56, 1999, 15–25 6 W.R.CHALMERS, The NEA ΕΚΔΟΣΙΣ of Eunapius' Histories, in: CQ 47, 1953, 165–170 7 W.R.CHALMERS, Ders., Eunapius, Ammianus Marcellinus, and Zosimus on Julian's Persian Expedition, in: CQ 54, 1960, 152–160 8 R.J.PENELLA, Greek Philosophers and Sophists in the Fourth Century AD, 1990. M.B.

Euphronios

[3] Griech. Dichter und Grammatiker, E. 3. Jh. v.Chr.; geb. in Cherronesos bei Kyrene nach Heph. p. 56; Pelusion im Nildelta erwähnt CollAlex 176,3. E. war Lehrer des Aristophanes [4] von Byzantion (Suda s.v. Ἀριστοφάνης Βυζάντιος). Er verfaßte Komm. zur att. Komödie [2]; er dichtete → Priapea (Georgios Choiroboskos Komm. in Heph. p. 241 CONSBRUCH; vgl. Strab. 8,382). Das einzige in diesem Metrum (Glykoneus und Pherekrateus, vgl. → Metrik V., Tabelle) erhaltene Fr. spricht vom ›jungen Dionysos‹ (CollAlex 176f., V.1: νέου Διονύσου), d.h. Ptolemaios [7] IV. Philopator (so Proverbia Bodleiana GAISFORD 907 [1]; vgl. Clem. Alex. Protreptikos p. 16; 22).

1 W.BÜHLER, Zenobii Athoi proverbia, Bd. 1, 1987 2 K.STRECKER, De Lycophrone, Euphronio, Eratosthene comicorum interpretibus, Diss. Greifswald 1884. W.D.F.

Exempla s. Valerius [III 5] Maximus; Rhetorik V.

Expeditio. Die Grund-Bed. des lat. Verbums *expedire* ist »den Fuß aus der Fessel lösen«, im mil. Kontext meint es »in Bereitschaft setzen«, »kampfbereit machen«. E.

bezeichnet den Jagdzug (Arnob. 3,21: *venationum praepo-
tens* [...] *in expeditionibus Diana*), v. a. aber den Zug gegen den Feind und somit urspr. nur einen Teil des Kriegs
(*bellum*), wie die Einteilung der *e.* in Marsch und Kampf
(Liv. 3,12,5: *egregia facinora nunc in expeditionibus, nunc in
acie*) nahelegt. *E.* als Terminus für Operationen innerhalb eines größeren Krieges begegnet auch in den
Inschr. der Prinzipatszeit, so etwa die *expeditio per regnum
Decebali regis Dacorum* des C. Velius [5] Rufus 89 n. Chr.
im Rahmen des *bellum Marcomannorum Quadorum Sarmatarum*, des 1. Pannonischen Krieges unter Domitianus
[1] (AE 1903,368) oder die im Kontext des 2. Donau-
krieges (178–180) unter Marcus [2] Aurelius anzuset-
zende *e. Burica* (CIL III 5937). Seit dem 1. Jh. n. Chr.
konnte *e.* ebenso wie *bellum* zur Bezeichnung des gesamten Krieges verwendet werden.

In den epigraphischen Zeugnissen belegt *e.*, v. a. in
Verbindung mit einem vom Namen des gegnerischen
Volkes abgeleiteten Adjektiv (z. B. *e. Germanica*), die
persönliche Teilnahme eines Kaisers am Feldzug. Der
erste inschr. Beleg für *e.* bezieht sich wohl auf die
Scheinfeldzüge Caligulas (CIL III 6809=ILS 2696). Claudius' [III 1] Britannienfeldzug konnte auch *e. Britannica*
benannt werden (CIL XIII 5125, frg.); der nächste unter
der Beteiligung eines Herrschers geführte Feldzug war
die *e. Germanica* des Domitianus [1] (CIL XIV 3612=
ILS 1025). Deutlich wird die Bed. von *e.* am Beispiel
der → Jüdischen Kriege (s. Nachträge). Der 1. Jüdische
Krieg (66–71 n. Chr.), von Vespasianus vor seiner Erhebung zum Princeps und später von Titus [3] als Stellvertreter des Princeps geführt, wurde als *bellum Iudaicum*
bezeichnet, nie als *e. Iudaica*. Der 2. Jüdische Krieg (132–
135), an dem Hadrianus persönlich teilnahm, konnte
auch *e. Iudaica* (z. B. CIL VI 1523 = ILS 1092; VI 3505)
genannt werden. Die lit. Quellen stützen dieses Bild
(z. B. Suet. Tib. 37,4; Suet. Claud. 17,1).

Bemerkenswert ist die unterschiedliche Häufigkeit
der epigraphischen Zeugnisse für *e.* und *bellum*. Stehen
im 1. Jh. n. Chr. sechs Belegen für *e.* 52 für *bellum* gegenüber, so finden sich im 2. Jh. bis einschließlich Antoninus [1] Pius 20 Belege für *e.*, 37 für *bellum*; ein Wandel ist unter Marcus [2] Aurelius auszumachen: *e.* ist in
25, *bellum* in 14 Fällen belegt; unter den Severern über-
wiegt *e.* mit 21 Belegen gegenüber einem einzigen Beleg für *bellum* deutlich. Spätere epigraphische Belege
sind aufgrund des allgemeinen rapiden Rückgangs von
Inschr.-Setzungen selten. Die zunehmende Verwendung von *e.* ist v. a. Indiz dafür, daß der Princeps persönlich für den glücklichen Ausgang der Kriege sorgt.
Zusätzlich schlägt sich die → *felicitas* des Princeps, seine
glückhafte Sieghaftigkeit, auch in den seit Marcus Aurelius nachweisbaren Formulierungen wie *e. felicissima II
Germanica* (CIL V 2155=ILS 1574) nieder; *bellum felicissi-
mum* hingegen ist nicht belegt. Als griech. Pendant zu *e.*
ist στρατεία/*strateía* anzusehen (AE 1958,15; Cass. Dio
60,21,2).
→ Heerwesen III.

1 G. ALFÖLDY, Bellum Mauricum, in: Chiron 15, 1985,
91–109 2 V. ROSENBERGER, Bella et expediciones, 1992.
V. RO.

F

Fasces. Rutenbündel aus Ulmen- oder Birkenholz, die
von roten Riemen zusammengehalten wurden. Die *f.*,
wohl etr. Ursprungs, wurden den röm. Obermagistra-
ten (→ *consul*, → *praetor*) als ein Zeichen ihrer Amtsgewalt (→ *imperium*) von Amtsdienern (*lictores*; → *lictor*)
vorangetragen. Außerhalb Roms (vgl. → *pomerium*) war
ein Beil in den *f.* befestigt als Symbol der uneinge-
schränkten feldherrlichen Macht über röm. wie bun-
desgenössische Soldaten und Provinzialen [1. 196 f.;
2. 119 f.]. Der → *dictator* verfügte über 24 *f.*, die beiden
Consuln über je 12, die Praetoren über je 6 und die
Promagistrate entsprechend ihrem Rang über 12 (Proconsul) oder 6 (Propraetor) [2. 120 f.]. Der → Princeps führte 12 mit Lorbeer geschmückte *f.* (*laureati*)
[1. 201]. Die *f.* begleiteten den Imperiumsträger überall-
hin, selbst in sein Haus, ins Theater oder ins Bad (allerdings nicht ins *lupanar*, »Bordell« [1. 207]). Als *insignia
imperii* (*dignitatis insignia*: Cic. ad Q. fr. 1,1,13; »Zeichen
der Amtsgewalt/der Amtswürde«) dienten sie dazu,
dem Beamten den Weg freizumachen, Bürger vor Gericht zu laden (→ *vocatio in ius*), zu verhaften (*prensio*), zu
züchtigen (*verberatio*), oder bei der Hinrichtung [1. 208].
Allerdings war die magistratische Zwangsgewalt (→ *coercitio*) durch die → *provocatio* im röm. Stadtgebiet (*domi*)
eingeschränkt. Der rangniedere Beamte hatte seine *f.*
vor dem ranghöheren zu senken. Die *f.* konnten bei
schändlichem Verhalten, das eine → *abrogatio* oder
→ *abdicatio* zur Folge hatte, zerbrochen werden [3]. In
der späten röm. Republik wurden *f.* häufig in der Volksversammlung angegriffen und beschädigt [4].

Neben den Imperiumsträgern wurden auch der
→ *flamen Dialis* und die → Vestalinnen von einem *lictor*
begleitet, im Rahmen des Kaiserkults erhielten Livia [2]
und Agrippina [3] minor je zwei *f.* (Tac. ann. 1,14; 13,2).
Die *f.* spielen in der Neuzeit eine Rolle v. a. als polit.
Symbol republikanischer Freiheit und Verfassung, staatlicher Einheit und Geschlossenheit, andererseits aber
auch als Zeichen uneingeschränkter Zwangsgewalt. In
der Französischen Revolution symbolisierten sie zusammen mit der Jakobinermütze die Befreiung vom
Absolutismus und die neue republikanische Ordnung.
In den USA stehen die *f.* bes. für die Einheit der Nation
(z. B. *Washington Monument*; *Lincoln Memorial*) und der
republikanischen Verfassung (z. B. Rostrum des Re-
präsentantenhauses mit Bronze-*f.*). In Italien finden sich
f. 1919 auf der Fahne von Mussolinis *Fasci di Combatti-
mento*, 1926–1942 auch als offizielles Staatssymbol, und
auf der Kriegsflagge der *Repubblica Sociale Italiana*
(1943–1945). Mussolini trat selbst in Begleitung von
Liktoren auf, z. B. in Tripolis (→ FASCHISMUS). Noch
im frühen 21. Jh. gibt es *f.* u. a. auf US-Briefmarken,

dem französischen Staatssiegel und EU-Paß, der Fahne des Kantons St. Gallen oder der Staatsflagge Ecuadors.
→ FASCHISMUS

1 TH. SCHÄFER, Imperii insignia, 1989 2 W. KUNKEL, Die Magistratur, 1995 3 L. DE LIBERO, Zerbrochene Rutenbündel, zerschlagene Amtsstühle, in: M. HUNDT (Hrsg.), Gesch. als Verpflichtung. FS R. Postel, 2001, 1–28 4 G. LASER, Populo et scaenae serviendum est, 1997, 218–225.   L. d. L.

Feuerwehr I. ALLGEMEINES
II. REPUBLIKANISCHES ROM
III. SPÄTANTIKES ROM UND KONSTANTINOPEL
IV. OSTIA UND PUTEOLI
V. ÜBRIGES ITALIEN UND PROVINZEN

I. ALLGEMEINES
Die Organisation einer F. war in größeren Städten des röm. Reichs erforderlich; bei kleineren Siedlungen war Nachbarschaftshilfe selbstverständlich (Sen. contr. 5,5; Sen. clem. 1,25,5). Die Bestrebungen mußten darauf gerichtet sein, kleinere Brände, die von offenen Feuern (→ Herd und → Beleuchtung) ausgingen, zu ersticken, bevor das Feuer sich ausbreitete und durch die Hitzeentwicklung und den entstehenden Sog zu einer Feuersbrunst wurde. Diese Gefahr bestand v. a. bei sehr enger Bebauung; in der Kaiserzeit wurden durch Bauverordnungen bestimmte Sicherheitsabstände vorgeschrieben. Bei der Brandbekämpfung wurden Wassereimer (hamae: Iuv. 14,305), mit Essig getränkte Decken (centones: vgl. Dig. 33,7,12,18), Brechäxte (dolabra: Dig. 1,15,3,3) sowie Feuerspritzen bzw. Pumpen (siphones: vgl. Plin. epist. 10,33,2) eingesetzt; letztere hatten nur eine begrenzte Kapazität [6. 365 f.]. Belege für organisierte Brandbekämpfung im Griechenland der vorröm. Zeit sind nicht bekannt.

II. REPUBLIKANISCHES ROM
Die tresviri nocturni (→ viginti(sex)viri) waren mit Sicherheitsdienst und Brandbekämpfung beauftragt. Sie versahen mit Unterstützung von Sklaven einen nächtlichen Wachdienst. Auch → aediles konnten mit Brandbekämpfung beauftragt sein (Dig. 1,15,1). Bei einem Großbrand im J. 67 v. Chr. mußten die Consuln eingreifen (Cic. Pis. 26). 21 v. Chr. stellte M. Egnatius [II 10] Rufus als Aedil eine private Feuerwehrtruppe auf. Nach einem Großbrand 6 n. Chr. schuf Augustus eine Feuerwehr, die → vigiles (Suet. Aug. 30,1; vgl. Cass. Dio 55,26,4 f.).

III. SPÄTANTIKES ROM UND KONSTANTINOPEL
Unter der Herrschaft des Kaisers Valentinianus [1] I. (364–375) wurden die mil. organisierten vigiles aufgelöst [2. 250–262]. Zur Brandbekämpfung wurden aus den Berufsverbänden (→ collegium [1]) Mitglieder zwangsrekrutiert, sog. collegiati (Cod. Iust. 11,18). Dies läßt sich aus der parallelen Entwicklung in → Konstantinopolis schließen (Notitia urbis Constantinopolitanae 2,25–28). Hier überwachten im Jahr 409 n. Chr. 14 vicomagistri die

Regionen der Stadt und setzten 560 collegiati zum Löschen ein (Cod. Iust. 4,63,5). In Rom erscholl noch im 6. Jh. bei einem Brandausbruch der Ruf omnes collegiati, concurrite! (»Herbei, alle Collegiati!«, Lyd. mag. 1, 50).

IV. OSTIA UND PUTEOLI
Von den Häfen hing die Lebensmittelversorgung Roms ab. Daher stationierte Kaiser Claudius [III 1] (41–54) je eine Kohorte (→ cohors) in → Ostia und → Puteoli, verm. → urbanae cohortes. Im → Vierkaiserjahr (69 n. Chr.) wurden die Kohorten abgezogen. Kaiser Traianus [1] (98–117) baute Ostia zum Haupthafen Roms aus. Sein Nachfolger Hadrianus ließ eine Kaserne erbauen und stationierte eine → vexillatio (→ Feldzeichen) von ca. 400 → vigiles unter dem Kommando von zwei Tribunen und vier Centurionen, die alle vier Monate abgelöst wurden (CIL XIV 4500; 4503–4505). Das letzte Zeugnis dieser Truppe stammt aus der Zeit 241–244 n. Chr. (CIL XIV 4398).

V. ÜBRIGES ITALIEN UND PROVINZEN
In It. und den westlichen Prov. sind in vielen Städten Vereine (→ Berufsvereine) von Handwerkern bezeugt, die zur Brandbekämpfung herangezogen wurden (Plin. epist. 10,33). Speziell waren dafür die centonarii (mit centones, »Löschmatten«, ausgestattete F.-Leute; vgl. collegium centonariorum CIL V 5128 u.ö.) zuständig. Zu diesen Vereinen waren auch Berufsfremde und Ehrenmitglieder zugelassen.

Im J. 110 n. Chr. verbot Traianus die Bildung eines collegium fabrorum in Nikomedeia als F., da er befürchtete, aus dem Verein werde ein polit. Klub entstehen (Plin. epist. 10,34). Bei einem Brand um 150 n. Chr. in Smyrna befahl der Stratege der Bevölkerung, Feuerlöschgerätschaften herbeizuschaffen (Ps.-Pionios, Vita Polycarpi 28: [8]). Daraus wurde geschlossen, daß es in den östl. Prov. keine F.-Vereine gab [9].
→ Feuer; Vigiles; Wohnverhältnisse

1 F. M. AUSBÜTTEL, Untersuchungen zu den Vereinen im Westen des Reiches, 1982 2 A. CHASTAGNOL, La préfecture urbaine à Rome au Bas-Empire, 1960 3 P. KNEISSL, Die fabri ... in den Städten Italiens und der westlichen Prov., in: R. GÜNTHER, ST. REBENICH (Hrsg.), E fontibus haurire. Beitr. zur röm. Gesch. und ihren Hilfswissenschaften, 1994, 133–146 4 R. LAFER, Omnes collegiati concurrite. Brandbekämpfung im Imperium Romanum, 2001 5 O. ROBINSON, Fire Prevention at Rome, in: RIDA 24, 1977, 377–388 6 R. SABLAYROLLES, Libertinus miles. Les cohortes des vigiles, 1996 7 H. VETTERS, Zu römerzeitlichen Bauvorschriften, in: F. KRINZINGER u. a. (Hrsg.), Forschungen und Funde. FS B. Neutsch, 1980, 477–485 8 F. X. FUNK, F. DIEKAMP, Patres Apostolici, Bd. 2, 1913, 443, 8–11 9 A. H. M. JONES, The Greek City from Alexander to Justinian, ²1966, 215.   H. F.

Fides

III. CHRISTLICH
Die lat. Christenheit übersetzte → pístis (πίστις) mit f. und gab so dem christl. Glaubensbegriff mit der Bed. »Vertrauen« bzw. »Vertrauenswürdigkeit« einen stark moralisch-rechtlichen Beisinn. Daher trat in der lat.

Westkirche der Glaube (*f.*) in einen klaren Gegensatz zur Erkenntnis (Tert. de praescriptione 7,13: ›Wenn wir glauben, begehren wir nichts darüber hinaus zu glauben‹), während in der Ostkirche beides eng miteinander verbunden war (z. B. Clem. Al. strom. 5,1,3: ›Es gibt weder Erkenntnis, γνῶσις/*gnósis*, ohne Glauben, *pístis*, noch Glauben ohne Erkenntnis‹). *F.* meint bei → Novatianus, → Cyprianus [2] und → Lactantius [1] oft das Christentum als Ganzes, wobei auch die alte Bed. »Schutzbündnis« nachwirken mag. Erst → Augustinus gelingt hier die Synthese: Zwar hat auch bei ihm der Glaube den Vorrang (Aug. zitiert daher gern Jes 7,9 in LXX: ›Wenn ihr nicht glaubt, werdet ihr es nicht verstehen‹), aber er unterscheidet nun ausdrücklich zw. Glaubensinhalt und Glaubensakt (Aug. trin. 13,2,5: *aliud sunt ea, quae creduntur, aliud f. qua creduntur* – ›das eine sind Dinge, die man glaubt, etwas anderes ist der Glaube, mit dem man sie glaubt‹). Damit wurde Augustinus grundlegend für die gesamte abendländische Theologie.

→ Pistis

D. LÜHRMANN, s. v. Glaube, RAC 11, 1981, 48–122 (Lit.) · S. G. HALL, s. v. Glaube IV. Alte Kirche, TRE 13, 1984, 305–308 · H. VORSTER, s. v. Glaube, HWdPh 3, 1974, 628–643 · E. TIELSCH, Die Wende vom ant. zum christl. Glaubensbegriff, in: Kantstudien 64, 1973, 159–199.

J. BÜ.

Firuz s. Peroz [1]

Flavische Dynastie. Mod. Bezeichnung für zwei Reihen von röm. Kaisern im 1. bzw. im 3./4. Jh. n. Chr., die jeweils aus der gleichen Familie stammten: zum einen die 69 n. Chr. von T. Flavius → Vespasianus (69–79) begründete und von seinen Söhnen → Titus [3] (79–81) und → Domitianus [1] (81–96) bis ins J. 96 fortgeführte Herrscherfolge, zum andern die zuweilen »Zweite F. D.« genannte Kaiserfolge aus dem Haus des Flavius Valerius → Constantinus [1] I., die fiktiv bereits bei (Flavius) → Claudius [III 2] Gothicus (268–270) begann und mit dem Tod des Flavius Claudius → Iulianus [11] (360–363) endete. Der Begriff »Dyn.« drückt dabei die faktische Weitergabe der Herrschaft in der Familie über einen längeren Zeitraum, nicht eine auf Familienzugehörigkeit begründete und rechtlich gesicherte Legitimation zur Nachfolge aus (→ Usurpation III.).

Mit Vespasianus kam im Unterschied zu allen früheren Kaisern (einschließlich derjenigen des → Vierkaiserjahres) eine italische Familie (aus dem sabinischen Reate) zur Herrschaft, die nicht zum altröm. Adel gehörte (»von dunkler Abstammung«, *obscura...ac sine ullis maiorum imaginibus*: Suet. Vesp. 1,1). Sie ließ sich nur um zwei Generationen bis zum Großvater des Vespasianus (Flavius Petro), einem → *centurio*, zurückverfolgen, erlebte dann aber mit dem Vater, der bereits dem Ritterstand angehörte (→ Flavius [II 39]), und dessen Söhnen, die eine senatorische Laufbahn einschlugen, einen raschen Aufstieg (der Bruder → Flavius [II 40] Sabinus war *praefectus urbi*). Vespasianus stützte seine Legitimation auf

die Vollmachten seiner »guten« Vorgänger Augustus, Tiberius [1] und Claudius [III 1], die er sich in einer → *lex de imperio* übertragen ließ, und machte klar, daß ihm »seine Söhne oder niemand«, *aut filios sibi successores aut neminem* (Suet. Vesp. 25) nachfolgen würden. Die durch Beteiligung der Söhne, v. a. des Titus, an den Aufgaben eines → Herrschers gut vorbereitete Herrschaftsübergabe vollzog sich in beiden Fällen problemlos. Beide Söhne blieben ohne eigene Söhne, so daß die F. D. mit der Ermordung des Domitianus, der sich durch seinen arroganten Regierungsstil bei vielen Senatoren verhaßt gemacht hatte (→ *senatus* III.), 96 n. Chr. erlosch.

Trotz ihrer kurzen Dauer von 27 Jahren (69–96) gelang es den Kaisern der F. D., Unruhen im Reich (Iudaea, → Jüdische Kriege, s. Nachträge; Batavi, → Bataveraufstand) zu beseitigen, die Grenzen an Rhein, Donau und im Osten zu sichern, die → Infrastruktur des Reiches durch Straßenbauten zu festigen, die Finanzen zu sanieren und die Qualität der Reichsverwaltung zu verbessern. Durch die großzügige reichsweite Verleihung des röm. → Bürgerrechts (→ *civitas* B.) an Einzelpersonen und ganze Gemeinden durch die Kaiser der F. D. verbreitete sich – ähnlich wie *Claudius* – der Name *Flavius* und wurde häufig auch noch in der Spätantike geführt, um einen jh.-langen Besitz des röm. Bürgerrechts anzudeuten.

Mit der Begründung der 2. F. D. setzte sich Flavius Valerius Constantinus [1] I. bewußt (wohl erst nach 310 n. Chr.) von der Zugehörigkeit zur Familie der Herculii (→ Diocletianus; → *tetrárchēs* IV. mit Stemma) ab und führte seine Familie über seinen Vater Flavius Valerius Constantius [1] fiktiv bis Claudius [III 2] Gothicus (268–270) zurück (SHA Claudius 7,8: *Flavius Claudius*; SHA Aurelian. 17,2); Constantius [1] wird als Sohn einer frei erfundenen Cousine des Claudius zu dessen Großneffen (SHA Claudius 9,9; vgl. Stemma zur Familie des → Constantinus [1]). Constantinus [1] (306–337) plante eine Weitergabe der Herrschaft innerhalb der eigenen Familie (Crispus [1], Caesar seit 317, hingerichtet 326; Constantinus [2], Caesar seit 317; Constantius [2], Caesar seit 324; Constans [1], Caesar seit 333) wohl als Viererherrschaft unter Beteiligung des Dalmatius [2], seines (Halb-)Neffen aus der Ehe seines Vaters mit → Theodora [1]. Dieser wurde jedoch nach dem Tode des Constantinus [1] (zusammen mit seinem Vater und weiteren Verwandten aus der Linie der Theodora) umgebracht, so daß sich Constantinus [2] (337–340), Constans [1] (337–350) und Constantius [2] (337–361) die Herrschaft im Reich teilten.

Erst nach dem Tod des Constans (350) zog Constantius Enkel der Theodora enger an die Familie, indem er sie mit seinen Schwestern verheiratete und zu Caesares erhob: zuerst Constantius [5] Gallus (351 Ehe mit → Constantina und Erhebung zum Caesar) und nach dessen Hinrichtung (354) Iulianus [11] (355 Ehe mit Helena [3] und Erhebung zum Caesar), der 361 in Gallien von seinen Truppen zum Kaiser ausgerufen wurde und nach dem überraschenden Tod des Constantius im selben Jahr kampflos die Alleinherrschaft erreichte (361–363). Da aus keiner der Ehen Kinder hevorgegangen waren, erlosch die 2. F.D. mit dem Tod des Iulianus bei einem Feldzug gegen die Perser. W.ED.

Flavius

[II 43a] F. Severinus. Statthalter in der Prov. Lycia-Pamphylia, verheiratet mit einer Dracilla; nach [1] am ehesten in die Zeit des Antoninus [1] Pius zu datieren, doch eher erst 2. Hälfte des 3. Jh. n. Chr.

1 S. ŞAHIN, Inschr. von Perge, Bd. 1, 1999, 157. W.E.

Forum

[IV 3] F. Gallorum (Ἀγορὰ Κελτῶν). Ortschaft an der → Via Aemilia, 8 röm. Meilen (ca. 12 km) südöstl. von Mutina (Tab. Peut. 4,4; vgl. Geogr. Rav. 4,33; Guido, Geographica 37) beim h. Castelfranco Emilia. F. G. findet lit. Erwähnung im Zusammenhang mit dem → Mutinensischen Krieg, als am 14. April 43 v. Chr. M. Antonius [I 9] den Consul C. Vibius [I 2] Pansa besiegte und wenige Tage später von dem anderen Consul, Hirtius, fast an derselben Stelle geschlagen wurde (Frontin. strat. 2,5,39; App. civ. 3,67–70).

E. ANDREOLI, A. NEGRIOLI, Edizione archeologica della Carta d'Italia al 100000, Bl. 87, 1938, 124. E.O.

[IV 4] F. Iulii (Φόρος Ἰούλιος). Hafenstadt der Oxybii (→ Deciates) in der Gallia → Narbonensis (Ptol. 2,10,8; Itin. Anton. 297,4; Itin. Burdig. 505,1 f.; Tab. Peut. 3,2; Geogr. Rav. 4,28; 5,3; Notitia Galliarum 16,4) am linken Mündungsufer des Argenteus (Ἀργέντιος, h. Argens), an der Straße von It. nach Hispania (nachmals → Via Aurelia, h. Fréjus (Dép. Var). Trotz zahlreicher Siedlungsspuren im umgebenden Gelände seit dem Paläolithikum wurde an der Stätte von F. I. erst im 1. Jh. v. Chr. eine Siedlung angelegt (faßbar in Briefen des L. Munatius [I 4] Plancus vom Mai 43 v. Chr.: Cic. fam. 10,15,3; 10,17,1). Die Hafenanlagen waren bereits auf Initiative des nachmaligen Augustus ausgebaut (Strab. 4,1,9), als dieser nach dem Sieg bei → Aktion 31 v. Chr. Schiffe der Flotte des Antonius [I 9] nach F. I. sandte (Tac. ann. 4,5: *oppidum Foroiuliense*). Damals dürfte er auch eine *colonia* (*tribus Aniensis*: CIL XII 260; 290f.; 295; *duoviri*: CIL V 7907; X 4868; XII 261; *seviri Augustales*: CIL XII, 267–272) mit Mannschaften seiner *legio VIII Hispana* nach F. I. geschickt haben (vgl. Plin. nat. 3,35; Mela 2,77). Selbst wenn F. I., unter Augustus in seiner Bed. als Flottenstützpunkt durchaus mit Misenum und Ravenna vergleichbar, wohl aufgrund der Versandung des Hafens in seiner mil. Funktion allmählich zurücktrat, blieb es doch bis in die Spätant. eine wichtige Verwaltungs-, Verkehrs- und Handelsstadt (vgl. den ON *Forum I.*), ab dem E. des 4. Jh. auch Bischofstadt (seit 374 belegt).

Der Hafen (ca. 22 ha), h. total verlandet, war mit dem Meer durch einen etwa 1 km langen, 50 bis 80 m breiten Kanal verbunden. Vom augusteischen Stadtmauerring – er umfaßt mehr als das Doppelte der mod.

Bebauung – sind noch bedeutende Teile samt Türmen und zwei Toren (jeweils am Ende des → *decumanus maximus*) erh. Nachweisbar sind das orthogonale Straßennetz mit Gebäudesubstruktionen, Mosaike, im Norden das Theater. Weitere ant. Anlagen liegen außerhalb des Mauerrings: das kleine Amphitheater (für ca. 9000 Zuschauer; 1./2. Jh.) im NW, im SW Thermen und Nekropole (»La Tourrache«). Ein vorzüglich erh. Aquaedukt führt über 40 km vom Esterel herunter und beim NO-Tor in die Stadt hinein.

In F. I. wurde → Catualda, der Rivale des → Maroboduus, interniert (Tac. ann. 2,63). Aus F. I. stammten der Elegiker C. Cornelius [II 18] Gallus sowie Cn. Iulius [II 3] Agricola, der Schwiegervater des Tacitus (Tac. Agr. 4).

P.-A. FÉVRIER, Fréjus (F. I.) et la basse vallée de l'Argens, 1977 · A.L.F. RIVET, Gallia Narbonensis, 1988, 226–30 · C. GOUDINEAU, s. v. F. I., PE 335 f. E.O.

François-Vase s. Klitias

Frau

I.* MINOISCHE UND MYKENISCHE KULTUR
Kenntnisse über F. der brz. minoischen (=min.) und myk. Kulturen stammen im wesentlichen von bildlichen Darstellungen (Plastik, → Wandmalerei), aus Verwaltungstexten auf → Linear B-Tontafeln und aus Grabkontexten.

Die min. Palastkultur → Kretas ab etwa 2000 v. Chr. (vgl. → Minoische Kultur und Archäologie) unterscheidet sich von der helladischen Kultur (ca. 2100–1600) des griech. Festlandes, doch finden sich in den Schachtgräbern von → Mykenai und in der Wandmalerei von → Thera, das zur min. Koine gehörte, Belege für min. F.-Kleidung, -Schmuck und -Riten, die in die Zeit ab 1600 datiert werden. Min. Kult- sowie Wirtschaftsformen wurden auch nach dem Übergang der polit. Vorherrschaft im Ägäisraum an die Mykener (ab etwa 1450; vgl. → Mykenische Kultur und Archäologie) auf Kreta (Zentrum: → Knosos) beibehalten und teilweise auch von der myk. Oberschicht des Festlandes übernommen.

A. IKONOGRAPHIE B. SCHRIFTQUELLEN
C. GRABBEFUNDE

A. IKONOGRAPHIE
1. MINOISCH 2. MYKENISCH

1. MINOISCH
Darstellungen von F. in Statuettenform, auf Wandmalereien und Siegeln sind seit den Grabungen von A. EVANS in Knosos (1900) Hauptquellen für unsere Kenntnis min. F. Göttinnen bzw. F. der Oberschicht dominieren in der min. rel. Bilderwelt [1; 2; 3. 109f.]. Dies wird aber nicht mehr als Beweis dafür angesehen, daß F. in der min. Ges. auch eine soziale oder wirtschaftliche Vorrangstellung innehatten. Belege für ma-

trilineare Erbfolge oder auch Matrilokalität, die auf eine matriarchale Ges. hindeuten könnten, liegen nicht vor ([2; 3. 63–65, 94–97]; vgl. → MATRIARCHAT B.).

Die ältesten weiblichen Statuetten, die auch einen Eindruck von der kostbaren Kleidung vermitteln, datieren in die min. Altpalastzeit (ca. 2000–1700 v. Chr.). Wandgemälde und Siegel der Neupalastzeit (ca. 1700–1450) zeigen F. überwiegend bei der Ausübung rel. Rituale; dies führte EVANS zu der – später weit verbreiteten – Annahme, daß die Minoer eine weibl. Hauptgottheit verehrten und alle Darstellungen dieselbe Göttin wiedergeben [1. 113; 2. 9; 4. 147]. Die beiden sog. »Schlangengöttinnen« (Fayencen aus Knosos) sowie Siegelbilder lassen jedoch ein min. Pantheon beiderlei Geschlechts erschließen. Viele der Göttinnen stehen mit Blumen, Bäumen und Tieren, also Fruchbarkeitssymbolen, in Verbindung; sie sind aber nicht als Muttergottheiten mit Kind (→ kurotróphos) dargestellt [1. 123–125; 4. 165f.].

F.-Szenen auf min. Wandfresken und Siegeln zeigen oft → Epiphanien (eine Göttin erscheint ihren Anhängerinnen und Anhängern) oder rituelle Handlungen wie Prozessionen, Tänze und Opfer. Dabei ist nicht eindeutig zu erkennen und vielleicht auch bewußt offen gelassen, ob die weibl. Zentralfigur eine Göttin oder eine Priesterin ist, die im Kult die Rolle der Göttin einnahm [3. 116; 4. 141, 143–144]. Auf dem sog. Prozessionsfresko von Knosos führen F. die Männer beim Ritual an [4. 51–53, Abb. 41; 6. 88f., Taf. 40]; auf dem Sarkophag von Hagia Triada opfern F., während Männer dazu musizieren [4. 31–36; 6. 100f., Taf. 50f.].

F.-Darstellungen in der Plastik, auf Wandmalereien und in der Glyptik zeigen ausschließlich F. der min. Oberschicht [3. 111–118; 4. 145f.] und kaum Tätigkeiten des Alltagslebens. Zur bildlich überl. Kleidung von min. F. gehörte ein kurzärmeliges Mieder/Jäckchen oder Kleid, das die nackten Brüste stützend hervorhob, und ein (Wickel-)Rock mit Volants aus reich gemusterten Stoffen [5. 314f.]. Auf den Wandbildern üben F. (gekennzeichnet durch weiße Haut und kunstvoll farbige Kleidung) in der Regel keine anstrengenden Tätigkeiten aus, während Männer (mit rötlich-brauner Haut, Muskeln und einem Lendenschurz oder »Kilt«) im Kampf mit anderen Männern oder Tieren (v. a. Stieren) abgebildet sind [6. 50–62; 7. 111–123]. In der Forsch. wird kontrovers diskutiert, ob die weißhäutigen Stierspringer auf den Stierkampf-Fresken (Knosos) als junge F. oder junge Männer zu interpretieren sind [6. 90–92, Taf. 41f.; 4. 218–220].

2. MYKENISCH

Auf dem griech. Festland zeigen weibl. Darstellungen aus der myk. Palastzeit (ca. 1500/1450–1200 v. Chr.) auch Kleiderformen nach min. Vorbild [5. 324; 6. 114f.], aber in myk. Ausformung. Auf Siegeln und Goldringen erscheinen F. (Göttinnen?) mit myth. Tieren oder (weibl. oder männl.) Kultanhängern; in rituellen Szenen leiten F. die kultische Handlung [8. 109f., Abb. 33]. Herausragendes Thema der myk. Wandma-

lerei sind Prozessionen min. gekleideter F., die einer Göttin Gaben bringen, oder Göttinnen mit Waffen oder Stab (z. B. in Mykenai [8. 81, 111, Abb. 34]). Daneben erscheinen F. bei Kriegs- oder Jagdszenen als Zuschauerinnen (vgl. zwei F. im Wagen auf dem Eberjagdfresko von Tiryns, bekleidet mit dem myk., in der Taille gegürteten, die Brust bedeckenden → Chiton, der auch von Männern getragen wurde [5. 324 mit Abb.; 15. 11; 6. 117, 122, 155f.]).

Die auf dem griech. Festland sehr zahlreich gefundenen F.-Statuetten aus Terrakotta (sog. Tau-, Phi- und Psi-Figurinen) mit einem gestreiften, den ganzen Körper bedeckenden Gewand [8. 116] stammen aus Siedlungen, Heiligtümern und Gräbern; sie waren vielleicht Hausgöttinnen und/oder Spielzeug. Etwa 70 davon halten ein kleines Kind im Arm (ein Motiv ohne Parallele in der myk. Wandmalerei und auf Siegeln). Auf den bemalten Tonsarkophagen (Larnakes) aus → Tanagra (Festland) und Rhethymnon (Kreta) ist häufig eine Reihe von F. im Klagegestus dargestellt, mit zum Kopf erhobenen Händen (→ próthesis; [6. 155–157; 18. 165]).

B. SCHRIFTQUELLEN

Die Tontäfelchen mit → Linear A-Inschriften erweitern die Kenntnisse über min. F. nicht, da sie noch nicht entziffert wurden. Dagegen sind → Linear B-Täfelchen (aus Palastarchiven in Knosos, Pylos [2], Thebai [2], Mykenai, Tiryns) wichtige Informationsquellen für die F. der myk. Zeit. Das Ideogramm für F. zeigt breite Hüften und einen langen Rock (in Knosos auch Brüste), das für den Mann ist ein dreieckiger Körper mit schmaler Taille [16. 155] (in der Linear A-Schrift gibt es zwar ein Ideogramm für Mann, aber keines für F.).

Die Tontäfelchen der myk. Palastarchive enthalten (anders als mesopot. Archive) keine Aufzeichnungen zu den weibl. Mitgliedern des Herrscherhauses, sondern über Arbeiterinnen, die direkt dem Palast unterstanden, und über weibl. Kultpersonal mittleren Ranges, mit Anspruch auf Nahrungsmittel, Kleidung und Land [9; 10; 14. 36–39]. In Personal-, Rationen- und Rohstofflisten (Tafeln v. a. aus Knosos und Pylos [10; 11]) sind hunderte – verm. unfreie [9] – Arbeiterinnen und Kinder zu Gruppen zusammengefaßt. Individuelle Personennamen fehlen, die Gruppen werden nach Anzahl, Tätigkeit und geogr. Herkunft benannt. Knaben erscheinen an letzter Stelle bzw. werden durch die Zugehörigkeit zur Mutter identifiziert; nur eine Pylos-Tafel (PY Ad 684) erwähnt Väter [10; 12]; erwachsene Töchter, die mit ihren Müttern zusammen arbeiteten, kennzeichnete man mit der Abkürzung tu (für Tochter) [11; 12; 13]. Die Mehrzahl dieser Gruppen war als Weberinnen, Spinnerinnen, Näherinnen usw. in der Textilherstellung für den Palast tätig, die wohl auch dem Export/Verkauf diente (vgl. Tafeln aus Tiryns, Thebai, Mykenai [11; 14. 17, 23, 58, 103; 5. 283f.]) – daneben sind Getreidemahlerinnen, Dienerinnen oder Bade-F. bezeugt. Ethnika, z. B. auf Pylos- oder Knosos-Tafeln, verweisen auf die jeweilige Herkunft der Arbeiterinnen: u. a. aus Milet (*mi-ra-ti-ja*) oder Knidos (*ki-ni-di-ja*), verm. als Beute-F. [10], oder aus kretischen Zentren.

F., die kultische Ämter innehatten, sind auf Täfelchen namentlich und/oder mit Titulatur als Landpächterinnen (z. B. PY Ep 704) oder als Empfängerinnen von Nahrungsmitteln (Knosos, Pylos, Thebai) verzeichnet. In Pylos waren die höchsten F.-Ämter – das der *i-je-re-ja* (»Priesterin«) der Göttin *Po-ti-ni-ja* und der *ka-ra-wi-po-ro* (»Schlüsselträgerin«) [14. 56, 72 f.] – vielleicht auch für die Verwaltung der an die Heiligtümer der Göttinnen angeschlossenen Werkstätten und Ländereien zuständig: Pylos, Knosos, Thebai [15]. Die große Zahl der Kultfunktionärinnen paßt zwar gut zu der herausragenden Rolle von F. in der myk. rel. Bilderwelt, andererseits scheint das weibl. Kultpersonal (z. B. Pylos) relativ niedrigen Status gehabt zu haben, wenn man die Größe des Landbesitzes mit dem von Männern außerhalb des Heiligtums vergleicht.

Fast nichts ist hingegen über myk. F. überliefert, die nicht direkt in Verbindung mit dem Palast standen.

C. GRABBEFUNDE

Weitere wichtige Kenntisse über F. des min. und des myk. Kulturkreises stammen aus Bestattungen (Gräbern, Grabbeigaben und Knochenfunden). Hier finden sich Spuren der einfachen Bevölkerung, die nicht in den Palastarchiven oder Wandgemälden in Erscheinung treten. Häufig wurden F., Männer und Kinder in Familiengräbern bestattet, Kinder allerdings oft separat in Gruben oder Urnen. Gräber von F. (und Kindern) waren in der Regel genauso reich ausgestattet wie die von Männern derselben sozialen Schicht (Mykenai, Gräberrund A und B); Unterschiede sind im sozialen Status, nicht im Geschlecht der Toten begründet [20]. Neben Halsketten, Messern und ornamentierten Goldfolien waren Tongefäße mit Speisen, Getränken und parfümierten Ölen die häufigsten Grabbeigaben für F. und Männer. Armreifen und → Nadeln waren F., → Waffen Männern vorbehalten [17. 127 f.; 18]. Anthropologische Unt. von Skeletten [19] zeigen nur geringe Unterschiede zw. weibl. und männl. Ernährungsgewohnheiten, erwiesen aber ein jüngeres Sterbealter für F. (verm. wegen der Geburten) [18.128; 19]. Die reichsten Bestattungen sind die der lokalen Herrscher- und Adelshäuser – Personengruppen, die auch im ikonographischen Befund auftauchen; der Großteil der Gräber ist aber Bauern- und Handwerkerfamilien zuzuordnen, deren F. in den Palastdokumenten nicht verzeichnet sind. Keine Gräber konnten den unfreien Arbeiterinnen zugeordnet werden, die aus den Tontafel-Archiven bekannt sind.

→ Ägäische Koine (mit Karten); Minoische Kultur und Archäologie; Mykenische Kultur und Archäologie; Religion (V. und VI.); Wandmalerei II.; MATRIARCHAT

1 L. GOODISON, C. MORRIS, Beyond the »Great Mother«: the Sacred World of the Minoans, in: Dies. (Hrsg.), Ancient Goddesses. The Myths and the Evidence, 1998, 113–132 2 L. NIXON, Gender Bias in Archaeology, in: L. J. ARCHER et al. (Hrsg.), Women in Ancient Societies, 1994, 8–13 3 M. EHRENBERG, Women in Prehistory, 1989, 63–65, 94–99, 109–118 4 N. MARINATOS, Minoan Rel., 1993 5 E. BARBER, Prehistoric Textiles. The Development of Cloth in the Neolithic and Bronze Ages, 1991 6 S. IMMERWAHR, Aegean Painting in the Bronze Age, 1990 7 M. LEE, Deciphering Gender in Minoan Dress, in: A. RAUTMAN (Hrsg.), Reading the Body. Representations and Remains in the Archaeological Records, 2000, 111–123 8 K. A. und D. WARDLE, Cities of Legend: the Mycenaean World, 1997 9 J. CHADWICK, The Women of Pylos, in: J.-P. OLIVIER, T. G. PALAIMA (Hrsg.), Texts, Tablets and Scribes (Minos Suppl. Bd. 10), 1988, 43–95 10 J. KILLEN, The Textile Industries at Pylos and Knossos, in: C. SHELMERDINE, T. G. PALAIMA (Hrsg.), Pylos Comes Alive, 1984, 49–63 11 S. HILLER, Familienbeziehungen in den myk. Texten, in: T. G. PALAIMA et al. (Hrsg.), Studia Mycenaea (1988). Ziva Antika monographies 7, 1989, 40–65 12 P. CARLIER, Les mentions de la parenté dans les textes mycéniens, in: S. DEGER-JALKOTZY et al. (Hrsg.), Floreant Studia Mycenaea, Bd. I, 1999, 185–193 13 M.-L. NOSCH, Acquisition and Distribution, in: C. GILLIS et al. (Hrsg.), Trade and Production in Premonetary Greece, 2000, 43–61 14 M. LINDGREN, The People of Pylos II (Boreas 3.1), 1973 15 S. LUPACK, Palaces, Sanctuaries and Workshops, in: M. GALATY, W. A. PARKINSON (Hrsg.), Rethinking Mycenaean Palaces, 1999, 25–34 16 M. VENTRIS, J. CHADWICK, Documents in Mycenaean Greek, ²1973 17 W. CAVANAUGH, C. MEE, A Private Place: Death in Prehistoric Greece (Stud. in Mediterranean Archaeology = SIMA 125), 1998 18 C. MEE, Gender Bias in Mycenaean Mortuary Practices, in: K. BRANIGAN (Hrsg.), Cemetery and Society in the Aegean Bronze Age, 1998, 165–170 19 B. HALLAGER, P. MCGEORGE, Late Minoan III Burials at Khania (SIMA 93), 1992 20 I. KILIAN-DIERLMEIER, Beobachtungen zu den Schachtgräbern von Mykenai und zu den Schmuckbeigaben myk. Männergräber, in: JRGZ 33.1, 1986, 159–198. RU. PA.

II.* ETRURIEN

Informationen über Leben und Status etr. Frauen überliefern v. a. vier Arten von Quellen: griech. und lat. Autoren, arch. Grabungen sowie etr. Inschr. und Darstellungen in der etr. Kunst (vgl. → Etrusci, Etruria I. C. und II.).

Der griech. Geschichtsschreiber Theopompos [3] (4. Jh. v. Chr.), zitiert bei Athen. 517d–518b (ca. 200 n. Chr.), beschreibt den verschwenderisch-lockeren Lebensstil der Etrusker, die *tryphé* (»Schwelgerei«, vgl. → Luxus), die Griechen und Römern als typisch für → »Barbaren« galt. Schockierender als die wilden Gelage, die Nacktheit, die Luxussklaven und -sklavinnen oder die homosexuellen Praktiken, die griech. Autoren des 4. Jh. v. Chr. den Etruskern zuschreiben, war die Freiheit ihrer F. – ein offensichtlicher Unterschied zur zeitgenössischen griech. Ges.: Die Etruskerinnen sollen sich auf Festen frei unter Männern bewegt, mit ihnen getrunken und alle ihre Kinder großgezogen haben, ohne die Väter zu kennen (kritische Unt. dieser Aussagen: bes. [12]).

Röm. Historiker, v. a. Livius [III 2] (Liv. 1,34; 1,39; 1,41, 1,46–48) und Dionysios [18] von Halikarnassos (Dion. Hal. ant. 4,4f.; 4,28–30; 4,39), berichten von Handlungsweisen etr. Königinnen (→ Herrscherinnen, s. Nachträge), die in ähnlichem Kontrast zu röm. Normen stehen: → Tanaquil, die Gattin des Tarquinius [11] Priscus (des fünften Königs Roms) brachte nach dessen Ermordung ihren Günstling Servius Tullius [I 4] auf den Thron; ebenso drängte → Tullia [1] ihren Gatten Tarquinius [12] Superbus, den tyrannischen letzten König Roms, zur Herrschaft, wobei sie sogar ihren Wagen mit dem Blut ihres Vaters besudelte. Den Gebräuchen der F. von Tarquinia, die zusammen mit ihren Männern Bankette besuchten, wird das häusliche Leben und die überlegene Sittsamkeit der röm. *matrona* → Lucretia [2] gegenübergestellt (Liv. 1,57–59); vgl. hierzu [1. 186–197].

Auf → Wandmalereien in Gräbern der archa. Zeit in Tarquinia sind solche Bankette dargestellt, bei denen Ehefrauen würdevoll mit ihren Männern auf Klinen lagern – ganz anders als die Hetären (→ *hetaírai*) bei den griech. Männersymposien, die auf attischen Vasen abgebildet sind (vgl. → Gastmahl). Des weiteren finden sich in der etr. Kunst (bes. Plastik) Darstellungen stillender Mütter – ein Motiv, das die griech. Kunst vermeidet [5]. In Etrurien waren die Familien und Liebespaare wichtige Bildthemen, bes. Ehepaare als Grundelement der etr. Adels-Ges., in der die Familie der F. ebenso große Bed. hatte wie die des Mannes.

Aus epigraphischen Zeugnissen ist bekannt, daß Etruskerinnen (im Gegensatz zu vielen Römerinnen, die mit der fem. Form des Gentile benannt waren) Individualnamen hatten. Auch spielte das Metronymikon (von der Mutter hergeleiteter Personenname) eine bedeutende Rolle (zur etr. Onomastik: [1. 80–92]). Grabinschr. ermöglichen vergleichende statistische Aussagen zum Lebensalter von Männern und F., zu ihrem Status und zu der Zahl von Bestattungen [1. 93–118].

Arch. Zeugnisse für die hohe Stellung von F. der etr. Oberschicht stammen auch aus den einzigartig fundreich ausgestatteten etr. Kammergräbern der orientalisierenden und archa. Periode (→ Bononia [1]/Bologna, → Caere/Cerveteri, → Praeneste); sie waren gefüllt mit wertvollen Textilien, Bernstein, Gold und Prunkwagen. Bei archa. Gräbern in Cerveti ist das Geschlecht der Verstorbenen klar gekennzeichnet: F. hatten spezielle Totenlager in Form von Truhensarkophagen, in späterer Zeit Steinmäler in Hausform. Die häufig in F.-Gräbern gefundenen Schreibutensilien zeigen, daß F. lese- und schreibkundig waren. Dies belegen auch zahlreiche der etwa 3000 Br.-→ Spiegel aus dem 5. bis 3. Jh. v. Chr., auf deren Rückseite Beischriften die dort dargestellten Szenen und Personen identifizieren; diese Hochzeitsgeschenke, welche die aristokratischen Etruskerinnen mit ins Grab nahmen, zeugen von ihrer Bildung und ihrer hohen Kultur [8. 106–138].

→ Etrusci, Etruria; Grabmalerei; Wandmalerei III.

1 P. AMANN, Die Etruskerin. Geschlechtsverhältnis und Stellung der F. im frühen Etruria (9.–5. Jh. v. Chr.), 2000

2 L. BONFANTE, Etruscan Couples and Their Aristocratic Society, in: H. P. FOLEY (Hrsg.), Reflections of Women in Antiquity, 1981, 323–343 3 Dies., Amber, Women, and Situla Art, in: Journ. of Baltic Studies 16, 1985, 276–291 4 Dies., Etruscan Women, in: E. FANTHAM et al. (Hrsg.), Women in the Classical World, 1994, 243–259 5 Dies., Nursing Mothers in Classical Art, in: C. LYONS, A. KOLOSKI-OSTROW (Hrsg.), Naked Truths: Women, Sexuality and Gender in Classical Art and Archaeology, 1997, 174–196 6 Dies., Marriage Scenes, Sacred and Otherwise. The Conjugal Embrace, in: Art Stud. Quarterly 4, 1999, 20–25 7 G. COLONNA, L'Italia antica: Italia centrale, in: A. EMILIOZZI (Hrsg.), Carri da guerra e principi etruschi, Ausstell. 1997–2000, 15–23 8 J. HEURGON, Die Etrusker, 1971, 106–138 (La vie quotidienne chez les Étrusques, 1961) 9 M. NIELSEN, The Lid Sculptures of Volterran Funerary Urns, in: P. BRUUN et al., Stud. in the Romanization of Etruria (Acta Instituti Romani Finlandiae 5), 1975, 263–404 10 Dies., Women in the Late Etruscan Society, in: E. WAABEN (Hrsg.), Fromhed of verdslighed i middelalder og renaissance. FS Th. Jexlev, 1985, 191–202 11 Dies., Etruscan Women. A Cross-Cultural Perspective, in: L. LARSSON LOVÉN (Hrsg.), Aspects of Women in Antiquity. Proc. of the First Nordic Symposium on Women's Lives in Antiquity (Göteborg 1979), 1998, 69–84 12 A. J. PFIFFIG, Zur Sittengesch. der Etrusker, in: Gymnasium 71, 1964, 17–36 13 A. RALLO (Hrsg.), Le donne in Etruria, 1989, 49–63, 157–171 14 M. SORDI, La donna etrusca, in: Misoginia e maschilismo in Grecia e Roma (Istituto di Filologia Classica e Medioevale, Genova 71), 1981, 49–67.

L. B.

Fronto

[5a] Consularer Statthalter von Moesia inferior, der im Sept./Okt. 97 n. Chr. bereits abgelöst war, verm. kurz vorher (RMD III 140 und [1]). Es könnte sich am ehesten um C. Caristanius [1] Fronto oder C. Octavius Fronto handeln; weniger wahrscheinlich ist Ti. Catius Caesius Fronto, *cos. suff.* 96.

1 D. MACDONALD, A. MIHAYLOVICH, A New Moesia Inferior Diploma of 97, in: ZPE 138, 2002, 225–228.   W. E.

Furnius

[3] M. F. Augurinus. *Cos. suff.* wohl 40 oder 41 n. Chr.

G. CAMODECA, I consoli del 43, in: ZPE 140, 2002 (im Druck).   W. E.

G

Galli (Γάλλοι/ *Gálloi*). »Diener«, »Begleiter«, »Verehrer« der → Mater Magna [1] hauptsächlich im Rom der späten Republik und der Kaiserzeit, erst in christl. Kontext durchgängig als »Priester« bezeichnet. In Erscheinung traten sie – neben den → Metragyrtai – erstmals Ende 3./Anf. 2. Jh. v. Chr. in Kleinasien (Pol. 21,6,6 und 21,37,5 mit Bezug auf 190 und 189 v. Chr.; als lit. Figur: Dioskurides, Anth. Pal. 6,220). Die Ableitung der Bezeichnung von den Galliern bzw. Galatern wird nunmehr favorisiert von [4. 229; 3; 2. 118–120]; sie schei-

nen als freiwillige Kastraten jedoch erst ab Ende des
2. Jh. v. Chr. zu einem Phänomen röm. Kults zu werden
(früheste Belege: Obseq. 44a mit Bezug auf 101 v. Chr.;
Val. Max. 7,7,6 zum J. 77 v. Chr.), als ihr Status als
Randgruppe offenbar eine relativ gesicherte soziale
Stellung bot (gegen frühere Hypothesen eines Steinzeit-
reliktes bzw. eines syrosemitischen oder phrygischen
Ursprungs läßt sich rituelles Eunuchentum in vorröm.
Zeit weder in Phrygien noch in Griechenland belegen).
In Rom traten die G., dem Priester und der Priesterin
der Mater Magna zugeordnet, insbes. zu deren Fest im
April in einer Prozession mit Kultstatue auf, bei der sie
zur Musik von Flöten, Tamburinen und Zimbeln in
→ Ekstase tanzten und Almosen einforderten (Lucr.
2,600–660), in der Kaiserzeit auch zum Fest ihres my-
thischen Modells → Attis im März (instruktive Abb.: [1.
Bd. 2, 211]). Heftige Ambivalenz bedingte staatliche
Kontrolle (Kastrationsverbot für röm. Bürger), seit der
Kaiserzeit wurden die G. von einem *archigallus* angeführt, einem nicht zur Kastration verpflichteten röm.
Bürger. Interferenzen mit der christl. Diskussion von
Eunuchentum (→ Montanismus) und Zölibat sind zu
[2. 139–142]. Als anthropologische Parallele verblüffend sind die Hijras der Hindu- → Muttergottheit Mata
[4. 320–325].
→ Attis; Kybele; Magna Mater; Religion

1 M. BEARD, J. NORTH, S. PRICE, Religions of Rome,
2 Bde., 1998 2 PH. BORGEAUD, La Mère des dieux, 1996
(Lit.) 3 E. N. LANE, The Name of Cybele's Priests the
»Galloi«, in: Ders. (Hrsg.), Cybele, Attis and Related Cults,
1996, 117–133 4 L. E. ROLLER, In Search of God the
Mother, 1999 (Lit.). T.H.

Gallier s. Gallia; Gallia Cisalpina; Kelten;
Keltische Archäologie; Keltische Sprachen

Gallisches Sonderreich. Das G. S. (SHA trig. tyr. 5,5:
imperium Galliarum; Zon. 12,26) wurde 260 n. Chr. von
→ Postumus [3] gegründet und umfaßte Gallien, Britannien, Nordspanien und wohl auch Teile von Raetien
(AE 1993, 1231). Es gelang Postumus, die regionale Führungsschicht und die Bevölkerung an sich zu binden
und eine Herrschaft nach röm. Muster mit den Resi-
denzstädten Köln (→ Colonia Agrippinensis) und Trier
(Augusta [6] Treverorum) einzurichten. Als Postumus
nach Siegen über → Gallienus, → Aureolus und den
Usurpator → Laelianus von den eigenen Soldaten 269
erschlagen wurde, zerfiel das scheinbar konsolidierte
Reich. Auf → Marius [II 1], 269 zum Kaiser erhoben
und bald ermordet, folgte → Victorinus [2], der 271 umgebracht wurde. Seine Mutter → Victoria [2] setzte die
Wahl des vornehmen Galliers → Esuvius [1] Tetricus
zum neuen Augustus durch. 274 besiegte → Aurelianus
[3] Tetricus und gliederte die Gebiete wieder in das röm.
Imperium ein. In der Zeit seines Bestehens erfüllte das
G. S. mit der erfolgreichen Abwehr der Germanen eine
ähnlich stabilisierende Funktion wie das etwa gleichzeitige Sonderreich von → Palmyra (vgl. → Roma

I. E.2.e.). Umstritten ist, ob das G. S. als eigenständiges
polit. Gebilde gesehen werden muß (Eutr. 9,9,3; Eusebios FGrH 101 F 2,5) oder als eine *reparatio provinciarum
Galliarum* (»Wiederherstellung der gallischen Prov.«) zu
verstehen ist (Eutr. 9,9,1 [1. 182–188]).

1 I. KÖNIG, Die gallischen Usurpatoren von Postumus bis
Tetricus, 1982 2 J. F. DRINKWATER, The Gallic Empire,
1987. ME. STR.

Gavius
[II 0] Q. G. Atticus. Suffektconsul mit L. Aelius Oculatus, am 30. Mai 85 n. Chr. bezeugt (CIL XVI 18 und ein
unpubliziertes Diplom). Zur Dauer des Konsulats vgl.
→ Aelius [II 17 a] Oculatus. W. E.

Geburtenkontrolle s. Abtreibung; Familienplanung;
Kontrazeption; Kindesaussetzung

Gelasius. G. I., Papst 1.3.492–19.11.496, entwickelte
in der Auseinandersetzung mit dem oström. Kaiser
→ Anastasios [1] I. und dem Patriarchen von Konstantinopolis die Lehre der zwei Gewalten (epist. 12): Er
erkannte die Zuständigkeit der »kaiserlichen Gewalt«
(*regalis potestas*) für den weltlichen Bereich an, ordnete
diese aber im Hinblick auf die geistliche Verantwortung
der »geheiligten Autorität der Bischöfe« (*auctoritas sacrata
pontificum*) unter. Die Lehre von den zwei Gewalten
wurde in der Form der Zweischwerterlehre für die Ver-
hältnisbestimmung zw. Kaiser und Papst im MA bestimmend. Lit. Werke: Briefe [1], sechs Traktate, wovon vier
sich gegen den → Monophysitismus und einer gegen
den Pelagianismus richten (vgl. → Pelagius [4]; → Semipelagianismus). Ein Traktat [2. 161–189] wendet sich
gegen die → Lupercalia.

1 PL 59, 13–116 2 G. POMARÈS (ed.), SChr 65, 1959.
R. BR.

Genos (γένος, Pl. γένη/*génē*). Der Begriff wird seit archa. Zeit häufig in der Bed. »von vornehmer Herkunft
sein«, daneben auch im Sinne von Geschlecht, Familie,
Generation, Art usw. verwendet [1]. In der Forsch. galten attische *génē* lange als exklusive adlige Clans, deren
einstige Dominanz sich noch in den späteren Privilegien
(Aufsicht über Phratrienzulassung und exklusive Besetzung von Priesterstellen) zeige. Nach den Unt. von [2]
und [3] werden heute in den *g.* lokal-dörfliche Gemeinschaften gesehen, die erst in archa. Zeit im Prozeß der
Verdichtung der Polisbildung entstanden sind, wobei
nicht erkennbar wird, ob ältere Organisationsformen
zugrunde liegen. Die *g.* wurden in die → Polis integriert
und übernahmen v. a. rel. Aufgaben; einige waren
verm. Bestandteil von → Phratrien (Aristot. pol. 1252b
16–18; Philochoros, FGrH 328 F 35). Nicht alle athenischen Bürger gehörten einem *g.* an (zu Aristot. pol. fr. 3
vgl. [4]).
Im 4. Jh. v. Chr. wurde der Begriff *g.* auf eine Gruppe von Individuen bezogen, die sich einer → Familie zugehörig fühlten. Größe, Zusammensetzung und

Funktion der über 60 in Athen belegten *géne* [5] sind umstritten. Mitglieder von *g.* besetzten Priesterstellen (z.B. Eumolpidai: IG I³ 6; Praxiergidai: IG I³ 7), waren für Kulte und die Durchführung von → Festen zuständig und als Pilger aktiv. Außerhalb Athens sind *g.* z.B. auf Kreta (Aristot. pol. 1272a 34), im sizilischen Naxos (vgl. [6]) und auf Kos (vgl. [7]) belegt.
→ Phratrie; Polis

1 M. SCHMIDT, s.v. γένος, LFE 2, 1991, 130–133
2 F. BURRIOT, Recherches sur la nature du genos, 2 Bde., 1976 3 D. ROUSSEL, Tribu et cité, 1976 4 S. LAMBERT, The Phratries of Attica, ²1998, 371–381 5 R. PARKER, Athenian Religion, 1996, 284–327 6 I. RUTHERFORD, The Amphikleidai of Sicilian Naxos, in: ZPE 122, 1998, 81–89 7 M. SHERWIN-WHITE, Ancient Cos, 1978, 299–230.

S. LAMBERT, The Attic Genos, in: CQ 49, 1999, 484–489 · Ders., The Attic Genos Salaminioi and the Island of Salamis, in: ZPE 119, 1997, 85–106.   K.F.

Genus dicendi s. Genera dicendi

Gerga (Γέργα). Dorf in der nördl. → Karia, südöstl. von Eskiçine am Marsyas [4], bei Incekemer (ehemals Gâvurdamları). Der Name G. (auch *Gergas*, G. *kóme*) findet sich vielmals in singulär großen ungelenken griech. (einmal auch lat.) Buchstaben auf Felsblöcken, pyramidenförmig zugehauenen Felsstelen und idolartigen Kolossalstatuen (Frg.) im Umkreis eines aus mächtigen Granitblöcken gefügten kleinen Tempels (?), auf diesem selbst und auf einem der niedrigen Brunnenhäuser (?) eingemeißelt. Rätselhaft sind einige Abarbeitungen im Fels (Kultvorrichtungen?); die Inschr. G. *énbolo* auf einer Felsplatte bezeichnete vielleicht den Platz des Sprechers der Gemeinde. Bauten und Plastik wirken urtümlich roh, stammen aber wie die Inschr. aus der Kaiserzeit (2./3. Jh., archaisierend?). Das abgelegene Heiligtum für einen karischen Gott (G.?) oder die *Méter oreía* (»Bergmutter«; → Kleinasien IV. E.) hielt ersichtlich wenig Kontakt zur hell.-röm. Hochkultur.
In einer Felsformation nahe dem röm. Aquädukt Incekemer südl. von G. lassen sich evtl. die *Leukaí Stélai* (»Weiße Säulen«, Hdt. 5,118) der Kares erkennen.

G.E. BEAN, G. in Caria, in: AS 19, 1969, 179–182 · Ders., Kleinasien 3, 1974, 211–217 · R.P. HARPER, Two Carian Notes, in: S. ŞAHIN u.a. (Hrsg.), Stud. zu Rel. und Kultur Kleinasiens. FS K.F. Dörner, Bd. 1, 1978, 384–388, bes. 386–388 · W. KOENIGS, Westtürkei, 1991, 159f. · A. LAUMONIER, Les cultes indigènes en Carie, 1958, 446–451 · R.T. MARCHESE, The Historical Archaeology of Northern Caria, 1989, 39f. · Archaeological Reports 45, 1998–99, 158 · ZGUSTA § 202–1 · D. MÜLLER, Bildkomm. zu den Historien Herodots: Kleinasien, 1997, 333.   H. KA.

Gericht. Seit Beginn ant. Staatlichkeit gab es die Institution des G. Ob und wo eine Phase der → Schiedsgerichtsbarkeit voranging, läßt sich nicht mehr erschließen. In den Urkunden des Alten Orients sind G. vielfach belegt [1; 2; 3]. Der jeweilige Stadtfürst oder König

dürfte auch Gerichtsherr gewesen sein; daneben gab es aber in Mesopotamien auch lokale Gerichtsbarkeit (d.h. innerhalb bestimmter Gruppen) [2]. Die → Schreiber waren aufgrund ihrer Ausbildung für die Tätigkeit als Richter geeignet, weil sie neben den Geschäftstypen auch das → Prozeßrecht beherrschten. Bes. in Äg. wie später wieder im Verfahren vor kaiserlichen Amtsträgern im röm. Reich war die Funktion der G. nicht immer von der allgemeinen Verwaltungtätigkeit getrennt.
Das G. (→ *dikastérion*) in Athen, v.a. während des 5. und 4. Jh. v. Chr., war in den meisten Fällen ein echtes Volks-G. aus Geschworenen (→ *dikastés*), die ausgelost wurden (→ Los). Daneben wirkte vereinzelt die Volksversammlung (→ *ekklésía*) und der Rat (→ *bulé*) als G. Angewendet wurden allein die Gesetze der → Polis in möglichst wörtlicher Auslegung, ohne Rückgriff auf ein außer- oder übergesetzliches → Recht. Die Gesetze mußten aber von den Klägern selbst vorgebracht und bewiesen werden (→ Attisches Recht B.). Über die G. und ihr Verfahren in anderen griech. Staaten ist nur wenig bekannt. Die Verhältnisse in Athen dürfen jedenfalls nicht verallgemeinert werden.
Wörtlich entspricht dem G. im Lat. das → *iudicium*. Charakteristisch für das röm. → Prozeßrecht (IV. C.) bis weit in die Kaiserzeit ist jedoch ein »Vorverfahren«, in dem das G. erst für den Kläger durch den Gerichtsmagistrat – meistens den → *praetor* – »gegeben« wurde (*iudicium dare*). In diesem Verfahren wurde das Prozeßprogramm (die → *legis actio*, d.h. Klage nach dem Gesetz, oder die → *formula*) genau bestimmt. Die Richter hatten dann nur darüber zu befinden, ob der Sachverhalt bewiesen war. In öffentlichen Strafverfahren (→ *quaestio*) war dies zugleich die Frage nach der Schuld des Täters. Bis zum J. 342 n.Chr. wurde dieser Verfahrenstyp immer mehr von der → *cognitio* (amtliches Erkenntnisverfahren) verdrängt und somit zu einer Sache allein des → Herrschers und seiner Beamten (→ *magistratus*).
→ Prozeßrecht

1 A. FALKENSTEIN, Die neusumerischen Gerichtsurkunden, 3 Bde., 1956–1957 2 E. DOMBRADI, Die Darstellung des Rechtsaustrags in den altbabylonischen Prozeßurkunden, 1996 3 R. WERNER, Hethitische Gerichtsprotokolle, 1967.

1 A.L. BOEGEHOLD, The Lawcourts of Athens, 1995
2 M. KASER, K. HACKL, Das röm. Zivilprozeßrecht, ²1996.
                                                        G.S.

Gesandte (griech. ἄγγελοι/*ángeloi*, πρέσβεις/*présbeis*, ἀπόστολοι/*apóstoloi*; lat. *missi*, *nuntii*). Die Antike kannte trotz eines lebhaften zwischenstaatlichen Austausches keine feste Institution der Kontaktpflege zu auswärtigen Staaten durch G. im Sinne einer ständigen Vertretung. G. wurden meist für eine bestimmte Zeit, für bestimmte Aufgaben und mit festgelegten Kompetenzen bestellt. Die Bed. der Tätigkeit zeigt sich darin, daß sie niemals durch → Los bestimmt wurden, sondern in Griechenland in der Regel von der Volksversammlung, in Rom vom Senat ausgewählt wurden. Dabei fanden persönliche Beziehungen zu Bürgern der Zielorte oder spezielle

Vertrautheit mit der zu besuchenden Region Berücksichtigung; G. wurden je nach Umfang der Aufgabe mit einem »Wegegeld« (*ephódion*, lat. *viaticum*) ausgestattet, erhielten aber keine Besoldung. G. galten als unter bes. göttlichen Schutz stehend, ihre Tötung als Kriegsgrund (*bellum iustum*; → Kriegsrecht). Zum griech.-hell. Gesandtschaftswesen vgl. → *presbeía*; → *proxenía*; → *theōría* [1]; → Gastfreundschaft; zu röm. G. vgl. → *legatio*; → *legatus* (1.–3.); → *cliens*.
→ Diplomatie   W. ED.

Gesetzgebung ist in der Ant. sowohl Gegenstand praktischer Politik (→ Rechtskodifikation) als auch theoretischer (politikwiss. und rechtsphilos.) Reflexion. Letztere wurde von den Griechen erstmals (als *nomothesía*) thematisiert und sogleich auf einen Höhepunkt der Geistesgeschichte geführt, v. a. in → Platons [1] Spätwerk über die Gesetze (*Nómoi*). Platons Auffassung von G. dürfte, vermittelt wohl auch durch → Cicero mit seiner Theorie der G. (*De legibus*), nachhaltigen Einfluß auf die G. der röm. Kaiserzeit und hierdurch auf die europäische Rechtswissenschaft nach der Rezeption des röm. Rechts seit dem Spät-MA ausgeübt haben. Demnach sollte G. nicht (nur) der Beschluß einer Mehrheit der Volksversammlung oder die Entscheidung eines Königs oder → *princeps* (II.) sein, sondern das Ergebnis vernünftiger Erwägungen (›was weise Männer beraten und beschlossen haben‹, *virorum prudentium consultum*: Papin. Dig. 1,3,1) und dadurch auch ein Mittel der Anleitung zu einsichtsvollem, vernunftgemäßem Verhalten. Gerade das röm. Recht mit seiner einzigartigen Wirkungsgeschichte beruhte freilich nicht auf G. in diesem Sinne, sondern inhaltlich auf dem → *ius*, somit weitgehend auf Gewohnheits- und Amtsrecht, formell auf dem → *Corpus iuris*, somit auf einer G., die nicht aus vernünftigen Gerechtigkeitserwägungen heraus (»philos.«) erlassen wurde, sondern zur Sammlung und Sicherung eben dieses *ius*.
→ Gerechtigkeit; Lex; Nomos [1]; Nomothetai; Nomographos

1 J. BLEICKEN, Lex Publica, 1975 2 O. BEHRENDS, W. SELLERT (Hrsg.), Nomos und Gesetz, 1995 3 H. GÖRGEMANNS, Beitr. zur Interpretation von Platons Nomoi, 1960 4 G. RIES, Prolog und Epilog in Gesetzen des Alt., 1983 5 WIEACKER, RRG, 277–309; 388–428.   G. S.

Grabverletzung s. Sepulchri violatio

Graffiti ist ein unscharfer Begriff: Für die Ant. versteht man darunter in erster Linie »eingeritzte Inschr.« – v. a. im Gegensatz zu den »Dipinti« (=D.), den gemalten Inschr. –, doch wird einerseits nicht alles Eingeritzte zu den G. gerechnet (z. B. ein Brief auf einer → Schreibtafel, ein myk. Tontäfelchen mit → Linear B oder eine Beischrift auf den Etruskischen → Spiegeln und → Praenestinischen Cisten), andererseits ist kaum eine ant. Textgattung oder ein ant. Schriftträger (bezüglich Form und → Schreibmaterial) der Technik des Einrit-

zens vorbehalten. Schließlich können neben Texten ebensogut auch Zeichnungen als G. bezeichnet werden [1; 2]. Eine häufige Charakteristik von G. ist ihre spontane und zügige Anbringung (die Ritztechnik ist dafür naturgemäß am nächstliegenden, weil dafür praktisch überall und jederzeit Werkzeuge zur Verfügung stehen). Mangelnde Sorgfalt ist dagegen ein eher ungeeignetes Kriterium – viele G. sind äußerst sorgfältig angebracht (und viele D. sehr nachlässig). Für die wiss. Behandlung (epigraphisch, sprachwiss., histor. etc.) sind G. deshalb nie isoliert zu betrachten.

Das bekannteste Corpus von G. und D. sind die Wand-Inschr. von → Pompeii ([3], als Editio minor noch immer unentbehrlich [4]), meist lat., seltener griech. und gemischtsprachig, mit großer inhaltlicher Vielfalt: Wahlpropaganda (meist D.) [5], verschiedenartige Gladiatoreninschr. (meist G.) [6], Anzeigen für diverse Waren und Dienstleistungen (meist G.), Lit.-Zitate und populäre Poesie (meist G.), aus deren Fundus teilweise auch die augusteischen Dichter schöpften [7]. Sie zeigen die lat. Kursivschrift (→ Schriftstile III.) mit ihren speziellen Buchstabenformen (z. B. || = E, |' = F) und Sonderzeichen (v. a. I-longa und Apex), jedoch noch weitgehend ohne Ligaturen, wie sie auch auf den frühkaiserzeitlichen Schreibtafeln verwendet wurde (Schrifttabelle: [8. Taf. I]). Die Sprache der pompeianischen Wand-Inschr. weist einerseits, rückwärts, Beziehungen zum vorklass. umgangssprachlichen → Latein v. a. der plautinischen Komödien (→ Plautus; vgl. → Vulgärlatein) und andererseits, vorwärts, zu den romanischen Sprachen auf [9; 10]. Entsprechende G. sind auch andernorts gefunden worden, z. B. in Rom [11; 12]. An pompeianischen Wänden kommen auch oskische G. vor, u. a. Musteralphabete [13].

Im griech. Bereich sind als G.-Träger bes. die Ostraka zu nennen (→ Ostrakon), meist als »Notizpapier« wiederverwendete Keramikscherben, die jedoch nicht selten auch mit Tinte oder Farbe beschriftet (und bemalt) wurden. Als Corpus histor. wichtig sind die Ostraka von der athenischen Agora (→ Ostrakismos), die zudem – zusammen mit den übrigen attischen G. und D. [14] und den Vasen-Inschr. (vgl. v. a. [15]) – überraschende Einblicke in die Umgangssprache des vorklass. Athen geben.

Als spezifische Gattungen sind schließlich noch die Handelszeichen – zumeist kurze Buchstabenkombinationen bzw. Sigel von Händlern und Transporteuren – am Fuß der (v. a. attischen) griech. Vasen [16] sowie die Fluchtafeln (→ *defixio*), meist aus Blei und v. a. in griech., osk. [17] und lat. Sprache, zu nennen.

Das Ritzen in Ton(scherben) war wohl eine bes. frühe Art des alphabetischen Schreibens im Westen: Die erh. Zeugnisse aus dem 8. Jh. v. Chr. sind fast ausnahmslos G. auf Ton – der → Nestorbecher (s. Nachträge) setzt freilich längere epische Texte auf anderem Material voraus; auch bedeutet das griech. Normalwort für »schreiben«, γράφειν/*gráphein*, zuerst »ritzen«. Zahlreiche frühe griech. und lat. Inschr. sind G. (z. B. Besitzer- oder

Weih-Inschr.) [18; 19]; dasselbe gilt für die Zeugnisse in vielen anderen früh alphabetisierten Sprachen des griech. Kulturraumes, etwa dem → Etruskischen mit zahlreichen Gefäß-Inschr. aus dem 7./6. Jh. (ein gut aufgearbeitetes Corpus: [20]), insbes. einer Anzahl von Musteralphabeten mit Silbenlisten, die den Schreibunterricht reflektieren (→ Italien, Alphabetschriften, B. und E.). Aber auch später sind etwa unter den Inschr. auf Gebrauchsgegenständen zahlreiche G.

→ Inschriften; Pompeii (mit weiterer Lit.); Schrift; Inschriftenkunde, griechische; Klassische Archäologie III. C.; Lateinische Inschriften

1 M. Langner, Ant. G.-Zeichnungen (Palilia 11), 2001 (mit CD-ROM) 2 F. P. Maulucci Vivolo, Pompei: i graffiti figurati, 1993 3 CIL IV (und Suppl., bisher 3 Teile) 4 E. Diehl (Hrsg.), Vulgärlat. Inschr. (Kleine Texte für Vorlesungen und Übungen 62), ²1930 5 R. A. Staccioli, Manifesti elettorali nell'antica Pompei, 1992 6 P. Sabbatini Tumolesi, Gladiatorum paria: annunci di spettacoli gladiatorii a Pompei, 1980 7 R. Wachter, »Oral Poetry« in ungewohntem Kontext: Hinweise auf mündliche Dichtungstechnik in den pompejanischen Wandinschr., in: ZPE 121, 1998, 73–89 8 CIL IV 9 V. Väänänen, Le latin vulgaire des inscriptions pompéiennes, ²1959 10 Ders., Introduction au latin vulgaire, ³1981 11 Ders. (Hrsg.), Graffiti del Palatino, Bd. 1, 1966: Paedagogium; Bd. 2, 1970: Domus Tiberiana (Acta Instituti Romani Finlandiae 3–4) 12 L. Canali, Graffiti latini: scrivere sui muri a Roma antica, ²1999 13 Vetter, Nr. 58–69 14 M. L. Lang, G. and D. (Agora 21), 1976 15 L. Threatte, The Grammar of Attic Inscriptions, 2 Bde., 1980–1996 16 A. W. Johnston, Trademarks on Greek Vases, 1979 17 Vetter, Nr. 3–7 18 LSAG, passim 19 Wachter 20 G. Sassatelli (Hrsg.), Iscrizioni e graffiti della città etrusca di Marzabotto, 1994.   R. WA.

Grattius. Verf. eines sachlich informativen lat. → Lehrgedichts über die → Jagd (Cynegetica = Cyn.) in mehreren B., von dem ein Fr. von 541 Hexametern aus dem ersten B. erhalten ist. G. war vielleicht faliskischer (→ Falisci) Herkunft (Cyn. 40). Ovidius erwähnt ihn und sein Lehrgedicht in den Epistulae ex Ponto (4,16,35); bei der von den Ovid-Hss. bezeugten Schreibung Gratius handelt es sich wohl um eine histor. unkorrekte Variante. Da die Cyn. die ›Georgica‹ des → Vergilius [5] und die ›Metamorphosen‹ des → Ovidius voraussetzen, läßt sich ihre Entstehung recht genau auf die Jahre zw. 1 und 8 n. Chr. eingrenzen. In dem erh. Fragment behandelt der Dichter nach dem Prooemium (1–23) die Ausrüstung eines Jägers mit Jagdnetzen und Jagdspeeren (24–149) sowie seine Nutztiere: Jagdhunde (150–496) und Pferde (497–541). Der Lehrstoff ist immer wieder durch kleinere erzählende Einlagen und Exkurse aufgelockert. So enthalten die Cyn. die Darstellung entlegener Mythen von Archegeten der Jagd (Dercylus: 95–126; Hagnon: 213–252), einen Exkurs über den verderblichen Einfluß des Luxus (310–325), die Beschreibung einer Grotte am Fuße des Ätna (Aitne [1]), die der Dichter selbst besucht haben will (430–460), und eines Opfers an Diana (480–496).

Eine größere Nachwirkung blieb G.' Lehrgedicht versagt. Sein Einfluß auf Nemesianus' [1] Cynegetica kann jedoch als gesichert gelten. Wichtigster Textzeuge für die Überl. des G. ist der im 9. Jh. entstandene Cod. Vindobonensis 277, von dem alle weiteren Textzeugen abhängen.

→ Jagd; Lehrgedicht

Ed.: Georgius Logus, Venedig 1534 (ed. princeps) · P. J. Enk, 1918 (mit Komm.) · R. Verdière, 2 Bde., 1964 (mit frz. Übers. und Komm.) · C. Formicola, 1988 (mit it. Übers. und Komm.).
Lit.: G. Curcio, Grazio poeta didattico, in: RFIC 26, 1898, 55–69 · F. Vollmer, s. v. G. (2), RE 7, 1841–1846 · B. Effe, Dichtung und Lehre, 1977, 154–165 · C. Formicola, Studi sull' esametro del Cynegeticon di Grattio, 1995.   C. SCHI.

Grenze (ὄρος/hóros, μεθορία/methoría; lat. finis, limes).
I. Subjektive und objektive Grenzwahrnehmung
II. Die Grenze als Kontrollsystem
III. Die Grenze als Lebensraum
IV. Grenzlinie und Grenzgebiet

I. Subjektive und objektive Grenzwahrnehmung
Früheste Indizien für die Wahrnehmung top. Dimensionen von Grenzgebieten finden sich in vorstaatlichen Zeiten. In Griechenland deuten seit der Eisenzeit unterschiedliche Bestattungsriten, Toten- und Heroenkulte sowie die territoriale Verteilung von künstlichen Erzeugnissen auf sozial und subjektiv motivierte Aktionen hin, die ethnisch zusammengehörende Gemeinschaften oder Völker von anderen abgrenzen. Mit der Entstehung von Staaten und der darauffolgenden territorialen Stabilisierung wird die G. zu einem objektiven Instrument zur Kennzeichnung der territorialen Ausdehnung einer polit. organisierten Gemeinschaft.

Weitere Aspekte des Themas G. sind die Bedingungen, unter denen Grenzziehungen vorgenommen wurden, die Maßnahmen zur Definition und Aufrechterhaltung von Grenzverläufen, die Auswirkungen der Grenzziehung auf den sozialen, ökonomischen und polit. Bereich (dazu gehört auch die Landaufteilung, die entweder als Folge spontan getroffener Regelungen über die Nutzung der Grenzzone zw. Anrainern zustandekommt oder Ergebnis zwischenstaatlicher Übereinkünfte und Verträge ist). Die in verschiedenen räumlichen und zeitlichen Zusammenhängen gleich verlaufende lexikalische Entwicklung des semantischen Feldes »G.« (in Griechenland: eschatiá, perioikís; in Rom: confinium, terminus, limes) deutet auf den normativen Prozeß hin, in den die Randgebiete einbezogen wurden.

II. Die Grenze als Kontrollsystem
Ein Aspekt von Randgebieten ist der Kontakt nach außen, wobei Grenzgebiete in Systeme internationaler Beziehungen eingebettet sind. Im ant. Griechenland kennzeichneten soziale, polit. und ökonomische Be-

rührungspunkte in erster Linie Nachbarschaftsbezie-
hungen. Problematisch waren dabei Anpassung und
Ausgleich zw. in Lebensbedingungen, Sprache und rel.
Trad. homogenen sozialen Kräften. Die durch die Epigraphik dokumentierten bilateralen (seltener tri- und
multilateralen) Abkommen waren offenbar darauf ausgerichtet, ein System zu schaffen, in dem die Teilung
des polit. Raumes bewußt und gewohnheitsmäßig akzeptiert und anerkannt wird [1. 93–177]. Die ersten
Hilfsmittel zur Grenzkontrolle waren Zeichen zur Mar-
kierung des Grenzverlaufs auf dem Boden, wofür na-
turräumliche Gegebenheiten genutzt (Gebirge, Gewäs-
sersysteme, Besonderheiten der Landschaft wie Felsen,
Macchia, Sümpfe und Wüsten) oder – wo diese fehlten
– durch vom Menschen gesetzte künstliche Zeichen ergänzt wurden (im Boden fixierte *cippi* (→ *cippus*), Stelen,
Steinhaufen, sakrale und profane Bauten, die bereits vor
der Grenzziehung bestanden).

Bei großen Reichen mit stark zentralistischer Macht
herrscht die Vorstellung einer immer weiter nach außen
zu verlagernden G. vor (bis zum Zusammenfallen mit
der G. der → *oikuménē*); dies fällt in den Aufgabenbereich der Führungsschicht und korrespondiert mit deren
Bestreben, die eigene Macht auszubauen. Im ant. Äg. ist
der Pharao ›Herr über die Erde bis an ihre G.‹ und ›dessen, was vom Lauf der Sonne umschlossen wird‹, oder
auch derjenige, der die G. von Äg. ›dorthin, wo die
leben, die von der Sonne auf ihrer Bahn berührt werden‹, verlagert hat. Die Dynamik der G. kommt in den
Texten des NR zum Ausdruck, in denen bekräftigt wird,
daß der Pharao die G. ›an jeden Ort, wie es ihm beliebt‹,
verlegt [2]. In den lat. Formulierungen *Gentibus est aliis
tellus data limite certo: Romanae spatium est urbis et orbis idem*
(›Anderen Völkern ist ein Land mit festen Grenzen gegeben; dem röm. Volk ist der Raum der Stadt und der
Welt ein und derselbe‹: Ov. fast. 2,683 f.) und *Imperium
sine fine dedi* (›Ich [Iuppiter] habe ihnen ein Reich ohne
G. gegeben‹: Verg. Aen. 1,279) manifestiert sich die
Ideologie eines weltumfassenden röm. Reiches.

Im Persischen Reich waren die geogr. Grenzen der
Herrschaft des Großkönigs mit den internen G. der
Völker und der unter königlicher Herrschaft stehenden
Städte identisch; die Verwaltung der Satrapien vermochte die Trennungslinien, die vom ethnischen Zu-
gehörigkeitsgefühl der unterworfenen oder dem persischen Einfluß ausgesetzten Völker hervorgerufen wurden, nicht zu beseitigen. Im Verhältnis zu den Griechen
bedeutete der → Königsfriede (386 v.Chr.; Xen. hell.
5,1,31) die universale Anerkennung der königlichen
Macht über den gesamten Osten der *oikuménē*.

Durch die griech. → Kolonisation kamen Gruppen,
die sich in Sozialgefüge und polit. Absichten ebenso wie
in der Art der Inbesitznahme des Bodens voneinander
unterschieden, miteinander in Kontakt. Die Ergebnisse
haben je nach Zeit und Umständen Integrationsprozesse
begünstigt oder Zersetzungserscheinungen gefördert,
was die Gesch. der Halbinsel Calabria lehrt, wo assimi-
lierten Siedlungen mit mythischen Gründern (wie z.B.

→ Brundisium) konfliktbeladene Beziehungen zw. Ia-
pyges-Messapii und mit der spartanischen Kolonie
→ Taras gegenüberstanden. Infolgedessen war die G.
bevorzugte Zone von Kontakt und Warenaustausch zw.
den griech. Gründungen und der einheimischen Bevölkerung, ebenso aber Hindernis für Assimilations-
prozesse und Verteidigungslinie der eigenen ethnischen
und kulturellen Besonderheiten.

III. Die Grenze als Lebensraum

Man muß sich unter einer G. vorwiegend einen
Raum vorstellen, der sich innerhalb und außerhalb der
polit. und rechtlich festgelegten G. in die Tiefe erstreckt. In Äg., Mesopotamien und im ant. China fallen
die ökologisch und top. gekennzeichneten Grenzräume
mit Wüstengebieten oder trockenen Steppen am Rande
einer fruchtbaren, wasserreichen zentralen Ebene zusammen, wo Siedlungen und primäre wirtschaftliche
Aktivitäten konzentriert sind. In Griechenland wurden
Gebirgsgegenden und Hügelland als Weideland und zur
Holzgewinnung genutzt, meist mit wenigen Dorfsied-
lungen. An der G. können (wie im ant. China) Kontakte
oder Austausch zw. seßhaften und nomadischen Kulturen stattfinden. An G. kam es zu bewaffneten Konflikten; sie konnte aber auch Umschlagplatz für den
Handelsverkehr sein, wie am Limes (s.u.) und an den
Polis-G. in Griechenland (Demosth. or. 23,37–39: *epho-
ría agorá*, »Grenzmarkt«). Diese komplexe, teils von
friedfertigem, teils von konfliktreichem Zusammenleben geprägte Beziehung gewann sowohl in amphiktyo-
nischen Kulten einiger Grenzregionen (wobei Formen
grenzüberschreitender, lokal begrenzter Solidarität zw.
pastoral und agrarisch geprägten Gemeinschaften entstanden) als auch in von der Zentralmacht ausgehenden
Versuchen Gestalt, die *chóra* (→ Territorium) der Stadt
zu erweitern. Nach einem bei Aristoteles (pol. 7,1330a)
erwähnten Gesetz war in einigen Staaten den an der G.
wohnenden Bürgern verboten, an den Beschlüssen teil-
zuhaben, die den Krieg mit angrenzenden Staaten betrafen, da ihre Privatinteressen ein ausgewogenes Urteil
verhindern könnten. Insgesamt tendierte man dazu, die
G. als autonomes Wirtschaftssystem und eigenständige
Lebenswelt zu betrachten. Die Anerkennung der territorialen Souveränität führte zur Einführung von Zöllen
(→ Zoll).

IV. Grenzlinie und Grenzgebiet

Eine G. kann linear verlaufen und durch sichtbare
Zeichen markiert werden. Sie kann als unilaterale Entscheidung, häufiger jedoch aufgrund einer Übereinkunft der angrenzenden Gemeinschaften oder Staaten
entstehen, um die gegenseitige territoriale Abgrenzung
zu regeln. Die Linearität einer G. impliziert die Vorstellung von deren Unbeweglichkeit; wer die sichtbaren
Zeichen einer G. verletzt oder zerstört, muß mit staatlichen und sakralen Sanktionen rechnen (Gaius zitiert in
den Dig. 10,1,13 ein Gesetz Solons; IG II² 1165,18 ff.).
Die G. standen unter dem Schutz von Gottheiten mit
der → Epiklese *Hórios* (»Beschützer der Grenze«): in
Griechenland v.a. Zeus (Demosth. or. 7,39; vgl. Plat.

leg. 8,842e–843d) und Apollon (Paus. 2,35,2), daneben Demeter Thermasia (Paus. 2,34,6); in Rom → Terminus (Ov. fast. 2,641; Liv. 1,55,3). Im frühen Rom trennte das → *pomerium* den sakralen inneren Bereich der *auspicia urbana* (→ *effatio*) von der nicht näher definierten Peripherie. Das zunächst gültige Verbot, das *pomerium* auszudehnen, wurde mit der Zeit aufgehoben.

Grenzgebiete sind Zonen, die von den angrenzenden Staaten als extraterritorial anerkannt wurden, aufgrund von Gewohnheitsrecht oder von Übereinkünften zum rechtlichen Status neutraler Zonen (*chórai érēmoi, methória, methoríai, en methoríois*; Thuk. 2,18,2; 2,27,2; 2,98,1; 4,56,2; 4,91,1; 4,99,1; 4,128,2; 4,130,2; 5,3,5; 5,41,2; 5,54,1; 5,54,4; 8,10,3; 8,98,2; Suda s. v. Ἀπατήσει; Εὔβουλος; Κελαιναί; Μεθόριον; Σαραπίων; Σεβῆρος). In einigen Fällen wurden die Gebiete einer gemeinsamen Herrschaft unterstellt, um deren Bodenressourcen gemeinsam nutzen zu können (*koinaí chórai*). Grenzgebiete, die zw. polit. und mil. überlegenen Staaten liegen, waren den strategischen Erwägungen der angrenzenden Mächte unterworfen. Oft waren sie Ziel von mil. Angriffen und Annexionsversuchen, so die Kleinstaaten Triphylia und Akroreia im Gebirge nördl. von Elis [1] zw. Sparta und Elis [2] (Xen. hell. 3,2,30; 4,2,16), Kynuria [1] oder Thyreatis im Norden der Kynuria zw. Sparta und Argos (Thuk. 2,27,2), Oropos zw. Athen und Boiotia (Paus. 1,34,1–4; 7,11,4–7,12,3; Strab. 1,4,7; vgl. Plat. Kritias 110e), Myus zw. Miletos [2] und Magnesia [3] (Belege bei [1. Nr. 11]); ebenso fungierte das → Regnum Bosporanum im Vorfeld der aggressiven Politik der Mithradatiden als Pufferstaat. Hinzuzufügen sind Regionen, Poleis und Staaten, die durch ihre besondere geogr. Lage, etwa am Schnittpunkt bed. Straßenverbindungen, Durchgangsgebiete sind; in Griechenland waren Phokis sowie West- und Ost-Lokris eine Art Korridor für Massenmigrationen, Handelsrouten und Truppenbewegungen zw. Nord- und Südgriechenland (→ Migration, → Verkehr).

Der → Limes, urspr. ein Landstreifen, der das röm. Reich von den außerhalb gelegenen Territorien trennte, hatte zwei Funktionen: eine dynamische (als Frontlinie bei mil. Eroberungen außerhalb des Reiches liegender Gebiete) und eine statische (als dauerhafte Verteidigungslinie der Reichs-G.). Diesen Anforderungen entsprachen verschiedene Aktivitäten, die je nach Zeit, Umständen und lokalen Gegebenheiten aggressiver oder defensiver Natur sein konnten. Der Limes übernahm im Laufe der Zeit zunehmende mil. Aufgaben, mit Befestigungssystemen (→ *burgus*), Mauern und Graben; dabei wurden natürliche Barrieren wie Gebirgsmassive oder Wasserläufe, z. B. Rhenus [2](h. Rhein) und Istros [1](h. Donau), verstärkt durch *castella*, miteinbezogen.

1 G. DAVERIO ROCCHI, Frontiera e confini nella Grecia antica, 1988 2 E. HORNUNG, Zur geschichtlichen Rolle des Königs in der 18. Dynastie, in: MDAI(K), 15, 1957, 122–125.

S. DE ATLEY, F. FINDLOW, Exploring the Limits: Frontiers and Boundaries in Prehistory, 1984 · M. LIVERANI, Confine e frontiera nel Vicino Oriente del Tardo Bronzo, in: Scienze dell'Antichità, 2, 1988, 79–99 · M. A. LEVI, I nomadi alla frontiera, 1989 · E. OLSHAUSEN, H. SONNABEND (Hrsg.), Grenze und Grenzland (Geographica Historica 7), 1994 · Y. ROMAN (Hrsg.), La frontière, 1993 · L. BRACCESI, Grecità di frontiera, 1994 · A. ROUSELLE (Hrsg.), Frontières terrestres, frontières célestes dans l'antiquité, 1995 · C. R. WHITTAKER, Frontiers of the Roman Empire, 1996 · C. ULF (Hrsg.), Wege zur Genese griech. Identität, 1996 · Confini e frontiera nella Grecità d'Occidente, Atti del XXXVII Convegno di Studi sulla Magna Grecia (Taranto 1997), 1999.   G. D. R./Ü: H. D.

Große Göttin
s. Kybele; Magna Mater; Muttergottheiten

Grudii. Einer von fünf in Abhängigkeit von den → Nervii stehenden Volksstämmen in der Gallia Belgica (dazu die → Ceutrones [1], → Levaci, → Pleumoxii und → Geidumni: Caes. Gall. 5,39,1). Ihr Siedlungsgebiet lag im h. Flandern.

TIR M 31 Paris, 1975, 133 · H. BOONE, Ceutrones et Nervii, in: Mémoires de la Societé d' Émulation de Cambrai 73, 1926, 105–206.   E. O.

Guido. Lat. Autor, mit G. Pisanus gleichgesetzt ([4], anders [6]); verfaßte um 1119 in 6 B. eine enzyklopädische Kompilation *De variis historiis* (›Über verschiedene geschichtliche Dinge‹), exzerpierte dabei für die Teile *Geographica* und *Descriptio totius maris* in sehr engem Anschluß den → Geographus Ravennas. In den *Geographica* schrieb er dessen persönlichen Hinweis auf Ravenna als seiner Heimatstadt ab (Geographica 20,20), doch zeigt er darüberhinaus als Bildungserweis Kenntnisse von klass. Dichtern und Historikern sowie Heiligen- und Märtyrer-Traditionen, so z. B. im Epidauros-Exkurs (Geographica 113) [3]; eigenes Aktuelles, auch auf Autopsie Beruhendes bringt er über Apulia [6]. G. benutzte einen ausführlicheren Codex des Geogr. Rav. als die h. vorhandenen; so konnte man, von den *Geographica* ausgehend, eine griech. Urschrift des Geogr. Rav. annehmen [1; 2. 309].

1 H. BERGER, s. v. G., RE 14, 1931 f. 2 G. FUNAIOLI, s. v. Ravennas Geographus, RE I A, 305–310 3 G. A. MANSUELLI, I geografi ravennati, in: Corsi di cultura sull'arte ravennate e bizantina 20, 1973, 331–346 4 Repertorium Fontium Historiae Mediaevi 5, 1984, 282 f. 5 J. SCHNETZ (ed.), Itineraria Romana Bd. 2, Ravennatis Anonymi Cosmographia et Guidonis Geographica, 1940 (Ndr. mit Index, 1990) 6 G. UGGERI, Topografia antica nella Puglia medioevale, in: Brundisii res 6, 1974, 133–154 (Lit.).   H. A. G.

H

Hagiographie. Im mod. Sprachgebrauch bezeichnet H. die Gesamtheit des auf die christl. → Heiligenverehrung bezogenen Schrifttums, daneben auch die wiss., philol.-histor. Untersuchung aller damit zusammenhängenden Fragen. Entstehung und Entwicklung der H. spiegeln die Wandlungen des Heiligkeitsverständnisses in der Alten Kirche wider, insofern als Heilige (ἅγιοι/ *hágioi; sancti*) nicht mehr wie im NT die Christengemeinde im ganzen, sondern einzelne, herausgehobene Personen gelten, die in ihrem Leben und Sterben Grunderfahrungen des christl. Glaubens exemplarisch vertreten und die deshalb kultisch verehrt und angerufen werden: zuerst → Märtyrer, dann Bekenner (vgl. dazu → Märtyrer), Asketen (→ Askese), Jungfrauen, Bischöfe (→ *epískopos* [2]), Wundertäter (→ Wunder), Missionare (→ Mission II.), schließlich auch weltliche Herrscher.

Die ältesten Zeugnisse der H. begegnen im Märtyrerkult, für dessen offizielle Feier kalendarische Verzeichnisse der Memorialtage angelegt und Martyriumsberichte (→ Märtyrerliteratur) zur öffentlichen Verlesung aufbewahrt wurden. Eine erhebliche Ausweitung der H. brachte die nach dem Ende der Verfolgungszeit entstandene, in ihren Grenzen fließende lit. Gattung der Heiligenvita (→ *Vitae sanctorum*) mit sich, ein Sonderfall der »spirituellen Biographie«, die den weit überwiegenden Anteil an der hagiographischen (= hag.) Überl. ausmacht. Sie würdigt das Leben des Heiligen insgesamt erzählerisch, nicht nur sein Sterben, als Glaubenszeugnis, um der Verherrlichung und Beglaubigung des Helden und der rel. Erbauung unter bewußter Propagierung eines hag. Idealbildes zu dienen. Neben Einzelviten traten bald vor vornherein als Slg. von Heiligenleben konzipierte Werke. Auch andere lit. Formen, soweit hag. von Belang, wie Lobreden, → Predigten (III.), Hymnen (→ Hymnus III.), Epigramme und Pilgerberichte (→ Pilgerschaft), sowie auch Wunderbücher (→ Wunder) und Verzeichnisse von Auffindungen und Translationen von → Reliquien konnten hag. Anliegen ausdrücken. Nicht selten verbanden sich damit auf Prestigegewinn abzielende kirchenpolit. Absichten.

Die griech. Kirche hat nach manchen Vorstufen im Zuge liturgischer Reformen nach den Wirren des Bilderstreites (→ Kultbild IV.; → Syrische Dynastie) das gesamte hag. Material entsprechend dem kirchlichen Festkalender geordnet und in liturg. Büchern, den Jahressammlungen und Menologien (→ *mēnológion*), für die gottesdienstliche Lesung aufbereitet. Im weiteren Traditionsfluß bedeutete die vom kaiserlichen Hof in Konstantinopolis veranlaßte Revisionstätigkeit des Symeon Metaphrastes (um 1000) einen Einschnitt mit standardisierendem Effekt. Im Westen erfolgte, einsetzend mit dem sog. *Martyrologium Hieronymianum* von ca. 450 n. Chr., eine analoge Entwicklung (doch vgl. die päpstliche Kanonisation, erstmals 993), die ihren Höhepunkt in der *Legenda aurea* des Jacobus de Voragine (1263–1267) fand.
→ BYZANZ II.C.-D.

R. AIGRAIN, L'Hagiographie. Ses sources, ses méthodes, son histoire, 1953. D. W.

Hapax legomenon (ἅπαξ λεγόμενον, »einmal Gesagtes«, auch ἅπαξ εἰρημένον/ *hápax eirēménon* genannt): im strengen Sinn t.t. für ein Wort, das im gesamten Textcorpus einer Sprache (Lit., Inschr. u. a.) insgesamt nur an einer einzigen Stelle bezeugt ist. Zu unterscheiden ist (a) zwischen tatsächlichen, d. h. bes. poetischen und zusätzlich durch das Metrum geförderten Augenblicksbildungen, (b) Wörtern, die wegen der Quellenlage aus sachlichen Gründen nur einmal erscheinen (v. a. Fachwortschatz) und (c) archa. Wörtern, die in frühen Texten (z. B. → Homeros [1], → Plautus) noch erh. oder von ant. → Grammatikern (wie → Hesychios [1], → Festus [6]; → Lexikographie) aus frühen Texten gewonnen sind. Durch kontextuelle und wortanalytische Argumente läßt sich die Bed. solcher singulärer Wörter gewöhnlich mindestens grob eingrenzen. Beispiele: zu (a): Das Subst. *glandiōnida* (»Stück Drüsenfleisch«) kommt im Lat. nur bei Plaut. Men. 210 vor: es stellt eine nach dem Vorbild griech. Patron. (→ Personennamen II.B.) gestaltete scherzhafte Streckform zu *glandium* dar. Zu (b): Im Lat. findet sich nur inschr. ein Subst. *latiārius* (CIL VIII 19994) belegt, für welches das Suffix -*ārius* an eine Berufsangabe denken läßt. Zu (c): Im Griech. begegnet ein fem. Subst. μύνη (Hom. Od. 21,111) nur bei Homer, für das der Satzzusammenhang ἀλλ' ἄγε μὴ μύνῃσι παρέλκετε (instr. Dat. zum Prädikat, also Mittel der Verzögerung) »Vorwand, Abwehr« oder »Trödelei« als Bed. nahelegt.

In einer weiter gefaßten Definition kann *h.l.* auch auf kleinere Textmengen wie etwa das Gesamt- oder Teilwerk eines Autors [2] oder einer Autorengruppe [3] bezogen werden.

1 SCHWYZER, Gramm., 36 2 M. M. KUMPF, Four Indices of the Homeric h.l., 1984 3 I. KAZIK-ZAWADSKA, Les hapax eiremena et les mots rares dans les fragments papyrologiques des trois grands tragiques grecs, 1962. R. P.

Hathor (äg. *Ḥw.t-ḥrw*, »Haus des Horus«; griech. Ἀθωρ [4]). Die menschen- oder kuhgestaltige äg. Göttin H. gilt als Tochter des → Re und Mutter des Musikgottes Ihy. Als Partner wird ihr oft → Horus von Edfu zugeordnet. H.s Zuständigkeiten reichen von Liebe und Musik bis zum Schutz der Toten. In der → Interpretatio [2] Graeca wird sie mit → Aphrodite identifiziert [4]. Sieben H.en bestimmen bei der Geburt das Schicksal [5. 41 f.]. Als Aspekt der »Gefährlichen Göttin« steht H. meist für die besänftigte Seite, während die »Gefährliche Göttin« erzürnt zu → Sachmet wird. Auch mit → Isis wird sie gern in Verbindung gebracht, z. B. in den Inschr. von → Dendara. Auf diese überträgt sie auch ihre typische Krone aus Kuhgehörn und Scheibe. Wichtige Symbole sind → Sistrum und Menit, ein als

Rasselinstrument einsetzbarer Perlenkragen mit Gegengewicht. Der Form des Naos-Sistrums verwandt sind die H.-Säulen, die das Gesicht der H. zeigen und typisch für die Tempel weiblicher Gottheiten sind. Kultorte waren u. a. → Dendara und das thebanische Westufer.

1 S. ALLAM, Beiträge zum H.-Kult, 1963 2 C. J. BLEEKER, H. and Thot, 1973 3 PH. DERCHAIN, H. Quadrifrons, 1972 4 É. DRIOTON, Notes diverses 12. Aphrodite Anadyomène invoquée comme H., in: Annales du service des antiquités de l'Égypte 45, 1947, 82 f. 5 D. MEEKS, Génies, anges et démons (Sources Orientales, Bd. 8), 1971, 17–84. A. v. L.

Hatschepsut (*Hȝ.t-šps.wt*, »Erste der Edelfrauen«). Tochter → Thutmosis' [1] I., Ehefrau Thutmosis' [2] II., übernahm nach dessen Tod die Regierungsgeschäfte für den unmündigen Stiefsohn und Neffen Thutmosis [3] III. Schon bald ließ sie sich selbst zum → Pharao krönen und als Mann darstellen. Ihre Regierungszeit (ca. 1490–1469 v. Chr.) war geprägt durch ein bedeutendes Bauprogramm. Neben Erweiterungen am Reichstempel in Karnak (→ Thebai [1]) ist bes. der architektonisch einzigartige Totentempel der H. in ad-Dair al-Baḥrī zu nennen. Weitere Aktivitäten waren Feldzüge nach Nubien und Palaestina und eine Expedition nach → Punt [1]. H. sah sich ideologisch in der Nachfolge der Könige des MR und als wahrer Liquidator der → Hyksos-Fremdherrschaft. H.s Herrschaft scheint zu ihren Lebzeiten unangefochten geblieben zu sein. Erst ca. 20 Jahre nach ihrem Tod wurden ihre Namen und Darstellungen im Auftrag Thutmosis' III. zerstört [1. 46–65]. Dennoch legt die namentliche Bezugnahme auf sie in der 21. Dyn. nahe, daß sie weder völlig vergessen noch ausschließlich negativ beurteilt wurde [2. 52].
→ Herrscherinnen (s. Nachträge)

1 P. F. DORMAN, The Monuments of Senenmut, 1988 2 A. VON LIEVEN, Kleine Beiträge zur Vergöttlichung Amenophis' I., II. Der Amenophis-Kult nach dem Ende des NR, in: ZÄS 128, 2001, 41–64 3 S. RATIÉ, La reine Hatchepsout. Sources et problèmes, 1979. A. v. L.

Haustiere I. DEFINITION II. VÖGEL, FISCHE, INSEKTEN III. SÄUGETIERE IV. WEITERE ASPEKTE

I. DEFINITION

Als H. im Sinne von Schoß- oder Lieblingstieren gelten Tiere, die der Mensch ohne direkte Zweckgebundenheit hält, mit denen er seine Wohnstätte teilt und zu denen er eine emotionale Bindung entwickelt. Letzteres gilt auch für manche Wirtschaftstiere, insbesondere für → Pferde (vgl. Ail. nat. 11,31; [8. 156–161]), → Hunde [1] (s. u.) und → Katzen (s. u.). Als Lieblingstiere sind bereits in Äg. Hund, Katze, → Affe, → Gazelle und Nilgans bezeugt, z. T. seit dem 3. Jt. [2. 37]. Das in Israel gefundene Grab eines Mannes mit Welpen als Grabbeigabe aus der Zeit um 10 000 v. Chr. belegt dessen Tierliebe [1. 76]. Odysseus zeigt Tierliebe zu seinem Hund Argos (Hom. Od. 17,291–327); in Hom. Od. 10,216 f. verwöhnt der Herr seinen Hund.

II. VÖGEL, FISCHE, INSEKTEN

Wegen ihres Vermögens, die menschliche Stimme nachzuahmen, wurden → Drossel, Star (Plin. nat. 10,120), → Eichelhäher [vgl. 3], → Elster (Petron. 28,9), → Rabe (Macr. Sat. 2,4,29) und v. a. → Papagei (Ov. am. 2,6,14–26) gehalten; als Singvögel → Amsel (Plin. epist. 4,2) und → Nachtigall (Plin. nat. 10,120); als Ziervögel → Finken, *passer* (→ Sperling, Blaudrossel oder Dompfaff; berühmt derjenige der Lesbia: Catull. 2; 3), → Kranich [5. Bd. 2, Fig. 57b], → Taube (Plin. nat. 10,106; 110), seltener → Eule (Ail. nat. 1,29), → Gans (Ail. nat. 5,29 [6. 297]), → Dohle, → Ente, → Wachtel (Plaut. Capt. 1002 f.) und → Adler (Ail. nat. 6,29; Plin. nat. 10,18). → Fische wurden gezähmt und verwöhnt (Cic. Att. 2,1,7; Ail. nat. 8,4). Auch → Schlangen dienten als H. (Sen. de ira 2,31,6). → Zikaden waren H. von Kindern (Theokr. 1,52 f. [5. Bd. 2, 404]).

III. SÄUGETIERE

Als H. wurden Gazelle (Mart. 13,99), → Hase [8. 190], → Hirsch (Verg. Aen. 7,483–485), seltener → Bär (s. Nachträge; Sen. de ira 2,31,6), → Ichneumon, Lagalopex (vielleicht ein Luchs: nur bei Mart. 7,87), → Igel (Aristot. hist. an. 9,6, 612b 4–11), → Löwe (Sen. de ira 2,31,6) und → Tiger (Ail. nat. 6,2) gehalten, letztere wohl nur in Herrscherkreisen. Verbreitet waren → Affen (Plin. nat. 8,215 f.; Plut. Perikles 1; Eubulos bei Athen. 12,519). Die Funktion des Mäusejägers erfüllte das → Wiesel, welches auch als Spielkamerad der Kinder betrachtet wurde [5. Bd. 1, 164]. Seit dem frühen 5. Jh. v. Chr. ist die Haltung von Hauskatzen (→ Katze) für Athen, seit dem späten 5. Jh. auch für Unteritalien bezeugt; aus Süd-It. stammende Vasen- und Münzbilder des 5. Jh. v. Chr. zeigen mit Katzen spielende Menschen [5. Bd. 1, Fig. 24; 25; Taf. 2, 4]. In röm. Zeit war die Katze als H. in ganz Italien, fortschreitend auch in den Provinzen des Imperiums heimisch [8. 75–79]. Vielfache Würdigung erfuhr der → Hund, der als treuer Begleiter galt (Hom. Od. 2,11; Plin. nat. 8,142; Sen. apocol. 13,3; Phaedr. 3,7,22). Den Zeugnissen ist die emotionale Verbundenheit von Mensch und Tier zu entnehmen. Diesen Eindruck bestätigen Hunde-Abb. in der Grabkunst [7].

IV. WEITERE ASPEKTE

In röm. Zeit wurden z. T. beträchtliche Summen für Anschaffung und Unterhalt von H. aufgewendet. Plin. epist. 4,2 zählt folgende H. eines reichen Jungen auf: Ponys zum Fahren und zum Reiten, größere und kleinere Hunde, Nachtigallen, Papageien und Amseln. Berühmtes Zeugnis für die Zuneigung zu H. ist Catull. 2 und 3. Martial 1,109 beschreibt, wie sehr das Schoßhündchen Issa verwöhnt wurde. Übertriebene Liebe zu H. (Petron. 64,6) dient Mart. 7,87 zu einem satirischen Vergleich.
→ Domestikation; Hausrat; Onomastik; Stallviehhaltung; Tiergarten, Tiergehege

1 N. BENECKE, Der Mensch und seine H., 1994 2 J. BOESSNECK, Die H. in Altägypten, 1953 3 H. GOSSEN, A. STEIER, s. v. Krähe, RE 11, 1556–1566 4 E. VON KEITZ,

Ueber Tierliebhaberei im Altertume, 1883 **5** KELLER
6 O. KELLER, Tiere des klass. Altertums, 1887 (Ndr. 2001)
7 F. ORTH, s. v. Hund, RE 8, 2540–2582 **8** TOYNBEE,
Tierwelt **9** K.-W. WEEBER, s. v. H., in: Ders., Alltag im alten
Rom, 1998, 172–174 **10** J. WIESER, s. v. H., LAW,
1209–1217.   S. I.

Heeresklientel. Mod. Bezeichnung (etwa [1. 28]) für
die röm. Berufsarmeen der spätrepublikanischen Zeit
(→ Roma I. D.), die ein bes. enges Verhältnis zu ihrem
Feldherrn besaßen und sich so als seine Klientel (→ *cliens*) für dessen innenpolit. Ziele einsetzen ließen. Diese
»Militarisierung der Innenpolitik« begann mit C.
→ Marius [I 1] und L. → Cornelius [I 90] Sulla, die die
von Marius geschaffene Berufsarmee zur Durchsetzung
ihrer eigenen Machtansprüche im Bürgerkrieg von 88–
81 v. Chr. benutzten und den Soldaten dafür materielle
Vorteile, insbes. einen hohen Anteil an der → Kriegsbeute und Landzuweisung am Ende der Dienstzeit versprechen mußten. → Caesar schuf sich im Gallischen
Krieg (58–51) eine ihm treu ergebene Armee, mit der er
im Bürgerkrieg (49–44) schließlich seinem Rivalen Cn.
→ Pompeius [I 3] mil. überlegen war.

Die bes. Loyalität der Truppen band diese an die Person des Feldherrn und bestand deshalb auch noch für die
jeweiligen → Veteranen fort (so bei Marius und Sulla)
bzw. konnte auf den Erben übergehen (so bei Caesars
Erben → Octavianus [1]/Augustus). Die im Begriff H.
enthaltene Vorstellung eines bes., auf wechselseitiger
Verpflichtung (*fides*) beruhenden persönlichen Nah-
und Treuverhältnisses zw. Armee und Heerführer ist
allerdings abzulehnen, denn das eigentliche Klientelver-
hältnis umfaßte nicht das Recht des → *patronus* zum mil.
Aufgebot seiner *clientes* (dies war aber in seltenen Einzelfällen durchaus möglich, wie die Truppenaushebun-
gen des Pompeius 83 in Picenum zeigen). Der Solda-
teneid (→ *sacramentum* III.) verpflichtete den einzelnen
Soldaten immer nur dem jeweiligen Imperiumsträger als
Vertreter des Staates. Die starke Bindung der Truppen
an einzelne Feldherrn erklärt sich daher natürlicher aus
den bes. materiellen Interessen der Soldaten, die nur der
erfolgreiche Feldherr erfüllen konnte (so bes. [2. 435–
438]).

1 M. GELZER, KS 3, 1964 **2** P. A. BRUNT, The Fall of the
Roman Republic, 1988, 435–438.   K.-L. E.

Heilpflanzen I. QUELLEN II. ANZAHL UND
HÄUFIGKEIT DER VERWENDETEN HEILPFLANZEN
III. THERAPEUTISCHE ANWENDUNG

I. QUELLEN

Quellen für die Kenntnis der antiken H. sind v. a.
das *Corpus Hippocraticum* (= *CH*; vgl. → Hippokrates [6]);
→ Theophrastos (h. plant. 9); → Scribonius [II 3] Largus; → Pedanios Dioskurides (*De materia medica*); → Plinius [1] (*Naturalis historia*); → Galenos (*De simplicium
medicamentorum temperamentis et facultatibus*) sowie das
sog. *Corpus toxicologorum* (→ Nikandros' [4] *Thēriaká*
und *Alexiphármaka*; die beiden anon. toxikologischen

Abh., die als B. 6 und 7 des Dioskurides angesehen wurden; → Philumenos), ergänzt durch Papyri. → Oreibasios, → Aëtios [3] und → Paulos [5] von Aigina nehmen
in ihren Schriften das Wissen früherer Epochen auf.

Pflanzen machen bei Pedanios Dioskurides ca. 60 %
der zu therapeutischen Zwecken verwendeten Substanzen aus (637 der 1066 Kap.). Die griech. Heilerfiguren
→ Podaleirios, → Machaon und → Melampus [1] galten
als myth. Begründer der Krankheitsbehandlung mit H.
(äußerliche wie innerliche Anwendung). → Diokles [6]
von Karystos (4. Jh. v. Chr.) wurde als der Verf. des ersten Herbariums (*Rhizotomikón*) angesehen, doch ist das
Wissen über H. älter und geht auf deren weitverbreitete
Anwendung zurück. Die ersten bildlichen Darstellungen von H. wurden Krateuas zugeschrieben, doch gab
es verm. schon vor ihm solche Illustrationen.

II. ANZAHL UND HÄUFIGKEIT DER
VERWENDETEN HEILPFLANZEN

Unter den 380 Pflanzennamen des *CH* (sie entsprechen etwa 350 verschiedenen botanischen Arten
und lassen sich in zwei Gruppen einteilen) entfallen auf
eine erste Gruppe von 44 Pflanzen etwa 1500 (also fast
50 %) von insgesamt 3100 Erwähnungen, wobei es sich
bei diesen 44 H. – mit Ausnahme weniger exotischer
Pflanzen und Substanzen – um allg. verbreitete Arten
handelt (vgl. Tab. unten).

Zu den lokalen Produkten (Pflanzenzüchtung und
-nutzung z. B. in der mykenischen Welt [1]) traten zu
unbestimmter Zeit (vielleicht während des »orientalischen Jahrhunderts«, also 750–650 v. Chr. [2]) Importe
aus Arabien und Nordafrika (→ Myrrhe, → Kümmel,
→ Weihrauch, → Silphion; vgl. Tab.). Griech. Pflanzen
(aus Kleinasien, der Ägäis, Griechenland) wurden schon
früh als H. genutzt, später wuchs die Zahl der genutzten
pflanzlichen Rohstoffe, und auch die Diversifizierung
und Spezialisierung stieg an; im *CH* entfallen auf
eine zweite Gruppe von 335 Pflanzen die ca. 1600 nicht
von den o. g. 44 Pflanzen abgedeckten Erwähnungen,
wobei auf 255 Pflanzen (also ca. 67 % von 380) etwa 500
Erwähnungen (also ca. 16 % von 3100) kommen. Nach
Verstärkung des Imports aus dem Orient durch die Feldzüge Alexandros' [4] d. Gr. erweiterte sich das H.-Spek-
trum zw. dem 4. und 1. Jh. v. Chr. auch um die Flora des
westlichen Mittelmeeres (Italien, Südfrankreich, Sizili-
en, Korsika, Sardinien) und dann nochmals im 1. Jh.
v. und n. Chr. (→ Handel mit → Gewürzen). Die Enzyklopädien des 1. Jh. n. Chr. (Pedanios
Dioskurides und Plinius) zeigen sehr deutlich, wie die
Erfordernisse und Möglichkeiten der traditionellen medizinischen Schulen erweitert worden waren. Zw. dem
4. und 6. Jh. n. Chr. sank die Zahl der angewendeten H.
wieder auf etwa 400, eine besser handhabbare Anzahl
(die alphabetische Rezension des Dioskurides ist das
Ergebnis dieser Reduktion, nicht etwa der zunehmenden Verbreitung der alphabetischen Anordnung in
der spätant. Wiss.). Die spätant. westlichen Hdb. und
die byz. Rezeptbücher (*iatrosóphia*; vgl. → *iatrosophistḗs*;
→ Pharmakologie VII.) bleiben im großen und ganzen bei dieser Zahl.

III. Therapeutische Anwendung

Die Begriffsbildung zur therapeutischen Wirkung von Pflanzen nahm ihren Anfang mit den *Problémata* der aristotelischen Schule, u. a. bei Theophrastos (vgl. [3]). Bei Dioskurides fand sie ihren Ausdruck im Begriff der *dýnamis* (wörtl. »Kraft«, »Wirkeigenschaft«). Galenos führte ein materialistisches System ein, indem er die Eigenschaften von H. in eine Beziehung zu den Körpersäften (→ Säftelehre) und den Elementen der Welt setzte und diese Eigenschaften meßbar machte [4]. Dieses System, das von frühbyz. Autoren mit dem des Dioskurides verbunden wurde, konnte sich in der Folge nicht behaupten, wurde jedoch in der arabischen Welt wiederaufgenommen sowie dann im Westen durch die Übers. medizinischer Texte aus dem Arabischen ins Lateinische (seit dem 11. Jh. in Salerno) bekannt.

Bei Dioskurides sind die H. systematisch auf zwei Ebenen klassifiziert: in aufgrund ihrer Eigenschaften zusammengehörige Gruppen (z. B. analgetische, toxische und psychotropische H., deren Wirkung gut bekannt war) und in Gruppen gemäß einer *scala naturae*, einer »natürlichen Stufenleiter«, d. h. einer Hierarchie aller Elemente der Natur.

Das generelle therapeutische Prinzip der griech. Medizin ist das der Allopathie (*contraria contrariis*). Zuerst soll eine pathogene Flüssigkeit (→ Säftelehre) mit Hilfe reinigender Mittel (v. a. Nieswurz/→ *helleborus*, vgl. Tab. unten) aus dem Körper eliminiert werden; später kam als zweiter Behandlungsschritt hinzu, daß die äußeren Krankheitssymptome behandelt werden sollten (symptomatische Behandlung); daher das ausgedehnte Spektrum der H., um eine Diversifikation der Wirkungen zu gewährleisten.

Die H. wurden von Spezialisten (*rhizotómoi*) [5] gepflückt und von verschiedenen Berufsgruppen verkauft [6]. Plinius nennt genau festgelegte Preise [7], und das *Edictum* [3] *Diocletiani* regelte diese gesetzlich [7]. Die H. wurden als ganzes oder in Teilen verwendet (Wurzeln, Blätter, Blüten, Frucht, Samen, Sekrete usw.), frisch oder getrocknet. Im letzteren Fall konservierte man sie je nach ihrer Art in spezialen Behältnissen (Dioskurides, De materia medica, praef. 9). Bei einfachen Medikamenten wurden die H. je nach Verabreichungsform mit einem Bindemittel (z. B. Wasser, Wein, Essig, Harz oder Gummi), bei zusammengesetzten mit mehreren anderen Produkten (auch mineralischer oder tierischer Herkunft) und einem oder mehreren Bindemitteln vermischt. Die Form der Verabreichung variierte je nach Anwendung (äußerlich oder innerlich), betroffenem Organ und Krankheitstypus: z. B. durch Auflegen, Bad oder Dampfbad, Trank, Pflaster, Klistier, Creme, Diät, Zugpflaster, Einreiben, Beräuchern, Gurgelwasser, Aufguß, Inhalation, Spülung, Einlauf, Liniment, Salbe, Puder, Zäpfchen, Tupfer.

→ Krankheit; Medizin; Pharmakologie; Rauschmittel; Pharmakologie

1 P. Faure, Parfums et aromates de l'Antiquité, 1987, 99–145 2 W. Burkert, The Orientalizing Revolution, 1995, 41–87 3 A. Touwaide, Die aristotelische Schule und die Entstehung der theoretischen Pharmakologie, in: Die Apotheke 1996, 11–22 4 Ders., La thérapeutique médicamenteuse de Dioscoride à Galien, in: A. Debru (Hrsg.), Galen on Pharmacology, 1997, 255–282 5 G. E. R. Lloyd, Science, Folklore and Ideology, 1983, 119–135 6 J. Korpela, Aromatarii, pharmacopolae, thurarii et ceteri. Zur Sozialgesch. Roms, in: Ph. J. van der Eijk (Hrsg.), Ancient Medicine in Its Socio-Cultural Context, 1995, Bd. 1, 101–118 7 A. Schmidt, Drogen und Drogenhandel im Alt., 1924, 103–107.

G. Aliotta, D. Piomelli, A. Pollio, A. Touwaide, Le piante medicinali nel Corpus Hippocraticum (im Druck) · I. Andorlini, L'apporto dei papiri alla conoscenza della scienza medica antica, in: ANRW II 37.1, 1993, 458–562 · J. André, Les noms de plantes dans la Rome antique, 1985 · M. Aufmesser, Etym. und wortgesch. Erläuterungen zu *De materia medica* des Pedanius Dioscurides Anazarbeus, 2000 · R. J. Durling, A Dictionary of Medical Terms in Galen, 1993 · K. Karttunen, India and the Hellenistic World, 1997, 129–252 · M. G. Raschke, New Studies in Roman Commerce with the East, in: ANRW II 9.2, 1978, 604–1361 · J. Riddle, Dioscorides on Pharmacy and Medicine, 1985 · Ders., Quid pro quo. Studies in the History of Drugs, 1992 · J. Scarborough, Theophrastus on Herbals and Herbal Remedies, in: Journ. of the History of Biology 11, 1978, 353–385 · J. Stannard, Pristina medicamenta, 1999 · A. Touwaide, Le strategie terapeutiche: i farmaci, in: M. Grmek (Hrsg.), Storia del pensiero medico occidentale, Bd. 1, 1993, 353–373 · Ders., Bibliographie historique de la botanique: les identifications de plantes médicinales, in: Lettre J. Palerne 30, 1997–1998, 2–22; 31, 1998, 2–65 · Ders., Le médicament en Alexandrie, in: G. Argoud (Hrsg.), Sciences exactes et sciences appliquées à Alexandrie, 1998, 189–206 · Ders., De la pratique populaire au savoir codifié, in: A. Rousselle (Hrsg.), Monde rural et histoire des sciences en Méditerranée, 1998, 81–105.   A. TO./Ü: M. KRA.

Hekatombe (ἑκατόμβη). In den homerischen Epen häufige ([2]: 38 Einträge) Bezeichnung für Großopfer. Die bereits in der Ant. gängige Herleitung (100 Rinder: *hekatón bus*) ist nicht gesichert ([1] erwägt eine paraetym. Bildung). In jedem Fall ist *h.* schon bei Homer ohne Bezug zur wörtlichen Bed. ein allg. t.t. für Großopfer, der häufig durch Zusätze zur Anzahl und Art der geopferten Tiere verdeutlicht wird [2]. Auch der früheste inschr. Beleg für eine *h.* umfaßt nur drei Opfertiere (450/49 v. Chr., Milet: LSAM Nr. 50,18 f.). Der → Monatsname *Hekatombaión* geht auf die Zeit vor der ionischen Wanderung zurück [4. 31–34] (→ Kolonisation II.); eine Verbindung zur *h.* bei den → *Panathénaia* (so [3]) besteht nicht. Als Großopfer erscheinen *hekatómbai* vereinzelt in kaiserzeitlichen Euergeten-Inschr. (IG IV 602; OGIS 533). → Iulianos' [11] Restaurationspolitik rekurrierte auf den altehrwürdigen Begriff der *h.* (Iul. epist. 26,415C), bezeichnenderweise offenbar in einer archaisierenden wörtlichen Deutung als »100 Rinder-Opfer« (Amm. 22,12,6).

→ Opfer

(*1)	CH (*1)	Griech. Bezeichnung (*2)	Lat. Bezeichnung (*3)	Antike Hauptanwendungen (Auswahl) (*4)	Heutige medizinische Wirkeigenschaften (*5)	Identifikation (*6)	Geläufige Bezeichnung	Diosk. (*7)	Plin. nat. (*8)
1	87	smýrna	balsamum, myrrha	69 + 18 (Augenheilkunde [5], Wundbehandlung [2])	?	Commiphora abyssinica Endl.	Myrrhe	1,64	12,66–71
2	72	kýminon	cuminum	51 + 21 (Magenbeschwerden [3], Fieber [3])	adstringent, verdauungsfördernd, menstruationsfördernd, milchbildend, magenstärkend	Cuminum cyminum L.	Kreuzkümmel	3,59	20,159–162
3	63	helléboros	elleborum, elleborus	16 + 47 (Schwindsucht [7], Reinigung [4], Wassersucht [3], Rheuma [2])	Veratrum album: antirheumatisch, H. cyclophyllous: harntreibend	Helleborus cyclophyllus Boiss. Veratrum album L.	Nießwurz	4,162 4,148	25,47–61
4	49	skórodon	alium	34 + 15 (eitrige Entzündungen [2], Erkrankung des Rektrums [2] und der Atemwege [2], Fieber, Augenheilkunde)	antiseptisch, schleimlösend, schmerzstillend, gallenflußfördernd, antibiotisch	Allium sativum L.	Knoblauch	2,149	20,50–57
5	47	linózōstis	mercurialis	39 + 8 (Fieber [3])			Bingelkraut	4,189	25,38–41
6	46	sélinon	apium	29 + 17 (Gelbsucht [4], Angina [2], Gehirnerkrankungen [2])	menstruationsfördernd, harntreibend, blutreinigend	Apium graveolens L.	Sellerie	3,64	19,124
7	46	práson	porrum	38 + 8 (choléra [1], Durchfall, Gelbsucht)	harntreibend, abführend	Allium porrum L.	Porree	2,149–150	20,44–49
8	45	linon	linum	38 + 7 (Wundbehandlung, Rippenfellentzündung, Erkrankung des Rektums, Husten bei Kindern, »Tumore«: phýma/oídēma)	adstringent, harntreibend, entzündungslindernd, schleimlösend, wundheilend; Behandlung von Hauterkrankungen, Geschlechtsorganen, Atmungsorganen	Linum usitatissimum L.*	Flasch		19,2–25
9	45	libanōtós	balsamum, myrrha	36 + 9 (Wundbehandlung [4], Verbrennungen, Atemnot bei Kindern, Lungenentzündung, Tenesmus, »Geschwüre am Kopf«: kephalēs hélkē)	adstringent, gegen Blähungen, harntreibend, schleimlösend, sedativ, gegen Dysenterie; Behandlung von Geschlechtsorganen, Bronchitis	Boswellia spp. (u.a. B. carteri Birdw.)	Weihrauch	1,68	12,51–65
10	45	silphion	silphium	25 + 20 (Fieber [3], Gallenbeschwerden [2], Wassersucht [2], typhos [2])	?		Silphion (nicht identifiziert)	3,80	19,38–45 22,100–106
11	43	ánnēson	anesum, anisum	39 + 4 (Beschwerden des Zwerchfells und der Lenden, der Atmung bei Kindern, Gelbsucht)	?	Pimpinella anisum L.	Anis	3,56	20,185–195
12	43	teûlon	beta	8 + 35 (Angina [2], eitrige Entzündung [2], Schwindsucht [2])	?	Beta vulgaris L.*	Mangoldrübe	2,123	20,69–73
13	41	krámbē	brassica, caulis	38 + 3 (Gehirnerkrankungen, Schwindsucht)	?	Brassica oleracea L.	Kohl	2,120	20,78–95

		(Greek)	(Latin)	Krankheiten / Anwendung	Wirkung	(botanisch)	(deutsch)		
14	40	*origanon, origanos*	*origanum*	15 + 25 (Angina [3], Schwindsucht [3], Lungenerkrankungen [3], -entzündung [2], »Tumore«: *phýma/oídēma* [2])	krampfstillend		Origanum	3,27	20,175–180
15	37	*rhoé, sidion*	*punica arbor, punicum*	25 + 12 (*choléra* [1], Wundbehandlung [2], Durchfall, Ruhr, Fieber, Augenheilkunde)	adstringent	*Punica granatum* L.	Granatapfel	1,110	23,106–114
16	35	*aktê*	*sambucus*	30 + 5 (Gehirnerkrankungen, Durchfall, Störung der Blutzusammensetzung, schleimbedingte Erkrankungen, vgl. → Säftelehre)	harntreibend, mild abführend, Brechmittel	*Sambucus* spp.	Holunder	4,173	24,51–53
17	35	*myrrhinê, myrsinê*	*myrtus, myrta*	34 + 1 (Vorfall des Afters)	adstringent, antiseptisch, desinfizierend	*Myrtus communis* L.*	Myrte	1,112	23,159–166
18	33	*elatérion*	*elaterium*	24 + 9 (Gallenbeschwerden [2], Tagblindheit [1])	gegen Schwachsichtigkeit, reinigend	*Ecballium elaterium* (L.) A. Rich.	Spritzgurke	4,150	20,3–10
19	31	*etelisphakon, etelisphakos*	*salvia*	26 + 5 (»Lungenapoplexie«: *pyretós, lyngōdēs, choléra*, Durchfall, Lungenentzündung)	gegen Weißfluß und Entzündungen der Atemwege, bei Beschwerden der Wechseljahre, verdauungsfördernd, stärkend	*Salvia* spp.*	Salbei	3,33	22,145
20	31	*kypárittos, kypárissos*	*cupressus, cyparissos*	30 + 1 (»Geschwüre am Kopf«: *kephalês hélkē*)	antiseptisch, adstringent, gefäßverengend, zur Wundbehandlung	*Cupressus sempervirens* L.	Zypresse	1,74	24,15
21	30	*krithê*	*hordeum*	23 + 7 (Hüft- und Seitenschmerzen, Fieber, akute Erkrankungen, Rippenfellentzündung, Erkrankungen des Rektums)	abtreibend, milchhemmend, gegen Fieber und Bronchitis, Entzündungen, zur Behandlung der Geschlechtsorgane, Förderung der peripheren Durchblutung	*Hordeum vulgare* L.* subspp.	Gerste	2,86	22,134–136
22	30	*péganon*	*ruta*	20 + 10 (Schwindsucht [2], Angina, Lungenentzündung, Erkrankungen der Milz, »Tumore«: *phýma/oídēma*, Wundbehandlung)	menstruationsfördernd, Brechmittel, antikarzinogen	*Ruta graveolens* L.	Raute	3,45–46	20,131–143
23	29	*dáphnê*	*laurus*	29 + —	menstruationsfördernd	*Laurus nobilis* L.	Lorbeer	1,78	23,152–158
24	29	*sýkon*	*ficus*	18 + 11 (übermäßiges Essen [2], Angina, Gallenbeschwerden, *choléra*, Durchfall, Blutstillung, »Tumore«: *phýma/oídēma*, Wundbehandlung)	verdauungsfördernd, desinfizierend, harntreibend, entzündungslindernd, mild abführend, magenstärkend, Behandlung von Geschlechtsorganen und Tumoren	*Ficus* spp.	Feige	1,127	23,117–131
25	26	*elaía*	*olea*	22 + 4 (Durchfall, Entzündungen, »Tumore«: *phýma/oídēma*)	antikarzinogen, antiseptisch, adstringent, gallenflußfördernd, harntreibend, mild abführend	*Olea europaea* L.*	Ölbaum	1,105	23,69–79
26	26	*glykysídē*	*paeonia*	25 + 1 (*typhos*)	Brech- und Abführmittel, Schutz der Leber	*Paeonia officinalis* L.	Pfingstrose	3,140	27,84–87

27	26	*márathon, márathos*	*fenicúlum*	24 + 2 (Gelbsucht, Erkrankungen der Atemwege)	abtreibend, schweiß- und harntreibend, menstruationsfördernd, milchbildend	Fenchel	*Foeniculum vulgare* Miller *	3,70	20,254–258
28	26	*pyrós*	*frumentum*	19 + 7 (Halsbeschwerden [2], Beschwerden beim Stuhlgang [2], Nasenprellung, Wassersucht)	entzündungslindernd, mild abführend, Behandlung von Wunden und Blutungen	Weizen	*Triticum* spp.	2,85	18,61–70
29	25	*phakós*	*lens, lenticula*	11 + 14 (*choléra* [2], Wundbehandlung [2])	Magenschutz, Hauterkrankungen	Linse	*Ervum lens* L.	2,107	18,198 22,142–147
30	25	*knídios kókkos*	*cneorum*	6 + 19 (Hüftschmerz [2], Wassersucht [2], eitrige Entzündung [2], Schwindsucht [2], Erkrankungen der Milz [2], *týphos* [2])	schweißtreibend		*Daphne gnidium* L.	4,172	21,55
31	25	*lótós*	*lotos*	19 + 6 (Wundbehandlung [3])	adstringent (durch Tanin), schleimhautschützend	Klee	-	4,110	21,34,99,103
32	25	*sikýa*	*cucurbita*	20 + 5 (Gallenbeschwerden [2], Hüftschmerz, Lebererkrankungen, Harnzwang)	reinigend	Flaschenkürbis	*Lagenaria siceraria (Molina)* Standl.	4,176	19,69–74
33	24	*gléchōn*	*puleium*	19 + 5 (Durchfall, Störung der Blutzusammensetzung, Fieber, Reinigung)	blutreinigend, gegen Verdauungsstörungen	Polei-Minze	*Mentha pulegium* L.	3,31	20,152–157
34	23	*kykláminos, cyclaminum*	*cyclaminos, cyclaminum*	20 + 3 (Gallenbeschwerden [2], Lungenentzündung)	abführend, menstruationsfördernd	Saubrot	*Cyclamen* *spp.	2,164–165	25,114–116
35	22	*kýpeiros, kýpeiron*	*cyperus, cypirus*	22 + –	?	Zypergras	*Cyperus esculentus* L.	1,4	21,115–116
36	21	*melánthion*	*melanthion, git*	21 + –	menstruationsfördernd, milchbildend	Schwarzkümmel	*Nigella sativa* L. *	3,79	20,182–184
37	19	*astaphís*	*staphis*	18 + 1 (Enddarmerkrankungen)	?	Ackerwildkraut	*Delphinium staphisagria* L.	4,152	23,17–18
38	19	*bátos*	*morum, morus, rubus*	17 + 2 (*choléra*, Durchfall)	durchfallhemmend, entzündungshemmend	Brombeerstrauch	*Rubus* spp., *Morus nigra* L.	4,38	24,117–124
39	19	*kénchros*	*milium*	– + 19 (Fieber [3], Rippenfellentzündung [3], Gehirnerkrankungen [2])	Hustenmittel, kühlend, zur Behandlung der Geschlechtsorgane	Rispenhirse	*Panicum miliaceum* L. *	2,97	22,130–131
40	19	*skammónia*	*scammonia*	11 + 8 (Nierenbeschwerden [2], Hüftschmerz, Fieber, Leberentzündung, Lungenerkrankungen, rheumatische Erkrankungen, *týphos*)	harntreibend, abführend, antirheumatisch	Purgierwinde	*Convolvulus scammonia* L. *	4,170	26,59–61
41	18	*ágnos*	*vitex*	11 + 7	krampflindernd bei Verdauungsstörungen	Agnos	*Vitex agnus-castus* L.	1,103	24,59–63

42	18	*sésamon*	*sesamum*	menstruationsfördernd, mild abführend	7 + 11 (Bronchitis, Bluthusten, Gelbsucht, Rheuma, Husten bei Kindern)	Sesam	*Sesamum orientale* L. (*S. indicum* L.)	1,34	22,131–133
43	17	*krómmyon*	*cepa*	?	10 + 7 (Reinigung [2], Gallenbeschwerden, Gehirnerkrankungen, Gelbsucht, eitrige Entzündung)	Zwiebel	*Allium cepa* L.	2,149	20,39–43
44	14	*koríannon*	*coriandrum*	gegen Blähungen und Verdauungsbeschwerden, magenstärkend, krampflösend, durchfallhemmend	7 + 7 (Gelbsucht [2], Schwindsucht [2], Durchfall [1], Tenesmus [1])	Koriander	*Coriandrum sativum* L.*	3,63	20,216–218

(*1) Anordnung nach Häufigkeit der Nennungen. Vgl. den alphabetischen Index der Pflanzennamen (siehe unten).

(*2) *Corpus Hippocraticum* (*CH*) zitiert nach der Edition von E. LITTRÉ, 10 Bde., 1839–1861 (mit frz. Übersetzung). Die Ziffern bezeichnen die Gesamtzahl der Nennungen der Pflanze.

(*3) Lat. Pflanzennamen nach J. ANDRÉ, Les noms de plantes dans la Rome antique, 1985.

(*4) Erste Ziffer: Anzahl der gynäkologischen Indikationen; zweite Ziffer: andere Indikationen (deren wichtigste sind in Klammern aufgeführt).
Eckige Klammern: Anzahl der Nennungen der Pflanze. Keine Angabe: eine Nennung.
Kursive Krankheitsbezeichnungen: antike Terminologie (wenn anders als die mod. Bedeutung).
Gynäkologische Indikationen im *CH* (in alphabetischer Anordnung der dt. Begriffe): Abtreibung: 17; Amenorrhoe: 18; Blutungen: 76; Blutungen post partum: 77; Empfängnisförderung: 67; Fehlgeburt (Prävention): 17; Fruchtbarkeitssteigerung: 23; Fruchtbarkeitstest: 2; Gebärmutter (Verlagerung, Anschwellen, Wassersucht): 350; Geburt: 3; Genitalorgane (Verletzungen, Entzündung): 14; Gynäkologie (ohne weitere Bestimmung): 174; »Hysterie«: 68; Laktation (Förderung): 8; Laktation (Beendigung): 5; Menstruation: 19; Menstruationsförderung: 11; Metrorrhagie: 5; Placentabeseitigung: 24; Schwangerschaftsbeschwerden (leichte): 15; Schwangerschaftstest: 2; Unfruchtbarkeit: 14; Weißfluß: 16.

(*5) Vgl. G. ALIOTTA et al., Le piante medicinali del Corpus Hippocraticum, 2002.
Fragezeichen (?): ant. Anwendungen sind bisher ohne Bestätigung in der wiss. pharmakologischen Literatur.

(*6) Identfikationen nach DNP bzw. (*) nach G. ALIOTTA et al. (s.o. *5).

(*7) Pedanios Dioskurides: Stellenangaben nach M. WELLMANN, 3 Bde., 1906–14; Ndr. 1958.

(*8) Plinius [1], Naturalis historia: Stellenangaben nach J. C. MAYHOFF, 5 Bde., 1892–1909; Ndr. 1967.

Alphabetischer Index der Pflanzennamen. Die Zahl bezieht sich auf die Numerierung der Tabelle.

1. **Griechische Namen:** *ágnos* 41 – *akté* 16 – *ánnēson* 11 – *astaphís* 37 – *bátos* 38 – *dáphnē* 23 – *elaía* 25 – *elatérion* 18 – *elelísphakon* 19 – *glḗchōn* 33 – *glykysídē* 26 – *helléboros* 3 – *kénchros* 39 – *knídios kókkos* 30 – *koríannon* 44 – *krámbē* 13 – *krithḗ* 21 – *krómmyon* 43 – *kykláminos* 34 – *kýminon* 2 – *kypárissos*, *kypárittos* 20 – *kýpeiros* 35 – *libanōtós* 9 – *linon* 8 – *linózōstis* 5 – *lōtós* 31 – *márathon*, *márathos* 27 – *melánthion* 36 – *myrrhínē*, *myrsínē* 17 – *oríganon* 14 – *péganon* 22 – *phakós* 29 – *práson* 7 – *pyrós* 28 – *rhoé* 15 – *sélinon* 6 – *sésamon* 42 – *sídion* 15 – *sikýa* 32 – *sílphion* 10 – *skammōnía* 40 – *skórodon* 4 – *smýrna* 1 – *sỹkon* 24 – *teútlon* 12.

2. **Lateinische Namen:** *allium* 4 – *anesum* 11 – *anisum* 11 – *apium* 6 – *balsamum* 9 – *beta* 12 – *brassica* 13 – *caulis* 13 – *cepa* 43 – *ciceum* 30 – *coriandrum* 44 – *cucurbita* 32 – *cuminum* 2 – *cupressus* 20 – *cydaminos* 34 – *cydaminum* 34 – *cyparissos* 20 – *cyperus* 35 – *cyprus* 35 – *elaterium* 18 – *elleborus* 3 – *elleborum* 3 – *feniculum* 27 – *ficus* 24 – *frumentum* 28 – *git* 36 – *hordeum* 21 – *laurus* 23 – *lens* 29 – *lenticula* 29 – *linum* 8 – *lotos* 31 – *melanthion* 36 – *mercurialis* 5 – *milium* 39 – *morus* 38 – *morum* 38 – *myrtus* 17 – *myrrha* 1 & 9 – *olea* 25 – *origanum* 14 – *paeonia* 26 – *porrum* 7 – *puleium* 33 – *punica arbor* 15 – *punicum* 15 – *rubus* 38 – *ruta* 22 – *salvia* 19 – *sambucus* 16 – *scammonia* 40 – *sesamum* 42 – *silphium* 10 – *staphis* 37 – *vitex* 41.

1 E. Campanile, Riflessioni su ἑκατόμβη, in: Studia linguistica E. Evangelisti, 1991, 149–154
2 H. W. Nordheider, s. v. ἑκατόμβη, LFE 2, 1991, 500–502
3 V. J. Rosivach, IG 2² 334 and the Panathenaic H., in: PdP 46, 1991, 430–442 4 C. Trümpy, Unt. zu den altgriech. Monatsnamen und Monatsfolgen, 1997. ST. D.

Hellenion s. Naukratis (mit Lageplan)

Herakleides
[13a] H. aus Miletos. Stieg unter dem → Seleukiden → Antiochos [6] IV. zum Amt des *ho epí tōn prosódōn* (etwa: »Finanzminister«) auf und diente dem König als Gesandter nach Rom. Nach dem Tode des Antiochos unterstützte er 158 v. Chr. den Prätendenten → Alexandros [13] Balas.

> J. D. Grainger, A Seleukid Prosopography and Gazetteer, 1997, 92, s. v. H. (2) · P. Herrmann, Milesier am Seleukidenhof, in: Chiron 17, 1987, 183–188. JÖ. GE.

Herakleios
[8] H. der Jüngere, oström. Kaiser (Jan./Febr.-20. April? 641), Sohn des Kaisers → Herakleios [7] aus dessen erster Ehe mit Fabia Eudokia, geb. in Konstantinopel 3.5.612, Augustus seit 22.1.613; auch, in Erinnerung an Constantinus [1] I. d. Gr., Νέος Κωνσταντινος/*Néos Kōnstántinos* (lat. *Novus Constantinus*) genannt (zur Bed. des Beinamens [3. 1–9]) und deshalb in der mod. Forsch. auch, in Konkurrenz zu einem Usurpator im Westen des Reiches (→ Constantinus [3]), als Constantinus III. gezählt. Nach dem Tode des Vaters erbte H. zusammen mit seinem Halbbruder → Heraklonas den Kaiserthron. Dessen Mutter Martina, die zweite Gattin des Herakleios [7], lehnte ihn als Rivalen ihres Sohnes ab, doch ist es nicht beweisbar, daß sie durch Gift zu seinem frühen Tod beitrug; er starb wahrscheinlich an Tuberkulose. Seine kurze Regierungszeit war überschattet von der heillosen Situation des Reiches zur Zeit der Ausbreitung des Islam in den östl. Provinzen des Reiches.

> 1 W. E. Kaegi, A. Kazhdan, s. v. Herakleios Constantine, ODB 2, 917 2 PLRE 3, 349–351 (Heraclius 38)
> 3 P. Magdalino (Hrsg.), New Constantines, 1994. F. T.

Herakleon (Ἡρακλέων) gilt als »berühmtester« Vertreter der christl.-häretischen Schule der → Valentinianer (Clem. Al. strom. 4,71,1). Er wirkte in der 2. H. des 2. Jh. n. Chr., aber es ist nicht bekannt, an welchem Ort (Rom und/oder Alexandreia?). Anscheinend waren von seiner Jo-Exegese *Hypomnḗmata* angefertigt worden, die Origenes [2] in seinem Johannes-Komm. zitiert (48 Frg.). Bei seiner Auslegung, die auch andere Evangelien, Paulus [2] und das AT heranzieht, steht ein kosmogonischer Mythos im Hintergrund. Darin wird der weltschöpferische → *dēmiurgós* [3], der auch der Gesetzgeber ist, gegenüber dem obersten Gott abgewertet. Unter ihm steht der → Teufel (*diábolos*), der die Materie und ihre Kräfte symbolisiert.

Die Hauptaussage der Fr. gilt der Anthropologie und Soteriologie. Herrscht die Seele im Menschen über den Körper und folgt sie aus freier Entscheidung dem von Christus offenbarten göttlichen → Willen, erreicht sie ein begrenztes Heil, wie z. B. bei Johannes dem Täufer (Jo 4,46–53; H. fr. 40); der »Choiker« (χοϊκός, »Erdenmensch«) dagegen unterliegt seinen körperlichen Trieben, so daß er es verdient, Sohn des Teufels genannt zu werden. Zur wahren Erkenntnis kann nur derjenige gelangen, dessen Seele einen pneumatischen Samen in sich trägt (→ *pneúma*); aber auch eine solche Seele befindet sich vor der Ankunft des Erlösers in Unkenntnis und Sünde. Dieses Schicksal der »Pneumatiker« (*pneumatikoí*) findet H. in der Gesch. der Samaritanerin angedeutet (Jo 4,1–42; H. fr. 17–23).
→ Häresie; Valentinianer; Valentinus [1]

> A. E. Brooke (ed.), The Fragments of H., 1891 (Ndr. 1967) · W. Foerster, Die Gnosis, Bd. 1, ²1995, 214–240 (dt. Übers.) · C. Bammel, s. v. H., TRE 15, 54–57 · J. Holzhausen, Die Seelenlehre des Gnostikers H., in: Ders. (Hrsg.), Ψυχή – Seele – anima, 1998, 279–300. J. HO.

Herennius
[II 1a] C. H. Capella. Suffektconsul 119 n. Chr. zusammen mit L. Coelius Rufus, genannt in den Arvalakten (CIL VI 2080 = [1]) und in mehreren Militärdiplomen [2].

> 1 J. Scheid (ed.), Commentarii fratrum Arvalium qui supersunt, 1998, 210, Nr. 69 2 W. Eck et al., Neue Diplome für Auxiliartruppen in den dakischen Prov., in: Acta Musei Napocensis 39, 2002 (im Druck). W. E.

Hermeias
[3] von Alexandreia. Neuplatonischer Philosoph des 5. Jh. n. Chr. H. war (wie → Proklos) in Athen Schüler des → Syrianos, dessen Vorlesungen über Platons ›Phaidros‹ er niederschrieb [1; 2] und mit dem er über seine Frau Aidesia verwandtschaftlich verbunden war. Seine Söhne waren → Ammonios [12] und Heliodoros. H. lehrte in Alexandreia [1]. Damaskios (Vita Isidori 74) hielt ihn für einen wenig scharfsinnigen und kreativen Denker. H.' Lehre wich offenbar nicht von der des Syrianos ab.
→ Neuplatonismus

> 1 H. Bernard (ed.), H. von Alexandrien, Komm. zu Platons Phaidros, 1997 (mit dt. Übers.) 2 P. Couvreur, Hermias Alexandrinus in platonischen Scholia, 1901 (²1971)
> 3 Zeller 2, 890–892. A. LA.

Heros s. Heroenkult

Herrscherinnen I. Alter Orient
II. Klassische Antike

I. Alter Orient
In den durch patrilineare Erb- und Thronfolgeregelungen bestimmten Ges. des Alten Orients und Äg.s übten Frauen keine Herrscherfunktionen aus. Ausnah-

men ergaben sich lediglich in Fällen, wo die Regentschaft für einen minderjährigen Thronfolger durch ein weibliches Mitglied des Herrscherclans – in der Regel die Königinmutter – übernommen wurde; so übte z. B. → Hatschepsut (s. Nachträge), die Halbschwester und Gemahlin → Thutmosis' [2] II., 22 J. lang die Regentschaft für ihren minderjährigen Neffen → Thutmosis [3] III. aus. Ob die assyr. Sammu-ramat (griech. → Semiramis), Gemahlin Šamšī-Adads V. und Mutter seines Sohnes und Nachfolgers Adad-nirārī III., die großen polit. Einfluß gehabt zu haben scheint, formell die Regentschaft für ihren Sohn ausübte, ist nicht beweisbar. Naqīʾa, Gemahlin → Sanheribs und Mutter → Asarhaddons, spielte eine beachtliche Rolle bei der Sicherung der Thronfolge für ihren Sohn und später (mittels eines Loyalitätsvertrages) für ihren Enkel → Assurbanipal. Ihr Wort galt ›wie das eines Gottes <als> endgültig‹ [6. 165].

Laut AT wurden v. a. in Juda (→ Juda und Israel) der Königinmutter bedeutende polit., dynastische und hofzeremonielle Rechte zugestanden. Als eine Art Amtsbezeichnung trug sie den Titel *gᵉbīrā* (eigentlich »Herrin, Gebieterin, Patronin« gegenüber in ihren Rechten beschränkten oder rechtsunfähigen Mitgliedern der Familie). Auch die Texte aus → Ebla (s. [1]) und → Ugarit deuten auf eine vergleichbare Institution. In beiden Fällen hatte die Königinmutter aber kein offizielles Herrscheramt inne [3].

Der Titel der Gemahlin des regierenden hethitischen Großkönigs, *tawananna*, bezog sich auf deren Funktion als oberste Priesterin der Sonnengöttin von Arinna (→ Sonnengott). Nach dem Tod ihres Gatten behielt sie Titel und Funktion; erst nach ihrem Tod wurde die Ehefrau des Nachfolgers zur *tawananna* [4; 7]. Über eine Regentschaft der *tawannana* für einen minderjährigen Thronfolger ist nichts bekannt, da ein solcher Fall histor. nicht belegt ist.

Von regierenden H. in tribal organisierten Ges. Arabiens berichten die Inschr. neuassyr. Herrscher [2]. In diesen Kontext zu stellen ist auch → Zenobia [2], die Herrscherin über das Reich von → Palmyra (3. Jh. n. Chr.). Eine legendenhafte Reflexion möglicherweise tatsächlicher Verhältnisse stellt der biblische Bericht über die Königin von → Sabaʾ dar (1 Kg 10).
→ Frau I.; Gynaikokratie; Herrschaft; Herrscher

1 M. G. BIGA, Les femmes de la famille royale d'Ebla, in: J.-M. DURAND (Hrsg.), La femme dans le Proche-Orient Antique, 1987, 41–47 2 Chicago Assyrian Dictionary, Bd. Š/2, 1992, s. v. *šarratu*, 72–75 3 H. DONNER, Art und Herkunft des Amtes der Königinmutter im AT, in: R. VON KIENLE et al. (Hrsg.), FS J. Friedrich, 1959, 105–145 4 V. HAAS, Rez. zu R. S. BIN-NUN, The tawananna in the Hittite Kingdom, 1975, in: WZKM 69, 1977, 150–156 5 S. ROTH, »Gebieterin aller Länder«. Die Rolle der königlichen Frauen in der fiktiven und realen Außenpolitik des äg. NR, 2002 6 M. P. STRECK, s. v. Naqīʾa, RLA 9, 165 7 J. TISCHLER, Hethitisches etym. Glossar, Bd. 3, 1993, 282–286 (mit Lit.). J. RE.

II. KLASSISCHE ANTIKE

Nach der älteren staatsrechtlich geprägten Definition von → Herrschaft als Ausübung polit. Macht kraft eigenen Rechts, läßt sich wegen der in der Ant. üblichen Beschränkung polit. Rechte auf männliche Bürger kaum Frauenherrschaft nachweisen. Ein erweitertes funktionales Verständnis von Herrschaft, das auch die faktische Verfügung über Ressourcen durch Frauen und ihre Fähigkeit, einen Konsens zw. Regierten und Regierenden herzustellen, in den Blick nimmt, erlaubt es jedoch, auch in der griech.-röm. Ant. Frauen als H. zu qualifizieren [14. 47–53].

Dabei erscheinen in den ant. Quellen zwei Typen: Zum einen die (Mit-)Herrscherin als weiblicher Part eines regierenden Paars mit festen Rollenzuschreibungen, analog zu myth. Götterpaaren (z. B. Gleichsetzung des röm. Kaiserpaares mit Iuppiter-Iuno oder des hell. Königspaares mit Helios-Selene) mit geschlechtsspezifischer Aufgabenverteilung als »Vater« und »Mutter« der Dynastie [3]; dabei wirkten beide als Leitbild sowohl für die Bevölkerung als auch für die männlichen und weiblichen Vertreter des Adels. In diesem Kontext vermittelten Frauen durch ihre verwandtschaftliche Nähe zu vergangenen und/oder künftigen Generationen der Herrscherfamilie dynastische Legitimation und kontrollierten neben materiellen Ressourcen oft den Zugang zum → Herrscher. Zum anderen die temporäre (Allein-)Herrscherin, die – entgegen der rechtlichen Norm und z. T. längere Zeit – entweder nach dem Tode des Herrschers die Herrschaft weitertrug oder stellvertretend für unmündige, unfähige oder kranke nominelle männliche Nachfolger herrschte [14. 39–42, 51–67; 10].

Die ant. Lit. bietet je nach Gattung ein ambivalentes Bild von H. [5]. Während in Epos und Trag. das selbstverständliche Bild mächtiger H. des griech. und röm. Mythos (Arete, Penelope, Klytaimestra: [13], Dido: [1]) weiterlebt, werden in der Geschichtsschreibung histor. wie mythische H. eindeutig abgelehnt und dämonisiert (z. B. die blutrünstige Massagetenkönigin → Tomyris: Hdt. 1,214,4 f.; die Vatermörderin und röm. Königin → Tullia [1]: Liv. 1,46–48). Härte, Habgier, Rachsucht, oft sexuelles Fehlverhalten und die Einmischung in die als männliche Domäne verstandenen Bereiche Politik und Militär gehören zur festen Topik der »bösen H.«. Hintergrund derartiger Invektiven kann die Abwehr einer äußeren Gefahr (vgl. etwa die negative Stilisierung der Kleopatra [II 12] als Feindin: Hor. carm. 1,37,21) oder die Kompensation innergesellschaftlicher Probleme sein, die aus der gewandelten Frauenrolle, bes. der röm. Aristokratinnen (→ Fulvia [2]), erwuchsen. Dabei kommt es bei der Darstellung auswärtiger H. in griech. und röm. Quellen zur Überschneidung von Geschlechterdefinitionen mit Vorstellungen vom Fremden und somit zu einer verstärkten Ablehnung von H. in der eigenen Kultur. Diese Trad. ist noch im 4. Jh. n. Chr. bei → Ammianus Marcellinus sichtbar. In seiner Darstellung der → Constantina, der Kaiserschwester und Frau des → Constantius [5] Gallus, als machtgieriger Furie kritisiert er die Herrschaftsteilhabe spätant. Kaiserfrauen umso schärfer, als er mit der formelhaften Nennung von Herrscherinnen des Ostens (z. B. der → Semiramis, → Kleopatra [II 12], → Zenobia [2]) dieses Verhalten als gegen die eigene Kultur gerichtet geißelt [14. 74–195, 318–346].

Neben dieser Negativstilisierung ant. H. steht seit dem Hell. eine verbreitete, an exponierte weibliche Persönlichkeiten der Herrscherfamilie und der Aristokratie gerichtete → Panegyrik mit dem Lob der H. als gerechter und schöner Wohltäterin (→ Euergetismus). In röm. Zeit treten die Eigenschaft der ehelichen Treue, Bescheidenheit im Auftreten und bei spätant. christl. Kaiserinnen das Lob der Orthodoxie hinzu (z. B. Claudianus, Laus Serenae; Iulinus, or. 3; Leichenreden Gregorios' [2] von Nyssa). Während die Panegyrik die Interessen des Herrscherhauses und der von ihm Begünstigten spiegelt, offenbart mit zunehmender Bedeutung der Nähe zum → Hof als Maßstab der eigenen soz. Position die Kritik an H. oft den Unmut eines Autors über den ihm auch von Frauen nicht gewährten Zugang zum Zentrum der Macht [14. 298–305].

Die Forsch. zur Rolle der Frauen als H. hat zwar bereits wichtige, meist prosopographische Studien zu bestimmten H. und der Rolle der Frauen in einzelnen Dynastien erbracht [2; 7; 8; 11; 12], doch bilden diachrone Unt. zur Entwicklung und zu den Strukturmerkmalen von Herrschaft durch Frauen noch ein Desiderat [9]. Probleme der Titulatur und Ehrungen, Heiratsstrategien, Ressourcenverfügung (Matronage versus Patronage) oder Unterschiede in der Definition der → Geschlechterrollen in den verschiedenen ant. Kulturkreisen bedürfen weiterer Klärung, um Übereinstimmungen und Unterschiede in den Positionen hell., röm.-byz. und ausländischer H. (z. B. → Teuta, → Boudicca, → Zenobia [2]) festzustellen und im Vergleich mit der H.-Typologie anderer Epochen und Kulturen [4] die Eigenart der Herrschaftsbedingungen ant. H. zu ermitteln. Bisher ist offen, warum den spätant. → Kaiserfrauen im Osten des röm. Reiches ein weitaus größeres Aktionspotential zugestanden worden ist als im Westen (dies führt in mittelbyz. Zeit sogar zur Alleinherrschaft von Frauen: z. B. → Irene, → Zoë, Theodora [5]).

→ Augusta (s. Nachträge); Frau; Gynaikokratie; Herrschaft; Herrscher; Kaiserfrauen; GENDER STUDIES; MATRIARCHAT

1 E. D. CARNEY, Reginae in the Aeneid, in: Athenaeum 66, 1988, 427–445 2 Dies., Women and Monarchy in Ancient Macedonia, 2000 3 S. FISCHLER, Imperial Cult: Engendering the Cosmos, in: L. FOXHALL, J. SALMON (Hrsg.), When Men Were Men. Masculinity, Power and Identity in Classical Antiquity, 1998, 165–183 4 L. O. FRADENBURG (Hrsg.), Women and Sovereignty, 1992 5 B. GARLICK, S. DIXON, P. ALLEN (Hrsg.), Stereotypes of Women in Power. Historical Perspectives and Revisionist Views, 1992 6 R. HIESTAND, Eirene Basileus –

die Frau als Herrscherin im MA, in: H. HECKER (Hrsg.), Der Herrscher. Leitbild und Abbild in MA und Renaissance, 1990, 253–283 7 K. G. HOLUM, Theodosian Empresses. Women and Imperial Dominion in Late Antiquity, 1982 8 E. KETTENHOFEN, Die syrischen Augustae in der histor. Überl. Ein Beitrag zum Problem der Orientalisierung, 1979 9 CH. KUNST, U. RIEMER (Hrsg.), Grenzen der Macht. Zur Rolle der röm. Kaiserfrauen, 2000 10 D. MIRON, Transmitters and Representatives of Power: Royal Women in Ancient Macedonia, in: AncSoc 30, 1990, 35–52 11 D. OGDEN, Polygamy, Prostitutes and Death: The Hellenistic Dynasties, 1999 12 H. TEMPORINI, Die Frauen am Hofe Trajans. Ein Beitrag zur Stellung der Augustae im Principat, 1978 13 B. WAGNER-HASEL, Die Macht der Penelope. Zur Politik des Gewebes im homerischen Epos, in: R. FABER, S. LANWERD (Hrsg.), Kybele – Prophetin – Hexe, 1997, 127–146 14 A. WIEBER-SCARIOT, Zw. Polemik und Panegyrik. Frauen des Kaiserhauses und H. des Ostens in den Res gestae des Ammianus Marcellinus, 1999.

AN. WI.

Hexakosioi s. Sechshundert

Hexapla s. Bibelübersetzungen; Origenes [2] B.

Hiat s. Prosodie

Hilarodia s. Simodie

Ḥimyar (lat. *Homeritae*: Plin. nat. 32,161). Arabischer Stamm, inschr. bezeugt ab ca. 100 n. Chr. Die Ḥ. hatten zw. ca. 100 und 590 n. Chr. die polit. Hegemonie in Südarabien inne. Das Zentrum ihres Reiches war → Zafār (bei Plin. nat. 25,104: *Sapphar*) auf dem Hochland südl. des mod. Yarīm. Von dort ausgehend eroberten die Ḥ. nach und nach die altsüdarabischen Reiche von → Qatabān, → Sabaʾ und → Ḥadramaut. Mitte des 4. Jh. begannen sich Judentum und Christentum auszubreiten, gleichzeitig mehrten sich Versuche des sāsānidischen und des byz. Reiches, Einfluß auf das Reich der Ḥ. zu nehmen (vgl. → *Leges Homeritarum*). Wiederholte Brüche des Dammes von Mārib (→ Mariaba) zeugen vom allg. Niedergang ab dem 6. Jh. 597 wurde Südarabien Prov. der → Sāsāniden.

K. SCHIPPMANN, Gesch. der Alt-Südarabischen Reiche, 1998, 60–73 (mit Bibliogr.). I. T.-N.

Hippokoon

[2] Thrakerfürst mit griech. Namen, Cousin des → Rhesos, Berater der Thraker vor Troia (Hom. Il. 10,518; vgl. Tzetzes, Prooemium in Il. 794; [1; 2; 3]).

1 P. MATRANGA (ed.), Anecdota Graeca, Bd. 1, 1850 (Ndr. 1971), 27 2 P. WATHELET, Dictionnaire des Troyens de l'Iliade, 1988, Nr. 172 3 Ders., Les Troyens de l'Iliade. Mythe et Histoire, 1989, Index s. v. H.

[3] (lat. *Hippocoon*). Sonst unbekannter Sohn des → Hyrtakos, Begleiter des Aeneas (→ Aineias [1]; Verg. Aen. 5,492 und 503; [1]).

1 M. PASCHALIS, Virgil's Aeneid. Semantic Relations and Proper Names, 1997, 194.   T.H.

Hispania

VI. EINGLIEDERUNG INS RÖMISCHE REICH

Bereits vor Eintritt in den 2. → Punischen Krieg dokumentierte Rom sein Interesse an der iberischen Halbinsel: 226/25 v. Chr. durch einen Vertrag mit Karthago, der die Interessensphären gegeneinander abgrenzte (StV 2, Nr. 503), und durch ein Bündnis mit → Saguntum (Pol. 3,30,1; 221 v. Chr.?). Gleich zu Kriegsbeginn landeten die Brüder Cn. Cornelius [I 77] Scipio 218 v. Chr. und P. Cornelius [I 68] Scipio 217 in → Emporiae an der iber. NO-Küste. Sie kämpften in den folgenden J. mit wechselndem Erfolg gegen die Truppen der Karthager und ihrer Verbündeten, schlugen 217 v. Chr. eine karthagische Flotte im Delta des Iberus [1] (h. Ebro) (Pol. 3,95 f.; Liv. 22,19), operierten zusammen und getrennt in der iberischen Osthälfte, eroberten 212 Saguntum (Liv. 24,42,9–11) und → Castulo (Liv. 28,20,8–12), fanden aber beide westl. von → Carthago Nova 211 in zwei verlustreichen Schlachten den Tod (Liv. 25,34–36; vgl. Pol. 9,22,3).

Mit der Ankunft des P. Cornelius [I 71] Scipio im Herbst 210 erhielten die Aktionen der Römer neuen Schwung: Gleich im folgenden J. eroberte er Carthago Nova (Pol. 10,9–17; Liv. 46,41–49), siegte 208 bei → Baecula am oberen → Baetis (h. Guadalquivir; Pol. 10,37–40; Liv. 27,17–20), 206 bei → Ilipa (Pol. 11,20–24; Liv. 28,12,10–16) und drängte die Karthager schließlich im SW auf → Gades (h. Cádiz) zurück. Mago [5] verließ mit wenigen Truppen die Insel, um sich seinem Bruder Hannibal [4] in It. anzuschließen, die Stadt Gades schloß mit den Römern einen Vertrag (Liv. 28,35–37; StV 3, Nr. 541). Damit stand auf der iber. Halbinsel kein karthagisches Heer mehr.

Das Gebiet, über das Rom jetzt nominell verfügte, läßt sich folgendermaßen beschreiben: von NO nach SW ein schmaler Küstenstreifen vom Ostende der Pyrene [2] mit einer Ausweitung westwärts den Iberus aufwärts, in der Höhe von Carthago Nova landeinwärts über Castulo und das ganze Baetis-Tal abwärts. Die Gründung der Veteranensiedlung → Italica am Unterlauf des Baetis durch Scipio 206 galt der nachhaltigen Sicherung des wirtschaftlich so wertvollen Gebiets im Süden.

Der Organisation der besetzten Gebiete in H. standen nun ausschließlich einheimische Kräfte entgegen, so etwa die Illergetes mit ihren Verbündeten im Bereich zw. Iberus und Pyrene (206: Liv. 29,2 f.), die → Edetani im Hinterland von Saguntum (200: Liv. 31,49,7), die → Turdetani im SO (197: Liv. 33,21,7 f.). Die Einrichtung einer röm. Prov. datiert man allg. mit dem Konsulat des M. Porcius → Cato [1] 195 v. Chr., der ebenfalls aufständische Turdetani und Stämme im Tal des Iberus niederringen mußte, bevor er sich eingehend und erfolgreich der Provinzialordnung widmen konnte (Liv. 34,8–21); Catos Wirksamkeit umfaßte den gesam-

ten von Rom beanspruchten Raum auf der Halbinsel von → Corduba bis an den Iberus. Auf Cato dürfte auch die Schaffung zweier Prov., der H. Citerior (Ostküste mit Westausweitung das Iberus-Tal aufwärts mit dem Verwaltungszentrum in Carthago Nova) und der H. Ulterior (SO-Küste und das Tal des Baetis in Andalusia mit dem Verwaltungszentrum in Corduba, vgl. Strab. 3,4,19) zurückgehen; getrennt waren die beiden Prov. durch den Saltus Castulonensis (h. Sierra Morena). Die Provinzialära rechnete aber schon von 206 an (vgl. App. Ib. 152), und schon 197 hatte der Senat die Zahl der Praetorenstellen von vier auf sechs erhöht, um die Leitung der beiden Prov. in H. je einem Praetor anzuvertrauen (Liv. 32,27,6; 32,28,2; vgl. Solin. 5,1).

In den folgenden J. kam es immer wieder zu einzelnen Aufständen einheimischer Stämme, gegen die verschiedene Praetoren verlustreiche Kämpfe ausfochten, ohne das Land einer Befriedung näherzubringen; vgl. die röm. Kämpfe gegen die → Lusitani 190/89 (Liv. 37,57,5 f.; 58,5). Ein Markstein in dieser Entwicklung war die Praetur bzw. Propraetur des Ti. → Sempronius [I 15] Gracchus 180/79 in der H. Citerior, der nach entscheidenden Siegen über aufständische Stämme im zentraliber. Raum die befriedeten Gegner in ein tragfähiges Vertragssystem einband (Liv. 40,44,4 f.; 40,47–50). Im Zuge dynastischer Selbstdarstellung nach hell. Manier ist wohl die Gründung zweier Städte durch Gracchus zu sehen, → Grac(c)uris und Iliturgis (beim h. Mengíbar; [1]).

Allmählich machte sich jedoch im ganzen Land der immer stärkere Zugriff der röm. Verwaltung auf die einheimischen Verhältnisse, bes. auf die wirtschaftlichen Ressourcen, bemerkbar. So ist es wohl zu verstehen, daß es zu mehreren langwierigen, zeitweise parallel geführten Kriegen kam, die schwerste innenpolit. Auswirkungen auf Rom hatten, so dem gegen die → Lusitani unter → Viriatus (155–139) und den zwei Kriegen gegen die → Celtiberi, eine immer wieder wechselnde Koalition verschiedener Stämme im mittelib. Gebiet (153–151 bzw. 143–133; → Numantia). Der Ehrgeiz einzelner röm. Politiker, in H. den Lorbeer für einen → Triumph in Rom zu holen, wirkte sich angesichts immer schwächerer Mannschaftsressourcen auf das röm. Sozialgefüge katastrophal aus (vgl. die röm. Niederlage unter Q. Fulvius [I 17] Nobilior 153: App. Ib. 45–47). Aber auch mit dem Fall von Numantia war die Reihe der Aufstände nicht abgeschlossen (vgl. die Kämpfe des T. Didius [4] gegen die keltiber. Arevaci 97 v. Chr.: Sall. hist. 1,88 M.; Liv. per. 70).

Um so verheerender für die röm. Herrschaft in H. mußte es sich auswirken, daß Rom seine Auseinandersetzungen wie anderswo in der Welt (vgl. den Krieg gegen → Iugurtha in Afrika, gegen Mithradates [6] VI. in Kleinasien, bes. → Fimbria [I 6]) jetzt nach H. hinübertrug: In → Sertorius trafen sich röm.-populare und lusitanisch-nationale Bestrebungen, was zu einem gefährlichen Krieg führte (80–72), und auch der → Bürgerkrieg (s. Nachträge) der J. 49 bis 45 wurde in entscheidenden Phasen in H. bei Ilerda 49 und bei Munda [1] 45 v. Chr. ausgefochten (vgl. die anonyme Darstellung im Bell. Hisp.). Erst mit Augustus, der einen langwierigen Krieg (26–19 v. Chr.) gegen die → Asturi und → Cantabri im Norden von H. führen mußte, fand die Befriedung von H. ihren Abschluß. Zuvor schon hatte Augustus im Rahmen seiner Neuordnung des röm. Reichs H. neu gegliedert: Die Provinz H. Citerior wurde nach NO enorm ausgeweitet und nach dem Verwaltungszentrum Tarraco in H. Tarraconensis umbenannt (sieben *conventus*), die H. Ulterior wurde in H. Baetica umbenannt (vier *conventus*), und als dritte Prov. auf der Halbinsel trat Lusitania (drei *conventus*) hinzu.

Die wirtschaftliche Ausbeutung der Prov. durch die Römer setzte schon ab 206 v. Chr. ein; bes. einträglich waren die zahlreichen Eisen-, Silber- und Goldbergwerke (vgl. Poseidonios bei Strab. 3,2,9), und in den ersten sieben J. der röm. Herrschaft landeten 2480 Pfund Gold und 58452 Pfund Silber im → *aerarium* (Liv. 28,38,5; 31,20,7; 32,7,4). Die vielen Kriege nahmen zwar die Finanzkraft des röm. Staates stark in Anspruch, im Gegenzug aber brachten mil. Erfolge auch große Beute ein (vgl. → Kriegsbeute). Systematisch wurde die wirtschaftliche Ausbeutung von H. wohl erst um 170 v. Chr. begonnen. Die Wirtschaftskraft des Landes wurde jedoch nicht nachhaltig geschädigt, was die Fülle der Waren beweist, die etwa nach It. exportiert wurde (bes. Öl, Wein; vgl. Strab. 3,2,6). Doch führten gerade Fälle von skrupelloser Ausbeutung der Provinzialen in H. seit 171 v. Chr. zu den ersten Prozessen wegen → *repetundarum crimen*.

1 R. CONTRERAS DE LA PAZ, La conquista de Castulo por P. C. Escipión, in: Oretania 4, 1962, 125–137.

P. BARCELÓ, Das kantabrische Gebirge im Alt., in: E. OLSHAUSEN, H. SONNABEND (Hrsg.), Gebirgsland als Lebensraum (Geographica Historica 8), 1996, 53–60 · Ders., Die Grenze des karthagischen Machtbereichs unter Hasdrubal: Zum sog. Ebro-Vertrag, in: Ders., H. SONNABEND (Hrsg.), Grenze und Grenzland (Geographica Historica 7), 1994, 35–55 · G. V. SUMNER, Proconsuls and provinciae in Spain 218/7–196/5 B.C., in: Arethusa 3, 1970, 85–102 · A. TRANOY, La Galice romaine, 1981 · E. ARIÑO GIL, Centuriaciones Romanas en el valle medio del Ebro, 1986 · G. K. TIPPS, The Rogum Scipionis and Gnaeus Scipio's Last Stand, in: CW 85.2, 1991, 81–90 · J. DE ALARCÃO, Roman Portugal, 2 Bde., 1988 · L. VILLARONGA, Corpus Nummum Hispaniae Ante Augusti Aetatem, 1994 · L. A. CURCHIN, Vici and pagi in Roman Spain, in: REA 87, 1985, 327–343 · S. J. KEAY, Roman Spain, 1988 · F. BELTRÁN LLORIS, F. MARCO SIMÓN (Hrsg.), Atlas de Historia Antigua, 1987, Nr. 46 f. · T. BECHERT, Die Prov. des Röm. Reiches, 1999, 70 f. (Lit.). E. O.

Historische Reliefs. Röm. histor. → Reliefs sind keine Lebensbilder. Sie kolportieren gesch. Ereignisse in Verdichtung und fordern zu übergreifender Interpretation auf. Die Gattung entstand zu Beginn des 1. Jh. v. Chr. [1. 62]. Anregungen dürften von panegyrischer Malerei (→ Panegyrik) auf Alexandros [4] d. Gr. gekom-

men sein [2]; auch an den von Aemilius [I 32] Paullus usurpierten → Pfeiler (s. Nachträge) in Delphoi ist zu denken [3]. Die Reliefbasis von Sant' Omobono (ca. 180 v. Chr.) ist im Stil pergamenisch ([4]; Spätdatier.: [5]). Einen ital. Trad.-Strang bilden die Fresken der Tomba François [6] vom Esquilin (→ Esquiliae) [7] und die Schaubilder bei Triumphzügen (→ Triumph) [8]. Das h. R. war wesentlich für den Selbstfindungsprozeß Roms im Spannungsfeld von → *mos maiorum* und Hell., der mit Catos [1] Schrift *Origines* (zw. 170 und 149) eingeleitet worden war [9].

Die ältesten erh. h. R. stammen von der sog. Domitius-Ara (ca. 80 v. Chr.) [1; 10]. Tableauhaft wird dort ein → *census* geschildert, Thema ist die Einigung It.s nach den → Bundesgenossenkriegen [3]. Szenenvielfalt aus Legenden und Historischem beherrscht den Fries der → Basilica Aemilia [11; 12]. Attacken des Sextus Pompeius [I 5] sind Gegenstand der Reliefs am Poplicolagrab in Ostia [13]. Auch zwei Schiffsreliefs [14. Nr. 198], die Basis von Falerii [1]/Civita Castellana und der Fries der Porticus Octaviae (→ Porticus II.) [14. Nr. 200] sowie die Bostoner Actiumgemme [15. 68] sind spätrepublikanisch.

Hauptwerk der augusteischen Zeit ist die → Ara Pacis Augustae [15. 71, 121]. Die Umfriedung ist in ihrer unteren Hälfte innen Zaun, außen götterfüllte Hecke. Die Festzüge oberhalb sind daran entlangschreitend zu denken: Weihreliefs griech. Familien gaben die Anregung zu dieser Komposition [16]. Die Reliefpanzer von → Prima Porta und → Caesarea [1]/Cherchel verherrlichen das Reich der göttlichen Iulier und den durch sie geschaffenen Weltfrieden [15. 69 f.]. Hellenisierte Hauptstadteleganz bietet das Grab des Stadtretters Zoilos in → Aphrodisias [1] (vgl. [17]), hell. Pathos in Schlachtreliefs das Mausoleum von → Glanum (vgl. [18]). Ganz provinziell ist die Darstellung eines Bogens in Susa (Alpen; 8 v. Chr. von einem Vasallenkönig geweiht) [19]. Die Herausbildung des kaiserlichen Bildvokabulars illustriert ein Larenaltar im Vatikan [14. Nr. 223]. Vom Apolltempel des Sosius [I 2] (20 v. Chr.) stammen Schlacht- und Triumphszenen [20. 84–86, 118 f.].

Die Basis von Puteoli ist in das J. 30 n. Chr. zu datieren [15. 113–121]. Sie ist erweiternde Kopie einer stadtröm. Dankesweihung kleinasiatischer Städte an Tiberius (19 n. Chr.). Auch ein Pariser Fries mit → Suovetaurilia an zwei Altären ist tiberisch [15. 105–113].

Ein wichtiger Beleg für die mit Caligula beginnende »Royalisierung« der Prinzipatsidee ist das Wiener Frg. des frühesten röm. Großkameos (zu hell. Vorläufern vgl. die → Tazza Farnese [15. 85 f.]), das den Kaiser mit Roma und Doppelfüllhorn (!) auf einem Götterthron zeigt [15. 81]. Nach Stil und Szenenwahl (Kaiserporträts fehlen) ist die Basis von Sorrent anzuschließen ([14. Nr. 208]: augusteisch).

H. R. aus der Zeit des Claudius [III 1] betonen das Dynastische; die Gemma Augustea und die Silberbecher von → Boscoreale sind dabei Vorgänger [15. 59–63,

73–80] (vgl. die Kaisergalerien [15. 79[238]] und die Plakatwände des Sebasteions in Aphrodisias [1]; vgl. [15. 28[61–63]]). Ein Onyxgefäß zeigt die Geburt des einzigen Kaiser-Enkels (50/51 n. Chr.; Name unbekannt; [15. 53f., 56f.]). Ebenfalls claudisch sind der Budapester »Actium«-Fries [21], die Ara der Vicomagistri in Rom [20. 147, 164], der Provinzenfries Valle-Medici (tetrarchisch umgearbeitet) [19. 197–201; 15. 73f. mit Anm. 227] und Frg. eines Bogens an der Via Lata in Rom ([15. 73f.] mit Lit.). Die oft bemühte Ara Pietatis ist ein auf einem Irrtum beruhendes Konstrukt der Forsch. ([22]; dagegen [23]), und um die Ara Gentis Iuliae steht es nicht viel besser [24; 5. 42[64]; 25]. Ein Altar für die Gens Iulia ist aus Karthago erh. [26].

Nero ist der *Grand Camée de France* zuzuschreiben (59 n. Chr., Armenienerfolg; später für Constantinus [1] umgeschnitten) [15. 11–28]. Wie dieser setzt auch das Relief von S. Vitale die Vergöttlichung des Claudius voraus [15. 35–41]. Auf Armenien und das J. 66 beziehen sich die Cancelleriareliefs (überarbeitet unter Domitian und Nerva) [15. 125–139]. Auch Galba und Vitellius ließen Neronisches umarbeiten [15. 38–41, 139f.], die Tetrarchen später die Tempelreliefs Valle-Medici [27]. Aus flavischer Zeit ist nur der postume Titusbogen (vgl. → Triumph- und Ehrenbogen) belegt [28].

In der Traianszeit kam die Kolossalsäule mit umlaufendem Reliefband auf (→ Säulenmonumente; Marcus-, Theodosius- und Arcadiussäule setzen den Typus fort) [29; 30; 31]. Trotz Bilderfülle, identifizierbaren Orten und Episoden gliedern letztlich panegyrische Kategorien die Disposition. Daß der große traianische Fries vom Forum des Kaisers stammt, ist bezweifelt worden [32; 33]. Der *optimus princeps* (Alimentarstiftung usw.) ist Thema des Beneventer Bogens (114 n. Chr.) mit Erstdarstellung des Gottesgnadentums [34; 20. 264]. Das Tropaeum Traiani in der Dobrudscha spricht eine rauhere, soldatisch dominierte Sprache [35; 20. 264].

Die Anaglypha Hadriani [20. 248–250, 265] betonen Kontinuität: Alimentation und Steuererlaß stehen im Zentrum; auffällig genau ist das Forum geschildert. Am h. sog. Arco di Portogallo [20. 253f., 265] sticht die Apotheose → Sabinas hervor. Acht Tondi eines Jagdmonuments, Musterbeispiele für die Renaissance griech. Trad. in dieser Zeit [36; 37], sind am Konstantinsbogen verbaut [20. 251, 253, 265; 38] (→ Spolien).

Vom Tempel des Divus Hadrianus [39] stammen Reliefs mit Provinzen (vgl. die Provinzendarstellungen in Aphrodisias [1]; [15. 28[61–63]]) und Trophäen. Die Basis der postumen Antoninus Pius-Säule [40; 20. 285–288, 314] ist aufgrund der Darstellung von Bestattungsbräuchen auf den Nebenseiten und der Apotheose des Kaiserpaares auf der Hauptseite aufschlußreich für Kaiserbegräbnisse (→ Tod II. H.). Klassizismus und »Laienstil« treten dort nebeneinander auf. Themen der Staatskunst sind in Reliefs von Bögen des Marcus [2] Aurelius erh. [42]. Wichtigstes Antoninendenkmal im Osten ist das ephesische Parthermonument [57]. Ein Langfries mit Schiffen in Sevilla liegt nur z. T. vor [43; 15. 67].

Die Reliefs des Severusbogens am Forum Romanum (193 n. Chr.) sind stark beschädigt, Thema sind die Kampagnen des Kaisers im Osten [44; 20. 354]. Panegyrisch umfassender ist der Bogen von → Leptis Magna, der die Kaiserfamilie insgesamt einbezieht [20. 340, 343, 354]. Die erste Ehe Caracallas spielte am Argentarierbogen eine bes. Rolle; instruktiv sind die Bildnistilgungen der ermordeten Mitglieder der Kaiserfamilie [20. 334–337, 354]. Auch der Bogen von → Arausio/Orange ist jetzt (spät-)severisch datiert worden ([45; 20. 154, 164]: tiberisch).

Nach den Severern entsteht eine Lücke, die wahrscheinlich nicht nur durch die Überl. bedingt ist, bis zum Galeriusbogen in Thessaloniki [46; 47] (ca. 304 n. Chr.; → Palast IV. E.). Dessen Paneele behandeln die Laufbahn des Kaisers und die Ideologie der → Tetrarchie. Basaltene Kaisergruppen betonen die Solidarität im Herrscherkollegium [20. 401–406, 428]; Opfer und Voten am röm. Fünfsäulendenkmal hatten denselben Sinn (303 n. Chr.) [20. 413–417, 428]. Epochenschwellenbewußtsein determiniert das Collagehafte des Konstantinsbogens (312–315 n. Chr.) [20. 444–454, 464; 48]. In den Szenen an der Basis des Theodosiusobelisken (Aufrichtung des Obelisken, Spiele; frontaler Stil) scheint nach 390 n. Chr. eine veränderte Welt auf [49; 50]. Spätant.-pagane und christl. h.R. finden sich in der Elfenbeinkunst [51].

→ Propaganda; Relief; Säulenmonumente; Triumph- und Ehrenbogen;

1 H. MEYER, Ein Denkmal des Consensus Civium, in: BCAR 95, 1993, 45–68 2 M. FUCHS, Aurea Aetas, in: JDAI 113, 1998, 91–108 3 M. FLASHAR, Delphische Forsch., in: Klio 78, 1996, 349–352 4 H. MEYER, Rom, Pergamon und Antiochos III. Zu den Siegesreliefs von Sant'Omobono, in: BCAR 94.1, 1991/92, 17–32; vgl. Bd. 95, 1993, 69f. 5 CH. REUSSER, Der Fidestempel, 1993, 121–134 6 F. COARELLI, Le pitture della tomba François a Vulci, in: Dialoghi di Archeologia 1.2, 1983, 43–69; vgl. 71–78 7 E. LA ROCCA, Fabio o Fannio, in: Dialoghi di Archeologia 2, 1984, 31–53 8 H. MEYER, Kunst und Gesch., 1983, 86–107 9 M. BEARD, M. CRAWFORD, Rome in the Late Republic, 1985, 17 10 F. STILP, Mariage et suovetaurilia, 2001 11 P. KRÄNZLE, Der Fries der Basilica Aemilia, in: AntPl 23, 1994, 93–127 12 A. CARANDINI (Hrsg.), Roma, 2000, 303–319; vgl. 216f. 13 F. ZEVI, Monumenti e aspetti culturali di Ostia repubblicana, in: P. ZANKER (Hrsg.), Hell. in Mittelit., 1976, 52–83 14 T. HÖLSCHER, in: Kaiser Augustus und die verlorene Republik, Ausst. Berlin 1988 15 H. MEYER, Prunkkameen und Staatsdenkmäler röm. Kaiser, 2000 16 G. DESPINIS, in: B. GENTILI (Hrsg.), Le orse di Brauron, 2002, 153–165 17 R. R. R. SMITH, The Monument of C. Iulius Zoilos, 1993 18 P. GROS, Le mausolée des Iulii, in: RA 1986, 65–80 19 S. DE MARIA, Gli archi onorari, 1988, 100f., 329f., Nr. 110 20 D. E. E. KLEINER, Roman Sculpture, 1992 21 H. PRÜCKNER, Das Budapester Actium-Relief, in: F. KRINZINGER (Hrsg.), Forsch. und Funde, FS B. Neutsch, 1980, 357–366 22 G. M. KOEPPEL, Die »Ara Pietatis Augustae«: ein Geisterbau, in: MDAI(R) 89, 1982, 453–455 23 M. TORELLI, Typology and Structure, 1982, 63–88

24 E. LA ROCCA, Arcus et arae Claudii, in: V. M. STROCKA (Hrsg.), Die Regierungszeit des Kaisers Claudius, 1994, 267–293 **25** M. FLASHAR, Rez. zu CH. REUSSER, Der Fidestempel auf dem Kapitol und seine Ausstattung, in: Klio 78.1, 1996, 290–294 **26** P. ZANKER, Augustus und die Macht der Bilder, 1987, 311 **27** H. P. LAUBSCHER, Arcus Novus, 1976, 101 ff. **28** M. PFANNER, Der Titusbogen, 1983 **29** F. COARELLI, La colonna traiana, 1999 **30** S. MAFFEI, s. v. Columna Marci, LTUR I, 302–305 **31** G. BECATTI, La colonna coclide istoriata, 1960 **32** A. M. LEANDER TOUATI, The Great Trajanic Frieze, 1987 **33** P. BARCELÒ, Una nuova interpretazione dell'arco di costantino, in: G. BONAMENTE (Hrsg.), Costantino il Grande, Bd. 1, 1983, 105–114 **34** K. FITTSCHEN, Das Bildprogramm des Trajansbogens zu Benevent, in: AA 1972, 742–789 **35** I. A. RICHMOND, Adamklissi, in: PBSR 35, 1967, 29–39 **36** D. WILLERS, Hadrians panhellenisches Programm, 1990 **37** H. MEYER, Der Obelisk des Antinoos, 1993, 151–183 **38** Ders., Antinoos, 1991, 218–221 **39** M. C. CIPOLLONE, s. v. Hadrianus, Divus, LTUR 3, 7 f. **40** S. MAFFEI, s. v. Columna Antonini Pii, LTUR 1, 298–300 **41** I. S. RYBERG, Panel Reliefs of Marcus, 1957 **42** M. FUCHS, Staatsideologie und Herrscherpanegyrik, in: Jb. des Kunsthistor. Mus. Wien 4, 2001 (im Druck) **43** G. KOEPPEL, A Historical Relief from Rome and Considerations on tensae and the pulvinas, in: Journ. of Roman Arachaeology 12, 1999, 596–199 **44** R. BRILLIANT, The Arch of Septimius, 1967 **45** J. C. ANDERSON, The Date of the Arch, in: BJ 187, 1987, 159–192 **46** H. MEYER, Die Reliefzyklen, in: JDAI 95, 1980, 374–444 **47** W. RAECK, Tu fortiter, ille sapienter. Augusti und Caesares im Reliefschmuck des Galeriusbogens, in: H.-U. CAIN et al. (Hrsg.), Beitr. zu Ikonographie und Hermeneutik. FS N. Himmelmann, 1989, 453–457 **48** L. GIULIANI, Des Siegers Ansprache an das Volk. Zur polit. Brisanz der Frieserzählung am Constantinsbogen, in: CH. NEUMEISTER, W. RAECK (Hrsg.), Rede und Redner, 2000, 269–287, mit Anm. 1, 48 (Lit.) **49** B. KILLERICH, The Obelisk Base in Constantinople, 1998 **50** U. RITZERFELD, »OMNIA THEODOSIO CEDUNT SUBOLIQUE PERENNI«. Überlegungen zu Bildprogramm und Bed. des Theodosius- obelisken und seiner Basen in Konstantinopel, in: JbAC 44, 2001, 168–184 **51** D. STUTZINGER (Hrsg.), Spätant. und frühes Christentum, Ausst. Frankfurt/M. 1983, Nr. 248 und 251.

G. M. KOEPPEL, Die histor. Reliefs der röm. Kaiserzeit, Teil 1–9, in: BJ 183, 1983 bis 192, 1992 · P. E. J. DAVIES, Death and the Emperor, 2000 · D. E. E. KLEINER, Roman Sculpture, 1992 · H. MEYER, Prunkkameen und Staatsdenkmäler röm. Kaiser, 2000.   H. ME.

Hodegon-Stil. Griech. Schrift des 14. und der ersten H. des 15. Jh., benannt nach dem Hodegon-Kloster in Konstantinopolis, eine schwungvolle, kalligraphische, archaisierende Minuskel (→ Archaisierende Schrift) mit prägnanter Buchstabenstruktur, verhältnismäßig gro- ßem Schriftgrad, einem ausgewogenen Kontrast zw. kleinen und großen Buchstaben sowie einzelnen ecki- gen Formen; die gebogenen Striche laufen gelegentlich aufgespalten aus. In der Regel sind die im Hodegon- Kloster angefertigten Hss. auf → Pergament geschrie- ben und prachtvoll angelegt, oft für kaiserliche und an- dere hochgestellte Persönlichkeiten bestimmt. Dieser Stil wurde nicht nur in den östl. Klöstern bes. für litur- gische und theologische Hss., sondern auch im Westen von bedeutenden Kopisten der Renaissance sogar für profane Autoren bis in die erste H. des 17. Jh. verwen- det (vgl. → Humanistische Schrift).

L. POLITIS, Eine Schreiberschule im Kloster τῶν Ὁδηγῶν, in: ByzZ 51, 1958, 17–36, 261–287 · Ders., Nouvelles données sur Joasaph, copiste du monastère des Hodèges, in: Illinois Classical Studies 7, 1982, 299–322.   P. E.

Höyük, auch Hüyük. Türkisch für Hügel, meist ge- braucht für hügelartig aufgebaute alte Siedlungsstellen, und in gleicher Weise wie das arabische → Tell Bestand- teil vieler Namen arch. Ruinenstätten.   H. J. N.

Homerische Hymnen I. GATTUNG UND VORTRAG II. INHALT III. FUNKTION UND NACHWIRKUNG

I. GATTUNG UND VORTRAG

Als H. H. werden 33 Gedichte in daktylischen Hexa- metern bezeichnet, die zusammen mit den Hymnen (= H.) des → Kallimachos [3], den Orphischen H. (→ Or- phik) und den H. des → Proklos [2] überl. sind und sich an einzelne oder an eine als Einheit auftretende Gruppe Olympischer Götter wenden (Text: [1; 2; 4; 8]). Die an → Apollon (Hom. h. 3), → Hermes (Hom. h. 4) und → Aphrodite (Hom. h. 6) gerichteten H. sind in ihrer Länge mit einem homerischen Gesang (ca. 300–500 V.; → Homeros [1]) vergleichbar, die anderen sind (z. T. wesentlich) kürzer (z. B. Hom. h. 6 für Aphrodite: 21 V.; Hom. h. 7 für Dionysos: 59; Hom. h. 19 für Pan: 49) bis sehr kurz. Hinzu kommen der 1777 in einem Mos- kauer Pferdestall entdeckte Hom. h. 2 auf Demeter und beträchtliche, von [7] neu zugeordnete Fr. eines sonst verlorenen Hom. h. 1 auf Dionysos.

Thukydides (3,104,4) zitiert aus einem »Vorgesang« (*prooímion*) auf Apollon einige überl. Verse des Apol- lon-H. (Hom. h. 3); auch die fast einheitliche Formel am Ende der H. (αὐτὰρ ἐγὼ καὶ σεῖο καὶ ἄλλης μνήσομ' ἀοιδῆς/›nun gedenke ich Deiner sowie eines anderen Liedes‹) deutet auf die Funktion der H. als Präludien zur epischen Rezitation durch → Rhapsoden bei musi- schen Wettspielen [23. 22] und anderen Festen [10. 11] (vgl. → Wettbewerbe, künstlerische; → Fest, Festkultur). Pind. N. 2,1–5 erwähnt den von Rhapsoden beim mu- sischen Wettspiel im Zeus-Heiligtum von Nemea [2] gepflegten Brauch, am Anfang ihres Vortrages Zeus zu gedenken (→ Nemea [3]). Entsprechend standen auch den Epen des → Hesiodos und (urspr. wohl) des → Ho- meros [1] (vgl. Lex. Vindobonense 273 NAUCK; [19]) hexametrische Götteranrufungen voran. Ps.-Plut. de musica 6,1133c faßt die Praxis der Kitharoden zusam- men: ›Nach einer Huldigung der Götter (πρὸς τοὺς θεοὺς ἀφοσιωσάμενοι) gingen (sc. die Kitharoden) di- rekt zu den Werken Homers und anderer über‹. [28] sieht zwei Grundtypen der H. H.: einerseits kurze, die als Präludien zu informellerem Vortrag von Helden- dichtung z. B. bei Banketten dienten (→ Gastmahl); andererseits lange, selbständige H., die − dem rhapsodischen Wettgesang des → epischen Zyklus und Homers gleichberechtigt − vorgeschaltet sein konnten. Von bes. Interesse ist der aus Epidauros stammende Beleg eines hexametrischen Apollon-Hymnos mit Partitur [26; 32].

Mit letzter Sicherheit wird man nicht zw. der rezitativen Rhapsodie und den gesungenen kitharodischen Prooimia unterscheiden können [10].

II. INHALT

Die H. H. spiegeln den auch sonst bei Götter-H. üblichen Aufbau eines Dreischrittes aus Götteranrufung, Huldigung und Gebet wider, wobei der mittlere Teil bei längeren H. H. der narrativen rhapsodischen Gattung entsprechend stark ausgebaut ist [16]. Der Apollon-H. (Hom. h. 3) umfaßt hierbei die zwei Hauptereignisse der Gesch. des Gottes: seine strahlende Geburt auf Delos − ein Thema, das in der späteren apollinischen Dichtung (den delphischen Paianen auf Apollon mit musikalischer Begleitung) immer wieder aufgegriffen wird − und seinen triumphalen Einzug in Delphi; so verbindet der H. die zwei Hauptwirkungsstätten → Apollons [11]. Der Demeter-H. (Hom. h. 2) beschreibt den Raub der → Persephone/Kore durch → Hades und den darauffolgenden »Streik« ihrer Mutter → Demeter, die die Feldfrüchte nicht mehr gedeihen läßt; erst nach Vereinbarung einer jährlich wiederkehrenden, zeitlich befristeten Befreiung ihrer Tochter vom Schattenreich weiht Demeter die Menschheit in ihre Riten (ὄργια/órgia) ein und hebt die Hungersnot auf Erden auf [5. 21]. Diese Erzählung gilt trotz gewisser Diskrepanzen ([12], vgl. [13]) als Gründungsmythos der später als wichtigster panhellenischer Kult Athens bekannten → mystḗria von → Eleusis. Der Hermes-H. (Hom. h. 4) erzählt die Gesch. von → Hermes' Geburt, seiner Erfindung der Lyra und Entwendung der Rinder seines großen Bruders Apollon; Humor und Witz der Erzählung sind gleichzeitig Attribute des Gottes Hermes selbst. Der Aphrodite-Hymnos (Hom. h. 6) zeigt die Unterwerfung → Aphrodites durch Zeus: Auch sie soll wie die anderen Götter die Nöte der sexuellen Vereinigung mit einem Menschen erdulden. Zeus läßt Aphrodite bei Troia von → Anchises ein Kind mit dem sprechenden Namen → Aineias [1] (»Qual«) gebären. Die großen H. H. zeichnen die Aufteilung der Wirkungsbereiche einzelner Olympischer Götter ab dem Herrschaftsantritt des Zeus auf, wie sie für die Folgezeit kanonisch wurde [27]. Die ausgedehnte Erzählpartie der längeren H. H. sowie der typische »Er-Stil« der Huldigung ließen [22] grundsätzlich zw. rhapsodischen und lyrischen H., die durch »Du-Stil« und kurze Erzählpartien gekennzeichnet sind, unterscheiden.

III. FUNKTION UND NACHWIRKUNG

Als Vorspiel zur epischen Rezitation sind die langen H. H. der Blütezeit der homerischen Rhapsodie (7.−5. Jh. v. Chr.) zuzuordnen. Während Thukydides den Apollon-H. noch »Homer« zuschreibt, zweifelte man später schon in der Ant. an dessen Autorschaft (Athen. 22b: ›Homer oder einer der Homeriden‹; schol. Nik.

Alexipharmaka 130: ›in den Homer zugeschriebenen H.‹). Die Untersuchung linguistischer Merkmale (wie des Verschwindens des → Digammas) hat den differenzierten Nachweis einer »sub-epischen« Diktion erbracht [18. 4]. Uraufführungsort des Apollon-Hymnos könnte ein vom samischen Herrscher Polykrates [1] 522 v. Chr. veranstaltetes Fest (Pýthia und Délia) gewesen sein [4]. Der Demeter-H. (Hom. h. 2; vgl. V. 270 f.) ließe sich mit der Errichtung des → telestḗrion von Eleusis zur Zeit Solons [1] (frühes 6. Jh. v. Chr.) gut verbinden [5]. Der Aphrodite-H. (Hom. h. 5) ist (nicht unangefochten) mit der in der Troas angesiedelten Sippe der Aineiadai in Verbindung gebracht worden ([24], vgl. [19]); dieser H. ließe sich demzufolge als archaisch-aristokratische → Hofdichtung verstehen. Mindestens ein H. auf → Ares (Hom. h. 8) ist seinen astrologischen Ausführungen zufolge nach dem 5. Jh. n. Chr. [30] zu datieren.

Die H. H. nehmen einen zentralen Platz in der Gattung der epischen griech. Sakraldichtung ein. → Orpheus, → Musaios, → Pamphos und → Olen galten als legendäre Vorgänger. Auf jeweils unterschiedliche Art greifen Kallimachos [3] mit fünf seiner lit.-gelehrten H., die späteren sog. Orphischen H. (→ Orphik II. C.) und im 5. Jh. n. Chr. die philos.-rel. H. des → Proklos [2] auf das Vorbild der H. H. zurück.

→ Agon (Nachträge); Homeros [1]; Hymnos I.; Rhapsoden; Wettbewerbe, künstlerische; HYMNOS

ED., ÜBERS., KOMM.: 1 T. W. ALLEN et al. (ed.), The Homeric Hymns, 1936 (mit Komm.) 2 F. CÁSSOLA (ed.), Inni Omerici, 1975 (mit it. Übers.) 3 H. P. FOLEY, The Homeric Hymn to Demeter. Translation, Commentary and Interpretive Essays, 1994 (mit engl. Übers. und Komm.) 4 A. GEMOLL (ed.), Die H. H., 1886 (mit Komm.) 5 N. J. RICHARDSON (ed.), The Homeric Hymn to Demeter, 1974 (mit Komm.) 6 A. WEIHER (ed.), H. H., 1986 (mit dt. Übers.) 7 M. L. WEST (ed.), The Fragmentary Homeric Hymn to Dionysos, in: ZPE 134, 2001, 1–11 8 G. ZANETTO (ed.), Inni Omerici, 1996 (it. Übers.) 9 A. ALONI, Prooimia, Hymnoi, Elio Aristide e i cugini bastardi, in: Quaderni Urbinati N. S. 4, 1980, 23–40 10 R. BÖHME, Das Prooimion. Eine Form sakraler Dichtung der Griechen, Diss. Heidelberg 1937 11 W. BURKERT, Kynaithos, Polycrates and the Homeric Hymn to Apollo, in: G. W. BOWERSOCK et al. (Hrsg.), Arktouros. FS B. M. W. Knox, 1979, 53–62 12 K. CLINTON, The Author of the Homeric Hymn to Demeter, in: Opuscula Atheniensia 16, 1986, 43–50 13 Ders., Myth and Cult: The Iconography of the Eleusinian Mysteries, 1992 14 J. DANIELEWICZ, Hymni homerici minores quanam arte conscripti sint, in: Symbolae philologorum Posnanensium 1, 1973, 7–17 15 H. P. FOLEY, 1994 (s. o. [3]) 16 D. FRÖHDER, Die dichterische Form der H. H. untersucht am Typus der mittelgroßen Preislieder, 1994 17 A. HOEKSTRA, The Sub-Epic Stage of the Formulaic Tradition. Studies in the Homeric Hymns to Apollo, to Aphrodite and to Demeter, 1969 18 R. JANKO, Homer, Hesiod and the Hymns: Diachronic Development in Epic Diction, 1982 19 F. OSANN (ed.), Philemonis Grammatici qui supersunt: accedunt nonnulla Graeca..., 1821 20 R. PARKER, The Hymn to Demeter and the Homeric Hymns, in: G&R 38, 1991, 1–17 21 C. PENGLASE, Greek Myths and Mesopotamia. Parallels and Influence in the Homeric Hymns and Hesiod, 1994 **22** W.H.RACE, Style and Rhetoric in Pindar's Odes, 1990, Kap. 4 **23** R. VON SCHELIHA, Vom Wettkampf der Dichter. Der musische Agon bei den Griechen, 1987 **24** P.M.SMITH, Nursling of Mortality. A Study of the Homeric Hymn to Aphrodite (Studien zur klass. Philol. 3), 1981 **25** Ders., Aineiadai as Patrons of Iliad XX and of the Homeric Hymn to Aphrodite, in: HSPh 85, 1981, 17–58 **26** J.SOLOMON, The New Musical Fragment from Epidaurus, in: JHS 105, 1985, 168–171 **27** J.STRAUSS CLAY, The Politics of Olympus. Form and Meaning in the Major Homeric Hymns, 1989 **28** Dies., The Homeric Hymns, in: I.MORRIS, B. POWELL (Hrsg.), A New Companion to Homer, 1997, 489–507 **29** M.H.VAN DER VALK, On the Arrangement of the Homeric Hymns, in: L'Antiquité Classique 45, 1976, 420–445 **30** M.L.WEST, The Eighth Homeric Hymn and Proclus, in: CQ 64, 1970, 300–304 **31** Ders. (ed.), 2001 (s.o. [7]) **32** Ders., The Singing of Hexameters: Evidence from Epidaurus, in: ZPE 63, 1986, 39–46.   W.D.F.

Homeritae s. Himyar

Humanistische Schriften (lateinisch). Die it. Humanisten des 15. Jh. entwickelten zwei neue lat. Schrifttypen: (1) die eher formal gehaltene und h. üblicherweise als »humanistisch« bezeichnete Schrift, und (2) die sog. »humanistische Kursive«. (1) Der erste Typ, die sog. »Antiqua«, ist im Grunde eine wiederbelebte Variante der Karolingischen → Minuskel, die kurz vor 1400 von Poggio BRACCIOLINI (1380–1459) und Niccolò NICCOLI (1364–1437) in Florenz eingeführt worden war. Sie bezeichneten ihr Modell, die karolingische Minuskel, als »Antiqua«, da sie sie als »ant.« betrachteten; h. jedoch wird dieser Begriff für die H. S. selbst verwendet. Bereits in den 1420er Jahren verbreitete sich diese H. S. in ganz It., Mitte des 15. Jh. auch in Deutschland, England, Frankreich, den Niederlanden und Spanien.

Die »Antiqua« hat kein genau bestimmbares Vorbild; POGGIOS Version imitiert verm. die karolingische Minuskel des 11. und 12. Jh.; sie unterscheidet sich von diesem Vorbild oft in anderen Schattierungen und Größenverhältnissen, insbes. jedoch durch graphische und kodikologische Eigenheiten, die von der → Gotischen Schrift [2] übernommen sind. An histor. Bed. gewann die Antiqua im J. 1465, als zwei dt. Drucker, Conrad SWEYNHEIM und Arnold PANNARTZ, sie in Subiaco (Italien) zum Modell für die später gängige lat. Schrifttype nahmen.

(2) Die humanistische Kursive, verwendet in Dokumenten (auch »humanistische Kanzleischrift« genannt) und Privatschriften, aber auch in repräsentativen Cod., wurde von NICCOLI in den frühen 1420ern entwickelt. Die Schrift weist kaum Kontraste zw. Haar- und Grundstrichen auf; sie ist normalerweise nach rechts geneigt und eckiger als die Antiqua. Die Buchstaben *f* und hoch ausgeführtes *s* gehen unter die Grundlinie; Buchstabenteile werden oft in einer durchgängigen Schreibbewegung ausgeführt (z.B. bei *m*). Die Schrift weist beim jeweiligen Buchstabenbeginn (dem Aufstrich) keine der für eine Kursive sonst üblichen

Schleifen auf; in Büchern ist die Verbindung eines Buchstabens mit dem nächsten – abgesehen von bestimmten → Ligaturen (*ct, et, st*) – eher die Ausnahme als die Regel. Diese Schrift wird im engl. Sprachraum nach ihrer Herkunft *Italic* genannt. Diese Bezeichnung *italica* stammt von dem 1501 nach dem Vorbild dieser Schrift von Aldus MANUTIUS angefertigten Schriftsatz; dieser machte die humanistische Kursive schließlich zur häufigsten europäischen Schriftform im Buchdruck. Die humanistische Rundschrift übte einen gewissen Einfluß auf diese Kursive aus, größeren Einfluß hatten jedoch die frühere gotische Kursive und Mischtypen.

G. BATTELLI, Nomenclature des écritures humanistiques, in: Nomenclature des écritures livresques du IXe au XVIe siècle, 1954, 35–44 · B. BISCHOFF, Paläographie des röm. Alt. und des abendländischen MA, ²1986, 195–201 · L.E. BOYLE, Paleografia latina medievale. Introduction bibliografica, 1999, 199–204, 372–373 · A.C. DE LA MARE, The Handwriting of Italian Humanists, 1973 · Dies., Humanistic Script: The First Ten Years, in: F. KRAFFT, D. WUTTKE (Hrsg.), Das Verhältnis der Humanisten zum Buch, 1977, 89–110 · B.L. ULLMAN, The Origin and Development of Humanistic Script, 1960.   J.J.J./Ü: K.L.

Humor s. Philogelos; Witz

Hybanda (Ὑβάνδα). Ehemalige Insel im → Ikarischen Meer (Plin. nat. 2,91), h. Özbaşı 13,5 km südl. von Söke, die sich ca. 70 m über das → Maiandru pedion erhebt. Der Maiandros [2], 1 km südöstl. von Özbaşı, folgt h. der alten Küstenlinie. Die Ausdehnung der Hybandis, der *chóra* von H., ist unklar. Im Osten reichte sie bis an den Fluß Hybandos (h. Kargın Çayı), den ein Friedensvertrag von 185/80 v.Chr. als Grenze zw. Miletos [2] und Magnesia [2] festlegte [1; 2].

1 P. HERRMANN, Neue Urkunden zur Gesch. von Milet im 2. Jh. v.Chr., in: MDAI(Ist) 15, 1965, 94 mit Anm. 66 2 Ders., Inschr. von Milet (Milet 6.1), 1996, 182f. (Nr. 148, Z. 30).   H.LO.

Hykkara (Ὕκκαρα). Sikanische Stadt im NW von → Sicilia; geringe Reste am Meer im Norden vom h. Carini (vgl. die ON), westl. von Palermo. H. wurde 415 v.Chr. von den mit Segesta [1] verbündeten Athenern erobert, die Einwohner versklavt (→ Peloponnesischer Krieg D.). Unter den Gefangenen befand sich die Hetäre Lais [2] (Plut. Alkibiades 39; Athen. 13,588c).   GI.MA.u.E.O.

Hyperakria s. Diakria

Hypomeiones (οἱ ὑπομείονες, wörtlich: die »Geringeren«). Im Kontext der Verschwörung des → Kinadon 398 v.Chr. werden *h.* neben → Heloten, → *neodamódeis* und → *períoikoi* als Gruppe minderberechtigter Spartaner genannt (Xen. hell. 3,3,6). Der Begriff stellte wohl keinen t.t. dar, sondern diente eher als Sammelbezeichnung für ehemalige → *Spartiátai*, die aus unterschiedlichen Gründen und in verschiedener Weise als minderberechtigt gegenüber den → *hómoioi* galten: Feigheit im

Kampf (vgl. → *trésantes*) führte bei *h.* zu sozialer Stigmatisierung, Vermögensverlust oder Versagen in der → *agōgḗ* sogar zum Verlust des vollen spartan. Bürgerrechts.

→ Sparta III. (s. Nachträge)

         S. Link, Der Kosmos Sparta, 1994, 21–25.   M. Mei.

Hypsas (Ὕψας).

[1] Fluß im Westen von → Sicilia, h. Belice. Seine Quellflüsse entspringen nahe der Nordküste und münden 31 km unterhalb der Vereinigung der beiden größten Zweige (Belice Sinistro, Belice Destro) 4 km östl. von Selinus [4] ins Meer (bei Plin. nat. 3,90 irrtümlich im Westen von Selinus angesetzt). Die Personifikation des H. findet sich in Gestalt eines opfernden Jünglings auf Mz. von Selinus (5. Jh. v. Chr., HN 168).

         J. B. Curbera, Onomastic of River-Gods in Sicily, in: Philologus 142, 1998, 55.

[2] Fluß im Süden von → Sicilia, der → Akragas westl. umfließt und nach Aufnahme des östl. die Stadt umfließenden Flusses Akragas (h. San Biagio) ins Meer mündet (vgl. Pol. 9,27,5; Ptol. 3,4,3), h. Drago (Oberlauf) bzw. Sant' Anna (Unterlauf).   Gi. Ma. u. E. O.

I

Iaitia (Ἰαιτία). Stadt auf Sizilien (Diod. 22,10,4; 23,18; Steph. Byz. s. v. I.; vgl. HN 148), wohl identisch mit → Ietai (s. Nachträge).   Gi. F.

Ietai (Ἰεταί). Sizilische Stadt bei San Giuseppe Iato und San Cipirello auf dem Monte Iato (852 m), 30 km sw von Palermo (→ Sicilia mit Karte). Die Stätte war seit dem 8. Jh. v. Chr. von → Elymoi oder → Sikanoi besiedelt; um 550 v. Chr. Bau eines Aphrodite-Tempels, der im 4. Jh. renoviert, 50 n. Chr. zerstört wurde. In hell. Zeit wurden u. a. ein Theater, eine Agora mit Säulenhallen, Buleuterion, Podiumtempel, Wohnquartiere (Mosaiken, Malerei) erbaut; nur wenige Reste aus der röm. Kaiserzeit sind erh.; außerdem Spuren einer Befestigung. I. lag im Einflußbereich der Karthager, nach 254 *civitas decumana*. Von Friedrich II. wurde I., jetzt Giato genannt, 1246 zerstört.

Lit. Belege: Steph. Byz. s. v. I.; Cic. Verr. 2,3,103; Diod. 22,10,4; 23,18,5; Plin. nat. 3,91; Plut. Timoleon 30,6.

         BTCGI 12, 1992, 368–375 • K. Dalcher, Das Peristylhaus 1 von Iaitas, 1994 • H. P. Ilser, Monte Iato, 1991 • Ders., Glandes. Schleudergeschosse aus der Grabung auf dem Monte Iato, in: AA 1994, 239–254.   E. O.

Illyrische Kriege. Als I. K. werden zwei Kriege Roms in → Illyricum in den J. 229–228 und 219 v. Chr. bezeichnet. Der Erste I. K. wurde 229–228 gegen → Teuta, die Witwe des Agron [3] geführt, die nach seinem Tod (231?) dessen expansive Politik fortsetzte (230: Einnahme von Phoinike und Verträge mit Epeiros und Akarnania). Als sie 229 weit nach Süden, über die Straße von Otranto, hinausgriff und Korkyra, Epidamnos und Apollonia [1] belagerte sowie eine Flotte der Achaier und Aitoler bei der Insel Paxos besiegte, schickte Rom 200 Schiffe und ein großes Heer unter Führung beider Consuln (Pol. 1,11,2 und 7) und erreichte allein durch sein Erscheinen den Rückzug Teutas (Pol. 2,11,9; App. Ill. 7). Im Frieden vom Frühjahr 228 ging die Herrschaft im Gebiet der Teuta teils an ihren Stiefsohn Pinnes, teils an → Demetrios von Pharos (s. Nachträge). Illyrischen Kriegsschiffen wurde untersagt, über Lissos (ca. 50 km nördl. von Epidamnos) hinauszufahren.

Der Zweite I. K. (219) richtete sich gegen Demetrios von Pharos, der nach der Ehe mit Triteuta, der Mutter des Pinnes, auch in dessen Reichsteil Einfluß gewann und zunehmend eine eigenständige Politik betrieb, zu der auch ausgedehnte Piratenfahrten bis in die Ägäis (220) gehörten (→ Seeraub). 219 erschien erneut eine röm. Flotte unter Führung beider Consuln, eroberte die Festungen des Demetrios (Dimale, Pharos) und zwang ihn zur Flucht (zu Philippos [7] V. von Makedonien). Pinnes wurde in seiner Herrschaft bestätigt, Rom zog sein Heer wie nach dem 1. I. K. wieder vollständig zurück.

Die Bedeutung der I. K. unter dem Aspekt der röm. Expansion im Osten ist umstritten. Die Gründe für Roms Ausgreifen jenseits der Adria waren schon in der Ant. unklar (vgl. App. Ill. 6). Die Sicht des → Polybios [2] (2,2,1 f.), Rom habe damit den ersten Schritt zur Eroberung Griechenlands getan, läßt in den I. K. ein bewußtes Ausgreifen Roms vermuten (z. B. [1]), was zumindest für den 2. Krieg gelte ([2. 75]; vgl. [3. 61]). Der vollständige Abzug röm. Truppen erlaubt jedoch auch den Schluß, daß beide Kriege gegen die von der illyr. Küste ausgehende Piraterie gerichtet waren und nur den Seeweg von Griechenland zu den süd-it. Griechenstädten sichern sollten ([4. 359–373; 5. 85–94]), die sich seit dem Krieg gegen → Pyrrhos [3] (280–275) in röm. Hand befanden.

→ Makedonische Kriege; Parthini; Seeraub; Teuta

     1 E. Badian, Notes on Roman Policy in Illyria (230–201 B.C.), in: Ders., Stud. in Greek and Roman History, 1964, 1–33 **2** D. Vollmer, Symploke, 1990, 48–83 **3** H. Bellen, Grundzüge der röm. Gesch., ²1995 **4** E. S. Gruen, The Hellenistic World and the Coming of Rome, Bd. 2, 1984 **5** R. M Errington, Rome and Greece to 205 B.C., in: CAH 8, ²1989, 85–94.   W. Ed.

Ina (Ἴνα oder Ἴνα). Stadt an der Südspitze von Sizilien zw. → Motyka und → Pachynos (Ptol. 3,4,15); genauer ist ihre Lage nicht zu bestimmen. Nach Cicero (Verr. 2,3,103) richtete → Verres während seiner Propraetur 73/71 v. Chr. auch diese *civitas decumana* zugrunde.

     Gi. Ma. u. E. O.

Inanna. Stadtgöttin von → Uruk, etymologisiert als »Herrin des Himmels«; seit der 2. H. des 4. Jt. durch Symbole (Schilfringbündel, im 1. Jt. auch Stern) und ab ca. 3200 v. Chr. inschr. bezeugt. Sie ist die Göttin des Venussterns, ist unvermählt, repräsentiert sexuelle Kraft und trägt kriegerische Züge. In der mesopot. Myth. wurde I. mit → Ištar gleichgesetzt; sie tritt z. B. in der ninevitischen Rezension des → Gilgamesch-Epos und im Mythos von ›I.s Gang in die Unterwelt‹ auf.

→ Hieros Gamos; Tammuz; Venus

F. BRUSCHWEILER, La déesse triomphante et vaincue dans la cosmologie sumérienne, 1987 · U. SEIDL, C. WILCKE, s. v. I., RLA 5, 74–89. J. RE.

Ino (Ἰνώ). Tochter des → Kadmos [1] und der → Harmonia, zumeist nach → Nephele [1] zweite (erste: schol. Hom. Il. 7,86 BEKKER nach Philostephanos und Eust. ad locum; schol. Lykophr. 22) Gattin des → Athamas in Thebai [2], Mutter von Learchos und → Melikertes. Aus Neid auf ihre Stiefkinder → Phrixos und → Helle ersinnt sie eine List: Sie überredet die Frauen des Landes, das Saatgut zu rösten, und verursacht so eine schlimme Hungersnot. Die von Athamas nach Delphoi geschickten Gesandten besticht sie, damit sie dem König melden, die Unfruchtbarkeit des Landes könne nur durch die Opferung des Phrixos abgewendet werden. Nach der Entrückung der Geschwister durch den von Nephele gesandten Widder verfällt Athamas dem Wahnsinn und erschießt im Glauben, er sei auf der Jagd, seinen älteren Sohn Learchos mit Pfeilen. I. flieht und stürzt sich zusammen mit dem jüngeren Melikertes von einer Klippe ins Meer. Seither erfährt sie als → Leukothea bzw. als → Mater Matuta kultische Verehrung. Aus Melikertes wird Palaimon (bei Hom. Od. 5,333–353; 5,458–462; Apollod. 1,80–84; Paus. 1,44,7f.; Hyg. fab. 2; vgl. Aristeid. 3,25–28, p. 42–46 DINDORF). Nach anderer Version zürnt → Hera Athamas und I., weil sie den → Dionysos nach dem Tod von I.s Schwester → Semele bei sich aufgenommen haben, und schlägt beide mit todbringendem Wahnsinn (Eur. Med. 1282–1289; Apollod. 3,28f.; Ov. met. 4,416–562; Ov. fast. 6,481–562 mit einer Erweiterung; weitere Einzelheiten: Nonn. Dion. 9,49–138; 9,243–10,138; Hyg. fab. 1; 4). Eine Bearbeitung des I.-Stoffes findet sich u. a. auch in den gleichnamigen Tragödien des Euripides [1] (TGF F 398–423, p. 482–490 N²; vgl. Hyg. fab. 4) und des Livius [III 1] Andronicus (TRF, p. 4f.).

1 S. EITREM, s. v. Leukothea (1), RE 12, 2293–2306
2 A. NERCESSIAN, s. v. I., LIMC 5.1, 657–661 (mit Bibliogr.). SI. A.

Insel (ἡ νῆσος/*nḗsos*, lat. *insula*). Für viele Menschen der Ant. waren I. der natürliche Lebensraum. Ihre große Zahl und die Lage in der Mitte des geogr. Blickfelds, des Mittelmeerraums, steigerte ihre Bed. In der Lit. unterschied man sie terminologisch eindeutig vom Festland (ἤπειρος/*ḗpeiros*, lat. *continens*) und behandelte sie in eigenen Rubriken (vgl. v. a. Diodoros [18] Buch 5 in der

Nēsiotikḗ, aber auch Mela 2,97–126; 3,46–58; Dion. Per. 447–619 und Plin. nat. 3,76–94; 3,151f.; 4,51–74; 5,128–140). Man dachte sich die ganze Erde als eine vom → Okeanos umflossene I. (Dion. Per. 1–7; Aristot. mund. 392b 20ff.; Strab. 1,1,7f. und ähnlich Cic. rep. 6,21). Besonderes Interesse gilt in der ant. Lit. den I. als abgeschiedenen Orten für → Utopien (vgl. Platons Atlantis-Utopie: Plat. Tim. 24e–25e) sowie der Entstehung von I. (Strab. 1,3,10 über Sicilia; Plin. nat. 4,12,63 über Euboia und Plin. nat. 4,62 über Keos).

In der Realität jedoch waren I. bes. im → Mare Nostrum (Mittelmeer) kaum abgeschiedene Orte, da sie meist entweder vom Festland oder von der nächsten I. aus zu sehen und zu erreichen waren. Einzig ihre Funktion als Exilort (so z. B. → Pandateria: Tac. ann. 1,53,1; Suet. Tib. 53,2; → Gyaros: Iuv. 1,73; Tac. ann. 3,68,2; vgl. → *exilium*, → *deportatio*, → *relegatio*) oder als Rückzugsort (Tiberius auf → Capreae: Tac. ann. 4,67; Suet. Tib. 40) war speziell.

Doch gab es Eigenschaften, die I. effektiv vom Festland unterschieden, so die klare äußere Abgrenzung. Sie konnte v. a. wirtschaftliche Folgen aufgrund der Ressourcenknappheit zeitigen (vgl. für Corsica Sen. dial. 12,9,1), welche die I.-Bewohner zur Aufnahme von Außenhandelsbeziehungen und damit verstärkt auf Handelstätigkeiten hinführte. Die I.-Qualität hatte polit. Konsequenzen, wo man die Küstenlinie als → Grenze (s. Nachträge) begriff und z. B. einen → *synoikismós* auf die I. beschränkte (vgl. die aus *synoikismós* entstandenen I.-Poleis Kos und Rhodos) oder eine einheitliche insulare → Münzprägung praktizierte (z. B. auf Kos schon vor dem *synoikismós* [1]). Auch bei Vorhandensein mehrerer Poleis identifizierten sich deren Bewohner mit der I., so Sappho (fr. 106) und Alkaios [4] (fr. 129f.) mit Lesbos. Nur landnahe I. boten auch die Möglichkeit, auf dem Festland Besitz zu erwerben (→ Peraia). In Ausnahmefällen gelang es I., ihren Machtbereich zur Seeherrschaft auszudehnen (Kreta: Aristot. pol. 1271b 32–40; Thuk. 1,4; Diod. 5,78,3; Samos: Strab. 14,1,16; Thuk. 1,13; Rhodos: Strab. 14,2,5); meistens aber waren sie Objekte von Fremdherrschaft (auch der Bund der → Nesiotai [2] von 313 v. Chr. war meist fremdbeherrscht).

Verfügte eine I. über Schiffe, war sie nur schwer einzunehmen (zu den strategischen Vorteilen einer I.: Thuk. 1,93; 1,143; Flor. epit. 1,33,3f. vergleicht Hispania mit einer I., Strab. 6,4,1 It.), verlor sie ihre Schiffe aber, war sie um so leichter zu beherrschen. So wird deutlich, daß die → Schiffahrt für I. größere Bed. hatte als für das Festland, weshalb fast alle Hauptorte auf I. an der Küste zu finden sind und Inselbewohner als die besten Seefahrer galten (z. B. die Rhodioi bei Pol. 1,46f.). Die Intensivierung von Außenkontakten durch → Handel oder über Fremdherrschaft war oft Ursache für die ethnische Vermischung der Bevölkerung mit entsprechenden Folgen für Rel. und Kultur. Exklusive Sonderentwicklungen lassen sich hier nur in vorgesch. Zeiten feststellen (Kreta, Kykladen und Malta).

1 G. REGER, Islands with One Polis versus Islands with Several Poleis, in: M. H. HANSEN (Hrsg.), The Polis as an Urban Centre and as a Political Community (Acts of the Copenhagen Polis Centre 4), 1997, 450–492.

J. F. CHERRY u. a. (Hrsg.), Landscape Archaeology as Longterm History, 1991 • R. ÉTIENNE, Ténos II., 1990 • W. ORTH, I., in: H. SONNABEND (Hrsg.), Mensch und Landschaft in der Ant., 1999, 231–234 • F. PRONTERA, s. v. I., RAC 18, 312–328 • C. RENFREW, M. WAGSTAFF (Hrsg.), An Island Polity, 1982.   F. LE.

Invictus (»der Unbesiegte«, »Unbesiegbare«). Röm. Kaiserepitheton seit → Commodus. Schon in republikanischer Zeit hatte es gelegentlich diesen Beinamen für siegreiche Feldherren (→ Cornelius [I 71] Scipio u. a.) gegeben; für → Traianus [1] ist das griech. Epitheton ἀνίκητος/*aníkētos* (in derselben Bedeutung) überliefert. Commodus machte es erstmals zum ständigen Beinamen, wobei dies in Verbindung mit seiner Verehrung des → Hercules zu sehen ist. Erst bei den Severern (→ Severische Dynastie, s. Nachträge) verliert *I.* diese Konnotation und bezeichnet die Sieghaftigkeit des Kaisers; gelegentlich taucht auch *Invictissimus* auf. Ein Zusammenhang mit dem Kult des → Sol (D.) Invictus besteht noch nicht (erst im Laufe des 3. Jh.). In der Zeit der Tetrarchen (→ Tetrarches IV.) wird das Epitheton → *Victor* [3] häufiger, doch bleibt *I.* (meist als *Invictissimus*) als Beiname mindestens bis zu Iustinus [4] II. (ILS 833) bestehen.

S. WEINSTOCK, Victor and Invictus, in: Harvard Theological Review 50, 1957, 211–247 • P. KNEISSL, Die Siegestitulatur der röm. Kaiser, 1969.   K. G.-A.

Iohannes

[39] I. der Täufer (Ἰωάννης ὁ βαπτιστής, lat. I. Baptista). Der Priestersohn I. (Quellen: Ios. ant. Iud. 18, 116–119; Evangelien; Apg) wirkte ab ca. 27–29 n. Chr. (Lk 3,1) am Jordan (→ Iordanes [2]) als apokalyptischer Bußprophet (bei Mk 9,13 gilt er als der wiedergekommene → Elias [1]). Sein asketischer Lebensstil (Ehe- und Alkoholverzicht) erinnert an Priester und Nasiräer (→ Nasirat; Nm 6,3), sein Wirken in der → Wüste an die Wüstenpropheten (Ios. ant. Iud. 20,97 f.) und die → Essener; im Gegensatz zu deren Reinigungsbädern praktizierte I. eine einmalige → Taufe als Zeichen der Umkehr (so Ios.; Mt 3,2) bzw. als Reinigung von den Sünden (so Mk 1,4; Lk 3,3) und forderte vom Volk die Beachtung der Tora (v. a. der sozialethisch relevanten Vorschriften) [1]. Er protestierte gegen die Ehe des → Herodes [4] Antipas mit seiner Schwägerin Herodias und wurde von diesem vor 35 n. Chr. enthauptet (Mk 6,27; vgl. auch → Salome [2]).

Die Evangelien verstehen I. als Vorläufer von → Jesus und betonen erzählerisch die Parallelen zu Jesus, der von ihm getauft wurde. Beide verkünden das kommende Gottesreich, haben eine taufende Anhängerschaft (vgl. Jo 4,1 f.) und erleiden das Martyrium. I. schließt die

Reihe der biblischen Propheten ab (Mt 11,9) und eröffnet die Zeit des → Messias (Apg 1,22).
→ Prophet

1 E. LUPIERI, s. v. J. der Täufer, RGG⁴ 4, 2001, 514–517
2 H. STEGEMANN, Die Essener, Qumran, J. der Täufer und Jesus, 1993.   P. WI.

Iomnium (Ἰόμνιον oder Ἰόμνυον). Urspr. war I. wohl phoinikischer oder punischer Handelsstützpunkt (darauf weist das I am Anfang des Namens hin: ʾj = pun. »Insel«), in der → Mauretania Caesariensis, beim h. Tigzirt (Algerien) gelegen. Ptol. 4,2,8; Itin. Anton. 17,1; Tab. Peut. 2,2. Inschr.: CIL VIII 2, 8995–9001; Suppl. 3, 20710–20728; AE 1994, 1898 f.; Rev. Africaine 58, 1914, 342–353. Seit Septimius [II 7] Severus *municipium*. Die pun. Trad. blieb lange lebendig. In röm. Zeit ersetzte → Saturnus den → Baal Hamon. 411 war die Stadt Bischofssitz (Acta concilii Carthaginiensis anno 411 habiti, cognitio 1, § 207). Ruinen: Thermen, Tempel, christl. Basilika.

P. GAVAULT, Étude sur les ruines romaines de Tigzirt, 1897 • AAAlg, Bl. 6, Nr. 34 f. • M. LEGLAY, Saturne africain 2, 1966, 301 f. • P.-A. FÉVRIER, s. v. I., PE, 414.   W. HU.

Iphiklos (Ἴφικλος).

[1] Sohn des → Phylakos [1] (oder des Kephalos: Paus. 10,29,6) und der → Klymene [4], Gatte der Astyoche (oder der Diomede), Vater des → Podarkes und des → Protesilaos (Hom. Il. 2,704 f.; 13,698; Hom. Od. 11,289–297; 15,225–239). Sein Vater verspricht dem → Melampus [1] eine große Rinderherde, wenn er I. von seiner – durch den Frevel des Vaters verschuldeten – Unfruchtbarkeit befreie (Paus. 4,36,3; Apollod. 1,98–102). I.' Schnelligkeit war sprichwörtlich (Hom. Il. 23,636; Paus. 5,17,10).

[2] Sohn des → Thestios aus dem aitolischen Pleuron, Bruder der → Althaia [1] und somit Onkel des → Meleagros [1]. Er nahm an der Kalydonischen Jagd und dem Argonautenzug teil (→ Argonautai; Apollod. 1,67; 1,113; Apoll. Rhod. 1,201).   CA. BI.

Irische Schrift. Die I. S., die auffälligste und eigenständigste Entwicklung aus der Zeit zw. der röm. und der karolingischen Zeit, entstand zwar in Irland, wurde jedoch, da sie bald zur Hauptschrift der britischen Inseln insgesamt wurde, oft als »insulare« Schrift bezeichnet. Sie umfaßte zwei Typen (zur Buchstabenform vgl. → Angelsächsische Schrift, s. Nachträge): (1) die Halbunziale (auch: runde Unziale oder Majuskel genannt), die verm. im 6. Jh. n. Chr. entstand. Sie starb im 11. Jh. aus, wurde aber zu bes. Zwecken in gälischen Hss. noch bis ins 15. Jh. verwendet. (2) Die Minuskel, die spitze Formen aufweist, entstand im 7. Jh. n. Chr. und wurde im 11.–12. Jh. perfektioniert. Nach dem 13. Jh. wurde auch sie nur noch für gälische Texte verwendet; eine modifizierte Form hat bis heute in Irland überlebt.

1 B. BISCHOFF, Paläographie des röm. Alt. und des abendländischen MA, ²1986, 113–122 2 J. BATELY et al.

(Hrsg.), A Paleographer's View: The Selected Writings of Julian Brown, 1993, 201–220 **3** L. BIELER, Insular Palaeography. Present State and Problems, in: Scriptorium 3, 1949, 267–294 **4** E. A. LOWE, Codices Latini Antiquiores, 11 Bde. mit Suppl., 1934–1972, bes. Bd. 2, x-xvi (2. Aufl.: xiv-xx) **5** W. O'SULLIVAN, Insular Calligraphy. Current State and Problems, in: Peritia 4, 1985, 346–359.

J. J. J./Ü: J. DE.

Itala s. Bibelübersetzungen; Vulgata

Italia

III. DIE EINIGUNG ITALIENS DURCH ROM

Rom (→ Roma) war E. des 6. Jh. v. Chr. nach Vertreibung der etr. Könige (→ Porsenna) eine von vielen Gemeinden im ital. Raum, der von zahlreichen polit. eigenständigen Stämmen und Städten mit unterschiedlichen Dialekten, Sprachen und polit. Strukturen besiedelt war (s. o. Italia I.D.; → Magna Graecia). Zweieinhalb Jh. später gehörte der geogr. Raum zwischen Süd-It. (ohne die Inseln) und der Arnus-Rubico-Linie (Pisa-Rimini) entweder zum Staatsgebiet Roms (→ *ager Romanus*, s. Nachträge) bzw. seiner Kolonien (→ *coloniae*; → Latinisches Recht) oder war durch Verträge (→ *foedus*) an Rom gebunden (→ *socii*; Bundesgenossensystem). Der *ager Romanus*, der in Mittel-It. konzentriert war und seit Beginn des 3. Jh. vom Tyrrhenischen Meer bis zur Adria reichte (vgl. Karte bei → Bundesgenossensysteme), umfaßte mit ca. 26000 km² ein Fünftel des genannten Raumes, das Gebiet der latin. Kolonien mit ca. 7000 km² weitere 5–6 Prozent. Der große Rest verteilte sich auf einzelne Gemeinden, die – meist von Rom unterworfen, z. T. aber auch nach freiwilligem Anschluß – in inneren Angelegenheiten autonom waren und von Rom nicht besteuert wurden, aber auf eine eigene Außenpolitik verzichten mußten und vertraglich zu mil. Leistungen für Rom verpflichtet waren.

Die beherrschende Stellung Roms in It. war angesichts der ungünstigen Ausgangsbedingungen am Beginn der Republik, als Rom nicht nur von außen bedroht, sondern auch im Innern zerrissen war (→ Ständekampf; → Roma I.D.2.), nicht zu erwarten; sie war nicht Ergebnis einer kontinuierlich fortschreitenden Expansion, sondern wurde mil. und organisatorisch hauptsächlich in den fünf Jahrzehnten zw. 326 (Beginn des 2. Samnitenkriegs; → Samnites IV.) und 275 v. Chr. (Sieg über → Pyrrhos [3] und die Samniten bei Maleventum/→ Beneventum) erreicht. Voraussetzungen für den Erfolg waren die Sicherung der röm. Dominanz in Latium (341–338; → Latinerkriege, s. Nachträge), die Erhöhung der mil. Schlagkraft durch die Einbeziehung der Truppen der Latiner als Folge der polit. Reorganisation Latiums (338 v. Chr), aber auch der polit. Ausgleich im Ständekampf, der 366 mit der Zulassung der Plebeier zum Konsulat gelang, und nicht zuletzt die im Ständekampf gewonnene primär mil. Leistungsethik der patrizisch/plebeiischen → *nobiles*.

Der mil. Verlauf der Expansion (zu den Einzelheiten der Kriege s. → Samnites IV.; → Etrusci I.J.; → Umbri

II.; → Pyrrhos [3]; → Taras [2] II.) ist nicht zu trennen von den begleitenden organisatorischen Maßnahmen zur Sicherung des Gewonnenen, auf denen letztlich die spätere Stabilität röm. Herrschaft in It. beruhte. Noch während des 2. Samnitenkriegs (326–304) richtete Rom 318 in Campania zwei neue → *tribus* ein (Oufentina, Falerna), gründete 314/3 fünf latinische Kolonien rund um Samnium, darunter → Luceria, einen mil. Stützpunkt im Rücken der Samniten und zugleich Ausdruck verstärkten röm. Engagements im Süden, und baute mit der → Via Appia von Rom nach Capua 312 nicht nur eine Verbindung zu den neu gegründeten *tribus*, sondern auch eine Aufmarschstraße in den Süden. 307 folgte ihr die → Via Valeria von Rom in die Abruzzen nördl. der Samniten. Nach Abschluß des Krieges, der von erfolgreichen Kämpfen gegen Etrusker und Umbrer (311–308) begleitet war, verstärkte Rom seine diplomatischen und territorialen Sicherungsmaßnahmen: Noch 304 schlossen Abruzzenvölker (Marsi, Paeligni u. a.) mit Rom Verträge (mit mil. Zuzugspflicht im Kriegsfalle), nachdem Rom im selben Jahr die Aequi vollständig vernichtet hatte; in den Abruzzen wurden die Kolonien Sora, Alba Fucens (beide 303) und Carseoli (298) gegründet (letztere bereits auf der 299 eingerichteten Tribus Aniensis), in Umbrien entstand 299 die Kolonie Narnia. Im gleichen J. schloß die Tribus Teretina die Lücke zw. den Tribus Oufentina und Falerna.

Der 3. Samnitenkrieg (298–290), der einem Hilferuf der von den Samniten angegriffenen südital. Lucaner an Rom entsprang, aber schnell zu einer Koalition von Samniten, Etruskern, Umbrern und Galliern gegen Rom führte, brachte Rom an den Rand seiner Existenz. Er konnte nur mit der Hilfe der Truppen der Bundesgenossen gewonnen werden, deren Menge die Zahl der röm. Legionäre in der entscheidenden Schlacht von → Sentinum übertraf.

Es war konsequent, wenn Tarent (→ Taras) Hilfe bei einem hell. Monarchen, Pyrrhos [3], suchte, als es in einen Konflikt mit Rom geriet (280–272), der sich mit der Gründung der latin. Kolonie Venusia (291) in der Interessensphäre Tarents und 285 im mil. Engagement der Römer für Thurioi (nun gegen die Lucaner) längst angebahnt hatte. Aber gegen Rom und die Truppen der nach dem 3. Samnitenkrieg erheblich angewachsenen Bundesgenossen konnte sich Pyrrhos nicht durchsetzen. Damit war die röm. Herrschaft in ganz It. nur noch eine Frage der Zeit; Tarent wurde 272 eingenommen, der Widerstand der Samniten, Lucaner und Bruttier in den nächsten zehn Jahren gebrochen und die röm. Kontrolle durch weitere latin. Kolonien verstärkt (Paestum 273, Beneventum 268, Aesernia 263).

Inzwischen hatte Rom mit den latin. Kolonien Hadria (289), Castrum Novum (283), Ariminum (268) und Firmum (264) auch die Adria erreicht und sich mit der Ansiedlung röm. Bürger auf dem *ager Gallicus* (Sena Gallica) einen Vorposten gegen gallische Angriffe geschaffen. Roms Herrschaftsorganisation in It. blieb im wesentlichen stabil, und zwar auch im Krieg gegen

→ Hannibal [4] (→ Punische Kriege), der mit dem Abfall der Bundesgenossen gerechnet, aber nur in Süd-It. Bündner gewonnen hatte (deren Gebiet nach dem Krieg mit latin. Kolonien »eingezäunt« wurde). Erst das grobe Ungleichgewicht zw. der mil. Leistung, die von den Bundesgenossen bei der Expansion Roms im Mittelmeerraum erbracht worden war, und dem ökonomischen und polit. Nutzen, den Rom ihnen zugestand, führte zum → Bundesgenossenkrieg [3] (91–88), an dessen Ende It. zw. Rhegion und dem Po zum einheitlichen röm. Bürgergebiet wurde.

Die Leistung Roms bei diesem Einigungsprozeß bestand nicht nur in der mil. Durchsetzung der jeweiligen Kriegsziele. Sie bestand v. a.

(1) in der Gestaltung des Verhältnisses zu den angegliederten Staaten; dieses beruhte nicht nur auf vielfach abgestuften Verträgen, sondern auch auf der Beteiligung der Soldaten an der Kriegsbeute und v. a. auf den persönlichen Beziehungen zw. den röm. → nobiles und der ital. Oberschicht, die darauf vertrauen konnte, daß Rom bei Konflikten in ihren Heimatgemeinden auf ihrer Seite stand, und deren Mitglieder somit selbst zu Vertretern röm. Interessen wurden;

(2) in der konsequenten Verwendung der latin. Kolonien als Mittel der Kontrolle und → Romanisierung des Umfelds, weil diese in potentiell feindlichem Gebiet angesiedelten Gemeinden zu ihrem eigenen Schutz eine bes. Loyalität zu Rom entwickeln mußten;

(3) im Ausbau der → Infrastruktur durch den Bau von → Straßen, die das Gebiet der Bürger, Kolonisten und Bundesgenossen in gleicher Weise mit Rom verbanden und damit den Eindruck der territorialen Einheit It.s verstärkten.

A. AFZELIUS, Die röm. Eroberung It.s, 1942 · E. BADIAN, Foreign Clientelae, 1958 · K. J. BELOCH, Der Ital. Bund unter Roms Hegemonie, 1880 · T. J. CORNELL, The Beginnings of Rome, 1995, 345–398 · H. GALSTERER, Herrschaft und Verwaltung im republikanischen It., 1976 · E. T. SALMON, The Making of Roman Italy, 1982 · CH. SCHUBERT, Land und Raum in der röm. Republik, 1996, 88–105 · H. RUDOLPH, Stadt und Staat im röm. Italien, 1935.   W. ED.

Jüdische Kriege. Bezeichnung für eine Reihe gewaltsamer Konflikte zw. Juden und Nichtjuden im östlichen Mittelmeerraum zw. dem 2. Jh. v. Chr. und dem 2. Jh. n. Chr., angefangen vom Makkabäeraufstand gegen die → Seleukiden (→ Makkabäer, s. Nachträge; → Judas [1] Makkabaios). Im engeren Sinne die drei großen jüd. Aufstände gegen die röm. Herrschaft im 1. und 2. Jh. n. Chr.

I. DER »JÜDISCHE KRIEG«
II. DER DIASPORAAUFSTAND
III. DER BAR KOCHBA-AUFSTAND   IV. WIRKUNG

I. DER »JÜDISCHE KRIEG«

Der dank der vollständig erhaltenen Werke des jüd. Geschichtsschreibers und Zeitgenossen → Iosephos [4]

Flavios am besten bekannte Konflikt (66–70 n. Chr.) begann im Frühjahr/Sommer 66 als Protestrevolte gegen den röm. Procurator von Iudaea, → Gessius Florus, der wohl zur Deckung ausstehender Steuerschulden eine größere Summe Geldes aus dem jüd. Tempelschatz entnommen hatte – in jüd. Augen ein schweres Sakrileg (→ Tempel III.). Die Unruhen breiteten sich schnell aus und verknüpften sich mit lokalen Konflikten zw. dem jüd. Ethnos und den nichtjüd. Nachbarstädten bzw. zw. Juden und Nichtjuden in diesen Städten. Der eigentliche Aufstand begann mit der Verweigerung des täglichen Opfers für den Kaiser im Sommer 66. Der Statthalter → Syriens (mit Karte), → Cestius [II 3] Gallus, versuchte im Herbst, Jerusalem in seine Gewalt zu bekommen, mußte sich aber unter schweren Verlusten zurückziehen.

Daraufhin wurde das Kommando in Iudaea → Vespasianus übertragen. Er unterwarf in einer Reihe von Belagerungen im Laufe des Jahres 67 Galilaea und brachte bis Ende 69 das ganze Land mit Ausnahme Jerusalems und einiger Festungen wieder unter röm. Kontrolle, obwohl die Militäroperationen römischerseits immer wieder aufgrund der Wirren nach dem Sturz → Neros [1] (→ Vierkaiserjahr) unterbrochen wurden. Auf jüd. Seite brachen in Jerusalem schwere Kämpfe zw. mehreren sich bekämpfenden ideologisch-machtpolit. Gruppierungen aus (wichtigste Führer: → Simon [9] bar Giora und → Iohannes [2] von Gischala). Die fast fünfmonatige Belagerung der Stadt durch Vespasianus' Sohn → Titus [3] im Frühjahr/Sommer 70 endete mit ihrer völligen Schleifung, der Niedermetzelung oder Versklavung der Bevölkerung und mit dem Niederbrennen des → Tempels (III.) als Symbol des jüd. polit.-rel. Widerstandswillens. Ein Nachspiel war die Erstürmung der Sikarierfestung (→ Zeloten) → Masada im J. 73 oder 74 n. Chr.

II. DER DIASPORAAUFSTAND

Dieser Aufstand (115–117 n. Chr.) – in den Quellen sehr schlecht faßbar – brach wohl in engem Zusammenhang mit dem Partherfeldzug des → Traianus [1] und der Revolte der Bevölkerung Babyloniens gegen die röm. Eroberer aus. Er erfaßte v. a. die Kyrenaika, Äg. und Zypern; sein Ausgreifen auf Iudaea selbst ist umstritten. Auch hier waren die röm.-jüd. Kämpfe begleitet von blutigen Auseinandersetzungen zw. Juden und lokalen Nichtjuden. Das Ergebnis war v. a. die Vertreibung der Juden aus Zypern und der Zusammenbruch der bis dahin bedeutenden Stellung des Judentums in Ägypten.

III. DER BAR KOCHBA-AUFSTAND

Auch hier ist die Quellenlage dürftig, obwohl neben die Überlieferungssplitter der griech.-röm. und der talmudischen Lit. (→ Talmud) sowie die Münzprägung der Rebellen neuerdings mit den Papyrusfunden vom Toten Meer auch dokumentarische Quellen getreten sind [1. 229]. Die Erhebung (132–135 n. Chr.) umfaßte große Teile Iudaeas, vielleicht auch Teile der jüd. besiedelten Nachbargebiete (Galilaea unklar); sie band zeitweilig eine röm. Heeresmacht, die aus Teilen von 12–13 Legionen zusammengesetzt war [2]. Diesmal gab es eine wohl von der jüd. Bevölkerungsmehrheit anerkannte Führungspersönlichkeit mit deutlich messianischen Prätentionen (vgl. → Messias): → Bar Kochba (»Sternensohn«), auf seinen Mz. als *Nāsiʾ Yisraʾēl* (»Fürst Israels«) tituliert. Den Papyrusfunden zufolge waren die Aufständischen straff organisiert. Im Quellenbefund wie in der Forsch. umstritten ist die Frage, in welchem genauen zeitlichen und logischen Zusammenhang das Beschneidungsverbot des → Hadrianus und die Neugründung Jerusalems als röm. *Colonia Aelia Capitolina* (vgl. → *coloniae*) mit dem Aufstand stehen (Ursache oder Wirkung?). Der Krieg hatte schwere jüd. Bevölkerungsverluste durch Tod und Versklavung zur Folge und machte die Juden zum ersten Mal seit etwa 100 v. Chr. zur Minderheit in Palaestina.

IV. WIRKUNG

Neben der Zerschlagung des autonomen jüd. Gemeinwesens in Iudaea-Palaestina und den tiefgreifenden demographischen Umwälzungen haben die jüd. Kriege auch die innere Entwicklung des → Judentums maßgeblich bestimmt: Das Ende des Tempelkults und die Entmachtung bzw. Vernichtung der Priesteraristokratie ebneten endgültig der Entwicklung des rabbinischen Judentums den Weg. Darüber hinaus ist bes. die Katastrophe von 70 n. Chr. dauerhaft in das jüd. (und christl.) histor. Bewußtsein eingegangen. Im röm. Kontext steht die Radikalität der jüd. Revolten und ihrer Niederschlagung in dieser Zeit beispiellos da (→ Toleranz). Erklärungsversuche der mod. Forsch. reichen von bes. sozioökonomischen bzw. soziopolit. Problemen Iudaeas bis hin zu spezifisch jüd. ideologischen Gegebenheiten (Apokalyptik, Messianismus). Allerdings scheint nur der Bar Kochba-Aufstand eine mehrheitlich eindeutig anerkannte rel. Messiasfigur hervorgebracht zu haben.

→ Jerusalem; Juda und Israel II.; Judentum; Palaestina; Toleranz; JUDENTUM

1 H. M. COTTON et al., The Papyrology of the Roman Near East: A Survey, in: JRS 85, 1995, 214–235 2 W. ECK, The Bar Kokhba Revolt: The Roman Point of View, in: JRS 89, 1999, 76–89.

E. BALTRUSCH, Die Juden und das Röm. Reich, 2002 · M. GOODMAN, The Ruling Class of Judaea: The Origins of the Jewish Revolt against Rome A. D. 66–70, 1987 · M. HENGEL, Die Zeloten, ²1976 · F. G. B. MILLAR, The Roman Near East, 1993 · P. SCHÄFER, Der Bar Kokhba-Aufstand, 1981 · SCHÜRER, Bd. 1 · E. M. SMALLWOOD, The Jews under Roman Rule, 1976.
JÖ. GE.

Iulius

[II 46] I. Constitutus. Praesidialprocurator der Alpes Graiae, eher im 2. als im 3. Jh. n. Chr., da er noch kein Rangprädikat trägt (AE 1998, 871).

[II 50a] I. Crassipes. Praetorischer Statthalter Thrakiens im Jahr 138 n. Chr.; Suffektconsul zw. 1. März

und 1. Nov. 140 ([1], auch RMD II 58/95); consularer Legat von Moesia inferior unter Antoninus [1] Pius (AE 1998, 1620; [2]).

1 K. DIETZ, Ein neues Militärdiplom aus Altegolfsheim. Lkr. Regensburg, in: Beiträge zur Arch. in der Oberpfalz 3, 1999, 254 f. 2 M. M. ROXAN, P. WEISS, Die Auxiliartruppen der Prov. Thracia. Neue Militärdiplome der Antoninenzeit, in: Chiron 28, 1998, 371–420.

[II 63a] C. I. Fron[to]. Praefekt einer italischen Flotte unter Hadrianus.

W. ECK et al., Neue Militärdiplome für Truppen in Italien, in: ZPE 139, 2002, 198 ff.

[II 97a] L. I. Messala Rutilianus. Suffektconsul am 11. Aug. wohl des J. 192 (nicht 193) n. Chr. zusammen mit C. Aemilius Severus Cantabrinus ([1] sowie ein unpubliziertes Diplom, Hinweis A. PANGERL). Er dürfte mit dem Messalla Rutilianus von CIL XIV 3966 identisch sein.

1 B. PFERDEHIRT, Ein neues Militärdiplom für Pannonia inferior vom 11.8.193 n. Chr., in: Arch. Korrespondenzblatt 32, 2002, 247 ff.

[II 124a] L. I. S[˙]. Suffektconsul 115 n. Chr. (AE 1949, 23). Er kann mit keinem bekannten Senator identifiziert werden.

H. M. COTTON, W. ECK, P.MURABBAʾAT 114 und die Anwesenheit röm. Truppen in den Höhlen des Wadi Murabbaʾat nach dem Bar Kochba Aufstand, in: ZPE 138, 2002, 173–183. W. E.

[IV 1b] I. Aquila. Verf. eines Werkes *De disciplina Etrusca*, der allein aus dem Autorenverzeichnis von Plinius [1] d. Ä. (Plin. nat. index 2 und 11) bekannt ist.

PIR ²A 163. J. R.

Iunius

[II 42a] I. Valerianus. Ritterlicher Patrimonialprocurator in Macedonia unter Hadrianus, wohl vor 137 n. Chr.; genannt in einem Kaiserbrief (unpublizierte Inschr. aus Apollonia Mygdonia; Mitteilung von G. SOURIS). W. E.

Iuventia. I. Maxima. Gattin des C. Cassius Statilius [II 9] Severus Hadrianus. Sie ist wohl mit der gleichnamigen Tochter eines Lucius identisch, die durch AE 1998, 1437 in Berytus bezeugt ist. Sie könnte wie ihr Mann aus Syrien stammen. W. E.

K

Kapitol s. Capitolium; Roma III.

Karanos

[3] (κάρανος < altpersisch *kārana-*, »Herr über ein Heer« [2]). Von Xenophon [2] (Xen. hell. 1,4,3 f.) in Bezug auf → Kyros [3] d. J. benutzter Terminus für einen achäm. Heerführer, der – den regulären → Satrapen übergeordnet – vom → Großkönig besondere mil. (und administrativ-fiskalische?) Aufgaben (Kommando über »die Völker am Meer«?) übertragen bekam. Da der Terminus nur einmal erwähnt wird, bleibt unklar, ob andere Funktionäre mit ähnlicher Autorität auch als *k.* zu bezeichnen [1. 26; 3] und die sog. Satrapenmünzen als »karanisch« zu werten sind [1. 50–65].

> **1** P. DEBORD, L'Asie Mineure au IVe siècle (412–323 a.C.), 1999 **2** C. HAEBLER, Κάρανος. Eine sprachwiss. Betrachtung zu Xen. Hell. I,4,3, in: J. TISCHLER (Hrsg.), Serta Indogermanica. FS G. Neumann, 1982, 81–90 **3** A. G. KEEN, Persian *karanoi* and Their Relationship to the Satrapal System, in: T. W. HILLARD et al. (Hrsg.), Ancient History in a Modern University, Bd. 1: The Ancient Near East, Greece and Rome, 1998, 88–95.   J. W.

Kares, Karia

IV. ARCHÄOLOGIE

Arch. sind die K. für die Brz. noch kaum, für die Eisenzeit v. a. in den archa. Siedlungen und Bauten der Halbinsel von Halikarnassos [5], bei Iasos [5] (vgl. [2]), bei Mylasa [6] und in der südöstlichen Milesia bei Akbük [7], die eine eigenständig karische Architektur belegen. Zu kar. Ringwällen am Bafa Gölü und im Latmos [1] vgl. [4]; zu kar. Keramik [1; 3].

> **1** R. M. COOK, A List of Carian Orientalizing Pottery, in: Oxford Journ. of Archaeology 18, 1999, 79–93 **2** E. LA ROCCA, Sinus Iasius, 1. Il teritorio di Iasos, in: ASNP 23, 1994, 847–998 **3** D. LENZ, Karische Keramik mit Martin von Wagner-Mus., Würzburg, in: JÖAI 66, 1997, 29–61 **4** A. PESCHLOW-BINDOKAT, Lelegische Siedlungsspuren am Bafasee, in: Anadolu 22 (1981/83), 1989, 79–83 **5** W. RADT, Siedlungen und Bauten auf der Halbinsel von Halikarnassos, 1970 **6** F. RUMSCHEID, Mylasas Verteidigung, in: E.-L. SCHWANDNER (Hrsg.), Stadt und Umland (Bauforsch.-Kolloquium Berlin 1997), 1999, 206–222 **7** W. VOIGTLÄNDER, Akbük-Teichioussa, in: AA 1988, 567–625.   H. LO.

Kastabos (Κάσταβος).

Ort im NW der karischen Chersonesos (Bozburun Yarımadası) im Hinterland der Bybassos- (h. Hisarönü-)Bucht, östl. oberhalb des ant. Bybassos (h. Hisarönü) in der rhodischen → Peraia. Auf dem Pazarlık, einem Ausläufer des Eren Dağı, Reste eines ion. Peripteros (um 300 v. Chr.), eines kleinen Theaters und weiterer Bauten des vielbesuchten Heiligtums der → Hemithea (Diod. 5,62 f.), einer Heilgöttin, deren urspr. karischer Kult, nachweisbar seit E. des 7. Jh. v. Chr., von den dor. Kolonisten übernommen wurde.

Mitte des 5. Jh. war K. mit den Nachbarstädten der Peraia im → Attisch-Delischen Seebund (ATL 1, 562). Heiligtum, noch Mitte des 2. Jh. v. Chr. erweitert (IK 38, 401), und Stadt büßten in röm. Zeit ihre Bed. ein.

> W. BLÜMEL, Die Inschr. der rhodischen Peraia (IK 38), 1991, 112–117 · G. E. BEAN, Kleinasien, Bd. 3, 1974, 172–174 · L. BÜRCHNER, s. v. K., RE 10, 2336 · P. M. FRASER, G. E. BEAN, The Rhodian Peraea and Islands, 1954, 24–27 · J. J. DE JONG, The Temple of Athena Polias at Priene and the Temple of Hemithea at K., in: BABesch 63, 1988, 129–137 · W. KOENIGS, Westtürkei, 1991, 253 · ZGUSTA, § 458.1.   H. KA.

Kastor

[5] K. II. Tetrarch aller Galatai (→ Kelten III. B.), König in → Paphlagonia, Sohn des K. I. → Tarkondarios (Tetrarch der → Tectosages) und einer Tochter des → Deiotaros. Geb. ca. 70 v. Chr., diente K. 51 v. Chr. unter dem Proconsul → Cicero in → Cilicia und führte 48 in Vertretung seines Vaters zusammen mit dem anderen regierenden Tetrarchen → Domnilaus das tectosagische Aufgebot im Heer des → Pompeius [I 3] bei Pharsalos (Caes. civ. 3,4,5). Im November 45 führte er in Rom vor Caesar die Anklage gegen Deiotaros, der von Cicero verteidigt wurde (Rede *Pro Deiotaro*). Nach der Ermordung Caesars beseitigte Deiotaros die Eltern des K. und schwang sich zum Tetrarchen aller Galatai auf (Strab. 12,5,1; 12,5,3). Nach dessen Tod setzte Antonius [I 9] K. 40 v. Chr. als Herrscher über die Galatai und als König des ebenfalls vakanten Königreichs (Binnen-)Paphlagonia ein (Cass. Dio 48,33,5). K. starb 37/6 v. Chr. (App. civ. 5,75).
→ Tetrarches (III.)

> H. HOBEN, Unt. zur Stellung kleinasiatischer Dynasten in den Machtkämpfen der ausgehenden Republik, Diss. Mainz 1969, 104–108, 116–120.   K. ST.

Ketzertaufstreit. Wie schon → Tertullianus [2] (De baptismo 15) zeigt, erkannte die afrikanische Kirche nur die eigene → Taufe an; von Sondergruppen (→ Häresie I.; → Schisma) getaufte Christen wurden beim Übertritt in die Großkirche noch einmal getauft. Unter Bischof → Cyprianus [2] kam es in Karthago zum Konflikt mit dem stadtröm. Bischof → Stephanos [6] (254–257) (dem in der Forsch. sog. »K.«), da dort auch die von christl. Sondergruppen (nämlich Novatianern und Markioniten; → Novatianus; → Markion) gespendete Taufe als gültig angesehen wurde (Cypr. epist. 67; 69; 70; 72; 75). Nach dem Tode des Cyprianus wurden die unterschiedlichen Positionen gegenseitig anerkannt. Erst im Konflikt mit den Donatisten (→ Donatus [1]) konnte 314 die afrikan. Kirche für die röm. Position gewonnen werden. Den definitiven Durchbruch brachte die Sakramentenlehre → Augustinus' mit ihrer Unterscheidung von Gültigkeit und Wirksamkeit der Sakramente.

> A. SCHINDLER, s. v. Afrika I., TRE 1, 1977, 640–700, bes. 648–650; 688 f. · L. PIÉTRI, G. GOTTLIEB, Christenverfolgungen zw. Decius und Diocletian, in:

C. und L. Piétri (Hrsg.), Das Entstehen der einen
Christenheit: 250–430 (Die Gesch. des Christentums 2),
1996, 156–190, bes. 166f. M.HE.

Klannudda (Κλαννούδδα; Tab. Peut. 9,4: Clanudda).
Stadt in der östl. → Lydia, ca. 55 km ostnordöstl. von
Philadelpheia [1], nördl. der pers. Königsstraße. K.
ist verm. die Ruinenstätte Hacet Kalesi bei Kışla, wo
hell. Mauerreste festgestellt wurden, am NW-Rand der
Ebene von İnay (dem ant. Náïs). Mz. im 2./1. Jh.
v. Chr. (Klannoudda; [1]; HN 650). Wahrscheinlich wurde K. als seleukidische Festung angelegt wie das 15 km
südl. benachbarte → Blaundos (s. Nachträge) und von
diesem eingangs der röm. Kaiserzeit absorbiert.

1 BMC, Gr, Lydia, 68.

W. M. Calder, G. E. Bean, A Classical Map of Asia Minor,
1958 (De) · K. Buresch, Aus Lydien, 1898, 202f. ·
L. Bürchner, s. v. K., RE 11, 547 · Jones, Cities, 81 ·
Magie, 802 · Miller, 720. H. KA.

Kleophrades-Maler. Attischer Vasenmaler (ca. 510–
475 v. Chr.), der mit seinem Zeitgenossen, dem → Ber-
liner-Maler, als einer der besten Maler großer Gefäße
spätarcha. Zeit gilt. Benannt wurde er von Beazley [3]
nach dem Töpfer Kleophrades, dessen Signatur eine
frühe Schale (Paris, CM 535, 699) trägt. Der K.-M. lernte sein Handwerk in der »Pionier«-Werkstatt, offensichtlich als Schüler des → Euthymides. Sein eigentlicher Name ist unbekannt, die Signatur *Epiktetos* auf
einer Pelike in Berlin ist eine Fälschung. Der K.-M.
arbeitete vorwiegend rf., stellte aber auch sf. Halsam-
phoren und → Panathenäische Amphoren her. Er bemalte zwar unterschiedliche Gefäßformen einschließlich der Schalen, bevorzugte aber große Gefäße wie
Kratere, Amphoren, Hydrien und Stamnoi (→ Gefäße,
Gefäßformen, mit Abb.).

Er verzierte über 20 Kelchkratere, etliche davon mit
einem um den Gefäßkörper laufenden Figurenfries,
z. B. bei zwei Darstellungen der Rückführung des
→ Hephaistos (Cambridge, MA, Harvard Univ. und Paris, LV). Einige Gefäße tragen auf beiden Seiten Darstellungen, die aufeinander Bezug nehmen – ein Versuch einheitlichen Erzählens, der zur Zeit des K.-M.
noch unüblich war. Zu den bes. bemerkenswerten Arbeiten gehören eine Spitzamphora in München, SA, mit
→ Dionysos und Mänaden, eine Hydria in Neapel, NM,
mit der → Iliupersis und ein Volutenkrater in Malibu,
GM, mit rotgefaßtem Körper und Heraklestaten am
Gefäßhals. Auf den zahlreichen Peliken der späten Jahre
bevorzugte der K.-M. einfache Genre-Themen.

Die Sicherheit der Linien und die Klarheit der Kompositionen gründen sich auf sorgfältige Entwürfe, die in
ausführlichen Vorzeichnungen erarbeitet wurden. Seine Figuren sind groß und lebensecht und zeigen Verstand und Willen. Lippen sind oft gewagt umrissen,
während Nasenflügel haken- oder s-förmig wiedergegeben werden. Bei frühen Figurendarstellungen finden

sich hakenförmig gebogene Schlüsselbeine, bei späteren
Darstellungen sind sie gerade. Haare gab der K.-M. häufig mit Konturlinien wieder, benutzte aber auch noch
lange, nachdem die Zeitgenossen dies aufgegeben hatten, Ritzzeichnungen. Bei einzelnen Figurendarstellungen werden die Haare mit schwarzen Reliefpunk-
ten wiedergegeben. Gewänder werden mit üppigen,
schweren Falten dargestellt, charakteristisch sind die
Himatia mit ihrer breiten ausgesparten Webkante.

Der Einfluß des K.-M. ist im Werk zweier jüngerer
Zeitgenossen erkennbar: beim Stiefel-Maler, einem
Schalenmaler, der den späten Stil des K.-M. fortsetzte,
und beim Troilos-Maler, der geschlossene Gefäße in der
gleichen Werkstatt bemalte.
→ Vasenmaler

1 Beazley, ARV², 181–195, 1631–1633 2 Beazley, ABV,
404f. 3 J. Beazley, Der K.-M., 1933 4 G. Richter, The
Kleophrades Painter, in: AJA 40, 1936, 100–115
5 A. Greifenhagen, Neue Fragmente des K.-M., 1972
6 E. Kunze-Götte, Der K.-M. unter Malern sf. Amphoren,
1992. M. P.

Kleros
II. CHRISTLICH
Der Fachbegriff *k.* (κλῆρος; lat. *clerus*; urspr. Bed.
→ »Los«, »Anteil«) als Bezeichnung für die christl. Amts-
trägerschaft knüpft an Apg 1,16–26 an, wo Matthias
durch Losentscheid als Nachfolger des Judas [2] in die
Schar der Apostel gewählt wird. In 1 Petr 5,3 bezeichnet
der Plur. *klḗroi* den den »Hirten« anvertrauten »Anteil«,
d. h. die Gemeinde. → Tertullianus [2] verwendet den
lat. Begriff *clerus* als erster im mod. Sinn (Tert. de monogamia 11–12; Tert. de fuga 11). Seit → Cyprianus [2] (†
258) bezeichnet *clerus* die Gruppe der Presbyter (→ Priester VI.), Diakone (→ *diákonos*, Nachträge), den Bischof
(→ *epískopos* [2]) und weitere Amtsträger wie den Lek-
tor, Subdiakon oder Exorzisten. Nach der Konstanti-
nischen Wende genoß der christl. *k.* staatliche Privilegien.
→ Kirchenordnungen; Los II.C. R. BR.

Körper s. Anatomie; Körperpflege und Hygiene;
Medizin; Nacktheit; Sexualität; Gender Studies

Konzil s. Chalcedonense (Nachträge); Synodos II.

Kopfbedeckungen spielen in Mythos und Gesch. nur
eine geringe Rolle. Zu erwähnen ist die Tarnkappe des
Hades, derer Athena sich bedient (κυνέη Ἄϊδος/*kynéē
Áïdos*, Hom. Il. 5,844f.) und die sie dann an → Perseus
[1] weitergibt. → Midas verbirgt seine Eselsohren unter
einem Turban (→ Tiara), Ov. met. 11,180f. Eine K.
(→ Pilleus) wird → Lucumo (→ Tarquinius [11] Priscus)
von einem Adler weggenommen und wieder gebracht,
worin man ein günstiges Omen für die Zukunft sieht,
Liv. 1,34; ein Wind weht → Alexandros [4] d.Gr. die
→ Kausia vom Kopf (Arr. an. 7,22,2f.).

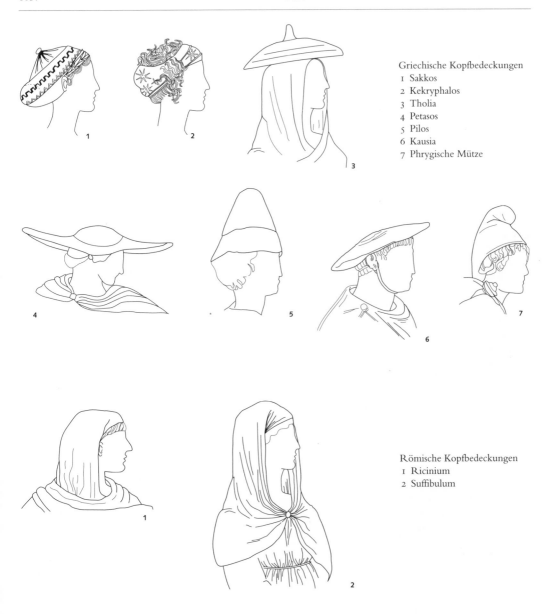

Griechische Kopfbedeckungen
1 Sakkos
2 Kekryphalos
3 Tholia
4 Petasos
5 Pilos
6 Kausia
7 Phrygische Mütze

Römische Kopfbedeckungen
1 Ricinium
2 Suffibulum

Im Alltag gingen griech. und röm. Männer barhäuptig, es sei denn, schlechtes Wetter zwang sie dazu, sich mit einem Teil des Mantels oder der → Toga bzw. mit einer Kapuze vor Regen zu schützen.

Griech. und röm. Frauen zeigten sich nur mit K. außerhalb des Hauses (Val. Max. 6,3,10; Tac. ann. 13,45; Tert. de pallio 4). Der griech. Frau genügte es, den Kopf mit dem Himation (→ Pallium) oder dem Überschlag des → Peplos [1] zu bedecken; die Römerin nahm hierfür die Palla (→ Pallium) oder aber bes. Kopftücher, wie die Ricula (Isid. orig. 19,31,5) oder den Mavors (auch Mafors, Maforte; Isid. orig. 19,25,4). Das Palliolum dagegen trugen Männer und Frauen gleichermaßen (Mart. 11,27,8). Im 4. Jh. v. Chr. kam als neue K. der

griech. Frau die Tholia, ein runder Hut mit vorspringender Krempe und konischer Spitze, in Mode, die v. a. an den Tonfiguren aus → Tanagra (→ Terrakotten III. C.) dargestellt ist. Ansonsten faßte die griech. Frau nur ihr Haar mit dem → Kekryphalos, dem → Sakkos oder mit Binden zusammen. Auch scheint es Nachthauben gegeben zu haben (Aristoph. Thesm. 257).

Es gab auch K. für bes. Anlässe: Auf Reisen schützten sich griech. Frauen und Männer mit dem → Petasos vor der Sonne, und an der krempenlosen, kegelförmigen K. (→ Pilos) erkannte man Handwerker, Schiffer oder Arbeiter. Die Römer übernahmen Petasos, Pilos (→ Pilleus) bzw. die → Kausia von den Griechen. Bei → Trauer trug die röm. Frau das Ricinium. Beim → Opfer bedeckten Priester und → Vestalinnen mit dem Suffibulum den Kopf, während die Opferteilnehmer sich mit der Toga oder der Palla den Kopf bedeckten (*capite velato*). Als Kennzeichnung der Orientalen (→ Amazones, → Aineias, → Ganymedes, → Attis usw.) diente die sog. »phrygische Mütze«, eine hohe, krempenlose K. mit nach vorne gebogener Spitze (vgl. → Tiara).

→ Diadema; Helm; Kleidung; Kranz; Kredemnon; Mitra [1]; Taenia [1]; Trauerkleidung

L. BONFANTE, Etruscan Dress, 1975, 67–80 · U. SCHARF, Straßenkleidung der röm. Frau, 1994, 78–82, 112–123 · I. KRISELEIT (Hrsg.), Bürgerwelten. Hell. Tonfiguren und Nachschöpfungen im 19. Jh., Ausst. Berlin 1994, Nr. 1, 5, 12 f., 17, 42, 46, 62, 90.   R.H.

Korinthischer Bund. Mod. Bezeichnung für den Bund von ca. 30 griech. Staaten (31 bei Plut. Themistokles 20,3; vgl. → Schlangensäule), die sich im Herbst 481 v. Chr. unmittelbar vor dem Angriff des Xerxes [1] I. durch Eid zum Kampf gegen die Perser vereinigten und deren Vertreter (*próbuloi*: Hdt. 7,172,1) spätestens seit Frühjahr 480 ständig im Poseidonheiligtum auf dem Isthmos von Korinth tagten. Das erste Treffen hatte 481 in Sparta (Paus. 3,12,6), der damaligen griech. Vormacht (vgl. Thuk. 1,18,2), oder auf dem Isthmos (Hdt. 1,145,1) stattgefunden. Der Bund hatte keinen offiziellen Namen und wird h. meist »Hellenenbund« (nach Paus. 3,12,6) oder »Eidgenossenschaft« genannt ([1. 36]; → Perserkriege). Sparta erhielt das Oberkommando über Heer und Flotte (→ Kleombrotos [1]; Pausanias [1]; Eurybiades; Hdt. 8,2–3); die mil. Amtsträger der Bündner amtierten weiter, doch scheint auch ein Kommandeur der jeweiligen Polis-Kontingente zum Mitglied des von Sparta geleiteten Kriegsrats bestellt worden zu sein (z.B. → Themistokles).

Der Bund suchte durch die Beilegung von innergriech. Fehden (Hdt. 1,145,1) und die Androhung von Sanktionen gegen Griechen, die freiwillig die Perser unterstützten (Hdt. 7, 132,2), die innere Geschlossenheit zu erhöhen und zugleich Hilfe von außen zu gewinnen, etwa bei Argos (Hdt. 7,148 f.) und beim sizilischen Herrscher → Gelon [1] (Hdt. 7,153,1; 7,157–162); beides mißlang. Nach der Abwehr der Perser wurden 479 Samos, Chios, Lesbos und andere ägäische Inseln in den Bund aufgenommen. Er bestand weiter (vgl. Thuk. 1,102,4 zum J. 462; 3,63,2 f. zum J. 427 v.Chr), obgleich sich Sparta 477 aus seinen Aktivitäten zurückzog (Thuk. 1,95,3–7). Damit übernahm Athen faktisch den Oberbefehl im Bund und nutzte die Möglichkeit, innerhalb des Hellenenbunds den → Attisch-Delischen Seebund (vgl. [2]) zu gründen.

1 K. WICKERT, Der Peloponnesische Bund, 1961
2 P. A. BRUNT, The Hellenic League against Persia, in: Historia 2, 1953, 135–163 3 A. TRONSON, The Hellenic League of 480 B. C. – Fact or Ideological Fiction?, in: Acta Classica 34, 1991, 93–110.   W. ED.

Koroneia

[2] (Κορώνεια). Halbinsel bzw. Ortschaft an der Ostküste von Attika (Steph. Byz. s. v. K.) in der Bucht von Porto Raphti, h. Koroni. Nach [2] entstand Anf. des 3. Jh. v. Chr. aus den Demoi (→ *dēmos* [2]) → Prasia und → Steiria auf K. eine Zivilsiedlung, die 286 v. Chr. als Ersatz für den → Peiraieus befestigt wurde [2]. Anders [1. 149 f.; 3]: Erst der ptolem. Stratege Patroklos [2] habe im → Chremonideïschen Krieg 267/262 v. Chr. die ausgedehnte Festung mit gesondert ummauerter Akropolis angelegt. Sie erscheint h. auf der Seeseite ungeschützt, da ihre Westmauer durch Küstensenkung überflutet ist. Nach der maked. Erstürmung 262 v. Chr. wurde K. aufgelassen.

1 CHR. HABICHT, Athen, 1995 2 H. LAUTER-BUFE, Die Festung auf K. und die Bucht von Porto Raphti, in: MarbWPr 1988, 67–102 3 J. R. MCCREDIE, Fortified Military Camps in Attica (Hesperia Suppl. 11), 1966, 1–16.

TRAVLOS, Attika, 364–369, Abb. 455–461.   H. LO.

Korsika s. Corsica

Kreisquadratur (ὁ τοῦ κύκλου τετραγωνισμός/ *ho tu kýklu tetragōnismós*, lat. *quadratura circuli*).
I. WESEN DES PROBLEMS   II. LÖSUNGSVERSUCHE
III. FORTWIRKEN

I. WESEN DES PROBLEMS

Die K. gehört zu den drei »klass. Problemen« der Mathematik (die beiden anderen sind die Winkeldreiteilung, vgl. → Winkel- und Kreisteilung, und die → Würfelverdopplung). Die Aufgabe lautet: Zu einem gegebenen Kreis (= Kr.) mit dem Radius *r* ist durch ein geom. Verfahren die Seite *x* eines Quadrats zu finden, das die gleiche Fläche wie der Kr. aufweist. Es wird also die Größe *x* gesucht, für die gilt: $x^2 = \pi r^2$. Die Lösung der K. ist demnach eng mit dem Wesen der Zahl π verbunden. Erst 1882 fand F. LINDEMANN heraus, daß π nicht algebraisch ist, d. h., daß π nicht Wurzel eines Polynoms beliebigen Grades mit ganzen Koeffizienten sein kann. Somit ist das Problem der K. wesentlich komplizierter als die Würfelverdopplung und Winkelteilung, bei denen »nur« kubische Gleichungen zu lösen sind. Gleichzeitig wird klar, daß die K. nicht mit Zirkel und Lineal allein durchgeführt werden kann, da auf diese Weise nur die Wurzeln gewisser ganzzahliger Polynome konstruierbar sind (zum Problem und den Lösungsmöglichkeiten allg. [1. 3–10]).

Mathematisch eng verbunden mit der K. ist die Kr.-Rektifikation, d. h. die Verwandlung des Kr.-Umfangs oder eines Kr.-Bogens in eine Strecke: Aus den Formeln $F = \pi r^2$ für die Kr.-Fläche und $U = 2\pi r$ für den Kr.-Umfang folgt, daß die Kr.-Fläche *F* gleich der Fläche eines rechtwinkligen Dreiecks mit den Katheten *U* und *r* ist. Wäre man also imstande, aus dem gegebenen Radius *r* den Umfang *U* zu konstruieren, also die Rektifikation des Kr. konstruktiv durchzuführen, so könnte man auch das genannte Dreieck konstruieren und dieses in ein flächengleiches Quadrat verwandeln und umgekehrt. Hieraus folgt die Äquivalenz der beiden Probleme der K. und der Kr.-Rektifikation.

Die Griechen unterschieden drei Gruppen von Problemen: ebene, körperliche und »linienhafte« (kurvenhafte) Aufgaben (Pappos, Collectio 4, p. 270,5–17 HULTSCH). Ebene Aufgaben führen auf quadratische, körperliche auf kubische Gleichungen; ein »linienhaftes« (γραμμικόν/grammikón) Problem geht über die beiden ersten Arten hinaus und kann nur mit höheren, im allg. transzendenten, Kurven gelöst werden. Würfelverdopplung und Winkeldreiteilung gehören zu den körperlichen, die K. zu den »linienhaften« Aufgaben. Es ist allerdings unklar, ob die Griechen Kriterien besaßen, um die verschiedenen Arten von Problemen einwandfrei zu unterscheiden [5. 74 f.].

II. LÖSUNGSVERSUCHE

Versuche, die Fläche eines Kr. zu bestimmen, gab es schon vor den Griechen. Die Ägypter setzten den Kr.-Inhalt mit einem Quadrat gleich, dessen Seite ⁸⁄₉ des Kr.-Durchmessers beträgt; dies entspricht dem guten Näherungswert von $\frac{256}{81} \approx 3{,}1605$ für π. Demgegenüber arbeiteten die Babylonier zumeist mit der sehr groben Annäherung π = 3, seltener mit dem genaueren Wert π = 3 ⅛.

In Griechenland läßt sich die Beschäftigung mit der K. seit dem 5. Jh. v. Chr. nachweisen (allg. [3. 220–235]). Plutarchos [2] (De exilio 17 = mor. 607 F) berichtet, → Anaxagoras [2] habe im Gefängnis ›die Quadratur des Kreises gezeichnet‹ (τὸν τοῦ κύκλου τετραγωνισμὸν ἔγραφε) [2. 91–93]. Ein Witz über die K. in → Aristophanes' [3] ›Vögeln‹ zeigt, wie populär das Problem damals war [3. 220 f.; 4. 214 f.]. Im Zusammenhang mit der K. stehen die Bemühungen von → Hippokrates [5] von Chios um die Möndchenquadratur (um 440 v. Chr.): Er konnte beweisen, daß sich Möndchen, die von Kreisbögen begrenzt werden, quadrieren lassen, wenn sich die Quadrate der zugehörigen Sehnen wie 2:1, 3:1 oder 3:2 verhalten.

Wie bei der Würfelverdopplung und der Winkeldreiteilung benutzten die Griechen auch zur Lösung des Problems der K. höhere Kurven. Die wichtigste war die Quadratrix, die → Hippias [5] von Elis um 420 v. Chr. für die Winkeldreiteilung entwickelt hatte und die → Deinostratos (um 350 v. Chr.) zur K. heranzog.

Richtungsweisend wurde die Idee des Sophisten → Antiphon [4] (B.) (E. 4. Jh. v. Chr.), den Kreis durch eine Folge einbeschriebener Polygone anzunähern und ihn dadurch »auszuschöpfen« (δαπανᾶν/dapanán). Ausgehend vom Quadrat oder vom gleichseitigen Dreieck verdoppelte er deren Seitenzahl ständig und erhielt dadurch eine immer bessere Annäherung an den Kr. (ausführlichstes Zeugnis: Simpl. in Aristot. phys. comm., p. 54,20–55,11 DIELS, DG; vgl. [2. 10–12, 26–28, 102–108; 3. 221–223; 4. 215 f.]). Antiphons Ansicht, daß sich schließlich ein Polygon finden lasse, dessen Seiten sich ›wegen ihrer Kleinheit mit dem Umfang des Kreises

decken würden‹, wurde schon in der Ant. kritisiert, da Krummes sich niemals mit Geradem decken könne. Diese logische Schwierigkeit suchte → Bryson zu beheben. Er betrachtete außer den einbeschriebenen Polygonen, die stets kleiner als der Kreis seien, auch die umbeschriebenen Polygone, die stets größer seien; er behauptete die Existenz eines zum Kreis flächengleichen Polygons, indem er eine Art Zwischenwertsatz in der Formulierung verwendete: ›Was größer und kleiner ist als dasselbe, das ist einander gleich‹ [2. 108–110; 3. 223–225; 5. 93 f.].

Das Verdienst, die von Antiphon und Bryson benutzten Ideen in eine mathematisch korrekte Form gebracht und für die K. verwendbar gemacht zu haben, gebührt → Eudoxos [1] von Knidos. Ausgehend von seiner neuen Proportionenlehre entwickelte er die Exhaustionsmethode, mit deren Hilfe er exakt beweisen konnte, daß sich die Flächen von Kr. wie die Quadrate der zugehörigen Durchmesser verhalten (d. h.: Wenn r_1 und r_2 die Radien von zwei Kr. sind, so gilt für deren Flächen F_1 und F_2 die Beziehung $F_1 : F_2 = r_1{}^2 : r_2{}^2$); dieser Satz bildet den Inhalt von Eukl. elem. 12,2 [4. 304–306; 5. 94 f.]. Ebenfalls mit Hilfe der Exhaustionsmethode wies Archimedes in seiner »Kreismessung« (→ Archimedes B. 8.) erstmals den Zusammenhang zw. Kr.-Fläche und Kr.-Umfang (s. o. I.) nach. In Satz 3 dieser Schrift benutzte er die von Bryson angegebene Methode, um mit Hilfe der Folge von Polygonen, die einem gegebenen Kr. ein- bzw. umbeschrieben werden, die Kr.-Fläche zu bestimmen; unter Verwendung des 96-Ecks wies er nach, daß π zw. $3\frac{10}{71}$ und $3\frac{1}{7}$ liegt [5. 100–102]. Auch zur Kr.-Rektifikation trug Archimedes bei: Die von ihm entwickelte Spirale (→ Archimedes B.5.) kann dazu dienen, den Kr.-Bogen zu rektifizieren [3. 230 f.; 5. 99]. Dasselbe leistet die von → Apollonios [13] von Perge benutzte zylindrische Schraubenlinie, die sog. »Kochliade« [3. 231 f.].

III. FORTWIRKEN

Archimedes' »Kreismessung« und damit auch seine Methode, π durch ein- und umbeschriebene Polygone numerisch zu berechnen, war im arabisch-islamischen Bereich und seit dem 12. Jh. durch Übersetzungen aus dem Arabischen auch im Westen bekannt und übte einen großen Einfluß aus. Auf Archimedes' Verfahren beruhen im 16. Jh. die Arbeiten von O. FINAEUS, P. NUNES, J. BUTEO und F. VIÈTE. Durch Vergrößerung der Eckenzahl der Polygone konnte π zunächst auf 15 Stellen (A. VAN ROOMEN, 1593) und später auf 32 bzw. 35 Stellen (Ludolf VAN KEULEN, vor 1610) bestimmt werden. Durch W. SNELLIUS (1621) und CH. HUYGENS (1654) wurde Archimedes' Methode verfeinert und die Rechnung erleichtert [1. 26–41]. Grundlegend neue Verfahren zur Bestimmung von π wurden erst durch die Benutzung unendlicher Reihen in Verbindung mit der Entwicklung der Differentialrechnung im 17. Jh. möglich.

→ Mathematik IV.A.4.

1 F. RUDIO, Archimedes, Huygens, Lambert, Legendre. Vier Abh. über die Kreismessung, 1892 2 F. RUDIO, Der Bericht des Simplicius über die Quadraturen des Antiphon und des Hippokrates, 1907 3 T. L. HEATH, A History of Greek Mathematics, Bd. 1, 1921 4 B. L. VAN DER WAERDEN, Erwachende Wissenschaft, 1956 5 O. BECKER, Das mathematische Denken der Ant., 1957, bes. 93–102. M. F.

Kreuzeslegende s. Helena [2]

Kreuzigung. Die K., lat → *crux* oder *damnatio in crucem* (»Verurteilung zur K.«), griech. in hell. Zeit ἀνα-σταύρωσις/*anastaúrōsis* (das bei Hdt. 3,125 und wohl auch noch bei Xenophon [10] von Ephesos 4,2 aber eher »Pfählen« bedeutet), war nur eine von mehreren Arten der Vollstreckung einer → Todesstrafe (II.) im röm. Reich. Sie kommt dort verm. aus der Gefahren-abwehr gegenüber Sklaven im Rahmen der → *coercitio* (»Zwangsgewalt«) durch die → *tresviri* [1] *capitales*. Die K. hatte vielleicht orientalische und punische Vorbilder und war zur Zeit der K. → Jesu eine typische Maßnah-me der röm. Provinzialbehörden gegenüber »Aufrüh-rern«.

P. EGGER, Crucifixus sub Pontio Pilato. Das »Crimen« Jesu von Nazareth im Spannungsfeld röm. und jüd. Verwaltungs-und Rechtsstrukturen, 1997 • H.-W. KUHN, Die Kreuzesstrafe während der frühen Kaiserzeit. Ihre Wirklichkeit und Wertung in der Umwelt des Urchristentums, in: ANRW II 25.1, 1982, 648–793.
→ Strafe, Strafrecht III. G. S.

Kyraniden (Κυρανίδες). Dieser vier B. umfassende Traktat unbekannter Verfasserschaft, auf griech. sowie in einer lat. Übers. von 1169 erh., ist eine Schrift über die heilende Wirkung von Steinen, Pflanzen und Tie-ren (in alphabetischer Anordnung), das angeblich das Werk eines gewissen Kyranos und des Harpokration [3] aus Alexandreia sein soll. Einige Wissenschaftler (z. B. M. WELLMANN [7]) bevorzugten die Form ›Koiraniden‹; gemäß der Überl. ist jedoch wohl die Schreibung ›Ky-raniden‹ vorzuziehen [1]. Die Bed. des Namens ist un-bekannt, und keiner der bisherigen Versuche, das Wort und seine kulturellen Bezüge zu erklären, ist völlig be-friedigend. Der eigentliche Titel des Werkes lautet: Βίβλος φυσικῶν δυνάμεων συμπαθειῶν καὶ ἀντιπαθειῶν συνταχθεῖσα ἐκ δύο βίβλων … τῶν Κυρανίδων …, ›Buch der physischen Wirkeigenschaften, Anziehungen und Abstoßungen, aus zwei Büchern … der K. … zusam-mengestellt …‹ (neue Ed.: [3]).

Der erh. Text hat zweifellos eine lange Entstehungs-geschichte. Nach seinen eigenen unklaren Angaben will er die Neufassung eines auch sonst gelegentlich erwähn-ten »archa.« Textes ähnlichen Inhalts sein, Neufassung und »Original« sind angeblich die Abschriften von Ste-len. Der Traktat des anon. Autors gibt sich als Übers. aus fremden Sprachen aus (ein in der okkultistischen Lit. geläufiges Motiv): Bei Kyranos ist es das Syrische, bei Harpokration das Persische. Nichts weist aber darauf hin, daß das Werk tatsächlich eine Übers. ist; vielmehr

deuten sprachliche sowie inhaltliche Elemente auf ein griech. Original, das höchstwahrscheinlich im 1. oder 2. Jh. n. Chr. in Alexandreia [1] entstanden ist.

Das erste B. stellt − anders als die drei folgenden B. − eine selbständige, in sich geschlossene Einheit dar: Zweifellos ist es das einzige im eigentlichen Sinne »au-thentische«, die anderen B. sind nur eine später erfolgte Erweiterung des im ersten B. enthaltenen Konzeptes. In einem − nur stark gekürzt überl. − Widmungsbrief an seine Tochter, der dem 1. B. als Vorwort vorangestellt ist, erzählt Harpokration, wie er auf einer Reise nach Babylon bzw. Seleukeia [1] die Stele aufgefunden hat. Dann folgt der eigentliche Text; zu Beginn jedes Buch-stabens werden die zu behandelnden Lemmata genannt, und zwar stets eine Pflanze, ein Vogel, ein Fisch und ein Stein (meistens in der genannten Reihenfolge); dabei werden möglichst Dinge mit gleichen oder ähnlich klingenden Adjektiven im Namen zusammengestellt (z. B. *kinaídios botánē, kinaídios ichthýs, kinaídios líthos, ki-naídios pténos*). Es folgt eine kurze Beschreibung der ein-zelnen Dinge, dann wird ihre magische und medizini-sche Anwendung erläutert. Das E. jedes Kap. bietet in der Regel die Anweisung für die Herstellung eines Talismans in Form einer Gemme oder eines Amuletts (→ Magie, → *phylaktérion*), wobei gewöhnlich eine Ver-bindung der genannten vier Dinge hergestellt wird [4].

Aus den zahlreichen Anspielungen auf vorchristl. Verhältnisse − es wird z. B. in der Regel angegeben, welcher Gottheit der betreffende Vogel oder Stein ge-weiht ist − geht deutlich hervor, daß der Autor kein Christ war. Das Werk des Kyranos deckt sich im ersten B. wesentlich mit dem Werk Harpokrations; es unter-scheidet sich von ihm namentlich durch die Hinzufü-gung von drei weiteren B.: In alphabetischer Abfolge behandelt das zweite die Vierbeiner (τετράποδες/*tetrá-podes*), das dritte die Vögel, das vierte die Fische. Es gibt interessante Übereinstimmungen dieser B. mit dem → *Physiologus* (vgl. [5; 8]) und bes. mit der esoterischen Trad. des Hermes Trismegistos [6].

Die vier B. bieten wertvolles Material sowohl für die Gesch. der Naturwissenschaften und der Medizin als auch für die Gesch. der Rel. und der Magie im Alt. Ein Einfluß der ›K.‹ auf andere lit. Werke ist trotz ihrer Be-rühmtheit in der Ant. nicht erkennbar. Erst der *Thesau-rus Pauperum* des Petrus Hispanus (geschrieben um 1270) beruft sich in größerem Umfang auf ihre Weisheit; durch seine Vermittlung gelangten manche Rezepte in die europäische Volksmedizin.

→ Heilpflanzen; Hermetische Schriften; Lithika; Magie

1 R. GANSZYNIEC, W. KROLL, s. v. K., RE 12, 127–134 2 F. DE MELY, CH.-É. RUELLE (ed.), Les Lapidaires de l'antiquité et du moyen âge, Bd. 2, 1898 3 D. KAIMAKIS, Die K. (Beitr. zur Klass. Philol., H. 76), 1976 4 M. WAEGEMANN, Amulet and Alphabet: Magical Amulets in the First Book of Cyranides, 1987 5 O. SCHÖNBERGER (ed.), Physiologus, 2001 (mit dt. Übers.) 6 J. SCARBOROUGH, Hermetic and Related Texts, in: I. MERKEL, A. G. DEBUS (Hrsg.), Hermeticism and the

Renaissance, 1988, 19–44 **7** M. WELLMANN, Marcellus von Side als Arzt und die Koiraniden des Hermes Trismegistos (Philologus Suppl. 27.2), 1935 **8** K. ALPERS, Unt. zum griech. Philologus und den K., 1984.   AL.J.

L

Lacus Pelso (auch L. Pelsois, L. Pelsodis). See in Pannonia (h. 591 km², 106 m ü. NN, durchschnittlich 3 m T), als Schiffahrtsstraße mit vielen Überlandverbindungen bed., h. Balaton in West-Ungarn (dt. Plattensee). Plinius (nat. 3,146) läßt den L. P. an das Gebiet der Norici (→ Noricum) und die *deserta Boiorum* (→ Boiohaemum) grenzen, was häufig zur Annahme geführt hat, auch der Neusiedler See habe L. P. geheißen [1. 26f.; 2; 3. 61]. Das Gebiet westl. des L. P. soll zwar im frühen 1. Jh. n. Chr. von den Norici abhängig gewesen sein [4. 15 f.]; die Formulierung bei Plin. l.c. zeigt aber, daß der L. P. zu → Pannonia gerechnet wurde [5. 522–524]. Auch ist die Verwendung derselben Bezeichnung für zwei verschiedene Seen in derselben Region unwahrscheinlich. Galerius [5] regulierte den Abfluß des L. P. in den Istros [2] (h. Donau) und gewann so fruchtbares Ackerland (Aur. Vict. Caes. 40,9). Im 5. Jh. n. Chr. siedelten am L. P. → Ostgoten unter Thiudimer (Iord. Get. 268), der den König der Suebi Hunimundus [1] am L. P. gefangennahm (Iord. Get. 274). Die besondere Größe des L. P. erwähnt auch Geogr. Rav. 4,19.

1 A. GRAF, Übersicht der ant. Geogr. von Pannonien, 1936 **2** A. MÓCSY, s. v. L. P., RE Suppl. 11, 1049–1051 **3** S. SOPRONI, Geography of Pannonia, in: A. LENGYEL, G. T. R. RADAN (Hrsg.), The Archaeology of Roman Pannonia, 1980, 57–63 **4** J. FITZ, Die Verwaltung Pannoniens in der Römerzeit, Bd. 1, 1993 **5** H. GRASSL, Die Grenzen der Prov. Noricum, in: E. OLSHAUSEN, H. SONNABEND (Hrsg.), Stuttgarter Kolloquium zur histor. Geogr. des Alt. 4, 1990 (Geographica Historica 7), 1994, 517–524.

E. HÖRING, Die geogr. Namen des ant. Pannonien, Diss. Heidelberg 1950, 56f. · TIR 34, 1968, 72.   H.GR.

Lage. Eine L. aus → Papyrus oder (meistens) aus → Pergament ist Teil eines → Codex oder → Buches. Sie besteht aus einer bestimmten Anzahl gefalteter Blätter, die ineinandergelegt und entlang der Falte zusammengenäht werden; in der Regel liegen jeweils eine Haar- und eine Fleischseite der Pergamentbögen einander gegenüber. Die L. ist streng an das Format eines Codex gebunden: Schon Martial spricht von Notizbüchern aus Pergamentlagen (*membranae* oder → *pugillares membranei*, z. B. Mart. 1,2,3; 14,184 und 186). Weitere Belege für *membrana* finden sich bei Horaz (ars 386–390; sat. 2,3,1–2), Persius (3,10 f.) und Quintilian (inst. 10,3,31). Die ältesten Codices bestanden wohl aus einer einzigen Lage (z. B. PBodmer, ca. 300 n. Chr., mit Komödien des → Menandros [4]).

Einen Quaternio erhielt man aus zwei Tierhäuten, die zwei- oder dreimal gefaltet wurden, je nach dem gewünschten Format (Quarto oder Octavo). Entweder wurden die Häute gefaltet, der Text geschrieben und erst dann die Doppelblätter durchgeschnitten, oder der Text wurde erst nach dem Schneiden niedergeschrieben, was die in der Regel vor dem Beschriften einer Seite durchgeführten Schritte (z. B. Lochen und → Linierung) erleichterte. Je nach Anzahl der Blätter, aus denen eine Lage besteht, wird sie als Binio, Ternio, Quaternio, Quinio oder Senio bezeichnet (für L. mit höherer Blattzahl gibt es keine spezifischen Termini). Seit der Spätant. ist der Quaternio die weithin meistverwendete L.; im 13. Jh. erscheinen Senio-Codices (dies hängt v. a. mit der Enstehung der Universitäten in England und Frankreich zusammen). Der Quinio ist typisch für den juristischen Codex (v. a. in Italien). Die L. wurden seit der Spätant. auf dem ersten → Recto und/oder dem letzten Verso mit Buchstaben, röm. Zahlen und (seit dem 10. Jh.) Reklamanten (Anfangswörtern oder -silben der folgenden L.) gekennzeichnet. Des weiteren gibt es »Misch.-L.«, die aus Bifolien aus Papier und innerem und/oder äußerem Bifolium aus Pergament bestehen, wodurch die L. besser geschützt wird. → Buch; Codex (mit Abb.)

B. BISCHOFF, Paläographie des röm. Alt. und des abendländischen MA, ²1986, 37–41 · P. BUSONERO, La fascicolazione del manoscritto nel basso medioevo, in: Dies. et al., La fabbrica del codice, 1999, 33–139 · L. GILISSEN, Prolégomènes à la codicologie, 1977.   P.E.

Landschaft. Aus histor.-geogr. Perspektive hat der Begriff L. grundsätzlich mehrere Implikationen und Konnotationen. Er kann ganz allg. den Raum bezeichnen, innerhalb dessen sich gesch. relevante Prozesse vollzogen haben. Insofern kommt der L. die Qualität einer histor. Quelle mit vielfältigen Möglichkeiten der Interpretation zu. Weiterhin interessiert das als Wechselwirkung zu begreifende Verhältnis zw. dem Menschen und der L.: Wie hat der Mensch die L. empfunden, gestaltet, verändert? Und wie hat umgekehrt die L. auf die polit., wirtschaftlichen, kulturellen und rel. Verhältnisse eingewirkt? Nützlich ist in diesem Zusammenhang eine Differenzierung zwischen der Natur-L. (mit Elementen wie → Klima, Gewässern, Bodenformationen) und der Kultur-L. als der anthropogen veränderten Natur-L. (z. B. Wüstungen, Rodungen). Mod. ist, trotz ant. Begrifflichkeit, eine Klassifizierung der histor. L. als Gegenstand der → HISTORISCHEN GEOGRAPHIE, Chorographie und Topographie [1], wobei das Unterscheidungsmerkmal die jeweilige Größe des durch diese Termini erfaßten und beschriebenen Raums ist. Dem mod. geogr. Verständnis von L. als einem Teil der Erdoberfläche, der nach seinem äußeren Bild und dem Zusammenwirken seiner Erscheinungen eine Raumeinheit bildet [2], kommen für die Ant. die Vorstellungen, die sich in den Begriffen χώρα/*chóra* (z. B. Hom. Od. 8,573) und *regio* (z. B. Plin. epist. 5,6,7) konkretisieren, wohl am nächsten.

Eine wichtige Quelle für das ant. Empfinden von L. sind Dichtung und → Malerei. In der → Bukolik (→ Theokritos [2], → Vergilius, → Longos, → Calpurnius Siculus [III 2], → Nemesianus [1]) etwa wird die auch als Reaktion auf Zivilisation und Verstädterung zu interpretierende Sehnsucht nach dem einfachen Landleben reflektiert. Mosaike und Fresken zumal aus der röm. Kaiserzeit (wie z.B. das → Nilmosaik aus dem Fortuna-Heiligtum in → Praeneste) dokumentieren ebenfalls die Wertschätzung der L. Der Wunsch, die Natur zu unterwerfen und zu zähmen, kommt in den Garten- und Villenanlagen (→ Garten, Gartenanlagen, → Villa) röm. Aristokraten zum Ausdruck (vgl. Stat. silv. 2,2,52–59) [3]. Überhaupt gehörte für diese die Integration der »schönen« L. zur gehobenen Wohnkultur (Plin. epist. 5,6). V.a. für die Griechen spielte die Ästhetik der L. eine wichtige Rolle bei der top. Positionierung öffentlicher Bauten. Den Zuschauern im → Theater sollte nicht nur ein künstlerisches und ges., sondern auch ein landschaftliches Erlebnis bereitet werden. So boten viele Theater (→ Epidauros, → Tauromenion, → Pergamon) von den Rängen eindrucksvolle Aussichten auf die natürliche Umgebung.

Der Sinn für die Ästhetik der L. hinderte die ant. Menschen nicht daran, aus wirtschaftlichen oder mil. Gründen teilweise massive Eingriffe in die natürliche Umwelt vorzunehmen. Insbes. Rodungen (Plat. Kritias 111a-e zu den Bergwäldern von Attika), aber auch die Anlage von Kanälen, → Straßen (bei Plut. C. Gracchus 7 bemerkenswerterweise wiederum in ästhetischen Kategorien beurteilt), Brücken und Wasserleitungen (→ Straßen- und Brückenbau; → Wasserversorgung) veränderten das Gesicht ganzer Landstriche in nicht unerheblichem Maße. Ant. Kritik an solchen anthropogenen L.-Zerstörungen blieb nicht aus, war aber, aufgrund der verbreiteten Überzeugung von der göttlichen Qualität der → Natur, weniger ökologisch (→ Umwelt, Umweltverhalten) als vielmehr rel. motiviert [4]. Dementsprechend spielte die L. auch in Rel. und Kult eine wesentliche Rolle, was sich etwa in der Wahl sakraler Orte (z.B. Höhlen und Haine) oder in der göttlichen → Personifikation landschaftlicher Elemente bemerkbar machte (z.B. → Flußgötter).

→ Klima, Klimaschwankungen; Umwelt; Wald; Wüste

1 E. KIRSTEN, Möglichkeiten und Aufgaben der Histor. Geogr. des Alt. in der Gegenwart, in: E. OLSHAUSEN (Hrsg.), Stuttgarter Kolloquium zur histor. Geogr. des Alt. 1, 1980 (Geographica Historica 1), 1987, 34 f. 2 Herder-Lexikon Geogr., ¹⁰1990, 136 3 P. GRIMAL, Les jardins romains, 1984 4 H. SONNABEND, Ant. Einschätzungen menschl. Eingriffe in die natürliche Bergwelt, in: E. OLSHAUSEN, H. SONNABEND (Hrsg.), Gebirgsland als Lebensraum (Geographica Historica 8), 1996, 151–160.

W. ELLIGER, Die Darstellung der L. in der griech. Dichtung, 1975 · G. MARXER, Über das L.-Empfinden bei den Römern, in: Jb. der Töchterschule der Stadt Zürich 1953/4, 22–31 · E. OLSHAUSEN, Einf. in die Histor. Geogr. der alten Welt, 1991, passim · H. SONNABEND (Hrsg.), Mensch und

L. in der Ant., 1999 · E. STÄRK, Kampanien als geistige L., 1995. H.SO.

Laoi (λαοί: Pl.-Wort zu griech. *laós* »Volk«, Bed. etwa »Leute«). In den hell. Monarchien (vgl. → Hellenistische Staatenwelt) v.a. in dokumentarischen Quellen (d.h. Inschr., Papyri) Bezeichnung für die einheimischen Untertanen, bes. die unter direkter Kontrolle der königlichen Verwaltung stehende Landbevölkerung. Auf Königsland im engeren Sinne wurden diese auch *l. basilikoí* genannt (»Königsleute«). Der Begriff meint keine spezifische soziale oder rechtlich definierte Schicht, sondern umfaßt Bevölkerungsgruppen, die in lokal recht unterschiedlichen Abhängigkeits- und Tributverhältnissen lebten, aus der Sicht der königlichen Verwaltung.

F. PAPAZOGLOU, Laoi et Paroikoi. Recherches sur la structure de la société hellénistique, 1997. JÖ.GE.

Latinerkriege werden die mil. Auseinandersetzungen zwischen Rom und dem → Latinischen Bund (→ Latini D.), dem Rom nicht angehörte, oder einzelnen latin. Städten genannt, die vom Beginn der Republik (um 510 v. Chr.) bis zur Auflösung des Bundes durch Rom im J. 338 v. Chr. sporadisch stattfanden.

Der erste L. ist als Versuch der Latiner zu sehen, die dominante Stellung Roms in Latium zu beenden. Rom hatte sich v.a. unter den Königen Servius Tullius [I 4] und Tarquinius [12] Superbus zur Vormacht der Latiner entwickelt (vgl. Liv. 1,52) und dies unmittelbar nach Vertreibung der Könige im Ersten Karthagervertrag (509; Pol. 3,22) deutlich gemacht. Der Beginn des Krieges ist ungewiß, doch scheinen latin. Städte, die mit Aristodemos [5] von Kyme die Wiedereinsetzung des Tarquinius in Rom betrieben, auch nach der Schlacht von Aricia (ca. 505 v. Chr), die zum Rückzug des Lars → Porsenna aus Rom führte, den Krieg fortgesetzt zu haben. Der Krieg endete 496 mit einem röm. Sieg am → Lacus Regillus (Liv. 2,21,3 f.), doch konnte Rom seine dominierende Stellung nicht behaupten: Im → *foedus Cassianum* (493) erscheint Rom als gleichberechtigter Partner der Latiner (Dion. Hal. ant. 6,95; [2. 299–301]).

Die neue Konstellation bewährte sich bis ins 4. Jh. v. Chr. im Kampf gegen die in die latin. Ebene vordringenden Gebirgsstämme (→ Aequi; → Volsci) und in der Gründung gemeinsamer → *coloniae*, wobei v.a. Rom seine Position stärken konnte und bis 396 ebensoviel Fläche besaß wie alle latin. Städte zusammen (→ *ager Romanus*, s. Nachträge). Die daraus resultierenden Spannungen entluden sich in den Jahren nach der Plünderung Roms durch die Gallier (387/6; Pol. 1,6,1) in Kriegen mit latin. Städten und Kolonien [2. 318–326], konnten durch die Erneuerung des *foedus Cassianum* 358 (Pol. 2,18,5; Liv. 7,12,7 f.) nur teilweise behoben werden und führten schließlich zum letzten L. (341–338) [2. 347–352]. Dieser steht in engem Zusammenhang mit dem röm. Engagement in Campania als Folge des ersten röm. Kriegs gegen die → Samnites (343–341), mit denen sich Rom überraschend verbündete. Die Latiner, die nun fürchten mußten, zw. die Fronten zu geraten, schlossen sich mit den Volsci und Campanern gegen Rom zusammen und konnten nur mit äußerster Anstrengung besiegt werden (vgl. Liv. 8,9,1–8: → *devotio* des röm. Feldherrn).

Die polit. Reorganisation Latiums und angrenzender Gebiete 338 v.Chr. mit dem Ziel, polit. und private Beziehungen zwischen den Besiegten aufzulösen und die einzelnen Städte durch Verträge mit unterschiedlichen Rechten nur an Rom zu binden, legte die Grundlagen für das spätere röm. → Bundesgenossensystem (mit Karte): Der Latin. Bund wurde aufgelöst (Liv. 8,14), einzelne Städte als → *municipium* auf *ager Romanus* in den röm. Staat inkorporiert (Aricia, Lanuvium, Nomentum, Pedum), andere blieben selbständig, mußten aber Gebiet abtreten (Tibur, Praeneste) und verloren das Recht zu Handel und Heirat (*commercium* und *connubium*) untereinander; Städte außerhalb Latiums (Capua, Suessula, Cumae, Fundi, Formiae) erhielten röm. Bürgerrecht ohne Stimmrecht (*civitas sine suffragio*; → *civitas* B.), trugen also die mil. Lasten, ohne polit. Rechte zu haben. Das latin. Bürgerrecht (→ Latinisches Recht) lebte als künstliche Schöpfung weiter und wurde seit 334 (→ Cales) an *coloniae* in It. und in den späteren Prov. vergeben.

→ Bundesgenossensystem (mit Karte); Latini, Latium (mit Karte)

1 E. T. SALMON, The Making of Roman Italy, 1982, 40–56
2 T. J. CORNELL, The Beginnings of Rome, 1995, 293–352
3 A. ALFÖLDI, Das frühe Rom und die Latiner, 1977, 351–365.   W. ED.

Leontion

(Λεόντιον; Diminutiv: Neutrum als Sklavinnen-/Hetärenname, »kleine Löwin«). Hetäre (→ *hetaírai*) aus Athen (Plut. mor. 1098b, 1129b), 342/1–270 v.Chr., gebildete und schöne Schülerin im Kreis um → Epikuros (Athen. 13,588b; Porträts von L. bei Plin. nat. 35,99; 144 erwähnt). Sie verfaßte eine Schrift gegen → Theophrastos in gutem attischen Stil (Cic. nat. deor. 1,33,93) und war polit. engagiert (umstritten bei [1. 9; 2]). Ob sie Gattin des Metrodoros [3] (Sen. fr. 45 HAASE) oder seine Konkubine (Diog. Laert. 10,5; 23) war, ist unsicher. Ihre Courage soll auf die gemeinsame Tochter Danaë, die Sophron, dem Kommandanten von Ephesos, durch die Aufdeckung einer Verschwörung das Leben rettete, übergegangen sein (Athen. 13, 593b-d; Phylarchos, FHG 339, fr. 23).

→ Philosophinnen

1 J. M. RIST, Epicurus, 1972 2 N. W. DE WITT, Epicurus and His Philosophy, ²1964, 90; 95.   ME. STR.

Lesbonax

[3] Philosoph unbekannter Richtung aus Mytilene (1. Jh. v. Chr.), Vater des Rhetors → Potamon. Verf. zahlreicher (nicht erh.) philos. Werke (Suda λ 307; 3,252,17 und π 2127; 4,181,29; vgl. [1]). Beide wurden auf Lesbos auf Inschr. und Mz. geehrt.

1 K. AULITZKY, s. v. L. (1), RE 12, 2102f.   T. D./Ü: J. DE.

Leukophrys

(Λευκόφρυς). Polis in → Ionia mit Heiligtum der Artemis Leukophryene und einem Süßwassersee (Xen. hell. 3,2,19; 4,8,17). Wohl nicht identisch mit der Neugründung Magnesia [2] beim h. Ortaklar (anders [1]). Um 400 v. Chr. verlegte Thibron [1] die alte Siedlung Magnesia [2] am Maiandros [2] auf den Thorax (h. Gümüş Dağı; Diod. 14,36). [2] identifizierte eine befestigte ant. Siedlung mit orthogonalem Straßenraster auf dessen östl. Vorhöhen mit L.

1 L. BÜRCHNER, s. v. L., RE 12, 2288 2 A. PHILIPPSON, Milet III/5: Das südl. Ionien, 1936, Kartenbeilage (K. Lyncker).
                                                          H. LO.

Librarius s. Schreiber III.B.; Scriba

Liburna.

Die *l.* war gegen Ende der röm. Republik das Piratenschiff der illyrischen Völkerschaft der Liburnier (→ Liburni; vgl. App. civ. 2,39; App. Ill. 3; vgl. Veg. mil. 4,33,4). Als erster scheint Pompeius [I 3] im Zuge seiner Kämpfe gegen die Piraten 67 v. Chr. diese Fahrzeuge, die Appianos als leicht und schnell segelnde Barkassen charakterisiert, für die Belange Roms mobilisiert zu haben. Die *l.* spielte im Bürgerkrieg gegen Caesar schon eine wichtige Rolle (Caes. civ. 3,5,3; 3,9,1; Plut. Pompeius 64,1; Plut. Cato Minor 54,5) und dann erst recht im Kampf des C. Octavius (des späteren Augustus) gegen M. Antonius [I 9] (Prop. 3,11,44; Plut. Antonius 67,2–4; Prud. contra Symmachum 2,530f.; Veg. mil. 4,33,2). In der Folgezeit avancierte die *l.* zum Standardschiff der röm. Provinzflotten und – gleichrangig mit der Quadriere – zum bedeutendsten Schiffstyp nach der → Triere in den Zentralgeschwadern von Misenum und Ravenna. Die *l.* dieser Zeit scheint nun aber nicht mehr eine Monere ohne durchgehendes Deck (gegebenenfalls mit zwei, d. h. an Bug und Heck angefügten, Proren), sondern in der Regel eine Bireme gewesen zu sein. Die zeitgenössischen Autoren schildern diese als leicht und niedrig gebaut und mit zwei Ruderrängen je Bordseite versehen (App. Ill. 3; Tac. hist. 2,35,1 f.). Sie war nach wie vor sehr wendig und für ihre Schnelligkeit bekannt (Sil. 13,240; Lucan. 3,534; App. Ill. 3). Nach den Bildquellen, v. a. den Reliefs der Traianssäule, war ferner der konkav-konvex geformte, kastellartige Bug mit dem langgestreckten, stoßzahnförmig hochgebogenen Sporn charakteristisch für die *l.* (vgl. dazu auch Plin. nat. 9,13; 10,63; zur → Takelage vgl. Tac. hist. 5,23,1). Zwischen den *liburnae* der röm. Flußflotten und den mediterranen *l.* gab es einen durch die bes. Einsatzbedingungen auf Rhein und Donau bedingten Größenunterschied. So scheinen die *l.* der Flußflotten lediglich etwa 25 m lang und nur mit 64–68 Ruderern bemannt gewesen zu sein. In der Spätant. erweiterte sich der Wortsinn von *l.* zum Seekriegsschiff schlechthin – gleich, ob es sich um eine leichte oder schwere Kampfeinheit handelte (Veg. mil. 4,37).

→ Schiffahrt; Schiffbau; Seeraub

1 O. HÖCKMANN, The Liburnian. Some Observations and Insights, in: The International Journal of Nautical

Archaeology 26, 1997, 192–216 **2** H. KONEN, Classis Germanica. Die röm. Rheinflotte im 1.–3. Jh. n. Chr., 2000 **3** S. PANCIERA, Liburna, in: Epigraphica 18, 1956, 130–156 **4** M. REDDÉ, Mare Nostrum, 1986. H. KON.

Lischt (*al-Lišt*). Mod. arabischer Name für den Ort, der unter dem Namen *iti-t3.wi* (»der die beiden Länder ergreift«) im MR die Hauptstadt → Ägyptens (C.) war [3. 53–59]. Dort lagen die Pyramiden Amenemhets I. und → Sesostris' I., letztere umgeben von kleineren Pyramiden der Königsfamilie [1]. Ein Beamtenfriedhof wurde bis in die 17. Dyn. weiterbenutzt. Als archetypische Residenz wurde der Ortsname später als kryptographisches Zeichen für das Wort »Inneres«, »Residenz« verwendet.

1 D. ARNOLD, The Pyramid Complex of Senwosret I, 1992 **2** J.-E. GAUTIER, G. JÉQUIER, Mémoire sur les fouilles de Licht, 1902 **3** W. K. SIMPSON, Stud. in the Twelfth Egyptian Dyn. I-II, in: Journ. of the American Research Center in Egypt 2, 1963, 53–63. JO. QU.

Logos

[3] (λόγος, Pl. λόγοι/*lógoi*). Bezeichnet in der griech. → Geschichtsschreibung im Unterschied zu → *mýthos* (= dichterisch gestaltete, meist frei erfundene Gesch.) generell eine wahre, nachprüfbare und somit auf Tatsachen beruhende Darstellung.

→ Herodotos [1], der »Vater der Geschichtsschreibung«, versteht unter *l.* weder »eine zusammenhängende Überlieferung« noch »einzelne Nachrichten« (wie in der Forsch. zuweilen angenommen), sondern benutzt *l.* in der allg. und unbestimmten Bedeutung »Bericht«, »Darstellung«, »Erzählung von bzw. über etwas« [1]. So bezeichnet er sowohl sein gesamtes Werk als *l.* (z. B. 2,123,1; 6,19,3; 7,152,3) – wobei *l.* als Werkbezeichnung seit dem 5. Jh. v. Chr. auch sonst weit verbreitet ist – als auch einzelne größere oder kleinere Teile des Werkes (im Sinne von »Kapitel« bzw. »Abschnitt« in mod. Einteilung; vgl. z. B. 1,75,1; 106,2; 2,38,2; 5,22,1; 6,39,1).

Als *lógoi* im Werk Herodots erscheinen auch exkursartige Kompositionseinheiten (vgl. → Exkurs), die der Ausbreitung des Perserreiches chronologisch folgend einzelne Völker darstellen, z. B. der persische *l.* (1,131–140), der babylonische (1,178–200), ägypt. (2,2–182), äthiopische (3,20–24), skythische (4,5–82), kyrenische (4,145–199) und der thrakische (5,3–10). Diese *lógoi* sind meist in vier Teile gegliedert: Natur und Lage des Landes; Sitten und Gebräuche der Bewohner; *thaumásia* (»Verwunderliches«, d. h. bes. Bemerkenswertes); polit. Geschichte. V. a. diese *lógoi* haben eine bedeutende Rolle in der mod. Diskussion über die Entstehung des Geschichtswerkes gespielt (vgl. [2] und → Herodotos [1]). Die Vielfalt der Bed. läßt es vergeblich erscheinen, wie [3] die genaue Anzahl der *lógoi* Herodots bestimmen zu wollen, zumal Herodot den Begriff öfter auch in der Bed. »Argumentation«, »Begründung« verwendet (z. B. 1,132,3; 2,33,2; 4,127,3; 6,124,2; 7,41,1: ὁ λόγος αἱρεῖ <με>, ›die Argumentation überzeugt <mich>‹).

→ Thukydides [2] trennt im sog. Methodenkapitel (1,22,1) das Problem der Darstellung von Fakten und Ereignissen von seiner Vorgehensweise bei der Wiedergabe eines *l.*, den er nun als direkte (aber doch von ihm mitgestaltete) »Rede« versteht (vgl. [4] und → Thukydides [2] II. B.). Während λογοποιός (*logopoiós*) ganz allgemein den »Prosaschriftsteller« bezeichnet (vgl. z. B. Hdt. 2,134,3 über Aisopos; 5,36,1 über Hekataios), werden die zehn klass. attischen Redner (vgl. → Rhetorik VI. A. 2.) *logográphoi* (→ *logográphos*) genannt: *l.* erscheint hier entsprechend in der Bedeutung »(Gerichts-)Rede«.

1 F. JACOBY, s. v. Herodotos (7), RE Suppl. 2, 205–520 = Ders., Griech. Historiker, 1956, 281–333 **2** K. MEISTER, Die griech. Geschichtsschreibung, 1990, 32–35 **3** S. CAGNAZZI, Tavola dei 28 logoi di Erodoto, in: Hermes 103, 1975, 385–423 **4** S. HORNBLOWER, A Commentary on Thucydides, Bd. 1, 1991, 59 f. K. MEI.

Lucius

[0] **P. L. Cosconianus.** Suffektconsul 125 n. Chr. ([1] und ein unpubliziertes Diplom [2]). Sein Name erscheint auch in Ephemeris epigraphica 9,220 aus El Gandul in der Baetica, von wo er stammen dürfte. Nach dem Konsulat wurde er *curator operum publicorum* (CIL VI 1472).

1 M. ROXAN, W. ECK, A Diploma of Moesia Inferior: 125 Iun. 1, in: ZPE 116, 1997, 193–203 **2** W. ECK et al., Neue Militärdiplome mit neuen Konsulndaten, in: Chiron 32, 2002 (im Druck). W. E.

Ludi scaenici

s. Ludi II. C.; Theater; Wettbewerbe, künstlerische

Lukios

[5] **L. von Alexandreia.** Arianer (→ Arianismus), der sich nach dem Tod des Georgios [1] (361 n. Chr.) als Bischof von Alexandreia [1] gegen → Athanasios durchzusetzen versuchte, 367 aber Ägypten verlassen mußte. Erst nach dem Tod des Athanasios 373 kehrte er zurück und nutzte die Spielräume unter Kaiser → Valens [2], um den Bischofssitz von Alexandreia erneut zu gewinnen. Sein nicaenischer Konkurrent Petros II. floh nach Rom. L. ging rigoros gegen Gegner des Arianismus vor, mußte aber nach der Rückkehr des Petros 378 nach Konstantinopolis fliehen und begleitete 380 den von Theodosios [2] I. abgesetzten Arianer Demophilos ins Exil (Theod. hist. eccl. 4,21–23; Soz. 6,19 f.; 6,38 f.; 7,5; Sokr. 4,20–22; 4,24 und 36 f.; 5,7). L. verfaßte Osterfestbriefe und andere Schriften (vgl. Hier. vir. ill. 118).

A. LIPPOLD, s. v. Lucius (5a), RE Suppl. 10, 380 f. • B. WINDAU, s. v. Lucius von Alexandrien, S. DÖPP (Hrsg.) Lexikon der ant. christlichen Literatur, ³2002, 465. M. MEI.

Lykaon

[2] Sohn des → Priamos und der → Laothoe [3], Bruder des → Polydoros [2] und Halbbruder u. a. des → Hektor und des → Paris, wird von → Achilleus [1] bei Nacht aus dem Garten seines Vaters geraubt, mit dem Schiff nach Lemnos gebracht und an → Euneos [1] verkauft. Der

Imbrier → Eetion [2] löst L. aus und schickt ihn nach Arisbe, von wo er flieht und heimkehrt. 12 Tage später fällt er unbewaffnet dem Achilleus erneut in die Hände, fleht ihn vergeblich um Gnade an und wird von ihm getötet (Hom. Il. 21,35–135; 23,746 f.; Strab. 1,2,33; 13,1,7; 13,3,1; Apollod. 3,152; Apollod. epit. 3,32; Q. Smyrn. 4,158 f.; 381–385; 392 f.; Nonn. Dion. 22,379–381; anders Dictys 4,9).

1 K. B. POULSEN, s. v. L. (1), LIMC 6.1, 297.   SI. A.

Lykeion (Λύκειον, sc. ἱερόν/*hierón*). Die Bezeichnung jeder Kultstätte des → Apollon Lykeios; die berühmteste ist das L., im weiteren Sinne der gleichnamige Park, in Athen (→ Athenai [1] II.8.). Seine Gründungslegenden (Wolfsplage: schol. Demosth. or. 24,114; Gründer Lykos [8]: Paus. 1,19,3) und die Nennung des L. in der → Theseus-Sage (Kleidemos FGrH 323 F 18) deuten verm. auf hohes Alter des Kultes in Athen. Im 4. Jh. v. Chr. war das Kultbild des Apollon Lykeios in Athen in ein → Gymnasion integriert (Lukian. Anacharsis 7). Diese Aufstellung und die Zopffrisur der Statue lassen vermuten, daß die Weihung des Kinderzopfes bei der Einführung der Söhne in die → Phratrien in seinem Kult eine Rolle spielte. Von dem Statuentypus sind ca. 30 Repliken, meist Torsi oder Köpfe, erhalten. Weih-Inschr. verschiedener Jh. ergänzen das Bild (IG II² 900b; 1357b; 1945; 2875).

Die Lage des Parks läßt sich mit Hilfe lit. Quellen und mod. Grabungsbefunde nur ungefähr angeben: Die ebene, ausgedehnte und feuchte, daher gras- und baumreiche Parklandschaft (Herakleides [18] Kritikos 1, GGM I, 98; Theophr. h. plant. 1,7,1; [3. 252–254]) lag südöstl. des Diochares-Tores, zw. der östlichen Ausfallstraße und → Olympieion [3. 256–258], nach Süden womöglich bis zum Ilissos (Strab. 9,1,24; → Athenai [1] II.6.). Nach Osten erstreckte sich das L. wohl weiter als bisher angenommen: Neue, noch nicht abgeschlossene Grabungen an der Rigillis-Straße brachten Gebäudereste ans Licht, die als → Palaistra (vgl. [2]) oder als → Bibliothek (B.) [1. 57, 62] gedeutet, jedenfalls dem L. zugeordnet werden. Lit. und inschr. belegte oder auch arch. nachgewiesene Bauten sind → Gymnasion bzw. → Palaistra (vgl. [2]; z. B. Plat. Lys. 204a; Paus. 1,29,16), von Perikles [1] errichtet (Philochoros FGrH 328 F 37) und von Lykurgos [10] erneuert (IG II² 457); ein überdachter → Dromos (s. Nachträge; Plat. Euthyd. 272e–273a); Brunnen (Plat. Lys. 203a; Strab. 9,1,19) und Bäder [3. 254–256]. Das Problem, diese Bauten miteinander zu identifizieren, ist trotz [3] bisher kaum gelöst.

Vor Solon [1] übte der *árchōn* → *polémarchos* (→ *árchontes* I.) im L. sein Amt aus (Aristot. Ath. pol. 3; [4. 105]). Bis zur Errichtung der → Pnyx tagte im L. die → *ekklēsía* (IG I³ 105). Auch mil. Übungen fanden hier statt (Xen. hipp. 3,1,6 f.). Die erzieherische Hauptfunktion des L. war Ausbildung und Training im → Gymnasion. Da die Anlage Jugendliche versammelte und zugleich angenehmen Aufenthalt erlaubte, diente sie auch dazu, Kontakte zu knüpfen oder Publikum und Schüler

zu gewinnen (Alexis fr. 25 PCG; Antiphanes fr. 120 PCG; Diog. Laert. 9,54; Isokr. Panathenaikos 18 und 33; Kall. fr. 261; Ps.-Plat. Eryx. 397b). → Sokrates [2] hielt sich regelmäßig hier auf (Plat. Euthyphr. 2a; Plat. symp. 223d). Berühmtheit erlangte das L. dadurch, daß → Aristoteles [6] hier auf öffentlichem Grund seine Schule etablierte, den → Peripatos.

In seiner Gesch. war das L. seiner offenen Lage wegen mehrfach Kriegsschauplatz (Aristoph. Pax 353 mit Schol.; Xen. hell. 1,1,33; 2,4,27); Philippos [7] V. ließ 200 v. Chr. die Vorstadt Athens einschließlich des L. zerstören (Liv. 31,24,18), Sulla 86 v. Chr. sämtliche Bäume fällen (Plut. Sulla 12,3).

Wann und wie das L. seine ant. Funktionen einbüßte, ist unbekannt. Kultkontinuität liegt aber möglicherweise bei der ma. ehemaligen Klosterkirche Agios Nikodimos vor, die über einem vielleicht zum L. gehörigen ant. Bad errichtet ist [3. 256]. Auch die philhellenische Monarchie der Wittelsbacher knüpfte unter Otto I. an ant. Trad. an: Mit dem Nationalgarten wurde 1836 abermals eine Parkanlage geschaffen, auch diente das Gelände erneut als Reit- und Paradeplatz; unweit der neuen Grabungsstelle liegt heute die Kaserne der Efzonen, der ehem. Palastwache. Der Name *Lyceum* diente seit dem MA neben *Athenaeum*, *Academia* u. a. als Bezeichnung für Einrichtungen der höheren Bildung oder war synonym mit dem philos. Kurs der → Artes liberales an Hochschulen, dem das Fachstudium vorausging. Napoleon ersetzte 1802 die 1795 geschaffene *École centrale* durch das *Lycée* als weiterführende staatliche Schule. In Preußen entstanden 1908 Lyzeen als Mädchenschulen unter staatlicher Aufsicht, seit 1912 wurden Lyzeum und Oberlyzeum unterschieden, als Pendant zum Gymnasium für Jungen. Mit der Koedukation wurden Institution und Begriff obsolet.

1 W. HOEPFNER (Hrsg.), Ant. Bibliotheken, 2002
2 E. LYGKOURI-TOLIA, Odos Rigillis (I palaistra tu gymnasiu tu Lykeiu), in: AD 51, Chronika B 1, 2001, 46–48
3 C. E. RITCHIE, The Lyceum, the Garden of Theophrastos, and the Garden of the Muses. A Topographical Re-Evaluation, in: Φιλία Ἔπη. FS G. Mylonas, Bd. 3, 1989, 250–260 4 RHODES.

J. P. LYNCH, Aristotle's School. A Study of a Greek Educational Institution, 1972 · E. J. MILLEKER, The Statue of Apollo Lykeios in Athens, 1987 · TRAVLOS, Athen.
         AN. GL.

Lysiodia s. Simodie

M

Macrianus [3] Iunior. Imp. Caes. T. Fulvius Iunius Macrianus Augustus, älterer Sohn des Fulvius → Macrianus [2]; unter → Valerianus [2] Militärtribun (SHA trig. tyr. 12,10; Zon. 12,24 D.). Nach der Gefangennahme des Valerianus durch die Perser erhob sein Vater ihn und seinen Bruder → Quietus vor dem 17. Sept. 260 n. Chr. zu Augusti, die jedoch nur im Osten anerkannt wurden (RIC 5,2, 589 f.; SHA Gall. 1,3–5; SHA trig. tyr. 12,10–12; POxy. 3476,12 f.; IGR III 27). Auf dem Zug nach Westen fiel M. 261 mit seinem Vater in Illyricum im Kampf gegen die Generale des → Gallienus, → Aureolus und Domitianus.

KIENAST, 225 • M. PEACHIN, Roman Imperial Titulature, 1990, 40 f. • PIR² F 546 • PLRE 528, Nr. 3.   T. F.

Macrinius

[2a] M. Regulus. Ritterlicher *praefectus classis* in Pannonien 146 n. Chr.; er stammte aus Neviomagus, womit wohl Ulpia Noviomagus in Germania inferior gemeint ist.

W. ECK, P. WEISS, Die Sonderregelungen für Soldatenkinder, in: ZPE 135, 2001, 195–208 • W. ECK, Ein Kölner in Rom? T. Flavius Constans als kaiserlicher Prätorianerpräfekt. FS Precht, (im Druck).   W. E.

Magdala

[2] Nach kürzlich publizierten griech. und lat. Texten [1] in Verbindung mit Texten aus der Grabung von → Dura Europos und neuassyrischen Keilschrifttafeln aus Tall → Šēḫ Ḥamad ist M. sehr wahrscheinlich mit diesem Ort am unteren Ḥābūr zu identifizieren [2]. In letzteren wie auch in darauf befindlichen aram. Beischriften wird der Ort Magdalu genannt. Tall Šēḫ Ḥamad ist allerdings unzweifelhaft auch mit dem mittel- und neuassyr. Prov.-Zentrum Dūr-Katlimmu zu identifizieren. Doppelbenennungen von Städten lassen sich in der altorientalischen Gesch. mehrfach belegen; in diesem Fall dürfte der Zweitname auf die aram.-sprachige Bevölkerung zurückgehen [3].

Arch. kann in M. eine Siedlungskontinuität von der mittelassyr. (13. Jh. v. Chr.) bis in die späte röm. Kaiserzeit (3. Jh. n. Chr.) nachgewiesen werden, allerdings nicht in einer einzigen Grabungsstelle. In mittelassyr. und dann wieder seit hell.-seleukidischer Zeit bedeckte die Siedlung eine Fläche von ca. 25 bis 30 ha. Sie bestand nun aus der Zitadelle (dem → Tell) und der Unterstadt I; in der aufgegebenen Unterstadt II befand sich der Friedhof der hell. und parthisch-röm. Stadt [4]. In der neuassyr. und bis in die achäm. Zeit hinein umfaßte die Siedlung eine Fläche von ca. 60 ha und damit ihre größte intramurale Ausdehnung.

1 D. FEISSEL, J. GASCOU, Documents d'archive romains inédits du moyen Euphrate (IIIᵉ s. après J.-C.), I.: Les petitions, in: Journ. des Savants, 1995, 65–119 **2** H. KÜHNE, A. LUTHER, Tall Šēḫ Ḥamad/Dūr-Katlimmu/Magdalu, in: Nouvelles Assyriologiques Brèves et Utilitaires, 1998, Nr. 117, 106–109 **3** H. KÜHNE (Hrsg.), Magdalu/Magdala. Tall Šēḫ Ḥamad von der postassyr. Zeit bis zur röm. Kaiserzeit (Berichte der Ausgrabung Tall Šēḫ Ḥamad/Dūr-Katlimmu 2 (in Vorbereitung) **4** M. NOVÁK et al., Der parthisch-röm. Friedhof von Tall Šēḫ Ḥamad/Magdala, Teil 1 (Berichte der Ausgrabung Tall Šēḫ Ḥamad/Dūr-Katlimmu 5), 2000.
H. KÜ.

Magodia s. Simodie

Makarios der Ägypter s. Symeon [1]

Makkabäer (Μακκαβαῖοι). Jüdische Priesterfamilie aus Modeïn nw von Jerusalem (benannt nach ihrem histor. wichtigsten Vertreter → Judas [1] Makkabaios); auch → Hasmonäer genannt. Die M. führten seit 167 v. Chr. die jüd. Erhebung gegen die Religionsverfolgung durch → Antiochos [6] IV. und dessen hellenisierende jüd. Parteigänger an (sog. Makkabäeraufstand). Dies mündete nach der Rückeroberung → Jerusalems und Wiederweihung des → Tempels (III.) für den herkömmlichen jüd. Kult 165 v. Chr. trotz einiger zeitweiliger Rückschläge in die Gründung eines unabhängigen jüd. Staates unter der Führung der M.-Hasmonäer als regierender Dynastie (ab 141 v. Chr. erbliches Hohepriesteramt, spätestens seit → Alexandros [16] Iannaios, 103–76, auch Königtum).

Die zunehmende Schwäche und die Thronwirren der → Seleukiden ermöglichten die Ausdehnung des hasmonäischen Herrschaftsbereiches über fast ganz Palaestina und einige der Nachbargebiete. So entstand das größte jüd.-israelitische Staatsgebilde seit der davidisch-salomonischen Monarchie des 10. Jh. v. Chr. Teilweise von den neuen röm. Oberherren nach 63 v. Chr. wieder rückgängig gemacht, bildete die makkabäisch-hasmonäische Expansion in nichtjüd. Siedlungsgebiete doch die Grundlage für die ethnisch-rel. Bevölkerungsverteilung in der röm. Prov. Iudaea des 1. Jh. n. Chr.

Weitergehende histor. Auswirkungen hatten die seleukid. Religionsverfolgung und Makkabäerbewegung v. a. im rel. Bereich. Wesentliche Impulse für die Entwicklung des → Judentums und des → Christentums gingen von dieser rel. und polit. Entwicklung im 2. Jh. v. Chr. aus (u. a. Märtyrerideal, Auferstehungsglaube, apokalyptischer Messianismus, → Messias) und haben Spuren in der jüd. Lit. (Danielbuch, Makkabäerbücher) und Liturgie (Chanukkafest) hinterlassen. Dementsprechend hat sich die mod. Forsch. auch primär mit der geistesgesch. Dimension der polit. Ereignisse befaßt, bes. nachdem die innerjüd. Komponente der rel. Auseinandersetzung von [1] beleuchtet worden war.
→ Judentum (C.); Jüdische Kriege (s. Nachträge)

1 E. BICKERMANN, Der Gott der Makkabäer, 1937.

B. BAR-KOCHVA, Judas Maccabaeus, 1989 • K. BRINGMANN, Hell. Reform und Religionsverfolgung in Judäa, 1983 • TH. FISCHER, Seleukiden und Makkabäer, 1980 • M. HENGEL, Judentum und Hellenismus, ²1973 • F. G. B. MILLAR, The Background of the Maccabean Revolution, in: Journ. of Jewish Studies 29, 1978, 1–21 • SCHÜRER, Bd. 1 • E. WILL, CL. ORRIEUX, Ioudaïsmos – Hellénismos, 1986.   JÖ. GE.

Makkabäeraufstand s. Iudas [1]; Jüdische Kriege (Nachträge); Makkabäer (Nachträge)

Makulatur. Blätter oder Bruchstücke von Codices (→ Codex; in erster Linie aus → Pergament) oder gedruckten Büchern, die v. a. im 15.–17. Jh. in ganz Europa als Einband, Spiegel, Schutzblätter oder Falzstreifen für einzelne Folien, Faszikel oder Einbanddrücken verwendet wurden. Diese Bruchstücke aus Codices hauptsächlich liturgischen, biblischen und juristischen Inhalts, auch aus privaten Dokumenten, sind aus paläographischer, histor. und textkritischer Sicht wichtig; klass. Autoren sind dabei selten (z. B. Iuvenal-Fr. in einer Hs. aus Orléans, 9. Jh. n. Chr.; Horaz-Fr. aus Einsiedeln, 10. Jh.). Diese Fr. sind heute oft von den Codices getrennt und werden gesondert aufbewahrt, so daß sie manchmal sogar spezielle Slgg. bilden (z. B. die Philip Bliss Collection in der Green Library in Stanford). Gegenstand der M.-Forsch. (seit dem 19 Jh., v. a. in Deutschland systematisch betrieben) ist das Erkennen, Identifizieren und wiss. Katalogisieren der Fr.; Ziel ist u. a. die Rekonstruktion der Original-Hs., deren Blätter oft für verschiedene, aber in derselben Bibliothek aufbewahrte Hss. verwendet wurden.

R. G. BABCOCK, Reconstructing a Medieval Library. Fragments from Lambach, 1993 • A. PETRUCCI, La descrizione del manoscritto, ²2001, 132–134.

                      M. P. M./Ü: K. L.

Malerinnen. Die → Malerei (γραφική/*graphikḗ*) scheint eine der wenigen »Künste« (τέχναι/*téchnai*) gewesen zu sein, die auch von Frauen erfolgreich ausgeübt werden konnten (vgl. → Literaturschaffende Frauen; → Musikerinnen, s. Nachträge). Die Berufsbezeichnung ὁ/ἡ ζωγράφος/*zōgráphos* (»Maler/in von Lebewesen«) ist einmal für eine Malerin bezeugt (Phot. p. 149b 29–38), während für das häufigere γραφεύς/*grapheús* (»Maler«) kein feminines Pendant überl. ist.

Somit müßte man die in dieser *téchnē* ausgebildeten Frauen als vernachlässigbares Randphänomen betrachten, wenn nicht durch Plinius [1] d. Ä. ein Katalog überl. wäre, der unter dem Titel *pinxēre et mulieres* (›es malten auch folgende Frauen‹) M. vom ausgehenden 5. bis zum 1. Jh. v. Chr. verzeichnet (Plin. nat. 35,147f.) [1. 202; 6. 53]. Darstellungen malender Frauen in → Wandmalerei und Kleinkunst ergänzen die Angaben des Katalogs, auch wenn die Bilder selten erkennen lassen, ob die Malerei berufsmäßig oder als Beschäftigung einer Gebildeten ausgeübt wird [8]. Die Erforschung der M. hat also mit einer Überl. zu kämpfen [7. 145–147], die, indem sie sich auf wenige kanonische Maler des 5. und 4. Jh. konzentriert, viele – auch männliche – Techniten, etwa des hell. Kleinasien, ausgeblendet hat. Daß aber einzelne Beispiele von M. wie → Helene [2] und Olympias über sog. Homonymenkataloge überl. werden konnten, legt nahe, daß im Hell. umfangreichere Werkverzeichnisse von M. angelegt wurden [5. 535].

Die von Plinius genannten M. des 5. und 4. Jh. v. Chr. wie Timarete (Tochter des → Mikon), Eirene (Tochter des Kratinos), Aristarete (Tochter des Nearchos), lernten das Handwerk bei ihren Vätern. Olympias wiederum (nicht datierbar) bildete selbst Maler aus (Plin. nat. 35,148). Die im Katalog genannten Werke sowie die für Helene bezeugte ›Schlacht bei Issos‹ (die Alexanderschlacht 333 v. Chr., Phot. p. 149b 29–38; vgl.

→ Alexandermosaik; → Historienmalerei) [1. 175] beweisen, daß die M. schon in der Klassik in allen Formaten und Techniken brillierten und sich keineswegs wie ihre Nachfahrinnen des 18. Jh. auf Miniatur oder Stilleben beschränken ließen. Daß mod. Forscher allerdings die Glaubhaftigkeit solcher ohnehin raren Zeugnisse heftig bestreiten konnten [4], zeigt, daß als zusätzliches Hindernis das Frauenbild des 19. und 20. Jh. der Erschließung des künstlerischen und gesellschaftlichen Status von M. im Wege gestanden hat.

Anlaß für die Ausbildung von Töchtern in der Malerei wird im Kontext der griech. Familienwerkstatt [2. 68–76] auch ein Mangel an männlichen Fachkräften gewesen sein. Und so mag gerade im 5. und 4. Jh. manches unter dem Namen eines einzigen Meisters überl. Monumentalgemälde tatsächlich als Gemeinschaftswerk entstanden sein, das von Söhnen oder auch Töchtern realisiert und vom Meister signiert wurde. Im Zuge der Anerkennung der Malerei als Wiss. und ihrer Verankerung in der Schulbildung seit → Pamphilos [2] (Plin. nat. 35,77; Aristot. pol. 1337b 22–27) wird man im Hell. mit einer zunehmenden Maltätigkeit bei solchen Frauen zu rechnen haben, denen diese Bildung offenstand [6. 53f.; 7. 154–157]. Um 100 v. Chr. war unter den begehrtesten Virtuosen des Kunstmarktes in Rom (→ Kunstinteresse) eine unverheiratete Frau: Iaia (oder: Laia) aus → Kyzikos [1. 205; 3], gefragt sowohl in der Miniatur- als auch in der Monumentalmalerei und ausgewiesen in der Spezialdisziplin der → Enkaustik (Plin. nat. 35,147f.) [2. 41–50, 80–103]. Wenn es heißt, daß Iaia bes. als Porträtistin von Frauen geschätzt war [2. 91–94, 107f.], so hat es offenbar die ant. Kunstschriftstellerei als deren spezifische Leistung angesehen, ein speziell auf den weiblichen Auftraggeber und Betrachter zielendes künstlerisches Konzept entwickelt zu haben.

→ Frau II.; Literaturschaffende Frauen; Malerei; Musikerinnen (s. Nachträge); Philosophinnen; GENDER STUDIES

1 H. BRUNN, Gesch. der griech. Künstler, Bd. 2, ²1886 2 N. J. KOCH, Techne und Erfindung in der klass. Malerei, 2000 3 G. LIPPOLD, s. v. Iaia (4), RE 9, 612 4 E. PFUHL, s. v. Helene (7), RE 7, 2837 5 F. MÜNZER, Zur Kunstgesch. des Plinius, in: Hermes 30, 1895, 499–547 6 S. POMEROY, Technikai kai mousikai. The Education of Women in the Fourth Century and in the Hellenistic Period, in: AJAH 2, 1977, 51–68 7 T. SCHEER, Forsch. über die Frau in der Ant. Ziele, Methoden, Perspektiven, in: Gymnasium 107, 2000, 143–172 8 I. SCHEIBLER, Griech. Malerei der Ant., 1994, 73, 76 Abb. 30.   N. K.

Manlius

[II 3a] M. Severus. *Procurator ad Mercurium* in Alexandreia [1] im Juli 161 n. Chr. (POxy. 4060, Z. 123).

                      W. E.

Mansuanius. C. M. Severus. Legat der *legio I Italica*; nicht identisch mit → Cossonius Gallus (s. Nachträge), wie vorgeschlagen wurde (AE 1998, 1131).   W. E.

Marcellus s. Ulpius [7–8] Marcellus

Marcia

[11] M. Volusia [Egn]atia Quieta. *Clarissima femina,* geehrt in Elaiussa Sebaste in Cilicia, woher sie wohl stammte.

> W. ECK, Eine Senatorenfrau aus Elaiussa Sebaste, in: EA 33, 2001, 105 ff. W.E.

Mare superum s. Ionios Kolpos

Maternus

[2a] Bischof der christl. Gemeinde in → Colonia Agrippinensis (h. Köln). → Constantinus [1] wird ihn bei seinen Besuchen in der Stadt vor 312 n. Chr. kennengelernt haben. Da er ihn offensichtlich als Persönlichkeit schätzte, berief er ihn als Beisitzer in das Richtercollegium, das 313 in Rom unter Führung des röm. Bischofs Miltiades [5] über → Donatus [1] und seinen Anhang richten sollte; die notwendigen Unterlagen hatte er M. schon vorher zusenden lassen (Eus. HE 10,5,19 f.). Auch an der Synode von Arelates (h. Arles) im J. 314 nahm M. teil (CCL 148,4; 15; 18; 20; 21). Er war wohl bereits vor 312 eine der führenden christl. Persönlichkeiten, die Constantinus die neue Rel. nahebrachten. Im MA wurde behauptet, M. sei zuvor Bischof von Augusta [6] Treverorum (h. Trier) gewesen, was äußerst unwahrscheinlich ist.

> O. ENGELS, St. WEINFURTER, Series episcoporum Ecclesiae Catholicae Orientalis, Bd. 5.1, 1982, 7. W.E.

Maximius Attianus. Senator; Quaestor in der Prov. Asia am ehesten 209 n. Chr. (AE 1998, 1361 f.); sicher identisch mit dem consularen Statthalter von Germania superior im J. 229.

> ECK, Statthalter, 91 f. W.E.

Melanippos [7] s. Menalippos

Meris (ἡ μερίς, »Teil, Anteil«, Vb. μερίζειν/*merízein*). Als Begriff der griech. Verwaltungssprache bezeichnet *m.* jede Art von Abteilung eines Systems, angewandt z. B. generell in der hell. Verwaltungspraxis, speziell z. B. in der ptolem.-röm. Verwaltung von Äg., in welcher der arsinoïtische → *nomós* [2] in drei *merídes* zerfiel (OGIS 177,8 f., 2. Jh. v. Chr.). Ein anderes Verständnis von *m.* liegt vor, wo in der territorialen Verwaltungsgliederung in Äg. *m.* das kleinste Element in der Reihe *nomós,* → *tópos* [1], → *kṓmē* (B.), *m.* und damit die Feldeinheit bezeichnete (vgl. Strab. 17,1,3). Der Begriff *m.* kennzeichnet auch die vier Regierungsbezirke (lat. *regio*; vgl. Liv. 45,29,5 f.), in die Rom nach dem Sieg bei → Pydna 168 v. Chr. das Territorium der maked. und der illyr. Monarchien teilte (→ Makedonia II. D.). E.O.

Merismos (μερισμός von μερίζειν = »aufteilen«) hieß in Athen die »Aufteilung« der Finanzmittel aus Steuereinnahmen durch die → *apodéktai* an die zuständigen Beamten (→ *archaí*). Die Summen wurden vom Rat der Polis (→ *bulḗ*) beschlossen und mußten unmittelbar nach der Verteilung abgerechnet werden ([Aristot.] Ath. pol. 48,1–2). Der *m.* ist erst seit dem 4. Jh. v. Chr. belegt (→ Steuern III. B.).

> RHODES, 557–560. W.ED.

Milonia Caesonia. Tochter von Vistilia [2], geb. um 5 n. Chr. Obwohl sie keine auffallende Schönheit und bereits Mutter dreier Töchter war, hatte → Caligula mit ihr ein Verhältnis und eine enge persönliche Bindung. Als sie schwanger war, heiratete er sie kurz vor der Geburt einer Tochter, die den Namen Iulia [14] Drusilla erhielt. Den Namen *Augusta* erkannte Nero M. jedoch nicht zu. Zusammen mit Caligula und der Tochter wurde sie Anf. 41 von einem *centurio* umgebracht. In CIL VI 32347 (Arvalakten) weist nichts auf eine Tilgung ihres Namens hin.

> J. SCHEID (ed.), Commentarii fratrum Arvalium, 1998, 39, Nr. 14 • PIR² M 590. W.E.

Minicius

[15a] L. M. Severus. So lautet wohl der Name eines Suffektconsuls, der in einer der *Tabulae Herculanenses* und in ILS 5161k (= AE 1994, 140) überl. ist.

> G. CAMODECA, Nuovi dati dalla riedizione delle tabulae ceratae della Campania, in: S. PANCIERA (Hrsg.), XI Congr. Internazionale di Epigrafia Greca e Latina. Atti I, 1999, 524. W.E.

Minnion

[2] Enger Gefolgsmann → Antiochos' [5] III., für den er 193 v. Chr. eine Gesandtschaft führte, die mit Verhandlungen mit den Römern beauftragt war; im folgenden Krieg des Königs mit Rom war er einer der seleukidischen Kommandeure in der Schlacht von Magnesia 190 v. Chr. (→ Magnesia [3]; Liv. 35,15,7–16,6; 37,41,1).

> J. D. GRAINGER, A Seleukid Prosopography and Gazetteer, 1997, 106 • P. TREVES, s. v. M., RE Suppl. 7, 457. JÖ.GE.

Mithradates

[22] M. II., der Sohn und Nachfolger des → Pharasmanes [1] I. als König von Iberia [1], ist hauptsächlich durch eine griech. Inschr. bekannt (SEG 20, 1964, 112). Sie dokumentiert die röm. Hilfe bei der Errichtung von Befestigungen nahe Mtskheta 75 n. Chr. Auf denselben Herrscher bezieht sich die aramäische Inschr. eines *pitiaxš* (»Statthalters«) des iberischen Königs Mrdat, Sohnes des Parsman. PIR² M 638.

[23] M. III. Zu den Fürsten, die → Traianus [1] für den Partherkrieg auf seine Seite brachte, gehörte der König von Iberia (Eutr. 8,3). Sein Name wird in einer griech. Inschr. genannt, die den Tod des Amazaspus, des Bruders des Königs M., im J. 115/6 bezeugt (IGR I 192). Er war verm. der Sohn von M. [22] II. und Vater des → Pharasmanes [2] II. PIR² M 639.

> B. MEISSNER, A Belated Nation: Sources on Ancient Iberia and Iberian Kingship, in: Arch. Mitt. aus Iran und Turan 32, 2000, 177–206, bes. 190 f. M.SCH.

Monolog. »Selbstgespräch« (»M.« ist nicht antik, erst → Augustinus prägt den Begriff *soliloquium*, vgl. Aug. retract. 1,4,1), bes. Form der Rede (→ *rhḗsis*), die sich in verschiedenen → literarischen Gattungen findet. Zur Unterscheidung von M. im eigentlichen Sinn von anderen Formen der *rhḗseis* wie des Botenberichts (→ Botenszenen) sollte nicht der Umfang des M., sondern nur die kommunikative Situation als Kriterium gelten [4. 180f.]: die Einsamkeit bzw. Isoliertheit des Sprechenden, der seine Rede an keinen Ansprechpartner richtet. In → Homeros' [1] ›Ilias‹ gibt es eine Gruppe von typologisch vergleichbaren M. in Entscheidungssituationen (Odysseus: Hom. Il. 11,404–410; Menelaos: 17,91–105; Agenor: 21,553–570; Hektor: 22,99–130): Der Held sieht sich allein einer feindlichen Übermacht ausgesetzt; im Selbstgespräch wägt er Vor- und Nachteile von Rückzug und Standhalten ab (eingeleitet durch ein klagend-verzweifeltes ὤ μοι ἐγώ(ν), *ō̄ moi egṓ(n)*/›o weh mir!‹), es folgen ein Tiervergleich und der anschließende Rückzug aus der Schlacht [2. 68–71]. M. als Selbstanrede oder Eigenparänese findet sich in der → Lyrik und → Elegie (z.B. Archil. fr. 128 IEG; Thgn. 695f., 1029: Anrede des θυμός/*thymós*, des eigenen Herzens; in der lat. Lit. z.B. Catull. 8: Ov. am. 3,11).

Eine zentrale Bed. nimmt der M. im attischen Drama ein [3. 5]; er wird in der → Tragödie dazu eingesetzt, um die Isoliertheit des trag. Helden zu unterstreichen (Soph. Ai. 646ff., 815ff.; Soph. El. 1126ff.), häufig als pathetische Klage (Aischyl. Prom. 88ff.), oder um das Ringen um eine Entscheidung im Widerstreit der Gefühle auszudrücken (Eur. Med. 1021ff., vgl. Apoll. Rhod. 3,466–470; 636–644). Der M. im Prolog (→ *prólogos*) dient (teils ans Publikum gerichtet, teils als wirkliches Selbstgespräch) der Information und Exposition (z.B. Aischyl. Ag. 1ff.; Eur. Iph. T. 1ff.; Eur. Hel. 1ff.; Eur. Phoen. 1ff.), verbunden z.T. mit einer ersten Charakterisierung des Sprechenden (Aristoph. Nub. 1ff.). Die häufigste Form des M. in der Neuen → Komödie ist der Auftritts-M., der den Zweck der Selbstvorstellung und Charakterisierung hat (schon Aristoph. Plut. 335ff.; Men. Dysk. 153ff.; Plaut. Amph. 153ff.; Plaut. Cas. 443ff., Plaut. Most. 429ff.). Die große Zahl von M. in der Neuen Komödie läßt sich daraus erklären, daß nach dem Verschwinden des → Chors aus der Handlung ein Ansprechpartner für auftretende Personen fehlte [6. 240].

Eine große Nähe zum inneren M., der unmittelbaren Wiedergabe von Gefühlsregungen als stummer M., weisen die *Heroides* des → Ovidius auf [1. 45ff.]. In den Trag. des → Seneca [2] ist der M. als ein nach den Regeln der Rhet. ausgestaltetes Glanzstück eine der wichtigsten Bauformen, häufig dazu eingesetzt, ein Selbstporträt des Sprechenden zu geben und insbesondere seinen Emotionen und Affekten Ausdruck zu verleihen (z.B. Sen. Herc. f. 1ff., 205ff., 332ff.) [6. 241].

In der philos. Lit. findet sich monologisches Sprechen als Rechenschaftsablegung bzw. Gewissensprüfung (im → Stoizismus, vgl. Sen. de ira 3,36,1f.) oder als Wiedergabe des Denkvorgangs (Cic. de orat. 1,1) im Ringen um die Wahrheit (Augustinus' *Soliloquia*, vgl. die Def. des philos. Selbstgesprächs in Aug. retract. 1,4,1: ›ich stellte mir Fragen und gab mir die Antworten, als ob meine Vernunft und ich zwei Personen wären, obwohl ich allein war‹, *me interrogans mihique respondens, tamquam duo essemus ratio et ego, cum solus essem*).

→ Dialog; Komödie; Prologos; Rede II.; Rhesis; Tragödie

1 U. AUHAGEN, Der M. bei Ovid, 1999 (mit ausführlicher Bibliogr.) 2 B. FENIK, Stylization and Variety: Four Monologues in the Iliad, in: Ders. (Hrsg.), Homer. Tradition and Innovation, 1978, 68–90 3 F. LEO, Der M. im Drama, 1908 4 M. PFISTER, Das Drama, 1977 5 W. SCHADEWALDT, M. und Selbstgespräch, 1926 6 R. J. TARRANT, Senecan Drama and Its Antecedents, in: HSPh 82, 1978, 213–263.   B. Z.

Mons Garganus. In ant. Zeit bewaldetes (Hor. carm. 2,9,7; Hor. epist. 2,1,202; Sil. 8,629) Vorgebirge in Apulia an der ital. Ostküste, isoliertes Bergmassiv (1065 m H), bei Skyl. 14 Ἀρίονος ὄρος/*Aríonos óros* (»Berg des Arion«) genannt, h. Promontorio del Gargano. Der M. G. war für Schiffahrt und Geographen ein wichtiger Orientierungspunkt. Im Norden liegen der Lacus Pantanus (h. Lago di Lesina) und der Sinus Urias (h. Lago di Várano) mit Uria [3], vor der Küste die Insulae Diomedeae (h. Tremiti), im SO Matinum (Plin. nat. 3,105; h. Mattinata), im Süden der Golf von → Sipontum.

M. DE GRAZIA, Appunti storici sul Gargano, 1930.

     G. U./Ü: H. D.

Moschion (Μοσχίων). Nicht näher identifizierbarer, sonst unbekannter Verf. (späte Kaiserzeit?) zweier kurzer Reihen von Sinnsprüchen (→ *gnṓmē* [1]). Eine davon ist im *Corpus Parisinum* überl. (Cod. Parisinus Graecus 1168; Cod. Oxoniensis Bodleianus Digby 6 [5. 55ff.]), unter dem Eintrag Μοσχίωνος γνῶμαι (*Moschíōnos gnṓmai*, ›Sprüche des M.‹); die andere unter dem Eintrag Μοσχίωνος ὑποθῆκαι (*Moschíōnos hypothḗkai*, ›Ermahnungen des M.‹) war zahlreichen byz. Gnomologen bekannt [4. XLIX–LII, 493–496; 6. 90ff.]. Eine Auswahl aus beiden dem M. zugeschriebenen Slgg. wurde auch (um weitere Sprüche vermehrt) in → Stobaios' ›Anthologion‹ überl.: Gnomen Nr. 125–171 in Stob. 3,1 περὶ ἀρετῆς (›Über die Tugend‹), und Nr. 37–45 in 3,9 περὶ δικαιοσύνης (›Über die Gerechtigkeit‹), beide allerdings dem → Epiktetos zugewiesen.

Auf der Grundlage der den verschiedenen Slgg. gemeinsamen Gnomen wollte man die Slg. auf eine hypothetische einzige Ur-Slg. des M./Epiktetos zurückführen, deren Material zum Großteil im Lauf der Überl. verloren gegangen sei [4. XLIX]. Die Zuweisung an Epiktetos könnte in der weiten Verbreitung von Sprüchen unter seinem Namen in der sog. »Gebrauchs-Lit.« ihren Grund haben (z.B. das *Gnomologium Byzantinum*, Slg. des → Demokritos [1], des → Isokrates und des Epiktetos [6. 162–216]; *Gnomologium Epicteteum*: Cod. Vaticanus Graecus 1144) [4. 476–492; 2].

Unabhängig von der Identifizierung des Verf. der unter dem Namen M./Epiktetos umlaufenden Spruch-Slgg. ist dem Inhalt nach eine Datier. in die späte Kaiserzeit möglich. Dafür spricht die allg. ethische Thematik (→ Popularphilosophie), die Vertrautheit z.B. mit der Gnomen-Slg. des Neupythagoreers → Sextos [2] (s. Nachträge).

→ Epiktetos; Gnome; Sextos [2] (s. Nachträge); Weisheitsliteratur

1 A. BERTINI MALGARINI, ἀρχαίων φιλοσόφων γνῶμαι καὶ ἀποφθέγματα in un manoscritto di Patmos, in: Elenchos 5, 1984, 153–200 2 A. ELTER, Neue Bruchstücke des Ioannes Stobaeus, in: RhM 47, 1892, 131–137 3 D. GUTAS, Greek Wisdom Literature in Arabic Translation, 1975 4 H. SCHENKL (ed.), Epicteti Dissertationes ab Arriani digestae, ²1916 5 D. M. SEARBY, Aristotle in the Greek Gnomological Trad., 1998 6 C. WACHSMUTH, Studien zu den griech. Florilegien, 1882. R. M. P./Ü: I. BA.

Mummius

[II 1a] L. M. Faustianus. Patrizier; *quaestor kandidatus, legatus dioeceseos Hipponensium, cos. ord.* 262 n. Chr., *XVvir sacris faciundis, curator viae Appiae et alimentorum*; verheiratet mit Tarruntenia Paterna; seine Söhne: L. M. Faustianus Tarruntenius Paternus und L. M. Faustianus Iunior, eine Tochter: Mummia Tarruntenia Corneliana (AE 1998, 1569).

[II 2a] L. M. Maximus Faustianus. Patrizier, der es bis zur Praetur brachte (CIL VI 31740). Sein Nachkomme war vielleicht L. → Mummius [II 1a] Faustianus. W. E.

Murrenius. T. M. Severus. Suffektconsul im Dezember 202 n. Chr.

B. PFERDEHIRT, Vier neue Militärdiplome im Besitz des röm.-germ. Zentralmuseums, in: Arch. Korrespondenzbl. 31, 2001, 61–280, bes. 266ff. W. E.

Musikerinnen I. EINFÜHRUNG

II. HOMER; ARCHAISCHE CHOR- UND SOLOLYRIK
III. HÄUSLICHES MUSIZIEREN, HOCHZEITS- UND
ARBEITSLIEDER IV. BERUFLICHES MUSIZIEREN:
TECHNITAI, HETAIRAI, AULETRIDEN
V. DIE ANTIKE MUSIKTHEORIE ALS GESCHLECHTSSPEZIFISCHER DISKURS; IKONOGRAPHIE
VI. FRAUEN UND MUSIK IM RÖMISCHEN REICH

I. EINFÜHRUNG

Die histor. Untersuchung der → Musik im Alt. setzt wie in anderen Epochen das Wirken von Männern als unbezeichnetes Universale stillschweigend voraus, wovon sich das Wirken von Frauen allenfalls als Sonderfall abhebt. Die *gender*-bewußte Betrachtung (vgl. → GENDER STUDIES) der ant. Musikkultur deckt Paradigmen wie »öffentlich/privat«, »produktiv/reproduktiv« oder »kanonisch/nicht kanonisch« auf, welche die feministische Musik-Wiss. für spätere Zeitalter festgestellt hat [17; 12; 3; 10; 19; 14], die aber bei ant. M. anders flektiert werden. Die Archetypen aller griech. Musiker und M.

z. B. sind die → Musen, von denen der Begriff → *musiké* (»Einheit der von den Musen praktizierten Wort-, Ton- und Tanzkünste«) abgeleitet ist (vgl. Hes. theog. 2–11; Plat. Alk. 1,108cd). Ferner zählte die alexandrinische Philol. → Sappho, eine Vertreterin dieser *musiké*-Einheit, zu den Neun Lyrikern [4. 21] (→ Lyrik).

Das Beispiel Sapphos zeigt, daß die Kanonisierung einer M. möglich war, jedoch die Ausnahme blieb. Eine zusammenfassende Sonderbehandlung von M. (etwa im Stil von Hesiods *Ēhoíai*, Plutarchs *Mulierum virtutes* oder BOCCACCIOS *De claribus mulieribus*) ist nicht überl. (auch dadurch wäre wenig gewonnen, da die Werke der M. fehlen: Selbst von Sappho ist nur ein einziger vollständiger Liedtext erh. – ohne Melodie. Um eine Vorstellung von der Tätigkeit ant. M. zu gewinnen, müssen Texthinweise sowie bildliche Darstellungen herangezogen werden. Darüber hinaus trägt die ant. Musikanschauung geschlechtsspezifische Züge (ist also ein *gendered* Diskurs). Festzuhalten ist, daß die im Folgenden aufgestellten Kategorien und Dualitäten Konstrukte sind, welche die Geschichtsschreibung rückprojiziert, aber neuerdings auch relativiert (z. B. durch die Erkenntnis, daß das Private auch bezüglich der Musik durchaus öffentlichen Charakter haben kann, s. u. III.), die also in der Betrachtung der Überl. oder in der Absicht eines ant. Autors oder Malers, nicht notwendigerweise im ant. Leben begründet sind (z. B. die Unterscheidung *hetaíra/aulētrís*, s. u. IV.).

II. HOMER; ARCHAISCHE CHOR- UND SOLOLYRIK

In der homerischen Schildbeschreibung kommen Reigen beider Geschlechter vor (Hom. Il. 18,590–606), und der Homerische Hymnos an Apollon berichtet vom Mädchenchor, der die zu den Delischen Spielen angereisten Gesandtschaften im jeweiligen griech. Dialekt singend begrüßte (Hom. h. 3,157–164). Die archa. Vasenmalerei, die häufig Mädchenreigen abbildet, veranschaulicht diese Angaben [22. 54f.]. Die Textüberl. der griech. Lyrik setzt mit fr. erh. Partheneia (Mädchenchorliedern; → *partheneíon*) des → Alkman ein, der im 7. Jh. v. Chr. in Sparta mit deren Einstudierung beauftragt wurde; fr. 1 PMG schließt mit der Beschreibung der aufführenden Mädchen (Agido, Hagesichora). Laut Plut. mor. 1136f schufen auch → Pindaros, → Simonides und → Bakchylides Partheneia, wozu aber nur einige Fr. des Pindaros zugeordnet werden können, z. B. fr. 94b SNELL, das erzieherische Sentenzen enthält.

Parallel zur Chorlyrik florierte die Sololyrik der Sappho und anderer archa. M. (vgl. → Literaturschaffende Frauen). → Sappho, die das Plektron, die Pektis (ein Saiteninstrument) und die mixolydische Tonart erfunden haben soll (Suda s. v. Sappho; Athen. 14,635b; Plut. mor. 1136c), sang ihre Lieder zu eigener Begleitung im Kreise der jungen Frauen, die zu ihrer Gefolgschaft gehörten (vgl. fr. 160 LOBEL/PAGE) [11. 109, Abb. 22]. Die Melodien waren wohl wie die Texte monostrophisch; ob es eine Standardmelodie für jede Strophenart gab, ist unbekannt. Myrtis von Anthedon (Boiotien), die Lehrerin Korinnas und Pindars (Suda s.v. Korinna bzw. Pindaros), besang die unglückliche Liebesgeschichte von Ochna und Eunostos (fr. 716 PMG). → Korinna von Tanagra soll Pindar in lyrischen → Agonen (s. Nachträge) in Theben besiegt haben (so Paus. 9,22,3; vgl. Plut. mor. 347f–348a) und wurde als zehnte Lyrikerin gefeiert [4. 21]; ihr Werk umfaßte 5 B. und behandelte boiotische Mythologie. → Telesilla von Argos und → Praxilla von Sikyon wirkten um 450 v.Chr. Telesillas Fr. 717 PMG ist an Mädchen gerichtet; sie scheint v.a. Lokalthemen besungen zu haben (fr. 719–720 PMG), wurde aber berühmt für ihre Verteidigung der Stadt Argos gegen die Spartaner (Paus. 2,20,8–10). Praxilla soll → Skolia geschaffen haben (Athen. 15, 694a). Sie erntete den Spott des → Zenobios [2] (4,21, [7. 89]) dafür, daß sie Sonne und Mond gleich wie Gurken und Äpfel bewertete; aus weiblicher »nährender« Perspektive ist ihre Ansicht jedoch durchaus begreiflich. Die Metrik dieser Sololyrik ist einfach im Vergleich zur Metrik der Chorlyrik. Doch abgesehen von Experimenten im 16. Jh. mit pindarischen Triaden (RONSARD; vgl. → Ode) prägten einfache Strophen wie die Sapphische die spätere Lyrik am stärksten (vgl. [2. 487–487a, 291]).

III. Häusliches Musizieren, Hochzeits- und Arbeitslieder

Vasenbilder zeigen das Musizieren von Frauen unter sich [23. Abb. 20; 24. Abb. 7; 11. 134, Abb. 11; 11. 137, Abb. 18]: Sie spielen Barbiton, Phorminx, Harfe und Lyra, aber auch Auloi (→ Musikinstrumente V., mit Abb.). Verschiedene Stufen des Hochzeitsritus wurden durch Musik von Frauen (und Männern) umrahmt. Der → Hymenaios begleitete den Umzug zum neuen Heim der Braut (Hom. Il. 18,491–496); vor dem Brautgemach ertönte das → Epithalamion, eine auch von Sappho gepflegte lyrische Gattung (fr. 27, 30, 103–117 LOBEL/ PAGE). Vasen zeigen musizierende Frauen auch im Brautgemach selbst [23. Abb. 23]. Hier ist das Private öffentlich, diente diese Musik doch dazu, die Eheschließung in der Polis bekannt zu machen [6. 84–89]. Das quasi-musikalische Lamentieren von Frauen bei der → Bestattung, das bei Homer belegt (Hom. Od. 24,60) und in der Vasenmalerei dargestellt ist [11. 51, Abb. 15a], erfüllte ebenfalls eine öffentliche Funktion [21].

Frauen erleichterten sich die Hausarbeit mit Gesang. Die Weblieder der Kalypso und Kirke sind dessen Abbild (Hom. Od. 5,61; 10,221); Athenaios (14,618de) berichtet über Lieder beim Mahlen von Getreide, bei der Wollverarbeitung und über Wiegenlieder. Frauen-Figuren einer thebanischen Terracotta-Gruppe des späten 6. Jh. v.Chr. kneten Brotteig zum Aulos-Klang (MOLLARD-BESQUES 1, B 16) [24. Abb. 8; 20. 403]; vgl. → Lied; → Volkslied; → Arbeitslieder).

IV. Berufliches Musizieren: Technitai, Hetairai, Auletriden

Die Teilnahme weiblicher Kitharoden als Chorbegleiterinnen bei agonistischen Festen des hell. Zeitalters ist inschr. belegt ([13. 910]; Syll.³ 689; → technítai); namentlich erwähnt wird Polygnota aus Theben bei ihrem Auftritt an den Pythischen Spielen 86 v.Chr., wofür sie 500 Drachmen erhielt (Syll.³ 738). Diese Tätigkeit setzt einen hohen Grad musischer Ausbildung voraus; tatsächlich war im hell. Zeitalter das Bildungsangebot für Mädchen dem der Knaben angeglichen [16. 52–53]. Das Musizieren war eine der Fähigkeiten, mit denen Hetären (→ hetaírai) zu unterhalten wußten. Sie begleiteten ihre Partner zum Symposion (→ Gastmahl); Trinkgeschirr und andere Keramik des klass. Zeitalters zeigen sie, oft die Lyra spielend, unter den Symposiasten [15; 18. Taf. 38 und 51]. Von ihnen evtl. abgrenzbar sind die Auletriden (Aulosspielerinnen) [6. 183], die beim Symposion eher punktuell hinzugezogen wurden; sie stimmten den → Paian beim eröffnenden Trankopfer an, konnten dann entweder heimgeschickt werden (Plat. symp. 176e, vgl. Plat. Prot. 347cd) oder bleiben, um die Gäste zu unterhalten und am Schluß versteigert zu werden (Athen. 13,607d-f). Aristophanes (Vesp. 1326–1387) malt sympotisches Treiben um eine aulētrís drastisch aus. Der staatlich kontrollierte Lohn einer aulētrís im 4. Jh. betrug zwei Drachmen (Aristot. Ath. pol. 50). Für Auletriden gab es Schulen (Isokr. or. 15,287; vgl. die ant. griech. »Tanzschulen«: [18. Taf. 40–44]). Sie waren häufig Fremde (→ métoikoi) oder Sklavinnen; mit ihnen sind vielleicht athenische Freilassungs-Inschr. von 340 bis 330 v.Chr. [8. 219, Z. 505, 224, Z. 212; 9. 368, Z. 5] in Verbindung zu bringen.

Im hell. Zeitalter erlangten einige hetaírai, deren musikalische Fähigkeiten einen guten Teil ihrer Ausstrahlung ausmachte, durch Verbindung mit Herrschern Ruhm und Reichtum, etwa Lamia (Athen. 3,101e). Als Kitharodin konnte → Glauke [4], die Geliebte des → Ptolemaios [4], spielen und singen; Theokritos (4,30) und Athenaios (4,176d) erwähnen ihre Lieder. Pantheia von Smyrna (Lukian. imagines 13–14), Geliebte des Kaisers Verus, war ebenfalls Kitharodin. Der Tatsache, daß ihr Gesang männliche Dichter fesselte, verdanken weitere Kitharodinnen ihre Erwähnung in der Anthologia Graeca: Athenion (Anth. Gr. 5,138), Zenophila (5,139–140), Ariadne (5,222), Ioanna (6,112), Phila (6,118), Aristo (9,429) und Maria (16,278): Sie besangen myth.-trag. Themen (5,138; 5,222; 9,429; vgl. GA ad loc.), worauf das einzige mit Notenzeichen versehene Trag.-Fragment in weiblicher Stimmlage, die Klage der → Tekmessa [24. 320–321], zu beziehen ist. Die myth.-trag. Thematik verbindet die genannten M. mit populären szenischen Aufführungen wie Simodie, → Mimos und → Pantomimos, bei denen solche Themen im Mittelpunkt standen (vgl. Lukian. saltatione 37 ff. und 61), wobei die musiké-Einheit von Wort, Ton und Bewegung (wie sie h. etwa im Flamenco oder in der Pop-Musik realisiert wird) fortlebte und neben Männern auch Frauen als Ausführende auftraten (bei der Lysodie: Athen. 5,211b; bei der Hilarodie: ebd. 14,621b; → Simodie).

V. Die antike Musiktheorie als geschlechtsspezifischer Diskurs; Ikonographie

Es ist ein Anliegen feministischer Musik-Wiss., aufzuzeigen, worin die Musik westlicher Trad. (z. B. Oper oder Symphonie) geschlechtsspezifische Konstrukte aufnimmt und weitergibt [12. 53–79]. Daß die ant. Musik dies ebenfalls tat, geht aus ant. philos. und musiktheoretischen Schriften hervor. Die »ethnisch« genannten Tonarten z. B. waren seit → Damon [3] (s. Nachträge) jeweils mit *éthē* (»Charakteren«; → Musik IV. E.) verbunden: die dorische Tonart mit Männlichkeit, orientalische Tonarten hingegen mit Verweichlichung, d. h. Effemination (Plat. rep. 3,398d–399c, vgl. Plat. leg. 7, 802de; Boeth. de musica 1,1 = 181,8–10 FRIEDLEIN; weitere Belege: [1. 168]), was als Bedrohung gesehen wurde. Unter den drei Tongeschlechtern (→ Musik IV. G.) galt das chromatische als für Frauen geeignet (Plat. leg. 2,669c), aber auch als eine Gefahr für die Ges. (Boeth. de musica 1,1 = 183,11–184,5 FRIEDLEIN). Damon teilte die einzelnen Noten in männliche und weibliche ein (Arist. Quint. 2,14 = 79,15–25 und 80,29–81,6 WINNINGTON-INGRAM; vgl. ebd. 2,8). Melodie konnte als weiblich, Rhythmus als männlich betrachtet werden (ebd. 1,19 = 40,20–25 W.-I.; 2,12 = 77,5–16 W.-I.).

Die *gender*-spezifischen Züge der ant. Musikanschauung gehen indes tiefer als Konstrukte der Musiktheorie. Die halbgöttlichen bzw. heroischen Archetypen musikalischer Tätigkeit transportieren bzw. bestätigen geschlechtsbezogene Verhaltensnormen und decken Grundlegendes über die ant. Ges. auf. In der Ikonographie werden die Musen als personifizierte »Musica«-Figur subsumiert; sie verkörpert passiv und meist ohne Instrument das Wesen der Musik. Im Gegensatz dazu haben männliche Archetypen musikalischer Tätigkeit wie → Orpheus, → Amphion [1] oder → Arion Instrumente und *tun* etwas damit: Sie holen Menschen aus der Unterwelt, bauen Städte, spannen Tiere ein; sie sind Jäger, Macher. Die wachsende Kühnheit ihrer Nachfolger führt zur Kollision zw. den zwei Seiten der menschlichen Natur: In → Pherekrates' Komödie *Cheírōn* beklagte eine geschändete »Musica«-Personifikation ihre Vergewaltigung durch → Melanippides, → Kinesias, → Phrynis und → Timotheos (PCG 7 fr. 155), alles Vertreter der Neuen Musik des 5.–4. Jh. in Athen (vgl. Timotheos' *Pérsai* 211–212; → Musik IV. D.). Das Schicksal dieser Personifikation spiegelt die Erfahrung der Auletriden wider, die das Symposion als Musen betraten, aber als Prostituierte verließen. → Martianus Capella (B. 9) führte die personifizierte Musik in die Lit. des Quadriviums ein (→ *Artes liberales*). Diese nunmehr »Frau Musica« genannte Figur wurde in der frühen Neuzeit wie eine weltliche Maria verehrt [5]; im Zuge des Genie-Kults des 19. Jh. wurde sie zu einer *alma mater*, die dem schöpferischen Mann Inspiration spendet [17. 98, 107, 110].

VI. Frauen und Musik im Römischen Reich

Nach Angaben der lat. Dichtung musizierten röm. Frauen den oben beschriebenen Weisen vergleichbar, wobei zu berücksichtigen ist, daß sie die Dichtung eher historisiert bzw. mit lit. Konventionen spielt als dokumentiert. Der öffentlich-rituelle Mädchenchor lebte abgewandelt im *Carmen Saeculare* des → Horatius [7] wieder auf; Ovidius evoziert Konventionen des Hetärentums, wenn er Mädchen empfiehlt, alexandrinische »Schlager« zur Kitharabegleitung zu lernen (Ov. ars 3,315–320).

Spezifisch kaiserzeitlich hingegen ist der Streit um den Frauengesang im damaligen christl. Gottesdienst. Hierbei bezog man sich auf das Gebot des Paulus, Frauen sollten dort schweigen (1 Kor 14,34). Hieronymus war gegen, Ambrosius für liturgischen Frauengesang (Belegstellen: [25. 378–380]), der später in den Nonnenklöstern des MA florierte [26].

→ Frau (II.); Lied; Literaturschaffende Frauen; Lyrik; Malerinnen (s. Nachträge); Musik; Philosophinnen; Volkslied; GENDER STUDIES

1 A. BARKER, Greek Musical Writings, Bd. 1, 1984 2 Breviarium Romanum, Pars Hiemalis, 1901 3 M. CITRON, Gender and the Musical Canon, 1993 4 GG 3 5 R. HARMON, »Musica laetitiae comes« and Vermeer's *Music Lesson*, in: Oud Holland 113, 1999, 161–166 6 E. HARTMANN, Heirat, Hetärentum und Konkubinen im klass. Athen, 2002 7 E. LEUTSCH, F. SCHNEIDEWIN, Paroemiographi Graeci 1, 1839 8 D. LEWIS, Attic Manumissions, in: Hesperia 28, 1959, 208–238 9 Ders., Dedications of Phialai at Athens, in: Hesperia 37, 1968, 368–380 10 K. MARSHALL (Hrsg.), Rediscovering the Muses, 1993 11 M. MAAS, J. SNYDER, Stringed Instruments of Ancient Greece, 1989 12 S. MCCLARY, Feminine Endings, 1991 13 C. MICHEL, Recueil d'Inscriptions Grecques, 1900 14 K. PENDLE (Hrsg.), Women and Music, 2000 15 I. PESCHEL, Die Hetäre bei Symposion und Komos, 1987 16 S. POMEROY, Technikai kai Musikai, in: AJAH 2, 1977, 51–68 17 E. RIEGER, Frau, Musik und Männerherrschaft, 1988 18 A. SCHÄFER, Unterhaltung beim griech. Symposion, 1997 19 R. SOLIE (Hrsg.), Musicology and Difference, 1993 20 C. STARR, An Evening with the Flute-Girls, in: PdP 183, 1978, 401–410 21 N. SULTAN, Private Speech, Public Pain: The Power of Women's Laments in Ancient Greek Poetry and Tragedy, in: [10], 92–110 22 R. TÖLLE, Frühgriech. Reigentänze, 1964 23 M. WEGNER, Das Musikleben der Griechen, 1949 24 M. WEST, Ancient Greek Music, 1992 25 G. WILLE, Musica Romana, 1967 26 K. GUDEWELL, s. v. Frauenchor II, MGG² I 3, 843 f. R.O. HA.

Mythographie (μυθογραφία).

IV. SPÄTANTIKE BIS GEGENWART

Mit dem spätant. Prozeß der Ablösung ant. Religionen durch das Christentum ging die M. in ihre ma. Phase über, die durch Trennung der lat. von den griech. Traditionen, Unkenntnis und Verlust ant. Überl. sowie Intensivierung der → Allegorese gekennzeichnet ist. Im Westen führte der Lit.-Unterricht zur Produktion weiterer, auch mythographisch ausgerichteter → Kommentare, → Scholien (v. a. zu Vergilius [5], Statius [II 2], Horatius [7], Persius [2], Lucanus [1]) und Periochen (kurzen Inhaltsangaben, vgl. → Epitome B.; z. B. Ps.-Lactantius Placidus, *Narrationes Ovidianarum fabularum*, vgl. → *Mythographi Vaticani*), doch waren die *Mitologiae* des → Fulgentius [1] das bestimmende Werk der frühma. M., auf das noch der *Fulgentius metaforalis* des John RIDEWALL (1. H. des 14. Jh.; Ed.: [18. 65–114]) zurückgreifen sollte. Mythographischer Überl. verpflichtet waren ferner → Macrobius [1] und → Martianus Capella sowie die → Enzyklopädien des → Isidorus [9] (mit dem einflußreichen Kapitel *De diis gentium*: Isid. orig. 8,11) und des Hrabanus Maurus (784–856). Noch nicht vollständig erfaßt ist die Breitenwirkung von Unterricht und Komm. des Remigius von Auxerre (um 841–908). Aus dieser spätant. und früh-ma. mythographischen Trad. schöpfen die → *Mythographi Vaticani* I-III.

In der sog. *aetas Ovidiana* (ca. 12.–14. Jh.) entstanden zahlreiche Komm. und Paraphrasen mythogr. Natur zu Werken des Ovidius, v. a. zu den ›Metamorphosen‹, der »Bibel der Heiden« (früh schon auch als Übers. in den Volkssprachen verbreitet). Große Bed. hat der anon. frz. *Ovide moralisé* (Anf. 14. Jh.), welcher mit dem *Ovidius moralizatus* (entstanden um 1340–1350) des Pierre BERÇUIRE 1491 in einer gemeinsamen Ausgabe als »Bibel der Dichter« im Druck erschien. Als Mythographin eine Ausnahmeerscheinung in dieser Zeit war Christine DE PIZAN (1364–1430) [13. 100–156]. Bedeutende Träger mythographischer Überl. in MA und Renaissance waren ferner astronomische Dichtung, Astrologie und Alchemie.

Auch im griech. Osten ging mythogr. Trad. weiterhin in Scholien und Komm. zur myth. Dichtung ein (zu nennen sind v. a.: Ps.-Nonnos, myth. Scholien zu Gregorios [3] von Nazianzos; → Eustathios [4], → Iohannes → Tzetzes [2]), in antiquarische und chronographische Werke (Iohannes → Lydos [3], → Iohannes [18] Malalas) sowie in → Lexikographie und → Etymologica. Besonderes Interesse an der M. pflegte der → Neuplatonismus in seiner Auseinandersetzung mit dem Christentum (→ Iulianos [11] Apostata, → Salustios [2], → Proklos [2]). Die *Dionysiaká* des → Nonnos stellen eine poetische Enzyklopädie der Dionysosmythen dar [19], in deren Hintergrund evtl. »Biographien« des Gottes stehen, wie sie sich wohl schon in der Theaterikonographie niederschlagen [1]. Die *Bibliothḗkē* des → Photios [2] enthält, von einer Erwähnung der *Bibliothḗkē* des Ps.-→ Apollodoros [7] abgesehen, Auszüge aus Proklos zum Themenkreis des → epischen Zyklus und ein längeres Exzerpt aus → Konon [4].

Als erstes nach-ma. Hdb. der M. sind zwar die *Genealogie deorum gentilium* (entstanden ca. 1350–1375) des G. BOCCACCIO anzusehen, doch beginnt die Erneuerung des Materials erst Anf. des 16. Jh. mit Wiederentdeckung und Erstdruck ant. Autoren und Mythographen (Erstausgaben: Fulgentius 1498; Cornutus 1505; Hyginus, *Fabulae* 1535; Ps.-Apollodoros 1555), aus denen die einflußreichen Hdb. der Renaissance bereits ih-

ren Nutzen zogen (L. G. GIRALDI 1548; N. CONTI 1551; V. CARTARI 1556). In der frühen Neuzeit wurde mit Slgg. lat. Mythographen ([3; 4]; vgl. [2]; *Mythographi Graeci* erst im 19. Jh., → Mythographie B.) der Boden für die wiss. M. des 19. und 20. Jh. bereitet, welche nunmehr auch die ant. Ikonographie und die kunsthistor. Rezeption systematisch erfaßt. Zur gleichen Zeit setzte daneben – bisher kaum erfaßt und erforscht – eine divulgative M. ein, v. a. in Gestalt myth. WB (in der Goethe-Zeit einflußreich z. B. [5]) und heterogener Nacherzählungen (z. B. [6; 7; 8; 9; 10]), welche auch Hdb.-Format annehmen (vom jeweiligen Mythenverständnis der Verf. geprägt: [11; 12]). Ebenso bemächtigen sich wiss. und populäre M. vergleichbarer Erzähltraditionen anderer Kulturen.

→ Mythos; MYTHOLOGIE I. B.; MYTHOS

1 R. STUPPERICH, 'Dionysos in Comics'. Myth. Theaterbühnenfriese der Kaiserzeit im griech. Osten, in: S. GÖDDE, TH. HEINZE (Hrsg.), Skenika. FS H.-D. Blume, 2000, 207–231.

SAMMEL-ED.: 2 TH. GALE, Opuscula mythologica, physica et ethica. Graece et latine, Amsterdam 1675 3 TH. MUNCKER, Mythographi Latini, Amsterdam 1681 4 A. VAN STAVEREN, Auctores mythographi Latini, Leiden 1741.

DIVULGATIVE M.: 5 B. HEDERICH, Gründliches myth. Lexicon, 1724 (²1770) 6 K. PH. MORITZ, Götterlehre oder myth. Dichtungen der Alten, 1791 7 G. SCHWAB, Die schönsten Sagen des klass. Alt., 1838–1840 8 F. FÜHMANN, Das Hölzerne Pferd. Die Sage vom Untergang Trojas und von den Irrfahrten des Odysseus, 1968 9 Ders., Prometheus. Die Titanenschlacht, 1974; Prometheus. Die Zeugung, 1996 10 J.-P. VERNANT, L'univers, les dieux, les hommes: Récits grecs des origines, 1999 11 K. KERÉNYI, Die Myth. der Griechen, 1951–1958 12 R. GRAVES, The Greek Myths, 1955 (²1960; dt. R. von RANKE-GRAVES, 1960; frz. 1981).

LIT.: 13 J. CHANCE (Hrsg.), The Mythographic Art: Classical Fable and the Rise of the Vernacular in Early France and England, 1990 14 W. KILLY (Hrsg.), M. der frühen Neuzeit, 1984 15 P. DEMATS, Fabula. Trois études de mythographie antique et médiévale, 1973 16 GRUPPE 17 TH. P. HAMEL, Medieval Mythography, 1981 (vgl. Dissertation Abstracts 42.9, 1982, 3991A) 18 H. LIEBESCHÜTZ, Fulgentius metaforalis. Ein Beitr. zur Gesch. der ant. Myth. im MA, 1926 19 W. LIEBESCHUETZ, Pagan Mythology in the Christian Empire, in: IJCT 2, 1995, 193–208 20 J. SEZNEC, La survivance des dieux antiques, 1940 (²1980; engl. 1953; dt. 1990).   T. H.

Mythos

II.* ÄGYPTEN

Entstehungszeit und Relevanz des M. in Äg. werden kontrovers diskutiert [1; 3; 11]. Umfangreiche narrative Texte sind erst vergleichsweise spät bezeugt (›Horus und Seth‹, ca. 1800 v. Chr.). Dies dürfte durch die Überl. der Gattungen gegeben sein, bei der mit Wandinschr. aus Gräbern und Tempeln Texte bevorzugt sind, die aus ihrer Natur heraus nicht an der Darlegung, sondern der Nutzung von Mythologie interessiert sind. Grundsätzlich ist in Äg. von einer schriftlichen Mythologie und einer primär mündlichen kommentierenden Theologie auszugehen. Trotz der Schriftlichkeit der myth. Überl. blieb der Mythenstoff je nach Situation adaptierbar.

Die Aufzeichnung und Überl. von M. fand in Äg. v. a. in Tempelarchiven statt; in der Spätzeit (ab ca. 300 v. Chr.) trat sekundär die Monumentalisierung auf Tempelwänden hinzu. Die Anordnung der M. folgte meist geogr. Prinzipien. Zum einen sind myth. Hdb. erh., die für alle Gaue Äg.s die wichtigen Götter und M. aufzählen [4; 7]. Andererseits wurden für einzelne Gaue ausführliche »Monographien« ausgearbeitet [6]. Diese Texte sind mit Ätiologien für Namen, Orte, Feste, Tabus und Kultformen versehen. Meist sind sie sprachgesch. uneinheitlich, wobei die wesentlichen Redaktionsstufen der spät überl. Texte im NR liegen.

Überregional ist speziell der → Osiris-M., von dem Einzelelemente gerne in lokalen Trad. aufgegriffen wurden. Einer seiner Teilbereiche, der Streit zwischen → Horus und → Seth um das Königserbe, wurde oft als lit. Erzählung ausgeführt (Belege aus der 12., 20. und 26. Dyn. sowie der ptolem. und röm. Zeit); dieser Abschnitt ist in bes. Maße legitimationsstiftend für das äg. Königtum.

Kosmogonien (→ Weltschöpfung) werden in vielen Texten vorausgesetzt und allenfalls knapp geschildert; ausführliche Versionen finden sich etwa in → Edfu (vgl. [5]) und → Esna.

In funerären, magischen und hymnischen Texten konnten Elemente der M. aufgegriffen und verarbeitet werden; der Umfang reicht von knappen Sequenzen (z. B. Pyramidentexte, Spruch 477) bis zu langen, ausgeformten Erzählungen von → Isis und Horus (Metternichstele) und hymnischen Formulierungen des Osiris-M. (Stele Louvre C 286) und der Weltschöpfung (pBerlin 3048).

→ Rituale nahmen in Personal und Götterreden oft Bezug auf den M. Daneben gab es einige mutmaßlich alte »M.-freie« Rituale (v. a. Teile des »Mundöffnungsrituals« sowie Speiseopferlisten). Ob diese Belege ausreichen, um generell eine spätere Mythisierung urspr. handlungsmäßig rein diesseitiger Texte anzunehmen [8], bleibt zweifelhaft.

M. beeinflußten auch die »schöne Lit.«: Das äg. ›Zweibrüdermärchen‹ verwendet als Protagonisten → Anubis und Bata, die beiden wichtigsten Gottheiten des 17. und 18. oberäg. Gaus, und übernimmt wesentliche Motive ihrer M. Das Märchen von ›Wahrheit und Lüge‹ sowie der ›Streit um die Pfründe des Amun‹ greifen Elemente des Osiris-M. auf.

1 J. ASSMANN, Die Verborgenheit des M. im Alten Äg., in: Göttinger Miszellen 25, 1977, 7–43 2 J. ASSMANN et al., Funktionen und Leistungen des M., 1982 3 J. BAINES, Egyptian Myth and Discourse, in: JNES 50, 1991, 81–105 4 D. MEEKS, Un manuel de géographie religieuse du delta (Stud. zur Altäg. Kultur, Beih. 3), 1988, 297–304 5 J.-C. GOYON, Les dieux-gardiens et la genèse des temples, 1985 6 A. GUTBUB, Textes fondamentaux de la théologie de Kom Ombo, 1973 7 J. OSING, G. ROSATI, Papiri geroglifici

e ieratici da Tebtunis, 1998 8 E. OTTO, Das Verhältnis von Rite und M. im Ägyptischen, 1958 9 S. SCHOTT, Mythe und Mythenbildung im Alten Äg., 1945 10 H. STERNBERG, Mythische Motive und Mythenbildung in den äg. Tempeln und Pap. der griech.-röm. Zeit, 1985 11 J. ZEIDLER, Zur Frage der Spätenstehung des M. in Äg., in: Göttinger Miszellen 132, 1993, 85–109.   JO. QU.

N

Naiaden (Ναιάδες, Νηιάδες, Sg. Ναιάς, Νηιάς, Νηίς; lat. *Naiades*). Sammelbezeichnung für die Wassernymphen im allg. (→ Nymphen; Hom. Il. 6,22; 14,444; 20,384; Hom. Od. 13,104; 13,356), die entsprechend den ihnen zugeordneten Gewässern auch Einzelnamen tragen (vgl. schol. Hom. Il. 20,8 BEKKER). Etym. wird die Bezeichnung *Naiádes* mit νάω/náō (»fließen«) und νᾶμα/náma (»das Fließende«, »Fluß«) in Verbindung gebracht (Hesych. s. v. Ναΐδες; Etym. m. s. v. Νῆις). Den N. unterstehen in erster Linie die Flüsse, sowohl im ganzen (Eur. Herc. 785; Kall. h. 3,15; Ov. fast. 2,597) als auch ihre Quellen im bes. (Hom. Il. 20,8 f.; Hom. Od. 6,123 f.; 17,240; vgl. z. B. → Arethusa [7], → Peirene [2] und → Salmakis, sowie die röm. Quellgottheiten → Carmentis, → Egeria [1] und → Iuturna). Sie sind die göttlichen Mächte, die die Quellen entstehen lassen und füllen (Diod. 5,3,4 f.; schol. Pind. O. 12,27a und c). Wo es keine Flüsse gibt oder sie versiegen, grollen die Nymphen (Ail. bei Suda s. v. Νύμφη). Neben den Flüssen sind ihnen auch andere, stehende Gewässer (Theokr. 5,17; Ov. met. 5,540; vgl. Ov. fast. 2,610) und sogar ganze Landstriche (Soph. Phil. 725; Kall. h. 4,50; 109; 256; Ov. fast. 3,443 f.) heilig, in denen sie als Stromgottheiten alles Lebende hervorbringen und ernähren.

Sitz der N. sind in der Regel die feuchten Höhlen und Grotten der Gebirge als Ausgangspunkte von Bächen und Strömen (Hom. Od. 13,347–350; Apoll. Rhod. 4,1149–1155; Paus. 10,32,2–7). Erst nach späterer Auffassung befinden sich ihre Höhlen unter den Flüssen (Orph. h. 51,1 f.; Ov. met. 1,576; Claud. carm. 1,209). Aufgrund der Heilkraft des Wassers werden die N. oft als Heilgottheiten verehrt (Pind. O. 12,27; Paus. 5,5,11; 6,22,7; → Heilgötter). Ebenso wird dem Wasser und so auch den N. und ihren Kindern mantische Kraft zugeschrieben. Wie die Nymphen allgemein sind auch die N. zumeist nicht selbst Inhaberinnen von Orakelstätten, sondern als Dienerinnen höheren Gottheiten unterstellt (Paus. 8,37,11 f.; 9,3,9). Von ihnen (hellseherisch) begeisterte Menschen werden νυμφόληπτοι/ *nymphólēptoi* (»von den Nymphen verzückt«) genannt (Plat. Phaidr. 238d; Hesych. s. v. νυμφόληπτοι; vgl. Aristoph. Pax 1070 f.).

→ Quelle

1 G. BECATTI, Ninfe e divinità marine. Ricerche mitologiche, iconografiche e stilistiche (Studi miscellanei 17), 1971 2 L. BLOCH, s. v. Nymphen. IV. Die Najaden, ROSCHER 3.1, 507–515 3 E. DIEZ, Quellnymphen, in:

F. KRINZINGER et al. (Hrsg.), Forsch. und Funde.
FS B. Neutsch, 1980, 103–108 **4** M. HALM-TISSERANT,
G. SIEBERT, s. v. Nymphai, LIMC 8.1, 891–902 (mit
Bibliogr.) **5** H. HERTER, F. HEICHELHEIM, s. v. Nymphai (1),
RE 17, 1527–1599, bes. 1533–1539 **6** B. KAPOSSY,
Brunnenfiguren der hell. und röm. Zeit, Diss. Bern 1969
7 D. KENT HILL, Nymphs and Fountains, in: AK 17, 1974,
107f. **8** F. MUTHMANN, Weihrelief an Acheloos und
Naturgottheiten, in: AK 11, 1968, 24–44 **9** Ders., Mutter
und Quelle. Stud. zur Quellenverehrung im Alt. und im
MA, 1975 **10** J. A. OSTROWSKI, Personifications of Rivers in
Greek and Roman Art, 1991.   SI. A.

Nauarchos

Nauarchos (ναύαρχος). Bezeichnung für einen spartan. Flottenbefehlshaber, erstmals 480 v. Chr. in den
→ Perserkriegen belegt, als Sparta auch zu Wasser das
griech. Heer kommandierte, wodurch die Einrichtung
mil. Ämter erforderlich wurde. Erster *n.* war → Eurybiades (Hdt. 8,2; 8,42). Das Amt der *nauarchía* wurde
dann erst wieder im → Peloponnesischen Krieg bedeutsam, erscheint dort als Jahresamt, das jeder → Spartiate
nur einmal bekleiden konnte; letzteres konnte aber um-
gangen werden, indem man fähige Heerführer, wie
z. B. → Lysandros [1], als *epistoleús* (Stellvertreter) einem
n. an die Seite stellte, der den Oberbefehl dann nur nominell führte (Xen. hell. 2,1,7). Das Amt war mit großer
Machtfülle ausgestattet, wurde von Aristoteles [6] fast als
zweite Königsherrschaft angesehen (Aristot. pol. 1271a
37–39) und stellte eine der wenigen Möglichkeiten für
Mitglieder des spartan. Damos (dorisch für → *dẽmos*)
dar, polit. Einfluß zu erlangen.
→ Flottenwesen

M. CLAUSS, Sparta, 1983, 140–142 · P. PORALLA,
Prosopographie der Lakedaimonier, 1913, 166f. (Liste der
bekannten spartan. Nauarchen) · R. SEALEY, Die
spartanische Nauarchie, in: Klio 58, 1976, 335–358 ·
L. THOMMEN, Lakedaimonion Politeia, 1996, 66, 103f.
         M. MEI.

Naulochon

Naulochon (Ναύλοχον). Hafenort der frühhell. Neugründung → Priene (Plin. nat. 5,113: *oppidum Naulo-
chum*), für den Skyl. 98 zwei Häfen bezeugt, davon einen als λιμὴν κλειστός/*limén kleistós* (»geschlossener Hafen«). Da die Deltafront des Maiandros [2] Priene um
350 v. Chr. fast erreicht hatte [1], lag N. offenbar westl.
von Priene. Eine Weihinschr. am sog. Quellentor von
Priene gilt dem Heros Naolochos (IPriene 196), daher
ging dort wohl die Straße nach N. ab. [2] vermutete N.
bei Ak Boğaz (h. Atburgaz), doch existierte weiter
westl. bei Tuzburgazı bereits im 4. Jh. v. Chr. der See
Gaisonis Limne (→ Gaison). Alexandros [4] d. Gr. gewährte 334 v. Chr. den Bewohnern von N. »soweit sie
Bürger von Priene sind« → *autonomía* und *eleuthería*
(→ Freiheit) (IPriene 1).

1 H. BRÜCKNER u. a., Holocene Landscape Evolution of the
Büyük Menderes Alluvial Plain in the Environs of Myous
and Priene, in: Zschr. für Geomorphologie, Suppl. (im
Druck) **2** TH. WIEGAND, H. SCHRADER, Priene, 1904, 16f.,
Taf. 1.   H. LO.

Neopoioi

Neopoioi (νεωποιοί, Sg. νεωποιός, auch ναωποιοί/*naō-
poioí*, »Tempelbauer«). Kultfunktionäre, die urspr. für
die bauliche Struktur und später für die Verwaltung des
finanziellen und Landbesitzes eines → Tempels (*naós,
neós*) in der griech. Welt verantwortlich waren. Das Amt
des *n.* war kein Priesteramt, wurde aber in hell. und
röm. Zeit, als es häufig als → Liturgie (I.) galt, von Mitgliedern der lokalen Eliten bekleidet, die auch → Priester waren. Normalerweise besaß ein Tempel mehrere
n., die bisweilen (z. B. in Aphrodisias [1]) von einem
archineōpoiós angeführt wurden oder (wie in Magnesia
[2] am Maiandros [2]: IMagn Nr. 362) in einem → *synhédrion* (I.) versammelt waren. In Delphoi besorgte ein
Komitee von 30 oder 40 *n.* die Finanzen des Orakel-
heiligtums gemeinsam mit oder durch ein Unter-Ko-
mitee von sog. ἐπιμήνιοι/*epiménioi* (Syll.³ 241).

Durch die zentrale Rolle der → Religion in der
griech. *pólis* hatten die *n.* schon früh eine wichtige Position in der städtischen Herrschafts- und Verwaltungs-
struktur inne. In Lebadeia (Boiotien) wurden ihre Aktivitäten von demselben Gesetz geregelt, das auch die
Aufgaben des städtischen Amtes der → *katóptai* behandelte (Syll.³ 972). *N.* erscheinen als eponyme Magistrate
in vielen Beschlüssen der griech. *póleis*; im röm. Aphrodisias [1] hatten sie eine exponierte Rolle als Agono-
theten (→ *agonothétēs*) bei den großen Spielen der Stadt.
Nicht jede Stadt oder jeder Tempel besaß *n.*; ähnliche
oder identische Funktionen konnten etwa von sog.
hieropooí, epistátai oder *práktores* erfüllt werden.
→ Heiligtum; Priester; Tempel

C. ROUECHÉ (Hrsg.), Performers and Partisans at
Aphrodisias in the Roman and Late Roman Periods, 1993,
Nr. 77, 78, 81–86 · O. SCHULTHESS, s. v. νεωποιοί, RE 16,
2433–2439.   C. E. CH.

Nestorbecher

Nestorbecher. Der sog. N. (spätgeom. Kotyle/
→ Skyphos, ostgriech., ca. 735–720 v. Chr.) wurde 1954
im Grab (ca. 720–710 v. Chr.) eines 12- bis 14jährigen
Knaben auf Ischia (→ Pithekussai) gefunden [1; 2].
Wichtig ist er wegen der nach dem Brennen eingeritz-
ten dreizeiligen Inschrift (CEG 454) im euböischen
→ Alphabet (ältere Abb. bei → Griechenland, Sprachen;
vgl. Zeichnung und Photos bei [1; 2]): Νέστορος : ξ[ἔν
τ]ι̣ : εὔποτ[ον] : ποτέριον | hὸς δ᾿ ἂν τõδε πίεσι :
ποτερί[ο] : αὐτίκα κ̣ε̄νον | hίμερος hαιρέσει : καλλι-
στε[φά]νō : Ἀφροδίτε̄ς. ›Nestor hatte einen Becher, aus
dem gut zu trinken war; wer aber aus *diesem* Becher
trinkt, den wird sogleich die Sehnsucht der schönbekränzten Aphrodite ergreifen.‹

Z. 2f. sind daktylische Hexameter, und was von Z. 1
erhalten ist, paßt in einen iambischen Trimeter. Die
gängige Ergänzung der ersten Lücke, Νέστορός ε̣[(ἰ)μ]ι̣
… ›ich bin des Nestor …‹, macht einen Trimeter
unmöglich; überdies ergibt sie einen pragmatisch-synt.
Bruch zwischen dem ersten Satz (Becher = »ich«) und
dem zweiten (Becher = »er«) und ist inhaltlich unsinnig.
Die obige Ergänzung von A. HEUBECK [3] (nach D. L.
PAGE), die epigraphisch möglich ist und einen hervor-

ragenden und witzigen Sinn ergibt (iambisch zu lesende 3. Sg. Imperf., geschr. ἔέν, ἔέ oder haplographisch ἔ(ἔ)ν), ist deshalb nach wie vor zu bevorzugen.

Die Inschr. setzt nicht »Homer« (Ilias und Odyssee) voraus, wohl aber die mündliche epische Trad. (→ Epos; → Homeros [1]), etwa in der Formel »der schönbekränzten Aphrodite« (vgl. Hom. Od. 8,267) und inhaltlich in der Episode von Nestors Becher (Hom. Il. 11,632 ff.). Gefäß und Inschr. sind plausibel in den Kontext des Symposions in homerischer Zeit gestellt worden [4]. Von Euboia (Eretria) stammt ein Graffito auf einer Scherbe desselben Gefäßtyps (E. 8. Jh. v. Chr.) mit u. a. hὲ δ' ἂν τō[δε …] (Zeilenanfang?) [2. 190–192]; Inschr. dieser Art dürften – ausreichende Originalität vorausgesetzt – »Serienware« gewesen sein [5].

Wichtig ist der N. für unsere Kenntnis der schriftlichen Gestaltung epischer Texte in homerischer Zeit: stichische Anordnung der Verse, Interpunktion, geminierte Schreibung von Lang-Kons. (alles wertvolle Lesehilfen, bes. in metrischen Texten anspruchsvollen Stils!; vgl. → Lesezeichen) müssen damals üblich gewesen sein. Die Interpunktion begrenzt Akzenteinheiten oder Zweiergruppen ([6], ein weiteres Argument gegen ε[(ì)μì]ι) und fällt naturgemäß oft in synt. und metrische Zäsuren. Sprachgeschichtlich wertvoll sind der Konj. Aor. πίησι (nicht -ηισι), die westion. Aspiration (lokale Adaptation der epischen Sprache!) sowie kontrahiertes -στεφάνō vor Vok. (ion.-modern), nicht das oft postulierte *-οι für -οιο (äol.-traditionell) [7] (analog schrieb »Homer«, z. B. Hom. Il. 1,1, wohl schon -εω, nicht *-ᾱ' für -ᾱο). Beachtenswert sind auch die Stilfiguren (v. a. Figura etymologica und Alliteration).

→ Graffiti (Nachträge); Griechenland, Sprachen (mit Abb.); Inschriften II. A.

1 G. BUCHNER, D. RIDGWAY, Pithekoussai, Bd. 1, 1993 2 A. BARTONĚK, G. BUCHNER, Die ältesten griech. Inschr. von Pithekoussai, in: Die Sprache 37.2, 1995, 1–237, bes. 146–154 3 HEUBECK, 109–116, bes. 113 4 J. LATACZ, KS, 1994, 363–365 5 R. WACHTER, Non-Attic Greek Vase Inscriptions, 2001, 168 mit Anm. 513 6 Ders., in: J. LATACZ (Hrsg.), Homers Ilias: Gesamtkomm. Prolegomena, 2000, 66 f. mit Anm. 10 7 P. CHANTRAINE, Grammaire homérique, Bd. 1, 1942, (Ndr. 1958 u.ö.), 87, § 36 (Ende).
R. WA.

Nikolaos

[4a] N. Sophistes (N. Σοφιστής, N. aus Myra). Rhetor und Sophist des 5. Jh. n. Chr. Laut zwei Einträgen in der Suda (s. v. N. 394 und 395), die sich auf dieselbe Person zu beziehen scheinen [1. xxi–xxvii], stammt N. (Hauptschaffenszeit unter Kaisers Leo [4] I.) aus → Myra in Lykien, war Schüler des Sophisten Lachares [2] und mit → Proklos befreundet; unter Leo [4] I., Zenon [18] und Anastasios [1] I. (d. h. von vor 474 bis nach 491 n. Chr.) hatte er eine Professur in Konstantinopolis inne. Zugeschrieben werden ihm im einen Suda-Artikel προγυμνάσματα (→ progymnásmata) und μελέται (melétai; vgl. → exercitatio), im anderen melétai und ein Rhet.-Lehrbuch. Erh. sind eine Serie progymnasmatischer

Musteraufsätze sowie weitgehend die progymnásmata selbst, wobei nicht klar ist, inwieweit diese Texte den Angaben der Suda zuzuordnen sind. Die progymnásmata (ed. [1]) weisen die übliche Einteilung ihrer Gattung auf. In der Einleitung seines Werkes bezeichnet N. es ausdrücklich als »Zusammenstellung« (sýntagma) von Lehren unterschiedlicher Quellen ohne Anspruch auf Originalität. Die Anlage der einzelnen Kapitel unterscheidet sich hauptsächlich dadurch von den Gattungsvorgängern (→ Theon [6], → Hermogenes [7] und die Rhet. des → Anonymus Seguerianus scheint N. gekannt zu haben, → Aphthonios jedoch nicht), daß N. – vielleicht aus didaktischen Gründen – auf subtilere Differenzierung verzichtet und größere Übersichtlichkeit bevorzugt. Exempel aus klass. Lit. finden sich nur selten, sein Stil ist schlicht und einfach. Getrennt überl. sind die Musteraufsätze (ed. [2]), von denen sich einige auch im Corpus des → Libanios finden (vgl. [3]); dazu kommen vermutlich einige dem Libanios zugeschriebene Stücke (Narrationes 19, 22, 24, 31, 32, 34, 36–39; Encomium 9; Ethopoeia 26; Descriptiones 8–28, Theses 2, 3 sowie die Defensio legum), die aber eine andere Klauseltechnik aufweisen als die in den von Libanios verfaßten progymnásmata übliche. Da aber die Konzeption jener nicht von Libanios verfaßten Musteraufsätze teilweise im Widerspruch zu den von N.' in den progymnásmata gemachten theoretischen Ausführungen steht, ist N.' Autorschaft nicht zweifelsfrei sicher.

ED.: 1 J. FELTEN, Nicolai progymnasmata (WALZ 11), 1913 2 WALZ 1, 263–420 3 R. FÖRSTER, Libanii opera, Bd. 5, 1909 (²1963); Bd. 8, 1915 (²1963).
LIT.: S. ALTEKAMP, Zu den Statuenbeschreibungen des Kallistratos, in: Boreas 11, 1988, 77–154 (hier 98–100) · B. D. HEBERT, Spätant. Beschreibung von Kunstwerken, Diss. Graz 1983 · G. A. KENNEDY, Progymnasmata, ²2000, 99–131 · K. ORINSKY, De Nicolai Myrensis et Libanii quae feruntur Progymnasmatis, Diss. Breslau 1920 · SCHMID-STÄHLIN 2, 994 f. mit Anm. 8 und 1102 · W. STEGEMANN, s. v. N. (21), RE 17, 424–457.
CH. KÄ.

Nomarches (νομάρχης). In Ägypten unter → Alexandros [4] d. Gr. und den ersten → Ptolemaiern die griech. Bezeichnung für den zivilen Verwaltungschef eines Gaues (griech. · nomós [2]), z. T. vielleicht auch eines kleineren Gaudistrikts. Der n. war meist einheimischer Ägypter, ihm zur Seite stand als mil. Distriktskommandeur ein maked.-griech. → stratēgós. Im Laufe des 3. Jh. v. Chr. wurde das Amt bedeutungslos, der stratēgós war jetzt der alleinige zivile und mil. Chef des nomós. Dies führte zur Vereinigung mil. und administrativer Kompetenzen und verdrängte die traditionelle äg. Schreiberelite weitgehend aus leitenden Positionen.

W. HUSS, Äg. in hell. Zeit, 2001, 222 f.; 375.
JÖ. GE.

Noviomagus

[9] Hauptort der → Regni, h. Chichester in Sussex, England. Ein eisenzeitliches → Oppidum dürfte einer Militärbasis z. Z. des Claudius [III 1] vorangegangen sein. Daraus entwickelte sich eine städtische Siedlung, die von → Cogidubnus Mitte des 1. Jh. n. Chr. bes. gefördert wurde [1. 91]. 2 km westl. der Stadt fand man eine luxuriöse Villa bei Fishbourne, möglicherweise die Residenz des königlichen Hauses oder vielleicht eines röm. Gouverneurs [2].

1 R. G. COLLINGWOOD, R. P. WRIGHT, The Roman Inscriptions of Britain, ²1995 2 B. CUNLIFFE, Excavations at Fishbourne, 1971.

A. DOWN, Chichester Excavations, Bd. 1, 1971; Bd. 2, 1974; Bd. 3, 1978 · J. S. WACHER, The Towns of Roman Britain, ²1995, 255–271. M. TO./Ü: I. S.

O

Ofellius

[2a] O. Ferus, C. Im letzten Viertel des 2. Jh. v. Chr. ehrten die auf → Delos niedergelassenen Italiker den campanischen Händler O. wegen seiner Verdienste mit einer marmornen Porträtstatue (Bildhauer: → Dionysios [48] und → Timarchides [1]). Die frg. erh. Statue wurde 1880 bei den frz. Ausgrabungen auf der Agora der Italiker gefunden; O. wurde mit → Paludamentum auf der linken Schulter, Schwert in der gesenkten Linken und ausgestrecktem rechten Arm, der ehemals eine Lanze hielt, dargestellt (Delos, Mus. Inv. Nr. A 4340; H: 236 cm, mit erh. Basis und ergänzter Lanze ca. 280 cm). O. ist die erste erh. Statue eines Römers, der in heroischer → Nacktheit dargestellt wurde. Die eklektisch gebildete Statue folgt bes. polykletischen und praxitelischen Stilelementen (→ Polykleitos [1]; → Praxiteles), die im Späthell. formgebend waren.

F. QUEYREL, C. Ofellius Ferus, in: BCH 115, 1991, 389–464. R. H.

Ophir

Ophir (hebräisch ʾŌfīr, ʾŌfir; LXX: Οὐφειρ, Σωφαρα, Σωφειρ(α), Σωφηρα, Σωφιρα, Σουφειρ, Σουφιρ, Σοφειρ). Laut AT Herkunftsland von Gold (1 Kg 9,28; 22,49) und Halbedelsteinen (1 Kg 10,11; Hiob 28,16), die → Salomo über das Rote Meer per Schiff nach Israel bringen ließ. Gold aus O. wird auch in einem hebr. Ostrakon (epigraphisch zw. 8. und 6. Jh. v. Chr. zu datieren) erwähnt [2]. Die Lokalisierung von O. ist umstritten: sowohl Südarabien bzw. die ostafrikanische Küste als auch Indien – u. a. wegen des bei Ptol. 7,1,6 erwähnten und ca. 65 km nördl. von Bombay zu lokalisierenden *Supara* (Σούπαρα; Σουπάρα) – werden erwogen.

1 D. W. BAKER, s. v. O., in: D. N. FREEDMAN (Hrsg.), Anchor Bible Dictionary 5, 1992, 26f. 2 B. MAISLER, Two Hebrew Ostraca from Tell Qasile, in: JNES 10, 1951, 265–267. J. RE.

Oppius

[II 0] Sp. O. *Cos. suff.* Okt.-Dez. 43 n. Chr. zusammen mit Q. Curtius [II 7] Rufus. Nachkomme des gleichnamigen Praetors 44 v. Chr.

G. CAMODECA, I consoli del 43, in: ZPE 140, 2002, 227–236. W. E.

Optio

Optio. In der Armee der röm. Republik diente ein *o.* unter jedem der beiden *centuriones* eines → *manipulus*. Das Wort leitet sich her von der Tatsache, daß der *o.* ursprünglich von einem → *centurio* ausgewählt wurde (*optare*, »wählen, wünschen«; Festus p. 184M; vgl. Veg. mil. 2,7,4). In der Prinzipatszeit gehörte der *o.* oder *o.* *centuriae* (ILS 2116) zu den → *principales*, die in den *legiones* entweder den eineinhalbfachen oder doppelten → Sold erhielten und bes. Aufgaben wahrnahmen. Der *o.* stand im Rang zwischen dem → *tesserarius* und dem *signifer* (Träger des → Feldzeichens); er unterstand weiterhin dem *centurio* und führte in dessen Abwesenheit die → *centuria*. Dabei ist unklar, ob zw. den Soldaten, die unterschiedlich als Anwärter auf den Rang des *centurio* bezeichnet wurden, zu unterscheiden ist (etwa: *o. spei; o. ad spem ordinis*; ILS 2442; 2441). In den Legionen dienten diese *optiones* im Stab des Feldherrn und scheinen direkt zum *centurio* befördert worden zu sein. Vielleicht unterschieden sie sich in ihrem Rang und in ihrer Funktion von den *o. centuriae*. Allerdings wird dies durch die Inschr. der *o.* der *legio III Augusta* in Lambaesis (CIL VIII 2554 = ILS 2445) nicht gestützt; hier werden alle *o.* der Legion ohne irgendeine Unterscheidung ihres Ranges aufgeführt. Es ist möglich, daß alle *o.* die Beförderung zum *centurio* erwarteten und daß eine Formulierung wie *o. spei* anzeigte, daß der Betreffende bereits auf der Beförderungsliste geführt wurde. O. sind auch für die → Praetorianer (ILS 2075; 2084), die *cohortes urbanae* (ILS 2117) und die *cohortes vigilum* (ILS 2156; 2171) epigraphisch belegt.

Daneben gab es *o.* in besonderen Positionen – so den *o. speculatorum*, der für Hinrichtungen verantwortlich war (ILS 8997), den *o. carcaris*, dem das Gefängnis unterstand (ILS 2117; 2126; 9069), sowie den *o. valetudinarii*, der die Krankenstation leitete (ILS 2117; 2437; 2438). Der *o.* trug als Zeichen seines Dienstranges einen Stab. → Legio; Principales

1 D. J. BREEZE, Pay Grades and Ranks below the Centurionate, in: JRS 61, 1971, 130–135 2 Ders., The Organisation of the Career Structure of the Immunes and Principales in the Roman Army, in: BJ 174, 1974, 245–292. J. CA.

P

Paradeigma I. BEGRIFFLICH-SPRACHLICHES
II. IM KONTEXT DER AUFTRAGSVERGABE
III. PHILOSOPHIE UND RHETORIK

I. BEGRIFFLICH-SPRACHLICHES

Der griech. Terminus παράδειγμα (*parádeigma*; lat. *exemplum, exemplar*, »verbindliches Vorbild«) ist seit der Mitte des 6. Jh. v. Chr. belegt: Im Tunnel des → Eupalinos auf Samos findet sich auf einem Wandabschnitt von 5 m L die Inschr. ΠΑΡΑΔΕΓΜΑ. Ob diese auf ein Muster bzw. Konzept verweisen sollte und welches dieses war, ist noch nicht abschließend geklärt [6; 4]. Die

Bed. des von παραδείκνυμι/*paradeíknymi* (»daneben aufzeigen«, vgl. Isokr. or. 12,39; Philostr. Ap. 7,1) abgeleiteten Nomen impliziert immer schon einen Vergleich.

II. IM KONTEXT DER AUFTRAGSVERGABE

In → Malerei, Bildhauerei (→ Bildhauertechnik) und → Bauwesen ist der Terminus *p.* für vollplastische Modelle sowie zeichnerische Konzepte belegt [2; 11; 13. 204–215; 10; 8. 29 f.]. Aber nicht jedes Modell ist ein *p.*; von anderen modellhaften Zwischenstufen des Werkprozesses wie der ὑπογραφή (*hypographé*; lat. *lineamentum*, »Vorzeichnung«) [8. 29 ff.], dem πρόπλασμα (*próplasma*; lat. *argilla*, »Tonmodell«) [9], dem τύπος (*týpos*, »Abdruck«, auch »Gipsmodell«) [2; 13. 272–293] unterscheidet es sich durch seinen pragmatischen Zusammenhang: In Bauinschr. wie lit. Quellen ist es die für die Ausführung verbindliche Veranschaulichung des Vertrags zw. dem Auftraggeber und dem ausführenden Handwerker oder → Künstler (*technítēs*) (Aristot. Ath. pol. 49,3; Plut. mor. 498 e) [9]. Je nach Auftrag konnte das *p.* die Form eines Tempelmodells, eines auf Holz gemalten Bildes [13. 206–208 Nr. 10, 12b, 14, 15, 17], aber auch eines Dübels oder Dachziegels annehmen [13. 206 Nr. 7, 8]. Entscheidend war, daß es als Prototyp oder Arbeitsrichtlinie stets außerhalb des Werkprozesses stand, oft auch gesondert verwahrt blieb. Wenn also das sog. Musterkapitell der → Tholos von → Epidauros (um 360/350 v. Chr.) dem Ausgrabungsbefund zufolge niemals verbaut, stattdessen im Heiligtum eingegraben wurde [5; 1], dann mag hier ein *p.* nach Abschluß der Arbeiten aus seinem pragmatischen Kontext gelöst worden sein.

Schon bei Platon [1] zeichnet sich eine Erweiterung des auf die reale Arbeitsvorlage beschränkten *p.*-Begriffs ab. Beim Verfahren der → *mímēsis* kann der Künstler zum einen das vor ihn hingestellte, objekthafte *p.* nachbilden (Plat. soph. 235 d), zum anderen ein ›sich eindrücklich in der Seele befindendes *p.*‹ wiedergeben (Plat. rep. 484 c). Mit der Einführung des *phantasía*-Konzepts durch Aristoteles [6] (→ Phantasie) ist schließlich ein Seelenvermögen erfaßt, durch das das *p.* in Form eines zeichnerischen oder gedanklichen Entwurfs zur Richtlinie des Schaffens werden kann (Aristot. an. 427b ff.). Seit dem Hell. sind daher objekthafte Modelle und Pläne gleichermaßen als *paradeígmata* möglich [13. 207 Nr. 12b, 13; 210 Nr. 23]. Da erst die aristotelische Wahrnehmungslehre die Voraussetzungen dafür schuf, allein gedanklich gebildete, zeichnerisch fixierte Konzepte als schöpferische Leistung zu werten und somit zum *p.* zu erheben, sind Forschungsansätze problematisch, die bereits dem 5. Jh. v. Chr. oder gar der Archaik konzeptuelle *p.* zuerkennen wollen [4].

III. PHILOSOPHIE UND RHETORIK

Neben *eídos* und *idéa* benutzt Platon auch *p.* terminologisch in seiner → Ideenlehre, um das Abhängigkeitsverhältnis (*méthexis*, Plat. Parm. 132 d; vgl. Aristot. metaph. 1,9,991 a20 ff.; Alex. Aphr. in metaph. 102 ff.) der Ähnlichkeit zw. Form und Geformtem im Sinne einer Seinshierarchie (→ Ontologie) zu bezeichnen.

Hierbei kommt es jedoch zu einem prinzipiell unendlichen Regreß, wenn weiter nach der Verursachung dieser Ähnlichkeit zw. Form und Geformtem gefragt wird (sog. *trítos-ánthrōpos*-Argument); die Konsistenz der Ideenlehre ist gefährdet, wenn das *p.* die Eigenschaft, für die es verantwortlich ist, auch selbst vollkommen aufweisen soll [17]. Ob aber um dieser Konsequenz zu entgehen, *p.* nur als abstraktes Schema zu denken ist, bleibt fraglich [15].

Platon benutzt das Wort *p.* außerhalb der Ideenlehre sowohl in dieser Bed. eines abstrakten Schemas (Plat. Prot. 326 c-d) als auch in der eines einfachen Beispiels (Plat. apol. 23 b; Plat. Men. 77 a), wie es in der → Rhetorik geläufig ist (Aristot. rhet. Alex. 8,1; Aristot. rhet. 1,2; Aristot. an. pr. 2,24; Aristot. an. post. 1,1). Aristoteles definiert hier *p.* als rhet. Induktion, die von einem bekannten Einzelfall auf einen neuen unbekannten Fall schließt, ohne auf Vollständigkeit einer Reihung (vollständige Induktion) bedacht zu sein. Mit Blick auf das deliberative Genus führt Aristot. rhet. 2,20 außer dem histor. *p.*, das bereits in der ›Ilias‹ argumentativ genutzt wird [14], auch das fiktive *p.* an, nämlich → Fabel und → Vergleich (*parabolé*). Das rhet. Interesse am *exemplum* (»Beispiel«; vgl. Rhet. Her. 4,62) ließ *exempla*-Sammlungen entstehen (kunstvolle Literarisierung bei → Valerius [III 5] Maximus), deren topisches Potential (vgl. → Topik) mod. Interesse findet [3; 12]. Die → *Rhetorica ad Herennium* diskutiert 4,1–10 die Bed. von *exempla* für die Darstellung der → *elocutio* (»sprachlichen Ausgestaltung«) und empfiehlt für die Glaubwürdigkeit der zu vermittelnden *ars* (»Kunst«/»Wissenschaft«), eigene *exempla* zu bilden. *P.* hat so die Funktion eines Beweises der künstlerischen Kompetenz, einer Illustration wie auch eines vorbildhaften Meisterstückes, an dem sich der Schüler durch *imitatio* zu orientieren hat. Auch ganze Musterreden galten als *p.* (Plat. Phaidr. 262 c-d) [16].

1 H. BAUER, Korinthische Kapitele des 4. und 3. Jh. v. Chr., in: MDAI(A) 3. Beih., 1973, 87, 103 f. 2 A. VON BLUMENTHAL, Τύπος und παράδειγμα, in: Hermes 63, 1928, 391–414 3 F. DORNSEIFF, Lit. Verwendungen des Beispiels, in: Vorträge der Bibl. Warburg 1924–1925, 206–228 4 L. KÄPPEL, Die Paradegma-Inschr. im Tunnel des Eupalinos auf Samos, in: A&A 45, 1999, 75–99 5 P. KAVVADIAS, Κορινθιακὸν κιονόκρανον ἐκ τῆς θόλου τοῦ Πολυκλείτου, in: ArchE, 1885, 231–234, Taf. 10 6 H. KIENAST, Die Wasserleitung des Eupalinos auf Samos (Samos 19), 1995, 194 Abb. 49 7 J. KLEIN, s. v. Exemplum, HWdR 3, 1996, 60–70 8 N. J. KOCH, Techne und Erfindung in der klass. Malerei, 2000 9 Dies., Die ant. Kunstschriftstellerei und ihre Wiederentdeckung durch Leon B. Alberti und Franciscus Junius, Teil I, in Vorbereitung 10 H. LAUTER, Zur gesellschaftlichen Stellung des bildenden Künstlers in der griech. Klassik, 1974, 26–34 11 R. MARTIN, Manuel d'architecture grecque, Bd. 1: Matériaux et techniques, 1965, 177 f. 12 P. VON MOOS, Gesch. als Topik, ²1996 13 J. J. POLLITT, The Ancient View of Greek Art, 1974 14 O. PRIMAVESI, Nestors Erzählungen, in: CHR. NEUMEISTER, W. RAECK (Hrsg.), Rede und Redner. Bewertung und Darstellung in den ant. Kulturen, 2000, 45–64 15 W. J. PRIOR, The Concept of παράδειγμα in

Plato's Theory of Forms, in: Apeiron 17, 1983, 33–42
16 G. RECHENAUER, s. v. Musterrede, HWdR 6 (im Druck)
17 F. REGEN, Formlose Formen. Plotins Philos. als Versuch,
die Regreßprobleme des Platonischen Parmenides zu lösen
(Nachrichten der Akad. der Wiss. Göttingen, 1988.1).
N. K. u. TH. SCH.

Paris

[2] L. Domitius P. Pantomime zur Zeit Neros, Freigelassener von Neros Tante Domitia (Tac. ann. 13,19,4;
CIL XIV 2886). Infolge seiner Begünstigung durch
Nero, dessen Ausschweifungen er unterstützte (Tac.
ann. 13,20,1; 22,2), blieb er unbestraft, als er 55 n. Chr.
im Zuge einer von Iunia [6] Silana initiierten Intrige zu
Unrecht schwerwiegende Vorwürfe gegen Agrippina
[3] vorbrachte (Tac. ann. 13,19–22); zudem erklärte ihn
Nero im J. 56 zum → *ingenuus* (»von freier Geburt«, Tac.
ann. 13,27,3), als P. gegen Domitia einen Prozeß zwecks
Rückzahlung der Freilassungssumme anstrengte (Dig.
12,4,3,5). Lukianos (De saltatione 63–64) meint mit
dem angesehenen Pantomimen neronischer Zeit zweifellos P. Dieser habe den kynischen Philosophen Demetrios [24] tief beeindruckt und von seiner Kritik an
Pantomimen abgebracht, als er den Ehebruch von Ares
und Aphrodite ohne jede Begleitung ausdrucksstark
tanzte; bei einer anderen Gelegenheit habe sich auch ein
auswärtiger König ihn von Nero (vergeblich) als Ab-
schiedsgeschenk erbeten: Er sollte mittels seiner luziden
Darstellungskunst künftig ausdrücken, was beim Kontakt mit den Nachbarvölkern infolge der unterschiedlichen Sprachen mit Worten nicht zu vermitteln war.

Seine Begabung wurde P. offenbar schließlich zum
Verhängnis: Nero ließ ihn töten, entweder weil er dessen Konkurrenz fürchtete (Suet. Nero 54) oder weil
Nero, wie Cass. Dio 63,18,1 zum J. 67 berichtet, bei ihm
erfolglos den pantomimischen Tanz zu erlernen versucht hatte.

M. BONARIA, Dinastie di pantomimi latini, in: Maia 11,
1959, 224–242, 233 f. · H. LEPPIN, Histrionen, 1992,
270–272 · M. E. MOLLOY, Libanius and the Dancers, 1996,
318 f.

[3] Berühmter Pantomime zur Zeit des Domitianus. P.,
der aus Ägypten stammte (Mart. 11,13,3), genoß in
Rom und wohl auch darüber hinaus große Popularität
(entsprechend nennt ihn Mart. 11,13,3–5 *urbis deliciae*
(»Roms Entzücken«) und *Romani decus theatri* (»Zierde
des röm. Theaters«); ebenso galten ihm verm. die zahlreichen → Graffiti aus Pompeii und Herculaneum, in
denen ein Paris gefeiert wird [1. 273]. P. verfügte über
großen Einfluß am Hof, den er nach Iuv. 7,88 f. nutzte,
um Dichtern mil. Posten zu verschaffen und sie in den
Ritterstand zu erheben, sowie über ein stattliches Vermögen, das er u. a. dazu verwendete, Dichtern (wie
etwa dem notleidenden → Statius [II 2]) Libretti abzu-
kaufen (Iuv. 7,87 mit Schol.). Die bes., wohl auch erotische Ausstrahlung des P. (Mart. 11,13,4;6) übte auf
Frauen große Anziehungskraft aus (so Iuv. 6,87); auch
die Kaisergattin Domitia [6] widerstand ihr nicht und

beging mit P. Ehebruch (Suet. Dom. 3,1). Dies führte
dazu, daß Domitianus P. 83 n. Chr. auf offener Straße
ermorden ließ (Schol. Iuv. 6,87; Cass. Dio 67,3,1), worauf zahlreiche Leute an der Stelle, wo der beliebte Pantomime getötet worden war, Blumen niederlegten, was
ihnen gleichermaßen zum Verhängnis wurde (Cass. Dio
ebd.). Auf das Grabmal des P., das (verm. erst nach dem
Tod des Domitianus [1. 274]) an der Via Flaminia errichtet wurde, bezieht sich das bekannte Epigramm
Martials (11,13).
→ Pantomimus

1 H. LEPPIN, Histrionen, 1992, 272–275 **2** M. E. MOLLOY,
Libanius and the Dancers, 1996, 319 f. LO. BE.

Passenianus. Senatorischer consularer Statthalter der
Prov. Syria Palaestina unter Kaiser Probus [1] (vgl.
[1. Nr. 13]); von dem von [2. 192 ff.] = AE 1998, 1440
angeblich gelesenen Gentilnomen *Clod(ius)* ist am Stein
nichts festzustellen.

1 C. M. LEHMANN, K. G. HOLUM, The Greek and Latin
Inscriptions of Caesarea Maritima, 2000 **2** F. CHAUSSON,
Trois Clodii sénatoriaux, in: Cahiers du Centre
Gustave-Glotz 9, 1998, 177–213. W. E.

Passienus

[2] L. P. Rufus. Sohn des Redners → Passienus. Kam
als *homo novus* in den Senat; im J. 4 v. Chr. *cos. ord.*, was
auf engste Verbindung mit Augustus verweist. Als Proconsul von Africa erwarb er nach siegreichen Kämpfen
die *ornamenta triumphalia*. Einer seiner Söhne ist L.
→ Sallustius [II 3 a] Crispus Passienus Equi[– – –].

PIR² P 148 · THOMASSON, Fasti Africani, 25. W. E.

Patriarch (πατριάρχης). Historisch läßt sich nicht genau nachvollziehen, wann aus dem urspr. Würdetitel
des P. ein Amtstitel der christl. Ostkirche wurde. Erstmals belegt ist er in den Akten der Synode von Konstantinopolis (Concilium Constantinopolitanum 381,
Canon 2), wobei dieser Begriff über die griech. Kirchenväter (vgl. Greg. Naz. or. 43,37 = PG 36, 545C) und
deren alttestamentarische Exegese in die kirchliche Verwaltungssprache eingeführt wurde. Im spätant.-kirch-
lichen Sprachgebrauch bezeichnete *patriárchēs* den Eh-
renrang des Funktionärs, der an der Spitze einer kirchlichen *dioíkēsis* stand; dabei mußten Amt und Würde
nicht an ein bestimmtes Bistum innerhalb dieses Distrikts gebunden sein (vgl. die oft fehlinterpretierte Stelle
bei Sokr. 8,5,13–20!). Diese feine Unterscheidung zw.
Amtsfunktion und Würdetitel wird in den Synodalak-
ten des 5. und 6. Jh. n. Chr. sehr wohl beibehalten, und
selbst in den ›Novellen‹ Kaiser Iustinianus' [1] I. findet
man vor der Nennung der P.-Würde meist noch das
jeweilige bischöfliche oder erzbischöfliche Amt.

Gleichwohl besaßen die Bistümer der Zentren des
röm. Reichs (also auch der Verwaltungssitze der zivilen
dioikéseis; → *dioíkēsis* II.) ab dem 4. Jh. n. Chr. einen bes.
Stellenwert. Dazu gehörten Rom, Konstantinopolis,
Alexandreia [1] und – bereits mit einigen Abstrichen –

Antiocheia [1] als Residenz der Diözese *Anatolikḗ*. Da parallel zur staatlichen Verwaltung auch die Kirche ein streng hierarchisch gegliedertes System anstrebte (Acta Conciliorum Oecumenicorum = ACO, Nikaia I, Canon 4 und 6), ließ sich ein Streit um die rel. Vorherrschaft zw. der alten und neuen Hauptstadt nicht vermeiden; es wurde (ACO Konstantinopel I, Canon 2 und 3) zugunsten eines Ehrenvorrangs von Rom vor Konstantinopolis entschieden (nochmals bestätigt 545 durch Nov. Iust. 131,2). Im J. 451 gab die Synode von Kalchedon (Canon 28) die bis dahin bestehende *dioíkēsis*-Ordnung auf, wobei die Diözesen Asia, Pontus und Thracia nunmehr der kirchlichen Jurisdiktion von Konstantinopolis unterstellt wurden. Die Prov. Palaestina I-III entzog man Antiocheia [1] und ordnete sie dem Erzbischof von Jerusalem zu.

Damit war die geogr. Konzeption der h. noch bestehenden vier orientalisch-orthodoxen Patriarchate sowie die Stellung Roms als sog. »Patriarchat des Westens« geschaffen. Ergänzend schrieb Nov. Iust. 123,3 im J. 546 die hierarchische Rangfolge Rom, Konstantinopolis, Alexandreia, Antiocheia, Jerusalem fest.

Die P.-Würde ohne Amtsfunktion blieb im Westen noch bis weit in das 7. Jh. hinein erh., was u. a. das Beispiel von → Aquileia/Grado (vgl. → Venetia) verdeutlicht. Im Osten dagegen führte die Schaffung der neuen jurisdiktionellen Einheiten im Jahr 451 dazu, daß die erzbischöfliche Funktion in der Folgezeit aufgewertet werden mußte. Dazu bot der Rückgriff auf die alte P.-Würde und deren Beschränkung auf die Amtsinhaber der genannten vier (bzw. fünf) Städte eine gute Möglichkeit. 541 galten durchaus noch alle P. als Repräsentanten der *Oikuménē* (vgl. u. a. Nov. Iust. 109, Prooimion), wobei dieser Begriff im polit. Sinn als Umschreibung für das Imperium Romanum zu verstehen ist. Die Beschränkung des Ökumenischen Patriarchats auf → Konstantinopolis und den orthodoxen Osten, die auch in der weiteren Auseinandersetzung mit dem röm. Papst von Bed. sein sollte, gewann insbes. ab dem 7. Jh. an Bedeutung. Ab dieser Zeit gelang es den P. auch, verstärkt Einfluß auf die Wahl byz. Kaiser zu nehmen und eigene Thronkandidaten zu unterstützen.

Im Gegensatz zum P. war die Funktion des kirchlichen Metropoliten von vorneherein eindeutig abgegrenzt. Der Metropolit nahm nämlich die Spitze der kirchlichen Verwaltung in den röm. Provinzen des 4. Jh. ein. Sein Zuständigkeitsbereich war also durch die Verwaltungsgliederung des Imperium Romanum vorgegeben.

G. Prinzing, K.-P. Todt, s. v. Patriarchat, LMA 6, 1785–1789 (Lit.) · Maximos, Metropolit von Sardis, Τὸν Οἰκουμενικὸν Πατριαρχεῖον ἐν τῇ ὀρθοδόξῳ ἐκκλησίᾳ, 1972, 33–265 · Ch. Schweizer, Hierarchie und Organisation der röm. Reichskirche in der Kaisergesetzgebung vom 4. bis zum 6. Jh., 1991, 44–71 · V. Peri, La dénomination de patriarche dans la titulature ecclésiastique du IVe au XVIe siècle, in: Irénikon 64, 1991, 359–364 · M.J. Leska, Legalization of Ursurpers' Power in Byzantium from the 7th to the First Half of the 9th Century, in: W. Ceran (Hrsg.), Historia Bizancjum, 1996, 159–175 (polnisch mit engl. und frz. Zusammenfassung).   L. H.

Paulus

s. Iulius [IV 15] (Dichter); s. Iulius [IV 16] (Jurist)

Pedius

[1a] Cn. P. Cascus. Suffektconsul 71 n. Chr. zusammen mit dem kurz zuvor zum Caesar ernannten → Domitianus [1] (PIR² P 213); anschließend consularer Legat in der Prov. Dalmatia (unpublizierte Inschr., von E. Marin beim Epigraphik-Kongr. 2002 präsentiert).

W. E.

Pentekontere (πεντηκόντερος sc. ναῦς). Die P. war ein Schiff mit 50 Ruderern. Schon in myk. Zeit scheinen Fahrzeuge dieser Art existiert zu haben; bei Homer werden sie als Truppentransportschiffe häufiger erwähnt (Hom. Il. 2,718–720; 16,168–170; Hom. Od. 8,34–36; 8,48; 13,20–22). Offenbar handelte es sich um weit über 30 m lange, schlanke Fahrzeuge mit niederlegbarem Rahsegel und einem Ruderrang pro Bordseite. Sie waren wohl noch nicht für die Rammtaktik konzipiert; in der Folgezeit änderte sich dies: Als um 540 v. Chr. die ionischen Phokaier ihre Heimat verließen und nach Korsika kamen, gelang es ihnen wohl, mit ihren P. bei Alalia die weit überlegenen Flotten der Karthager und Etrusker durch Rammen zu besiegen (Hdt. 1,166,1). Handelte es sich hier noch um Einreiher, so bieten schon das Epos (Hom. Il. 2,509 f.), die Vasenmalerei und die Reliefkunst des späten 8. Jh. v. Chr. Belege für griech. und phoinikische P. mit zwei Ruderrängen je Bordseite. Das neue Rudersystem führte zu einer deutlichen Reduzierung der Schiffslänge. Dies erhöhte die Stabilität, Kraft, Geschwindigkeit und Wendigkeit der P., die sich offenbar zunehmend zu einer spezialisierten Rammwaffe entwickelte. Wahrscheinlich diente die P. im 6. Jh. v. Chr. in fast allen Flotten der Ägäiswelt und der Levante als das Standardkriegsschiff, bis sie als solches kurz vor bzw. nach 500 v. Chr. von der → Triere abgelöst wurde (Hdt. 1,166,2; 3,39,3; 5,99,1; 6,8; 7,143 f.; 8,1; Thuk. 1,13 f.). Danach gibt es nur noch wenige Hinweise auf die P., zumal in den Flotten nun andere, kleinere Schiffstypen (etwa die → *liburna*, s. Nachträge) wichtiger wurden.

→ Schiffahrt; Schiffbau; Seekrieg

1 Casson, Ships 2 J. S. Morrison, J. F. Coates, Die athenische Triere, 1990 3 H. T. Wallinga, The Ancestry of the Trireme: 1200–525 BC, in: R. Gardiner (Hrsg.), The Age of the Galley, 1995, 36–48.   H. KON.

Perioche (περιοχή, »Inhaltsübersicht«). *Periochaí* sind – im Gegensatz zur häufig redaktionell bearbeiteten und thematisch sortierten → *epitomḗ* – Inhaltsübersichten eines histor. Prosawerkes zur schnellen Orientierung. Zu den *p.* des Geschichtswerkes des Livius [III 2] vgl. [1. 190–193].

1 P. L. Schmidt, in: HLL 5, 1989.   ME. STR.

Petronius

[10a] Sex. Claudius P. Probus. Viermaliger Praetorianerpraefekt, *cos.* 371 n. Chr., einer der mächtigsten Männer unter Valentinianus [1] I. Zunächst *quaestor* und *praetor urbanus* (ICret 4,318), wurde P. 358 *proconsul Africae* (Cod. Theod. 11,36,13) und 364 *praef. praet. Illyrici* (Cod. Theod. 1,29,1); 366 *praef. praet. Galliarum* (Cod. Theod. 11,1,15 mit Cod. Iust. 7,38,1), 368–375 *praef. praet. Illyrici, Italiae et Africae* (Amm. 27,11,1). Zw. 375 und 383 offenbar ohne Amt, bekleidete er 383 letztere Praefektur erneut (Cod. Theod. 11,13,1). 371 plante er nach einem Quaden- und Sarmateneinfall die Flucht aus Sirmium, organisierte dann aber doch die Verteidigung der Stadt (Amm. 29,6,9–12). 374 unterrichtete er Valentinianus von der Verwüstung Illyricums (Amm. 30,3,1). 387 begleitete er Valentinianus [3] II. bei seiner Flucht vor dem Usurpator → Maximus [7] nach Thessalonike (Soz. 7,13,1; Sokr. 5,11,11 f.).

P. war bes. wohlhabend, er galt als einflußreich, Freunden gegenüber loyal, aber auch intrigant. → Ammianus zeichnet ihn mit Topoi der Tyrannentopik (Amm. 27,11) und schildert eine seiner Intrigen (Amm. 28,1,31–35). 375 berichtete eine epirotische Gesandtschaft dem Kaiser von der finanziellen Bedrückung Illyricums durch P. (Amm. 30,5,4–10). Der Christ P. (CIL VI 1756) war Korrespondenzpartner des → Symmachus [4] (Symm. epist. 1,56–61), dichtete selbst und heiratete durch die Ehe mit Anicia Faltonia Proba in die angesehene *gens Anicia* ein. Er starb ca. 388.

P. BROWN, Aspects of the Christianization of the Roman Aristocracy, in: JRS 51, 1961, 1–11 • PLRE 1, 736–740, Nr. 5.   M. MEI.

Pfeiler, Pfeilermonument.

Neben dem → Säulenmonument bestand eine weitere Möglichkeit zur Exponierung von Denkmälern in ihrer Plazierung auf monumentalen Pfeilern (= P.; zur Einbindung des P. in bauliche Zusammenhänge vgl. → Pilaster) – eine überwiegend im Hell. anzutreffende Form der Herrscherehrung im Umfeld von Heiligtümern.

Eine frühe Inszenierung eines Denkmals auf einem P. ist die von → Paionios [1] gestaltete brn. → Nike der Messenier und Naupaktier vor der Ostfront des Zeustempels von → Olympia, die – als würde sie herabschweben – auf einem schlanken, 9 m hohen Dreikant-P. plaziert war. Der P. war hier, im Kontext der Inszenierung, offenbar allein technisch als Statuenträger bedingt und nicht selbst Gegenstand des Denkmals.

Das demgegenüber massige Pfeilermonument (= Pf.) zur Herrscherehrung ist seit dem 4. Jh. v. Chr. bezeugt (Denkmal für Gorgias [2] von Leontinoi in Delphoi: Paus. 10,18,7) und trat in der Folgezeit bes. in → Delphoi in Erscheinung (u. a. für Attalos [4] I., Eumenes [3] II., Prusias [2] und schließlich der zunächst für Perseus [2] vorgesehene, dann auf dessen röm. Besieger L. Aemilius [I 32] Paullus umgemünzte, mit reichem Reliefschmuck versehene P.; → Relief). Üblich wurde hierfür ein Herrscherbild zu Pferde oder in einer → Quadriga, das sich auf dem P. erhebt; Vorbild für letzteres war vermutlich das Quadriga-Arrangement auf der Spitze des → Maussolleions (mit Abb.). Auch andernorts wurden Pf. – raumgreifende, reich mit Bildschmuck dekorierte oder aus polychromem Baumaterial bestehende und deshalb architektonisch und optisch herausragende Ehrungen, die überdies wesentlich von ihrem meist privilegierten Standort profitierten – umgewidmet, z. B. der auf Agrippa [1] umgeweihte Eumenes-P. aus abwechselnd hellen und dunklen Steinlagen, effektvoll plaziert neben der Freitreppe zu den Propyläen der Akropolis von Athen. Im Gegensatz zur absichtsvoll programmatischen Denkmal-Usurpation des L. Aemilius Paullus ist hierin jedoch kein Akt der Antipathie, sondern vielmehr eine pragmatisch orientierte Neunutzung eines herausragenden Monuments zu sehen. Vgl. ferner → Porträt; → Herme; → Herrscher.

L. M. GÜNTHER, L. Aemilius Paullus und »sein« Pfeilerdenkmal in Delphi, in: C. SCHUBERT u. a. (Hrsg.), Rom und der griech. Osten, 1995, 81–85 • K. HERRMANN, Der P. der Paionios-Nike in Olympia, in: JDAI 87, 1972, 232–257 • B. HINTZEN-BOHLEN, Herrscherrepräsentation im Hell., 1992 • T. HÖLSCHER, Die Nike der Messenier und Naupaktier in Olympia, in: JDAI 89, 1974, 70–111 • J. M. HURWITT, The Athenian Acropolis, 1999, 270–273 • M. MAASS, Das ant. Delphi, 1993, 210–216 • L. SCHNEIDER, CH. HÖCKER, Die Akropolis von Athen, 2001, 191 • M. TIEDE, Hell. Pfeiler im Heraion von Samos und Magnesia am Mäander, in: MDAI(A) 195, 1990, 213–258.

       C. HÖ.

Philanthropa

(φιλάνθρωπα, N. Pl. »Menschenfreundliche <Erlasse>«). Spezifische, öffentlich verkündete Maßnahmen der ptolem. Könige zur ökonomischen und/oder polit. Begünstigung (z. B. Steuererlaß, Amnestie) für die Reichsbevölkerung oder bestimmte Gruppen (s. → Ptolemaios [9] VI. Philometor; → Ptolemaios [12] VIII. Euergetes II.). Die *ph.* hatten in der Regel das Ziel, drohende oder bereits aufgetretene Unruhen zu verhindern und auch die Akzeptanz des jeweiligen Herrschers zu erhöhen. In Inschr. hell. Städte zur Ehrung von Bürgern und Auswärtigen hat *ph.* die Bed. von »Wohltaten« und »freundlicher Gesinnung«, und zwar sowohl von seiten des Wohltäters als auch von seiten der empfangenden Stadt, die ihrerseits mit *ph.* antwortete ([1. Nr. 25 und 35]; vgl. Pol. 29,24,11–16).

1 K. BRINGMANN, H. VON STUBEN (Hrsg.), Schenkungen hell. Herrscher an griech. Städte und Heiligtümer, Bd. 1, 1995 2 M.-TH. LENGER, Corpus des ordonnances des Ptolémées (Ndr. mit Suppl.), 1980.   W. ED.

Phrygische Mütze

s. Kopfbedeckungen (Nachträge); Tiara

Plotius

[II 3a] L. P. Marcellus. So lautet wohl der Name eines Suffektconsuls, der in einer der *Tabulae Herculanenses* und in ILS 5161k (= AE 1994, 140) überl. ist.

G. Camodeca, Nuovi dati dalla riedizione delle tabulae ceratae della Campania, in: S. Panciera (Hrsg.), XI Congr. Internazionale di Epigrafia Greca e Latina. Atti I, 1999, 524.
W. E.

Pompeius

[I 2a] P. Macer, Cn. (2. H. 1. Jh. v. Chr.). Die genaue Identifikation ist umstritten [1. 30–34; 2. 382; 3. 270]; verm. Sohn (oder Enkel) des Historikers → Theophanes [1] von Mytilene (des Freundes von P. → Pompeius [I 3] Magnus), Freund des Dichters → Ovidius Naso (Ov. am. 2,18; Ov. Pont. 2,10), Verf. von lat. *Antehomerica* (verm. nicht von *Posthomerica*) und *Tetrasticha* sowie einer griech. *Médea* (sieben Verse daraus bei Stob. 4,24,52 = TrGF I 180 zit.: Entscheidungsszene Medeas nach Eur. Med. 1021 ff.).

→ Tragödie I.

1 L. Galasso (ed.), P. Ovidii Nasonis Epistularum ex Ponto Liber II, 1995 (mit it. Übers. und Komm.) 2 J. C. McKeown (ed.), Ovid: Amores, Bd. 3, 1998 (mit engl. Übers. und Komm.) 3 Schanz/Hosius 2, 270.   B. Z.

[II 21a] P. Severus. Ritter; *procurator Asiae* unter Hadrianus.

J. Reynolds, New Letters of Hadrian to Aphrodisias, in: Journal of Roman Archaeology 13, 2000, 5–20.

[II 22a] Q. P. Trio. Suffektconsul 80 n. Chr. (AE 1998, 419: *Fasti Septempedani*). Ein genealogischer Zusammenhang mit anderen senatorischen Pompeii kann nicht ermittelt werden.   W. E.

Pomponius

[II 9a] C. P. Cordius. Procurator unter drei Kaisern in Cyrenae (AE 1969/70, 636). Da er von einem Kohortenpraefekten E. der 230er Jahre als *praeses* bezeichnet wird, war er verm. Statthalter von Cyrenae (Hinweis von D. Erkelenz).

[II 13a] L. P. Maternus. Senator; *cos. suff.* 97 n. Chr. in den Monaten Sept./Okt.; der Name ergibt sich aus zwei Militärdiplomen (RMD III 140; [1]). Sein Sohn dürfte der Suffektconsul des J. 128, Q. Pomponius Maternus, sein.

1 D. MacDonald, A. Mihaylovich, A New Moesia Inferior Diploma of 97, in: ZPE 138, 2002, 225–228.   W. E.

Praefatio s. Musenanruf; Prooimion III.3.; Verfasser; Widmung; Zirkel, literarische

Procilius. Röm. Antiquar, der durch das Zeugnis des Plinius d. J. (nat. 8,4) in die Zeit des → Triumphs von → Pompeius [I 3] (um 81 v. Chr.) zu datieren ist. Da die wenigen Testimonien [1] mit dem Weg des Triumphzugs in Verbindung stehen, könnte das Werk u. U. eine Periegese Roms (vgl. → Reiseliteratur) gewesen sein [2. 165–167]. Cicero (Att. 2,2,2) zog dem P. die kulturhistor. Schriften des → Dikaiarchos vor.

→ Antiquare

1 GRF 129 2 F. Münzer, Beitr. zur Quellenkritik der Naturgeschichte des Plinius, 1897 3 E. Rawson, Intellectual Life in the Late Roman Republic, 1985, 265.
M. SE.

Provinzverwaltung I. Alter Orient   II. Rom

I. Alter Orient

Je nach der Form staatlicher Organisation (Zentralstaat, kleiner Territorialstaat etc.) wurde auch das Staatsgebiet im Verlauf der altorientalischen Gesch. unterschiedlich gegliedert und verwaltet. In Äg. war das Staatsgebiet in sog. »Gaue« – in ptolem. Zeit *nomoí* (→ *nomós* [2]) genannt – gegliedert, die von »Gaufürsten« (→ *nomárchēs*) verwaltet wurden. Auswärtige Gebiete, v. a. in Syrien-Palaestina während des NR, waren als Vasallenstaaten dem → Pharao untertan.

In Mesopot. bestand das Reich der 3. Dyn. von → Ur (21. Jh. v. Chr.) aus einzelnen Territorien (sumerisch ma.da, »Land«), die identisch mit den seit dem 25./24. Jh. v. Chr. bezeugten unabhängigen kleinen Territorialstaaten waren. Diese standen unter der Herrschaft eines »Stadtfürsten«, der der lokalen Elite entstammte und sich dem → Herrscher des Reiches loyal unterordnete. Lediglich bestimmte Territorien im Osttigrisgebiet wurden von Militärbefehlshabern verwaltet. Unter der Ḥammurapi-Dyn. (18./17. Jh. v. Chr.) ergab sich zeitweilig die Notwendigkeit, bestimmte Angelegenheiten innerhalb der eroberten Territorien in Südbabylonien durch außerordentlich bevollmächtigte Beauftragte des Herrschers regeln zu lassen. Dies geschah bis in Einzelfälle hinein auf der Basis direkter Anweisungen durch den Herrscher. Für die Folgezeit sind zwar Administratoren einiger Städte bezeugt, ohne daß sich daraus ein kohärentes Bild eines Systems der P. erschließen läßt. Für die mittelbabylonische Zeit (2. H. 2. Jt. v. Chr) sind Gouverneure (*šaknu*) belegt, deren Amtsbefugnisse bzw. Verhältnis zum Herrscher den Texten nicht eindeutig zu entnehmen sind. In neubabylon. Zeit (6. Jh. v. Chr.) gab es in den großen Städten Südbabyloniens zivile Administratoren, die allerdings den lokalen Eliten entstammten. Sie wurden durch königliche Kommisäre kontrolliert, die auf allen Ebenen der zivilen Administration und der Tempelverwaltung eingesetzt waren. Dieses System läßt sich auch noch unter achäm. Herrschaft beobachten (→ Achaimenidai).

Ein durchorganisiertes, formalisiertes System der P. existierte erst im assyrischen Großreich während des 1. Jt. v. Chr.; Ansätze dazu finden sich bereits im 13. Jh. v. Chr. Eroberte Gebiete wurden nach einem kurzen Stadium als Vasallenstaat in Prov. des assyr. Reiches umgewandelt. Zu deren Gouverneuren wurden *ad hoc* an der Eroberung beteiligte Heerführer, in der Regel Eunuchen, bestimmt. Die Prov. galten fortan als integraler Teil des »Landes Assur« und hatten dieselben Verpflichtungen wie die Untertanen des Landes Assur. Die ehemalige Oberschicht war deportiert und durch Deportierte aus anderen Prov. des Reiches ersetzt worden (→ Verschleppung). Die Gouverneure fungierten in einer über die Jh. festgelegten Reihenfolge als Eponymen für die Jahresdatierung (→ Eponyme Datierung). Damit war das System der P. in Assyrien auch ein festes Element der assyr. Staatsideologie. Zum Achaimenidenreich vgl. → Satrap.

1 Chicago Assyrian Dictionary, Bd. P, im Druck, s. v. *pīḫatu*, und *pīḫatu* in *bēl pīḫati* 2 Ebd., Bd. Š/1, 1989, 160 s. v. *šakin māti*; 161–164, s. v. *šakin ṭēmi*; 180–185, s. v. *šaknu*; 456–458 s. v. *šāpiru* 3 E. FORRER, Die Provinzeinteilung des assyrischen Reiches, 1920 4 N. NAʿAMAN, Province System and Settlement Pattern in Southern Syria and Palestine in the Neo-Assyrian Period, in: M. LIVERANI (Hrsg.), Neo-Assyrian Geography, 1995, 103–115 5 J. N. POSTGATE, The Place of šaknu in Assyrian Government, in: AS 30, 1980, 67–76 6 Ders., Assyria: the Home Provinces, in: s. [4], 1–17 7 L. SASSMANNSHAUSEN, Beitr. zur Verwaltung und Ges. Babyloniens in der Kassitenzeit, 2001, 22–28.   E. C.-K. u. J. RE.

II. ROM

Zur Verwaltung der Provinzen des röm. Reiches vgl. allgemein: → *provinciae*, → Statthalter, → Verwaltung (VIII.) Zum Verwaltungspersonal vgl. → *consulares*, → *correctores*, → *legatus* (4.); → *praefectus* [6] *civitatum*, → *praeses*, → *procurator* [1]. Zur Besteuerung: → Steuern (IV. A., B. 1 und C.).   W. ED.

Pseudo-Bakcheios (Βακχεῖος, d. h. »Dionysios«) widmete Konstantinos [1] Porphyrogennetos (905–959) eine musiktheoretische Schrift; erh. ist die Einleitung über die Unschärfe der Sinne, abzielend auf die Einführung des κανών/*kanón*, und die → Proportionen der konsonanten Intervalle, der Undezime und des Ganztons.

F. BELLERMANN (ed.), Anonymi scriptio de musica, 1841 · E. PÖHLMANN, s. v. Bakcheios, MGG¹ 15, 422–424.   D. N.

Puls (σφυγμός/*sphygmós*, lat. *pulsus*). Auch wenn ein hämmernder Puls als Krankheitsanzeichen längst bekannt war, so scheint doch Aristoteles [6] (hist. an. 521a; de respiratione 479b), der erste gewesen zu sein, der dieses Phänomen mit dem Herzen in Verbindung brachte [1]. Seine Behauptung, der P. sei eine normale, konstante Größe sämtlicher Blutgefäße, wurde von → Praxagoras widerlegt, der zeigen konnte, daß nur Arterien einen P. haben. Dessen Ansicht, die Arterien enthielten lediglich → *pneúma* und funktionierten unabhängig vom Herzen, wurde wiederum von seinem Schüler → Herophilos [1] in Frage gestellt, dessen zum Teil auf Vivisektionen basierende Vorstellungen die Grundlage für das Verständnis des P. bis zu William HARVEYS *De motu cordis et sanguinis* (1628) bildeten.

Herophilos hielt den P. für einen physiologischen Vorgang, während andere, wie z. B. → Erasistratos und → Asklepiades [6], ihn weiterhin als ausschließliches Zeichen pathologischer Vorgänge betrachteten. Herophilos glaubte, die Kontraktionen und Dilatationen der Arterien geschähen im Gleichtakt mit dem Herzen, und zwar dank eines Vermögens, das vom Herzen über die Arterienwände vermittelt werde [2]; dies veranlasse die Arterien, sich zusammenzuziehen. Sie erreichten ihren normalen, dilatierten Zustand wieder, sobald ihre Aktion beendet sei und sie mit Blut und *pneúma* gefüllt seien.

Herophilos und seine Nachfolger verfaßten zahlreiche Arbeiten über den P. und dessen Beziehung zu Gesundheit und Krankheit. Mit Hilfe zahlreicher Kriterien, die teilweise noch h. Anwendung finden, unterschieden sie zw. einzelnen P.-Arten und gaben ihnen bald graphische Namen, bald erklärten sie den P. mit Hilfe musikalischer Termini – der Rhythmus des P. sollte bis ins 16. Jh. ein beliebtes Thema bleiben [3]. Herophilos erfand sogar eine tragbare Wasseruhr (→ Uhr), mit der sich der P. messen ließ. Seitdem war die Beobachtung des Pulses (Sphygmologie) eine wichtige diagnostische Hilfsdisziplin.

In röm. Zeit wurden P.-Theorien von → Agathinos und → Archigenes weiterentwickelt, die beide von der Bed. des *pneúma* zur Regulierung im Körper überzeugt waren. Indem sie den P. fühlten, so meinten sie, konnten sie auch das *pneúma* des Patienten »fühlen«. → Galenos, der zahlreiche ihrer Spitzfindigkeiten ablehnte, galt der P. als wichtigstes Gesundheitsbarometer. Seine 16 B. über den P. behandeln ausführlich Fragen nach dem Wesen des P., nach der Technik des P.-Fühlens, nach der Klassifizierung des P. und der Aussagekraft der diversen P.-Arten im Hinblick auf Diagnostik oder Prognostik. Er faßte seine Resultate in kürzeren Schriften zusammen, die in der Spätant. weiter gestrafft wurden. Sphygmologietraktate waren in der Spätant. verbreitet, sowohl auf Latein [4] als auch auf Griech., wobei einige vor Galenos entstanden (z. B. der des → Markellinos [1]), die Mehrzahl jedoch auf dessen Ergebnissen beruhte. Bes. wirkmächtig waren die P.-Traktate des → Theophilos [11] Protospatharios und des → Philaretos [1], deren lat. Übers. im Spät-MA zu den allerwichtigsten P.-Schriften zählten.

→ Empiriker C.; Galenos F.; Medizin IV.; Pneumatiker

1 C. R. S. HARRIS, The Heart and the Vascular System, 1973 2 H. VON STADEN, Herophilus, 262–288 3 N. G. SIRAISI, The Music of the Pulse in the Writings of Italian Academic Physicians, in: Speculum 50, 1975, 689–710 4 M. STOFFREGEN, Eine frühma. Übers. des byz. P.- und Urintraktats des Alexandros, 1977 5 J. A. PITHIS, Die Schriften Περὶ σφυγμῶν des Philaretos, 1983.   V. N./Ü: L. v. R.-B.

Q

Quintanis. Röm. Auxiliarkastell in Raetia (→ Raeti), h. Künzing (Niederbayern). Spuren kelt. Vorbesiedlung sind nicht bekannt. Um 90 n. Chr. entstand auf einer nur wenig erhöhten Lößterrasse an einer Donauschlinge rechts des Flusses ein Auxiliarkastell. Die vierphasige Anlage (Phase drei = erste Steinbauphase wies bis zu fünf Gräben auf) war – evtl. mit kurzer Unterbrechung zw. 135 und ca. 150 n. Chr. – bis in die 2. H. des 3. Jh. n. Chr. mit einer Garnison belegt (Name: Itin. Anton. 249; Not. dign. occ. 35,12; 35,23; Eugippius, Vita Severini 15,1 f.; 24,2; 27,1). Am Ostrand des → *vicus*, der das Lager auf allen Seiten umgab, wurde 1998 ein zweiphasiges Mithraeum (→ Mithras) entdeckt [1; 2]. Das spätant. Nachfolgekastell lag ca. 200 m nordwestl. des urspr. Lagers in unmittelbarer Ufernähe. Eugippius nennt Q. → *municipium* mit christl. Kirche und Priester; Q. ist der westlichste Römerort, den er erwähnt. Spätant.-frühma. Gräberfelder lassen ebenso wie die Namenstradierung eine Kontinuität des romanischen Elementes in das baiuwarische (→ Baiovarii) Früh-MA hinein erkennen.

1 K. SCHMOTZ, Ein Mithrasheiligtum in Niederbayern, in: Das Arch. Jahr in Bayern 2000, 2001, 94–96 2 Ders., Der Mithrastempel von Künzing, in: Ders. (Hrsg.), Vorträge des 18. Niederbayerischen Archäologentages, 2000, 111–143.

R. GANSLMEIER, K. SCHMOTZ, Das mittelkaiserzeitliche Kastell Künzing, ²1997 • G. MOOSBAUER, K. SCHMOTZ, Neue Grabungsergebnisse im Ostvicus von Künzing, in: Das Arch. Jahr in Bayern 1997, 1998, 119–121 • R. CHRISTLEIN, Die rätischen Städte Severins, in: Land Oberösterreich (Hrsg.), Severin. Zw. Römerzeit und Völkerwanderung, 1982, 237–244. G. H. W.

R

Rupilius

[II 1a] D. R. Fabianus (der Name vielleicht so zu lesen, nicht P. Rutilius Rabi<li>anus). Suffectconsul zusammen mit Cn. Papirius Aelianus, im Nov. (AE 1995, 1283) und am 31. Dez. des J. 133 oder 134 n. Chr. bezeugt (Militärdiplom, das von E. PAPI publiziert wird). **[II 3] D. R. Severus Mar[- - -].** Statthalter von Lycia-Pamphylia, bezeugt mindestens 149–151 n. Chr. [1. 258]. Auf ihn bezieht sich wohl IPerg 155. Vielleicht Consul 155. PIR² R 217.

1 CHR. KOKKINIA, Die Opramoas-Inschr. von Rhodiapolis, 2000. W. E.

S

Sacharja s. Zacharias

Sahara (von arab. *ṣaḥrāʾ*, »Wüste«; vgl. Hdt. 2,32: τὰ ἐρῆμα τῆς Λιβύης/*ta eréma tēs Libýes*, »das Wüstengebiet von Libye«; Mela 1,50: *deserta Africae*). Die Einheimischen benennen h. nur einzelne Teile der S. mit eigenen Namen. Die größte → Wüste der Erde, in Nordafrika gelegen, mit einer Ausdehnung vom Atlantik im Westen bis zum Roten Meer im Osten (ca. 6000 km; ca. 8 Mio km²). Die S. erlebte in vorgesch. Zeit mehrere zyklische, die Vegetation und das natürliche Profil prägen-

de Klimaschwankungen (→ Klima), deren letzte im 1. Jt. v. Chr. mit der Folge massiver Austrocknung das Ende der im Neolithikum entstandenen Kulturen bewirkte (vgl. die Felsbilder seit 8000 v. Chr. mit naturalistischen Tierdarstellungen z. B. im Tassili der Ajjer). Das Voranschreiten der ariden Gebiete war partiell auch von Menschen verursacht, für die Spätant. nachweisbar durch intensive, die Wasserreservoirs erschöpfende Landwirtschaft.

Stellte die S. einerseits eine natürliche → Grenze (s. Nachträge) dar, so hatte sie andererseits als Wirtschaftsraum doch einige Bed., etwa durch den Transsahara-Handel (Gold, Elfenbein, Raubtiere aus Schwarzafrika), bes. ihre größeren → Oasen. Im Zuge der röm. Expansion in Nordafrika erhielt die S. zusätzlich eine strategische Relevanz, auch und v. a. im Kontext der Auseinandersetzungen mit den → Garamantes (Tac. hist. 4,50,4; Plin. nat. 5,38) und den → Nasamones (Cass. Dio 67,4,6). Unter Traianus wurde zu Anf. des 2. Jh. n. Chr. ein → Limes (VIII.) mit der definitiven Fixierung der Südgrenze der afrikanischen Prov. angelegt. Unter den Severern (193–235 n. Chr.) entstand in der S. eine Reihe von Kastellen (Ġeriat al-Ġarbīya, Ġolaia).

G. CAMPS, Les civilisations préhistoriques de l'Afrique du Nord et du Sud, 1974 • M. EUZENNAT, La frontière romaine d'Afrique, in: CRAI 1990, 565–580 • W. LAUER, P. FRANKENBERG, Zur Klima- und Vegetationsgesch. der westl. S., 1979 • C. LEPELLEY, Rom und das Reich in der Hohen Kaiserzeit, Bd. 2, 2001, 79–120 • R. C. C. LAW, The Garamantes and Trans-Saharan Enterprise in Classical Times, in: Journ. of African History 8.2, 1967, 181–200. H. SO.

Saïttai (Σαΐτται). Stadt in der östl. Lydia (→ Maionia [1]; Ptol. 5,2,21: Σέτται, Σάεττα), im Flußdreieck zw. dem oberen Hyllos (h. Demirci Çayı, vgl. Hyllos [4], ca. 12 km westl.) und dem Hermos [2]; h. Sidaskale nahe İçikler. Auf ihren kaiserzeitlichen Mz. sind u. a. die Flußgötter Hyllos und Hermos dargestellt. S. war ein regionales Zentrum der Textilherstellung. 124 n. Chr. empfing die Stadt wahrscheinlich den Besuch des Kaisers Hadrianus. Kult des → Men Axiottenos. Erh. sind u. a. Reste eines Stadions. Der ON lautete schon E. des 1. Jh. v. Chr. *Séttai*. In byz. Zeit war S. (als *Sítai*) Suffraganbistum von → Sardeis (Hierokles, Synekdemos 669; Not. episc. 1,166; 3,99; 7,151; 8,178; 9,85; 10,225; 13,85), die Siedlung verlagerte sich jedoch zum nahen byz. Kastell Magidion bzw. Magidia.

TAM 5,1, 28–62 (Nr. 74–192) • CH. NAOUR, Nouvelles inscriptions du Moyen Hermos, in: EA 2, 1983, 107–141 • Ders., Nouveaux documents du Moyen Hermos, in: EA 5, 1985, 37–76 • G. PETZL, Bemerkungen zu Inschr. aus Maionia und S., in: EA 6, 1985, 72–74 • F. KOLB, Sitzstufeninschr. aus dem Stadion von S., in: EA 15, 1990, 107–118 • F. IMHOF-BLUMER, Lydische Stadtmz., 1897, 126–131 • BMC, Gr, Lydia, 212–226 • SNG Copenhagen, 394–415 • SNG, Slg. v. Aulock, 3087–3106; 8243–8249 • L. BÜRCHNER, s. v. S., RE I A, 1767 f. • MITCHELL I, 180,

191, 202 · P. Weiss, Hadrian in Lydien, in: Chiron 25, 1995, 213–224 · L. Robert, Reliefs votifs et cults d'Anatolie, in: Robert, OMS 1, 402–435, bes. 422f., 425f. · Zgusta, § 1145.   H. Ka.

Sallustius

[II 3a] C. S. Crispus Passienus Equi[– – –] (ob *Equi[– – –]* als Cognomen zu verstehen ist, bleibt unsicher). Sohn des → Passienus [2] Rufus, adoptiert von Sallustius [II 2] Crispus. *Quaestor imperatoris* in den ersten Jahren des Tiberius [1]; Suffektconsul 27 n. Chr; Aufnahme in drei Priestercollegien: der *VIIviri epulonum*, der *sodales Augustales* und der *sodales Titii*; *proconsul* von Asia 42/3; *cos. II ord.* 44. S. war mindestens zweimal verheiratet: einmal wohl mit einer Domitia, von der die Tochter Sallustia Calvina geboren wurde, sodann mit → Agrippina [3] d. J., wohl seit 41. Er starb vor dem J. 48. Durch sein geschicktes Verhalten verstand er es, mit allen Principes gut zu stehen. PIR² P 146.   W. E.

Sauromakes. Der pro-röm. König von Iberia [1] wurde 368/9 n. Chr. von → Sapor [2] II. vertrieben (Amm. 27,12,4). 370 ließ → Valens [2] S. durch → Terentius [II 1] zurückführen, doch erreichte S.' Vetter, der pro-persische Aspakures, daß das Herrschaftsgebiet entlang des Kyros [5] zw. ihnen geteilt wurde, so daß S. nur die an Armenien und die → Lazai grenzenden Landesteile erhielt (Amm. 27,12,16f.). Diese vom Kaiser gebilligte Regelung erregte den Zorn des Großkönigs, der an der Herrschaft seines Kandidaten über ganz Iberien festhalten wollte (Amm. 27,12,18; 30,2,2–4). Sapor ließ daher 377/8 die röm. Schutztruppe des S. durch den Kronfeldherrn → Sûrên angreifen (Amm. 30,2,7), was wohl die erneute Vertreibung des Königs nach sich zog, da Valens durch den Gotenkrieg am Eingreifen gehindert wurde (Amm. 30,2,8). PLRE 1, 809.   M. Sch.

Schole (σχολή, Etym. unbekannt; lat. *otium*). Allg. »Muße, freie Zeit«. Konkrete Bed.: »Beschäftigungen während der Freizeit, intellektuelle Tätigkeiten, Vortrag, Lektion«, daher auch »Schule« (schon bei Alexis 163 PCG; vgl. Diog. Laert. 3,28; Verwendung in Inschr. seit ca. 200 v. Chr., SEG 1, 368), lat. Transkription → *schola* (u. a. in der Bed. »Vortrag, Lektion«, → »Schule«, s. auch Nachträge). S., meist als ebenso verwerflich gesehen wie ἀργία (*argía*), »Untätigkeit, Faulheit«, ist dennoch ›das, was die Menschen am meisten lieben‹ (vgl. Eur. Hipp. 384; Eur. Ion 634). Die Menschen des Goldenen → Zeitalters genossen sie wie die Götter (Hes. erg. 118, vgl. Dikaiarchos bei Porph. de abstinentia 4,2 = fr. 49 Wehrli). Rel. → Feste, bes. der Besuch der panhellenischen Heiligtümer (→ *theōría* [1]), ermöglichen den Menschen, diesen Zustand nochmals zu erreichen. Sokrates [2], dann Xenophon [2] (Xen. mem. 3,9,9), Platon [1] (Plat. rep. 2,370c 4–5; Plat. leg. 7,807c 4–9 im Vergleich zu 8,828d 7–8) und v. a. Aristoteles [6] (der Entspannung von Muße unterscheidet; Aristot. pol. 8,3,1337b 33–39) arbeiten die philos. Bed. von

»Muße« heraus: der Zustand, in dem man von lebensnotwendigen Aufgaben befreit ist und freie Zeit für Beschäftigungen hat, die höchstes Ansehen genießen, nämlich Politik und Studium (neue Bed. von → *theōría* [2]) – die einzigen, die eines »freien« (ἐλεύθερος/*eleútheros*, ἐλευθέριος/*eleuthérios*, vgl. lat. *liberalis*) und tugendhaften Mannes würdig sind.

Bei Aristoteles (bes. eth. Nic. 10,7; vgl. schon Plat. Tht. 173d–175e) ist die Tätigkeit Gottes Modell und Allegorie des »theoretischen« Lebens (*bíos theōrētikós*), das höher steht als das »praktische« Leben des Politikers (→ Praktische Philosophie). Dieses Ideal der reichlich vorhandenen freien Zeit ist denjenigen vorbehalten, die sozial, intellektuell und moralisch die Möglichkeit haben, keine notwendigen Arbeiten zu verrichten – was v. a. die Bauern ausschließt, die Träger des »maßvollen« Lebens in der Stadt sind (Aristot. pol. 4,6,1292b 25–30), das in sittlicher Hinsicht so wünschenswert ist (Aristot. pol. 3,5,1278a 9–11; 7,9,1328b 33–1329a 2). Staaten, die wie das demokratische Athen danach streben, allen eine Aufwandsentschädigung (μισθός/→ *misthós*) für polit. Tätigkeiten (und sogar für Schauspiele) zu geben, verderben die Bürger (Plat. Gorg. 515e 5–7); sie verwechseln die Erholungszeit für Arbeiter mit der *s.*, die den »Freien« eigen ist (Unterscheidung bei Aristot. pol. 8,3,1337b 33–1338a 30). Tyrannen hingegen untersagen den Müßiggang und Freizeitbeschäftigung (*scholaí*) sogar tugendhaften Bürgern (ebd., 5,11,1313a 40–b 5).

Die Wahl eines als σχολαστικός (*scholastikós*) bezeichneten, »dem Studium im Schoß einer Schule gewidmeten« Lebens (Chrysippos [2] bei Plut. de Stoicorum Repugnantiis 1033c), war Gegenstand der Diskussion: War der Gegensatz zw. dem »praktischen« und dem »theoretischen« Leben (→ Praktische Philosophie C.1.), der anscheinend bei Dikaiarchos und Theophrastos, Schülern des Aristoteles [6], noch verschärft wurde, in einem »gemischten« Leben zu überwinden? (Demetrios [4] von Phaleron, fr. 72f. Wehrli nach Cic. leg. 3,6,14; de off. 1,1,3; ein Konzept, das v. a. in der röm. Welt am Ende der röm. Republik unter dem Einfluß der Mittleren Stoa behandelt wurde (→ Stoizismus). Aus dieser Debatte entstanden die Kontroversen zw. der → Epikureischen Schule (›Der Weise wird sich nicht mit Politik beschäftigen‹, Diog. Laert. 10,119, eine Regel, die je nach den Umständen oder der Natur des einzelnen Ausnahmen erfahren kann) und dem → Stoizismus (das polit. Leben gehört zu den notwendigen Aufgaben des Weisen, ›ausgenommen irgendetwas hindert ihn daran‹, Diog. Laert. 7,121, v. a. die zu große Verderbtheit der Stadt, vgl. Sen. de tranquillitate animi 4,8–5,5). Sie fanden ihre Fortsetzung in Rom in Form von Klagen über den Verfall der Republik und der Moral, im Tadel des »griech. Müßiggangs« (*otium Graecum*, bes. der philos. Schulen, Cic. or. 108; de or. 3,57ff.), dann umgekehrt in der Verteidigung des *otium litteratum* (der »gebildeten Muße«; Cic. Tusc. 5,105; Cic. leg. 3,14) und seines Nutzens für die Gesellschaft (über *otium cum dignitate*, »Muße in Würde« vgl. → Muße III.), sowie allgemeiner im konsolidierten Stoizismus der Kaiserzeit (→ Seneca [2], *De otio*). Bis zum Ende der Ant. blieb die Wahl zwischen aktivem und theoretischem (oder »kontemplativem«) Leben für Gebildete eine der wesentlichen Existenzfragen (z. B. Aug. civ. 19,1,2–3; Synesios 41,294; epist. 41,94).

Das Christentum fügte mit der Vorstellung der »Muße für Gott« (Ignatios [1] von Antiocheia, epist. ad Polycarpum 7,3) der Frage noch die Kontroverse zw. dem Leben als Einsiedler und dem Leben im Kloster hinzu (vgl. die vierte Regel des Konzils von Chalkedon, die 451 festlegte: ›Entziehe dich, schweig still, verhalte dich ruhig!‹; → Mönchtum).

Zur Bed. von *s.* als »Philosophenschule« (griech. auch διατριβή/*diatribé*, αἵρεσις/*haíresis*; lat. *disciplina, secta*) vgl. → *haíresis* und → Philosophischer Unterricht. → Muße; Negotium; Paideia; Philosophisches Leben; Philosophischer Unterricht A.; Praktische Philosophie

1 J.-M. ANDRÉ, L'otium dans la vie intellectuelle et morale romaine, 1966 2 J.-M. ANDRÉ et al. (Hrsg.), Les loisirs et l'héritage de la culture classique (Actes du XIIIe Congrès de l'Association Guillaume Budé, Collection Latomus), 1996 3 P. DEMONT, La cité grecque archaïque et classique et l'idéal de tranquillité, 1990 4 A. GRILLI, Il problema della vita contemplativa nel mondo greco-romano, 1953 5 R. JOLY, Le thème philosophique des genres de vie dans l'antiquité classique, 1956 6 J. GLUCKER, Antiochus and the Late Academy (Hypomnemata 56), 1978 7 M. KRETSCHMAR, Otium, studia litterarum, Philos. und βίος θεωρητικός im Leben und Denken Ciceros, 1938.   P. DE./Ü: E. D.

Schule

II. GRIECHENLAND

A. TERMINOLOGIE   B. VORFORMEN
C. ELEMENTARSCHULE   D. GRAMMATIKSCHULE
E. AUSMASS DER SCHULBILDUNG
F. »HOCHSCHULEN«

A. TERMINOLOGIE

Es gab in der griech. Sprache keinen eigentlichen Begriff für Sch. als Bildungsanstalt. Das dt. Wort »Sch.« ist zwar ein Lehnwort aus dem Griechischen, doch bezeichnete der Begriff σχολή/→ *scholḗ* (s. Nachträge) zunächst nur die »freie Zeit« und wurde erst über den Umweg über das lat. → *schola* zur Bezeichnung für Sch. Der Ausdruck *didaskaleíon* bezeichnete nicht die Institution, sondern das Gebäude, in dem Kinder (zunächst im Chorgesang) unterrichtet wurden (Antiph. 6,11; Thuk. 7,29; Plat. leg. 764c). »Zur Sch. gehen«: Die Kinder »gehen zum Lehrer« (φοιτᾶν παρὰ τὸν διδάσκαλον, *phoitán pará ton didáskalon*) bzw. »in ‹das Haus› des Lehrers« (φοιτᾶν εἰς διδασκάλου, *phoitán eis didaskálu*).

B. VORFORMEN

Die primär mündliche Kultur (vgl. → Schriftlichkeit-Mündlichkeit) der archa. Zeit kannte verschiedene Formen der → Erziehung und → Bildung (für die soziale Oberschicht) [1]: Unterweisung in der → Familie oder bei einem älteren Mentor, die Begegnung mit der myth. und rel. Tradition in den Mädchen- und Knabenchören [2] sowie (geschlechtsspezifische) soziale Organisationsformen (*synusíai*), die päderastische Beziehungen förderten (→ Päderastie), wie das Symposion (→ Gastmahl) oder ein bestimmter Typus des → *thíasos* wie der der → Sappho. *Gymnastikḗ* (→ Sport VI.) und *musikḗ* (→ Musik IV. E.), also körperliche und musische Ausbildung (Gesang und Tanz), gehörten zu Grundkonstanten des Unterrichts (bis in hell. Zeit). Dabei vermittelte der »Musikunterricht« zentrale Bildungsinhalte durch die Beschäftigung mit Dichtung. Für die Unterweisung in dieser *archaía paideía* (»alten Erziehung«, Aristoph. Nub. 961–1023) waren als Lehrer zunächst der *kitharistḗs* (»Kitharaspieler«) und der → *paidotríbēs* zuständig.

C. ELEMENTARSCHULE

Ab der Übernahme der → Schrift von den Phöniziern im 8. Jh. v. Chr. dauerte es fast zweihundert Jahre, bis das neue Medium fest in das griech. Bildungsprogramm integriert wurde und sich ein geregelter Unterricht im Schreiben und Lesen entwickelte, zu dem aber wohl nur Knaben Zugang hatten (wichtigstes ant. Zeugnis des Schulcurriculums um 400 v. Chr.: Plat. Prot. 325c–326c). Die Einführung des → *ostrakismós* durch Kleisthenes [2] sowie die zahlreichen Abbildungen von Schulunterricht zu Beginn des 5. Jh. [3. Nr. 349–373] sind Reaktionen auf diese neue Entwicklung, bezeugen aber keineswegs eine allgemeine Schulbildung [4. 96 f.].

Der älteste Beleg für Schulbesuch, der Einsturz eines Gebäudes 494 v. Chr., in dem Kinder die *grámmata* lernten (»Lesen und Schreiben«: Hdt. 6,27,2), stammt aus dem reichen ionischen Chios. Die Historizität staatlicher Regelungen für die Einrichtung von Sch. im 5. Jh. v. Chr. ist fraglich (Thurioi: Diod. 12,12,4; Troizen: Plut. Them. 10,3) [4. 57–59, 68; 5. 207 f.]. Zum Sonderfall Sparta vgl. → *agōgḗ*.

Als Unterrichtsstätten dienten Versammlungsräume in Privathäusern (häufig dem Haus des Lehrers) oder öffentlichen Gebäuden wie dem *gymnásion*, in denen primär der Sportunterricht stattfand. Letztere wurden überwiegend privat, d. h. durch Stiftungen reicher Bürger, finanziert (vgl. → *gymnásion* II.). Auf dem Schulweg wurden die Kinder von einem Hausklaven, dem → *paidagógós*, begleitet. Schreiben und Lesen lernten sie (frühestens ab ca. 7 Jahren) beim *grammatistḗs* durch Nachzeichnen (Plat. Prot. 326d) und Vorlesen; die Übungen steigerten sich von Einzelbuchstaben über alle theoretisch vorstellbaren Buchstabenkombinationen bis hin zu Wörtern und schließlich Sätzen, wobei die *scriptura continua* (→ Schrift III.) das Erkennen von einzelnen Wörtern und damit das Lesen erheblich erschwerte (vgl. → Schreibübungen) [6. 139–152]. Zum Schulalltag mit seinen Prügelstrafen vgl. → Hero(n)das 3.

D. GRAMMATIKSCHULE

Bis zum 3. Jh. v. Chr. hatte sich zumindest in größeren Poleis eine Ausdifferenzierung des Unterrichts durchgesetzt [7]. Kinder wohlhabender Eltern konnten nun im Anschluß an die Elementar-Sch. fortgeschrittenen Leseunterricht beim *grammatikós* erhalten. Im Zentrum stand hier die Lektüre der bedeutendsten Dichter (v. a. Homer, später daneben auch Euripides und Menandros), deren Kenntnis früher im »Musikunterricht« durch Vorsingen (bzw. Vorsprechen) und Nachsingen vermittelt worden war. Aber auch Prosaautoren (Historiker und Attische Redner) wurden berücksichtigt. Die lexikographische, grammatische und inhaltliche Erläuterung (*exégēsis*) mündete in eine ethische Auslegung (*krísis*), die die Anwendbarkeit der Bildungsinhalte gewährleisten sollte. Dementsprechend wurden die Texte kaum als lit. Kunstwerke gewürdigt. Sinnsprüche (*gnṓmai*, vgl. → *gnṓmē*) und lehrhafte Aussprüche (*apophthégmata*, vgl. → *apóphthegma*) waren daher äußerst beliebt. Unterricht in den mathematischen Wissenschaften (Geometrie, Arithmetik, Astronomie) spielte, über die Vermittlung elementarer Grundkenntnisse hinaus, eine untergeordnete Rolle im Kanon der Schulfächer [8. 16 f.].

E. Ausmass der Schulbildung

Da der Schulbesuch in Griechenland bis in hell. Zeit Privatangelegenheit blieb und die Lehrer von den Eltern entlohnt werden mußten, erhielt das Gros der Bevölkerung (bei gewissen regionalen Unterschieden und einem deutlichen Stadt-Land-Gefälle) bestenfalls eine rudimentäre Ausbildung im Lesen und Schreiben, die dazu befähigte, Dokumente zu unterschreiben oder den eigenen Namen auf ein → *óstrakon* zu ritzen (→ Schreiber III. A.). Die Teilhabe am Schulcurriculum bis zur Stufe des Grammatikunterrichts, der weiterhin von der gymnastischen und (nunmehr im engeren Sinne) musikalischen Bildung flankiert wurde, setzte voraus, daß die Kinder nicht schon sehr früh für die Sicherung des Lebensunterhalts herangezogen werden mußten. Die von ant. Autoren z. T. stark abwertende Verwendung des Begriffs *bánausos* für Handwerker spiegelt dies wider (→ Bildung B.4): Die Auffassung eines Xenophon [2] (oik. 4,3; vgl. Aristot. pol. 1278a 2 f.), daß Handwerksberufe Körper und Geist verweichlichten, verweist darauf, daß Handwerker (bzw. ihre Kinder) im Normalfall nicht über die erforderliche → *scholế* (»Muße«) verfügten, um Körper und Geist im *gymnásion* zu kräftigen, und stattdessen ihrer (sitzenden) Tätigkeit im → *oíkos* (»Haus«) nachgehen mußten, also der den Frauen zugewiesenen Lebenswelt. Außerhäusliche Schulbildung für Mädchen ist erst im Hell. für einige Poleis (Pergamon, Teos) bezeugt; die für die Leitung des *oíkos* erforderlichen Kenntnisse in Schreiben und Lesen wurden wohl überwiegend zu Hause vermittelt [9].

F. »Hochschulen«

Ab dem späten 5. Jh. entwickelten sich Formen einer höheren Bildung [10. 353–407]. An die erste Phase eines noch nicht institutionalisierten Unterrichts bei den Sophisten (→ Sophistik; v. a. in Rhetorik) schlossen sich im Verlauf des 4. Jh. v. Chr. die berühmten athenischen Schulgründungen des → Isokrates, des Platon [1] (die → *Akadếmeia*) und des Aristoteles [6] (der → *Perípatos*,

vgl. → *Lýkeion*, s. Nachträge) an, die ein rhet. bzw. philos. Bildungsangebot bereithielten. Gegen Ende des 4. Jh. kamen noch die → Epikureische Schule (der → *Kếpos*) und die stoische Sch. (→ Stoizismus) hinzu.

Die hell. Herrscher gründeten neue Bildungszentren: Alexandreia [1] mit seinem → *Museíon* (C.), Pergamon mit seiner berühmten → Bibliothek. Ab Ende des 2. Jh. v. Chr. entwickelte sich Rhodos zu einem Zentrum der philos. (vgl. → Poseidonios [3]) und v. a. rhet. Ausbildung (vgl. → Menekles [4], → Apollonios [5], → Molon [2]), doch scheint der Institutionalisierungsgrad dieser höheren Bildung insgesamt eher gering gewesen zu sein. Sie blieb, wie zu Zeiten der Sophistik, im wesentlichen personenbezogen, d. h. man besuchte nicht eine »Rhetoren-Sch.«, sondern ging zu einem bestimmten Rhetor »in die Sch.« Einen gewissen äußeren Rahmen für vertiefte Studien bot allerdings die weiterentwickelte att. → *ephēbeía* ab dem 3. Jh. v. Chr.
→ Bildung; Erziehung; Gymnasion; Paideia; Schola; Schreiber; Schriftlichkeit-Mündlichkeit

1 M. Griffith, »Public« and »Private« in Early Greek Institutions of Education, in: Y. L. Too (Hrsg.), Education in Greek and Roman Antiquity, 2001, 23–84 **2** C. Calame, Choruses of Young Women in Ancient Greece, 1997 **3** F. A. G. Beck, Album of Greek Education, 1975 **4** W. V. Harris, Ancient Literacy, 1989 **5** K. Robb, Literacy and Paideia in Ancient Greece, 1994 **6** R. Cribiore, Writing, Teachers, and Students in Graeco-Roman Egypt, 1996 **7** M. P. Nilsson, Die hell. Sch., 1955 **8** T. Morgan, Literate Education in the Hellenistic and Roman Worlds, 1998 **9** S. G. Cole, Could Greek Women Read and Write?, in: H. P. Foley (Hrsg.), Reflections of Women in Antiquity, 1981, 219–245 **10** Marrou.　　　　R. Bau.

Seerecht s. Fenus nauticum; Iactus; Nautikon daneion; Nomos nautikos; Seedarlehen

Selbsterkenntnis (γνῶσις bzw. ἐπιστήμη ἑαυτοῦ/*gnṓsis* bzw. *epistếmē heautú*; lat. *notitia, cognitio sui; noscere/ cognoscere seipsum*). Die philos. und volkstümlichen S.-Vorstellungen der Ant. berufen sich oft auf den Spruch, der über dem Apollontempel in Delphi stand (→ Delphoi, → Orakel): ›Erkenne dich (selbst)‹ (γνῶθι σ[ε]αυτόν/*gnṓthi s[e]autón*); dessen genaue Entstehungszeit ist jedoch ungewiß. Das älteste Zeugnis ist Soph. fr. 509 P. (θνητὰ φρονεῖν χρὴ θνητὴν φύσιν, ›die sterbliche Seele muß Sterbliches denken‹). Zahlreiche Parallelen sind bei Pindaros, Epicharmos sowie den drei großen Tragikern, Aischylos [1], Sophokles [1] und Euripides [1], zu finden (zur S. in der griech. Trag. vgl. [1]). Urspr. weist der Spruch wohl auf die Begrenztheit und Hinfälligkeit des Menschen, die im Gegensatz zur göttlichen Beständigkeit und Vollkommenheit steht (Pind. P. 8,95 f.; Eur. Alk. 799; Plut. de E apud Delphos 394c; Sen. consolatio ad Marciam 11,3). S. wird auch als Warnung vor der Überschätzung individueller Fähigkeiten gedeutet (Xen. Kyr. 7,2,15 ff.; Aristot. rhet. 1395a 18; Plut. de tranquillitate animi 372c; Plaut. Stich. 123 ff.; Ov. ars 2,493 ff.; Iuv. 11,27; vgl. → *hýbris*).

Eine dritte Interpretation des Spruches, die die Menschengattung positiver deutet und die je nach Schule unterschiedliche Akzente erfährt, kommt erstmals im (pseudo-?)platonischen ›Alkibiades I‹ (Plat. Alk. 1,129b-133c) zur Sprache: Der Mensch solle seine Seele (ψυχή/ psyché), d. h. sein Vernunftvermögen, erkennen; er muß sich in der Seele eines anderen wie in einem Spiegel erblicken (ebd. 132c-133c) und genauer erkennen, daß seine Tüchtigkeit (ἡ ψυχῆς ἀρετή/psychês areté) in der Weisheit besteht (σοφία/sophía, 133b). S. ist also nur im Gespräch zu erreichen (130d-e; 131d). Andererseits weist die Gestalt des → Sokrates [2] bei Platon [1] zugleich auf die geistige Begrenztheit des Menschen. S. wird die wesentliche Bedingung für die Unterscheidung zw. dem, was man weiß und was man nicht weiß (Plat. Charm. 167a 1-7). Eng verknüpft bleibt die S. mit Besonnenheit (σωφροσύνη/sóphrosýnē). Somit bleibt der sokratisch-platonische S.-Begiff teilweise auf ältere Vorstellungen bezogen. Das anzustrebende Ideal des Menschen ist gleichwohl der göttliche Geist (νοῦς/nus), der durch Selbstbezüglichkeit das vollkommen glückselige Leben genießt (Plat. Tht. 176b; Aristot. eth. Nic. 1177b; Cic. Tusc. 1,52; 5,70).

Das Gebot der S. im → Stoizismus der Kaiserzeit ist eng mit »Selbstsorge« (ἐπιμέλεια ἑαυτοῦ/epiméleia heautú, lat. cura sui) verknüpft, welche lehren soll, wie man sowohl die Grenzen als auch die Vernünftigkeit des Menschen einzuschätzen hat (Sen. nat. 1,17,4; Epikt. Diatribaí 1,6,23; M. Aur. 6,11). Für den → Neuplatonismus ist die Philos. überhaupt Versenkung in das eigene Innere (ἐπιτροπή εἰς ἑαυτόν/epitropé eis heautón). Die Einheit von Denken und Gedachtem und damit die Problematik der Selbstbezüglichkeit wird im Neuplatonismus ausführlich untersucht (z. B. Plot. enneades 5,8,4,10; Prokl. in Plat. Alk. 4,19).

Philon [12] von Alexandreia macht die Gotteserkenntnis zur Voraussetzung der S. und bejaht die Erkennbarkeit des geistigen Welt-Prinzips ausdrücklich (Phil. de opificio mundi 69). Andererseits betont die christl. Forderung nach S. die Sündhaftigkeit des Menschen ebensosehr wie dessen Gottesähnlichkeit. Obwohl das S.-Motiv im NT kaum vorhanden ist, zugunsten des Erkennens Christi (Mt. 11,25-27), werden etwa bei → Augustinus Introspektion und Innerlichkeit geradezu zentral, denn die → Wahrheit als Bezug zu Gott ist nicht im Äußeren, sondern im Inneren des Menschen allein zu finden (Aug. de vera religione 39,72,202: noli foras ire, in te ipsum redi, ›gehe nicht nach draußen, gehe in dich selbst zurück‹).

1 E. LEFÈVRE, Die Unfähigkeit, sich selbst zu erkennen. Sophokles' Tragödien (Mnemosyne Suppl. 227), 2001.

J. ANNAS, Self-Knowledge in Early Plato, in: D. J. O'MEARA (Hrsg.), Platonic Investigations, 1985, 111-138 • J. BRUNSCHWIG, La déconstruction du »Connais-toi toi-même« dans l'Alcibiade majeur, in: Recherches sur la philos. du langage 18, 1996, 61-84 • P. COURCELLE, Connais-toi toi-même de Socrate à Saint Bernard, 3 Bde., 1974-75 • L. P. GERSON, Ἐπιστροφὴ πρὸς ἑαυτόν: History

and Meaning, in: Documenti e studi sulla tradizione medievale 7, 1997, 1-32 • C. GILL, Personality in Greek Epic, Tragedy and Philosophy, 1996 • K. KREMER, S. als Gotteserkenntnis nach Plotin, in: International Studies in Philosophy 13, 1981, 41-68 • A. C. LLOYD, Nosce teipsum and conscientia, in: Archiv für die Gesch. der Philos. 46, 1964, 188-200 • H. NORTH, Sophrosyne. Self-Knowledge and Self-Restraint in Greek Literature, 1966 • M. REISER, Erkenne Dich selbst! S. in Ant. und Christentum, in: Trierer theologische Zschr. 101, 1992, 81-100 • H. TRÄNKLE, ΓΝΩΘΙ ΣΕΑΥΤΟΝ. Zu Ursprung und Deutungsgesch. des delphischen Spruchs, in: WJA 11, 1985, 19-31 • V. TSOUNA, Socrate et la connaissance de soi: quelques interprétations, in: Philos. antique 1, 2001, 37-64 • E. G. WILKINS, The Delphic Maxims in Literature, 1929.

F. R.

Severische Dynastie. Die S. D., auch »Severer«, »Epoche der Severer« oder wegen der Herkunft aus Africa und Syria *African/Syrian Emperors* genannt, reichte ca. 40 J. vom Herrschaftsantritt ihres Begründers, → Septimius [II 7] Severus (193-211 n. Chr.), über seine Söhne von Iulia [12] Domna, → Caracalla (198-217) und → Geta [2] (209-211), bis zu den Großneffen der Iulia Domna, → Elagabalus [2] (218-222) und → Severus [2] Alexander (222-235). Die Abfolge der severischen Kaiser wurde für etwa ein Jahr unterbrochen (April 217-Mitte 218) durch die Herrschaft des → Macrinus, der allerdings an seine unmittelbaren Vorgänger anknüpfte, indem er sich selbst den Beinamen *Severus* und seinem zuerst zum Caesar, dann zum Augustus ernannten Sohn den Beinamen *Antoninus* gab (RIC IV 2).

Septimius [II 7] Severus stammte väterlicherseits aus einer angesehenen punischen Familie in → Leptis Magna, die seit dem 1. Jh. n. Chr. das röm. Bürgerrecht besaß und sich in einen ital. und afrikanischen Zweig gespalten hatte, mütterlicherseits von der aus It. zugewanderten Familie der Fulvier. Der Großvater, L. Septimius Severus, hatte das oberste Amt in Leptis Magna, das Amt eines → Sufeten, bekleidet und wurde der erste → *duumvir* in der unter → Traianus [1] zur *colonia* erhobenen Stadt. Der ital. Zweig hatte bereits in der Generation seines Vaters senatorische Würden erreicht, der afrikan. erreichte sie mit Septimius [II 7] Severus, der um 164 seine senatorische Laufbahn in Rom begann [1. 8-56].

Als Septimius Severus kurz nach der Ermordung des → Pertinax von den Soldaten in Carnuntum, die über den »Verkauf« der Kaiserwürde an Didius [II 6] Iulianus verärgert waren, zum Kaiser ausgerufen wurde, konnte er wie → Vespasianus (→ Flavische Dynastie, s. Nachträge) keine verwandtschaftliche Verbindungen zu früheren Kaisern aufweisen. Anders aber als Vespasianus beschränkte er sich nicht auf die Sicherung der Familienherrschaft durch Einbeziehung der Söhne, sondern bezog auch seine Frau → Iulia [12] Domna ein, die – obgleich polit. kaum nach außen wirksam – als → Augusta [0] (s. Nachträge) viele familienbezogene Ehrentitel (Mater u. a.) erhielt [2. 75-97; 142]. V. a. aber knüpfte Septimius an seine Vorgänger an. Dabei bezog

Das Haus der Severer

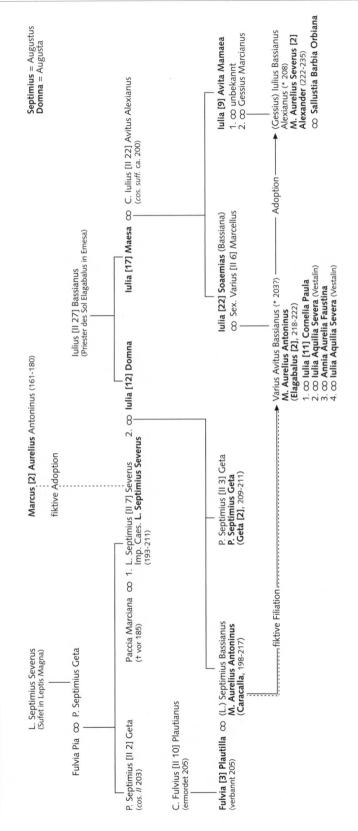

er sich nicht nur auf den bei den Donaulegionen beliebten Pertinax, als dessen Rächer er auftrat, dessen Divinisierung (→ *consecratio*) er betrieb (Cass. Dio 74,17,4) und dessen Namen er sofort in seinen Kaisernamen aufnahm, sondern griff 195 auf → Marcus [2] Aurelius zurück, in dessen *gens Aurelia* er sich adoptieren ließ. Damit wurde er zum Sohn Marc Aurels (RIC IV 1, Nr. 686) und zum Bruder des → Commodus (AE 1951, Nr. 75), dessen → *damnatio memoriae* aufgehoben und der sofort divinisiert wurde, und konnte nun (ab → Antoninus [1] Pius; vgl. → Antonine) fünf vergöttlichte Ahnen aufweisen (CIL VIII 9317; ILS 420).

Zugleich wurde auch der ältere Sohn Septimius Bassianus (→ Caracalla) in die *gens* adoptiert und zum Caesar erhoben (seit 195: M. Aurelius Antoninus Caesar). 197 wurde Caracalla zum Augustus und Geta [2] zum Caesar (209 zum Augustus) ernannt, beide Söhne wurden reichsweit v. a. dem Heer als Nachfolger vorgestellt [3. 102–108; 4. 50–53].

Nach dem Tod des Septimius 211 ging somit die Herrschaft problemlos auf seine Söhne über. Die Loyalität des Heeres für S. D. war so gefestigt, daß Macrinus seine Beteiligung an der Ermordung Caracallas (217) verheimlichen mußte [5. 68–70] und sofort gestürzt wurde, als sich mit dem etwa 14jährigen Elagabalus ein Prätendent zeigte, dessen Mutter → Iulia [22] Soaemias nicht nur mit dem Kaiserhaus verwandt war, sondern ihn sogar aufgrund eines Seitensprungs von Caracalla empfangen haben sollte (Cass. Dio 79, 30f.; Herodian. 5,3 f.; [5. 71–79]). Als die Akzeptanz des Elagabalus wegen seines mil. Desinteresses und seines befremdlichen Lebensstils sank, adoptierte dieser 221 auf Drängen seiner Großmutter Iulia [17] Maesa und seiner Tante Iulia [9] Mamaea deren ca. 14jährigen Sohn → Severus [2] Alexander. Dieser erhielt nach der Ermordung des Adoptivvaters und Cousins 222 problemlos den Thron; sein Versuch, mit der Erhebung seines Schwiegervater, Seius Sallustius [II 5], zum Caesar (225) die S. D. fortzusetzen, mißlang, da dieser in einen Unsturzversuch verwickelt und 227 hingerichtet wurde; Severus Alexander wurde 235 als letzter der S. D. zusammen mit seiner Mutter in Mogontiacum (h. Mainz) von den Soldaten ermordet, die → Maximinus [2] Thrax zum Kaiser ausgerufen hatten.

Die S. D. hatte wegen ihrer Stabilität dem röm. Reich vorerst die Wirren unablässiger Prätendentenkämpfe um den Thron erspart, die im 3. Jh. n. Chr. die innere und äußere Sicherheit des Reiches gefährdeten, aber durch die offene Bevorzugung des Militärs auch die Grundlagen für die dominierende Rolle der Soldaten bei der Thronfolge vorbereitet (→ Soldatenkaiser; [5. 3]). Die in den ant. Quellen (Cassius [III 1] Dio, Herodianos [1], → *Historia Augusta*) wegen des gespannten Verhältnisses zw. S. D. und Senat überwiegend negative Darstellung der Epoche verschleiert die Leistungen v. a. der ersten Phase der S. D. auf dem Gebiet des Rechts, der Verwaltung und der Grenzsicherung (vgl. Würdigung bei → Septimius [II 7] Severus). Zur Abwertung

der S. D. in den ant. Quellen trug auch die bisher nicht bekannte, als »unrömisch« empfundene, bestimmende Rolle der syrischen Frauen des Kaiserhauses bei, die zur Zeit der sehr jung auf den Thron gelangten Kaiser Elagabalus und Severus Alexander sowohl bei der Herrschaftsübergabe als auch in der Politik besonders hervortraten (→ Kaiserfrauen; → Herrscherinnen, s. Nachträge; [2. 9–74]).

1 A. BIRLEY, Septimius Severus, The African Emperor, ²1988 2 E. KETTENHOFEN, Die syrischen Augustae in der histor. Überlieferung, 1979 3 W. KUHOFF, Felicior Augusto, melior Traiano, 1993 4 H. HALFMANN, Itinera principum, 1986 5 J. SÜNSKES-THOMPSON, Aufstände und Protestaktionen im Imperium Romanum, 1990.

W. ED.

Sextos [2] Empeirikos (Σέξτος Ἐμπειρικός; lat. *Sextus Empiricus*), Ende 2. Jh. n. Chr. Pyrrhoneischer Skeptiker (→ Pyrrhon) und empirischer Arzt (→ Empiriker; Diog. Laert. 9,116); vgl. jedoch seine Kritik des gängigen medizinischen Empirismus als dogmatisch (S. Emp. PH 1,236–241). S. verfaßte die beiden allein erh. pyrrhoneischen Schriften: (1) ›Grundzüge des Pyrrhonismus‹ (Πυρρώνειοι ὑποτυπώσεις/*Pyrrhṓneioi hypotypṓseis*, 3 B., = PH), (2) *Adversus Mathematicos* (Πρὸς Μαθηματικούς/ *Pros Mathēmatikús*, ›Gegen die Mathematiker‹, 11 B., = AM). Nicht erh. sind: ›Über die Seele‹ (Περὶ ψυχῆς/*Perí psychês*, AM 10,284) und ›Empirische Hypomnemata‹ (Ἐμπειρικὰ ὑπομνήματα/*Empeiriká hypomnḗmata*, AM 1,61), vielleicht identisch mit den ›Medizinischen Hypomnemata‹ (Ἰατρικὰ ὑπομνήματα/*Iatriká hypomnḗmata*, AM 7,202).

Die erh. beiden Schriften sind Hauptquelle für die pyrrhoneische Skepsis (vgl. → Skeptizismus, Nachträge), aber auch wichtige Quelle für die griech., bes. die hell. Philos. Offenkundig fußten sie auf einer reichen pyrrhoneischen Lit. (vgl. → Theodosios [2], → Menodotos [2], → Herodotos [3]), die auf → Ainesidemos zurückgeht. S.' eigener Beitrag dazu bleibt unklar. Die PH folgen einer pyrrhoneischen Unterscheidung von zwei Arten skeptischen Diskurses (PH 1,5–6): (1) der Darlegung der skept. Haltung und (2) der Argumentation gegen dogmatische Thesen (→ Dogmatiker). Ein Satz gilt als dogmatisch, wenn er vorgibt, die Frage, wie die Dinge wirklich sind, philos. oder wiss. zu beantworten (PH 1,13–14). Entsprechend enthält PH B. 1 eine Beschreibung des pyrrhoneischen Skeptizismus, PH B. 2 und 3 die Argumentation gegen die wichtigsten dogmatischen Thesen auf dem Gebiet der Logik, der Physik und der Ethik. AM bietet ausführlichere Argumentation gegen logische (B. 7–8), physische (B. 9–10) und ethische (B. 11) Thesen. B. 1–6 richten sich gegen Grammatiker, Rhetoriker, Geometer, Arithmetiker (Zahlentheoretiker), Astronomen und Astrologen, sowie Harmoniker (Musiktheoretiker).

Die Argumentation gegen dogmat. Thesen soll nicht deren Gegenteil beweisen, sondern sie als nicht hinreichend begründet aufzeigen. Die Argumente machen deutlich, daß, was immer für die Thesen anzuführen sei, gleichgewichtige Gründe gegen sie sprechen, so daß man sich der Zustimmung oder des Urteils enthalten sollte (→ *epoché*; PH 1,10). Wer eine skeptische Einstellung zu den Dingen gewonnen hat, hat die den Pyrrhoneer charakterisierende bes. Fähigkeit erworben, zu sehen, welche Gründe gegen eine Behauptung sprechen, und sich folglich des Urteils zu enthalten (PH 1,8–19). PH 2–3 und AM sollen (u. a. dem angehenden Skeptiker) Argumentationshilfen gegen einzelne dogmat. Thesen bieten. Breiten Raum (PH 1,31–186) nimmt die Darstellung der sog. »Tropen« (τρόποι/*trópoi*, v. a. der 10 sog. Tropen des Ainesidemos, PH 1,36–163) ein; diese geben dem angehenden Skeptiker Schemata an die Hand, eine Behauptung als nicht hinreichend begründet aufzuzeigen; wenn z. B. sich jemandem eine Sache unter bestimmten Bedingungen auf eine Weise darstellt, kann man darauf verweisen, daß sie sich derselben Person unter anderen Umständen bzw. anderen Personen oder anderen Lebewesen anders darstellt.

Hintergrund der skeptischen Enthaltung eines Urteils darüber, wie die Dinge wirklich sind, ist S.' Darstellung der Entstehung der → Philosophie im allg. und der Skepsis im bes. (PH 1,12; 26; vgl. Ps.-Galen, Historia philosophica 8). Personen von herausragender Größe (μεγαλοφυεῖς/*megalophyeís*) werden durch die Unregelmäßigkeit der Dinge beunruhigt (ταραχή/*taraché*); manchmal stellen die Dinge sich z. B. als gut dar, manchmal anders (z. B. als schlecht); man möchte wissen, ob sie nun gut oder schlecht sind, ob der Lauf der Welt von Gott gelenkt wird oder nicht, wie man danach sein Leben einzurichten habe. Der Versuch, diese Frage durch philos. oder wiss. Forsch. zu lösen, geschieht in der Hoffnung, sich von der Beunruhigung zu befreien. Es bedarf einer bes. Veranlagung, um auf diese Fragen aufmerksam und durch sie beunruhigt zu werden, so daß man eine grundsätzliche Lösung sucht: So beginnt laut S. die Philos.

Von anderen Philosophen unterscheidet sich der Skeptiker dadurch, daß er im Lauf der Zeit erfährt, daß diese Fragen trotz aller Bemühungen nicht zu lösen sind, daß er aber sein Leben trotzdem befriedigend einrichten kann. Die ursprüngliche Beunruhigung löst sich somit nicht, weil er die erhofften Antworten gefunden hat, sondern überraschenderweise gerade dadurch, daß er ohne diese ausgekommen ist (PH 1,26–29). Die anderen Philosophen dagegen haben das weitere Nachdenken über diese Fragen aufgegeben: Die → Dogmatiker [1] nehmen eine nicht hinreichend begründete Antwort hin, weil sie glauben, ohne diese nicht vernünftig leben zu können; die Akademiker (→ *Akadémeia*) machen sich keine Antwort zu eigen, begründen das aber damit, daß sich die Fragen nicht beantworten lassen – somit sind sie jedenfalls in dieser einen Frage selbst dogmatisch. Die Pyrrhoneer jedoch enthalten sich auch in dieser Frage des Urteils: Sie behaupten nicht, daß man die Dinge nicht wissen könne; allerdings haben sie, jedenfalls bis jetzt, keine Antwort (PH 1,1–4). Keine Antwort zu haben, sich des Urteils zu enthalten, stellt sich faktisch als erstrebenswert heraus.

Wenn laut S. (PH 1,25 ff.) das Ziel des Skeptikers die Freiheit von Beunruhigung (ἀταραξία/→ *ataraxía*) ist, ist dies nicht als philos. These über das Ziel des Lebens zu verstehen, sondern als faktische Feststellung. Wenn S. meint, durch seine Erfahrung einen empfehlenswerten Weg gefunden zu haben – die Enthaltung des Urteils –, so ist dies keine philos. These, sondern eine Beobachtung. Sein Leben führt der Skeptiker nicht von Urteilen darüber geleitet, wie die Dinge wirklich sind, sondern davon, wie sie sich ihm unter seinen konkreten Bedingungen jeweils darbieten, wo und wie er aufgewachsen ist, was er gelernt oder beobachtet, welche Überlegungen er angestellt hat (PH 1,21–24). Aber er läßt offen, ob die Dinge wirklich so sind, wie sie sich ihm unter diesen Bedingungen darstellen.

Als einzige systematische Ausarbeitung zum Skeptizismus wurden die Schriften des S. erst in der Renaissance, v. a. durch die Übers. der PH (1562) und AM (1569) wieder verbreitet und entfalteten eine große Wirkung auf die Philos. der Neuzeit (vgl. [11]).

→ Ataraxia; Pyrrhon; Skeptizismus (Nachträge); SKEPTIZISMUS

ED. UND ÜBERS.: **1** J. ANNAS, J. BARNES (ed.), Sextus Empiricus, Outlines of Scepticism, 1994 (engl. Übers.) **2** R. BETT, Against the Ethicists (Adversus Mathematicos XI), 1997 (engl. Übers.). **3** D. L. BLANK, Against the Grammarians (Adversus Mathematicos I), 1998 (engl. Übers. und Komm.) **4** R. G. BURY (ed.), Sextus Empiricus, 1933 (mit engl. Übers.) **5** H. MUTSCHMANN, J. MAU, Sexti Empirici opera, Bd. 1, ²1958; Bd. 2, 1914; Bd. 3, 1954; Bd. 4, 1962 **6** H. FLÜCKIGER, Sextus Empiricus, Gegen die Dogmatiker, Adversus mathematicos libri 7–11, 1998 (dt. Übers.) **7** M. HOSSENFELDER, Sextus Empiricus, Grundriß der pyrrhonischen Skepsis, 1968 (dt. Übers.). **8** F. JÜRSS, Sextus Empiricus, Gegen die Wissenschaftler 1–6, 2001 (dt. Übers. und Komm.) **9** E. SPINELLIN (ed.), Sesto Empirico Contro gli Astrologi, 2000 (mit it. Übers. und Komm.). LIT.: **10** V. BROCHARD, Les sceptiques grecs, 1959, 309–330 **11** J. ANNAS, J. BARNES, s. [1] **12** L. FLORIDI, Sextus Empiricus. The Transmission and Recovery of Pyrrhonism, 2002 **13** B. MATES, The Sceptic Way, 1996 **14** R. J. HANKINSON, The Sceptics, 1995 **15** K. M. VOGT, Skepsis und Lebenspraxis. Das pyrrhonische Leben ohne Meinungen, 1998.   M. FR.

Silandos (Σίλανδος). Stadt in der östl. Lydia (→ Lydoi), an einem nördl. Zufluß des Hermos [2] (u. a. Flußgott Hermos im Münzbild). Unter Domitianus [1] (81–96 n. Chr.) wurde S. → *civitas*, mit Münzprägung (bis Severus [2] Alexander), zugleich wurde die → Mokadene in die Stadtterritorien von S. und → Temenothyrai aufgeteilt, beide Städte sodann *mētropóleis* genannt. S. lag beim h. Kara Selendi (westl. von Selendi). Bischöfe von S. nahmen an den Konzilien von Nikaia 325 und Chalkedon 451 (→ *sýnodos* II.) teil und sind bis ins 13./14. Jh. nachweisbar (Not. episc. 1,171; 3,104; 8,183; 9,90; 10,230; 13,90).

TAM 5,1, 18–25 (Nr. 47–70) • CH. NAOUR, Nouvelles inscriptions du Moyen Hermos, in: EA 2, 1983, 107–141 • Ders., Nouveaux documents du Moyen Hermos, in: EA 5, 1985, 37–76 • F. IMHOF-BLUMER, Lydische Stadtmz., 1897, 142–145 • BMC, Gr, Lydia, 278–283 • SNG Copenhagen, 546–553 • SNG, Slg. v. Aulock, 3166–3181; 8263–8269 • K. BURESCH, Aus Lydien, 1898, 199 • L. BÜRCHNER, s. v. S., RE 3 A, 1 f. • JONES, Cities, 81, 93 • MAGIE, 787, 1501 • MITCHELL 1, 180 • ZGUSTA, § 1214.   H. KA.

Sixtus s. Xystos [3] und [4]

Skeptizismus.   I. BEGRIFF
II. RICHTUNGEN DES ANTIKEN SKEPTIZISMUS
III. AKADEMISCHE SKEPSIS
IV. PYRRHONEISCHE SKEPSIS

I. BEGRIFF

Der mod. Begriff »Skeptiker« (= Sk.) bezeichnet in der Regel jemanden, der meint, daß wir allg. nichts mit Sicherheit oder jedenfalls nichts über die → Welt jenseits unseres Bewußtseins wissen. Sk. in diesem Sinn gab es schon in der Ant.: → Metrodoros [1] von Chios (4. Jh. v. Chr.), ein Demokriteer, behauptete, daß wir schlechthin nichts wüßten, nicht einmal dies, ob wir etwas wissen oder nicht, oder was das Wissen (εἰδέναι/ *eidénai*) sei, oder ob es überhaupt etwas gebe (70 B 1 DK). Die → Kyrenaïker vertraten die Ansicht, daß wir zwar unserer Eindrücke und Empfindungen gewahr sind, aber nichts über die ihnen zugrundeliegende äußere Wirklichkeit wissen (S. Emp. P. H. 1,115, Ende 2. Jh. n. Chr.).

Der antike Begriff »Sk.« (σκεπτικός/*skeptikós*, von σκέπτεσθαι/*sképtesthai*, »untersuchen, prüfen«) bezeichnet zunächst jemanden mit der Ansicht, daß wir keine Vorstellung oder Meinung haben, die derart begründet oder gerechtfertigt sei, daß sie nicht der weiteren »Prüfung« (σκέψις/*sképsis*) bedürfe; dies gilt v. a. für Fragen der Philos. und der Einzelwissenschaften (so S. Emp. P. H. 1,13). Diese Fragen stellen sich sämtlich als nicht definitiv beantwortet heraus – es sei denn, man gäbe sich mit bloßer → Meinung zufrieden. Die Sk. heißen so, weil sie die sich anbietenden Antworten oder Meinungen prüfen, oder auch »Forscher« (ζητητικοί/*zētētikoí*), weil sie untersuchen, wie die Fragen zu beantworten seien (S. Emp. P. H. 1,7).

Die von den Sk. in abschätzigem Sinne als »Dogmatiker« (δογματικοί/*dogmatikoí*) bezeichneten Philosophen (S. Emp. P. H. 1,1) suchten – so die Sk. – eine Antwort auf die ihnen dringend erscheinenden Fragen zur Welt und zum Leben, indem sie sich voreilig Meinungen verschreiben, die nicht als definitiv gelten können. Die Sk. hingegen geben die Unt. nicht auf, entscheiden sich nicht für eine letztlich ungerechtfertigte Meinung, ein *dógma*, sondern enthalten sich des Urteils oder der Zustimmung (ἐποχή/→ *epoché*; S. Emp. P. H. 1,1–4). Daher wird die Schule auch *ephektikḗ* (ἐφεκτική) oder *aporētikḗ* (ἀπορητική; vgl. → Aporie) genannt (S. Emp. P. H. 1,7).

II. RICHTUNGEN DES ANTIKEN SKEPTIZISMUS

Die Ant. kannte zwei Gruppen von Sk. in diesem Sinne: (1) die Akademiker, d. h. → Arkesilaos [5] (ca. 315–240 v. Chr.) und seine Nachfolger in Platons [1] Akademie (→ *Akadḗmeia*), und (2) die Pyrrhoneer (vgl. → Pyrrhon), nämlich → Ainesidemos (1. H. des 1. Jh. v. Chr.) und seine Nachfolger, darunter → Sextos Empeirikos (s. Nachträge; ca. 200 n. Chr.), unser Hauptzeuge für den ant. S.

Traditionell sah man den Unterschied zw. akademischem und pyrrhoneischem S. darin, daß die Pyrrhoneer ein Leben ohne jegliche Meinung befürworteten, während die Akademiker die moderatere Auffassung vertraten, man dürfe sich zwar eine Meinung über die Dinge bilden, dürfe dies aber nicht für Wissen halten. In dieser Auffassung fühlte man sich durch einflußreiche Akademiker bestärkt, die dem Philosophen sogar Meinungen in philos. Fragen zugestanden. So meint Catulus in → Ciceros *Academica* (Cic. ac. 2,148) mit aller Entschiedenheit behaupten zu können, daß man nichts wissen könne. Mit Blick auf solche Akademiker versuchte auch Sextos Empeirikos, Akademiker und Pyrrhoneer dadurch zu unterscheiden, daß er den ersteren feste Meinungen zuschrieb (v. a. die, daß man nichts wissen könne), während letztere sich bereits über die Frage, ob wir etwas wissen oder nicht, des Urteils enthalten. Die Akademiker seien daher als Dogmatiker im weiteren Sinne, nicht jedoch als »Sk.« zu betrachten. Den ant. Zeugnissen (auch Sextos Empeirikos) gemäß war dies nicht die urspr. akademische Position, sondern setzte sich erst zur Wende zum 1. Jh. v. Chr. unter Philon [9] von Larisa (ca. 150–83 v. Chr.) in der Akademie weitgehend durch.

III. AKADEMISCHE SKEPSIS

Offenkundig versuchte Arkesilaos [5], an das Vorbild des → Sokrates [2] anzuknüpfen. Er sagte von sich (mit Verweis auf letzteren) daß er nichts wisse, ja daß er noch einen Schritt weiter gehe als Sokrates und eingestehe, daß er nicht einmal dies wisse (Cic. ac. 1,44f.; 2,74; Cic. fin. 2,2). Auf die in der Akademie in der Nachfolge des Sokrates gepflegte Praxis der dialektischen → Widerlegung mit leichter Modifikation zurückgreifend, versuchte er, alle philos. Thesen zu widerlegen; dabei konzentrierte er sich aber auf die stoischen Thesen, v. a. solche, mit deren Hilfe der → Stoizismus die Möglichkeit des Wissens zu zeigen versuchte. Arkesilaos bestritt v. a. die stoische Annahme, daß es eine sog. kognitive Vorstellung (καταληπτικὴ φαντασία/*kataleptikḗ phantasía*; vgl. → Phantasie) gebe, in deren Natur es liege, die → Wahrheit des entsprechenden Vorstellungsinhalts zu garantieren. Die Frage, ob es solche Vorstellungen gibt, blieb der Hauptstreitpunkt zw. Akademikern und Stoikern – laut Arkesilaos gibt es sie nicht: man wisse nichts, ja man könne sich keine Meinung bilden, da genauso viel für eine Annahme spreche wie dagegen (ἰσοσθένεια/*isostheneía*, »Gleichgewicht« des Pro und Contra). Man müsse sich also in jedem Fall des Urteils oder der Zustimmung enthalten (Cic. ac. 1,45).

Der bedeutendste akademische Sk. nach Arkesilaos war → Karneades [1] (214–129 v. Chr.). Die Zeugnisse über ihn erwähnen nur, daß sich gegen jede Annahme ein Einwand finden lasse. Auch soll er gesagt haben, daß sich selbst der Weise bisweilen eine Meinung bilde (Cic. ac. 2,67). Drei Schüler des Karneades, → Kleitomachos [1] (bis 110 v. Chr.) einerseits, → Metrodoros [6] (dessen jüngerer Zeitgenosse) und Philon [9] andererseits, stritten über die Auslegung dieser zweiten Behauptung des Karneades: War sie dialektisch, d. h. allein des Arguments wegen vorgebracht, oder wörtlich gemeint? Kleitomachos vertrat – verm. zu Recht – die Auffassung, daß man zwischen zwei Arten von Zustimmung (συγκατάθεσις/synkatáthesis) und entsprechend von Meinung zu unterscheiden habe: zw. Zustimmung in dem Sinn, daß man sich eine Meinung bildet, die man für wahr oder zumindest wahrscheinlich hält, weil mehr für sie als gegen sie spricht, und der Zustimmung in dem Sinn, daß sich dem Prüfenden die Sachen einfach, ob er will oder nicht, auf eine Weise darstellen, die ihm plausibel (πιθανόν/pithanón, lat. probabile) erscheint. Daß einem etwas plausibel erscheint, heißt jedoch nicht, daß man es für wahr oder auch nur für wahrscheinlich hält. Karneades habe Zustimmung und damit Meinung, wenn überhaupt, dann nur im zweiten Sinne zugelassen, aber nicht im ersten (Cic. ac. 2,104).

Nach Metrodoros und Philon hingegen ist zu unterscheiden zw. Zustimmung in dem Sinn, daß man meint, etwas zu wissen und es somit für definitiv wahr hält, und Zustimmung in dem Sinn, daß man etwas für wenigstens wahrscheinlich hält, weil die besseren Gründe dafür sprechen und damit Zustimmung gerechtfertigt ist. Ersteres komme für einen Sk. nicht in Frage, sehr wohl aber letzteres. Also könne man auch philos. oder wiss. Meinungen haben, so man sie nicht mit Wissen verwechsle. Bei Philon lassen sich drei Positionen unterscheiden: (1) Ursprünglich teilte er die Ansicht des Kleitomachos; (2) als Schulhaupt der Akademie vertrat er lange die eben skizzierte Position, welche auch philos. Meinungen zuließ; (3) gegen Lebensende erklärte er hingegen, daß die Dinge ihrer Natur nach wißbar oder erkennbar sind, daß wir nur kein Wissen von ihnen haben, da wir nicht über ein stoisches Wahrheitskriterium verfügen (→ Stoizismus). Dies sei der eigentliche Streitpunkt von Anfang an gewesen (S. Emp. P. H. 1,235).

Philons Wirken hatte kaum zu überschätzende Folgen. Einer seiner Schüler, → Antiochos [20] von Askalon, brach mit der skeptischen Akademie, nachdem Philon erneut seine Position gewechselt hatte (Cic. ac. 2,12), und versuchte, zur Lehre Platons und der alten vorskeptischen Akademie zurückzukehren, welche er freilich stark im Lichte des → Stoizismus interpretierte (S. Emp. P. H. 1,235). Damit leitete er den → Mittelplatonismus ein.

Bes. folgenreich aber war die zweite Position Philons: eine detaillierte positive, weitgehend stoische, philos. Lehre (nur eben mit der Einschränkung, daß es sich nicht um Wissen handle, da man, entgegen der Ansicht

der Stoiker, nichts wissen könne). Damit war der akademische S. auf das reduziert, was wir heute normalerweise unter S. verstehen. → Cicero als Schüler Philons vertrat eben diese Form des S.; so erscheint sie auch in seinen Academica. Gerade diese philos. Form des S. griff auch → Augustinus, gestützt auf Cicero als Quelle, in seiner Schrift Contra Academicos an. So war der Westen unter dem Einfluß Ciceros und Augustinus' für lange Zeit mit dem S. nur in dieser reduzierten philonischen Form vertraut. Eine weitere Folge dieser philonischen Position aber war, daß sie den Protest einiger akademischer Sk. gegen diese Reduzierung hervorrief.

IV. Pyrrhoneische Skepsis

→ Ainesidemos, urspr. selbst Akademiker, kritisierte den Dogmatismus seiner Schule (d. h. wohl des Philon [9] und dessen Anhänger), die behauptete, nichts sei wißbar, ansonsten aber stoische Lehren vertrete (Phot. bibl. 212,169b–170a). Ainesidemos kehrte im wesentlichen zur Position des Arkesilaos zurück, die er jedoch als »pyrrhonische« (Πυρρώνειος/Pyrrhōneios) bezeichnete. Die genaue Beziehung zw. Ainesidemos' Pyrrhonismus und der Position Pyrrhons ist unklar und umstritten. Eine pyrrhonische Trad., an die sich Ainesidemos hätte anschließen können, fehlte (vgl. Diog. Laert. 9,115). Pyrrhon hatte nichts geschrieben; seine Lehre wurde v. a. durch → Timon [2] (ca. 320–230 v. Chr.) verbreitet. Sicher scheint, daß Pyrrhon meinte, die Dinge in der Welt seien moralisch indifferent – weder gut noch schlecht, oder jedenfalls nicht eher gut als schlecht oder umgekehrt (Cic. ac. 2,130; fin. 2,43; 4,43). Timon verstand diese Position so: Entweder sind die Dinge von Natur aus weder gut noch schlecht, oder sie sind gut oder schlecht, aber in diesem Falle sind wir nicht in der Lage, festzustellen, was sie sind; dies gilt nicht nur für »gut« und »schlecht«, sondern für alle Prädikate (Aristokles bei Eus. Pr. Ev. 14,18,1–5; vgl. auch Askanasios von Abdera bei Diog. Laert. 9,61). Jedenfalls bedienten sich Ainesidemos und die Pyrrhoneer in manchem der Sprache Timons.

Ein Problem, mit dem sich bereits Arkesilaos konfrontiert sah (z. B. durch → Kolotes [2]; vgl. Plut. adversus Colotem 26), war die Frage, wie ein Sk. ohne Meinungen leben kann, wenn er sich des Urteils enthält, obgleich das Leben ohne Meinungen unmöglich ist. Mit diesem Problem hatten sich alle Sk. (mit Ausnahme der philonischen Richtung) auseinanderzusetzen. Es ist sehr umstritten, ob ihnen dies gelang. Viel hängt davon ab, was man unter »Meinung« versteht. Die Sk. unterschieden wie alle anderen zw. der Tatsache, daß etwas auf bestimmte Weise erscheint (φαινόμενον/phainómenon, lat. visum), und der Tatsache, daß man es für wahr hält. Sie konnten also – so schon Timon (Diog. Laert. 9,105) und oft die Pyrrhoneer (S. Emp. P. H. 1,22) – sagen, daß sie sich im Leben daran hielten, wie sich ihnen etwas darstelle, ohne es damit für wahr zu halten. Sie konnten – so Arkesilaos oder Karneades – sagen, sie folgten im Leben dem, was ihnen vernünftig (εὔλογον/eúlogon) bzw. plausibel (πιθανόν/pithanón) erscheine, ohne es deswegen schon für wahr zu halten (S. Emp. adv. math. 7,158 und 166). Sie konnten – mit Kleitomachos, Philon und Sextos Empeirikos (S. Emp. P.H. 1,13 und 19) – verschiedene Arten von Zustimmung unterscheiden, so daß eine Meinung im zurückzuweisenden Sinne nur vorlag, wenn die Zustimmung zu einer Vorstellung von der falschen Art war. Mit Ausnahme der philonischen Akademiker ging es den Sk. in erster Linie darum, sich im Leben nicht auf irgendwie theoretisch begründete Annahmen zu stützen.

→ Erkenntnistheorie; Karneades; Meinung; Philon [9]; Pyrrhon; Sextos Empeirikos (Nachträge); Wahrheit; SKEPTIZISMUS

J. ALLEN, Academic Probabilism and Stoic Epistemology, in: CQ 44, 1994, 85–113 • J. BARNES, The Toils of Scepticism, 1990 • CH. BRITTAIN, Philo of Larissa, 2001 • V. BROCHARD, Les sceptiques grecs, 1887 • J. BRUNSCHWIG, Le scepticisme et ses variétés, in: M. CANTO-SPERBER (Hrsg.), Philos. greque, 1997, 563–591 • M. BURNYEAT, M. FREDE, The Original Sceptics, 1997 • M. DAL PRA, Lo scetticismo greco, ²1975 • A. GOEDECKEMEYER, Die Gesch. des griech. S., 1905 • R. J. HANKINSON, The Sceptics, 1995 • P. NATORP, Forsch. zur Gesch. des Erkenntnissproblems im Alterthum, 1884 • L. ROBIN, Pyrrhon et le scepticisme grec, 1944 • K. M. VOGT, Skepsis und Lebenspraxis, 1998. M. FR.

Sorviodurum. Auxiliarkastellanlage in Raetia (Tab. Peut. 4,4; → Raeti, Raetia), h. Straubing (Niederbayern). Trotz der kelt. Namenswurzel ist keine vorröm. Siedlung bekannt. An einer strategisch wichtigen Stelle am Südufer der Donau (Niederterrasse) südöstl. des Allachbachs entstanden ab frühflavischer Zeit (69–79) insgesamt vier Kastelle, im Umfeld ein ausgedehnter → vicus sowie eine Flußhafenanlage (bis in traianische/frühhadrianische Zeit). Rund 1,5 km östl. der Kastelle wurden Spuren von sechs Übungslagern gefunden. Kastelle und Zivilsiedlung fanden nach ihrer Zerstörung in den Markomannenkriegen (→ Marcomanni) und anschließendem Wiederaufbau in der 2. H. des 3. Jh. ein gewaltsames Ende. Westl. dieser Anlagen ist ein spätant. Kastell nachgewiesen [1]. Spätant. bzw. früh-ma. Gräberfelder (E. 3. bis 7. Jh.) weisen auf → Siedlungskontinuität bis in das baiuwarische MA (vgl. → Baiovarii) [2; 3].

1 J. PRAMMER, Neues zur röm. und frühma. Besiedlung der Altstadt von Straubing, in: Das Arch. Jahr in Bayern 2001, 2002 (im Druck) 2 Ders., Germanen im spätröm. Straubing, in: W. MENGHIN u. a. (Hrsg.), Germanen, Hunnen und Awaren, 1987, 599–607 3 H. GEISLER, Das Gräberfeld von Straubing-Bajuwarenstraße, in: [2], 608–611.

J. PRAMMER, Das röm. Straubing, 1989 • Ders., Der Kastellvicus von S. – Straubing, in: K. SCHMOTZ (Hrsg.), Vorträge des 16. Niederbayerischen Archäologentages, 1998, 193–207. G. H. W.

Spanien s. Hispania (auch in den Nachträgen)

Sparta
II. GESELLSCHAFT, KULTUR UND KUNST
A. QUELLENPROBLEME B. DER SPARTANISCHE »KOSMOS« C. LITERATUR UND KUNST D. BILDENDE KUNST UND ARCHÄOLOGIE

A. QUELLENPROBLEME

Ges. und innere Ordnung von S. in vorhell. Zeit sind durch zeitgenössische Quellen nur unzureichend dokumentiert. Schon Thuk. 5,68,2 weist auf die legendäre »Geheimnistuerei« der Spartaner in inneren Angelegenheiten hin. Reichhaltigeres Material bieten zwar spätere Autoren, doch sind diese zunehmend vom ant. S.-Mythos beeinflußt, und ihr Quellenwert ist umstritten. Dies führt zu ganz unterschiedlichen Bewertungen von S. in archa. und klass. Zeit. Im Zentrum der Diskussion stehen v. a. die einseitige Verherrlichung der spartan. Ordnung durch → Xenophon [2] (Xen. Lak. pol.; [22. 14–35]), die schwer zu interpretierende S.-Kritik des → Aristoteles [6] (Aristot. pol. 1269a 29–1271b 19; [9]) sowie kaiserzeitliche Autoren (bes. → Plutarchos [2], → Pausanias [8]), deren Quellenwert für die Frühzeit vielfach angezweifelt wird (bes. [6. 31 f.; 11. 19–64; 12; 25], weniger skeptisch [7; 17; 24]).

B. DER SPARTANISCHE »KOSMOS«

Die spartan. Ges. in früharcha. Zeit weist keine signifikanten Unterschiede zur der anderer griech. Gemeinwesen auf. Insbes. die Existenz eines → Adels, der alle typischen Merkmale griech. Aristokratien besitzt, ist nicht mehr zu bezweifeln [17. 18–44; 28. 44–47]. Seit dem späten 8. Jh. scheint es zunehmend zu Spannungen zw. aristokratischen Gefolgschaftsgruppen und anderen Mitgliedern des spartan. dámos (→ dḗmos [1]) gekommen zu sein [17. 55–69]. Eigenmächtige Aktionen dieser Gruppen führten wahrscheinlich u. a. zum 1. → Messenischen Krieg (ca. 700/690–680/670) und zur Vertreibung einiger unliebsamer Personen, die daraufhin → Taras [2] besiedelten (ca. 660/650) [17. 121–141]. Die Unruhen, die sich in der 1. H. des 7. Jh. verschärft zu haben scheinen, gaben aber auch wichtige Impulse für die Herausbildung von Gemeindeinstitutionen, wie bes. aus der Großen → Rhetra [2] hervorgeht.

Eine Zäsur scheint der 2. → Messenische Krieg (ca. 640/630–600) gebildet zu haben. Verbreitete Forderungen nach einer Neuaufteilung des offenbar weitgehend von Aristokraten beherrschten Landes (Aristot. pol. 1306b 36 ff.) wurden während der existentiellen Krise dieses Konfliktes in Richtung → Messana [2] kanalisiert (Tyrtaios fr. 3 GENTILI/PRATO). Nach Abschluß der Kämpfe wurde Messana in klároi (Landlose; → klḗros) gegliedert und (wie im 8. Jh. schon der Süden der → Lakonike) unter die → Spartiátai (= Sp.) verteilt. Das Landproblem war damit zunächst entschärft, allerdings war die Kontrolle der nunmehr zu → Heloten degradierten Messanioi jenseits des Taygetos schwierig. Die daraus resultierende permanente Helotenfurcht der Sp. (dazu zuletzt [1]) erwies sich fortan als schwere Hypothek. Der kollektive Zwang, stets auf einen Helotenaufstand vorbereitet sein zu müssen, überlagerte bis zur Befreiung von Messana (370/369 v. Chr.) die Spannungen zw. Aristokraten und *dámos* und erklärt eine Reihe von Spezifika des spartan. »Kosmos«.

Trotz der wahrscheinlich damals eingeführten Selbstbezeichnung → *hómoioi* (II.) für alle *Sp.* bestanden soziale und gesellschaftliche Unterschiede fort und verschärften sich im 5. und 4. Jh. v. Chr. Weiterhin existierte ein Adel; sog. »führende Häuser« sind in der Überl. greifbar, ebenso konnten charismatische Einzelpersonen wie z. B. Kleomenes [3] I. immer wieder zu großem Einfluß gelangen. Die für die klass. Zeit übliche schematische Gliederung der spartanischen Ges. in *Sp.*, → *períoikoi* (II.) und die unfreien → Heloten läßt weitere Gruppen, deren exakte Zuordnung nicht immer klar ist, unberücksichtigt, so z. B. die → *móthakes*, *nóthoi* (→ *nóthos*), → *neodamódeis* und → *hypomeíones* (s. Nachträge; ehemalige *Sp.*, die ihr Bürgerrecht verloren hatten [14. 21–25]).

Erneut in die Diskussion geraten ist die Stellung der Frauen in S. (→ Frau II.). Gerade in diesem Punkt hat der ant. S.-Mythos schon früh auf die Quellenautoren gewirkt. Auf Mißverständnis verschiedener Aspekte der kommunitären Lebensweise in S. beruhen Nachrichten über die vermeintliche Freizügigkeit der Spartanerinnen, die allerdings im Vergleich zu den Frauen in anderen griech. Poleis wohl tatsächlich bes. Erb- und Besitzrechte hatten [3; 5; 6. 120 f.; 11. 94–103; 18; 29]. Auf ein komplexes Ursachenbündel ist der Mangel an Männern (»Oliganthropie«) zurückzuführen, der bes. im 4. Jh. v. Chr. virulent wurde und den Aristoteles [6] u. a. auf allzu große Besitzrechte der Frauen zurückführte (Aristot. pol. 1269b 12–1270a 31). Verlust des Bürgerrechts infolge von Erbteilungen, Einbußen in Kriegen und bei Erdbeben sowie die weiterhin stets vorhandenen sozialen Ungleichheiten waren dabei wohl wichtige Faktoren [11. 399–445; 30].

Der Zwang zur Kontrolle der Heloten in Messana dürfte auch für zentrale Aspekte, die schon in der Ant. das Bild eines »Heerlagers S.« vermittelten, verantwortlich gewesen sein. Bereits in den Fr. des Tyrtaios schlägt sich die zunehmende Notwendigkeit der Unterordnung des einzelnen unter das Kollektiv nieder (fr. 6; fr. 9 GENTILI/PRATO), die dann im Kontext der → Perserkriege geradezu mystifiziert wurde (etwa Simonides fr. 531 PMG; Hdt. 7,228). Sie scheint nach E. des 2. Messenischen Krieges zu einer rigorosen Umgestaltung der spartan. Ges. geführt zu haben, deren Charakteristika zum einen die Trennung der Knaben vom Elternhaus und deren gemeinschaftliche, nach Altersklassen gegliederte Erziehung (→ *agōgḗ*), zum anderen die Umwandlung ehemals aristokratischer Symposien in die strikt normierten Gemeinschaftsmähler aller männlichen Vollbürger sind (→ Gastmahl) [17. 216–221], daneben die zeitweilige Polyandrie und wahrscheinlich sogar die Abschaffung der → Ehe [24]. Aus den Versuchen, die mit einer solchen kommunitären Lebensform verbundenen Vorschriften einzuhalten, sowie aus deren

zunehmender Nichtbeachtung (soziale Ungleichheiten, Einbindung spartan. Aristokraten in gesamtgriech. Kontexte u. a., vgl. [11. 209–368]) resultieren zahlreiche Widersprüche und Besonderheiten in den ant. Quellen wie z. B. die unterschiedlichen Nachr. über die Konditionen, denen privater Landbesitz unterworfen gewesen sein soll. Daß die sog. *archaía moíra* (»alte Landlose«) einem Verkaufsverbot unterlagen, kann mittlerweile als widerlegt gelten. Neuere Forsch. gehen sogar davon aus, daß Landbesitz in S. ähnlichen Bedingungen unterstand wie im übrigen Griechenland [11. 65–208; 13. 69–105].

Daneben bemühten sich die Spartaner seit dem 5. Jh. zunehmend selbst, durch Verzerrung und Mystifikation ein bes. S.-Bild zu propagieren [11. 19–64; 28. 134–146]. Auf diese Weise konnten sich zahlreiche Elemente der spartan. Ordnung in der Wahrnehmung der anderen Griechen verfestigen, die h. kritisch beurteilt werden, wie z. B. die vermeintlichen Fremdenvertreibungen [23], angebliche Aussetzungen schwacher Kinder [15] (→ Kindesaussetzungen), die → Lykurgos [4]-Legende oder die Betonung der → *eunomía* (der »guten Ordnung«).

C. LITERATUR UND KUNST

Zwar war der Grad der Literalität in S. nicht so hoch wie etwa in Athen, doch bedeutet dies nicht kollektives Analphabetentum [2]. Dennoch war S. eine mündliche Ges., in der Normen und Regelungen nicht schriftlich publiziert, sondern in kurzen Sinnsprüchen tradiert wurden. Mündlichen Charakter hatte auch die frühgriech. Dichtung, an der S. regen Anteil hatte. Unter den zahlreichen auswärtigen und einheimischen Dichtern, die im 7. Jh. v. Chr. in S. wirkten (→ Terpandros von Lesbos, → Polymnestos von Kolophon, → Thaletas von Gortyn, → Sakadas von Argos u. a.), ragen bes. der Chorlyriker → Alkman und der Elegiker → Tyrtaios heraus. Während die Fr. Alkmans Einblick in Fest und Kult im archa. S. gewähren, war Tyrtaios ein genuin polit. Dichter, der u. a. → Solon [1] beeinflußte. Foren ihrer Auftritte waren u. a. aristokratische Symposien, die sich auch in der → lakonischen Vasenmalerei spiegeln [19. 219–228; 20; 21; 26; 27. 163–203].

In der Monumentalarchitektur entstanden in archa. Zeit ebenfalls Werke von überregionaler Berühmtheit. Ins 6. Jh. v. Chr. zu datieren sind der von → Bathykles von Magnesia geschaffene ›Thron des Apollon‹ in → Amyklai [1] (Paus. 3,18,9–19,5; s. u. II.D.2.), die von Theodoros [1] von Samos konzipierte *Skiás* (eine Versammlungshalle: Paus. 3,12,10) sowie der Athena-Tempel des Spartaners Gitiadas (→ Gitiades; Paus. 3,17,2 f.; 3,18,8). Künstler und Architekten aus S. sind für das 6. Jh. auch außerhalb von S. bezeugt, z. B. in Olympia (Paus. 5,17,1 f.; 6,4,4; 6,19,8; 6,19,14) [27. 114–120]. Auch spartan. Bronzearbeiten genossen v. a. im 6. und frühen 5. Jh. hohes Ansehen [8; 27. 128–162]. Von Bed. sind zudem die archa. Elfenbeinarbeiten (bes. 7. und frühes 6. Jh.), die v. a. durch reichhaltige Funde beim Heiligtum der Artemis Orthia bekannt sind [4; 16].

In die Diskussion geraten ist die angebliche Einschränkung und Erstarrung der lakonischen Kunstproduktion um die Mitte des 6. Jh. v. Chr., was auf eine
zunehmend strikt an mil. Erfordernissen ausgerichtete
Lebensweise in S. zurückgeführt wurde (vgl. unten
D. 1). Neben dem methodischen Problem einer Verbindung beider Sachverhalte wurde in neueren Arbeiten
darauf hingewiesen, daß die lakonische Kunstproduktion keineswegs auf allen Gebieten um 550 »erstarrt« sei.
Qualität und Quantität der älteren Arbeiten wurden
aber später nicht mehr erreicht [6. 46f.; 10].
→ SPARTA

1 E. BALTRUSCH, Mythos oder Wirklichkeit? Die
Helotengefahr und der Peloponnesische Bund, in: HZ 272,
2001, 1–24 2 P. CARTLEDGE, Literacy in the Spartan
Oligarchy, in: Ders. (Hrsg.), Spartan Reflections, 2001,
39–54 3 Ders., Spartan Wives, in: s. [2], 106–126
4 R. M. DAWKINS (Hrsg.), The Sanctuary of Artemis Orthia
at S., 1929 5 M. H. DETTENHOFER, Die Frauen von S., in:
Klio 75, 1993, 61–75 6 M. DREHER, Athen und S., 2001
7 J. DUCAT, Perspectives on Spartan Education in the
Classical Period, in: St. HODKINSON, A. POWELL (Hrsg.), S.,
1999, 43–66 8 M. HERFORT-KOCH, Archa. Bronzeplastik
Lakoniens, 1986 9 E. HERRMANN-OTTO, Verfassung und
Ges. S.s in der Kritik des Aristoteles, in: Historia 47, 1998,
18–40 10 St. HODKINSON, Lakonian Artistic Production
and the Problem of Spartan Austerity, in: N. FISHER,
H. VAN WEES (Hrsg.), Archaic Greece, 1998, 93–117
11 Ders., Property and Wealth in Classical S., 2000
12 N. M. KENNELL, The Gymnasium of Virtue, 1995 13 St.
LINK, Landverteilung und sozialer Frieden, 1991 14 Ders.,
Der Kosmos S., 1994 15 Ders., Zur Aussetzung
neugeborener Kinder in S., in: Tyche 13, 1998, 153–164
16 E.-L. I. MARANGOU, Lakonische Elfenbein- und
Beinschnitzereien, 1969 17 M. MEIER, Aristokraten und
Damoden, 1998 18 E. G. MILLENDER, Athenian Ideology
and the Empowered Spartan Woman, in: s. [7], 355–391
19 M. NAFISSI, La nascita del *kosmos*, 1991 20 M. PIPILI,
Laconian Iconography of the Sixth Century B. C., 1987
21 A. POWELL, Sixth-Century Lakonian Vase-Painting, in:
s. [10], 119–146 22 St. REBENICH, Xenophon. Die
Verfassung der Spartaner, 1998 23 Ders.,
Fremdenfeindlichkeit in S.?, in: Klio 80, 1998, 336–359
24 W. SCHMITZ, Die geschorene Braut. Kommunitäre
Lebensformen in S.?, in: HZ 274, 2002, 561–602 25 Ch. G.
STARR, Die Glaubwürdigkeit der frühen spartan. Gesch., in:
K. CHRIST (Hrsg.), S., 1986, 264–289 26 C. M. STIBBE,
Lakonische Vasenmaler des 6. Jh. v. Chr., 1972 27 Ders.,
Das andere S., 1996 28 L. THOMMEN, Lakedaimonion
Politeia, 1996 29 Ders., Spartan. Frauen, in: MH 56, 1999,
129–149 30 L. WIERSCHOWSKI, Die demographisch-polit.
Auswirkungen des Erdbebens von 464 v. Chr. für S., in:
E. OLSHAUSEN, H. SONNABEND (Hrsg.), Naturkatastrophen
in der ant. Welt (Geographica Historica 10), 1998,
291–306.

W. G. CAVANAGH, S. E. C. WALKER (Hrsg.), S. in Laconia,
1998 · R. FÖRTSCH, Kunstverwendung und
Kunstlegitimation im archa. und frühklass. S., 2001 ·
D. M. MACDOWELL, Spartan Law, 1986.   M. MEI.

D. BILDENDE KUNST UND ARCHÄOLOGIE
1. BILDENDE KUNST 2. ARCHÄOLOGIE

1. BILDENDE KUNST

Zum Selbstverständnis S.s in klass. Zeit gehörte, bildende Kunst schon seit vielen Jh. aus Gründen der
Staatsräson abgeschafft zu haben. Dem wird oft mit dem
»arch. Gegenbeweis«, ähnlich anachronistisch, ein »nor-
maler« Umgang mit bildender Kunst in Sparta entgegengesetzt [1. 110f.; 2. 335f.; 3. 1–9; 4. 27; 5. 9f.;
6. 316]. Diese unterlag jedoch, da sie in den Bereich des
Luxus gehörte, größeren Restriktionen und Legitima-
tionszwängen als andernorts. → Schwarzfigurige Vasenmalerei [3; 7. 240; 8. 153f.] und Bronzedreifüße (→ *trípus*) [5. 68f.] bzw. -statuetten, die durch Export
[7. 240f.] weite Verbreitung fanden, lassen sich durch
Anbindung an lokale Funde spartan. Produktion relativ
sicher zuschreiben, ebenso Elfenbeinarbeiten. Doch
sind auch Auftragsarbeiten auswärtiger Werkstätten wie
der ionisierende Thron von → Amyklai [1] (vgl. o. II. C.)
oder Weihungen in gesamtgriech. Heiligtümern [9; 10;
11. 45–63] konzeptionell spartanisch. Auffallend ist das
fast völlige Fehlen qualitätvoller Großplastik; Skulptur
war offenbar nur im Gerätekontext (z. B. bei Dreifü-
ßen, → *trípus*, und Stützfiguren) durch »Nützlichkeit«
legitimatorisch geschützt [11. 181f.]. Die Herstellung
bildender Kunst wurde seit ca. 600 v. Chr. zunehmend
unterbunden, doch kamen weder Produktion noch
Auftragsvergaben sofort zum Erliegen.

Einen entscheidenden Wandel zeigt das dritte Viertel
des 6. Jh. v. Chr. [12. 48f.]: Drei der fünf wichtigsten
Kunstformen (Heroen- und Dioskurenreliefs sowie
→ Akrotere aus Marmor), die bis ins 5. Jh. und teilweise
bis in den Hell. in S. geschaffen wurden, setzten gerade
in der Zeit ein, als der bislang stärkste Abbruch in der
Kunstproduktion erfolgte. In die Zeit danach fallen aber
immer noch Staatsaufträge wie der Bronzekrater für
Kroisos [11. 49f.], die Neubauten des amyklaiischen
Throns sowie des Athena-Chalkioikos-Tempels um 500
[8. 154; 13. 252; 14; 15. 80]. Ein aristokratisch-luxus-
betonter Umgang mit bildender Kunst wurde zunehmend abgelöst durch die luxusfeindliche, egalitäre Ideologie der → *hómoioi*. Dabei entstanden Strategien im
Umgang mit bildender Kunst, etwa die Verbindung lu-
xuriöser mit bewußt rohen Formelementen, die in den
Aufbau der Kunstwerke selbst Eingang fanden (Alkm.
fr. 17 PAGE; [7. 217, Anm. 155]). Diese wurden damit
selbst zu einem Träger der verschärften spartan. Variante
des Kultur- und Luxusdiskurses. Die Bilderwelt ist
durch bes. Bündelung von Leistungen gekennzeichnet
[11. 129f.], andererseits aber durch eine bewußte Ega-
lisierung heroischer Motive [11. 126f.]. Auffallend ist
das Fehlen jeglicher Phalanxszenen in der Vasenmalerei
sowie das späte Aufkommen von Hoplitendarstellungen
(Vasenmalerei, Bronzestatuetten: [11. 121–129]). Die
einzelnen Gattungen finden oft zu einer übergreifenden Formensprache (sf. Vasenmalerei, Br.-Statuetten:
[11. 158–172]), zeigen aber auch starke Heterogenität in

ihrem vielfach in der → Lakonike voraussetzungslosen Beginn, der kurzen Laufzeit und dem folgenlosen Ende [11. 187–225]. Isolierte Zeugnisse von Luxuselementen (z.B. bei Symposiondarstellungen) [16. 119] bzw. die Verwendung von kleinformatigen Votivgaben noch im 5. und 4. Jh. v. Chr. [17] reichen als Beweise gegen eine energische Sparpolitik nicht aus; Objekte der spartan. bildenden Kunst bedürfen ebenso der Quellenkritik wie Schriftquellen (s. o. II. C.) und erschließen sich nicht im direkten Zugriff, sondern nur aufgrund ihrer Ikonographie und Formensprache.

2. ARCHÄOLOGIE

Die Kenntnis der Top. von S. ist v. a. durch die Grabungen der *British School at Athens* seit dem Ende des 19. Jh., 1989–1998 wiederaufgenommen, gefördert worden. Sie umfaßt die Akropolis mit dem Tempel der Athena Chalkioikos und das Stadtgebiet mit dem Heiligtum der Artemis Orthia samt großem Votiv-Depot [18. 5, Anm. 15]. Eine große Anzahl archa.-klass. und v. a. röm. Befunde, die zu einer Beurteilung der Stadt wie auch der Überl. zu öffentlichen Gebäuden archa.-klass. Zeit wichtig wären, konnte bislang nicht publiziert werden. Die zunehmende, undokumentierte Zerstörung der ant. Stadtreste in heutiger Zeit erleichtert die Situation ebenfalls nicht.

In hell. Zeit stand wohl die erste Stadtmauer von S. [18. 5, Anm. 15; 19. 283 f.]. In der röm. Phase der Stadt ist eine Phase bes. baulicher Tätigkeit unter → Eurykles hervorzuheben, als der Anschluß an die augusteische Monumentalisierung in Marmor stattfand, deutlich bes. am ganz aus Marmor erbauten Theater. Die Wiederbelebung der Festspiele am Grab des Lykurgos [4] paßt ebenfalls in den kulturellen Horizont der augusteischen Zeit. Ein Schlaglicht auf die in S. erreichte Position in der allg. griech. Tendenz der Inszenierung eigener Kultur und Gesch. wirft im 2. Jh. n. Chr. die Beschreibung des Pausanias [8] (3,10–18) [18]. Die Spätant. wird u. a. durch die Spolienmauer aus der Zeit des Alaricus [2] im 4. / 5. Jh., im späten 4. Jh. n. Chr. durch eine inschr. [20] bezeugte Reparatur des Theaters durch Honorius [3] und Theodosius [3] II. faßbar. 375 n. Chr. verwüstete ein schweres Erdbeben die Stadt, 396 der Einfall der → Westgoten unter Alaricus [2].

→ SPARTA

1 E. KIRSTEN, Kothon in S. und Karthago, in: K. SCHAUENBURG (Hrsg.), Charites. FS E. Langlotz, 1957, 110–118 2 F. BROMMER, Krater Tyrrhenikos, in: MDAI(R) 87, 1980, 335–339 3 C. M. STIBBE, Lakonische Vasenmaler des 6. Jh., 1972 4 K. HITZL, Die Entstehung und Entwicklung des Volutenkraters, 1982 5 M. HERFORT-KOCH, Archa. Bronzeplastik Lakoniens, 1986 6 R. SENFF, Produktion und Handel, in: K. VIERNEISEL, B. KAESER (Hrsg.), Kunst der Schale, Kultur des Trinkens (Ausst. Antikensammlungen München 1990), 1990, 316 7 M. NAFISSI, La nascita del kosmos, 1991 8 I. MCPHEE, Laconian Red Figure from the British Excavations in S., in: ABSA 81, 1986, 153–166 9 E. BUSCHOR, W. v. MASSOW, Vom Amyklaion, in: MDAI(A) 52, 1927, 1–85 10 A. FAUSTOFERRI, Il trono di Amyklai e S., 1996 11 R. FÖRTSCH, Kunstverwendung und Kunstlegitimation im archa. und frühklass. S., 2001 12 Ders., Spartan Art: Its Many Different Deaths, in: W. G. CAVANAGH, S. E. C. WALKER (Hrsg.), S. in Laconia. Proc. of the 19th British Museum Classical Colloquium, 1999, 48–54 13 A. M. WOODWARD, M. B. HOBLING, Excavations at Sparta, in: ABSA 26, 1923–25, 116–310 14 L. PICCIRILLI, Il santuario, la funzione guerriera della dea, la regalità, in: M. SORDI (Hrsg.), I santuari e la guerra nel mondo classico, 1984, 3–19 15 M. PIPILI, Laconian Iconography of the Sixth Century B. C., 1987 16 A. POWELL, Sixth-Century Lakonian Vase-Painting, in: N. FISHER, H. VAN WEES (Hrsg.), Archaic Greece, 1998, 119–146 17 ST. HODKINSON, Patterns of Bronze Dedications at Spartan Sanctuaries, in: s. [12], 55–63 18 G. WAYWELL, S. and Its Topography, in: BICS 43, 1999, 1–25 19 A. J. B. WACE, The City Wall, in: ABSA 12, 1905–1906, 284–288 20 A. M. WOODWARD, Excavations at S. 1924–1928 I: The Theatre Architectural Remains, in: ABSA 30, 1928–30, 151–240.   R. F.

KARTEN-LIT. (zu den Karten in Bd. 11, s. v. S.): C. M. STIBBE, Beobachtungen zur Top. des ant. S., in: BABesch 64, 1989, 61–99 · Ders., Das andere S., 1996.

Speiseöle
II. KLASSISCHE ANTIKE
A. OLIVENÖL   B. ANDERE ÖLE

A. OLIVENÖL
1. ALLGEMEIN   2. GRIECHENLAND   3. ROM

1. ALLGEMEIN

Olivenöl (ἔλαιον/*élaion*; lat. *oleum*) gehörte in der Ant. neben → Getreide und → Wein zu den Grundnahrungsmitteln, zu jener Trias, die für die Ernährung im Mittelmeerraum charakteristisch war; darüber hinaus diente es aber auch der → Körperpflege und als Brennstoff für → Lampen. Oliven wurden als Zukost gegessen (Plat. rep. 372c); das Öl wurde aus den Früchten des veredelten Ölbaums (ἐλάα/*eláa*; *olea europaea*) gewonnen, den Columella als *prima omnium arborum* (›als ersten unter allen Bäumen‹) bezeichnet (Colum. 5,8,1).

Der Ölbaum ist dem trockenen und warmen Klima des Mittelmeerraums angepaßt; er benötigt im Jahresverlauf nur 200 mm Niederschlag, also weniger als Getreide, sein weit ausgreifendes Wurzelwerk vermag – etwa in Nordafrika – noch extrem geringe Niederschlagsmengen zu nutzen, und seine schmalen, ledrigen Blätter verhindern in den Sommermonaten eine starke Verdunstung. Allerdings ist der Ölbaum sehr empfindlich gegen länger andauernden Frost, der ihn absterben läßt. Aus diesem Grund gedeiht er nicht auf größeren Höhen, und es war auch nicht möglich, das Anbaugebiet nach Norden auszudehnen, wie dies mit dem Weinbau gelang. Das Verbreitungsgebiet des Ölbaums ist damit weitgehend identisch mit dem Raum des mediterranen Klimas.

2. GRIECHENLAND

Die Herstellung und Ablieferung von Olivenöl ist auf Tontafeln aus → Knos(s)os und Pylos [2] für das myk. Griechenland belegt; nach der Zerstörung der Palastkultur kam es zu einem deutlichen Rückgang der Ölbaumpflanzungen; dementsprechend wird bei Homer zwar der Ölbaum, nicht aber die Verwendung von Olivenöl erwähnt, und in der Darstellung des Landlebens auf dem Schild des Achilleus [1] fehlt jeglicher Hinweis auf Ölbaumpflanzungen (Hom. Il. 17,53–58; 18,541–606; Hom. Od. 5,476f.; 13,102; 13,372; 23,190–201). Wie einzelne Stellen zeigen, wurde das Holz des Ölbaums zu verschiedenen Zwecken genutzt (Hom. Il. 13,612; Hom. Od. 9,319f.).

Das solonische Gesetz (→ Solon [1]), das den Export von Olivenöl gestattete, ist ein Indiz dafür, daß bereits um 600 v. Chr. der Bedarf der attischen Bevölkerung an Öl durch die heimische Produktion gedeckt wurde; Peisistratos [4] soll die Anpflanzung von Ölbäumen in Attika weiterhin gefördert haben (Plut. Solon 24,1; Dion Chrys. 25,3). Damit wurden Flächen, die für den Getreideanbau wenig geeignet waren, für die → Landwirtschaft erschlossen. Bis zum frühen 4. Jh. v. Chr. entstanden Ölbaumpflanzungen mit mehr als 1000 Bäumen (Demosth. or. 43,69). Attika wurde im 5. Jh. v. Chr. wegen seiner Ölbäume gerühmt (Soph. Oid. K. 695–706), die durch Gesetze geschützt waren (Demosth. or. 43,71; vgl. Lys. 7). In der letzten Phase des → Peloponnesischen Krieges wurden allerdings zahlreiche Ölbaumpflanzungen von den Spartanern zerstört (Lys. 7,6f.). Außer für Attika sind Olivenbäume und die Herstellung von Olivenöl auch für andere Landschaften Griechenlands und der Ägäis bezeugt: So setzt eine von Aristoteles [6] erzählt Anekdote über Thales voraus, daß in der Umgebung von Miletos [2] und auf Chios Ölbaumpflanzungen existierten (Aristot. pol. 1259a), und Samos [3] wird bei Aischylos [1] als ἐλαιόφυτος/elaió-phytos (»von Ölbäumen bewachsen«) bezeichnet (Aischyl. Pers. 884). Die Griechen brachten den Ölbaum während der griech. Expansion in den Westen, so nach Sizilien (Syrakus: Thuk. 6,99,3; vgl. Diod. 4,82,5; Akragas: Diod. 13,81,4) und nach Südfrankreich (Massalia: Strab. 4,1,5).

In der griech. Lit. werden mehrere Methoden beschrieben, Ölbaumpflanzungen anzulegen: Es bestand die Möglichkeit, aus Zweigen Stecklinge zu gewinnen, diese in einer Baumschule heranzuziehen (φυτευτήρια ἐλαῶν/phyteutḗria elaṓn, Demosth. or. 53,15) und die einzelnen Bäume dann an ihrem endgültigen Standort in der Ölbaumpflanzung einzupflanzen (vgl. Xen. oik. 19,13). Es war ferner möglich, einen Zweig des veredelten Ölbaums auf den Stamm eines wilden Ölbaums zu pfropfen (genaue Beschreibung: Theophr. c. plant. 1,6). Eine Ölbaumpflanzung konnte leicht verjüngt werden, da aus dem Stumpf eines alten, gefällten Ölbaums neue Triebe hervorwachsen (Theophr. h. plant. 2,7,2). Um gute Ernten zu erzielen, war ein sorgfältiger Schnitt der Bäume notwendig (Theophr. h. plant. 2,7,2; Theophr. c. plant. 3,7,5ff.). Der Ölbaum trägt nur jedes zweite Jahr reichlich Oliven, worauf Theophrastos kurz hinweist (Theophr. c. plant. 20,3). Die Ernte der Oliven ist auf einer sf. Amphora (6. Jh.

v. Chr.; London, BM; Beazley, ABV, 273; 116) bildlich dargestellt: Mit langen Stöcken schlagen Männer gegen die Zweige, die zu Boden gefallenen Oliven werden aufgesammelt. Theophrastos empfiehlt jedoch zu warten, bis die Oliven vom Baum fallen oder allenfalls den Baum zu schütteln, um so Schäden zu vermeiden (ebd. 20,3f.).

3. ROM

Die Auffassung des Plinius [1], es habe bis zum Jahr 581 v. Chr. in It. keine Olivenbäume gegeben (Plin. nat. 15,1), wird durch die Arch. nicht bestätigt; die Verwendung von Olivenöl und der Ölbaum waren in Mittel-It. wahrscheinlich seit dem 7. Jh. v. Chr. bekannt. Ölbaumpflanzungen und die Herstellung von Olivenöl sind wichtiges Thema in den Schriften der röm. Agronomen (→ Agrarschriftsteller). Bereits Catos [1] *De agricultura* setzt eine längere Trad. der Ölerzeugung in Mittel-It. voraus; das Werk bietet ein Inventar für ein 240 Morgen großes Ölgut (Cato agr. 10), dazu genaue Vorschriften für die Aufstellung von Olivenpressen (→ Pressen, mit Abb.) und für die Einrichtung eines Ölkellers (12f.), eine Beschreibung der Ölmühle (*trapetum*) mit präzisen Angaben zur Installation und zum Kauf des Gerätes (20–22) und schließlich Empfehlungen zum Schnitt der Bäume (44), zur Anlage einer Ölbaumschule (*seminarium*: 45, vgl. 28 zum Umsetzen der Bäume) sowie zur Düngung von Ölbäumen, die keine Frucht tragen (93). Cato widmet der Olivenernte (31; 64) und der Herstellung des Öls (65–67) längere Ausführungen. Für die Olivenernte wurden zusätzliche Arbeitskräfte benötigt, wie ein Vertrag zeigt: Der *redemptor* hatte 50 Erntearbeiter zu stellen; ähnliches galt für das Pressen der Oliven, das ebenfalls durch Vertrag vergeben wurde. Daneben bestand die Möglichkeit, die Oliven noch am Baum hängend zu verkaufen; der Käufer hatte dann unter eigener Verantwortung die Oliven zu ernten und auf dem Gut zu pressen (*lex oleae legendae; lex oleae faciundae; lex oleae pendentis*: 144–146).

Auch Varro [2] rühmt It. wegen der Qualität seines Olivenöls, beschreibt die Olivenernte; er empfiehlt, die Oliven zu pflücken, da beim Herabschlagen beschädigte Früchte weniger Öl liefern; ein Teil der Ernte war zum Verzehr, ein anderer zu Ölherstellung bestimmt, wobei auch Öl für die → Körperpflege in den Bädern und Gymnasien erzeugt wurde (Varro rust. 1,2,6; 1,55). Einen systematischen Überblick über sämtliche Aspekte der Ölbaumpflanzung bietet Columella, der zunächst eine Übersicht über die verschiedenen Olivensorten und ihre jeweiligen Vorzüge gibt und dann auf die für Ölbaumpflanzungen geeigneten Böden, auf die Anlage einer Pflanzschule für Ölbäume, das Verpflanzen der Bäume nach 5 Jahren und die Pflege einer Ölbaumpflanzung, auf Schnitt und Düngung der Bäume, eingeht (Colum. 5,8–9); die Verfahren, Oliven für den Verzehr einzulegen und zu konservieren, sowie die Ölherstellung werden ebenfalls präzise beschrieben (Colum. 12,49–54). Die Oliven sollten möglichst unmittelbar nach der Ernte gepreßt werden; war dies nicht möglich, empfiehlt Columella, sie so zu lagern, daß die *amurca* (Olivenwasser) gut abfließen könne. Unter den Geräten zum Pressen der Oliven gibt Columella der Ölmühle (*mola*) den Vorzug vor dem *trapetum* und zwei anderen Vorrichtungen, da die *mola* leicht zu bedienen sei und ein Zerbrechen der Kerne gut verhindert werden könne (Colum. 12,52,6f.). Beim ersten Preßgang wurde Öl bester Qualität gewonnen, der entstandene Olivenbrei wurde noch mehrmals gepreßt. Es war notwendig, das Öl sorgfältig von der *amurca* zu trennen.

In It. galt → Venafrum als Zentrum der Ölherstellung; daneben nennt Plinius Istrien und die Baetica. Die → Amphorenstempel belegen, daß die Prov. Baetica in der Prinzipatszeit große Mengen Öl an die Legionen an der Rheingrenze und in Britannien sowie an die Stadt Rom lieferte. Wie ein Gesetz des Hadrianus, das den Ölverkauf in Athen regelte, zeigt, exportierte Attika noch im 2. Jh. n. Chr. Öl (IG II/III² 1100). → *Negotiatores*, die sich auf den Handel mit Olivenöl spezialisiert hatten, sind epigraphisch belegt, so etwa die *negotiatores o[learii] ex Baetica*; ihr *patronus* in Rom war M. Petronius (ILS 1340; vgl. 7031).

Die Erträge der Ölbaumpflanzungen können nur schwer geschätzt werden; bei einem Abstand der Bäume von ca. 8 m (vgl. Colum. 5,9,7) konnten auf einem → *iugerum* etwa 30 Bäume gepflanzt werden. Es ist anzunehmen, daß je Baum etwa 10 kg Oliven geerntet wurden, die ca. 1,5 l Öl ergaben; der Ertrag je *iugerum* hätte damit bei 300 kg Oliven bzw. 45 l Öl gelegen. Auf einem 240 Morgen großen Gut (Cato agr. 10) könnten demnach 10800 l Olivenöl erzeugt worden sein. Dabei ist allerdings zu bedenken, daß der Olivenbaum normalerweise nur jedes zweite Jahr trägt und folglich eine gute Ernte nicht jedes Jahr zu erzielen war.

Im Mythos besaß der Ölbaum große Bed.; er galt in Athen als Geschenk der → Athena, auf der Akropolis wuchs ein heiliger Ölbaum. Der Ölzweig war ein häufig verwendetes Symbol und galt als Zeichen des Friedens.

B. ANDERE ÖLE

In der Ant. wurden Öle auch aus anderen Pflanzen gewonnen, etwa aus → Sesam, Mandeln, → Lorbeerblättern sowie aus Nüssen, aus der Zeder oder aus den Beeren der → Platane; dieses Öl wurde zur Beleuchtung verwendet (Plin. nat. 15,25–32).

1 M.-C. AMOURETTI, Le pain et l'huile dans la Grèce antique, 1986 2 BLÜMNER, Techn. 1, 332–356 3 J.-P. BRUN, L'oléiculture antique en Provence, 1986 4 S. HILLER, O. PANAGL, Die frühgriech. Texte aus myk. Zeit, ²1986, 155–169 5 ISAGER/SKYDSGAARD, 33–40 6 D. J. MATTINGLY, First Fruit? The Olive in the Roman World, in: G. SHIPLEY, J. SALMON (Hrsg.), Human Landscapes in Classical Antiquity, 1996, 213–253 7 Ders., Olea mediterranea?, in: Journal of Roman Archaeology 1, 1988, 153–161 8 Ders., Tripolitania, 1995, 138–155 9 C. CARRERAS MONFORT, P. P. A. FUNARI, Britannia y el mediterráneo, 1998 10 J. REMESAL RODRÍGUEZ, Heeresversorgung und die wirtschaftlichen Beziehungen zwischen der Baetica und Germanien, 1997 11 J. J. ROSSITER, Wine and Oil Processing at Roman Farms in Italy, in: Phoenix 35, 1981, 345–361 12 R. SALLARES, The Ecology of the Ancient Greek World, 1991 13 WHITE, Farming, 225–229; 390–392. H. SCHN.

Sprachtheorie (Sprachphilosophie, Zeichentheorie)
I. GEGENSTANDSBEREICH
II. SPRACHTHEORIE/SPRACHPHILOSOPHIE
III. ZEICHENTHEORIE IV. VERSCHMELZUNG VON SPRACH- UND ZEICHENTHEORIE

I. GEGENSTANDSBEREICH

Während die S. heute zumeist als integraler Teil einer allg. Theorie der Zeichen (= Z.) gilt, sind in der Ant. (vor Augustinus, um 400 n. Chr.) die beiden Theoriefelder Sprache und Z. zunächst deutlich voneinander geschieden. Zwar wird vereinzelt und beiläufig auch der sprachliche Ausdruck »Z.« (σημεῖον/*sēmeíon*) genannt (Plat. soph. 262a 6; Aristot. de interpretatione 1,16a 6). Das Z., so wie es von der ant. Philos. definiert und diskutiert wird, ist jedoch ausschließlich das vom sprachlichen Ausdruck unterschiedene indexikalische Z., d. h. das Anzeichen oder Indiz.

II. SPRACHTHEORIE/SPRACHPHILOSOPHIE
A. KLASSISCHE ZEIT B. HELLENISMUS

A. KLASSISCHE ZEIT

Eine S. im eigentlichen Sinn, welche die verschiedenen phonetischen, syntaktischen, semantischen und pragmatischen Aspekte der → Sprache als ihren genuinen Gegenstand betrachtet, hat erst der → Stoizismus entwickelt. In älterer Zeit beschränken sich die sprachphilos. Überlegungen auf die Angemessenheit von Name und Sache [5]. Bereits → Demokritos [1] von Abdera (68 B 26 DK) scheint gegenüber der alten These von einem natürlichen (φύσει/*phýsei*, »von Natur aus«) Verhältnis von Name und Sache ein konventionalistisches (θέσει/*thései*, »durch Setzung«) Sprachverständnis vertreten zu haben [8].

Das Problem der »Richtigkeit der Namen« (ὀρθότης ὀνομάτων/*orthótēs onomáton*) bildet das zentrale Thema von → Platons [1] Dialog ›Kratylos‹, der ältesten erh. sprachtheoretischen Schrift der Antike. Gefragt wird hierbei, ob die Verbindung von Name und Sache auf »Vertrag und Übereinkunft« (συνθήκη καὶ ὁμολογία/*synthékē kai homología*) beruht oder aber natürlich ist, wie anhand einer etym. Rückführung der Wörter auf erste und einfachste, die bezeichneten Sachen lautmimetisch abbildende Namen (πρῶτα ὀνόματα/*prôta onómata*, »erste Namen«) gezeigt werden soll. Die damit zugleich gestellte Frage nach dem Sprachursprung bleibt in diesem Dialog letztlich unentschieden. Das Resultat desselben besteht vielmehr in der Freilegung der Differenz von Wort und Sache sowie in der Warnung davor, ›sich selbst und seine Seele den Wörtern in Pflege zu geben‹ (Plat. Krat. 440c 3–5). Hat Platon bereits hier eine erste Unterscheidung der Wortarten von ὄνομα (*ónoma*, »Nomen«) und ῥῆμα (*rhéma*, »Verb« bzw. »Prädikatsausdruck«) vorgenommen (Plat. Krat. 421d-e; 424e; 431b-c), so macht er im Dialog ›Sophistes‹ deutlich, daß die wesentliche Funktion von Sprache nicht im bloßen Benennen besteht und erst die Kombination beider Wortarten zur Bildung von aussagehaltigen und wahrheitsfähigen Sätzen führt (Plat. Soph. 261c–262c). Damit wird die Wahrheitsfrage von den Wörtern auf die Sätze verlagert (→ Wahrheit).

→ Aristoteles' [6] Schrift Περὶ ἑρμενείας (Perí hermeneías = De interpretatione, ›Über den Satz‹) kann, obwohl sie nur kurze einleitende Ausführungen über die Signifikation der sprachl. Ausdrücke enthält [16], mit Recht als der einflußreichste Text in der Gesch. der Semantik [9. 3] bezeichnet werden. Nach Aristoteles (De interpretatione 16a 3–8) bezeichnen die sprachl. Ausdrücke unmittelbar die geistigen Begriffe und durch deren Vermittlung die Dinge [19]. Damit liegt hier bereits jenes bedeutungstheoretische Modell vor, das im 20. Jh. unter dem Namen »semantisches« bzw. »semiotisches Dreieck« weite Verbreitung gefunden hat [10]. Die sprachlichen Ausdrücke sind signifikativ »gemäß Übereinkunft« (κατὰ συνθήκην/katá synthḗkēn). Wahrheit ist keine Eigenschaft von Wörtern, sondern auf der Ebene des Aussage- oder Urteilssatzes (λόγος ἀποφαντικός/lógos apophantikós) angesiedelt. Aristoteles unternimmt detaillierte Analysen der semantischen Relationen von Homonymie, Synonymie, Paronymie usw. [1].

B. HELLENISMUS

Die philos. Schulen der hell. Zeit widmen der S. verstärkte Aufmerksamkeit. → Epikuros betont die Unmöglichkeit einer Spracheinsetzung durch einen oder mehrere erste Namengeber. Seine Konzeption des natürlichen Sprachursprungs ist insofern neu und innovativ, als er die zuvor einander entgegengesetzten Auffassungen (φύσει/phýsei, »von Natur aus« – θέσει/thései, »durch Setzung«) durch die Annahme eines histor. Sprachentstehungsprozesses miteinander kombiniert [12. 117]. Nach der semantischen Theorie der → Epikureischen Schule bezeichnen die sprachl. Ausdrücke unmittelbar die Wahrnehmungsgegenstände, wobei der referentielle Bezug zwar notwendig einen Begriff der Sache voraussetzt, dieser aber, anders als bei Aristoteles, nicht selbst bezeichnet wird (Diog. Laert. 10,33) [11].

Trotz der vielfältigen Vorleistungen seitens der älteren Philos., insbesondere Aristoteles, wurde mit Recht ›das Verdienst, die systematische Sprachlehre für das Abendland begründet zu haben‹ dem → Stoizismus zugeschrieben [17. 78]. Denn erst hier wird die Sprache selbst in vollem Umfang zu einem Gegenstand der philos. Reflexion. Der systematische Ort der stoischen S. ist die → Dialektik als die Lehre vom »Bezeichnenden« (σημαῖνον/sēmaínon) und »Bezeichneten« (τὸ σημαινόμενον/sēmainómenon; Diog. Laert. 7,62). In deutlicher Opposition zur epikureischen und aristotelischen Semantik bezieht sich sprachliche Bed. nach stoischer Lehre auf den vom äußeren Gegenstand wie vom geistigen Begriff unterschiedenen gedanklichen Gehalt, d. h. auf das λεκτόν (lektón, »das Gesagte«) [7], das einen

Schlüsselbegriff der stoischen → Logik darstellt. Die stoische S., die → Diogenes [15] von Babylon (um 200 v. Chr.) in seinem einflußreichen Hdb. ›Über die Stimme‹ zusammenfaßte, hat, wenngleich ihr systematischer Zusammenhang später vielfach aufgelöst wurde, eine breite Rezeption erfahren. Bei Terentius → Varro [2] (De lingua latina) finden sich ebenso stoische Elemente [2] wie z. B. bei → Apollonios [11] Dyskolos, → Donatus [3] oder dem frühen → Augustinus.

Eine ausgearbeitete semantische Theorie auf aristotelischer Grundlage präsentieren im Anschluß an → Porphyrios die neuplatonischen → Aristoteleskommentatoren der → Alexandrinischen Schule des 5.–6. Jh. n. Chr. (→ Neuplatonismus). Auf sie greift → Boëthius in seinen Komm. zum aristotelischen ›Organon‹ intensiv zurück [13] und vermittelt so die aristotelische Sprachtheorie in ihrer porphyrianischen Lesart dem lat. MA.

III. ZEICHENTHEORIE

Seit dem 5. Jh. v. Chr. steht der Terminus »Z.« (in der Dichtung: σῆμα/sḗma, in der Prosa: σημεῖον/sēmeíon) nicht mehr nur für griech. → Feldzeichen, Wegmarken, → Wetterzeichen, mil. → Signale (signa) usw., sondern bedeutet, möglicherweise durch den Einfluß des → Parmenides, der von σήματα/sḗmata im Sinne von begrifflichen Merkmalen spricht (Parm. 28 B 8,2; 8,55; 10,2 DK), in zunehmendem Maße soviel wie »Beweis« oder »stützendes Argument« [3]. → Aristoteles [6] behandelt das Z. (σημεῖον/sēmeíon) als bes. Variante der in der rhet. Argumentation gebräuchlichen enthymematischen Syllogismen. Nach seiner Definition ist es ein ›beweisender Satz‹ (πρότασις ἀποδεικτική/prótasis apodeiktikḗ), ein notwendiger oder ein glaubhafter. Denn bei wessen Sein eine Sache ist oder bei wessen Eintreten sie früher eingetreten ist oder später eintreten wird, das ist ein Z., daß sie geschehen ist oder daß sie ist‹ (Aristot. an. pr. 2,27,70a 6–9). Mit großem Einfluß auf die spätere → Logik unterzog Aristoteles die Z.-Schlüsse erstmalig einer näheren Analyse und übernahm dabei die aus der → Medizin stammende Unterscheidung [18. 43] zw. den sicheren (τεκμήρια/tekmḗria) und wahrscheinlichen Z. (σημεῖα/sēmeía; Aristot. an. pr. 2,27,70b 1–6; rhet. 1,2,1357b 10–21; → probatio II.). Während die Lehre von den Z. in der aristotelischen Syllogistik selbst jedoch nur eine marginale Rolle spielt, tritt sie in hell. Zeit ins Zentrum der Logik.

Ausgehend vom aristotelischen Z.-Verständnis bestimmt → Philon [4] als Mitglied der Dialektischen Schule (→ Dialektik) gegen E. des 4. Jh. v. Chr. das Z. in der später kanonisch gewordenen Definition als ›Aussage, die den Vordersatz einer wahren Konditionalaussage bildet und den Nachsatz zu enthüllen vermag‹ (Ps.-Gal. historia philosophiae 9, p. 605,10–12 DIELS = 1027 HÜLSER). Die philonische Z.-Konzeption wurde dann, unter Umarbeitung einiger – z. T. allerdings wesentlicher – Details von den frühen Stoikern übernommen und von → Zenon [2] von Kition, → Kleanthes [2] und → Chrysippos [2] der stoischen Logik angepaßt [4]. Mit der konsequenten Thematisierung der Z. auf der Ebene der Aussagegehalte (λεκτά/*lektá*) sind im System der stoischen Logik das σημαῖνον/*sēmaínon* (»sprachliche Äußerung«) und das σημεῖον/*sēmeíon* (»Zeichen«) und damit die Semantik (als Theorie der sprachlichen Bed.) und die Semiotik (als Theorie der Schlußfolgerung aus Z.) zugleich deutlich voneinander unterschieden und untrennbar miteinander verbunden [15]. Gab es, wie die teilweise erh. Schrift Περὶ φαινομένων καὶ σημειώσεων (*Perí phainoménōn kai sēmeiōseōn*, ›Über Erscheinungen und Z.-Schlüsse‹: PHercul. 1065) des → Philodemos von Gadara bezeugt, zwischen den Epikureern und den Stoikern intensive Auseinandersetzungen über die methodologischen Grundlagen des Z.-Schlusses vom Sichtbaren auf Unsichtbares, so wurde von der pyrrhonischen Skepsis spätestens seit dem 1. Jh. n. Chr. die Möglichkeit eines solchen grundsätzlich geleugnet (→ Ainesidemos bei S. Emp. adv. math. 8,141ff.; S. Emp. P.H. 2,97ff.; vgl. → Sextos [2] Empeirikos, s. Nachträge, → Skeptizismus, s. Nachträge) [6]. Neben seiner prominenten Stellung innerhalb der logischen Trad. hat das Konzept des Z., verstanden als Indiz, einen festen Ort in der griech. (→ Hermagoras [1] von Temnos, fr. 8 MATTHES) und lat. Rhet. (Cic. inv. 1,30,48; Quint. inst. 5,9,1–16).

IV. VERSCHMELZUNG VON SPRACH- UND ZEICHENTHEORIE

Bei → Augustinus laufen unterschiedliche ant. Einflüsse zusammen. Weist seine Frühschrift *De dialectica* (›Über die Dialektik‹), wenn auch in modifizierter Form, Elemente der stoischen Sprachlehre auf, so vertritt er in *De magistro* (›Über den Lehrer‹) die der skeptischen Trad. entstammende Auffassung, daß Z. nicht zur Erlangung von Erkenntnis, sondern lediglich als Mittel der Ermahnung (*admonitio*) und Wiedererinnerung (*rememoratio*) dienen können. In *De doctrina christiana* (1,4) revidiert Augustinus jedoch diese These und weist den Z. eine grundlegende wiss. Funktion zu, indem er feststellt: ›Jede Lehre handelt von Dingen oder von Z., aber die Dinge werden durch Z. gelernt‹ (*omnis doctrina vel rerum est vel signorum, sed res per signa discuntur*). Von zentraler Bed. für die spätere Entwicklung der Sprach- und Z.-Theorie ist neben der hier entworfenen Z.-Klassifikation insbes. die Definition des Z. als ›einer Sache, die neben dem sinnlichen Eindruck, den sie den Sinnen mitteilt, von sich aus etwas anderes in das Denken kommen läßt‹ (*signum ... est res praeter speciem quam ingerit sensibus, aliud aliquid ex se faciens in cogitationem venire*: Aug. de doctrina christiana 2,1). Denn hiermit ist erstmals eine Definition des Z. gegeben, die gleichermaßen das natürliche wie das konventionelle, sprachliche Z. umfaßt und die somit langfristig zu einer Verschmelzung von Sprach- und Z.-Theorie geführt hat [14].

→ Sprache; Stoizismus; SPRACHPHILOSOPHIE/SEMIOTIK

1 W. AX, Aristoteles, in: R. POSNER et al. (Hrsg.), Semiotik/Semiotics, Bd. 1/1, 1997, 244–259 2 J. H. DAHLMANN, Varro und die hell. Sprachtheorie, 1964 3 W. DETEL, Zeichen bei Parmenides, in: Zschr. für Semiotik 4, 1982, 221–239 4 T. EBERT, The Origin of the Stoic Theory of Signs in Sextus Empiricus, in: Oxford Studies in Ancient Philosophy 5, 1987, 83–126 5 D. FEHLING, Protagoras und die orthoepeia, in: RhM 108, 1965, 212–217 6 D. GLIDDEN, Skeptic Semiotics, in: Phronesis 28, 1983, 213–255 7 K. HÜLSER, Expression and Content in Stoic Linguistic Theory, in: R. BÄUERLE et al. (Hrsg.), Semantics from Different Points of View, 1979, 284–303 8 M. KRAUS, Name und Sache. Ein Problem im frühgriech. Denken, 1987, 154–167 9 N. KRETZMANN, Aristotle on Spoken Sound Significant by Convention, in: J. CORCORAN (Hrsg.), Ancient Logic and its Modern Interpretation, 1974, 3–21 10 H. H. LIEB, Das »semiotische Dreieck« bei Ogden und Richards: Eine Neuformulierung des Z.modells von Aristoteles, in: H. GECKELER et al. (Hrsg), Logos semantikos, FS E. Coseriu, 1981, 137–155 11 A. A. LONG, Aisthesis, Prolepsis and Linguistic Theory in Epicurus, in: BICS 18, 1971, 114–133 12 A. A. LONG, D. N. SEDLEY, Die hell. Philosophen, 2000 (= The Hellenistic Philosophers, 1987) 13 J. MAGEE, Boethius on Signification and Mind, 1989 14 S. MEIER-OESER, Die Spur des Zeichens. Das Zeichen und seine Funktion in der Philos. des MA und der frühen Neuzeit, 1997, 1–34 15 Ders., The Stoic Theory of Sign and Signification, in: H. NARANG (Hrsg.), Semiotics of Language, Literature and Cinema, 2000, 13–24 16 E. MONTANARI, La sezione linguistica del *peri hermeneias* di Aristotele, 1984 17 M. POHLENZ, Begründung der abendländischen Sprachlehre durch die Stoa, in: Ders., KS, 1965, 39–78 18 T. S. SEBEOK, Symptome, systematisch und histor., in: Zschr. für Semiotik 6, 1984, 37–45 19 H. WEIDEMANN, Ansätze zu einer semantischen Theorie bei Aristoteles, in: Zschr. für Semiotik 4, 1982, 241–257.

W. AX, Laut, Stimme und Sprache. Studien zu drei Grundbegriffen der ant. Sprachtheorie, 1986 • T. BORSCHE, s. v. Sprache I, HWdPh 9, 1437–1453 • Ders. (Hrsg.), Klassiker der Sprachphilos., 1996 • E. COSERIU, Die Gesch. der Sprachphilos. von der Ant. bis zur Gegenwart. 1, 1972 • D. DI CESARE, La semantica nella filosofia greca, 1980 • S. EBBESEN (Hrsg.), Sprachtheorie in Spätant. und MA (Gesch. der S. 3), 1995 • A. GRAESER, Aristoteles, in: T. BORSCHE (Hrsg., s. o.), 1996, 33–47 • Ders., The Stoic Theory of Meaning, in: J. M. RIST (Hrsg.), The Stoics, 1978, 77–100 • K. HÜLSER, Stoa, in: T. BORSCHE (Hrsg., s. o.), 1996, 49–62 • B. D. JACKSON, The Theory of Signs in St. Augustine's Doctrina Christiana, in: Rev. des Ét. Augustiniennes 15, 1969, 9–49 • M. KRAUS, Platon, in: T. BORSCHE (Hrsg., s. o.), 1996, 15–32 • L. LERSCH, Die Sprachphilos. der Alten, 3 Bde., 1840/41 • A. A. LONG, Language and Thought in Stoicism, in: Ders. (Hrsg.), Problems in Stoicism, 1971, 75–113 • G. MANETTI, Le teorie del segno nell'antichità classica, 1987 • H. RUEF, Augustin über Semiotik und Sprache, 1981 • H. STEINTHAL, Gesch. der Sprachwiss. bei den Griechen und Römern mit bes. Rücksicht auf die Logik, 2 Bde., ²1890–1891 (Ndr. 1961) • G. WELTRING, Das σημεῖον in der aristotelischen, stoischen, epikureischen und skeptischen Philos., 1910.   ST. M.-OE.

Stammesbildung s. Ethnogenese (Nachträge)

Statilius

[II 8a] S. Severus. Suffektconsul vor dem J. 130/132 n. Chr. [1. 178 ff.]; er könnte mit dem praetorischen Statthalter der Provinz Thracia im J. 114, Statilius Maximus (vgl. [2. 269 ff.]) identisch sein; sein Name wäre dann S. Maximus Severus. Sein Konsulat gehört nicht ins J. 115 wie oben unter Statilius [II 4] angenommen.

1 H. M. Cotton, W. Eck, P. Murabba'at 114 und die Anwesenheit röm. Truppen in den Höhlen des Wadi Murabba'at nach dem Bar Kochba Aufstand, in: ZPE 138, 2002, 173–183 2 E. I. Paunov, M. M. Roxan, The Earliest Extant Diploma of Thrace, A. D. 114 [= RMD I 14], in: ZPE 119, 1997, 269–279. W. E.

Steuern

VI. Spätantike

Die spätant. Steuerordnung ist im Kern das immer wieder den wechselnden Bedürfnissen des Imperium Romanum angepaßte System der diocletianisch-constantinischen Reformzeit. → Diocletianus und → Constantinus [1] waren bestrebt, aus den unter dem Druck der Krisenjahrzehnte requisitionsartig erfolgenden Zugriffen auf Produkte und Leistungen der Reichsbewohner wieder ein verläßliches System von S.-Anforderungen zu machen, die durch Regelhaftigkeit und Maß zumutbar waren. Der oft als zwangsstaatlich erscheinende intensivierte fiskalische Zugriff kann so durchaus als rationales, relativ mod., an der Leistungsfähigkeit des Einzelnen und der Städte orientiertes Bemühen um S.-Gerechtigkeit einerseits sowie um Sicherung der öffentlichen Aufgaben andererseits aufgefaßt werden. Das war Zeitgenossen des 4. Jh. n. Chr. oft auch bewußt (vgl. Them. or. 8,112c). Im Zuge dieser Reformen wurde auch das Privileg der Bürger It.s auf S.-Freiheit beseitigt. Der Versuch, die durch lange Gewohnheit eingebürgerte regionale Fiskalpraxis mit den Geboten dieser S.-Politik in Einklang zu bringen, hat dem spätant. S.-System seine epochenspezifische Färbung gegeben.

Der Finanzbedarf des Imperium Romanum erstreckte sich auf dieselben Bereiche wie zuvor, stieg aber gerade durch die Reformen in freilich kaum präzise zu quantifizierender Weise an: Der Umfang der Armee wurde verdoppelt, die → Verwaltung in den nunmehr ca. 100 Prov. wurde ausgebaut, zugleich wurden neue Mittelinstanzen (Diözesen/Vikariate) geschaffen und regionalisierte Praetorianerpraefekturen eingerichtet; Konstantinopolis wurde zur neuen Hauptstadt mit privilegierter Nahrungsmittelversorgung bei Wahrung der Privilegien Roms; intensive Baumaßnahmen, gerade in den exponierten Reichsgegenden (z. B. Errichtung oder Reparatur von Kastellen, Straßen und Aquaedukten, Wiederherrichtung oder Bau neuer Stadtmauern und anderer *opera publica*) erforderten ebenfalls hohe finanzielle Aufwendungen; neben den Kosten der nahezu ununterbrochenen Militäraktionen an den Grenzen waren auch die Subsidienzahlungen an die Gegner zu

finanzieren; auch die materielle Förderung der christl. Kirchen ist in diesem Zusammenhang zu nennen.

Der jährliche Finanzbedarf wurde in der kaiserlichen Zentrale zu einer Art Staatshaushalt [9. 33 ff.] berechnet, wobei die Ausgaben für Heer und Verwaltung den größten Anteil am gesamten Budget ausmachten. Das erforderliche S.-Aufkommen wurde für die verschiedenen S.-Arten zu Beginn des neuen S.-Jahres am 1. September durch ein auf dem letzten → *census* beruhendes Umlageverfahren (*delegatio*) errechnet und über die Praetorianerpraefekten, Vikare und Prov.-Statthalter den Institutionen und Personengruppen bekanntgegeben, die in den Städten und ländlichen Regionen mit der Eintreibung der S. befaßt und zur Zahlung verpflichtet waren.

Aufgrund der wirtschaftlichen Dominanz des Agrarsektors kam der Boden- und Personal-S. die größte Bed. zu. Sie wurde – regional unterschiedlich – seit 287 n. Chr. [4; 5] durch die sog. → *capitatio-iugatio* ermittelt, ein Verfahren, das entweder kombiniert (Gallien) oder separat (Äg.) die Veranlagungseinheiten *iugum* und *caput* bzw. ihre regionalen Varianten für die Bemessung der individuellen S.-Schuld verwendete. Dieses System war aus der seit severischer Zeit erhobenen *annona* hervorgegangen, die vornehmlich in Naturalien (Getreide, Wein, Öl, Fleisch und Tierfutter) zu liefernden Erträge dienten v. a. zur Versorgung der Truppen und der Reichsverwaltung sowie der privilegierten Städte Rom und Konstantinopolis. Allein der aufwendige Transport der als S. eingezogenen Güter [17] zog ganze Zweige von weiteren fiskalischen Dienstleistungen und Gewerben nach sich (→ *cursus publicus*; *munera sordida*, vgl. → *munus* II.; → *navicularii*). Ferner führten diese Transportanforderungen außer zum Bedarf des Imperium Romanum an Mz.-Geld und Edelmetallen dazu, daß die Ablösung der S. in → Geld oder Metall (→ *adaeratio*) gerade den Prov. ermöglicht wurde, in denen die benötigten Naturalien nicht produziert wurden. Das Imperium erwarb mit den eingezogenen Geldern an geeigneter Stelle die benötigten Naturalgüter mittels *coemptio* (Zwangskauf zu diktierten → Preisen).

Wie die *annona* unterstanden auch die übrigen der Heeresausstattung dienenden S. (der *canon vestium* für die Uniformen, die *collatio equorum* zur Beschaffung von Reit- und Troßpferden und das *aurum tironicum* zur Ablösung der Grundbesitzerpflicht zur Rekrutenstellung) der Regie der → *praefecti praetorio*; die in Geld und Edelmetall zu zahlenden S. jedoch fielen in die Kompetenz des *comes sacrarum largitionum*. Es handelte sich dabei um die sog. ordentlichen Klassen-S. [16], nämlich die aus dem Grundbesitz von Senatoren und Angehörigen der kaiserlichen Familie zu erbringende *collatio glebalis*, die von Marcianus (450–457 n. Chr.) abgeschafft wurde, die von den stadtsässigen Handel- und Gewerbetreibenden in Gold und Silber zu zahlende → *collatio lustralis* sowie das von den Kurien der Städte bei Herrschaftsantritten und ähnlichen Ereignissen im Kaiserhaus erwartete → *aurum coronarium*, das in bes. Weise das Freiwilligkeits-Ritual der Gabentausch-Trad. noch unter spätant. Bedingungen betonte. Dies gilt in ähnlicher Weise für die üblichen Geschenke (*strennae*) beim Jahresantritts-empfang des Senats beim Kaiser und bei anderen fest-lichen Gelegenheiten (*aurum oblaticium* [6. 400ff.]) und auf der Ausgabenseite ebenso für die zeremonielle Ver-teilung von Gedenk-Mz./Medaillons und Servicen aus Edelmetall, für das Ausstreuen von *missilia* bei den Spie-len, für die → *congiaria* oder die zur Sicherung der Trup-penloyalität bei bestimmten Anlässen unumgehbaren → *donativa*. Unter den weniger gut bekannten Ver-brauchs-S. verdient das seit 444 n.Chr. im Westen er-hobene *siliquaticum* Beachtung, eine Verkaufs-S. in Höhe von ¼₄ des Warenwerts [15. 205].

Der Einzug der Boden- und Personal-S. erfolgte durch curiale → *susceptores* und → *exactores*, freilich unter steter Kontrolle und Mitwirkung der Reichsverwal-tung. Gerade für die häufigen Steuerrückstände (*reli-qua*), die → *epibolé* im Falle von *anachórēsis*/→ *deserti agri*, die Probleme der S.-Haftung oder legaler S.-Befrei-ungen (→ *immunitas*), die Zuweisung von Ertragsteilen ehemals städtischer Einkunftsquellen wie der seit Con-stantinus der *res privata* (→ *patrimonium*) inkorporierten städtischen *fundi* bzw. *vectigalia* [6. 276ff., 641ff.] war die Reichsverwaltung zuständig. In ländlichen Gebie-ten konnten *praepositi pagorum* als S.-Einnehmer fungie-ren; seit dem 5. Jh. n.Chr. wurden – bes. in Äg. – man-che großen Häuser *autopráktoi*, d.h., daß sie die Ein-schätzung und Abwicklung ihres S.-Aufkommens durch eigene Beauftragte durchführen lassen und sogar für ihre Stadtgemeinde öffentliche Aufgaben wahrneh-men konnten [2; 13; 18; 21]; auf diese Weise wirkten sie an der Aufteilung der S. zw. Reich und Lokalstadt mit. Unter dem Eindruck von Effizienzdefiziten konnte der Einzug den Curialen auch entzogen werden; so wurde unter Valentinianus [1] und Valens [2] die Boden- und Personal-S. vorübergehend den als durchsetzungsfähi-ger oder weniger korrupt eingeschätzten *honorati* bzw. Provinzialbeamten anvertraut. Unter Anastasius [1] wurde die S.-Einziehung der Kontrolle von → *vindices* aus dem Reichsdienst unterstellt. Andere S. und S.-artige Leistungen wurden immer oder zeitweise an *man-cipes* (→ *manceps*) verpachtet. Selbst die Eintreibung der senatorischen *collatio glebalis* konnte – so ab 397 n.Chr. – Curialen auferlegt werden [6. 374ff.]. Diese wieder-holten Verlagerungen der Einzugspflicht auf wechseln-de staatlich-städtische Personenkreise deuten auf eine systemimmanente Kapazitätsgrenze des spätant. S.-Sy-stems hin.

Umstritten sind die Effizienz dieses S.-Systems und die Folgen des S.-Drucks. Völlig ineffizient kann das S.-System kaum gewesen sein, denn Anastasius konnte die als drückend beklagte *collatio lustralis* ersatzlos strei-chen und gleichwohl eine Goldreserve von 320000 Pfund hinterlassen. Es ist kaum anzunehmen, daß zah-lungsfähige und mächtige Wohlhabende (*potentiores*) ihre S.-Schuld auf die weniger Leistungsfähigen ab-wälzten oder die Zeit bis zu den immer wieder gewähr-ten *reliqua*-Erlassen durchstanden. Die Erteilung von Immunitäten zeugt durchweg von einer eher restrikti-ven Praxis. Umgekehrt wurde die Verwaltung prag-matisch nicht damit belastet, unbegrenzt S.-Schulden einzufordern. Die Vorstellung, die spätant. Fiskalität habe das wirtschaftliche Potential erstickt und die Wi-derstandsfähigkeit gegen die äußere Bedrohung eher geschwächt, kann daher nicht vorbehaltlos akzeptiert werden.

1 F.M. Ausbüttel, Die Verwaltung des röm. Kaiserreiches, 1998, 69–94 2 R.S. Bagnall, Egypt in Late Antiquity, 1993 3 P. Brown, Autorität und Heiligkeit, 1998 4 J.-M.Carrié, Dioclétien et la fiscalité, in: Antiquité Tardive 2, 1994, 33–64 5 J.-M.Carrié, A. Rousselle, L'Empire romain en mutation 192–337, 1999 6 R.Delmaire, Largesses sacrées et res privata, 1989 7 A.Demandt, Die Spätant., 1989 8 G. Depeyrot, Crises et inflation entre Antiquité et Moyen Âge, 1991 9 R.Duncan-Jones, Money and Government, 1994 10 J.Durliat, Les finances publiques. De Dioclétien aux Carolingiens, 1990 11 J.W. Ermatinger, The Economic Death of Theadelphia during the Early Fourth Century AD, in: MBAH 16, 1997, 1–10 12 J.F. Fikhman, Aspects socioéconomiques de l'activité des corporations professionelles de l'Égypte byz., in: ZPE 103, 1994, 19–40 13 J. Gascou, Les grands domaines, in: Travaux et mémoires du Centre de recherches byzantines 9, 1985, 1–90 14 H. Heinen, Das spätant. Äg., in: M. Krause (Hrsg.), Äg. in spätant.-christl. Zeit, 1998, 35–56 15 Jones, LRE 16 J.Karayannopoulos, Das Finanzwesen des frühbyz. Staates, 1958 17 A.Kolb, Transport und Nachrichtentransfer im Röm. Reich, 2000 18 J.H.W.G. Liebeschuetz, Civic Finance in the Byz. Period, in: ByzZ 89, 1996, 389–408 19 J.Martin, Spätant. und Völkerwanderung, ³1995 20 M.Mause, Der Kaiser als Fachmann in ökonomischen Fragen?, in: MBAH 13.1, 1994, 89–101 21 E.Pack, Städte und S. in der Politik Julians, 1986 22 J.A.Sheridan, The Vestis Militaris Codex, 1998 23 Ders., The Anabolikon, in: ZPE 124, 1999, 211–217 24 W.Treadgold, Byzantium and Its Army, 1995, 284–1081.   E.P.

Straßen
Straßen   I. Allgemein   II. Alter Orient und Ägypten   III. Iran: Achämenidenreich IV. Griechenland   V. Römisches Reich

I. Allgemein

Der Ausbau eines S.- und Wegenetzes und die Ent-stehung von Fern-S. korreliert stets dem Siedlungsaus-bau und der Siedlungsstruktur. Eine gemischte Sied-lungsstruktur, die neben geschlossenen Siedlungen auch zahlreich verstreute Einzelgehöfte umfaßt und die in weiten Teilen der ant. Welt für die unterschiedlichsten Epochen nachgewiesen ist, erzeugt ein bes. dichtes Ver-kehrswegenetz. Die Trassierung ant. S. folgt dem Prin-zip, die kürzeste Verbindung bei geringster Steigung und unter Umgehung natürlicher Hindernisse mit mög-lichst geringem technischem Aufwand herzustellen, also Ingenieurbauten wie Dämme, Brücken [2] oder Tunnel zu vermeiden.   H.LO.

II. Alter Orient und Ägypten
s. Verkehr

III. Iran: Achämenidenreich

Das vielgerühmte S.-Wesen des Perserreiches [2; 11. 75–79, 269f.] ist nur ausschnittweise v. a. in griech. Zeugnissen, babylonischen Texten aus dem Zweistromland (vgl. etwa Keilschrifttext London, BM 79746 [8]) und elamischen Täfelchen aus → Persepolis (bes. der Serie Q [7. 365–440]; vgl. [5]) dokumentiert; der Begriff bezieht sich in erster Linie auf die großen Reichs-S. (zu den in ihrer Bed. nicht zu unterschätzenden *itinéraires secondaires* vgl. [2. 371–373, 952]). Es knüpfte einerseits an Erprobtes an (→ Königsstraße), setzte andererseits aber auch durch Ausbau (vgl. die ὁδοποιοί/*hodopoioí*: Xen. Kyr. 6,2,36; Hdt. 7,131; zu Brücken und Pontons vgl. [2. 374–376, 952f.]), Vermessung, Kontrolle und Pflege neue Akzente und wirkte damit zukunftsweisend (s.u. IV.). Das S.-System wurde für mil. Zwecke (Transport von Soldaten, Kriegswagen, Material und Troß; vgl. Curt. 5,8,5; [2. 384–389, 953f.]) sowie den zivilen Verkehr von Menschen, Tieren und Waren und für die Nachrichtenübermittlung [2. 382–384, 953] genutzt (vgl. → Nachrichtenwesen). Die wichtigsten und recht bequem zu befahrenden (ἀμαξιτός/*amaxitós*: vgl. Hdt. 7,83; Xen. Kyr. 6,2,36; Diod. 18,26ff.; Curt. 10,10,20) S. des Reiches, die sog. »Königs-S.« (zum Westen vgl. bes. Hdt. 5,52–54), waren dauerhaft durch Kastelle gesichert, durch »S.-Wächter« (ὁδοφύλακες/*hodophýlakes*, Hdt. 7,239; vgl. [1. 123f.; 5. 35], elam. *datimara*) und mil. Eskorten (»Reisebegleiter«: elam. *barišdama*; vgl. Xen. an. 1,9,11ff.) geschützt [2. 380–953]. Entlang der S. gab es »königliche Stationen« (σταθμοὶ βασιλήιοι/*stathmoí basiléioi*; vgl. auch Ktes. FGrH 688 F 33), »Herbergen« (καταλύσεις/*katalýseis*) und Magazine (θησαυροί/*thēsauroí*: Aristot. oec. 2,2,38); diese konnten Gesandtschaften, Eilboten bzw. Stafettenreitern (elam. *pirradaziš*; vgl. zu den Boten des Königs Hdt. 5,14; 8,98; Aischyl. Ag. 282; Xen. Kyr. 8,6,17f.), Schnelläufern (Nikolaos [3] von Damaskos FGrH 90 F 4) und anderen in großköniglichem Auftrag, d. h. mit einem gesiegelten Dokument (elam. *ḥalmi*) versehenen, reisenden bzw. handelnden Personen Lebensmittelrationen bzw. Pferde und Ablösung bereitstellen.

Nach Stadien (→ *stádion* [1]) und Parasangen (→ *parasángēs*; zur Etym.: [8. 138]) vermessen (Hdt. 5,52ff.; Ktesias FGrH 688 F 33; Xen. an. 1,2,5f.) und möglicherweise auch mit Wegmarkierungen (»Meilensteinen«) versehen (Strab. 15,1,50; vgl. aber die Diskussion in [3. 80f.]), sind die bekanntesten dieser Reichs-S. die in den klass. Zeugnissen ausgiebig belegte → »Königsstraße« von → Sardeis (bzw. Ephesos) nach → Susa (zum Verlauf vgl. die z.T. kontroverse Lit. in [2. 370f., 952; 3. 78; 4. 125]) und die Verbindungen von Susa nach → Persepolis [1; 11], von Persepolis nach → Ekbatana sowie von Susa über → Babylon nach Ekbatana (vgl. Diod. 19,19,2; die beiden letztgenannten mit Anschluß

an die → Seidenstraße). Die Texte aus Persepolis bezeugen Reisende von Susa bzw. Persepolis nach Medien, Äg., → Baktria, Kirmān, → Areia [1], Sagartien (→ Sagartioi), Babylonien, Maka, → Arachosia sowie Hindusch und/oder umgekehrt (zu einzelnen S., S.-Abschnitten und S.-Stationen vgl. die in [2. 952ff.; 3. 78ff.;4. 125ff.] genannte Lit.). Marschgeschwindigkeiten sind für die hell. Zeit belegt: So benötigte man z. B. 22 Tage für die ca. 360 km von Babylon nach Susa (Diod. 19,55,2), ca. 30 Tage von Susa in die Persis (19,17,6), 40 Tage von Susa über Babylonien nach Ekbatana (19,19,2), 9 Tage von Susa nach Ekbatana durch Luristan (19,19,8), 20 Tage von Ekbatana nach Persepolis (19,46,6).

An das pers. S.- und Nachrichtenwesen (reitende »Post«: ἀγγαρήιον/*angaréion* Hdt. 8,98; vgl. Xen. Kyr. 8,6,17; Etym.: [10. 97ff.] unter einem ἀστάνδης/*astándēs*: Plut. Alexandros 18,2; Suda, s. v.]) knüpften die hell. Mächte und noch die Römer institutionell und z. T. auch begrifflich an (s.u. IV.).

→ Achaimenidai; Iran; Nachrichtenwesen; Wagen

1 G. Aperghis, Travel Routes and Travel Stations from Persepolis (unpubl. M. A. Thesis University College London), 1997 **2** Briant, Index, s. v. routes **3** P. Briant, Bull. d'histoire achéménide I (Topoi, Suppl. 1), 1997, 3–127 **4** Ders., Bull. d'histoire achéménide II, 2001 **5** G. Giovinazzo, Les documents de voyage dans les textes de Persépolis, in: Annali dell'Istituto Universitario Orientale di Napoli, 1994, 18–31 **6** D. Graf, The Persian Royal Road System, in: AchHist, Bd. 8, 1994, 167–189 **7** R. T. Hallock, Persepolis Fortification Tablets, 1969 **8** M. Jursa, Von Vermessungen und Straßen, in: Archiv Orientální 63.2, 1995, 153–158 **9** R. Schmitt, Medisches und persisches Sprachgut bei Herodot, in: ZDMG 117, 1967, 119–145 **10** Ders., Zur Méconnaissance altiranischen Sprachgutes im Griechischen, in: Glotta 49, 1971, 95–110 **11** C. Tuplin, The Seasonal Migration of Achaemenid Kings, in: AchHist, Bd. 11, 1998, 63–114 **12** J. Wiesehöfer, Ancient Persia, 2001.   J.W.

IV. Griechenland

Trotz wegweisender Arbeiten von [18] ist das griech. S.-Wesen der vorröm. Zeit unzureichend erforscht. Bei Surveys wurden seit den 1980er Jahren bedeutende Reste ant. S. festgestellt, so u. a. in Arkadia [19; 20; 21], in Boiotia am Kithairon [14. Bd. 4, 88–102] und in Lakonia [1; 3], die sich meist auf die Bergregionen beschränken, da in den Ebenen längst alle Spuren getilgt sind. Die einzelnen griech. Landschaften sind unterschiedlich gut erforscht, am besten Attika und die Megaris [4; 13; 14; 15; 16; 22], eine neuere zusammenfassende Behandlung fehlt jedoch.

Für den Bau von S. (lat. *via*, *strata*: »gepflasterter Weg«; griech. ἡ ὁδός/*hodós* ist im Ursprung »Fußweg«, Fahr-S. tragen den Zusatz ἀμαξική/*hamaxikḗ*) als planmäßig angelegten, befestigten Verkehrswegen für den Fahrzeugverkehr hatten bereits die frühen Hochkulturen Äg.s und des Vorderen Orients hohe Maßstäbe gesetzt. Fern-S., wie sie in Kleinasien mit den assyrischen

Handelskolonien und dem Hethiterreich entstanden (→ Königsstraße, → Königsweg), sind für Griechenland spätestens seit myk. Zeit zu postulieren. → Linear-B-Tafeln bezeugen für Knosos und Pylos [2] zahlreiche Wagen (zu myk. S. und Brücken in der Argolis [7; 9; 23. 131–133], in Arkadia [11], in Phokis [8]). In klass. Zeit hatte das griech. S.-Wesen einen hohen Ausbaustand erreicht, als man zu Fuß binnen eines Tages von Athen nach Oropos (Herakleides Kritikos 1,6; [4. 126]) oder nach Megara gelangen konnte (→ Reisen I.D.). Nach Thuk. 7,28,1 war der Getreidetransport auf dem Landweg von Oropos nach Athen schneller als zur See via Sunion ([4]; zur mil. Bed. von S. [6; 13]). Die gebirgige Landesnatur Griechenlands, die Vielzahl autonomer Poleis in klass. Zeit sowie Siedlungsregression und instabile Herrschaftsverhältnisse behinderten jedoch in hell. Zeit den großzügigeren Ausbau eines Netzes von Fern-S.; Saumpfade und enge einspurige S. waren daher die Regel. Die S. Korinthos-Megara wurde erst unter Hadrianus (117–138) zur Fahr-S. ausgebaut (Paus. 1,44,6; Reste [3]).

In archa. Zeit ließ Peisistratos [4] d.J. auf halber Strecke zwischen Athen und den einzelnen attischen Demoi → Hermen aufstellen [13]. Die Entfernungen wurden von dem 522/1 v.Chr. errichteten Altar der Zwölf Götter auf der Agora von Athen bestimmt (Hdt. 2,7; IG II² 2640). In klass. Zeit besaß Attika ein dichtes Netz von Fahr-S. und gut ausgebauten Saumpfaden (z.B. über den Hymettos [12]). Sie erschlossen nicht nur das Bergbaugebiet des → Laureion, das durch die *Astiké hodós* und die *Sphēttía hodós* [10] (→ Sphettos) mit dem Poliszentrum verbunden war, sondern auch rein agrarisch geprägte Bereiche sowie den gebirgigen Norden Attikas [13]. Hinzu kamen S. für den Transport des → Marmors aus den Steinbrüchen des Pentelikon und des Hymettos [5]. Ein anderer Sonderfall einer S. ist der → Diolkos (s. Nachträge) am Isthmos von Korinthos.

Für Westkleinasien liegen mit Ausnahme des Latmos-Gebirges [17] noch kaum Erkenntnisse zu vorröm. S. vor.

An den S. standen Gasthäuser (πανδοκεῖον/*pandokeíon*) für die Reisenden (→ Reisen I.G.; → Wirtshaus). Für den Unterhalt der S. waren im Athen des 4. Jh. v.Chr. die ὁδοποιοί/→ *hodopoioí* (»S.-Meister«) zuständig, in den hell. Städten meist die → *astynómoi*.

Als »Heilige S.« (ἱερὰ ὁδός/*hierá hodós*) bezeichnen die Quellen S., die auch periodischen Prozessionen (→ Prozession II.B.) zu bestimmten Heiligtümern dienten, wie die Heilige S. von Athen nach → Eleusis, oder von Miletos [2] nach → Didyma. Doch ist nicht jeder Prozessionsweg und nicht jede S. zu einem extraurbanen Heiligtum in den Quellen explizit als *hierá hodós* bezeugt.

→ Athenai II.7.; Pilgerschaft I.A.; Reisen; Straßen- und Brückenbau; Verkehr; Via Egnatia

1 P. ARMSTRONG et al., Crossing the River. Observations on Routes and Bridges in Laconia from the Archaic to Byzantine Periods, in: ABSA 87, 1992, 293–303 2 J. BRIEGLEB, Brücken im S.-Verkehr der ant. Welt, in: E. OLSHAUSEN, H. SONNABEND (Hrsg.), Zu Lande und zu Wasser. Verkehrswege in der ant. Welt (Stuttgarter Kolloquium zur Histor. Geogr. des Alt. 7, 1999), 2002, 105–108 3 J. CHRISTIEN, Les liaisons entre Sparte et son territoire malgré l'encadrement montagneux, in: J.-F. BERGIER (Hrsg.), Montagnes, Fleuves, Fôrets dans l'Histoire, 1989, 18–44 4 P. FUNKE, Grenzfestungen und Verkehrsverbindungen in Nordost-Attika, in: P. FLENSTED-JENSEN et al. (Hrsg.), Polis & Politics. FS H.M. Hansen, 2000, 121–131 5 H.R. GOETTE, Quarry Roads on Mt. Pentelikon and Mt. Hymettos, in: H.R. GOETTE (Hrsg.), Ancient Roads (International Symposium Athen 1998), 2002, 93–102 6 F. GSCHNITZER, S., Wege und Märsche in Xenophons Hellenika, in: s. [2], 202–208 7 R. HOPE SIMPSON, The Mycenaen Highways, in: Echos du Monde Classique 42 (N.S. 17), 1998, 239–260 8 E.W. KASE, Mycenaean Roads in Phocis, in: AJA 77, 1973, 74–77 9 J. KNAUSS, Furt oder Brücke. Hydrotechnische Aspekte des myk. S.-Baus in der Argolis, in: s. [2], 323–359 10 CH.J. KORRES, R.A. TOMLINSON, Sphettia Hodos – Part of the Road to Kephale and Sounion, in: s. [5], 43–59 11 E.J. KRIGAS, AMOTA and ROTA: Road-Transport in Mycenaean Arcadia, in: Kadmos 26, 1987, 74–83 12 M.K. LANGDON, Hymettiana IV: Ancient Routes through Hymettos, in: s. [5], 61–71 13 H. LOHMANN, Ant. S. und Saumpfade in Attika und der Megaris, in: s. [2], 109–147 14 S. VAN DE MAELE, La route antique de Megare à Thèbes par le défilé du Kandili, in: BCH 111, 1987, 191–205 15 Ders., La route antique du port mégarien de Pagai à la forteresse d'Aigosthènes, in: Echos du Monde Classique 8, 1989, 183–188 16 A. MULLER, Megarika, in: BCH 108, 1984, 249–266 17 A. PESCHLOW-BINDOKAT, Das S.-Netz der Latmia, in: E.-L. SCHWANDTNER (Hrsg.), Stadt und Umland (Bauforschungskolloquium Berlin 1997), 1999, 186–200 18 PRITCHETT, Bd. 3–4; 6–7 19 K. TAUSEND, Ein ant. Weg über den Chelmos? in: JÖAI 63, 1994, 41–52 20 Ders., Von Artemis zu Artemis? Der ant. Weg von Lousoi nach Pheneos, in: JÖAI 64, 1995, Beibl., 1–20 21 Ders., Der ant. Weg von Pheneos nach Orchomenos, in: JÖAI 67, 1998, 109–116 22 E. VANDERPOOL, Roads and Forts in Northwestern Attica, in: Classical Antiquity 11, 1978, 227–245 23 B. WELLS, C. RUNNELS, The Berbati-Limnes Archaeological Survey 1988–1990, 1996.

H.R. GOETTE (Hrsg.), s. [5] • E. OLSHAUSEN, H. SONNABEND (Hrsg.), s. [2] • PRITCHETT, Bd. 3–7.

H.LO.

V. RÖMISCHES REICH

A. ALLGEMEINES UND ITALIEN

B. GALLIA, GERMANIA UND BRITANNIA

C. ALPENPROVINZEN, RAETIA UND NORICUM

D. CORSICA, SARDINIA UND SICILIA

E. IBERISCHE HALBINSEL   F. NORDAFRIKA

G. ÄGYPTEN UND LEVANTE   H. KLEINASIEN

J. BALKANPROVINZEN

A. ALLGEMEINES UND ITALIEN

Zu den großen zivilisatorischen Leistungen des röm. Reiches gehören u.a. der Aufbau und Unterhalt eines öffentlichen Straßennetzes (→ *viae publicae*). In fast allen eroberten Gebieten, hier besonders im hell. Osten, den

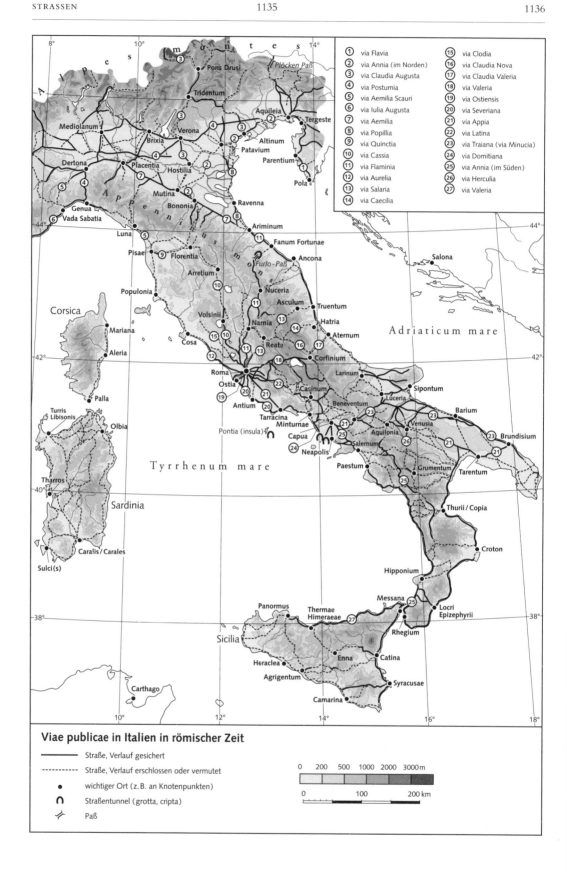

Viae publicae in Italien in römischer Zeit

— Straße, Verlauf gesichert

---------- Straße, Verlauf erschlossen oder vermutet

• wichtiger Ort (z. B. an Knotenpunkten)

∩ Straßentunnel (grotta, cripta)

⤴ Paß

karthagischen Gebieten und in Gallia, konnte Rom auf ein bereits existierendes Verkehrsnetz zurückgreifen. Nach Lage der Quellen sind in republikanischer Zeit offensichtlich nur wenige Impulse von Seiten Roms ausgegangen, das vorhandene Wegenetz in den eroberten Prov. auszubauen. Dies änderte sich ab Augustus, der im gesamten Imperium umfangreiche Straßenbauaktivitäten einleitete. Bis zur Mitte des 2. Jh. entwickelte sich v. a. unter Tiberius [1], Claudius [III 1], den Flaviern, Traianus [1], Hadrianus und Antoninus [1] Pius ein dichtes, das gesamte röm. Reich umfassendes Straßennetz. In der Forsch. werden hierfür wechselseitig administrative, wirtschaftliche (→ Handel) oder mil. Gründe (→ Limes) angeführt.

Auf → Reisen standen neben → Meilensteinen, itinerarartigen Meilensteinen mit mehreren Entfernungsangaben (CIL VIII 22247; XVII 2, 291; 298; 489f.; 675) → Itinerare sowie kartenartige Routenzeichnungen (→ Tabula Peutingeriana) als Orientierungshilfe zur Verfügung. Unzweifelhaft ist der röm. → Straßenbau auch in direkter Wechselbeziehung zum Städtewesen und somit letztlich zur → Romanisierung zu sehen.

In It. selbst hatte sich das von Rom angelegte Netz von → viae publicae erst seit dem 3. Jh. v. Chr. entwikkelt. In der frühen Republik war der röm. Straßenbau stark durch das etr. Straßenwesen geprägt. Neubauten im Zuge der röm. Expansion gab es vor Ende des 4. Jh. v. Chr. offenbar nicht. Vielmehr nutzte man existierende Verkehrsstrukturen. Die ältesten röm. viae publicae folgten alten Handelswegen (z.B. der → Via Salaria, → Via Latina) oder dienten der unmittelbaren Herrschaftssicherung (→ Via Appia bis Capua). Erst durch den Kontakt mit dem hell. Osten und seinem qualitätsvollen Straßennetz scheint es zu Impulsen für It. gekommen zu sein. Mit der Verlängerung der Via Appia bis Brundisium und der der → Via Aurelia um die Via Aemilia Scauri sowie dem Bau der → Via Flaminia, → Via Aemilia, → Via Annia und → Via Postumia erstreckte sich gegen Ende der röm. Republik ein Netz von großen viae publicae über die it. Halbinsel (vgl. Karte). Zu den Impulsen aus dem hell. Osten scheint auch das Aufstellen von → Meilensteinen gehört zu haben. Das it. Straßennetz wurde während der Kaiserzeit weiter ausgebaut (vgl. z.B. Via Traiana, → Via Claudia Augusta).

Zu den innerstädtischen Straßen Roms vgl. → Roma (III., mit Karten 1 und 4), → Via Sacra und → Städtebau (IV).

→ Cursus publicus; Handel; Infrastruktur; Itinerare; Kartographie; Kommunikation; Mobilität; Post; Nachrichtenwesen; Reise; Straßenbau; Verkehr; Verwaltung; Via Aemilia; Via Annia; Via Appia; Via Aurelia; Via Claudia Augusta; Via Flaminia; Via Latina; Via Postumia; Via Salaria; Viae publicae

W. ECK, Die staatliche Organisation It.s in der hohen Kaiserzeit, 1979, 25–87 · H. E. HERZIG, Probleme des röm. Straßenwesens, in: ANRW II 1, 1974, 593–648 · R. LAURENCE, The Roads of Roman Italy, 1999 ·

T. P. WISEMAN, Roman Republican Road-Building, in: PBSR 38, 1970, 122–152.

ANTIKE KARTEN: E. WEBER (ed.), Tabula Peutingeriana, Codex Vindobonensis 324. Vollständige Faksimile-Ausgabe im Originalformat, 1976 · A. und M. LEVI, Itineraria picta. Contributo allo studio della Tabula Peutingeriana, 1967.

MODERNE KARTEN: R. J. A. TALBERT (Hrsg.), Barrington Atlas of the Greek and Roman World, 2000, bes. 39–48.

LIT.: M. BESNIER, V. CHAPOT, s. v. via (Rome), in: DS 5, 781–817 · K. BRODERSEN, Terra Cognita. Stud. zur röm. Raumerfassung, 1995 · R. CHEVALLIER, Roman Roads, 1976 · Ders., Les voies romaines, 1997 · FRIEDLÄNDER 1, 318–390 · V. GALLIAZZO, I ponti romani, Bd. 1, 1995; Bd. 2, 1994 · K. GREWE, Licht am Ende des Tunnels, 1998, 124–135 · MILLER · E. OLSHAUSEN, Einführung in die histor. Geogr. der Alten Welt, 1991 · E. OLSHAUSEN, H. SONNABEND (Hrsg.), Zu Wasser und zu Land. Verkehrswege in der ant. Welt (Geographica Historica 17), 2002.

B. GALLIA, GERMANIA UND BRITANNIA

In den ersten Jahrzehnten nach der Eroberung von → Britannia bildete sich ein röm. Wegesystem nordwärts lediglich bis zum »Fosseway« aus. Inschr. Zeugnisse zum Straßenwesen sind insgesamt selten. Erst ab Hadrianus liegen Meilensteine vor ([1. Nr. 32, 51, 61]; insgesamt sind ca. 110 Meilensteine bekannt). Da diese wenig aussagekräftig sind und zudem das erste Blatt der Tabula Peutingeriana mit der »Karte« von Britannia fehlt, ist lediglich mit Hilfe arch. Informationen und dem Itinerarium Antonini ein röm. Straßennetz zu rekonstruieren.

Im gall.-german. Raum ist die Via Domitia (CIL XVII 2, 294; Cic. Font. 18) zw. Rhodanus (h. Rhône) und Pyrene [2] (h. Pyrenäen) aus dem J. 118 v. Chr. die älteste via publica. Sie ist Bestandteil der Route von Rom durch den Süden von Gallia nach Hispania (Pol. 3,39; CIL XI 3281–84). Das gall. Wegenetz war bereits vor der röm. Eroberung gut entwickelt, was u. a. aus Caesars De bello Gallico zu entnehmen ist [2. 19–43]. Erste Informationen über den röm. Straßenbau nördl. der Gallia Narbonensis liefert Strab. 4,6,11, wonach Agrippa [1] von → Lugdunum (h. Lyon) aus eine erste Straße nach Massalia (h. Marseille), eine zweite nach Aquitania, eine dritte an die Kanalküste und eine vierte an den Rhenus [2] (h. Rhein) baute. Unter Claudius [III 1], der sich sehr um das gall.-german. Straßennetz verdient machte, kam u. a. der Ausbau der Rheintalstraßen (CIL XVII 2, 567; 573) hinzu. Erweiterungen, wie z. B. die Verbindung von → Argentorate (h. Strasbourg) durch den Schwarzwald (→ Abnoba mons) nach Raetia hinein (CIL XVII 2, 654) aus flavischer Zeit, vervollständigten das Straßennetz ebenso wie die Bautätigkeit v. a. unter Traianus, Hadrianus und Antoninus [1] Pius [3. Karte 1]. Meilensteinfunde (ca. 700 bekannte Expl.) belegen eine rege Pflege der Straßen bis in die Spätant. (CIL XVII 2, 53) hinein. Eine Besonderheit röm. Straßenorganisation in Gallia/Germania ist die Verwendung der → leuga auf den Meilensteinen seit Traianus/Hadrianus, zunächst

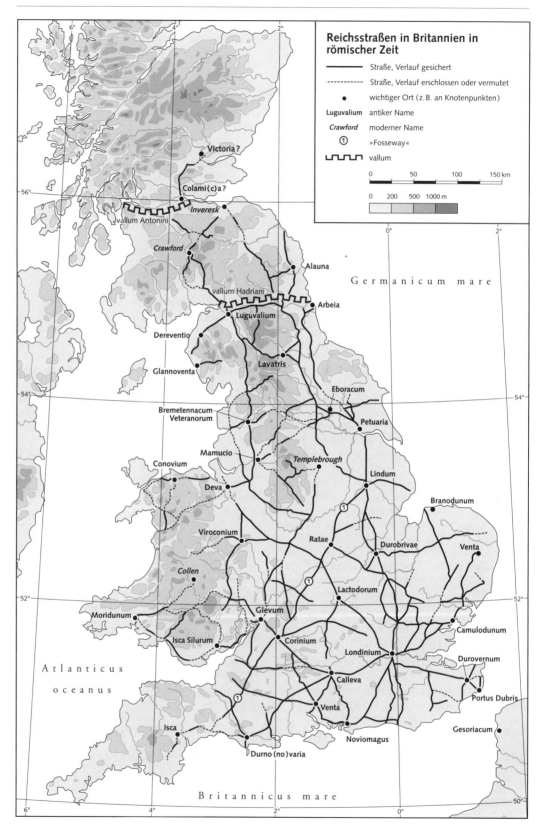

Reichsstraßen in Britannien in römischer Zeit

———————	Straße, Verlauf gesichert
- - - - - - - -	Straße, Verlauf erschlossen oder vermutet
●	wichtiger Ort (z. B. an Knotenpunkten)
Luguvalium	antiker Name
Crawford	moderner Name
①	»Fosseway«
⊓⌐⊔⌐⊓	vallum

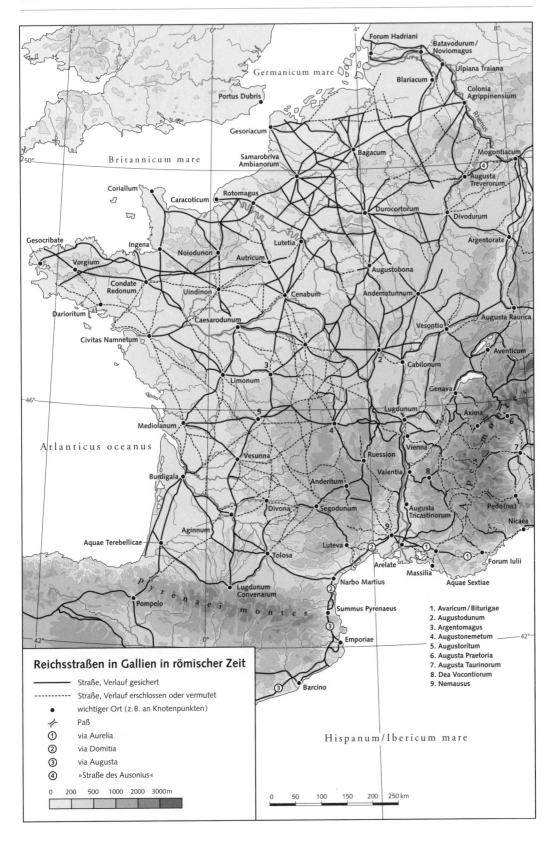

Reichsstraßen in Gallien in römischer Zeit

———————	Straße, Verlauf gesichert
- - - - - - - - -	Straße, Verlauf erschlossen oder vermutet
•	wichtiger Ort (z. B. an Knotenpunkten)
⚹	Paß
①	via Aurelia
②	via Domitia
③	via Augusta
④	»Straße des Ausonius«

0   200   500   1000   2000   3000 m

0   50   100   150   200   250 km

1. Avaricum / Biturigae
2. Augustodunum
3. Argentomagus
4. Augustonemetum
5. Augustoritum
6. Augusta Praetoria
7. Augusta Taurinorum
8. Dea Vocontiorum
9. Nemausus

Germanicum mare

Britannicum mare

Atlanticus oceanus

Hispanum / Ibericum mare

Pyrenaei montes

Alpes montes

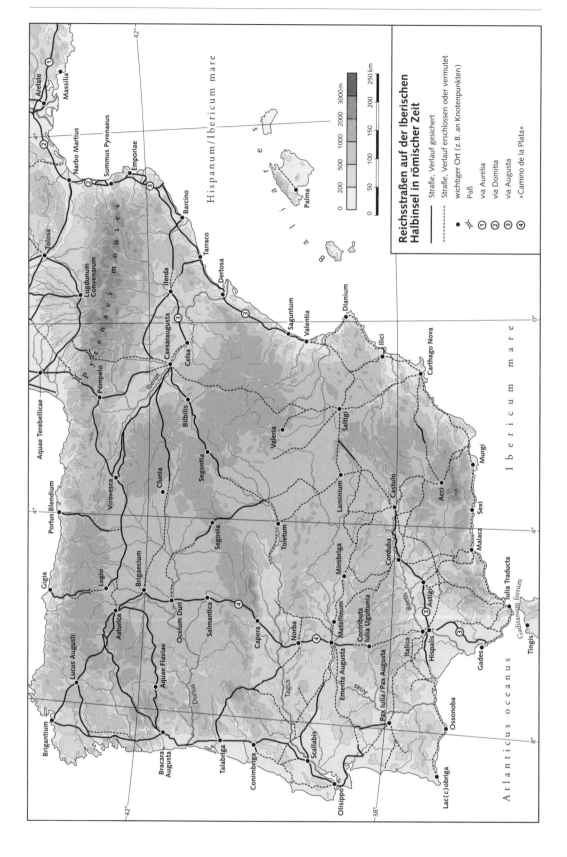

Reichsstraßen auf der Iberischen Halbinsel in römischer Zeit

Straße, Verlauf gesichert
Straße, Verlauf erschlossen oder vermutet
wichtiger Ort (z. B. an Knotenpunkten)
Paß
① via Aurelia
② via Domitia
③ via Augusta
④ »Camino de la Plata«

nur in Aquitania, später fast im gesamten gall.-german.
Raum.

1 J.P.SEDGLEY, The Roman Milestones of Britain, 1975
2 É. THEVENOT, Les voies romaines de la Cité des Éduens,
1969 3 M.RATHMANN, Unt. zu den Reichsstraßen in den
westl. Prov. des Imperium Romanum (im Druck).

D.BRENTCHALOFF, J.GASCOU, Milliaires des cités de Vence,
Castellane, Fréjus, in: ZPE 109, 1995, 245–254 ·
F. BURGARD, A.HAVERKAMP (Hrsg.), Auf den
Römerstraßen ins MA, 1997 · G.CASTELLVI u. a., Voies
romaines du Rhône à l'Èbre, 1997 · A.GRENIER, Manuel
d'archéologie gallo-romaine, Bd. 2: L'archéologie du sol:
Les routes, 1934 (Ndr. 1985) · K.GREWE, Ant. Welt der
Technik VIII: Straßen, Brücken und Meilensteine in: Ant.
Welt 26, 1995, 343–354 · J.HAGEN, Römerstraßen der
Rheinprov., ²1931 · I.KÖNIG, Die Meilensteine der Gallia
Narbonensis, 1970 · Ders., Wirtschaftsräume und
Handelswege im röm. Westen, in: H.E.HERZIG, R.
FREI-STOLBA (Hrsg.), Labor omnibus unus, 1989, 70–81 ·
I.D.MARGARY, Roman Roads in Britain, ²1967 ·
J.NAPOLI, R.REBUFFAT, Les milliaires ardéchois d'Antonin
le Pieux, in: Gallia 49, 1992, 51–77 · A.L.F.RIVET, The
British Section of the Antonine Itinerary, in: Britannia 1,
1970, 34–82 · W.RODWELL, Milestones, Civic Territories
and the Antonine Itinerary, in: Britannia 6, 1975, 76–101 ·
J.P.SEDGLEY, The Roman Milestones of Britain, 1975,
Abb. 1 · R.J.A.TALBERT (Hrsg.), Barrington Atlas of the
Greek and Roman World, 2000, 7–12; 14–19; 39 ·
G.WALSER, Die röm. Straßen in der Schweiz, Bd. 1: Die
Meilensteine, 1967 · Ders., Bemerkungen zu den
gall.-german. Meilensteinen, in: ZPE 43, 1981, 385–402 ·
M.ZAHRNT, Die frühesten Meilensteine Britanniens, in:
ZPE 73, 1988, 195–199.

C. ALPENPROVINZEN, RAETIA UND NORICUM

Erste schriftliche Informationen über Alpenüber-
gänge (vgl. → Alpes B., → Paß) liegen für den Hanni-
balzug [1. 195–200] vor (→ Hannibal [4]). Im Westen
der Alpen waren in röm. Zeit mit dem Großen St. Bernhard (per Alpes Poeninas; → Mons Poeninus), dem Kleinen St. Bernhard (per Alpes Graias) und dem Col du
Mont Genèvre (per Alpes Cottias) drei Pässe bekannt
(Strab. 4,6,7; 4,6,11f.). In den Zentralalpen wurden
Splügen- und Julierpaß genutzt (Itin. Anton. 277,6–9;
278,4–7). Direkte Bauzeugnisse liegen lediglich für die
→ Via Claudia Augusta über den Reschenscheideck
vor. Spätestens E. des 2. Jh. n. Chr. wurde jedoch der
Brenner bevorzugt (Itin. Anton. 275,3 ff.; CIL XVII 4,1
6–29). In den Ostalpen nutzte man den Neumarkter
Sattel/Triebener Tauernpaß als Verbindung von Aquileia [1] an den Istros [2] (die Donau; Itin. Anton.
276,1–277,3; CIL XVII 4,1 144–156). Mit Sicherheit
waren die großen Alpenpässe bereits seit frühgesch. Zeit
in Nutzung.

Das norische wie das raetische Straßennetz (Karten in
CIL XVII 4,1) war durch die Alpenpässe und das röm.
Militär (vgl. CIL XVII 4,1 55; 62 ff.; 67) an den Reichs-
grenzen geprägt, so daß die dortigen Wege regelmäßig
im Kontext von Heeresdurchzügen (z. B. Tac. hist. 1,70)
erwähnt werden.

1 J.SEIBERT, Forsch. zu Hannibal, 1993.

H.U.INSTINSKY, Septimius Severus und der Ausbau des
raetischen Straßennetzes, in: Klio 31, 1938, 33–50 ·
I.H.RINGEL, Kontinuität und Wandel. Die Bündner Pässe
Julier und Septimer, in: F.BURGARD, A.HAVERKAMP
(Hrsg.), Auf den Römerstraßen ins MA, 1997, 211–295 ·
G.WALSER, Summus Poeninus, 1984 · Ders., Via per Alpes
Graias, 1986 · Ders., Die röm. Straßen und Meilensteine in
Raetien, 1983 · E.WEBER, Die neuen Meilensteine von
Obertauern, in: Mitt. der Ges. für Salzburger Landeskunde
112/113, 1972/73, 245–251 · G.WINKLER, Die röm.
Straßen in Noricum: Österreich, 1985 · R.WYSS, Handel
und Verkehr über die Alpenpässe, in: H.JANKUHN et al.
(Hrsg.), Unt. zu Handel und Verkehr der vor- und
frühgesch. Zeit in Mittel- und Nordeuropa, 1989, 155–173.

D. CORSICA, SARDINIA UND SICILIA

Von allen drei Inseln existieren nur wenige schriftliche Zeugnisse eines röm. Straßennetzes (→ Corsica:
Itin. Anton. 85,4–86,1; → Sardinia: Itin. Anton. 78,4–
85,3; → Sicilia: Cic. Verr. 5,169; Strab. 6,2,1; Itin. Anton. 86,2–97,6). Bereits in vorröm. Zeit gab es punische
und griech. Straßen (vgl. Thuk. 6,66,3; 6,70,4; 7,80,5),
die in röm. Zeit weiter genutzt und gepflegt wurden,
ohne daß darüber schriftliche Zeugnisse vorliegen.
Verm. wird vielfach der bequemere, küstennahe Seeweg bevorzugt worden sein.

P.MELONI, I miliari Sardi e le strade romane in Sardegna, in:
Epigraphica 15, 1953, 20–50 · M.G.OGGIANU, Contributo
per una riedizione dei miliari sardi, in: L'Africa romana 8,
1990, 863–897 · R.REBUFFAT, Les stations Corses de
l'itinéraire Antonin, in: Les Études Classiques 1, 1967,
217–227 · A.U.STYLOW, Ein neuer Meilenstein des
Maximinus Thrax in Sardinien und die Straße
Karales-Olbia, in: Chiron 4, 1974, 515–532 · V.TETTI,
Appunti sulle strade romane nella zona di Bonorva (Sassari),
in: Studi Sardi 23, 1973/74 (1975), 191–211 ·
G.P.VERBRUGGHE, Sicilia, 1976.

E. IBERISCHE HALBINSEL

Im Süden und Westen der iber. Halbinsel kann ein
entwickeltes Wegesystem aus keltiberischer und puni-
scher Zeit angenommen werden. Dies ist verm. auch
einer der Hauptgründe, weshalb aus republikanischer
Zeit nur wenige Zeugnisse röm. Straßenbaus vorliegen.
Die ältesten Meilensteine [1. Nr. 1–6] stammen aus dem
NO, datieren um 110 v. Chr. [3. Bd. 1,543f., Bd. 2,464,
Bd. 3,86] und zeigen die Verlängerung der südgallischen
Via Domitia (vgl. Pol. 3,39) bis an den Iberus [1] (h.
Ebro) an. Einen deutlichen Entwicklungsschub gab es
unter Augustus. Auf ihn gehen u. a. die tarraconensische
Via Augusta [1. Nr. 7, 9–12, 14] zw. Tarraco (h. Tar-
ragona) und Caesaraugusta (h. Zaragoza) und die baeti-
sche Via Augusta (CIL II 4701: Baete et Iano Augusto ad
Oceanum; vgl. CIL II 4697) zurück. Die Benennung Via
Augusta wurde in tiberischer Zeit auf die gesamte Strek-
ke von Le Perthus (Summus Pyrenaeus; vgl. Pyrene [2])
über Saetabis bis Gades (h. Cádiz) [1. Nr. 279f.] ausgedehnt (vgl. CIL XI 3281–84), die in die Via Heraclea [2]

einen myth. Vorläufer hat. Die Via Augusta von Tarraco nach Caesaraugusta führte bereits unter Augustus bis Bracara Augusta (h. Braga/Portugal) weiter, ohne jedoch in diesem zweiten Abschnitt einen Namen zu tragen (CIL II 4868; 6215; AE 1976, 325b).

Eine weitere wichtige Verkehrsachse im Westen der iber. Halbinsel ist der sog. Camino de la Plata zw. Augusta [2] Emerita (h. Mérida) und Salmantica (h. Salamanca), der in der Verlängerung die Baetica mit Asturica Augusta (h. Astorga) verbindet. Aus flavischer Zeit ist ferner eine Via Nova (CIL II 4838) zw. Bracara Augusta und Asturica Augusta namentlich belegt.

Das iber. Straßennetz erfuhr bes. unter den iulisch-claudischen Kaisern, unter Traianus und Hadrianus einen deutlichen Ausbau. Ca. 750 heute noch bekannte Meilensteine belegen eine rege Bau- und Ausbautätigkeit für die gesamte Zeit der röm. Herrschaft. Diese Straßenqualität ermöglichte die Weiternutzung in maurischer Zeit.

1 J. LOSTAL PROS (Hrsg.), Los miliarios de la Provincia Tarraconense, 1992 2 R.C. KNAPP, La Via Heraclea en el occidente, in: Emerita 54/55, 1986/87, 103–122 3 MRR.

G. ALFÖLDY, Der röm. Bogen über die Via Augusta bei Tarraco (Arc de Berà) und seine Inschr., in: Klio 78, 1996, 158–170 · E. ALVAREZ, Vías Romanas de Galicia, in: Zephyrus 11, 1960, 5–105 · A.R. BELO, Nótulas sobre cinco marcos miliários da via militar romana Mérida-Viseu-Braga, in: Revista de Guimarães 70, 1960, 27–50 · G. CASTELLVI u.a., Voies romaines du Rhône à l'Èbre, 1997 · J. DE CASTRO NUNES, Os miliários de Nerva na Gallaecia, in: Cuadernos de estudios Gallegos 16, 1950, 161–174 · G. GILLANI, Revisión de los miliarios del tramo Caelionicco – ad Lippos de la vía XXIV del itinerario de Antonino (Calzada de la Plata), in: Minerva 9, 1995, 117–147 · J.G. MOROTE BARBERA, El trazado de la Vía Augusta desde Tarracone a Carthagine Spartaria, in: Saguntum 14, 1979, 139–160 · A. NÜNNERICH-ASMUS, Straßen und Brücken als Zeichen röm. Herrschaftsanspruchs, in: W. TRILLMICH et al. (Hrsg.), Hispania Antiqua – Denkmäler der Römerzeit, 1993, 121–157 · J.M. ROLDÁN HERVÁS, Iter ab Emerita Asturicam, 1971 · Ders., Itineraria Hispana. Fuentes antiguas para el estudio de las vías romanas en la península ibérica, 1975 · P. SILLIÈRES, Les voies de communication de l'Hispanie méridionale, 1990 · R.J.A. TALBERT (Hrsg.), Barrington Atlas of the Greek and Roman World, 2000, 24–27.

F. NORDAFRIKA

Rom traf in Nordafrika auf ein funktionstüchtiges punisches Wegenetz. Mit Ausnahme eines Hinweises im → Agrargesetz von 111 v.Chr. [1. Nr. 2, 89 mit Komm.] sind schriftliche Informationen über den röm. Straßenbau aus republikanischer Zeit bislang unbekannt. Erst mit dem Meilenstein (AE 1955, 40) des Africanus Fabius [II 13] Maximus aus dem Jahr 6/5 v.Chr. und dem des A. Caecina [II 8] (AE 1987, 992, verm. 9/10 n.Chr.) liegen Zeugnisse röm. Bautätigkeit vor. Diese Aktivitäten beschränkten sich allem Anschein nach jedoch auf küstennahe Straßen zw. Karthago und Hadrumetum (h. Sousse) bzw. bei Sabratha. Einen deutlichen Schub zum Ausbau des Straßennetzes gab es wohl erst unter Tiberius [1]. So wurde durch L. Nonius [II 5] Asprenas die Strecke Castra Hiberna (= Ammaedara, h. Haïdra) – Tacape (h. Gabès) gebaut (CIL VIII 10018; 21915; [2. Nr. 1–3, 5, 8, 11, 14, 24, 36, 41, 51, 53, 57]) und durch L. Aelius [II 16] Lamia eine Straße ins Hinterland von → Leptis Magna (h. Lebda; AE 1936, 157). Zu den Hauptverkehrsachsen in der Prov. Africa Proconsularis gehörten die unter Hadrianus ausgebaute Straße Karthago – Theveste (h. Tébessa; CIL VIII 22173: *viam a Carthagine Thevestem mil(ia) p(assuum) CXCI DCCXXX stravit*; 191 Meilen, 740 Fuß) und die von Tacape über Capsa nach Theveste. Vom Verkehrsknotenpunkt Theveste aus führte die Hauptroute über Thamugadi nach Lambaesis (vgl. Via Septimiana: CIL VIII 2705) und weiter nach Westen als Limesstraße (→ Limes VIII.) über Zabi, Columnata (h. Sidi Hosni), Altava nach Numerus Syrorum (h. Marnia).

Numidia und der östl. Teil von Mauretania Caesariensis verfügten über ein dichtes, durch zahlreiche Meilensteine (vgl. ILAlg 3875 aus dem J. 152 n.Chr.: *via per Alpes Numidicas*) belegtes Straßennetz mit Sitifis (h. Sétif) und Cirta (h. Constantine) als Verkehrsknotenpunkten. Unter Hadrianus wurde z.B. die Verbindung von Cirta nach Rusicade (h. Skikda) als Via Nova errichtet (CIL VIII 22370; ILS 5872f.). Für das 2. Jh. belegen zahlreiche Meilensteine auch den Bau einer Limesstraße südl. um den Aurasius mons (h. Aurès-Gebirge) herum (nach ILS 2479 Bau einer Straße durch das Gebirge 145 n.Chr.). Die grenzsichernde Funktion der Limesstraße wird u.a. anhand einer Meilenstein-Inschr. (ILS 5849) des Commodus deutlich, die vom Neubau von Kastellen berichtet.

Von der im *Itinerarium Antonini* gut bezeugten Küstenstraße von → Tingis (h. Tanger) über Karthago nach Alexandreia [1] sind mit Ausnahme der Tripolitana auffallend wenig Meilensteine bekannt. Insgesamt zeugen jedoch ca. 2300 h. bekannte Meilensteine von einer regen Bau- und Ausbautätigkeit bis in die Spätant. hinein.

1 M.H. CRAWFORD (ed.), Roman Statutes, 1996 2 M. DONAU, Les nouveaux milliaires de la route de Capsa a Tacape, in: Mémoires de la Société Nationale des Antiquaires de France 64, 1903, 153–230.

S. AURIGEMMA, Pietre Miliari Tripolitane, in: Rivista della Tripolitania 2, 1925, 3–21, 135–150 · J. BARBERY, J.-P. DELHOUME, La voie romaine de Piedmont Sufetula – Masclianae, in: Antiquités africaines 18, 1982, 27–43 · G. BONORA MAZZOLI, Itinerari e strade nelle province romane dell'Africa del Nord, in: L'Africa romana 11, 1994, 1047–1054 · G. DI VITA-EVRARD, Le plus ancien milliaire de Tripolitaine, in: Libya Antiqua 15/16, 1978/79, 9–44 · M. DONAU, La voie romaine de Theveste a Thelepte, in: Mémoires de la Société Nationale des Antiquaires de France 67, 1906, 137–215 · M. EUZENNAT, Les voies romaines du Maroc dans l'Itinéraire Antonin, in: M. RENARD (Hrsg.), Hommages A. Grenier, Bd. 2, 1962, 595–610 · M. FORSTNER, Das Wegenetz des Zentralen Maghreb in islamischer Zeit. Ein Vergleich mit dem ant. Wegenetz, 1979 · R.G. GOODCHILD, The Roman Roads and

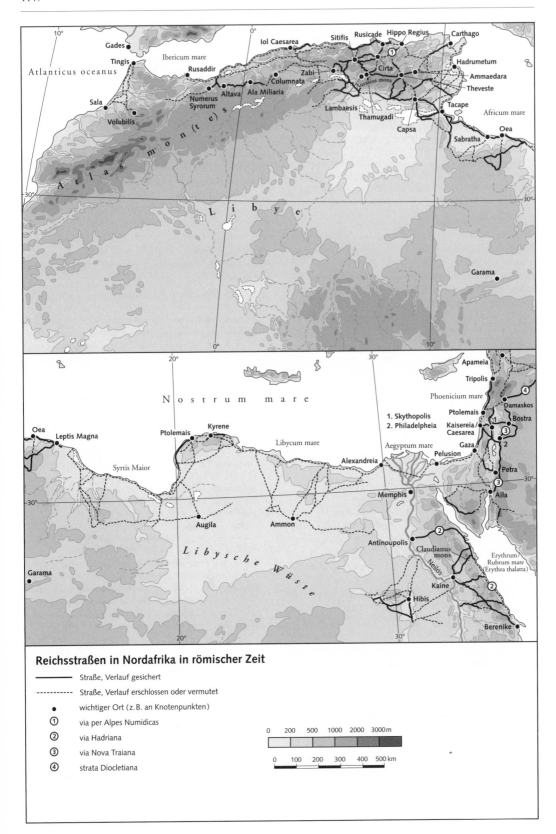

Reichsstraßen in Nordafrika in römischer Zeit

——————   Straße, Verlauf gesichert

-----------   Straße, Verlauf erschlossen oder vermutet

●   wichtiger Ort (z.B. an Knotenpunkten)

①   via per Alpes Numidicas

②   via Hadriana

③   via Nova Traiana

④   strata Diocletiana

0   200   500   1000   2000   3000 m

0   100   200   300   400   500 km

Milestones in Tripolitania, 1948 · Ders., Roman Milestones in Cyrenaica, in: PBSR 18, 1950, 83–91 · Ders., The Roman Roads of Libya and Their Milestones, in: F. F. GADALLAH (Hrsg.), Libya in History, 1971, 155–171 · J. MARCILLET-JAUBERT, Bornes milliaires de Numidie, in: Antiquités africaines 16, 1980, 161–184 · P. SALAMA, Les voies romaines de l'Afrique du Nord, 1951 · Ders., Les bornes milliaires de Djemila-Cuicul et leur intérêt pour l'histoire de la ville, in: Revue Africaine 95, 1951, 213–272 · Ders., Les voies romaines de Sitifis a Igilgili, in: Antiquités Africaines 16, 1980, 101–133 · Ders., Bornes milliaires d'Afrique proconsulaire, 1987 · R. J. A. TALBERT (Hrsg.), Barrington Atlas of the Greek and Roman World, 2000, 28–38; 68–83 · P. TROUSSET, Les milliaires de Chebika, in: Antiquités africaines 15, 1980, 135–154.

G. ÄGYPTEN UND LEVANTE

In Äg. ist der Nil (vgl. Hdt. 2,5,1) mit den parallel verlaufenden Straßen die Hauptverkehrsachse (Itin. Anton. 155,1–171,4). Belege aus pharaonischer (vgl. Hdt. 2,124,3 f.) und röm. Zeit (keine Meilensteine bekannt) über Straßenbau sind selten. Das Wegenetz war verm. weitgehend pistenartig (vgl. [1. 57–67]). Zw. Nil und Rotem Meer (→ Erythra thalatta [1]) gibt es eine Reihe von Verkehrsverbindungen, die entweder dem → Handel (vgl. → Indienhandel) oder als Zugang zu den Steinbrüchen (z. B. mons Claudianus) in der östl. Wüste dienten (Itin. Anton. 171,5–173,4; Strab. 17,45; Plin. nat. 6,102 f.). Namentlich belegt ist die Via Hadriana (IGR I 1142) von Berenike [9] nach Antinoupolis.

In Syria und Palaestina war spätestens in hell. Zeit die Küstenstraße von Antiocheia [1] (vgl. CIL III 208 f.) über Ptolemais [8] und → Gaza nach → Pelusion (h. Tall al-Famā) die wichtigste Verkehrsachse. Der älteste Meilenstein dieser Strecke stammt jedoch erst aus der Regierungszeit Neros [1. Nr. 9b]. Von dieser Nord-Süd-Achse zweigten verschiedene Routen unterschiedlichen Entstehungsdatums in östl. Richtung ab (z. B. nach Edessa, Palmyra, Aila/→ 'Aqaba). Speziell in Palaestina belegen AT (Nm 20,17; 21,22; Dt 2,27) und Ios. ant. Iud. 8,7,4 ein intaktes vorröm. Wegesystem. Umfangreichen röm. Straßenbau gab es hier im Zusammenhang mit der Niederschlagung des jüdischen Aufstandes durch die Flavier (vgl. Ios. bell. Iud. 3,6,2; 3,7,3; → Judentum C.2.), z. B. den Bau der Verbindung von Caesarea [2] über Legio (h. Laǧǧūn) nach Skythopolis (→ Beisan), die spätestens unter Traianus bis Gerasa (h. Ǧaraš) [2. Nr. 215] fortgesetzt wurde. Einen deutlichen Entwicklungsschub gab es v. a. unter Hadrianus, der das Straßensystem in seinen Grundzügen festlegte.

Nach der Annexion des nabatäischen Reiches und der Einrichtung der Prov. → Arabia (s. Nachträge) unter Traianus kam es hier zum Bau der Via Nova Traiana [2. Nr. 67–175] durch den Statthalter C. Claudius [II 61] Severus von Bostra über Philadelpheia [3] nach Aila (*viam novam a finibus Syriae usque ad Mare Rubrum aperuit et stravit*). Diese Straße, verm. einer alten Handelsroute folgend, wird mit Sicherheit bereits vor Traianus eine Fortsetzung nach Damaskos und Palmyra gehabt haben. Weitreichende Ausbesserungsarbeiten gab es u. a. unter

Septimius [II 7] Severus und Caracalla (vgl. CIL III 205, [2. Nr. 28 f.]).

Ca. 650 röm. Meilensteine, z. T. ohne Aufschrift, sind h. noch aus Israel bekannt und belegen eine rege Bautätigkeit bis in die Spätant. Begünstigt durch die klimatischen Bedingungen haben sich zudem Meilensteine erh., die zeigen, daß die h. anepigraphischen Steine urspr. eine aufgemalte Inschr. besaßen [2. Nr. 146b mit Anm. 1; 3].

Umfangreiche Straßenbauarbeiten in Arabia und Syria gab es v. a. noch einmal unter Diocletianus. Die bekannteste Baumaßnahme ist die Einrichtung der Strata Diocletiana (AE 1993, 1600–1605; [2. Nr. 57a₁]) zw. Damaskos und Palmyra. Mit dieser Straße gab es letztlich in Kombination mit der Via Nova Traiana eine durchgängige Limesstraße von Sura (h. Sūriya) am Euphrates [2] bis nach Aila am Roten Meer (→ Limes VII.) und somit eine zweite Nord-Süd-Achse neben der Küstenroute.

1 R. J. FORBES, Notes on the History of Ancient Roads and Their Construction, 1934 2 P. THOMSEN, Die röm. Meilensteine der Prov. Syria, Arabia und Palaestina, in: Zeitschr. des Deutschen Palästina-Vereins 40, 1917, 1–103 3 D. F. GRAF, Milestones with Uninscribed Painted Latin Texts, in: Stud. in the History and Archaeology of Jordan 5, 1995, 417–425.

A. ALT, Die Meilenzählung an der röm. Straße Antiochia-Ptolemais, in: Zeitschr. des Deutschen Palästina-Vereins 51, 1928, 253–264 · M. AVI-YONAH, The Development of the Roman Road System in Palaestine, in: IEJ 1, 1950/51, 54–60 · TH. BAUZOU, Les voies de communication dans le Hauran à l'époque romaine, in: J.-M. DENTZER (Hrsg.), Hauran, Bd. 1, 1985, 137–165 · Ders., Les routes romaines de Syrie, in: J.-M. DENTZER, W. ORTMANN (Hrsg.), Archéologie et Histoire de la Syrie, Bd.2, 1989, 205–211 · Ders., Épigraphie et toponymie: Le cas de la Palmyrène du sud-ouest, in: Syria 70, 1993, 27–50 · Ders., Les voies romaines entre Damas et Amman, in: P. J. GATIER u. a. (Hrsg.), Géographie historique au Proche-Orient, 1990, 293–300 · G. BEYER, Die Meilenzählung an der Römerstraße von Petra nach Bostra, in: Zeitschr. des Deutschen Palästina-Vereins 58, 1935, 129–159 · D. A. DORSEY, The Roads and Highways of Ancient Israel, 1991 · R. G. GOODCHILD, The Coast Road of Phoenicia and Its Roman Milestones, in: Berytus 9, 1948/49, 91–127 · D. F. GRAF, The *Via Nova Traiana* in Arabia Petraea, in: J. H. HUMPHREY (Hrsg.), The Roman and Byzantine Near East, 1995, 241–267 · J.-B. HUMBERT, A. DESREUMAUX (Hrsg.), Fouilles de Khirbet Es-Samra en Jordanie, Bd. 1: La voie romaine, le cimetière, les documents épigraphiques, 1988 · B. H. ISAAC, Milestones in Judaea, in: Palestine Exploration Quarterly 110, 1978, 47–60 · B. H. ISAAC, I. ROLL, Roman Roads in Judaea, Bd. 1: The Legio-Scythopolis Road, 1982 · D. KENNEDY, Roman Roads and Routes in North-East Jordan, in: Levant 29, 1997, 71–93 · S. MITTMANN, Die röm. Straße von Gerasa nach Adraa, in: Zeitschr. des Deutschen Palästina-Vereins 80, 1964, 113–136 · M. REDDÉ, J.-C. GOLVIN, Du Nil à la Mer Rouge, in: Karthago 21, 1987, 5–64 · S. E. SIDEBOTHAM, R. E. ZITTERKOPF, Survey of the Via Hadriana by the University of Delaware, in: BIAO 97, 1997, 221–237; 98, 1998, 353–365.

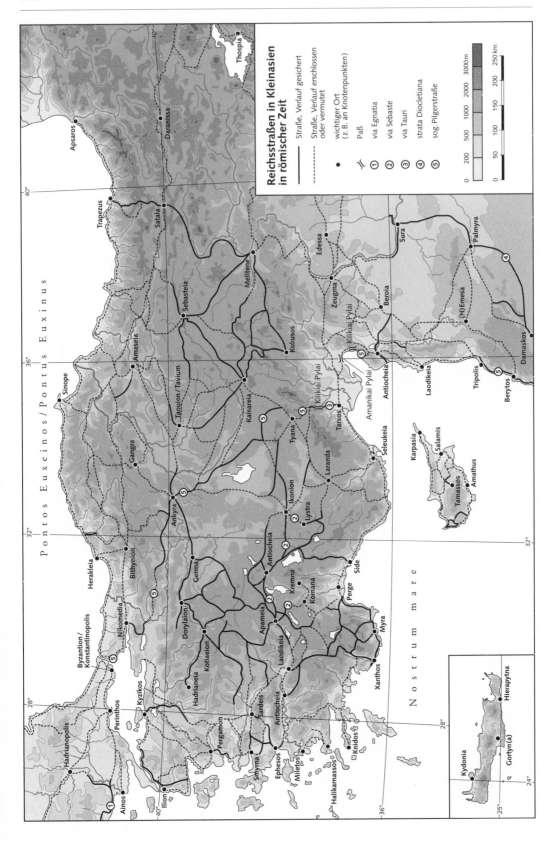

Reichsstraßen in Kleinasien in römischer Zeit

Straße, Verlauf gesichert
Straße, Verlauf erschlossen oder vermutet
wichtiger Ort (z. B. an Knotenpunkten)
Paß
① via Egnatia
② via Sebaste
③ via Tauri
④ strata Diocletiana
⑤ sog. Pilgerstraße

0 50 100 150 200 250 km
0 200 500 1000 2000 3000 m

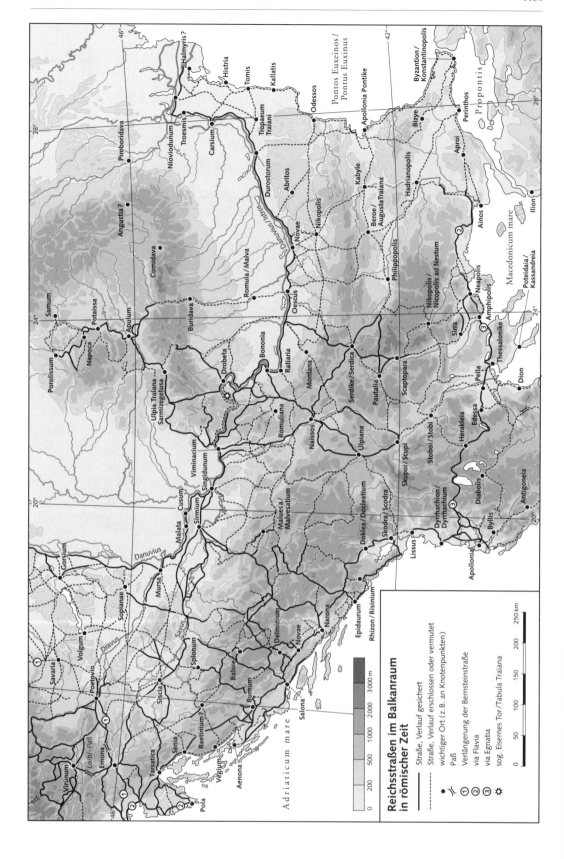

Reichsstraßen im Balkanraum in römischer Zeit

Straße, Verlauf gesichert
Straße, Verlauf erschlossen oder vermutet
Paß
wichtiger Ort (z. B. an Knotenpunkten)
Verlängerung der Bernsteinstraße
via Flavia
via Egnatia
sog. Eisernes Tor / Tabula Traiana

H. Kleinasien

In Kleinasien wie in der Levante fußt das röm. Straßennetz auf den persischen bzw. hell. Vorgängersystemen (vgl. Hdt. 5,52f.; 6,42,2). Röm. Straßenbau setzte unmittelbar mit M'. Aquillius [I 3] und der Einrichtung der Prov. Asia (129–126 v.Chr.) ein. Errichtet wurde die Verbindung von Pergamon nach Ephesos und weiter bis nach Side (AE 1991, 1529). Erst aus augusteischer Zeit sind wieder Meilensteine als Zeugnisse röm. Bauaktivität bekannt. Bes. die durch den Statthalter C. Cornutus [2] Aquila 6 v.Chr. angelegte Via Sebaste (CIL III 6974; 14185; 14401a-c; AE 1997, 1495f.) zw. Kremna, Antiocheia [5], Ikonion und Lystra (h. Hatunsaray) (u.a. CIL III 6974; 14185; 14401a-c) ist hier zu nennen. Umfangreiche Straßenbauarbeiten gab es dann erst wieder in flavischer Zeit in ganz Kleinasien. Speziell die Aktivitäten des A. Caesennius [2] Gallus sind auf zahlreichen Meilensteinen belegt (*vias provinciarum Galatiae Cappadociae Ponti Pisidiae Paphlagoniae Lycaoniae Armeniae minoris stravit*; [1. Nr. 39G, 43A, 48C]; ILS 263; 268).

Als bedeutende Verkehrsachse ist noch die sog. Pilgerstraße (Itin. Anton. 139–146; Intin. Burdig. 571–581) zu nennen, die von Konstantinopolis über Ankyra und Tarsos nach Antiocheia [1] führte (vgl. Plin. epist. 10,11,3; Amm. 25,10).

Insgesamt zeugen ca. 1100 bekannte Meilensteine von reger Bau- und Ausbautätigkeit bis in die Spätant. hinein. Das Wegenetz blieb auch in byz. Zeit vollständig in Nutzung. Die Meilensteine tragen z.T. griech. oder bilinguale (griech./lat.) Inschr., zumindest bei den Entfernungsangaben. Ebenfalls auffällig ist die Tatsache, daß auf den kleinasiatischen Miliarien neben dem Kaiser häufig auch die Statthalter genannt werden. Überraschend wenig Straßen finden sich, mit Ausnahme der östl. Limesregion (→ Limes VI.), im *Itinerarium Antonini*.

1 D.H. French, Roman Roads and Milestones of Asia Minor, Fasc. I: The Pilgrim's Road, 1981.

M.H. Ballance, Roman Roads in Lycaonia, in: AS 8, 1958, 223–234 · D.H. French, The Roman Road-System of Asia Minor, in: ANRW II 7.2, 1980, 698–729 · Ders., Milestones of Pontus, Galatia, Phrygia and Lycia, in: ZPE 43, 1981, 149–174 · Ders., Milestones of Cappadocia, in: EA 5, 1985, 147–153 · Ders., Roman Roads and Milestones of Asia Minor, Fasc. 2: An Interim Catalogue of Milestones, 1988 · Ders., Sites and Inscriptions from Phrygia, Pisidia and Pamphylia, in: EA 17, 1991, 51–61 · Ders., Milestones from İzmir Region 1994, in: EA 25, 1995, 95–102 · I.W. Macpherson, Roman Roads and Milestones of Galatia, in: AS 4, 1954, 111–120 · M.H. Sayar, Straßenbau in Kilikien unter den Flaviern, in: EA 20, 1992, 57–61 · Ders., Ant. Straßenverbindungen Kilikiens in der röm. Kaiserzeit, in: E. Olshausen, H. Sonnabend (Hrsg.), Zu Wasser und zu Land. Verkehrswege in der ant. Welt (Geographica Historica 17), 2002, 452–473 · E. Olshausen, Pontica IV., Das röm. Straßennetz in Pontos, in: Orbis Terrarum 5, 1999, 93–113 · R.J.A. Talbert (Hrsg.), Barrington Atlas of the Greek and Roman World, 2000, 51f.; 56; 61–68; 72; 86f.; 89f.

J. Balkanprovinzen

Zwar wurden schon unter Augustus die Grenzen der Prov. Illyricum bis an den Istros [2] (die Donau) vorgeschoben (R. Gest. div. Aug. 30), doch existieren erst aus tiberischer Zeit Zeugnisse röm. Straßenbaus für Dalmatia und → Pannonia (mit Karte). Nach CIL III 3201 und 3198b (zur Lesung [1]) wurden 19/20 n.Chr. unter P. Cornelius [II 12] Dolabella drei Straßen von Salona (h. Split) in das Innere von Dalmatia gebaut (vgl. CIL III 3199). Eine Trasse führte 156 *milia passuum* (m.p.), »röm. Meilen« ins Gebiet der → Daesitiates (*ad Hedum castellum*), eine zweite 158 m.p. *ad Batinum flumen* (= Fluß Bosna) und eine dritte 77,5 m.p. *ad imum montem Ditionum Ulcirum* (h. Ilica-Gebirge). Letztere wurde unter Claudius [III 1] (CIL III 13329–31; 13335) bis nach Siscia (h. Sisak) verlängert. Ergänzend berichtet CIL III 3200 vom Bau einer Via Gabiniana von Salona nach Andetrium durch Soldaten der *legio VII*. CIL III 3198a und 3200 (zur Lesung [2. 452]) nennt noch eine 167 m.p. lange Straße von Salona *ad fines provinciae Illyrici*, womit verm. die Straße in Richtung Aquileia [1] gemeint ist. Diese Küstenstraße von Aquileia über Salona führte weiter bis Dyrrhachion (h. Durrës), wo sie in der → Via Egnatia eine Fortsetzung fand.

Pannonia ist durch die Verlängerung der sog. Bernsteinstraße (→ Bernstein; Plin. nat. 37,45) von Carnuntum über Poetovio und Emona nach Aquileia [1] mit It. verbunden. Wenn ILS 5889 in Verbindung mit Tac. ann. 1,20,1 hierauf zu beziehen ist, dann ist diese sehr alte Handelsstraße ab 14 n.Chr. durch die Römer ausgebaut worden. Jedoch liegt mit CIL III 3700 von der Strecke Malata (h. Banoštor) – Cusum (h. Petrovaradin) erst aus der Zeit Nervas ein pannon. Meilenstein vor. Die Hauptverkehrsachsen dieser Prov. verlaufen entlang den Flüssen Dra(v)us/h. Drau (Poetovio, Mursa), Savus/h. Sava (Emona, Siscia, Sirmium) und Istros [2] (Vindobona, Carnuntum, Brigetio, Aquincum, Mursa, Sirmium, Singidunum).

In den Prov. → Moesia und → Thracia führte die wichtigste Verkehrsader von Singidunum über Naissus (h. Niš), Philippopolis, Hadrianopolis [3] nach Byzantion (Itin. Anton. 132,1–138,5; Itin. Burdig. 563,14–571,2). Zwei Drittel der bekannten thrak. Meilensteine stammen von dieser Verbindung. Daneben ist die unter Tiberius [1] angelegte Donau-Limes-Straße (→ Limes V.) zw. Singidunum (h. Belgrad), Viminacium, Oescus [2], Novae [1] und Novidunum (h. Isaccea; Itin. Anton. 217,5–226,3; vgl. ILS 2281) von Bed., die unter Traianus am sog. Eisernen Tor im Zuge des ersten Dakerkrieges ausgebaut wurde (ILS 5863). Schließlich ist noch die Küstenstraße entlang des Pontos Euxeinos (Schwarzen Meers) von Tomi bzw. der Istrosmündung nach Byzantion zu nennen (vgl. Itin. Anton. 227,2–230,11). Während die moesischen Meilenstein-Inschr. meist lat. sind, finden sich in Thrakia zahlreiche griech. bzw. bilinguale. Die generelle Fundhäufung von Meilensteinen aus diocletianisch-constantinischer Zeit weist auf die hohe Bed. des Raums in dieser Epoche hin. Die gute Qualität der Hauptrouten in den Balkan-Prov. bis in die Spätant. hinein erleichterte auch den einfallenden Völkern auf ihren Plünderungszügen das Fortkommen (vgl. Amm. 31,16,2).

Aus Dalmatia, Noricum und Raetia sind h. ca. 450, aus den restlichen Balkan-Prov. ca. 400 Meilensteine bekannt. Weitere ca. 130 Meilensteine aus Macedonia und Achaia zeugen zusammen mit Itin. Anton. 324,1– 328,5 von der Weiternutzung und dem Ausbau des griech. Wegenetzes. Aufgrund der geogr. Landesstruktur werden Reisende jedoch den küstennahen Seeweg bevorzugt haben.

1 G. Alföldy, Eine Straßenbauinschr. aus Salona, in: Klio 46, 1965, 323–327 2 J. J. Wilkes, Dalmatia, 1969 (Appendix IV: Early Military Roads in Dalmatia).

Ph. Ballif, Röm. Straßen in Bosnien und Hercegovina, nebst einem Anhang über die Inschr. von C. Patsch, 1893 · V. Beševliev, Bemerkungen über die ant. Heerstraßen im Ostteil der Balkanhalbinsel, in: Klio 51, 1969, 483–495 · V. Gerasimova-Tomova, L. Hollenstein, Neue Meilensteine aus Bulgarien, in: Epigraphica 40, 1978, 91–121 · Dies., Drei unpublizierte Meilensteine aus Bulgarien, in: H. E. Herzig, R. Frei-Stolba (Hrsg.), Labor omnibus unus, 1989, 45–58 · L. Hollenstein, Zu den Meilensteinen der röm. Prov. Thracia und Moesia Inferior, in: Studia Balcanica 10, 1975, 23–44 · C. J. Jireček, Die Heerstraße von Belgrad nach Constantinopel und die Balkanpässe, 1877 (Ndr. 1967) · A. Mócsy, s. v. Pannonia, VI. Straßen und Verkehr, RE Suppl. 9, 653–667 · F. Mottas, Les voies de communication antiques de la Thrace égéenne, in: H. E. Herzig, R. Frei-Stolba (Hrsg.), Labor omnibus unus, 1989, 82–104 · G. Stadtmüller, Das röm. Straßennetz der Prov. Epirus Nova und Epirus Vetus, in: Historia 3, 1954/55, 236–251 · R. J. A. Talbert (Hrsg.), Barrington Atlas of the Greek and Roman World, 2000, 20–23; 49–52 · D. Tsontchev, La voie romaine Philippopolis-Sub Radice, in: Latomus, 18, 1959, 153–170 · E. Weber, Die röm. Meilensteine aus dem öst. Pannonien, in: JÖAI 49, 1968–1971, 121–145.   M. R. A.

Syrakusai (Συράκουσαι, lat. *Syracusae*). Syrakus, Stadt an der SO-Küste von → Sicilia, h. Siracusa.
I. Topographie II. Geschichte
III. Archäologie

I. Topographie

734/3 v. Chr. gegr. Kolonie (→ Kolonisation) von → Korinthos. Der ON soll sich von dem auch Συράκω/ *Syrákō* genannten Sumpfgebiet → Lysimeleia ableiten (vgl. Skymn. 280–282), das sich westl. der Festlandzunge, die wie die gegenüberliegende Insel → Ortygia die erste Brückenkopfsiedlung (besiedelt seit dem frühen Paläolithikum) bildete, bis ins 20. Jh. erh. hat. Für die vieldiskutierte histor. Top. von S. ist es von Bed., daß von der Uferzone das Terrain nach Norden in Stufen zur 1730 ha großen Hochfläche Epipolai (bis zu 150 m H) aufsteigt, die als Ausläufer des sog. Hyblaiischen Berglandes zur jungtertiären Kalktafel von SO-Sicilia gehört. Die Auswertung lit. Zeugnisse wie v. a. der zu-

nehmenden arch. Funde im Stadtgebiet haben zur Erkenntnis geführt, daß sich der archa. Stadtteil → Achradine (nach ἀχράς/ *achrás*, »Wildbirne«) keinesfalls auf dem öden Porenkalk-Plateau befand, sondern auf der aus fruchtbaren Ton- und Konglomeratböden bestehenden Festlandschräge zw. Plateau und Uferzone. Der westl. der Achradine gelegene, oft als »Vorstadt« (προάστεια/ *proásteia*) bezeichnete und nach Apollon »*Temenítēs*« benannte Siedlungsbezirk bestand bereits im 7. Jh. v. Chr. Über die Nordgrenze bei den → Latomiai am SO-Rand des Plateaus wuchs S. weder bei der sog. Gelonischen Stadterweiterung (→ Gelon [1]) noch sonst je hinaus. Auch ohne die seit der Renaissance vermutete, inzwischen widerlegte Besiedlung auch von Epipolai war S. mit ca. 125 ha Gesamtareal schon in archa. Zeit eine außerordentlich große Stadt.

Die beiden Häfen von S. befanden sich zu beiden Seiten der Ortygia, die ihre Bezeichnung νῆσος/ *nḗsos* (»Insel«) auch behielt, als sie durch einen Damm bzw. eine Brücke zum nahen Gegenufer zur Halbinsel geworden war. Mit → Artemis, der auf Ortygia ebenso wie → Apollon mit einem hocharcha. Tempel geehrten Hauptgottheit, die Häfen und Gewässer schützt, ist → Arethusa [7], die Nymphe der Süßwasserquelle im SW der Insel, eng verbunden; ihren Kopf zeigen die seit ca. 530 v. Chr. geprägten Mz. von S. stereotyp.

II. Geschichte

A. Archaische Zeit B. Die Ältere Tyrannis
C. Die Zweite Demokratie D. Die Jüngere
Tyrannis E. Das Königtum F. Unter
römischer Herrschaft G. Byzantinische Zeit

A. Archaische Zeit

Aus der frühen Stadtgesch. ist nur wenig überl. Den ersten Konflikten der korinthischen Kolonisten unter Archias [1] mit den → Siculi um den Siedlungsplatz (Thuk. 6,3,2) folgten sowohl die Unterwerfung der Einheimischen, die als hörige Kyllyrioi einen dem der → Heloten vergleichbaren Status hatten, als auch die Expansion in das weitere siculische Hinterland. Im Unterschied zu den wehrhaften Kontrollplätzen → Akrai (um 660) und → Kasmenai (um 610) waren die im 6. Jh. von S. ausgeschickten → apoikíai → Kamarina (599/8) und → Morgantina (um 560) eher Agrarkolonien in fruchtbarer Küsten- bzw. Flußebene. Allem Anschein nach prosperierte S. unter einer stabilen Herrschaft der Gamoroi (→ Geomoroi), der großgrundbesitzenden Aristokratie. Daß es dennoch nicht an innenpolit. Spannungen fehlte, zeigen um die Mitte des 7. Jh. v. Chr. die Verbannung der Myletidai, einer Adelsfamilie und ihres Anhangs, die sich in der Neugründung → Himera niederließen (Thuk. 6,5,1), und gegen E. des 6. Jh. der Konflikt um Kamarina (s.u.). Ob die Münzprägung von S. ein Symptom der gewachsenen ökonomischen Potenz infolge bedeutender Handelsbeziehungen oder Ausweis eines erhöhten Geldbedarfs für zunehmende mil. Aufgaben war, bleibt zu diskutieren.

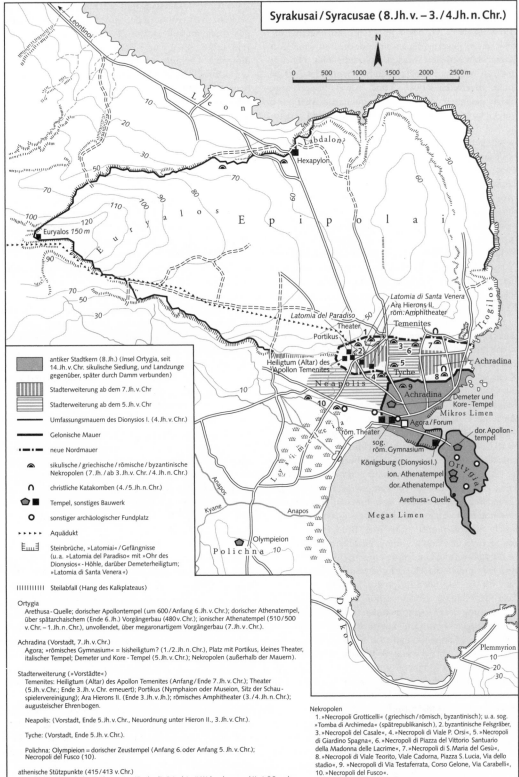

Syrakusai / Syracusae (8. Jh. v. – 3. / 4. Jh. n. Chr.)

Legende:

antiker Stadtkern (8. Jh.) (Insel Ortygia, seit 14. Jh. v. Chr. sikulische Siedlung, und Landzunge gegenüber, später durch Damm verbunden)

Stadterweiterung ab dem 7. Jh. v. Chr

Stadterweiterung ab dem 5. Jh. v. Chr

Umfassungsmauern des Dionysios I. (4. Jh. v. Chr.)

Gelonische Mauer

neue Nordmauer

sikulische / griechische / römische / byzantinische Nekropolen (7. Jh. / ab 3. Jh. v. Chr. / 4. Jh. n. Chr.)

christliche Katakomben (4. / 5. Jh. n. Chr.)

Tempel, sonstiges Bauwerk

sonstiger archäologischer Fundplatz

Aquädukt

Steinbrüche, »Latomiai« / Gefängnisse (u. a. »Latomia del Paradiso« mit »Ohr des Dionysios«-Höhle, darüber Demeterheiligtum; »Latomia di Santa Venera«)

Steilabfall (Hang des Kalkplateaus)

Ortygia
Arethusa-Quelle; dorischer Apollontempel (um 600/Anfang 6. Jh. v. Chr.); dorischer Athenatempel, über spätarchaischem (Ende 6. Jh.) Vorgängerbau (480 v. Chr.); ionischer Athenatempel (510/500 v. Chr. – 1. Jh. n. Chr.), unvollendet, über megaronartigem Vorgängerbau (7. Jh. v. Chr.).

Achradina (Vorstadt, 7. Jh. v. Chr.)
Agora; »römisches Gymnasium« = Isisheiligtum? (1./2. Jh. n. Chr.), Platz mit Portikus, kleines Theater; italischer Tempel; Demeter und Kore-Tempel (5. Jh. v. Chr.); Nekropolen (außerhalb der Mauern).

Stadterweiterung (»Vorstädte«)
Temenites: Heiligtum (Altar) des Apollon Temenites (Anfang/Ende 7. Jh. v. Chr.); Theater (5. Jh. v. Chr.; Ende 3. Jh. v. Chr. erneuert); Portikus (Nymphaion oder Museion, Sitz der Schauspielervereinigung); Ara Hierons II. (Ende 3. Jh. v. Jh.); römisches Amphitheater (3. / 4. Jh. n. Chr.); augusteischer Ehrenbogen.

Neapolis: (Vorstadt, Ende 5. Jh. v. Chr., Neuordnung unter Hieron II., 3. Jh. v. Chr.).

Tyche: (Vorstadt, Ende 5. Jh. v. Chr.).

Polichna: Olympieion = dorischer Zeustempel (Anfang 6. oder Anfang 5. Jh. v. Chr.); Necropoli del Fusco (10).

athenische Stützpunkte (415/413 v. Chr.)
Lysimeleia (Sumpfgebiet); Plemmyrion (Festland); Epipolai mit Wehranlagen und Kastell Euryalos (errichtet 405 v. Chr.).

Nekropolen
1. »Necropoli Grotticelli« (griechisch / römisch, byzantinisch); u. a. sog. »Tomba di Archimeda« (spätrepublikanisch), 2. byzantinische Felsgräber, 3. »Necropoli del Casale«, 4. »Necropoli di Viale P. Orsi«, 5. »Necropoli di Giardino Spagna«, 6. »Necropoli di Piazza del Vittorio Santuario della Madonna delle Lacrime«, 7. »Necropoli di S. Maria del Gesù«, 8. »Necropoli di Viale Teorito, Viale Cadorna, Piazza S. Lucia, Via dello stadio«, 9. »Necropoli di Via Testaferrata, Corso Gelone, Via Carabelli«, 10. »Necropoli del Fusco«.

Beschriftung auf der Karte:
Leontinoi · Leon · Labdalon · Hexapylon · Epipolai · Euryalos 150 m · Euryalos · Latomia di Santa Venera · Ara Hierons II. · röm. Amphitheater · Temenites · Latomia del Paradiso · Theater · Portikus · Heiligtum (Altar) des Apollon Temenites · Neapolis · Achradina · Tyche · Trogilos · Demeter und Kore-Tempel · Mikros Limen · röm. Theater · sog. röm. Gymnasium · Agora / Forum · Königsburg (Dionysios I.) · ion. Athenatempel · dor. Athenatempel · Arethusa-Quelle · Ortygia · dor. Apollontempel · Megas Limen · Anapos · Kyane · Anapos · Olympieion · Polichna · Daskon · Plemmyrion

N   0   500   1000   1500   2000   2500 m

B. Die Ältere Tyrannis

In Details und Chronologie unklar ist der Konflikt, den S. in der 2. H. des 6. Jh. v. Chr. mit → Kamarina bzw. → Gela austrug, an dessen Ende die Bewohner von Kamarina vertrieben wurden, das Stadtgebiet aber (um 495?) an → Hippokrates [4], den Neubegründer der Kolonie, abgetreten wurde (Thuk. 6,5,3). Hippokrates, der im gesamten ostsizilischen Raum expansive Tyrann von Gela, hatte zuvor S. direkt angegriffen und vergeblich auf den → démos von S. gerechnet, der aber erst um 490 in gemeinsamer Aktion mit den Kyllyrioi das Regime der Gamoroi stürzte. Damit begann in S. die kurze Phase der sog. Ersten Demokratie, die 485 endete, als Hippokrates' Nachfolger → Gelon [1], der seinerseits inzwischen Kamarina neu besiedelt hatte, die nach Kasmenai geflohenen Aristokraten nach S. zurückführte, jedoch nun seine eigene → Tyrannis etablierte (Hdt. 7,155,2).

Unter Gelon (485–478) als ihrem selbstherrlichen Neugründer wurde die Polis S. zur größten der damaligen griech. Welt. Hatte schon Hippokrates die Herrschaft von Gela gewaltsam auf die chalkidisch-ionischen Kolonien → Leontinoi, Kallipolis [5], Naxos [2] (?), → Katane (?) und vorübergehend sogar Zankle (→ Messana [1]) ausgedehnt, setzte Gelon diese Expansion fort, so daß nun S. Vormacht in ganz Ostsizilien wurde. Nach einem erneuten Aufstand wurden alle Bewohner von Kamarina zur Übersiedlung nach S. gezwungen, ebenso die Oberschicht der eroberten Städte Euboia [2] und Megara [3] Hyblaia, deren démos aber versklavt wurde. Auch aus Gela wurden in großer Zahl Bürger nach S. verpflanzt (Hdt. 7,156; vgl. Thuk. 6,4,2; 6,94,1); inwieweit die Nachricht, Gelon habe schließlich seine 10000 (arkadischen?) Söldner in S. eingebürgert (vgl. Diod. 11,72,3), eine auf Anachronismus beruhende Übertreibung ist, bleibt umstritten, keineswegs aber kann der früher behauptete Ausbau von Epipolai zur urbanen Siedlungsfläche als Beweis dafür dienen (s.o. I.). Gelon, durch seine Herkunft und seinen Bruder Hieron [1] mit → Gela und durch seine Gattin Damarete [1] mit → Akragas verbunden, führte eine mächtige Allianz an und begründete die Hegemonie von S. in Sizilien (= Siz.) für die folgenden knapp 300 J. Nicht erst spätere Legendenbildung, sondern schon die zeitgenössische Lobpreisung der → Deinomeniden stellte Gelons Krieg um die von → Theron annektierte Stadt Himera als panhellenischen Freiheitskampf von S. dar: Der Sieg bei Himera (480?) über die von → Terillos, dem von Theron vertriebenen Tyrannen von Himera, zu Hilfe gerufenen Karthager unter Hamilkar [1] ist als Parallele zum griech. Sieg bei Salamis [1] in den → Perserkriegen gefeiert worden (Hdt. 7,165 f.).

Ähnlich wie Athenai [1] im Mutterland begründete S. in Siz. fortan seinen Führungsanspruch mit dem »rettenden Heldentum« Gelons sowie mit dem Seesieg des Hieron [1] 474 v. Chr. über die → Etrusci vor Kyme [2]. Gelon rüstete S. zur Seemacht hoch (vgl. Hdt. 7,158,4) und etablierte mit Hilfe eines Bündnisses mit Anaxilaos

[1] von Zankle/Messana und → Rhegion (480/479) die Seeherrschaft von S. in der südl. Adria (→ Ionios Kolpos) sowie im südl. → Mare Tyrrhenum. Unter Hieron [1] I. (478/7–466) wurde S. zur glanzvollen Metropole, die griech. Dichter wie → Aischylos [1], → Bakchylides, → Pindaros [2] und → Simonides [2] besuchten; S. selbst brachte u. a. die Dichter → Epicharmos und → Sophron [1] sowie den Rhetor → Korax [3] hervor. An bedeutenden Bauten entstanden auf Ortygia ein neuer, frühklass. Athena-Tempel, im Stadtteil Temenites ein Demeter- und Kore-Tempel. Während Hieron nach der polit. Auflösung von Naxos [2] und Katane (476 v. Chr.) mit der Neugründung von Aitne [2] seinen Einfluß im Osten der Insel konsolidierte, kam es zu Spannungen mit Akragas, wo mit dem Tod des Thrasydaios, der Theron gefolgt war, 472/1 die Tyrannis endete. In S. endete die Tyrannis erst, als Hierons Bruder und Nachfolger Thrasybulos [2] 466/5 nach knapp einjähriger Herrschaft gestürzt wurde; zur Erinnerung daran wurde in S. ein Kult für Zeus Eleutherios mit jährlichem Fest eingerichtet.

C. Die Zweite Demokratie

Zu Beginn der sog. Zweiten Demokratie in S. führte die Ablehnung der unter den Tyrannen angesiedelten »Neubürger« durch die »Altbürger« zu heftigen Auseinandersetzungen, bis 461 eine Übereinkunft aller Griechen auf Siz. die Umsiedlung aller Fremden, insbes. der Söldner, in das siculische Gebiet um Messana [1] verfügte (Diod. 11,72 f.; 11,76). Dies beschwor den Konflikt mit → Duketios, einem Fürsten der Siculi, herauf, den S. erst 451/0 mit Hilfe von Akragas besiegen konnte. Als Vorsorge gegen eine neue Tyrannis wurde als Variante des athenischen → ostrakismós der → petalismós eingeführt. Trotz gelegentlich virulenter Spannungen zw. rivalisierenden Gruppierungen, die einer verstärkten bzw. einer eingeschränkten polit. Partizipation des démos und der Volksversammlung anhingen, erwies sich in S. bis ins letzte Jahrzehnt des 5. Jh. die Demokratie als stabil.

Auch die demokratische Polis S. bekräftigte ihren Führungsanspruch auf Siz. Dagegen erwarteten sich einige – vornehmlich chalkidisch-ionische – Städte (Leontinoi, Naxos, Katane, Rhegion, Kamarina) Unterstützung von der mutterländischen Vormacht Athen; die wachsende Aufmerksamkeit Athens für die Westgriechen fand in mehreren bilateralen Bündnisverträgen ihren Ausdruck; wegen der Lückenhaftigkeit der inschr. Dokumentation ist deren Datier. umstritten. Als in der Anfangsphase des → Peloponnesischen Krieges 428 Gorgias [2] mit der Bitte um Waffenhilfe nach Athen kam, wurde von dort die sog. 1. Sizilische Expedition unter Laches [1] ausgesandt. Diese erwies sich als wenig erfolgreich und wurde abgebrochen, als 424 → Hermokrates [1] aus S. die Träger der inner-siz. Streitigkeiten mit Hilfe sikeliotischer Loyalitätsparolen miteinander versöhnte (Thuk. 4,58–65).

In den folgenden Jahren suchte S. sich auch im Westen der Insel durchzusetzen und unterstützte → Selinus

[4] (Selinunt) in seinem lokalen Konflikt mit → Segesta [1]. Segesta hatte 427 seine → *symmachía* mit Athen erneuert und richtete nun neue Appelle zur Intervention an Athen. Auf Betreiben des Alkibiades [3] und gegen die Mahnungen des Nikias [1] bot Athen 415 ein außerordentlich großes Expeditionsheer gegen S. auf. Unter der Ägide des Hermokrates verteidigte sich die Stadt, und es gelang ihr, sich aus der athenischen Belagerung (Mai 414 bis Ende August 413) mit Hilfe des Spartaners → Gylippos zu befreien und die Angreifer vernichtend zu schlagen. Die Schilderung dieser Ereignisse bei Thuk. 6,96–103 gibt wesentlichen Aufschluß über die syrakusanische Fortifikationstopographie.

In den folgenden Jahren des Peloponnesischen Krieges unterstützte S. die Spartaner mit einem Flottenkontingent unter Hermokrates, der allerdings 411 infolge eines innenpolit. Kurswechsels zugunsten der »radikalen« Demokraten verbannt wurde. Indessen suchte Selinus erneut Segesta zu überwältigen; doch jetzt riefen die → Elymoi in Segesta die Karthager um Hilfe an, deren Invasionsheer 410 Selinus und auch → Himera zerstörte. In S., von wo die zugesagte Waffenhilfe zu spät kam, entbrannte aufgrund dieser schockierenden Erfahrungen ein Streit über die Versäumnisse des Strategen → Diokles [3] und über mil. Vergeltungsaktionen. Durch die Partisanenkämpfe, die Hermokrates aus dem Exil auf eigene Kosten seit 409 und bis zu seinem Tod beim Handstreich auf S. im karthagisch besetzten Westteil der Insel führte, wurde 406 ein neuer karthagischer Angriff provoziert, der diesmal unter → Hannibal [1] auf eine direkte Konfrontation mit S. abzielte.

D. DIE JÜNGERE TYRANNIS

Indessen ermöglichten in S. gegenseitige Schuldzuweisungen und Hochverratsverdächtigungen der zerstrittenen Parteien die schrittweise Machtergreifung → Dionysios' [1] I. Als *stratēgós autokrátōr* schloß der neue Tyrann 405 mit den Karthagern, in deren Belagerungsheer vor S. eine Seuche ausgebrochen war, einen Kompromißfrieden, der die Hegemonie von S. über den Osten von Siz. zwar beschnitt, die persönliche Machtstellung des Dionysios aber anerkannte. Bis zu dessen Tod (367) führte S. aus eigener Initiative drei weitere Kriege gegen → Karthago (399–392, 383/2, 368/7) zur Wiederherstellung der Autonomie der von Karthago 410 und 406/5 unterworfenen Städte (u. a. auch Akragas und Gela); sie dienten unter Verwendung panhellenischer Parolen mit Bezug auf Gelons Sieg 480 und auf Hermokrates' sikeliotische Loyalitätsparolen (s. o. II. C.) sowohl der Legitimation des neuen Alleinherrschers als auch der Wiederherstellung der syrakusan. Hegemonie. Schließlich umfaßte die »Reichsbildung« des Tyrannen, der in athenischen Urkunden als »Regent« (ἄρχων/*árchōn*) von Siz. bezeichnet wird (Syll.³ 159,19 f.), etwa vier Fünftel der Insel. Dionysios intervenierte seit 390 auch in Unter-It. und machte die Suprematie von S. im Ionios Kolpos bis nach Epeiros geltend.

Angesichts der damaligen kräftezehrenden Hegemonialkämpfe im Mutterland war S. die bedeutendste Großmacht der griech. Welt. Die Münzprägung von S. unter Dionysios I. bezeugt zum einen durch die künstlerische Qualität der von → Euainetos und Kimon geschaffenen Münzbilder die kulturelle Blüte der Stadt, zum anderen durch ihren enormen Umfang den extremen Geldbedarf des auf Rüstungsgüter und Söldnerwerbungen angewiesenen Regimes. S. selbst erlebte tiefgreifende urbanistische Baumaßnahmen: Auf Ortygia und dem Gegenufer verschanzte sich der Tyrann mit seiner Leibgarde und Hofhaltung; der Stadtteil Temenites wuchs zur ca. 110 ha großen → Neapolis [3] heran, der sich nach Osten bis zur Achradine, wo die neue Agora repräsentativ umgestaltet wurde, die neue 30 ha große »Vorstadt« → Tyche [2] anschloß. Von besonderer Bed. war nicht zuletzt wegen der ständigen Kriegsgefahr die fortifikatorische Sicherung von S. durch die Einziehung des weiterhin unbesiedelten Kalkplateaus in den Mauerring und die Gestaltung einer »Landschaftsfestung« (vgl. Diod. 14,18). Das am höchsten Punkt von Epipolai gelegene Kastell Euryalos (s. Plan) mit seiner ausgeklügelten Wehranlage sowie die sechsfach gestaffelte Toranlage (Hexapylon; → Leon [13]) an der Straße nach Leontinoi wurde allem Anschein nach erst im frühen 3. Jh. v. Chr. ausgebaut.

Die diplomatischen und intellektuellen Beziehungen zw. S. unter dem lit. ambitionierten Dionysios I. und den panhellenischen Stätten (→ Delphoi; → Olympia) sowie den dominierenden Staaten des Mutterlandes (Athen, bes. Sparta) gestalteten sich wechselhaft (vgl. Syll.³ 128; 159; 163; Lys. OGIS 33). Polemisch-anekdotisch entstellt ist der Ber. vom Besuch → Platons [1] in S., wo → Dion [I 1] und → Dionysios [2] II. als seine Schüler gelten wollten (vgl. Plat. epist. 7,8).

Die Regierungszeit Dionysios' II. (367–344) stürzte S. in bürgerkriegsartige Konflikte, die – resultierend aus den Reform- bzw. Herrschaftsbegehren Dions – zu wechselseitigen Verbannungen führten. Nach dem Tod Dions (354) und zweier Söhne Dionysios' I., Hipparinos [2] (351) und Nysaios (346), kehrte Dionysios II. aus seinem Exil in Lokroi [2] nach S. zurück, wo er 344 von einem Volksaufstand, den der Exilsyrakusaner Hiketas [1] entfacht hatte, und mit der von Korinthos erbetenen Waffenhilfe unter → Timoleon endgültig vertrieben wurde.

Die Phase der sog. Dritten Demokratie in S. (344–317) dauerte bis zur Machtergreifung des → Agathokles [2] und stellte eine Zeit polit. und sozialer Unruhen dar. → Timoleon (344–337/6), der wiederum einen Krieg gegen Karthago führte (342–340), wird in der ant. und mod. Gesch.-Schreibung nicht als »Tyrann« gewertet, sondern v. a. wegen der restaurativen kolonisatorischen Leistungen gerühmt, welche die aus allen Teilen der griech. Welt auf die Insel gerufenen Siedler vollbrachten (vgl. die Biographie des Timoleon von Plutarchos [2]). Nach dem Rückzug Timoleons aus der Politik bewährte sich die reformierte Verfassung in S. mit ihrem zen-

tralen, oligarchisch orientierten »Rat der 600« nur für
wenige Jahre.

E. DAS KÖNIGTUM

Mit der Verbannung des Agathokles, der zunächst im
Dienst der Oligarchen als → *chilíarchos* gestanden hatte
und sich dann zum Fürsprecher des *démos* machte, begann um 325 v.Chr. eine ausufernde und fatale Exilie-
rungspolitik. Als 322 die Oligarchen Sosistratos [1] und
Herakleides aus S. vertrieben wurden und Agathokles
zurückkehrte, erging wieder ein Hilferuf an Korinthos
zur Rettung der timoleontischen Staatsordnung, woraufhin → Akestoridas mit einer kleinen Streitmacht erschien. Der erneut verbannte und diesmal mit eigener
Söldnerarmee im Gebiet der Siculi erfolgreich operie-
rende Agathokles griff 318/7 S. an, um seine Rehabili-
tierung zu erzwingen, und wurde von dem karthagischen Strategen → Hamilkar [2], den die Stadt zu ihrer
Verteidigung herbeigerufen hatte, tatsächlich zurückgeführt, nachdem dieser ihn auf die Wahrung von Demokratie und Frieden vereidigt hatte. Schon 316 führte
Agathokles seinen blutigen Staatsstreich gegen die
→ »Sechshundert« durch, dem ein massenhafter Exodus
oligarchischer Syrakosioi vornehmlich nach Akragas
folgte. Von dort aus boten die Gegner des neuen *stratēgós
autokrátōr* und *epimelētés* (→ *epimeletaí*) der Stadt den
spartanischen Söldnerführer → Akrotatos [1] auf; zw.
diesem und S. vermittelte wiederum Hamilkar (314/3),
was zu einer Beschwerde der Exilsyrakusaner in Karthago und mit eskalierenden innersyrakusan. Spannungen zu einem weiteren Krieg gegen Karthago auf Siz.
führte (312–305); in dessen Verlauf wurde S. 310 belagert, während Agathokles den Feind in Nordafrika angriff. Nach der Wiederherstellung des *status quo ante* im
Friedensvertrag zw. S. und Karthago nahm Agathokles
304 den Königstitel an, so daß S. in den Kreis der hell.
(Militär-)Monarchien eintrat; bes. mit Ptolemaios [1] I.
und Pyrrhos [3] unterhielt Agathokles enge und sogar
dynastische Beziehungen.

Mit seinem Tod (289) entließ Agathokles, der S. auf
einen erneuten Krieg gegen Karthago vorbereitet und
wohl deshalb das Fort Euryalos ausgebaut hatte (s.o. II.
D. und Plan), das Reich, das jetzt rasch zerfiel, bzw. die
Stadt in die sog. Vierte Demokratie, die – kaum überraschend – unter wiederauflebenden Konflikten zw.
(v. a. exilsyrakusanischen) Oligarchen und ihren Gegnern erneut in ein monarchisches Regime mündete,
diesmal in die kurzzeitige Herrschaft des → Pyrrhos [3]
(278–276). Da Alexandros [10], Sohn des Pyrrhos und
der Lanassa [2] (der Tochter des Agathokles) den Syrakosioi eine dynastische Perspektive bieten konnte, hatten die Oligarchen Sosistratos [2] und Thoinon Pyrrhos
gegen einen drohenden Angriff der Karthager auf S. aus
Unter-It. herbeigerufen, wo er als Condottiere von
→ Taras [2] aus gegen die Römer kämpfte. Nachdem
Pyrrhos in seinem Befreiungskampf für die Sikeliotai an
der Festung → Lilybaion gescheitert und nach It. zu-
rückgekehrt war, ging die Macht in S. schon 275/4 auf
den von Söldnertruppen zum *stratēgós autokrátōr* ausge-

rufenen Hieron [2] II. über, der 269 nach seinem Sieg
über die → Mamertini den Königstitel annahm. Als
hēgemón (»Führer«) der syrakusan. Bundesgenossen gebot er über ein aus zahlreichen städtischen Territorien
bestehendes »Reich«.

Aus den fortgesetzten Kämpfen gegen die → Mamertini in Messana [1], die von den stammverwandten
Römern Unterstützung erbaten, erwuchs 264 v.Chr.
der 1. → Punische Krieg. Als treuer röm. *amicus et socius*
(→ *amicitia*; → *socii*) seit 263 (zur Unterstützung des röm.
Heeres vgl. Pol. 1,18,11; Diod. 23,9; 24,1) stabilisierte
→ Hieron [2] II. seine persönliche Herrschaft ebenso wie
die weitere polit. Bed. von S. in der sich durch Roms
Expansion rasch wandelnden hell. Staatenwelt, in der S.
v. a. mit dem ptolem. Äg. gute Beziehungen pflegte,
was nicht zuletzt die Reisetätigkeit des Theokritos [2]
verdeutlicht.

In der 2. H. des 3. Jh. v. Chr. erlebte die Stadt eine
neue ökonomische und kulturelle Blüte: Die Neapolis [3], wo das große Theater sowie die monumentale,
200 m lange *ara Hieronis* (s.u. III.) entstanden, wurde
großzügig umgestaltet, in Achradine wurde in der Nähe
der Agora ein Tempel für Zeus Olympios gebaut, während auf Ortygia endgültig die Königsburg entstand. Zu
Beginn des 2. → Punischen Krieges (218–201), den Karthago um die Wiedergewinnung des Westens der Insel
führte, stellte sich Hieron II. demonstrativ auf die röm.
Seite, doch sympathisierten Gelon [2], → Adranodoros
und → Zoippos, Hierons Sohn und seine Schwieger-
söhne, mit den Karthagern. Beim Tod des betagten Königs (215) ging die Herrschaft in S. auf den minderjährigen Enkel Hieronymos [3] über, der 214 unter dem
Einfluß seiner Vormünder ein Bündnis mit → Hannibal
[4] schloß, aber schon 213 einem Attentat zum Opfer
fiel.

Das folgende oligarchische Regime der sog. Fünften
Demokratie, in dem neben Adranodoros und Themistios, die bald ermordet wurden, die Karthager Epikydes
[2] und Hippokrates [8] dem Strategenkollektiv angehörten, behielt den auch vom *démos* gewünschten antiröm. Kurs bei. S. wurde von den Römern unter M.
Claudius [I 11] Marcellus belagert und konnte dank der
Festigkeit der Achradine und der militärtechnischen Innovationen des → Archimedes [1] – des berühmten
Sohnes der Stadt, der bei der Eroberung ums Leben kam
– bis 212 v.Chr. den röm. Angriffen standhalten. Mit
Eroberung und Plünderung durch die röm. Truppen
endet die Gesch. der souveränen Stadt S.

F. UNTER RÖMISCHER HERRSCHAFT

Die sich unter röm. Vorherrschaft selbst verwaltende
Stadt S., deren eponymer Beamter weiterhin (bis 44
v.Chr.?) der Oberpriester (*amphípolos*) des Zeus Olympios war, blieb infolge der fortgesetzt starken Position
des Rates oligarchisch ausgerichtet. In der seit 201 ganz
Siz. umfassenden röm. Prov. war S. tributpflichtige *civitas decumana*, seit 44 als → *municipium* Amtssitz des
praetorischen Statthalters (Cic. Verr. 2,4,118) und eines
seiner Quaestoren. Die nach wie vor ökonomisch at-

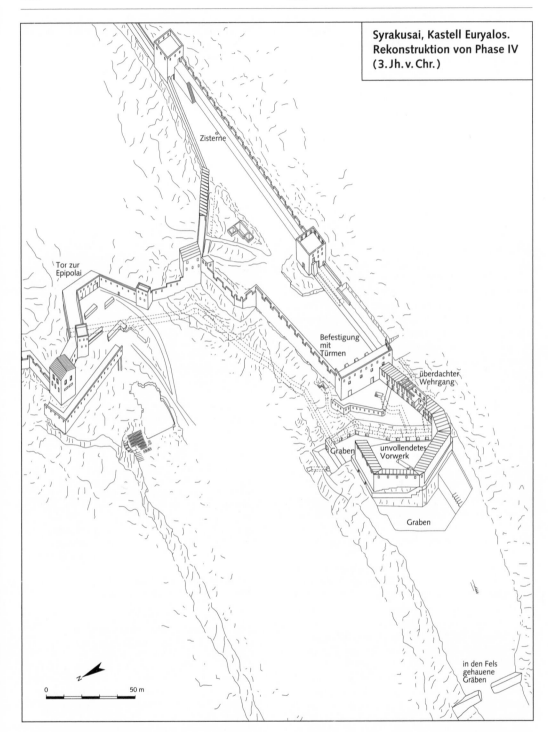

Syrakusai, Kastell Euryalos.
Rekonstruktion von Phase IV
(3. Jh. v. Chr.)

Zisterne

Tor zur
Epipolai

Befestigung
mit
Türmen

überdachter
Wehrgang

Graben

unvollendetes
Vorwerk

Graben

in den Fels
gehauene
Gräben

0   50 m

traktive und urbanistisch-kulturell reizvolle Stadt war hinsichtlich der Ausbeutung durch röm. Amtsträger bes. gefährdet, was die Skandale um den von Cicero angeklagten Statthalter (73–70 v. Chr.) C. → Verres zeigen. Augustus erhob S. 21 v. Chr. zur *colonia* (Strab. 6,2,4; → *coloniae*), was offenbar ein intensives Bauprogramm

zur Folge hatte: In Neapolis wurden das Amphitheater und (westl. des Hieron-Altars) eine Platzanlage mit Kolonnadenporticus errichtet. Aus flavischer Zeit (69–96 n. Chr.) stammen die öffentlichen Thermen und die Marmorausstattung des griech. Theaters; Mitte des 2. Jh. n. Chr. erfuhr die Agora als *forum* eine monumentale Ausgestaltung, gleichzeitig entstand im Westen am Stadtrand der sog. Gymnasium-Komplex mit einem Podiumtempel. Eine neue Phase von Bauaktivitäten in S. war wohl verursacht durch die Verwüstungen, die ein Überfall von → Franci (278) mit sich brachte (Zos. 1,7,2). Die auch in der Spätant. konstant große Bevölkerungszahl von S., als Sitz des *commune Siciliae* und Bischofsstadt (Eus. HE 10,5,23) eine *civitas splendida* (»prachtvolle Stadt«; Auson. urb. 17), wird durch das ausgedehnte, seit dem 3. Jh. angelegte Katakombensystem bezeugt. Noch die Steuerliste des → Athalaricus kennt 526 n. Chr. S. als prosperierende, funktionstüchtige Stadt (Cassiod. var. 9,10). Aus S. stammen der Kyniker Monimos [1], der Dichter Moschos [3], und der Rhetoriker Teisias [1]. L.-M. G.

G. BYZANTINISCHE ZEIT

Nach kurzer ostgot. Besetzung ab 535 n. Chr. byz., war S. 663–668 kurzfristig Sitz des oström. Kaiserhofs unter Constans [2] II. Zunächst unter päpstlicher Jurisdiktion, unterstellte Kaiser Leo [6] III. S. ca. 733 dem Patriarchat in Konstantinopolis. Ab Mitte des 9. Jh. war S. Sitz des Metropoliten von Sizilien. 877 fiel S. nach langer Belagerung an die Araber; 1085 wurde S. von den Normannen erobert. Zahlreiche schlecht erh. Katakomben zeugen von früher Christianisierung; die Basilika S. Giovanni Evangelista ist die größte vormuslimische Kirche in Sizilien. I. T.-N.

III. ARCHÄOLOGIE

In Resten erh. sind in → Ortygia: der Apollon-Tempel (E. des 7. Jh. v. Chr., ältester dorischer Tempel auf der Insel) mit langgestreckter, dreischiffiger Cella, einem Adyton, in byz. Zeit zur Kirche umgestaltet; der dor. Athena-Tempel (5. Jh.; h. Dom) auf einem Vorgängerbau des 6. Jh., im 7. Jh. n. Chr. Umbau zu einer dreischiffigen christlichen Basilika; ein weiterer Athena-Tempel, der einzige ionische Tempel auf Sicilia (Ende des 6. Jh. auf einem megaronartigen Vorgängerbau des 7. Jh. v. Chr.).

In Achradina: das sog. röm. Gymnasium (1./2. Jh. n. Chr.; evtl. Isis-Heiligtum) mit kleinem Theater und ital. Tempel; Wohnhäuser der klass. Zeit; Fundamente des Demeter-und-Kore-Tempels (5. Jh. v. Chr.) mit Altar, Votivschrein, Brunnenanlage.

In Neapolis [3] (Parco Archeologico): Unterbau des unter Hieron II. errichteten Altars für Zeus Eleutherios (200 m L); röm. Amphitheater (wohl 3. Jh. n. Chr.), z. T. aus dem Fels herausgeschlagen; griech. Theater des 5. Jh. v. Chr. (Aufführungen von Stücken des Aischylos und des Epicharmos belegt), grundlegend erneuert um 230 v. Chr.; Nymphaion; Heiligtum des Apollon Temenites (spätes 7. Jh.); Steinbrüche; Demeter-Heiligtum; Nekropolen.

Epipolai: die Festung Euryalos, begonnen unter Dionysios I., voll ausgebaut unter Hieron II. (s. Plan).

Tyche: Katakomben (4. und 5. Jh. n. Chr.) unter der Ruine der Kirche S. Giovanni Evangelista; Steinbrüche.

Außerhalb der Stadt am rechten Ufer des Anapos in Polichne [1]: ein Olympieion (Tempel des Zeus aus dem Anf. des 5. Jh. v. Chr.).

→ Karthago (I.); Kolonisation (mit Karte und Übersicht); Magna Graecia; Peloponnesischer Krieg; Punische Kriege; Sicilia (mit Karte); SIZILIEN

L.-M. G.

S. L. AGNELLO, Chiese siracusane del VI secolo, in: Corso di cultura sull'Arte ravennate e bizantina 27, 1980, 13–26 · S. BERGER, Revolution and Society in Greek Sicily and Southern Italy, 1992, 34–53 · H. BERVE, Die Tyrannis bei den Griechen, 1967, 128–154, 221–282 · J. DEININGER, 'Krise' der Polis? Betrachtungen zur Kontinuität der ges. Gruppen und der inneren Konflikte im Syrakus des 5. und 4. Jh. v. Chr., in: K. DIETZ u. a. (Hrsg.), Klass. Alt., Spätant. und frühes Christentum (FS A. LIPPOLD), 1993, 55–76 · H.-P. DRÖGEMÜLLER, Syrakus. Zur Top. und Gesch. einer griech. Stadt, 1969 · A. M. ECKSTEIN, Unicum subsidium populi Romani. Hieron II and Rome 263–215 B. C., in: Chiron 10, 1980, 183–203 · M. A. GOLDSBERRY, Sicily and Its Cities in Hellenistic and Roman Times (Diss. Univ. North Carolina) 1973, 580–588 · L.-M. HANS, Karthago und Sizilien, 1983 · A. KAZHDAN, s. v. Syracuse, ODB 3, 1991, 1996f. · B. LAVAGNINI, Siracusa occupata dagli Arabi e l'epistola di Teodosio Monaco, in: Byzantion 29/30, 1959/1960, 267–279 · M.-P. LOICQ-BERGER, Syracuse. Histoire culturelle d'une cité grecque, 1967 · N. LURAGHI, Tirannidi arcaiche in Sicilia e Magna Grecia, 1994, 273–373 · R. J. A. WILSON, Sicily under the Roman Empire, 1990 · M. ZAHRNT, Die Schlacht bei Himera und die sizilische Historiographie, in: Chiron 23, 1993, 353–390 · G. AGNELLO, Siracusa bizantina, 1932 · C. BARRECA, Le catacombe di Siracusa, 1934 · R. GRECO, Pagani e cristiani a Siracusa tra il III e il IV d. C. (Suppl. Kokalos 16), 1999 · E. MANNI, Geografia fisica e politica della Sicilia antica, 1981, 228–230 · F. S. CAVALLARI, A. HOLM, Topografia archeologica di Siracusa, 1883 · Dies., Appendice alla topografia di Siracusa, 1891 · C. LANGHER, S. NERINA, Un imperialismo tra democrazia e tirannide. Siracusa nei secoli V e IV a. C. (Kokalos Suppl. 12), 1997 · M. SGARLATA, Frühchristl. Arch. in Sizilien, in: RQA 90, 1995, 145–182 · L. KARLSSON, The Altar of Hieron at Syracuse, in: OpRom 21, 1996, 83–87 · Ders., Fortification Towers and Masonry Techniques in the Hegemony of Syracuse 405–211 B. C., 1992 · D. MERTENS, Die Landschaftsfestung Epipolai bei Syrakus, in: E.-L. SCHWANDNER, K. REIDT (Hrsg.), Stadt und Umland. Bauforschungskolloquium in Berlin 1997, 1999 · L. POLACCO, Il teatro antico di Siracusa, 1990 · E. BÖHRINGER, Die Münzen von Syrakus, 1929 · N. K. RUTTER, The Coinage of Syracuse in the Early Fifth Century B. C., in: R. ASHTON, S. HURTER (Hrsg.), Stud. in Greek Numismatics in Memory of M. J. Price, 1998, 307–316 · J. MORCOM, Syracusan Bronze Coinage in the Fifth and Early Fourth Centuries BC, 1998 · M. GUARDUCCI, Note di epigrafia siceliota arcaica 1. L'origine dell'alfabeto siracusano, in: ASAA N. S. 11–13, 1949–1951, 103–116. L.-M. G. u. I. T.-N.

T

Taharka, Taharko s. Tarkos

Tainaron (Ταίναρον).
[2] Urspr. beim h. Asomati an der Ostseite des Kaps T. [1] gelegen, wurde T. in der frühen Kaiserzeit als »neue Stadt«, *Kainépolis* (Paus. 3,25,9: Καινήπολις; Ptol. 3,16,9; Prok. BG 3,13,8: Καινούπολις), an der Westküste der Mani gegr. Die Stadt besaß ein Heiligtum der → Demeter und einen Tempel der → Aphrodite. Überreste aus röm. Zeit fanden sich 10 km nördl. des Kaps beim h. Kiparissos sowie in Alika. Die Blüte der Stadt – mehrere (Weih-)Inschr. (IG V 1,1237–1275; SEG 23, 1968, 199f.) zeugen davon – endete nach dem Angriff des → Geisericus 467 n. Chr. (Prok. BG 3,22,16), als sich der Handel nach → Gyth(e)ion verlagerte.

L. MOSCHOU, Τοπογραφικά Μάνης, in: Άρχαιολογικά Άνάλεκτα ἐξ Άθηνῶν 8, 1975, 160–177 · S. GRUNAUER VON HOERSCHELMANN, s. v. T., in: LAUFFER, Griechenland, 648.
                                    KL. T.

Teleologie I. ALLGEMEINES   II. VORGESCHICHTE UND KLASSISCHE AUSPRÄGUNG   III. HELLENISMUS UND CHRISTENTUM   IV. WIRKUNGSGESCHICHTE

I. ALLGEMEINES

T., als philos. Fachbegriff 1728 von CH. WOLFF eingeführt, der Sache nach aber bereits Thema der ant. Philos., meint die Lehre vom Zweck (griech. τέλος/ *télos*, lat. *finis*) bzw. von (»intrinsisch«) zweckgerichteten oder (»extrinsisch«) zweckmäßigen Prozessen und Relationen in Natur und menschlicher Welt. Teleologische (= tel.) Reflexion rollt einen Sachverhalt von seinem Ende her auf: In charakteristischer Umkehrung der zeitlichen Verlaufsfolge erscheint das Nachfolgende als Bestimmungsgrund des Voraufgehenden; der Streit um die T., der ebenfalls schon seit der Ant. geführt wird, entzündete sich an der Frage nach der Möglichkeit einer in diesem Sinne mehr als »linearen« Ordnung der Phänomene. Anwendungsfelder tel. Denkens sind seit dessen Anfängen insbesondere die Philos. des Lebendigen bzw. des Organismus, aber auch die → praktische Philosophie mit Einschluß der Philos. der Gesch. Systematische Beziehungen bestehen zum (schon in der Ant. zentralen) Problem der Vermittlung von Einheit (ontologische Identität) und Vielheit (besonderer Bestimmtheit; vgl. → Metaphysik B., → Erkenntnistheorie B.), zur Frage nach dem Verhältnis von Ganzem und Teil, zu »metaphysischer« Beantwortung globaler Sinnfragen sowie in neuerer Zeit zur Systemtheorie und Kybernetik.

II. VORGESCHICHTE UND KLASSISCHE AUSPRÄGUNG

Auch wenn sich der Ursprung explizit tel. Denkens einem sokratischen Impuls verdankt (als Teleologe tritt

→ Sokrates [2] außer bei Platon [1] auch bei Xen. mem. 1,4 auf), findet sich in der Lehre von seinsrelevanten Maßen (μέτρα/ *métra*) aller Dinge, die bereits bei → Anaximandros (12 A 1 DK) angelegt und bei → Herakleitos [1] (22 A 30; 31; 94 DK) ausdrücklich formuliert ist, eine »ordnungsontologische« Vorgeschichte des Problems: Wenn alles, was ist, regelmäßig ein bestimmtes Maß einhält, so scheint gerade dies einen »vernünftigen Zweck« im Entstehen und Vergehen der Dinge vorauszusetzen. Eine entsprechende Lehre wird im Ausgang der Vorsokratik von → Diogenes [12] von Apollonia mit der *nus*-Philos. des → Anaxagoras [2] verbunden, die ihrerseits kosmo-teleologische Aspekte aufweist (Anaxag. fr. 59 B 12–14 DK); im Hintergrund der ›aufs schönste angeordneten Dinge‹ steht jetzt eine umgreifende Intelligenz als deren Urheber (vgl. Diogenes [12] fr. 64 B 3 DK; → Intellekt).

Platons Dialog ›Phaidon‹ enthält in 97b–102a zugleich den »Stiftungstext« der T. als einer Wiss. von den Zwecken als obersten Ursachen (τὰ αἴτια/ *ta aítia*) wie auch der → Ideenlehre. Es wird hier herausgearbeitet, daß erst die Frage nach der ontologischen Wohlordnung (vgl. διακοσμεῖν/ *diakosmeín*, 98c) und dem »Guten« (ἀγαθόν/ *agathón*) oder »Besten« (βέλτιστον/ *béltiston*) abschließende Antworten in der Ursachenforschung zu geben erlaubt. Ein Beispiel ist Sokrates [2] selbst, der nicht »deshalb« trotz Fluchtmöglichkeit im Gefängnis sitzt, weil seine Knochen und Sehnen keine Fortbewegung in Gang setzen, sondern weil er es für besser hält, den Gesetzen zu gehorchen als sich ihnen zu entziehen: Was Sokrates wirklich tut, versteht man erst, wenn man erkennt, daß er auf einen Zweck, ein »Gutes« hin handelt. Das Gute schlechthin, in dem alle Zweckperspektiven zusammenlaufen, hat nach Platon dabei nicht nur subjektive, sondern objektive, für alles Seiende konstitutive Bed.; die Idee des Guten wird in der ›Politeia‹ (Plat. rep. 510b) in diesem Sinne als oberstes, »unbedingtes Prinzip« (ἀρχὴ ἀνυπόθετος/ *arché anhypóthetos*) jenseits alles Seienden eingeführt (→ Metaphysik A.; → Prinzip). Der Dialog ›Timaios‹ entwickelt dann eine tel. → Kosmologie, die im einzelnen durchaus Zweckwidrigkeiten wie auch Naturnotwendigkeiten zuläßt: Beides aber gewinnt seine bestimmte Bed. nur erst angesichts einer in sich zweckhaften Weltordnung (→ Kosmologie D.2.).

Aristoteles [6] verankert differenziert die T. in der Ethik wie auch in der Naturforschung. Alle Kunst, alle Praxis und auch Erkenntnis strebt nach einem (jeweiligen) Guten (Aristot. eth. Nic. 1,1,1094a 1 f.), was zugleich die Frage nach dem »vollkommenen Zweck« (τέλος τέλειον/ *télos téleion*) provoziert (Aristot. m. mor. 1,2,1184a 13). Aber auch im Physischen ist die Frage nach dem Strukturmoment des »Worum-willen« (τὸ οὗ ἕνεκα/ *to hu héneka*) stets zu stellen: Das von Natur aus Seiende ist nach Aristoteles in den vier Aspekten der Material-, der Wirk-, der Form- und der Zweckursache zu sehen und nur in allen zusammen hinreichend beschrieben. Die Zweckdimension macht dabei darauf aufmerksam, daß das Natürliche im Sinne regulär auf einen Sollzustand führender Prozesse erscheint, die sich selbst als zweckgerichtetes Sinnkontinuum darstellen (Aristot. phys. 2,7–8): Der Mensch zeugt nicht das eine Mal einen Menschen, dann etwas anderes; die Schwalbe baut nicht »zufällig« ein Nest, sondern um der Selbsterhaltung ihrer selbst und ihrer Art willen. T. thematisiert so den Naturprozeß, in dem ein Seiendes durch sich selbst seine ewige Wesensform (εἶδος/eídos) dem wandelbaren Stoff (ὕλη/hýlē) einbildet und sie in ihm verwirklicht; Aristoteles nennt das Vermögen zu einer derartigen intern gerichteten Selbstrealisierung »Entelechie«. Von B. 12 der aristotelischen ›Metaphysik‹ her läßt sich darüber hinaus in gewissen Grenzen seine gesamtkosmische T. ansetzen, auch wenn diese keinen göttlichen Weltarchitekten im Sinne Platons kennt (vgl. den → dēmiurgós [3] im ›Timaios‹).

III. Hellenismus und Christentum

Während die Vertreter des Atomismus seit → Demokritos [1] (68 A 69 DK) und so auch die → Epikureische Schule [3. 66–75] immer als A- (oder auch Anti-)Teleologen auftraten, hat der → Stoizismus der T., indem er sie auf die göttliche Sorge um die → Welt gründete, eine Wendung ins (auch) »Extrinsische« und Anthropozentrische gegeben: Die Welt ist nach Maßgabe der göttlichen Vorsehung sinnvoll eingerichtet, die vom → lógos (D.) durchwaltete Natur eine zweckmäßig schaffende Künstlerin, dabei aber auf das selbstzweckliche Vernunftwesen Mensch und seinen Nutzen hingeordnet; noch Wanzen haben ihren guten »Sinn« – nach → Chrysippos [2] nämlich den, uns zu wecken (vgl. SVF II 1163; εὐχρήστως/euchrēstōs). Von der Stoa beeinflußt (wiewohl durchaus in peripatetischer Trad. stehend) ist dann die (Kosmo-)T. der ps.-aristotelischen Schrift De mundo. Im Sinne der aristotelischen Lehre vom »inneren« Zweck kann aber auch die Medizin (so → Galenos in De usu partium [2. 762–773]) die auf das Wohl des Ganzen gerichtete funktionelle Zweckmäßigkeit der Glieder des Organismus beschreiben. Ungefähr gleichzeitig begegnen in der frühchristl. Paränese (so schon 1. Clemensbrief 20; → Clemens [1] und Apologetik (→ Minucius Felix, Octavius 17f.) tel. Motive, die jetzt mit der Schöpfungstheologie verbunden werden; auch später (→ Lactantius, De opificio dei; → Basileios [1] d.Gr., Homiliae in Hexaemeron 3,10; 5,3; → Ambrosius, Hexaemeron 3,14–17) werden sie im Sinne des Schöpferpreises, ja Gottesbeweises fortentwickelt.

IV. Wirkungsgeschichte

Platonisches und insbes. aristotelisches tel. Denken hat die Geistes-Gesch. Europas mindestens bis zu Beginn der Neuzeit maßgeblich geprägt; es lag dem hochscholastischen Konzept des ordo universi (»Weltordnung«) ebenso zugrunde wie dem älteren Naturrechtsdenken, der »Physikotheologie« (tel. Gottesbeweis) und allen um den Begriff der Vollkommenheit gruppierten Physiken, Ethiken und Ästhetiken. Der frühneuzeitliche Siegeszug des mechanistischen Denkens (Fr. Bacon, Th. Hobbes, R. Descartes, R. Boyle, B. Spino-

za, I. Newton) mußte darum zusammen mit der T. auch Grundlagen tel. verfaßter Metaphysik erschüttern [1]. G.W. Leibniz hat, wie später die Vertreter des Deutschen Idealismus, in dieser Konfrontation die Vereinbarkeit von Zweck- und Kausalperspektive gelehrt und noch einmal das in seiner Wurzel platonische »Optimitätsprinzip« (wir leben in der ›besten aller möglichen Welten‹) aufgestellt. Nach Kant ist T. nicht zwar als »objektiv« erfüllbarer Begriff, wohl aber in regulativ-heuristischem Sinne (T. des »Als-ob«) zuzulassen; im 20. Jh. hat der Vitalismus (H. Driesch), freilich um den Preis einer unangemessenen Vergegenständlichung der aristotelischen »Zweckursache« und »Entelechie«, die antike T. naturwiss. zu adaptieren versucht. Aber auch unabhängig davon ist die Frage nach der Unumgänglichkeit oder Verzichtbarkeit tel. Perspektiven insbes. auf Zusammenhänge außerhalb menschlicher Zwecksetzung bis heute ein ebenso strittiges [4] wie unausgeschöpftes [5] Thema.

→ Ideenlehre; Intellekt; Kausalität; Kosmologie; Metaphysik; Ontologie; Prinzip

1 E.J. Dijksterhuis, Die Mechanisierung des Weltbildes, 1956 2 Moraux, Bd. 2 3 A.A. Long, D.N. Sedley, Die hell. Philosophen, 2000 (= The Hellenistic Philosophers, 1987) 4 N. Rescher (Hrsg.), Current Issues in Teleology, 1986 5 R. Spaemann, R. Löw, Die Frage Wozu? Gesch. und Wiederentdeckung des teleologischen Denkens, ²1985.
Lit.: K. Gaiser, Das zweifache Telos bei Aristoteles, in: I. Düring (Hrsg.), Naturphilos. bei Aristoteles und Theophrast, 1969, 97–113 · K. Gloy, Das Verständnis der Natur, Bd. 1: Die Gesch. des wiss. Denkens, 1995 (bes. 79–133); Bd. 2: Die Gesch. des ganzheitlichen Denkens, 1996 · W. Kullmann, Die T. in der aristotelischen Biologie, 1979 · J.-E. Pleines, Philos. und Metaphysik. Teleologisches und spekulatives Denken in Gesch. und Gegenwart, 1998 · W. Theiler, Zur Gesch. der teleologischen Naturbetrachtung bis auf Aristoteles, ²1965.
TH.S.H.

Tiernamen s. Onomastik

Trypanon s. Werkzeuge

Tunnel/Tunnelbau. T.-Bau begegnet in der klass. Ant. in zwei wesentlichen Kontexten: der → Wasserversorgung bzw. → Bewässerung/Entwässerung sowie – seltener – dem Straßenbau (→ Straßen- und Brückenbau). Der im Kontext der → Poliorketik bzw. der mil. Defensive im → Befestigungswesen bezeugte T.-Bau (Unterminierungen von Stadtanlagen wie z.B. durch die Perser beim Angriff auf → Barke: Hdt. 4,200; unterirdische »Kontergänge« als Defensivmaßnahmen gegen Belagerungsrampen: Caes. Gall. 6,24; Flucht- bzw. Rettungstunnel) ist – bei einer Definition des T. als Verkehrsweg im weiteren Sinne – eher als Stollenbau zu bezeichnen und deshalb auf einer dem → Bergbau vergleichbaren Ebene anzusiedeln. Dem Voll-T. entwicklungsgesch. voraus gehen Hohlwege, Felseinschnitte, Felsausschnitte (Felsterrassen) und Felsgalerien; der T.

als Verkehrsweg ist definiert durch ein beidseitig organisiertes, also nicht zufälliges Zutagetreten der T.-Röhre und ihre geplante Trassenführung.

T.-Bau im Kontext der Wasserversorgung war bereits im Vorderen Orient geläufig; eine Pioniertat war der im späten 8. Jh. v. Chr. erbaute Hiskija-T. in → Jerusalem. Zwei grundlegende Techniken wurden in der Folgezeit verwendet: Der gegenläufige Bau von zwei Ausgangspunkten her (Gegenort-Verfahren), in Verbindung damit später das im 11. Jh. vom arabischen Mathematiker al-Karāǧī beschriebene sog. Qanāt-Verfahren, das mittels vertikaler Licht- bzw. Lotschächte eine oberirdische Nivellierung und Richtungskontrolle ermöglichte.

Die Wasserversorgung Athens basierte seit dem 6. Jh. v. Chr. in wichtigen Teilen auf T.-Bau; von technikgesch. herausragender Bed. (wegen der nötigen Präzision in Richtungsabsteckung wie Verlaufsgefälle) ist der T. des → Eupalinos auf Samos, mit dem eine Wasserleitung durch einen Berg hindurch in die Stadt geführt wurde. Der »Aquädukt-T.« wurde im Kontext der röm. Fernwasserleitungen (hier der Überbrückung von Tälern entsprechend) zum Normalfall; herausragende Beispiele sind die T. von Bononia [1]/Bologna, Side, Gadara/Umm Qais, Lugdunum/Lyon, Nemausus [2]/Nîmes (Sernhac) und Serrières-de-Briord. T.-Bau im Zusammenhang mit Drainagen und Seeabsenkungen war bereits in myk. Zeit bekannt (Regulierung des → Kopais-Beckens in Boiotia). In der röm. Ant. gehörte der T.-Bau zum oft genutzen Repertoire im Wasser- und Landschaftbau: Absenkungs-T. des Lacus Nemorensis, Lacus Fucinus und Lacus Albanus (Nemi-, Fuciner- und Albaner-Sees) u. a. m.

Der Straßen-T. ist im wesentlichen auf die röm. Ant. beschränkt und auch hier selten (da der dafür notwendige bauliche Aufwand wegen des beträchtlichen Querschnitts erheblich war). Pionierleistungen finden sich in Kampanien und dienten einer »Schnellstraßen«-Verbindung dieser in der spätrepublikanischen und frühen Kaiserzeit mil. und ökonomisch relevanten Region (Flottenstützpunkt bei → Misenum/Miseno; Zivilhäfen von Puteoli/Pozzuoli und Baiae) mit Rom und Neapel. Eine T.-Verbindung zw. Neapel und Pozzuoli wurde gebaut (Crypta Neapolitana), die Stadt Cumae (→ Kyme [2]) über ein aufwendiges, z. T. unterirdisch geführtes Wegenetz auf die → Campi Phlegraei hin orientiert, die verschiedenen Flotteneinrichtungen an den z. T. untereinander bzw. mit dem Meer über Kanäle verbundenen, eigentlich der Küste vorgelagerten Seen (→ Lacus Avernus; → Lacus Lucrinus; Lacus Baianus) über T. schnell zugänglich gemacht (T. des Cocceius [1] durch den Monte Grillo hindurch an den nun von Norden erreichbaren Averner See). Weitere prominente Beispiele sind der Chiaia di Luna-T. auf der Insel Pontia [2]/Ponza und der vespasianische T. am Furlo-Paß (→ Intercisa [2]) im Verlauf der → Via Flaminia (beide bis h. in Benutzung).

→ Straßen- und Brückenbau; Wasserversorgung

M. Döring, Wasser für den »Sinus Baianus«, in: Ant. Welt 33, 2002, 309 • H. von Gall, Zu den kleinasiatischen Treppen-T., in: AA 1967, 504–527 • K. Grewe, Licht am Ende des T. Planung und Trassierung im ant. T.-Bau, 1998 • M. Hascher, Die Crypta Neapolitana. Ein röm. Straßen-T. bei Neapel, in: Orbis Terrarum 5, 1999, 127–156.   C. HÖ.

Turpilius

[1a] L. T. Dexter. Suffektconsul 81 n. Chr., wohl im Nov. und Dez. (ILS 3452; AE 1998, 419: irrig T. statt L.). Im J. 64/5 hatte er als Proconsul von Creta-Cyrenae amtiert (Inscriptiones Creticae I 26,2).   W. E.

Tutilius

[1] L. T. Lupercus Pontianus. Senator, *cos. ord.* 135 n. Chr.; *procos.* von Asia wohl 150/1 [1. 89–94; 2. 310f.]. Vielleicht war er ein Nachkomme des bei Plin. ep. 2,5 und 9,26 genannten Lupercus.

1 H. Engelmann, Ephesische Inschr., in: ZPE 84, 1990
2 K. Dietz, Die beiden Mummii Sisennae und der Wiederaufbau der Basilika Stoa von Thera, in: Chiron 23, 1993, 295–311.

[2] L. T. Pontianus Gentianus. Senator; Nachkomme von T. [1]; nach HA Aur. 29,1 hatte er ein Verhältnis mit der Kaiserin → Faustina [3]; dennoch ließ Marcus [2] Aurelius ihn zu Ämtern zu; 183 n. Chr. wurde er Nachfolger des Commodus im Konsulat (CIL VI 2099 = 32386 I 20).   W. E.

U

Überschwemmung (*inundatio*: ILS 207; 5797a; Tac. hist. 1,86,2; *diluvia*: Plin. epist. 8,17,1; *aquae ingentes*: Liv. 35,9,2; 38;28,4; *aquarum magnitudo*: Liv. 30,26,5; 30,38,10; *proluvies*: Cic. ad Q. fr. 3,5,8). → Naturkatastrophen sind in der Ant. nur ausnahmsweise Gegenstand der → Geschichtsschreibung, dann etwa, wenn → Erdbeben berühmte Städte trafen und umfassende Hilfsmaßnahmen für die Bevölkerung ergriffen wurden. Dies trifft gerade auch für Ü. und Flutkatastrophen zu, für die Informationen fast nur im Zusammenhang mit der Stadt Rom und mit der Bautätigkeit des Iustinianus [1] vorliegen.

Die in der Geschichtsschreibung erwähnten Ü. des → Tiberis setzten im späten 3. Jh. v. Chr. ein, wobei in der Regel die Verluste an Menschen und Vieh sowie der Einsturz von Gebäuden hervorgehoben werden. In der mil. schwierigen Lage nach der Niederlage bei → Cannae waren die Römer 215 v. Chr. mit einer Hochwasserkatastrophe konfrontiert; es folgten weitere Ü. in den Jahren 203, 202, 193, 192 und 189 v. Chr. Das Hochwasser 192 v. Chr. brachte sogar zwei Tiberbrücken zum Einsturz (Liv. 24,9,6; 30,26,5; 30,38,10–12; 35,9,2–3; 35,21,5–6; 38,28,4). Es ist wahrscheinlich auf die Quellenlage zurückzuführen, daß für das 2. Jh. v. Chr. keine weiteren Ü. erwähnt werden (das Werk des Livius [III 2] ist nur für die Zeit bis zum J. 167 v. Chr.

erh.). Für die letzten Jahre der Republik und für die frühe Prinzipatszeit liegen bei Cicero und Cassius Dio wiederum Berichte über Tiberhochwasser vor, das in einigen Fällen mehrere Tage dauerte, so im J. 5 n. Chr. insgesamt sieben Tage; im Zentrum Roms war man gezwungen, mit Booten durch die Straßen zu fahren (Cass. Dio 39,61; 53,20,1; 53,33,5; 54,1,1; 54,25,2; 55,22,3; 56,27,4; 57,14,7, vgl. Cic. ad Q. fr. 3,5,8). Für den Arno (→ Arnus) ist ein ungewöhnliches Hochwasser im Zusammenhang mit dem Marsch Hannibals [4] durch Etruria im Frühjahr 217 v. Chr. belegt (Liv. 22,2).

In der augusteischen Zeit wurden umfassende Maßnahmen gegen Hochwasser des Tiber getroffen; so ließ Augustus das Flußbett von Schutt und Abfall säubern und auch durch Abbruch der direkt am Ufer errichteten Gebäude wieder verbreitern. Gleichzeitig wurde eine Kommission für den Schutz des Tiberufers, die *cura alvei Tiberis*, geschaffen (vgl. → *cura* [2]). Unter Augustus waren die beiden Consulare C. Asinius [II 5] Gallus und C. Marcius [II 5] Censorinus in diesem Amt tätig (Suet. Aug. 30,1; 37,1; ILS 5923a-d). Schließlich wurde für diesen Kompetenzbereich eine Kommission aus fünf Senatoren gebildet, die als *curatores riparum et alvei Tiberis* bezeichnet wurden (Cass. Dio 57,14,8; ILS 5925); epigraphisch sind diese *curatores* noch für das 4. Jh. n. Chr. belegt (ILS 1217; 1223). Darüber hinaus wurden auf beiden Seiten des Tiber Deiche gebaut (Plin. nat. 3,55). Nach einem Hochwasser im J. 15 n. Chr. empfahlen die Senatoren Ateius [6] Capito und L. Arruntius [II 3], die dem Senat Vorschläge zur künftigen Verhinderung von Flutkatastrophen vorlegen sollten, eine Verkleinerung des Einzugsbereiches des Tiber, um auf diese Weise dessen Abflußmenge zu reduzieren. So sollte ein Nebenfluß in den Arno umgeleitet und der → Nar in Kanäle abgeleitet werden. Da befürchtet wurde, daß die Realisierung dieser Pläne zur Überflutung des Arnotales führen könnte, lehnte der Senat sie nach längerer Diskussion ab (Tac. ann. 1,76; 1,79). Unter Claudius [III 1] wurde in Verbindung mit dem Hafenbau bei → Ostia am Unterlauf des Tiber ein Kanal gebaut, der den Abfluß des Hochwassers beschleunigen sollte (ILS 207). Ein weiterer Kanal wurde im Zuge der Neustrukturierung des Gebietes an der Tibermündung unter Traianus [1] angelegt (ILS 5797a; vgl. Plin. epist. 8,17,2).

Trotz dieser Maßnahmen blieb Rom auch in der Zeit nach Claudius von Tiberhochwassern bedroht (so 69 n. Chr.: Tac. hist. 1,86,2 f.; gegen 100 n. Chr.: Plin. epist. 8,17; 374 n. Chr.: Amm. 29,6,17-18). Ohne Zweifel wurden auch in der Spätant. umfassende Vorkehrungen gegen Hochwasser getroffen (Belege in Prokopios' [3] Schrift über die Bauten des Iustinianus [1]). Nach einer Ü.-Katastrophe in der Stadt Daras ließ Iustinianus oberhalb der Stadt den Fluß durch Errichtung einer Sperrmauer stauen (Prok. aed. 2,3,1-23). In ähnlicher Weise wurde die Stadt Antiocheia [1] vor den Fluten der vom Gebirge herabströmenden Wildbäche geschützt (Prok. aed. 2,10,15-18). 525 n. Chr. wurde die Stadt Edessa [2] durch eine Flutkatastrophe vollständig zerstört; nach ih-

rem Wiederaufbau ließ Iustinianus am Fluß Skirtos ein großes Überlaufbecken anlegen und die Stadt durch eine große Mauer schützen (Prok. aed. 2,7,1-10). Die Stadt Zenobia [3] am → Euphrates [2] wurde durch eine große vor der Stadtbefestigung liegende Vormauer aus Mühlsteinen vor den Fluten geschützt (Prok. aed. 2,8,16-18). Auch der Fluß Drakon in Bithynien wurde reguliert, um weitere schwerere Ü. zu vermeiden. Sein Hochwasser hatte v. a. eine Landstraße häufig überschwemmt, wobei viele Menschen den Tod fanden (Prok. aed. 5,2,6-14). Für den → Kydnos wurde bei → Tarsos ein zweites Flußbett angelegt, so daß die Hochwasser jetzt ohne Gefahr für die Stadt abgeleitet werden konnten (Prok. aed. 5,5,14-20), gleichzeitig wurden die Brücken wesentlich verstärkt.

Die entscheidende Ursache der Ü. waren sicherlich die in vielen Texten erwähnten hohen Niederschlagsmengen; so berichtet Plinius [2] im Zusammenhang mit dem Tiberhochwasser von ununterbrochenen Regenfällen und Wolkenbrüchen (Plin. epist. 8,17,5: *imber adsiduus et deiecti nubibus turbines*); Prokopios führt das Hochwasser, das Edessa zerstörte, auf die starken Niederschläge zurück (Prok. aed. 2,7,4); aber auch eine plötzlich eintretende Schneeschmelze konnte verheerende Auswirkungen haben (Tarsos: Prok. aed. 5,5,15). Insgesamt scheinen bes. Wetterlagen die Ü. hervorgerufen zu haben. Eine Verursachung etwa durch anthropogen bewirkte Veränderungen der → Landschaft ist für die Ant. nicht anzunehmen; Anbau und Abholzung gestalteten die natürliche Landschaft kaum so weit um, daß der Wasserabfluß dadurch wesentlich gesteigert wurde. Zu Problemen führte hingegen die Errichtung von Städten in der Nähe von Flüssen und in Ü.-Gebieten; diese Lage führte bei den Ü. zu den in der ant. Lit. beschriebenen Wirkungen. In den Küstenregionen konnten Flutkatastrophen wie etwa im J. 366 n. Chr. auch durch Seebeben hervorgerufen werden (Amm. 26,10,15-19).

1 A. CAMERON, Procopius, 1985 2 F. KOLB, Rom. Gesch. der Stadt in der Ant., 1995 3 J. LE GALL, Le Tibre: Fleuve de Rome dans l'antiquité, 1953 4 R. MEIGGS, Roman Ostia, ²1973 5 G. WALDHERR, s. v. Ü., in: H. SONNABEND (Hrsg.), Mensch und Landschaft in der Ant., 1999, 573-575 6 K. W. WEEBER, Smog über Attika, 1990, 155-167. H. SCHN.

Übersetzung I. ALTER ORIENT UND ÄGYPTEN
II. GRIECHISCHER BEREICH
III. LATEINISCHER BEREICH
IV. SPÄTANTIKE UND BYZANZ: GRIECHISCHER UND LATEINISCHER BEREICH

I. ALTER ORIENT UND ÄGYPTEN
A. ALLGEMEIN B. MESOPOTAMIEN
C. HETHITISCHES ANATOLIEN D. SYRIEN
E. ÄGYPTEN F. IRAN

A. ALLGEMEIN
In den Kulturen des Alten Orients spielte das Übersetzen mittels Dolmetscher (akkadisch *targumannu*; uga-

ritisch *targumiānu*; hethitisch *tarkummija-* (»übersetzen«); aramäisch *ta/urgmānā*; arabisch *tu/arǧumān*; it. *turcimanno*; vgl. Dragoman) eine wichtige Rolle im Umgang mit Fremden. Mesopot. Herrscher rühmten sich, fremde Sprachen zu beherrschen. V. a. in der 2. H. des 2. Jt. v. Chr. war das Akkad. eine Art diplomatische Verkehrssprache zwischen den Reichen des Alten Orients (→ Amarna-Briefe), daneben in manchen Regionen auch Urkundensprache. Das Wissen um unterschiedliche Sprache und das Problem des gegenseitigen Verstehens wurde myth. vielfältig reflektiert (u. a. Gn 11 versus Apg 2,6; [1. 345 f.; 6. 835]).

Zwei Ü.-Phänomene sind zu beachten: einmal die aktuelle Ü., die sich an zwei- oder mehrsprachige Bevölkerungen mittels → Bilinguen oder → Trilinguen richtete, z. B. herrscherliche Proklamationen, Dekrete oder Propaganda-Inschr.; zum anderen die Ü. von traditionellem Schrifttum, das urspr. in einer mittlerweile nicht mehr gesprochenen Sprache verfaßt war und durch die Ü. weiter überl. werden konnte, im Kreis von Gelehrten oder → Schreibern. Sie diente v. a. dem Bewahren kultureller und rel. Werte. Besondere Probleme entstanden, wenn Texte in einen anderen Sprachtyp zu übersetzen waren. Das gilt insbes. für das Verhältnis zw. dem semitischen → Akkadischen, einer flektierenden Sprache mit Subjekt-Objekt-Verbalsystem, und dem → Sumerischen, einer agglutinierenden Ergativsprache, und ähnlich für das Verhältnis zw. dem indeur. → Hethitischen und dem → Hattischen bzw. → Hurritischen (beides agglutinierende Ergativsprachen). Hinzu kommen gravierende semantische Probleme. Schwierigkeiten zeigen sich z. B. auch beim Verfassen akkad. Rechtsurkunden in → Nuzi, die die typischen Merkmale der zugrundeliegenden hurrit. ergativischen Muttersprache der Schreiber (z. B. Vertauschung von Subjekt und Objekt) erkennen lassen.

B. MESOPOTAMIEN

Als an der Wende vom 3. zum 2. Jt. v. Chr. das Sumer. als Umgangs- und Schriftsprache zunehmend vom Akkad. verdrängt wurde, versah man bestimmte Gattungen des sumer. Schrifttums mit akkad. Interlinear-Ü. Dies betraf überwiegend magische Texte, bestimmte Gattungen der Hymnen-Lit. und vereinzelt königliche Monumental-Inschr. Sumer. Mythen und Epen (u. a. 12. Tafel des → Gilgameschepos) sind nur in wenigen Fällen direkt übersetzt worden; daneben existieren akkad. Neufassungen der myth. und epischen (Gilgameschepos) Überl. der Sumerer. Die im Schulbetrieb gepflegten zweisprachigen → Listen (Vokabulare und Gegenstandslisten) waren in Kolumnen angeordnet. Die mesopot. Schreiber kannten für das Nebeneinander der beiden Sprachen den Terminus ›korrespondierende Sprache‹ (sumer. eme.ha.mun, akkad. *lišān mithurti*). Die Fähigkeit akkad. Schreiber, Sumerisches ins Akkad. zu übertragen, ist Thema zahlreicher sumer. (18. Jh. v. Chr.) und zweisprachig sumer.-akkad. Texte (7. Jh. v. Chr). Die Technik reichte von wörtlichen Ü. – etwa in königl. Monumental-Inschr.

oder in den Listen (hier ergeben sich auch zahlreiche Wortfeldüberschneidungen v. a. bei den Verben) – bis hin zu idiomatischen bzw. interpretatorischen Ü. Dabei näherten sich die Schreiber dem sumer. Text auf mehreren Ebenen, um – wie es heißt – ›Verdecktes auszubreiten‹, d. h. die theologischen und mystischen Sinnebenen eines Textes mit Hilfe einer »kabbalistischen« Etym. zu erschließen [3]. Es gibt Hinweise auf Ü. akkad. Texte ins Aramäische. Akkad. verfaßte Rechtsurkunden aus dem 1. Jt. v. Chr. enthalten zuweilen eine knappe aram. Inhaltsangabe. Ob in hell. Zeit und später auch aus dem Akkad. ins Griech. übersetzt wurde, bleibt unbekannt, ist aber nicht auszuschließen.

C. HETHITISCHES ANATOLIEN (16. BIS 13. JH. V. CHR.)

In hethit. Rituale wurden aus dem Hattischen und Hurrit. ins Hethit. übersetzte Mythen eingefügt. Indizien sprechen dafür, daß zumindest einige der Schreiber des Hattischen nicht mächtig waren. Die Ü. sind mehrheitlich nicht interlinear, sondern abschnittsweise angeordnet, gelegentlich auch in korrespondierenden Kolumnen (akkad.-hethit. Testament des Hattusili I. (vgl. → Hattusa II.: Tabelle) [7], hurrit.-hethit. Bilingue [8]). Verm. ist die akkad. Version der Annalen des Hattusili I. die originäre, die hethit. eine spätere Ü. (auf getrennten Tafeln überl.) [4. 84], während das ›Testament des Hattusili‹ von einem hethit. Verfasser ins Akkad. übersetzt zu sein scheint. Trotz vollster sachlicher Übereinstimmung läßt der Text die typischen sprachlichen Übersetzernöte erkennen [7. 202]. Zahlreiche → Staatsverträge der Hethiter mit ihren Vasallen waren jeweils sowohl in einer hethit. als auch in einer akkad. Version abgefaßt.

In begrenztem Maße wurde akkad. Schrifttum ins Hethit. und Hurrit. übersetzt (z. B. Partien des → Gilgameschepos, → Atrahasis-Mythos, → Ištar-Hymne, ein lit. Dialog). Die Kongruenz zw. urspr. und übersetzten Versionen schwankt zw. exakter und freier bzw. paraphrasierender Wiedergabe.

D. SYRIEN

Bemerkenswert sind aus dem nw-syrischen, vielsprachigen → Ugarit (wo Texte in ugarit., akkad., hethit., hurrit. und kypro-minoischer Sprache erhalten sind; Sumer. nur in Texten gelehrten Charakters mesopot. Ursprungs) zahlreiche mehrsprachige Vokabulare (Sumer.-Akkad.-Hurrit.-Ugarit.) bzw. lit. Texte (u. a. sumer.-akkad.-hethit. Ištar-Hymne, akkad.-hurrit. Bilingue). Gleiches gilt für das am mittleren Euphrat gelegene Emar (h. Maskana) (2. H. 2. Jt. v. Chr.) [2. 10–14].

Das Aufkommen von vergänglichem → Schreibmaterial (v. a. Leder, Pergament und Papyrus) für den Schriftverkehr in aram. und anderen nw-semit. Sprachen hat dazu geführt, daß an zweisprachigen Texten bisher nur zwei königl. Monumental-Inschr. auf Stein (→ Bilingue) bekannt sind: aus → Karatepe (Phöniz.-Hieroglyphenluwisch, 9. Jh. v. Chr.) bzw. Tall Faharīya (Akkad.-Aram., ca. 850 v. Chr.).

E. ÄGYPTEN

Ü. in Äg. waren zunächst die Übertragungen von Texten einer älteren in eine jüngere Sprachstufe des → Ägyptischen. Im 14./13. Jh. bezeugt die internationale Korrespondenz äg. Pharaonen die Fähigkeit von Schreibern, Briefe in akkad., hurrit. und anderen Sprachen zu verstehen bzw. dieselben in Akkad. zu beantworten (→ Amarna-Briefe). Demotische mathematische und astronomische Texte (spätes 1. Jt. v. Chr.) enthalten aus dem Akkad. übersetzte Passagen [6. 836 und Anm. 17]. Erst aus der äg. Spätzeit, d. h. seit der Perser-Zeit (ab 6. Jh. v. Chr.), als Äg. unter fremde Herrschaft geriet, sind mehrsprachige Inschr. bekannt. V.a seit der → Ptolemaier-Zeit (ab dem späten 4. Jh. v. Chr.) ergab sich eine zunehmende Notwendigkeit der Ü. von äg. Texten ins Griech. oder Lat. bzw. von griech. Texten ins Äg. (→ Bilingue; → Kanobos-Dekret; → Stein von Rosette; → Trilingue).

F. IRAN

Im Herrschaftsbereich der Achämeniden (→ Achaimenidai), Arsakiden und → Sāsāniden waren zahlreiche Sprachen als Umgangs- und Schriftsprachen geläufig (→ Elamisch; Mittelpersisch, Parthisch, Sogdisch, Choresmisch, Baktrisch, → Armenisch, Akkad. und v.a. → Aramäisch, aber auch Griech. [9. 164]). Dies führte zu zahlreichen mehrsprachigen Inschr. mit propagandistischer und legitimatorischer Funktion (vgl. → Bilingue [9. 39]; → Bīsutūn; → Naqš-e Rostam; → Paikuli; → Trilingue). Die altpers. Version der Bīsutūn-Inschr. ist verm. eine Ü. der elamischen, die akkad. Version wurde ins Aram. übersetzt, das unter den Achämeniden Verkehrssprache der Reichsverwaltung war. Dies hatte zur Folge, daß das Mittelpers. lange Zeit in der Form aram. Buchstaben-Logogramme schriftlich wiedergegeben wurde.

→ Bibelübersetzungen; Bilingue; Schreiber; Trilingue

1 W. W. Hallo, Bilingualism and the Beginnings of Translation, in: M. V. Fox (Hrsg.), Texts, Temples and Traditions. FS M. Haran, 1996, 345–357 2 Th.R. Kämmerer, *šimâ milka* – Induktion und Reception der mittelbabylon. Dichtung von Ugarit, Emar und Tell el-’Amarna, 1998 3 S. Maul, Küchensumer. oder hohe Kunst der Exegese? Überlegungen zur Bewertung akkad. Interlinear-Ü. von Emesal-Texten, in: B. Pongratz-Leisten et al. (Hrsg.), Beitr. zu altorientalischen und mittelmeerischen Kulturen. FS W. Röllig, 1997, 255–267 4 H. Otten, Keilschrifttexte, in: MDOG 91, 1958, 73–84 5 E. Reiner, The Sumerian and Akkadian Linguistic Trad., in: S. Auroux et al. (Hrsg.), Gesch. der Sprachwiss. I/I/1, 2000, 1–5 6 A. Roccati, s. v. Ü., LÄ 6, 833–838 7 F. Sommer, A. Falkenstein, Die hethit.-akkad. Bilingue des Hattusil I, 1938 8 G. Wilhelm, Das hurrit.-hethit. Lied der Freilassung, in: TUAT Erg.-Lieferung, 2001, 82–91 9 J. Wiesehöfer, Das ant. Persien, ²1998.

C.-W. Müller, (Hrsg.), Zum Umgang mit fremden Sprachen in der griech.-röm. Ant. (Palingenesia 36), 1992.
                                                        J. RE.

II. GRIECHISCHER BEREICH
A. ALLGEMEINES B. HELLENISMUS
C. RÖMISCHE ZEIT D. CHRISTLICHE LITERATUR

A. ALLGEMEINES

In der griech. Lit. hatte das Übersetzen fremdsprachiger Schriften auffallend wenig Bed., obwohl natürlich beim Kontakt mit Ausländern vom Dolmetschen häufig Gebrauch gemacht wurde; diese Dolmetscher scheinen meist selbst Ausländer gewesen zu sein (z. B. Pigres als Dolmetscher für Kyros im Verkehr mit den griech. Söldnern, Xen. an. 1,2,17) [7]. Es entwickelte sich keine Trad. der Ü. und keine theoretische Reflexion dazu. Aus archa. und klass. Zeit, in der kulturelle Übernahmen aus dem Orient durchaus stattfanden (vgl. → Alphabet; → Astronomie C.; → Astrologie C.2.) sind keine Ü. bekannt. Eine Ausnahme ist der → *Períplus* des Karthagers → Hanno [1], der vielleicht noch im 5. Jh. v. Chr. aus dem → Punischen übersetzt wurde.

B. HELLENISMUS

Die Ausbreitung der griech. Kultur über den Vorderen Orient hatte zunehmende Kontakte mit Nichtgriechen (und deren Lit.) zur Folge. Aber Ü. und Bearbeitungen, die dem Kennenlernen dienten, gingen weniger auf griech. Initiative zurück als auf Einheimische, die ihre Überl. zur Geltung bringen wollten. Es gibt nur schwache Anzeichen dafür, daß die → Bibliothek in Alexandreia [1] solche Ü. enthalten hätte. Einige wichtige Fälle: (1) Ägypten: Der → Stein von Rosette (eine → Trilingue) enthält eine griech. Ü. aus dem Ägyptischen. → Manethon [1] (3. Jh. v. Chr.) verwendete äg. Dokumente für seine Gesch.-Darstellung (FGrH 609 T 7). (2) Orient: Der Antiquar → Herennios Philon aus Byblos (2. H. 1. Jh. n. Chr.) gab mythische Überl. des Phöniziers → Sanchuniathon wieder. Ihm lag (wie Manethon) daran, seine heimischen Trad. bei den Griechen bekannt zu machen. → Hermippos [2] soll umfangreiche Schriften des → Zoroastres erläutert haben (*explanavit*, Plin. nat. 30,4 = FGrH 102 F 57). Nicht sicher ist, ob er sie in der alexandrinischen Bibliothek vorfand, bzw. ob es griech. Pseudepigrapha oder wirkliche Ü. waren. (3) In Indien und Afghanistan gibt es Inschr. des Königs → Aśoka mit griech. Ü. [3] (→ Trilingue; vgl. → Bilingue I.). (4) Ein langfristiges und folgenreiches Unternehmen war die Ü. der hebr. Heiligen Schrift (→ Bibelübersetzungen I.B.) in der → Septuaginta (und konkurrierenden Ü.) [4]. Nach der Legende (Aristeasbrief; → Aristeas [2]) wurde sie von Ptolemaios [3] II. (283–246 v. Chr.) für die alexandrinische → Bibliothek in Auftrag gegeben, sie lag aber wohl eher im Interesse der jüdischen Gemeinde von Alexandreia [1]. Dabei wurde eine griech. Kunstsprache entwickelt, die eine textnahe Ü. erlaubte, später aber auch für Originalwerke diente (z. B. die → Weisheit Salomos, der Roman → Joseph und Aseneth).

C. RÖMISCHE ZEIT

Es gibt zu der Flut von griech.-lat. Ü. in röm. Zeit (s. u. III.) keine Entsprechung in die umgekehrte Richtung (Übersicht in [1]). Für die östlichen Prov. des Imperium Romanum wurden Ü. von Erlassen und Senatsbeschlüssen angefertigt, anfangs sehr wörtlich und ungeschickt (vgl. → *senatus consultum* [1]). Die Ü. des Tatenberichts des → Augustus (→ *Monumentum Ancyranum*) dagegen ist elastisch und leserfreundlich formuliert [6].

Seit Iustinianus [1] wurden Texte des → *Corpus Iuris* im Unterricht der östlichen → Rechtsschulen (III.) übersetzt [5] – auf Anordnung des Kaisers geschah das betont wörtlich (κατὰ πόδας/*katá pódas*, »auf dem Fuß folgend«, Constitutio Tanta § 21). Frühes Beispiel ist die *Paraphrasis institutionum* von → Theophilos [7] Antecessor, einem der Mitarbeiter am *Codex Iustinianus* selbst. Es entwickelte sich eine vom Lat. beeinflußte griech. Rechtssprache. Solche Ü. flossen schließlich in die → *Basiliká* (s. Nachträge) unter Kaiser Leo(n) [9] VI. ein.

Unter den wenigen Ü. literarischer Texte befinden sich Pap.-Fr. von griech. Vergil-Ü. [2]. Sallustius' ›Historien‹ wurden von einem Zenobios übersetzt (Suda s. v. Ζηνόβιος), der Gesch.-Abriß des → Eutropius [1] zweimal, von Paianios und Capito. Die Grammatik des → Dositheus existiert in einer lat. und griech. Fassung. Lat.-griech. Ü.-Tätigkeit größeren Stils findet sich erst im 13. Jh. bei Maximos → Planudes.

D. CHRISTLICHE LITERATUR

→ Tertullianus übersetzte selbst seine Schrift *De spectaculis* (Tert. de corona 6) ins Griech.; von seinem *Apologeticum* stehen griech. Zitate in Eusebios' [7] ›Kirchengeschichte‹. Einige Schriften des → Hieronymus wurden durch einen gewissen Sophronios übersetzt (Hier. vir. ill. 134). Von einigen lat. Märtyrerakten (vgl. → *Acta sanctorum*; → Märtyrerakten; → Passio) gibt es griech. Fassungen (*Acta Martyrum Scillitanorum*, → *Passio Perpetuae*). Eusebios übersetzte Reden Kaiser Constantinus' [1] I., darin auch ein Zitat von Vergils 4. Ekloge, wobei christl. Motive einflossen (→ Vergilius [4] III.B.; vgl. auch unten IV.B.).

→ Bibelübersetzung; Bilingue; Kommunikation; Mehrsprachigkeit; Trilingue; Weltsprachen

1 V. REICHMANN, Röm. Lit. in griech. Ü. (Philologus Suppl. 34.3), 1943 2 B. ROCHETTE, Les traductions grecques de l'Énéide sur papyrus. Une contribution à l'étude du bilinguisme gréco-latin au Bas-Empire, in: Les Études Classiques 58, 1990, 333–346 3 R. SCHMITT, Ex occidente lux. Griechen und griech. Sprache im hell. Fernen Osten, in: P. STEINMETZ (Hrsg.), Beiträge zur hell. Lit. und ihrer Rezeption in Rom (Palingenesia 28), 1990, 41–58 4 F. SIEGERT, Zw. hebr. Bibel und Altem Testament. Eine Einführung in die Septuaginta, 2001 5 L. WENGER, Die Quellen des röm. Rechts, 1953, § 85: Das justinianische Recht in Byzanz 6 D. N. WIGTIL, The Translator of the Greek Res Gestae of Augustus, in: AJPh 103, 1982, 189–194 7 C. WIOTTE-FRANZ, Hermeneus und Interpres. Zum Dolmetscherwesen in der Ant., 2001. H. GÖ.

III. LATEINISCHER BEREICH
A. HISTORISCHER ÜBERBLICK
B. ÜBERSETZUNGSBEGRIFF UND -REFLEXION
C. ÜBERSETZUNGSMETHODE

A. HISTORISCHER ÜBERBLICK

Die Rezeption griech. Kultur durch die Römer ist von der röm. Archaik bis in die Spätant. eng mit der Arbeit der röm. Übersetzer verbunden. Wie seit der Übertragung der ›Odyssee‹ durch → Livius [III 1] Andronicus Homers Epen selbst in Rom heimisch wurden, eroberten in der Frühphase der röm. Lit. Dramatiker wie → Ennius [1] (*Medea*), → Plautus (*Asinaria, Bacchides*) und → Terentius [III 1] (*Andria*) die Gattungen der Trag. und Komödie, die später mit röm. Themen besetzt wurden [1. 1310; 6. 16]. Die Lit. der Klassik basierte insofern auf dieser älteren sprachschöpferischen Ü., als sich auch die röm. Philos., Rhet., Epik und Lyrik mit Hilfe des erweiterten semantischen Instrumentariums vom direkten Rückgriff auf eine griech. Vorlage emanzipierten. Da die reife lat. Sprache nicht mehr der paraphrasierenden Übertragung bedurfte, trat die Ü. von Texten in der philos. Prosa → Ciceros vorwiegend als Einschub zutage (umfangreichste erh. Prosa-Ü. Ciceros: Plat. Tim. 28a–47b; Ü.-Einlagen u. a.: Cic. rep. 6,27 und Cic. Tusc. 1,53 f. ~ Plat. Phaidr. 245c–246a; Cic. rep. 1,66 f. ~ Plat. rep. 562c 4–563e; Cic. Cato 79–81 ~ Xen. Kyr. 8,7,17–22; Cic. Tusc. 1,97–99 ~ Plat. apol. 40c 4–42a 5). Durch ihre stilistische und ästhetische Ausrichtung erhielt die Ü. in der kaiserzeitlichen Rhet. einen hohen Stellenwert (vgl. bereits Cic. de orat. 1,155; dann Quint. inst. 10,5,2–3; Plin. epist. 7,9,2–12; Sen. contr. 9,1,13; Gell. 17,20 [2. 215 f.; 6. 76–78]).

In der Spätant. führte der → Neuplatonismus mit dem Gedanken, die Schrift eines inspirierten Lehrmeisters sei abbildhafte Konkretisierung eines göttlichen Seins (vgl. Prokl. institutio theologica 62,13 f. DODDS; Prokl. in Platonis Cratylum commentaria 16,15–19; der Name besitzt göttliche Kraft: Iambl. de myst. 258,8 f.; [3. 14–19; 51–54]), einen grundlegenden Wandel der Ü. herbei. → Hieronymus (epist. 57,5) und → Boëthius (Porphyrii isagoge e graeco versa 1,1 [4. 45]) mußten nun eine freiere Ü. bereits rechtfertigen (s. u. IV. B.). Die zielsprachenorientierte Ü. der Klassik war von einer der Ausgangssprache verpflichteten Ü. abgelöst worden. → Marius [II 21] Victorinus trug u. a. mit seiner Ü. der ›Isagoge‹ (*Eisagōgḗ*) des → Porphyrios zur Weiterentwicklung der lat. Sprache bei, die jene Prägnanz gewann, die sie bis in die Neuzeit zur Wissenschaftssprache Europas machte [1. 1284–1287].

B. ÜBERSETZUNGSBEGRIFF UND -REFLEXION

Die lat. → Literaturtheorie ordnete freie lit. Rezeptionsformen wie Nachdichtung oder Paraphrase dem Verfahren des Übersetzens (*vertere*) zu [6. 16 f.]. Der Übersetzer steht in der Regel dem griech. Text als Konkurrent gegenüber, den er im Sinne der *aemulatio* korrigierend überbietet [6. 104]. Im Gegensatz zu den Forderungen der neuzeitlichen Translations-Wiss. verschwindet der röm. Übersetzer nicht hinter seinem Werk: Er will für sich in stilistischer Hinsicht profitieren und eine fremde Lit. in die Welt seines Lesers »übertragen« (*transferre, tradere, transcribere, traducere* als Begriffe für Ü. [5. 7–16]). Mit dem Primat der Funktionalität für den Leser steht die röm. Ant. der mod. Skopos-Theorie sehr nahe [7. 104–107]. Eine systematische Ü.-Theorie wurde in der Ant. nie geschrieben, explizite Reflexionen finden sich verstreut und erwuchsen aus der Praxis (zum Bewußtsein von der Armut der lat. Sprache vgl. Lucr. 1,139; Sen. de tranquillitate animi 2,3; [4. 42]) Cicero stellt seine Ü. unter das Ideal des *non verba sed vim convertere*, ›nicht Formulierungen, sondern den Sinn zu übersetzen‹ (Cic. opt. gen. 14; vgl. auch Cic. ac. 1,10, Cic. fin. 3,15; [4. 45f.]); dem *orator* (»Redner«) als dem Vermittler der Aussage korrespondiert der Dolmetscher (*interpres*) als Anwalt des Wortlauts. → Horatius [7] konzipierte in einem oft mißverstandenen Passus (Hor. ars 131–135) kein allg. Verbot einer wörtlichen Ü., sondern hob die dichterische Übertragung von der Tätigkeit des Dolmetschens ab [4. 44; 7. 95–99]. → Hieronymus griff diese Trad. auf, um eine sinngemäße Ü. zu rechtfertigen (Hier. epist. 57,5–7), gelangte aber ebensowenig wie die ältere → Literaturkritik zu einer konsistenten Norm für die gelungene Ü.: Einerseits befürwortete er die Wort-für-Wort-Ü. der Hl. Schrift, andererseits galt ihm jede Ü. als Akt der Zerstörung sprachlicher Ästhetik (epist. 84).

C. ÜBERSETZUNGSMETHODE

Lat. Übersetzer standen vor der Aufgabe, semantische oder synt. Divergenzen zwischen Ausgangs- und Zielsprache zu bewältigen und Gegebenheiten der röm. Welterfahrung zu berücksichtigen. Dem Fehlen lat. Begriffe wurde durch Neologismen (z.B. griech. *adiáphoron* – lat. *indifferens*; griech. *polýtropos* – lat. *versutus*), Belehnung bereits üblicher Worte mit neuem Gehalt (*morbus* auch als Affekt), Paraphrase (griech. *álytos* bei Cic. Tim. 15: *ut dissolvi nullo modo queat* [6. 35]) oder durch die Übernahme griech. Fremdwörter begegnet (→ Lehnwort). Konnte damit kein Sinnverständnis erreicht werden, substituierte man griech. Begriffe durch Worte aus der röm. Lebenswirklichkeit, erweiterte oder reduzierte die Vorlage. Der lat. Übersetzer folgte oft auch dann nicht der Syntax der griech. Vorlage, wenn im Lat. ein identischer Satzbau möglich gewesen wäre. Stil, Prosarhythmus und Wirkungsäquivalenz dominierten über die Norm der Textnähe. Ü. aus dem Etruskischen, Punischen und anderen Sprachen sind nicht erh. Die größeren inschr. → Bilinguen bestätigen den obigen Befund. Zu Übertragungen s.u. IV. und → Bibelübersetzungen.

→ Kommunikation; Literatur V.; Literaturtheorie; ÜBERSETZUNG

1 ALBRECHT 2 ST. M. BEALL, Translation in Aulus Gellius, in: CQ 47, 1997, 215–226 3 M. HIRSCHLE, Sprachphilos. und Namenmagie im Neuplatonismus, 1979 4 B. KYTZLER, Fidus Interpres, in: Antichthon 23, 1989, 42–50 5 H. E. RICHTER, Übersetzer und Ü.en in der röm. Lit.,

1938 6 A. SEELE, Röm. Übersetzer, 1995 7 M. SNELL-HORNBY et al. (Hrsg.), Hdb. Translation, 1998.   L. FL.

IV. SPÄTANTIKE UND BYZANZ: GRIECHISCHER UND LATEINISCHER BEREICH
A. AUS DEM GRIECHISCHEN
B. VOM GRIECHISCHEN INS LATEINISCHE
C. VOM LATEINISCHEN INS GRIECHISCHE
D. SPÄTBYZANTINSCHE ÜBERSETZUNGEN

A. AUS DEM GRIECHISCHEN

Insbesondere im Gefolge der Christianisierung kam es in der Spätant. und der frühbyz. Zeit zu umfassender Ü.-Tätigkeit v.a. aus dem Griech. (daneben gab es seit dem 1. Jh. n. Chr. auch neue Ü. des AT ins Griech.: → Aquila [3], → Theodotion, → Symmachos [2]). Es handelt sich dabei v.a. um biblische und apokryphe Texte, Kirchenväterschriften, aber auch um Märtyrerlegenden und christl. Historiographie bzw. Kirchengesch. (etwa des → Eusebios [7] oder → Iohannes [18] Malalas). Seltener sind Ü. nichtchristl. Lit., etwa des ›Jüdischen Krieges‹ des Flavius → Iosephos [4] durch Hegesippos [4] E. des 4. Jh. n. Chr. ins Lat.; aus der gleichen Zeit stammt auch eine lat. Version des → Alexanderromans (II.).

Übersetzt wurde aus dem Griech. sowohl ins Lat. als auch in andere Sprachen, für die nicht selten eben diese Ü. Erstverschriftungen oder Neustandardisierungen darstellten und gleichzeitig den Anstoß zur Entstehung einer eigenständigen Lit. gaben. Zu diesen Sprachen zählen u. a. (1) das → Äthiopische (ab dem 4. Jh. n. Chr.: Bibeltexte, für die jedoch auch eine syrische Vorlage diskutiert wird, ›Hirt des → Hermas‹; → *Physiologus*; im 7. Jh. n. Chr.: Iohannes [18] Malalas); (2) das → Armenische (Bibeltexte, evtl. über das Syrische, vgl. → Bibelübersetzungen (II.); Eusebios [7]; Iohannes [4] Chrysostomos; Gregorios [2] von Nyssa; auch Porphyrios und Philon [12] von Alexandreia sowie die ›Kirchengesch.‹ des Sokrates [9]. Agathangelos' [2] ›Gesch. der Armenier‹ wurde umgekehrt ca. 600 n. Chr. ins Griech. übertragen); (3) das → Georgische; (4) das → Koptische (erh. sind NT-Versionen im Sahidischen und bohairischen Dial., Fr. auch in anderen Dial.), (5) das Gotische (→ Gotische Sprache; → Ulfila); und (6) das → Syrische; erheblich später auch (7) das Alt- → Kirchenslavische.

Das Syrische brachte rasch eine eigenständige christl. Lit. hervor (z.B. → Ephraem), die ihrerseits z.B. ins Armenische übertragen wurde (Ephraems *Diatessarón*-Komm. ist nur in der armen. Version vollständig erh.) und sogar auf das Griech. zurückwirkte (z.B. griech. Kontakia des → Romanos [1] Melodos; → *kontákion*; → Madrascha). Syrische Ü. griechischer philos. und wiss. Texte wurden in späterer Zeit zur wichtigen Vermittlungsinstanz ant. Wissensbestände ins Arabische (vgl. → ARABISCH-ISLAMISCHES KULTURGEBIET I. C.2.). Auch die sogdischen (→ Sogdiana) Bruchstücke des NT sind verm. aus dem Syrischen übersetzt. Von Bibel-Ü. in mitteliranischen Sprachen hat sich nichts erh.

B. Vom Griechischen ins Lateinische

Spuren einer ersten lat. → Bibelübersetzung sind bereits für die 2. H. des 2. Jh. n. Chr. belegt; → Marius [II 21] Victorinus (gest. ca. 365 n. Chr.) nahm eine Ü. von → Porphyrios' *Eisagōgḗ* (›Isagoge‹) ins Lat. vor. Übertragungen aus dem Griech. ins Lat. nahmen um 400 n. Chr. bes. → Hieronymus und → Rufinus [6] vor. Hieronymus ist berühmt v. a. wegen seiner → Bibelübersetzung (I.), die im Laufe der Zeit geradezu kanonischen Status erlangen sollte (von sprachhistor. Interesse u. a. deshalb, weil sie stärker hochsprachlich orientiert ist als die *Vetus Latina*). Hieronymus übertrug eine ganze Reihe christl. Texte, z. B. die Mönchsregel des → Pachomios, aus dem koptischen Original, Homilien des → Origenes [2] und die Chronik des → Eusebios [7] aus dem Griech. (umgekehrt wurden seine eigenen Schriften aus dem Lat. ins Griech. übersetzt, so die Viten der Mönche Hilarion, Malchus und Paulus).

Hieronymus verdanken wir obendrein die wohl ausführlichste ant. Reflexion über Ü.-Prinzipien (Hier. epist. 57 an Pammachius); er vertrat eine von der Vorlage unabhängige Ü.-Weise unter Berufung auf griech.-röm. Autoren, machte jedoch für die Heilige Schrift ausdrücklich eine Ausnahme. → Tertullianus dagegen (Adversus Marcionem 2,9,2) warnte vor der Gefahr häretischer Mißverständnisse bei allzu freier Übertragung.

Rufinus [6] übersetzte v. a. Schriften des Origenes (z. B. *De Principiis* und etliche Homilien), ferner die Apologie für Origenes des Pamphilos [4] von Caesarea (die einzige erh. Partie überliefert die Rufinus-Ü., von Hieronymus übrigens der Parteilichkeit geziehen), ferner Homilien Basileios' [1] d. Gr., Reden des Gregorios [3] von Nazianzos, *Sententiae* des Euagrios [1] Pontikos und die ›Kirchengesch.‹ des Eusebios [7]. Irenaeus' (→ Eirenaios [2]) *Adversus Haereses* ist v. a. in lat. Ü. (4. Jh. n. Chr.) erhalten. Um 420 übersetzte Anianus Predigten des Iohannes [4] Chrysostomos ins Lateinische.

Mit dem Untergang des weström. Reiches und der immer weiter abnehmenden Kenntnis des Griech. wurden auch Ü. seltener: Im Umfeld des → Cassiodorus entstand nach 537/40 n. Chr. eine lat. ›Kirchengesch.‹ (*Historia Ecclesiastica tripartita*) aus Teil-Ü. von Sozomenos, Sokrates [9] und Theodoretos durch Epiphanios [3] Scholastikos; in Afrika wurden noch im 6. Jh. der Arzt Soranos, Epiphanios [1] von Salamis, Aratos [4] und Dares [3] ins Lat. übersetzt. Aus dem 8./9. Jh. datiert eine Ü. des Iohannes [18] Malalas ins Lat.

Ab dem 12. Jh. wurden Ü. aus dem Griech. wieder häufiger: Burgundio von Pisa übertrug Werke des Iohannes [4] Chrysostomos; in Italien entstanden lat. Ü. klassischer philos. (Platon [1], Aristoteles [6]) und patristischer Texte z. B. durch Johannes Argyropoulos und Georgios Trapezuntios.

C. Vom Lateinischen ins Griechische

Ü. aus dem Lat. ins Griech. hingegen waren wie auch im Bereich der paganen Lit. seltener (s. o. II.) und sind außerhalb des Christentums hauptsächlich als Interlinearversionen zu Vergil- und Cicero-Texten auf Papyrus für den Sprachunterricht ohne eigenständiges lit. Interesse überl. (P Vindobonensis 30, 4./5. Jh. mit Fr. aus Cic. Cat. I; P Rylands 478, ca. 4. Jh. n. Chr. mit Passagen aus Vergils *Aeneis*). Eutropius' [1] *Breviarium* (›Abriß der röm. Gesch.‹) wurde bereits kurz nach der Entstehung (369) von Paianios ins Griech. übertragen; Hieronymus lobte Sophronios, er habe seine ›Vita des Hilarion‹ sehr elegant ins Griech. gebracht (Hier. vir. ill. 134). Des weiteren sind hier die griech. Version der → *Passio Perpetuae* sowie Passagen aus dem *Apologeticum* des → Tertullianus (in Eus. HE 2,2,4; 2,25,4; 3,20,9; 5,5,6) zu nennen sowie später die Dialoge Gregorius' [3] I.

Lit. Ambitionen verrät ein griech. Ausschnitt aus Vergils 4. Ekloge; dieser wurde zur Zeit Kaiser Constantinus' [1] I. (306–337) von der kaiserlichen → Kanzlei als griech. Version einer urspr. lat. Rede des Constantinus erstellt und ist im Anhang zu Eusebios' [7] Vita des Constantinus überliefert. Apsyrtos' [2] *Hippiatriká* (4. Jh.) enthalten übers. Passagen aus Columella; für die → *Geoponiká* des Vindanius Anatolius aus Berytos (gleichfalls 4. Jh.; erh. nur in Exzerpten des 10. Jh.) lassen sich Ü. von Varro [2] und Vergil nachweisen.

Man muß also mit erheblich weniger griech. Ü. aus dem Lat. rechnen als umgekehrt, doch waren sie nicht ganz so selten, wie der Erhaltungszustand suggeriert. Immerhin konnte → Photios [2] (Phot. bibl. cod. 89) annehmen, daß Gelasios [1] von Caesarea einen lat. Text des Rufinus übersetzt habe, während es sich in Wahrheit umgekehrt verhielt.

D. Spätbyzantinische Übersetzungen

Griech. Ü. lateinischer Texte wurden erneut im 13./ 14. Jh. vorgenommen (z. B. → Planudes: Ovids ›Metamorphosen‹ und ›Heroides‹, Augustinus' *De trinitate*, Ciceros *Somnium Scipionis*, Iuvenal-Satiren; Demetrios Kydones: Augustinus, aber auch Thomas von Aquin; Gennadios (= Georgios) Scholarios: Komm. des Thomas von Aquin zu Aristoteles' [6] *De anima*; vgl. → Byzanz II. F.).

Ü. aus orientalischen Sprachen ins Griech. spielten v. a. für die byz. volkssprachliche Lit. eine Rolle (Stephanites und Ichnelates, 11. Jh., gehen letzten Endes über Pahlevi, Syrisch und Arabisch auf das in Sanskrit verfaßte *Pancatantra* zurück; Syntipas; *Historia Apollonii regis Tyri*).

Die mit dem → Attizismus beginnende griech. → Diglossie führte in byz. Zeit zur Entstehung einiger Sonderfälle, nämlich der Ü. hochsprachlicher Texte in die Volkssprache (etwa der *Alexiás* der Anna Komnena zur Palaiologenzeit; → Byzanz II. E.), aber auch umgekehrt: Symeon Metaphrastes übertrug die Heiligenlegenden (→ *Mēnológion*) in die Hochsprache.

→ Bibelübersetzungen; Christentum E.; Literatur VII.

E. Würthwein, Der Text des AT: eine Einführung in die Biblia Hebraica, ³1966 · E. Fisher, Greek Translations of Latin Literature in the 4th Century, in: YClS 27, 1982, 173–215 · G. Bardy, La question des langues dans l'église ancienne, 1948 · E. Dekkers, Les traductions grecques des écrits patristiques latins, in: Sacris erudiri 5, 1953, 193–233, bes. 217ff. • S. BROCK, Aspects of Translation Technique in Antiquity, in: GRBS 20, 1979, 69–87 • K. und B. ALAND, Der Text des NT: Einführung in die wiss. Ausgaben sowie in Theorie und Praxis der mod. Textkritik, ²1989 • V. REICHMANN, Röm. Lit. in griech. Ü. (Philologus Suppl. 34.3), 1943 • B. FARRINGTON, Primum Graius Homo. An Anthology of Latin Translations from the Greek, 1927 • B. ROCHETTE, Le latin dans le monde grec, (Coll. Latomus 233), 1997 • A. TRAINA, Le traduzioni, in: G. CAVALLO et al. (Hrsg.), Lo spazio letterario di Roma antica, Bd. 2, ²1993, 93–123 • H. MARTI, Übersetzer der Augustin-Zeit: Interpretation von Selbstzeugnissen (Studia et testimonia antiqua 14), 1974 • H. E. RICHTER, Übersetzer und Ü. in der röm. Lit., Diss. Erlangen 1938.   V. BI.

Ulpia

[1a] U. Plotina. Genannt in einer *tabula cerata* aus Herculaneum im J. 69 n. Chr. Sie könnte eine Schwester von M. Ulpius [12] Traianus und damit Tante des späteren Kaisers → Traianus [1] mütterlicherseits gewesen sein (AE 1993, 461).   W. E.

Ulpius

[0] C. U. Antoninus. Proconsul von Lycia-Pamphylia (Mitteilung von M. WAELKENS). Ob er mit dem Senator U. Antoninus, der an den Säkularspielen von 204 n. Chr. teilnahm [1] identisch ist, muß offen bleiben.

W. ECK, s. v. U. (25), RE Suppl. 14, 935.

[14] M. U. Urbanus. *Praeses* der Prov. Pamphylia unter der ersten Tetrarchie zw. 293 und 305 n. Chr.

S. ȘAHIN, Inschr. von Perge, Bd. 2 (im Druck), 287; 288.   W. E.

V

Vacuum. Bei den vorplatonischen Denkern – so bei den Pythagoreern (→ Pythagoreische Schule) oder bei → Anaxagoras [2] – findet sich die Vorstellung eines leeren → Raumes (τὸ κενόν/ *to kenón*); bei der Prüfung dieser Auffassung kam → Aristoteles [6] zum Ergebnis, daß das Leere nicht existiere. Aus seiner Argumentation geht hervor, daß Anaxagoras Phänomene der Luft experimentell untersucht hat. Für Aristoteles zeigen die Demonstrationen des Anaxagoras, daß Luft ein Stoff ist (ὅτι ἔστι τι ὁ ἀήρ/*hóti ésti ti ho aḗr*. Aristot. phys. 213a–214b).

Im 3. Jh. v. Chr. konstruierte → Ktesibios [1] Geräte, in denen der Luftdruck genutzt wurde, um bestimmte Effekte zu erzielen (Vitr. 9,8,2–4). Seit Ktesibios wurde die Pneumatik (πνευματική von πνεῦμα/*pneúma*, »die bewegte Luft«: Heron, pneumatiká 1,1) zu einer Spezialdisziplin der → Mechanik, wobei die Beherrschung der technischen Effekte auf einer eingehenden Analyse des Verhaltens von Luft beruht. Schon → Philon [7] von Byzanz bestimmte Luft als zu den Elementen gehörig und demonstrierte dies mit Hilfe eines Gefäßes mit engem Hals, das mit seiner geöffneten Seite nach unten ins Wasser eingetaucht wurde; die Tatsache, daß das Wasser

nicht in das Gefäß eindringt, ist Beweis dafür, daß Luft ein Körper ist. Auch die ›Pneumatik‹ des → Heron von Alexandreia beginnt mit einer ausführlichen Erörterung der Eigenschaften der Luft und der Existenz des Leeren. Heron vertritt die Auffassung, daß der Raum zw. den kleinsten Teilen eines Körpers aus Vacua (κενά/*kená*) bestehe, daß ein ausgedehntes V. (κενὸν ἄθρουν/*kenón áthrun*) von Natur aus nicht existiere, aber auf künstliche Weise (παρὰ φύσιν/*pará phýsin*) hergestellt werden könne (Heron, pneumatiká 1,1). Auf diesen Erkenntnissen beruht die Konstruktion einer Vielzahl von → Automaten, bei denen etwa ausströmende Luft Töne wie ein Vogel von sich gab (ebd. 1,15f.) oder eine Trompete ertönen ließ (ebd. 2,10). Durch Erwärmung von Luft entstandener Druck konnte in mechanische Bewegung umgesetzt werden (ebd. 1,38: Öffnung von Tempeltüren); eine Rotationsbewegung wurde durch Erhitzen von Wasser erzeugt; der Wasserdampf trat durch gebogene Röhren aus einer beweglich gelagerten Kugel heraus, so daß diese zu rotieren begann (ebd. 2,11). Die technischen Errungenschaften der Pneumatik fanden in verschiedenen Bereichen Anwendung, so bei der Konstruktion einer Spritze zur Brandbekämpfung (ebd. 1,28; vgl. Vitr. 10,7) oder zum Bau von → Musikinstrumenten (Wasserorgel; vgl. Heron, pneumatiká 1,42; Vitr. 10,8).

A. G. DRACHMANN, Ktesibios, Philon und Heron. A Study in Ancient Pneumatics, 1948 • B. GILLE, Les mécaniciens grecs, 1980, 130–133.   H. SCHN.

Vaticanus. Mit dem Namen V. (Mons Vaticanus; → Ager Vaticanus; zu den Namen [1. 3291–3294]) wurde schon in der Ant. das hügelige Gebiet auf der rechten Seite des Tibers zw. → Mausoleum Hadriani (h. Engelsburg) und → Ianiculum bezeichnet (→ Roma III., Karte 1.). Drei wichtige Straßen (Viae Aurelia Nova, Cornelia und Triumphalis) mit weitläufigen Grabanlagen führten über den V. In einem Teil dieses großen Gebietes lagen kaiserliche Gärten und der → Circus (I. C.) des Caligula und Nero [1]. Der Obelisk, der auf der *spina* der Rennbahn stand, wurde 1586 auf dem Petersplatz aufgestellt. In diesem Circus starben nach Tac. ann. 15,44 im J. 64 n. Chr. unter Nero Christen, die der Brandstiftung Roms beschuldigt wurden. In einer am Abhang des vatikanischen Hügels gelegenen Nekropole wurde seit dem 2. Jh. das Grab des → Petrus [1] verehrt (Gaius bei Eus. HE 2,25,7: ἐπὶ τὸν Βασικανόν [sic]/*epí ton Basikanón*). Über diesem ließ → Constantinus [1] um 320 die Basilica Constantiniana (Peterskirche) errichten. St. Peter entwickelte sich zu einem der wichtigsten Pilgerziele. Hier krönte Papst Leo III. am Weihnachtstag des J. 800 Karl den Großen zum Kaiser. Erst im Spät-MA verlegten die Päpste ihren Wohnsitz vom Lateranspalast (→ Domus Laterani) in den Vatikan.

1 H.-I. MARROU, s. v. Les fouilles du Vatican, Dictionnaire d'archéologie chrétienne et de liturgie 15.2, 1953, 3291–3346   2 E. GATZ u. a., s. v. Vatikan, LThK³ 10, 2001, 551–555 (Lit.).   R. BR.

Corrigenda zu Band 1–12/1

DNP-Spalten haben – je nach Seitenlayout – etwa 55–59 Zeilen. Die Zeilenzählung in
der folgenden Liste geht jeweils vom Beginn der Spalte aus; Leerzeilen werden nicht mitgezählt.
Die korrigierten Wörter sind durch *Kursivierung* hervorgehoben.

Stichwort   Spalte, Zeile   *neu* (im Kontext)

BAND 1

BERICHTIGTE KÜRZEL VON AUTORENNAMEN
Abbasiden   10, 16   *H. SCHÖ. (Hanne Schönig)*
Abubakr   44, 42   *H. SCHÖ. (Hanne Schönig)*
Aitne [1-2]   372, 14; 39   *MA. d. M. (Margherita di Mattia)*
Al-Mansur   425, 47   *H. SCHÖ. (Hanne Schönig)*
Alcimus [1] Latinus A. Alethius   448, 47   *W.-L. L. (Wolf-Lüder Liebermann)*
Ali   490, 47   *H. SCHÖ. (Hanne Schönig)*
Altar   555, 59   *C. HÖ. u. F. PR.* (Christoph Höcker *und* Friedhelm Prayon)
Argei   1059, 9   *W. EI. u. H. V.* (*Werner Eisenhut und* Hendrik Versnel)
Apollonios [2] Rhodios   879, 41   *R. HU. u. M. FA. / (Richard Hunter und Marco Fantuzzi) /*

Autoren   L, nach 8   füge ein: *Lucia Galli Rom L. G.*
   L, 9   Margherita di Mattia Rom *MA. d. M.*
   L, nach 23   füge ein: *Werner Eisenhut Berlin W. EI.*
   L, 44   Hans *Armin* Gärtner
   LI, 9   Stefan Hauser Berlin *S. HA.*
   LII, 7   *Rossella* Pera
   LII, 50   Hanne Schönig Mainz *H. SCHÖ.*
Übersetzer   LIII, nach 2   füge ein: *I. Sauer I. S.*

Abaton   9, 4   (*Syll.³* 1,223)
Abba   9, 29   *varia lectio* Obba
Ablaut   26, 12f.   Nom. gr. πα–τήρ, *lat.* pa-ter *(ē gekürzt).* Bei (2)
Abrote   33, 25   (Ἀβρώτη)
   33, 27   ihre Tracht ἀφάβρωμα
Abrupolis   33, 44   (*Syll.³* 643;
Aburnius [1]   45, 13f.   (CIL 1089), *unter Hadrianus, wohl im Jahr 118 oder 119 n. Chr. Suffektconsul zusammen mit C. Bruttius Praesens.* Besitzer
Achaia   56, 50   Thessaloi (Thessalia) (vgl. *Syll.³* 796A)
   57, 10   (*Syll.³* 814)
Achaioi, Achaia   68, 9   (*Syll.³* 683;
   68, 25   τῶν Ἀχαιῶν
   68, nach 29   ergänze: *Römische Zeit s. Achaia [römische Provinz]*
   68, 30   → Griechische Dialekte*; Achijawa*
Achijawa   75, 3   *Tudḫalija IV.*
Achilleus   80, 45   um *700* v. Chr. aus Perachora
   81, 7f.   ›Amykläischen Thron‹ (um *500* v. Chr.;
Acilius [2]   86, 21   Philosophen-*Gesandtschaft*
Ad Pirum   100, 19   *praetentura* Italiae et Alpium
Adolios   120, 23   (Prok. *BP 2,3*; 21; 24f.).
Aelius [I 11]   170, 36   ***Paetus* Catus,**
Aemilus [I 10]   177, 45f.   mit *Caius Flaminius.*
   177, 49   *179 Censor mit* M. Fulvius Nobilior
Aeoli Insulae   186, 41   (Αἰόλου νῆσοι, Αἰολίδες,
Aetna   211, nach 57   ergänze: *zum Berg s.* → *Aitne [1].*

Afrika 217, 13   3. *RÖMISCHE* PROVINZ
217, 28   zum ersten Mal bei Pind. P. 9,*8*
217, 52   → *Makedonen*
218, 11   Ἄννωνος περίπλους
Agathias 236, 3 f.   Ereignisse der Jahre *552–559*
Aggar [2] 256, 37   nahe Ousseltia. 232 *n.* Chr.
Agis 258, 20   (Ἆγις).
Aglaosthenes 261, 46   Verfasser von *Ναξιακά*
Agone 266,8   s. Skenikoi agones; *s. Wettbewerbe (künstlerisch)*
Agonothetes 266,9   ἀγωνοθέτης
Agraphoi Nomoi 277, 6   M. OSTWALD, in: *E. N. LEE et al. (Hrsg.),* Exegesis
Agrarstruktur 289, 46 f.   Herrenloser ager *privatus* wurde,
Agrippa 294, 35 f.   Agrippa. *Nach moderner Etym. sei der Name Agrippa von* *agrei-pod-*
»*vorn die Füße habend« abzuleiten (lt. LEUMANN, 398, »sehr zweifelhaft«).* Urspr. ein Praenomen
Agrippina [3] 298, 14   Geburt des Sohnes Nero im J. *37*
Ahura Mazdā 305, 17   der *zoroastrischen* Gemeinde
Aia 307, 7   in derselben östl. Gegend [*2.* 236, 247]
Aiaia 307, 24 f.   Prop. 3,12,*31*), Medea (Apoll. Rhod. 3,*1136*).
Aias 309, 36   Τελαμώνιος
Aietes 313, 25   um *es* mit einem alten Mythos
Aigilips 319, 41   *V.* BURR
Aigimios [1] 319, 43 f.   Sohn *(oder Vater)* des Doros, Vater von Dyman und *Pamphylos*
Aigina 323, 15   beim h. Kalambaka [*3.* 121–123]
Ailianos [2] 327, 33   Menandros (IG 14,1168; *1183*)
327, 39   ἀφέλεια
328, 10   von C. *Peruscus*
Aimilianos 329, 13   Statt FGE 3 lies: *GA II.1,11 f.; II.2,13–16.*
Aineia 329, 26   (Αἴνεια).
Aineias 331, 47   (Wolfenbütteler Forschungen *75*), *1997*
Aioleis 336, 52   älter *Aiwolēwes*
337, 1 f.   vom Adjektiv αἰ(ϝ)όλος
338, 24   / *Aiwolēwes* /
338, 55   → *Aiolisch; Griechische Dialekte*
Aischines [1] 347, 23   in: GGPh² 2.1, *1997/8*
Aischines [2] 348, 29   1. ›Gegen *Timarchos‹*
Aischrion 350, 15   nannte man *Aeschrionium*
350, 16   1 *GA 1,1,3; 2,3–5*
Aischrologia 350, 17   s. Pornographie
Aison [1] 358, 4   Sohn des Kretheus und der *Tyro*
358, 6–8   Vater Iasons (Hom. Od. 11,258 ...) und des *Promachos*
Aisopos 365, 1   5 *Dies.,* Grecia e Vicino
Aithalidai 365, 52   Zusammenhang mit → *Eupyridai*
Aitoloi, Aitolia 375, 33 f.   (*Syll.³* 1, 511–514;
378, 28   (*Syll.³* 1, 643
378, 32   (*Syll.³* 1, 631
378, 45 f.   Colonia Augusta *Achaica* Patrensis (Patrai)
379, 8   Ιστορικό Συνέδριο
Aius Locutius 379, 55   *indigitamenta*
Akarnanes, Akarnania 393, 11   eine → *Hēliaía und ein Prytane entsprechen*
393, 14   *Syll.³* 1, 201
395, 32   nannte sich τὸ κοινόν
395, 33   οἱ ξίλιοι [13. 264
395, 53   SNG *Tübingen* 1985,
Akastos 397, 32 f.   Pind. N. *4*,54ff.
Akazie 397, 41   (ἀκακία
Akoniti 405, 25   auf einem *haltér* (→ Sportgeräte)
411, nach 22   ergänze: *Akropolis s. Städtebau*
Aktia 415, 8   Cass. Dio *41*,1
415, 26   LAUFFER, *Griechenland*

Ala [2]   426, 26   Die a. *milliaria* (etwa 1000 Mann

Alalkomenai [1]   428, 52   wahrscheinlich *nördl.* unterhalb vom h. Solinarion
  429, 1   nordwestl. bei *Ajia* Paraskevi

Album Ingaunum   444, 34   *G. MENELLA* (Hrsg.),
  444, 36   Albingaunum, in: *Riv. di Studi Liguri*

Album Intimilium   444, 50   *G. MENELLA* (Hrsg.),
  444, 54   Quaderni *del Centro di Studi Lunensi* 12,

Alexandros [14] Zabinas   476, 37f.   als angeblicher Adoptivsohn Antiochos' *VII.*

Alexandros [15] von Pherai   476, 51f.   und → *tagós (ταγός)* der Thessaler.

Alexandros [23] Polyhistor   478, 50   Ἀλέξανδρος Πολυίστωρ).

Alexandros [28]   483, 26   Narzißmus *als Gesandter* (? 138) ärgerte sich

Alexandros [30]   484, 41   **[30]** *Autor einer Puls- und Urinschrift De urinis*, die

Alexinos   486, 35   in: GGPh 2.1, *1997/8*

Alkaios [4]   494, 24   seinem Exil (*130V*),

Alkaios [6] aus Messene   497, 4   GA *1*,1,3–10; *1*,2,6–27.

Alkidamas   503, 32   Men. *Rhet.* 2,346,17 SPENGEL

Alkimede   504, 36f.   Tochter des Phylakos und der (Eteo-)*Klymene*

Alkimenes   505, 19   (Diod. 4,54,1; *4*,55,1f.)

Alphabet   537, 6   *entsprechenden* semit. Wortes
  537, 54   ʿIzbet *Sartah*
  541, 3   [*13*. 805ff. *fig. 100* Nr. 13]
  546, 55f.   oder *mehr (⚡) Erfolg* propagiert haben;

Altar   554, Abb.   Auriol, Tischaltar, 5. Jh. *n.* Chr.

Amata [4]   574, 13   von der Fürstin A. *[3]* veranlaßten

Amblosis   580, 4   (ἄμβλωσις).

Amnias   603, 30   mündet *östlich* von

Ampelusia   608, 35   Nach *Ps.*-Skyl. 112

Amphorenstempel   627, 38   und *MAGO* sowie

Amynandros   635, 29   Philipp von *Megalopolis*

Amyrtaios   638, 19   (Ἀμυρταῖος)
  638, 36   H. DE MEULENAERE, s.v. A., *LÄ* I, 252f.

Amythaon   638, 46   Amythaonia; *vor* Pelias und Neleus

Anabole   639, 16f.   verunstaltet habe (PCG VII *155*).

Anaitis   645, 16–18   Der avest. Name, *Aredvī-Sūrā-Anāhitā*, Göttin der Gewässer,
  besteht aus drei Epitheta (z.B. *anāhitā* = »unbefleckt«).

Anakreon   647, 21   [4. *fr.* 198f.]

Anastasios [1]   656, 4   des Söldnerführers *Vitalian* 513/515.

Anastasios [6] Traulos   658, 11   Planudes, *1993*, 311–313.

Anatolios [1]   661, 3   *Vindonius* Anatolius.

Anaxagoras [1]   667, 25   ergänze unter Anax: *Anaxagoras* [1] Bronzebildner aus Aigina,

Anazarbos   675, 15   Καισάρεια πρὸς

Ancharius [1]   676, 25   (*Syll.³* 748), 65

Anchises   678, 27f.   begleitet er *auch* auf den Tabulae Iliacae, also vielleicht bei *Stesichoros*

Andokides [2]   685, 13   [2] *Andokides-Maler.* Anonymer att.

Andraste   687, 8   gleichzeitige *Pfählung* gefangener
  687, 9f.   von den Römern *vergewaltigten*

Andriskos [1]   688, 34   in Thessalien *Iuventius* Thalna,

Anemurion   699, 2   maris *magni 197*; Plin. nat.

Anicius   702, 50f.   zum Konsulat (s. *[I 4]*), sonst

Anicius [I 4]   703, 26   Attalos *II.* von Pergamon

Annalistik   710, 38   E. BADIAN, in: *T. DOREY* (Hrsg.), Latin

Annia [1]   710, 51   Schwester von *A. [I 12]* und Tochter

Annikeris   711, 41f.   in: GGPh 2.1, *1997/8*

Annius [I 10]   712, 38   **Bellienus,** *C.,* Legat

Annius [I 13]   713, 54   mit Q. *Fulvius Nobilior,* trat

Anthemios/-us [2]   730, 15   magister *utriusque* militiae

Anthologie   737, 35   **4** F. *DÜBNER,*

Anthropogonie 740, 19 Philem. fr. 93 *PCG*; Kall. fr.

740, 32 f. in: M. MÜNZEL *(Hrsg.), Ursprung, 1987, 9–18*

Antigoneia [1] 751, 7 Gründung des Antigonos im J. *307* v. Chr. Die Stellenangabe (Liv. 44,10 ora Antigonea) ist zu streichen.

Antigonis 757, 1 Diod. 20,*46,2*; Poll. 8,110

Antigonos [1] Monophthalmos 752, 21 gewann *Lykaonia* und erhielt 331

Antiocheia [6] 765, 49 h. Ruinenstätte *Antiokya*.

Antiochos [5] III. 769, 5 zu festigen (*Syll.³* 601;

Antiochos [6] IV. 769, 11 jüngster Sohn *von* A. III., *189–178(?)*

769, 34 beurteilt (*Syll.³* 644;

Antiochos [18] IV. 772, 48 f. seinem Sohne Antiochos I., *1973*

Antipatros [1] 776, 24 und → *Krateros* zu seinem

778, 43 Stemma: Apama (1) ∞ *Seleukos* (1) ∞ Stratonike (3)

Antipatros [12] 780, 53 f. *Inter consulares* gewählt und Lehrer von Caracalla und Geta (soph.; vgl. IK 16,2026,17–18: *von 200–205*)

Antiphilos [3] von Byzantion 783, 49 7,635; *9,35* lassen sich

Antisthenes [1] 794, 46 f. in: GGPh 2.1, *1997/8*

Antisthenes [2] von Rhodos 795, 14 Listy *Filologické*

Antistius [II 9] 798, 27 Streiche: cos. ord. II 50

Apaturon 826, 32 Urania (Ἀπατούρου

Aphobetos 833, 43 zw. 377/76 und 353/2 *Hypogrammateus* und → *Grammateus*

Aphrodisias [1] 836, 34 besuchter Pilgerort; im 5. Jh. n. Chr.

836, 36 Karia *später in Stauropolis umbenannt.*

Aphrodite 842, 11 Men. *Kolax fr. 292*; Plut.

Apolinarios 855, 13 ff. Hinweis: identisch mit Apollinarios [3] von Laodikeia

Apollodoros [16] 862, 45 ergänze: *Möglicherweise identisch mit A. [9].*

Apollon 869, 23 Kyrene (*etwa Mitte des 2. Jh. v. Chr.*);

Apollonia [2] Pontike 871, 41 seine Kolonien, *1983*.

871, 51 *PE* 1976, 72 f.

Apollonios [2] Rhodios 879, 14 P. DRÄGER,

Apollonios [16] 887, 51 **[16]** *A. von Kition*. Arzt

888, 19 → Chirurgie; *Bakcheios*

Apollonios [17] 888, 38 **[17]** *A. Mys.* Herophileischer

Apophthegma 893, 26 (Plut. mor. 172–208a, 208b–240b, 240c-*242d*).

Apoxyomenes 899, 52 lies: *Apoxyomenos*

Appianos 905, 33 E. SCHWARTZ, s.v. *Appianus (2)*, RE 2

Aptara, Aptera 921, 30 h. *Aptara*, auf Münzen und Inschr. Aptara

Apuleius 922, 7 ergänze vor Apuli, Apulia: *Apuleius s. Ap(p)uleius*

Aqua Marcia 926, 26 Meilensteins der Via *Latina*

Aquae [II 11] Thibilitanae 928, 27 f. Aug. epist. 53,4; *contra Cresconium grammaticum 3,27,30*;

Aquitania 940, 45 → Garumna und → *Liger*

Arachnaion 949, 44 (Ἀραχναῖον).

Arachthos 950, 37 auch Ἄραθθος, Ἄρατθος

Arae [2] Philaenorum 952, 30 Φιλαίνων Βωμοί

952, 31 Syrte (*Ps.-Skyl. 109*)

Aratos [4] 960, 14 f. Schon *einer der Vorgänger des* Eudoxos, Kleostratos von Tenedos, hatte *als erster seine Lehre von der Astronomie in Verse gesetzt.*

Arbakes [1] 963, 9 König → *Sardanapal (→ Assurbanipal)*

Arbeit 963, 39 A.s-Verweigerung [*5. 278–281*].

963, 43 Gemeinwesens zum Ausdruck [*4. 109–117; 6. 25 mit Anm. 33*].

963, 47 W. HELCK, s.v. A., *LÄ* 1, 370 f.

Archelais 984, 37 f. kappadokischen König → Archelaos *[7]*

Archilochos 995, 33 → *Tyrtaios*; → *Semonides*) unsere frühesten

Archimedes [1] 999, 39 d.h. von 1 bis 10^8

999, 40–42 daß jede Ordnung 10^8 Zahlen umfaßt. 10^8 Ordnungen bilden eine Periode; insgesamt gibt es 10^8 Perioden.

Architekt 1003, 26 τεκτωσύνη (Zimmermannshandwerk)

Architektur   1011, 29   einen eigenen Bautyp ausgeprägt [1; 31; 46; *49*]

   1012, 17   außerhalb urbaner Zentren [6; 7; 12; *48*]; sie ist

   1012, 41   die bis zu *fünf*geschossigen Mietshäuser

   1013, 36   → Dipteros *[50])* in Erscheinung

   1018, 35   ergänze: **48** R. Förtsch, *Arch. Komm. zu den Villenbriefen des jüngeren Plinius, 1993*   **49** P. Gros, *L'architecture romaine, 2 Bde., 2000/2001*   **50** B. Wesenberg, *Kapitelle und Basen (32. Beih. BJ), 1971.*

Arderikka   1039, 36   Ἀρδέρικκα

Arelate, Karte   1045   Für den Fluß lies: *Rhodanus.*

Arelate   1046, 17f.   E. des *4.* Jhs. n.Chr. Sitz der

Argas   1056, 19   Niveau *seiner Figuren* beziehen

Argolis   1065, 31   P. Aupert

Argonautai   1067, 30   ältester *Tyro-Sohn*

   1068, 7   Aitia: *Mythos als artifizielles Spiel alexandrinischer Gelehrsamkeit bzw. Instrument der Homer-Imitatio*

   1068, 11   *Dionysios* Skythobrachion

   1068, 19   Delphi (*Val. Fl.*3. 299ff;

   1068, 48   Antim. fr. 65 Matthews)

   1068, 53   Skymnos fr. 5 *[2]*;

Argos   1070, 20   Deiras (54 m) *[5]* die knapp 100 m

   1070, 27   Theater *[7]* am Südostfuß

   1070, 30   Sitzstufen *[6]*, wohl dem alten

   1071, 30f.   bis ins 5. Jh. v.Chr. *[2]*, eine demokratische Verfassung [*11; 1.* 49–141] hatte A.

   1071, 52   Phratrien und Demen [*3; 8; 9*]

   1071, 54   [*10.* 274–293]. Neue Funde: BCH 115, 1991, 667–686;

Ariaramnes   1079, 20   [*1. 116 DB I 5*] seinen Urgroßvater.

   1079, 22   ›König der Könige‹ nennt [*1. 116 AmH*]

Aricia   1080, 8   im *nemus Aricinum* am Ufer

Arion   1084, 5   Κυκλέως υἱός)

Ariovistus   1085, 3   (durch den Mund des → *Divitiacus*)

Aristeides [3]   1096, 30   Er wurde am *26.* November 117 n.Chr.

   1100, 33   M. *Quet*, in: Baslez, Hofmann, Pernot (Hrsg.)

Aristippos [4]   1104, 20f.   in: GGPh 2.1, *1997/8*

   1104, 22f.   W.-R. Mann, The life of Aristippus, in: AGPh *78, 1996, 97–119.*

Aristodemos   1108, 48   → Grammatiker des 2. Jh. *v.* Chr.

Aristodikos   1109, 30   eine *Grille.* Es gibt

Aristokreon   1113, 39   Anth. Pal. append. 1,129 Cougny

Ariston [3]   1116, 50   eher von ihm als von Ariston *[7]* oder Ariston [2]

Ariston [6]   1117, 16   Hermodoros, *vom Codex P* jedoch

Aristonikos [4]   1119, 23   M.' *Aquillius* endgültig

Aristoteles [6]   1140, 33   »Substanzbücher« Z, H, Θ eine

BAND 2

BERICHTIGTE KÜRZEL VON AUTORENNAMEN

Artabannes [1] und [2]   41, 34   *M. Sch. (Martin Schottky)*

Artabanos [4] und [5]   43, 53   *M. Sch. (Martin Schottky)*

Artavasdes [3] – [6]   47, 25   *M. Sch. (Martin Schottky)*

Artaxias [1] – [4]   49, 46   *M. Sch. (Martin Schottky)*

Assur [1] und [2]   114, 33   *S. Ha. (Stefan Hauser)*

Autobiographie I.   349, 22   *B. P.-L. (Beate Pongratz-Leisten)*

Bart   456, 41   *G. Co. (Gudrun Colbow)*

Belesys   547, 42   *A. Ku. u. H. S.-W. (Amélie Kuhrt und Heleen Sancisi-Weerdenburg)*

Bessos   587, 20   *A. Ku. u. H. S.-W. (Amélie Kuhrt und Heleen Sancisi-Weerdenburg)*

Bestattung A. und B.   589, 13   *S. Ha. (Stefan Hauser)*

Bewaffnung I.   610, 57   *L. B. (Leonhard Burckhardt)*

Bibel   623, 28   *DA. Ba. u. L. P./H. C.-L. (David L. Balch* und Leo Perdue/Übersetzung: H. Cancik-Lindemeier)

Bisutun   697, 32   *J. Re. u. J. W. (Johannes Renger und Josef Wiesehöfer)*

Biton   703, 56   *H. Schn. (Helmuth Schneider)*

Blei 709,5 *H. SCHN. (Helmuth Schneider)*
Bodenschätze 719,3 *H. SCHN. (Helmuth Schneider)*
Buch 816, 19 *GU. C./F.H. (Guglielmo Cavallo/*Übersetzung: F. Hofelich)
Byzantion, Byzanz Karten-Lit. 874, 16 ergänze: *J. N. (Johannes Niehoff)*
Calvisius 951, 52 *K.-L. E. (Karl-Ludwig Elvers)*
Candidus [1] 962, 22 *M. MEI. (Mischa Meier)*
Candidus [2] 962, 29 *R. B. (René Bloch)*
Castellum [I 4] Tingitanum 1020, 38 *W. HU. (Werner Huß)*
Cento A. 1062, 8 *H. A. G. u. W.-L. L. (Hans Armin Gärtner und) Wolf-Lüder Liebermann*
Cento C. 1063, 42 ergänze: *W.-L. L. (Wolf-Lüder Liebermann)*
Charon [2] 1108, 27 *M. D. MA. (Massimo Di Marco)*
Choaspes [1] 1135, 50 *A. KU. u. H. S.-W. (Amélie Kuhrt und Heleen Sancisi-Weerdenburg)*

Kartenverzeichnis s.v. Athleten V, 28 Iscrizioni *agonistiche* greche,
s. v. Brettspiele VIII, 34 AM 23, *1898,* 2 Abb. 1, 2.

Autoren IX, 12 Tiziano Dorandi *Paris* T. D.
IX, 16 *Andrea Becker Berlin* AN. BE.
IX, 27 *René* Bloch *Basel* R. B.
IX, 28 *Horst-Dieter* Blume *Münster* H. BL.
IX, nach 32 füge ein: *Klaus Bringmann Frankfurt/Main K. BR.*
IX, 41 Hans *Armin* Gärtner *Heidelberg* H. A. G.
IX, 47 *Michela* Gargini *Pisa* M. G.
IX, 53 Guglielmo Cavallo *Roma* GU. C.
IX, 57 *Michel* Christol *Paris* M. CHR.
IX, 59 Gudrun Colbow *Liege* N. G. G. CO.
X, 61 *Jochem* Küppers *Jüchen* J. KÜ.
X, 27 *Wolfram* Martini *Treis* W. MA.
Übersetzer XII, nach 3 füge ein: *I. Sauer I. S.*

Arkadisch 4, 22 [*t'is*]
4, 30 te und **g^{u}e > d'e,* de
4, 55 f. *L. DUBOIS,* À propos d'une
Arkesilaos [5] 7, 43 *Pyrrhoneioi* hypotyposeis
Arkesilas-Maler 8, 23 oder *Arkesilaos [2]* II.
Arrecinus [2] 26, 13 f. cos. suff. II *83 oder 84*
Arrius [I 5] 31, 25 **[I 5] A., Q.,** Praetor
Arsakes [3] 34, 36 Partherkönigs *Artabanos* II.,
Arsames [1] 35, 38 Inschr. *sind unecht*
Arsames [2] 35, 42 [2. 107]; *identisch mit A. [3].*
Arsames [3] 35, 43 Persischer Satrap von
35, 50 f. unterstützte *möglicherweise* Dareios II.
Artabanos [1] 41, 42 *Vielleicht um 500 v. Chr.*
Artabazanes 44, 12 69–75 · *D. M. LEWIS, Sparta and Persia, 1977, 15.*
Artaxerxes 47, 34 Ἀρταξέρξης, altpers. *Artaẖšaça).*
Artaxerxes [3] 48, 29 f. Forderungen des A. Angeblich wurde A.
Artaxerxes [4] 48, 35 ff. Thronnamen A. [12]. *Möglicherweise ist* die Xanthos-Trilingue [13] in seine Regierungszeit zu datieren. Bogoas soll
Artemis 55, 14 f. Epiklese *Kallíste*
56, 57 spielt A. *Leukophryénē*
57, 5 f. Epiklese *Phōsphóros*
58, 60 Leptis Magna *(hadrianisch;*
Artes liberales 63, 23 sine *litteratura* encyclioque
Artorius, M. 66, 3 f. 27 v. Chr. *bei einem Schiffbruch*
Artystone 66, 15 elam. *Irtašduna).*
Arybandes 70, 9 versucht habe, *königliche Mz.*
Arzt 71, 55 Chirurgie; *Medizin;* MEDIZINGESCHICHTE
Asklepiades [1] 88, 36 f. Eros *(nach dem euripideischen Hippolytos 530 ff.; vgl. 12,50,3;*

Asklepiades [3]   89, 24f.   K. Döring, Menedemos, in: GGPh 2.1, *1997/8*

Aspekt   106, 19   von *distinkten* Vorgangsarten

Assurbanipal   115, 5   → Mesopotamien; *Sardanapal*

Astarita-Krater   117, 22f.   des Bakchyl.: ΑΝΘΗΝΟΡΙΔΑΙ

Astarte   117, 37f.   in der *Dea* → *Syria* auf.

117, 42   C. Bonnet, A., *1996* · M. Delcor, s.v. A., LIMC *3.1*

Atargatis   148, 1   s. *Syria Dea*

Ate   149, 8   **4** *K. Wernicke, s.v. A.,*

Ateleia [5]   150, 1   [5] *A.* Philologus, L.,

Ateleia [6]   150, 20   [6] *A.* Capito, C.

Athena   160, 41   **Athena, *Athene*** *(Ἀθηνᾶ, Ἀθήνη, Ἀθηναία).*

Athleten   207, 23   in: Nikephoros 7, 1994, *7–64*

Athos   208, 53   Kloster die Μεγάλη Λαύρα.

Atomismus   219, 18   statt → Philosophie; Philosophiegeschichte lies: → *Atomistik*

Aton   219, 34   *(1353–1336 v. Chr.)*

Atossa   220, 4   altpers. **Utauthā* .

Atossa [1]   220, 6   Dareios *[1] I.*

Attaleia [2] und **[3]**   226, 34; 49   L. Bürchner

Attalos/-us [7]   231, 37   2. Jh. *v. Chr.*

Attisches Recht   260, 59   *Solonos* Nomoi

Augusta [1] Bagiennorum   281, 45   Gegr. vor dem *J.* 5 v. Chr.

281, 53   RAC 69, *1993*

Augustalia   293, 32   → *Ludi*

Augustinus, Aurelius   299, 36   → *Autobiographie; Augustinismus;* Autobiographie

Augustus (Stemma)   303f., 4 (Mitte)   Scribonia ∞ (2) *Octavius* (3)

303f.,13 (rechts)   *Caes.* Augustus Germanicus

303f.,22 (rechts)   L. Domitius Ahenobarbus ∞ (1) *Octavia*

303f.,24 (rechts)   (3) *Statilia* Messalina (Aug.)

Augustus   306, 14   warben ein *Heer*

307, 41   der *Ianustempel* geschlossen

312, 22f.   mit *dem* imperium proconsulare

Aurelia [1]   317, 16   C. → Aurelius *[I 5] Cotta*

Aurelia [2]   317, 22   **[2] A. Orestilla**

Aurelius   319, 42   zu den häufigsten *Namen.*

Aurelius [5]   320, 19f.   Volkstribunen M. → *Livius Drusus*

Aurelius [13]   321, 34   gramm. 6). *Zu seinem lit. Schaffen s.* → *Opillus.*

Aurelius [23]   324, 7   **Caesar** *s.* Iulianus.

Aurelius   324, nach 39   ergänze: *[33] A. Victor, s. Victor A.*

Aussprache   338, 10–12   *Wie kann* die originale Aussprache eines in »toter« Sprache verf. *Dokuments eruiert werden?*

338, 49   Schreibweise <*ai*>

339, 33   Gesetzes *betreffend* die Kolonisierung

Autobiographie   348, 44   Ḫattušilis III. zu nennen

Autonomia   360, 45   *eleuthería* (→ *Freiheit*)

Autronius [2]   364, 9   (*Syll.³* 748, Z. 16).

Avestaschrift   368, 2   Neu gegenüber den *älteren* oriental. Alphabeten

B (sprachwissenschaftlich)   379, 42   κάββαλε < κατ-; *ab-breuiare* < ad-;

Baebius [II 6]   393, 32   cos. suff. *83 oder 84*

Baebius [II 13]   394, 22   B. *Tamphilus* Vala Numonianus Cn.,

Bakchai   405, 44   s. Dionysos, *s. Mänaden*

Balāwāt   417, 39f.   von zwei *zweiflügeligen* Toren ... und einem seines Sohnes Salmanassar III., *zweiflügelig umge-setzt* [3].

417, 47   More Balawat *Gates*

418, 2   1915 · *4* D. Oates, in: Iraq 36, 1974, *173–178.*

Balios   421, 12   (Βάλιος, Βαλίας)

421, 21   Diodor *(6,3)*

Ballspiele   427, 38f.   Some notes on the Spartan σφαιρεῖς, in: *ABSA*

Baloia   428, 17   *balkanološka* ispitivanja

Banken 432, 56   Pasion, *angeklagt* wurde

433, 40   haben sich erhalten.

Barbaren 441, 29f.   *Aristoteles* vertrat die Auffassung von der »Knechtsnatur«

Bardiya [1] 446, 47   (und der *Kassandane*)

Basileides [2] 459, 24   angelehnt *Origenes*

Bataveraufstand 491, 45   34, 1984, *39–331*

Bauern 501, 53   und *M'*. Curius Dentatus

502, 36f.   Zusammensetzung und *der Wohlstand* der

Bauplastik 507, 44   Hathortempel zu → *Dendara*).

Bauwesen 525, 51   Rolle bewußt (→ *Könnensbewußtsein*).

Begehren 544, 22   von Unlust (ad *Menoeceum* 130; RS 15).

Beneventana 563, 18   **3** E. A. *Lowe*, The

Berberisch 564, 28   so wird *in* phöniz. PN *ʿabd-*, »Diener des«,

Beth Shemesh 593, 35   E. *Lipiński*, VT 23

Bettelei, Bettler 597, 25   bewußt war: *die vollständige Abhängigkeit* einer

598, 12ff.   einer Bettlerexistenz die allg. Wahrnehmung

Bevölkerung, Bevölkerungsgeschichte 600, 29   daß ihre *Werte* der

601, 29   der mil. *Wehrkraft* eines Gemeinwesens

602, 16   [2. 23; *24.* 50–107;

603, 44   Wiederheirat besaßen *[18]*.

603, 52   [26. *42*; 21. 86–88].

604, 37   and the *Fall* of

604, 58   **20** P. *Morizot*

Bewaffnung 610, 17   Der allmähliche *Ersatz* des

610, 49   → *Militärtechnik*

Bibelübersetzungen 627, 19   (→ *Qumran*, Papyri)

631, 20   P. S. *Alexander*, *Jewish Aramaic Translations of Hebrew Scriptures*, in: M. J. *Mulder*, H. *Sysling* (Hrsg.), *Mikra*, 1988

Bibliothek 634, 23   1. c) , *die von Ptolemaios I.* gegründet wurde.

639, 56   (mehrere *tausend* Tafeln)

640, 18f.   Cuneiform Archives and Libraries, *1986.*

Bildung 663, 13   (*Aristoph.* Nub. 986, 1043)

663, 15   (*Aristoph.* Nub. 961;

664, 31   *überlegener* Klugheit

665, 8f.   (s. bei *Platon* Thrasymachos, rep. 327–354, und Kallikles im *Gorgias;* zum

667, 44f.   Widerstand, Scipio Aemilianus

668, 11   [*10.* 169–180;

671, 9   [*9.* 142–146]: *Zur Bildungsreligion gesteigert, stemmt sie sich* als letzter Damm

672, 15   den sog. *Dritten* Humanismus s. → *Paideia*).

Bilingue 673, 32   die moderne → *Entzifferung*

677, 15   **1** I.-J. *Adiego-Lajara*,

Bīt Ḫilāni 698, 6   ZA 65, 1975, *69–103*

Blei 709, 2   **9** J. *Riederer*, Arch. und

Bocchus [1] 712, 16   ca. 110–*81* v. Chr.

Boëthos [7] 726, 41   Cicero (Verr. *2,4,32*)

Boibe 730, 6   Βοιβηὶς λίμνη).

Boiotia, Boiotoi 737, 15   Unt. zur Gesch. *Boiotiens in der Zeit Alexanders* und der Diadochen

737, 33   Boiotian League, *432–371 B.C., 1994.*

Bomies 741, 17   *Bomieis*

Bonifatius [3] 744, 52   Bd. 1, 1930, *360–368; 373–383* ·

Brettspiele 769, 33   O. *Höckmann*, Brettspiele im Didymeion, in: *MDAI(Ist) 46, 1996, 251–262* · H. R. *Immer-wahr*, Aegina.

Brief 773, 24   Grußformeln auf *[8]*.

773, 26   Wirtschaftsorganisation [7. 393; *2*]

774, 2   in: *Jaarbericht* Ex Oriente Lux 16, 1964, *16–39*

Brisaios 778, 21   Vorgebirge *Brisa (Bresa)* verehrt

Briseis 778, 38   Kämpfen (*Hom. Il. 1,182ff.*). Als Agamemnon

Brizo 788, 48   bei Athen. 8,335a-b = *FGrH 396 F 4*).

Bryson   808, 6   in: GGPh 2.1, *1997/8*

Bubastis   808, 14f.   *Spätestens seit ptolem. Zeit (4./3. Jh. v. Chr.) wird B. auch Hauptstadt*

Buch   815, 48   Autorenlesungen, *in: Kommunikation durch Zeichen und Wort, 1995, 265–332*

Bürgschaft   822, 10   von der Mitte des 3. Jt. v. Chr. [*2.* 253]

822, 11   in hell. Zeit [*3.* 64–69]

Bulla Regia   842, 5f.   Baal Hamon und *Tinnit.*

842, 12   B.R., *1977* · *A. BESCHAOUCH et al., Recherches archéologiques franco-tunisiennes à Bulla Regia I 1, 1983* ·
H. BROISE, Y. THÉBERT, Recherches archéologiques franco-tunisiennes à Bulla Regia II 1, 1993 · C. LEPELLEY, Les

842, 13   *1981,* 87–90 · *C. G. PICARD, Catalogue du Musée Alaoui. N. S. Bd. I 1, o.J. 256–258 = Cb 947–952* ·
Y. THÉBERT, s.v. B.R.,

Caecilius [I 11]   884, 53   von seinem Sohn C. *[I 18]* gehalten

Caecilius (Stemma)   885f., 15f. (Mitte)   M. Licinius *Crassus*

Caecilius [I 12]   887, 2   verklagte er *213* deswegen

Caecilius [I 19]   887, 50   **C. Metellus Baliaricus, Q.**

Caecilius [I 20]   888, 1   **C. Metellus Calvus, Q.,**

Caecilius [I 21]   888, 6   **C. Metellus Caprarius, Q.,**

Caecilius [I 22]   888, 14f.   Sohn von C. *[I 28]*, Bruder von C. *[I 29]*, verheiratet

Caecilius [I 24]   889, 3   (Ascon. 45f.).

Caecilius [I 26]   889, 10   Er förderte als *Consul 117 v. Chr.* den

889, 19f.   in sen. 37; p. *red.* ad Quir. 6).

Caelius [I 3–4]   902, 19–21; 41   Die allg. Bibliogr. unter C. [I 3] ist unter C. [I 4] nach Z. 41 zu setzen.

Caelius [I 4]   902, 28f.   Cicero verteidigte C. erfolgreich *[1. 134f.].*

Caesarea [1]   924, 41   Prok. BV 2,20,31). Inschr.: *CIL VIII 2, 9320–9598; Suppl. 3, 20937–21446; AE 1992, 539f. Nr.*
1926–1928.

924, 47   *1698–1706* · *Ders., C. de Maurétanie, in: ANRW II 10.2, 683–738* · T. W. POTTER

Caesius [I 1–2]   928, 45/48   Die Lit.-Angabe gehört zu C. [I 1], nicht zu C. [I 2].

Calatores   933, 43   *1* P. LENK, Plauti

933, 45   SCHEID, Collège, *467.*

Calceus Herculis   934, 45   *18004–18012; AE 1992, 522f. Nr. 1848–1854.*

Calpurnius   941, 36   Plut. Numa 21,2 u.a.; *Porträt des Numa auf Mz. der Calpurnier: RRC 446; RIC I² 390–394).*

941,38f.   *I. HOFMANN-LÖBL, Die Calpurnii. Polit. Wirken*

Calpurnius [I 4]   942, 38   Büchlein Ἀπομνημονεύματα

Calpurnius [I 16–18]   944, 11/22   Die Lit.-Angabe gehört zu C. [I 16], nicht zu C. [I 18].

Calpurnius [I 19]   944, 36   *Schwiegervater* Caesars

Calpurnius [II 17]   947, 20   Von *13–32*

947, 23   Im J. *32* starb er

Calvisius [6]   952, 24   eroberte 48 *Aitolien.*

Campania   955, 25f.   mons Tifata *im Norden* und dem Vesuv im *Süden;*

Candidus [2–3]   962, 29/33   Die Lit.-Angabe **1** A. v. HARNACK gehört zu C. [2], nicht C. [3].

Caracalla   981, 43f.   C. *begünstigte die* Soldaten

Carmen contra paganos   988, 28f.   vermutlich *Virius Nicomachus* → *Flavianus [2]* d.Ä.

Cassius [I 19]   1011, 34   [I 19] C. *Vicellinus*, Sp.,

Cassius [III 5]   1017, 14   *1991, 245–271*)

Castel d'Asso   1018, 39   Felsgräbern in → *Blera/Bieda*

Castratio   1027, 7   → *Eunuchen;* Spado

Cato [1]   1035, 51   F. DELLA CORTE

1035, 55   *M.* GELZER, R. HELM, s.v. *Porcius* (9), RE 22

Cato [2]   1036, 1   [2] *Porcius* Cato, M. (gest. *46* v. Chr.)

Catullus [2]   1039, 27   (adversus *Valentinianos* 14).

Cedrus   1045, 41   → Bautechnik

Cento   1061, 23f. B. *GRIECHISCH* C. *LATEINISCH*

1062, 9   B. *GRIECHISCH*

1062, 30   C. *LATEINISCH*

Centumviri   1065, 19   sich *wohl* über die verschiedenen

1065, 29f.   handelte es sich *wohl* seit der von

Cercina   1070, 3   Hdt. 4,195 (Κύρανις);

Cestius   1077, 35   ist polit. unbedeutend *[2]*

Chairemon [3]   1082, 43   *1994, 237–242.*

Chairephon 1083, 6   Sokrates, in: GGPh 2.1, *1997/8*

Chaldaia 1086, 12   hebr. [ʾærœs]

    1086, 13   biblisch-aram. *Kaśdaja*

Chaldaioi 1086, 45 f.   → *Borsippa (Bīt* Dakkuri).

Chalkidike 1087, 35   statt Chalkidike (Χαλκιδική): *Chalkidische Halbinsel*

    1087, 36   statt Ch.: *Chalkidike (Χαλκιδική)*

    1088, 23; 24   statt Ch.: *ch.H.*

    1088, 35   In byz. Zeit unterstand *die ch.H.* dem

Chalkiope [2] 1089, 7   Mutter des Argos, *des Melas, des* Phrontis

Chaos 1094, 4   → Chronos *[3. 26–28].*

    1094, 7 f.   (Pherekydes fr. 1a *DK;* Zen. fr. 679 *HÜLSER)*

    1094, 15   86, 1979, *131–148.*

Charadros [2] 1095, 32   Kilikia *Tracheia,* h. Yakacık

    1095, 37   ἐ[πί]ω(ε)ιον Λαμωτῶν.

Charax Spasinu 1097, 18   gest. zwischen *120* und 109/8

Chares [3] 1098, 32   Spätes 4. *bis* frühes *3.* Jh. v. Chr.

Charidemos [2] 1099, 40   → *Kersobleptes* die Herrschaft über

Charisius [3] 1102, 1   **[3] *Ch.,* Flavius Sosipater.**

    1102, 34   Lit.: *P. L. Schmidt,* in: HLL § 523,2.

Charixenos [3] 1106, 13   in Delphi 277/6 *und* 252/1 *(?)* (SEG 15,337)

Charon [1] 1107, 25   individualisiert *[1.* 305,1; *2.* 229];

    1108, 14   1871 · **8** O. *WASER, Charon, Charun, Charos, 1878* · **9** F. DE RUYT (Die Numerierung der folgenden Lit.-Angaben erhöht sich jeweils um die Zahl 1.)

    1108, 18   CHANTRAINE, s.v. Ch.; Frisk, *s.v.* Ch.

Charops [2–4] 1110, 31/39 f.   Die Lit.-Angabe L. BRISSON gehört zu Ch. [2], nicht zu Ch. [4].

Charybdis 1111, 15   etym. Spiel Χάρυβδις *ἀναρρυβδεῖ*

    1111, 21   (Hom. Od. *12,*428 ff.

Chemmis [3] 1115, 35   J. KARIG, s.v. *Achmim*

Chidibbia 1120, 7   1932/33, 198 f.; *AE 1992, 513 f. Nr. 1819.*

Chigi-Maler 1120, 32 ff.   Aryballoi und Olpen mit Tierfriesen, *seltener mit Mythenbildern (etwa Bellerophon, Kentauromachie) bemalt werden, dazu Olpen mit verschiedenfarbigen Blattzungen.*

Childerich I. 1121, 12   Ausstellungskatalog *Reiss*-Museum Mannheim

Chiliarchos 1121, 14   **Chiliarchos (Χιλίαρχος).**

Chorat 1145, 23   ABEL [*1. Bd. 1,* 484 f.]

Chorezmien 1147, 1 f.   Pamjatniki *zodčestva* Chorezma, *1987*

Chorhe 1147, 4   *(pers.* Ḫurḫēh)

Chorzene 1148, 50   (*Erzerum*)

Chremonideïscher Krieg 1151, 30   Aithalidai *[1. 176–185; 2; 3].* Auf seinen Antrag

    1151, 32   weiteren Staaten *[12].* Offizielle Ziele

    1151, 40   sind umstritten *(die hier gen. Daten folgen [10. 147 und Anm. 78]; vgl. jedoch [4. 102–117; 5; 6. 26 f.]).*

    1151, 47   Athen. 6,250 f.; *zu den inschr. Quellen [10. 147–153])* in einer Schlacht

    1151, 51   sind nicht sicher *([8. 146–151] datiert auf 255/4, aber [7] auf ca. 262/1).* Infolge seines Sieges

    1152, 3   Phaleron *(zu den Friedensregelungen [9. 13–26; 10. 151, 154–159; 13])* mit der »Aufsicht«

    1152, 3   die Politik Athens *(Anm. entfällt).*

    1152, 20   Zeit, 1982   **10** HABICHT   **11** PA *15572*   **12** IG II² *686–687* = StV Nr. 476   **13** StV Nr, *477.*

Christentum 1162, 1   Das *nachant.* Irland

Christliche Archäologie 1166, 30 f.   Christliche Archäologie s. *Byzantion, Byzanz III.;* Spätantike Archäologie

Chromis [1–2] 1167, 25/29–32   Die Bibliogr. gehört zu Ch. [1], nicht zu Ch. [2].

Chrysippos 1182, 49   → Stoa; Zenon von Kition; Kleanthes; Karneades; STOIZISMUS

Chthonische Götter 1185, 17   (*Geštinanna* »Weinrebe des Himmels«).

    1185, 36   (*Ereškigal,* Allatum

    1187, 7   als chthónioi *týrannoi:* Aischyl. Choeph. *359*

    1187, 24 f.   bei Hdt. 6,134,*1* und 7,153,*2*

    1187, 27   katá *chthonós* theaí).

    1187, 29 f.   (*urániai chthóniaí* te daímones)

    1187, 53   Chthonia: LSCG 96,*25)*

    1188, 4   im Totenkult (Attika: *IG III, Add. 101,* und vor allem

    1188, 12 f.   im sizilischen Hermione: *Syll.³ 1051* = IG IV *679)*

1188, 23 f.   (Typhon als chthónios *daímōn*:

1188, 25   Eur. Ion *1054*

1188, 40   weinlose (*nēphália*)

1189, 30   weinlose Opfer, *holokaustŏmata*,

Cilicia   1202, 30 f.   **Cilicia.** *Erstmals 102 v. Chr. zur Bekämpfung der Piraten geschaffene* → *provincia eines röm. Praetors (M. Antonius).*

BAND 3

BERICHTIGTE KÜRZEL VON AUTORENNAMEN

Cossutia   213, 27   *ME. STR. (Meret Strothmann)*

Daher [1] und [2]   271, 36   ergänze: *B. B. (Burchard Brentjes)*

Damasichthon [1] und [2]   291, 13   ergänze: *R. B. (René Bloch)*

Deïon(eus) [1] und [2]   375, 40   ergänze: *R. B. (René Bloch)*

Deïope(i)a   375, 47   ergänze: *R. B. (René Bloch)*

Glykon [1]   1104, 48   *E. R./Ü: L. S. (Emmet Robbins)*

Gotische Schrift [2]   1166, 22   *S. Z. (Stefano Zamponi)*

Hesiodos   510, 56   *GR.A./Ü: M. A. S. (Graziano Arrighetti)*

Indiges   975, 47   *FR. P. (Francesca Prescendi)*

Indigitamenta   976, 38   *FR. P. (Francesca Prescendi)*

Inferi   993, 26   *FR. P. (Francesca Prescendi)*

Transkription anderer Sprachen   VII, 50   linguarum *Iranicarum*

Abkürzungsverzeichnis

1. Zeichen mit besonderer Bedeutung   VIII, 18   *m̦, n̦* silbischer (sonantischer) Nasal m, n

VIII, nach 25   füge ein: *[] phonetische Wiedergabe eines Schriftbilds*

2. Allgemeine Abkürzungen   VIII, nach 35   füge ein: *Ausst. Ausstellung*

IX, 16   fr. Fragment (literarisch), *fragmentarisch*

IX, 32   Ges. Gesellschaft, – *gesellschaftlich*

IX, 45   h. heute, – *heutig*

X, 20 f.   mesopot. mesopotamisch, – *Mesopotamien*

XI, nach 9   füge ein: *röm. römisch*

XII, 12   füge ein: *urspr. ursprünglich*

XII, 31   wiss. wissenschaftlich, – *Wissenschaft(en)*

3. Bibliographische Abkürzungen   XIII, 48 f.   A. ALFÖLDI, Die monarchische Repräsentation im römischen Kaiserreiche, 1970, ³*1980*

XIII, 39   Annuario della Scuola Archeologica di *Atene*

XIV, 6 f.   O. BARDENHEWER, Geschichte der altkirchlichen Literatur Bde. 1–2, ²1913 f.; Bde. 3–5, 1912–32; Ndr. Bde. *1–5 1962*

XIV, 21   *Bauman, LRRP*

XIV, 26   *Bauman, LRTP*

XVII, 27 f.   C. PAULI (Hrsg.), Corpus Inscriptionum Etruscarum Bd. 1–2, 1893–1921, *Bd. 3,1 ff., 1982 ff.*

XX, 48 f.   *FPL²* W. MOREL, C. BÜCHNER, Fragmenta Poetarum

XX, nach 50   füge ein: *FPL³ J. BÄNSDORF (Hrsg.), Fragmenta Poetarum Latinorum epicorum et lyricorum,* ³*1995*

XXI, 18 ff.   H. FLASHAR (Hrsg.), *Bd. 2.1: Sophistik, Sokrates, Sokratik, Mathematik, Medizin, 1998*; Bd. 3: Die Philosophie der Antike, *1983*; Bd. 4: Die hellenistische Philosophie, *1994*

XXIII, 15   römischen Mythologie, ⁶1969, ⁸*1998 (erweitert)*

XXVI, 28 f.   *Martelli*   M. MARTELLI (Hrsg.), La ceramica

XXIV, 2   P. JAFFÉ *u.a.*, Regesta pontificum Romanorum ab condita ecclesia ad annum 1198, 2 Bde., ²*1885–88*

XXVIII, 8 ff.   *Münzer* F. MÜNZER, Römische Adelsparteien und Adelsfamilien, 1920, Ndr. *1963*

XXVIII, 37   Oxford Classical Dictionary, ²1970, ³*1996*

XXX, 2   Prosopographia imperii Romani saeculi, *Bd. I–VI*

XXX, 16 f.   The Prosopography of the Later Roman Empire, *3 Bde. in 4 Teilen, 1971–1992*

XXX, 11   J. QUASTEN, Patrology, *3 Bde., 1950–60*

XXXI, 16   W. REHM, Griechentum und Goethezeit, ³*1952*, ⁴*1968*

XXXI, 51   (1978–84), 1985; *Bd. 3 (1985–94), 1994*

XXXII, 36   romana, 1895 ff.; *Bd. 1–5, Ndr. 1961 f.*

XXXII, 48   Sources Chrétiennes, 1942ff.
XXXIV, 2   B.E. THOMASSON, Laterculi *Praesidum* 3 Bde.
XXXIV, 33   Tabula Imperii Romani, 1934ff.

4. Antike Autoren und Werktitel   XXXVI, 51   off. de officiis *ministrorum*
XXXVII, 21   *Lib.* Libyca
XXXVII, 43   Equ. Equites (ἱππεῖς)
XXXVII, 52   (*Bekker* 1831–70)
XXXVIII, 4   Basil. *Basileios*
XXXVIII, 33   ad Q. fr. *epistulae ad Quintum fratrem*
XXXIX, 33   Andr. *Andromacha*
XXXIX, 20   Greg. Naz. epist. Gregorius *Nazianzenus*, epistulae
XL, 60   Min. Fel. Minucius Felix, Octavius (Kytzler 1982, ²1992)
XLII, 14   4 Q flor Florilegium, *Qumran*, Höhle 4
XLII, 19   Q. Smyrn. Quintus *Smyrnaeus*
XLIII, 7   Alb. Clodius *Albinus*
XLIII, 13   Carac. Antoninus *Caracalla*
XLIII, 25   füge ein: *Pius Antoninus Pius*
XLIII, 26   *quadr. tyr. quadraginta* tyranni

Autoren   XLVIII, nach 16   füge ein: *Cornelia Becker Berlin CO. BE.*
XLIX, nach 9   füge ein: *Andreas Glock Bremen AN. GL.*
XLIX, nach 14   füge ein: *Anna Lambropoulou Athen   A. LAM.*
XLIX, nach 46   füge ein: *Doris Meyer Straßburg DO. ME.*
Übersetzer   LI, nach 15   füge ein: *I. Sauer   I. S.*
Mitarbeiter in den Fachgebietsredaktionen   LI, 25   Alte Geschichte: Anne *Krahn*

Claudius [I 21]   10, 51   und *174–173* als Gesandter
Claudius [II 31]   17, 17   streiche: *165 cos. suff.,*
Clemens   31, 14   zeigt sich bes. bei → *Origenes.*
Clitumnus   34, 30   unterhalb von *Trebiae*
Cloelius [3]   43, 32f.   auf *der Rostra*
Clupea   44, 47f.   CIL VIII 1, 982–986; X 1, 6104
Cocceius [1]   48, 33f.   der für M. *Vipsanius* → Agrippa
Coloniae   84, 34f.   sog. »Honorarkolonien«
Concilium   114, 38   des J. *287* v. Chr.
Conclamatio   115, 42   (z.B. Tac. ann. 3,2,2; *Oratio* imperatoris
Constantinus [1] Stemma   139f.   Bei Helena, Ehefrau des Crispus: streiche Homonymennr. [2].
Constantinus [9]   143, 26   Byz. Kaiser, * *905*, † *959*
Constantinus [10]   144, 2   und Theodora bis *1056* fortbestand
Cornelius [I 29]   172, 27   **[I 29] C. Dolabella, P.**
Cornelii Lentuli   173, 20f.   in Cicero's Brutus, *1973*
Cornelius [I 48]   174, 53f.   seinem Kollegen im Consulat L. *Gellius*, wobei
Cornelii Scipiones   177, 20ff.   Museen. Der ältere Africanus ... aufgestellt haben (Cic. Arch. 22; Liv. 38,56,4;
    Plin. nat. 7,114) *[2].* Inschr. elogia: ILLRP 309–317; s. Stammbaum und [1. Stemma XIC].
Cornelius [I 71]   182, 41   Nobilität, der von M. *Porcius* → Cato angeführt
    183, 9f.   Tochter des L. Aemilius *[I 31]* Paullus
Cornelius [I 72]   183, 33   von den Censoren M. *Porcius* → Cato
Cornelius [I 84]   185, 16   Pontifex maximus seit *141(?)–132* (Plut.
Cornelius [I 85]   185, 18   *C. Scipio Nasica Serapio, P.*
Cornelius [I 90]   187, 9   Scaurus, *seine Tochter den Sohn* des Mitconsuls
    190, 28   **11** R. *SEAGER*
Cornelius [II 18]   192, 35f.   Krieg (*Cass. Dio* 51,9)
    192, 38   Wort und Bild (*Cass. Dio* 53,23
    192, 42   (*Cass. Dio*) das Leben
Cornelius [II 26]   194, 27   Seine Söhne C. [II *27*]
Cornelius Longinos   198, 17f.   (Anth. Plan. *117*).
Cornificius [3]   199, 32   App. civ. *3,35–37*; vgl.
Corpus Hermeticum   206, 38   → *Hermetische Schriften*

Cossutius   213, 36   Röm. Familienname, seit dem *2.* Jh. v. Chr.

Cottius [1]   215, 21   Auf der Inschr. des *9/8* v. Chr.

Cuicul   228, 19   AE 1971, *179* Nr. 510

Cursus honorum   243, 15 f.   *8* Prätoren (seit Sulla; unter Caesar *10* Prätoren)

Dachinabades   257, 7   (altind. *dakṣiṇāpatha*)

Dämonen   259, 31   (KTU *1.*82, *1.*169 [1])

   260, 8   (AOAT *24/1*), 1976.

Dämonologie   267, 1   Olympiodoros, in *Alc.*

   268, 45 f.   zu → Hekates Gefolge gehörten [5. Kap. 9].

   268, 50   ergänze: *5 S. I. JOHNSTON, Hekate Soteira, 1990*

Dakoi, Dakia   275 f.   In der Karte Die Provinz Dacia (106–271 n. Chr.) lies Dacia *Ripensis.*

Daktyloi Idaioi   280, 41 f.   In der Phoronis (PEG *1* fr. 2;...) drei als *góēs*

   280, 46   dasselbe Hes. *cat.* 282

   281, 20   vita *Pythagorae* 17

   218, 29   in: RhM 105, 1962, *36–55.*

Damostratos   304, 33   d. h. *nach* der 1. H.

Daras [1]   317, 16   und dem Ξιῶν

Dardanos [3]   321, 15   in den 90er Jahren *v.* Chr.

Dareios [2]   323, 55   der in → *Naqš-e Rostam*

Daskyleion   330, 12   **Daskyleion** (Δασκύλειον,

Daskyleion [2]   331, 13   In byz. Zeit *Suffraganbistum* von

Daunos [1]   336, 23   Illyrischer Herkunft (*Fest.* p.

De viris illustribus   339, 35 f.   (Ausnahme: *Aurelius* → *Victor*)

Decimus   346, 50   und den Laelii [→ *Laelius*]

Deliciae   389, 32   Knaben (Sen. epist. *47,7; 119,14;*

   389, 34   Stat. *silv.* 2,1,73

   389, 38   Lustknaben (Sen. epist. *47,7; 95,24;*

Delikatessen   390, 34 f.   beste Herkunft (Athen. *2,62c; 3,932d-e*)

Delphoi   403, 15   theaterartige Lage (πετρῶδες

   413, 49   Zum Delphischen Orakel s. → Apollon; → *Orakel*; → Pythia

Demeter   426, 40   → Agorakritos; *Ceres*; Damophon; Onatas

Demetrios [8]   432, 6   dessen mit *Alexandros [13]* verheiratete

Demetrios [10]   433, 27 f.   W. W. TARN, The Greeks in Bactria and India, *²1951*

Demetrios [21]   435, 40   ERLER, *in: GGPh² 4.1, 1994, § 18, 256–265*

Demetrios [22]   435, 50 f.   F. WEHRLI, in: *GGPh² 3*

Demetrios [32]   437, 46   (*epigr. 30* PEIPER)

Demiurgos [3]   447, 16   χειρῶναξ

   447, 18   *architecton*

Demokritos [3]   459, 16 f.   Anth. Pal. *178*

Demonassa [1]   460, 8   *2 Dies.*, s.v. Amphiaraos

Derkylides   483, 12   (In rep. 2,24,6 ff.; 25,15 ff. KROLL

Dertona   483, 38   Zw. *122* und *118* v. Chr.

   483, 50   G. MENNELLA (Hrsg.), Inscriptiones Christiana

Deukalion   489, 1 f.   für Hes. *cat.* 234 M-W und für Deinolochos (*AUSTIN* 78 fr. 1)

   489, 14 f.   seit Epicharmos (*AUSTIN* 85 fr. 1)

   489, 44 f.   (Marm. Par. FGrH 239 *A4*)

   489, 46   vgl. Hes. *cat.* 9

   490, 3   → *Anthropogonie*; Prometheus

Deuteragonistes   492, 18   *Oidípus, Médeia*)

   492, 29 f.   → Hypokrites; Protagonistes; Tritagonistes; *Wettbewerbe, künstlerische*

Diagoras [2]   510, 6   Verse (*PMG* 738)

Diatribe   531, 16 f.   U. VON WILAMOWITZ-MOELLENDORF, *Diokles von Karystos*

Didache   538, 2 f.   gewöhnlich *zu den* → *Apostelvätern gezählt.*

Diodoros [4]   588, 58   Panthoides, in: *GGPh² 2.1*

Diodoros [9]   590, 14   Unsicherheiten *11* sorgfältig verfaßte

   590, 16 f.   (tatsächliche Inschr. *war vielleicht 7,627 = GVI 1472*) und epideiktische

   590, 20 f.   Grammatikos *(vgl. Strab. 14,5,15)*, Verf. von *7, 235 (Epitymbion auf Themistokles), 700 f. (= GVI 1819;664) und vielleicht vier* Epitymbien auf Persönlichkeiten

   590, 21 f.   Themistokles *(7,74)*, Aischylos

Diognetos [4]   607, 21   ED.: *H.-I.* MARROU, ²1965

Diokles [10]   614, 42   Leonidas von Alexandreia, *Anth. Pal.*

Diomedon [2]   618, 21   nach Xen. hell. 1,6,22f. streiche: *za*

Dionysios [13]   631, 24   **D. Skytobrachion** (Σκυτοβραχίων).

   631, 31   Beinamen *Skytobrachíōn*

   631, 33   bzw. *Skyteús*

   631, 45   J. S. RUSTEN, D. *Scytobrachion*

Dionysios [20]   639, 7   dem zeitgleichen Ailios D. *[21]*

Dionysios [45]   645, 8f.   hadrianischer Zeit, D. *[21]* von Halikarnassos

Dionysios [50]   646, 3   Beinamen *anthrōpográphos*

Dioskurides [10]   673, 35   **Pedanios D.** s. *Pedanios*

Dioskuroi   673, 45   Individualnamen Kastor (Κάστωρ; *lat. Castor*)

   673, 46   Polydeukes (Πολυδεύκης; *lat. Pollux*)

   676, 4   den *dókana* – zwei durch einen Querbalken verbundenen senkrechten Pfosten – (Marmorstele

Diotimos [3]   678, 18   H. WANKEL, *Demosthenes*. Rede für

Diotimos [4]   678, 35   Aratos, *Anth. Pal.* 11,437

Diphilos [4]   680, 17   *[4]* s. *Histrio*

Divination   709, 9   M. BOYCE, F. GRENET, A History of *Zoroastrianism*

Dodekaschoinos   723, 35   (Ptol. *4,5,74* und

Dolon   734, 50   vgl. *δόλος, »List«*

Domitius [I 3]   751, 43f.   (Flor. *1,37,6*).

   751, 46f.   (ILLRP 460a, *CIL XVII.2, 294*)

Domitius [I 10]   754, 20   Vertrag zwischen Rom und *Knidos*

Domitius [II 10]   756, 41   auf den Sohn D. *[II 11]* bezogen

Domitius [II 19]   759, 20   156. *Vgl.* → *Paris [2] (s. Nachträge).*

Dona militaria   768, 34   (CIL *XIV* 3472

Dorieis   777, 10   (Δωριεῖς, *»Dorier«*).

   777, 16f.   *Lakonike* und Messenia),

Dorimachos   779, 43   **Dorimachos** (Δωρίμαχος).

   779, 53   als *princeps Aetolorum*

Dorisch-Nordwestgriechisch   782, 2f.   GESCHICHTE BIS ZUM *4./3.* JH. V. CHR.

   783, 38   BIS ZUM *4./3.* JH. V. CHR.

   785, 11   Cyrène, *2000*

Dosiadas   799, 53   ein *γρῖφος (gríphos)*

Dositheos [8]   802, 16   *1* C. BLONDEL

Dositheus   802, 35   *5 Dies.*, Greek Grammars and

Drakon [2]   811, 40   stilisiert wurde [6; 7].

   811, 51   **6** RHODES, 112–118   **7** E. RUSCHENBUSCH,

Drangiana   814, 23   Ruinenstätte vom Kūh-ī *Xwāǧah*

Dreißig Tyrannen   816, 2   s. Triginta *Tyranni*

Dromiachaites   821, 33f.   Bulgarian Historical Review *18, 1990*, H. 1, 39–51

   821, 35   Dromijaites y *lysímaco*

Duris   847, 46   später von *Lysimachos*

Dynamis   856, 3f.   Frau des *Asandros* und

Eburones   864, 29   Ambiorix und *Catuvolcus*

Echemmon [1]   867, 26   Bruder Chromios *[3]*

Edessa [1]   875, 16   ergänze: *E.* KIRSTEN, s.v. E., *RAC 4, 1959*, 552–597.

Egerius [2]   889, 14   Nach Festus p. *128*

Eid   909, 50   → *Ius iurandum*; Sacramentum

Einhorn   916, 24   das hebr. *re'em (»Wildstier«)*

   916, 36   H.-P. MÜLLER, s.v. *re'em*

Eirenaios [1]   918, 43   *(Εἰρηναῖος).* Grammatiker

Ekkyklema   937, 8   in Frage gestellt [1; 2]

   937, 25   N. C. HOURMOUZIADES, Production

   937, 28   *WJA* 16, 1990, 33–42

Ekphora   942, 38   und Delphi (LSCG 77 C *11–28*)

Elagabal   955, 33   *'lh'gbl* zurückzuführen (*Herodian.* 5,3,4: Elaiagabalos)

Elagabalus [2]   957, 49   Kaisers Elagabal, *1989*

Elaiussa   958, 20f.   Stadt in der Kilikia *Tracheia*
   958, 28   zur Prov. *Kilikia I* gehörig
Elamisch   959, 51   → Dareios' *[1]* I.
Eleatische Schule   965, 17   Schule von Elea (→ *Velia*) ein
Elegie   969, 29   für das Verspaar ist *elegeíon* (ἐλεγεῖον;
Elis [1]   994, 19   Hom. h. in *Apollinem*
   996, 8   A. *LAMBROPOULOU,*
Elisch-eretrische Schule   996, 55   Eretria, *GGPh² 2.1*
Elymais   1002, 32   *Masǧed*-e Soleimān
Embaterion   1007, 50   κιθαρῳδούς spricht
Empedokles   1011, 39   **Empedokles** (Ἐμπεδοκλῆς).
Emporos   1021, 25   bezeichnet mit ἐμπορίη (*emporíē*; Hes.
Enkomion   1036, 20   (→ *kṓmos*) war die Feier
   1036, 27   Bakchyl. Epinikia *11,12*;
   1036, 35 f.   Hinweise auf *kṓmoi hinsichtlich des Anlasses* ihrer Darbietung
Enkyklios Paideia   1037, 52f.   (*Porphyrios* bei Tzetz. Chiliades 11,377)
   1038, 14   lassen wollte [5. 260f.; 7. 335–338].
   1038, 26   zu sprechen [2. 18–42; 7. 337]:
   1039, 19   der *Dichter,* wobei
Enūma eliš   1052, 27   **Enūma** *eliš*
Epeiros   1068, 51   Nach dem Tod *Alexandros' [6]* schlossen sich
Ephyra   1091, 45 ff.   Ephyra [1] und [2] sind identisch.
Epigramm   1108, 41f.   der Kypseliden im *Heratempel* zu Olympia
   1109, 44   Theokritos Chios, *epigr.* 1 FGE
   1110, 24   (etwa *Timon, die betrunkene Alte*)
   1112, 18   ergänze: M. *LAUSBERG, Das Einzeldistichon, 1982* · K. J. *GUTZWILLER, Poetic Garlands: Hellenistic Epigrams in Context, 1998.*
Epinikion   1147, 7   auf die Opfer (sc. ἱερά)
   1147, 57   vergleicht (*509* PMG);
   1148, 2   weiter hervor (*510* PMG).
   1148, 11   Griechentums, ²*1962*
Epitaphios [2]   1174, 42   Patrios Nomos, in: JHS *64,* 1944

BAND 4

BERICHTIGTE KÜRZEL VON AUTORENNAMEN
Gibeon   1064, 28   *H. DO. (Herbert Donner)*
Gotische Schrift   1166, 22   *S. Z. (Stefano Zamponi)*

Autoren   IX, nach 10   füge ein: *Herbert Donner Kiel H. DO.*
   IX, 52   Heinrich Chantraine Mannheim (Das Kreuz ist zu entfernen; der Verlag bittet, diesen Fehler zu entschuldigen)
   X, 11   *Jochem* Küppers
   XII, nach 8   füge ein: *Stefano Zamponi Pistoia   S. Z.*

Epos   14, 55   *anr̥gʷʰóntāi* bzw. *anr̥tā́t'*; da silb. /r/
   14, 58   Enūwalíōi *anr̥gʷʰóntāi* bzw.
   19, 2   pótmon *gowáonsa,*) *likʷóns anr̥tā́t'* ide
   19, 15   werden zu *gʷíā*
Equitius [2]   38, 50f.   Er war *364* n. Chr. *tribunus scholae*
Eratosthenes [2]   46, 6   die *Schiefe der Ekliptik*
Erbrecht   49, 4f.   ihr Patron erbte ähnlich wie ein *agnatus proximus.*
   49, 50f.   In klass. Zeit waren *Agnatinnen mit Ausnahme von Schwestern*
   50, 34f.   Die Regelung des → *caducum* verdrängte Akkreszenz,
   51, 24f.   Diritto ereditario romano Bd. 1, ²1967; Bd. 2, ²1963
Erinna   70, 6f.   sogar die ›Spindel‹ ist als Fälschung bezeichnet worden *[4. 116–119].*
Erziehung   112, 45   (Aristot. pol. *1338a* 15–17, 36–40)

116, 26f.   und Üben *(Plut. mor. 4)*; sie erteilt »brutaler Pädagogik« eine Absage *(Plut. mor. 12; 16; 18)*

116, 29   eigene Jugend an *(Plut. mor. 12; 18)*.

Eumenes [2]   251, 50   Er starb *241*

Eunuchen   256, 49   dann in *der Septuaginta*.

Euphrates [2]   271, 21f.   → Naarmalcha (babylon. *nār* šarri)

Eupolemos [1]   276, 33   Demetrios *[29]*

Euripides   280, 1   **Euripides** *(Εὐριπίδης)*.

Euripides [1]   282, 48f.   vertreten durch *seinen* »demokratischen« *König* Theseus

Eusebios [8]   311, 6   (Belege *[2. 27]*).

Eutokios   321, 10   vermutlich um *480 n.* Chr. geb.;

Fasti   435, 33   die noch *mit* der lex Hortensia des Jahres *287 v.* Chr.

Feldzeichen   461, 5   Leg. I *Minervia*

Fideicommissum   504, 17   (wörtl.: »das *der* Treue Anvertraute«)

504, 24f.   → Erbrecht *III. D.*; Unverheiratete

504, 34f.   mußte er den Bedachten zum Erben *einsetzen oder ihm ein Legat aussetzen*

505, 29f.   (Übergang der *Erbenhaftung* auf den Fideikommissar;

505, 36   → Erbrecht *III. G.*

Fides   508, 58   § 242 *Bürgerliches Gesetzbuch*

Flaccus [1]   535, 5   Werk des Germanicus *[2]*

Foederati   579, 17   → pax, hospitium. Die Qualität der Verhältnisse hing immer von der tatsächlichen Stärke Roms ab. *Nach 168 v. Chr. gerieten die F. in zunehmende Abhängigkeit von Rom [9. 81f.].* → Deditio

Freigelassene   646, 2   Delphic manumission-payments *201–200* B.C.

Fufius [I 4] Calenus   697, 9   Als Schwiegervater des damaligen Consuls Vibius Pansa

Fulvia [3]   702,34   Tochter des Fulvius *[II 10]* Plautianus

Furius [I 11] Camillus   715,4   Sohn des F. *[I 13]* Camillus

Furius [I 12] Camillus   715,19   Enkel des F. *[I 13]*

Gabriel [2]   729, 34   *Leontios* Scholastikos rühmt

729,37f.   JHS 86, 1966, *11, 14*

Galatia, Galatien   742, 49   unteren *Tembris*, um Ova

Geldentwertung   890, 38   Roman Empire, *1994*

Gellius [2]   895, 30   (fr. 28 PETER [= HRR *1²*, 156])

895, 32   [= HRR *1²*, 155]

895, 33   [= HRR *1²*, 156]

895, 38f.   [= HRR *1²*, 151, 153]

Gellius [4]   896, 10f.   Erst *72* wurde er

Geminos [2]   902, 4   Autor könnte der *Τύλλιος* aus

Gens Bacchuiana   921, 20f.   Zeit des Antoninus Pius *(138–161* n. Chr.)

Germani [1]   961,53f.   Im Rahmen der *Romanisation* entwickelte sich hier

Geschichtsschreibung   1000, 54   Form *[4. 755]*

Gewalt   1049, 26   (idealisierend Aristeides *26,100–104)*

Glagolitisch   1078, 42   ***Glagolithisch***

Gold   1137,39   RGA *12* (im Erscheinen)

Gorgias [2]   1152, 21   DIELS/KRANZ Bd. *2*, Nr. 82

Gotarzes II.   1163, 42f.   W. KLEISS, P. CALMEYER (Hrsg.), Bisutun, 1996, *61–67*

1163, 44   in: *AMI* 24, 1991, *61–134*

Griechische Literatursprachen   1239, 49   a) *Erzählendes* Epos (Homer usw.)

BAND 5

BERICHTIGTE KÜRZEL VON AUTORENNAMEN

Gruppe R   3, 56   *I. W. (Irma Wehgartner)*

Indiges   975, 47   *FR. P. (Francesca Prescendi)*

Indigitamenta   976, 38   *FR. P. (Francesca Prescendi)*

Inferi   993, 26   *FR. P. (Francesca Prescendi)*

Iudicium   1205, 15   *C. PA. (Christoph Georg Paulus)*

Autoren VIII, 6 Graziano Arrighetti Pisa *GR. A.*

VIII, nach 44 füge ein: *Lucia Galli Florenz L. G.*

IX, nach 12 füge ein: *Cay Lienau Münster C. L.*

X, nach 2 füge ein: *Maria Federica Petraccia Lucernoni Mailand M.F.P.L.*

X, 5 Ekkehard W. Stegemann *Basel*

X, nach 12 füge ein: *Gerhard Radke Berlin G. RA.*

Hadrumetum 64, 48 C. G. PICARD, Catalogue

Hamaxia 103, 23 Kilikia, mit *Sinekkale*

Hebryzelmis [1] 220, 49 Die Münzen der thrak. Dynasten, *1997*

Helikon [1] 285, 39 Hom. h. *in Neptunum* 22,3 bezeugte

Herakleia [7] 366, 10 **[7] H. *Pontike*** (Heraclea Pontica)

Heraklonas 396, 11 f. Sohn des Kaisers → Herakleios *[7]*

Hermippos [3] 440, 40 f. biographisches Werk ›*Über Sklaven, die sich in der Bildung ausgezeichnet haben*‹

Herodotos 475, 3 f. The Historical Method of Herodotus, *1989*

475, 34 KOMM.: D. *ASHERI* u. a.

475, 50 J. GOULD, Herodotus

475, 52 D. *BOEDEKER (Hrsg.),* Herodotus and

Hesiodos 510, 56 GR. A. *(Graziano Arighetti)*

Hippodameia [1] 581, 42 dessen Wagenlenker *Myrtilos*

581, 45 und tötet den *Myrtilos*

581, 54 der den Betrug des *Myrtilos*

Hippokrates [1] 586, 30 TRAILL, *PAA,* 538385

Hippolytos [1] 601, 36 durch die Echos bei *Ov. epist. 4* und

Hispania, Iberia 618, 10 Der Name *Hispania* ist zwar

Homosexualität 705, 31 Sklaven (pueri *meritorii*) unterhielten

Horatius [7] 720, 17 wurde am 8. Dez. *65* v. Chr.

Hormisdas [3] 728, 30 älterer Bruder *Adarnarses*

Hydra [2] 774, 41 *Antoninus* Liberalis 12

Hypatia 799, 41 (gest. 415 *n. Chr.*)

Hypatios [4] 801, 15 Konstantinopel am *18*.1. gegen

Hypatos [1] 802, 2 byzantines des IXe et Xe siècles

Ignatios [2] Magister 925, 58 Graeca I, *1829,* 436–444

Imagines maiorum 946, 28 f. (so zuletzt [5. *2, 38*])

India 968, 46 Dichter wie → Dionysios *[32]*

Intellekt 1028, 6 über dem I. (*Plat. rep.* 508e 3–509a 7,

1028, 13 12,7,1072a 19–9,1075a 10)

1028, 26 f. Auslegung des nus *poiētikós*

1028, 28 (an. 81,24 ff.; *88,22 ff.*;

Intestatus 1048, 45 Recht (bis *1899*) galt

Iobates 1054, 24 König von *Lykien* (Hom. Il. 6,*174–177*),

Iohannes [4] Chrysostomos 1059, 34 ff. Seit 372 *ein asketisches Leben führend, kehrte I. 378 – gesundheitlich angeschlagen – nach Antiocheia zurück,* wurde

Iohannes [22] 1065, 18 **[22] *I. Diaconus.*** Verf. einer

Iohannes [23] 1065, 21 **[23] *I. Diaconus.*** Verf eines

Ionios Kolpos 1079, 11 oder *superum*), Ionisches Meer.

Ionisch 1081, 21 f. κούρη Δεινοδίκεω τοῦ

Iran 1101, 49 Meder (→ *Medoi*; Anfang 7. bis

Ischys 1119, 24 (Ἴσχυς).

Isis 1131, 56 (*myriṓnymos*), die in kosm. Verbindung

Ismenias [5] 1137, 54 Verdienste der Dynastie der *Eteobutadai*

Italien, Alphabetschriften 1164, 38 → *Iguvium*; Tabulae Iguvinae

BAND 6

BERICHTIGTE KÜRZEL VON AUTORENNAMEN
Laqueus   1145, 6   *C. E. (Constanze Ebner)*
Latrocinium   1181, 46   *C. E. (Constanze Ebner)*
Laudatio [2]   1184, 5   *C. E. (Constanze Ebner)*

Autoren   IX, nach 7   füge ein: *Constanze Ebner Innsbruck C. E.*
    XI, 35   Christiane Schmidt Tübingen *CHR. SCH.*

Kadmos [2]   131, 1   Berges *K.* [3] bei Laodikeia
Kaiserkult   144, 39   *Apocolocyntosis*
Kanatha   243, 14   1978. *JÖ. GE.*
Kannibalismus   247, 15   Ephoros FGrH 70 F *42*
Kapros [1]   265, 15   Ost-Karia, h. Başli *Çay;*
Kaputtasaccura   265, 32   *Libyca 3*
Kares, Karia   272, 16   Gegnern *Tudḫalijas* IV. auftretenden
    272, 53   chron. 1,225 *SCHOENE*
Karisch   279, 54   und *-eλ-* (z.B. PN Nom.
    280, 5   griech. *Πιξω/έδαρος*)
Karnaim   286, 55   besiegte hier um *164* v. Chr.
Karthago   297, 12   S. LANCEL, Carthage, *1995 (frz. 1992)*
Kastolos   325, 14   (des *Kogamos* ?)
Katakekaumene [1]   331, 38   des *Kogamos*-Tals
Kathartik   353, 7   In den → *Mysteria* bereiteten
Kephis(s)os [1]   426, 37f.   mündet *bei* Orchomenos
Keras [2]   438, 21   statt s. Gefäße, Gefäßformen/-typen lies: *(Trinkhorn), s. Rhyton*
Kerinthos [2]   442, 14   als *Merinthianer*
Kernos   446, 46   und breitem *Gefäßfuß*
Kinyps   472, 6   Rav. 38,*39;*
Knidos   614, 37–38   Die Ärzteschule von K. (*Ber. über die* Verhandlungen
Kosmologie   774, 38–39   *(κινοῦν ἀκίνητον,* Aristot. met. *1012b* 31)
Kotyle [1]   782, 50   statt s. Gefäßformen/-typen lies: *(Trinknapf) s. Skyphos*
Kybele   952, 27   (um *540* v. Chr.)
Kyme [3]   967, 35   *(Poll.* 9,83)
    967, 46   Liv. 38,*39,*8).
    968, 1   *Hesiodos'* Vater
Kyn(n)ane   977, 54   Arridaios *[4]*
Kyrenaia   998, 46   *(Κυρηναία*
Kyrillos [2]   1008, 8   (Mitschuld K.' nach [*14.* 500])
    1008, 14   übers. bei [*12.* 244–399]
    1008, 26   *[5].* Frühe
    1008, 27   *dialogi VII [7]*
    1008, 29   Briefen *[8; 11]* und
    1008, 32   [*6.* 302–515]. Kaiser
    1008, 34   *[9]* bekämpft. K. schrieb alljährlich »Osterfestbriefe« *[10].*
Kyrrhos [2]   1020, 30   1990. *JÖ. GE.*
Labraunda, Labranda   1034, 21   (Λάβραυνδα, Λάβρανδα).
Labrys   1036, 10   oder Zeus *Labrandeus,* dessen Namen
Lacus Avernus   1048, 5   mit dem → *lacus Lucrinus* verband
Lagina   1063, 47   Feste, *400f.*
Landtransport   1105, 52–54   15 G. RAEPSAET, M. T. RAEPSAET-CHARLIER, M. TOLLEY, Le diolkos de l'Isthme à
    Corinthe: son tracé, son fonctionnement, in: BCH 117, 1993, *233–261*
Laodikeia [1]   1132, 9   493–514. *JÖ. GE.*
Laomedon [1]   1138, 16   → Klytios *[I 4],*
Larcius [II 1]   1146, 32   für den *2½*%-igen Zoll
Larcius [II 5]   1147, 12   cos. suff. im J. *124*
Laomedon [1]   1138,16   → Klytios *[I 4],*

Larcius [II 1]   1146, 32   für den 2½%-igen Zoll
Larcius [II 5]   1147, 12   cos. suff. im J. *124*

BAND 7

BERICHTIGTE KÜRZEL VON AUTORENNAMEN
Markt   925, 22   S.*v.*R. (Sitta von Reden)

Autoren   IX, 24   Joost *Hazenbos*   Leipzig
X, nach 14   füge ein: *Helmuth Schneider Kassel H. SCH.*

Lehrgedicht   28, 36   *Hēdypátheia*
29, 22   ist die Oikuménēs *Perihḗgēsis*
Leontios [6]   65, 39   vgl. [*6.* 204–208]
Leuga   99, 53   Umgebung von *Avenches*
Licinianus [2]   156, 27   **[2] Lucius (*Valerius*) L.**
Lied   184, 55   für L., ᾠδή *(ōidḗ)*
Literaturschaffende Frauen   340, 28 f.   Die Satire Sulpiciae *Conquestio*
Literaturtheorie   348, 15   Ant. *L. und Lit.-Kritik*
Lollianus [7]   429, 4   widmete dem *Heiden* L.
Lollius [II 1]   431, 2   die *Bessi*, die er besiegte.
Lukkā   505, 40   *Pinala* (1. Jt. ... griech. *Πίναλα*)
506, 9   einheim.-lyk. *Trm̥mis-,* < Nom. **Trm̥int-s)*
Lydia   540, 9   *Harpagos* mit Härte
Lykurgos [1]   578, 24   Nonnos' *epische Lykurgeía*
Maecius [II 4]   637, 4   *79 und auch* später wohl Legat einer Legion in Syrien *war*
Makedonia, Makedones   732, 30   bis zum *Nestos*
743 f. (Karte)   statt: Stathmos Anchistas lies: Stathmos *Angistas*
Makrobioi [1]   760, 11   *(νοτίῃ Θαλάσσῃ*
760, 12   *notíēi thalássēi*
Malachbelos   764, 19   **4** *Dies.*, Palmireni
Malichu insula   777, 37; 41; 42 *Hanīš*
Mapharitis   842, 30   *Sawe (Σαυή)*
842, 32   *Sharʿabi-as-Sawā*
842, 42   (Répertoire *d'Épigraphie* Sémitique
843, 3   Stadt *Taʿizz*
Mardoi   876, 27 f.   im h. *Ansan.*
Marinos [2]   898, 16   (Gal. 18*A* 113, 123 K.)
Marsyaba   954, 43 f.   Stadt des Stammes der *Rhammanitai (Ῥαμμανῖται)*
954, 48   Répertoire *d'Épigraphie* Sémitique
Maximianus [2]   1069, 53   s. Galerius [5] Maximianus
Maximinus [2]   1072, 44   Kaiser 235–238 n. Chr. Geb. *172 oder 173*
Maximus [7]   1079, 36   die Priscillianisten (→ *Priscillianus*)
Mazyes   1083, 33   als *»die Umherschweifenden Libyens«*
Medina   1097, 51   s. *Yaṯrib*
Megakles [2]   1134, 32 f.   in: *Iles Ancient History* Bull. 3, 1989
Men   1210, 44   [ἡ] *Γῆ*

BAND 8

BERICHTIGTE KÜRZEL VON AUTORENNAMEN
Messalianer   40, 36   K. *FI.* (Klaus Fitschen)

Fachgebietsherausgeber   II, 22   Prof. Dr. Max Haas, *Basel*
Autoren   VIII, 25   Klaus Fitschen Kiel K. *FI.*

Messana, Messene [1]   43, 43   Cic. Verr. 2,*2*,13
Meton [2]   107, 50f.   Pausanias, E. *5*. Jh. v. Chr.
Miletos [2]   173, 26   von *Aḫḫijawa*
Mirā   255, 11   in: AS 33, *1983*
Mithradatische Kriege   285, 38   Als Nikomedes *[6] IV.*
   285, 41f.   Namen Nikomedes (*V.*)
Modius [3]   317, 12–13   Museum von *Chesters*
Mosomagus   419, 21–22   secondaires *de la Gaule Belgique et des Germanies, 1994*
Motyon   423, 26ff.   nuovi dati, in: *P. MELLI, G. CAVALERI (Hrsg.),* Atti Convegno … dell' Himera *(1987), 1993, 191–204.*
Munichia   475, 36   s. *Peiraieus (m. Karte)*
Munus, Munera   483, 27   vgl. *[5. 141]*
Muräne   495, 45f.   vgl. Sen. de ira *3*,40
Musaios [1]   502, 24f.   »Orpheus, M., *Hesiod, Homer*«
Mylasa   590, 26f.   deren Einkünfte *der König dem* → Phokion anbot.
Myrmidon   598, 51   *[1]* Eponymer Stammvater
Mythographi Vaticani   626, 48   *Mitologiae;* im Prooemium*:* Isid.
   626, 56   Fulgentius, *Mitologiae;*
Nabonid   661, 14   → *Yaṯrib* = Medina;
Nero [1]   853, 8   Vom 18./19.–27.7.64 wurden
Neuplatonismus   873, 40   (→ *Platon*)
   878, 54   → Mittelplatonismus; *PLATONISMUS*
Novar   1020, 11   *20431–20483*
Noviomagus [4]   1033, 14–15   secondaires *de la Gaule Belgique et des Germanies, 1994*
Numidae, Numidia   1057, 5–6   → *Masaesyli*
Octavius [II 7]   1101, 53   *Patrimonialprocurator der* Prov. Asia
   1101, 55   eradiert *(AE 1996, 1471).*
Oea   1116, 19f.   Africa *Tripolitania*
Oltos   1168, 12   in New York, *MMA*
Olympos [14]   1194, 22f.   → prõtos heuretḗs (»Ur-Erfinder«) [1. 53ff.]
Onomakritos   1210, 40   »*Peisistratidischen* Homerredaktion«

BAND 9

BERICHTIGTE KÜRZEL VON AUTORENNAMEN
Pergamon   553, 56   lies *W. RA. (Wolfgang Radt)*

Autoren   X, 30   Wolfgang Radt Istanbul W. *RA.*

Orphik   65, 14f.   die Regel, *keine* Kleider aus Wolle,
Paludamentum   210, 11   (Tac. hist. 2,*89*)
Pamphilos [1]   213, 34   W. S. u. *H. VO.*
Pamphylia   216, 44   (Dymanes, *Hylleis,* Pamphyloi)
Panaitios [4]   226, 35   Einfluß (Philod. col. *61*) modifizierte er
Panionion   247, 51   beging (Hom. Il. *20,403f.*).
Pech   458, 38f.   einsetzte (*Poll.* 7,101;
Pergamon   549f.   ergänze: *60. Asklepieion/Heiligtum des Asklepios*
Philippos [14]   807, 1   (Diod. 20,*19*,5).
Phlegon   906, 20   Hadrian (*138* n. Chr.)
Plutarchos [2]   1161, 16; 1162, 36 und 39   lies jeweils *Flamininus* statt Flaminius
   1160–1164   * = verlorene Werke
   1167–1170   * = unechte Werke
Pnytagoras [2]   1185, 54–57   zu streichen, statt dessen lies: *F. G. MAIER,* Cyprus and Phoenicia, in: CAH 6, ²*1994, 297–336.*

BAND 10

Autoren   VIII, 10   Annie *Dubourdieu* Paris

Polemon [4]   8, 35   Pontos, in: *ANRW* II 7.2
Pollius Felix   38, 30   lyrische Kunst des *Papinius* Statius
Pompeii   93 f.   70. Casa dell'*Efebo*
Pompeius [II 4]   111, 26   W. Eck, A. *Caballos*, F. *Fernández*
Pompeius [II 19]   113, 42   W. Eck, A. *Caballos*, F. *Fernández*
Pomponius [II 1]   122, 6 f.   SEG 11, 521a). *136 oder 137 n. Chr.* wurde er als Gesandter
Pomponius [II 9]   123, 5   VI *41195*): Quaestor,
Pontos Euxeinos   146, 12   Kaukasos; *Kolchis*;
Porphyrios   180, 52   der Fall ist. *Harm.* 1,1–2
   180, 55   Erkenntnistheorie *[1. 13; 14. 201–202]*.
   181, 14   [*9. 322; 15. 8; 14. 198; 3; 12*]
Portlandvase   186, 20   [*23. 50–51; 30. 26*]. Die Behandlung
   187, 48 f.   sind die Umarmung des in ihrem Todesjahr *geborenen* Enkels (A)
Poseidonios [3]   211, 28   Stoischer Philosoph, 2. Jh. *v.* Chr.
Praetor   260, 43   *p. (später p. urbanus), angeblich speziell zum Zweck der Rechtsprechung (Liv. 6,42,11;* Pomponius Dig.
   1,2,2,27), in Wahrheit mit
   261, 11 f.   lies: vor Ende des Amtsjahres aber Rom verließ, *um – oft sogar im Range*
Praktische Philosophie   271, 63   *F. VO. (Franco Volpi)*
Presbeia   300, 57   D. *Kienast*, s.v. Presbeia, RE Suppl. 13,
Priene   310, 1 – 314, 32   Vgl. den Neuabdruck in Bd. 12/2, am Ende des Bandes.
Priolas   338, 16   Lokalheros von Priola bei *Herakleia*
Prothesis   461, 46   Thanatos, 1985, 63–65, *171 f.*
Ptolemaios [66]   570, 35   Statt (adv. haereses 1,1; 1,12,1) lies: (adv. haereses 1,12,1)
Punische Kriege   595 f.   Schlacht am Metaurus 207, richtiges Zeichen: Sieg der Römer
Pupius [I 3]   601, 9   bei *L.* Licinius [I 10] Crassus
Quintilianus [1]   720, 49   → *Elocutio*; Inventio
Quirinus [1]   726, 39   ergänze: Ü: *T. H. (Theodor Heinze)*
Raeti, Raetia   751 f. (rechts oben)   statt: Soviodurum lies: *Sorviodurum*
Rotfigurige Vasenmalerei   1143, 31   Sujet, *Herakles* der beliebteste
Rufinos [1]   1151, 28   spätes 4. Jh. n. Chr.? *[1]*)
   1152, 5   ergänze: Ü: *T. H. (Theodor Heinze)*
Sala [2]   1239, 18   J. Gascou, M. *Euzennat* (ed.),

BAND 11

Seneca [2]   413, 12   (*zwölf davon* gemeinsam als ›Dialoge‹ überliefert
   418, 37 f.   T. Kurth, 1994 (dial. *11*)
Sextius   491, 5   folgten die Sextier Pythagoras *[2]*
Sokrates [2]   676, 12 f.   mit einer Abneigung gegen den Angeklagten *zum Prozeß* erschienen
   676, 38 f.   Schriften der → Sokratiker dargestellt *war*
   682, 46 f.   aufgrund sorgfältiger Prüfung als gerecht erkannt *hätten*
Stadtrechte   903, 9 f.   M. H. Crawford (ed.), Roman Statutes, *1996*
Synnaos Theos   1157, 46   Die Forsch. seit [1. 219 f.; 7]

BAND 12/1

BERICHTIGTE KÜRZEL VON AUTORENNAMEN
Taraxippos   23, 53   *JO. S. (Johannes Scherf)*
Taurokathapsia   57, 3   *JO. S. (Johannes Scherf)*

Autoren   X, nach 26   füge ein: *Giuseppe Mariotta Florenz* GI. MAR.

Thera   406, 15   streiche: bzw. erst 1707(?) v. Chr.

Theramenes   408, 48   am E. des 5. Jh. v. Chr.

Thubursicum [1]   504, 25   Suppl. 1, 15254–15360

Tod   640, 53   Umfeld betraf *[4]*

   641, 4   Gott wird‹ *[3. 56]*.

Totenliteratur   717, 43   Unterweltsbücher sind: *Amduat*

Totes Meer (Textfunde)   718–727   Die in Bd. 12/1 abgedruckte Fassung ist aufgrund der vorgenommenen Kürzungen substantiell verändert worden und kann daher nicht mit dem Namen des Autors Armin Lange (AR. L.) gezeichnet werden.

Tres militiae   783, 54f.   *Claude, et les milices*

Tresviri [3]   786, 15f.   Magistratur *vereinbar* war

Unterwelt   1012, 29   12 Doppelstunden *dauernde* Fahrt

Urgulania   1031, 22   Enkel M. *Plautius* [II 13]

Uscha   1058, 27f.   Annalen des *Sanherib*

Utica   1067. 54   *ʾj* (»Insel«).

Varro [2]   1130, 6   **[2] V., M. Terentius**

Varro [3]   1144, 42   **[3] V., P. Terentius**

Veii   1159f.   Im Stadtplan fehlt die etruskische Stadtmauer; vgl. dazu den korrigierten Neuabdruck unten.

CORRIGENDA ZU KARTEN UND ABBILDUNGEN

BAND 1

Afrika   223f.   Karte, Überschrift: Nordafrika von der byzantinischen Periode bis zur islamischen Eroberung *(5. bis 8. Jh. n. Chr.)*

Akarnanes, Akarnania   393f.   Karte, 2. Spalte: Aufteilung des Bundes zwischen dem epeirotischen König*reich und Aitolia*

Arelate   1045   Flußname: Statt Rhondanus lies: *Rhodanus.*

BAND 2

Byzantion, Byzanz   869f.   ③ *Peloponnesou*

BAND 3

Dakoi, Dakia   275f.   In der Karte Die Provinz Dacia (106–271 n. Chr.) lies: Dacia *Ripensis.*

BAND 7

Makedonia, Makedones   743f. (Karte)   Statt: Stathmos Anchistas lies: Stathmos *Angistas.*

BAND 9

Pergamon   549f., Nr. 60   Ergänze: *60. Asklepieion/Heiligtum des Asklepios.*

BAND 10

Pompeii   93f. (rechts oben)   70. Casa dell'*Efebo*

Punische Kriege   595f.   Schlacht am Metaurus 207, richtiges Zeichen: Sieg der Römer

Raeti, Raetia   751f.   Statt: Soviodurum lies: *Sorviodurum.*

BAND 12/1

Veii   Es fehlt die etruskische Stadtmauer; vgl. dazu den korrigierten Neuabdruck unten.

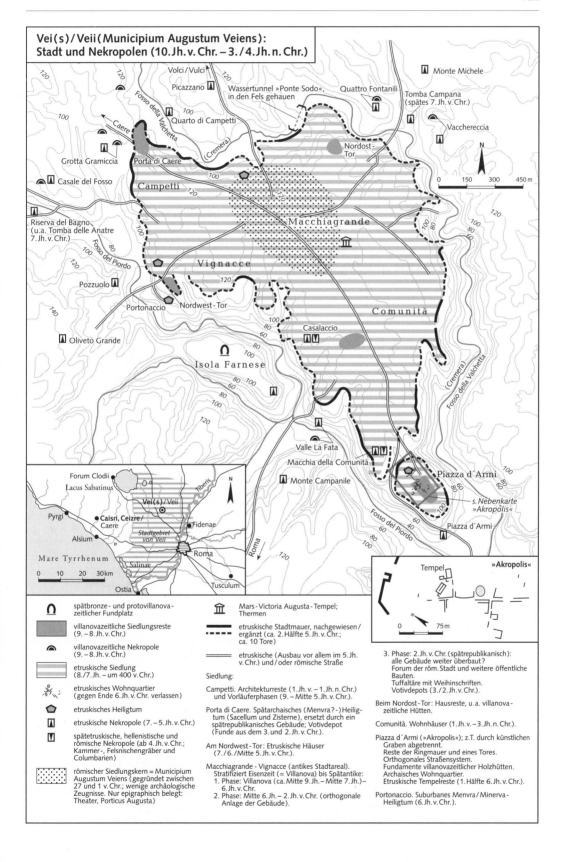

Vei(s)/Veii(Municipium Augustum Veiens): Stadt und Nekropolen (10.Jh.v.Chr. – 3./4.Jh.n.Chr.)

Monte Michele

Volci/Vulci
Picazzano
Wassertunnel »Ponte Sodo«, in den Fels gehauen
Quattro Fontanili
Tomba Campana (spätes 7.Jh.v.Chr.)
Quarto di Campetti
Vacchereccia
Nordost-Tor
N
Fosso della Valchetta
(Cremera)
Caere
Porta di Caere
Grotta Gramiccia
Casale del Fosso
Campetti
0   150   300   450 m
Macchiagrande
Riserva del Bagno (u.a. Tomba delle Anatre 7.Jh.v.Chr.)
Fosso del Piordo
Vignacce
Comunità
Pozzuolo
Nordwest-Tor
Portonaccio
Oliveto Grande
Casalaccio
Isola Farnese
(Cremera)
Fosso della Valchetta
Valle La Fata
Macchia della Comunità
Monte Campanile
Piazza d'Armi
s. Nebenkarte »Akropolis«
Piazza d'Armi
Fosso del Piordo

Forum Clodii
Lacus Sabatinus
Tiberis
N
Vei(s)/Veii
Pyrgi
Caisri, Ceizre/ Caere
Fidenae
Alsium
Stadtgebiet von Veii
Mare Tyrrhenum
Roma
Salinae
Tusculum
Ostia
0   10   20   30km

Tempel
»Akropolis«
N
0   75m

Legende

Ω spätbronze- und protovillanova-zeitlicher Fundplatz

villanovazeitliche Siedlungsreste (9.–8.Jh.v.Chr.)

villanovazeitliche Nekropole (9.–8.Jh.v.Chr.)

etruskische Siedlung (8./7.Jh. – um 400 v.Chr.)

etruskisches Wohnquartier (gegen Ende 6.Jh.v.Chr. verlassen)

etruskisches Heiligtum

etruskische Nekropole (7.–5.Jh.v.Chr.)

spätetruskische, hellenistische und römische Nekropole (ab 4.Jh.v.Chr.; Kammer-, Felsnischengräber und Columbarien)

römischer Siedlungskern = Municipium Augustum Veiens (gegründet zwischen 27 und 1 v.Chr.; wenige archäologische Zeugnisse. Nur epigraphisch belegt: Theater, Porticus Augusta)

Mars-Victoria Augusta-Tempel; Thermen

etruskische Stadtmauer, nachgewiesen/ ergänzt (ca. 2.Hälfte 5.Jh.v.Chr.; ca. 10 Tore)

etruskische (Ausbau vor allem im 5.Jh. v.Chr.) und/oder römische Straße

Siedlung:

Campetti. Architekturreste (1.Jh.v.–1.Jh.n.Chr.) und Vorläuferphasen (9.–Mitte 5.Jh.v.Chr.).

Porta di Caere. Spätarchaisches (Menvra?-) Heiligtum (Sacellum und Zisterne), ersetzt durch ein spätrepublikanisches Gebäude; Votivdepot (Funde aus dem 3.und 2.Jh.v.Chr.).

Am Nordwest-Tor: Etruskische Häuser (7./6./Mitte 5.Jh.v.Chr.).

Macchiagrande-Vignacce (antikes Stadtareal). Stratifiziert Eisenzeit (= Villanova) bis Spätantike:
1. Phase: Villanova (ca. Mitte 9.Jh.–Mitte 7.Jh.)– 6.Jh.v.Chr.
2. Phase: Mitte 6.Jh.–2.Jh.v.Chr. (orthogonale Anlage der Gebäude).

3. Phase: 2.Jh.v.Chr.(spätrepublikanisch): alle Gebäude weiter überbaut? Forum der röm. Stadt und weitere öffentliche Bauten. Tuffaltäre mit Weihinschriften. Votivdepots (3./2.Jh.v.Chr.).

Beim Nordost-Tor: Hausreste, u.a. villanova-zeitliche Hütten.

Comunità. Wohnhäuser (1.Jh.v.–3.Jh.n.Chr.).

Piazza d'Armi (»Akropolis«); z.T. durch künstlichen Graben abgetrennt. Reste der Ringmauer und eines Tores. Orthogonales Straßensystem. Fundamente villanovazeitlicher Holzhütten. Archaisches Wohnquartier. Etruskische Tempelreste (1.Hälfte 6.Jh.v.Chr.).

Portonaccio. Suburbanes Menvra/Minerva-Heiligtum (6.Jh.v.Chr.).

Das in Band 10 bereits abgedruckte Lemma »Priene«
erscheint hier noch einmal, weil Inhalt und Form ohne
Absprache mit dem Autor geändert worden sind. Der
Autor hat die neue Fassung genehmigt und aktualisiert.

Priene (Πριήνη).
I. HISTORISCHER ÜBERBLICK
II. STADTPLAN
III. BAUGESCHICHTE

I. HISTORISCHER ÜBERBLICK

Nach Paus. 7,2,10 urspr. Stadt der Kares am Mile-
sisch-Latmischen Golf, die wohl vor dem 7. Jh. v. Chr.
von Iones und Thebaioi übernommen wurde. Mitglied
des Ion. Städtebundes, dessen Bundesheiligtum (→ Panionion) ebenso auf dem Gebiet von P. lag wie der Hafenort Naulochos. Im 6. Jh. v. Chr. war P. Heimat des
Bias [2], eines der → Sieben Weisen. Zu dessen Lebzeiten geriet P. unter Oberhoheit der Lydoi, die 546
v. Chr. von den Persern abgelöst wurden. P. nahm am
→ Ionischen Aufstand (499/494 v. Chr.) teil und war im
5. Jh. zeitweise Mitglied des → Attisch-Delischen Seebundes. Die Lage der archa.-klass. Stadt ist unbekannt.
Möglicherweise infolge fortschreitender Verlandung
des Golfes durch den Maiandros [2] wurde P. Mitte des
4. Jh. westl. des h. Güllübahçe unterhalb eines markan-
ten, ca. 370 m hohen Felsklotzes, der Teloneia, am wasserreichen Südhang der → Mykale neu angelegt (anders
[18]). Die *chóra* (»Territorium«) von P. umfaßte den
Ostteil der Mykale sowie die Ebenen südl. und nördl.
des Gebirges. Alexandros [4] d.Gr. billigte der demokratischen Polis, die später unter wechselnder Oberherrschaft hell. Könige stand, Autonomie zu. Die *chóra*
von P., nicht jedoch P. selbst, wurde 277 v. Chr. oder
wenig später von Kelten verwüstet. Um 155 bedrohten
Ariarathes V. (→ Kappadokia) und Attalos [5] II. P., weil
die Einwohner 400 Talente, die ihnen Orophernes [2]
von Kappadokia anvertraut hatte, nicht herausgaben.

Seit 129 v. Chr. gehörte P., nominell frei, zur röm.
Prov. Asia [2], hatte aber, anders als das benachbarte
Miletos [2], nach der frühen Kaiserzeit am allg. Auf-
schwung nicht teil. Bischöfe von P. sind vom 5. Jh.
n. Chr. bis 1270 nachgewiesen. Wenig später geriet der
zuletzt Sampson genannte Ort unter die Kontrolle der
Türken, die das ant. Stadtgebiet aufließen (IPriene p.
V–XXI; [7. 1183–1189; 12. 1–15; 15. 12–25, 228f.]).

II. STADTPLAN

Die Stadt des 4. Jh. v. Chr. mit teilweise steiler Hang-
lage hat einen rechtwinkligen (»hippodamischen«), nach
den Haupthimmelsrichtungen orientierten Plan (vgl.
→ Hippodamos aus Milet). Die vollständigen → Insulae
der Wohnviertel sollten in acht längliche Grundstücke
aufgeteilt werden, die für Hofhäuser mit für P. charakteristischer, nördl. Vierraumgruppe aus Prostas, Andron, Oikos und Oikos-Nebenraum gedacht waren
(→ Haus II.B.). Im Zentrum blieben Plätze für die Agora (Plan Nr. 26) und die wichtigsten Heiligtümer ausge-
spart. Quellen nordöstl. oberhalb der Stadt versorgten P.

über Tonrohrleitungen mit Wasser (Plan Nr. 2), Stra-
ßenkanäle entsorgten das Abwasser [2; 5. 188–225;
15. 26–35].

III. BAUGESCHICHTE

(Zur Baugesch. allg. [13; 15]; vgl. Lageplan). Am Ort
waren Konglomeratgestein und v.a. Marmor verfügbar,
der am Osthang der Teloneia in größeren Steinbrüchen
abgebaut wurde. Am Anf. stand der Bau der Stadtmauer
(Plan Nr. 32) mit sog. West-, Ost- und Quellentor (Nr.
34, 38, 35). Auch die Teloneia, die durch eine steile
Felstreppe mit dem Siedlungsbereich verbunden ist,
wurde befestigt. Noch im 4. Jh. legte man die Wohnviertel sowie die Terrassen des Athena-Polias- (Nr. 10)
und des Demeter-Kore-Heiligtums an (Plan Nr. 4). Der
berühmte, von → Pytheos mit rational durchdachtem
Grundriß-Schema in ion. Ordnung entworfene Athena-
Tempel wurde begonnen [8] (Plan Nr. 11); Naos und
Kultbild, eine Kopie der Athena Parthenos [1], waren
noch vor 323 fertig (Weihinschr. Alexanders d.Gr.),
während an der Ringhalle über Jh. weitergebaut wurde
[14. 22–25].

Spätestens im 3. Jh. v. Chr. begann der Ausbau der
Agora (Plan Nr. 26; vgl. auch den Lageplan bei → Agora) zunächst mit den Kammerreihen, auch denen der
sog. Straßenhalle im Osten, dann mit den Säulenfassa-
den davor, die zumindest an der Westhalle vollendet
wurden [6; 9]. Außerdem entstanden die Nordhalle des
Asklepios-Heiligtums [17] (Nr. 27), die Steinfassung des
an sich älteren Theaters [3] (Nr. 7), das Heiligtum der
Äg. Götter (Nr. 17) und vielleicht das Obere Gymnasion (Nr. 15), ferner in den Jahrzehnten um 200 das
Buleuterion (Nr. 20) an der Stelle älterer Wohnhäuser
und der Athena-Altar (Nr. 12). Im 2. Jh. folgten im
Agora-Bereich das ältere Prytaneion (Nr. 21), vor ca.
130 v. Chr. die verm. vom Sohn eines Kappadoker-
Königs finanzierte »Hl. Halle« (Nr. 19) anstelle einer
älteren Nordhalle, ebenfalls in der 2. H. des 2. Jh. die
restlichen Säulenstellungen der Ost- und Straßenhalle
sowie das Markttor [6]. Im selben Zeitraum wurden die
Südhalle des Athena-Heiligtums samt der repräsentativen Terrassenmauer darunter, das Untere Gymnasion
[10] (Nr. 30), die anschließende Stadionhalle (Nr. 31)
und schließlich der Asklepios-Tempel (Nr. 27) errichtet. Eine Katastrophe vernichtete wohl um 140/130
v. Chr. die Westhälfte der Stadt, die nur zu einem geringen Teil wiederaufgebaut wurde, so daß reiche Hausin-
ventare u. a. mit Terrakotta-Figuren und Münzschätzen
erh. blieben [11]. Wohl noch in hell. Zeit entstanden
erste Peristylhäuser (→ Haus II.B.4.). Hell. ist auch der
Antenbau im nordöstl. Annex des Athena-Heiligtums,
der wahrscheinlich mit dem Zeus-Heiligtum zu identifizieren ist. Verm. noch im 1. Jh. v. Chr. baute man im
Nordbereich des Oberen Gymnasion (Nr. 15) Thermen
(Nr. 16), in augusteischer Zeit am Weg in die östl. Thea-
terparodos ein Monumentalgrab (Nr. 10).

In der frühen Kaiserzeit erhielt das Athena-Heilig-
tum ein monumentales Propylon, sein Tempel wurde
vollendet und wie der Altar zusätzlich → Augustus ge-

weiht. Später wurde das Prytaneion (Nr. 21) am alten Platz erneuert. Größere Bautätigkeit entfaltete sich erst wieder seit der Spätant.: Eine Synagoge (Nr. 24), eine dreischiffige christl. Basilika [16] (Nr. 8), evtl. mit angeschlossenem Bischofspalast, mehrere Kapellen [4] (Nr. 9), ein Kastell (Nr. 28) östl. der Agora sowie Reparaturen der Stadtmauer und Verstärkungen im Norden der Teloneia (Nr. 33), zuletzt noch im 13. Jh., sind bekannt.

→ Agora (mit Lageplan); PRIENE

1 J. C. CARTER, The Sculpture of the Sanctuary of Athena Polias at P., 1993 2 D. P. CROUCH, P.'s Streets and Water Supply, in: BABesch Suppl. 4, 1996, 137–143 3 A. VON GERKAN, Das Theater von P., 1921 4 A. HENNEMEYER, Die Kapelle bei der Basilika von P., in: MDAI(Ist) 48, 1998, 341–348 5 W. HOEPFNER, E.-L. SCHWANDNER, Haus und Stadt im klass. Griechenland, ²1994 6 A. VON KIENLIN, Zur baulichen Entwicklung der Agora von P., in: Boreas 21/2, 1998/9, 241–259 7 G. KLEINER, s. v. P., RE Suppl. 9, 1181–1221 8 W. KOENIGS, Der Athena-Tempel von P., in: MDAI(Ist) 33, 1983, 134–176 9 Ders., Planung und Ausbau der Agora von P., in: MDAI(Ist) 43, 1993, 381–397 10 F. KRISCHEN, Das hell. Gymnasion von P., in: JDAI 38/9, 1923/4, 133–150 11 J. RAEDER, P. Funde aus einer griech. Stadt im Berliner Antikenmuseum, 1984 12 K. REGLING, Die Mz. von P., 1927 13 F. RUMSCHEID, Unt. zur kleinasiat. Bauornamentik des Hell., 1994, zu Kat.-Nr. 293–315 14 Ders., Vom Wachsen ant. Säulenwälder, in: JDAI 114, 1999, 19–63 15 Ders., P., 1999 (mit Lit.) 16 S. WESTPHALEN, Die Basilika von P., in: MDAI(Ist) 48, 1998, 279–340 17 A. VON KIENLIN, in: Ber. über die 40. Tagung für Ausgrabungswiss. und Bauforsch., Wien 1998 (Koldewey-Ges.), 2000, 79–85 18 S. T. SCHIPPOREIT, Das alte und das neue P., in: MDAI(Ist) 48, 1998, 193–236.

B. FEHR, Kosmos und Chreia. Der Sieg der reinen über die praktische Vernunft in der griech. Stadtarchitektur des 4. Jh., in: Hephaistos 2, 1980, 155–185 · M. SCHEDE, Die Ruinen von P., 1934; ²1964 · TH. WIEGAND, H. SCHRADER, P., 1904.   FR. RU.

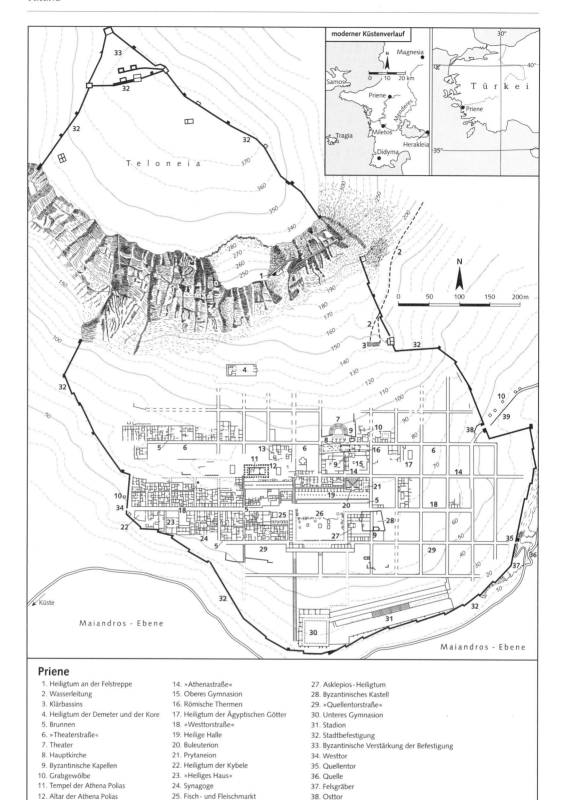

moderner Küstenverlauf

Magnesia

Samos

Priene

Tragia

Miletos

Didyma

Herakleia

Türkei

Priene

Teloneia

Küste

Maiandros - Ebene

Maiandros - Ebene

Priene

1. Heiligtum an der Felstreppe
2. Wasserleitung
3. Klärbassins
4. Heiligtum der Demeter und der Kore
5. Brunnen
6. »Theaterstraße«
7. Theater
8. Hauptkirche
9. Byzantinische Kapellen
10. Grabgewölbe
11. Tempel der Athena Polias
12. Altar der Athena Polias
13. Zeus-Heiligtum?

14. »Athenastraße«
15. Oberes Gymnasion
16. Römische Thermen
17. Heiligtum der Ägyptischen Götter
18. »Westtorstraße«
19. Heilige Halle
20. Buleuterion
21. Prytaneion
22. Heiligtum der Kybele
23. »Heiliges Haus«
24. Synagoge
25. Fisch- und Fleischmarkt
26. Agora

27. Asklepios-Heiligtum
28. Byzantinisches Kastell
29. »Quellentorstraße«
30. Unteres Gymnasion
31. Stadion
32. Stadtbefestigung
33. Byzantinische Verstärkung der Befestigung
34. Westtor
35. Quellentor
36. Quelle
37. Felsgräber
38. Osttor
39. Gepflasterte Rampe